사진해부학
PHOTOGRAPHIC Atlas of Anatomy

PHOTOGRAPHIC
Atlas of Anatomy
사진해부학

아홉째 판

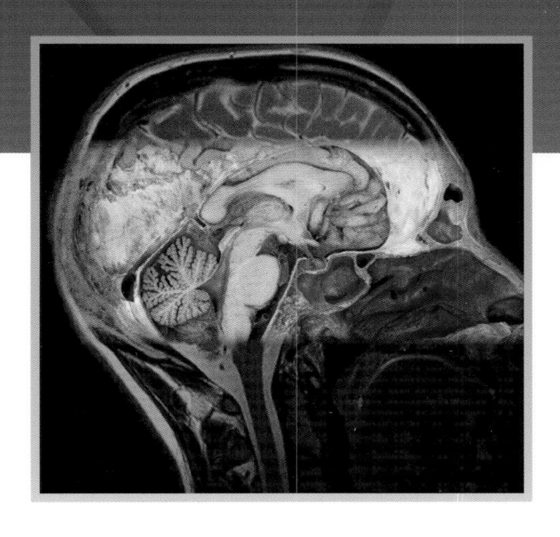

Johannes W. Rohen
Chihiro Yokochi
Elke Lütjen-Drecoll

감수 백상호

대표역자 정구보
조경제

역자 김명주
서제훈
손현준

사진해부학
PHOTOGRAPHIC
Atlas of Anatomy 아홉째 판

아홉째판 1쇄 인쇄 | 2022년 2월 21일
아홉째판 1쇄 발행 | 2022년 3월 25일

지 은 이 Johannes W. Rohen, Chihiro Yokochi, Elke Lütjen-Drecoll
옮 긴 이 정구보, 조경제 외 3인
발 행 인 장주연
출 판 기 획 이성재
책 임 편 집 강미연
표지디자인 김재욱
편집디자인 주은미
발 행 처 군자출판사
등록 제4-139호(1991.6.24)
(10881) **파주출판단지** 경기도 파주시 회동길 338(서패동 474-1)
Tel. (031) 943-1888 Fax. (031) 955-9545
홈페이지 | www.koonja.co.kr

ISBN 979-11-5955-834-4
정가 80,000원

집필진

|감 수|

백 상 호 서울대학교 의과대학 명예교수

|대표역자|

정 구 보 가천대학교 의과대학 해부학교실

조 경 제 경상국립대학교 의과대학 해부학교실

|역 자|

김 명 주 단국대학교 의과대학 해부학교실

서 제 훈 충북대학교 의과대학 해부학교실

손 현 준 충북대학교 의과대학 해부학교실

옮긴이 머리말

의과대학에서 35년간 해부학을 강의하며 사람몸의 정교함과 아름다움에 감탄한 나머지 사람의 몸은 진화의 산물이 아니라 신의 창조에 가깝다고 학생들에게 말한 적이 있습니다. 사람의 몸은 직접 해부한 경험이 있거나 구조와 기능을 알고 있는 사람이라면 지식의 깊이가 깊어질수록 이러한 경외심을 가지기에 충분한 대상이고 이러한 생각이 적어도 나에게는 지난 35년간 변함이 없었기 때문입니다. 사람의 몸으로 지구상에 살아가는 인류(Homo Sapiens)는 그 존재 자체만으로도 축복받은 존재라 할 것입니다. 따라서 사람을 대상으로 학습하고 연구하며 진료하는 사람들의 자부심과 의무감은 남다릅니다.

사람의 몸과 마음을 대상으로 하는 의학과 보건의료 분야에서 해부학(anatomy)은 필수과목이며, 해부학그림책(atlas)은 해부학 학습에 필수적인 준비물입니다. 따라서 전 세계의 많은 해부학자와 의사들은 학습자와 연구자를 돕기 위한 수많은 해부학자료를 출간하고 있습니다. 그중 Rohen의 사진해부학은 사람의 몸을 실물사진으로 직접 제작한 훌륭한 교육자료로서 세상에 나와 있는 많은 해부학그림책 중 단연 최고로 꼽힙니다. 이 책은 1,200여 장의 인체실물표본 사진과 110여장의 X-선촬영, 컴퓨터단층촬영, 자기공명영상 등의 많은 자료를 포함한 걸작이라 할 수 있습니다. 의과대학 학생들에게 널리 알려진 Grant 해부학그림책의 두 배, 그리고 자세하다고 알려진 Sobotta 그림책보다 무려 150장 이상 많은 그림과 생생한 실물사진을 보여줍니다.

대부분의 해부학그림책들은 예술가들의 손을 빌려 구조물을 묘사하여 해부학을 처음 접하는 의학초년생들의 이해를 돕는 목적으로 만들어졌습니다. 그러나 Rohen의 사진해부학은 다른 실습책과는 달리 실물의 모습을 가감없이 표현하여 이미 의학지식을 접하고 기본적인 인체구조를 알고 있는 의학과 학생, 환자를 진료하는 의사 그리고 질병의 진단과 치료를 담당하는 분들이 평생 간직하며 참고하는 데 손색이 없습니다.

더구나 이 책은 실물사진이면서도 표본의 제작기술이 정교하고, 사진 하나하나가 깨끗하고 자세하며 아름답기까지 합니다. 처음 해부학을 공부하는 학생들에게 좋은 해부학그림책이 없다면 실제로 해부를 진행할 때 중요한 구조물을 놓칠 수 있습니다. Rohen의 사진해부학은 의학을 공부하는 모든 사람들에게 길잡이가 될 것이며 직접 해부를 해볼 기회가 없는 사람들에게는 간접적인 실습 경험을 제공하는데 부족함이 없을 것입니다.

특히 최근에는 의학교육의 세계적인 트랜드로 통합교육시스템이 도입되면서 인체해부학 실습시간이 대폭 축소되는 추세입니다. Rohen의 사진해부학은 해부학 실습시간이 부족한 학생들이 실습실 밖에서도 인체실습표본을 관찰할 수 있는 대안이 될 것입니다. 또한 이 책은 대한해부학회의 e-Anatomy 교육시스템으로 온라인 인체해부실습을 공부한 후에는 실습내용을 보완하고 교수가 학생들의 지식을 평가하는 데도 유용해 많은 교수와 학생들의 기대도 충족시켜줄 것입니다.

아홉째 판을 번역하면서 책의 용어는 사진해부학 아홉째 판 원서(Anatomy-A photographic atlas)에 표기된 영어를 기준으로 2020년 발간된 대한의사협회 의학용어집(여섯째 판)과 대한해부학회의 해부학용어(여섯째 판)의 한글용어를 병기하였습니다.

모쪼록 이 책이 사람의 몸을 공부하는 많은 사람들에게 도움이 되기를 바랍니다. 국내 여러 의과대학 해부학교수들이 노력과 애정으로 번역하였지만 자료가 방대하여 혹여 미비한 점이 있지 않을까 하는 염려도 있습니다. 끝으로 이처럼 훌륭한 책의 번역을 결정해주신 군자출판사 장주연 대표님과 보이지 않는 곳에서 밤낮을 가리지 않고 수고해주신 편집부 여러 분들의 노고에 진심으로 감사를 드립니다.

2022년 1월 17일

옮긴이들을 대표하여

가천대학교 의과대학 교수 **정구보**

아홉째 판 머리말

사람몸의 구조에 대한 깊은 지식은 의사들뿐만 아니라 질병의 진단과 치료에 관련된 모든 사람들에게 매우 중요하다. 궁극적으로 이러한 지식은 사람몸의 직접적인 해부를 통해서만 얻을 수 있다. 지금까지 사용되고 있는 해부학 그림책은 대개 도식적 또는 반도식적인 그림이 사용되고 있었다. 이런 그림책들은 당연히 실제적인 모습을 제한적으로만 보여줄 수 있으며, 더구나 삼차원적 구조물(공간적)에 대해서는 현실감이 부족하다. 이 책이 추구하고 있는 해부학 표본의 실물사진을 이용한 표현에는 두 가지의 중요한 장점이 있다. 우선, 대상의 실제적인 모습과 함께 그 비율과 공간적 차원을 단순한 도표나 그래픽으로 표현한 모습보다 훨씬 더 정확하고 현실적으로 재현할 수 있다는 것이다. 둘째로, 사진을 이용한 표현은 학생들이 실제로 해부학실습실에서 보는 표본의 모습과 거의 유사하다는 것이다. 이러한 이유로 학생들은 실습 현장에서 이 책이 제공하는 사진에 따라 실습표본에 직접 접근하여 해부의 방향을 설정할 수 있다. 또한 지난 번역본에 비해 9판에서는 실습에 더 자주 등장하는 구조물을 우선 배치하는 새로운 순서를 도입함으로써 대부분의 해부학 교과서 구성과 일치시켰다.

최근의 의학 진단에는 영상기술의 도움이 많이 필요하다. 그러나 의사에게 해당 영상의 평가와 영상 자료를 이용한 추가적인 치료 단계 결정에 해부학 표본에서 얻을 수 있는 경험은 여전히 필요하다. 이 책이 보여주는 높은 수준의 자료들을 완성하기까지 많은 시간과 많은 사람들의 광범위한 해부학 지식이 동원되었으며, 특히 해부학과 외과 분야에 종사하는 수많은 동료들의 헌신적인 도움이 있었다.

August 2020

Johannes W. Rohen

Chihiro Yokochi

Elke Lütjen-Drecoll

해부학총론과 근육뼈대계통
General Anatomy and Musculoskeletal System

1 해부학총론 General Anatomy

2 몸통 Trunk

3 팔 Upper limb

4 다리 Lower Limb

내장기관 Internal Organs

5 가슴기관 Thoracic Organs

6 배안기관 Abdominal Organs

7 복막뒤기관 Retroperitoneal Organs

머리, 목, 그리고 뇌 Head, Neck, and Brain

8 머리와 목 Head and Neck

9 뇌와 감각기관 Brain and Sensory Organs

부록 Appendix

추가자료 Additional Resources

1 해부학총론 General Anatomy

General Anatomy and Musculoskeletal System

해부학총론과 근육뼈대계통

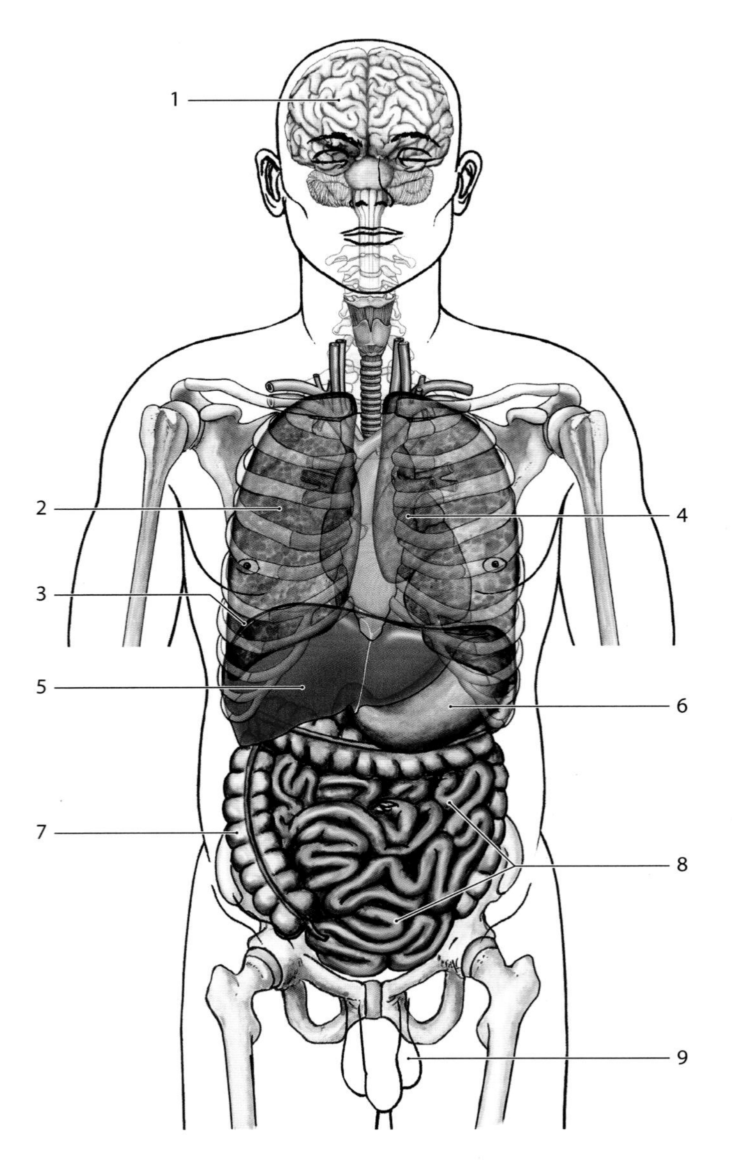

그림 1.1 내장기관의 위치(앞모습). 사람몸의 주요공간과 내용물.

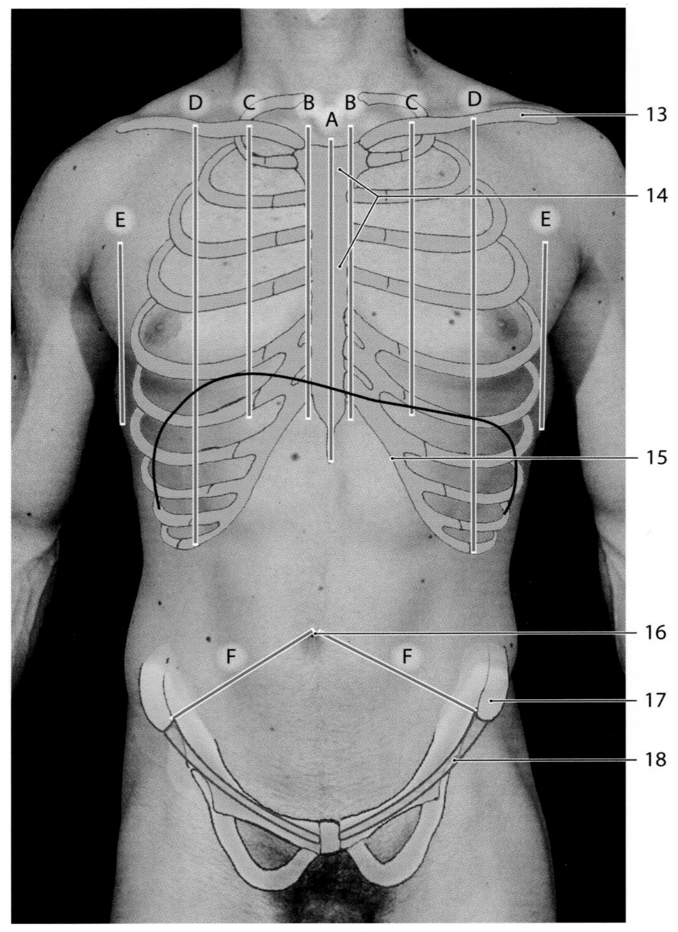

그림 1.2 **사람몸 앞면의 부위구분선.**

부위구분선 Regional lines:	A = 앞정중선 Anterior median line
	B = 복장선 Sternal line
	C = 복장옆선 Parasternal line
	D = 빗장중간선 Midclavicular line
	E = 앞겨드랑선 Anterior axillary line
	F = 배꼽골반선 Umbilical-pelvic line

1 뇌 Brain
2 허파 Lung
3 가로막 Diaphragm
4 심장 Heart
5 간 Liver
6 위 Stomach
7 잘록창자 Colon
8 소장 Small intestine
9 고환 Testis
10 콩팥 Kidney
11 요관 Ureter
12 항문관 Anal canal
13 빗장뼈 Clavicle
14 복장뼈 sternum
15 갈비활 Costal arch
16 배꼽 Umbilicus
17 앞위엉덩뼈가시 Anterior superior iliac spine
18 고샅인대 Inguinal ligament
19 어깨뼈 Scapula
20 가시돌기 Spinous processes
21 엉덩뼈능선 Iliac crest
22 꼬리뼈와 엉치뼈 Coccyx and sacrum

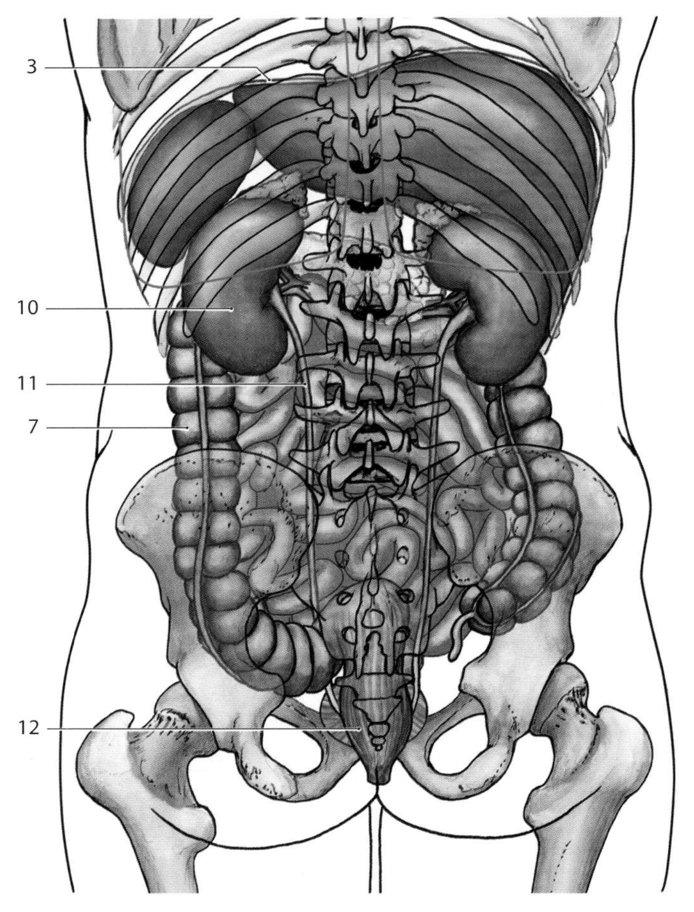

그림 1.3 **내장기관의 위치**(뒤모습).

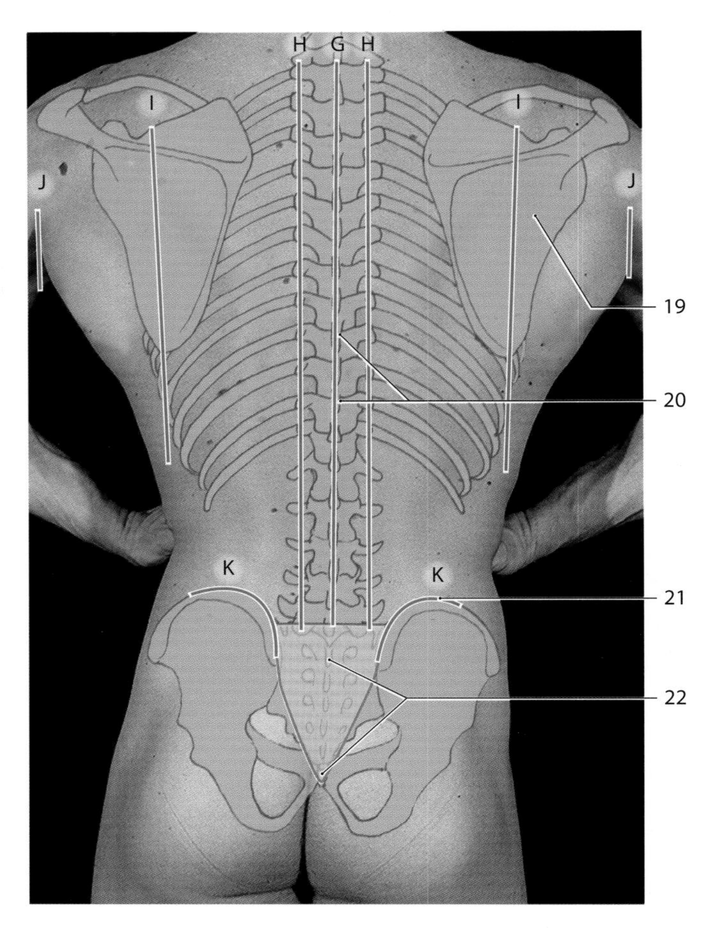

그림 1.4 **사람몸 뒤면의 부위구분선.**

부위구분선 Regional lines:	G = 뒤정중선 Posterior median line
	H = 척주옆선 Paravertebral line
	I = 어깨뼈선 Scapular line
	J = 뒤겨드랑선 Posterior axillary line
	K = 엉덩뼈능선 Iliac crest

뼈대계통에 속하는 뼈들은 여러 지점에서 피부를 통해 만질 수 있다. 이를 통해 의사들은 내부기관의 위치를 확인할 수 있는 것이다. **앞쪽(배쪽)**에서는 빗장뼈(clavicle), 복장뼈(sternum), 갈비뼈(ribs)와 갈비사이공간(intercostal space) 그리고 골반부위에서는 앞엉덩뼈가시(anterior iliac spine)와 두덩결합(symphysis)이 만져진다. 더 정확한 위치를 설명하기 위하여 **여러가지 위치선**이 그림 1.2(몸의 앞면)와 그림 1.4(몸의 뒤면)에 표시되어 있다. 이러한 위치선을 이용하여 심장과 충수돌기의 위치를 표시할 수 있다.

몸의 뒤면에서는 척추뼈의 가시돌기, 갈비뼈, 빗장뼈, 엉치뼈, 그리고 엉덩뼈능선을 볼 수 있다. 예를 들면, 콩팥의 위치를 나타내는 선은 척주옆선과 아래갈비뼈이다.

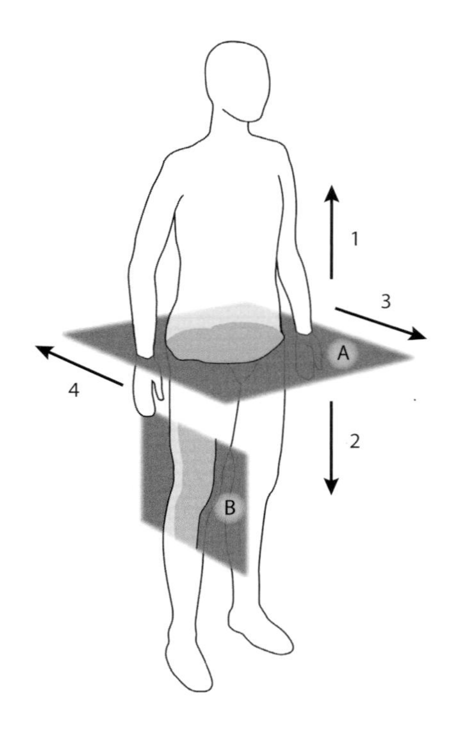

그림 1.5 **해부학적 면.**
A = 수평면, 축면 또는 가로면 Horizontal or axial or transverse plane
B = 시상면(무릎관절 부위) Sagittal plane (at the level of the knee joint)

방향 Directions:

1 = 머리쪽 Cranial
2 = 꼬리쪽 Caudal
3 = 앞쪽(배쪽) Anterior (ventral)
4 = 뒤쪽(등쪽) Posterior (dorsal)

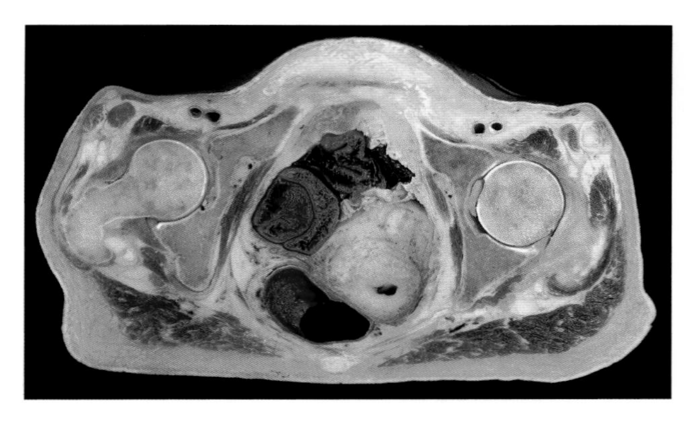

그림 1.6 **골반안과 엉덩관절의 수평단면.**

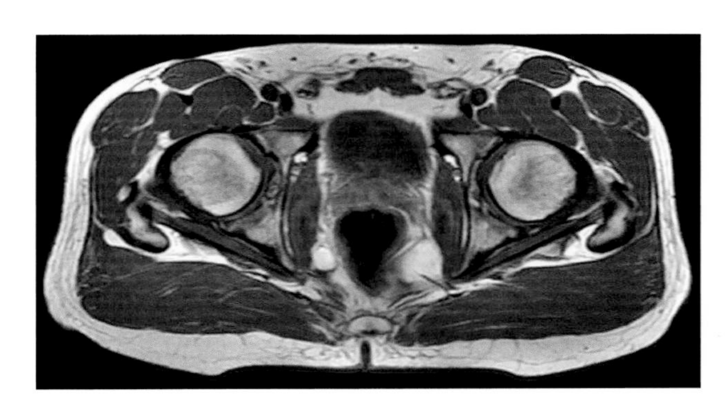

그림 1.7 **골반안과 엉덩관절의 자기공명영상**(수평면 또는 가로면). (Heuck A et al, MRT-Atlas des muskuloskelettalen Systems. Stuttgart, Germany: Schattauer, 2009)

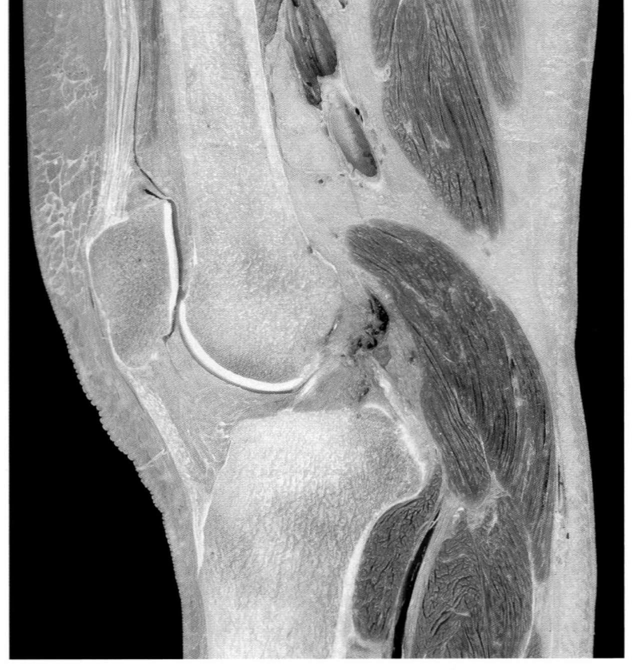

그림 1.8 **무릎관절의 시상단면.**

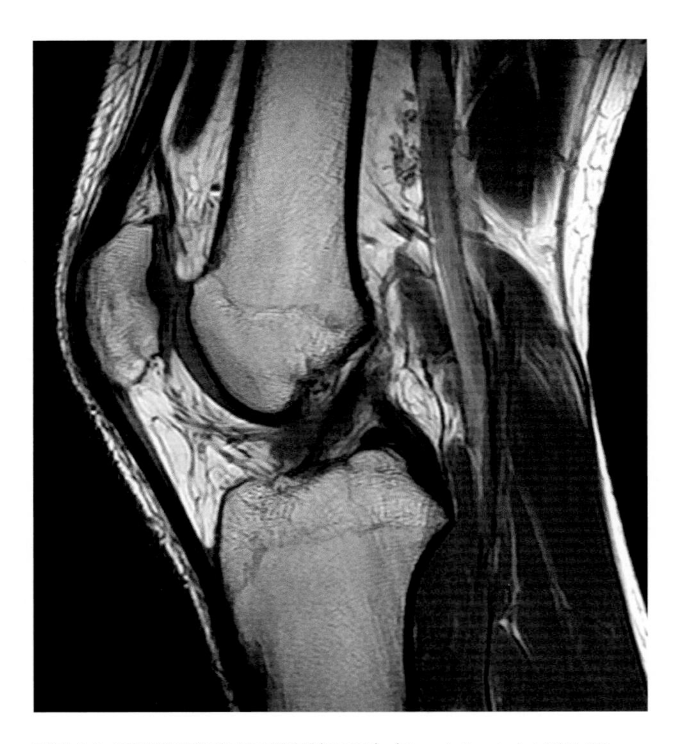

그림 1.9 **무릎관절의 자기공명영상**(시상면). (Heuck A, et al. MRT-Atlas des muskuloskelettalen Systems. Stuttgart, Germany: Schattauer, 2009.)

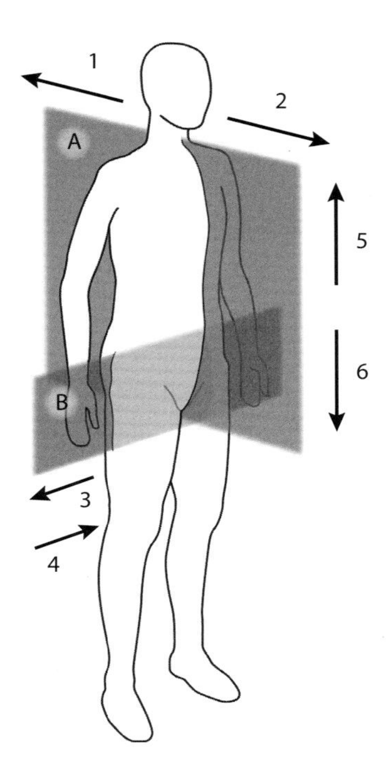

그림 1.10 **해부학적 면.**
A = 정중시상면 또는 정중면 Midsagittal or median plane
B = 이마면 또는 관상면(골반부위) Frontal or coronal plane (through the pelvic cavity)

방향 Directions:

1 = 뒤쪽(등쪽) Posterior (dorsal)
2 = 앞쪽(배쪽) Anterior (ventral)
3 = 가쪽 Lateral
4 = 안쪽 Medial
5 = 머리쪽 Cranial
6 = 꼬리쪽 Caudal

영상의학 용어 Radiological terminology:

수평단면 = 축면 또는 가로면 Horizontal section = axial or transverse plane
이마면 = 관상면 Frontal plane = coronal plane
시상단면 = 시상면 Sagittal section = sagittal plane

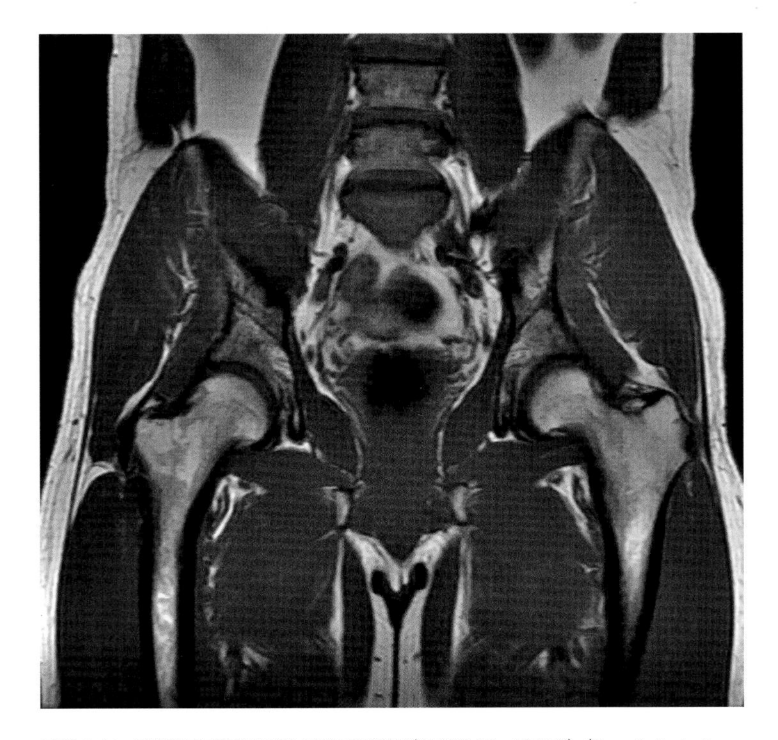

그림 1.11 **골반안과 엉덩관절의 자기공명영상**(이마면 또는 관상면). (Heuck A et al., MRT-Atlas des muskuloskelettalen Systems. Stuttgart, Germany: Schattauer, 2009)

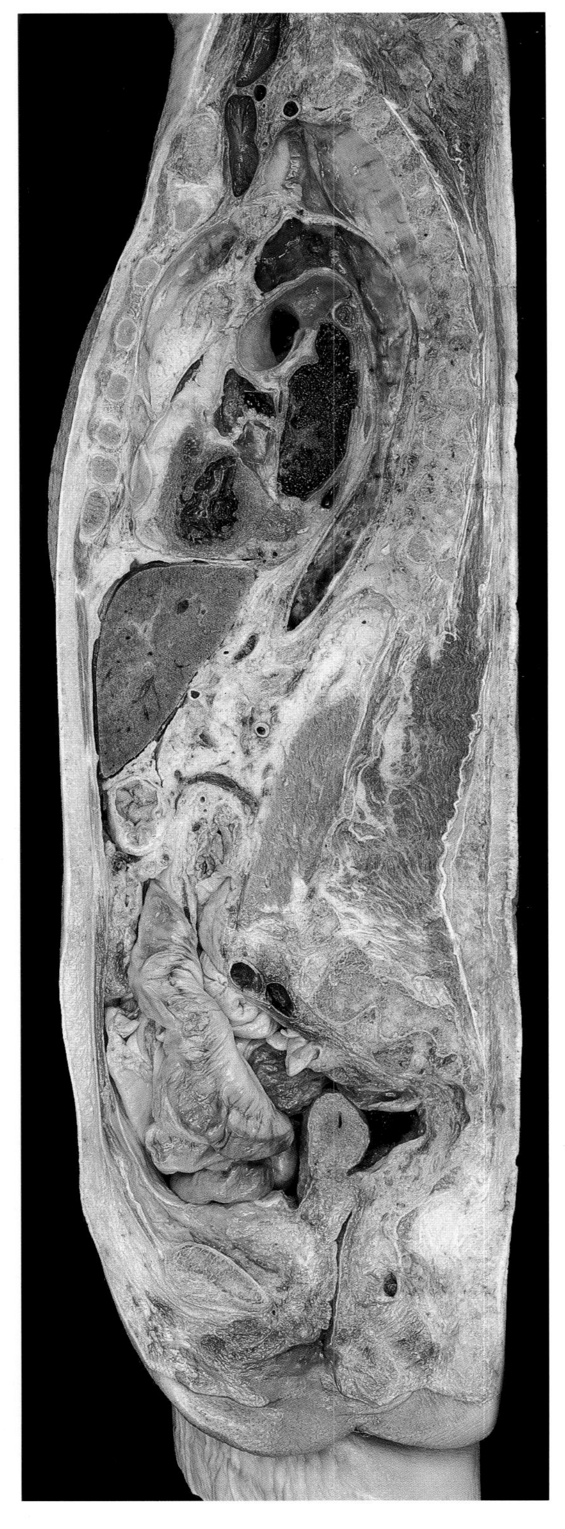

그림 1.12 **여자 몸통의 정중단면.**

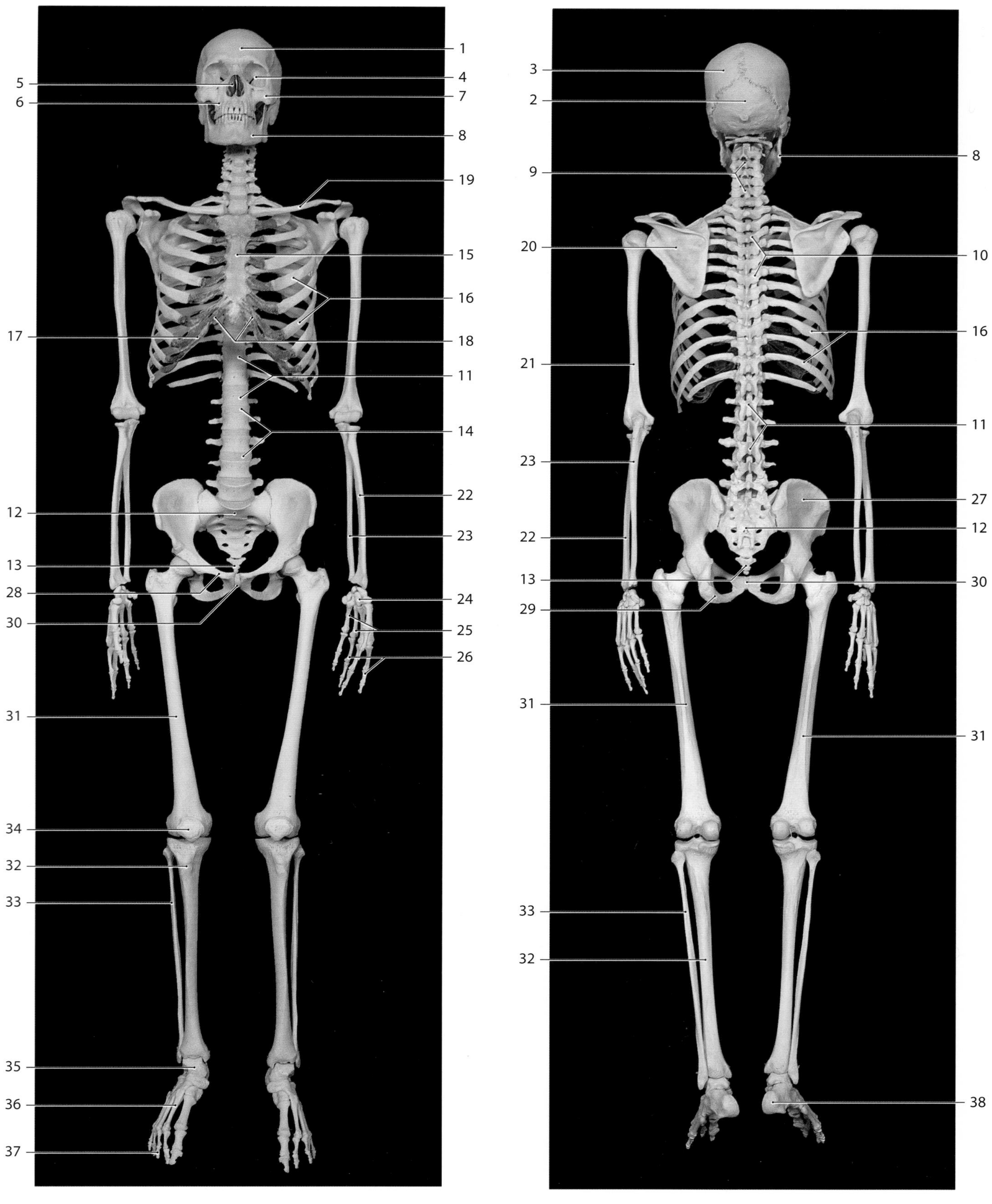

그림 1.13 **성인 여자의 뼈대**(앞모습).

그림 1.14 **성인 여자의 뼈대**(뒤모습).

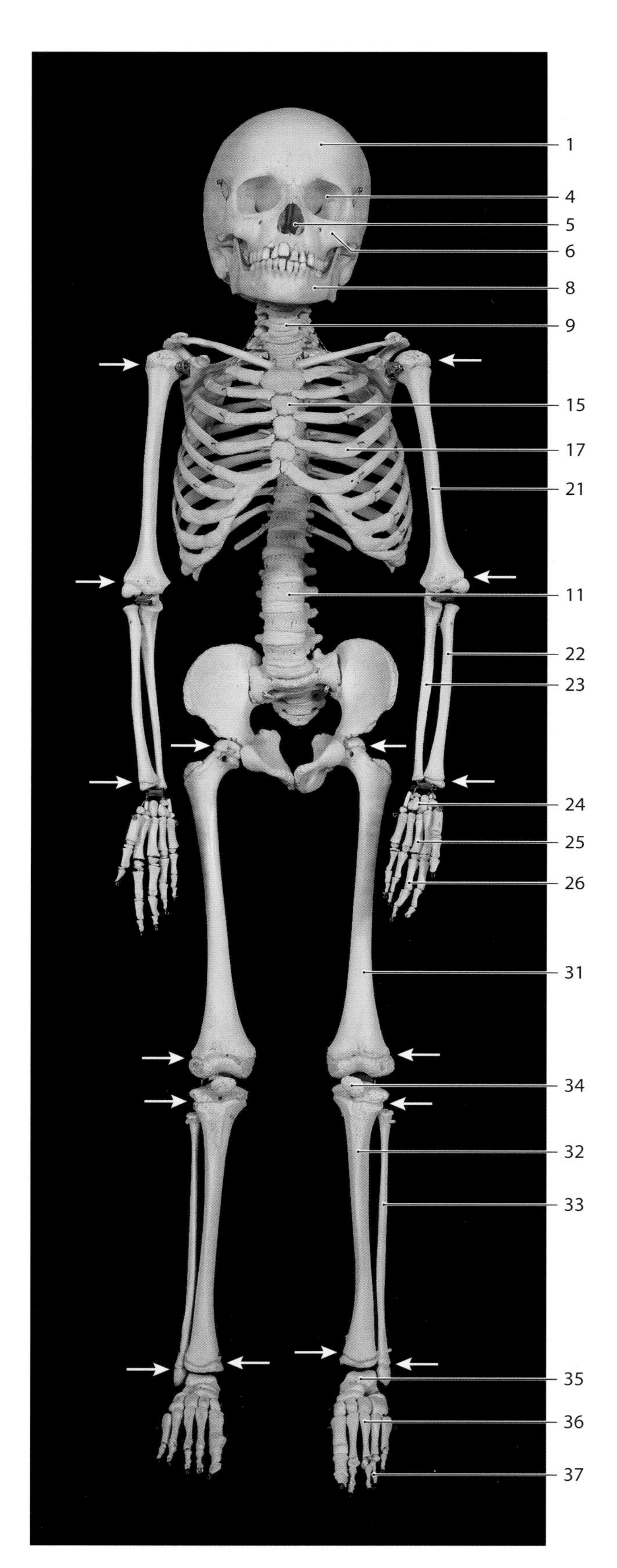

그림 1.15 **5세 어린아이의 뼈대**(앞모습). 연골성장판 부위가 보인다(화살표). 성인에 비해 갈비뼈가 대부분 수평으로 위치하고 있다.

몸통뼈대 AXIAL SKELETON

머리 Head

1 이마뼈 Frontal bone
2 뒤통수뼈 Occipital bone
3 마루뼈 Parietal bone
4 눈확 Orbit
5 코안 nasal cavity
6 위턱뼈 Maxilla
7 광대뼈 Zygomatic bone
8 아래턱뼈 Mandible

몸통과 가슴 TRUNK AND THORAX

척주 Vertebral column

9 목뼈 Cervical vertebrae
10 등뼈 Thoracic vertebrae
11 허리뼈 Lumbar vertebrae
12 엉치뼈 Sacrum
13 꼬리뼈 Coccyx
14 척추사이원반 Intervertebral discs

가슴 Thorax

15 복장뼈 Sternum
16 갈비뼈 Ribs
17 갈비연골 Costal cartilage
18 명치각 Infrasternal angle

팔다리뼈대 APPENDICULAR SKELETON

팔과 팔이음뼈 Upper limb and shoulder girdle

19 빗장뼈 Clavicle
20 어깨뼈 Scapula
21 위팔뼈 humerus
22 노뼈 Radius
23 자뼈 Ulna
24 손목뼈 Carpal bones
25 손허리뼈 Metacarpal bones
26 손가락뼈 Phalanges of the hand

다리와 골반 Lower limb and pelvis

27 엉덩뼈 Ileum
28 두덩뼈 Pubis
29 궁둥뼈 Ischium
30 두덩결합 Pubic symphysis
31 넓적다리뼈 Femur
32 정강뼈 Tibia
33 종아리뼈 Fibula
34 무릎뼈 Patella
35 발목뼈 Tarsal bones
36 발허리뼈 Metatarsal bones
37 발가락뼈 Phalanges of the foot
38 발꿈치뼈 Calcaneus

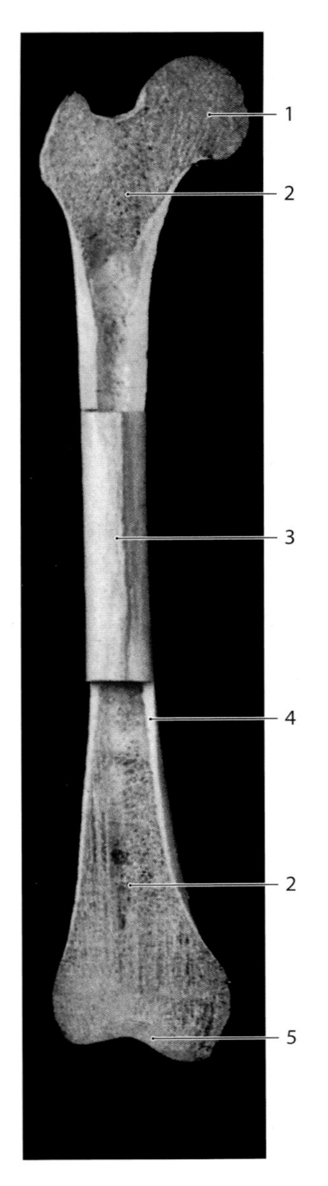

그림 1.16 **성인의 넓적다리뼈.** 몸쪽과 먼쪽 뼈끝의 관상단면에서 해면뼈와 골수공간이 보인다.

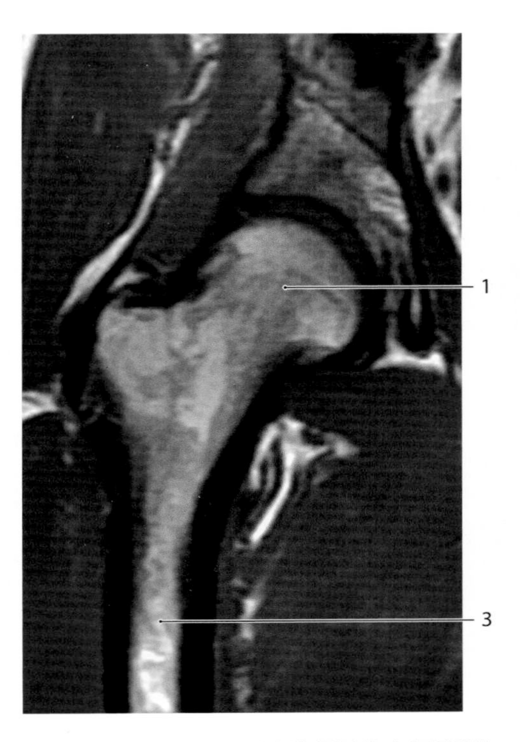

그림 1.17 **오른쪽 넓적다리뼈와 엉덩관절의 자기공명영상** (관상단면).

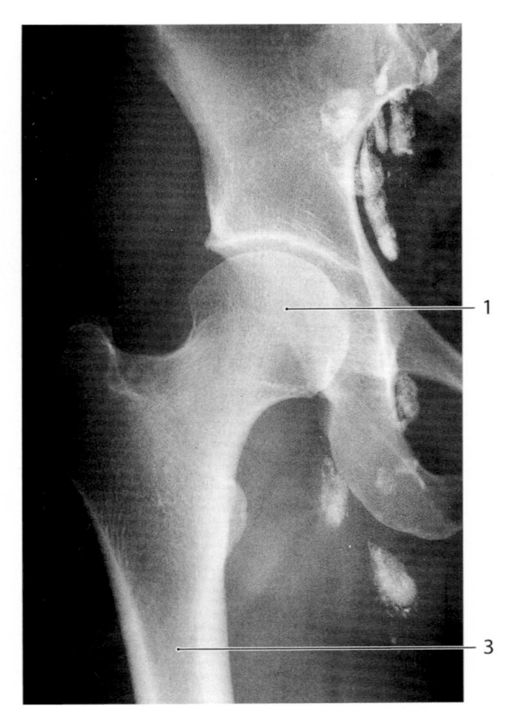

그림 1.18 **오른쪽 넓적다리뼈와 엉덩관절의 X-선 영상** (앞-뒤 방향). (Courtesy of Prof. Uder, institute of Radiology, University Hospital Erlangen, Germany.)

1 넓적다리뼈머리 Head of the femur
2 해면뼈 Spongy bone
3 넓적다리뼈몸통 Diaphysis of the femur
4 치밀뼈 Compact bone
5 관절연골 Articular cartilage

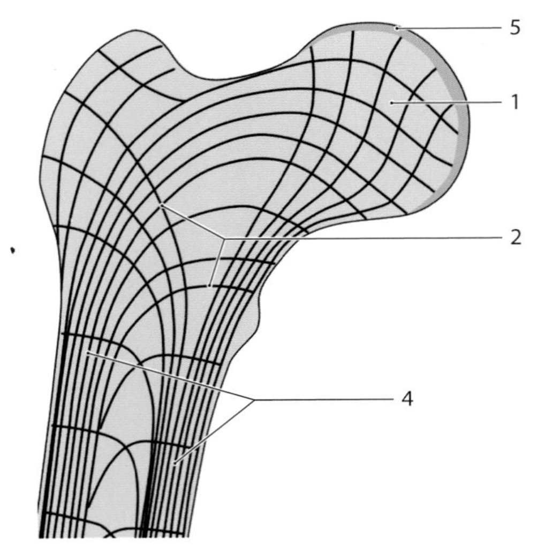

그림 1.19 **넓적다리뼈머리의 삼차원 투사선.**

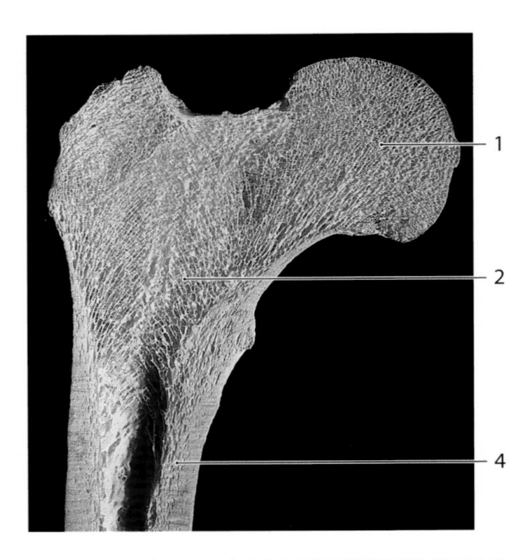

그림 1.20 **성인 넓적다리뼈의 몸쪽끝 관상단면**이 해면뼈의 특징적 구조를 보여주고 있다.

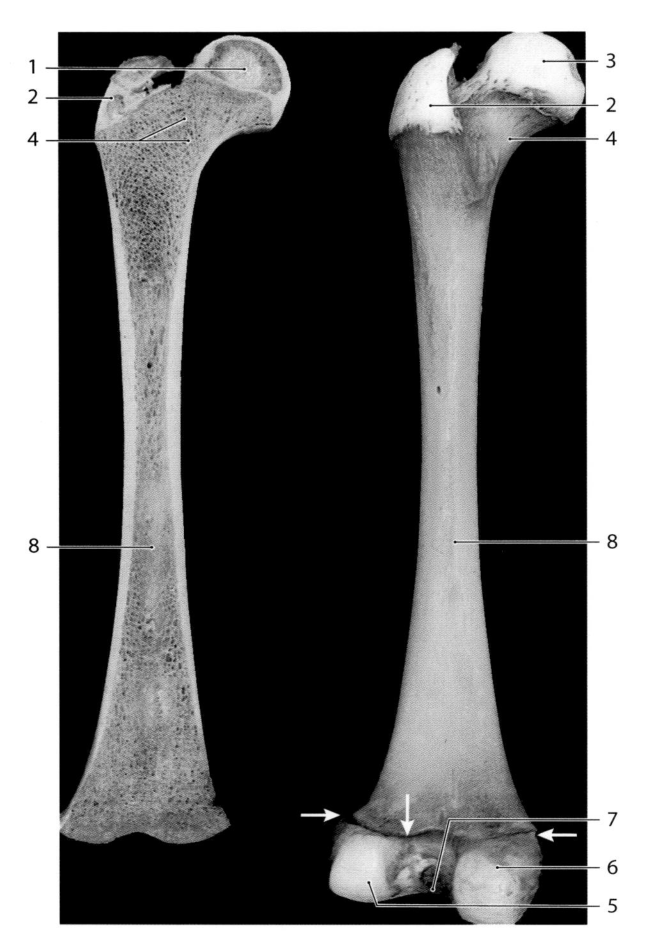

그림 1.21 **넓적다리뼈의 뼈형성**(관상단면[왼쪽]; 넓적다리뼈의 뒤모습[오른쪽]). 팔다리뼈의 뼈형성은 일차연골뼈의 뼈형성중심에서 시작된다. 여기서 골수강이 발생한다. 팔다리뼈의 뼈형성은 출생시에도 끝나지 않는다. (그림 1.22와 1.23을 보시오). 화살표 = 먼쪽 뼈끝.

1 넓적다리뼈머리 뼈형성중심
Ossification center in the head of the femur
2 큰돌기 Greater trochanter
3 넓적다리뼈머리 Head of the femur
4 넓적다리뼈목 Neck of the femur
5 가쪽관절융기 Lateral condyle
6 안쪽관절융기 Medial condyle
7 융기사이파임 Intercondylar notch
8 뼈몸통 Diaphysis

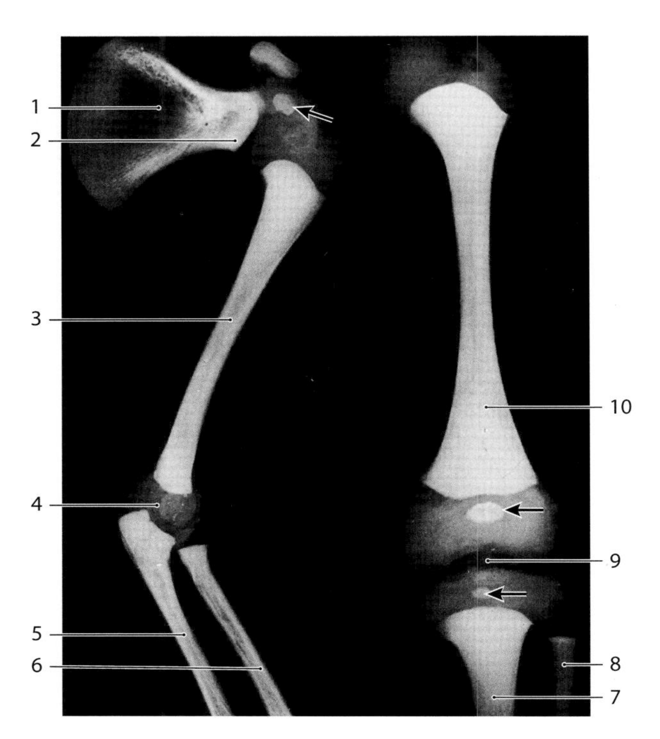

그림 1.22 **신생아 팔과 다리의 X-선 영상**(팔[왼쪽], 다리[오른쪽]). 화살표 = 뼈형성중심

1 어깨뼈 Scapula
2 어깨관절 Shoulder joint
3 위팔뼈 Humerus
4 팔꿉관절 Elbow joint
5 자뼈 Ulna
6 노뼈 Radius
7 정강뼈 Tibia
8 종아리뼈 Fibula
9 무릎관절 Knee joint
10 넓적다리뼈 Femur

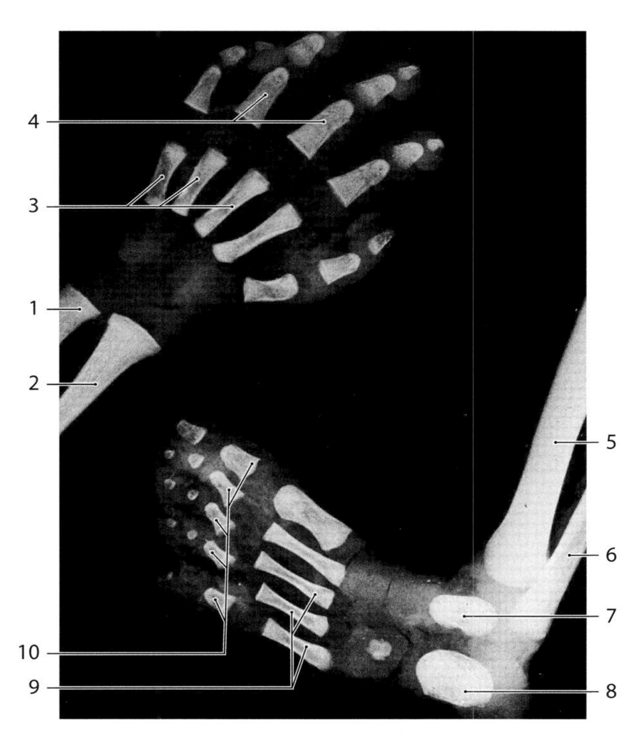

그림 1.23 **신생아 손과 발의 X-선 영상.** 관절의 뼈형성은 아직 이루어지지 않았다. 손목과 발목뼈에는 아직 연골이 남아있다.

1 자뼈 Ulna
2 노뼈 Radius
3 손허리뼈 Metacarpal bones
4 손가락뼈 Phalanges of the hand
5 정강뼈 Tibia
6 종아리뼈 Fibula
7 목말뼈 Talus
8 발꿈치뼈 Calcaneus
9 발허리뼈 Metatarsal bones
10 발가락뼈 Phalanges of the foot

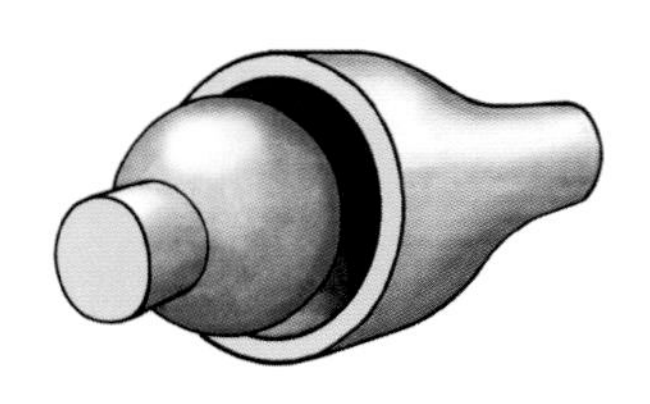

그림 1.24 **절구관절**(예, 어깨관절).
이 관절은 운동축이 세 개이다.

A 절구관절 Ball-and-socket joint
B 경첩관절 Hinge joint
C 중쇠관절 Pivot joint
D 융기관절 Condyloid joint
E 안장관절 Saddle joint

1 위팔뼈 Humerus
2 노뼈 Radius
3 자뼈 Ulna
4 손허리손가락관절 Metacarpophalangeal joint
5 손가락마디관절 Joints of fingers

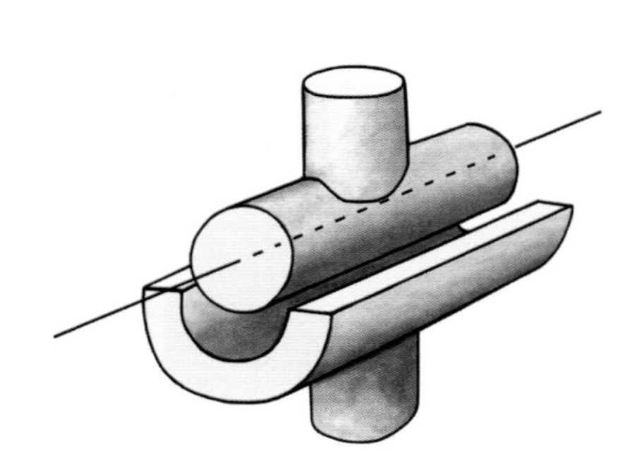

그림 1.25 **경첩관절.** 단일 운동축.
(예, 위팔뼈-자뼈관절).

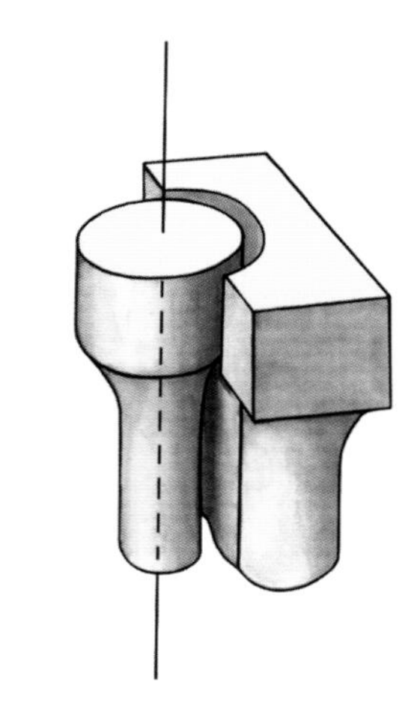

그림 1.26 **중쇠관절,** 단일 운동축.
(예, 노뼈-자뼈관절).

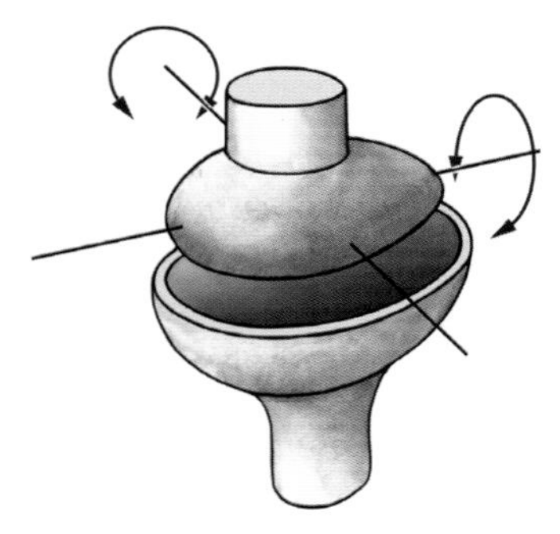
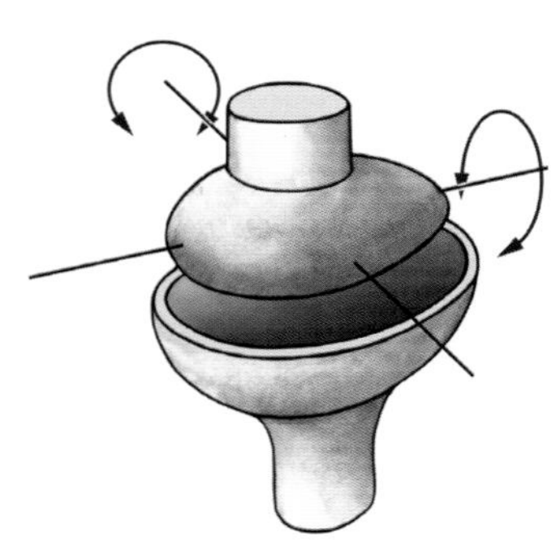

그림 1.27 **융기관절,** 두 개의 운동축.
(예, 손목관절).

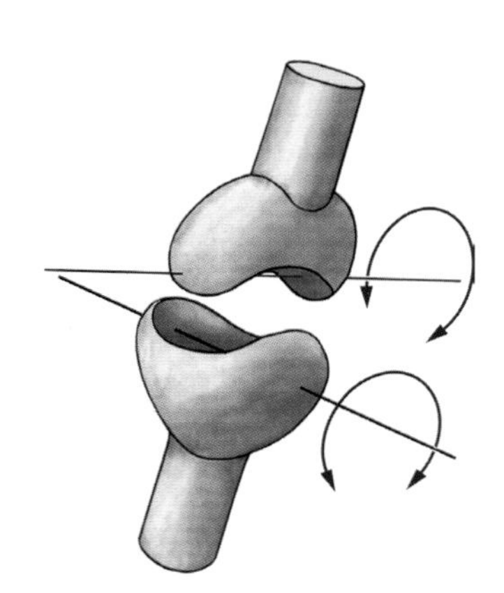

그림 1.28 **안장관절,** 두 개의 운동축.
(예, 손목손허리관절).

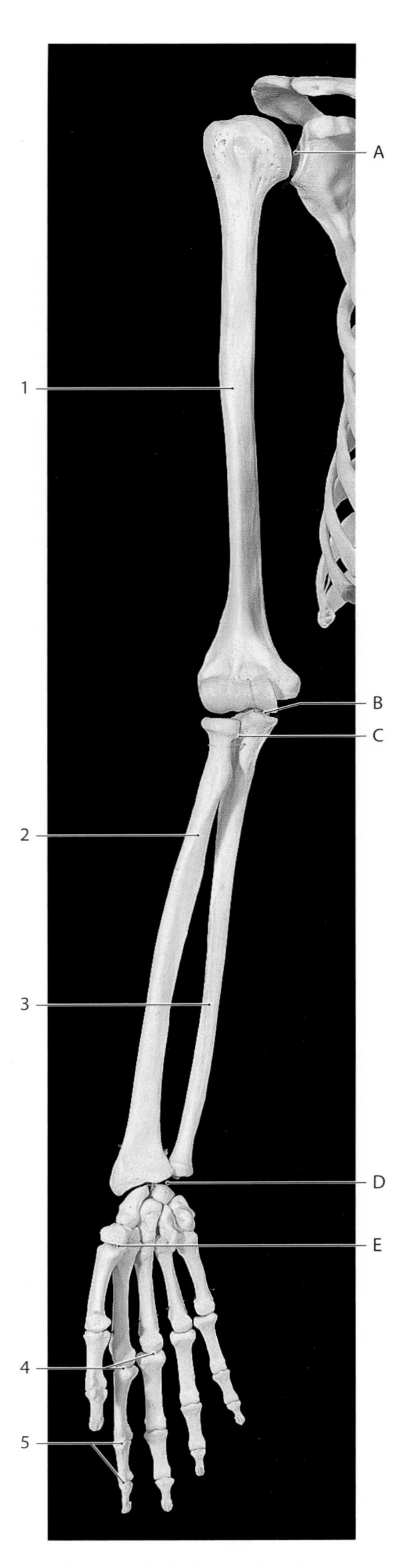

그림 1.29 **위팔과 팔이음부위의 뼈대**
(앞모습).

관절은 다양한 기능을 나타낸다. 일반적으로 몸쪽에서 먼쪽으로 갈수록 운동성은 줄어든다.

예를 들면, 엉덩관절은 다축관절인데 무릎관절은 두축관절이고 발가락과 손가락관절은 단일축관절이다. 관절을 이루고 있는 뼈의 갯수는 몸쪽에서 먼쪽으로 갈수록 숫자가 증가한다. 어깨관절에는 두 개의 뼈만이 관절을 이루고 있으나 팔꿉관절에는 세 개가 그리고 손목관절에는 네 개, 그리고 손가락관절에는 다섯 개의 뼈가 있다. 따라서 한 개 관절의 운동범위는 제한되나 자세의 다양성은 증가하게 된다.

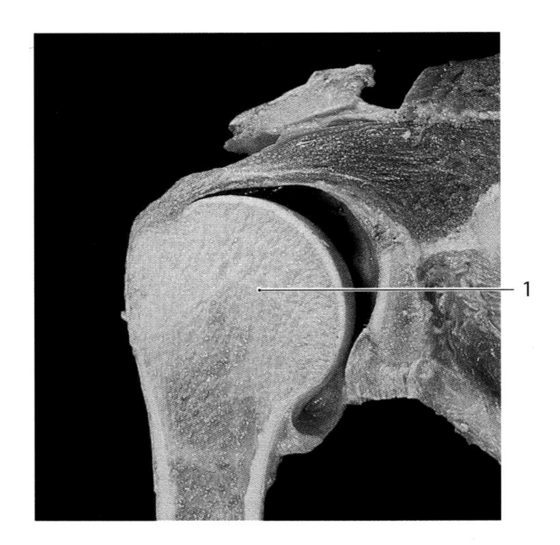

그림 1.30 다축 절구관절의 예로서 **어깨관절**(관상단면).

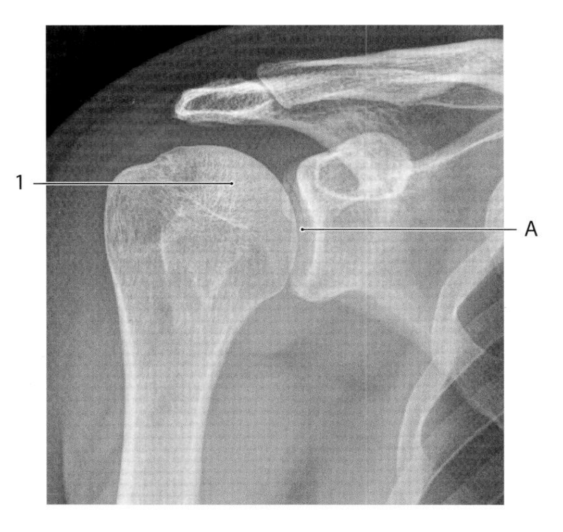

그림 1.31 **어깨관절의 X-선 영상.** (Courtesy of Prof. Uder, Institute of Radiology, University Hospital Erlangen, Germany.)

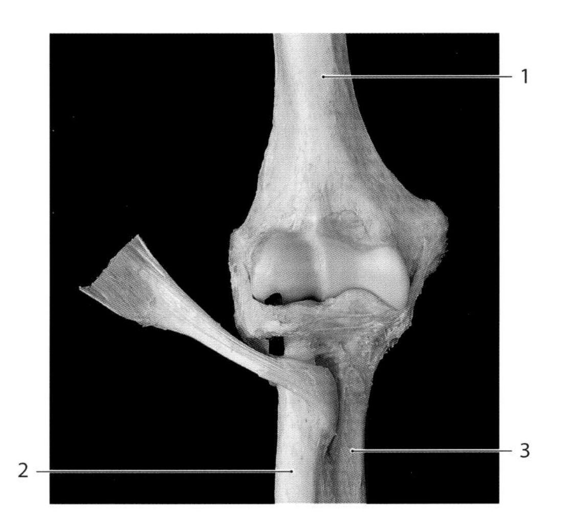

그림 1.32 경첩관절의 예로서 **인대가 있는 팔꿉관절** (단일축의 위팔뼈-자뼈관절).

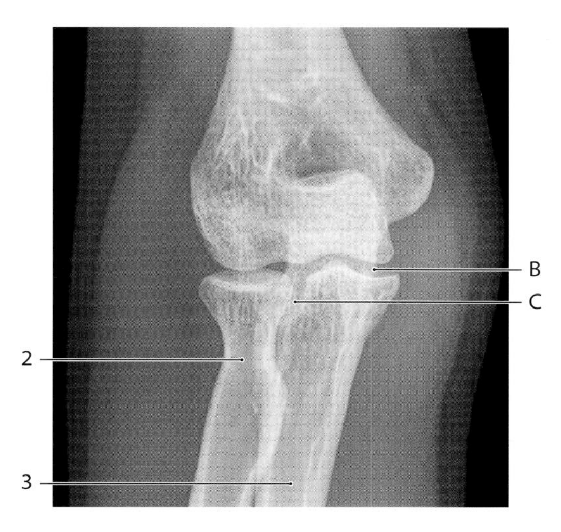

그림 1.33 **팔꿉관절의 X-선 영상.** (Courtesy of Prof. Uder, Inmstitute of Radiology, University Hospital Erlangen, Germany.)

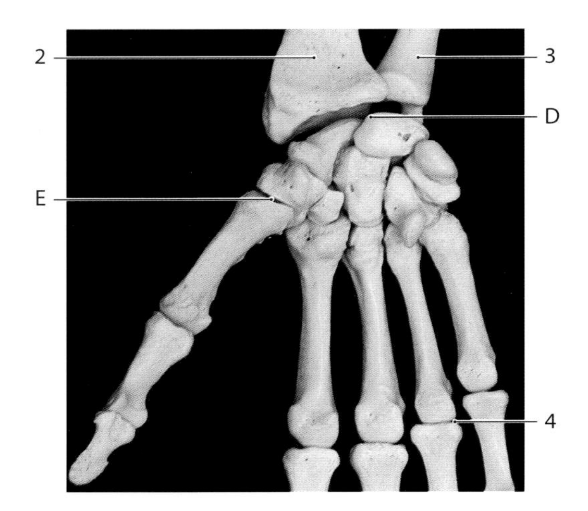

그림 1.34 융기관절의 예로서 **손목관절**; 안장관절의 예로서 엄지손가락의 손목손허리관절.

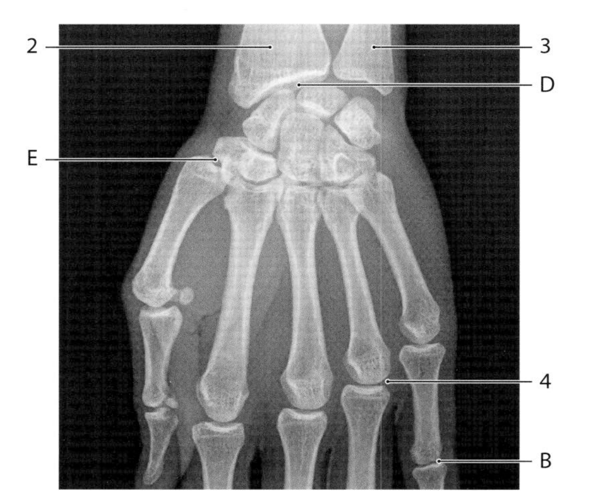

그림 1.35 **손목관절의 X-선 영상.** (Courtesy of Prof. Uder, Institute of Radiology, University Hospital Erlangen, Germany.)

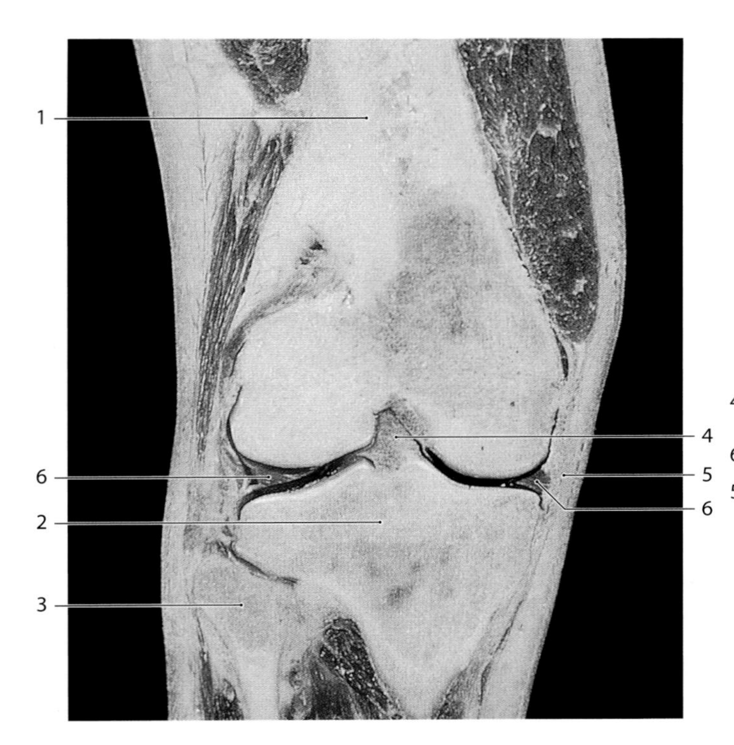

그림 1.36 **무릎관절의 관상단면**(펌상태의 오른쪽 관절 앞모습).

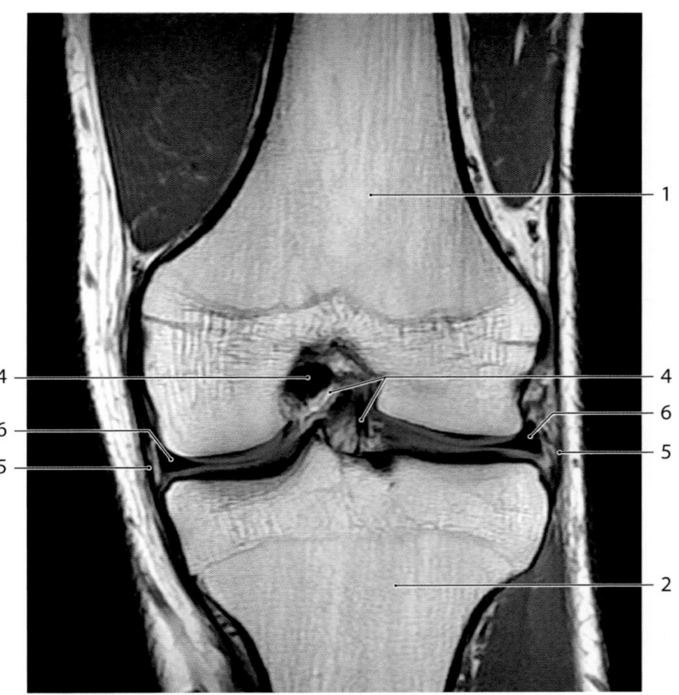

그림 1.37 **무릎관절의 관상단면**(자기공명영상). (Heuck A, et al. MRT-Atlas des muskuloskelettalen Systems. Stuttgart, Germany: Schattauer, 2009.)

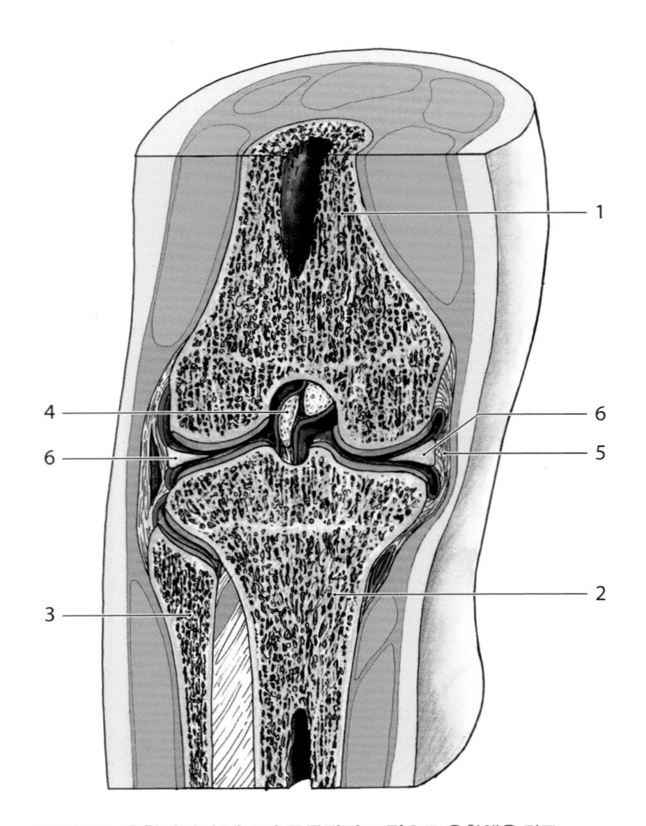

그림 1.38 **윤활관절의 예로서 무릎관절 그림**으로 윤활액을 담고 있는 윤활주머니(빨간색)로 둘러싸인 관절안이 특징적이다.
파란색 = 관절연골

1 넓적다리뼈 Femur
2 정강뼈 Tibia
3 종아리뼈 Fibula
4 십자인대 Cruciate ligaments
5 곁인대 Collateral ligaments
6 관절반달 Menisci

관절은 뼈들 사이의 운동을 가능하게 해주는 연결부위이다. 윤활관절은 윤활액이 들어있는 관절주머니로 둘러싸인 관절안이 특징적이다. 관절의 운동은 관절하는 뼈의 모양이나 구조뿐 아니라 관절주머니에 연결된 인대에 의해서도 결정된다. 또한 윤활관절의 관절면이 서로 일치하지 않는 경우에는 그 사이에 섬유연골 관절원반이 발달한다.

사람의 몸에는 **여러가지 모양의 근육**이 있다. 근육의 구조는 근육의 기능과 관련이 있어서 운동의 종류나 특수한 인대를 가지는 관절의 형태 등에 따라 운동이 다양해진다.

방추모양 Fusiform (긴손바닥근 palmaris longus)

두갈래모양 Bicipital (위팔두갈래근 biceps brachii)

세갈래모양 Tricipital (장딴지세갈래근 triceps surae, 장딴지근과 가자미근 gastrocnemius and soleus)

네갈래모양 Quadricipital (넓적다리네갈래근 quadriceps femoris)

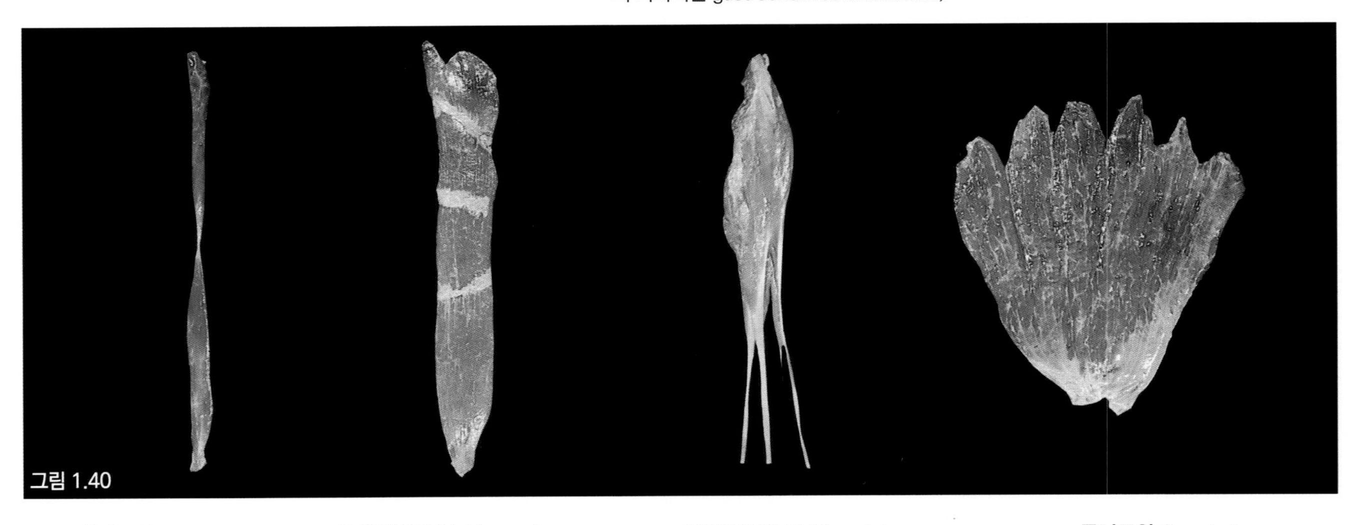

두힘살모양 Digastric (어깨목뿔근 omohyoideus)

뭇힘살모양 Multiventral (배곧은근 rectus abdominis)

뭇꼬리모양 Multicaudal (깊은손가락굽힘근 flexor digitorum prof.)

톱니모양 Serrated (앞톱니근 serratus anterior)

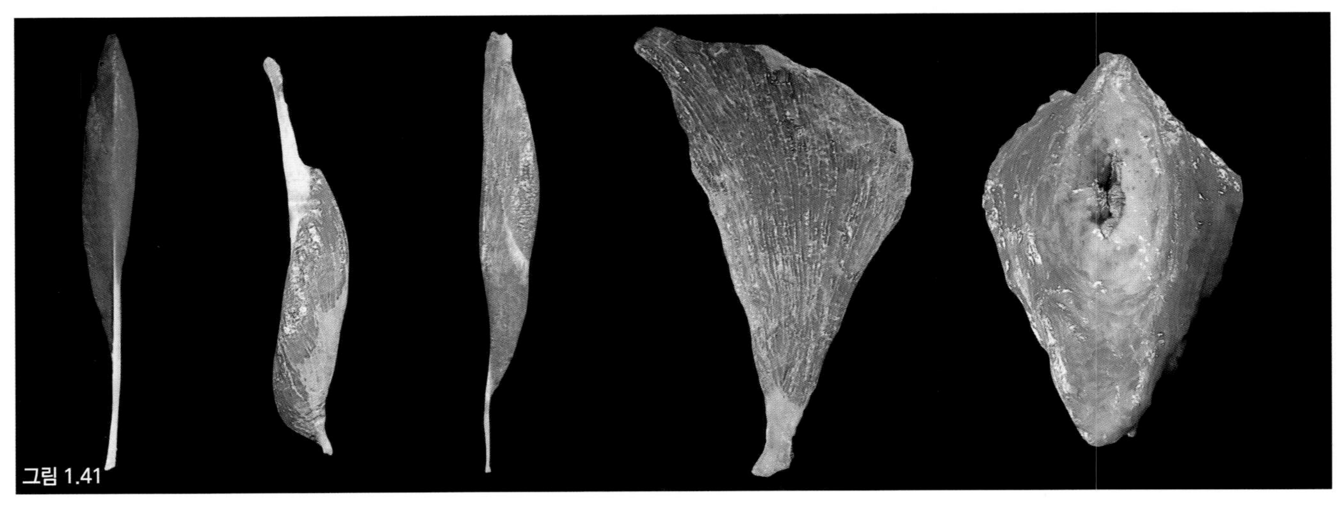

깃모양 Bipennate (앞정강근 tibialis anterior)

반깃모양 Unipennate (반막근 semimembranosus)

반힘줄모양 Semitendinosus (반힘줄근 semitendinosus)

넓고 편평한모양 Broad, flat muscle (넓은등근 latissimus dorsi)

반지모양 Ring-like (바깥항문조임근 sphincter ani externus)

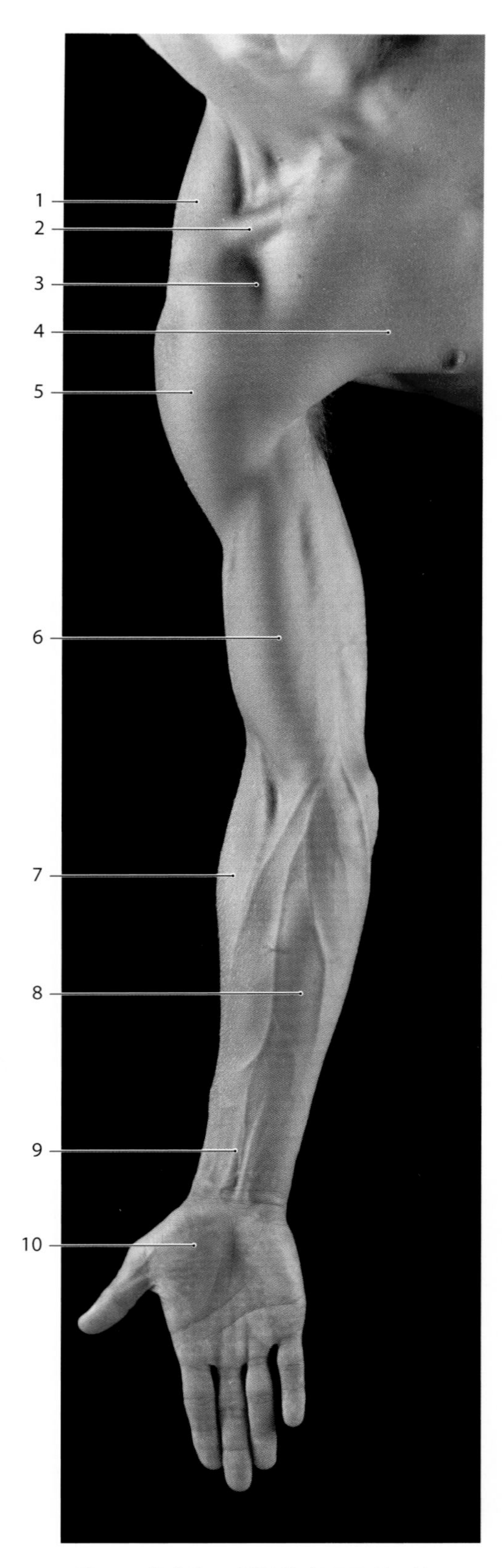

그림 1.42 **위팔의 표면해부학.** (오른쪽, 앞모습).

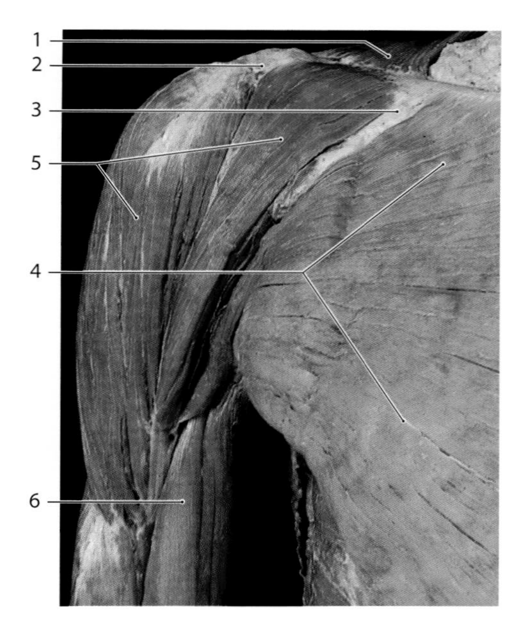

그림 1.43 **어깨와 위팔의 근육.** 얕은층(오른쪽, 앞모습)

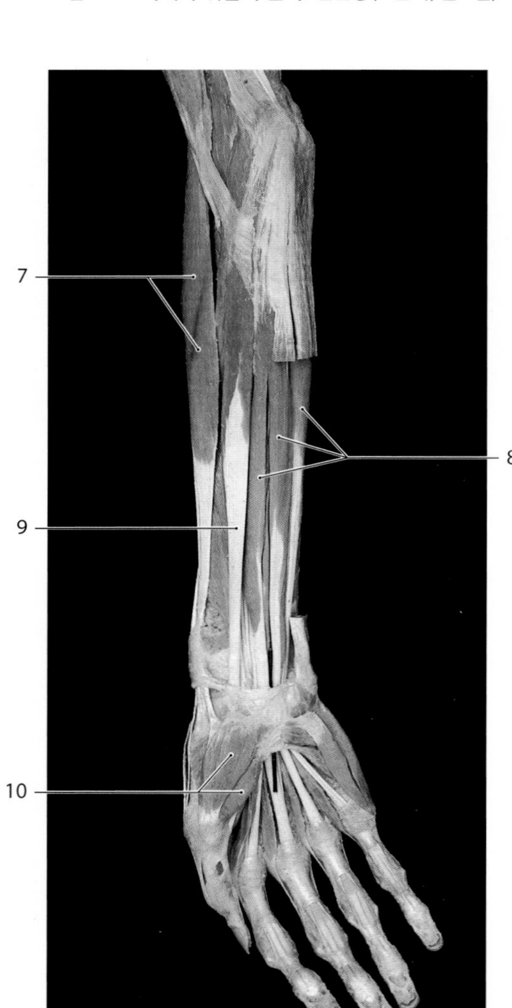

그림 1.44 **아래팔과 손의 굽힘근육.** 얕은층(오른쪽, 앞모습)

1 등세모근 Trapezius muscle
2 빗장뼈 Clavicle
3 세모가슴근삼각 Deltopectoral triangle
4 큰가슴근 Pectoralis major muscle
5 어깨세모근 Deltoid muscle
6 위팔두갈래근 Biceps brachii muscle
7 위팔노근 Brachioradialis muscle
8 얕은손가락굽힘근 Flexor digitorum superficialis muscle
9 노쪽손목굽힘근힘줄 Tendon of flexor carpi radialis muscle
10 엄지두덩근 Thenar muscles

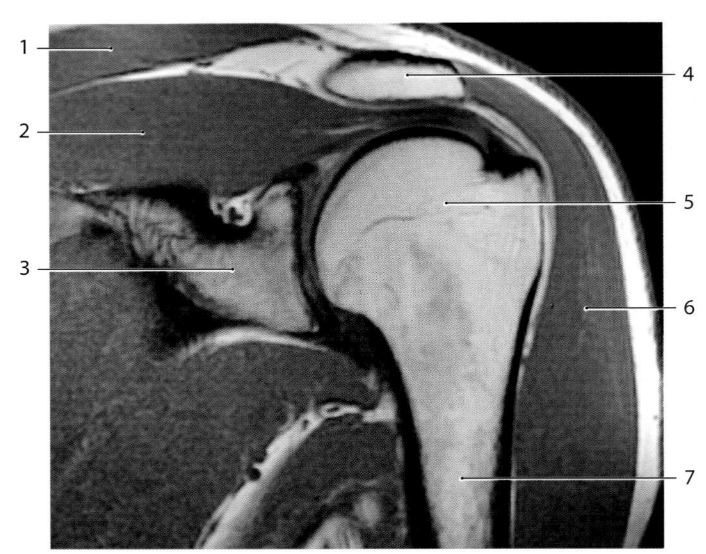

그림 1.45 **어깨관절의 이마단면**(자기공명영상). (Heuck A etal. MRT-Atlas des muskuloskelettalen Systems. Stuttgart, Germany: Schattauer, 2009.)

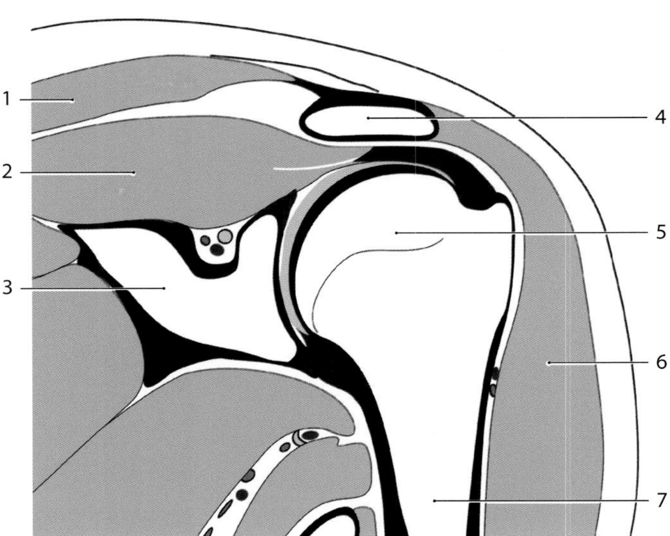

그림 1.46 **어깨관절의 이마단면**(왼쪽 자기공명영상). (Heuck A etal. MRT-Atlas des muskuloskelettalen Systems. Stuttgart, Germany: Schattauer, 2009.)

관절은 근육에 의해 움직이며 고도로 숙련된 운동은 특수한 근육들 (협동근)의 협동작용을 통해 이루어진다. 반대쪽에 있는 근육들은 대항근이라 부른다. 협동근이 수축할 때 대항근의 이완이 동시에 일어나면 조화로운 운동이 가능해진다. 이들의 상호작용은 신경계통에 의해 조절되며 어떤 방향으로 운동이 일어나려면 근육의 힘줄들은 인대가 이끄는 방향으로 움직여야 한다. 그런 부위에는 종종 힘줄이 손목부위나 손가락부위와 같은 곳에서 볼 수 있는 윤활막을 형성하고 있다.

1 등세모근 Trapezius muscle
2 가시위근 Supraspinatus muscle
3 어깨뼈 Scapula
4 봉우리 Acromion
5 위팔뼈머리 Head of humerus
6 어깨세모근 Deltoid muscle
7 위팔뼈 Humerus
8 위팔두갈래근 Biceps brachii muscle
9 위팔근 Brachialis muscle
10 위팔노근 Brachioradialis muscle
11 노뼈 Radius
12 자뼈 Ulna
13 위팔세갈래근 Triceps brachii muscle

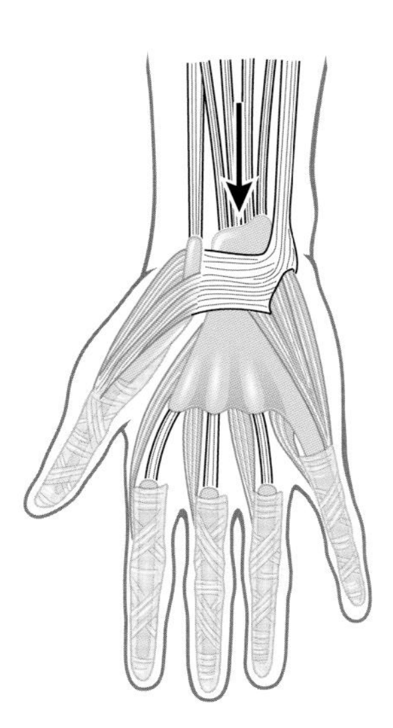

그림 1.47 **굽힘근힘줄의 윤활막**(오른쪽 손바닥). 굽힘근지지띠가 손목굴(화살표)을 지나는 굽힘근힘줄을 보호하고 있다.

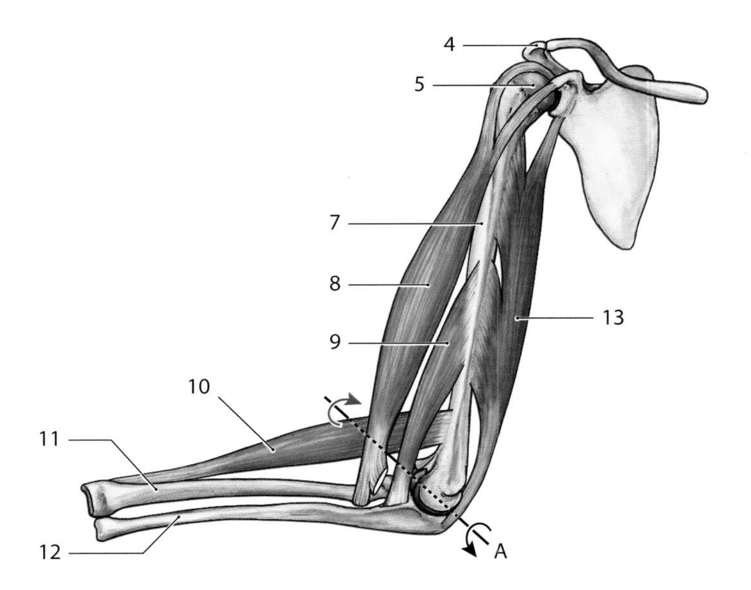

그림 1.48 **위팔에서 굽힘근과 폄근의 위치**와 팔꿉관절에 대한 효과.
A = 위팔-자뼈관절축; 두 개의 화살표 = 각각의 운동방향; 빨간색 = 굽힘근; 검정색 = 폄근

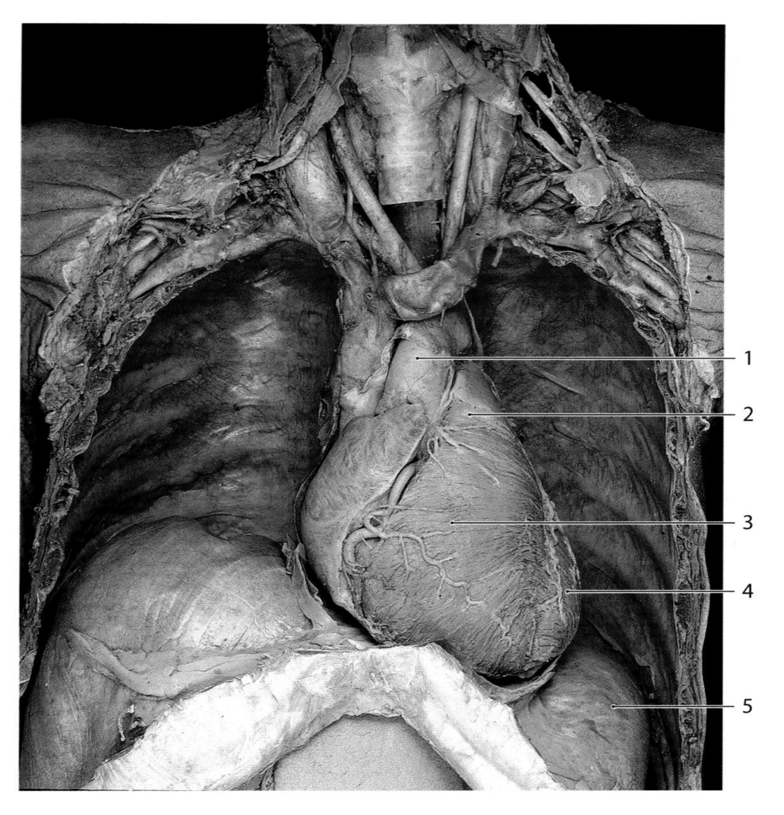

그림 1.49 **심장과 관련 혈관**(앞모습). 앞가슴벽, 심장막과 심장바깥막은 제거하였다.

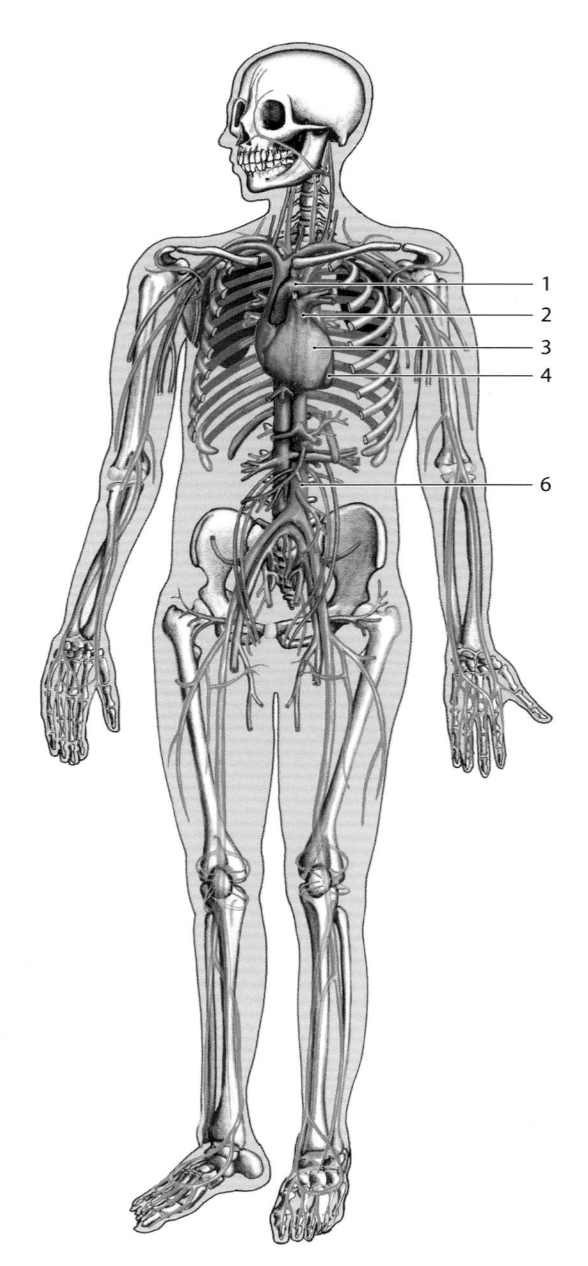

1 대동맥 Aorta
2 허파동맥 Pulmonary artery
3 오른심장 Right heart
4 왼심장 Left heart
5 가로막 Diaphragm
6 배대동맥 Abdominal aorta

그림 1.51 **심장을 중심으로 하는 순환계통의 구성**(앞모습).
빨간색 = 동맥; 파란색 = 정맥.

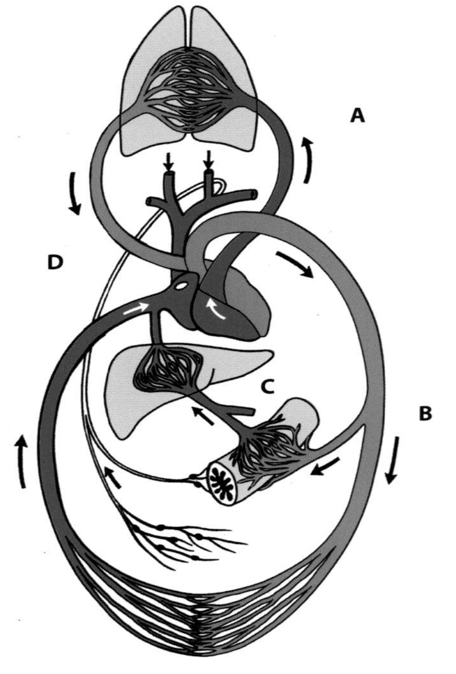

그림 1.50 **사람몸에서 순환계통의 구성.** 순환계통의 중심은 심장이다. 빨간색 = 동맥; 파란색 = 정맥.

A = 허파순환 Pulmonary circulation
B = 전신순환 Systemic circulation
C = 문맥순환 Portal circulation
D = 림프순환 Lymphatic circulation

순환계통의 중심은 심장이다. 심장은 가슴안에 위치하고 있으며 가로막에 닿아있다. 오른쪽 심실로 정맥혈액이 들어와서 허파동맥을 통해 허파로 보내지면 허파에서는 산소가 공급된다. 허파의 정맥은 혈액을 왼심실로 보내며 거기서 대동맥과 동맥의 가지를 통해 사람 몸에 혈액이 흐르게 된다. 동맥과 정맥은 대부분 평행하게 달린다. 창자의 정맥혈액은 문맥을 통해 간으로 들어온다.

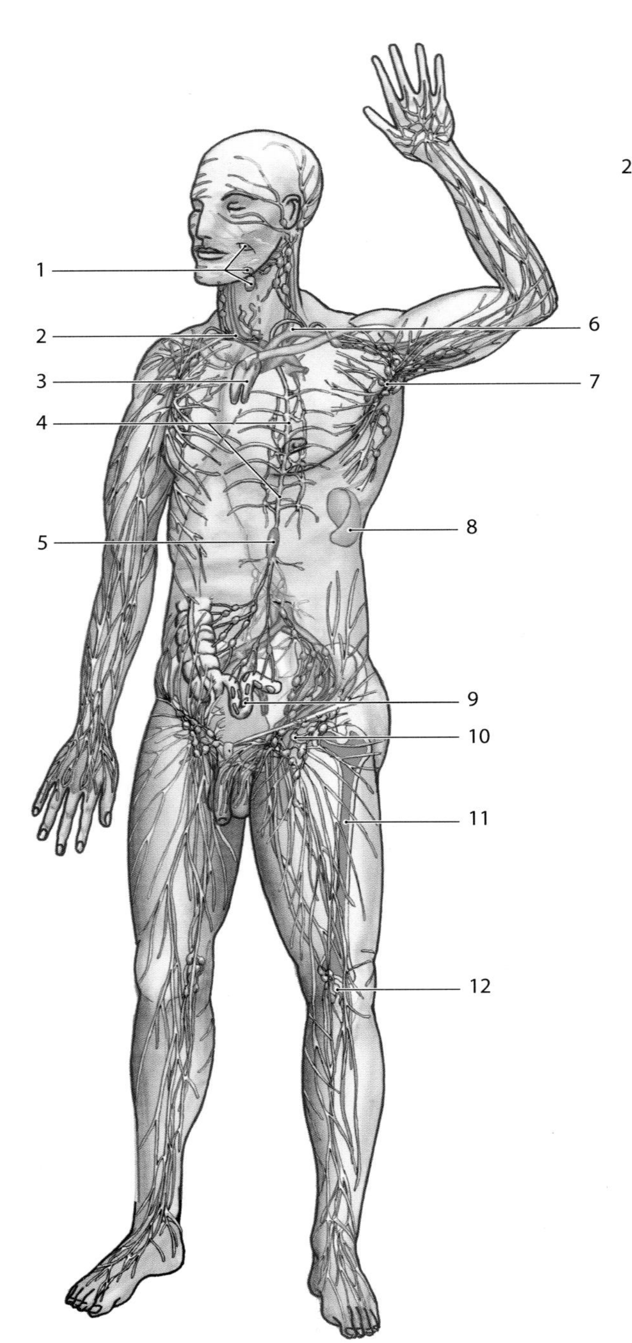

그림 1.52 **림프계통의 구성**(앞모습). 림프관의 경로와 중요 림프절의 위치. 빨간선 = 왼쪽과 오른쪽 정맥각으로 들어가는 림프관의 경계.

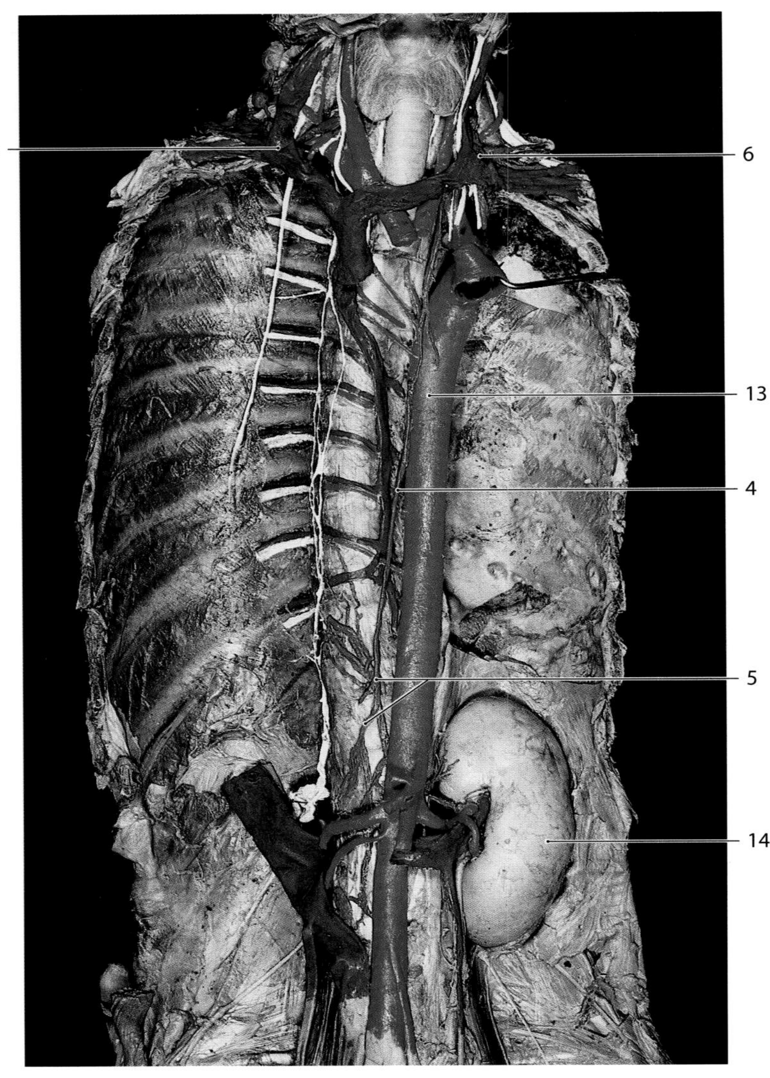

그림 1.53 **몸통의 주요 림프관**(초록색). 파란색 = 정맥; 빨간색 = 동맥; 흰색 = 신경.

1 편도와 턱밑림프절 Tonsils and submandibular lymph nodes
2 오른정맥각 Right venous angle
3 가슴샘의 흔적 Remnants of the thymus gland
4 가슴림프관 Thoracic duct
5 가슴림프관팽대 Cisterna chyli
6 왼정맥각 Left venous angle
7 겨드랑림프절 Axillary lymph nodes
8 지라(비장) Spleen
9 창자림프절 Lymph nodes of the intestinal tract
10 고샅림프절 Inguinal lymph nodes
11 골수 Bone marrow
12 오금림프절 Lymph nodes of the popliteal fossa
13 대동맥 Aorta
14 왼콩팥 Left kidney

림프관은 조직공간(림프모세관)에서 시작하여 더 큰 관(림프관)으로 합쳐진다. 림프관의 구조는 정맥과 비슷하지만 벽이 더 얇고 판막이 더 많으며 중간에 림프절이 있다. 큰 림프절은 고샅부위, 겨드랑부위, 아래턱뼈와 목빗근의 깊은부위, 창자의 창자간막뿌리 안에 있다. 머리와 목의 오른쪽 반, 오른쪽 가슴, 그리고 오른쪽 위팔의 림프관은 오른정맥각으로 들어가고 몸의 나머지 부위의 림프관은 왼정맥각으로 림프를 보낸다.

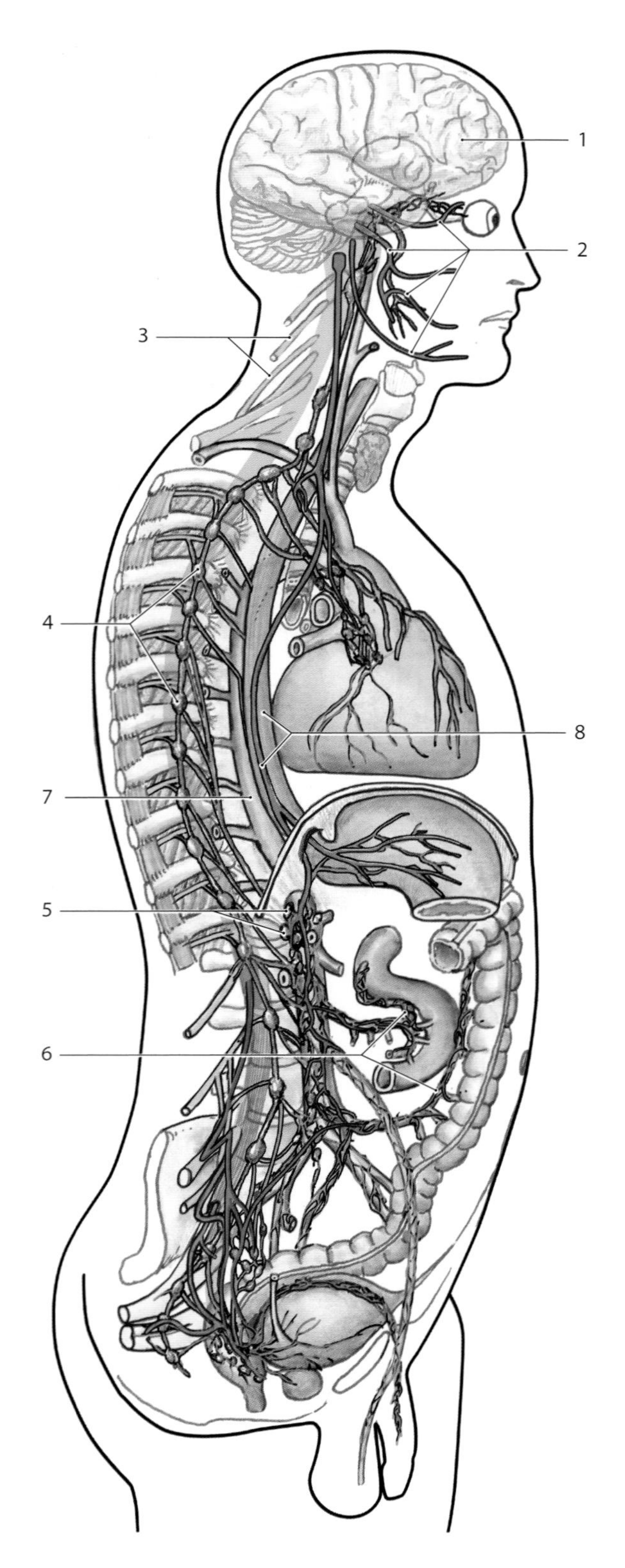

그림 1.54 **신경계통을 구성하는 세 부분의 위치를 설명하는 그림**(뇌, 척수와 자율신경계통). 노란색과 초록색 = 교감신경계통; 빨간색 = 부교감신경계통

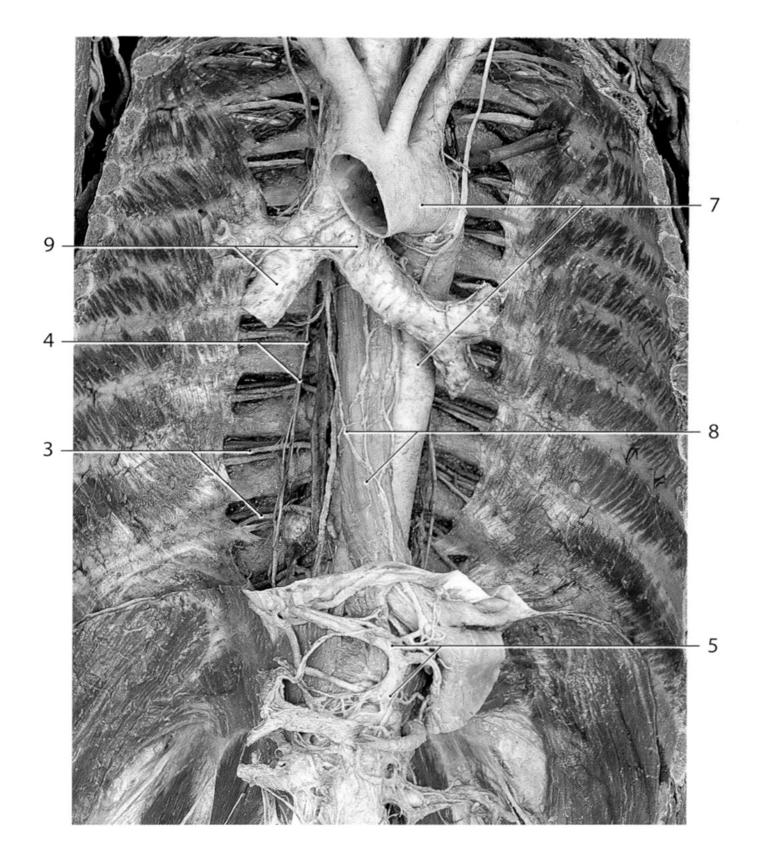

그림 1.55 **몸통의 뒤부분.** 미주신경에 연결된 복강신경얼기. 교감신경줄기는 잘렸음.

1 대뇌 Cerebrum
2 뇌신경 Cranial nerves
3 척수신경 Spinal nerves
4 교감신경줄기 Sympathetic trunk
5 복강신경얼기 Celiac plexus
6 자율신경계통의 신경얼기 Nervous plexus of the autonomic system
7 대동맥 Aorta
8 미주신경과 식도 Vagus nerve and esophagus
9 기관갈림 Bifurcation of trachea

신경계통은 세 부분으로 구분할 수 있다:

1. 뇌부분은 뇌와 큰 감각기관들을 포함한다.
2. 척수는 분절구조를 나타내며 대부분 반사기관으로서 기능한다.
3. 자율신경계통은 장기나 조직의 불수의적인 기능(무의식상태의 조절)을 조절한다. 신경계통의 자율신경부분은 각각의 기관 근처에서 많은 신경얼기를 형성한다. 특정 부위에서 신경얼기들은 신경세포 무리 (척주앞신경절과 내장신경절)를 포함하고 있다.

척수신경은 일정한 간격으로 척수를 빠져나간다. 척수신경의 앞가지는 목과 팔의 신경얼기를 형성하여 팔에 분포하는 신경을 내보내고, 허리와 엉치의 척수신경 앞가지는 허리엉치신경얼기를 형성하여 골반, 바깥생식기관과 다리에 분포하는 신경이 된다.

2 몸통 Trunk

해부학총론과 근육뼈대계통 General Anatomy and Musculoskeletal System

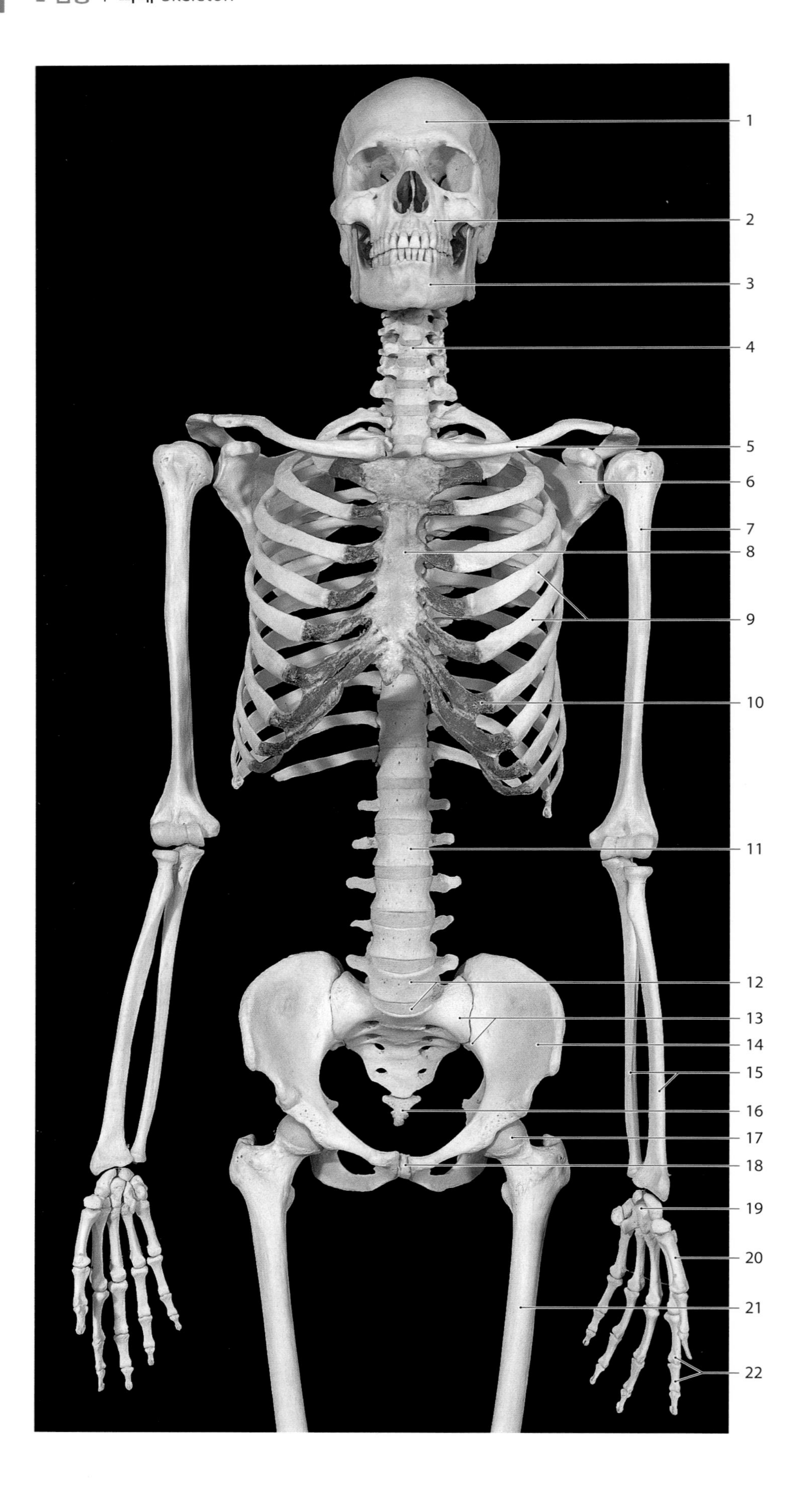

1 이마뼈 Frontal bone
2 위턱뼈 Maxilla
3 아래턱뼈 Mandible
4 목뼈 Cervical vertebra
5 빗장뼈 Clavicle
6 어깨뼈 Scapula
7 위팔뼈 Humerus
8 복장뼈 Sternum
9 갈비뼈 Ribs
10 갈비연골 Costal cartilage
11 허리뼈 Lumbar vertebra
12 다섯째허리뼈와 엉치뼈곶 Lumbar vertebra (L5) and promontory
13 엉치뼈 Sacrum
14 볼기뼈 Hip bone
15 노뼈와 자뼈 Radius and ulna
16 꼬리뼈 Coccyx
17 넓적다리뼈머리 Head of femur
18 두덩결합 Public symphysis
19 손목뼈 Carpal bones
20 손허리뼈 Metacarpal bones
21 넓적다리뼈 Femur
22 손가락뼈 Phalanges

그림 2.1 **몸통의 뼈대**(앞모습): 머리, 척주, 가슴, 골반, 팔과 연결.

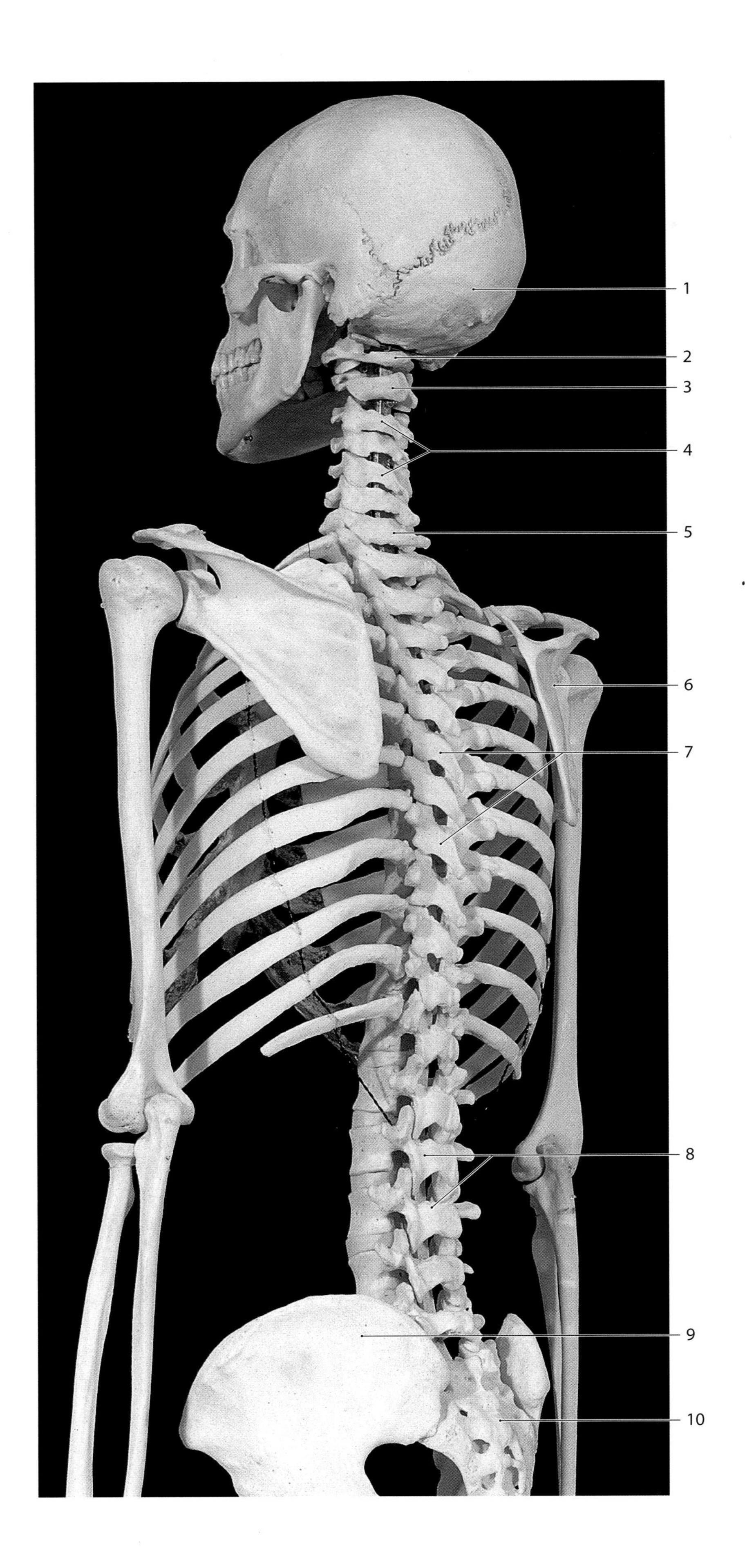

1 뒤통수뼈 Occipital bone
2 고리뼈 Atlas
3 중쇠뼈 Axis
4 목뼈 Cervical vertebra
5 솟은뼈 Vertebra prominens (C7)
6 어깨뼈 Scapula
7 등뼈 Thoracic vertebra
8 허리뼈 Lumbar vertebra
9 볼기뼈 Hip bone
10 엉치뼈 Sacrum

그림 2.2 **몸통의 뼈대**(비스듬뒤모습): 머리, 척주, 가슴, 골반, 팔이음뼈와 연결.

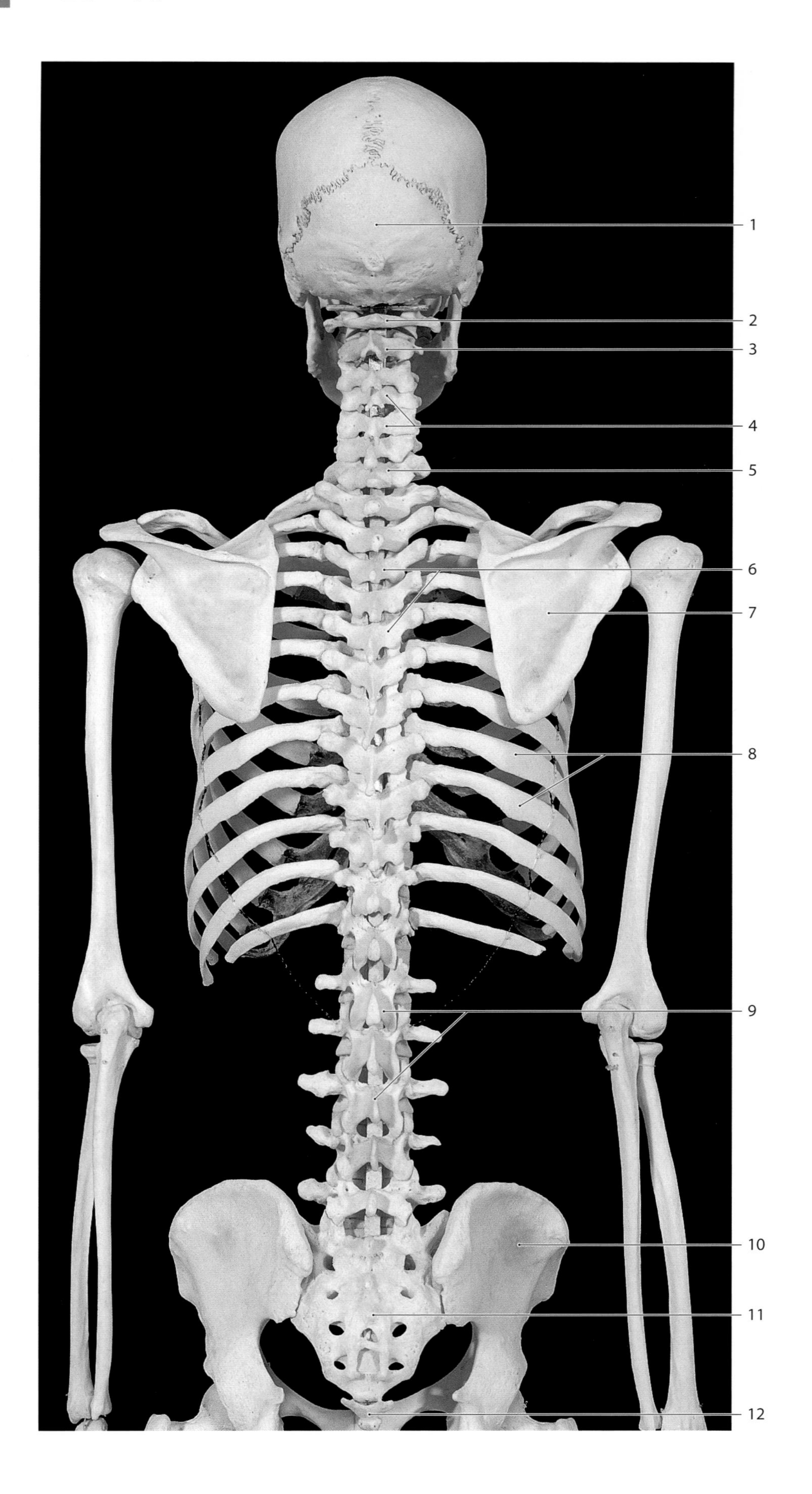

1 뒤통수뼈 Occipital bone
2 고리뼈 Atlas
3 중쇠뼈 Axis
4 목뼈(넷째, 다섯째) Cervical vertebra (C4 and C5)
5 돌출척추(솟은뼈) Vertebra prominens (C7)
6 등뼈(셋째, 다섯째) Thoracic vertebra (T3 and T5)
7 어깨뼈 Scapula
8 여덟째, 아홉째갈비뼈 Ribs 8 and 9
9 허리뼈(첫째, 셋째) Lumbar vertebra (L1 and L3)
10 볼기뼈 Hip bone
11 엉치뼈 Sacrum
12 꼬리뼈 Coccyx

그림 2.3 **몸통의 뼈대**(뒤모습): 머리, 척주, 가슴, 골반, 팔이음뼈와 연결. 척추뼈가 뒤통수뼈와 골반뼈에 어떻게 연결되는지 확인하시오.

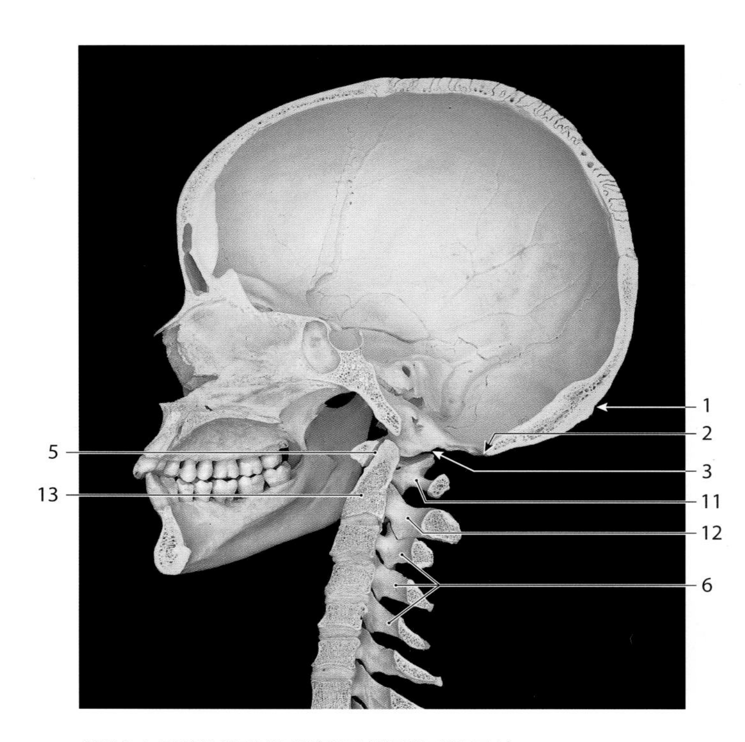

그림 2.4 **머리와 연결된 목뼈**(정중시상단면, 안쪽모습).

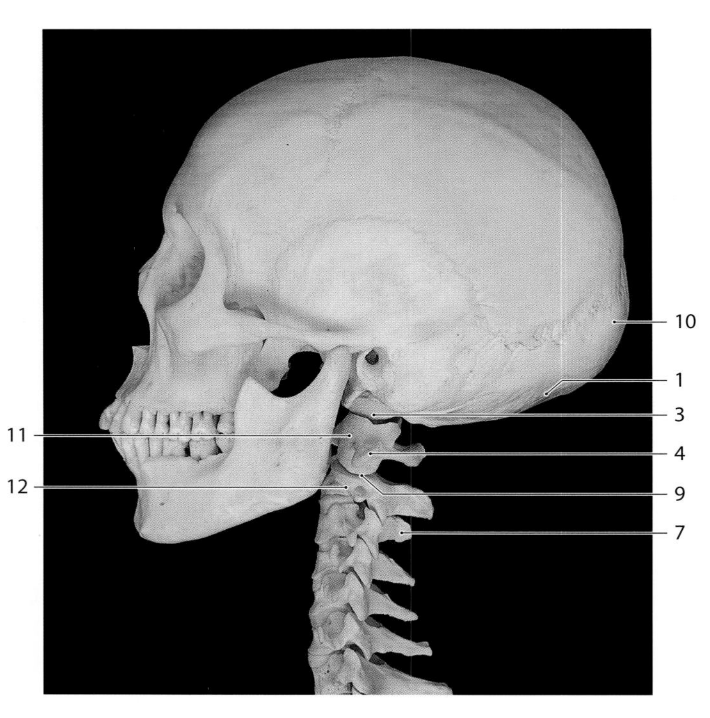

그림 2.5 **머리와 연결된 고리뼈와 중쇠뼈**(가쪽모습).

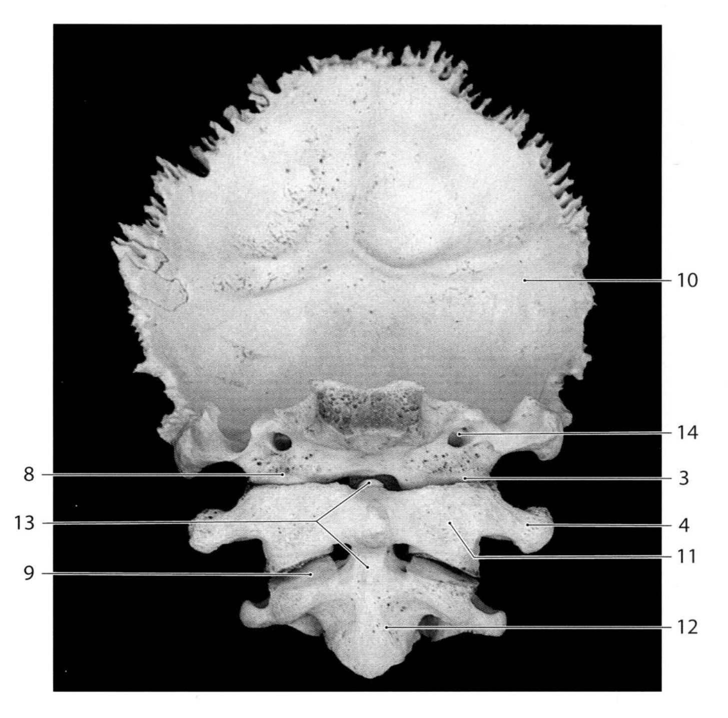

그림 2.6 **뒤통수뼈, 고리뼈, 중쇠뼈**(앞모습).

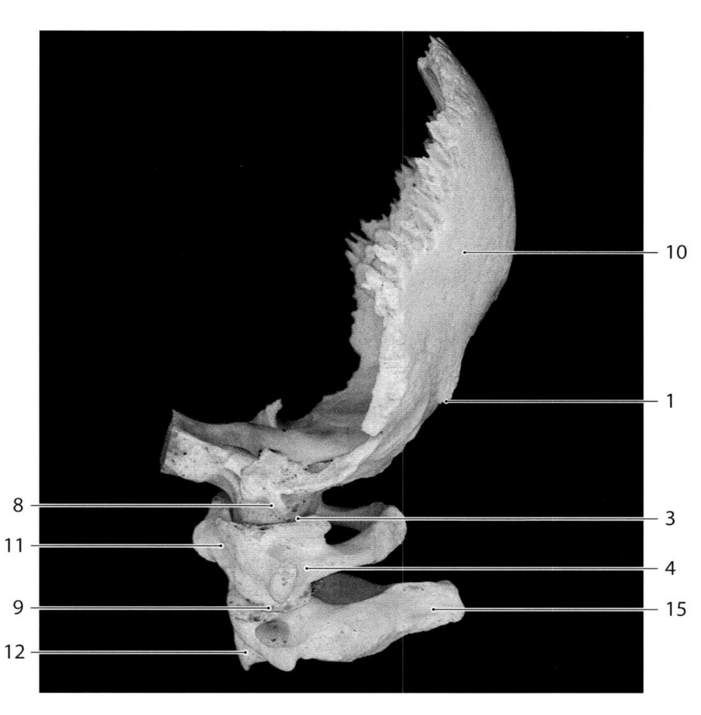

그림 2.7 **뒤통수뼈, 고리뼈, 중쇠뼈**(왼가쪽모습).

1 바깥뒤통수뼈융기 External occipital protuberance
2 큰구멍 Foramen magnum
3 고리뒤통수관절 Atlanto-occipital joint
4 고리뼈의 가로돌기 Transverse process of atlas
5 정중고리중쇠관절 Median atlanto-axial joint
6 척주관 Vertebral canal
7 셋째목뼈의 가시돌기 Spinous Process of third cervical vertebra
8 뒤통수뼈관절융기 Occipital condyle
9 가쪽고리중쇠관절 Lateral atlanto-axial joint
10 뒤통수뼈 Occipital bone
11 고리뼈 Atlas
12 중쇠뼈 Axis
13 중쇠뼈 치아돌기 Dens of axis
14 혀밑신경관 Hypoglossal canal
15 중쇠뼈의 가시돌기 Spinous process of axis

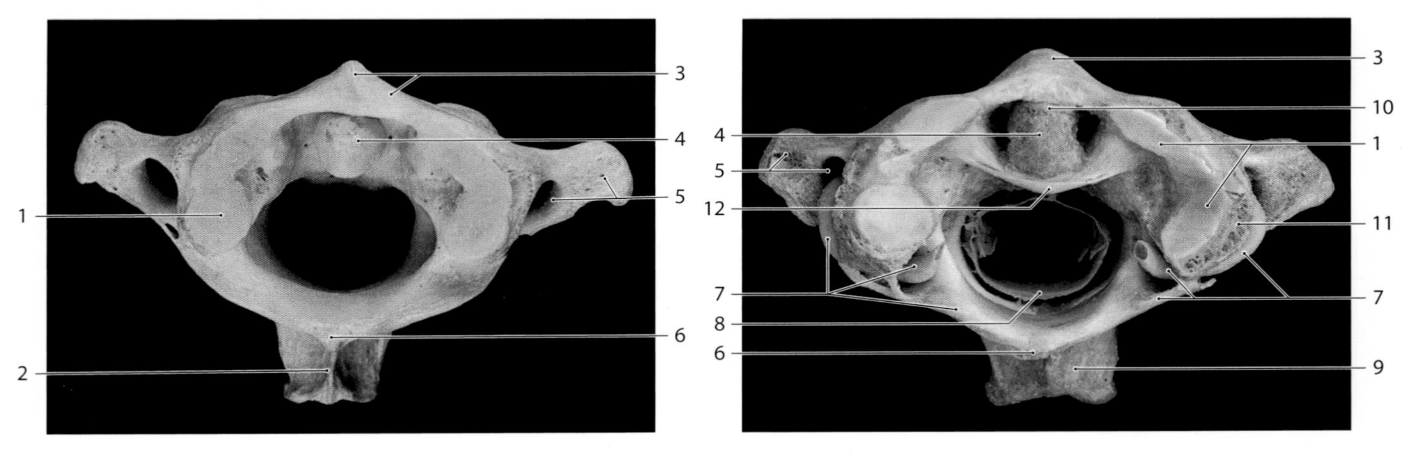

그림 2.8 **고리뼈와 중쇠뼈**(위모습).

그림 2.9 **정중고리중쇠관절과 고리가로인대**(위모습). 중쇠뼈 치아돌기의 일부가 잘렸다.

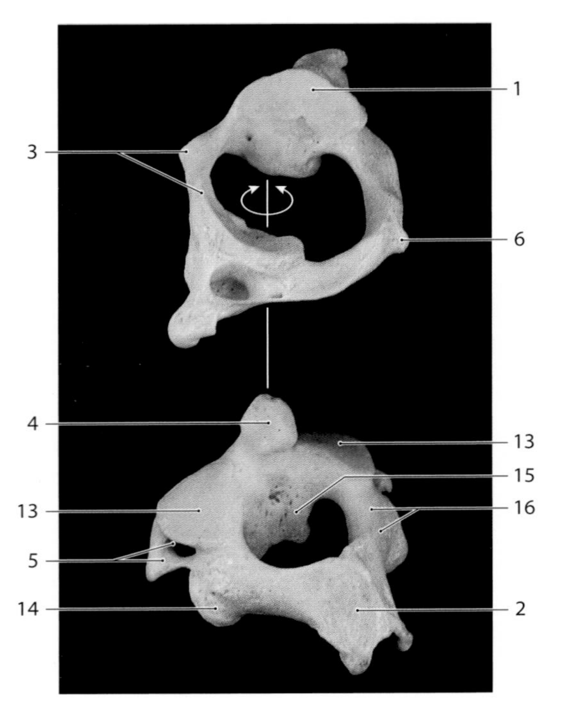

그림 2.10 **고리뼈와 중쇠뼈**(왼쪽비스듬 뒤가쪽모습, 고리뼈가 중쇠뼈의 치아돌기와 관절함 [화살표]을 보여준다).

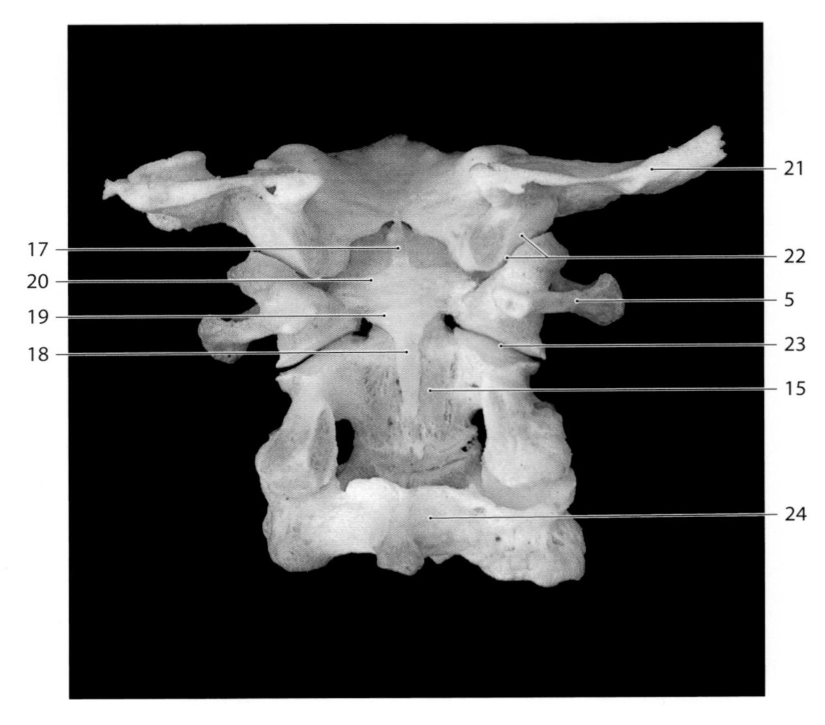

그림 2.11 **고리뒤통수관절과 고리중쇠관절**(뒤모습). 뒤통수뼈의 뒤부분, 고리뼈와 중쇠뼈의 뒤고리를 제거하여 고리십자인대를 보여준다.

1 고리뼈의 위관절면 Superior articular facet of atlas
2 가시돌기 Spinous process
3 고리뼈의 앞고리와 앞결절 Anterior arch of atlas with anterior tubercle
4 중쇠뼈의 치아돌기 Dens of axis
5 가로구멍과 가로돌기 Transverse foramen and process
6 고리뼈의 뒤결절 Posterior tubercle of atlas
7 고리뼈의 뒤고리와 척추동맥 Posterior arch of atlas and vertebral artery
8 경막 Dura mater
9 중쇠뼈의 가시돌기 Spinous process of axis
10 정중고리중쇠관절(앞부분) Median atlanto-axial joint (anterior part)
11 고리뒤통수관절의 관절주머니 Articular capsule of atlanto-occipital joint
12 고리가로인대 Transverse ligament of atlas
13 고리뼈의 위관절면 Superior articular facet of atlas
14 아래관절돌기 Inferior articular process
15 중쇠뼈몸통 Body of axis
16 중쇠뼈의 고리뿌리와 고리판 Pedicle and lamina of axis
17 고리십자인대의 위세로다발 Superior longitudinal band of cruciform ligament
18 고리십자인대의 아래세로다발 Inferior longitudinal band of cruciform ligament
(17–18) 고리십자인대 cruciform ligament
19 고리가로인대 Transverse ligament of atlas
20 날개인대 Alar ligaments
21 뒤통수뼈 Occipital bone
22 고리뒤통수관절 Atlanto-occipital joint
23 가쪽고리중쇠관절 Lateral atlanto-axial joint
24 셋째목뼈 Third cervical vertebra (C3)

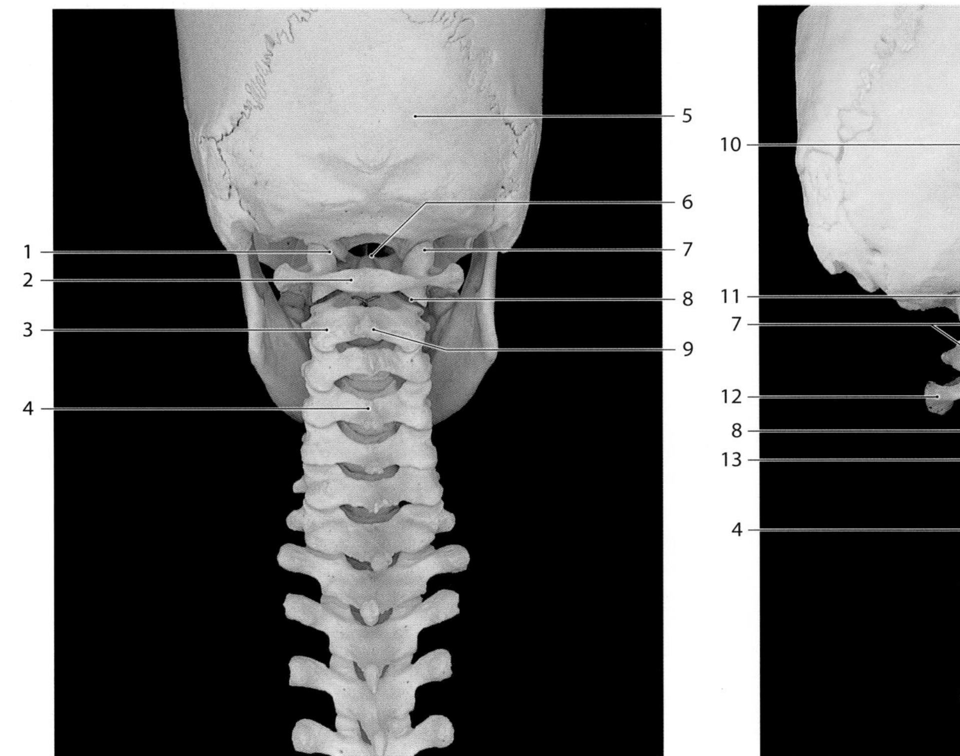

그림 2.12 **머리뼈와 목뼈**(뒤모습). 고리뒤통수관절과 고리중쇠관절의 위치를 확인하시오.

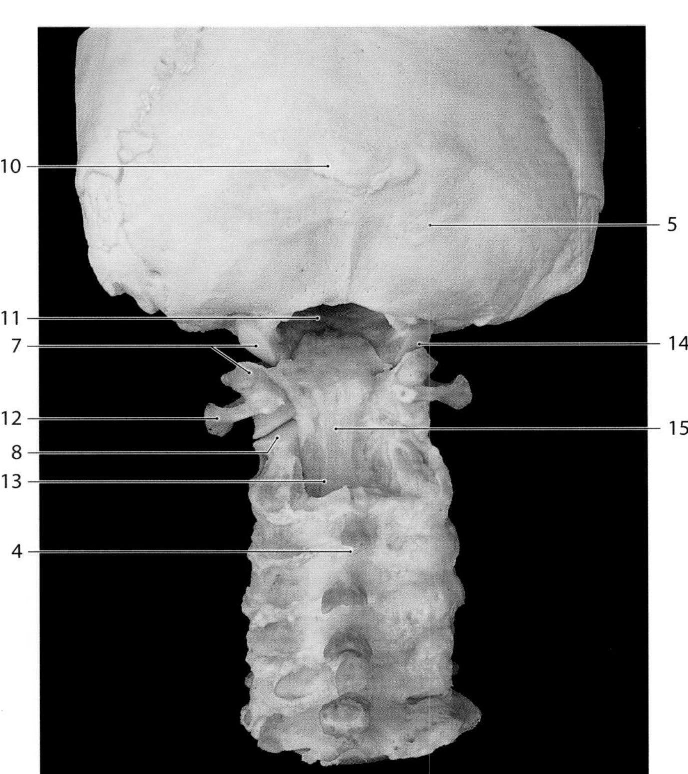

그림 2.13 **머리뼈와 목뼈의 인대**(뒤모습). 고리뼈의 뒤고리와 중쇠뼈를 제거하여 덮개막이 보이게 하였다.

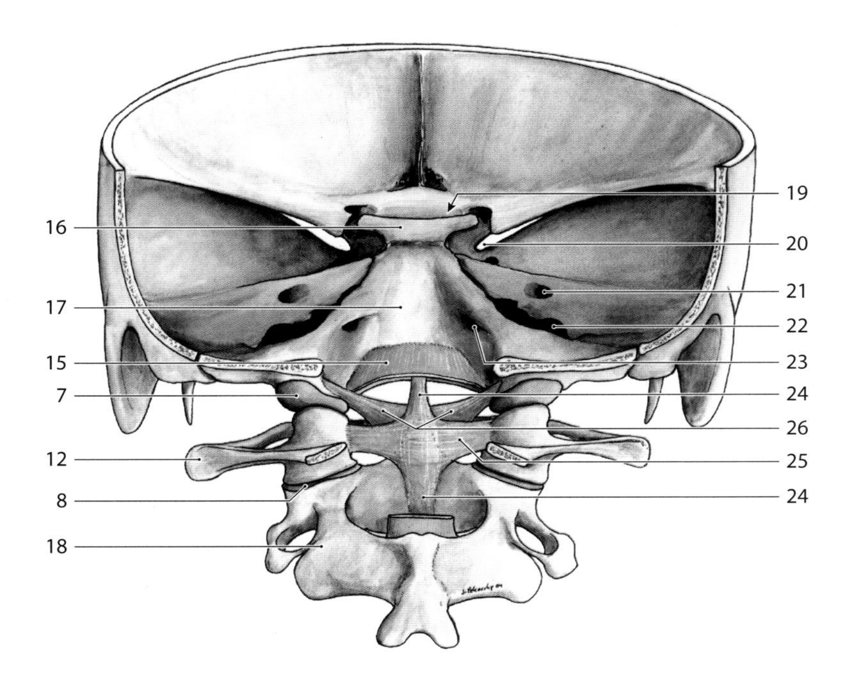

그림 2.14 **고리뒤통수관절과 고리중쇠관절의 인대**(뒤모습). 뒤통수뼈의 뒤부분과 고리뼈의 뒤고리를 제거하여 고리십자인대가 보이게 하였다.

1 위관절면 Superior articular facet
2 고리뼈의 뒤결절 Posterior tubercle of atlas
3 중쇠뼈의 고리뿌리와 고리판 Pedicle and lamina of axis
4 목뼈의 가시돌기 Spinous process of cervical vertebra
5 뒤통수뼈 Occipital bone
6 중쇠뼈의 치아돌기 Dens of axis
7 고리뒤통수관절 Atlanto-occipital joint
8 가쪽고리중쇠관절 Lateral atlanto-axial joint
9 중쇠뼈의 가시돌기 Spinous process of axis
10 바깥뒤통수뼈융기 External occipital protuberance
11 큰구멍 Foramen magnum
12 고리뼈의 가로돌기 Transverse process of atlas
13 뒤세로인대 Posterior longitudinal ligament
14 뒤통수뼈관절융기 Occipital condyle
15 덮개막 Tectorial membrane
16 안장등 Dorsum sellae
17 비스듬틀 Clivus
18 중쇠뼈 Axis
19 안장 Sella turcica
20 위눈확틈새 Superior orbital fissure
21 속귀길 Internal acoustic meatus
22 목정맥구멍 Jugular foramen
23 혀밑신경관 Hypoglossal canal
24 고리십자인대의 위세로다발과 아래세로다발 Superior and inferior longitudinal band of cruciform ligament
25 고리십자인대의 고리가로인대 Transverse ligament of atlas of cruciform ligament
(24–25: 고리십자인대 cruciform ligament)
26 날개인대 Alar ligaments

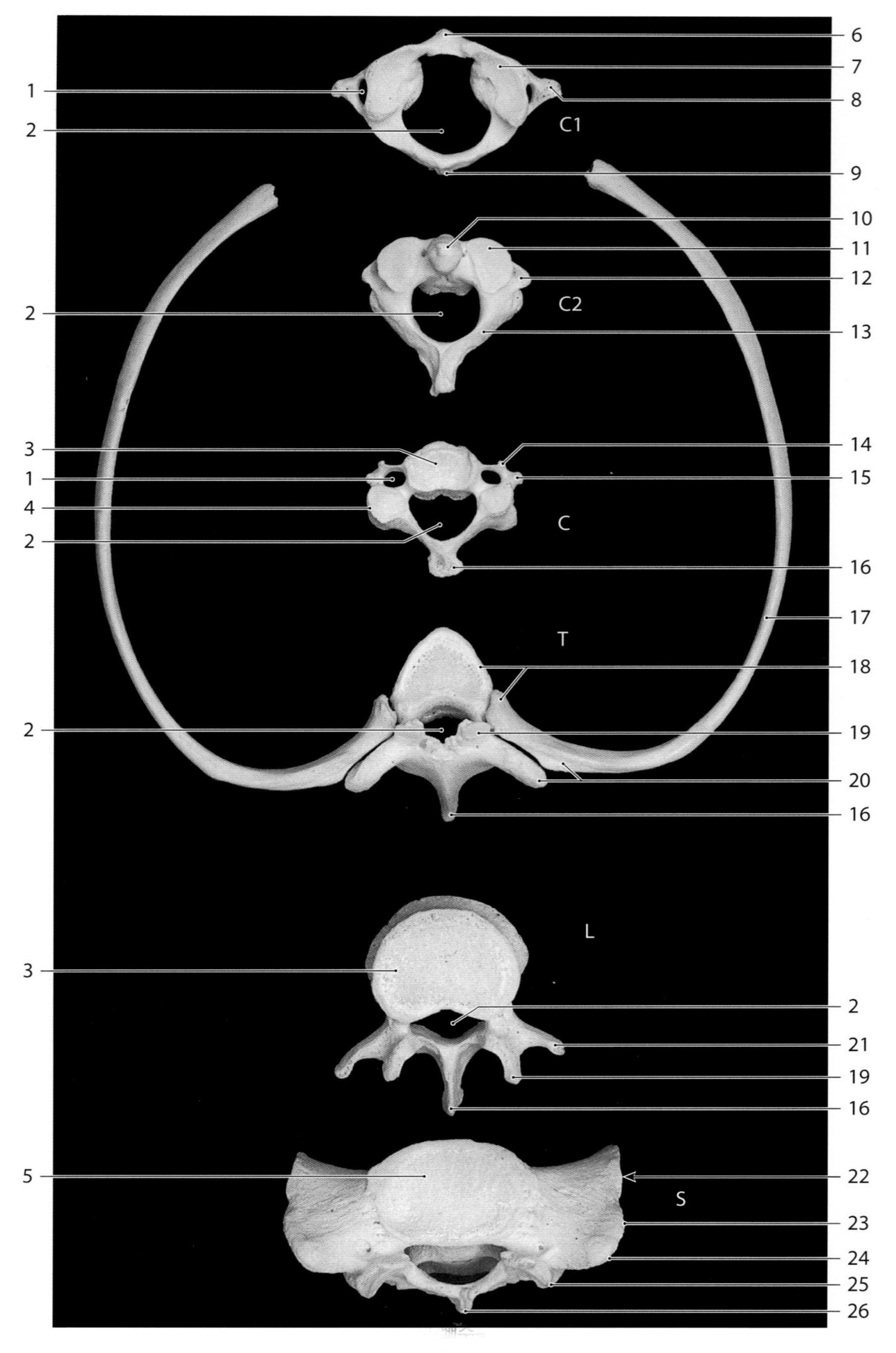

그림 2.15 **척추의 각 부위를 나타내는 척추뼈들**(위모습) . 위에서 아래로 고리뼈(C1), 중쇠뼈(C2), 목뼈(C), 등뼈(T), 허리뼈(L), 엉치뼈(S).

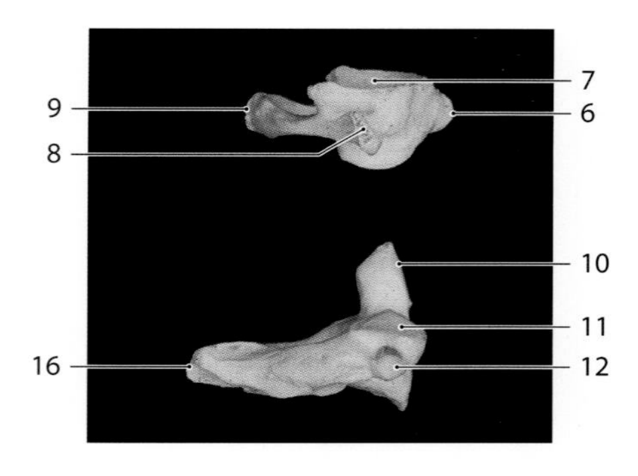

그림 2.16 고리뼈(C1)와 중쇠뼈(C2).

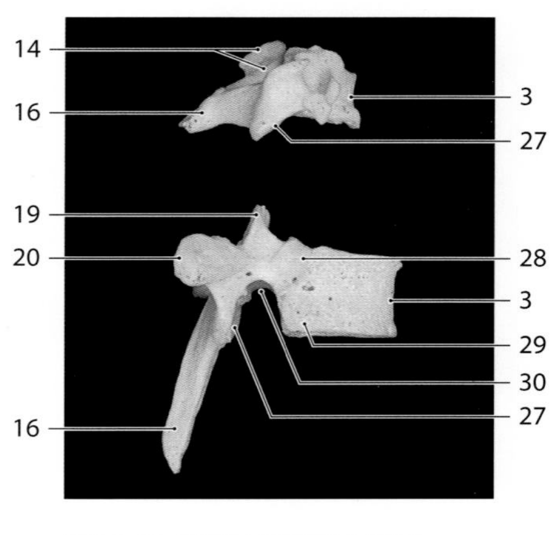

그림 2.17 전형적 목뼈(C)와 등뼈(T).

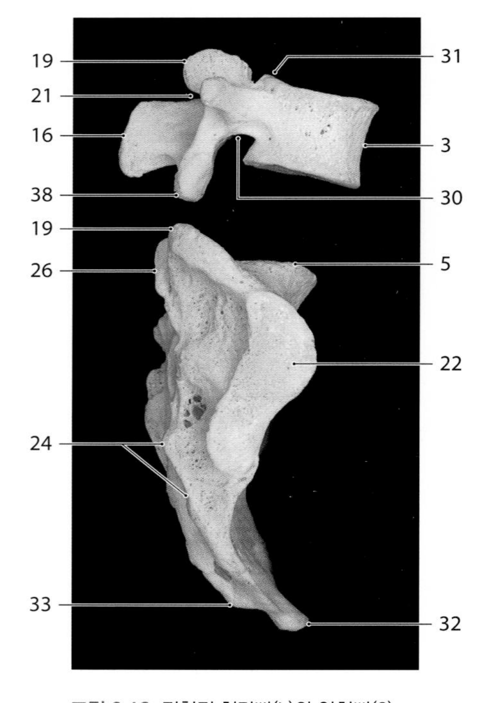

그림 2.18 전형적 허리뼈(L)와 엉치뼈(S).

척추의 각 부위를 나타내는 척추뼈들
(가쪽모습, 사진의 오른쪽이 앞쪽임).

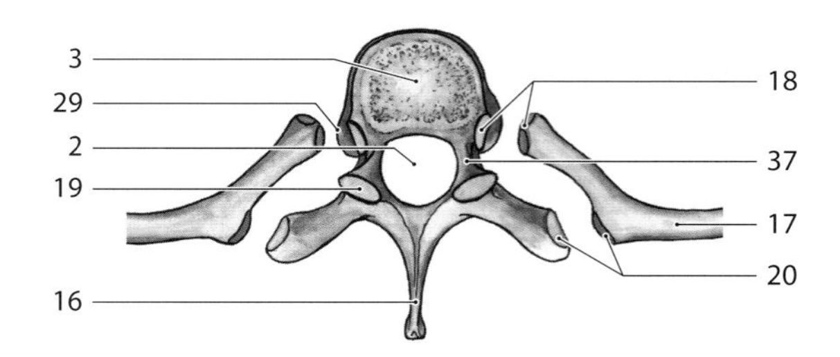

그림 2.19 **갈비뼈와 척추뼈의 일반적 구성.**

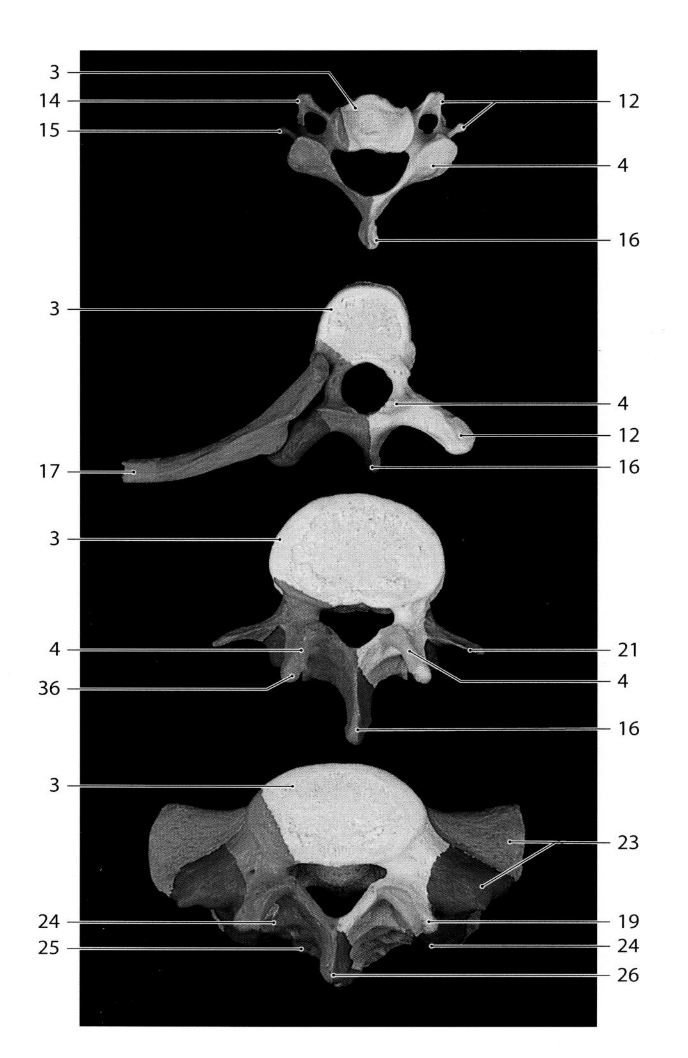

그림 2.20 **척추뼈의 일반적 특징.** 전형적 목뼈, 등뼈, 허리뼈, 엉치뼈.

초록	= 갈비뼈 또는 발생기원이 같은 돌기
빨강	= 근육돌기(가로돌기와 가시돌기)
주황	= 고리판과 관절돌기
노랑과 파랑	= 관절면

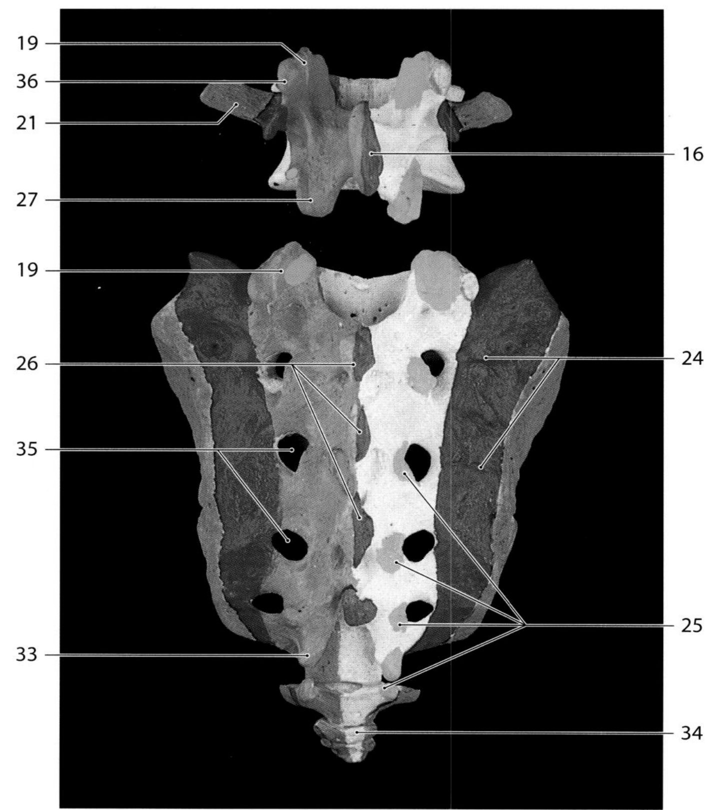

그림 2.21 **허리뼈와 엉치뼈의 일반적 특징**(뒤면). 척추뼈돌기의 엉치뼈로의 변형.

1 가로구멍 Foramen transversarium
2 척추뼈구멍 Vertebral foramen
3 척추뼈몸통 Body of vertebra
4 위관절면 Superior articular facet
5 엉치뼈바닥 Base of sacrum
6 고리뼈의 앞결절 Anterior tubercle of atlas
7 고리뼈의 위관절면 Superior articular facet of atlas
8 가로돌기 Transverse process
9 고리뼈의 뒤결절 Posterior tubercle of atlas
10 중쇠뼈의 치아돌기 Dens of axis
11 위관절면 Superior articular of atlas
12 가로돌기 Transverse process
13 척추뼈고리 Arch of vertebra
14 가로돌기의 앞결절 Anterior tubercle of transverse process
15 가로돌기의 뒤결절 Posterior tubercle of transverse process
16 가시돌기 Spinous process
17 갈비뼈몸통 Shaft of rib
18 척추뼈몸통과 갈비뼈머리의 관절(갈비척추관절) Body of vertebra and head of rib articulating with each other(costovertebral joint)
19 위관절돌기 Superior articular process
20 가로돌기와 갈비뼈결절의 관절(갈비가로돌기관절) Transverse process and tubercle of rib articulating with each other(costotransverse joint)
21 갈비돌기 Costal process
22 귓바퀴면 Auricular surface
23 엉치뼈의 가쪽부분 Lateral part of sacrum
24 가쪽엉치뼈능선 Lateral sacral crest
25 중간엉치뼈능선 Intermediate sacral crest
26 정중엉치뼈능선 Median sacral crest
27 아래관절면 Inferior articular facet
28 갈비뼈머리가 닿는 위반관절면 Superior demifacet for head of rib
29 갈비뼈머리가 닿는 아래반관절면 Inferior demifacet for head of rib
30 아래척추뼈파임 Inferior vertebral notch
31 위척추뼈파임 Superior vertebral notch
32 엉치뼈끝 Apex of the sacrum
33 엉치뼈뿔 Sacral cornu
34 꼬리뼈 Coccyx
35 뒤엉치뼈구멍 Dorsal sacral foramina
36 꼭지돌기 Mammillary process
37 고리뿌리 Pedicle
38 아래관절돌기 Inferior articular process

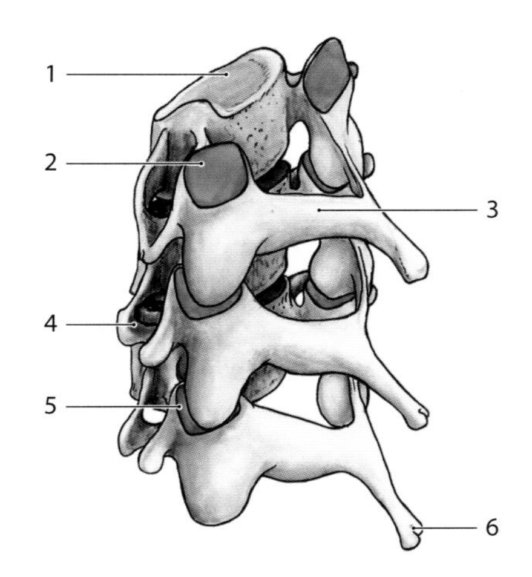

그림 2.22 **목뼈**(가쪽면), 파랑 = 관절면

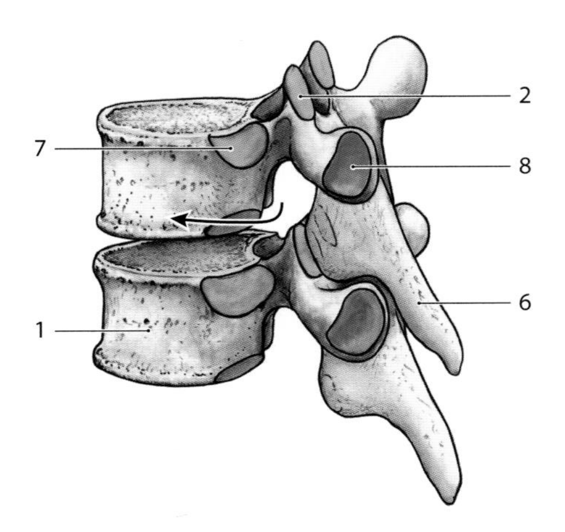

그림 2.23 **등뼈**(가쪽면), 파랑 = 관절면

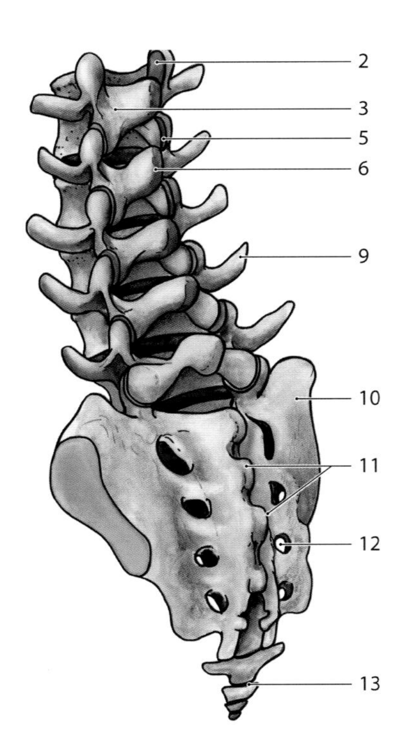

그림 2.24 **허리뼈, 엉치뼈, 꼬리뼈**(뒤면), 파랑 = 관절면.

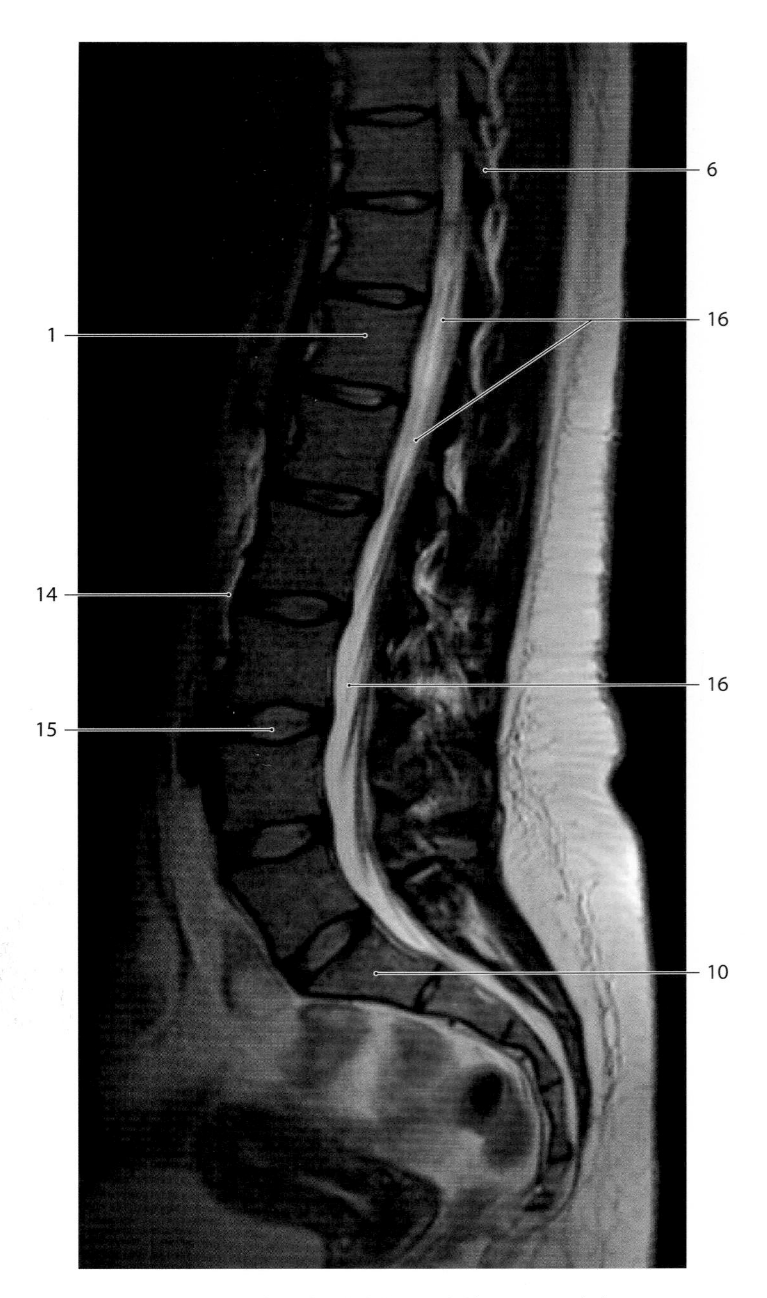

그림 2.25 **척주를 지나는 정중옆단면과 골반안**(자기공명영상). (Courtesy of Prof. Uder, Institute of Radiology, University of Erlangen, Germany.)

1 척추뼈몸통 Body of vertebra
2 위관절면 Superior articular facet
3 척추뼈고리 Vertebral arch
4 척추뼈의 가로돌기 Transverse process of vertebra
5 돌기사이관절 Zygapophysial joint
6 가시돌기 Spinous process
7 갈비뼈머리와 관절하는 위관절면
Superior articular facet of articulation with head of rib
8 가로돌기와 갈비가로돌기관절의 관절면
Transverse process with articular facet of costotransverse joint
9 허리뼈의 갈비돌기 Costal process of lumbar vertebra
10 엉치뼈 Sacrum
11 정중엉치뼈능선 Median sacral crest
12 뒤엉치뼈구멍 Dorsal sacral foramina
13 꼬리뼈 Coccyx
14 앞세로인대 Anterior longitudinal ligament
15 척추사이원반 Intervertebral disc
16 척주관 Vertebral canal

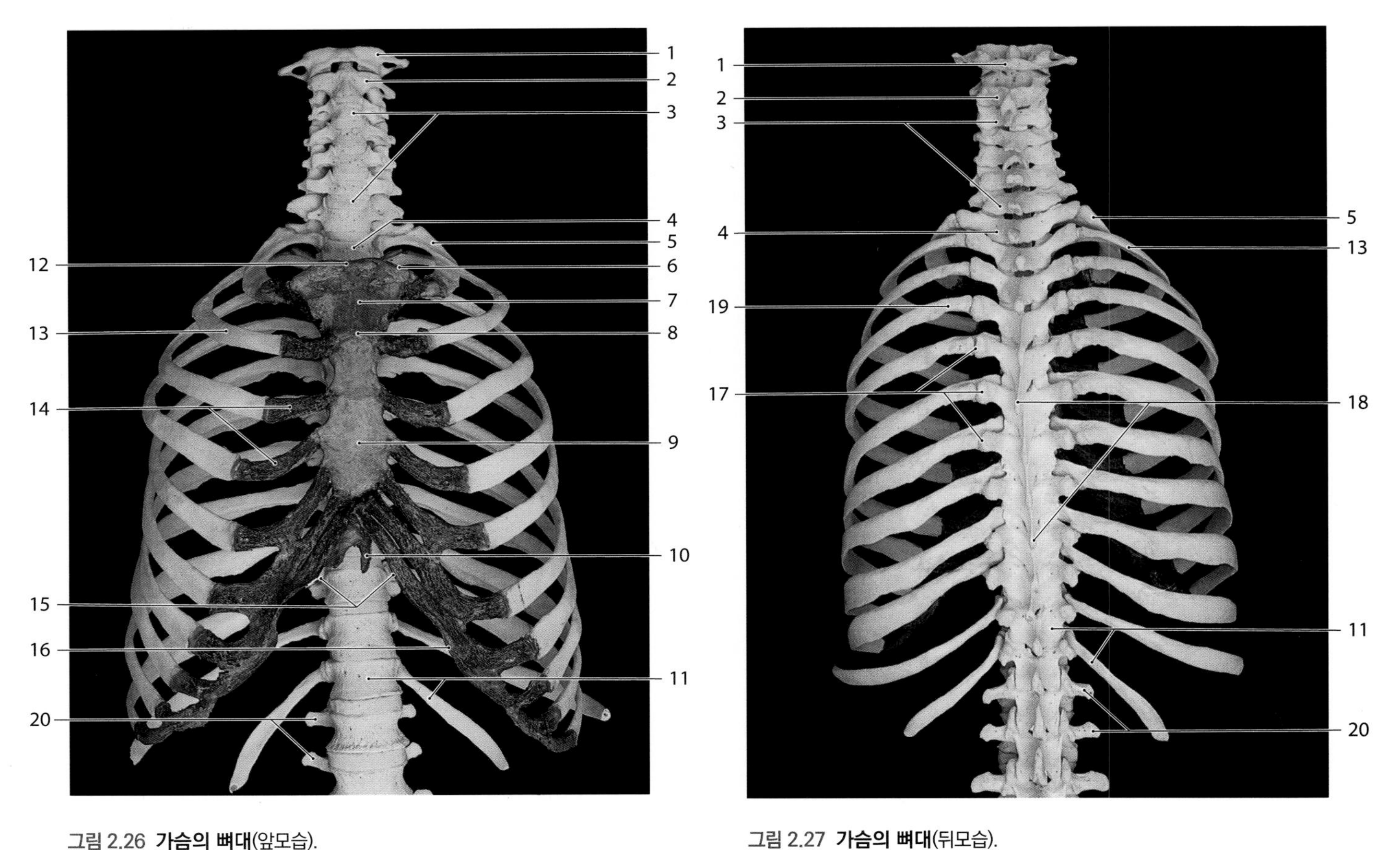

그림 2.26 **가슴의 뼈대**(앞모습).

그림 2.27 **가슴의 뼈대**(뒤모습).

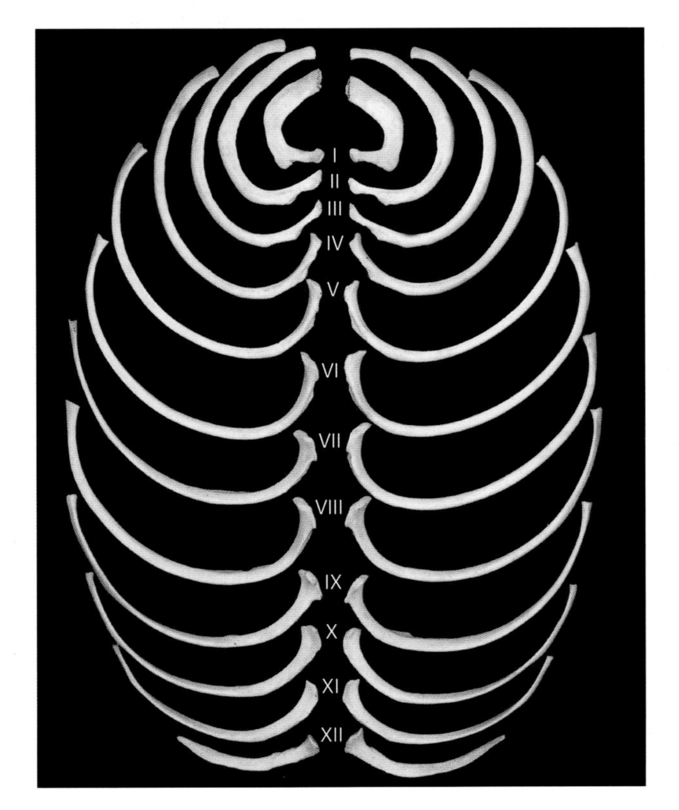

그림 2.28 **분리된 가슴의 뼈대.** 열두 개 갈비뼈(I–XII)를 위에서 아래로 배열하였다.

1 고리뼈 Atlas
2 중쇠뼈 Axis
3 목뼈 Cervical vertebra
4 첫째등뼈 First thoracic vertebra
5 첫째갈비뼈 First rib
6 빗장뼈관절면과 빗장파임 Facet for clavicle and clavicular notch
7 복장뼈자루 Manubrium sterni
8 복장뼈각 Sternal angle
9 복장뼈몸통 Body of sternum
10 칼돌기 Xiphoid process
11 열두째등뼈와 갈비뼈 Twelfth thoracic vertebra and rib
12 목아래파임 Jugular notch
13 둘째갈비뼈 Second rib
14 갈비연골 Costal cartilages
15 명치각 Infrasternal angle
16 갈비활 Costal arch
17 등뼈의 가로돌기와 갈비뼈결절 사이의 갈비가로돌기관절 Costotransverse joint between the transverse processes of thoracic vertebra and the tubercles of the ribs
18 가시돌기 Spinous processes
19 갈비뼈각 Costal angle
20 허리뼈의 갈비돌기 Costal processes of lumbar vertebra

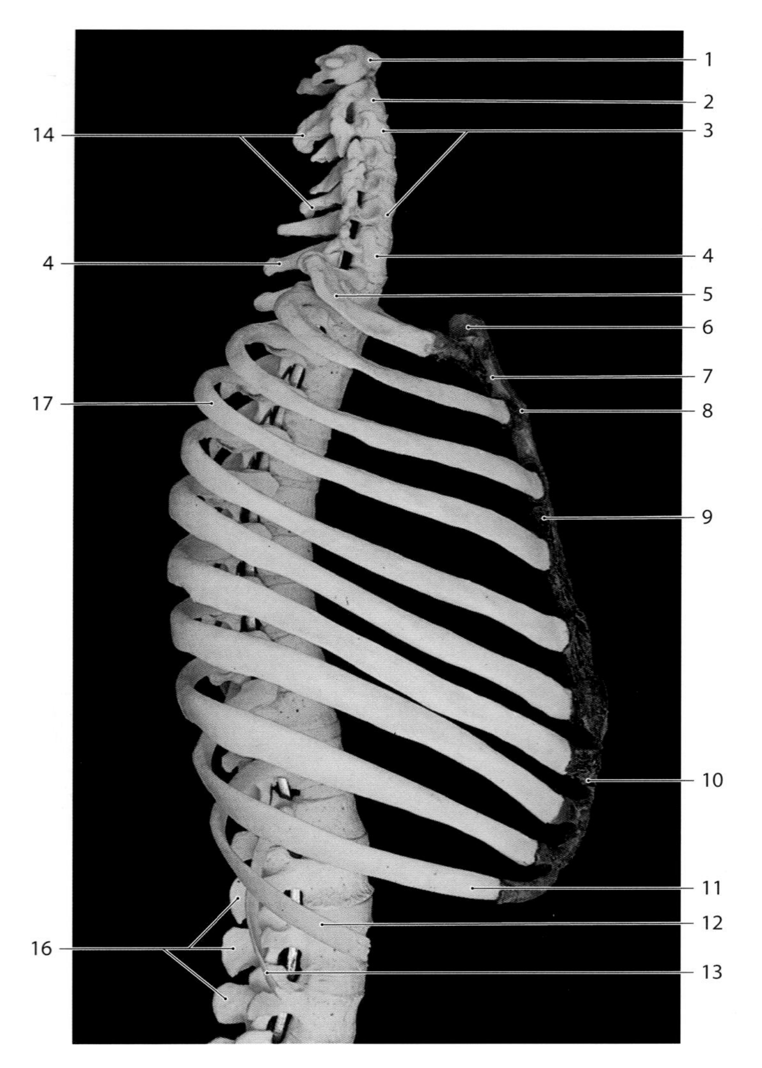

그림 2.29 **가슴의 뼈대**(오른가쪽모습).

1 고리뼈 Atlas
2 중쇠뼈 Axis
3 목뼈 Cervical vertebra
4 솟은뼈 Vertebra prominens (C7)
5 첫째갈비뼈 First rib
6 빗장관절면 Facet for clavicle
7 복장뼈자루 Manubrium sterni
8 복장뼈각 Sternal angle
9 복장뼈몸통 Body of sternum
10 갈비활 Costal arch
11 열째갈비뼈 Tenth rib
12 열한째갈비뼈 Eleventh rib
13 열두째갈비뼈 Twelfth rib
14 목뼈의 가시돌기 Spinous processes of cervical vertebra
15 등뼈의 가시돌기 Spinous processes of thoracic vertebra
16 허리뼈의 가시돌기 Spinous processes of lumbar vertebra
17 갈비뼈각 Costal angle
18 척추사이구멍 Intervertebral foramina
19 척추사이원반 Intervertebral discs
20 목굽이 Cervical curvature
21 등굽이 Thoracic curvature
22 허리굽이 Lumber curvature
23 엉치뼈 Sacrum
24 꼬리뼈 Coccyx

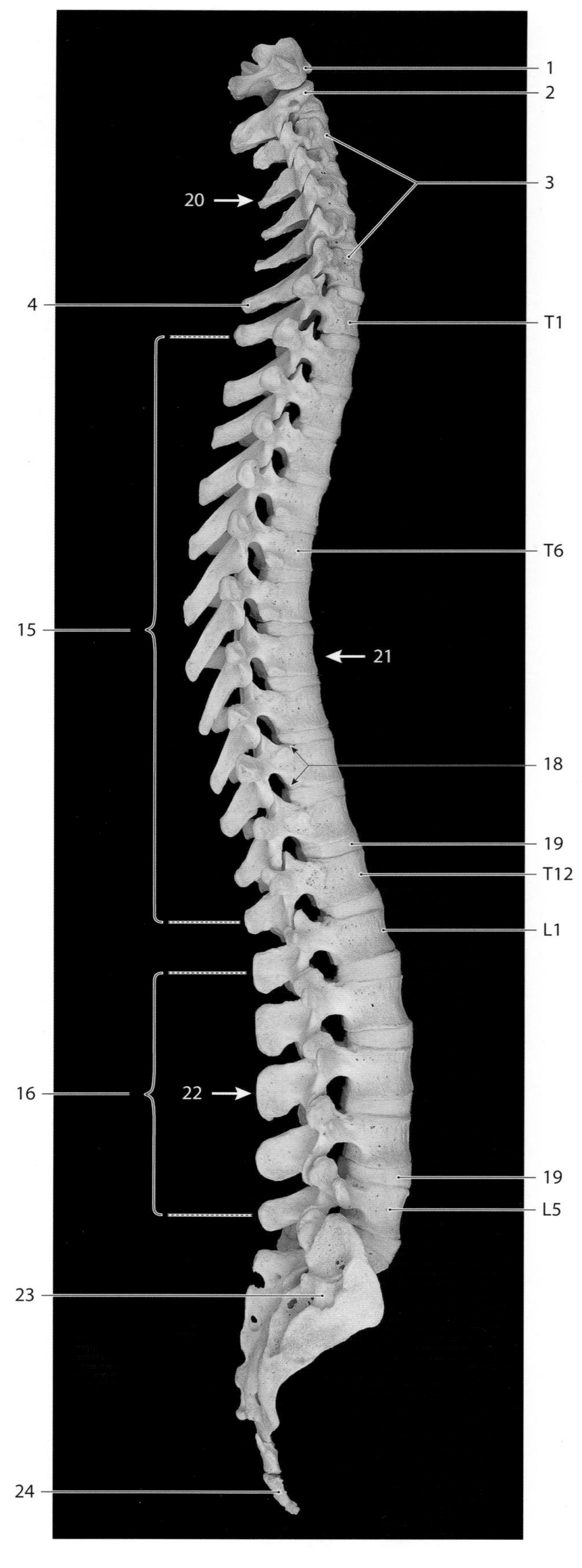

그림 2.30 **척주**(오른가쪽모습). T1, T6, T12 = 첫째, 여섯째, 열두째등뼈; L1, L5 = 첫째, 다섯째허리뼈.

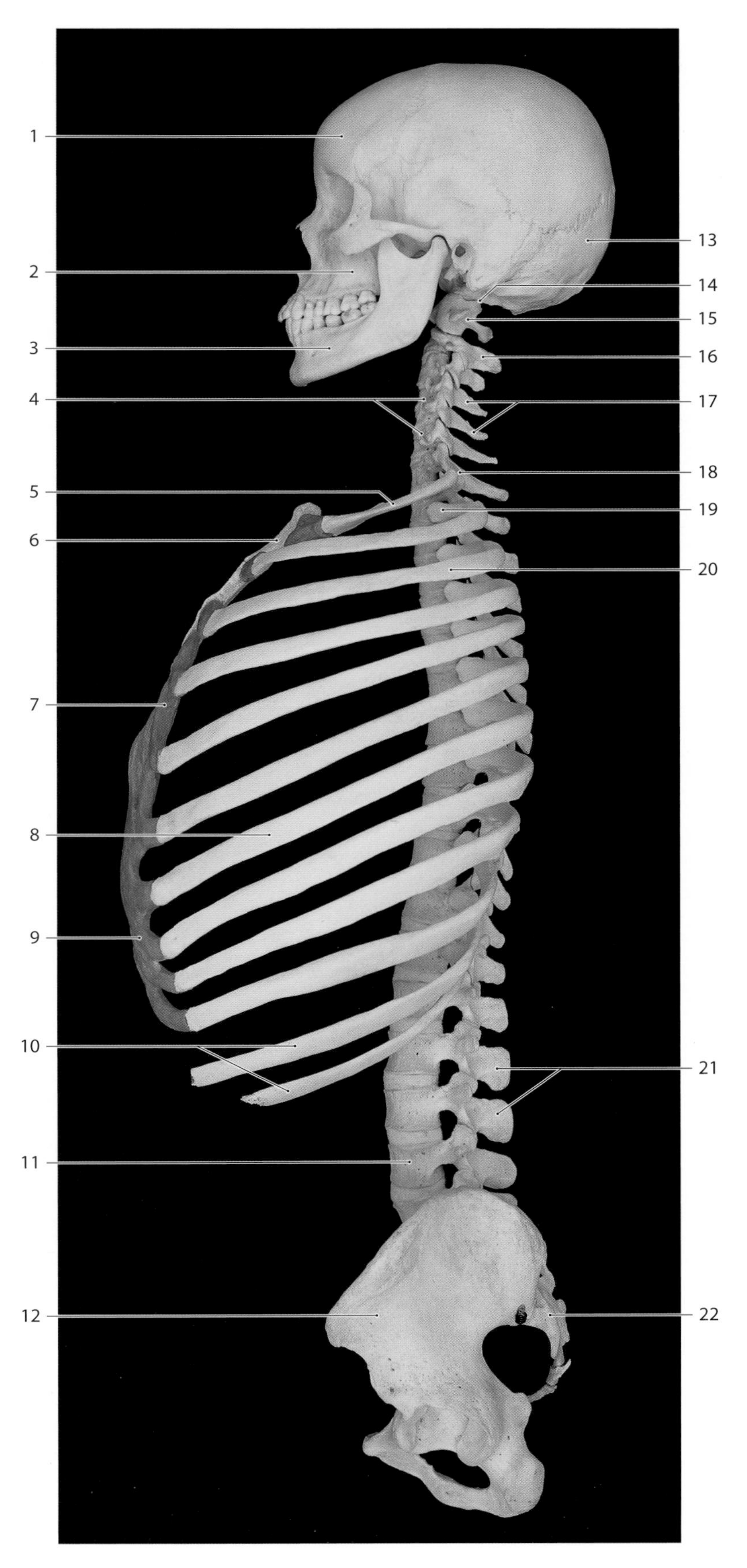

1 이마뼈 Frontal bone
2 위턱뼈 Maxilla
3 아래턱뼈 Mandible
4 목뼈몸통 Bodies of cervical vertebra
5 첫째갈비뼈 First rib
6 복장뼈자루 Manubrium of sternum
7 복장뼈(복장뼈몸통) Sternum (corpus sterni)
8 일곱째갈비뼈(마지막 참갈비뼈) Seventh rib (last of the true ribs)
9 갈비활 Costal arch
10 뜬갈비뼈 Floating ribs (costae fluctuantes)
11 넷째허리뼈몸통 Body of fourth lumbar vertebra
12 골반뼈 Pelvis
13 뒤통수뼈 Occipital bone
14 고리뒤통수관절 Atlanto-occipital joint
15 고리뼈 Atlas
16 중쇠뼈 Axis
17 목뼈의 가시돌기(넷째와 다섯째목뼈) Spinous processes of cervical vertebra (C4, C5)
18 첫째갈비뼈의 갈비가로돌기관절 Costotransverse joint of first rib
19 둘째갈비뼈머리 Head of second rib
20 셋째갈비뼈 Third rib
21 허리뼈의 가시돌기(둘째, 셋째허리뼈) Spinous processes of lumbar vertebra (L2, L3)
22 엉치뼈 Sacrum

그림 2.31 **머리와 골반을 연결하는 척주와 가슴의 뼈대**(가쪽모습).

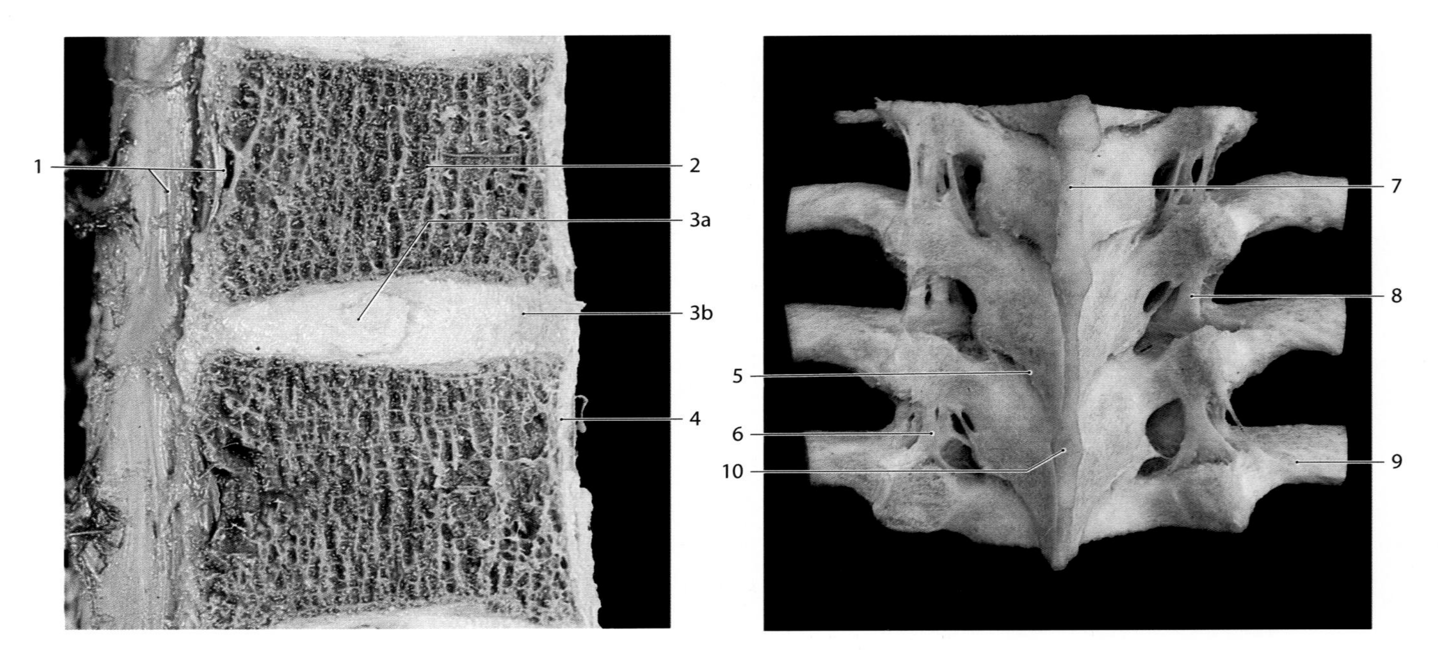

그림 2.32 **허리뼈몸통의 정중시상단면.** 바깥섬유테와 속질핵으로 이뤄진 척추사이원반을 보여준다.

그림 2.33 **등뼈의 인대**(뒤모습).

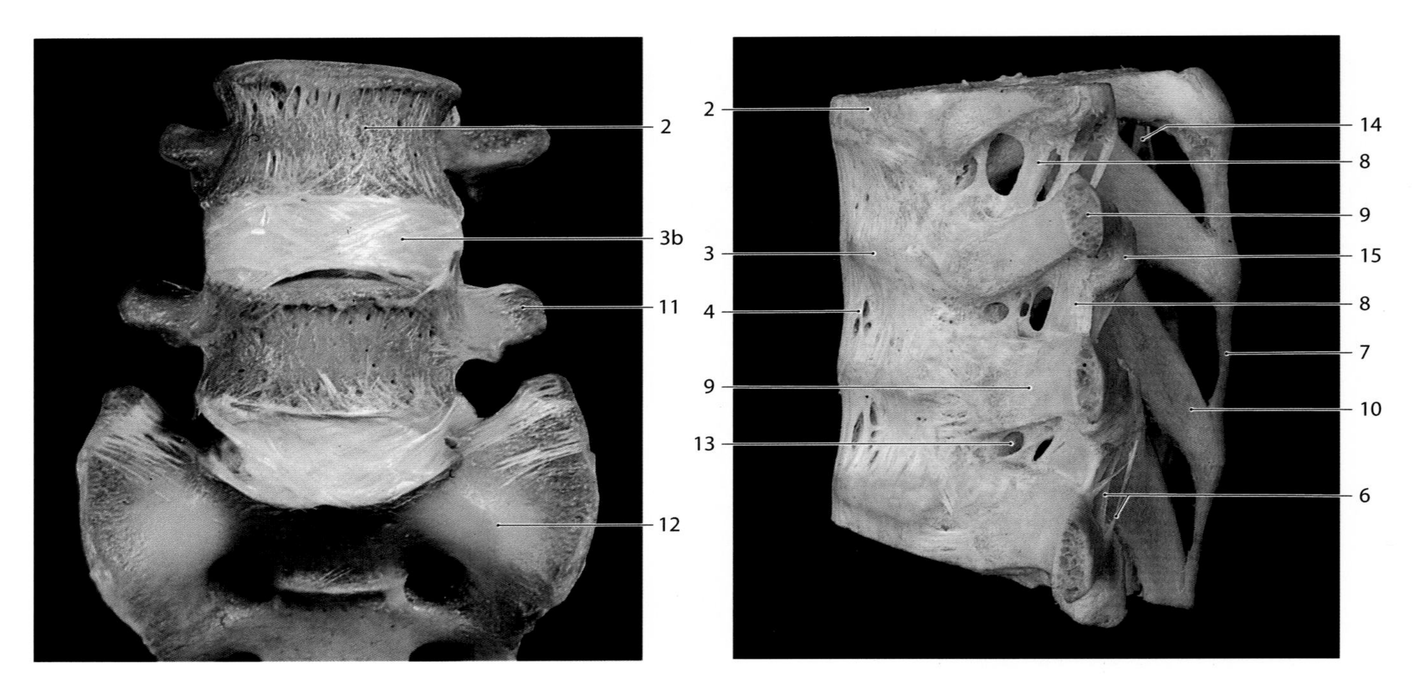

그림 2.34 **두 개의 아래 허리뼈와 엉치뼈**(앞모습). 앞세로인대는 제거하였다.

그림 2.35 **등뼈의 인대**(왼가쪽모습).

1 뒤세로인대와 척수경막
Posterior longitudinal ligament and spinal dura mater
2 척추뼈몸통 Body of vertebra
3 척추사이원반 Intervertebral disc
(a) 속중심(속질핵) Inner core(nucleus pulposus)
(b) 바깥부분(섬유테) Outer portion(anulus fibrosus)
4 앞세로인대 Anterior longitudinal ligament
5 황색인대 Ligamentum flavum
6 가로돌기사이인대 Intertransverse ligament
7 가시끝인대 Supraspinous ligament
8 위갈비가로인대 Superior costotransverse ligament
9 갈비뼈 Rib
10 가시돌기 Spinous process
11 허리뼈의 갈비돌기 Costal process of lumbar vertebra
12 엉치뼈 Sacrum
13 척추사이구멍 Intervertebral foramen
14 가시사이인대 Interspinous ligament
15 등뼈의 가로돌기 Transverse process of thoracic vertebra

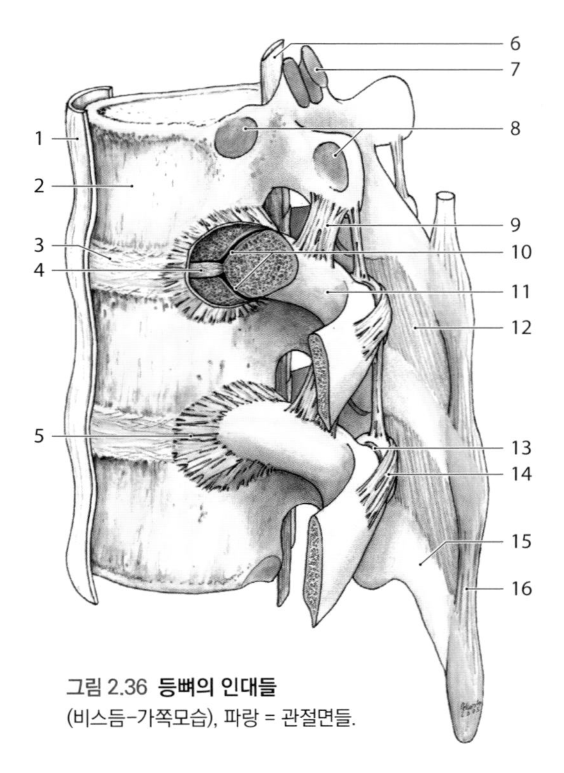

그림 2.36 **등뼈의 인대들**
(비스듬-가쪽모습), 파랑 = 관절면들.

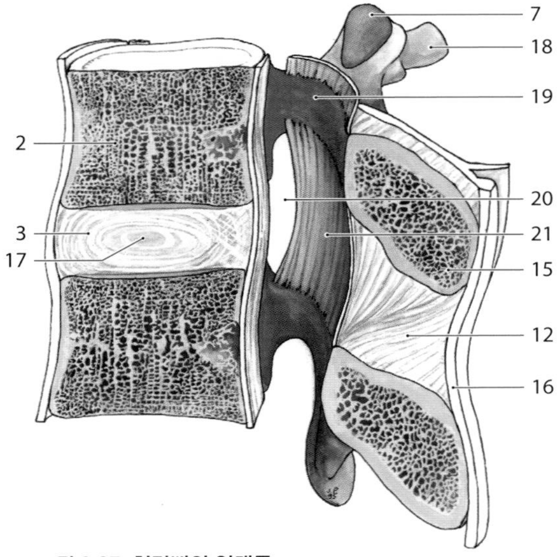

그림 2.37 **허리뼈의 인대들**
(정중시상단면), 파랑 = 관절면들.

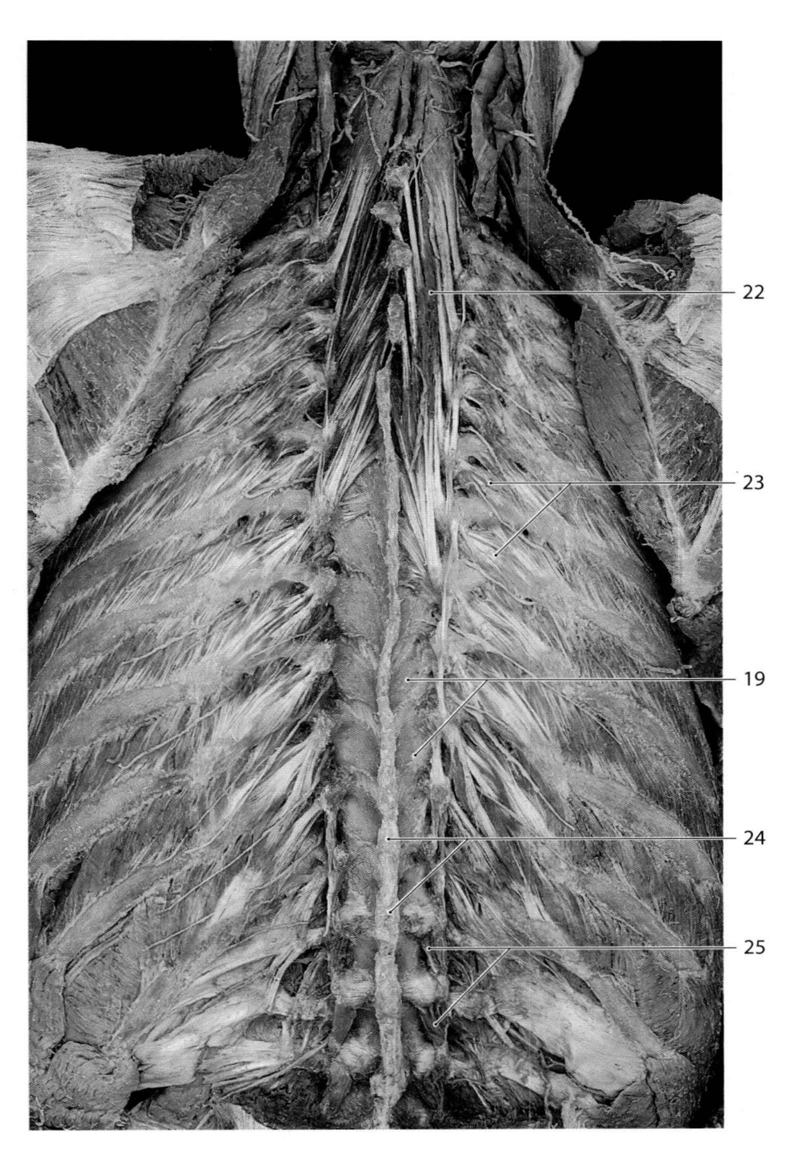

그림 2.38 **척주와 갈비뼈**(뒤모습). 등근육들은 인대가 보이도록 크게 제거하였다.

1 앞세로인대 Anterior longitudinal ligament
2 척추뼈몸통 Body of vertebra
3 척추사이원반 Intervertebral disc
4 관절속갈비뼈머리인대 Intra-articular ligament
5 부채꼴갈비뼈머리인대 Radiate ligament
6 뒤세로인대 Posterior longitudinal ligament
7 위관절면 Superior articular facet
8 갈비뼈머리의 관절면과 갈비가로돌기관절
Articular facets of joint of head of rib and costotransverse joint
9 위갈비가로돌기인대 Superior costotransverse ligament
10 갈비뼈머리의 관절 Joint of head of rib
11 갈비뼈 Rib
12 가시사이인대 Interspinal ligament
13 갈비가로돌기관절 Costotransvers joint
14 가쪽갈비가로돌기인대 Lateral costotransverse ligament
15 가시돌기 Spinous process
16 가시끝인대 Supraspinal ligament
17 속질핵 Nucleus pulposus
18 갈비돌기 Costal process
19 척추뼈고리 Vertebral arch
20 척추사이구멍 Intervertebral foramen
21 가로돌기사이인대 Intertransverse ligament
22 목반가시근 Semispinalis cervicis muscle
23 갈비올림근 Levatores costarum muscle
24 허리뼈의 가시돌기와 가시끝인대
Spinous processes of lumber vertebrae and supraspinal ligaments
25 가로돌기사이근 Intertransversarii muscle

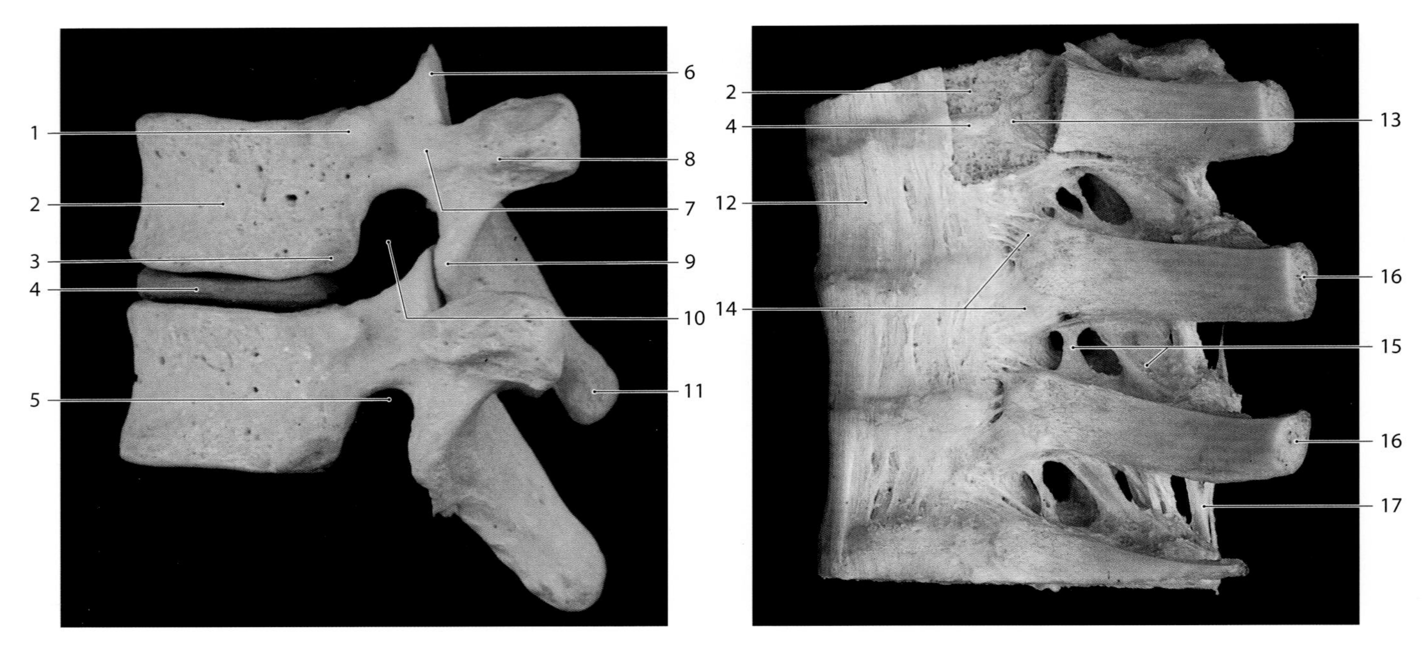

그림 2.39 **두 개의 등뼈**(왼가쪽모습).

그림 2.40 **등뼈와 갈비척추관절의 인대들**(왼앞가쪽모습).

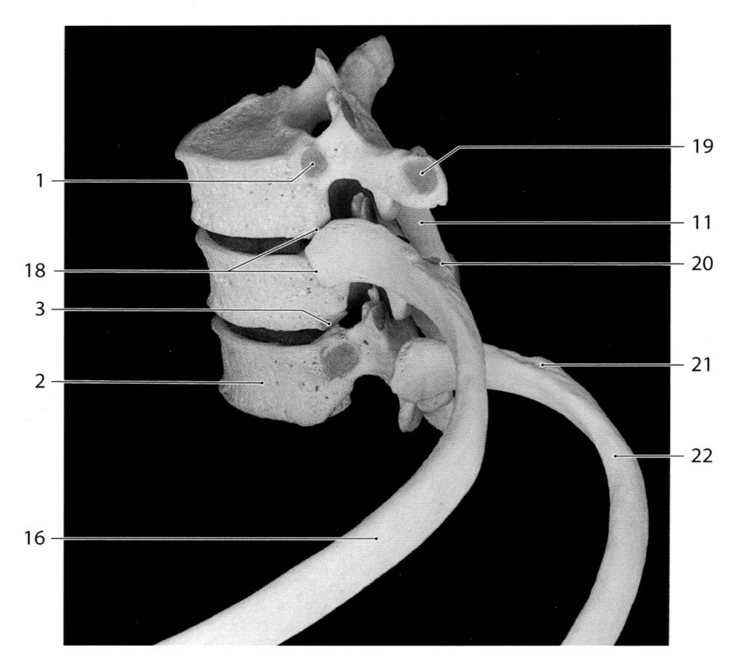

그림 2.41 **갈비척추관절**(가쪽모습).

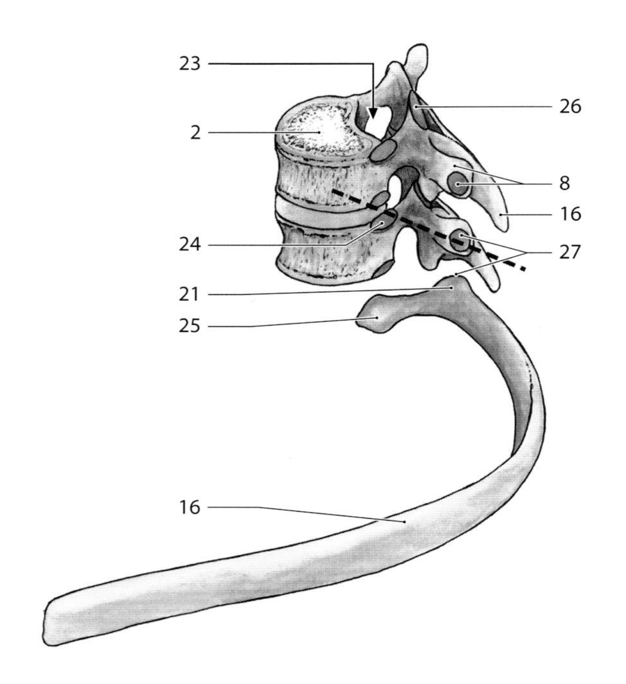

그림 2.42 **갈비척추관절**(가쪽모습면). 등뼈 두 개와 관절하는 하나의 갈비뼈(분리됨). 운동축은 점선으로 표시하였다. 파랑=관절면.

1 갈비뼈머리와 닿는 위반관절면 Superior demifacet for head of rib
2 척추뼈몸통 Body of vertebra
3 갈비뼈머리와 닿는 아래반관절면 Inferior demifacet for head of rib
4 척추사이원반 Intervertebral disc
5 아래척추뼈파임 Inferior vertebral notch
6 위관절면과 위관절돌기 Superior articular facet and superior articular process
7 고리뿌리 Pedicle
8 가로돌기와 갈비뼈결절의 관절면 Transverse process and facet for tubercle of rib
9 아래관절돌기 Inferior articular process
10 척추사이구멍 Intervertebral foramen
11 가시돌기 Spinous process
12 앞세로인대 Anterior longitudinal ligament
13 관절속갈비뼈머리인대 Intra-articular ligament
14 부채꼴갈비뼈머리인대 Radiate ligament
15 위갈비가로돌기인대 Superior costotransverse ligament
16 갈비뼈몸통 Body of rib
17 가로돌기사이인대 Intertransverse ligament
18 갈비뼈머리와 두 척추뼈의 관절 Articulation of head of rib with two vertebra
19 갈비가로돌기관절각(관절면) Angle of costotransverse joint (articular facet)
20 갈비가로돌기관절 Costotransverse joint
21 갈비뼈결절 Tubercle of rib
22 갈비뼈각 Costal angle of rib
23 척주관 Vertebral canal
24 갈비뼈머리와 관절하는 아래관절면 Infreior facet of articulation with head of rib
25 갈비뼈머리 Head of rib
26 위관절돌기 Superior articular process
27 갈비가로돌기관절의 관절면 Facet of articulation with costotransverse joint

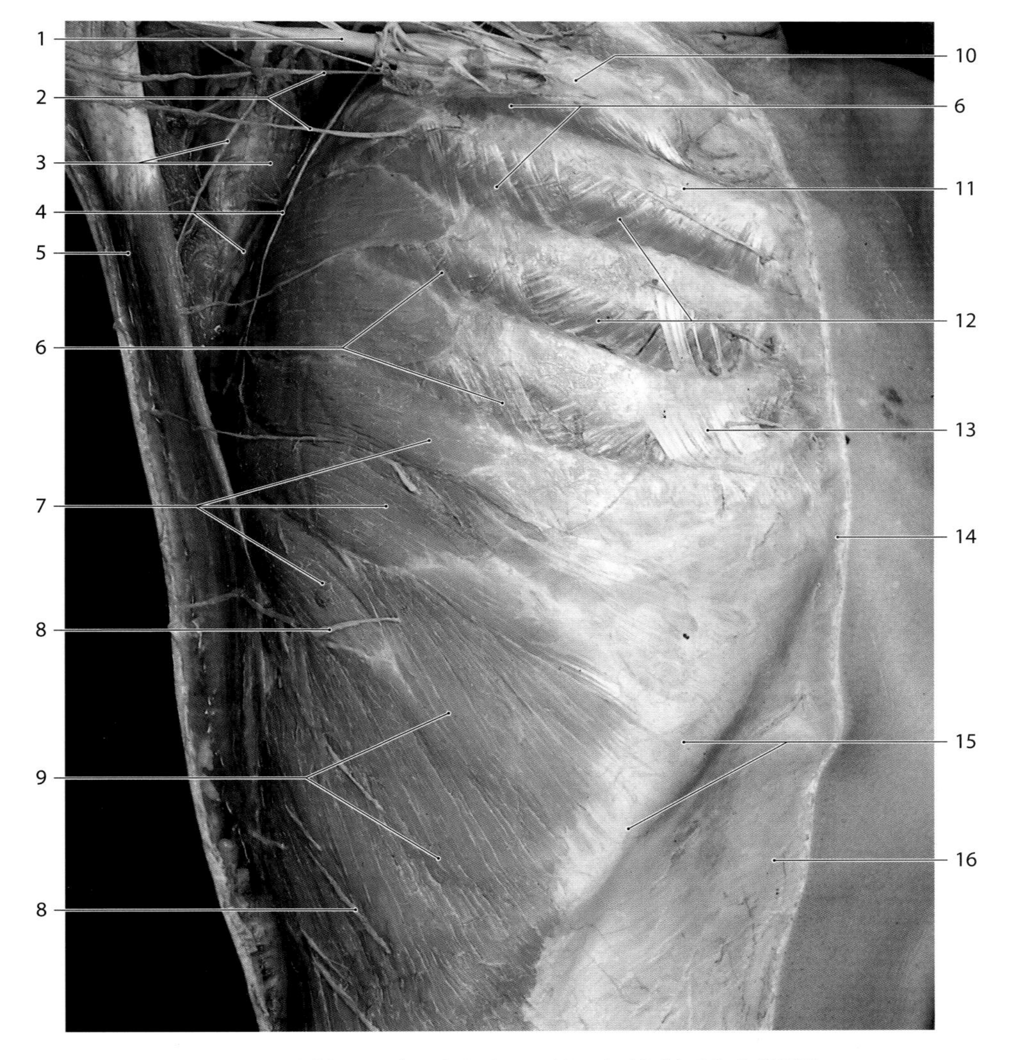

1 겨드랑정맥
Axillary vein
2 갈비사이위팔신경
Intercostobrachial nerves
3 어깨밑근과 가슴등신경
Subscapularis muscle and thoracodorsal nerve
4 긴가슴신경, 가쪽가슴동맥과 정맥
Long thoracic nerve, lateral thoracic artery and vein
5 넓은등근
Latissimus dorsi muscle
6 바깥갈비사이근
External intercostal muscle
7 앞톱니근
Serratus anterior muscle
8 갈비사이신경의 가쪽피부가지
Lateral cutaneous branches of intercostal nerves
9 배바깥빗근
External abdominal oblique muscle
10 빗장뼈(잘림)
Clavicle (divided)
11 둘째갈비뼈(갈비연골관절)
Second rib (costochondral junction)
12 속갈비사이근
Internal intercostal muscle
13 바깥갈비사이막
External intercostal membrane
14 칼돌기의 위치
Position of xiphoid process
15 갈비활(갈비모서리)
Costal arch or margin
16 배곧은근집의 앞층
Anterior layer of rectus sheath

그림 2.43 **가슴의 근육, 얕은층**(가쪽모습). 팔은 올리고, 큰가슴근과 작은가슴근은 제거하였다.

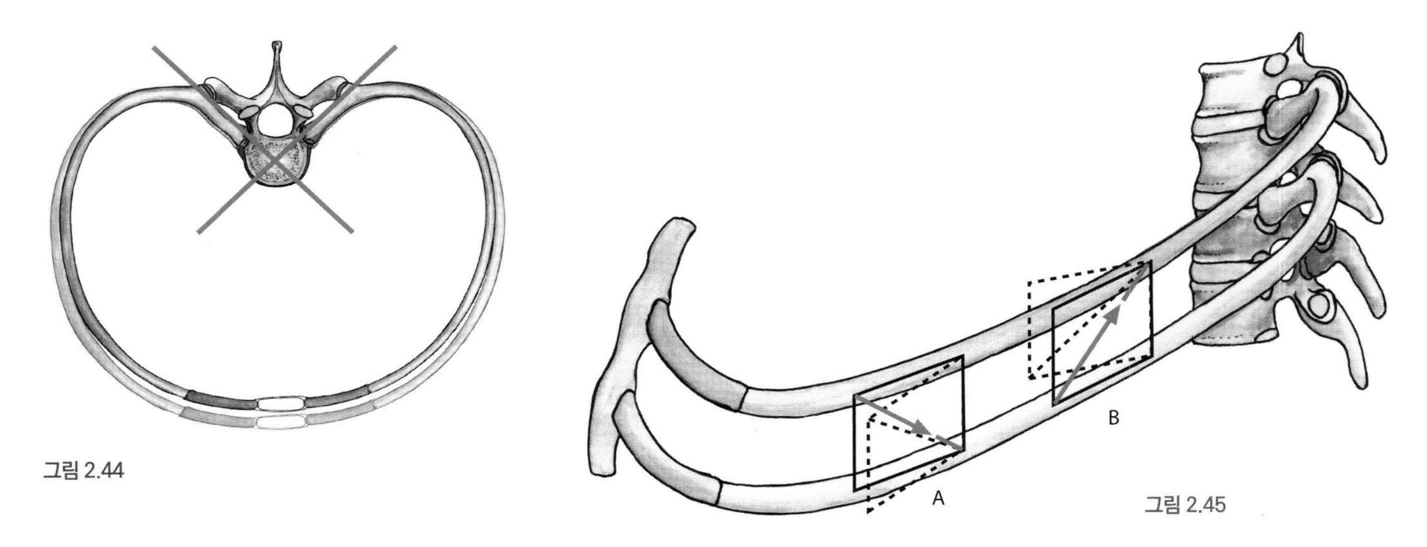

그림 2.44

그림 2.45

그림 2.44와 2.45 **갈비척추관절과 갈비가로돌기관절에 대한 갈비사이근육의 작용.** 운동축은 빨간선으로 표시했다; 운동의 방향은 빨간 화살표로 표시했다.
A = 속갈비사이근의 작용(날숨), B = 바깥갈비사이근의 작용(들숨)

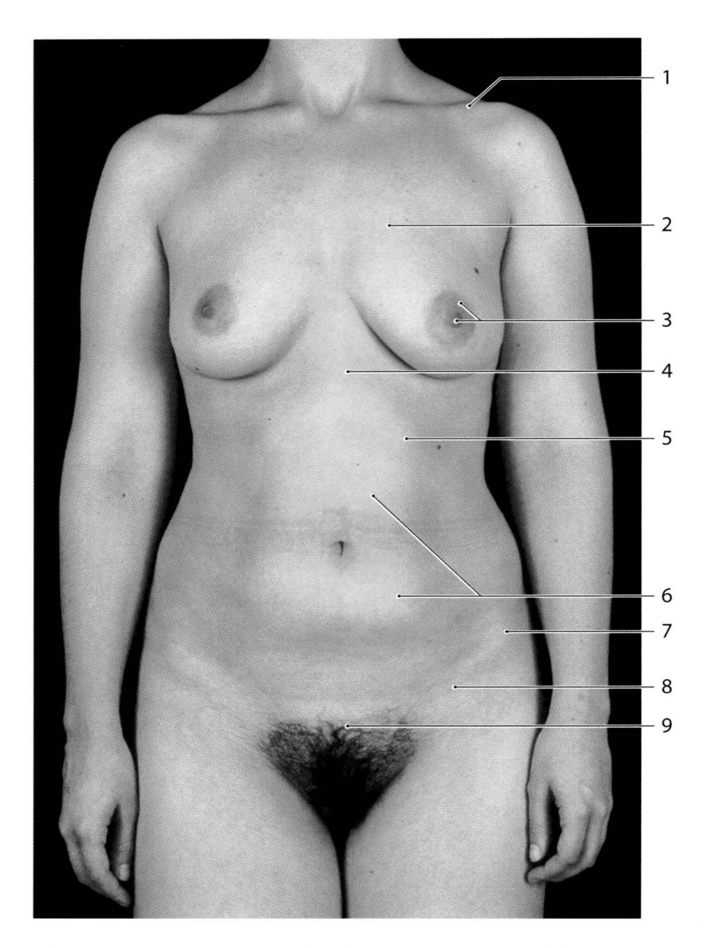

1 빗장뼈 Clavicle
2 큰가슴근 Pectoralis major muscle
3 젖꽃판과 유두 Areola and nipple
4 명치각 Infrasternal angle
5 갈비활 Costal arch
6 배곧은근 Rectus abdominis muscle
7 앞위엉덩뼈가시 Anterior superior iliac spine
8 고샅인대 Inguinal ligament
9 불두덩 Mons pubis
10 배바깥빗근 External abdominal oblique muscle
11 정삭 Spermatic cord
12 어깨세모근 Deltoid muscle
13 바깥갈비사이근 External intercostal muscle
14 배속빗근 Internal abdominal oblique muscle
15 배가로근 Transverse abdominal muscle
16 작은가슴근 Pectoralis minor muscle
17 앞톱니근 Anterior serratus muscle
18 백색선 Linea alba
19 위팔두갈래근 Biceps brachii muscle
20 부리위팔근 Coracobrachialis muscle
21 넓은등근 Latissimus dorsi muscle

그림 2.46 **여자 앞몸통벽의 표면해부학.** 부위간 털의 차이를 확인하시오.

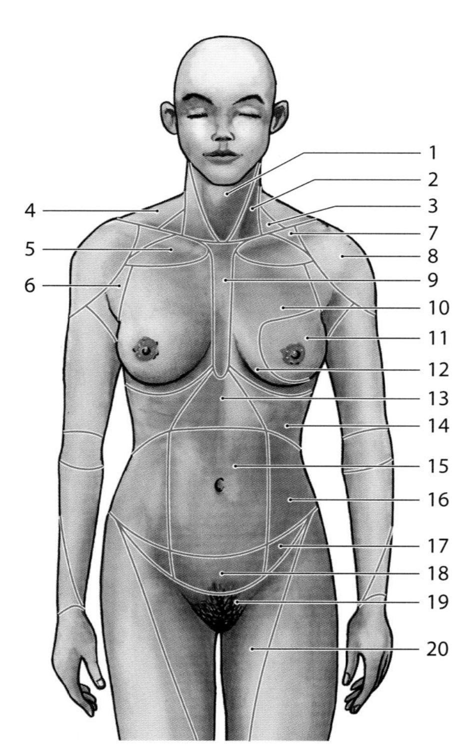

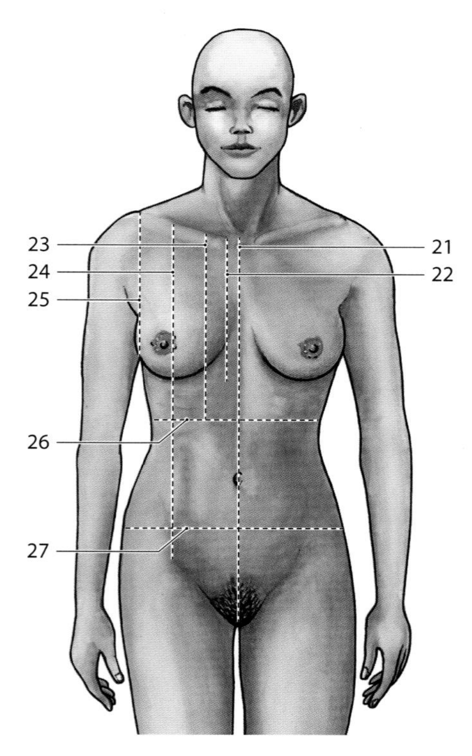

그림 2.47 **여자 앞몸통벽의 부위와 경계선.**

◀ 그림 2.47에만 해당하는 표지:
1 앞목부위 Anterior cervical region
2 목빗근부위 Sternocleidomastoid region
3 빗장위삼각 Omoclavicular triangle
4 가쪽목부위 Lateral cervical region
5 빗장아래오목 Infraclavicular fossa
6 겨드랑부위 Axillary region
7 세모가슴삼각 Clavipectoral triangle
8 어깨세모근부위 Deltoid region
9 복장부위 Presternal region
10 젖아래부위 Inframammary region
11 젖부위 Mammary region
12 큰가슴근부위 Pectoral region
13 명치부위 Epigastric region
14 갈비밑부위 Hypochondriac region
15 배꼽부위 Umbilical region
16 가쪽배부위 Lateral abdominal region
17 고샅부위 Inguinal region
18 두덩부위 Pubic region
19 비뇨생식부위 Urogenital region
20 넓적다리삼각 Femoral triangle
21 앞정중선 Anterior median line
22 복장선 Sternal line
23 복장옆선 Parasternal line
24 젖꼭지선(빗장중간선) Mammillary line (medioclavicular line)
25 겨드랑선 Axillary line
26 아래가슴문 높이의 수평면 Horizontal plane at the level of the inferior thoracic aperture
27 앞위엉덩뼈가시 높이의 수평면 Horizontal plane at the level of the anterior superior iliac spine

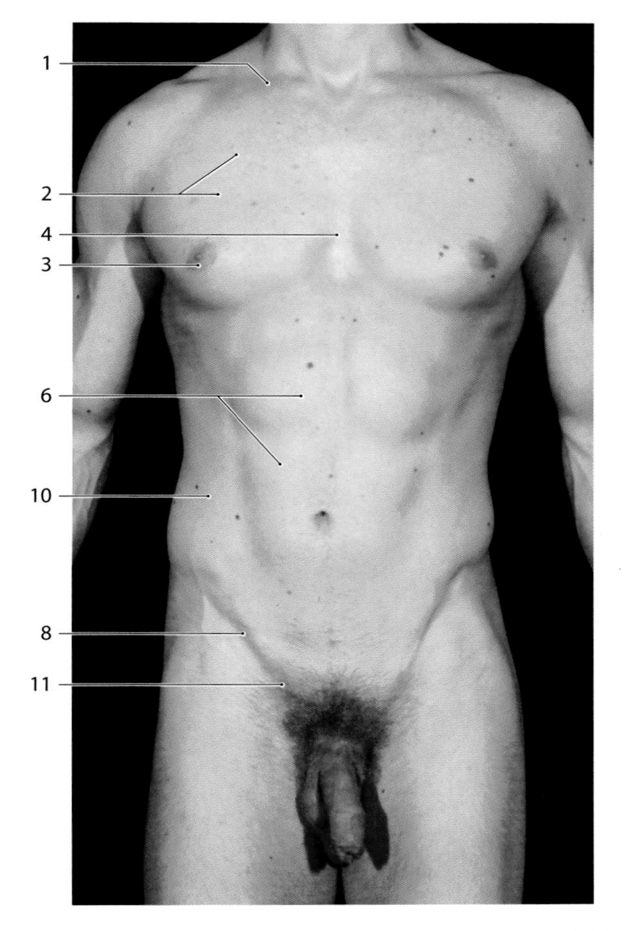

그림 2.48 **남자 앞몸통벽의 표면해부학.** 근육의 위치와 구조를 확인할 수 있다.

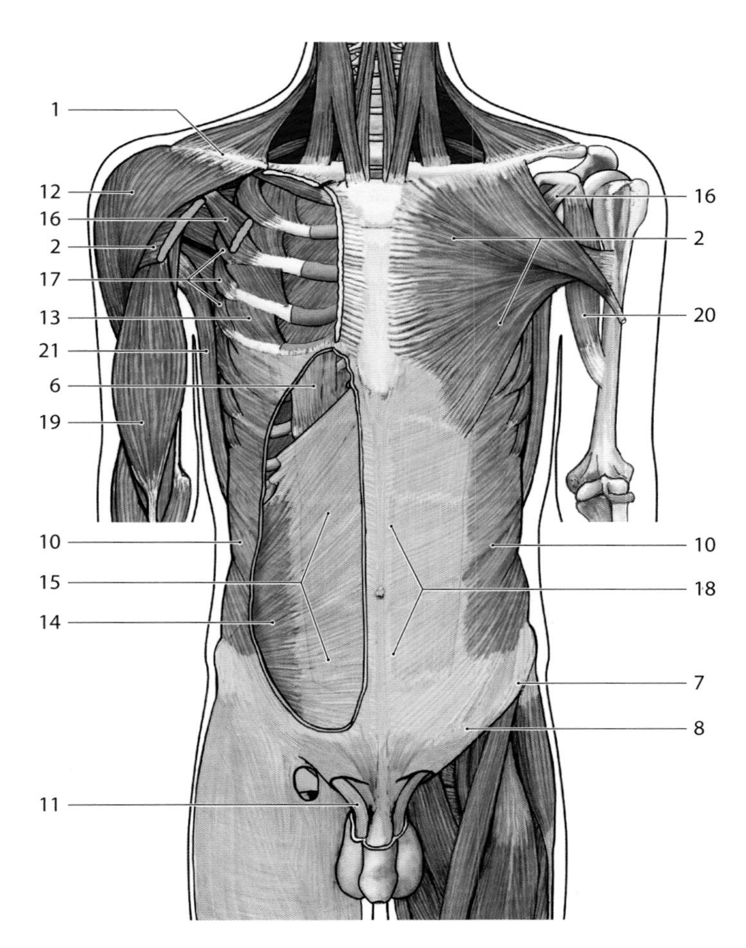

그림 2.49 **앞몸통벽의 근육.**

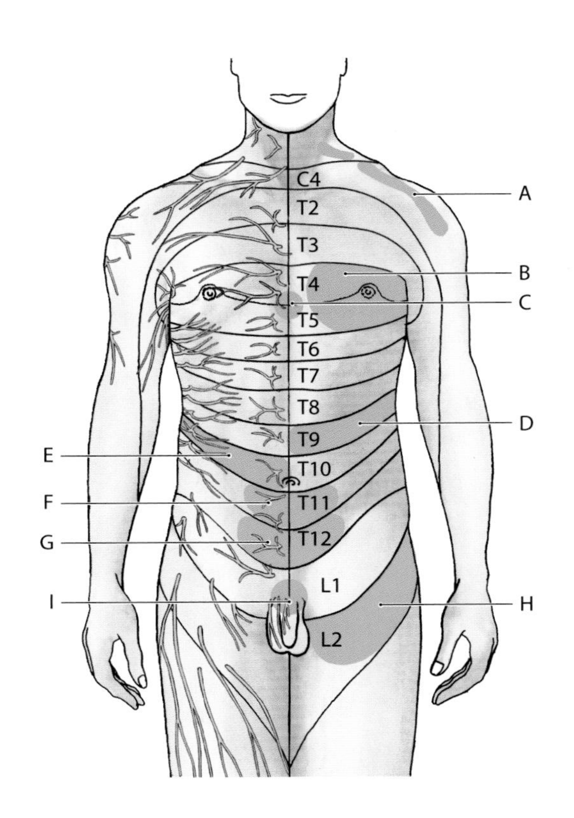

Head 구역(Head's zones)

A = 샘창자(Duodenum, C4)
B = 심장(Heart, T3-T4)
C = 식도(Esophagus, T4-T5)
D = 위(Stomach, C3, C4)
E = 간, 쓸개(Liver, gallbladder, T9-L1)
F = 작은창자(Small intestine, T10-L1)
G = 잘록창자(Colon, T11-L1)
H = 콩팥, 고환(Kidney, testis, T10-L1)
I = 방광(Urinary bladder, T11-L1)

그림 2.50 **앞몸통벽의 구획.**
Head 구역을 표시했다.

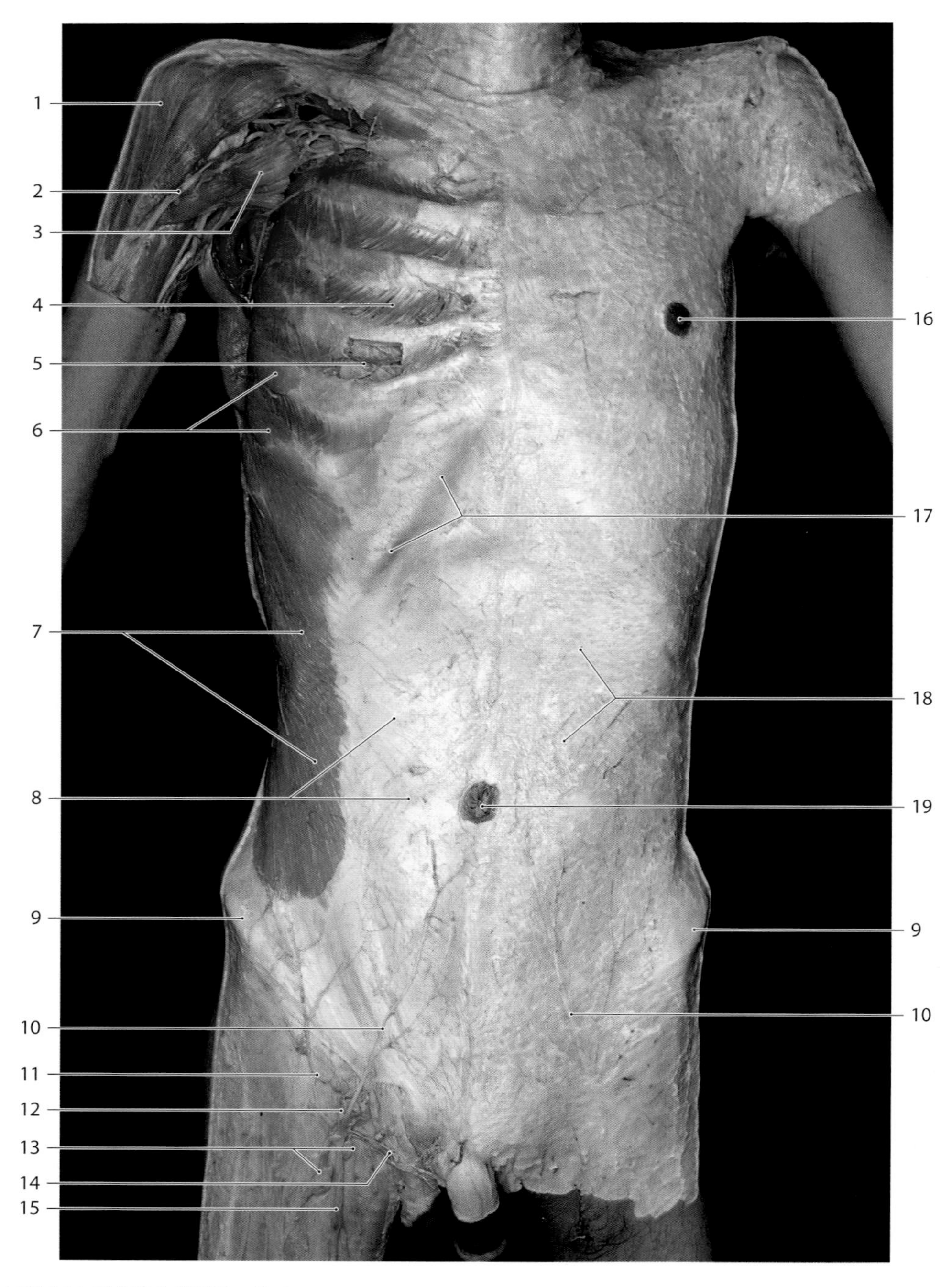

그림 2.51 **가슴벽과 배벽**(앞모습). 오른쪽 큰가슴근과 작은가슴근을 제거하였다. 오른쪽 가슴벽과 배벽의 근육들을 보여준다.

1 어깨세모근 Deltoid muscle
2 노쪽피부정맥 Cephalic vein
3 큰가슴근(잘림) Pectoralis major muscle(divided)
4 속갈비사이근 Internal intercostal muscle
5 갈비사이동맥과 정맥(갈비사이공간, 창) Intercostal artery and vein (intercostal space, fenestrated)
6 앞톱니근 Serratus anterior muscle
7 배바깥빗근 External abdominal oblique muscle
8 배곧은근집 앞층 Anterior layer of rectus sheath
9 엉덩뼈능선 Iliac crest
10 얕은배벽정맥 Superficial epigastric vein
11 얕은엉덩휘돌이정맥 Superficial circumflex iliac vein
12 두렁구멍 Saphenous opening
13 얕은고샅림프절 Superficial inguinal lymph nodes
14 얕은바깥음부정맥 Superficial external pudendal veins
15 큰두렁정맥 Great saphenous vein
16 유두 Nipple
17 갈비모서리 Costal margin
18 피부밑지방조직 Subcutaneous fatty tissue
19 배꼽 Umbilicus

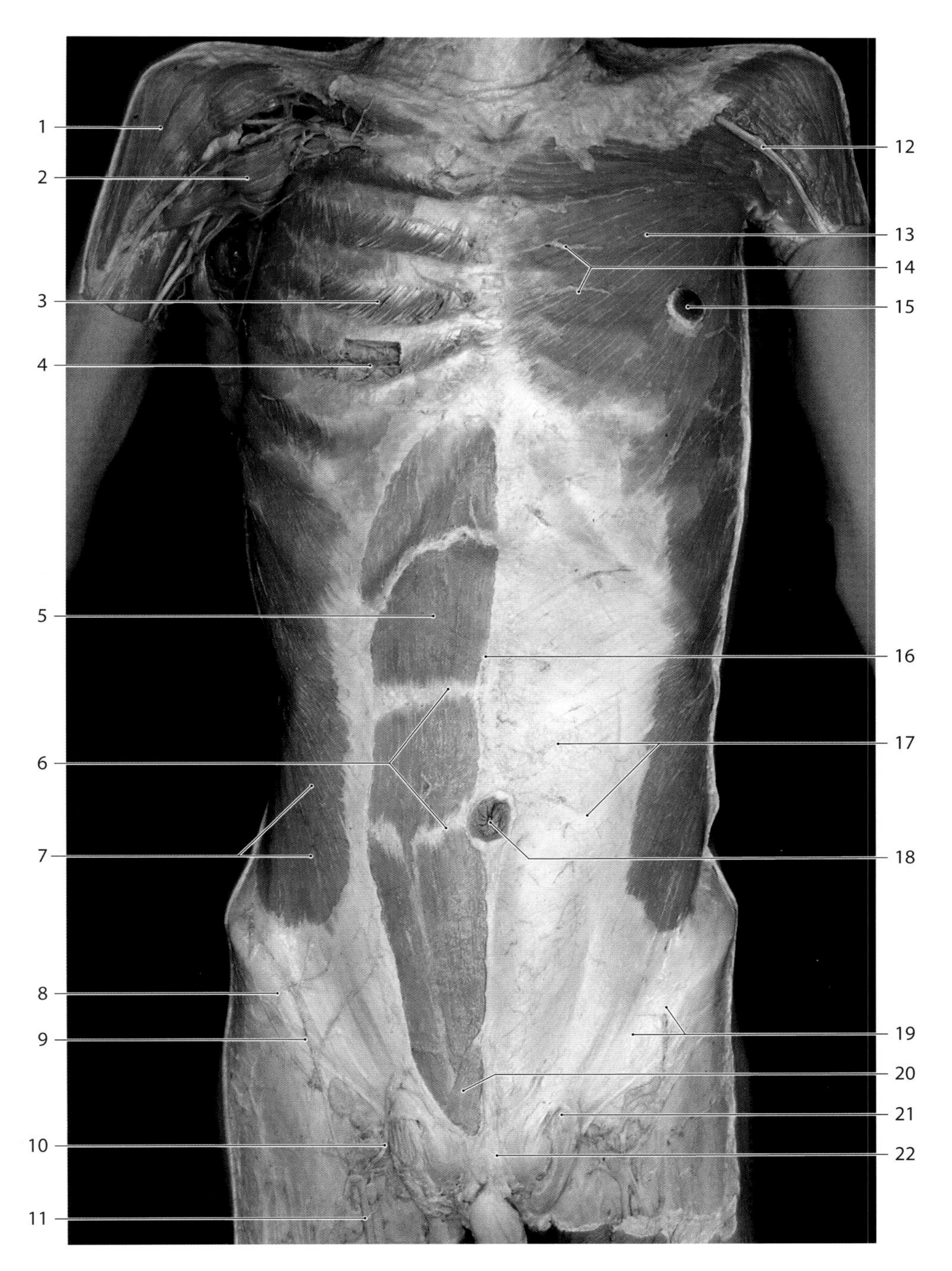

그림 2.52 **가슴벽과 배벽**(앞모습). 오른쪽 큰가슴근, 작은가슴근, 배곧은근집의 앞층을 제거하였다.

1 어깨세모근 Deltoid muscle
2 큰가슴근(잘림) Pectoralis major muscle (divided)
3 속가슴근 Internal intercostal muscle
4 속가슴동맥과 정맥 Intercostal artery and vein
5 배곧은근 Rectus abdominis muscle
6 나눔힘줄 Tendinous intersections
7 배바깥빗근 External abdominal oblique muscle
8 앞위엉덩뼈가시 Anterior superior iliac spine
9 얕은엉덩휘돌이정맥 Superficial circumflex iliac vein
10 얕은배벽정맥 Superficial epigastric vein
11 큰두렁정맥 Great saphenous vein
12 노쪽피부정맥 Cephalic vein
13 큰가슴근 Pectoralis major muscle
14 갈비사이신경의 앞피부가지
Anterior cutaneous branches of intercostal nerves
15 유두 Nipple
16 백색선 Linea alba
17 곧은근집의 앞층 Anterior layer of rectus sheath
18 배꼽 Umbilicus
19 고샅인대 Inguinal ligament
20 배세모근 Pyramidal muscle
21 얕은고샅구멍과 정삭
Superficial inguinal ring and spermatic cord
22 음경의 고리인대 Fundiform ligament of penis

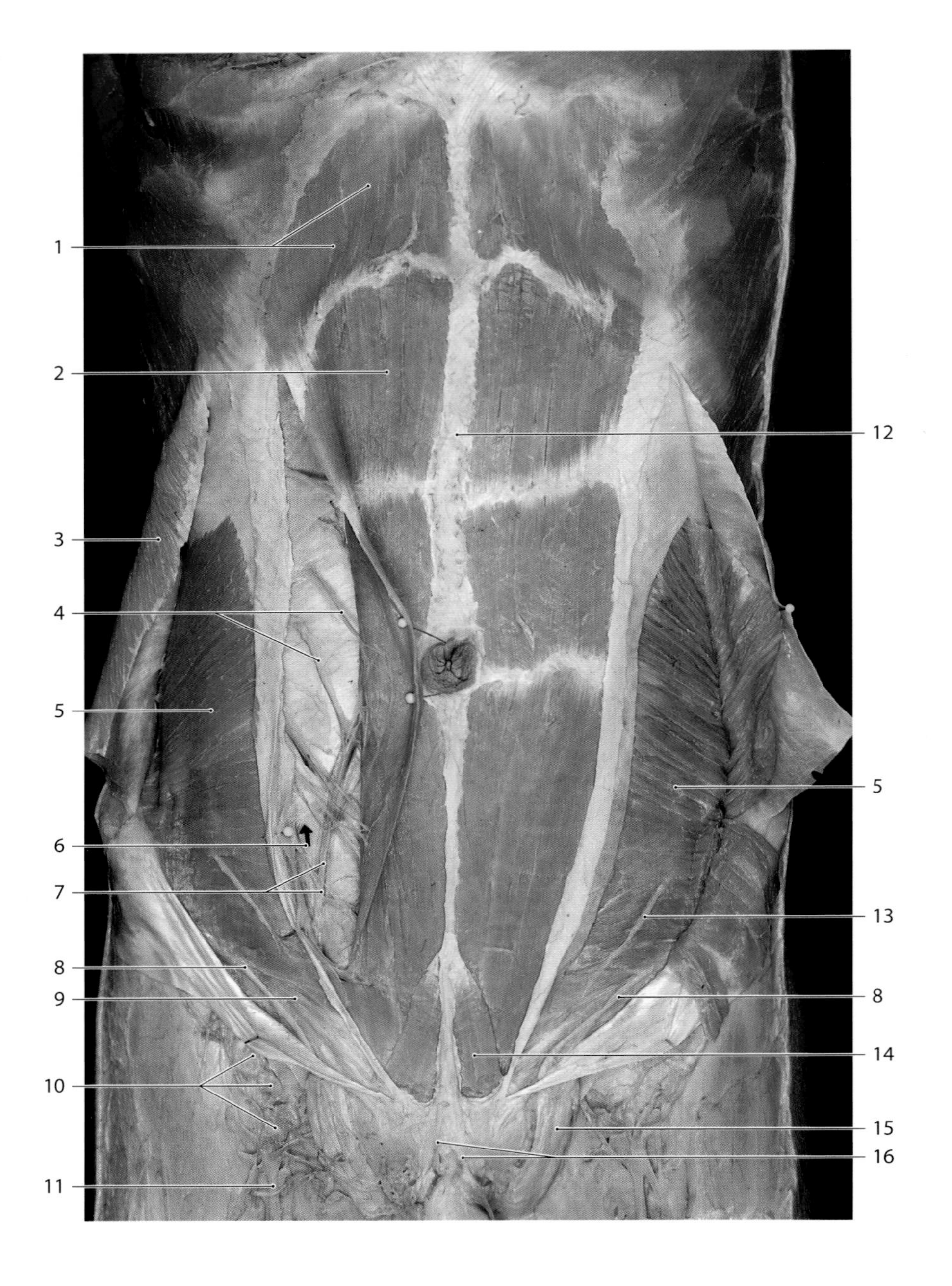

1 갈비모서리 Costal margin
2 배곧은근 Rectus abdominis muscle
3 배바깥빗근(젖힘) External abdominal oblique muscle (reflected)
4 가슴배(갈비사이) 신경과 동반혈관 Thoraco-abdominal (intercostal) nerve with accompanying vessels
5 배속빗근 Internal abdominal oblique muscle
6 활꼴선(화살표) Arcuate line (arrow)
7 아래배벽동맥과 정맥 Inferior epigastric artery and vein
8 엉덩고샅신경 Ilio-inguinal nerve
9 깊은고샅구멍의 위치 Position of deep inguinal ring
10 얕은고샅림프절 Superficial inguinal lymph nodes
11 큰두렁정맥 Great saphenous vein
12 백색선 Linea alba
13 엉덩아랫배신경 Iliohypogastric nerve
14 배세모근 Pyramidalis muscle
15 정삭 Spermatic cord
16 음경고리인대 Fundiform ligament of penis

그림 2.53 **가슴벽과 배벽**(앞모습). 양쪽의 배바깥빗근을 잘라 젖혔다. 오른쪽 배곧은근은 안쪽으로 젖혀 배곧은근집의 뒤층을 노출시켰다. 화살표: 활꼴선의 위치.

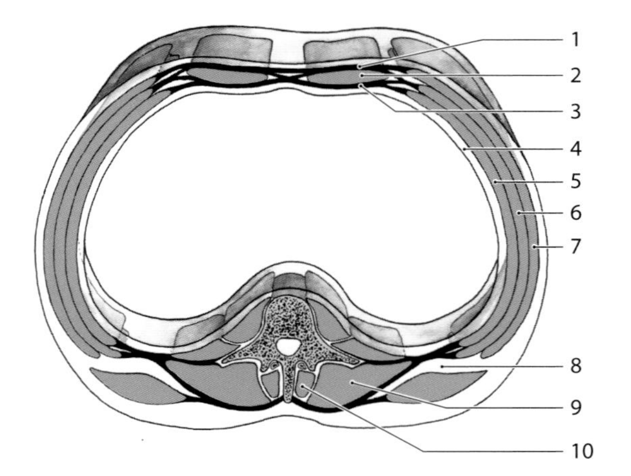

그림 2.54 **몸통을 지나는 수평단면, 활꼴선 위쪽**(아래모습).

1 배곧은근집의 앞층 Anterior layer of rectus sheath
2 배곧은근 Rectus abdominis muscle
3 배곧은근집의 뒤층 Posterior layer of rectus sheath
4 배가로근막 Transversalis fascia
5 배가로근 Transversus abdominis muscle
6 배속빗근 Internal abdominal oblique muscle
7 배바깥빗근 External abdominal oblique muscle
8 등허리근막의 얕은층과 깊은층 Thoracolumbar fascia with superficial and deep layer
9 척주세움근의 가쪽기둥 Lateral column of erector spinae muscle
10 척주세움근의 안쪽기둥 Medial column of erector spinae muscle

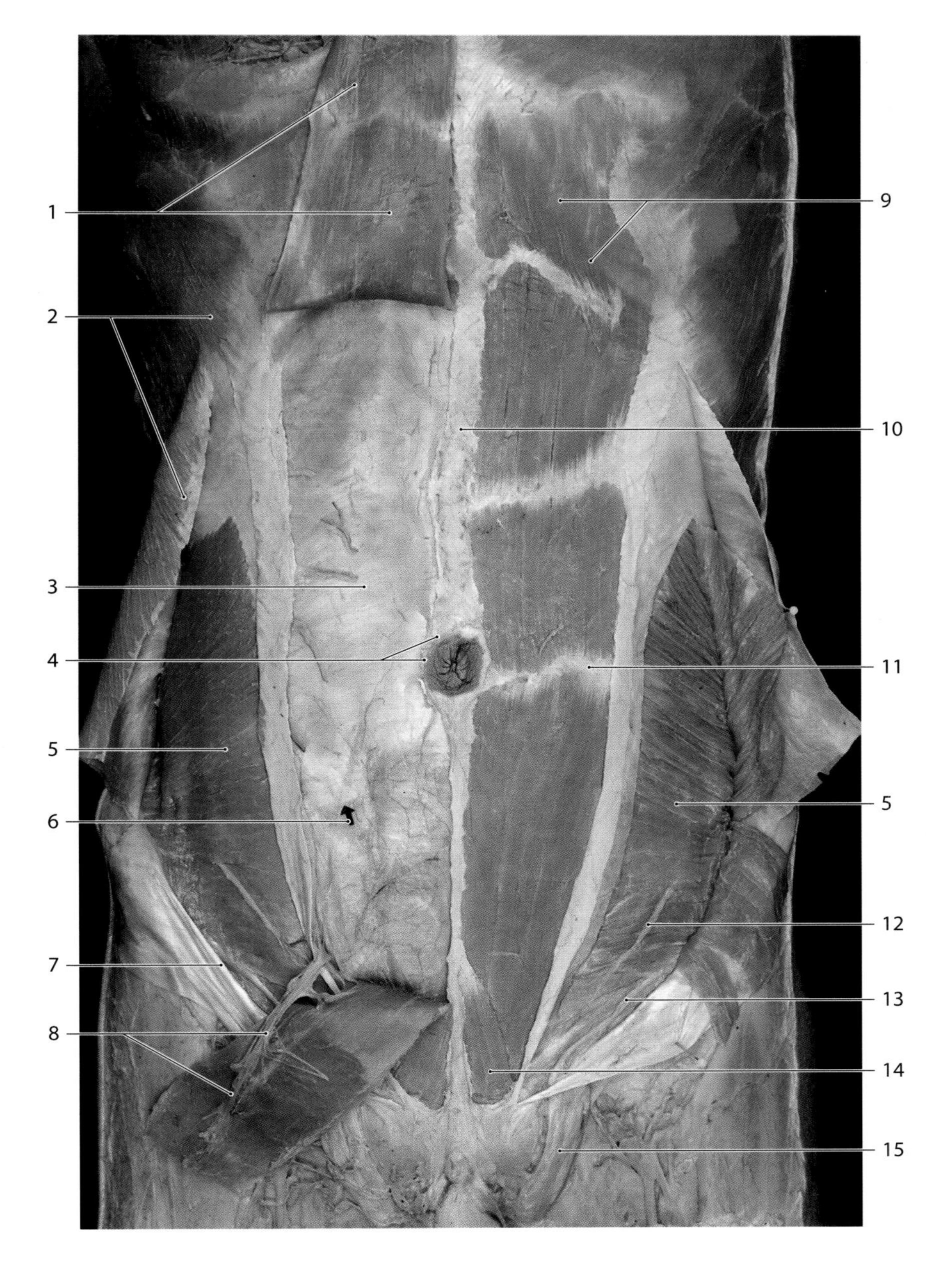

1 배곧은근(젖힘) Rectus abdominis muscle (reflected)
2 배바깥빗근(잘림) External abdominal oblique muscle (divided)
3 배곧은근집의 뒤층 Posterior layer of rectus sheath
4 배꼽고리 Umbilicus ring
5 배속빗근 Internal abdominal oblique muscle
6 활꼴선(화살표) Arcuate line (arrow)
7 고샅인대 Inguinal ligament
8 아래배벽동맥과 정맥 및 배곧은근(잘라 젖힘) Inferior epigastric artery and vein and rectus abdominis muscle (divided and reflected)
9 갈비모서리 Costal margin
10 백색선 Linea alba
11 나눔힘줄 Tendinous intersections
12 엉덩아랫배신경 Iliohypogastric nerve
13 엉덩고샅신경 Ilio-inguinal nerve
14 배세모근 Pyramidalis muscle
15 정삭 Spermatic cord

그림 2.55 **가슴벽과 배벽**(앞모습). 양쪽 배바깥빗근을 잘라 젖혔다. 오른쪽 배곧은근을 잘라 젖혀서 배곧은근집 뒤층이 보이게 했다. 화살표: 활꼴선의 위치.

1 백색선 Linea alba
2 배곧은근 Rectus abdominis muscle
3 표피 Epidermis
4 배바깥빗근의 근막(초록) Fascia of external abdominal oblique muscle (green)
5 배바깥빗근 External abdominal oblique muscle
6 배속빗근 Internal abdominal oblique muscle
7 배가로근 Transverse abdominal muscle
8 배가로근막(초록) Transversalis fascia (green)
9 복막 Peritoneum

그림 2.56 **배벽을 지나는 가로단면.** **a** 활꼴선의 위쪽과 **b** 활꼴선의 아래쪽. 두 단면에서 배곧은근집 구조의 차이를 확인하시오.

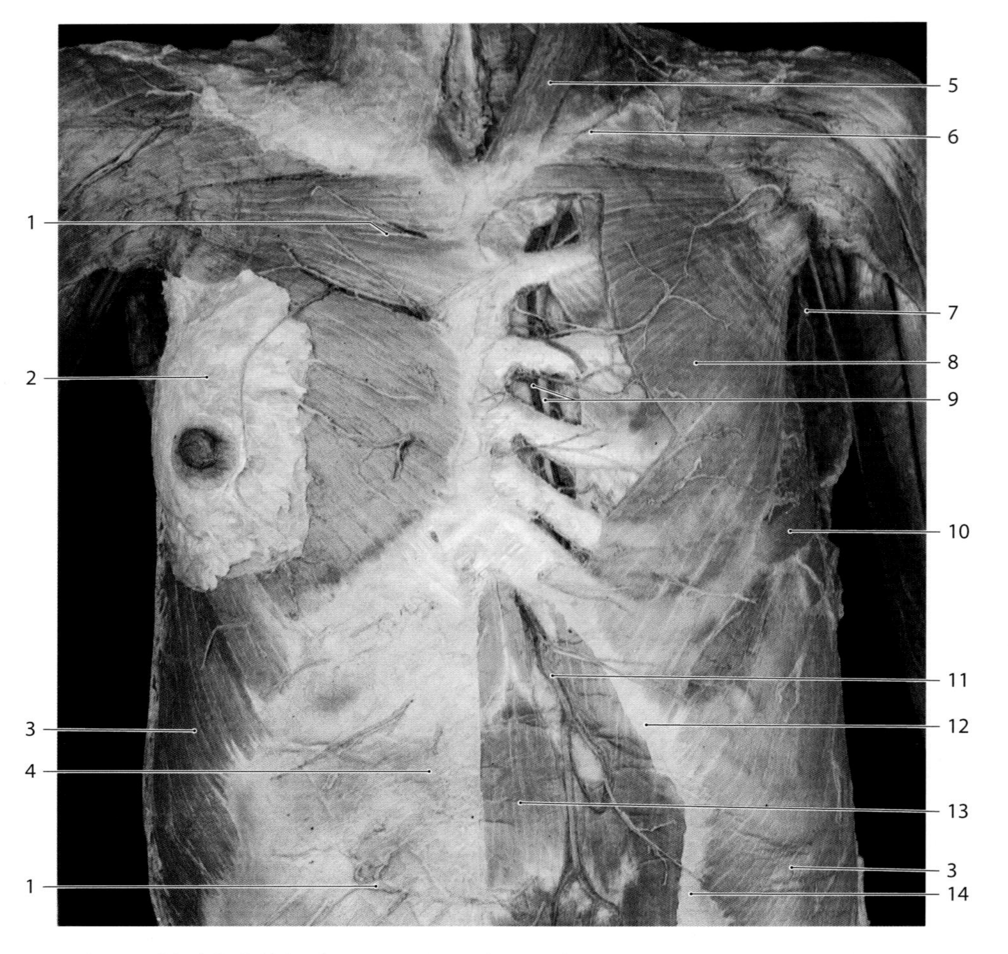

그림 2.57 **가슴벽과 배벽**(앞모습). 속가슴동맥과 정맥의 해부. 왼쪽 큰가슴근 일부와 배곧은근집 앞층을 제거하였다.

1 갈비사이신경의 앞관통가지 Anterior perforating branches of intercostal nerve
2 젖샘 Mammary gland
3 배바깥빗근 External abdominal oblique muscle
4 배곧은근집(앞층) Rectus sheath (anterior layer)
5 목빗근 Sternocleidomastoid muscle
6 빗장뼈 Clavicle
7 가쪽가슴동맥과 정맥 Lateral thoracic artery and vein
8 큰가슴근 Pectoralis major muscle
9 속가슴동맥과 정맥 Internal thoracic artery and vein
10 앞톱니근 Serratus anterior muscle
11 위배벽동맥과 정맥 Superior epigastric artery and vein
12 갈비모서리 Costal margin
13 배곧은근 Rectus abdominis muscle
14 배곧은근집 앞층이 잘린 모서리 Cut edge of the anterior layer of the rectus sheath
15 빗장밑동맥 Subclavian artery
16 맨위갈비사이동맥 Highest intercostal artery
17 속가슴동맥 Internal thoracic artery
18 근육가로막동맥 Musculophrenic artery
19 얕은배벽동맥 Superficial epigastric artery
20 깊은엉덩휘돌이동맥 Deep circumflex iliac artery
21 위배벽동맥 Superior epigastric artery
22 아래배벽동맥 Inferior epigastric artery
23 얕은엉덩휘돌이동맥 Superficial circumflex iliac artery

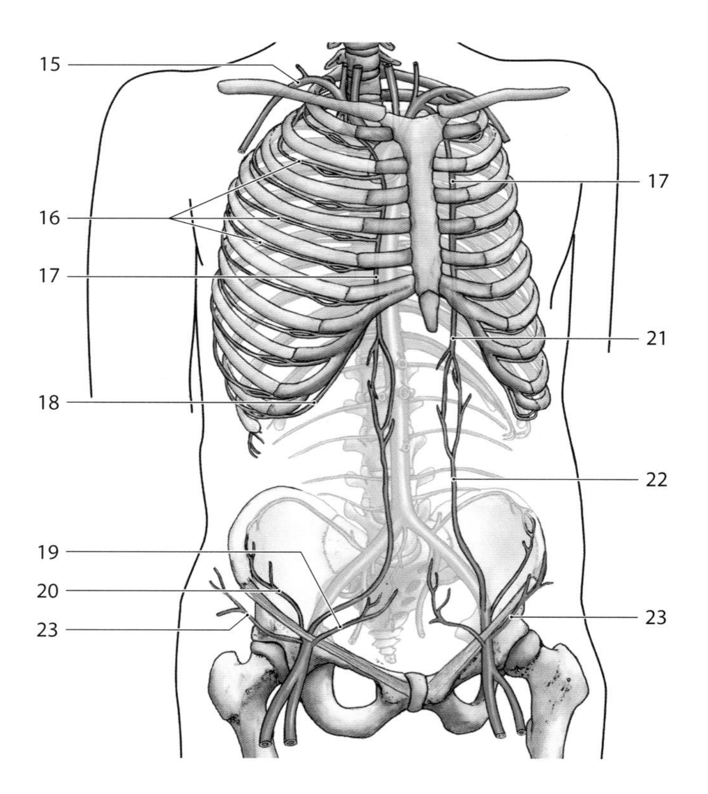

그림 2.58 **가슴벽과 배벽의 주요 동맥**(앞모습). 위배벽동맥과 아래배벽동맥이 배곧은근집 앞 부위에서 서로 연결된다.

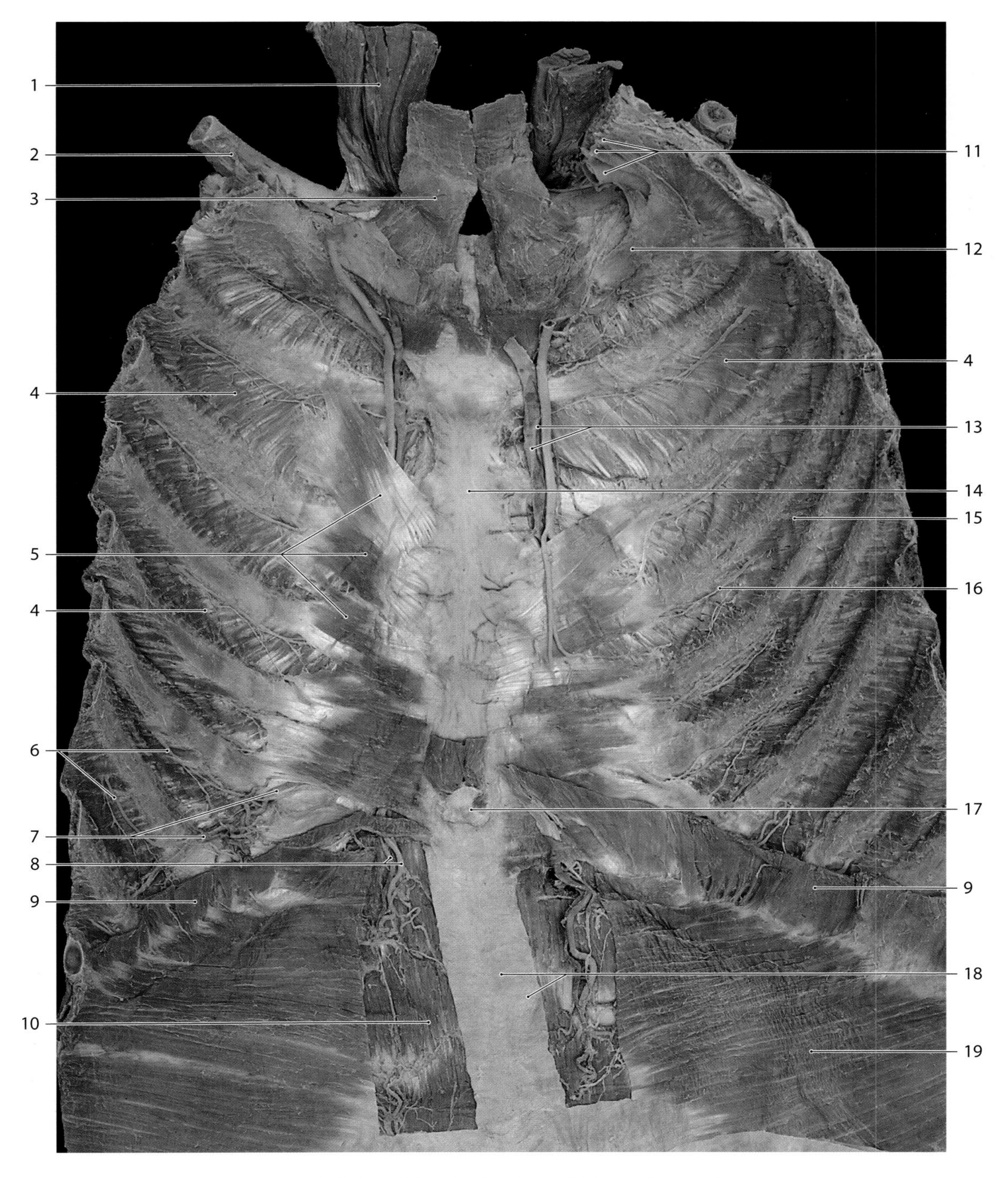

그림 2.59 **앞가슴벽**(뒤모습). 가로막의 일부를 제거하고, 배곧은근집 뒤층에 양쪽으로 창을 내었다.

1 목빗근(잘림) Sternocleidomastoid muscle (divided)
2 빗장뼈 Clavicle
3 복장갑상근 Sternothyroid muscle
4 속갈비사이근 Internal intercostal muscle
5 가슴가로근 Transversus thoracis muscle
6 갈비사이동맥과 신경 Intercostal arteries and nerves
7 근육가로막동맥 Musculophrenic artery
8 위배벽동맥과 정맥 Superior epigastric artery and vein
9 가로막(잘림) Diaphragm (divided)
10 배곧은근 Rectus abdominis muscle
11 빗장밑동맥과 팔신경얼기 Subclavian artery and brachial plexus
12 첫째갈비뼈 First rib
13 속가슴동맥과 정맥 Internal thoracic artery and vein
14 복장뼈 Sternum
15 맨속갈비사이근 Innermost intercostal muscle
16 갈비사이동맥과 정맥 Intercostal artery and vein
17 칼돌기 Xiphoid process
18 백색선과 배곧은근집 뒤층 Linea alba and posterior layer of rectus sheath
19 배가로근 Transverse abdominal muscle

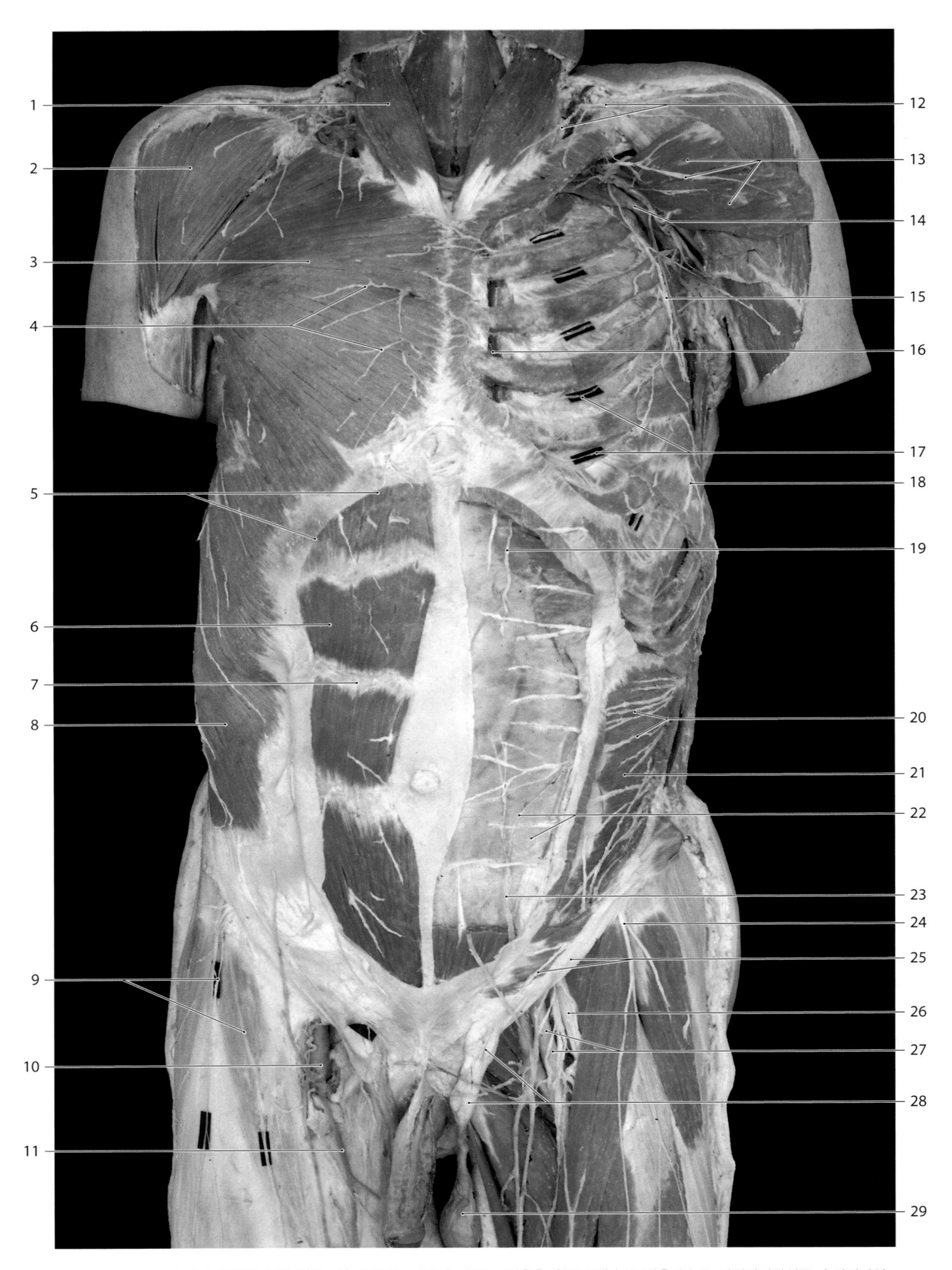

그림 2.60 **가슴벽과 배벽의 혈관과 신경**(앞모습). 오른쪽 = 얕은층; 왼쪽 = 깊은층. 왼쪽 큰가슴근, 작은가슴근, 바깥갈비사이근, 속갈비사이근을 제거하여 갈비사이신경이 보이게 했다. 배곧은집 앞층, 왼쪽 배곧은근, 배바깥빗근, 배속빗근을 제거하여 배벽의 가슴배신경이 보이게 했다.

1 목빗근 Sternocleidomastoid muscle
2 어깨세모근 Deltoid muscle
3 큰가슴근 Pectoralis major muscle
4 갈비사이신경의 앞피부가지
Anterior cutaneous branches of intercostal nerves
5 배곧은근집 앞층이 잘린 모서리
Cut edge of anterior layer of rectus sheath
6 배곧은근 Rectus abdominis muscle
7 나눔힘줄 Tendinous intersections
8 배바깥빗근 External abdominal oblique muscle
9 가쪽넓적다리피부신경
Lateral femoral cutaneous nerve
10 넓적다리정맥 Femoral vein
11 큰두렁정맥 Great saphenous vein
12 안쪽빗장위신경 Medial supraclavicular nerves
13 작은가슴근(젖힘)과 안쪽가슴근신경 Pectoralis minor muscle (reflected) and medial pectoral nerves
14 겨드랑정맥 Axillary vein
15 긴가슴신경과 가쪽가슴동맥
Long thoracic nerve and lateral thoracic artery
16 속가슴동맥 Internal thoracic artery
17 갈비사이신경 Intercostal nerve
18 갈비사이신경의 가쪽피부가지
Lateral cutaneous branches of intercostal nerves
19 위배벽동맥 Superior epigastric artery
20 가슴배(갈비사이) 신경
Thoraco-abdominal (intercostal) nerves
21 배가로근 Transverse abdominal muscle
22 배곧은근집 뒤층 Posterior layer of rectus sheath
23 아래배벽동맥 Inferior epigastric artery
24 가쪽넓적다리피부신경
Lateral femoral cutaneous nerve
25 고샅인대와 엉덩고샅신경
Inguinal ligament and ilio-Inguinal nerve
26 넓적다리신경 Femoral nerve
27 넓적다리동맥 Femoral artery
28 정삭 Spermatic cord
29 고환 Testis
30 뒤갈비사이동맥 Posterior intercostal arteries
31 배속빗근 Internal abdominal oblique muscle
32 갈비사이신경의 가쪽피부가지
Lateral cutaneous branches of intercostal nerves
33 척수신경 뒤가지 Dorsal branch of spinal nerve
34 넓은등근 Latissimus dorsi muscle
35 등의 깊은근육(안쪽 및 가쪽부분)
Deep muscles of the back (medial and lateral tract)
36 배곧은근집 앞층 Anterior layer of rectus sheath
37 배곧은근집 뒤층 Posterior layer of rectus sheath
38 등허리근막 Thoracolumbar fascia
39 척수 Spinal cord
40 대동맥 Aorta
41 척수신경 앞뿌리 Ventral root of spinal nerve
42 척수신경 뒤뿌리 Dorsal root of spinal nerve

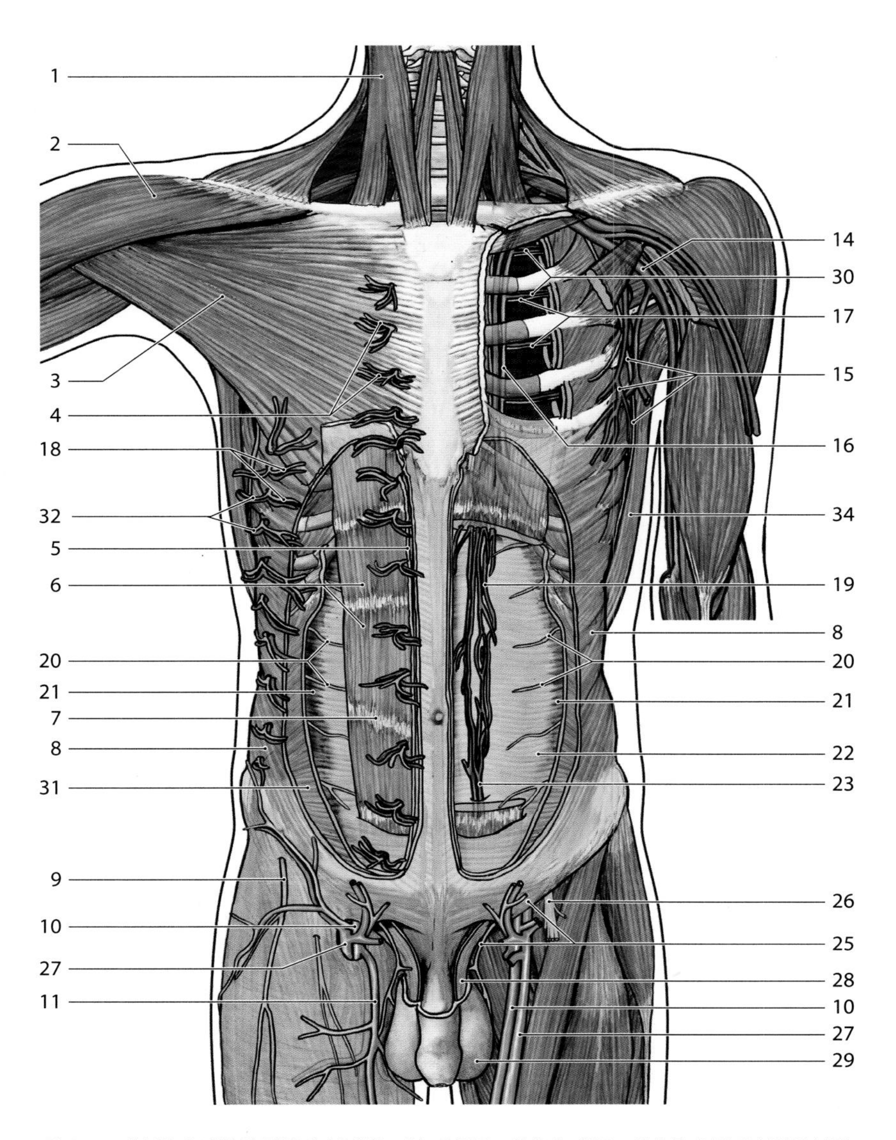

그림 2.61 **가슴벽과 배벽의 혈관과 신경**(앞모습). 오른쪽 = 얕은층; 왼쪽 = 깊은층. 혈관과 신경의 분절 구성을 확인하시오.

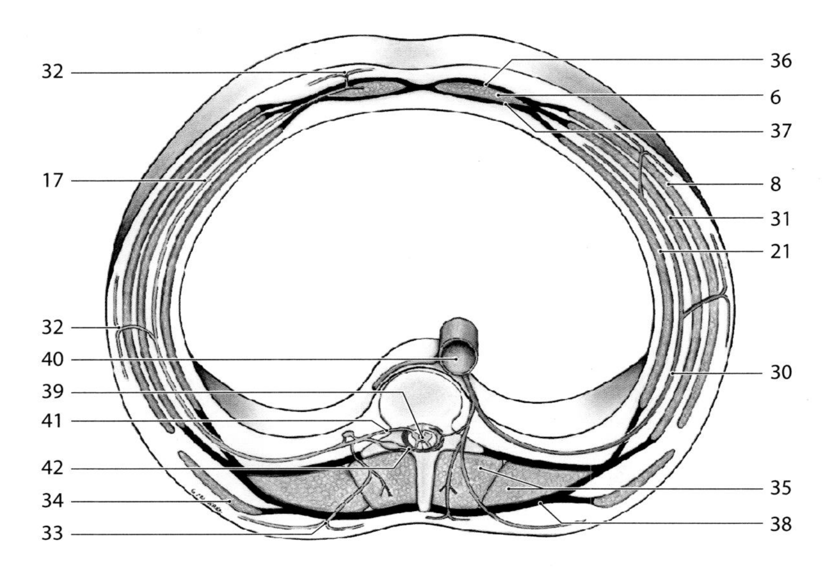

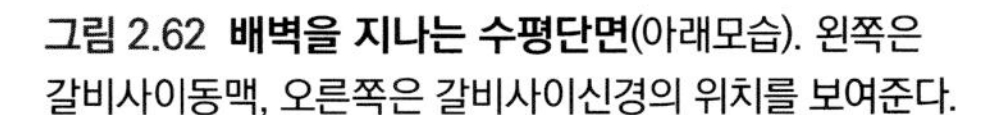

그림 2.62 **배벽을 지나는 수평단면**(아래모습). 왼쪽은 갈비사이동맥, 오른쪽은 갈비사이신경의 위치를 보여준다.

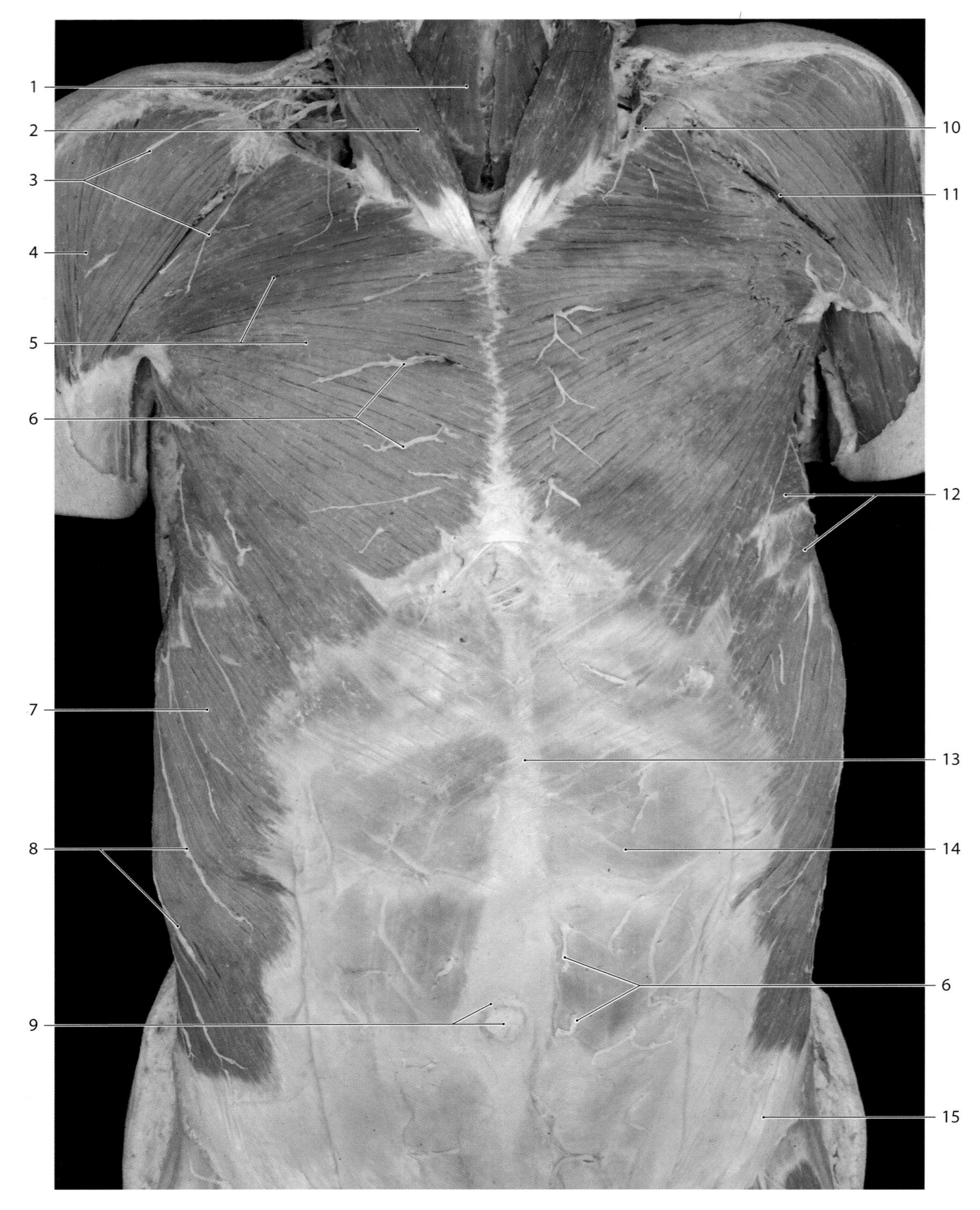

그림 2.63 **가슴벽과 배벽의 얕은층 근육**(위모습). 큰가슴근 근막과 배벽을 제거하였다; 배곧은근집 앞층을 보여준다.

1 복장목뿔근 Sternohyoid muscle
2 목빗근 Sternocleidomastoid muscle
3 빗장위신경(목신경얼기의 가지)
Supraclavicular nerves(branches of cervical plexus)
4 어깨세모근 Deltoid muscle
5 큰가슴근 Pectoralis major muscle
6 갈비사이신경의 앞피부가지
Anterior cutaneous branches of intercostal nerves
7 배바깥빗근 External abdominal oblique muscle
8 갈비사이신경의 가쪽피부가지
Lateral cutaneous branches of intercostal nerves
9 배꼽과 배꼽고리 Umbilicus and umbilical ring
10 빗장뼈 Clavicle
11 노쪽피부정맥 Cephalic vein
12 앞톱니근 Serratus anterior muscle
13 백색선 Linea alba
14 배곧은근집(앞층) Sheath of rectus abdominis muscle (anterior layer)
15 고샅인대 Inguinal ligament

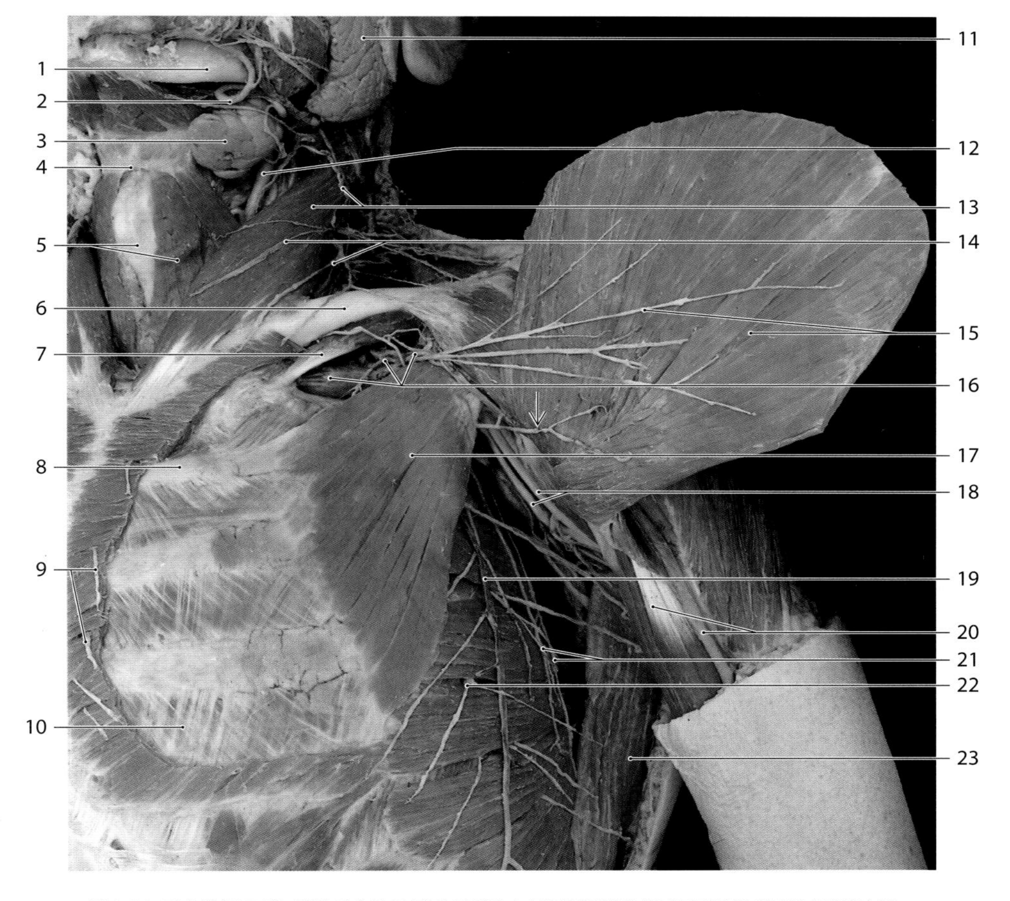

그림 2.64 **가슴벽**(앞모습). 왼쪽 가슴근을 잘라 젖혔다. 노쪽피부정맥과 빗장밑정맥의 연결을 확인하시오. 화살표 = 안쪽가슴근신경.

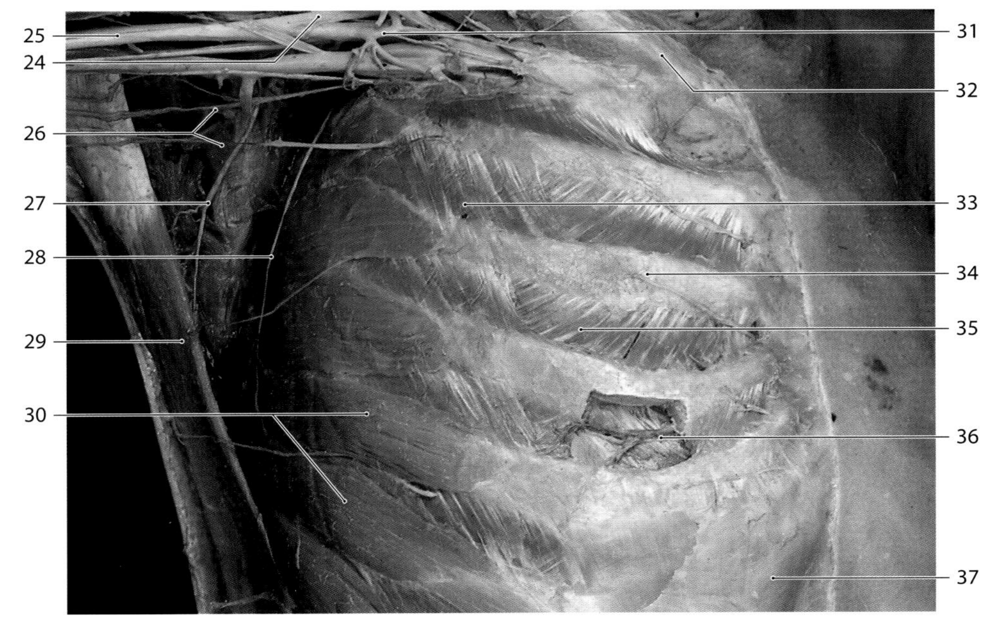

그림 2.65 **가슴벽**(가쪽모습). 큰가슴근과 작은가슴근을 제거하였다. 넷째갈비뼈 일부를 잘라 제거하여 갈비사이혈관과 신경을 보여준다.

1 아래턱뼈 Mandible
2 얼굴동맥 Facial artery
3 턱밑샘 Submandibular gland
4 목뿔뼈 Hyoid bone
5 갑상연골과 복장목뿔근 Thyroid cartilage and sternohyoid muscle
6 빗장뼈 Clavicle
7 빗장밑근 Subclavius muscle
8 둘째갈비뼈 Second rib
9 갈비사이신경의 앞피부가지 Anterior cutaneous branches of intercostal membrane
10 바깥갈비사이막 External intercostal membrane
11 귀밑샘 Parotid gland
12 바깥목동맥 External carotid artery
13 목빗근과 목신경얼기의 피부가지 Sternocleidomastoid muscle and cutaneous branches of cervical plexus
14 빗장위신경 Supraclavicular nerves
15 큰가슴근과 가쪽가슴근신경 Pectoralis major muscle and lateral pectoral nerves
16 가슴봉우리동맥과 빗장밑정맥 Thoraco-acromial artery and subclavian vein
17 작은가슴근 Pectoralis minor muscle
18 정중신경과 자신경 Median and ulnar nerves
19 가슴배벽정맥 Thoraco-epigastric vein
20 노쪽피부정맥과 위팔두갈래근의 긴갈래 Cephalic vein and long head of biceps brachii muscle
21 가쪽가슴동맥과 긴가슴신경 Lateral thoracic artery and long thoracic nerve
22 갈비사이신경의 가쪽피부가지 Lateral cutaneous branches of intercostal nerve
23 넓은등근 Latissimus dorsi muscle
24 정중신경 Median nerve
25 겨드랑동맥 Axillary artery
26 갈비사이위팔신경 Intercostobrachial nerves
27 가슴등신경 Thoracodorsal nerve
28 긴가슴신경 Long thoracic nerve
29 넓은등근 Latissimus dorsi muscle
30 앞톱니근 Serratus anterior muscle
31 가슴봉우리동맥 Thoraco-acromial artery
32 빗장뼈 Clavicle
33 바깥갈비사이근 External intercostal muscle
34 셋째갈비뼈 Third rib
35 속갈비사이근 Internal intercostal muscle
36 앞갈비사이동맥과 정맥, 갈비사이신경 Anterior intercostal artery and vein, intercostal nerve
37 갈비활 Costal arch or margin

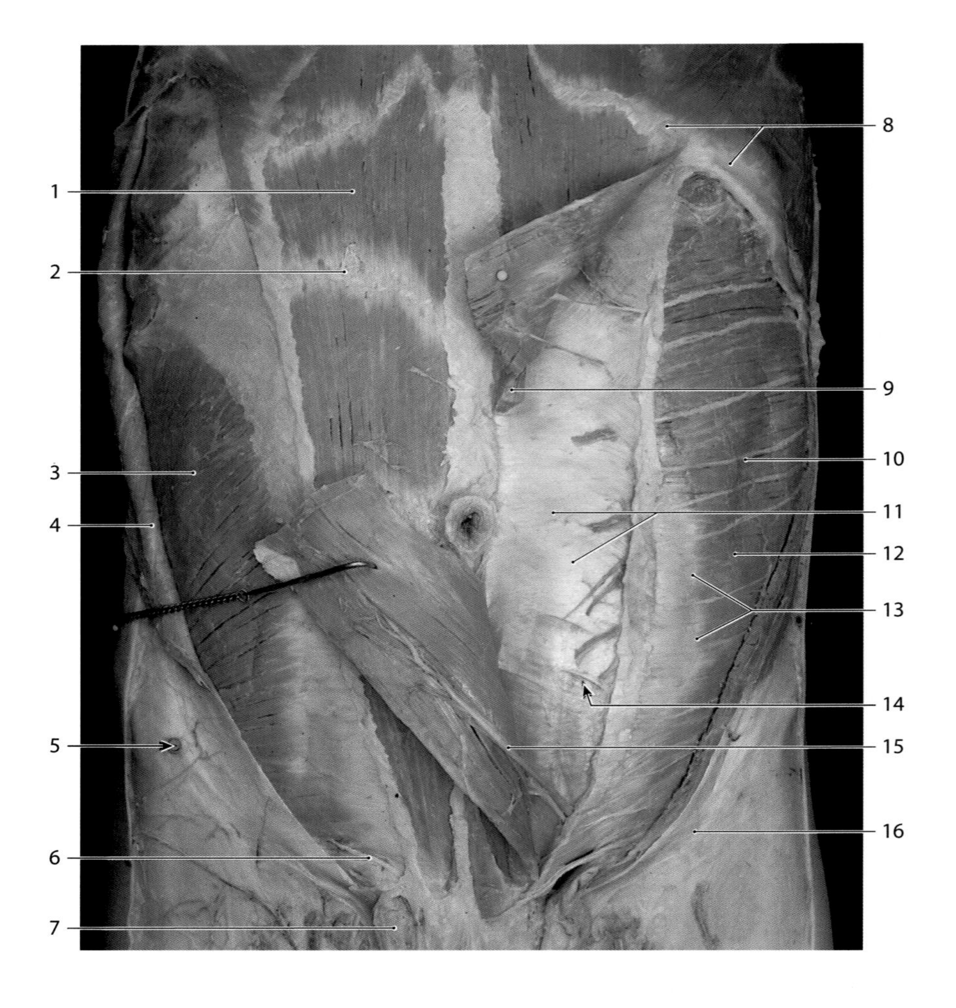

1 배곧은근 Rectus abdominis muscle
2 나눔힘줄 Tendinous intersections
3 배속빗근
Internal abdominal oblique muscle
4 배바깥빗근(젖힘)
External abdominal oblique muscle
(reflected)
5 앞위엉덩뼈가시
Anterior superior iliac spine
6 엉덩고샅신경 Ilio-inguinal nerve
7 정삭 Spermatic cord
8 갈비모서리 Costal margin
9 위배벽동맥 Superior epigastric artery
10 가슴배(갈비사이) 신경
Thoraco-abdominal (intercostal) nerves
11 배곧은근집 뒤층
Posterior layer of rectus sheath
12 배가로근 Transverse abdominal muscle
13 반달선 Semilunar line
14 활꼴선 Arcuate line
15 아래배벽동맥 Inferior epigastric artery
16 고샅인대 Inguinal ligament

그림 2.66 배벽의 혈관과 신경(앞모습). 왼쪽 배곧은근을 잘라 젖혀서 아래배벽혈관이 보이게 했다. 왼쪽 배속빗근을 제거하여 가슴배신경이 보이게 했다.

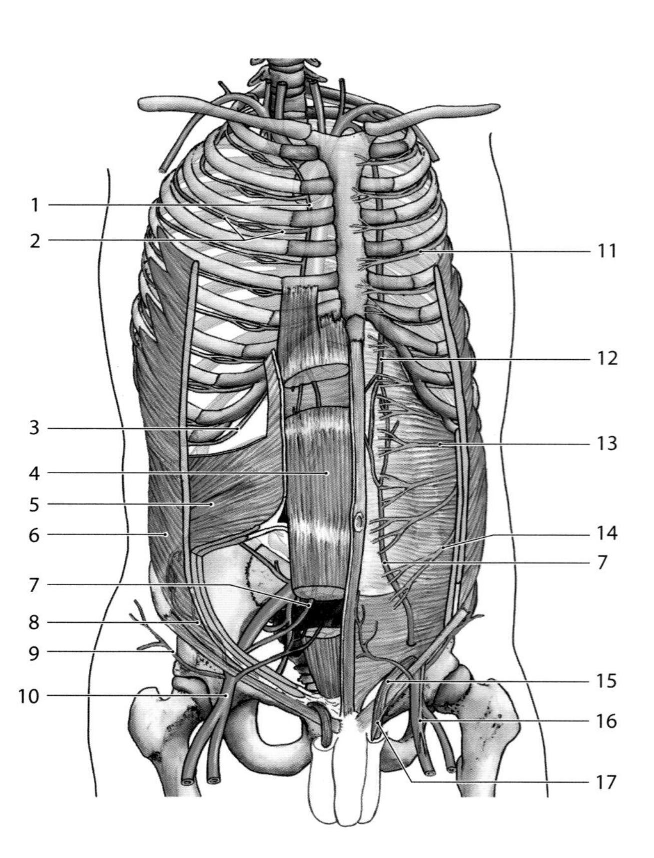

1 속가슴동맥 Internal thoracic artery
2 갈비사이동맥 Intercostal arteries
3 근육가로막동맥 Musculophrenic artery
4 배곧은근 Rectus abdominis muscle
5 배속빗근
Internal abdominal oblique muscle
6 배바깥빗근
External abdominal oblique muscle
7 아래배벽동맥 Inferior epigastric artery
8 깊은엉덩휘돌이동맥
Deep circumflex iliac artery
9 얕은엉덩휘돌이동맥
Superficial circumflex iliac artery
10 넓적다리동맥 Femoral artery
11 갈비사이신경 Intercostal nerve
12 위배벽동맥 Superior epigastric artery
13 갈비사이신경 Intercostal nerve
14 엉덩아랫배신경 Iliohypogastric nerve (L1)
15 정삭 Spermatic cord
16 음부넓적다리신경의 넓적다리가지
Femoral branch of genitofemoral nerve
17 음부넓적다리신경의 음부가지
Genital branch of genitofemoral nerve

그림 2.67 가슴벽과 배벽의 동맥과 신경(앞모습).

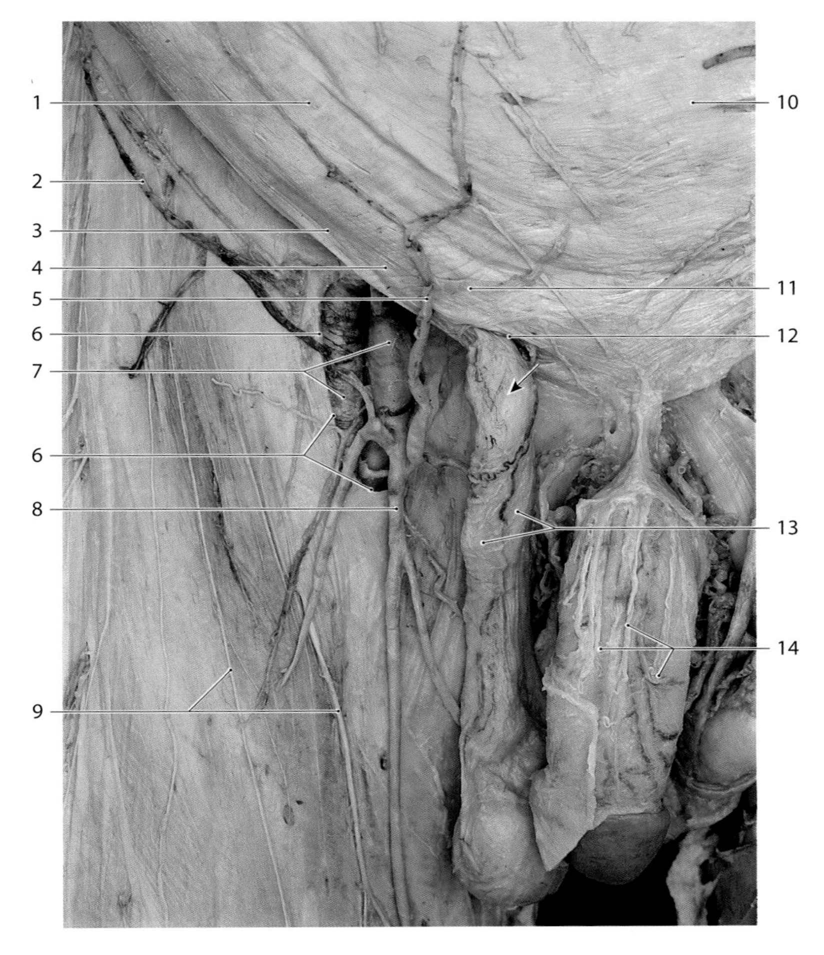

그림 2.68 **남자의 고샅굴,** 오른쪽(얕은층, 앞모습). 작은 고샅탈장(화살표)이 있다.

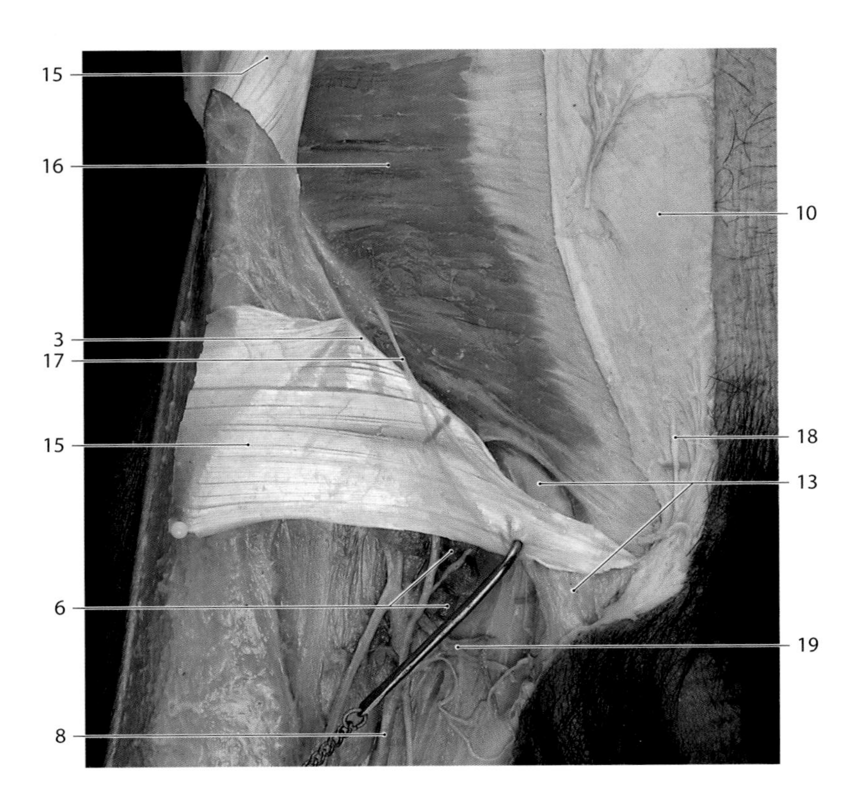

1 배바깥빗근널힘줄 Aponeurosis of external abdominal oblique muscle
2 얕은엉덩휘돌이정맥 Superficial circumflex iliac vein
3 고샅인대 Inguinal ligament
4 고샅구멍의 가쪽다리 Lateral crus of inguinal ring
5 얕은배벽정맥 Superficial epigastric vein
6 두렁정맥구멍 Saphenous opening
7 넓적다리동맥과 정맥 Femoral artery and vein
8 큰두렁정맥 Great saphenous vein
9 넓적다리신경의 앞피부가지 Anterior cutaneous branches of femoral nerve
10 배곧은근집의 앞층 Anterior layer of rectus sheath
11 다리사이섬유 Intercrural fibers
12 얕은고샅구멍 Superficial inguinal ring
13 정삭과 음부넓적다리신경의 음부가지 Spermatic cord and genital branch of genitofemoral nerve
14 음경의 음경등신경과 깊은음경등정맥 Penis with dorsal nerves and deep dorsal vein of penis
15 배바깥빗근널힘줄(잘라 젖힘) Aponeurosis of external abdominal oblique muscle (divided and reflected)
16 배속빗근 Internal abdominal oblique muscle
17 엉덩고샅신경 Ilio-inguinal nerve
18 엉덩아랫배신경의 앞피부가지 Anterior cutaneous branches of iliohyprogastric nerve
19 얕은바깥음부정맥 Superficial external pudendal veins

그림 2.69 **남자의 고샅굴,** 오른쪽(얕은층, 앞모습). 배바깥빗근을 잘라 고샅이 보이게 했다.

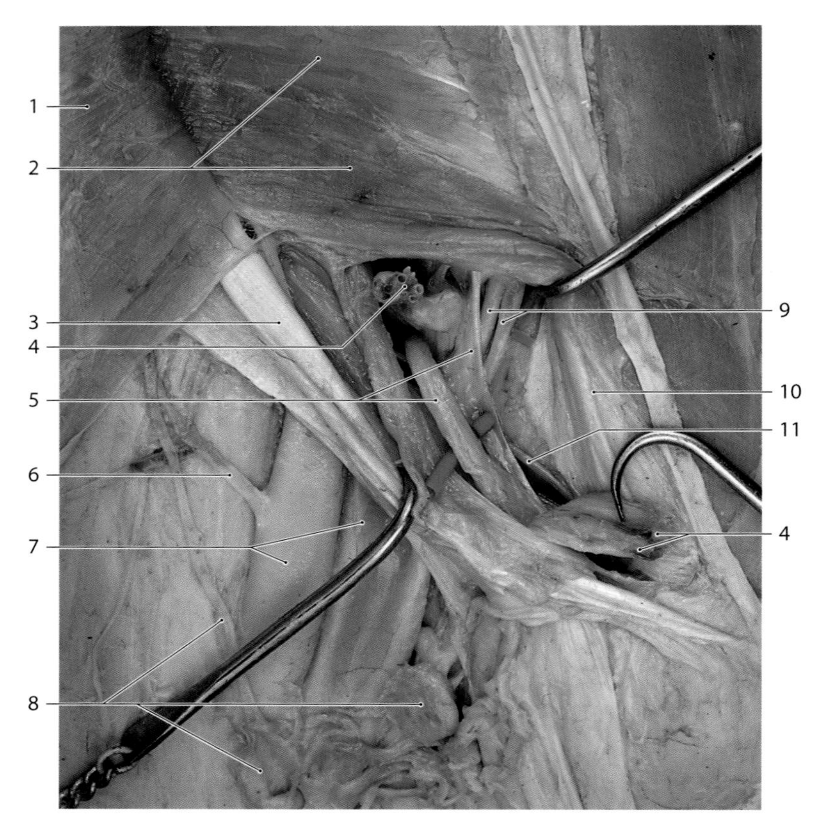

그림 2.70 **남자의 고샅굴,** 오른쪽(깊은층, 앞모습). 정관(더듬자)만 남겨두고 정삭을 잘라 젖혔다.

1 배속빗근(젖힘) Internal abdominal oblique muscle (reflected)
2 배가로근 Transverse abdominis muscle
3 고샅인대 Inguinal ligament
4 정관을 제외한 정삭 (잘라 젖힘) Spermatic cord with the exception of the ductus deferens (divided and reflected)
5 정관과 오목사이인대 Ductus deferens and interfoveolar ligament
6 얕은엉덩휘돌이동맥 Superficial circumflex iliac artery
7 넓적다리동맥과 정맥 Femoral artery and vein
8 얕은고샅림프절과 림프관 Superficial inguinal lymph nodes and inguinal lymph vessel
9 아래배벽동맥과 정맥 Inferior epigastric artery and vein
10 고샅낫힘줄 (잘림) Falx inguinalis or conjoint tendon (cut)
11 아래배벽동맥의 두덩가지 Pubic branch of inferior epigastric artery
12 엉덩근 Iliacus muscle
13 요관 Ureter
14 정관 Ductus deferens
15 넓적다리신경 Femoral nerve
16 바깥정삭근막에 덮인 정관과 정삭 Spermatic cord with ductus deferens covered by external spermatic fascia
17 고환올림근 Cremaster muscle
18 속정삭근막 Internal spermatic fascia
19 고환집막 Tunica vaginalis testis
20 고환과 부고환 Testis and epididymis
21 곧창자 Rectum
22 배곧은근집 앞층 Anterior layer of rectus sheath
23 다리사이섬유 Intercrural fibers
24 방광 Urinary bladder
25 얕은고샅구멍 Superficial inguinal ring
26 두렁정맥구멍과 큰두렁정맥 Saphenous opening and great saphenous vein
27 깊은음경등정맥 Deep dorsal vein of penis
28 음경 Penis
29 음경귀두 Glans of penis
30 배곧은근 Rectus abdominis muscle
31 깊은고샅구멍 Deep inguinal ring
32 덩굴정맥얼기와 고환동맥 Pampiniform venous plexus and testicular artery
33 넓적다리근막과 넓적다리빗근 Fascia lata and sartorius muscle
34 앞위엉덩뼈가시 Anterior superior iliac spine
35 아래배벽동맥 Inferior epigastric artery
36 가쪽넓적다리피부신경 Lateral femoral cutaneous nerve
37 엉덩고샅신경 Ilioinguinal nerve
38 음경걸이인대 Suspensory ligament of penis
39 넓적다리빗근 Sartorius muscle
40 배바깥빗근 External abdominal oblique muscle
41 음낭근막과 음낭피부 Dartos fascia and scrotal skin
42 정관 Ductus deferens
43 칼집돌기 Vaginal process
44 복막 Peritoneum

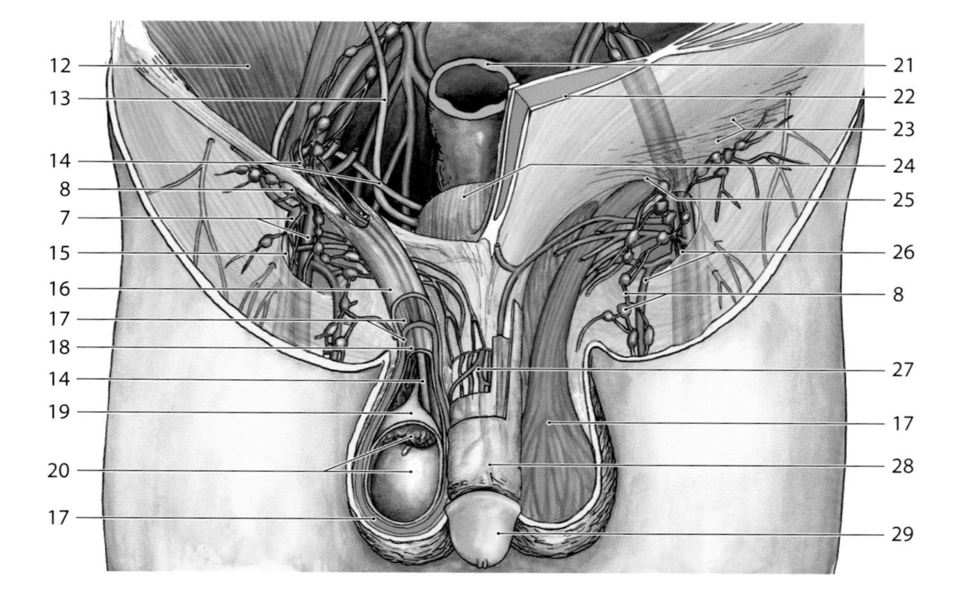

그림 2.71 **앞배벽의 아래부위와 고샅굴의 일반적 특징,** 고샅탈장(그림 2.71~2.73)은 고샅굴을 따라 가거나(간접고샅탈장) 아니면 얕은고샅구멍을 지나 배벽을 통해 밀고 내려간다(직접고샅탈장). 넓적다리탈장은 고샅인대 바로 아래에서 생긴다. 아랫배벽동맥(9)의 검사는 탈장의 종류를 확인할 수 있게 도와준다.

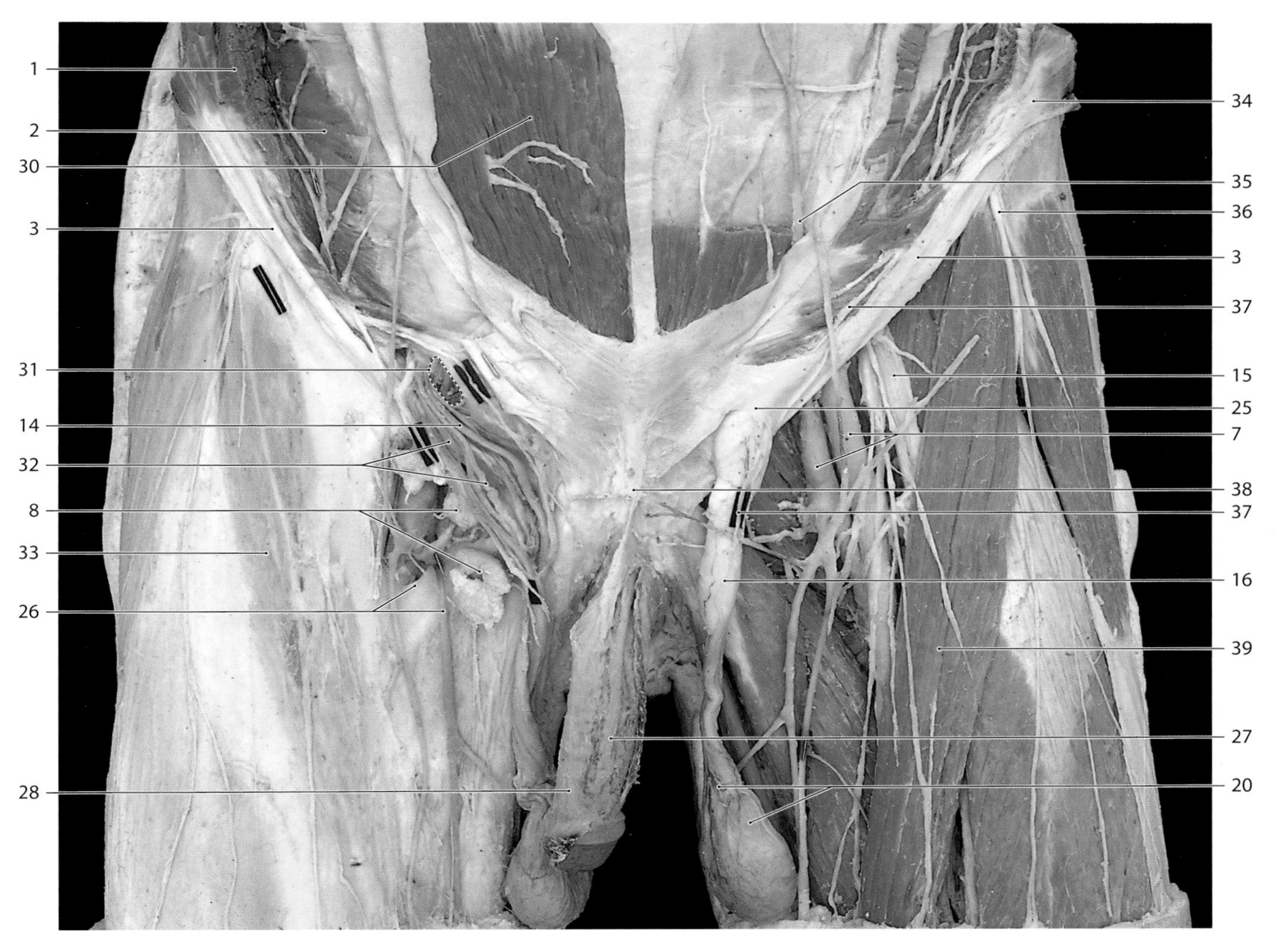

그림 2.72 **남자의 고샅부위와 넓적다리부위**(앞모습). 오른쪽 정삭을 해부하여 정관과 동반혈관, 신경이 보이게 하였다. 왼쪽 넓적다리근막을 제거하였다.

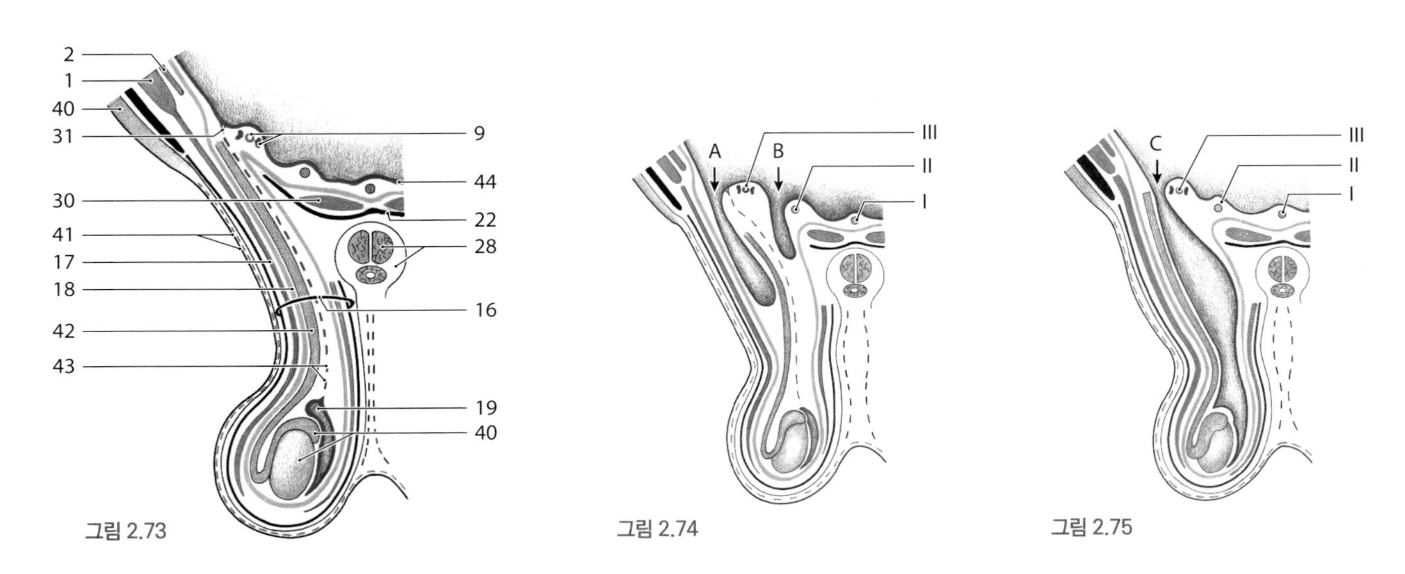

그림 2.73

그림 2.74

그림 2.75

그림 2.73–2.75 **정삭의 층과 탈장의 유형.** 왼쪽 = 정상 위치. 중간 = 후천 고샅탈장의 위치; A = 간접고샅탈장; B = 직접고샅탈장. 오른쪽 = 선천간접 고샅탈장 (C); 고환집돌기가 열린 채 남아있다.

I = 요막관이었던 정중배꼽주름.

II = 배꼽동맥의 잔재가 있는 안쪽배꼽주름.

III = 아래배벽동맥과 정맥이 있는 가쪽배꼽주름.

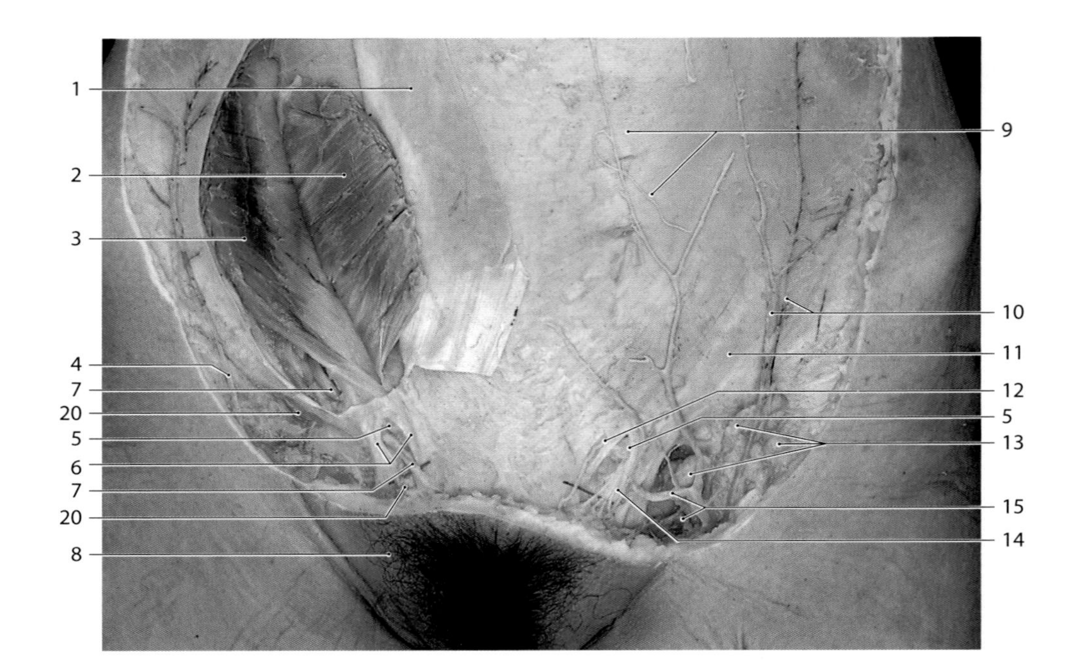

그림 2.76 **여자의 고샅부위**(앞모습). 왼쪽 = 얕은층; 오른쪽 = 배바깥빗근과 배속빗근을 잘라 젖혔다.

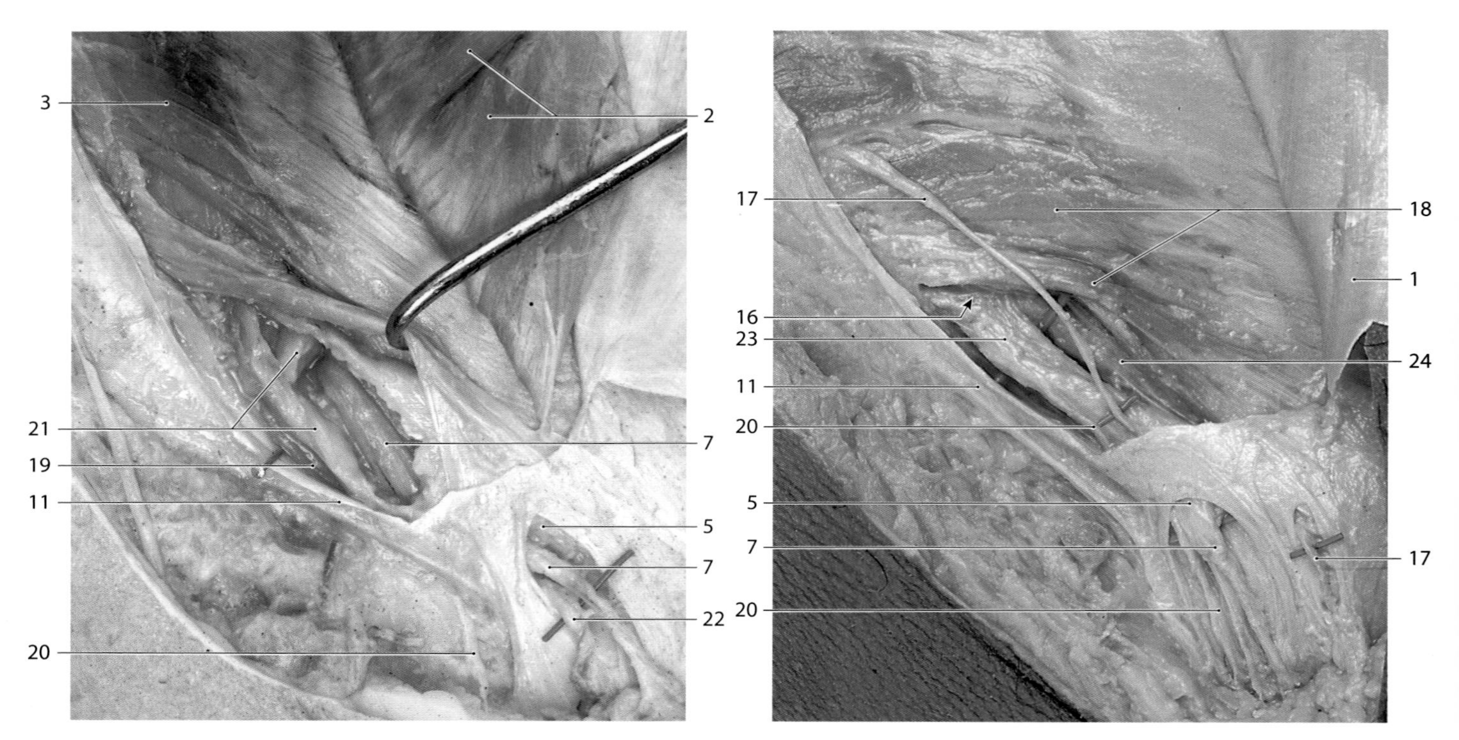

그림 2.77 **여자의 고샅굴 오른쪽**(앞모습). 배바깥빗근을 잘라 젖혀서 엉덩고샅신경과 자궁원인대가 보이게 했다.

그림 2.78 **여자의 고샅굴 오른쪽**(앞모습). 배바깥빗근과 배속빗근을 잘라 젖혀서 고샅굴의 내용물이 보이게 했다.

1 배바깥빗근널힘줄 Aponeurosis of external abdominal oblique muscle
2 배속빗근(잘라 젖힘) Internal abdominal oblique muscle (divided and reflected)
3 배가로근 Transversus abdominis muscle
4 얕은엉덩휘돌이동맥과 정맥 Superficial circumflex iliac artery and vein
5 얕은고샅굴구멍과 지방덩이 Superficial inguinal ring with fat pad
6 안쪽 및 가쪽다리섬유 Medial and lateral crural fibers
7 자궁원인대 Round ligament (ligamentum teres uteri)
8 대음순 Labium majus pudenda
9 배곧은근집 앞층 Anterior layer of rectus sheath
10 얕은배벽동맥과 정맥 Superficial epigastric artery and vein
11 고샅인대 Inguinal ligament
12 엉덩고샅신경의 피부가지 Cutaneous branch of ilio-inguinal nerve
13 얕은고샅림프절 Superficial inguinal lymph nodes
14 자궁원인대가 대음순으로 들어가는 곳 Entrance of round ligament into the labium majus
15 바깥음부동맥과 정맥 External pudendal artery and vein
16 깊은고샅구멍 위치 Position of deep inguinal ring
17 엉덩고샅신경 Ilio-inguinal nerve
18 배속빗근 Internal abdominal oblique muscle
19 아래배벽동맥의 두덩가지 Pubic branch of inferior epigastric artery
20 음부넓적다리신경의 음부가지 Genital branch of genitofemoral nerve
21 고샅굴의 지방덩이 Fat pad of inguinal canal
22 엉덩고샅신경 Ilio-inguinal nerve
23 자궁원인대집(고샅굴) Sheath of round ligament (inguinal canal)
24 배가로근막 Transversalis fascia

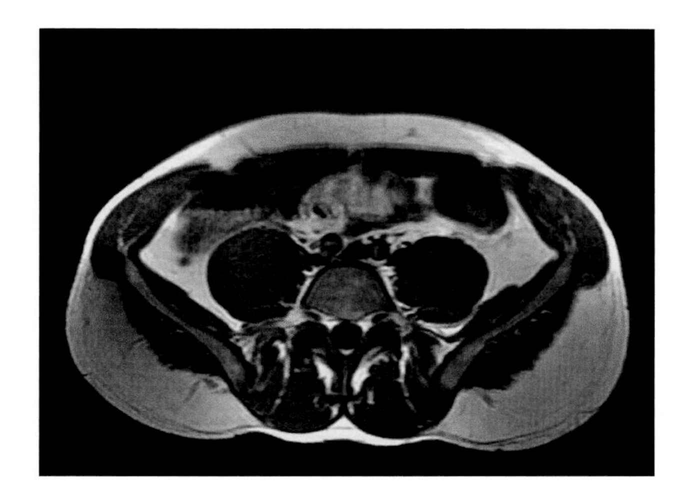

그림 2.79 **엉덩뼈능선 높이에서 몸통의 수평단면**(아래모습, 자기공명영상). (Heuck A, et al. MRT-Atlas des muskuloskelettalen Systems. Stuttgart, Germany: Schattauer, 2009.)

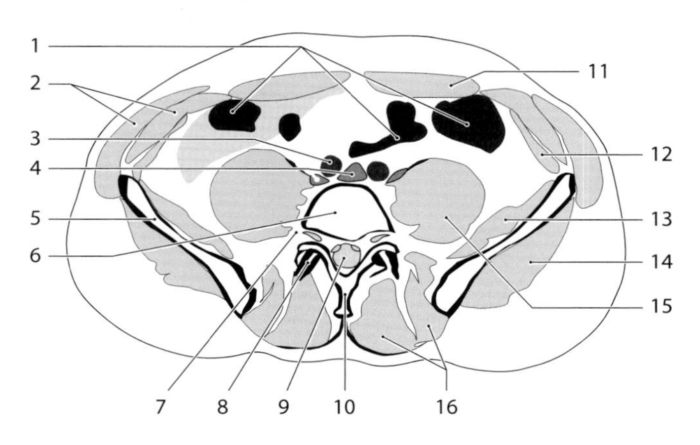

그림 2.80 **몸통의 수평단면**(아래모습, 자기공명영상). (모식도: 그림 2.79와 2.81에 해당하는 단면을 확인하시오). (Heuck A, et al. MRT-Atlas des muskuloskelettalen Systems. Stuttgart, Germany: Schattauer, 2009.)

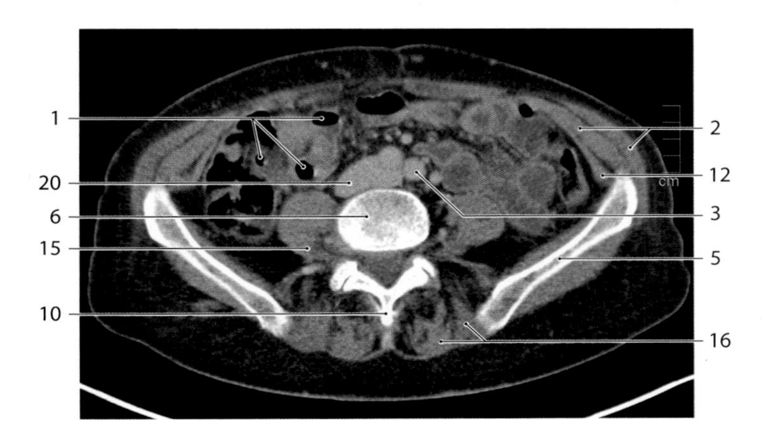

그림 2.81 **넷째허리뼈 높이에서 몸통의 수평단면**(아래모습, CT 스캔). (Courtesy of Prof. Uder, Institute of Radiology, University Hospital Erlangen, Germany).

1 창자 Intestine
2 배바깥빗근과 배속빗근 External and internal abdominal oblique muscles
3 온엉덩동맥 Common iliac artery
4 온엉덩정맥 Common iliac vein
5 엉덩뼈 Iliac bone
6 허리뼈몸통 Body of lumbar vertebra
7 허리척수신경 Lumbar spinal nerve
8 돌기사이관절 Zygapophyseal joint
9 척주관 Vertebral canal
10 가시돌기(L5) Spinous process (L5)
11 배곧은근 Rectus abdominis muscle
12 배가로근 Transverse abdominal muscle
13 엉덩근 Iliacus muscle
14 중간볼기근 Gluteus medius muscle
15 큰허리근 Psoas major muscle
16 척주세움근 Erector spinae muscle
17 허리네모근 Quadratus lumborum muscle
18 요관 Ureter
19 배대동맥 Abdominal aorta
20 아래대정맥 Inferior vena cava
21 내림(잘록) 창자 Descending colon

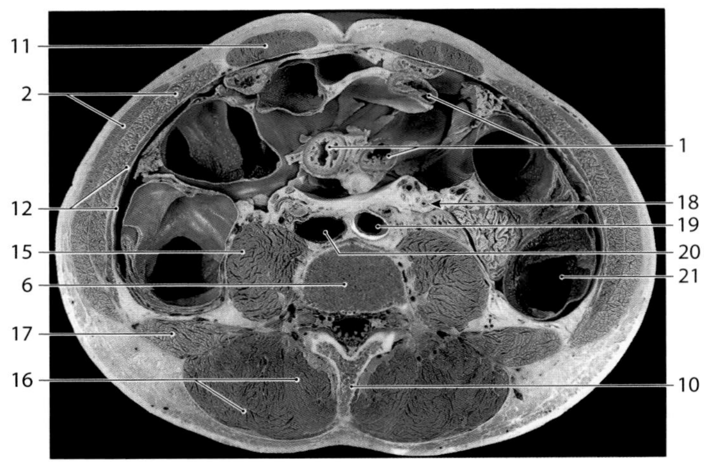

그림 2.82 **활꼴선 위의 배꼽 높이에서 몸통의 수평단면**(아래모습).

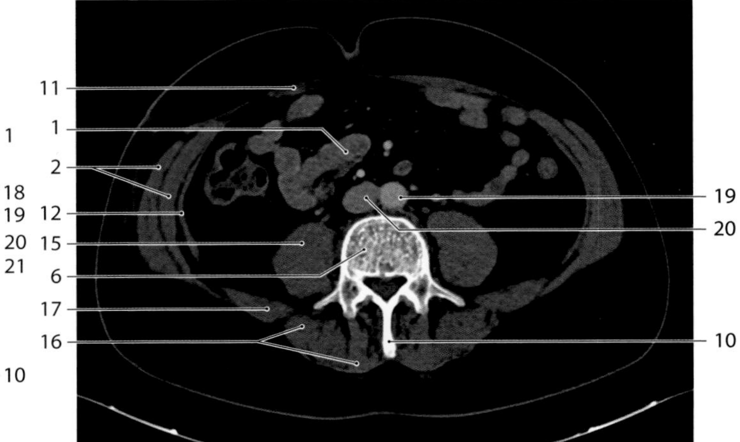

그림 2.83 **배꼽 높이에서 몸통의 수평단면**(아래모습, CT 스캔). (Courtesy of Prof. Uder, Institute of Radiology, University Hospital Erlangen, Germany).

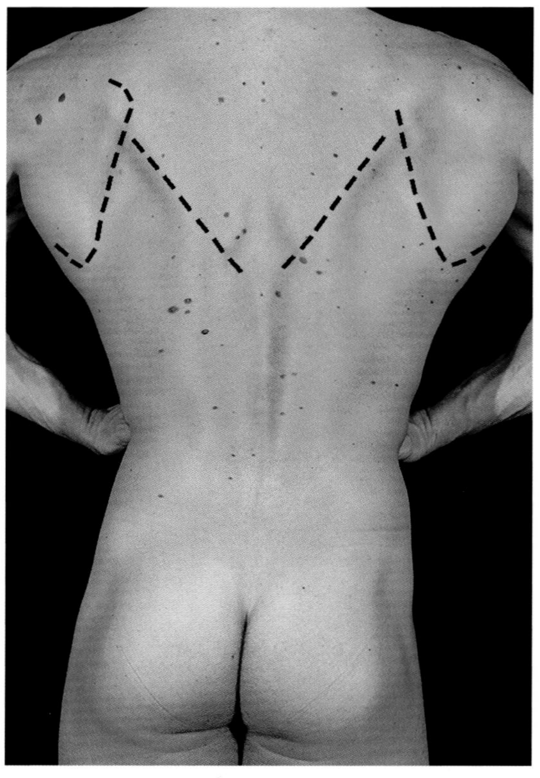
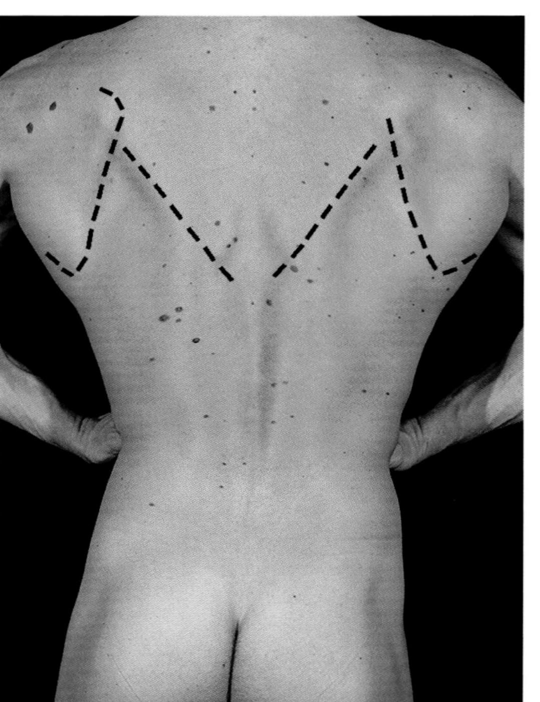

그림 2.84 **잘 발달된 남자의 등.** 경계선은 어깨뼈와 등세모근을 가리킨다.

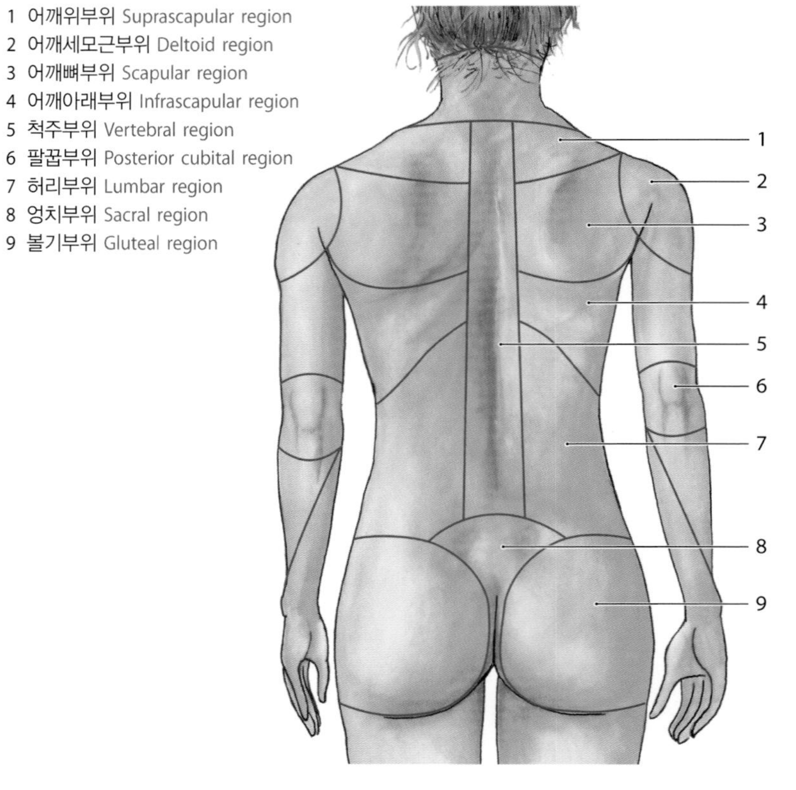

그림 2.85 **여자의 등부위.**

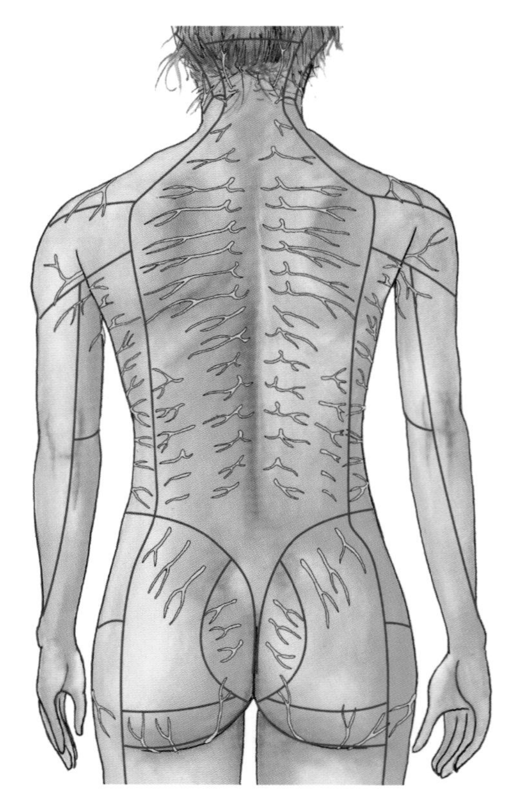

그림 2.86 **등의 신경지배.** 척수신경 뒤가지가 분절배열임을 보여준다. 등의 분절신경지배 부위를 알려준다.

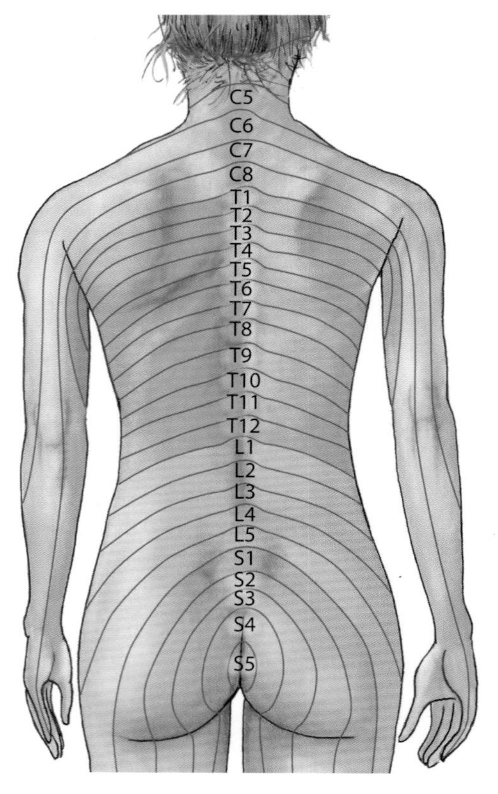

그림 2.87 **등의 분절배열.** 목신경(C1–C8; C5–C8만 보여줌), 등신경(T1–T12), 허리신경(L1–L5), 엉치신경(S1–S5) 분절들을 다른 색깔들로 표시했다.

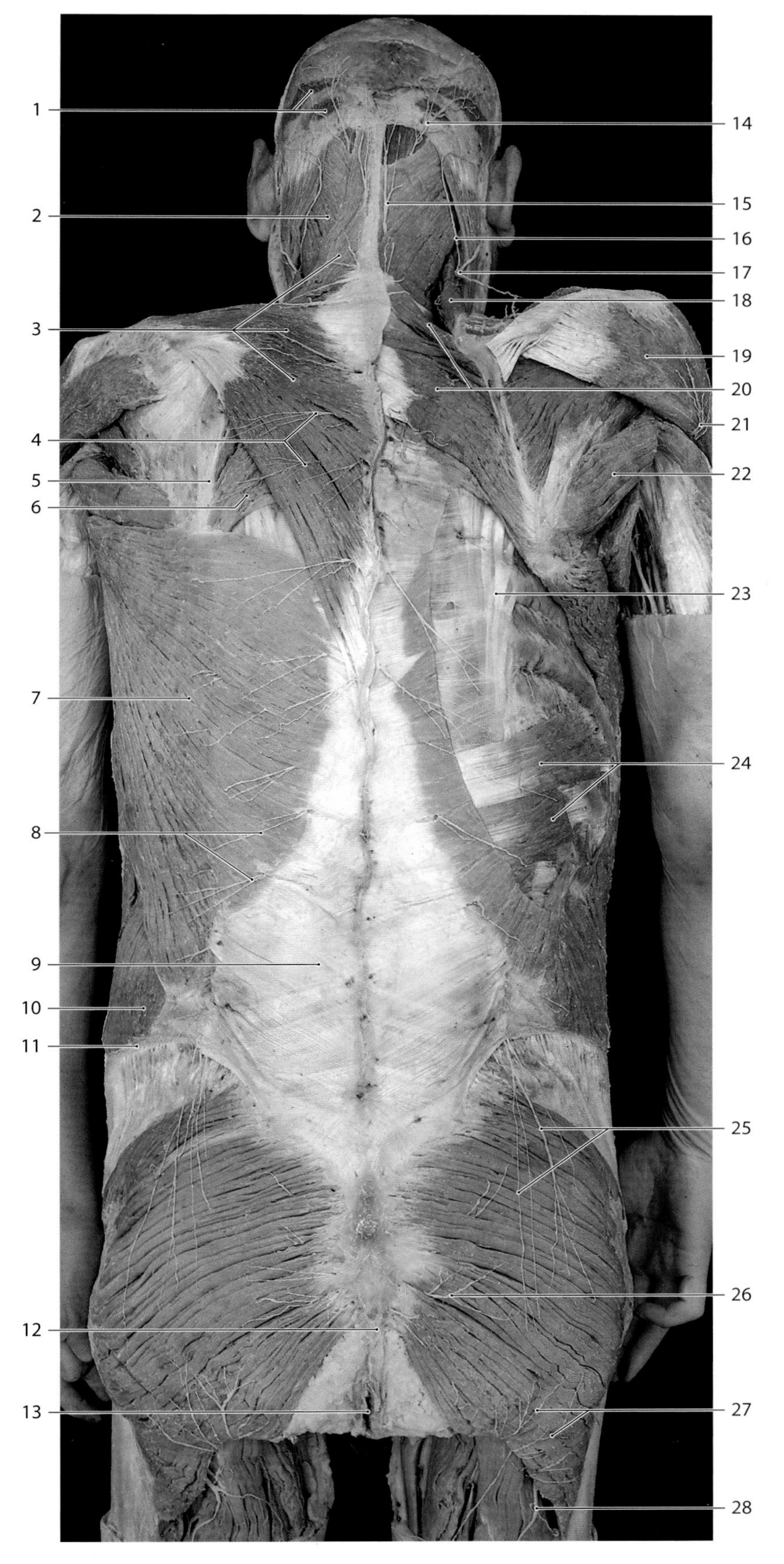

그림 2.88 **등의 신경분포**(얕은층[왼쪽]과 깊은층[오른쪽]). 오른쪽 등세모근과 넓은등근을 제거하였다.

1 뒤통수이마근의 뒤통수힘살 Occipital belly of occipitofrontalis muscle
2 머리널판근 Splenius capitis muscle
3 등세모근 Trapezius muscle
4 척수신경 뒤가지의 안쪽피부가지 Medial cutaneous branches of dorsal rami of spinal nerves
5 어깨뼈 안쪽모서리 Medial margin of scapula
6 큰마름근 Rhomboid major muscle
7 넓은등근 Latissimus dorsi muscle
8 척수신경 뒤가지의 가쪽피부가지 Lateral cutaneous branches of dorsal rami of spinal nerves
9 등허리근막 Thoracolumbar fascia
10 배바깥빗근 External abdominal oblique muscle
11 엉덩뼈능선 Iliac crest
12 꼬리뼈의 끝 Last coccygeal vertebra
13 항문 Anus
14 큰뒤통수신경 Greater occipital nerve
15 셋째뒤통수신경 Third occipital nerve
16 작은뒤통수신경 Lesser occipital nerve
17 목신경얼기의 피부가지 Cutaneous branches of cervical plexus
18 어깨올림근 Levator scapulae muscle
19 어깨세모근 Deltoid muscle
20 큰마름근과 작은마름근 Rhomboid major and minor muscles
21 위가쪽위팔피부신경(겨드랑신경의 가지) Upper lateral cutaneous nerve of arm (branch of axillary nerve)
22 큰원근 Teres major muscle
23 등엉덩갈비근 Iliocostalis thoracis muscle
24 아래뒤톱니근 Serratus posterior inferior muscle
25 위볼기피부신경 Superior cluneal nerves
26 중간볼기피부신경 Middle cluneal nerves
27 아래볼기피부신경 Inferior cluneal nerves
28 뒤넓적다리피부신경 Posterior femoral cutaneous nerve

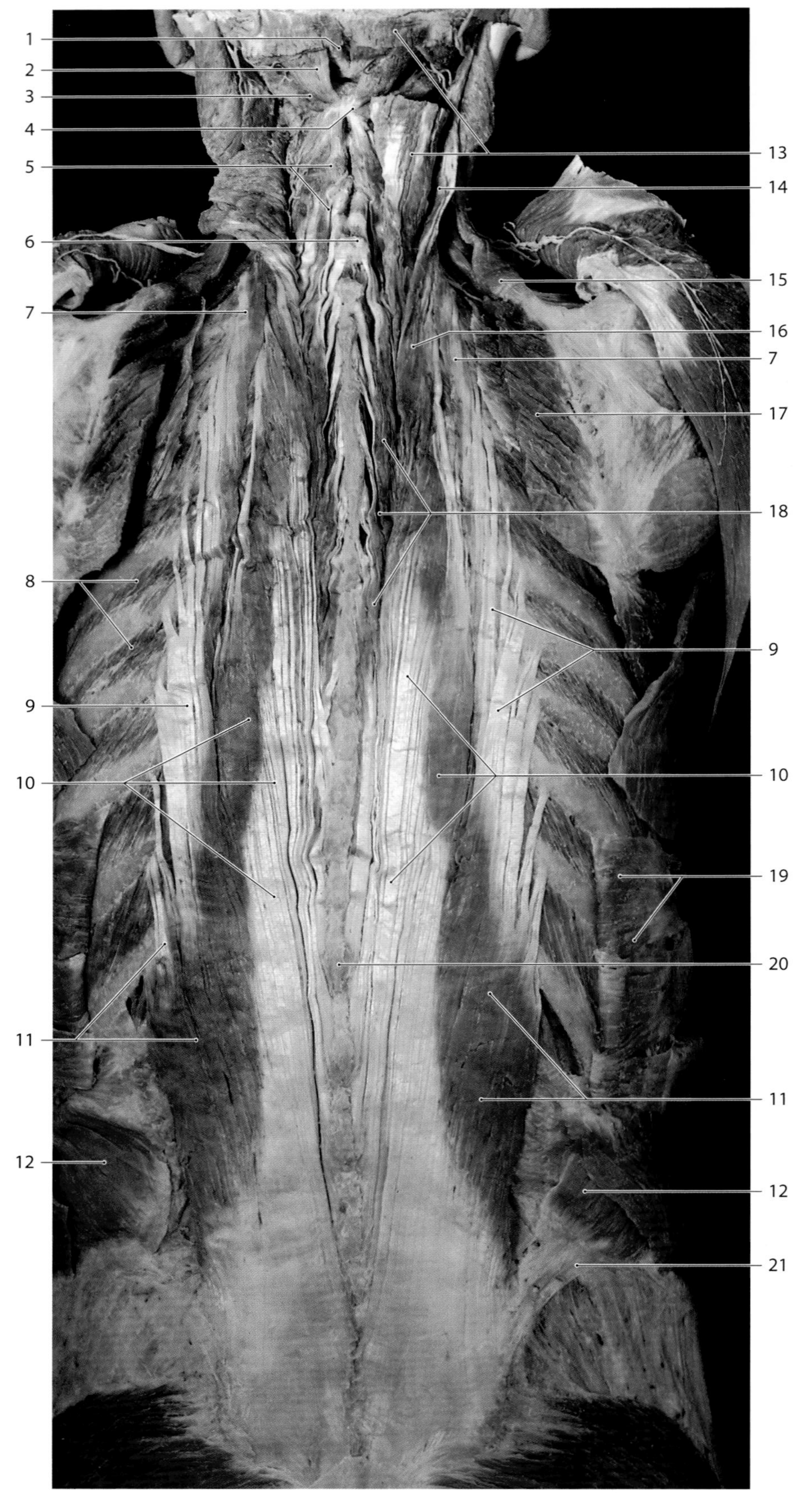

그림 2.89 **등의 근육.** 척주세움근의 해부(내인성등근육의 가쪽기둥).

1 작은뒤머리곧은근 Rectus capitis posterior minor muscle
2 큰뒤머리곧은근 Rectus capitis posterior major muscle
3 아래머리빗근 Obliquus capitis inferior muscle
4 중쇠뼈의 가시돌기 Spinous process of axis
5 목반가시근 Semispinalis cervicis muscle
6 일곱째목뼈의 가시돌기 Spinous process of seventh cervical vertebra
7 목엉덩갈비근 Iliocostalis cervicis muscle
8 바깥갈비사이근 External intercostal muscles
9 등엉덩갈비근 Iliocostalis thoracis muscle
10 등가장긴근 Longissimus thoracis muscle
11 허리엉덩갈비근 Iliocostalis lumborum muscle
12 배속빗근 Internal abdominal oblique muscle
13 머리반가시근(잘림) Semispinalis capitis muscle (divided)
14 머리가장긴근 Longissimus capitis muscle
15 어깨올림근 Levator scapulae muscle
16 목가장긴근 Longissimus cervicis muscle
17 큰마름근 Rhomboid major muscle
18 등가시근 Spinalis thoracis muscle
19 뒤아래톱니근(젖힘) Serratus posterior inferior muscle (reflected)
20 둘째허리뼈 가시돌기 Spinous process of second lumbar vertebra
21 엉덩뼈능선 Iliac crest
22 꼭지돌기 Mastoid process

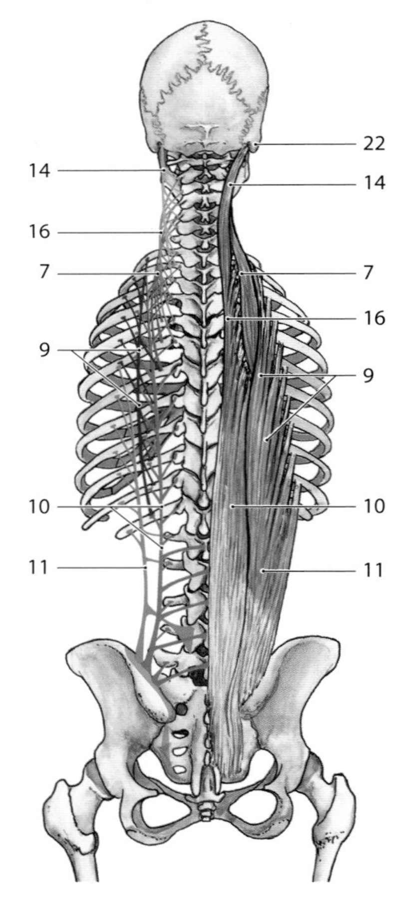

그림 2.90 **척주세움근의 이는점과 닿는점** (엉치가시근 계통).

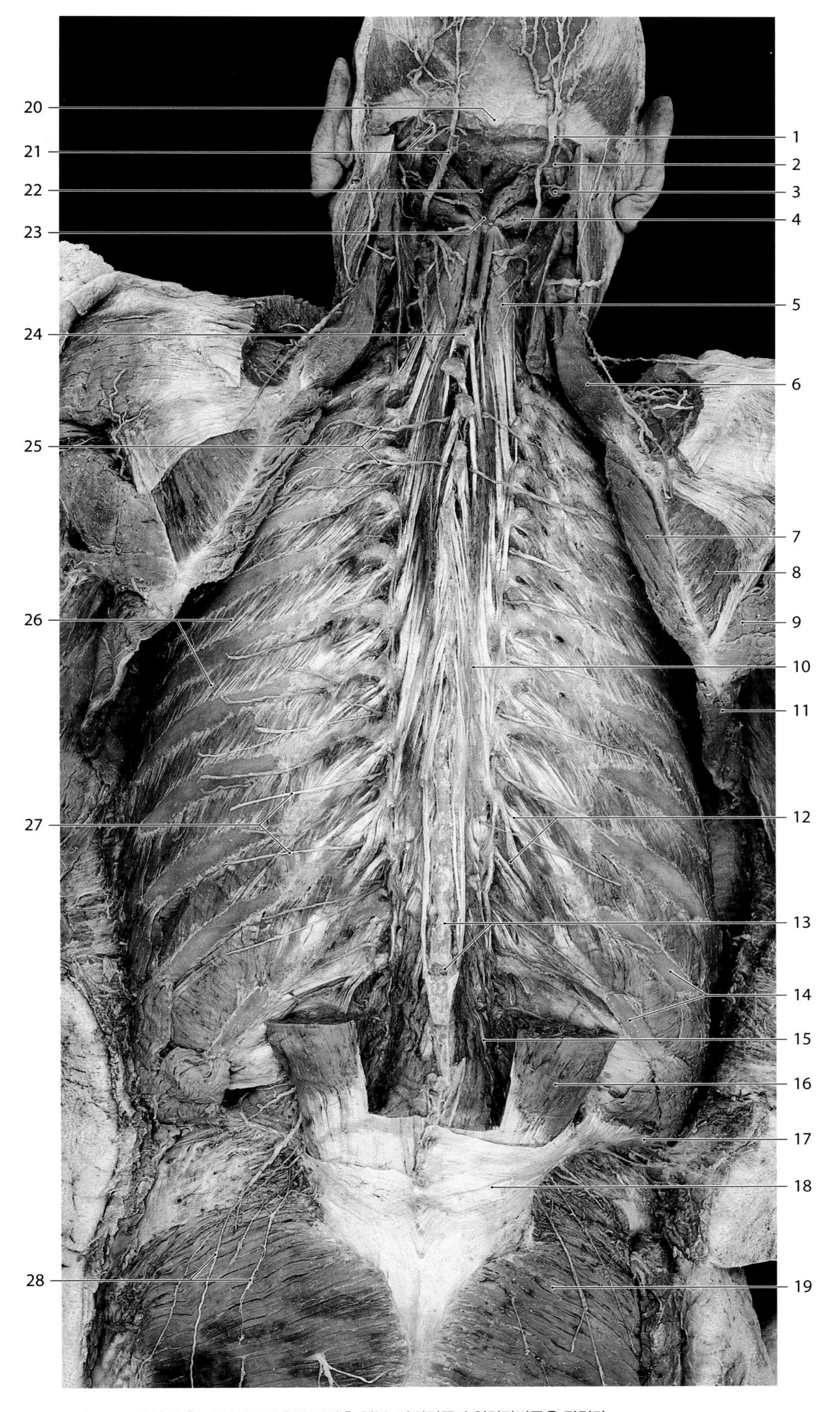

1 작은뒤머리곧은근
Rectus capitis posterior minor muscle
2 큰뒤머리곧은근
Rectus capitis posterior major muscle
3 위머리빗근
Obliquus capitis superior muscle
4 아래머리빗근
Obliquus capitis inferior muscle
5 목반가시근
Semispinalis cervicis muscle
6 어깨올림근 Levator scapulae muscle
7 작은마름근 Rhomboid major muscle
8 어깨뼈와 가시아래근
Scapula with infraspinatus muscle
9 큰원근 Teres major muscle
10 가시근 Spinalis muscle
11 넓은등근 Latissimus dorsi muscle
12 갈비올림근
Levatores costarum muscles
13 허리뼈의 가시돌기
Spinous processes of lumbar vertebra
14 갈비뼈(T11, T12) Ribs (T11, T12)
15 뭇갈래근 Multifidus muscle
16 가장긴근과 엉덩갈비근(잘림)
Longissimus and iliocostalis muscles (cut)
17 엉덩뼈능선(허리삼각)
Iliac crest (lumbar triangle)
18 등허리근막 Thoracolumbar fascia
19 큰볼기근 Gluteus maximus muscle
20 바깥뒤통수뼈융기
External occipital protuberance
21 뒤통수동맥과 큰뒤통수신경(C2)
Occipital artery and greater occipital nerve (C2)
22 고리뼈의 뒤결절
Posterior tubercle of atlas
23 중쇠뼈의 가시돌기
Spinous process of axis
24 일곱째척추뼈의 가시돌기(솟은뼈)
Spinous process of seventh cervical vertebra (vertebra prominens)
25 척수신경 뒤가지의 안쪽가지
Medial branches of dorsal branches of spinal nerves
26 바깥갈비사이근
External intercostal muscles
27 척수신경 뒤가지의 가쪽가지
Lateral branches of dorsal branches of spinal nerves
28 위볼기피부신경
Superior cluneal nerves

그림 2.91 **등의 근육.** 내인성등근육의 중간층 해부. 가장긴근과 엉덩갈비근은 잘렸다.

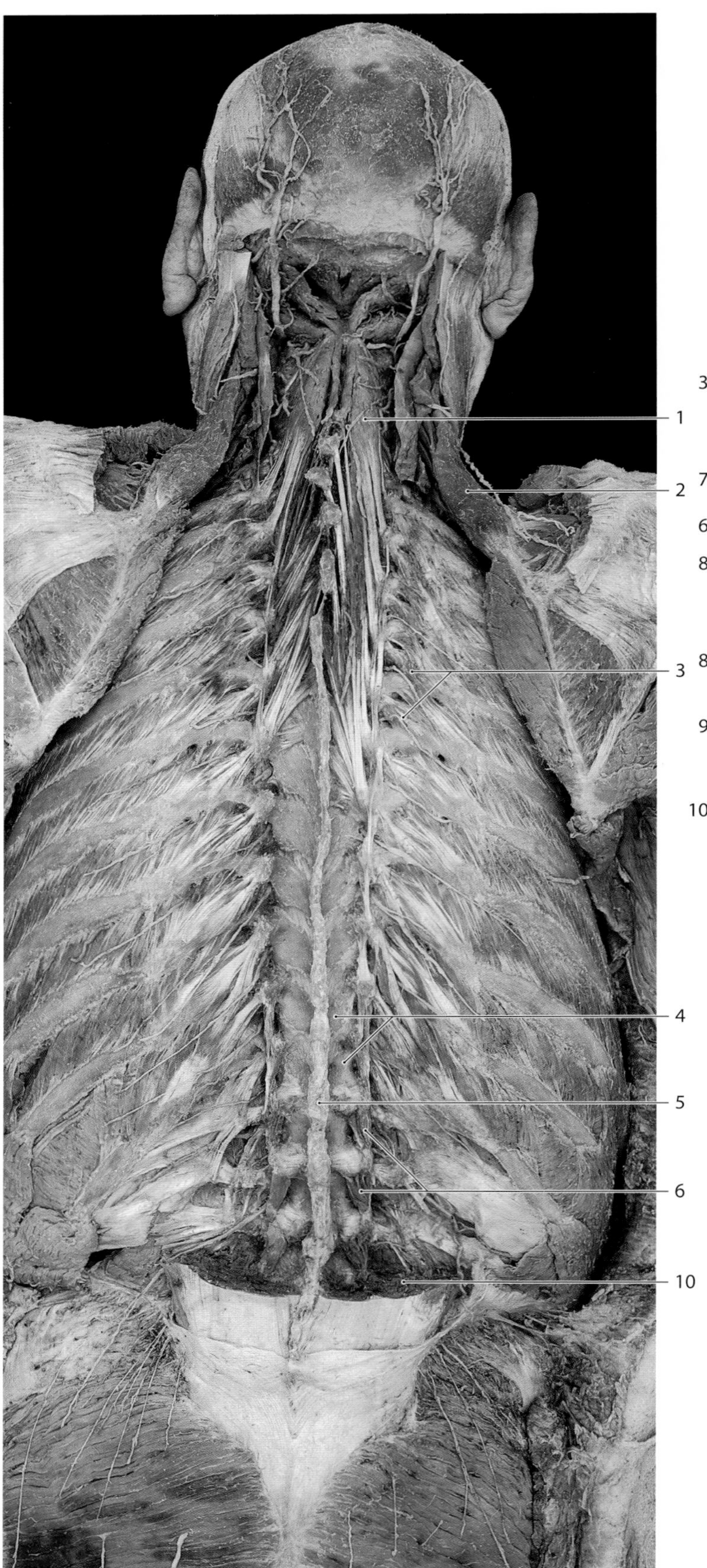

그림 2.92 **등의 근육**(가장깊은층). 목근육, 등근육의 깊은층(목반가시근과 갈비올림근), 척추뼈와 갈비뼈를 연결하는 인대의 해부.

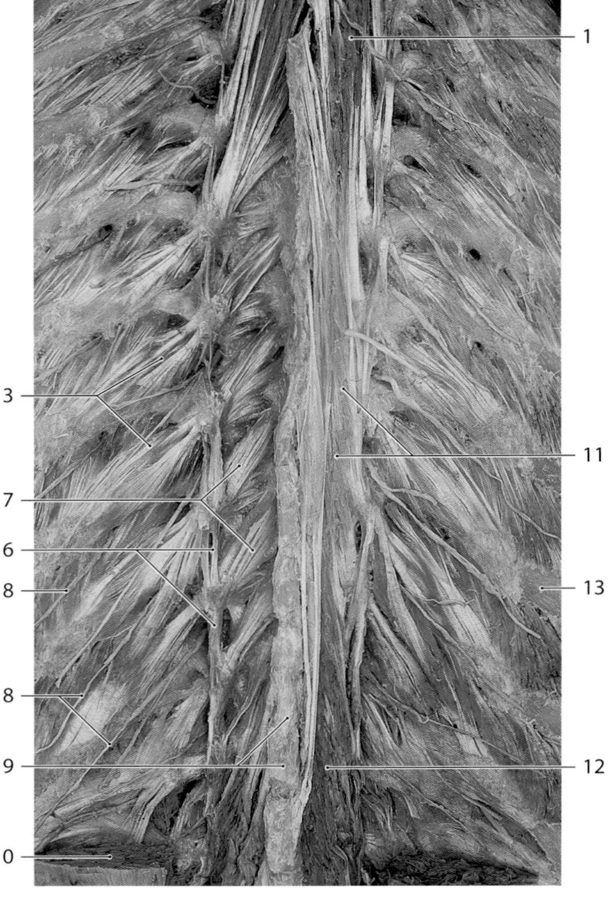

그림 2.93 **등의 근육**(가장깊은층). 허리부위(고배율).

1 머리반가시근 Semispinalis cervicis muscle
2 어깨올림근 Levator scapulae muscle
3 갈비올림근 Levatores costarum muscles
4 허리뼈의 척추뼈고리 Vertebral arches of lumbar vertebra
5 가시위인대 Supraspinal ligaments
6 허리가로돌기사이근 Intertransverse lumbar muscles
7 허리돌림근 Lumbar rotator muscles
8 척수신경의 피부가지 Cutaneous branches of spinal nerves
9 허리가시사이근 Lumbar interspinal muscles
10 가장긴근과 엉덩갈비근(잘림) Longissimus and iliocostalis muscles (cut)
11 등의 가시근 Spinal muscle of the back
12 뭇갈래근 Multifidus muscle
13 열번째갈비뼈(T10) Tenth rib (T10)

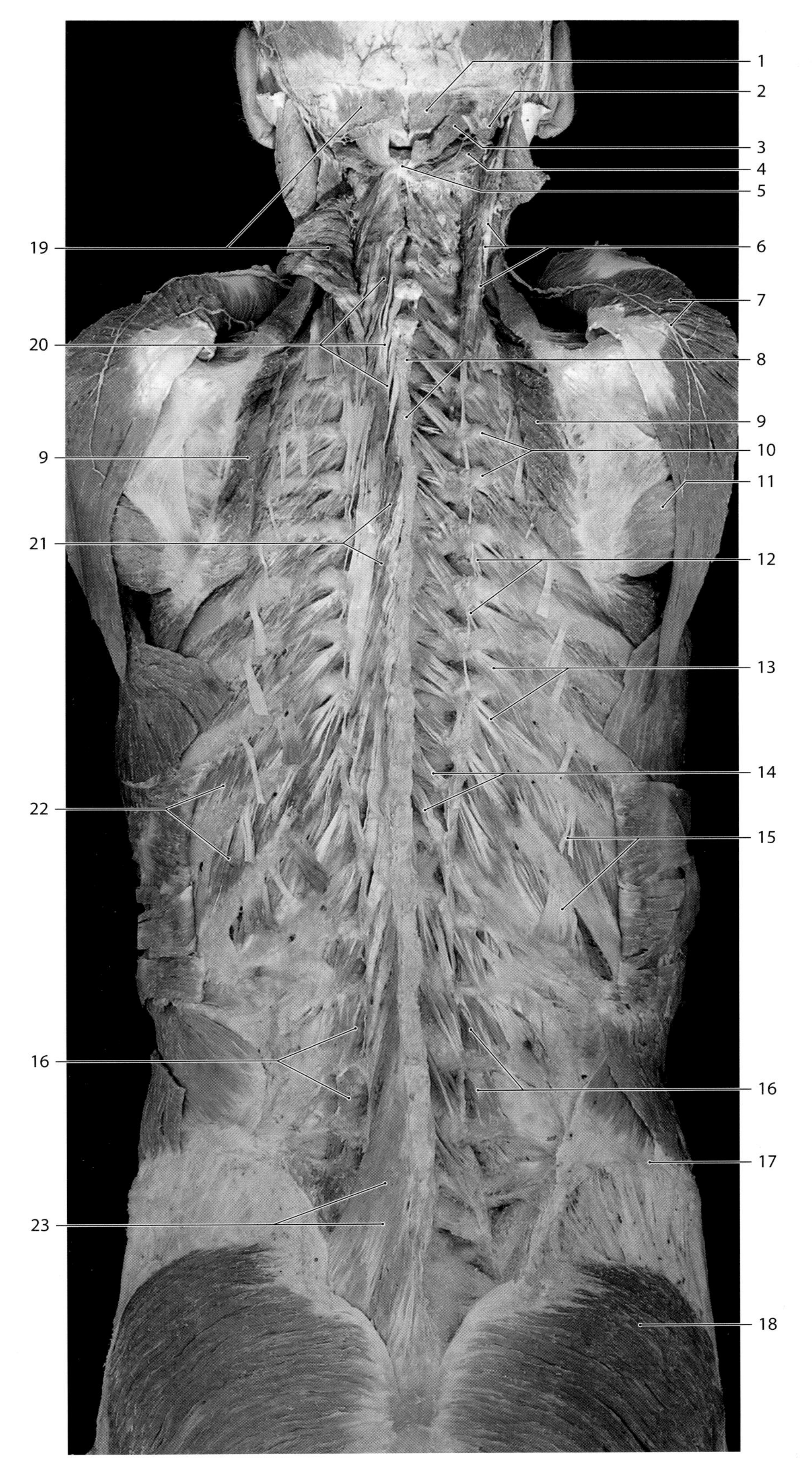

그림 2.94 **등의 근육.** 가로돌기가시근, 오른쪽 깊은층의 반가시근과 뭇갈래근은 모두 제거하였다.

1 작은뒤머리곧은근 Rectus capitis posterior minor muscle
2 위머리빗근 Obliquus capitis superior muscle
3 큰뒤머리곧은근 Rectus capitis posterior major muscle
4 아래머리빗근 Obliquus capitis inferior muscle
5 중쇠뼈의 가시돌기 Spinous process of axis
6 머리가장긴근 Longissimus capitis muscle
7 등세모근(젖힘)과 더부신경(CN XI) Trapezius muscle(reflected) and accessory nerve(CN XI)
8 가시돌기 Spinous processes
9 큰마름근 Rhomboid major muscle
10 등뼈의 가로돌기 Transverse processes of thoracic vertebra
11 큰원근 Teres major muscle
12 가로돌기사이인대 Intertransverse ligaments
13 갈비올림근 Levatores costarum muscles
14 돌림근 Rotatores muscles
15 엉덩갈비근힘줄 Tendons of iliocostalis muscle
16 가쪽허리가로돌기사이근 Intertransversarii laterales lumborum muscles
17 엉덩뼈능선 Iliac crest
18 큰볼기근 Gluteus maximus muscle
19 머리반가시근 Semispinalis capitis muscle
20 목반가시근 Semispinalis cervicis muscle
21 등반가시근 Semispinalis thoracis muscle
22 바깥갈비사이근 External intercostal muscles
23 뭇갈래근 Multifidus muscle
24 뒤목가로돌기사이근 Posterior cervical intertransversarii muscles
25 등가시근 Spinalis thoracis muscle

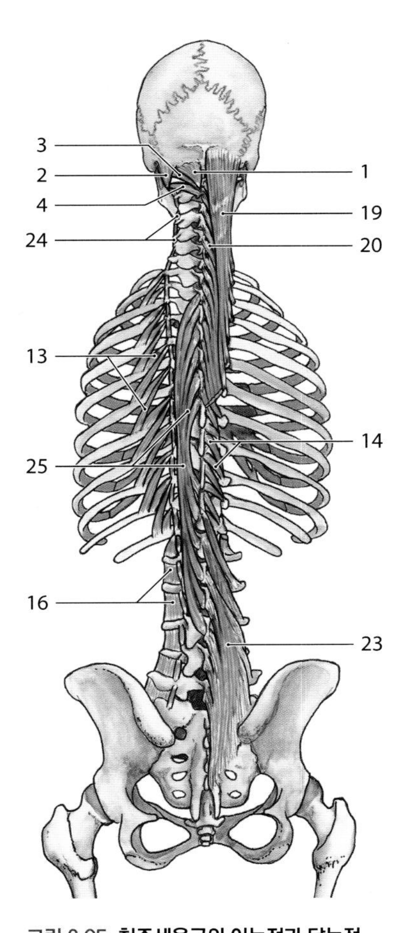

그림 2.95 **척주세움근의 이는점과 닿는점, 안쪽부분**(가로돌기가시근과 가로돌기사이근 계통).

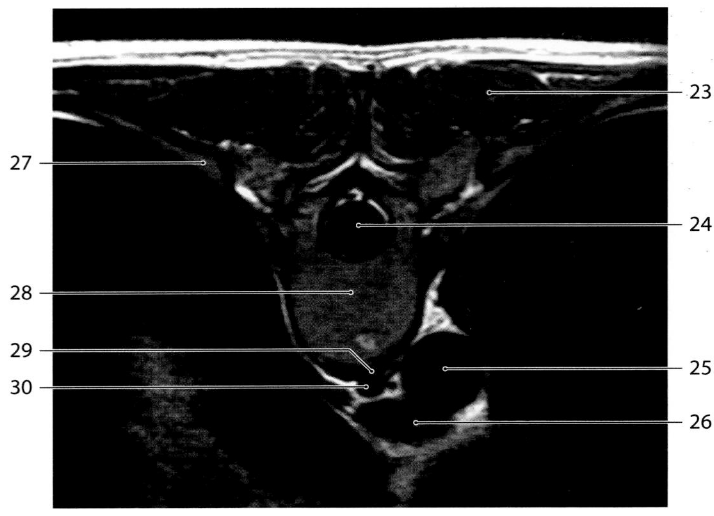

그림 2.96 **몸통 뒤부위의 수평단면**(자기공명영상). (Heuck A, et al. MRT-Atlas des muskuloskelettalen Systems. Stuttgart, Germany: Schattauer, 2009.)

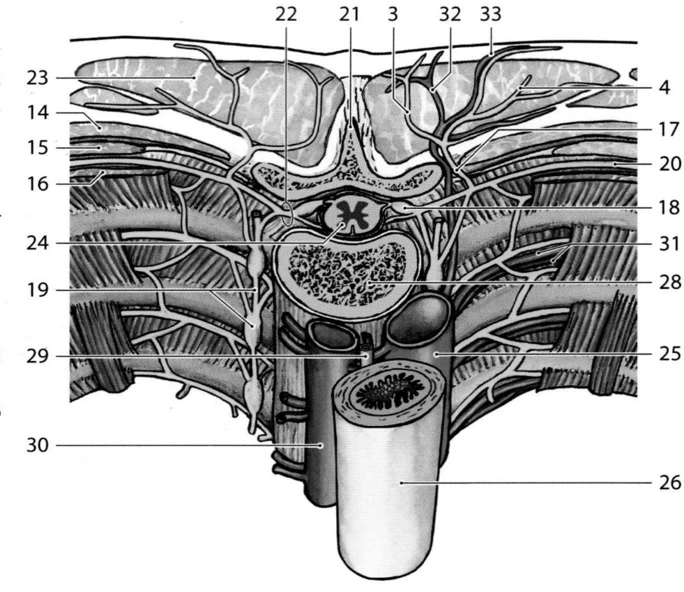

그림 2.98 **몸통 뒤부위의 수평단면.** 한 가슴분절에 분포하는 척수신경과 혈관의 위치와 가지를 보여준다.

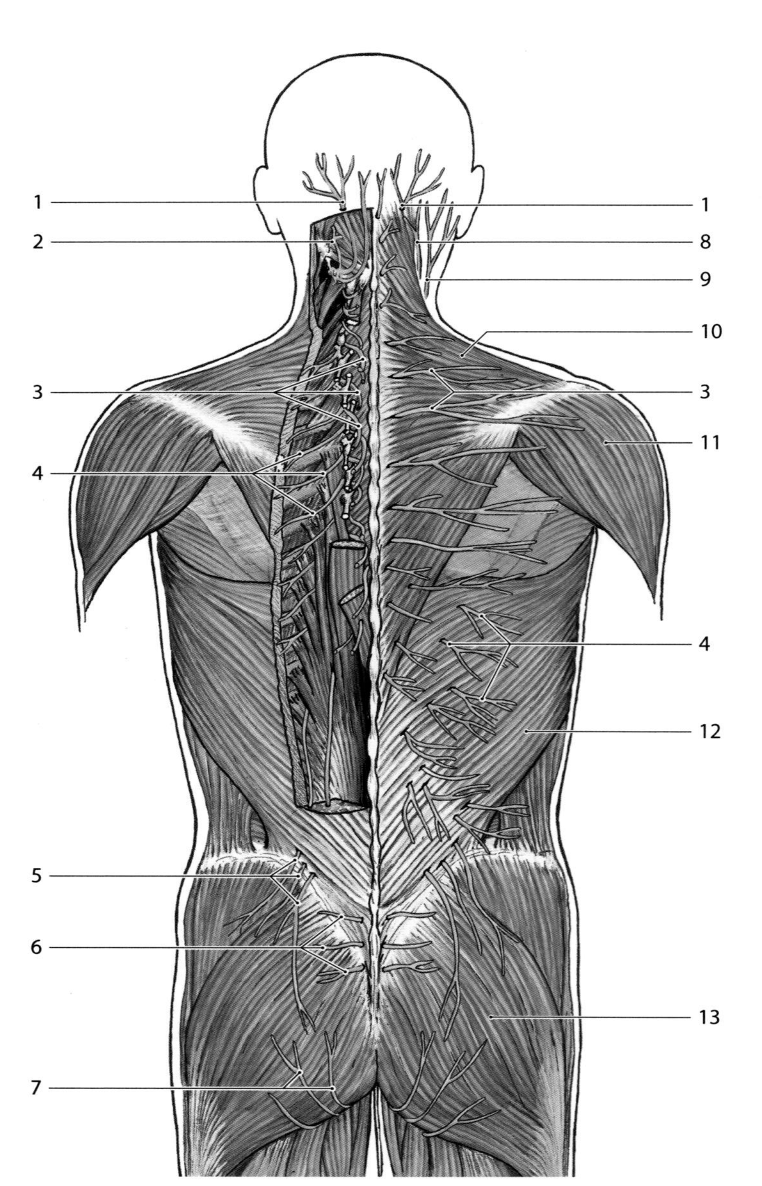

1 큰뒤통수신경(C2) Greater occipital nerve (C2)
2 뒤통수밑신경(C1) Suboccipital nerve (C1)
3 척수신경 뒤가지의 안쪽가지 Medial branches of dorsal rami of spinal nerves
4 척수신경 뒤가지의 가쪽가지 Lateral branches of dorsal rami of spinal nerves
5 위볼기피부신경(L1 – L3) Superior cluneal nerves (L1 – L3)
6 중간볼기피부신경(S1 – S3) Middle cluneal nerves (S1 – S3)
7 아래볼기피부신경(엉치신경얼기의 앞가지에서 나옴) Inferior cluneal nerves (derived from branches of the sacral plexus, ventral rami)
8 작은뒤통수신경 Lesser occipital nerve
9 큰귓바퀴신경 Great auricular nerve
10 등세모근 Trapezius muscle
11 어깨세모근 Deltoid muscle
12 넓은등근 Latissimus dorsi muscle
13 큰볼기근 Gluteus maximus muscle
14 바깥갈비사이근 External intercostal muscle
15 속갈비사이근 Internal intercostal muscle
16 맨속갈비사이근 Innermost intercostal muscle
17 척수신경 뒤가지 Dorsal ramus of spinal nerve
18 척수신경과 척수신경절 Spinal nerve and spinal ganglion
19 교감신경줄기와 교감신경절 Sympathetic trunk with ganglion
20 갈비사이신경 Intercostal nerve
21 가시돌기 Spinous process
22 척추사이구멍 Intervertebral foramen
23 등가장긴근 Longissimus thoracis muscle
24 척수 Spinal cord
25 대동맥 Aorta
26 식도 Esophagus
27 갈비뼈몸통 Body of rib
28 등갈비뼈 Thoracic rib
29 가슴림프관 Thoracic duct
30 홀정맥 Azygos vein
31 뒤갈비사이동맥과 정맥 Posterior intercostal artery and vein
32 척수신경 뒤가지 Posterior (dorsal) branch of the spinal nerves
33 피부가지 Cutaneous branch

그림 2.97 **등신경지배의 일반적 특징.** 척수신경 뒤가지의 분포. 몸통 뒤부위 신경지배의 분절배열을 확인하시오.

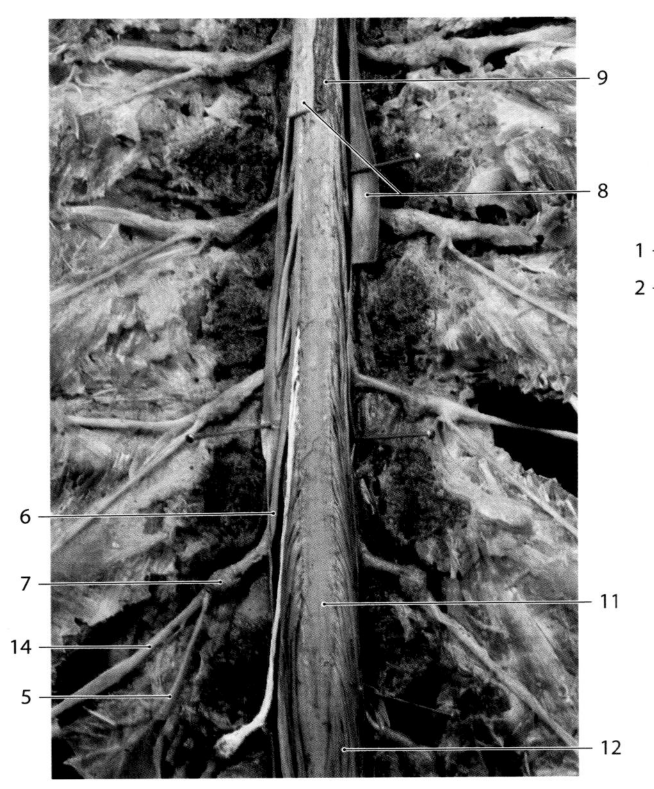

그림 2.99 **척수의 허리부분**(뒤모습). 신경과 근육분절 사이의 관계를 확인하시오.

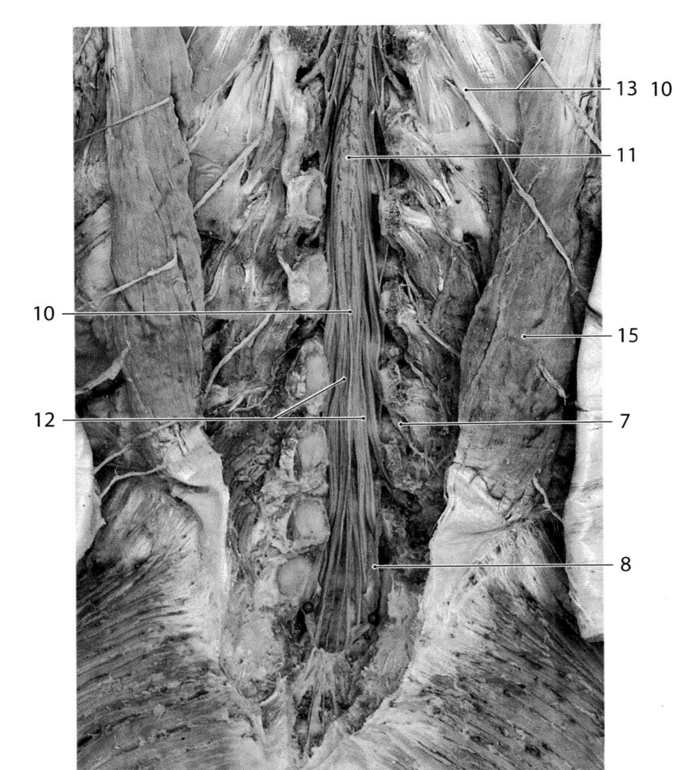

그림 2.100 **척수의 종말부분**(뒤모습). 경막은 제거하였다.

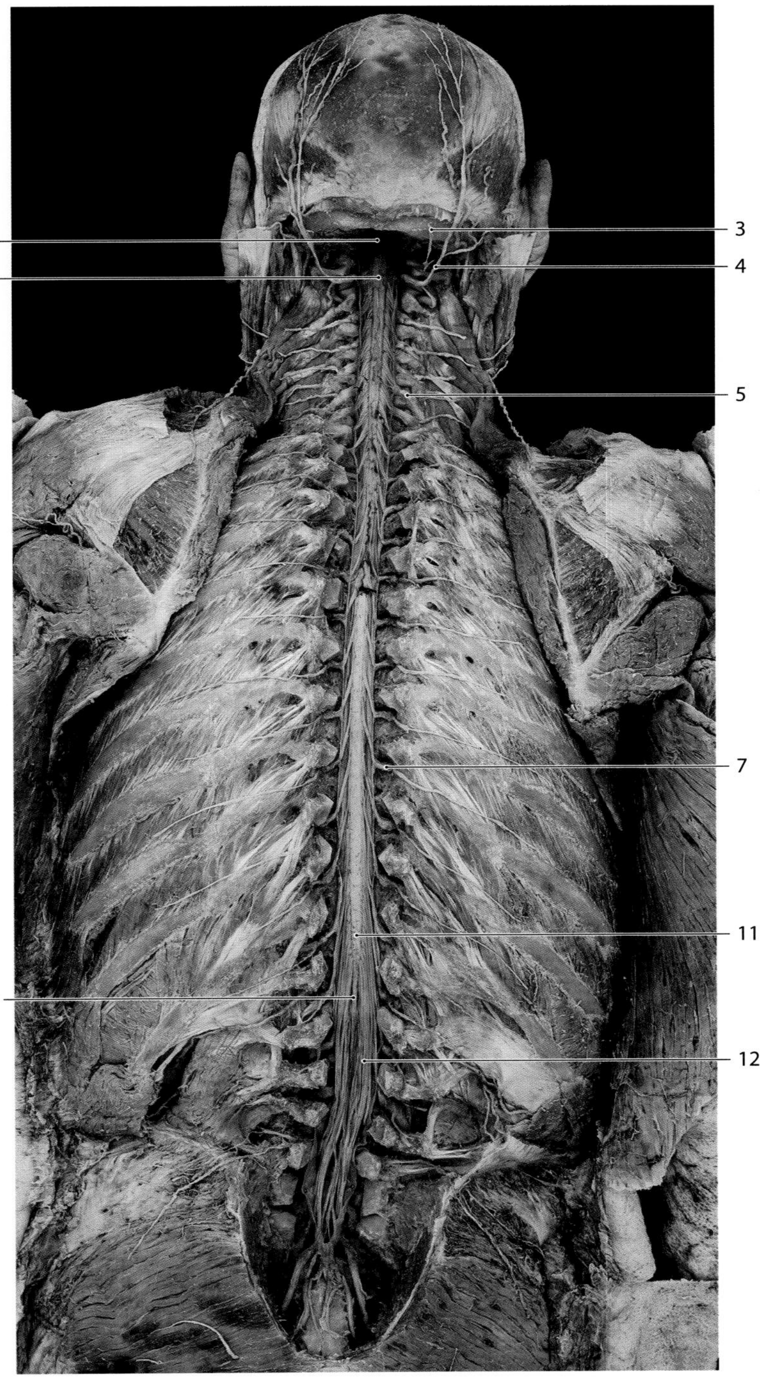

그림 2.101 **척수, 척수신경, 척수막집.** 척주관이 열려 있다. 등가장긴근과 엉덩갈비근은 제거하였다.

1 소뇌숨뇌수조 Cerebellomedullary cistern
2 숨뇌 Medulla oblongata
3 셋째목신경(C3) Third cervical nerve (C3)
4 큰뒤통수신경(C2) Greater occipital nerve (C2)
5 척수신경 뒤가지 Dorsal primary ramus
6 척수신경 뒤뿌리 Dorsal roots of Spinal nerve
7 척수신경절 Spinal ganglion
8 척수경막 Spinal dura mater
9 척수거미막 Spinal arachnoid mater
10 종말끈 Filum terminale
11 척수원뿔 Conus medullaris
12 말총 Cauda equine
13 척수신경 뒤가지의 가쪽가지 Lateral branches of dorsal branches of spinal nerves
14 척수신경 앞가지(갈비사이신경) Ventral ramus of spinal nerve (intercostal nerves)
15 엉덩갈비근 Iliocostalis muscle

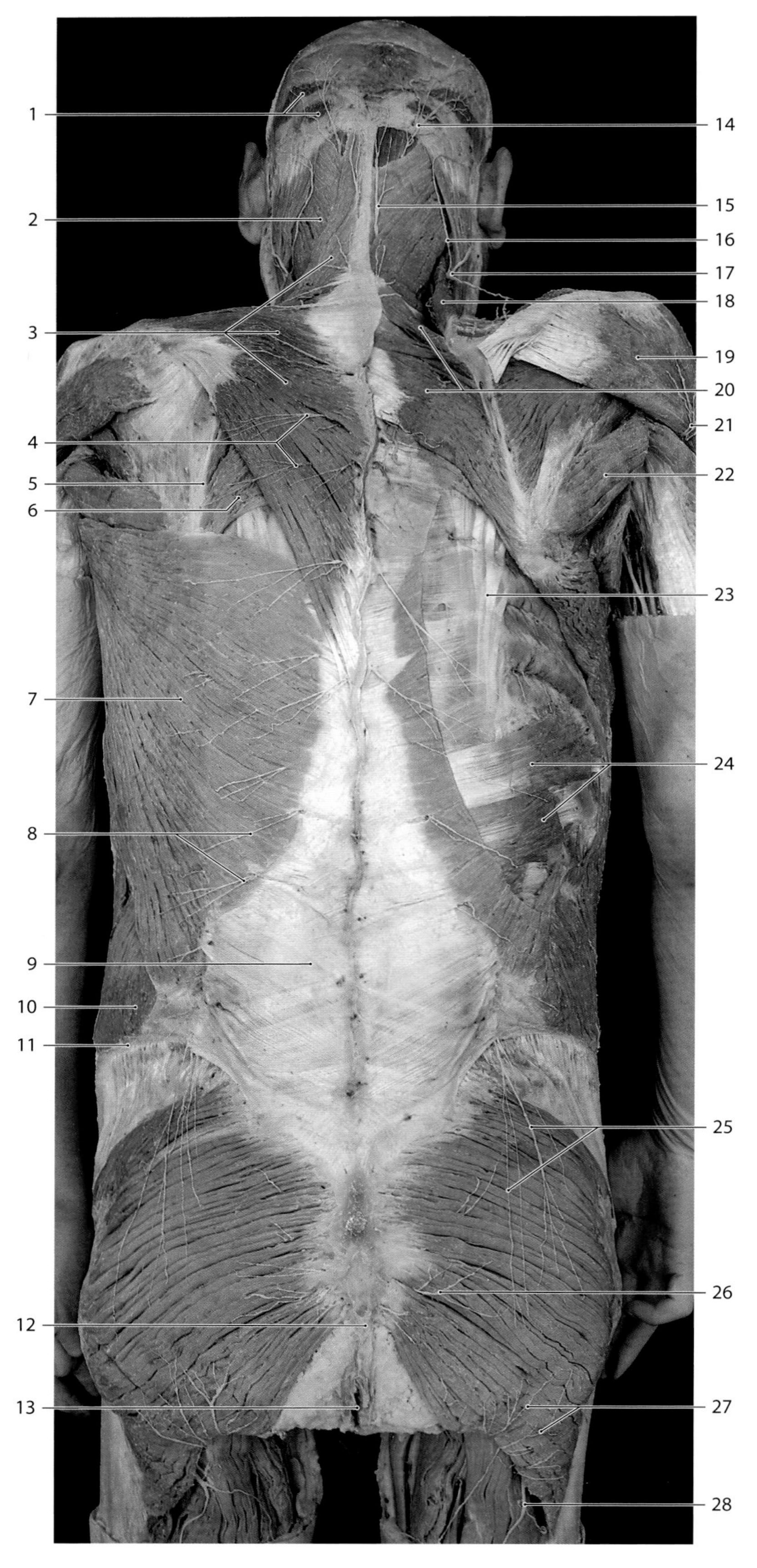

그림 2.102 **등의 신경분포.**(얕은층[왼쪽]과 깊은층[오른쪽]). 오른쪽 등세모근과 넓은등근을 제거하였다.

1 뒤통수이마근의 뒤통수힘살 Occipital belly of occipitofrontalis muscle
2 머리널판근 Splenius capitis muscle
3 등세모근 Trapezius muscle
4 척수신경 뒤가지의 안쪽피부가지 Medial cutaneous branches of dorsal rami of spinal nerves
5 어깨뼈 안쪽모서리 Medial margin of scapula
6 큰마름근 Rhomboid major muscle
7 넓은등근 Latissimus dorsi muscle
8 척수신경 뒤가지의 가쪽피부가지 Lateral cutaneous branches of dorsal rami of spinal nerves
9 등허리근막 Thoracolumbar fascia
10 배바깥빗근 External abdominal oblique muscle
11 엉덩뼈능선 Iliac crest
12 꼬리뼈 끝 Last coccygeal vertebra
13 항문 Anus
14 큰뒤통수신경 Greater occipital nerve
15 셋째뒤통수신경 Third occipital nerve
16 작은뒤통수신경 Lesser occipital nerve
17 목신경얼기의 피부가지 Cutaneous branches of cervical plexus
18 어깨올림근 Levator scapulae muscle
19 어깨세모근 Deltoid muscle
20 큰마름근과 작은마름근 Rhomboid major and minor muscles
21 위가쪽위팔피부신경(겨드랑신경의 가지) Upper lateral cutaneous nerve of arm (branch of axillary nerve)
22 큰원근 Teres major muscle
23 등엉덩갈비근 Iliocostalis thoracis muscle
24 아래뒤톱니근 Serratus posterior inferior muscle
25 위볼기피부신경 Superior cluneal nerves
26 중간볼기피부신경 Middle cluneal nerves
27 아래볼기피부신경 Inferior cluneal nerves
28 뒤넓적다리피부신경 Posterior femoral cutaneous nerve

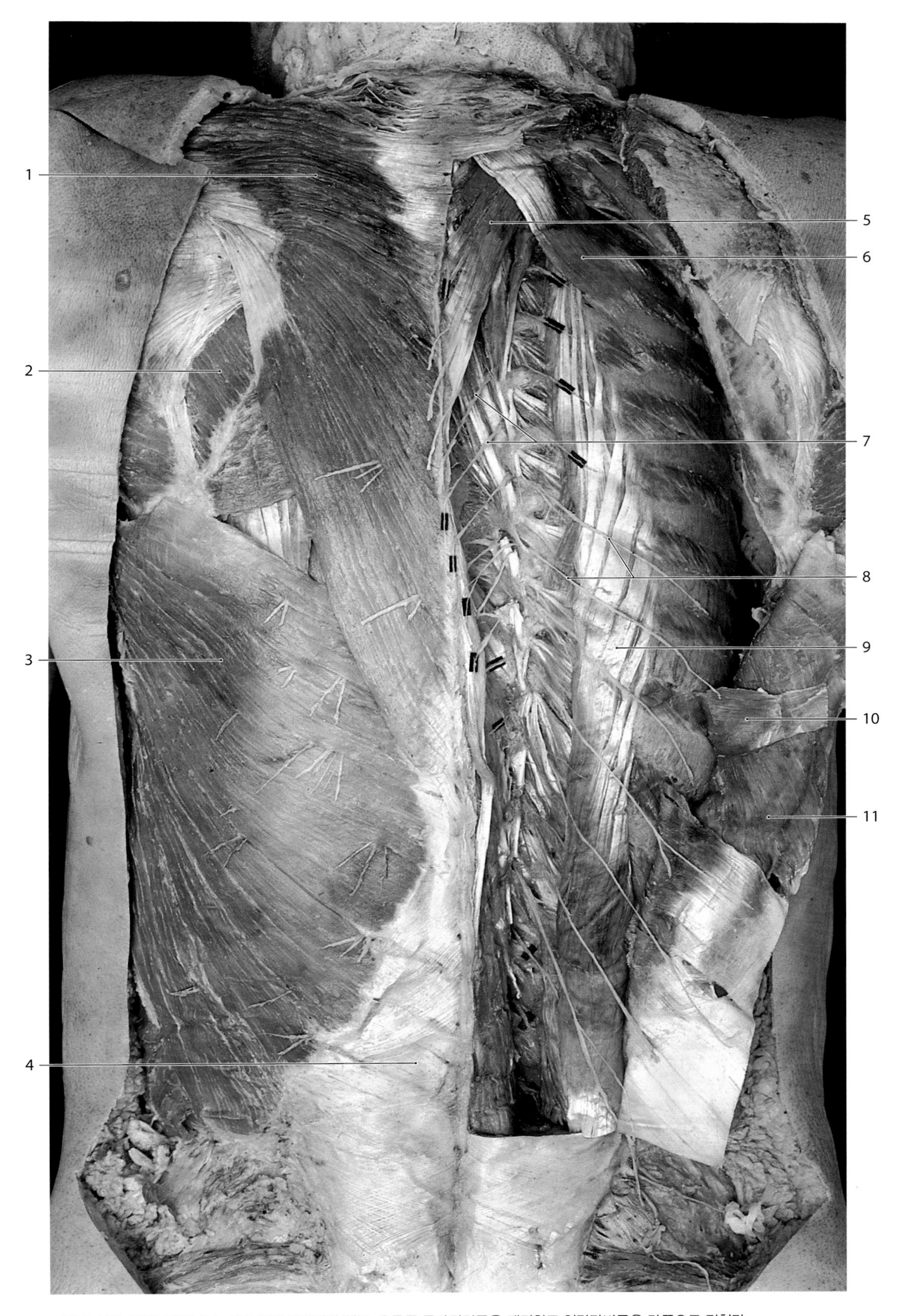

그림 2.103 **등의 신경분포.** 척수신경 뒤가지의 해부. 오른쪽 등가장긴근을 제거하고 엉덩갈비근은 가쪽으로 젖혔다.

1 등세모근
Trapezius muscle
2 가시아래근
Infraspinatus muscle
3 왼쪽 넓은등근
Left latissimus dorsi muscle
4 등허리근막
Thoracolumbar fascia
5 왼쪽 목널판근
Splenius cervicis muscle
6 위뒤톱니근
Serratus posterior superior muscle
7 가슴신경 뒤가지의 안쪽가지 Medial branches of dorsal rami of thoracic spinal nerves
8 가슴신경 뒤가지의 가쪽가지 Lateral branches of dorsal rami of thoracic spinal nerves
9 엉덩갈비근
Iliocostalis muscle
10 아래뒤톱니근
Serratus posterior inferior muscle
11 넓은등근(젖힘)
Latissimus dorsi muscle (reflected)

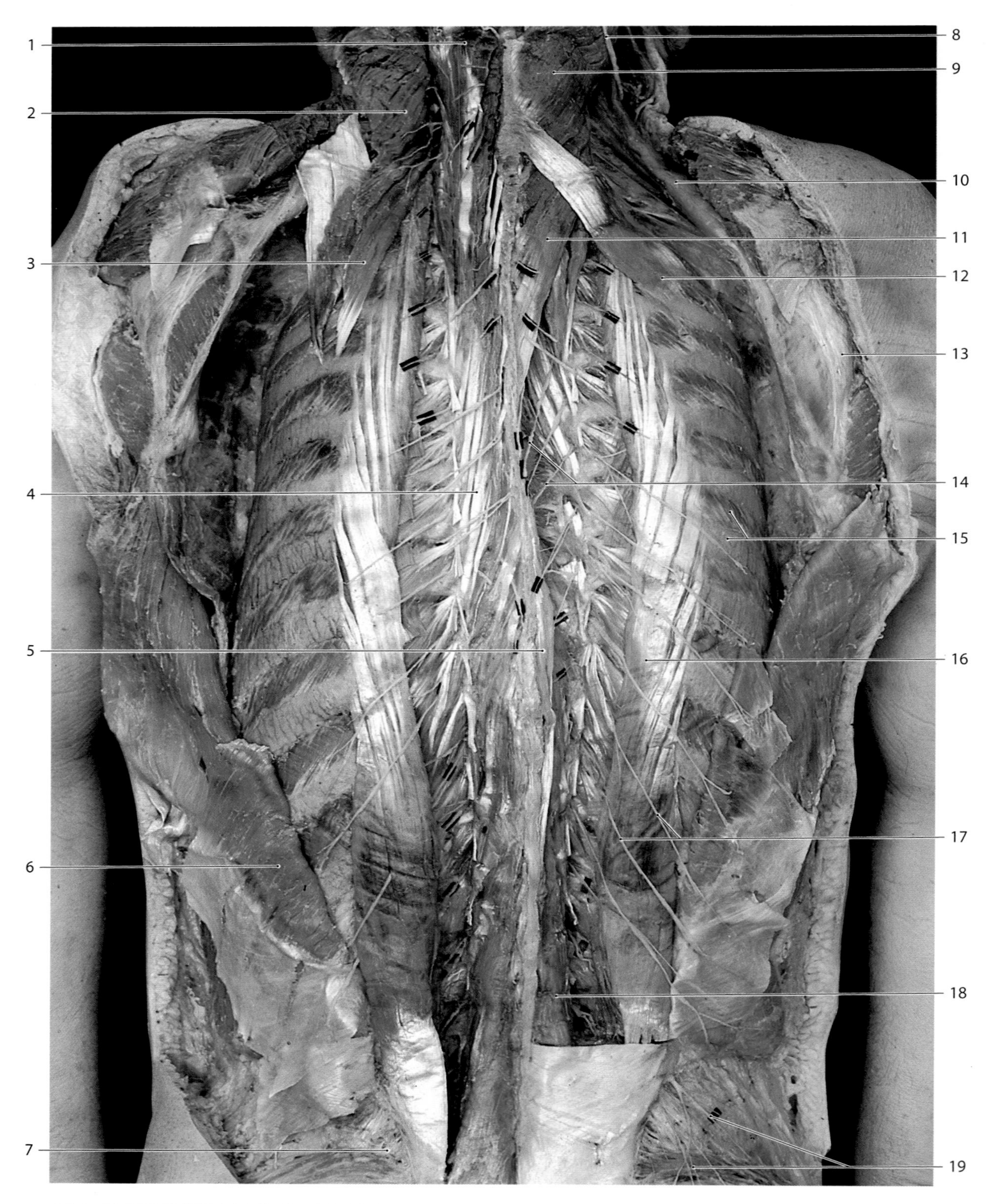

그림 2.104 등의 신경분포(깊은층). 척수신경 뒤가지의 안쪽가지와 가쪽가지의 해부. 엉덩갈비근은 가쪽으로 젖혔다.

1 머리반가시근 Semispinalis capitis muscle
2 왼쪽 머리널판근(잘라 젖힘) Left splenius capitis muscle (cut and reflected)
3 왼쪽 목널판근 Left splenius cervicis muscle
4 등반가시근 Semispinalis thoracis muscle
5 등가시근 Spinalis thoracis muscle
6 넓은등근(젖힘) Latissimus dorsi muscle (reflected)
7 엉덩뼈능선 Iliac crest
8 작은뒤통수신경 Lesser occipital nerve
9 머리널판근 Splenius capitis muscle
10 어깨올림근 Levator scapulae muscle
11 목널판근 Splenius cervicis muscle
12 위뒤톱니근 Serratus posterior superior muscle
13 어깨뼈 Scapula
14 척수신경 뒤가지의 안쪽가지 Medial branches of dorsal branches of spinal nerves
15 갈비뼈와 바깥갈비사이근 Rib and external intercostal muscle
16 등엉덩갈비근 Iliocostalis thoracis muscle
17 척수신경 뒤가지의 가쪽가지 Lateral branches of dorsal branches of spinal nerves
18 뭇갈래근 Multifidus muscle
19 위볼기피부신경 Superior cluneal nerves

그림 2.105 **척수의 가슴부분**(뒤모습). 척주관과 경막을 열었다.

1 척추뼈고리(잘림) Arch of vertebra (divided)
2 척수신경과 척수막집 Spinal nerve with meningeal coverings
3 가슴신경 뒤뿌리 Dorsal roots of thoracic spinal nerves
4 척수(가슴부분) Spinal cord (thoracic portion
5 척수신경절과 척수막집 Spinal ganglia with meningeal coverings
6 연막과 혈관 Pia mater with blood vessels
7 경막(열림) Dura mater (opened)
8 치아인대 Denticulate ligament
9 척수신경 뒤가지의 가쪽가지 Lateral branches of dorsal branches of spinal nerves
10 척수신경 뒤가지(안쪽과 가쪽가지로 나뉨) Dorsal ramus of spinal nerve (dividing into a medial and lateral branch)
11 척수신경 뒤가지의 안쪽가지 Medial branches of dorsal branches of spinal nerves
12 척수경막 Spinal dura mater
13 엉치신경 Spinal nerves of sacral segments
14 종말끈 Filum terminale

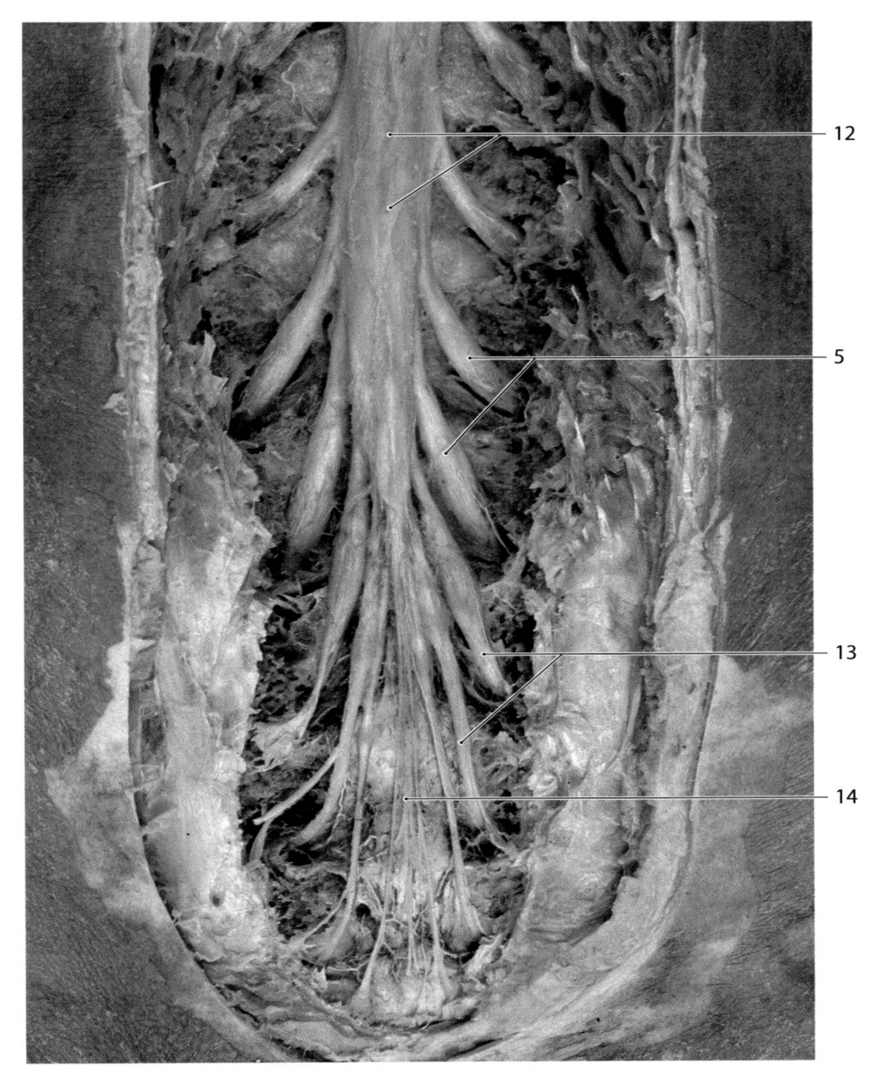

그림 2.106 **척수의 종말부분과 경막** (뒤모습). 엉치뼈 뒤부분을 제거하였다.

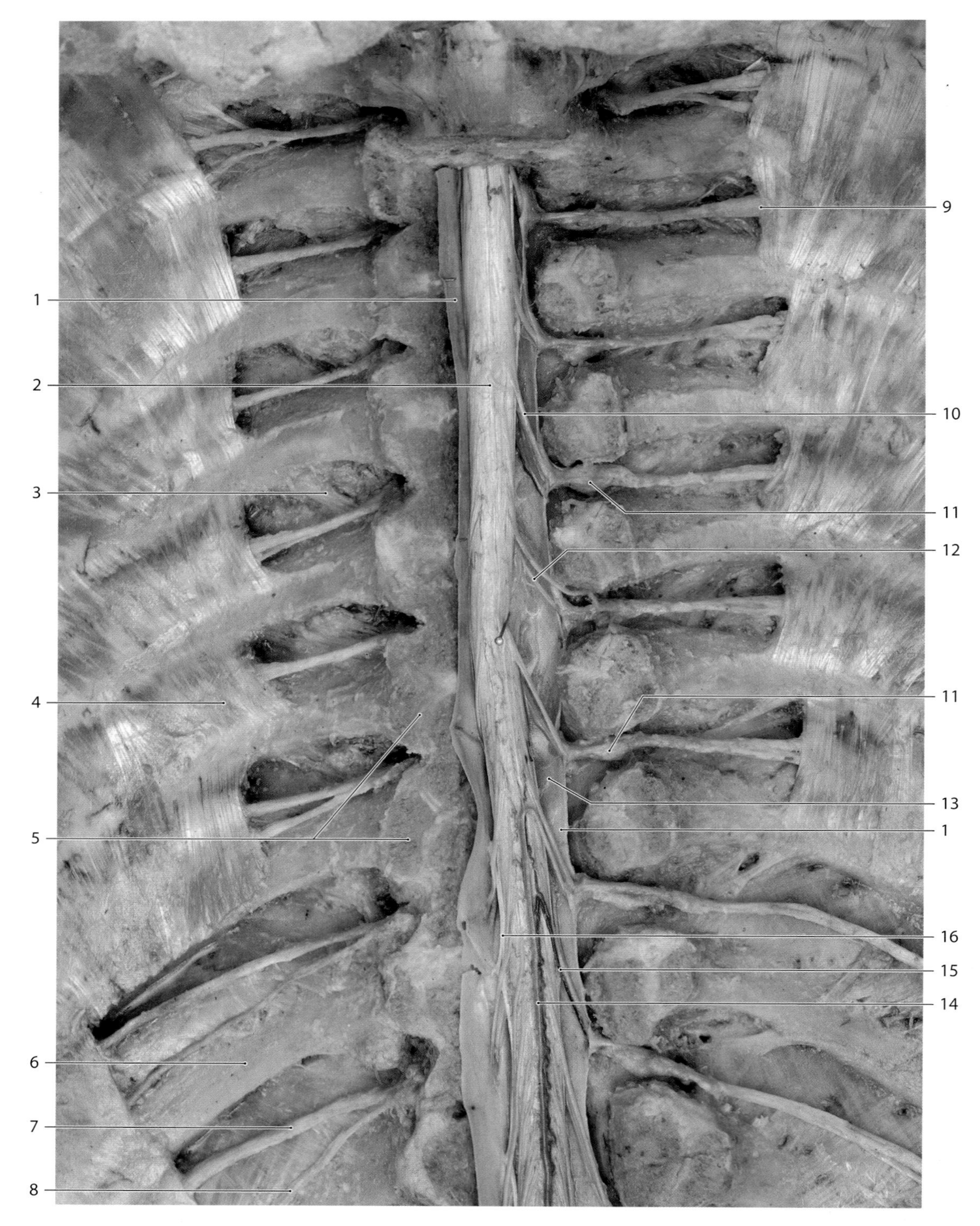

그림 2.107 척수와 갈비사이신경. 가슴아래부위(앞모습). 등뼈의 앞부분을 제거하고, 경막집을 열고 척수를 약간 오른쪽으로 밀어 앞뿌리와 뒤뿌리가 보이게 하였다.

1 경막 Dura mater
2 척수 Spinal cord
3 갈비가로돌기인대 Costotransverse ligament
4 맨속갈비사이근 Innermost intercostal muscle
5 척추뼈고리(잘린면) Vertebral arches (cut surface)
6 열한째갈비뼈 Eleventh rib
7 갈비사이신경 Intercostal nerve
8 갈비사이신경의 곁가지 Collateral branch of intercostal nerve
9 갈비사이신경(근육사이로 들어감) Intercostal nerve (entering the intermuscular interval)
10 앞잔뿌리 Anterior root filaments
11 척수(뒤뿌리)신경절 Spinal(dorsal root) ganglion
12 뒤잔뿌리 Posterior root filaments
13 거미막과 치아인대 Arachnoid mater and denticulate ligament
14 앞척수동맥 Anterior spinal artery
15 아담키에비치동맥 Artery of Adamkiewicz
16 치아인대 Denticulate ligament

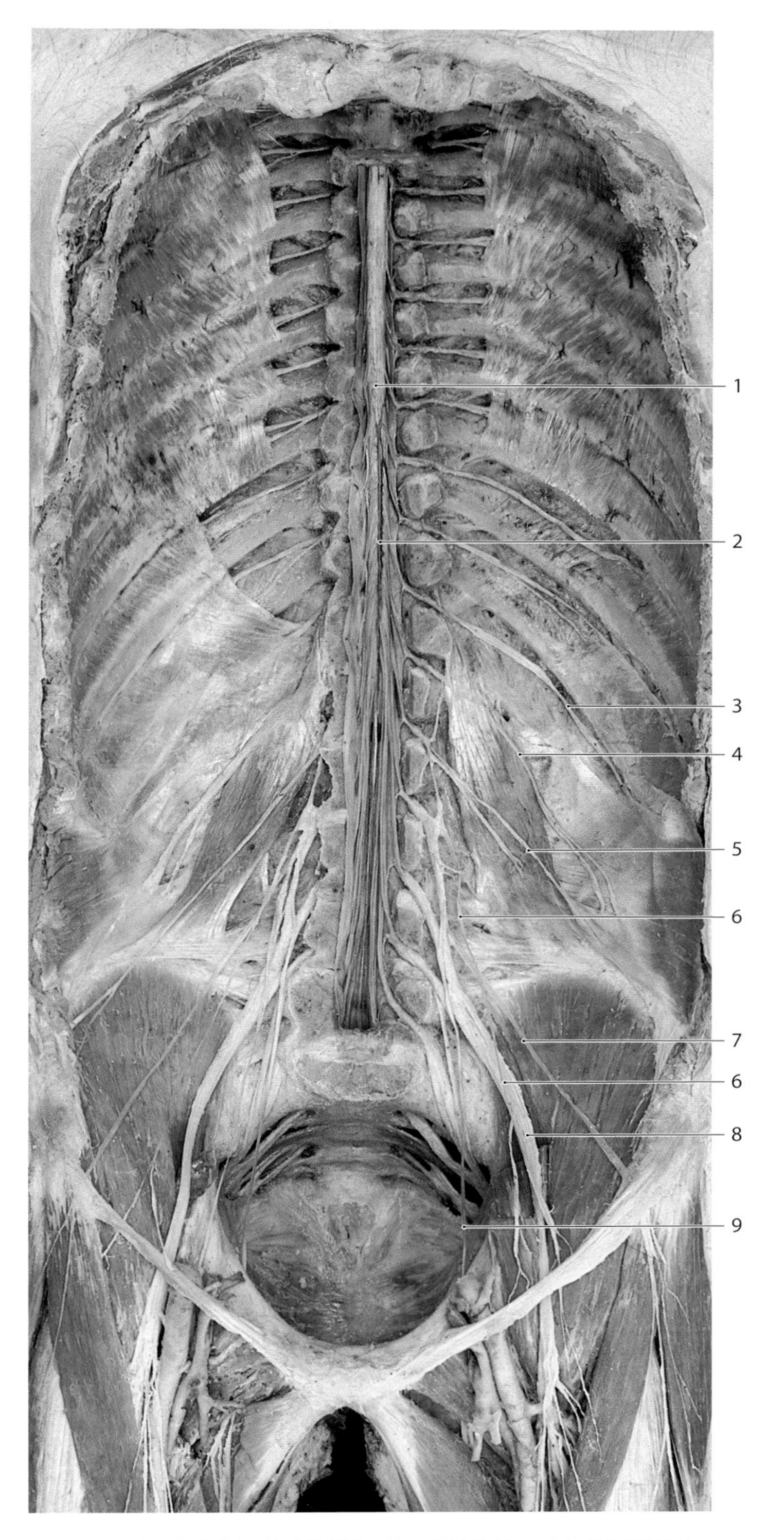

그림 2.108 **척수와 허리신경얼기 위치**(앞모습). 그림의 척수는 T10 높이에서 끝나며 종말끈에 연결된다. 넓적다리신경은 허리신경얼기에서 나온다.

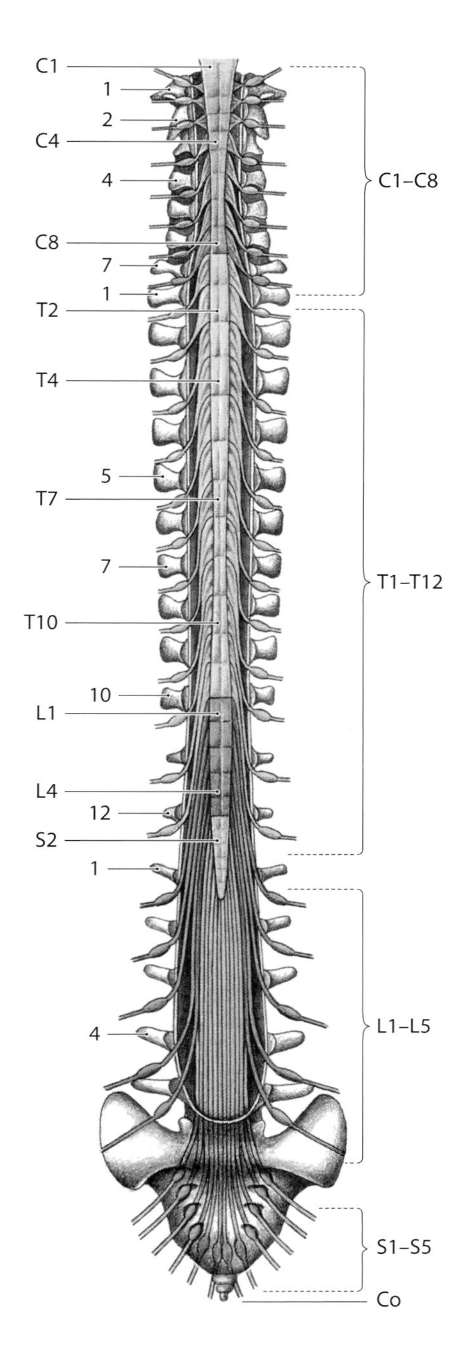

그림 2.109 **척주와 관련된 척수분절의 구성**(앞모습).

1 척수원뿔 Conus medullaris
2 종말끈 Filum terminale
3 갈비밑신경 Subcostal nerve
4 엉덩아랫배신경 Iliohypogastric nerve
5 엉덩고샅신경 Ilio-inguinal nerve
6 음부넓적다리신경 Genitofemoral nerve
7 가쪽넓적다리피부신경 Lateral femoral cutaneous nerve
8 넓적다리신경 Femoral nerve
9 폐쇄신경 Obturator nerve

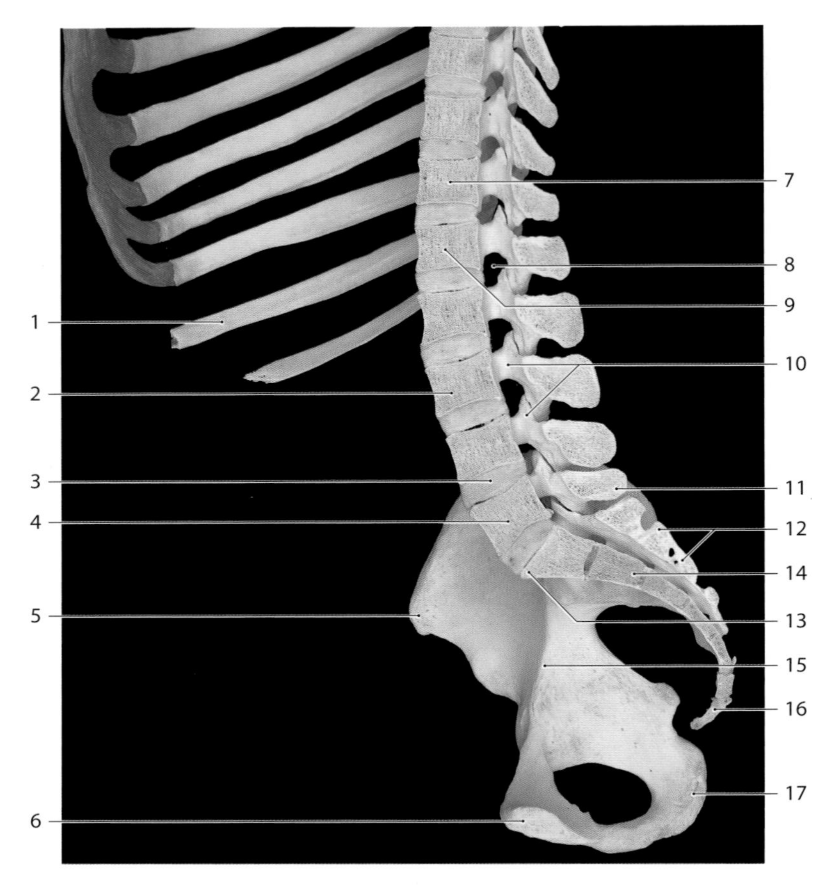

그림 2.110 **척주의 허리부분, 골반, 등아래부분**(시상단면, 안쪽).

1 열한째갈비뼈 Eleventh rib
2 셋째허리뼈몸통 Body of third lumber vertebra
3 척추사이원반 Intervertebral disc
4 다섯째허리뼈몸통 Body of fifth lumber vertebra
5 앞위엉덩뼈가시 Anterior superior iliac spine
6 두덩뼈결합면 Symphysial surface
7 열두째가슴뼈몸통 Body of twelfth thoracic vertebra
8 척추사이구멍 Intervertebral foramen
9 첫째허리뼈몸통 Body of first lumber vertebra
10 척주관 Vertebral canal
11 다섯째허리뼈 가시돌기
Spinous process of fifth lumber vertebra
12 엉치뼈(정중엉치뼈능선) Sacrum (median sacral crest)
13 엉치뼈곶 Promontory (promontorium)
14 엉치뼈 Sacrum
15 활꼴선 Arcuate line
16 꼬리뼈 Coccyx
17 궁둥뼈결절 Ischial tuberosity
18 교감신경줄기와 교감신경절
Sympathetic trunk with ganglia
19 요관 Ureter
20 엉덩아랫배신경(T12, L1)
Iliohypogastric nerve (T12, L1)
21 엉덩고샅신경(L1) Ilio-inguinal nerve (L1)
22 넓적다리신경(L1-L4) Femoral nerve (L1-L4)
23 음부넓적다리신경(L1, L2)
Genitofemoral nerve (L1, L2)
24 아래아랫배신경얼기 Inferior hypogastric plexus
25 정관 Ductus deferens
26 방광 Urinary bladder
27 척수원뿔 Medullary cone of spinal cord
28 척수신경의 잔뿌리 Root filaments of spinal nerves
29 거미막밑공간(뇌척수액으로 차 있음, 파랑)
Subarachnoid space
(filled with cerebrospinal fluid) (blue)
30 척수종말끈 Terminal filaments of spinal cord
31 엉치신경얼기 Sacral plexus
32 골반내장신경
Pelvic splanchnic nerves (nervi erigentes)
33 곧창자 Rectum

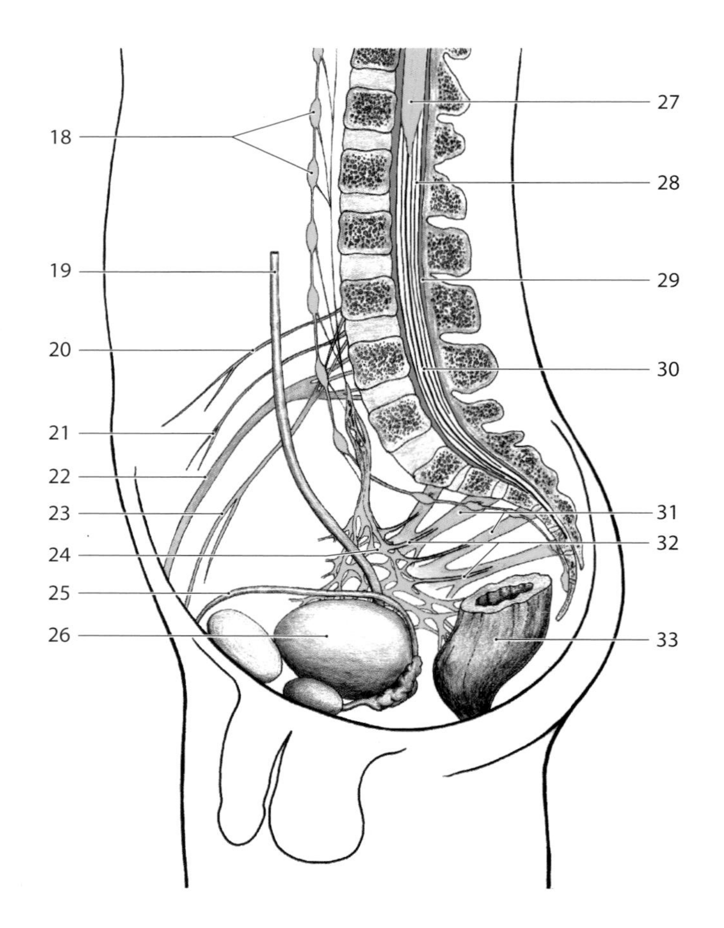

그림 2.111 **척주의 허리부분, 척수, 그리고 잔뿌리**(시상단면). 척수원뿔의 높은 위치를 확인하시오. 엉치신경얼기와 아래아랫배신경얼기를 간략하게 보여준다.

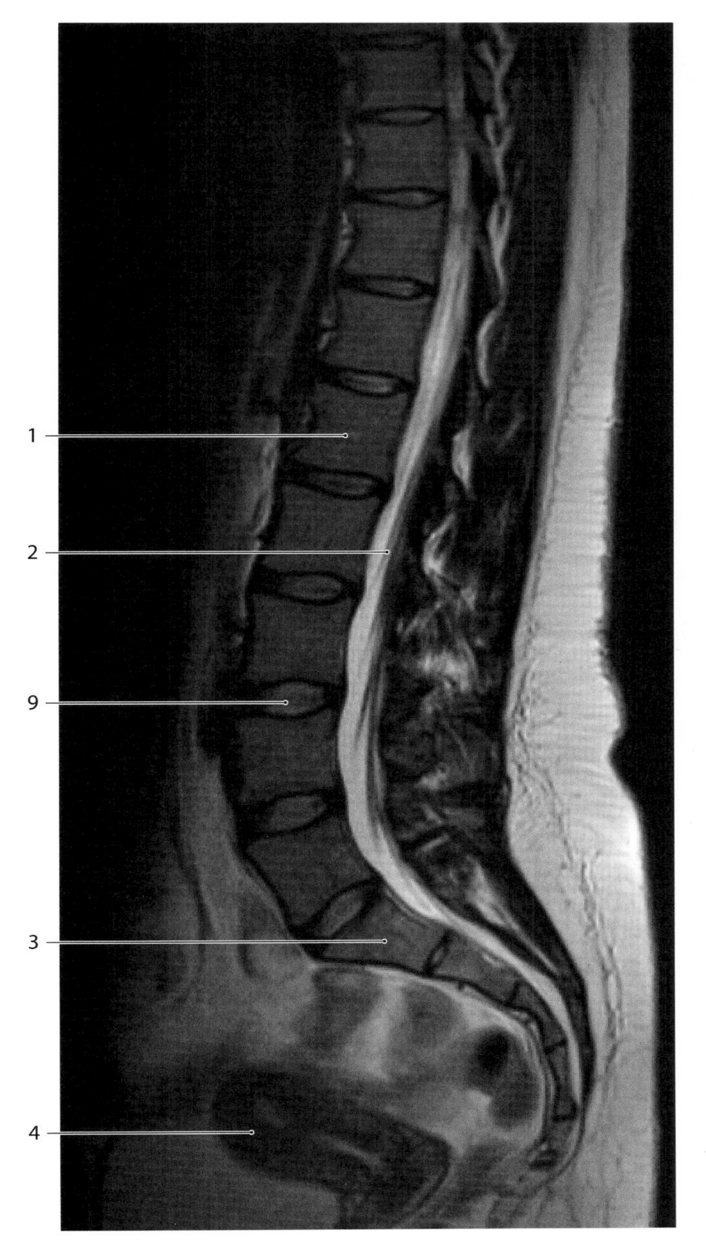

그림 2.112 **척주관과 척수가 함께 척주의 허리뼈부분을 지나는 정중옆단면** (자기공명영상; 도식화한 그림에서 점선). (Courtesy of Prof. Uder, Dept. of Radiology, Univ. Erlangen-Nuremberg, Germany.)

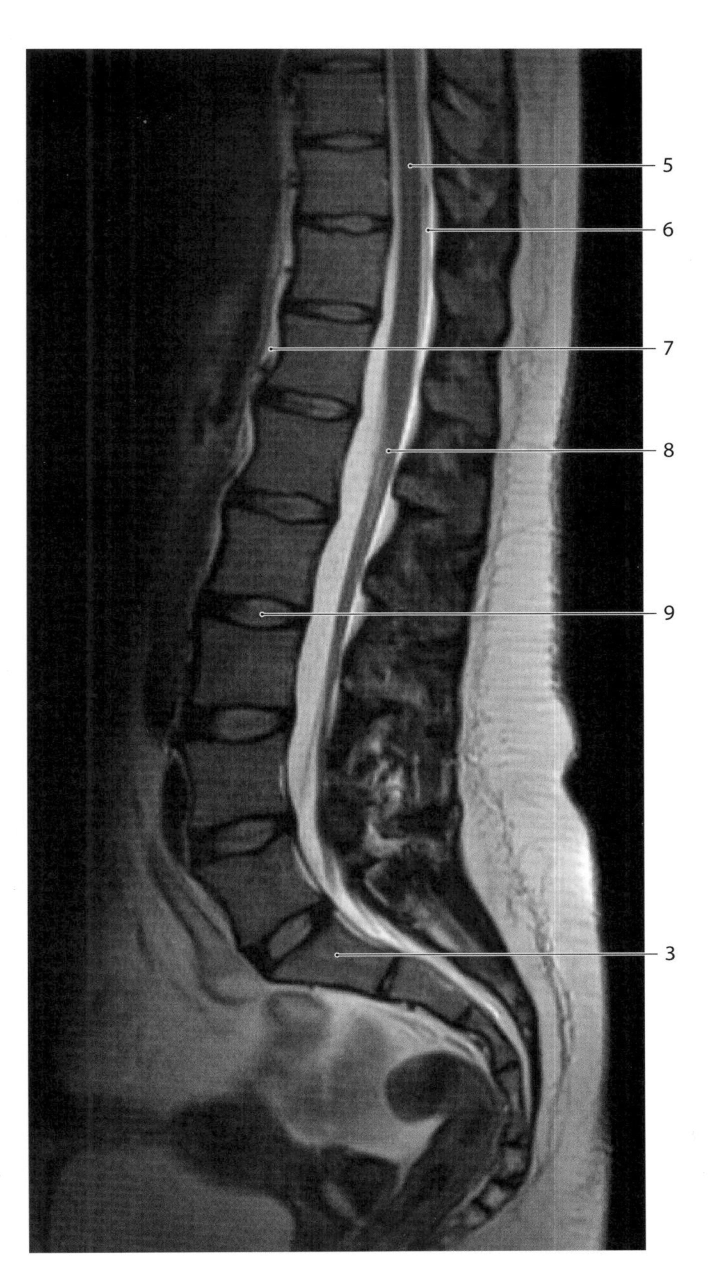

그림 2.113 **척주관과 척수가 함께 척주의 허리뼈부분을 지나는 정중단면** (자기공명영상; 도식화한 그림에서 실선). (Courtesy of Prof. Uder, Dept. of Radiology, Univ. Erlangen-Nuremberg, Germany.)

1 첫째허리뼈(L1) First lumber vertebra (L1)
2 척수신경의 잔뿌리 Root filaments of spinal nerves
3 엉치뼈 Sacrum
4 자궁 Uterus
5 척수 Spinal cord
6 척수의 경막 Dura mater of spinal cord
7 앞세로인대 Anterior longitudinal ligament
8 척수원뿔 Medullary cone of spinal cord
9 허리뼈의 척추사이원반 Intervertebral disc of lumber vertebra

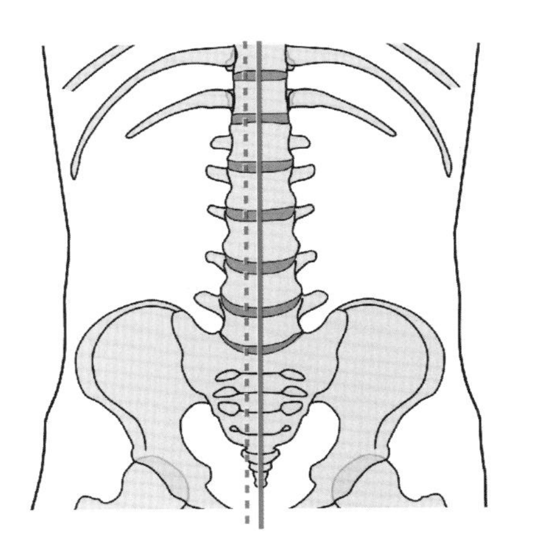

그림 2.114 **단면의 위치**(빨간선; T10–T12, L1–L5, 엉치뼈).

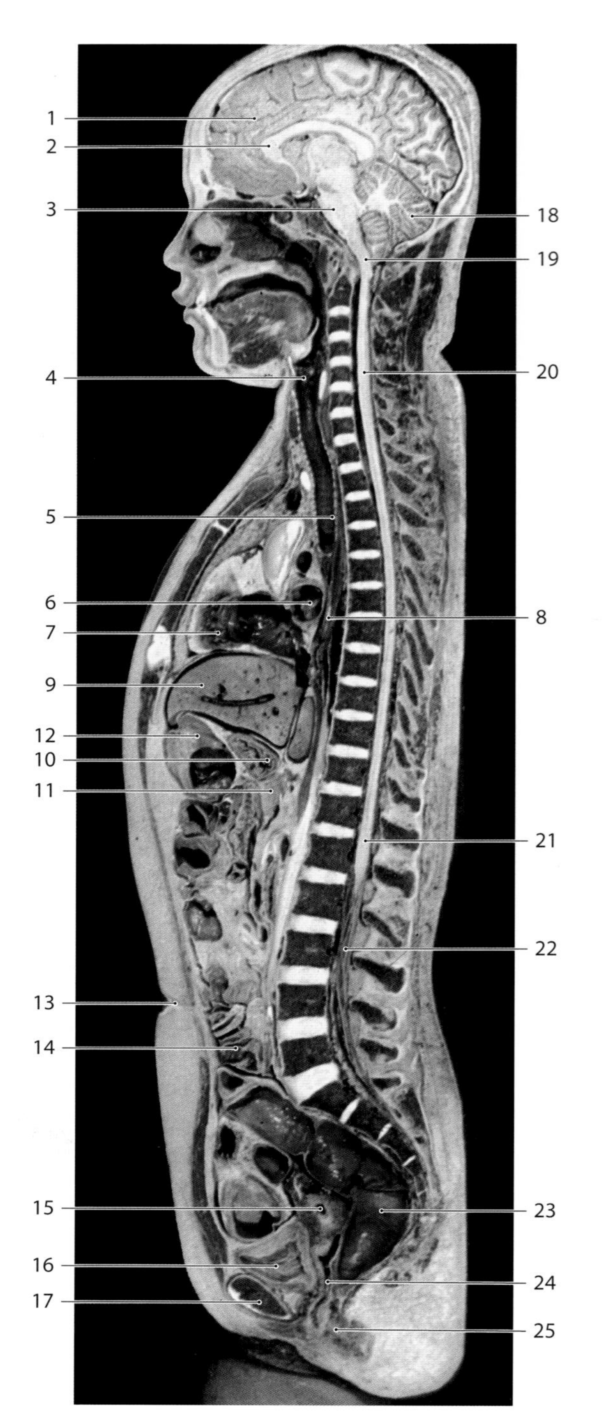

그림 2.115 **성인의 머리와 몸통을 지나는 정중단면** (여자). 척수의 척수원뿔이 첫째허리뼈(L1) 높이에 있다.

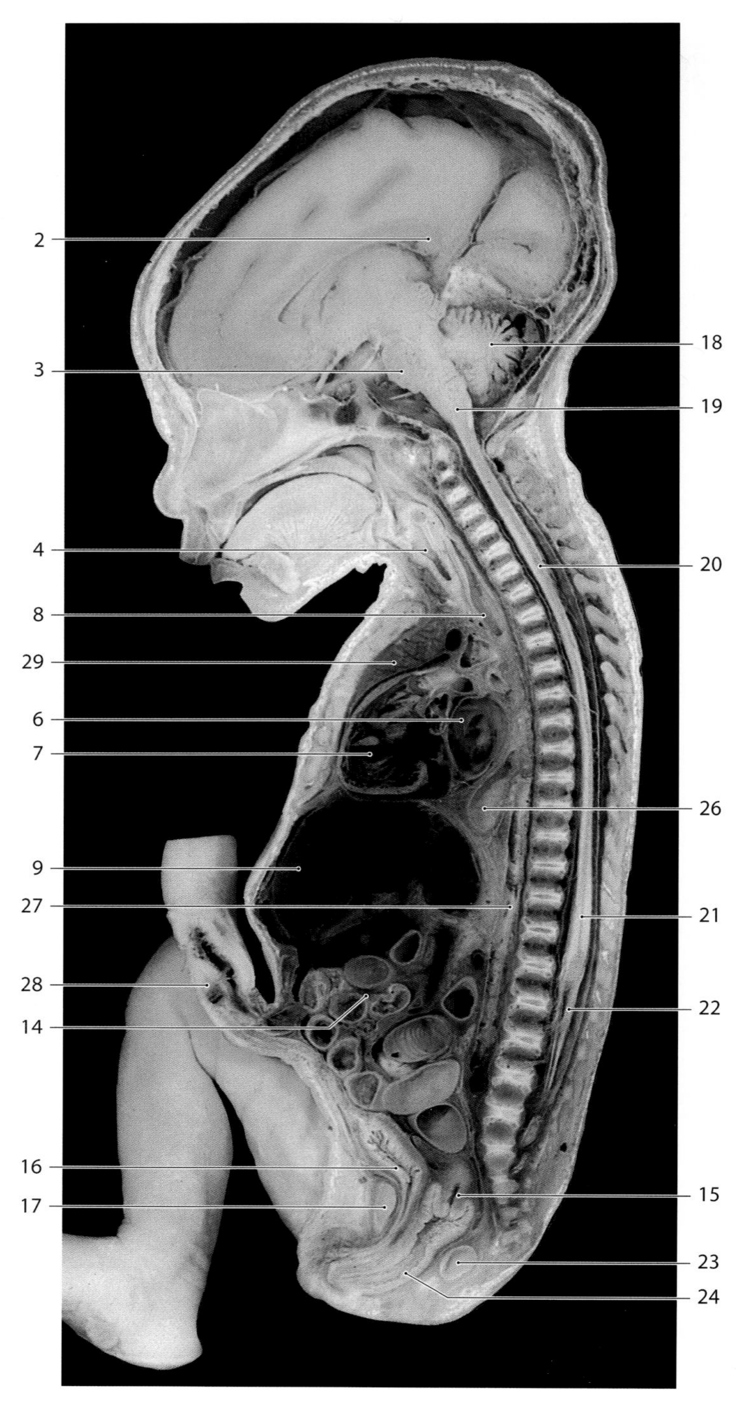

그림 2.116 **신생아의 머리와 몸통을 지나는 정중단면.** 척수의 척수원뿔이 신생아에서는 성인보다 더 아래로 뻗어있는 것을 확인하시오.

1 대뇌 Cerebrum
2 뇌들보 Corpus callosum
3 다리뇌 Pons
4 후두 Larynx
5 기관 Trachea
6 왼심방 Left atrium
7 오른심실 Right ventricle
8 식도 Esophagus
9 간 Liver
10 위 Stomach
11 이자 Pancreas
12 가로잘록창자 Transverse colon
13 배꼽 Umbilicus
14 작은창자 Small intestine
15 자궁 Uterus
16 방광 Urinary bladder
17 두덩결합 Public symphysis
18 소뇌 Cerebellum
19 숨뇌 Medulla oblongata
20 척수 Spinal cord
21 척수원뿔 Conus medullaris
22 말총 Cauda equine
23 곧창자 Rectum
24 질 Vagina
25 항문 Anus
26 아래대정맥 Inferior vena cava
27 대동맥 Aorta
28 탯줄 Umbilical cord
29 가슴샘 Thymus

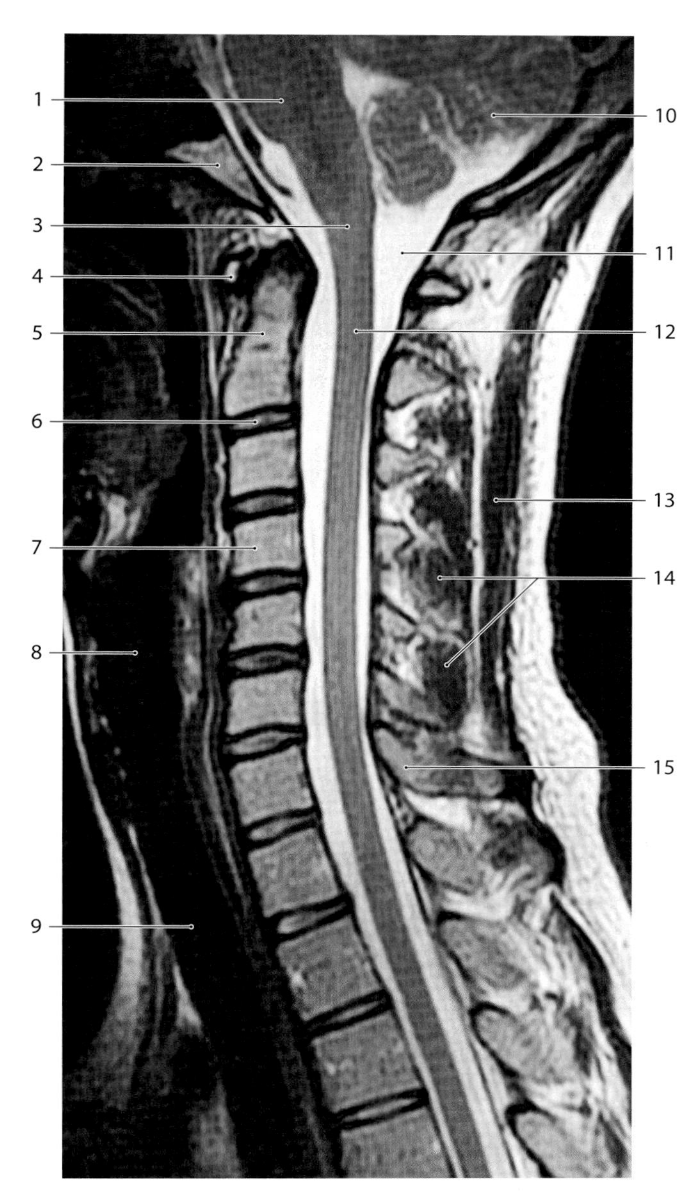

그림 2.117 **목척추뼈의 정중시상단면에서 척수가 숨뇌와 연결된 것을 보여준다.** (Heuck A, et al. MRT-Atlas des muskuloskelettalen Systems. Stuttgart, Germany: Schattauer, 2009)

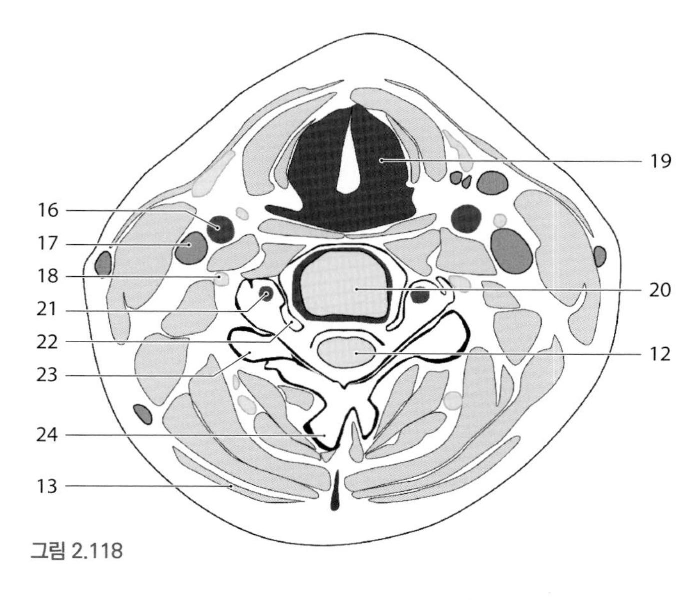

그림 2.118

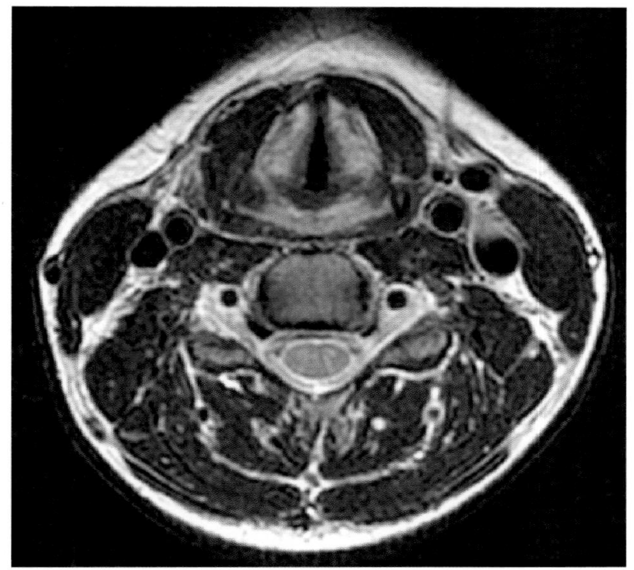

그림 2.119

그림 2.118과 2.119 **후두높이에서 목의 수평단면(각각 모식도와 자기공명영상).** (Heuck A, et al. MRT-Atlas des muskuloskelettalen Systems. Stuttgart, Germany: Schattauer, 2009).

1 다리뇌 Pons
2 머리뼈바닥(비스듬틀) Base of skull (clivus)
3 숨뇌 Medulla oblongata
4 고리뼈(앞고리) Atlas (anterior arch)
5 중쇠뼈 치아돌기 Dens of axis
6 척추사이원반 Intervertebral disc
7 목뼈몸통(C4) Body of cervical vertebra (C4)
8 후두부위 Site of larynx
9 기관 Trachea
10 소뇌 Cerebellum
11 소뇌숨뇌수조 Cerebellomedullary cistern
12 척수 Spinal cord
13 등세모근 Trapezius muscle
14 목근육 Muscles of the neck
15 목뼈 가시돌기(C7) Spinous process of cervical vertebra (C7)
16 속목정맥 Internal jugular vein
17 온목동맥 Common carotid artery
18 미주신경(CN X) Vagus nerve (CN X)
19 후두 Larynx
20 목뼈몸통 Body of cervical vertebra
21 척추동맥 Vertebral artery
22 척수신경과 척수신경절 Spinal nerve with spinal ganglion
23 목뼈 가로돌기 Transverse process of cervical vertebra
24 목뼈 가시돌기 Spinous process of cervical vertebra

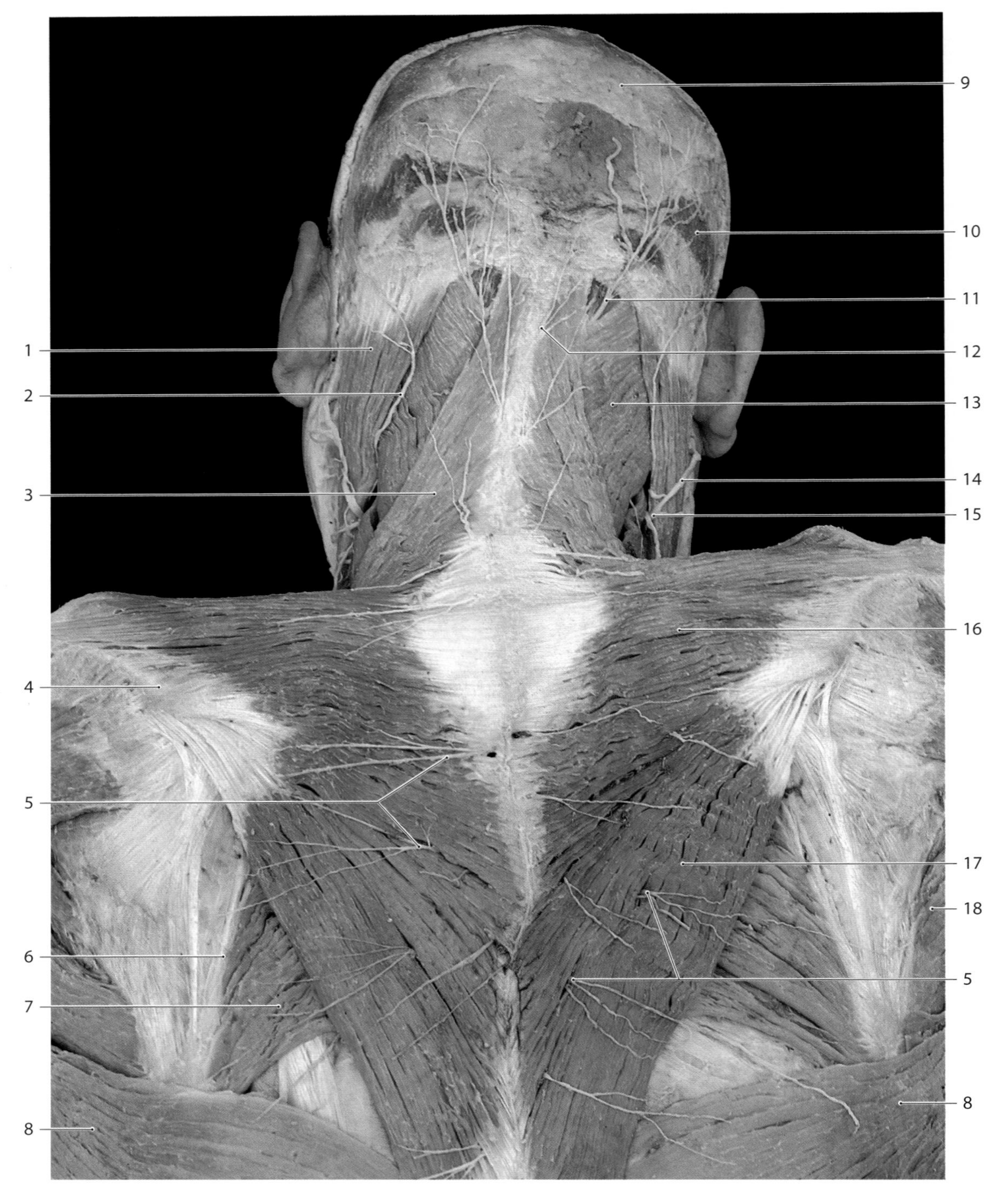

그림 2.120 **목의 뒤면**(얕은층). 등세모근과 척수신경 뒤가지의 피부신경의 해부.

1 목빗근 Sternocleidomastoid muscle
2 작은뒤통수신경 Lesser occipital nerve
3 등세모근의 내림섬유 Descending fibers of trapezius muscle
4 어깨뼈가시 Spine of scapula
5 척수신경 뒤가지의 안쪽피부가지
Medial cutaneous branches of dorsal rami of spinal nerves
6 어깨뼈 안쪽모서리 Medial margin of scapula
7 큰마름근 Rhomboid major muscle
8 넓은등근 Latissimus dorsi muscle
9 머리덮개널힘줄 Galea aponeurotica
10 뒤통수이마근의 뒤통수힘살 Occipital belly of occipitofrontalis muscle
11 큰뒤통수신경 Greater occipital nerve
12 셋째뒤통수신경 Third occipital nerve
13 머리널판근 Splenius capitis muscle
14 큰귓바퀴신경 Greater auricular nerve
15 목신경얼기의 피부가지 Cutaneous branches of cervical plexus
16 등세모근의 가로섬유 Transverse fibers of trapezius muscle
17 등세모근의 오름섬유 Ascending fibers of trapezius muscle
18 큰원근 Teres major muscle

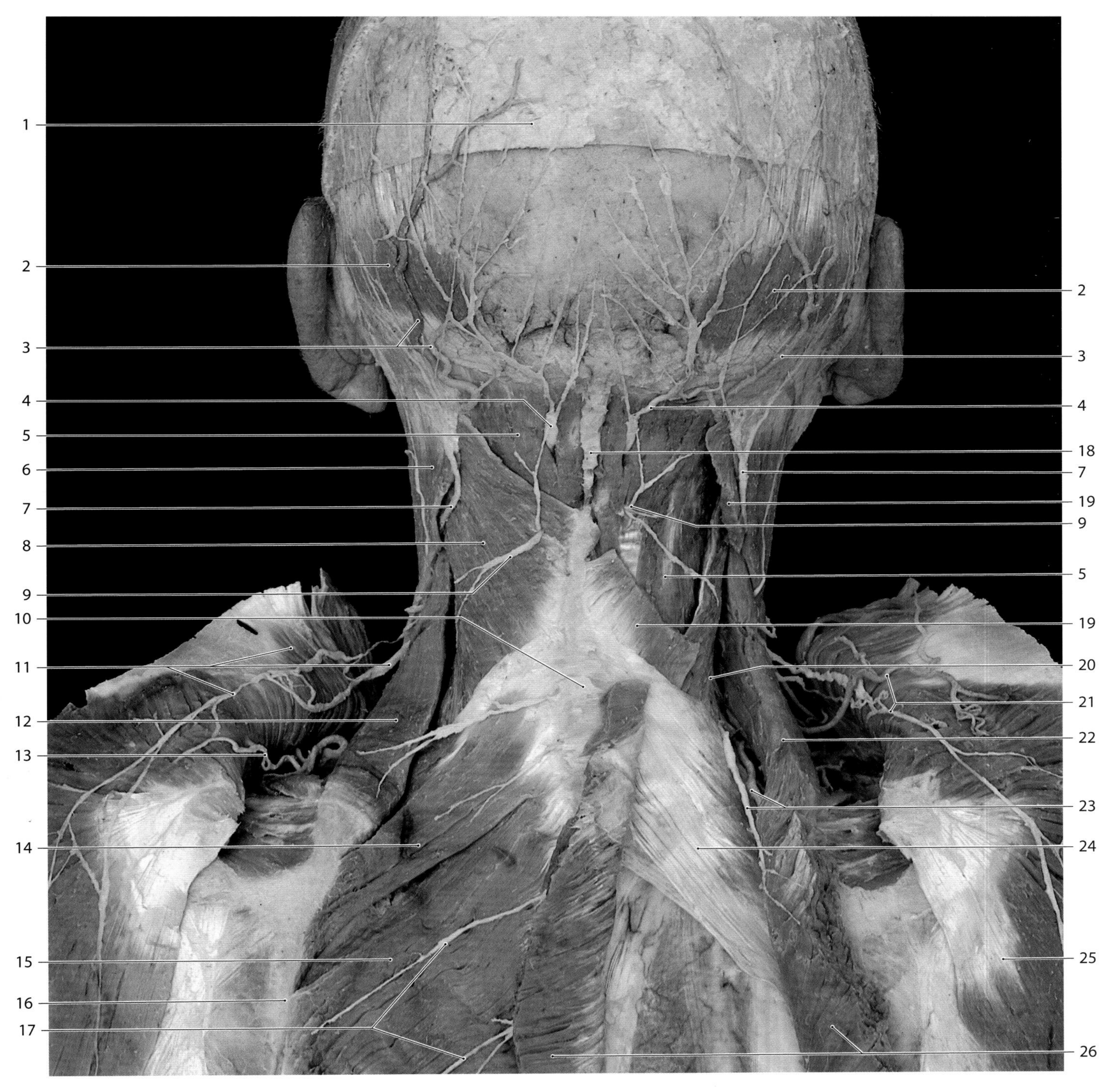

그림 2.121 **목의 뒤면**(깊은층). 왼쪽 등세모근을 잘라 젖혔다. 오른쪽은 등세모근, 마름근, 널판근을 잘랐고, 어깨올림근을 약간 젖혔다.

1 머리덮개널힘줄 Galea aponeurotica
2 뒤통수이마근의 뒤통수힘살 Occipital belly of occipitofrontalis muscle
3 뒤통수동맥 Occipital artery
4 큰뒤통수신경(C2) Greater occipital nerve (C2)
5 머리반가시근 Semispinalis capitis muscle
6 목빗근 Sternocleidomastoid muscle
7 작은뒤통수신경 Lesser occipital nerve
8 왼쪽 머리널판근 Left splenius capitis muscle
9 셋째뒤통수신경(C3) Third occipital nerve (C3)
10 솟은뼈의 가시돌기(C7) Spinous process of cervical vertebra prominens (C7)
11 왼쪽 등세모근과 더부신경 Left trapezius muscle and accessory nerve
12 어깨올림근 Levator scapulae muscle
13 가로목동맥의 얕은가지 Superficial branch of transverse cervical artery
14 작은마름근 Rhomboid minor muscle
15 큰마름근 Rhomboid major muscle
16 어깨뼈 안쪽모서리 Medial margin of scapula
17 척수신경 뒤가지의 안쪽피부가지 Medial cutaneous branches of dorsal rami of spinal nerves
18 목덜미인대 Ligamentum nuchae
19 머리널판근(잘림) Splenius capitis muscle (divided)
20 목널판근 Splenius cervicis muscle
21 오른쪽 더부신경과 가로목동맥의 얕은가지 Right accessory nerve and superficial branch of transverse cervical artery
22 오른쪽 어깨올림근 Right levator scapulae muscle
23 등쪽어깨신경과 가로목동맥의 깊은가지 Dorsal scapula nerve and deep branch of transverse cervical artery
24 위뒤톱니근 Serratus posterior superior muscle
25 오른쪽 등세모근(잘라 젖힘) Right trapezius muscle (divided and reflected)
26 오른쪽 큰마름근(잘라 젖힘) Right rhomboid major muscle (divided and reflected)

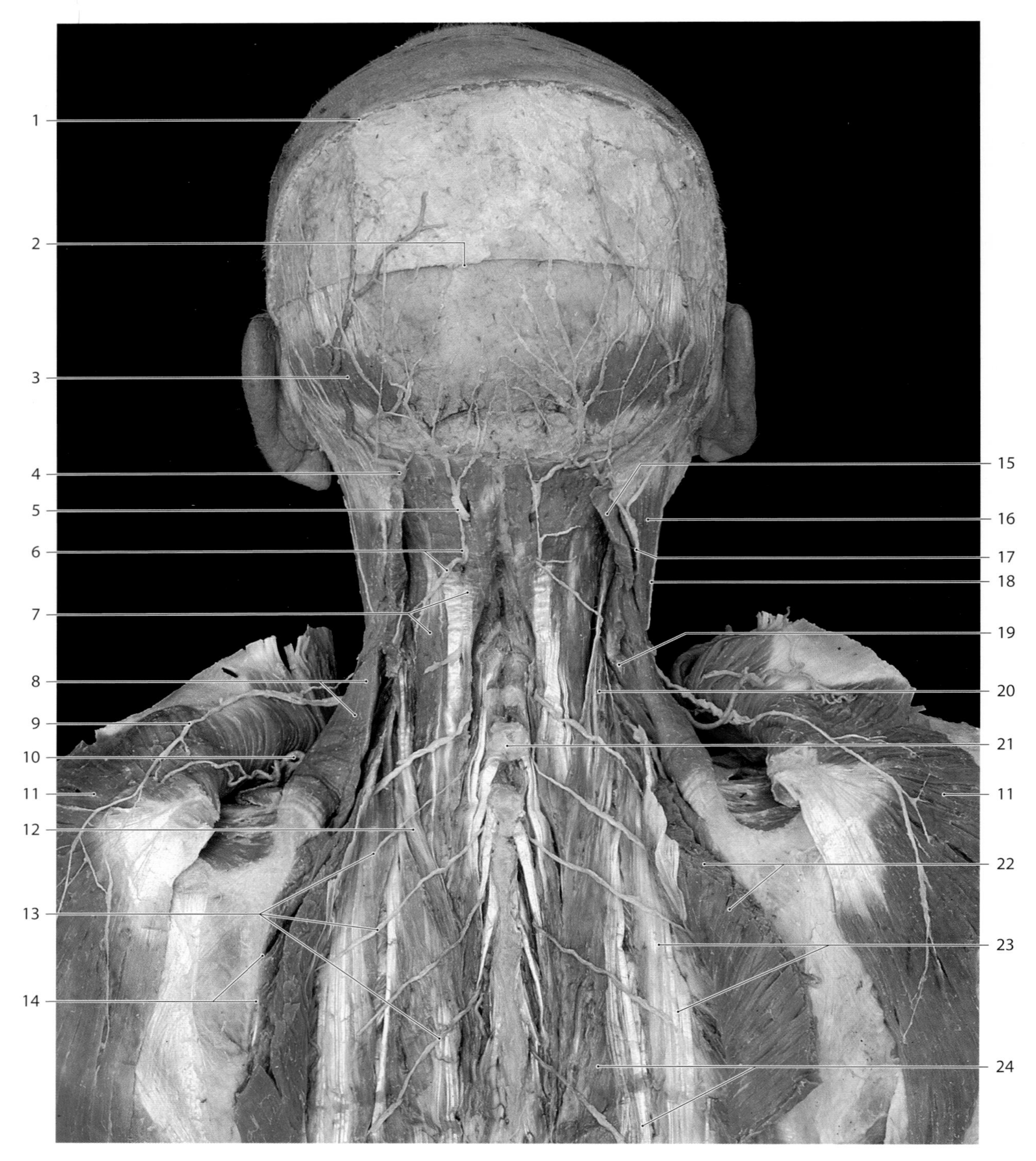

그림 2.122 **목의 뒤면**(깊은층). 등세모근, 머리널판근, 목널판근을 자르고, 그 일부를 제거하거나 젖혔다.

1 머리덮개의 피부 Skin of scalp
2 머리덮개널힘줄 Galea aponeurotica
3 뒤통수이마근의 뒤통수힘살 Occipital belly of occipitofrontalis muscle
4 뒤통수동맥 Occipital artery
5 큰뒤통수신경 Greater occipital nerve
6 셋째뒤통수신경 Third occipital nerve
7 머리반가시근 Semispinalis capitis muscle
8 어깨올림근 Levator scapulae muscle
9 더부신경(11번 뇌신경) Accessory nerve (CN. XI)
10 얕은목동맥 Superficial cervical artery
11 등세모근(젖힘) Trapezius muscle (reflected)
12 목가장긴근 Longissimus cervicis muscle
13 척수신경 뒤가지의 안쪽피부가지 Medial branches of dorsal rami of spinal nerves
14 어깨뼈 안쪽모서리 Medial margin of scapula
15 머리널판근(잘림) Splenius capitis muscle (divided)
16 목빗근 Sternocleidomastoid muscle
17 작은뒤통수신경 Lesser occipital nerve
18 큰귓바퀴신경 Greater auricular nerve
19 목널판근 Splenius cervicis muscle
20 목가장긴근 Longissimus cervicis muscle
21 솟은뼈의 가시돌기(C7) Spinous process of vertebra prominens (C7)
22 마름근(잘림) Rhomboid muscle (divided)
23 등엉덩갈비근 Iliocostalis thoracis muscle
24 등가장긴근 Longissimus thoracis muscle

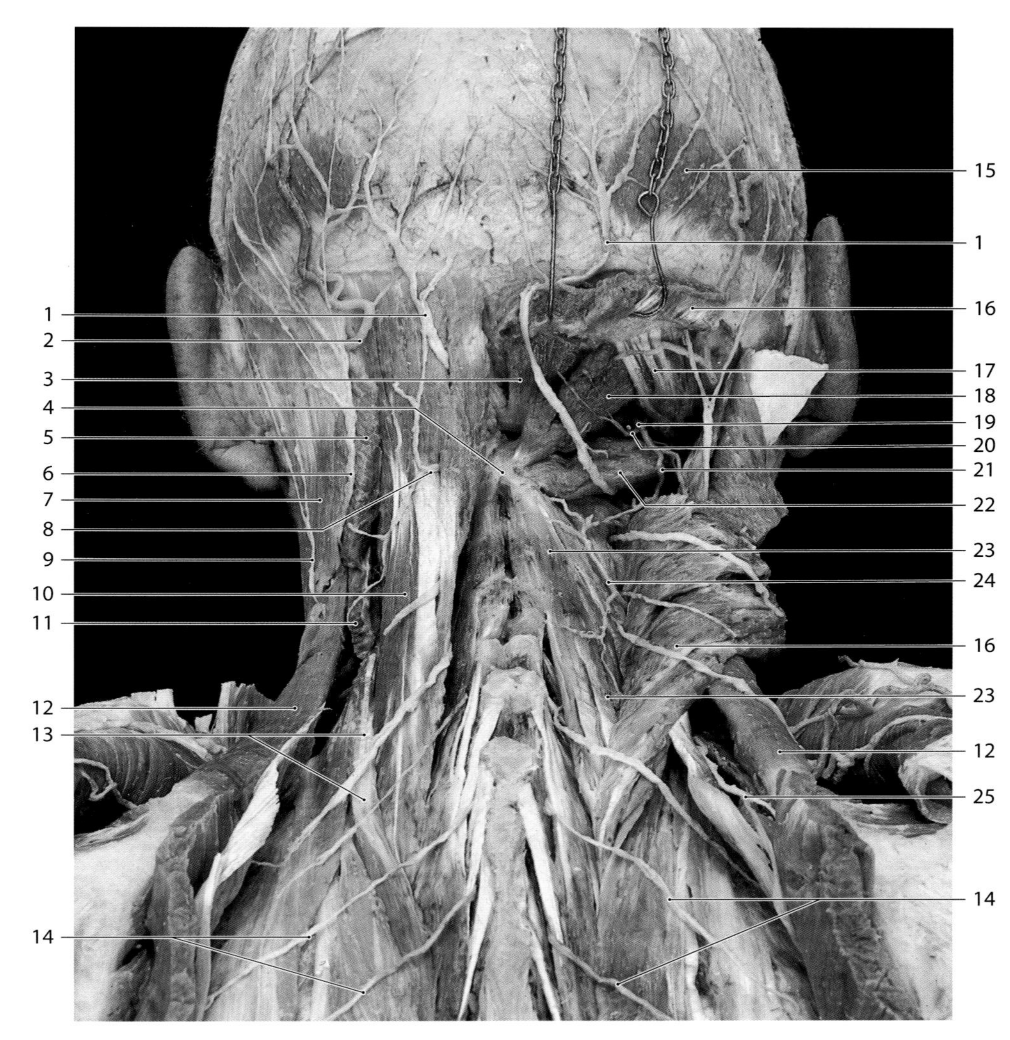

그림 2.123 **목의 뒤면**(깊은층). 뒤통수밑삼각의 해부. 오른쪽 머리반가시근을 잘라 젖혔다.

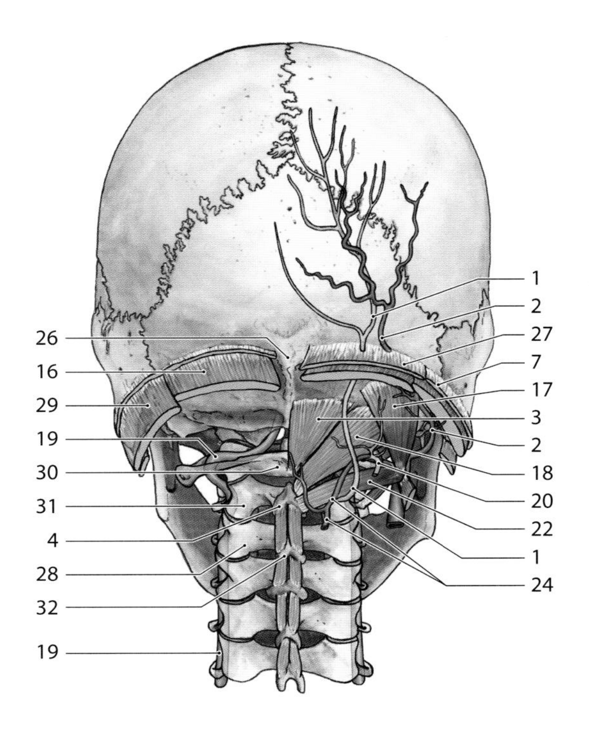

그림 2.124 **뒤통수밑삼각, 큰뒤통수신경**(오른쪽), 척추동맥(왼쪽)의 위치.

1 큰뒤통수신경 Greater occipital nerve
2 뒤통수동맥 Occipital artery
3 작은뒤머리곧은근 Rectus capitis posterior minor muscle
4 중쇠뼈 가시돌기 Spinous process of axis
5 왼쪽 머리널판근(잘림) Left splenius capitis muscle (divided)
6 작은뒤통수신경 Lesser occipital nerve
7 왼쪽 목빗근 Left sternocleidomastoid muscle
8 셋째뒤통수신경 Third occipital nerve (C3)
9 큰귓바퀴신경 Greater auricular nerve
10 왼쪽 머리반가시근 Left semispinalis capitis muscle
11 왼쪽 목반가시근(잘림) Left semispinalis cervicis muscle (cut)
12 어깨올림근 Levator scapulae muscle
13 왼쪽 목가장긴근 Left longissimus cervicis muscle
14 척수신경 뒤가지의 안쪽피부가지 Medial branches of dorsal rami of spinal nerves
15 뒤통수이마근의 뒤통수힘살 Occipital belly of occipitofrontalis muscle
16 머리반가시근(잘림) Semispinalis capitis muscle (cut)
17 위머리빗근 Obliquus capitis superior muscle
18 큰뒤머리곧은근 Rectus capitis posterior major muscle
19 척추동맥 Vertebral artery
20 뒤통수밑신경(C1) Suboccipital nerve (C1)
21 척추동맥의 근육가지 Muscular branch of ventral artery
22 아래머리빗근 Obliquus capitis inferior muscle
23 오른쪽 목반가시근 Right semispinalis cervicis muscle
24 깊은목동맥 Deep cervical artery
25 등쪽어깨신경 Dorsal scapular nerve
26 바깥뒤통수뼈융기 External occipital protuberance
27 등세모근(잘림) Trapezius muscle (cut)
28 목뼈(C3) Cervical vertebrae (C3)
29 꼭지돌기와 머리널판근 Mastoid process and splenius capitis muscle
30 고리뼈 Atlas
31 중쇠뼈 Axis
32 셋째목뼈의 가시돌기 Spinous process of third cervical vertebra

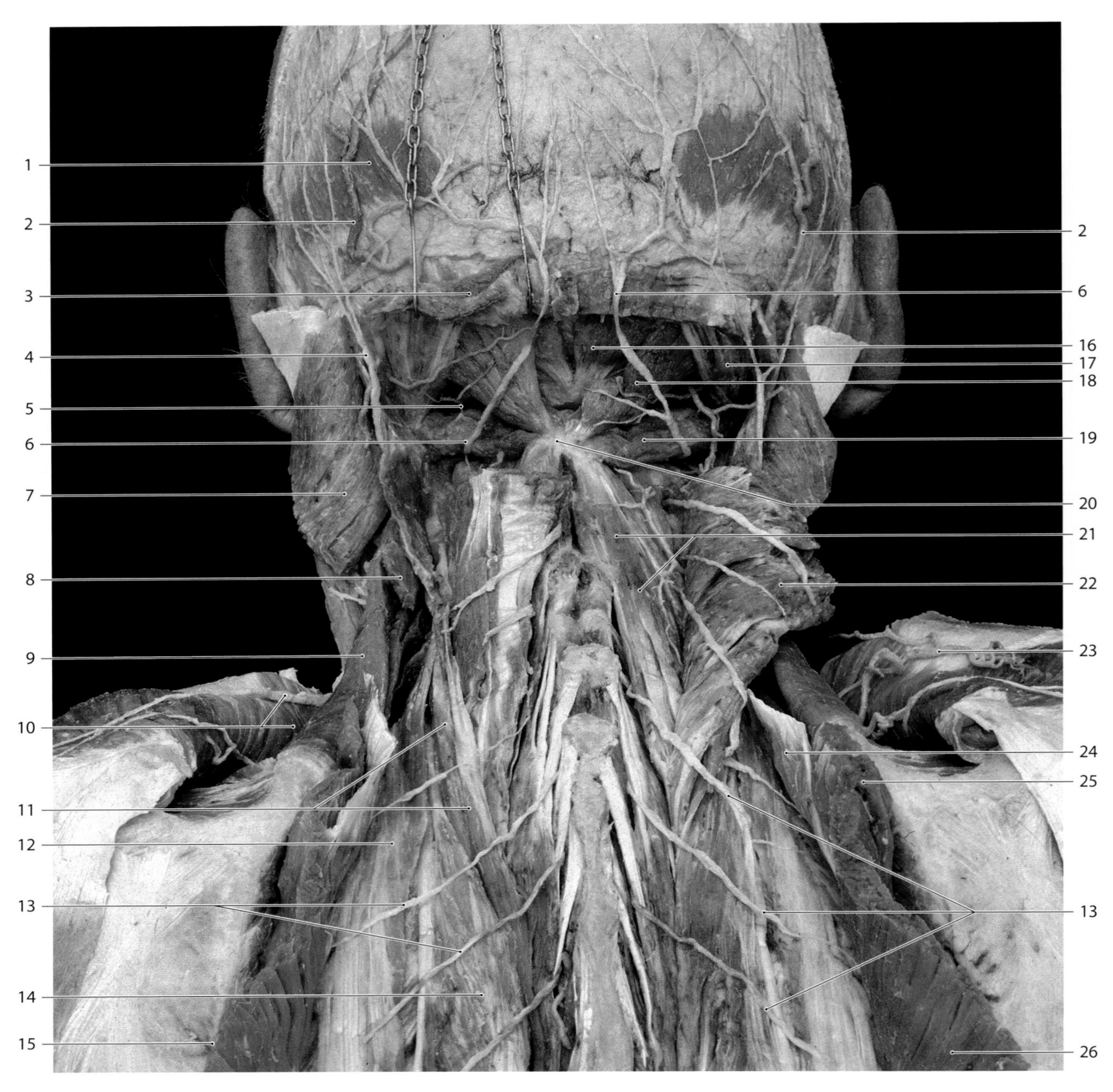

그림 2.125 **목의 뒤면**(가장깊은층). 양쪽 뒤통수밑삼각의 해부.

1 뒤통수이마근의 뒤통수힘살 Occipital belly of occipitofrontalis muscle
2 뒤통수동맥 Occipital artery
3 머리반가시근의 닿는곳(잘림)
Insertion of semispinalis capitis muscle (divided)
4 작은뒤통수신경(목신경얼기의 가지)
Lesser occipital nerve (from cervical plexus)
5 뒤통수밑신경(C1) Suboccipital nerve (C1)
6 큰뒤통수신경 Greater occipital nerve
7 머리널판근(젖힘) Splenius capitis muscle (reflected)
8 목널판근 Splenius cervicis muscle
9 어깨올림근 Levator scapulae muscle
10 더부신경(CN XI), 등세모근 Accessory nerve (CN XI) and trapezius muscle
11 목가장긴근 Longissimus cervicis muscle
12 목엉덩갈비근 Iliocostalis cervicis muscle
13 척수신경 뒤가지의 안쪽피부가지(C7, C8)
Medial branches of dorsal rami of spinal nerves (C7, C8)
14 등가장긴근 Longissimus thoracis muscle
15 어깨뼈 안쪽모서리 Medial margin of scapula
16 작은뒤머리곧은근 Rectus capitis posterior minor muscle
17 위머리빗근 Obliquus capitis superior muscle
18 큰뒤머리곧은근 Rectus capitis posterior major muscle
19 아래머리빗근 Obliquus capitis inferior muscle
20 중쇠뼈 가시돌기 Spinous process of axis
21 목반가시근 Semispinalis cervicis muscle
22 머리반가시근(잘라 젖힘)
Semispinalis capitis muscle (divided and reflected)
23 가로목동맥(얕은가지) Transverse cervical artery (superficial branch)
24 위뒤톱니근(잘라 젖힘)
Serratus posterior superior muscle (divided and reflected)
25 작은마름근(잘라 젖힘) Rhomboid minor muscle (divided and reflected)
26 큰마름근(잘라 젖힘) Rhomboid major muscle (divided and reflected)

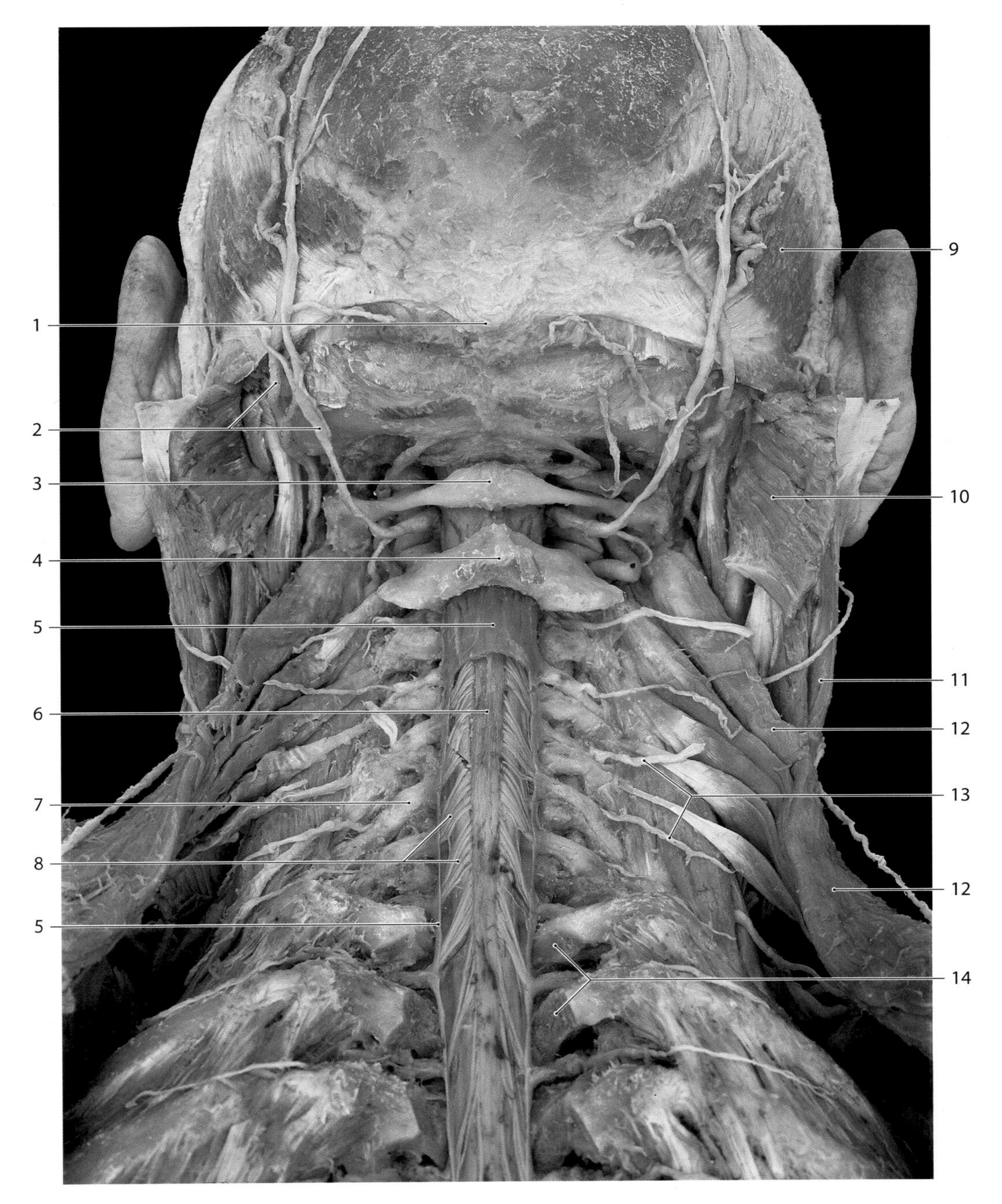

그림 2.126 **목의 뒤면**(가장깊은층). 고리뼈와 중쇠뼈 아래의 척주관을 열어 척수가 보이게 했다. 경막 일부도 제거하였다.

1 바깥뒤통수뼈융기 External occipital protuberance
2 큰뒤통수신경(C2)과 뒤통수동맥 Greater occipital nerve (C2) and occipital artery
3 고리뼈(뒤고리) Atlas (posterior arch)
4 중쇠뼈(뒤고리) Axis (posterior arch)
5 척수경막 Spinal dura mater
6 척수 Spinal cord
7 척수신경절 Spinal ganglion
8 뒤잔뿌리 Posterior root filament (fila radicularia posterior)
9 뒤통수이마근의 뒤통수힘살 Occipital belly of occipitofrontalis muscle
10 머리널판근(잘라 젖힘) Splenius capitis muscle (cut and reflected)
11 목빗근 Sternocleidomastoid muscle
12 어깨올림근 Levator scapulae muscle
13 척수신경의 뒤가지 Posterior branches of spinal nerves
14 목뼈와 위등뼈의 고리(잘림) Arches of cervical and upper thoracic vertebra (cut)

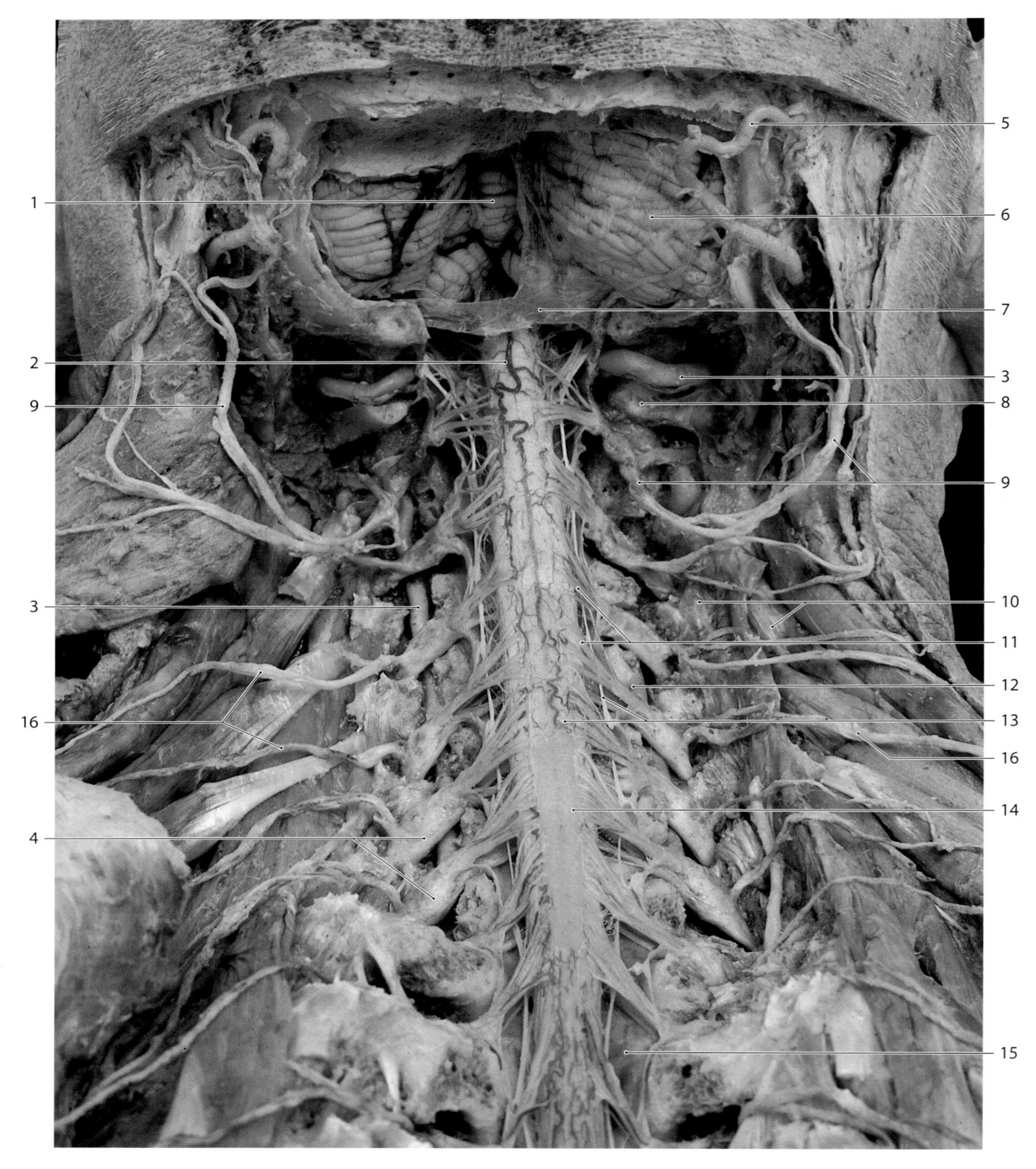

그림 2.127 **목의 뒤면**(가장깊은층). 숨뇌와 척수의 해부. 머리뼈안을 열었다.

1 소뇌벌레 Vermis of the cerebellum
2 숨뇌와 뒤척수동맥 Medulla oblongata and posterior spinal arteries
3 척추동맥 Vertebral artery
4 척수신경절 Spinal ganglion
5 뒤통수동맥 Occipital artery
6 소뇌 Cerebellum
7 소뇌숨뇌수조 Cerebellomedullary cistern
8 고리뼈의 뒤고리 Posterior arch of Atlas
9 큰뒤통수신경(C2) Greater occipital nerve (C2)
10 어깨올림근과 가로사이인대 Levator scapulae muscle and intertransverse ligament
11 척수신경 뒤뿌리 Dorsal roots of Spinal nerves
12 척추뼈고리 Vertebral arch
13 치아인대와 거미막 Denticulate ligament and arachnoid mater
14 연막을 제거한 부위 Area where pia mater has been removed
15 척수경막 Spinal dura mater
16 척수신경 뒤가지 Dorsal rami of spinal nerves

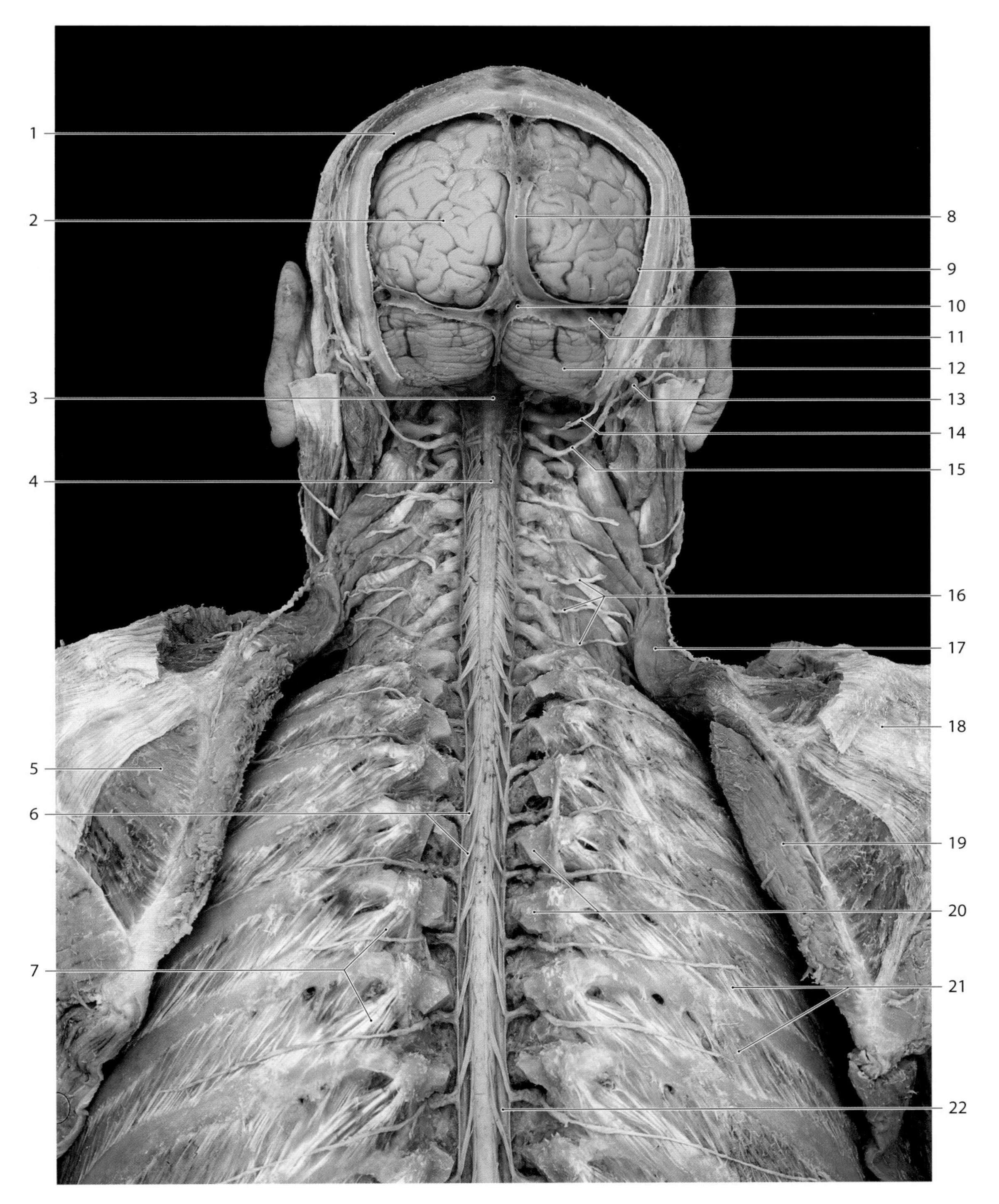

그림 2.128 **목의 뒤면**(가장깊은층). 뇌와 연결된 숨뇌와 척수의 해부.

1 머리덮개뼈 Calvaria
2 왼쪽 대뇌반구 Left hemisphere of the brain
3 소뇌숨뇌수조 Cerebellomedullary cistern
4 척수 Spinal cord
5 어깨뼈와 가시아래근 Scapula with infraspinatus muscle
6 척수신경 뒤잔뿌리 Posterior root filament (fila radicularia posterior)
7 갈비올림근 Levatores costarum muscles
8 대뇌낫과 위시상정맥굴 Falx cerebri with superior sagittal sinus
9 거미막밑공간 Subarachnoid space
10 정맥굴합류 Confluens of sinuses
11 가로정맥굴 Transverse sinus
12 소뇌 Cerebellum
13 뒤통수동맥 Occipital artery
14 뒤통수밑신경(C1) Suboccipital nerve (C1)
15 큰뒤통수신경(C2) Greater occipital nerve (C2)
16 척수신경 뒤가지 Posterior branches of spinal nerves
17 어깨올림근 Levator scapulae muscle
18 어깨세모근 Deltoid muscle
19 마름근 Rhomboid muscle
20 척추뼈고리(잘림) Vertebral arch (cut)
21 바깥갈비사이근 External intercostal muscle
22 척수경막 Spinal dura mater

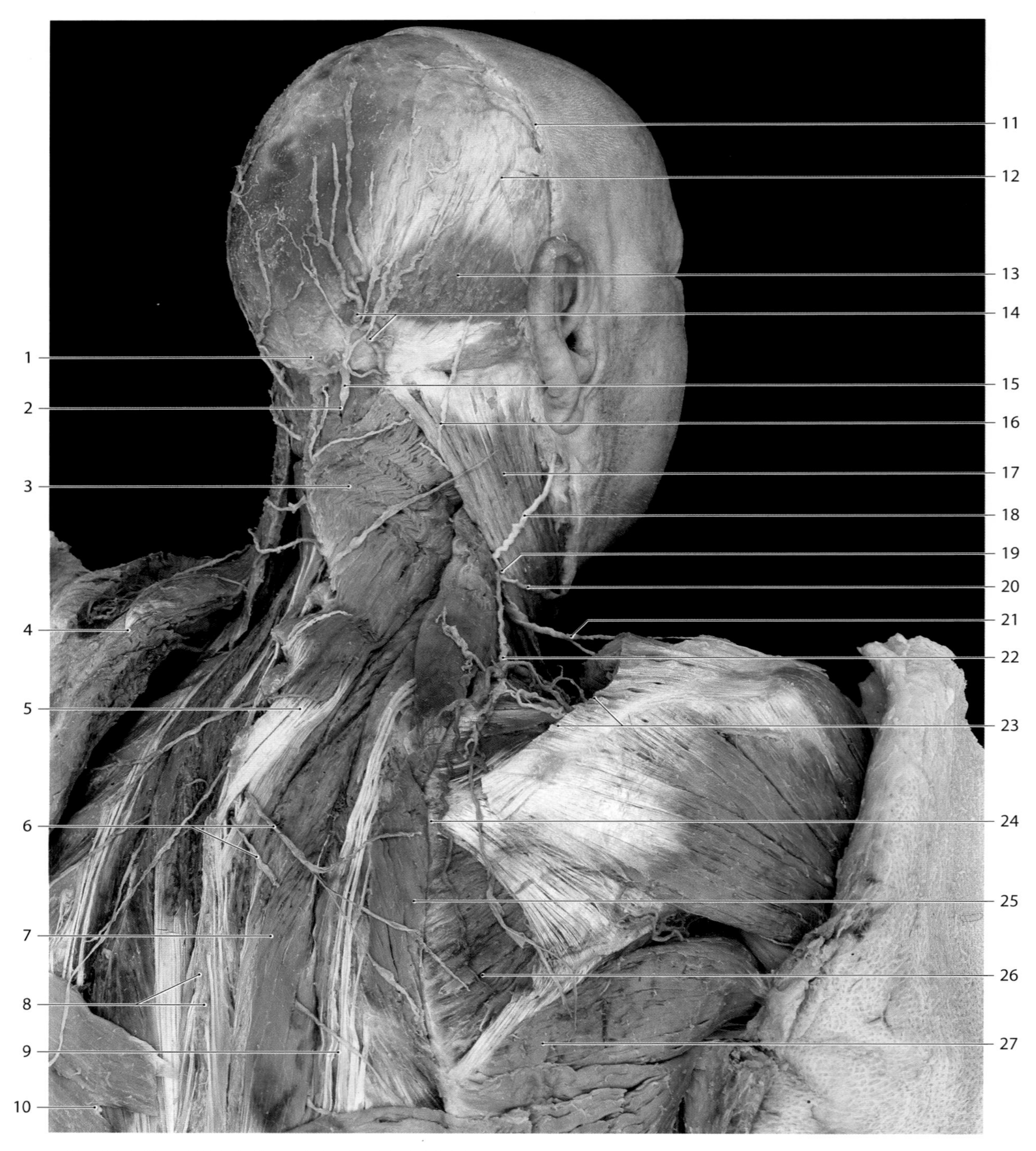

그림 2.129 **목의 비스듬가쪽면**(중간층). 등세모근을 제거하였다.

1 바깥뒤통수뼈융기 External occipital protuberance
2 머리반가시근 Semispinalis capitis muscle
3 머리널판근 Splenius capitis muscle
4 어깨뼈 Scapula
5 목널판근 Splenius cervicis muscle
6 척수신경 뒤가지 Posterior branches of spinal nerves
7 가장긴근 Longissimus muscle
8 등뼈의 가시돌기 Spinous processes of thoracic vertebra
9 엉덩갈비근 Iliocostalis muscle
10 넓은등근 Latissimus dorsi muscle
11 머리의 표피(머리덮개) Epidermis of the head (scalp)
12 머리덮개널힘줄 Galea aponeurotica
13 뒤통수이마근의 뒤통수힘살 Occipital belly of occipitofrontalis muscle
14 뒤통수동맥 Occipital artery
15 큰뒤통수신경(C2) Greater occipital nerve (C2)
16 작은뒤통수신경 Lesser occipital nerve
17 목빗근 Sternocleidomastoid muscle
18 큰귓바퀴신경 Greater auricular nerve
19 신경점 Punctum nervosum
20 가로목신경 Transverse cervical nerve
21 빗장위신경 Supraclavicular nerve
22 더부신경(CN XI) Accessory nerve (CN XI)
23 등세모근(잘린 모서리) Trapezius muscle (cut edge)
24 어깨뼈 안쪽모서리 Medial margin of scapula
25 큰마름근 Rhomboid major muscle
26 가시아래근 Infraspinatus muscle
27 큰원근 Teres major muscle

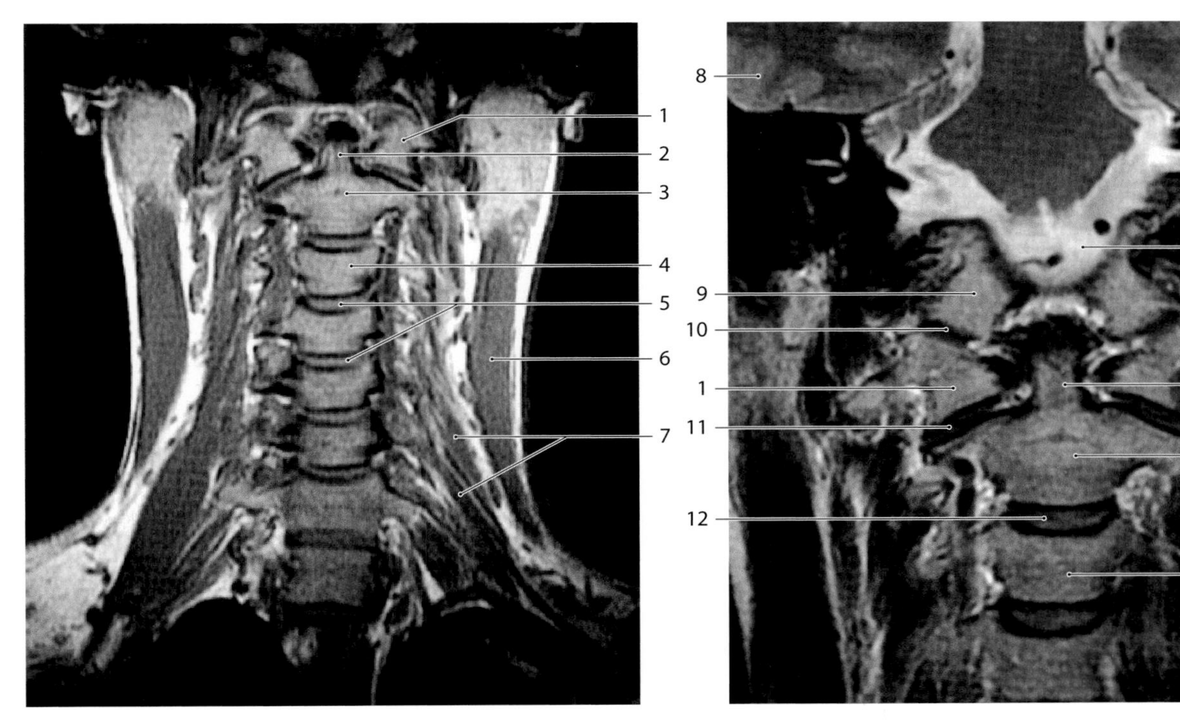

그림 2.130 척추뼈몸통 위치에서 **목뼈의 관상단면**(자기공명영상). (Heuck A, et al. MRT-Atlas des muskuloskelettalen Systems. Stuttgart, Germany: Schattauer, 2009).

그림 2.131 중쇠뼈 치아돌기 위치에서 **목뼈의 관상단면**(자기공명영상). (Heuck A, et al. MRT-Atlas des muskuloskelettalen Systems. Stuttgart, Germany: Schattauer, 2009).

1 고리뼈 Atlas
2 중쇠뼈 치아돌기 Dens of axis
3 중쇠뼈 Axis
4 목뼈몸통(C3) Body of cervical vertebra (C3)
5 척추원반 Intervertebral discs
6 목빗근 Sternocleidomastoid muscle
7 앞목갈비근 Scalene muscles
8 소뇌 Cerebellum
9 뒤통수뼈관절융기 Occipital condyle
10 고리뒤통수관절 Atlanto-occipital joint
11 가쪽고리중쇠관절 Lateral atlanto-axial joint
12 척추사이원반 Intervertebral disc
13 다리뇌수조 Cistern of pons
14 턱뼈머리 Head of mandible

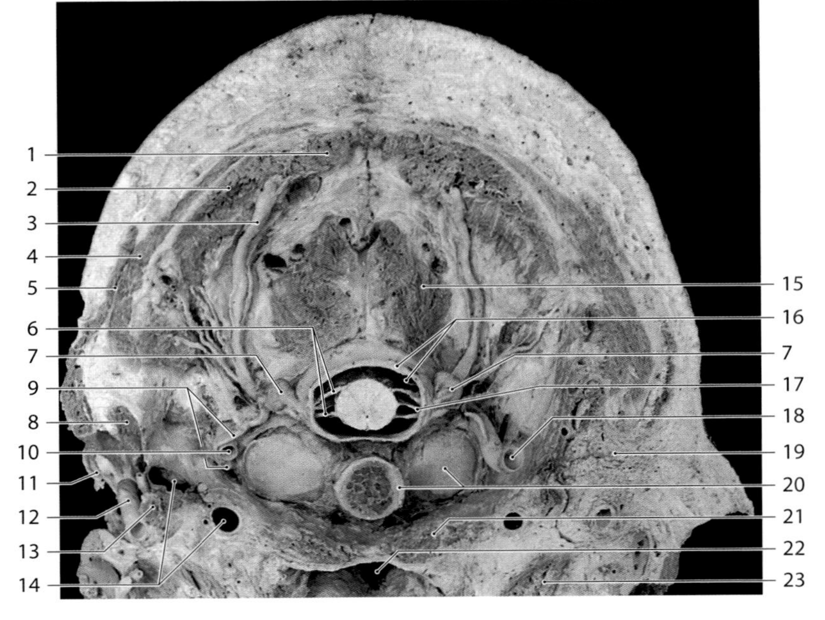

그림 2.132 **목의 수평단면.** 둘째목신경의 해부. 그림의 꼭대기는 뒤면이다.

1 등세모근 Trapezius muscle
2 머리반가시근 Semispinalis capitis muscle
3 척수신경 뒤가지 Dorsal ramus of spinal nerve
4 목빗근 Sternocleidomastoid muscle
5 넓은목근 Platysma muscle
6 척수신경 뒤가지와 앞가지
Dorsal and ventral roots of spinal nerves
7 척수신경절 Spinal ganglion
8 두힘살근의 뒤힘살 Posterior belly of digastric muscle
9 척수신경의 앞가지 Ventral ramus of spinal nerve
10 척추동맥 Vertebral artery
11 큰귓바퀴신경 Great auricular nerve
12 얕은관자동맥 Superficial temporal artery
13 붓돌기 Styloid process
14 속목정맥과 속목동맥
Internal jugular vein and internal carotid artery
15 큰뒤머리곧은근 Rectus capitis posterior major muscle
16 경막과 거미막공간 Dura mater and subarachnoid space
17 치아인대 Denticulate ligament
18 척추동맥 Vertebral artery
19 귀밑샘 Parotid gland
20 중쇠뼈 치아돌기(잘림)와 고리뼈의 아래관절면
Dens of axis (divided) and inferior articular facet of atlas
21 머리긴근 Longus capitis muscle
22 인두공간 Pharyngeal cavity
23 안쪽날개근 Medial pterygoid muscle

3 팔 Upper limb

해부학총론과 근육뼈대계통

General Anatomy and Musculoskeletal System

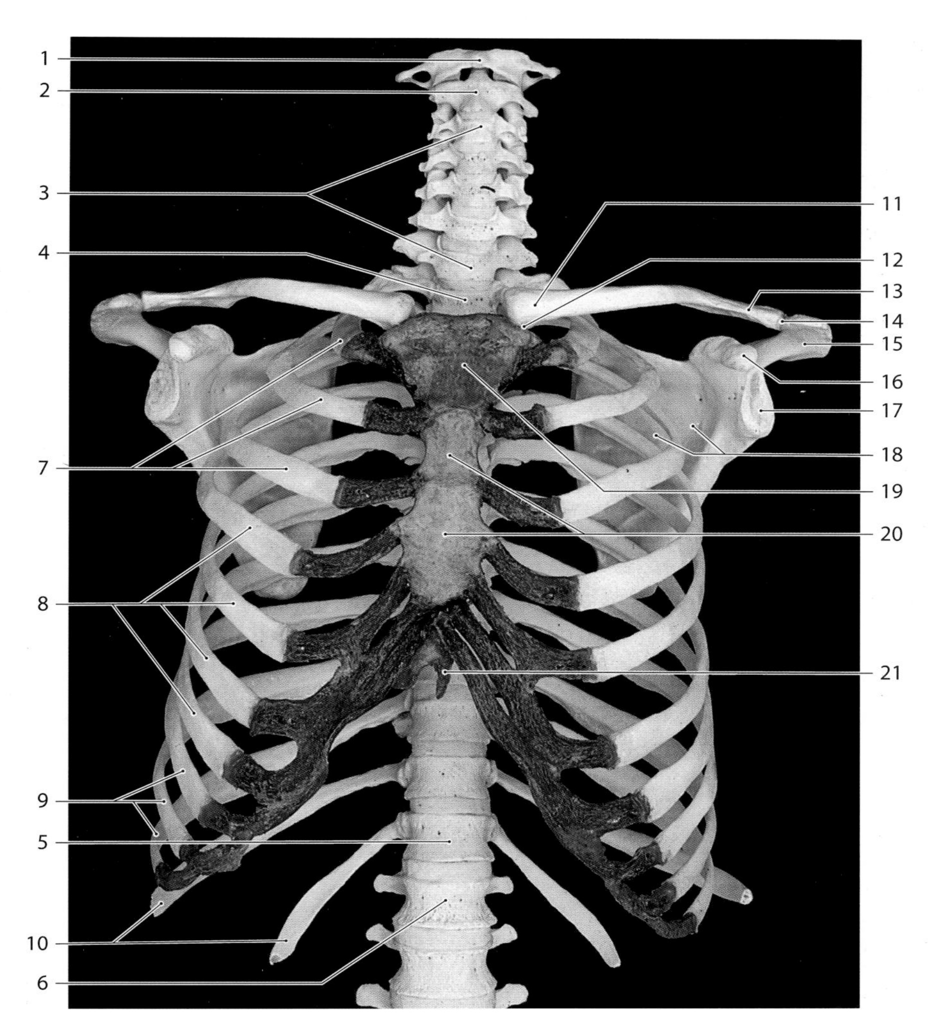

척주 Vertebral column
1 고리뼈 Atlas (C1)
2 중쇠뼈 Axis (C2)
3 셋째-일곱째목뼈
Third to seventh cervical vertebrae (C3 – C7)
4 첫째등뼈 First thoracic vertebra (T1)
5 열두째등뼈 Twelfth thoracic vertebra (T12)
6 첫째허리뼈 First lumbar vertebra (L1)

갈비뼈 Ribs

7 첫째-셋째갈비뼈 First to third ribs	} 참갈비뼈 True ribs	
8 넷째-일곱째갈비뼈 Fourth to seventh ribs		
9 여덟째-열째갈비뼈 Eighth to tenth ribs	} 거짓갈비뼈 False ribs	
10 열한째-열두째갈비뼈 Eleventh and twelfth		

빗장뼈(A) Clavicle (A)
11 복장끝 Sternal end
12 복장빗장관절 Sternoclavicular joint
13 봉우리끝 Acromial end
14 봉우리빗장관절 Acromioclavicular joint

어깨뼈(B) Scapula (B)
15 봉우리 Acromion
16 부리돌기 Coracoid process
17 접시오목 Glenoid cavity
18 갈비면 Costal surface

복장뼈(C) Sternum (C)
19 자루 Manubrium
20 몸통 Body
21 칼돌기 Xiphoid process

그림 3.1 **팔이음부위와 가슴의 뼈대**(앞모습). 갈비뼈의 갈비연골 부위는 짙은 갈색으로 보인다.

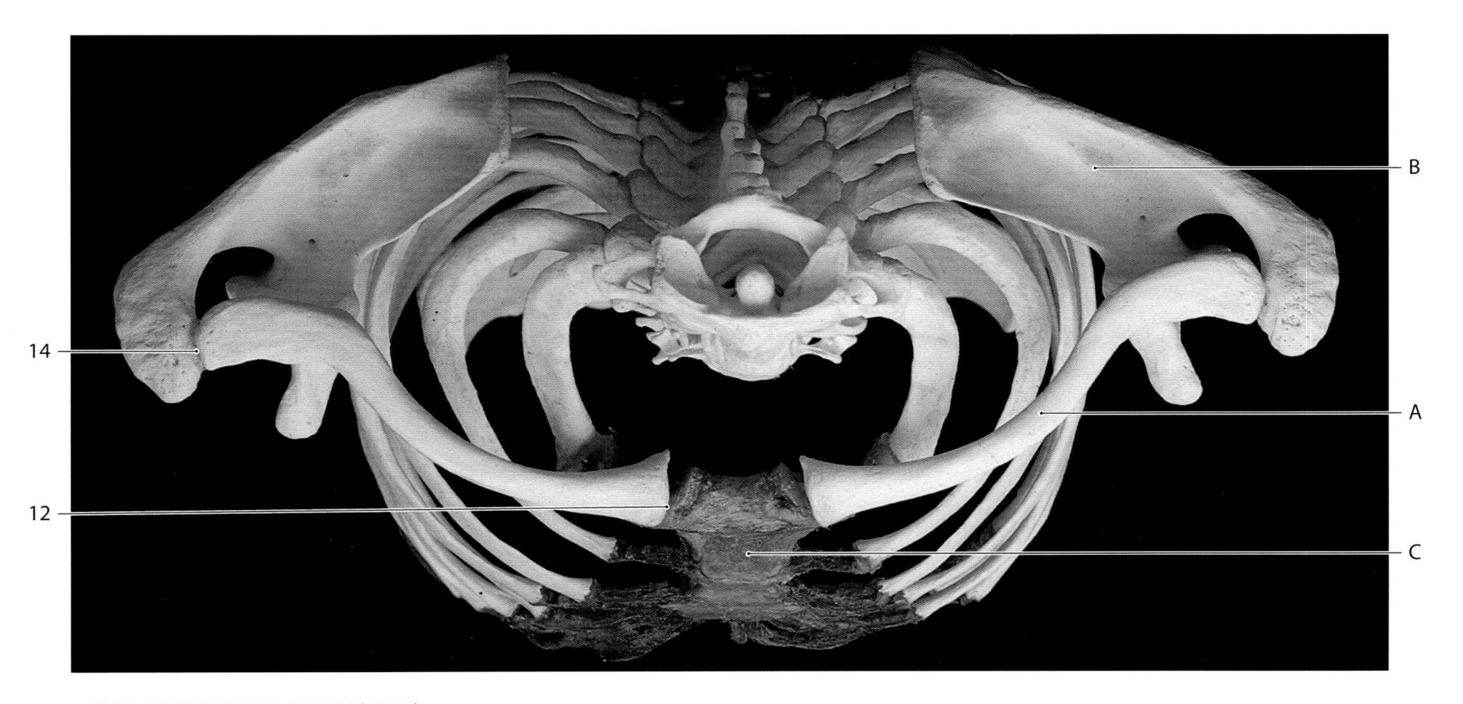

그림 3.2 **팔이음부위와 가슴의 뼈대**(위모습).

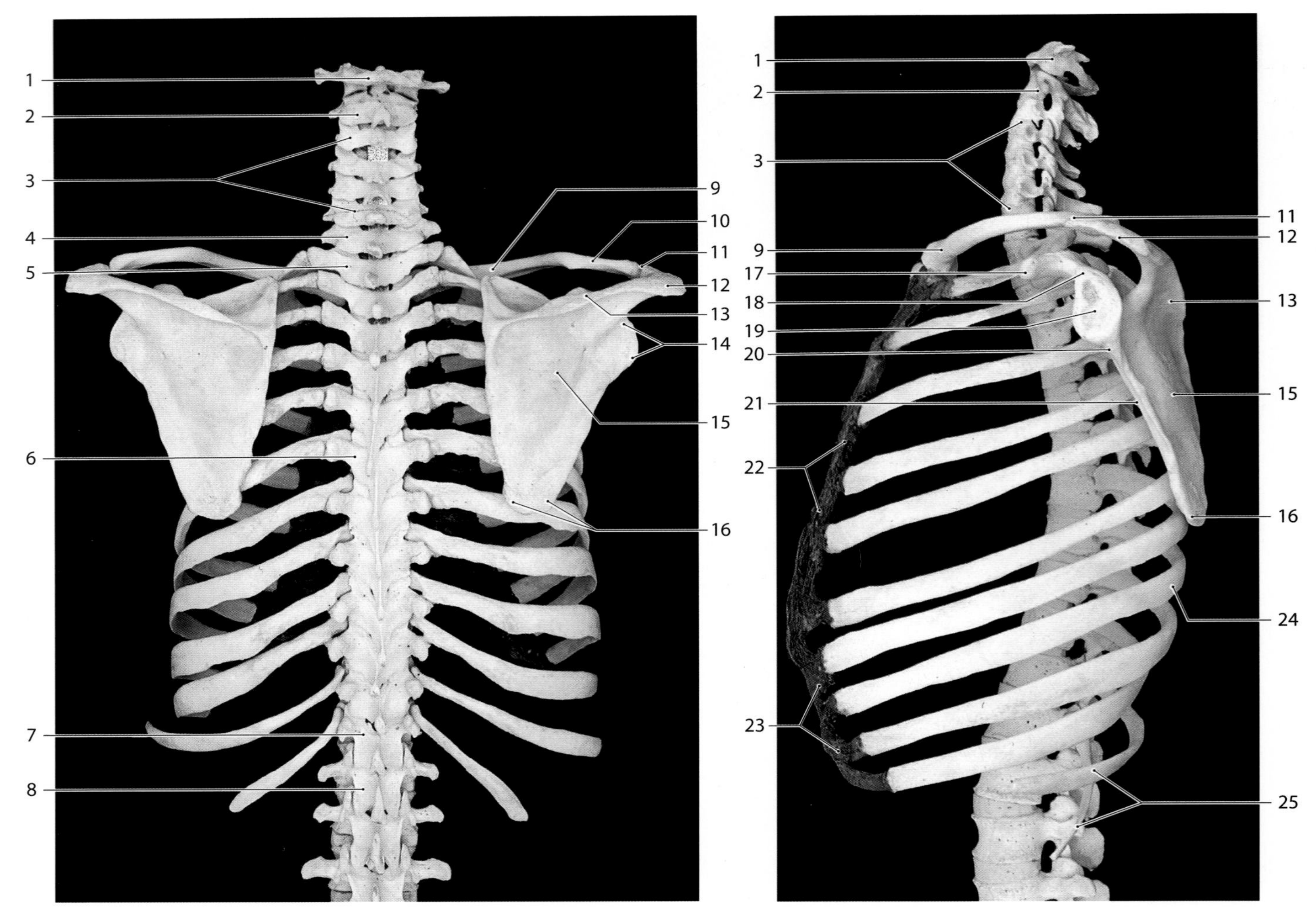

그림 3.3 **팔이음부위와 가슴의 뼈대**(뒤모습).

그림 3.4 **팔이음부위와 가슴의 뼈대**(가쪽모습).

척주 Vertebral column

1 고리뼈 Atlas (C1)
2 중쇠뼈 Axis (C2)
3 셋째-여섯째목뼈
Third to sixth cervical vertebrae (C3 – C6)
4 일곱째목뼈(솟은뼈)
Seventh vertebra (vertebra prominens) (C7)
5 첫째등뼈 First thoracic vertebra (T1)
6 여섯째등뼈 Sixth thoracic vertebra (T6)
7 열두째등뼈 Twelfth thoracic vertebra (T12)
8 첫째허리뼈 First lumbar vertebra (L1)

빗장뼈 Clavicle

9 복장끝 Sternal end
10 봉우리끝 Acromial end
11 봉우리빗장관절 Acromioclavicular joint

어깨뼈 Scapula

12 봉우리 Acromion
13 어깨뼈가시 Spine of scapula
14 가쪽각 Lateral angle
15 뒤면 Posterior surface
16 아래각 Inferior angle
17 부리돌기 Coracoid process
18 접시위결절 Supraglenoid tubercle
19 접시오목 Glenoid cavity
20 접시아래결절 Infraglenoid tubercle
21 가쪽모서리 Lateral margin

가슴 Thorax

22 복장뼈몸통 Body of sternum
23 갈비아래각 Subcostal angle
24 갈비뼈각 Angle of rib
25 뜬갈비뼈 Floating ribs

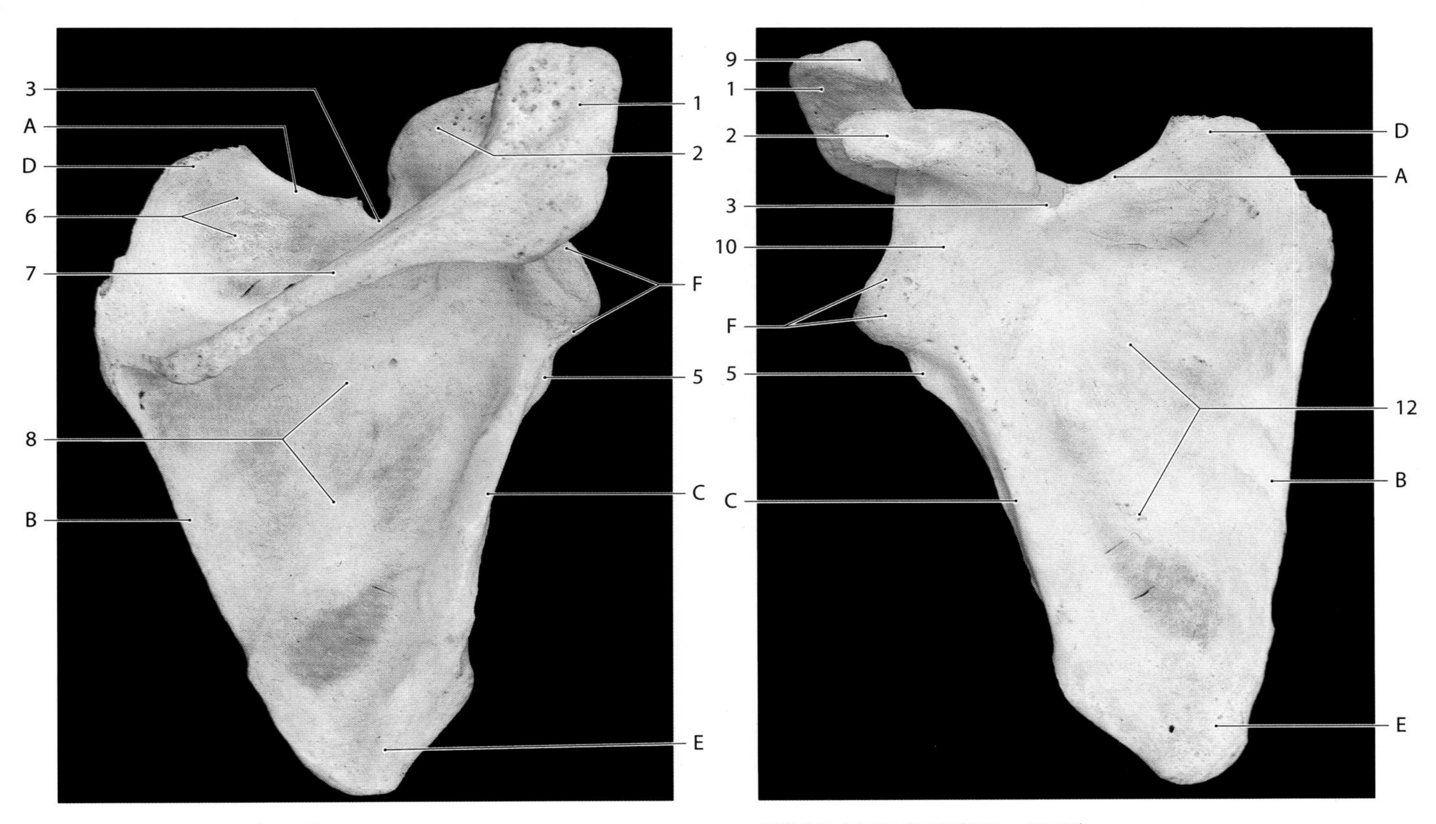

그림 3.5 **오른쪽 어깨뼈**(뒤모습).

그림 3.6 **오른쪽 어깨뼈**(앞모습, 갈비면)

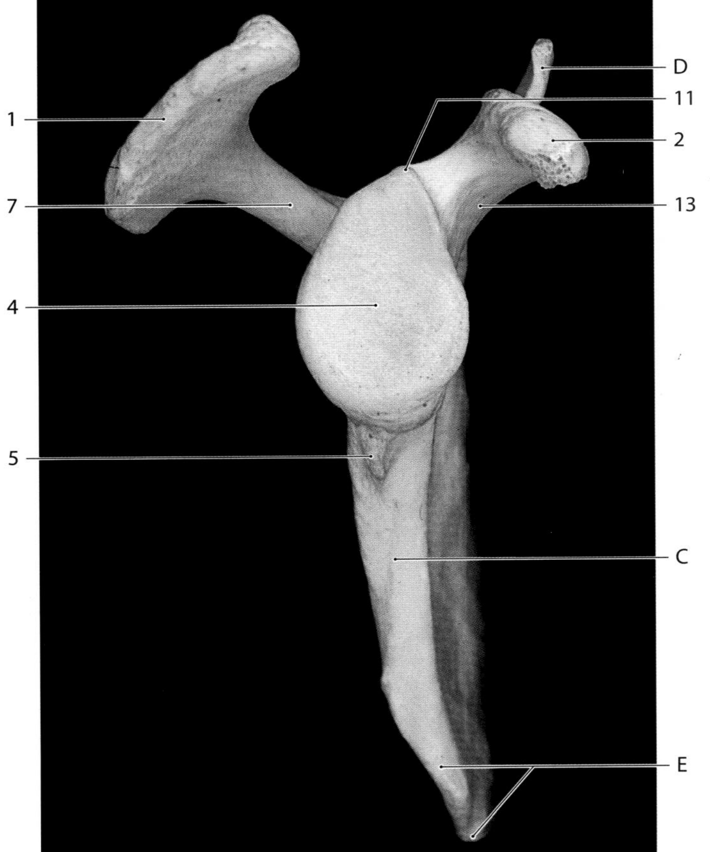

그림 3.7 **오른쪽 어깨뼈**(가쪽모습).

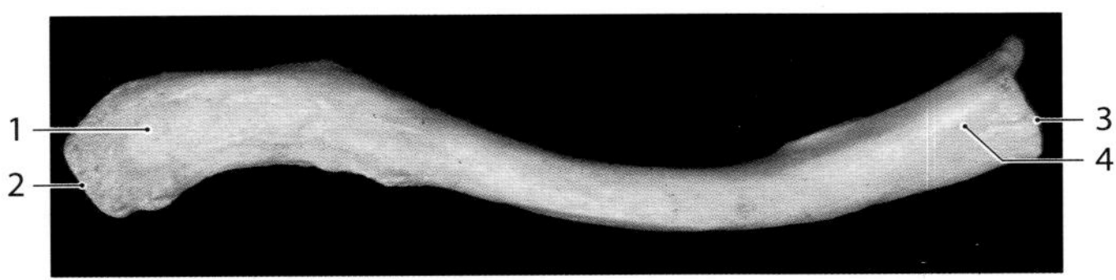

그림 3.8 **오른쪽 빗장뼈**(위모습).

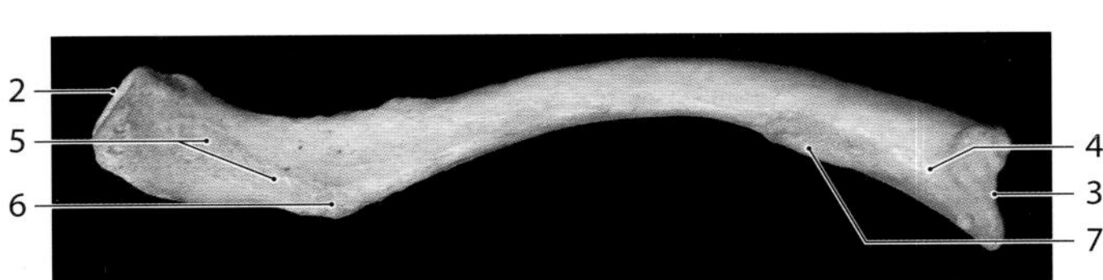

그림 3.9 **오른쪽 빗장뼈**(아래모습).

어깨뼈 Scapula

A = 위모서리 Superior border
B = 안쪽모서리 Medial border
C = 가쪽모서리 Lateral border
D = 위각 Superior angle
E = 아래각 Inferior angle
F = 가쪽각 Lateral angle

1 봉우리 Acromion
2 부리돌기 Coracoid process
3 어깨뼈파임 Scapular notch
4 접시오목 Glenoid cavity
5 접시아래결절 Infraglenoid tubercle
6 가시위오목 Supraspinous fossa
7 가시 Spine
8 가시아래오목 Infraspinous fossa
9 빗장관절면
Articular facet for the clavicle
10 목 Neck
11 접시위결절 Supraglenoid tubercle
12 갈비(앞)면 Costal (anterior) surface
13 부리돌기의 뿌리
Base of coracoid process

빗장뼈 Clavicle

1 봉우리끝 Acromial end
2 봉우리관절면
Articular facet for the acromion
3 복장관절면
Articular facet for the sternum
4 복장끝 Sternal end
5 마름인대선 Trapezoid line
6 원뿔(인대)결절 Conoid tubercle
7 갈비빗장인대자국
Impression of costoclavicular ligament

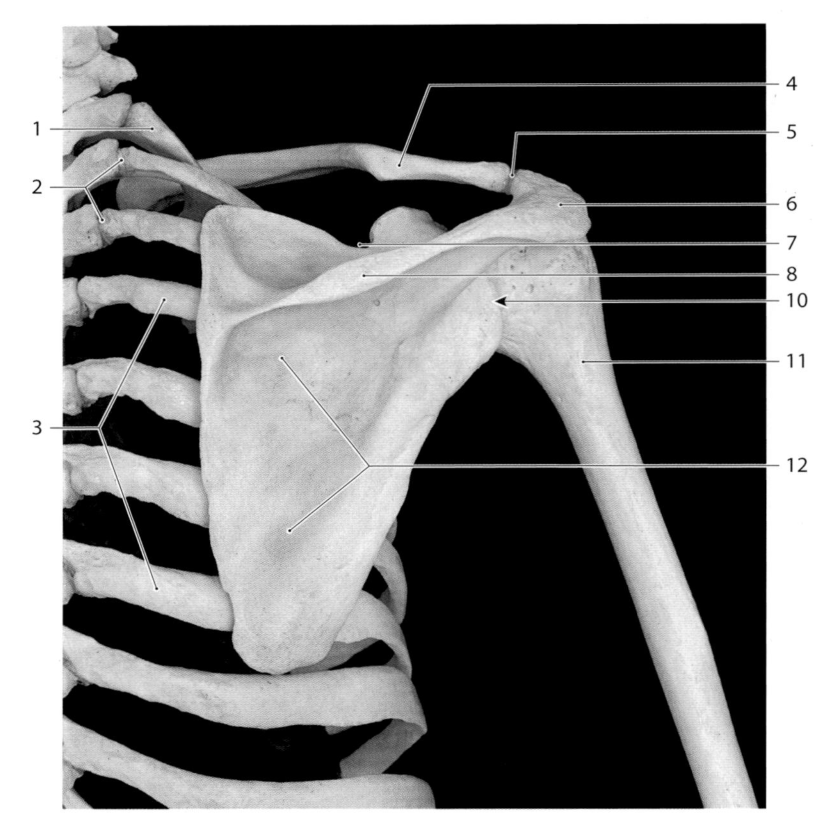

그림 3.10 **어깨관절의 뼈**(뒤모습).

1 첫째갈비뼈 First rib
2 갈비가로돌기관절의 위치 Position of costotransverse joints
3 넷째-일곱째갈비뼈 Fourth to seventh ribs
4 빗장뼈 Clavicle
5 봉우리빗장관절의 위치 Position of acromioclavicular joint
6 봉우리 Acromion
7 어깨뼈파임 Scapular notch
8 어깨뼈가시 Spine of scapula
9 위팔뼈머리 Head of humerus
10 접시오목 Glenoid cavity
11 위팔뼈의 외과목 Surgical neck of humerus
12 어깨뼈의 뒤면 Posterior surface of scapula
13 부리돌기 Coracoid process
14 접시아래결절 Infraglenoid tubercle
15 위팔뼈의 큰결절 Greater tubercle of humerus
16 위팔뼈의 해부목 Anatomical neck of humerus

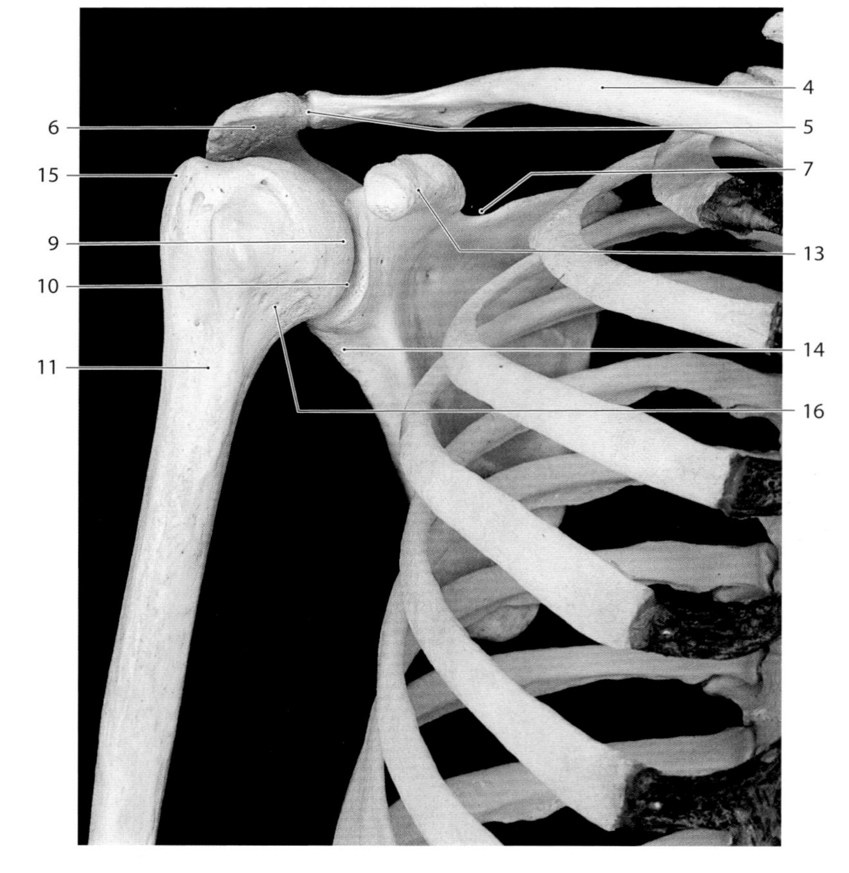

그림 3.11 **어깨관절의 뼈**(앞모습).

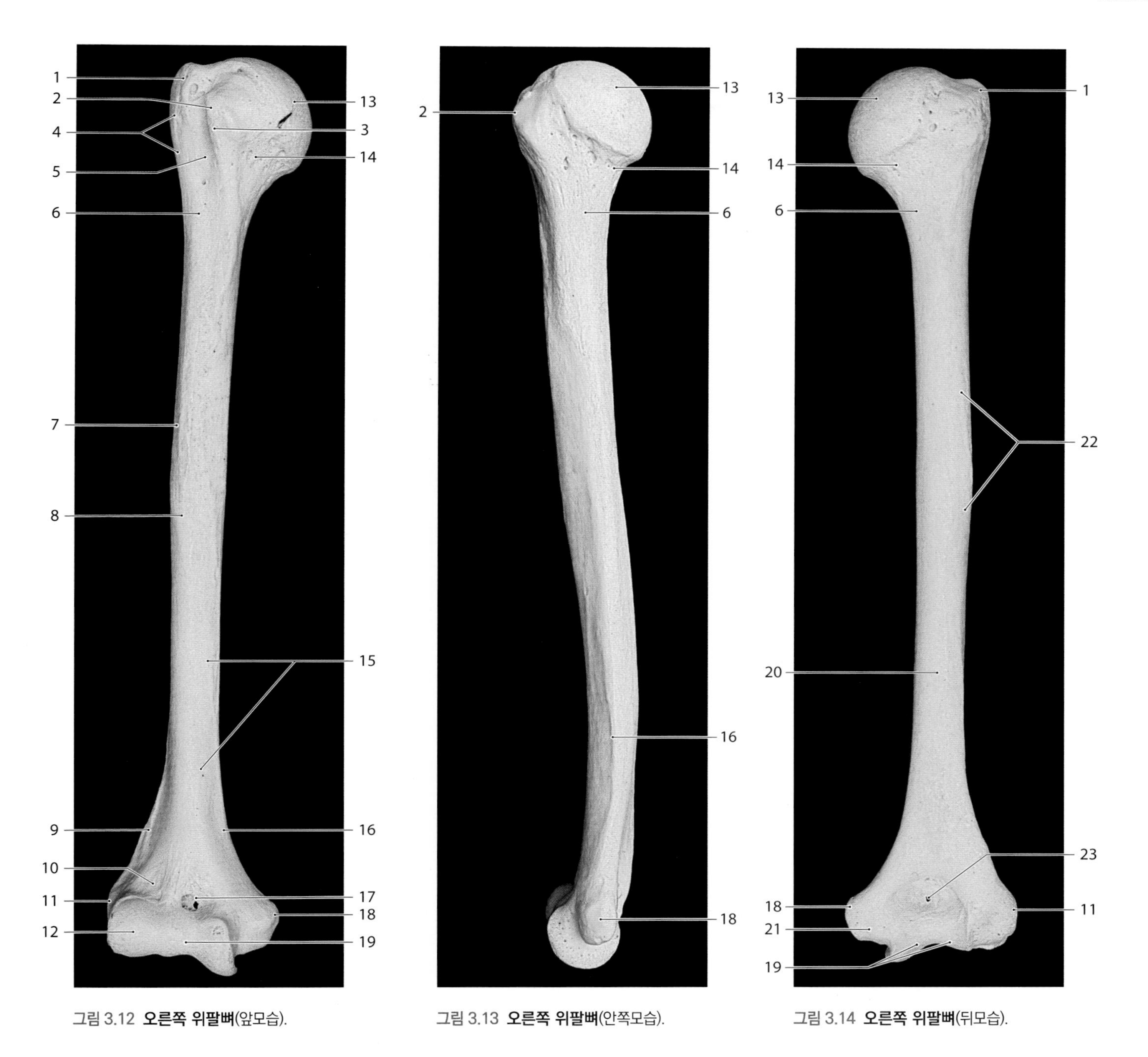

그림 3.12 **오른쪽 위팔뼈**(앞모습).

그림 3.13 **오른쪽 위팔뼈**(안쪽모습).

그림 3.14 **오른쪽 위팔뼈**(뒤모습).

위팔뼈 Humerus
1 큰결절 Greater tubercle
2 작은결절 Lesser tubercle
3 작은결절능선 Crest of lesser tubercle
4 큰결절능선 Crest of greater tubercle
5 결절사이고랑 Intertubercular sulcus
6 외과목 Surgical neck
7 세모근거친면 Deltoid tuberosity
8 앞-가쪽면 Antero-lateral surface
9 가쪽관절융기위능선 Lateral supracondylar ridge
10 노파임 Radial fossa
11 가쪽위관절융기 Lateral epicondyle
12 작은머리 Capitulum
13 머리 Head
14 해부목 Anatomical neck
15 앞안쪽면 Antero-medial surface
16 안쪽관절융기위능선 Medial supracondylar ridge
17 갈고리오목 Coronoid fossa
18 안쪽위관절융기 Medial epicondyle
19 도르래 Trochlea
20 뒤면 Posterior surface
21 자신경고랑 Groove for ulnar nerve
22 노신경고랑 Groove for radial nerve
23 팔꿈치오목 Olecranon fossa

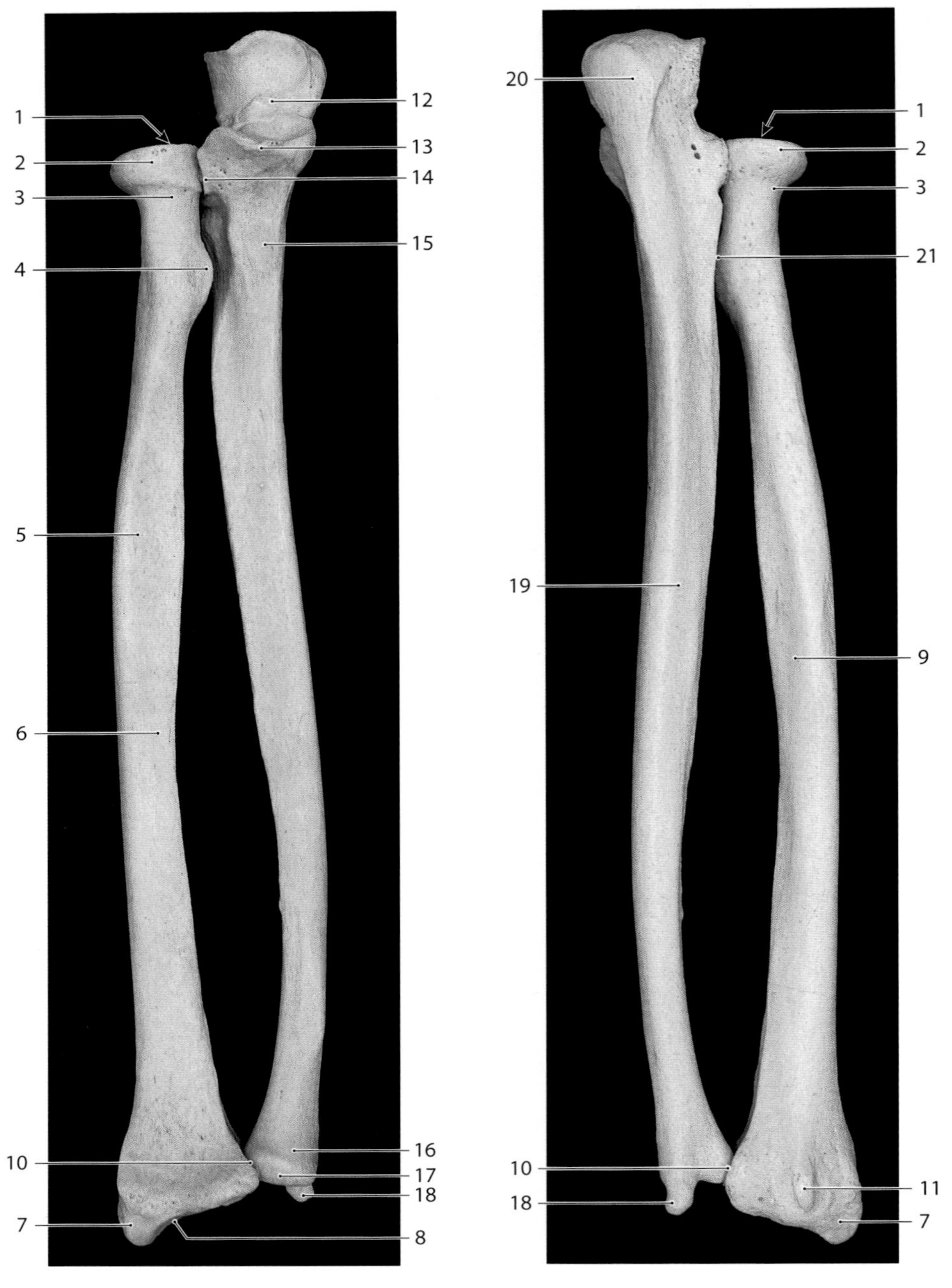

그림 3.15 **오른쪽 아래팔의 뼈, 노뼈와 자뼈**(앞모습).

그림 3.16 **오른쪽 아래팔의 뼈, 노뼈와 자뼈**(뒤모습).

노뼈 Radius

1 머리 Head
2 둘레관절면 Articular circumference
3 목 Neck
4 노뼈거친면 Radial tuberosity
5 몸통 Shaft
6 앞면 Anterior surface
7 붓돌기 Styloid process
8 관절면 Articular surface
9 뒤면 Posterior surface
10 자파임 Ulnar notch
11 뒤결절 Dorsal tubercle

자뼈 Ulna

12 도르래파임 Trochlear notch
13 부리돌기 Coronoid process
14 노파임 Radial notch
15 자뼈거친면 Ulnar tuberosity
16 머리 Head
17 둘레관절면 Articular circumference
18 붓돌기 Styloid process
19 뒤면 Posterior surface
20 팔꿈치머리 Olecranon
21 뒤침근능선 Supinator crest

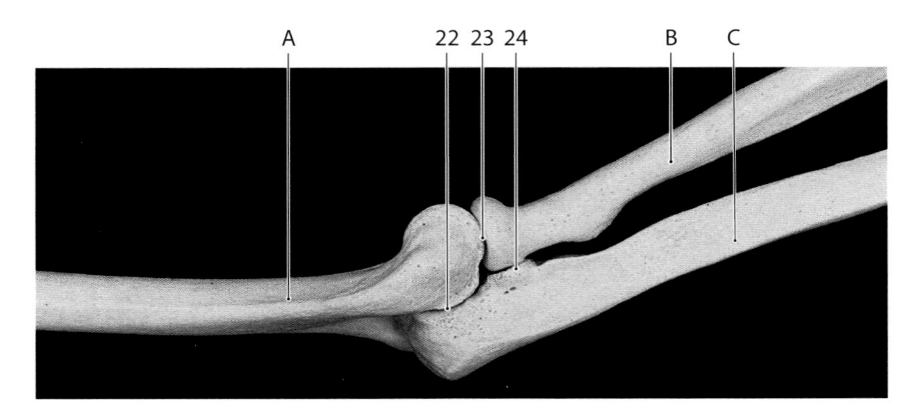

그림 3.17 **오른쪽 팔꿉관절의 뼈**(가쪽모습).

오른쪽 팔꿉의 관절(관절의 위치)
Articulations at the right elbow (sites of joints).

22 위팔자관절의 위치
Site of humero-ulnar joint
23 위팔노관절의 위치
Site of humeroradial joint
24 몸쪽노자관절의 위치
Site of proximal radio-ulnar joint
A = 위팔뼈 Humerus
B = 노뼈 Radius
C = 자뼈 Ulna

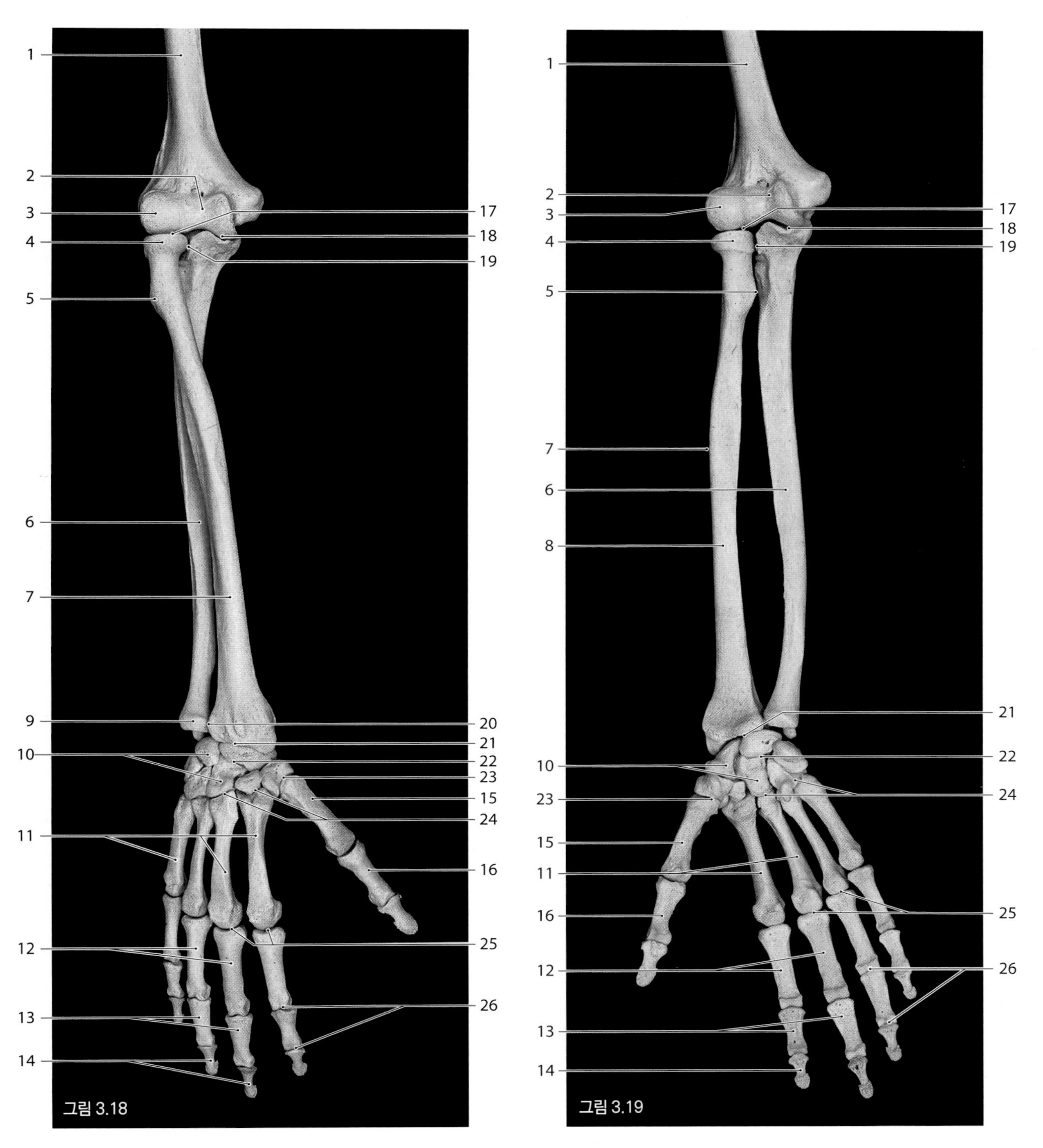

그림 3.18, 3.19 **엎침(왼쪽)과 뒤침(오른쪽) 상태의 오른쪽 아래팔과 손의 뼈대**

1 위팔뼈 Humerus
2 위팔뼈도르래 Trochlea of humerus
3 위팔뼈작은머리 Capitulum of humerus
4 노뼈의 둘레관절면 Articular circumference of radius
5 노뼈거친면 radial tuberosity
6 자뼈의 앞면 Anterior surface of ulna
7 노뼈의 뒤면 Posterior surface of radius
8 노뼈의 앞면 Anterior surface of radius
9 자뼈의 둘레관절면 Articular circumference of ulna
10 손목뼈 Carpal bones
11 손허리뼈 Metacarpal bones
12 첫마디뼈 Proximal phalanges
13 중간마디뼈 Middle phalanges
14 끝마디뼈 Distal phalanges
15 엄지의 손허리뼈 Metacarpal bone of thumb
16 엄지의 첫마디뼈 Proximal phalanx of thumb

관절의 위치 Sites of joints

17 위팔노관절 Humeroradial joint
18 위팔자관절 Humero-ulnar joint
19 몸쪽노자관절 Proximal radio-ulnar joint
20 먼쪽노자관절 Distal radio-ulnar joint
21 손목관절 Wrist joint
22 손목뼈중간관절 Midcarpal joint
23 엄지의 손목손허리관절 Carpometacarpal joint of thumb
24 손목손허리관절 Carpometacarpal joints
25 손허리손가락관절 Metacarpophalangeal joints
26 손의 손가락뼈사이관절 Interphalangeal joints of the hand

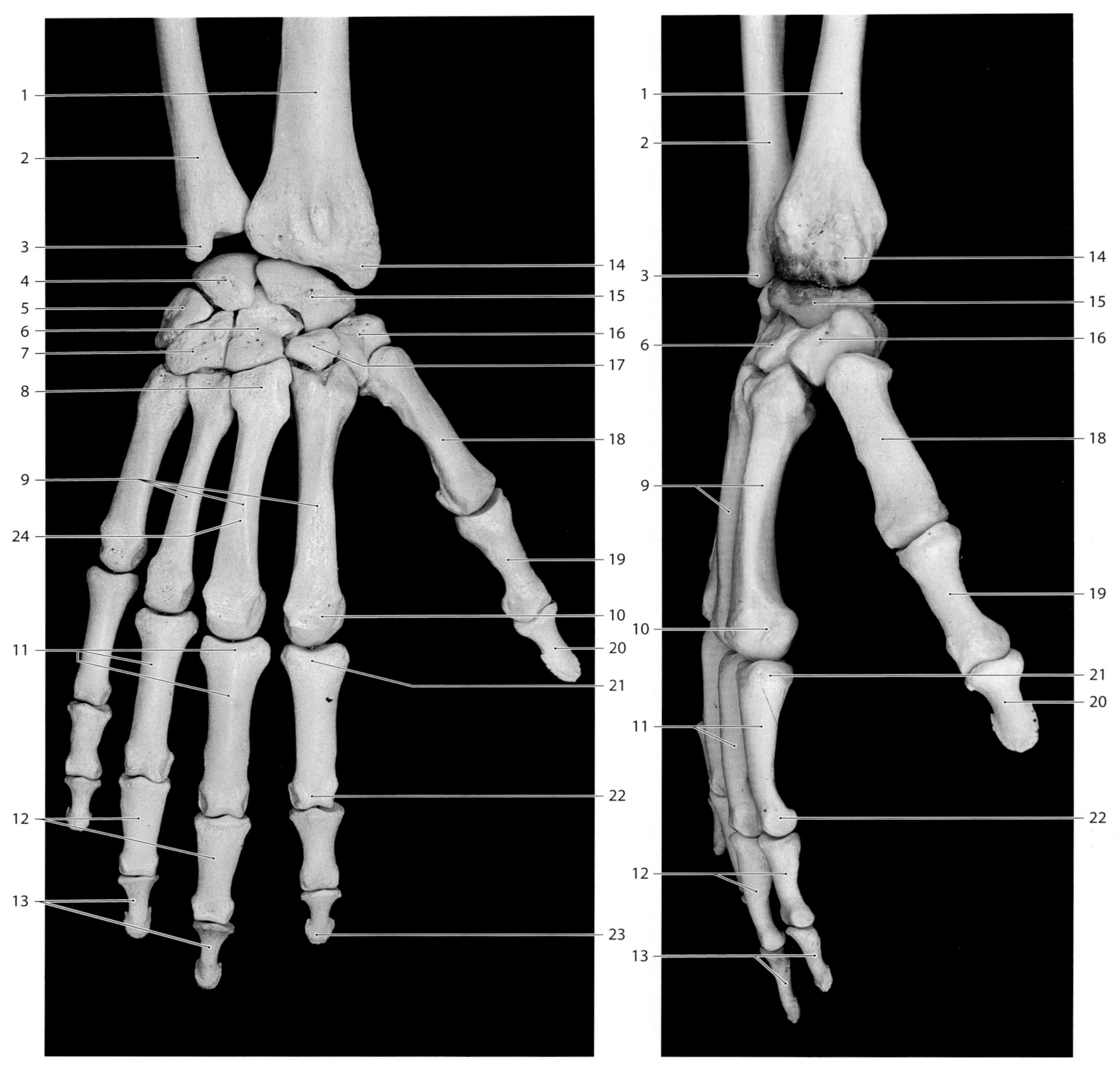

그림 3.20 **오른쪽 손목과 손의 뼈대**(등쪽모습).

그림 3.21 **오른쪽 손목과 손의 뼈대**(가쪽모습).

1 노뼈 Radius
2 자뼈 Ulna
3 자뼈붓돌기 Styloid process of ulna
4 반달뼈 Lunate bone
5 세모뼈 Triquetral bone
6 알머리뼈 Capitate bone
7 갈고리뼈 Hamate bone
(4–7: 손목뼈 Carpal bones)
8 셋째손허리뼈바닥 Base of third metacarpal bone
9 손허리뼈 Metacarpal bones
10 손허리뼈머리 Head of metacarpal bone
11 손가락 첫마디뼈 Proximal phalanges of the hand
12 손가락 중간마디뼈 Middle phalanges of the hand
13 손가락 끝마디뼈 Distal phalanges of the hand
14 노뼈붓돌기 Styloid process of radius
15 손배뼈 Scaphoid bone
16 큰마름뼈 Trapezium bone
17 작은마름뼈 Trapezoid bone
(15–17: 손목뼈 Carpal bones)
18 엄지의 손허리뼈 Metacarpal bone of thumb
19 엄지의 첫마디뼈 Proximal phalanx of thumb
20 엄지의 끝마디뼈 Distal phalanx of thumb
21 둘째손가락의 첫마디뼈바닥 Base of second proximal phalanx
22 둘째손가락의 첫마디뼈머리 Head of second proximal phalanx
23 끝마디뼈거친면 Tuberosity of distal phalanx
24 셋째손허리뼈의 몸통 Body of third metacarpal bone

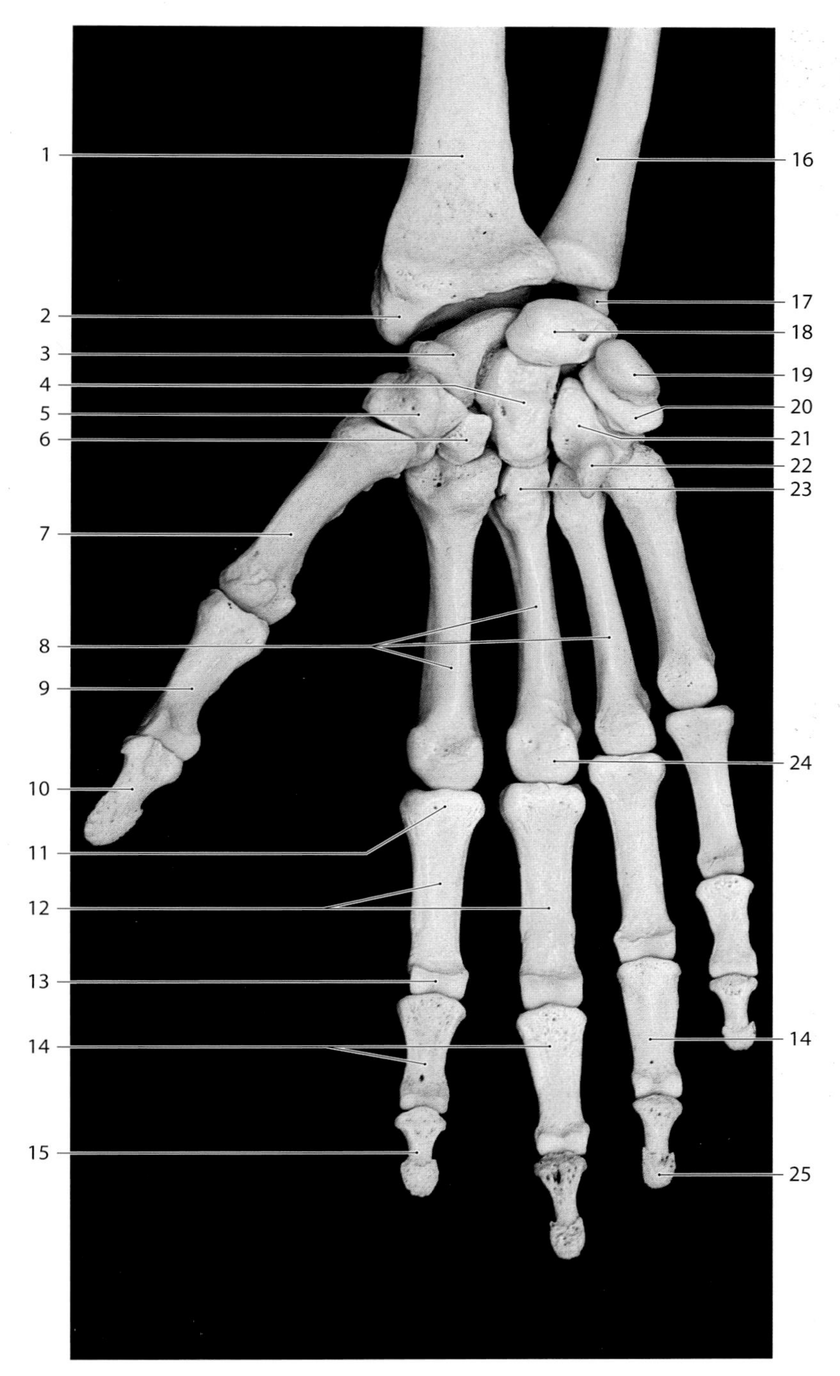

그림 3.22 **오른쪽 손목과 손의 뼈대**(바닥쪽모습).

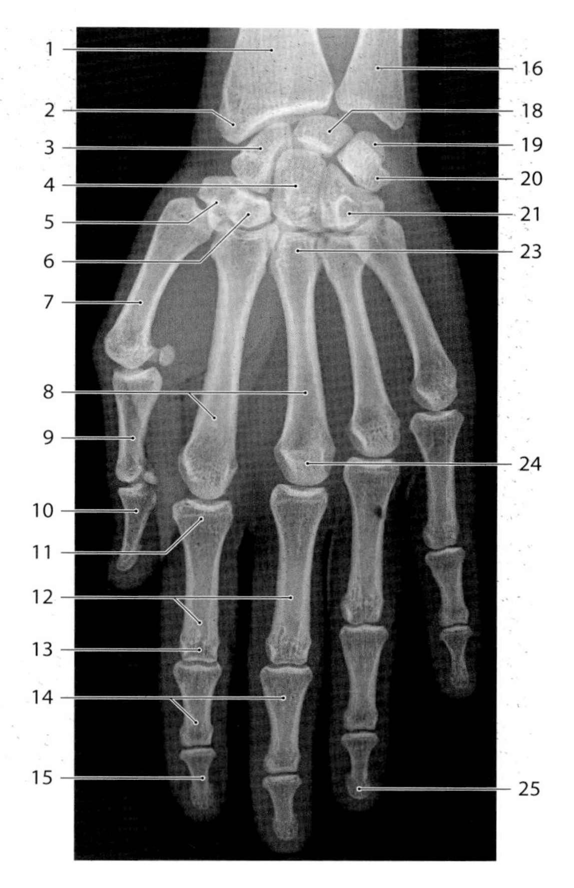

그림 3.23 **손목과 손의 X-선 영상**(바닥쪽모습) (Courtesy of Prof. Uder, Institute of Radiology, University Hospital Erlangen, Germany.)

1 노뼈 Radius
2 노뼈붓돌기 Styloid process of radius
3 손배뼈 Scaphoid bone
4 알머리뼈 Capitate bone
5 큰마름뼈 Trapezium
6 작은마름뼈 Trapezoid bone
7 첫째손허리뼈 First metacarpal bone
8 둘째-넷째손허리뼈 Second to fourth metacarpal bones
9 엄지의 첫마디뼈 Proximal phalanx of thumb
10 엄지의 끝마디뼈 Distal phalanx of thumb
11 둘째손가락의 첫마디뼈바닥 Base of second proximal phalanx
12 첫마디뼈 Proximal phalanges
13 둘째손가락의 첫마디뼈머리 Head of second proximal phalanx
14 중간마디뼈 Middle phalanges
15 끝마디뼈 Distal phalanx
16 자뼈 Ulna
17 자뼈붓돌기 Styloid process of ulna
18 반달뼈 Lunate bone
19 콩알뼈 Pisiform bone
20 세모뼈 Triquetral bone
21 갈고리뼈 Hamate bone
22 갈고리뼈의 갈고리 Hamulus or hook of hamate bone
23 셋째손허리뼈바닥 Base of third metacarpal bone
24 손허리뼈머리 Head of metacarpal bone
25 끝마디뼈거친면 Tuberosity of distal phalanx

* 3, 4, 5, 6, 18, 19, 20, 21 손목뼈 Carpal bones

사람 몸에서 손은 가장 경이로운 구조물 중의 하나이다. 안장관절인 엄지의 손목손허리관절은 운동범위가 넓어 엄지는 나머지 손가락들과 모두 맞닿을 수 있으며, 이를 통해 손은 물건을 움켜쥐는 도구로서 뿐만 아니라 사람의 감정 상태를 나타내기도 한다. 사람의 진화과정에서, 이러한 새로운 기능들은 사람이 직립보행을 한 이후에 발달할 수 있었던 것으로 보인다. 인류가 문명을 발달시킬 수 있었던 것은 사람 뇌 기능의 분화와 함께 생각한 것을 실행에 옮길 수 있었던 기관의 발달이 필수조건이었다: 사람의 손.

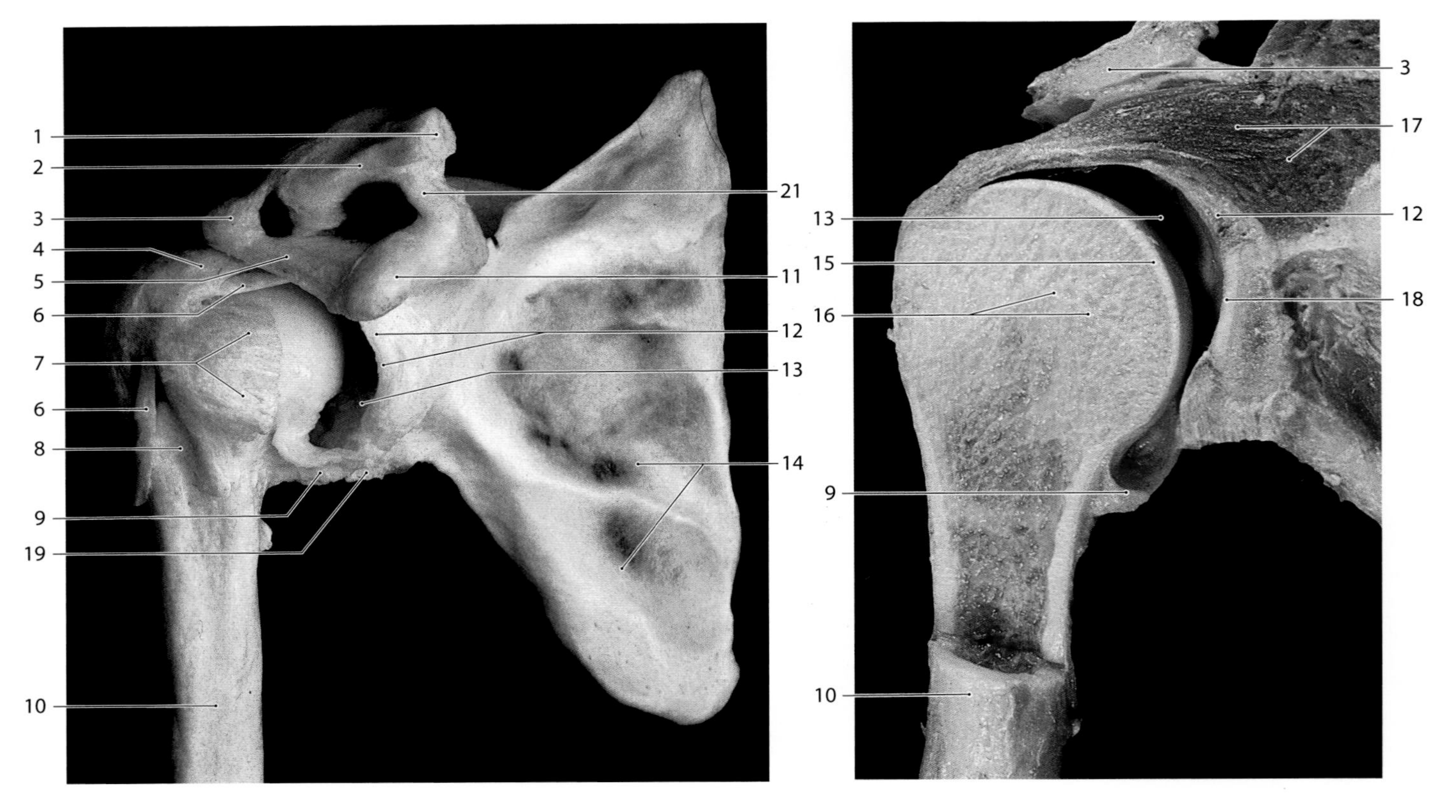

그림 3.24 오른쪽 어깨관절. 관절주머니 앞부분을 제거하고 위팔뼈머리를 약간 가쪽으로 돌려서 관절안이 보이게 하였다.

그림 3.25 오른쪽 어깨관절의 관상단면(앞모습).

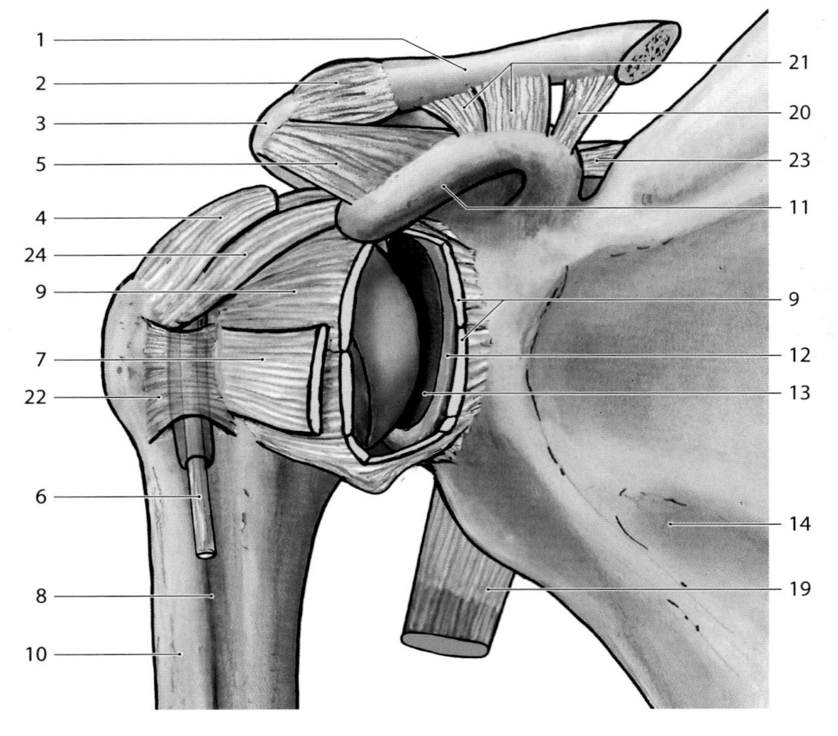

그림 3.26 위팔두갈래근힘줄, 관절주머니, 인대를 포함하는 어깨관절(앞모습)

1 빗장뼈의 봉우리끝 Acromial end of clavicle
2 봉우리빗장관절 Acromioclavicular joint
3 봉우리 Acromion
4 가시위근힘줄(관절주머니에 부착됨)
Tendon of supraspinatus muscle
(attached to the articular capsule)
5 부리봉우리인대 Coraco-acromial ligament
6 위팔두갈래근의 긴갈래힘줄
Tendon of long head of biceps brachii muscle
7 어깨밑근힘줄(관절주머니에 부착됨)
Tendon of subscapularis muscle
(attached to the articular capsule)
8 결절사이고랑 Intertubercular sulcus
9 어깨관절의 관절주머니 Articular capsule of shoulder joint
10 어깨뼈 Humerus
11 부리돌기 Coracoid process
12 접시테두리 Glenoid labrum
13 어깨관절(관절안) Shoulder joint (joint cavity)
14 어깨뼈 Scapula
15 위팔뼈머리 Head of humerus
16 뼈끝선 Epiphyseal line
17 가시위근 Supraspinatus muscle
18 접시오목 Glenoid cavity
19 위팔세갈래근의 긴갈래힘줄
Tendon of long head of triceps brachii muscle
20 원뿔인대 Conoid ligament
21 마름인대 Trapezoid ligament } 부리빗장인대 coracoclavicular ligament
22 위팔가로인대 Transverse humeral ligament
23 위가로어깨인대 Superior transverse ligament of the scapula
24 부리위팔인대 Coraco-humeral ligament

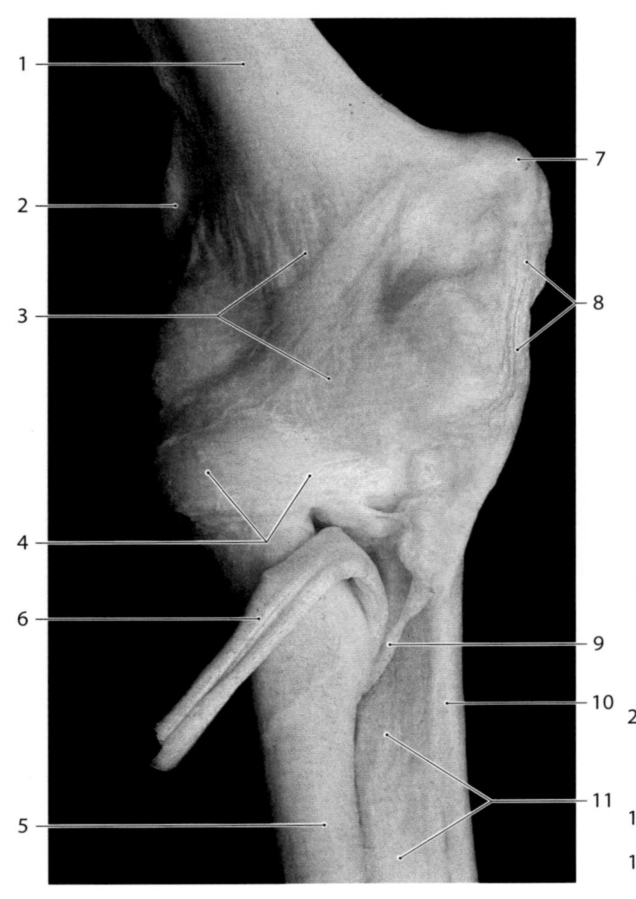

그림 3.27 **팔꿉관절의 인대**(앞모습).

1 위팔뼈 Humerus
2 위팔뼈의 가쪽위관절융기 Lateral epicondyle of humerus
3 관절주머니 Articular capsule
4 몸쪽노자관절의 노뼈머리띠인대 Anular ligament of proximal radio-ulnar joint
5 노뼈 Radius
6 위팔두갈래근힘줄 Tendon of biceps brachii muscle
7 위팔뼈의 안쪽위관절융기 Medial epicondyle of humerus
8 자쪽곁인대 Ulnar collateral ligament
9 빗끈 Oblique chord
10 자뼈 Ulna
11 뼈사이막 Interosseous membrane
12 노오목 Radial fossa
13 위팔뼈작은머리 Capitulum of humerus
14 노뼈머리 Head of radius
15 노쪽곁인대 Radial collateral ligament
16 갈고리오목 Coronoid fossa
17 위팔뼈도르래 Trochlea of humerus
18 자뼈의 갈고리돌기 Coronoid process of ulna
19 팔꿉치머리 Olecranon
20 노뼈거친면 Radial tuberosity

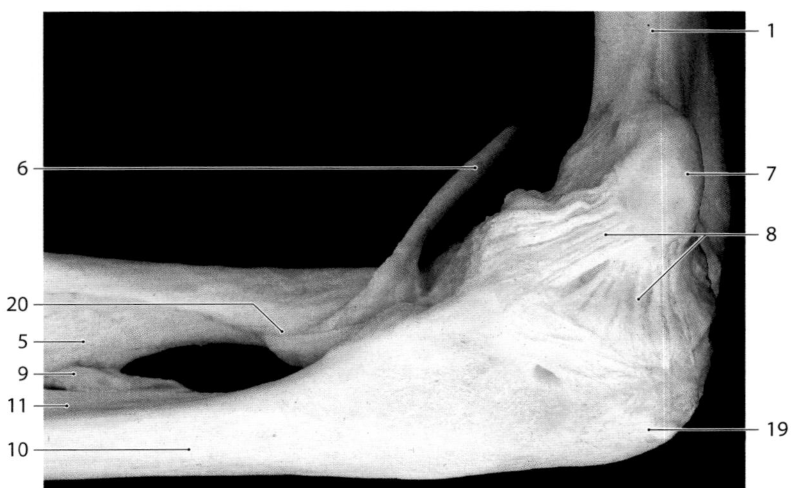

그림 3.28 **팔꿉관절의 인대**(안쪽모습).

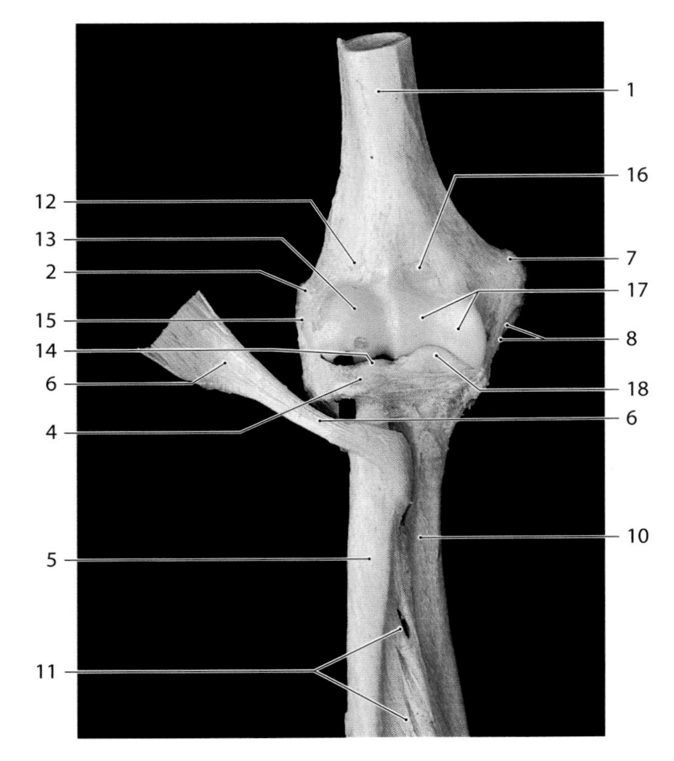

그림 3.29 **팔꿉관절의 인대**(앞모습). 노뼈머리띠인대가 보이도록 관절주머니를 제거하였다.

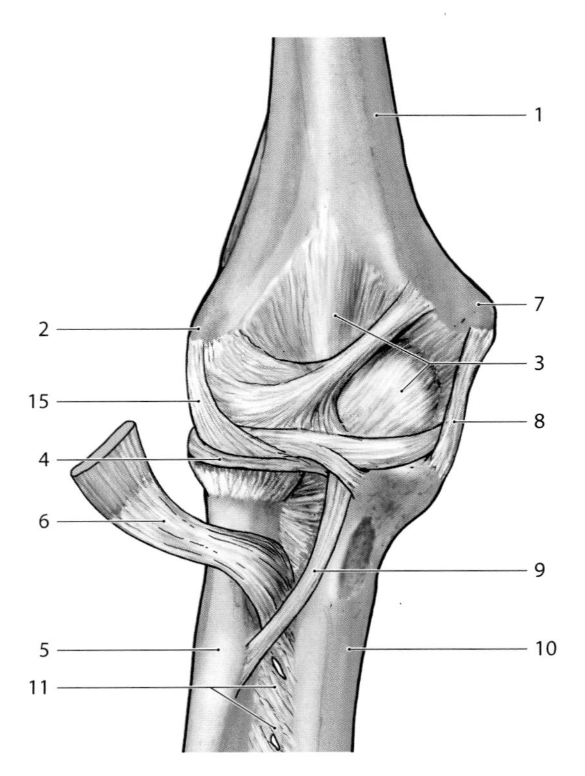

그림 3.30 **팔꿉관절의 인대, 간단 그림**(앞모습). 노뼈머리띠인대가 보이도록 관절주머니를 제거하였다.

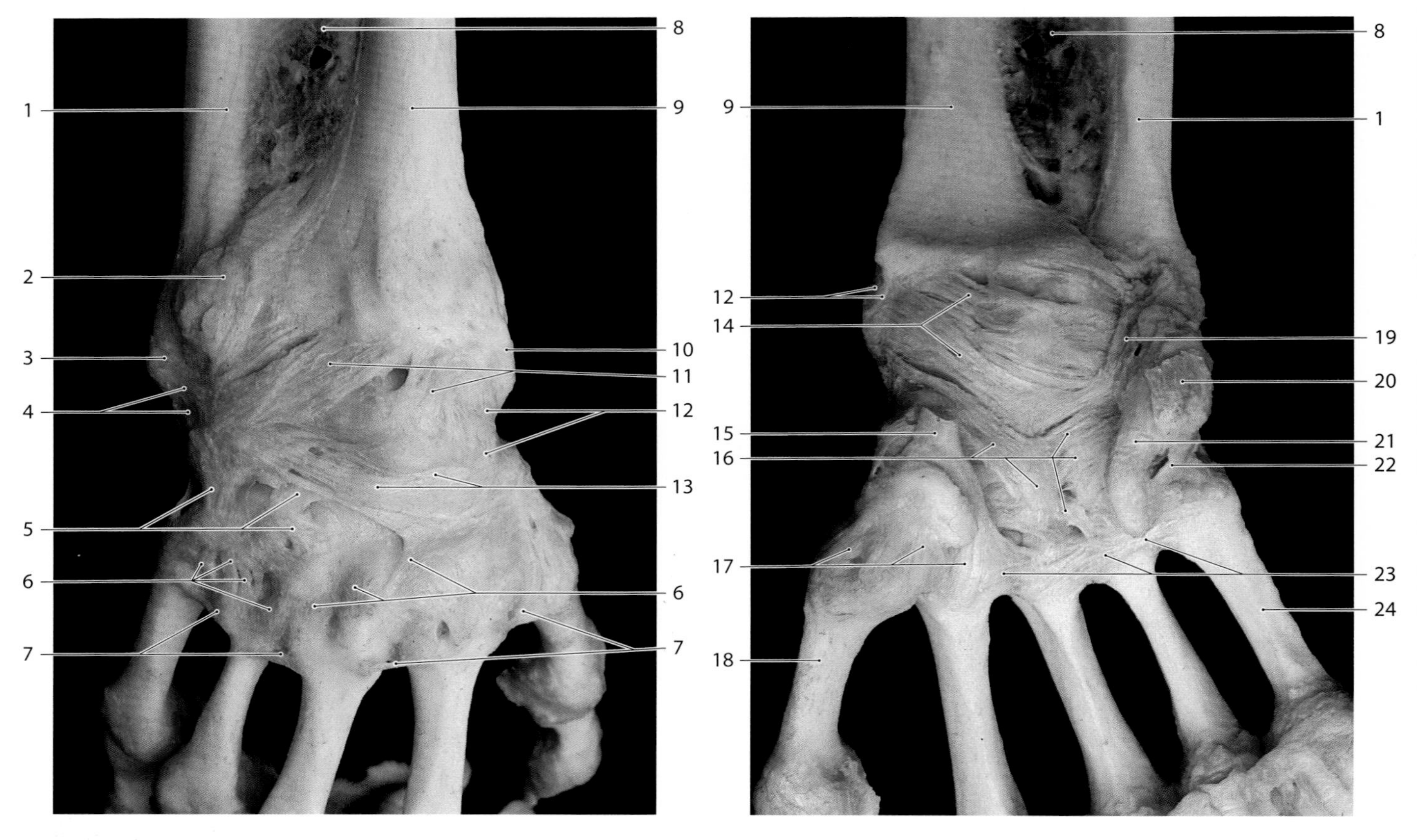

그림 3.31 **손과 손목의 인대**(등쪽모습).

그림 3.32 **손과 손목의 인대**(바닥쪽모습).

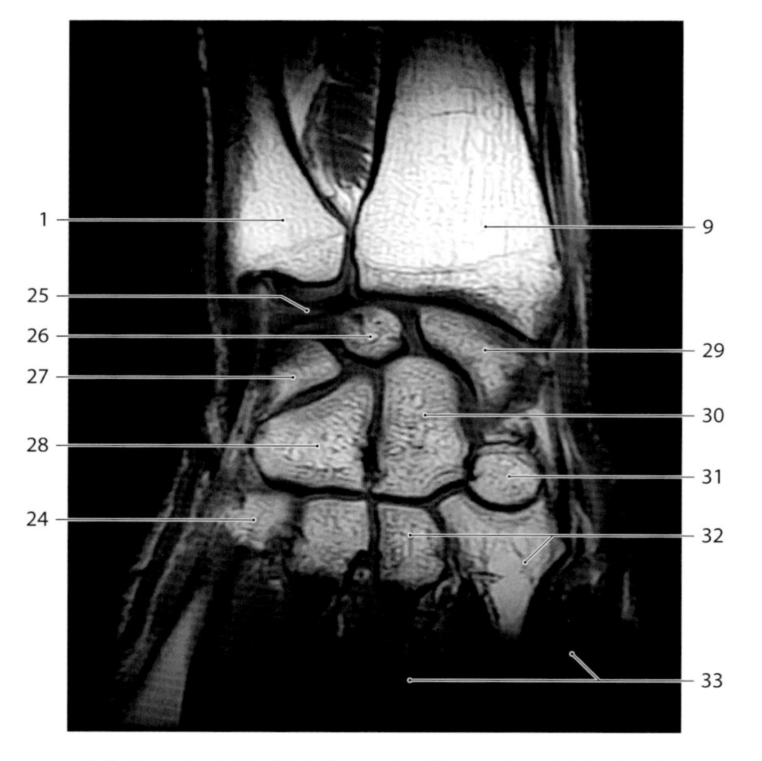

그림 3.33 **손과 손목의 관상단면**(자기공명영상). 손목관절의 위치를 확인하시오. (Heuck A, et al. MRT-Atlas des muskuloskelettalen Systems. Stuttgart, Germany: Schattauer, 2009.)

1 자뼈 Ulna
2 뼈돌출(병리학적 소견) Exostosis (pathological)
3 자뼈머리 Head of ulna
4 자쪽손목곁인대 Ulnar carpal collateral ligament
5 깊은손목뼈사이인대 Deep intercarpal ligaments
6 등쪽손목손허리인대 Dorsal carpometacarpal ligaments
7 등쪽손허리인대 Dorsal metacarpal ligaments
8 뼈사이막 Interosseous membrane
9 노뼈 Radius
10 노뼈붓돌기 Styloid process of radius
11 등쪽노손목인대 Dorsal radiocarpal ligament
12 노쪽곁인대 Radial collateral ligament
13 관절주머니와 등쪽손목뼈사이인대 Articular capsule and dorsal intercarpal ligaments
14 바닥쪽노손목인대 Palmar radiocarpal ligament
15 노쪽손목굽힘근힘줄(잘림) Tendon of flexor carpi radialis muscle (cut)
16 부채꼴손목인대 Radiating carpal ligament
17 바닥쪽손목손허리인대 Palmar carpometacarpal ligaments
18 첫째손허리뼈 First metacarpal bone
19 바닥쪽자손목인대 Palmar ulnocarpal ligament
20 자쪽손목굽힘근힘줄(잘림) Tendon of flexor carpi ulnaris muscle (cut)
21 콩알갈고리인대 Pisohamate ligament
22 콩알손허리인대 Pisometacarpal ligament
23 바닥쪽손허리인대 Palmar metacarpal ligaments
24 다섯째손허리뼈 Fifth metacarpal bone
25 관절원반(자손목관절) Articular disc (ulnocarpal)
26 반달뼈 Lunate bone
27 세모뼈 Triquetral bone
28 갈고리뼈 Hamate bone
29 손배뼈 Scaphoid (navicular) bone
30 알머리뼈 Capitate bone
31 작은마름뼈 Trapezoid bone
32 둘째와 셋째손허리뼈 Second and third metacarpal bones
33 등쪽뼈사이근 Dorsal interossei muscles

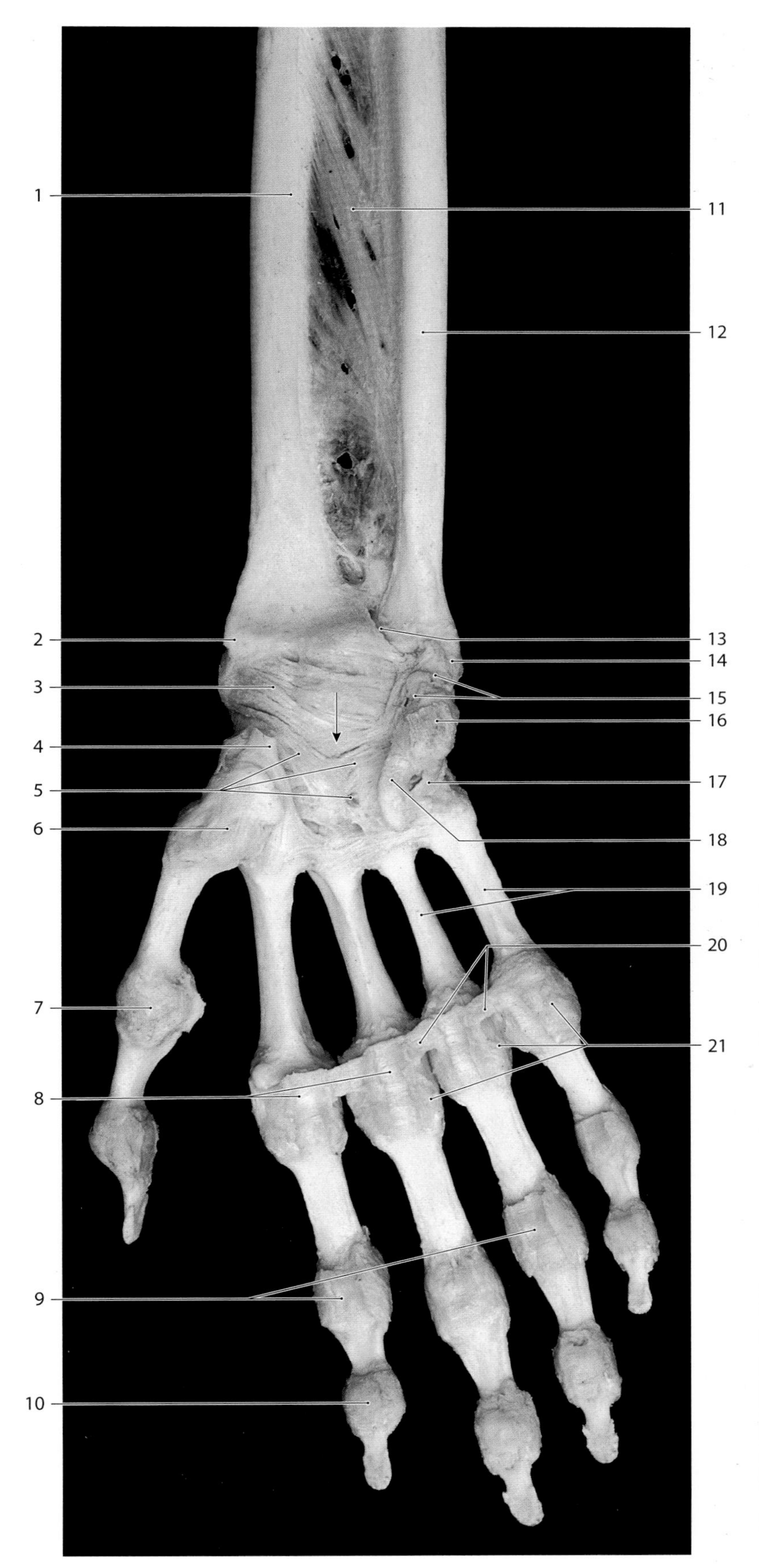

그림 3.34 **아래팔, 손과 손가락의 인대**(바닥쪽모습). 화살표는 손목굴의 위치를 가리킨다.

1 노뼈 Radius
2 노뼈붓돌기 Styloid process of radius
3 바닥쪽노손목인대 Palmar radiocarpal ligament
4 노쪽손목굽힘근힘줄(잘림) Tendon of flexor carpi radialis muscle (cut)
5 부채꼴손목인대 Radiating carpal ligament
6 엄지손목손허리관절의 관절주머니 Articular capsule of carpometacarpal joint of thumb
7 엄지손허리손가락관절의 관절주머니 Articular capsule of metacarpophalangeal joint of thumb
8 손허리손가락관절의 바닥쪽인대와 관절주머니 Palmar ligaments and articular capsule of metacarpophalangeal joints
9 손가락뼈사이관절의 바닥쪽인대와 관절주머니 Palmar ligaments and articular capsule of interphalangeal joints
10 관절주머니 Articular capsule
11 뼈사이막 Interosseous membrane
12 자뼈 Ulna
13 먼쪽노자관절 Distal radio-ulnar joint
14 자뼈붓돌기 Styloid process of ulna
15 바닥쪽자손목인대 Palmar ulnocarpal ligament
16 콩알뼈와 자쪽손목굽힘근힘줄 Pisiform bone with tendon of flexor carpi ulnaris muscle
17 콩알손허리인대 Pisometacarpal ligament
18 콩알갈고리인대 Pisohamate ligament
19 손허리뼈 Metacarpal bones
20 깊은가로손허리인대 Deep transverse metacarpal ligaments
21 손허리손가락관절의 곁인대 Collateral ligaments of metacarpophalangeal joints
22 손허리손가락관절 Metacarpophalangeal joints

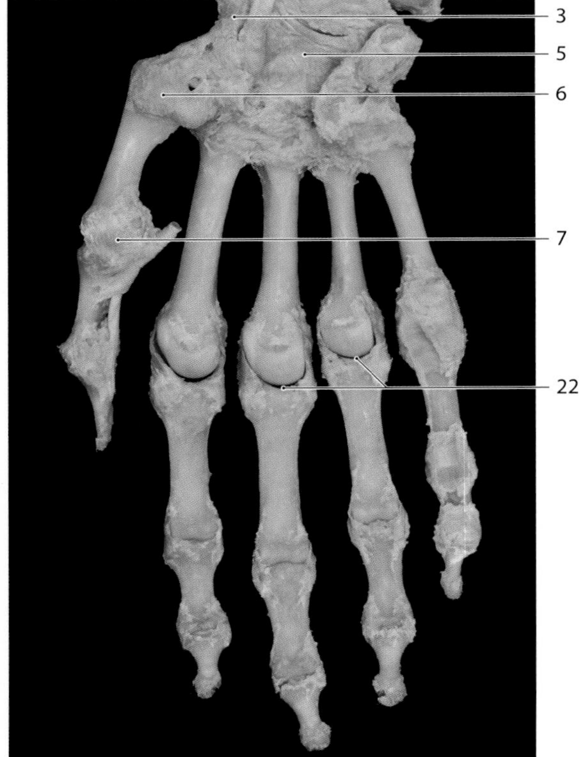

그림 3.35 **손허리손가락관절.** 둘째, 셋째, 넷째 손허리손가락관절의 관절주머니를 제거하였다.

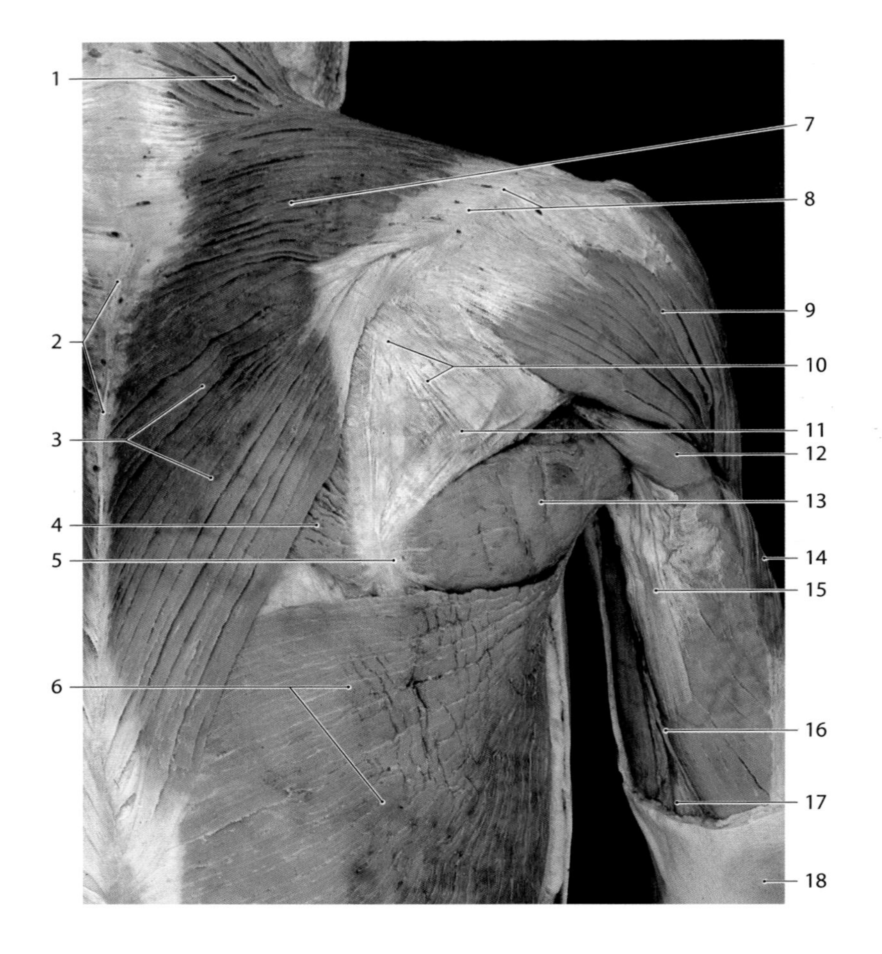

1 등세모근의 내림섬유
Descending fibers of trapezius muscle
2 등뼈의 가시돌기
Spinous processes of thoracic vertebrae
3 등세모근의 오름섬유
Ascending fibers of trapezius muscle
4 큰마름근 Rhomboid major muscle
5 어깨뼈의 아래각 Inferior angle of scapula
6 넓은등근 Latissimus dorsi muscle
7 등세모근의 가로섬유
Transverse fibers of trapezius muscle
8 어깨뼈가시 Spine of scapula
9 어깨세모근의 뒤부분
Posterior fibers of deltoid muscle
10 가시아래근과 가시아래근막
Infraspinatus muscle and infraspinous fascia
11 작은원근과 근막 Teres minor muscle and fascia
12 위팔세갈래근의 긴갈래
Long head of triceps brachii muscle
13 큰원근 Teres major muscle
14 위팔세갈래근의 가쪽갈래
Lateral head of triceps brachii muscle
15 위팔세갈래근힘줄
Tendon of triceps brachii muscle
16 안쪽위팔근육사이막 Medial intermuscular septum
17 자신경 Ulnar nerve
18 팔꿈치머리 Olecranon

그림 3.36 **어깨와 위팔의 근육, 얕은층**(오른쪽, 뒤모습)

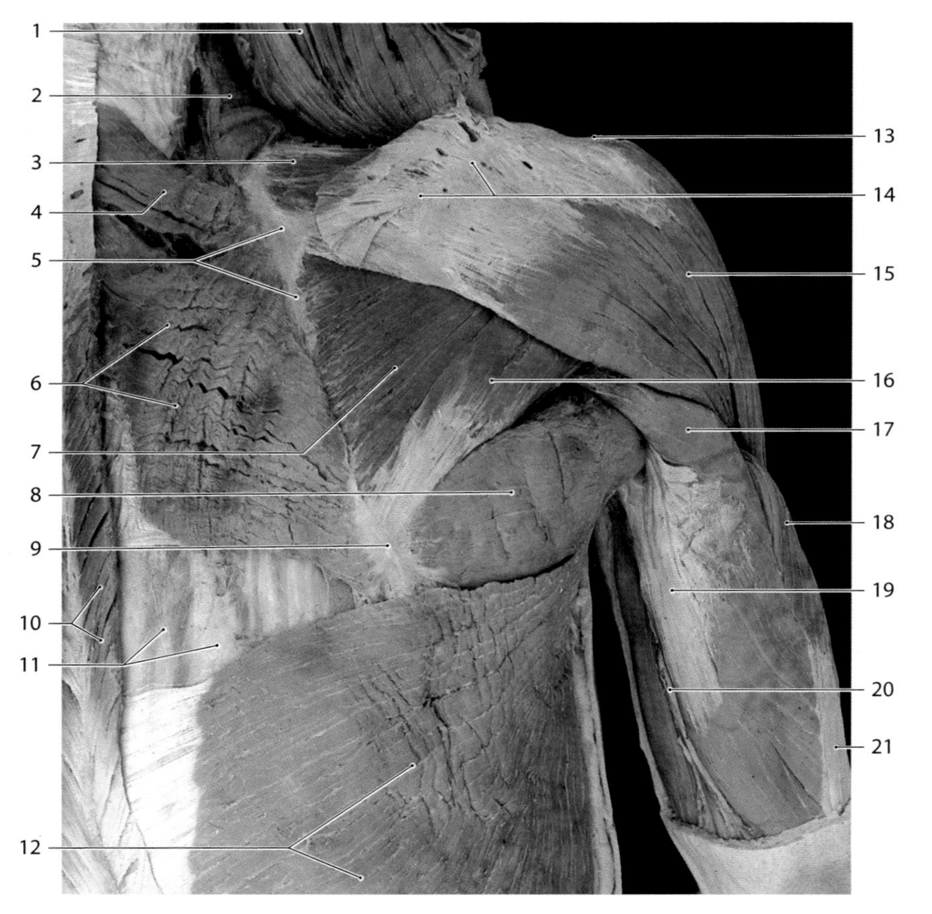

1 등세모근(젖힘) Trapezius muscle (reflected)
2 어깨올림근 Levator scapulae muscle
3 가시위근 Supraspinatus muscle
4 작은마름근 Rhomboid minor muscle
5 어깨뼈의 안쪽모서리 Medial border of scapula
6 큰마름근 Rhomboid major muscle
7 가시아래근 Infraspinatus muscle
8 큰원근 Teres major muscle
9 어깨뼈의 아래각 Inferior angle of scapula
10 등세모근의 잘린 가장자리
Cut edge of trapezius muscle
11 등의 자체기원근육과 근막
Intrinsic muscles of back with fascia
12 넓은등근 Latissimus dorsi muscle
13 봉우리 Acromion
14 어깨뼈가시 Spine of scapula
15 어깨세모근 Deltoid muscle
16 작은원근 Teres minor muscle
17 위팔세갈래근의 긴갈래
Long head of triceps brachii muscle
18 위팔세갈래근의 가쪽갈래
Lateral head of triceps brachii muscle
19 위팔세갈래근의 안쪽갈래
Medial head of triceps brachii muscle
20 안쪽위팔근육사이막 Medial intermuscular septum
21 위팔세갈래근힘줄 Tendon of triceps brachii muscle

그림 3.37 **어깨와 위팔의 근육, 중간층**(오른쪽, 뒤모습).
등세모근을 척추의 이는곳 가까이에서 잘라 위로 젖혔다.

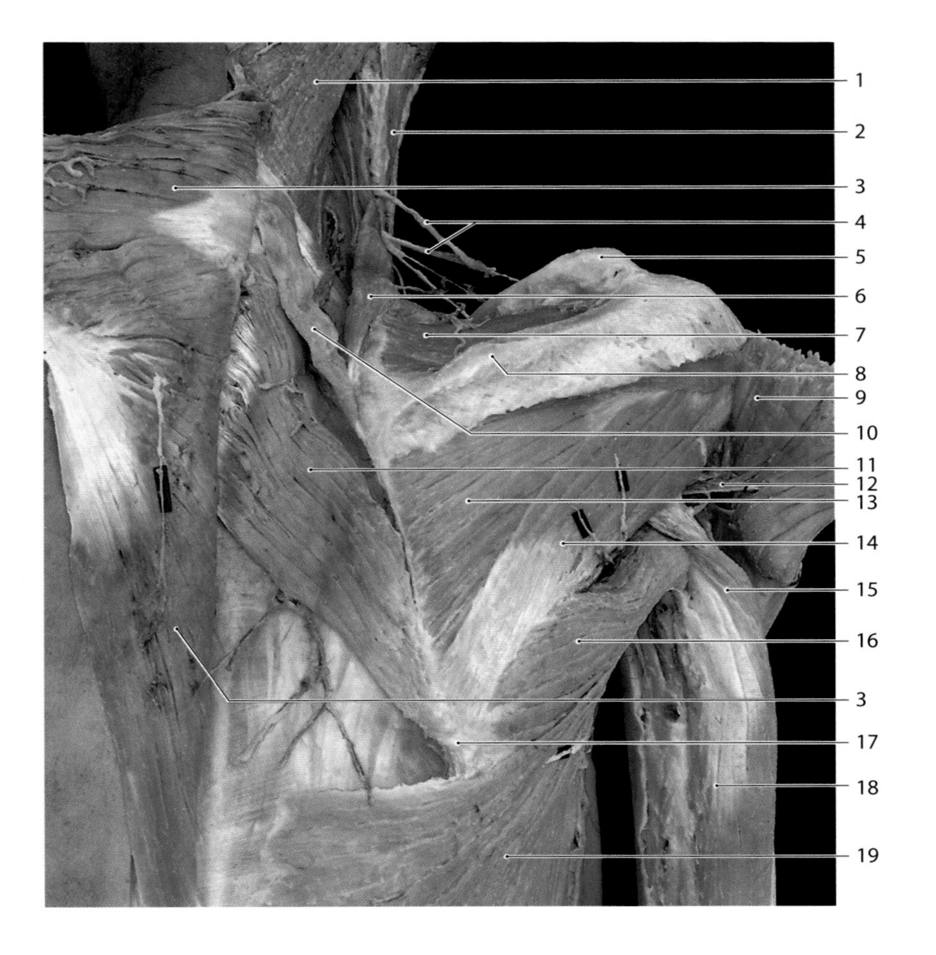

1 머리널판근 Splenius capitis muscle
2 목빗근 Sternocleidomastoid muscle
3 등세모근(젖힘) Trapezius muscle (reflected)
4 가쪽빗장위신경 Lateral supraclavicular nerves
5 빗장뼈 Clavicle
6 어깨올림근 Levator scapulae muscle
7 가시위근 Supraspinatus muscle
8 어깨뼈가시 Spine of scapula
9 어깨세모근(젖힘) Deltoid muscle (reflected)
10 작은마름근 Rhomboid minor muscle
11 큰마름근 Rhomboid major muscle
12 겨드랑신경과 뒤위팔휘돌이동맥 Axillary nerve and posterior circumflex humeral artery
13 가시아래근 Infraspinatus muscle
14 작은원근 Teres minor muscle
15 위팔세갈근의 긴갈래 Long head of triceps brachii muscle
16 큰원근 Teres major muscle
17 어깨뼈의 아래각 Inferior angle of scapula
18 위팔세갈래근 Triceps brachii muscle
19 넓은등근 Latissimus dorsi muscle

그림 3.38 **어깨와 위팔의 근육, 중간층**(오른쪽, 뒤모습). 등세모근과 어깨세모근을 잘라서 젖혔다.

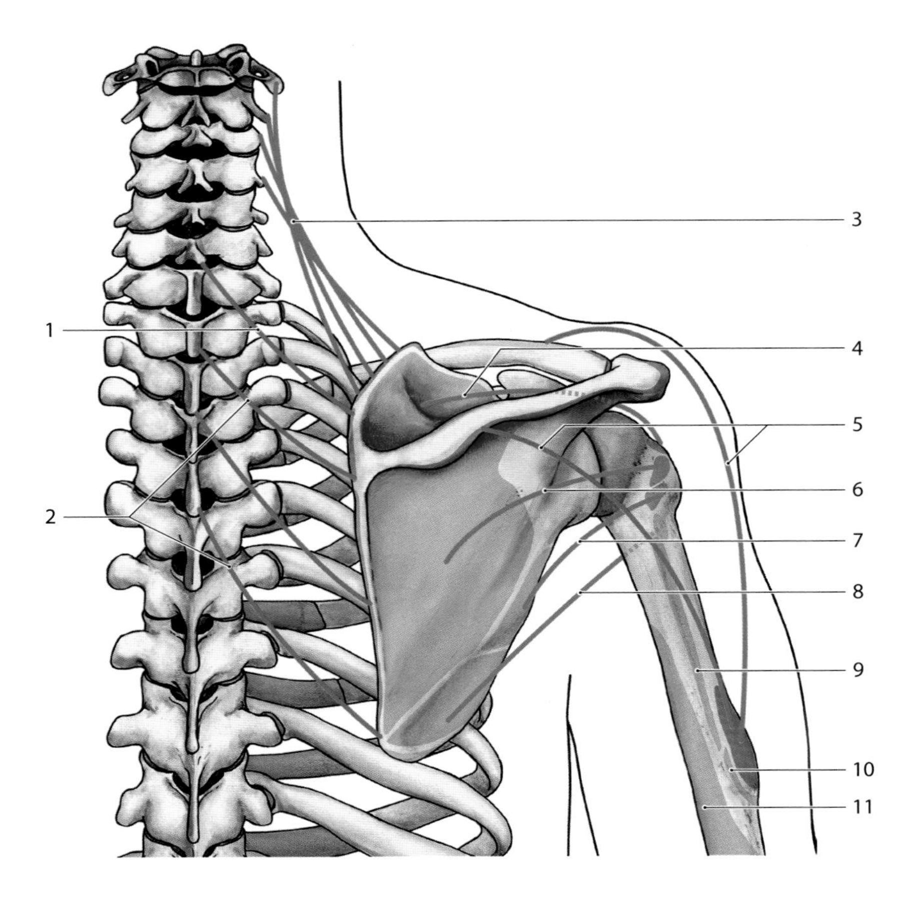

1 작은마름근 Rhomboid minor muscle
2 큰마름근 Rhomboid major muscle
3 어깨올림근 Levator scapulae muscle
4 가시위근 Supraspinatus muscle
5 어깨세모근 Deltoid muscle
6 가시아래근 Infraspinatus muscle
7 작은원근 Teres minor muscle
8 큰원근 Teres major muscle
9 위팔세갈래근의 이는곳, 가쪽갈래 Origin of triceps brachii muscle, lateral head
10 위팔근의 이는곳 Origin of brachialis muscle
11 위팔세갈래근의 이는곳, 안쪽갈래 Origin of triceps brachii muscle, medial head

그림 3.39 **주요 어깨근육의 위치와 주행**(뒤모습). 파란색 = 중간층 근육, 빨간색 = 얕은층 근육

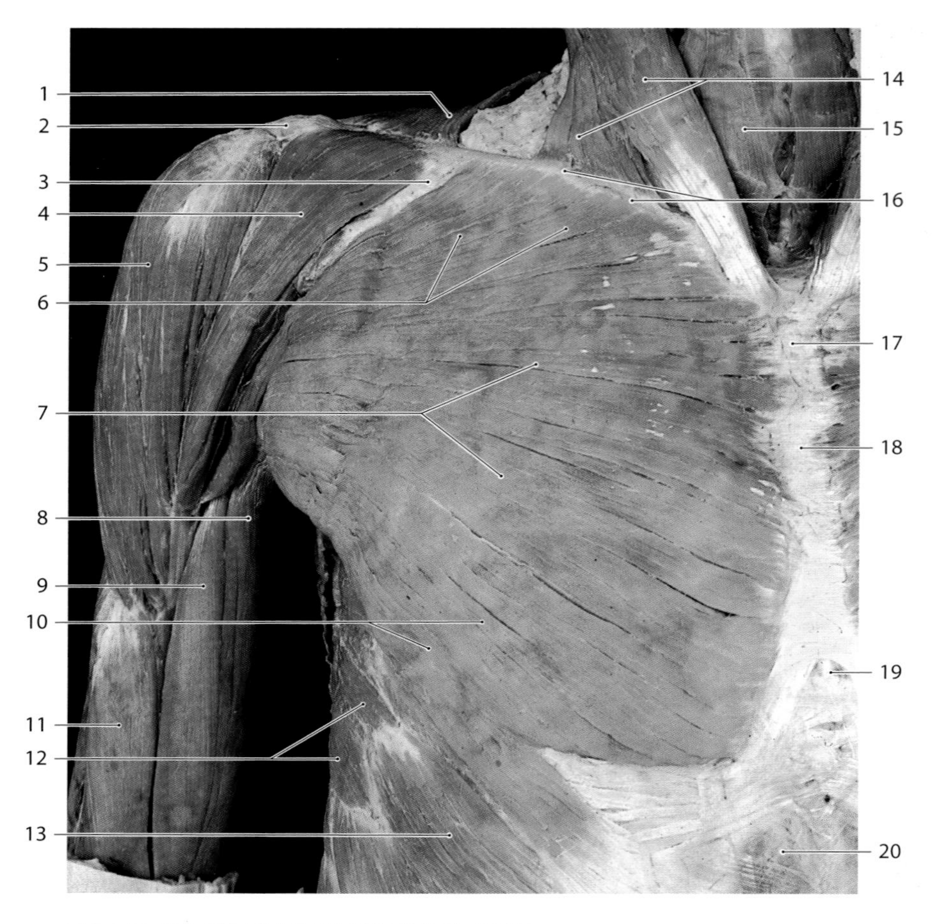

1 등세모근 Trapezius muscle
2 봉우리 Acromion
3 세모가슴근삼각 Deltopectoral triangle
4 어깨세모근의 빗장부분(앞쪽섬유) Clavicular part of deltoid muscle (anterior fibers)
5 어깨세모근의 봉우리부분(중간섬유) Acromial part of deltoid muscle (central fibers)
6 큰가슴근의 빗장부분 Clavicular part of pectoralis major muscle
7 큰가슴근의 복장갈비부분 Sternocostal part of pectoralis major muscle
8 위팔두갈래근의 짧은갈래 Short head of biceps brachii muscle
9 위팔두갈래근의 긴갈래 Long head of biceps brachii muscle
10 큰가슴근의 배부분 Abdominal part of pectoralis major muscle
11 위팔근 Brachialis muscle
12 앞톱니근 Serratus anterior muscle
13 배바깥빗근 External abdominal oblique muscle
14 목빗근 Sternocleidomastoid muscle
15 목뿔아래근 Infrahyoid muscles
16 빗장뼈 Clavicle
17 복장뼈자루 Manubrium sterni
18 복장뼈몸통 Body of sternum
19 복장뼈칼돌기 Xiphoid process
20 배곧은근집의 앞층 Anterior layer of sheath of rectus abdominis muscle

그림 3.40 **어깨, 위팔 및 가슴근육, 얕은층**(오른쪽, 앞모습)

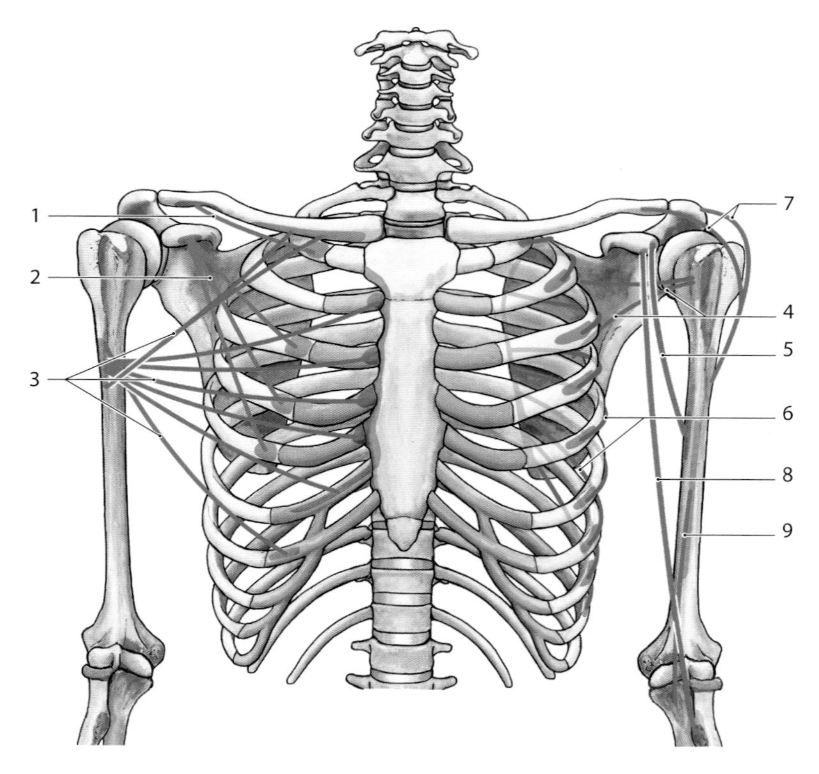

1 빗장밑근 Subclavius muscle
2 작은가슴근 Pectoralis minor muscle
3 큰가슴근 Pectoralis major muscle
4 어깨밑근 Subscapularis muscle
5 부리위팔근 Coracobrachialis muscle
6 앞톱니근 Serratus anterior muscle
7 어깨세모근의 빗장부분과 봉우리부분 Clavicular and acromial part of deltoid muscle
8 위팔두갈래근의 짧은갈래 Short head of biceps brachii muscle
9 위팔근 Brachialis muscle

그림 3.41 **가슴과 어깨근육의 위치와 주행**(앞모습).
파란색 = 중간층 근육; 빨간색 = 얕은층 근육; 초록색 = 앞톱니근

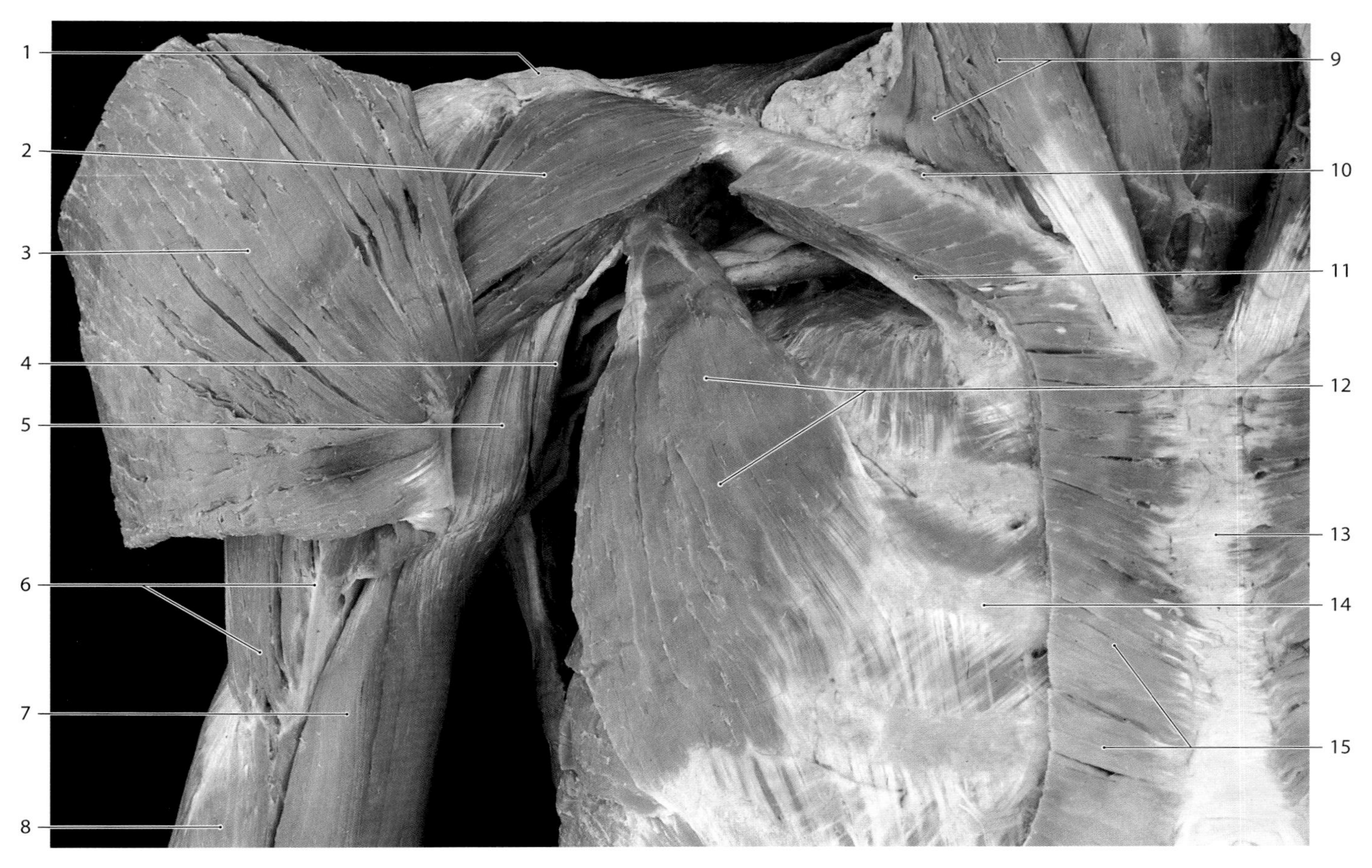

그림 3.42 **어깨, 위팔 및 가슴근육, 깊은층**(오른쪽, 앞모습).

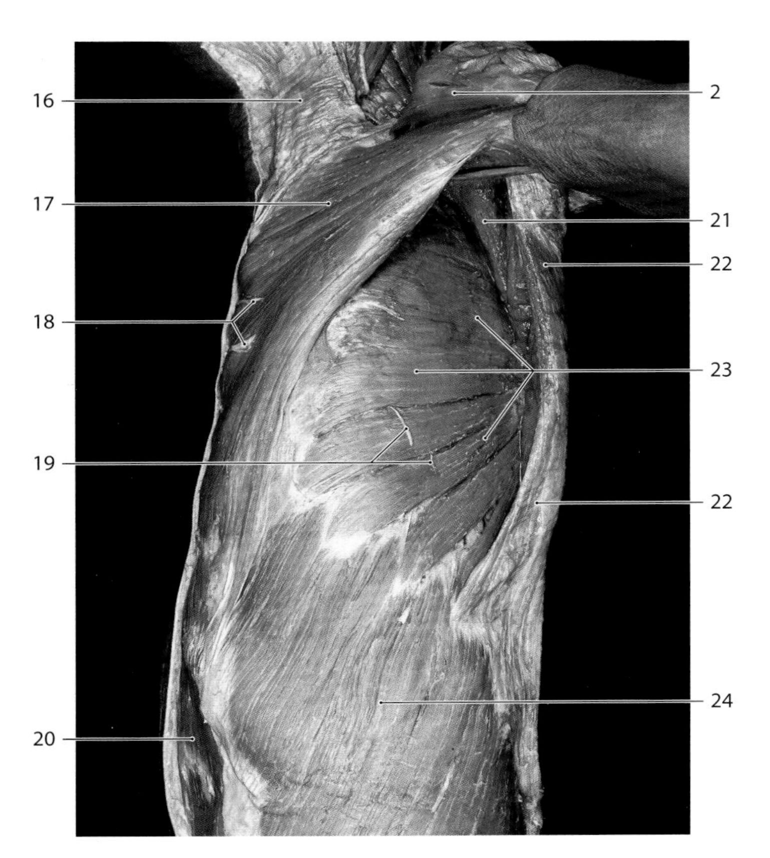

그림 3.43 **겨드랑과 앞톱니근**(왼쪽, 가쪽모습).

1 봉우리 Acromion
2 어깨세모근의 빗장부분 Clavicular part of deltoid muscle
3 큰가슴근(젖힘) Pectoralis major muscle (reflected)
4 부리위팔근 Coracobrachialis muscle
5 위팔두갈래근의 짧은갈래 Short head of biceps brachii muscle
6 어깨세모근(위팔뼈에 닿는곳) Deltoid muscle (insertion on humerus)
7 위팔두갈래근의 긴갈래 Long head of biceps brachii muscle
8 위팔근 Brachialis muscle
9 목빗근 Sternocleidomastoid muscle
10 빗장뼈 Clavicle
11 빗장밑근 Subclavius muscle
12 작은가슴근 Pectoralis minor muscle
13 복장뼈 Sternum
14 셋째갈비뼈 Third rib
15 큰가슴근(잘림) Pectoralis major muscle (cut)
16 넓은목근 Platysma muscle
17 앞겨드랑주름을 형성하는 큰가슴근 Pectoralis major muscle forming the anterior axillary fold
18 갈비사이신경의 앞피부가지 Anterior cutaneous branches of intercostal nerves
19 갈비사이신경의 가쪽피부가지 Lateral cutaneous branches of intercostal nerves
20 배곧은근 Rectus abdominis muscle
21 어깨밑근 Subscapularis muscle
22 뒤겨드랑주름을 형성하는 넓은등근 Latissimus dorsi muscle forming the posterior axillary fold
23 겨드랑의 안쪽벽을 형성하는 앞톱니근 Serratus anterior muscle forming the medial wall of the axilla
24 배바깥빗근 External abdominal oblique muscle

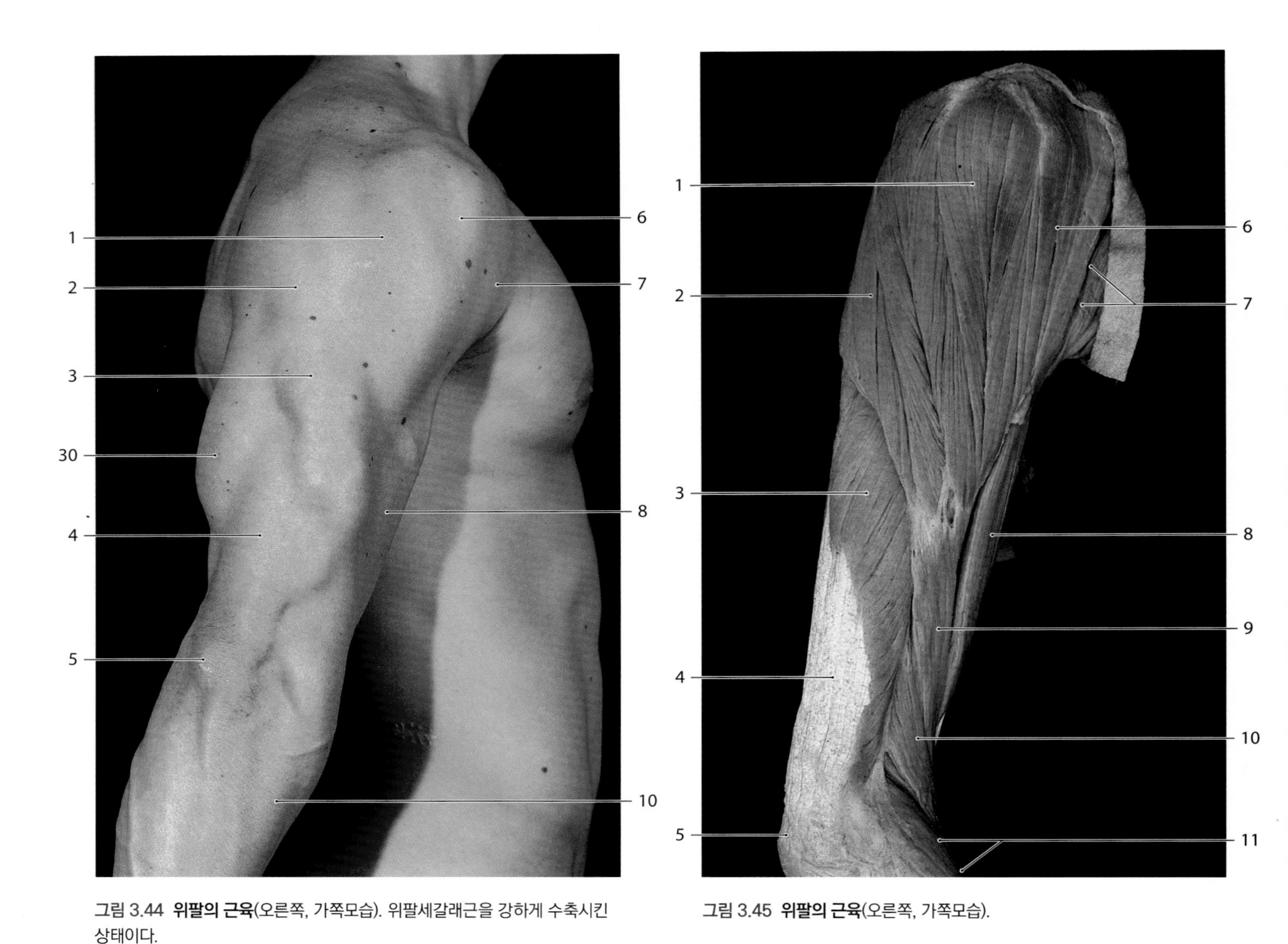

그림 3.44 **위팔의 근육**(오른쪽, 가쪽모습). 위팔세갈래근을 강하게 수축시킨 상태이다.

그림 3.45 **위팔의 근육**(오른쪽, 가쪽모습).

1 어깨세모근의 봉우리부분(중간섬유) Acromial part of deltoid muscle (central fibers)
2 어깨세모근의 어깨뼈부분(뒤쪽섬유) Scapular part of deltoid muscle (posterior fibers)
3 위팔세갈래근 Triceps brachii muscle
4 위팔세갈래근힘줄 Tendon of triceps brachii muscle
5 팔꿈치머리 Olecranon
6 어깨세모근의 빗장부분(앞쪽섬유) Clavicular part of deltoid muscle (anterior fibers)
7 세모가슴근고랑 Deltopectoral groove
8 위팔두갈래근 Biceps brachii muscle
9 위팔근 Brachialis muscle
10 위팔노근 Brachioradialis muscle
11 긴노쪽손목폄근 Extensor carpi radialis longus muscle
12 빗장뼈(잘림) Clavicle (divided)
13 큰가슴근 Pectoralis major muscle
14 혈관과 신경을 포함한 안쪽근육사이막 Medial intermuscular septum with vessels and nerves
15 가쪽근육사이막 Lateral intermuscular septum
16 위팔두갈래근힘줄 Tendon of biceps brachii muscle
17 위팔두갈래근널힘줄 Bicipital aponeurosis
18 겨드랑동맥 Axillary artery
19 큰마름근 Rhomboid major muscle
20 어깨밑근 Subscapularis muscle
21 넓은등근(잘림) Latissimus dorsi muscle (divided)
22 안쪽근육사이막 Medial intermuscular septum
23 위팔뼈의 안쪽위관절융기 Medial epicondyle of humerus
24 위팔동맥과 정중신경 Brachial artery and median nerve
25 원엎침근 Pronator teres muscle
26 위팔두갈래근의 짧은갈래힘줄 Tendon of short head of biceps brachii muscle
27 부리위팔근 Coracobrachialis muscle
28 위팔두갈래근의 먼쪽부분 Distal part of biceps brachii muscle
29 큰원근 Teres major muscle
30 위팔세갈래근의 긴갈래 Long head of triceps brachii muscle
31 위팔세갈래근의 안쪽갈래 Medial head of triceps brachii muscle
32 노뼈 Radius
33 위팔뼈머리 Head of humerus
34 부리돌기 Coracoid process
35 위팔뼈 Humerus
36 도르래 Trochlea
37 자뼈 Ulna
38 부리봉우리인대 Coraco-acromial ligament
39 어깨관절의 관절주머니 Articular capsule of shoulder joint
40 위팔두갈래근의 긴갈래힘줄 Tendon of long head of biceps brachii muscle

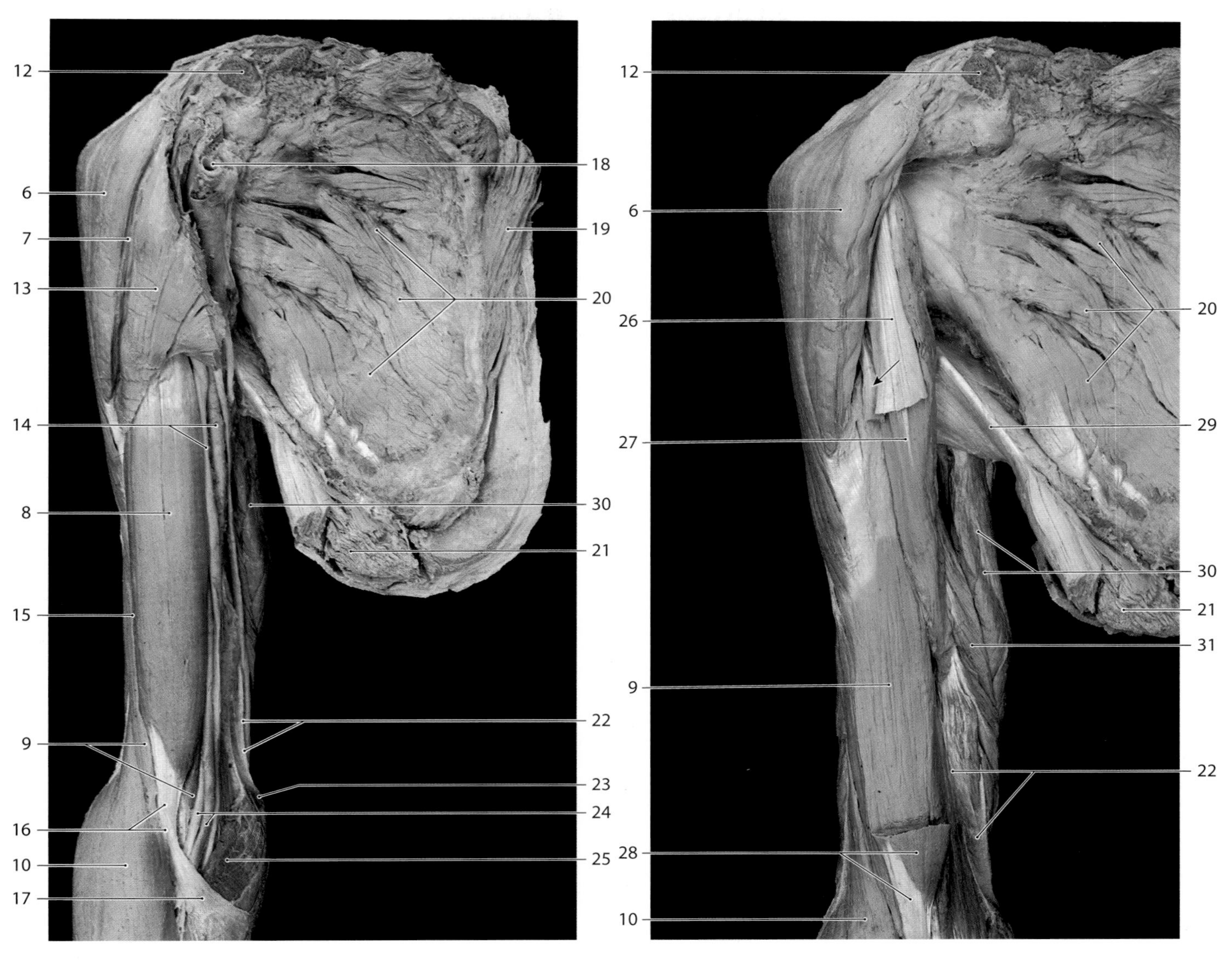

그림 3.46 **위팔의 근육**(오른쪽, 앞모습). 어깨뼈와 위팔에 부착된 근육을 잘라 몸통으로부터 분리하였다.

그림 3.47 **위팔의 근육**(오른쪽, 앞모습). 위팔두갈래근의 일부를 제거하였다. 화살표 = 위팔두갈래근 긴갈래힘줄.

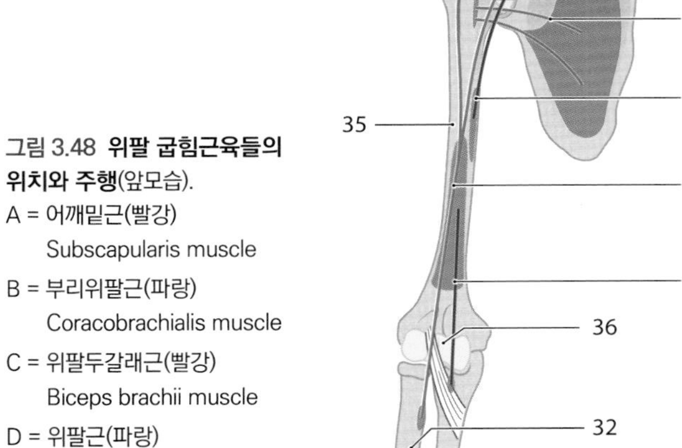

그림 3.48 **위팔 굽힘근육들의 위치와 주행**(앞모습).
A = 어깨밑근(빨강)
Subscapularis muscle
B = 부리위팔근(파랑)
Coracobrachialis muscle
C = 위팔두갈래근(빨강)
Biceps brachii muscle
D = 위팔근(파랑)
Brachialis muscle

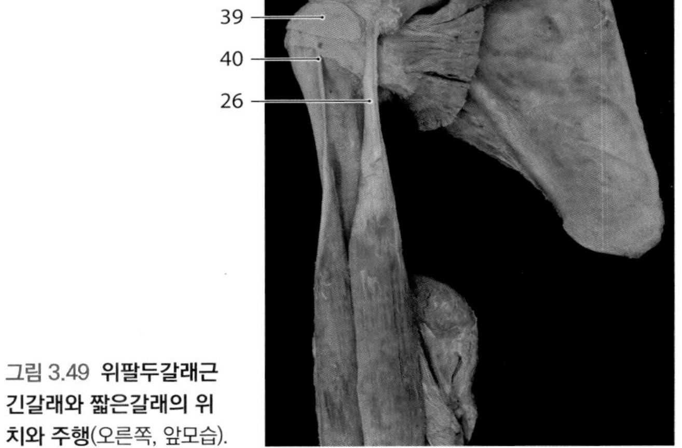

그림 3.49 **위팔두갈래근 긴갈래와 짧은갈래의 위치와 주행**(오른쪽, 앞모습).

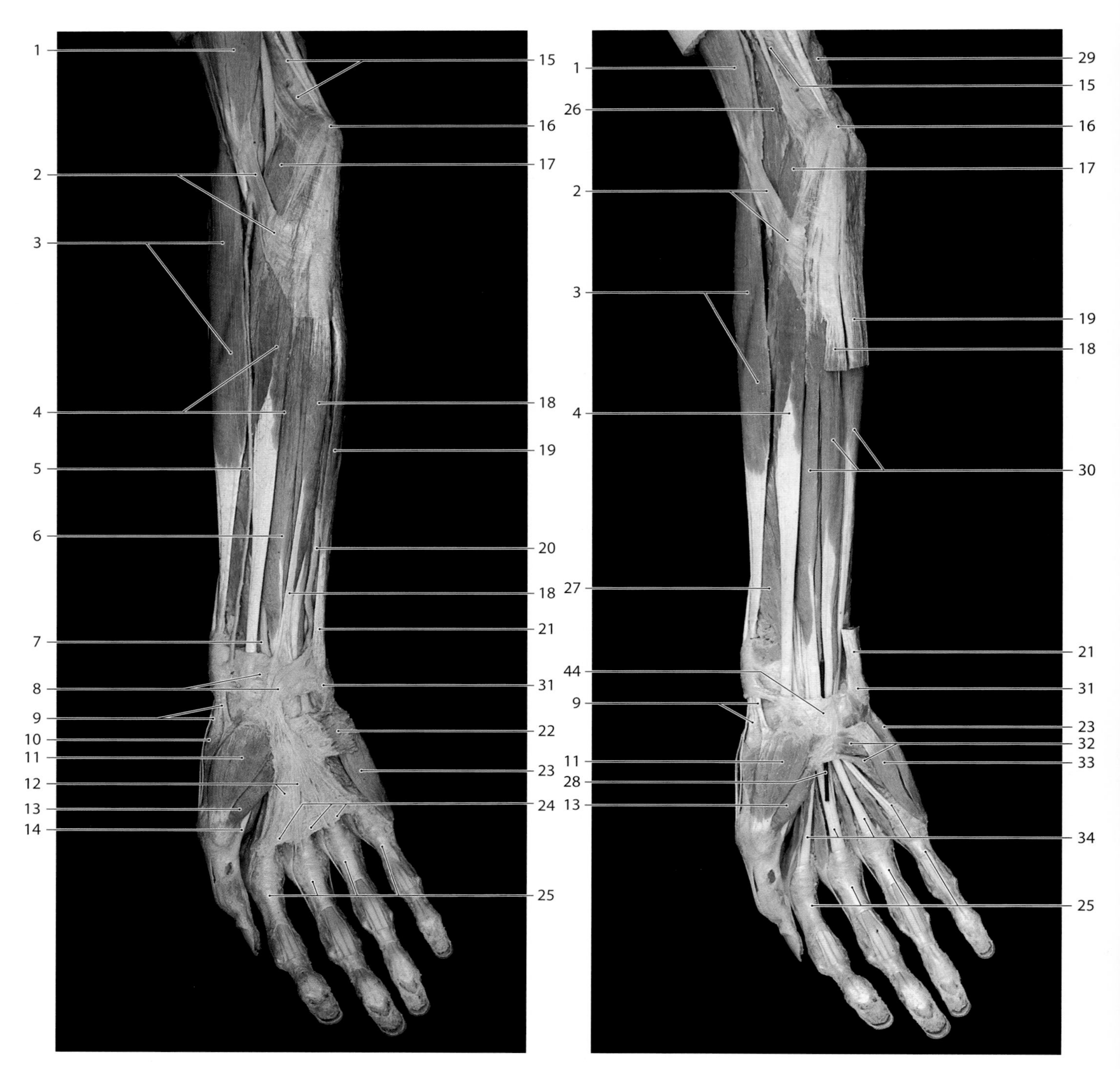

그림 3.50 **아래팔과 손의 굽힘근육, 얕은층**(오른쪽, 앞모습).

그림 3.51 **아래팔과 손의 굽힘근육, 얕은층**(오른쪽, 앞모습). 긴손바닥근과 자쪽손목굽힘근을 제거하였다.

1 위팔두갈래근 Biceps brachii muscle
2 위팔두갈래근널힘줄 Bicipital aponeurosis
3 위팔노근 Brachioradialis muscle
4 노쪽손목굽힘근 Flexor carpi radialis muscle
5 노동맥 Radial artery
6 얕은손가락굽힘근 Flexor digitorum superficialis muscle
7 정중신경 Median nerve
8 아래팔근막과 긴손바닥근힘줄 Antebrachial fascia and tendon of palmaris longus muscle
9 긴엄지벌림근힘줄 Tendon of abductor pollicis longus muscle
10 짧은엄지폄근힘줄 Tendon of extensor pollicis brevis muscle
11 짧은엄지벌림근 Abductor pollicis brevis muscle
12 손바닥널힘줄 Palmar aponeurosis
13 짧은엄지굽힘근의 얕은갈래 Superficial head of flexor pollicis brevis muscle
14 긴엄지굽힘근힘줄 Tendon of flexor pollicis longus muscle
15 안쪽근육사이막 Medial intermuscular septum
16 위팔뼈의 안쪽위관절융기 Medial epicondyle of humerus
17 원엎침근의 위팔갈래 Humeral head of pronator teres muscle
18 긴손바닥근 Palmaris longus muscle
19 자쪽손목굽힘근 Flexor carpi ulnaris muscle
20 자동맥 Ulnar artery
21 자쪽손목굽힘근힘줄 Tendon of flexor carpi ulnaris muscle
22 짧은손바닥근 Palmaris brevis muscle
23 새끼벌림근 Abductor digiti minimi muscle
24 손바닥널힘줄 가로다발 Transverse fasciculi of palmar aponeurosis
25 손가락굽힘근힘줄의 손가락섬유집 Digital fibrous sheaths of tendons of flexor digitorum muscle
26 위팔근 Brachialis muscle

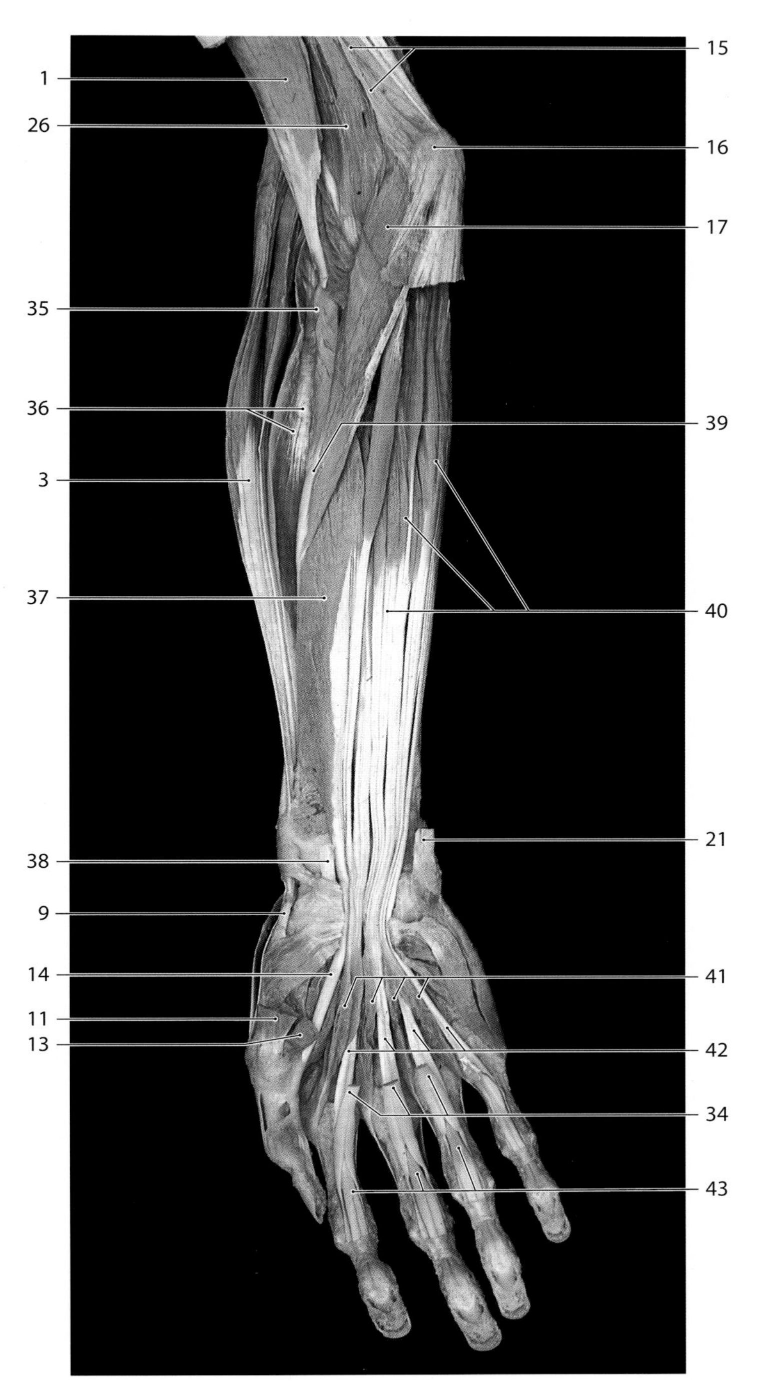

그림 3.52 **아래팔과 손의 굽힘근육, 중간층**(오른쪽, 앞모습). 긴손바닥근, 노쪽손목굽힘근과 자쪽손목굽힘근을 제거하고 굽힘근지지띠를 잘랐다.

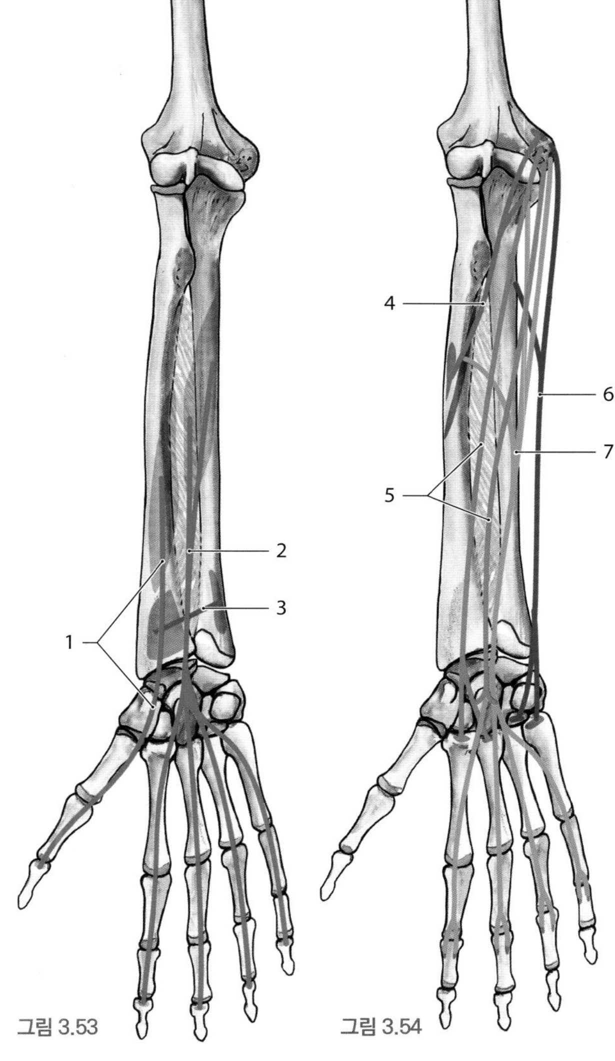

그림 3.53, 3.54 **아래팔과 손에서 굽힘근육들의 위치와 주행**(앞모습).

깊은굽힘근 Deep flexors
1 긴엄지굽힘근(빨강) Flexor pollicis longus muscle
2 깊은손가락굽힘근(빨강) Flexor digitorum profundus muscle
3 네모엎침근(파랑) Pronator quadratus muscle

얕은굽힘근 Superficial flexors
4 원엎침근(빨강) Pronator teres muscle
5 노쪽손목굽힘근(주황) Flexor carpi radialis muscle
6 자쪽손목굽힘근(진한 파랑) Flexor carpi ulnaris muscle
7 얕은손가락굽힘근(연한 파랑) Flexor digitorum superficialis muscle

27 긴엄지굽힘근 Flexor pollicis longus muscle
28 손목굴(더듬자) Carpal tunnel (canalis carpi, probe)
29 위팔세갈래근 Triceps brachii muscle
30 얕은손가락굽힘근 Flexor digitorum superficialis muscle
31 콩알뼈와 바닥쪽손목인대 Pisiform bone and palmar carpal ligament
32 새끼맞섬근 Opponens digiti minimi muscle
33 짧은새끼굽힘근 Flexor digiti minimi brevis muscle
34 얕은손가락굽힘근힘줄 Tendons of flexor digitorum superficialis muscle
35 뒤침근 Supinator muscle
36 노뼈와 짧은노쪽손목폄근 Radius and extensor carpi radialis brevis muscle
37 긴엄지굽힘근 Flexor pollicis longus muscle
38 노쪽손목굽힘근힘줄 Tendon of flexor carpi radialis muscle
39 원엎침근(노뼈에 닿는곳) Pronator teres muscle (insertion of radius)
40 깊은손가락굽힘근 Flexor digitorum profundus muscle
41 벌레근 Lumbrical muscles
42 깊은손가락굽힘근힘줄 Tendons of flexor digitorum profundus muscle
43 얕은손가락굽힘근의 갈린 힘줄 사이를 지나는 깊은손가락굽힘근힘줄 Tendons of flexor digitorum profundus muscle having passed through the divided tendons of the flexor digitorum superficialis muscle
44 굽힘근지지띠 Flexor retinaculum

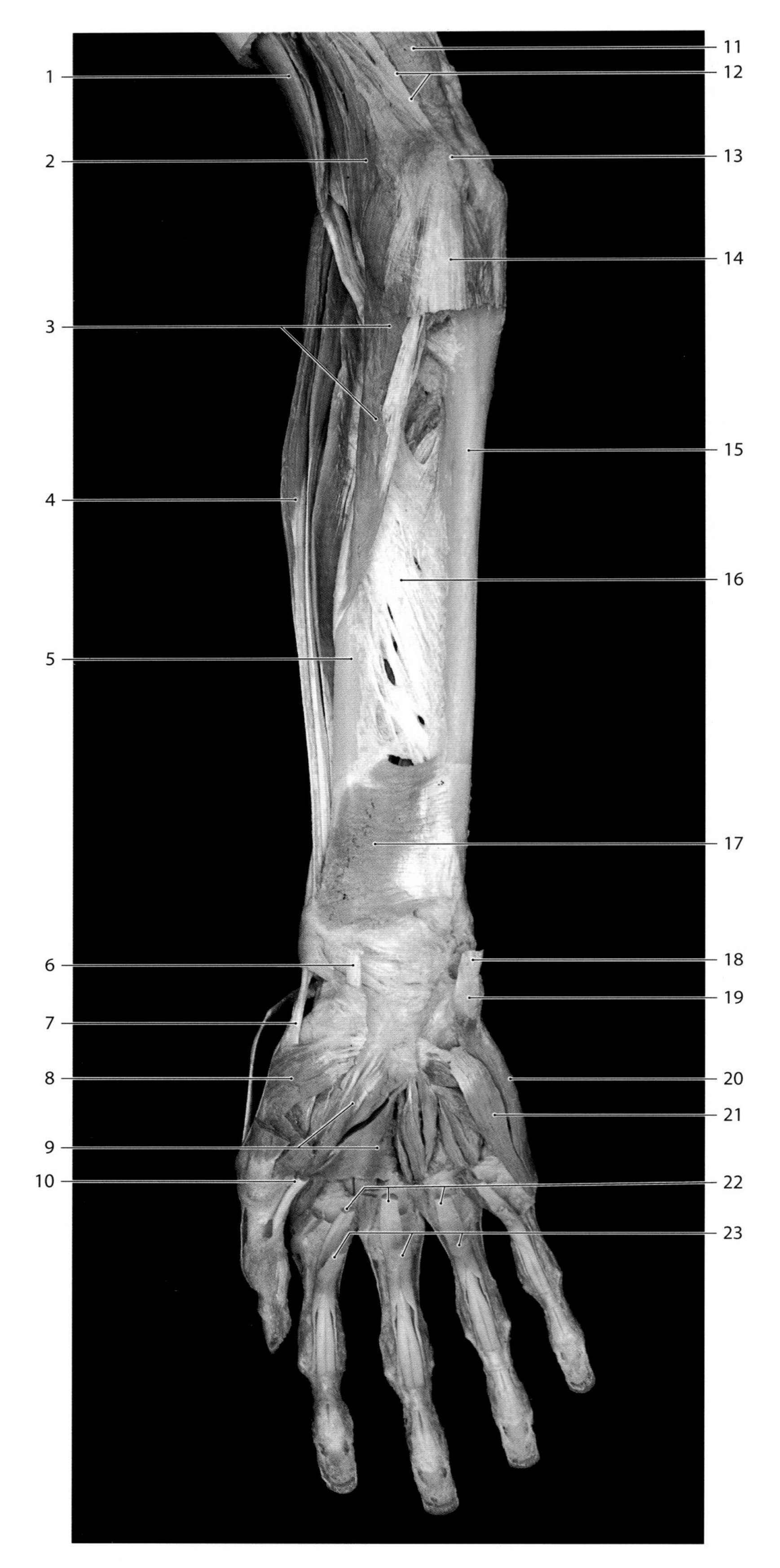

그림 3.55 **아래팔과 손의 굽힘근육, 깊은층**(오른쪽, 앞모습). 모든 굽힘근육들을 제거하여 원엎침근, 네모엎침근과 함께 뼈사이막을 보여주고 있다. 아래팔은 뒤침 상태이다.

1 위팔두갈래근 Biceps brachii muscle
2 위팔근 Brachialis muscle
3 원엎침근 Pronator teres muscle
4 위팔노근 Brachioradialis muscle
5 노뼈 Radius
6 노쪽손목굽힘근힘줄 Tendon of flexor carpi radialis muscle
7 긴엄지벌림근힘줄 Tendon of abductor pollicis longus muscle
8 엄지맞섬근 Opponens pollicis muscle
9 엄지모음근 Adductor pollicis muscle
10 긴엄지굽힘근힘줄 Tendon of flexor pollicis longus muscle
11 위팔세갈래근 Triceps brachii muscle
12 안쪽근육사이막 Medial intermuscular septum
13 위팔뼈의 안쪽위관절융기 Medial epicondyle of humerus
14 온굽힘근덩이(잘림) Common flexor mass (divided)
15 자뼈 Ulna
16 뼈사이막 Interosseous membrane
17 네모엎침근 Pronator quadratus muscle
18 자쪽손목굽힘근힘줄 Tendon of flexor carpi ulnaris muscle
19 콩알뼈 Pisiform bone
20 새끼벌림근 Abductor digiti minimi muscle
21 짧은새끼굽힘근 Flexor digiti minimi brevis muscle
22 깊은손가락굽힘근힘줄 Tendons of flexor digitorum profundus muscle
23 얕은손가락굽힘근힘줄 Tendons of flexor digitorum superficialis muscle
24 굽힘근지지띠 Flexor retinaculum
25 새끼두덩근육 Hypothenar muscles
26 엄지두덩근육 Thenar muscles
27 굽힘근온힘줄윤활집 Common synovial sheath of flexor tendons
28 긴엄지굽힘근힘줄윤활집 Synovial sheath of tendon of flexor pollicis longus muscle
29 굽힘근손가락힘줄윤활집 Digital synovial sheaths of flexor tendons

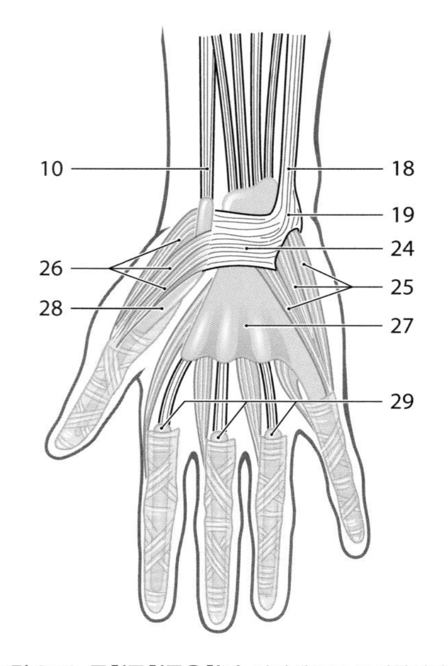

그림 3.56 **굽힘근힘줄윤활집,** 파란색으로 표시하였다(오른쪽 손바닥쪽모습).

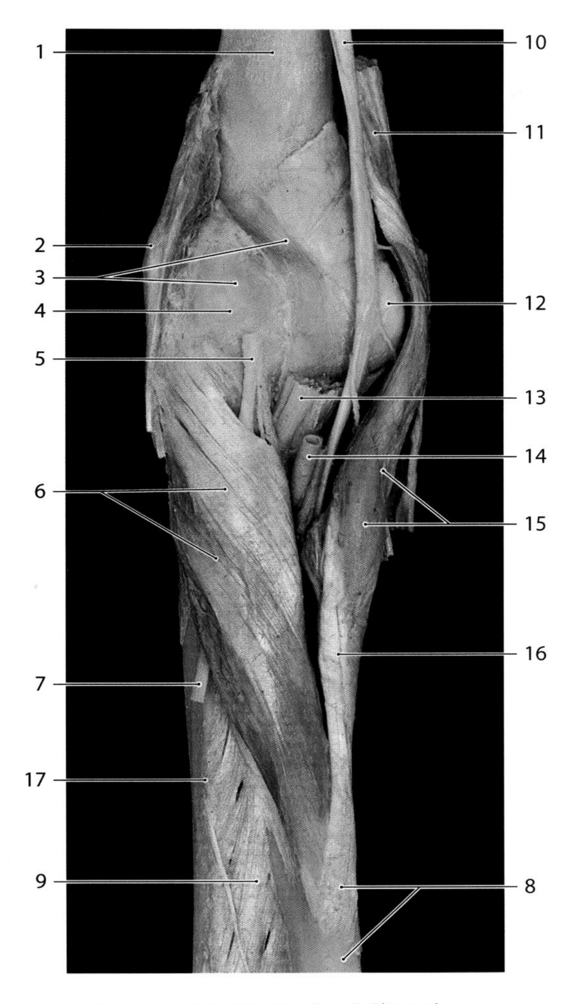

그림 3.57 **오른쪽 뒤침근과 팔꿉관절**(앞모습).
아래팔은 엎침 상태이다.

1 위팔뼈 Humerus
2 위팔뼈의 가쪽위관절융기
Lateral epicondyle of humerus
3 관절주머니 Articular capsule
4 위팔뼈작은머리의 위치
Position of capitulum of humerus
5 노신경의 깊은가지
Deep branch of radial nerve
6 뒤침근 Supinator muscle
7 노신경 깊은가지가 폄근육으로 들어가는 곳
Entrance of deep branch of radial nerve to extensor muscles
8 원엎침근이 노뼈에 닿는곳
Radius and insertion of pronator teres muscle
9 뼈사이막 Interosseous membrane
10 정중신경 Median nerve
11 위팔세갈래근 Triceps brachii muscle
12 위팔뼈도르래 Trochlea of humerus
13 위팔두갈래근힘줄
Tendon of biceps brachii muscle
14 위팔동맥 Brachial artery
15 원엎침근 Pronator teres muscle
16 원엎침근힘줄
Tendon of pronator teres muscle
17 자뼈 Ulna
18 네모엎침근 Pronator quadratus muscle
19 노쪽손목굽힘근힘줄
Tendon of flexor carpi radialis muscle
20 엄지두덩근육 Thenar muscles
21 긴엄지굽힘근힘줄윤활집
Synovial sheath of tendon of flexor pollicis longus muscle
22 굽힘근힘줄섬유집
Fibrous sheath of flexor tendons
23 굽힘근손가락힘줄윤활집
Digital synovial sheath of flexor tendons
24 얕은손가락굽힘근
Flexor digitorum superficialis muscle
25 자쪽손목굽힘근힘줄
Tendon of flexor carpi ulnaris muscle
26 굽힘근온힘줄윤활집
Common synovial sheath of flexor tendons
27 콩알뼈의 위치 Position of pisiform bone
28 굽힘근지지띠 Flexor retinaculum
29 새끼두덩근육 Hypothenar muscles

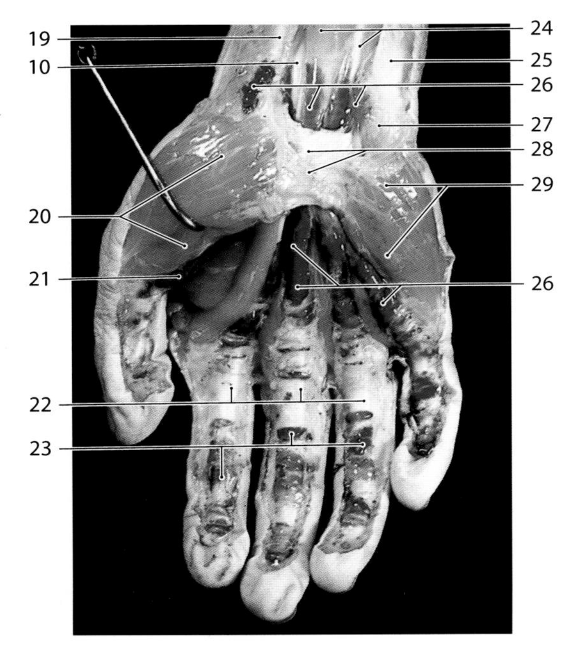

그림 3.58 **굽힘근윤활집**(오른쪽 손바닥쪽모습).
윤활집에 파란색 젤라틴을 주입하였다.

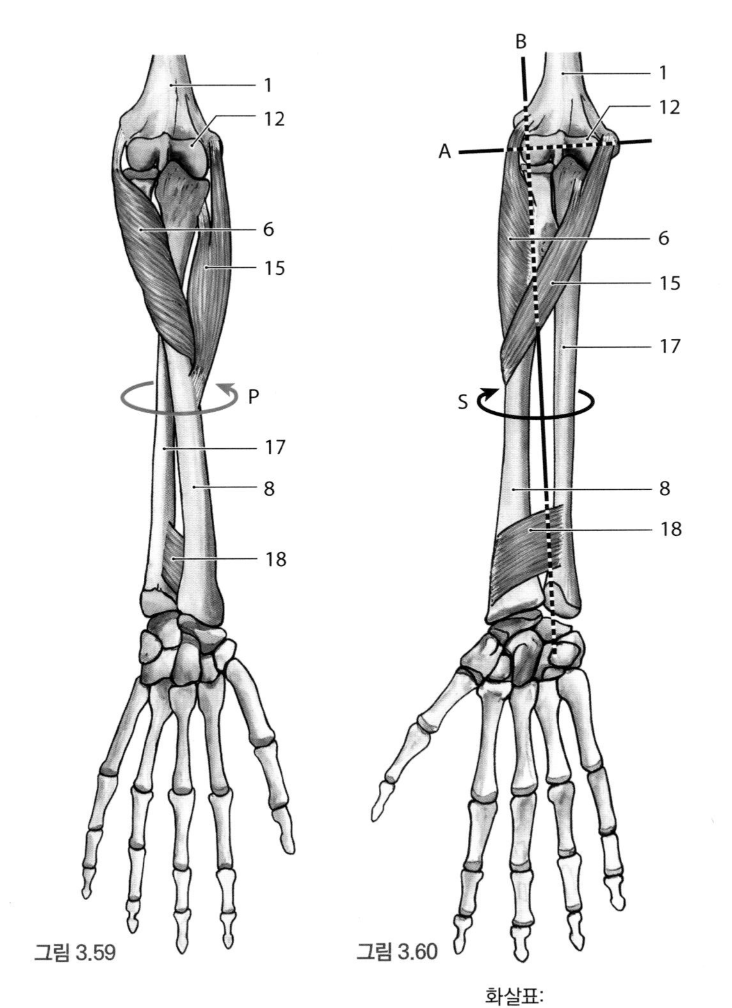

A = 굽힘과 폄의 축 Axis of flexion and extension
B = 회전의 축 Axis of rotation

화살표:
P = 엎침 Pronation
S = 뒤침 Supination

그림 3.59, 3.60 **팔꿉관절 두 가지 운동의 축을 설명하는 그림.**

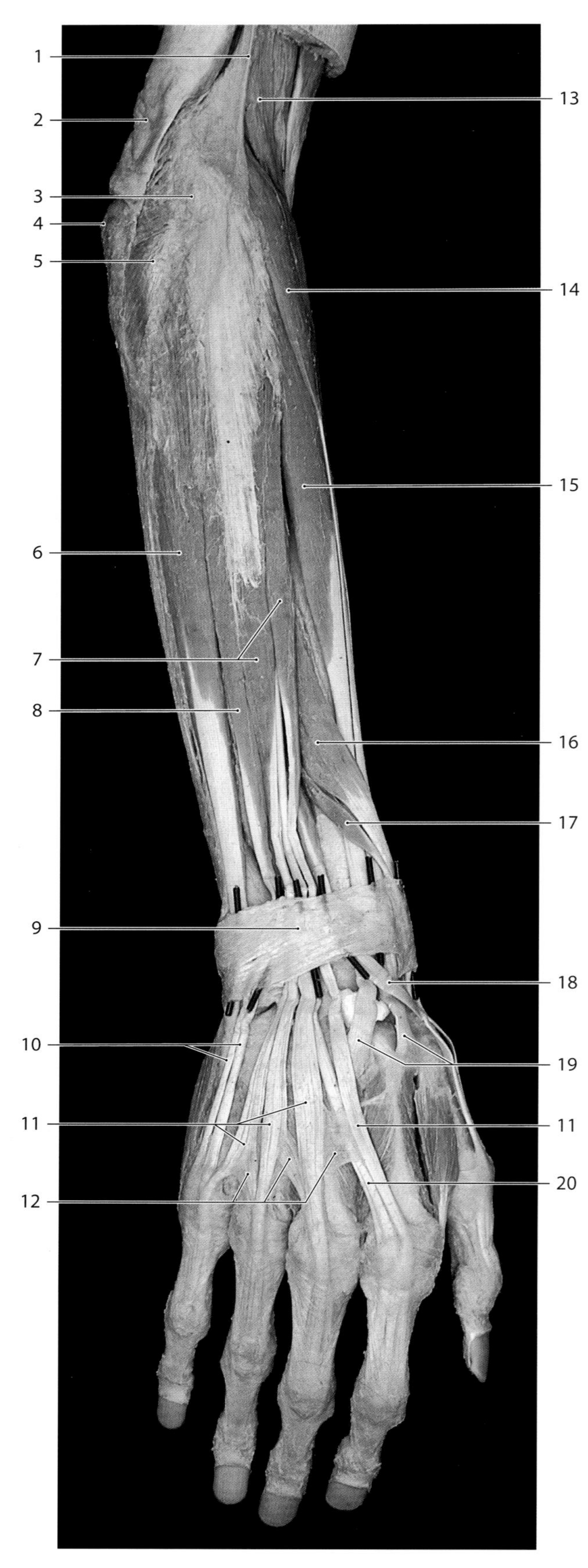

그림 3.61 **아래팔과 손의 폄근육, 얕은층**(오른쪽, 뒤모습). 폄근힘줄의 통로를 더듬자로 표시하였다.

1 가쪽근육사이막
Lateral intermuscular septum
2 위팔세갈래근힘줄
Tendon of triceps brachii muscle
3 위팔뼈의 가쪽위관절융기
Lateral epicondyle of humerus
4 팔꿈치머리 Olecranon
5 팔꿈치근 Anconeus muscle
6 자쪽손목폄근
Extensor carpi ulnaris muscle
7 손가락폄근 Extensor digitorum muscle
8 새끼폄근 Extensor digiti minimi muscle
9 폄근지지띠 Extensor retinaculum
10 새끼폄근힘줄
Tendons of extensor digiti minimi muscle
11 손가락폄근힘줄
Tendons of extensor digitorum muscle
12 힘줄사이연결
Intertendinous connections
13 위팔노근 Brachioradialis muscle
14 긴노쪽손목폄근
Extensor carpi radialis longus muscle
15 짧은노쪽손목폄근
Extensor carpi radialis brevis muscle
16 긴엄지벌림근
Abductor pollicis longus muscle
17 짧은엄지폄근
Extensor pollicis brevis muscle
18 긴엄지폄근힘줄
Tendon of extensor pollicis longus muscle
19 긴 및 짧은노쪽손목폄근힘줄
Tendons of both extensor carpi radialis longus and brevis muscles
20 집게폄근힘줄
Tendon of extensor indicis muscle
21 첫째 통로: 긴엄지벌림근, 짧은엄지폄근
First tunnel: Abductor pollicis longus muscle, extensor pollicis brevis muscle
22 둘째 통로: 긴 및 짧은노쪽손목폄근
Second tunnel: Extensor carpi radialis longus and brevis muscles
23 셋째 통로: 긴엄지폄근
Third tunnel: Extensor pollicis longus muscle
24 넷째 통로: 손가락폄근, 집게폄근
Fourth tunnel: Extensor digitorum muscle, extensor indicis muscle
25 다섯째 통로: 새끼폄근
Fifth tunnel: Extensor digiti minimi muscle
26 여섯째 통로 : 자쪽손목폄근
Sixth tunnel: Extensor carpi ulnaris muscle

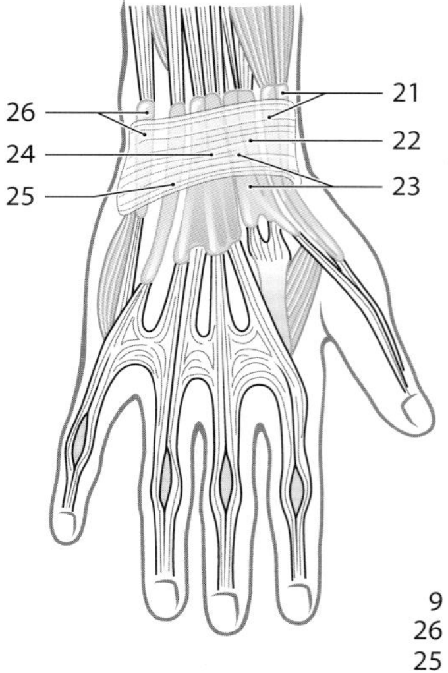

그림 3.62 **폄근힘줄윤활집,** 파란색으로 표시되어 있다(오른쪽 손등쪽모습). 폄근지지띠 아래에서 폄근힘줄이 지나는 여섯 개의 통로를 확인하시오.

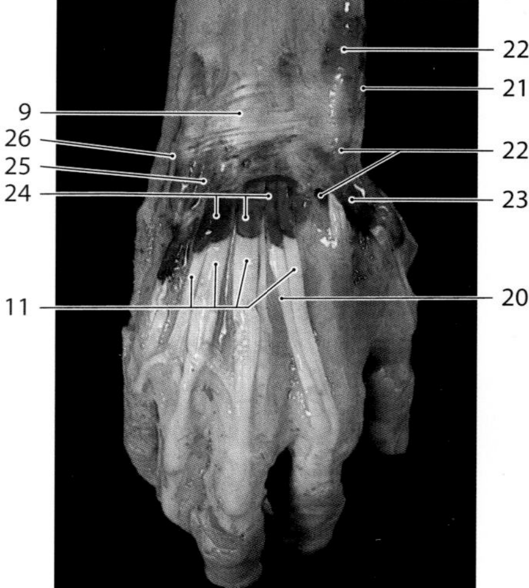

그림 3.63 **폄근힘줄윤활집**(오른쪽 손등쪽모습). 윤활집에 파란색 레진을 주입하였다.

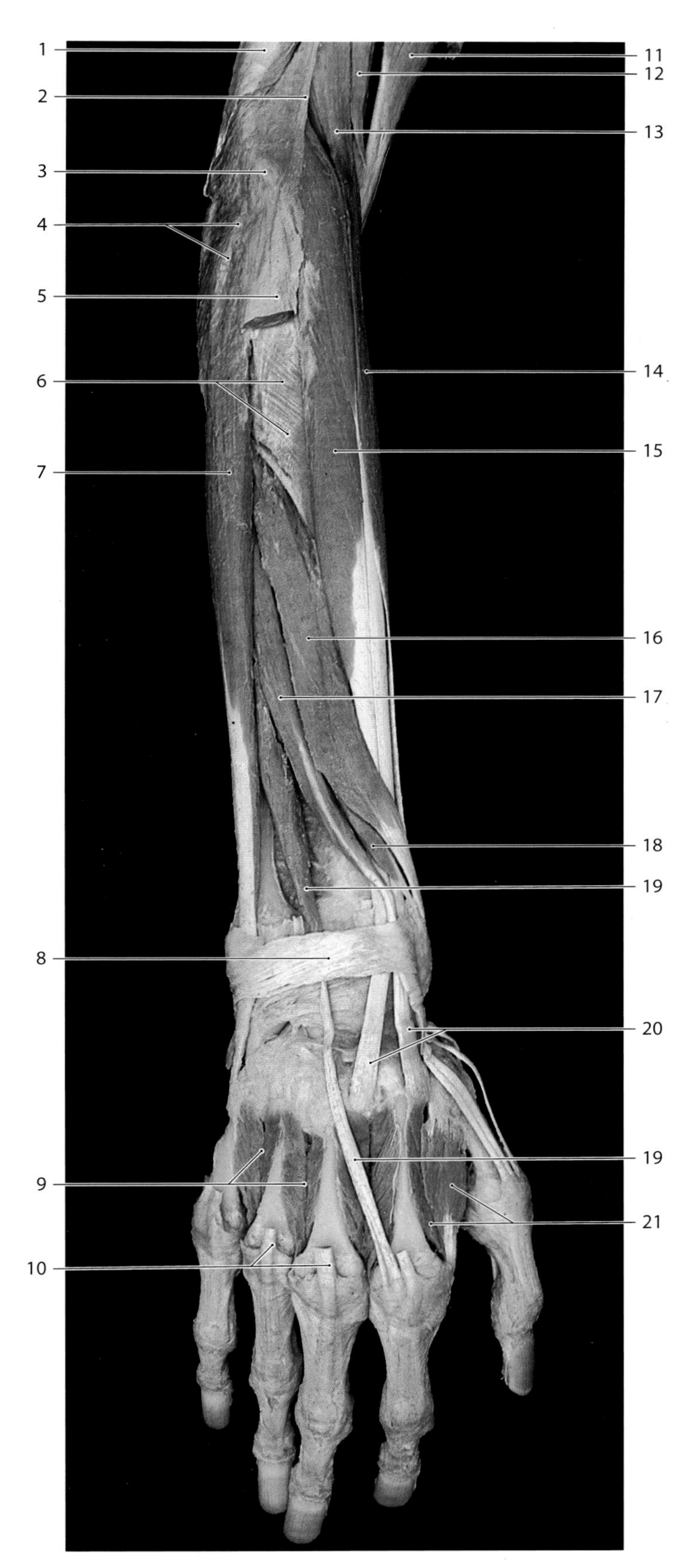

그림 3.64 **아래팔과 손의 폄근육, 깊은층**(오른쪽, 뒤모습).

1 위팔세갈래근 Triceps brachii muscle
2 가쪽근육사이막 Lateral intermuscular septum
3 위팔뼈의 가쪽위관절융기 Lateral epicondyle of humerus
4 팔꿈치근 Anconeus muscle
5 손가락폄근과 새끼폄근(잘림) Extensor digitorum and extensor digiti minimi muscles (cut)
6 뒤침근 Supinator muscle
7 자쪽손목폄근 Extensor carpi ulnaris muscle
8 폄근지지띠 Extensor retinaculum
9 셋째와 넷째등쪽뼈사이근 Third and fourth dorsal interossei muscles
10 손가락폄근힘줄(잘림) Tendons of extensor digitorum muscle (cut)
11 위팔두갈래근 Biceps brachii muscle
12 위팔근 Brachialis muscle
13 위팔노근 Brachioradialis muscle
14 긴노쪽손목폄근 Extensor carpi radialis longus muscle
15 짧은노쪽손목폄근 Extensor carpi radialis brevis muscle
16 긴엄지벌림근 Abductor pollicis longus muscle
17 긴엄지폄근 Extensor pollicis longus muscle
18 짧은엄지폄근 Extensor pollicis brevis muscle
19 집게폄근 Extensor indicis muscle
20 긴 및 짧은노쪽손목폄근힘줄 Tendons of extensor carpi radialis longus and extensor carpi radialis brevis muscles
21 첫째등쪽뼈사이근 First dorsal interosseous muscle

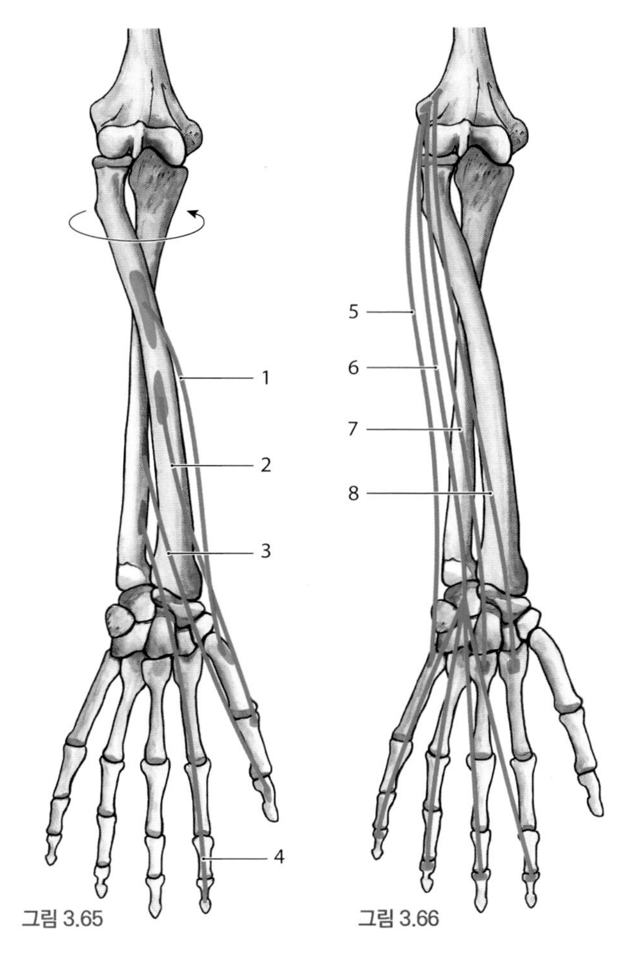

그림 3.65, 3.66 **아래팔과 손에서 폄근육들의 위치와 주행**(뒤모습).

엄지의 폄근육 Extensors of thumb

1 긴엄지벌림근(빨강) Abductor pollicis longus muscle
2 짧은엄지폄근(파랑) Extensor pollicis brevis muscle
3 긴엄지폄근(빨강) Extensor pollicis longus muscle
4 집게폄근(파랑) Extensor indicis muscle

손가락과 손의 폄근육 Extensors of fingers and hand

5 자쪽손목폄근(파랑) Extensor carpi ulnaris muscle
6 손가락폄근(빨강) Extensor digitorum muscle
7 짧은노쪽손목폄근(파랑) Extensor carpi radialis brevis muscle
8 긴노쪽손목폄근(파랑) Extensor carpi radialis longus muscle

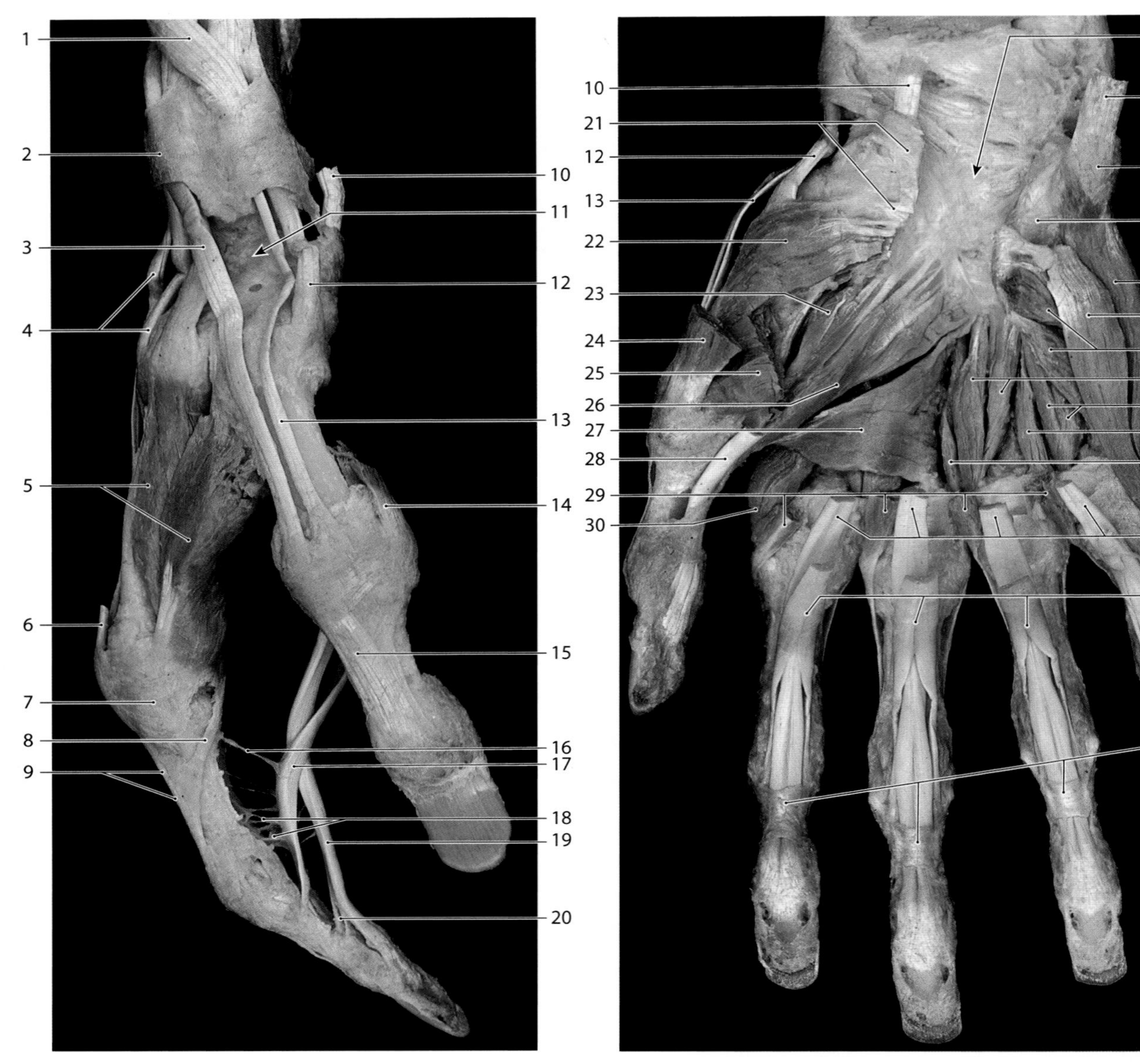

그림 3.67 **엄지와 집게손가락의 근육**(가쪽모습). 엄지의 폄근힘줄들과 집게손가락의 굽힘근힘줄들의 닿는곳이 보인다.

그림 3.68 **손의 근육**(오른쪽 바닥쪽모습). 굽힘근육의 힘줄과 엄지근육의 일부를 제거하였다. 손목굴을 열었다.

1 짧은엄지폄근과 긴엄지벌림근의 힘줄 Tendons of extensor pollicis brevis and abductor pollicis longus muscles
2 폄근지지띠 Extensor retinaculum
3 긴엄지폄근힘줄 Tendon of extensor pollicis longus muscle
4 긴 및 짧은노쪽손목폄근힘줄 Tendons of extensor carpi radialis longus and brevis muscles
5 첫째등쪽뼈사이근 First dorsal interosseous muscle
6 손가락폄근의 집게손가락힘줄 Tendon of extensor digitorum muscle for index finger
7 손허리손가락관절의 위치 Location of metacarpophalangeal joint
8 벌레근힘줄 Tendon of lumbrical muscle
9 집게손가락의 폄근널힘줄 Extensor expansion of index finger
10 노쪽손목굽힘근힘줄(잘림) Tendon of flexor carpi radialis muscle (cut)
11 해부학코담배갑 Anatomical snuffbox
12 긴엄지벌림근힘줄 Tendon of abductor pollicis longus muscle
13 짧은엄지폄근힘줄 Tendon of extensor pollicis brevis muscle
14 짧은엄지벌림근힘줄 Tendon of abductor pollicis brevis muscle
15 엄지폄근의 폄근널힘줄 Extensor expansion of extensor of thumb
16 긴힘줄끈 Vinculum longum
17 얕은손가락굽힘근힘줄의 갈린 사이로 깊은굽힘근힘줄이 지남 Tendons of flexor digitorum superficialis muscle dividing to allow passage of deep tendons
18 굽힘근힘줄의 힘줄끈 Vincula of flexor tendons
19 깊은손가락굽힘근힘줄 Tendon of flexor digitorum profundus muscle
20 짧은힘줄끈 Vinculum breve
21 노쪽손목융기(굽힘근지지띠의 잘린 가장자리) Radial carpal eminence (cut edge of flexor retinaculum)
22 엄지맞섬근 Opponens pollicis muscle
23 짧은엄지굽힘근의 깊은갈래 Deep head of flexor pollicis brevis muscle
24 짧은엄지벌림근(잘림) Abductor pollicis brevis muscle (cut)
25 짧은엄지굽힘근의 얕은갈래(잘림) Superficial head of flexor pollicis brevis muscle (cut)
26 엄지모음근의 빗갈래 Oblique head of adductor pollicis muscle
27 엄지모음근의 가로갈래 Transverse head of adductor pollicis muscle
28 긴엄지굽힘근힘줄(잘림) Tendon of flexor pollicis longus muscle (cut)
29 벌레근(잘림) Lumbrical muscles (cut)
30 첫째등쪽뼈사이근 First dorsal interosseous muscle
31 손목굴의 위치 Position of carpal tunnel
32 자쪽손목굽힘근힘줄 Tendon of flexor carpi ulnaris muscle
33 콩알뼈의 위치 Location of pisiform bone
34 갈고리뼈의 갈고리 Hook of hamate bone
35 새끼벌림근 Abductor digiti minimi muscle
36 짧은새끼굽힘근 Flexor digiti minimi brevis muscle
37 새끼맞섬근 Opponens digiti minimi muscle
38 둘째바닥쪽뼈사이근 Second palmar interosseous muscle
39 셋째바닥쪽뼈사이근 Third palmar interosseous muscle
40 넷째등쪽뼈사이근 Fourth dorsal interosseous muscle
41 셋째등쪽뼈사이근 Third dorsal interosseous muscle
42 깊은손가락굽힘근힘줄(잘림) Tendon of flexor digitorum profundus muscle (cut)
43 얕은손가락굽힘근힘줄(잘림) Tendons of flexor digitorum superficialis muscle (cut)
44 굽힘근의 손가락섬유집 Fibrous flexor sheaths

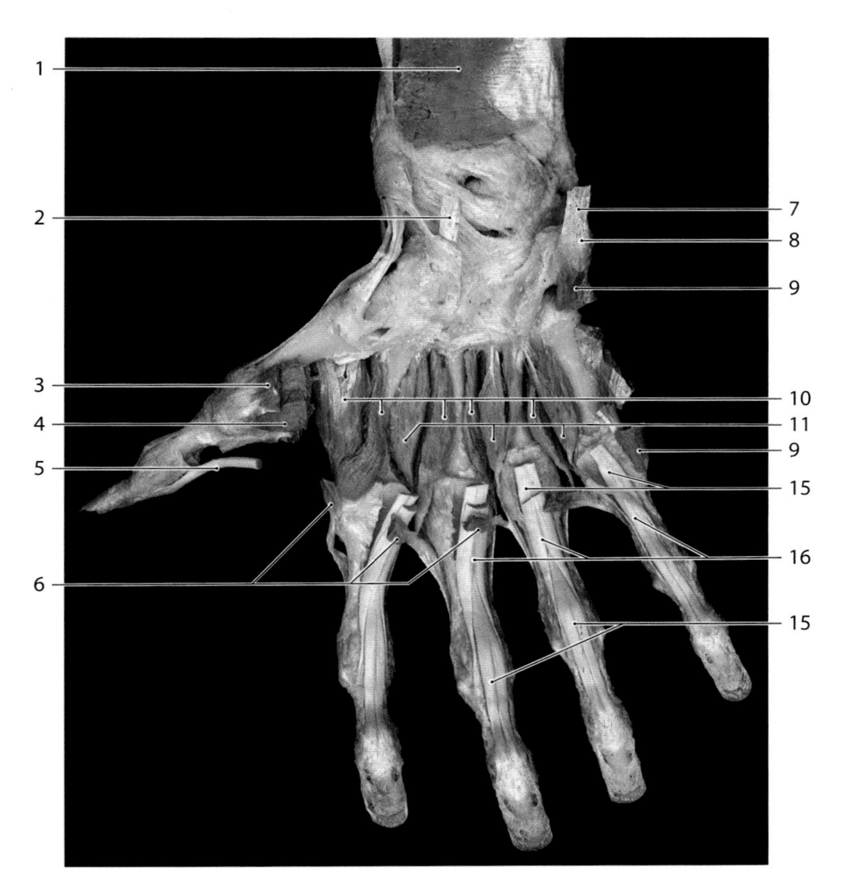

그림 3.69 **손의 근육, 깊은층**(오른쪽 바닥쪽모습). 엄지두덩근육과 새끼두덩근육을 제거하여 뼈사이근들이 보인다.

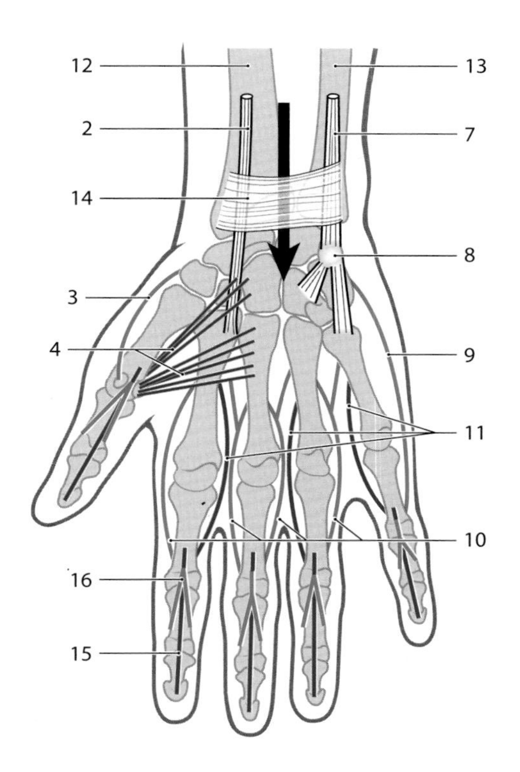

그림 3.70 **뼈사이근의 작용. 손가락의 벌림과 모음**
(오른쪽 바닥쪽모습).
화살표 = 손목굴.
빨강 = 벌림(등쪽뼈사이근, 새끼벌림근, 짧은엄지벌림근)
파랑 = 모음(바닥쪽뼈사이근, 엄지모음근)

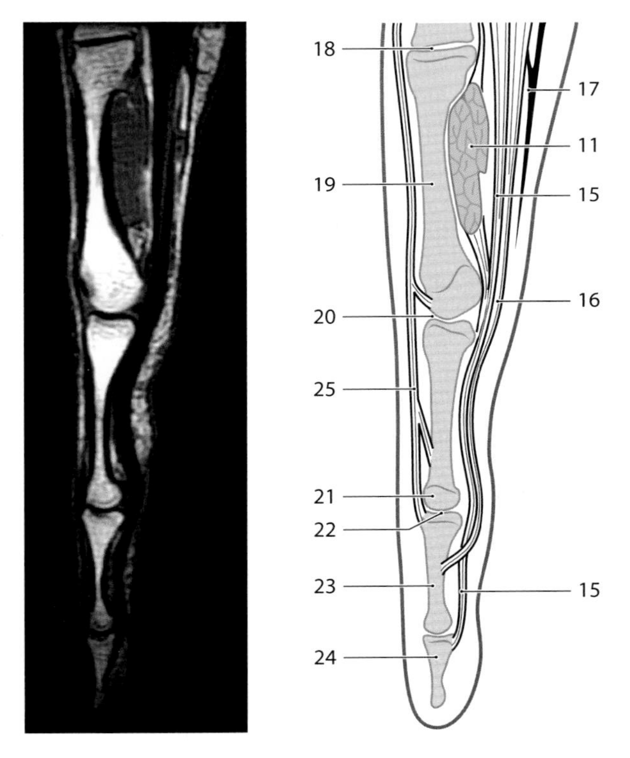

그림 3.71, 3.72 **셋째손가락의 세로단면**(같은 면의 자기공명영상).
(Heuck A, et al. MRT-Atlas des muskuloskelettalen Systems.
Stuttgart, Germany: Schattauer, 2009.)

1 네모엎침근 Pronator quadratus muscle
2 노쪽손목굽힘근힘줄 Tendon of flexor carpi radialis muscle
3 짧은엄지벌림근(잘림) Abductor pollicis brevis muscle (divided)
4 엄지모음근(잘림) Adductor pollicis muscle (divided)
5 긴엄지굽힘근힘줄 Tendon of flexor pollicis longus muscle
6 벌레근(잘림) Lumbrical muscles (cut)
7 자쪽손목굽힘근힘줄 Tendon of flexor carpi ulnaris muscle
8 콩알뼈 Pisiform bone
9 새끼벌림근(잘림) Abductor digiti minimi muscle (divided)
10 등쪽뼈사이근 Dorsal interossei muscles
11 바닥쪽뼈사이근 Palmar interossei muscles
12 노뼈 Radius
13 자뼈 Ulna
14 굽힘근지지띠 Flexor retinaculum
15 깊은손가락굽힘근힘줄 Tendons of flexor digitorum profundus muscle
16 얕은손가락굽힘근힘줄 Tendons of flexor digitorum superficialis muscle
17 손바닥널힘줄 Palmar aponeurosis
18 손목손허리관절 Carpometacarpal joint
19 셋째손허리뼈 Third metacarpal bone
20 손허리손가락관절 Metacarpophalangeal joint
21 셋째손가락의 첫마디뼈머리 Head of third proximal phalanx
22 몸쪽손가락뼈사이관절 Proximal interphalangeal joint
23 중간마디뼈 Middle phalanx
24 끝마디뼈 Distal phalanx
25 폄근널힘줄 Aponeurosis of extensors

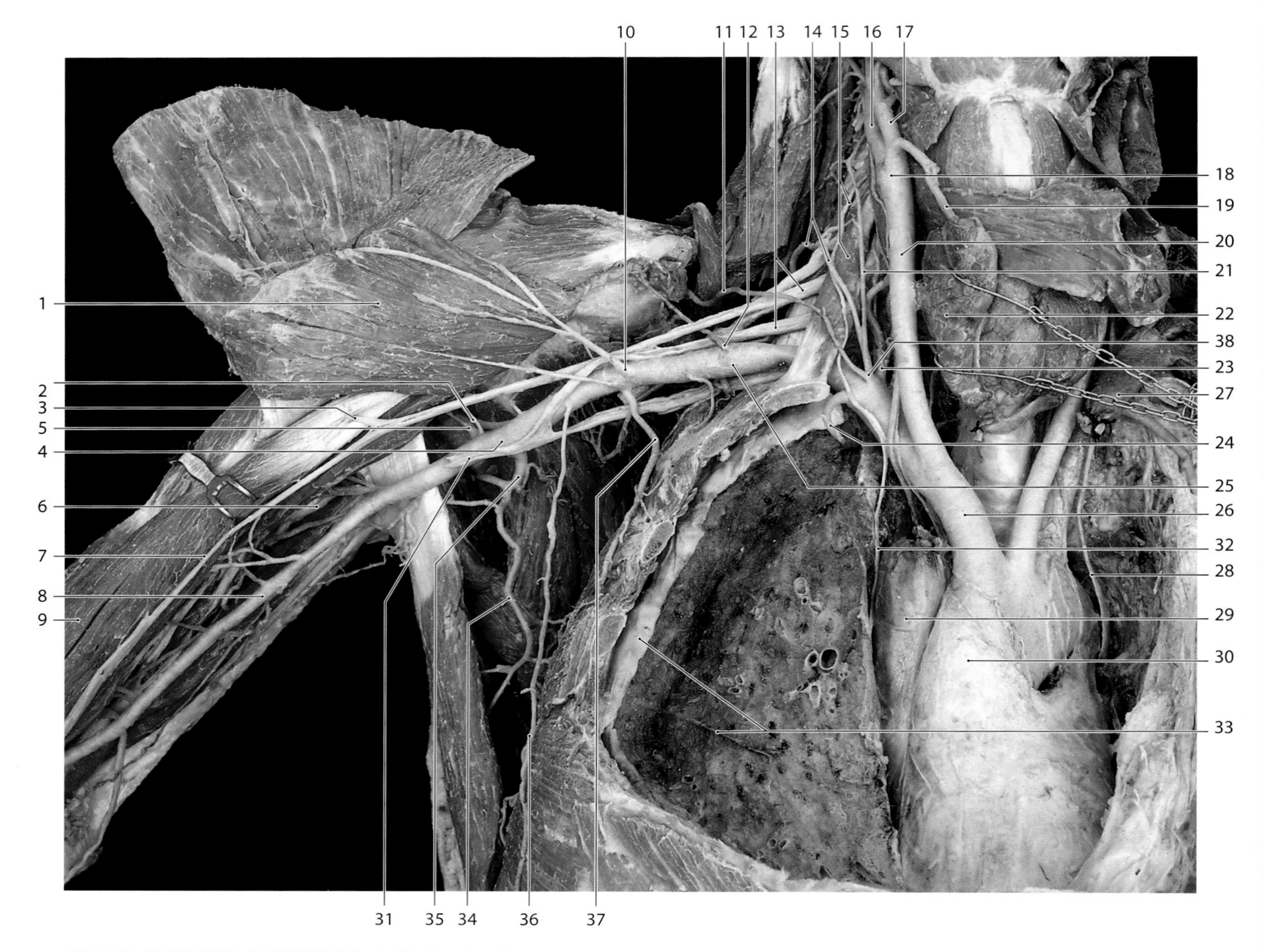

그림 3.73 **빗장밑동맥과 겨드랑동맥의 주요 가지**(오른쪽, 앞모습). 오른쪽 가슴근육을 젖히고, 빗장뼈와 앞가슴벽을 제거하고 오른쪽 허파의 앞쪽을 잘라내었다. 왼쪽에서 대동맥활과 온목동맥의 가지들이 보이도록 허파와 함께 가슴막과 갑상샘을 가쪽으로 젖혔다.

1 작은가슴근(젖힘) Pectoralis minor muscle (reflected)
2 앞위팔휘돌이동맥 Anterior circumflex humeral artery
3 근육피부신경(잘림) Musculocutaneous nerve (divided)
4 겨드랑동맥 Axillary artery
5 뒤위팔휘돌이동맥 Posterior circumflex humeral artery
6 깊은위팔동맥 Profunda brachii artery
7 정중신경(변이) Median nerve (var.)
8 위팔동맥 Brachial artery
9 위팔두갈래근 Biceps brachii muscle
10 가슴봉우리동맥 Thoraco-acromial artery
11 어깨위동맥 Suprascapular artery
12 등쪽어깨동맥 Dorsal scapular artery
13 팔신경얼기(중간줄기) Brachial plexus (middle trunk)
14 가로목동맥 Transverse cervical artery
15 앞목갈비근과 가로막신경 Anterior scalene muscle and phrenic nerve
16 오른속목동맥 Right internal carotid artery
17 오른바깥목동맥 Right external carotid artery
18 목동맥팽대 Carotid sinus
19 위갑상동맥 Superior thyroid artery
20 오른온목동맥 Right common carotid artery
21 오름목동맥 Ascending cervical artery
22 갑상샘 Thyroid gland
23 아래갑상동맥 Inferior thyroid artery
24 속가슴동맥 Internal thoracic artery
25 오른빗장밑동맥 Right subclavian artery
26 팔머리동맥줄기 Brachiocephalic trunk
27 왼팔머리정맥 Left brachiocephalic vein (divided)
28 왼미주신경 Left vagus nerve
29 위대정맥(잘림) Superior vena cava (divided)
30 오름대동맥 Ascending aorta
31 정중신경(잘림) Median nerve (divided)
32 가로막신경 Phrenic nerve
33 오른허파(잘림)와 허파가슴막 Right lung (divided) and pulmonary pleura
34 가슴등동맥 Thoracodorsal artery
35 어깨밑동맥 Subscapular artery
36 가쪽젖샘가지(변이) Lateral mammary branches (var.)
37 가쪽가슴동맥 Lateral thoracic artery
38 갑상목동맥줄기 Thyrocervical trunk
39 맨위갈비사이동맥 Supreme intercostal artery
40 위자쪽곁동맥 Superior ulnar collateral artery
41 아래자쪽곁동맥 Inferior ulnar collateral artery
42 중간곁동맥 Middle collateral artery
43 노쪽곁동맥 Radial collateral artery
44 노쪽되돌이동맥 Radial recurrent artery
45 노동맥 Radial artery
46 앞 및 뒤뼈사이동맥 Anterior and posterior interosseous arteries
47 엄지으뜸동맥 Princeps pollicis artery
48 깊은손바닥동맥활 Deep palmar arch
49 온바닥쪽손가락동맥 Common palmar digital arteries
50 자쪽되돌이동맥 Ulnar recurrent artery
51 되돌이뼈사이동맥 Recurrent interosseous artery
52 온뼈사이동맥 Common interosseous artery
53 자동맥 Ulnar artery
54 얕은손바닥동맥활 Superficial palmar arch
55 정중신경과 위팔동맥 Median nerve and brachial artery
56 위팔두갈래근 Biceps brachii muscle
57 자신경 Ulnar nerve
58 긴엄지굽힘근 Flexor pollicis longus muscle
59 고유바닥쪽손가락동맥 Proper palmar digital arteries
60 앞뼈사이동맥 Anterior interosseous artery
61 자쪽손목굽힘근 Flexor carpi ulnaris muscle
62 노동맥의 얕은손바닥가지 Superficial palmar branch of radial artery

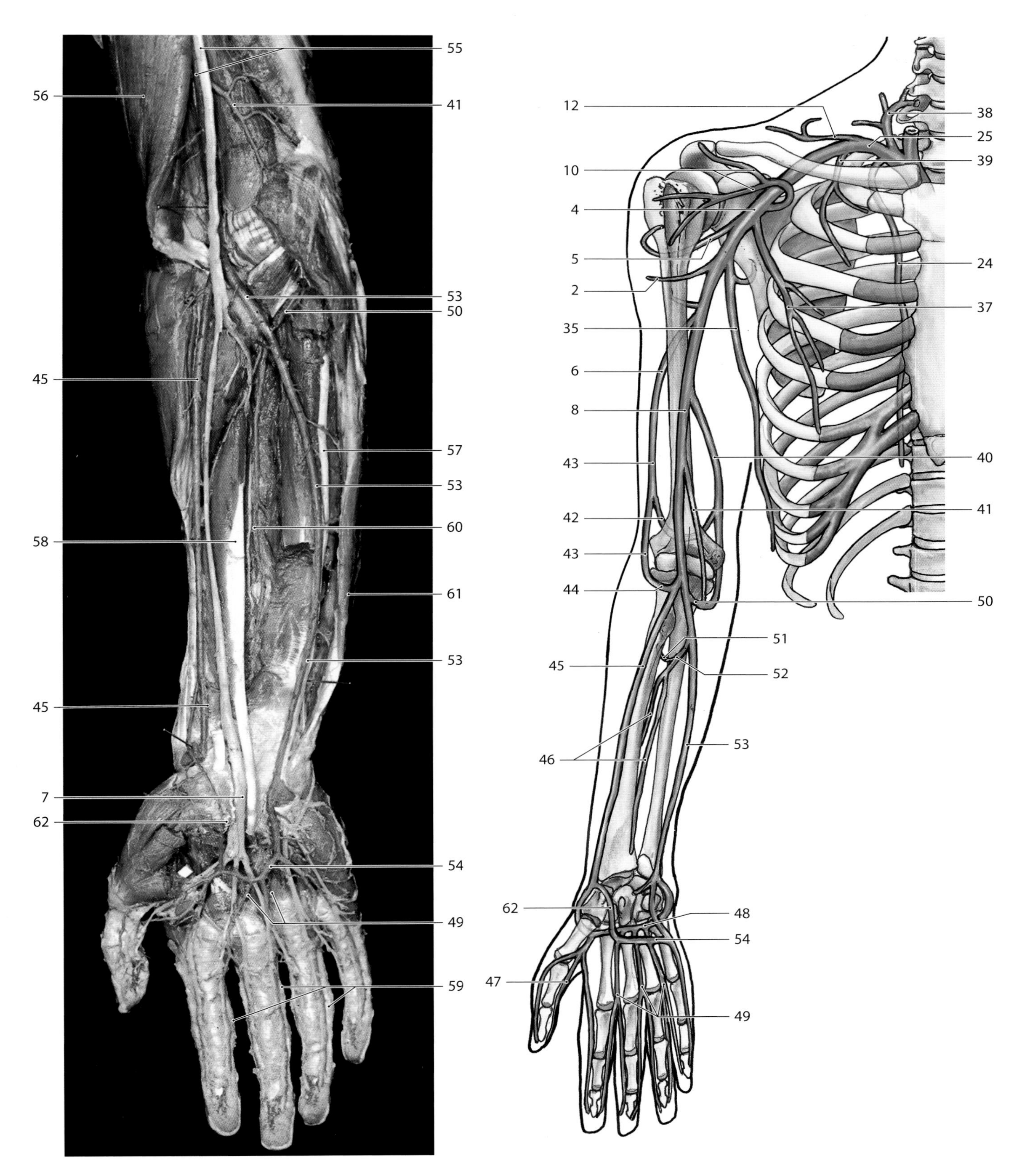

그림 3.74 **아래팔과 손의 주요 동맥**(오른쪽, 앞모습). 얕은굽힘근육들을 제거하고, 굽힘근지지띠를 잘라 손목굴을 열었다. 동맥에는 빨간색 레진을 주입하였다.

그림 3.75 **팔의 주요 동맥**(오른쪽). 오른쪽 빗장밑동맥, 겨드랑동맥 및 위팔동맥의 가지.

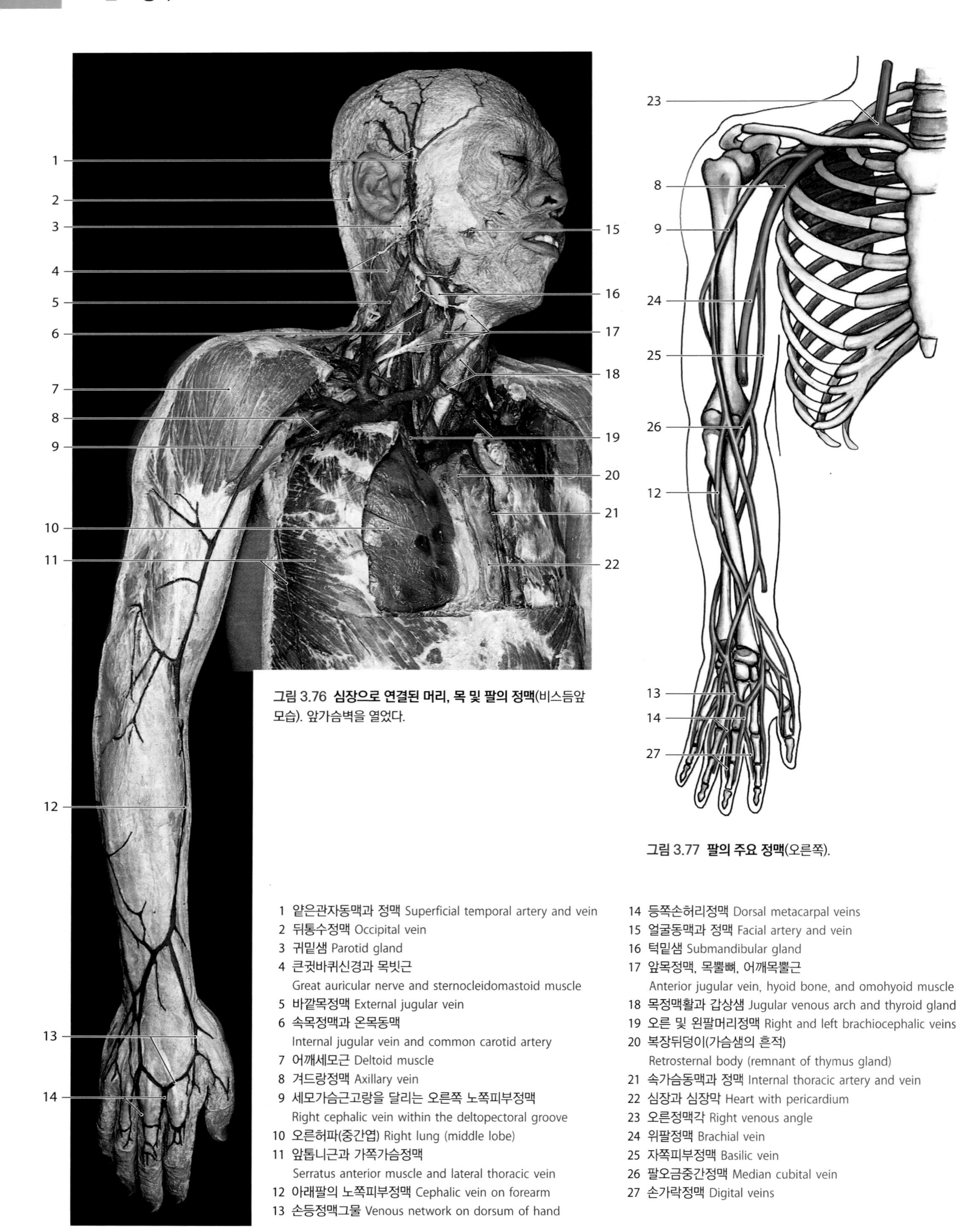

그림 3.76 **심장으로 연결된 머리, 목 및 팔의 정맥**(비스듬앞모습). 앞가슴벽을 열었다.

그림 3.77 **팔의 주요 정맥**(오른쪽).

1 얕은관자동맥과 정맥 Superficial temporal artery and vein
2 뒤통수정맥 Occipital vein
3 귀밑샘 Parotid gland
4 큰귓바퀴신경과 목빗근
Great auricular nerve and sternocleidomastoid muscle
5 바깥목정맥 External jugular vein
6 속목정맥과 온목동맥
Internal jugular vein and common carotid artery
7 어깨세모근 Deltoid muscle
8 겨드랑정맥 Axillary vein
9 세모가슴근고랑을 달리는 오른쪽 노쪽피부정맥
Right cephalic vein within the deltopectoral groove
10 오른허파(중간엽) Right lung (middle lobe)
11 앞톱니근과 가쪽가슴정맥
Serratus anterior muscle and lateral thoracic vein
12 아래팔의 노쪽피부정맥 Cephalic vein on forearm
13 손등정맥그물 Venous network on dorsum of hand
14 등쪽손허리정맥 Dorsal metacarpal veins
15 얼굴동맥과 정맥 Facial artery and vein
16 턱밑샘 Submandibular gland
17 앞목정맥, 목뿔뼈, 어깨목뿔근
Anterior jugular vein, hyoid bone, and omohyoid muscle
18 목정맥활과 갑상샘 Jugular venous arch and thyroid gland
19 오른 및 왼팔머리정맥 Right and left brachiocephalic veins
20 복장뒤덩이(가슴샘의 흔적)
Retrosternal body (remnant of thymus gland)
21 속가슴동맥과 정맥 Internal thoracic artery and vein
22 심장과 심장막 Heart with pericardium
23 오른정맥각 Right venous angle
24 위팔정맥 Brachial vein
25 자쪽피부정맥 Basilic vein
26 팔오금중간정맥 Median cubital vein
27 손가락정맥 Digital veins

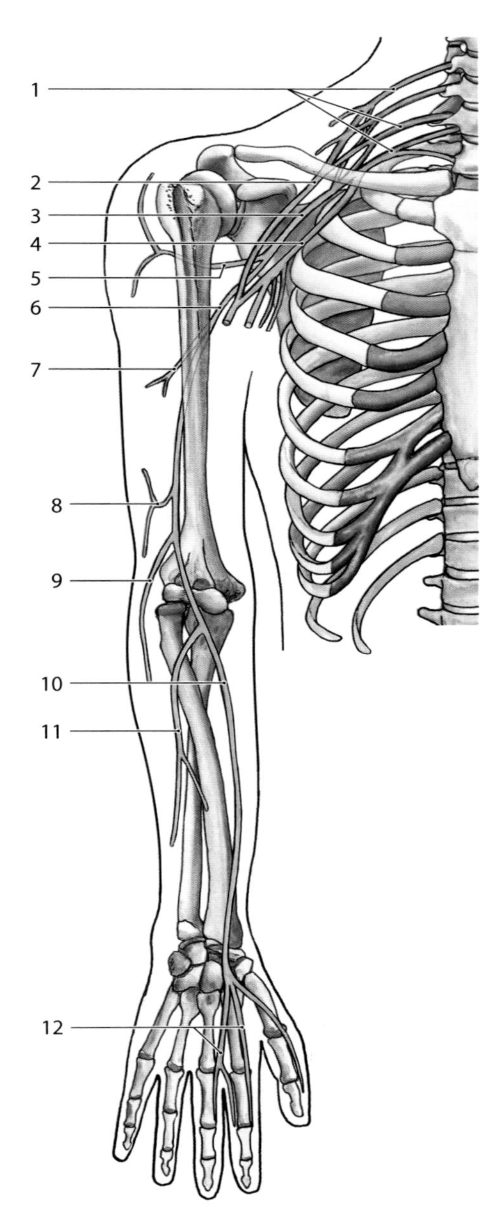

그림 3.78 **노신경과 겨드랑신경의 주요 가지**(오른쪽).

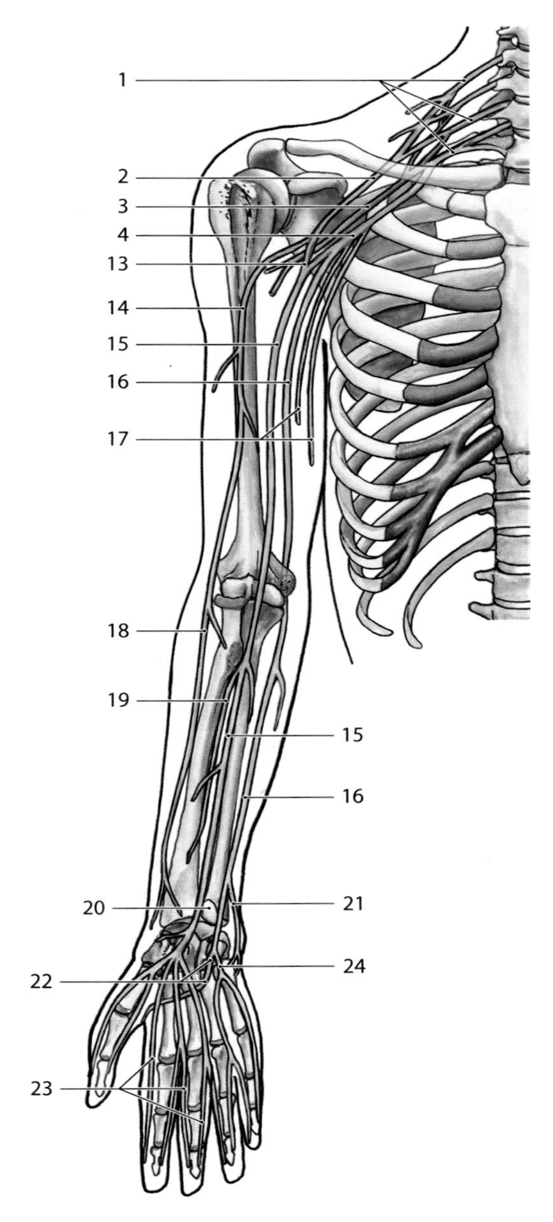

그림 3.79 **근육피부신경, 정중신경 및 자신경의 주요 가지**(오른쪽). 팔신경얼기의 뒤다발을 주황색으로 표시하였다.

1 팔신경얼기 Brachial plexus
2 팔신경얼기의 가쪽다발 Lateral cord of brachial plexus
3 팔신경얼기의 뒤다발 Posterior cord of brachial plexus
4 팔신경얼기의 안쪽다발 Medial cord of brachial plexus
5 겨드랑신경 Axillary nerve
6 노신경 Radial nerve
7 뒤위팔피부신경 Posterior cutaneous nerve of arm
8 아래가쪽위팔피부신경 Lower lateral cutaneous nerve of arm
9 뒤아래팔피부신경 Posterior cutaneous nerve of forearm
10 노신경의 얕은가지 Superficial branch of radial nerve
11 노신경의 깊은가지 Deep branch of radial nerve
12 등쪽손가락신경 Dorsal digital nerves
13 정중신경의 뿌리 Roots of median nerve
14 근육피부신경 Musculocutaneous nerve
15 정중신경 Median nerve
16 자신경 Ulnar nerve
17 안쪽위팔피부신경 및 안쪽아래팔피부신경
Medial cutaneous nerves of arm and forearm
18 가쪽아래팔피부신경 Lateral cutaneous nerve of forearm
19 앞뼈사이신경 Anterior interosseous nerve
20 정중신경의 손바닥가지 Palmar branch of median nerve
21 자신경의 손등가지 Dorsal branch of ulnar nerve
22 자신경의 깊은가지 Deep branch of ulnar nerve
23 정중신경의 온바닥쪽손가락신경
Common palmar digital nerves of median nerve
24 자신경의 얕은가지 Superficial branch of ulnar nerve

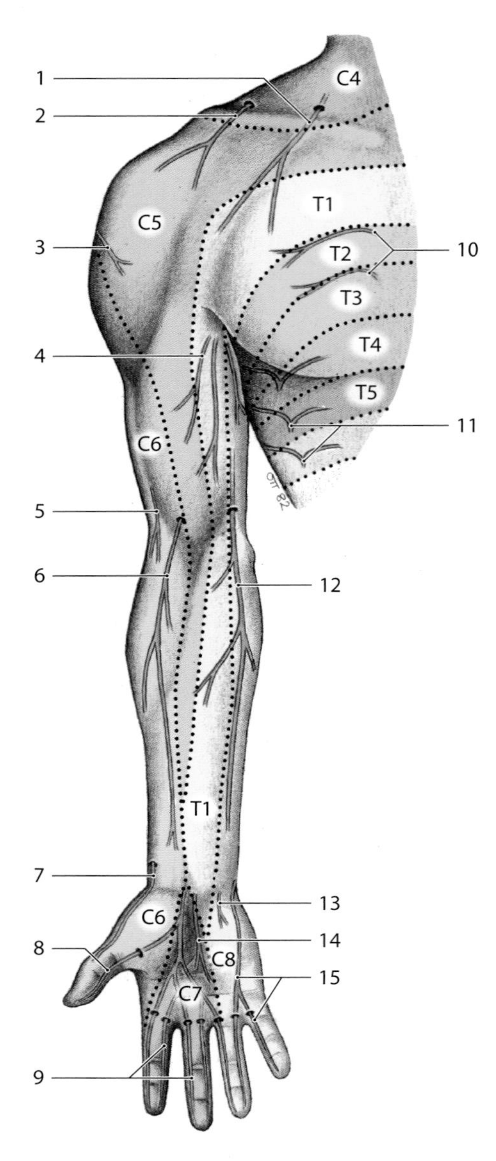

그림 3.80 **팔의 피부신경**(오른쪽, 앞모습).

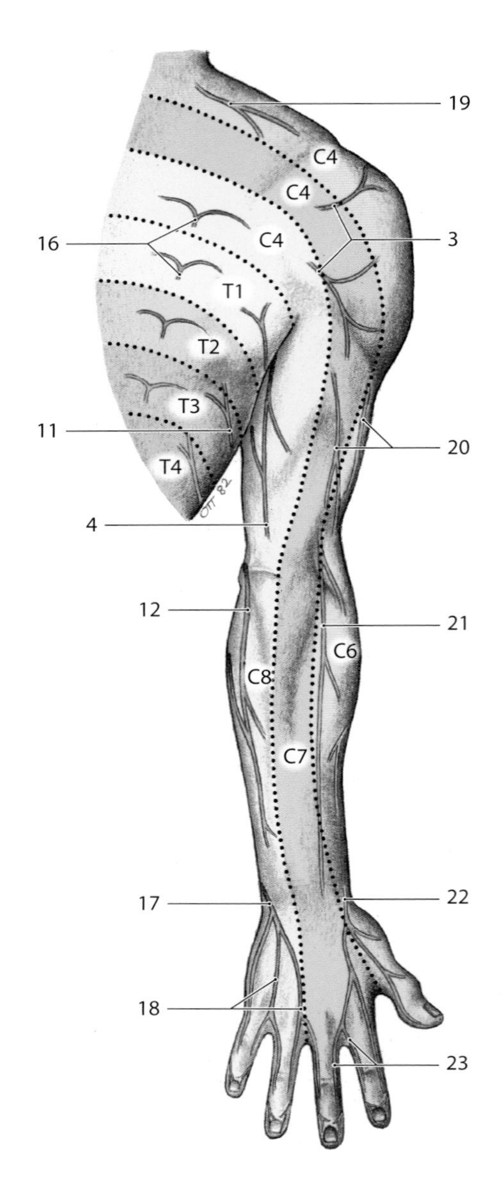

그림 3.81 **팔의 피부신경**(오른쪽, 뒤모습).

1 안쪽빗장위신경 Medial supraclavicular nerve
2 중간빗장위신경 Intermediate supraclavicular nerve
3 위가쪽위팔피부신경 Upper lateral cutaneous nerve of arm
4 갈비사이위팔신경의 종말가지
Terminal branches of intercostobrachial nerves
5 아래가쪽위팔피부신경 Lower lateral cutaneous nerve of arm
6 가쪽아래팔피부신경 Lateral cutaneous nerve of forearm
7 노신경 얕은가지의 종말가지
Terminal branch of superficial branch of radial nerve
8 엄지의 바닥쪽손가락신경(정중신경의 가지)
Palmar digital nerve of thumb (branch of median nerve)
9 정중신경의 바닥쪽손가락가지 Palmar digital branches of median nerve
10 갈비사이신경의 앞피부가지
Anterior cutaneous branches of intercostal nerves
11 갈비사이신경의 가쪽피부가지
Lateral cutaneous branches of intercostal nerves
12 안쪽아래팔피부신경 Medial cutaneous nerve of forearm
13 자신경의 바닥쪽피부가지 Palmar cutaneous branch of ulnar nerve
14 정중신경의 손바닥가지 Palmar branch of median nerve
15 자신경의 바닥쪽손가락가지 Palmar digital branches of ulnar nerve
16 척수신경 뒤가지의 피부가지
Cutaneous branches of dorsal rami of spinal nerves
17 자신경의 손등가지 Dorsal branch of ulnar nerve
18 등쪽손가락신경 Dorsal digital nerves
19 뒤빗장위신경 Posterior supraclavicular nerve
20 뒤위팔피부신경(노신경의 가지)
Posterior cutaneous nerve of arm (from radial nerve)
21 뒤아래팔피부신경(노신경의 가지)
Posterior cutaneous nerve of forearm (from radial nerve)
22 얕은가지(노신경의 가지) Superficial branch (from radial nerve)
23 등쪽손가락가지(노신경의 가지) Dorsal digital branches (from radial nerve)

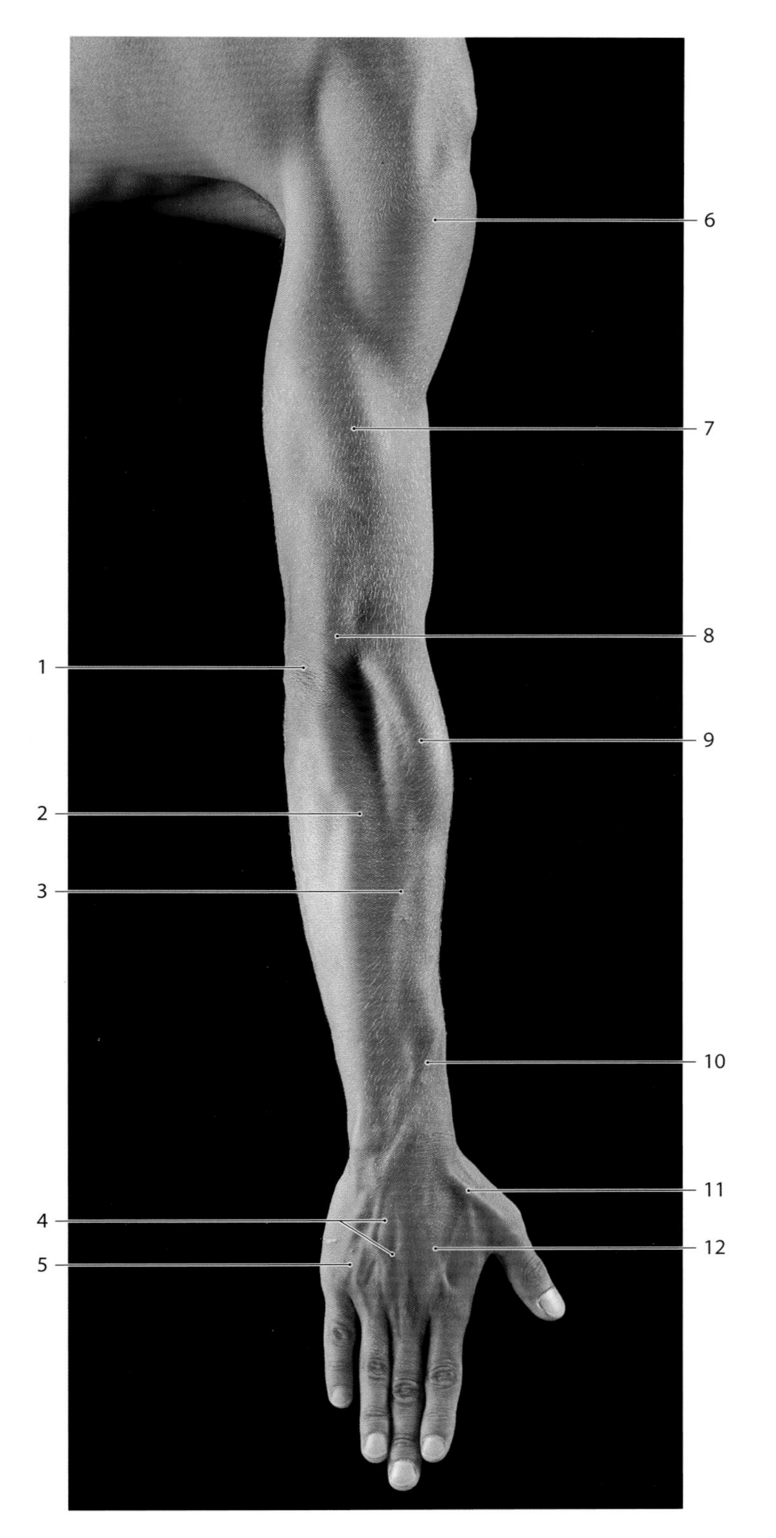

그림 3.82 **팔의 표면해부학**(오른쪽, 뒤모습).

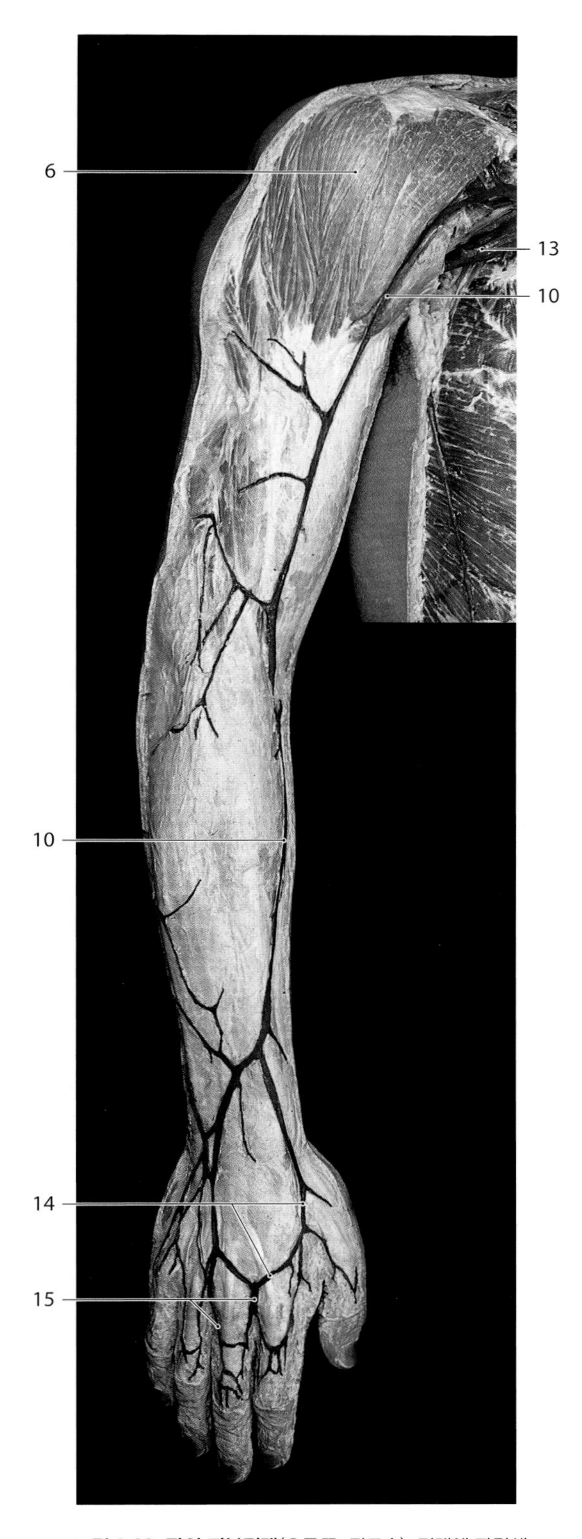

그림 3.83 **팔의 피부정맥**(오른쪽, 뒤모습). 정맥에 파란색 젤라틴을 주입하였다.

1 팔꿈치머리 Olecranon
2 아래팔의 폄근육 Extensor muscles of forearm
3 덧노쪽피부정맥 Accessory cephalic vein
4 손가락폄근힘줄 Tendons of extensor digitorum muscle
5 손등정맥그물(자쪽) Dorsal venous network of hand (ulnar)
6 어깨세모근 Deltoid muscle
7 위팔세갈래근 Triceps brachii muscle
8 위팔뼈의 가쪽위관절융기 Lateral epicondyle of humerus
9 위팔노근 Brachioradialis muscle
10 노쪽피부정맥 Cephalic vein
11 긴엄지벌림근힘줄 Tendon of Abductor pollicis longus muscle
12 집게폄근힘줄 Tendon of Extensor indicis muscle
13 겨드랑정맥 Axillary vein
14 손등정맥그물(노쪽) Dorsal venous network of hand (radial)
15 등쪽손허리정맥 Dorsal metacarpal veins

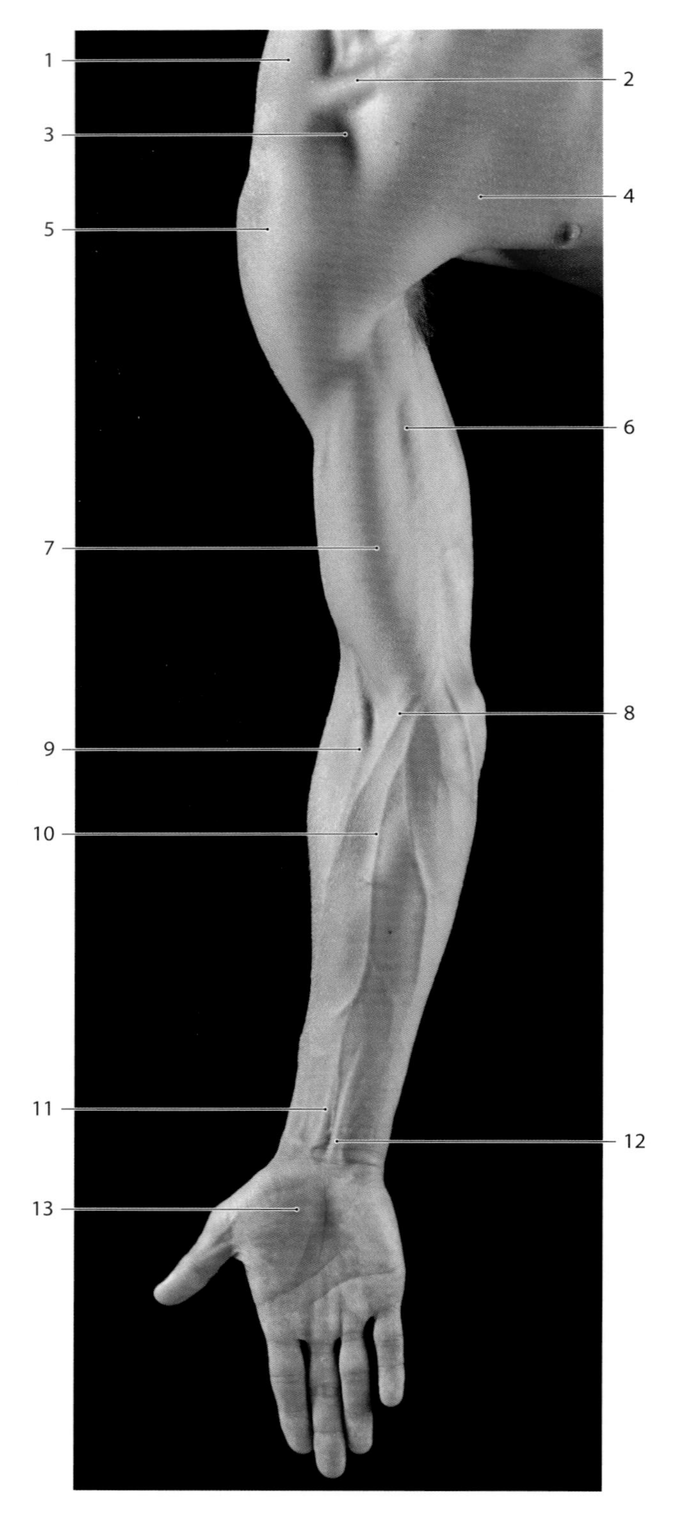

그림 3.84 **팔의 표면해부학**(오른쪽, 앞모습).

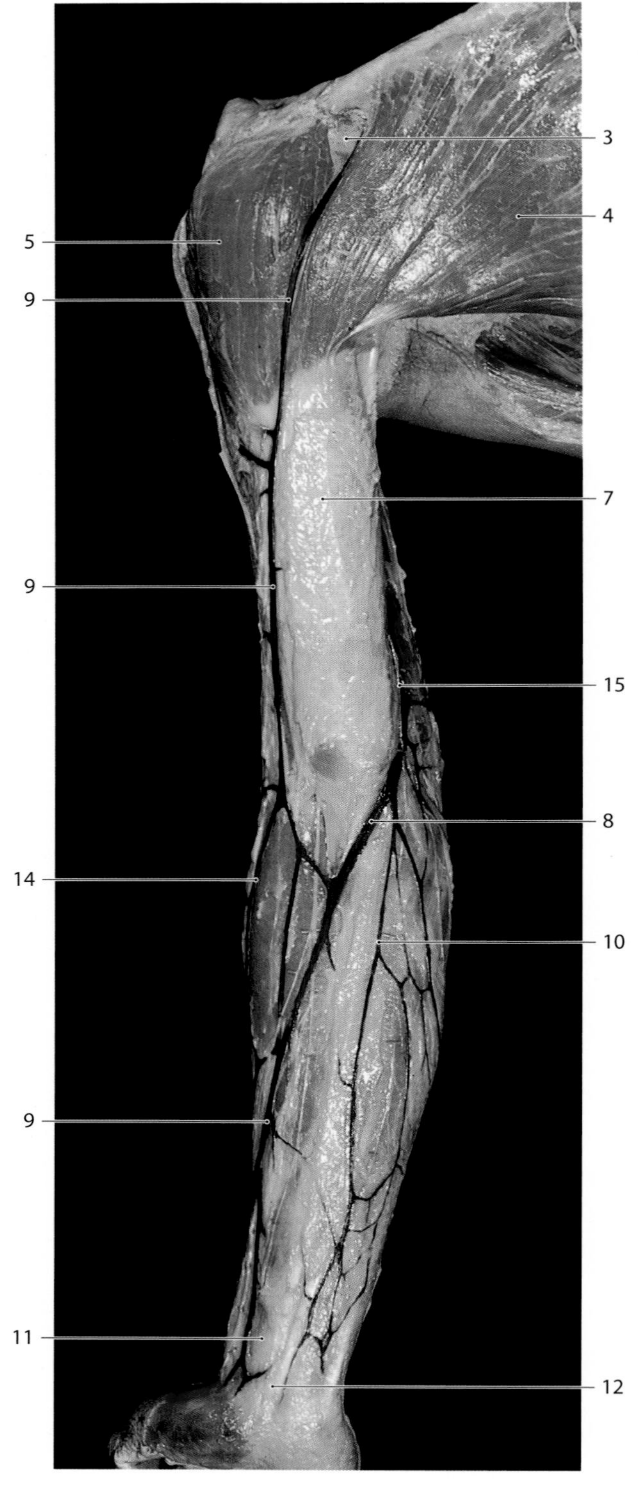

그림 3.85 **팔의 피부정맥**(오른쪽, 앞모습). 정맥에 파란색 젤라틴을 주입하였다.

1 등세모근 Trapezius muscle
2 빗장뼈 Clavicle
3 세모가슴근삼각 Deltopectoral triangle
4 큰가슴근 Pectoralis major muscle
5 어깨세모근 Deltoid muscle
6 위팔정맥 Brachial vein
7 위팔두갈래근 Biceps brachii muscle
8 팔오금중간정맥 Median cubital vein
9 노쪽피부정맥 Cephalic vein
10 아래팔중간정맥 Median vein of forearm
11 노쪽손목굽힘근힘줄 Tendon of flexor carpi radialis
12 긴손바닥근힘줄 Tendon of palmaris longus muscle
13 엄지모음근의 위치 Location of adductor pollicis muscle
14 덧노쪽피부정맥 Accessory cephalic vein
15 자쪽피부정맥 Basilic vein

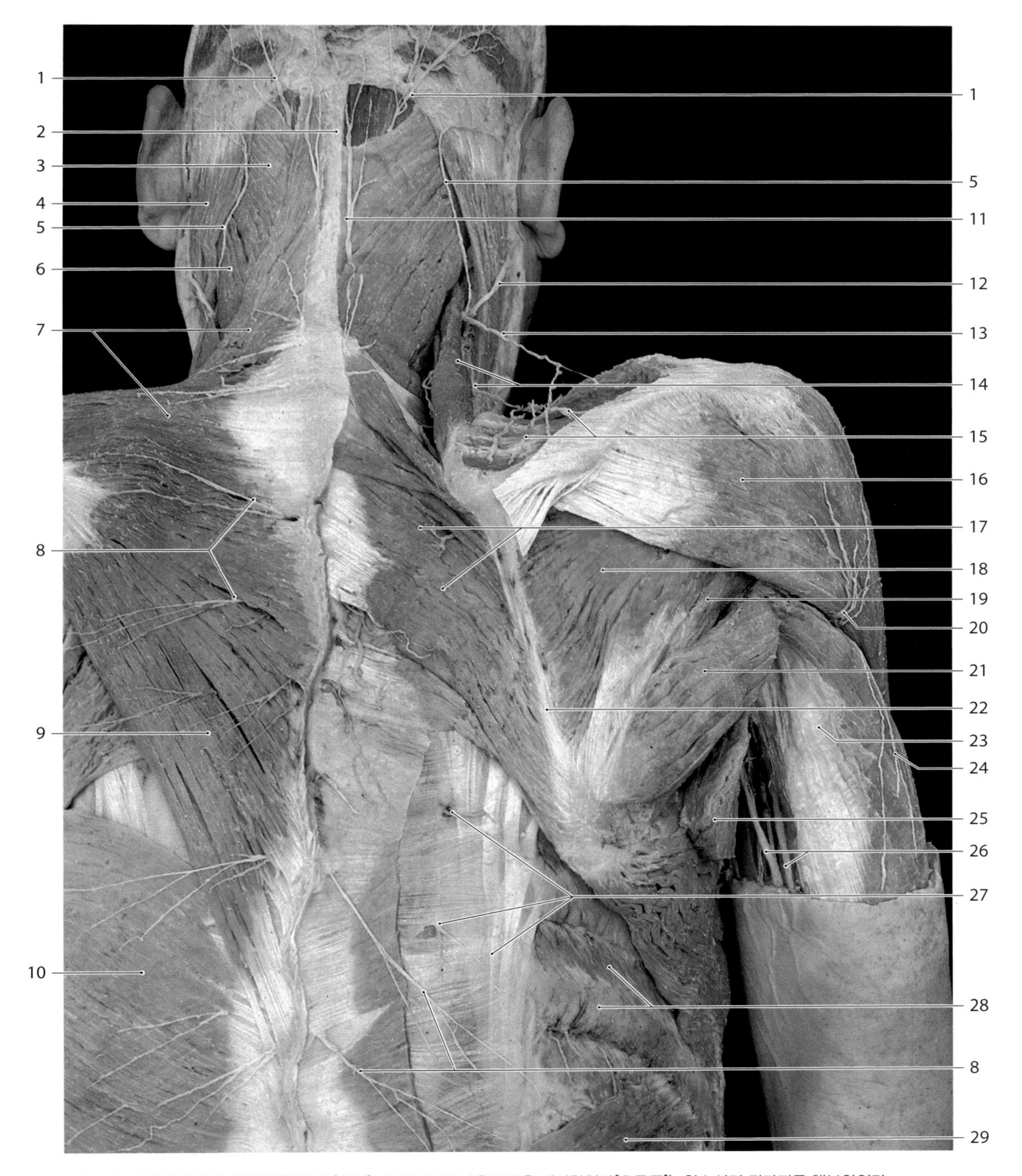

그림 3.86 **목과 어깨의 뒤부위**(얕은층 [왼쪽]; 등세모근과 넓은등근을 제거하였다[오른쪽]). 척수신경 뒤가지를 해부하였다.

1 큰뒤통수신경 Greater occipital nerve
2 목덜미인대 Ligamentum nuchae
3 머리널판근 Splenius capitis muscle
4 목빗근 Sternocleidomastoid muscle
5 작은뒤통수신경 Lesser occipital nerve
6 목널판근 Splenius cervicis muscle
7 등세모근의 내림섬유와 가로섬유 Descending and transverse fibers of trapezius muscle
8 척수신경 뒤가지의 안쪽피부가지 Medial cutaneous branches of dorsal rami of spinal nerves
9 등세모근의 오름섬유 Ascending fibers of trapezius muscle
10 넓은등근 Latissimus dorsi muscle
11 셋째뒤통수신경의 피부가지 Cutaneous branch of third occipital nerve
12 큰귓바퀴신경 Great auricular nerve
13 더부신경(11번 뇌신경) Accessory nerve (CN XI)
14 뒤빗장위신경과 어깨올림근 Posterior supraclavicular nerve and levator scapulae muscle
15 어깨위동맥의 가지 Branches of suprascapular artery
16 어깨세모근 Deltoid muscle
17 큰마름근 Rhomboid major muscle
18 가시아래근 Infraspinatus muscle
19 작은원근 Teres minor muscle
20 위가쪽위팔피부신경(겨드랑신경의 가지) Upper lateral cutaneous nerve of arm (branch of axillary nerve)
21 큰원근 Teres major muscle
22 어깨뼈의 안쪽모서리 Medial margin of scapula
23 위팔세갈래근의 긴갈래 Long head of triceps muscle
24 뒤위팔피부신경(노신경의 가지) Posterior cutaneous nerve of arm (branch of radial nerve)
25 넓은등근(잘림) Latissimus dorsi muscle (divided)
26 자신경과 위팔동맥 Ulnar nerve and brachial artery
27 척수신경 뒤가지의 가쪽피부가지와 등엉덩갈비근 Lateral cutaneous branches of dorsal rami of spinal nerves and iliocostalis thoracis muscle
28 바깥갈비사이근과 일곱째갈비뼈 External intercostal muscle and seventh rib
29 아래뒤톱니근 Serratus posterior inferior muscle

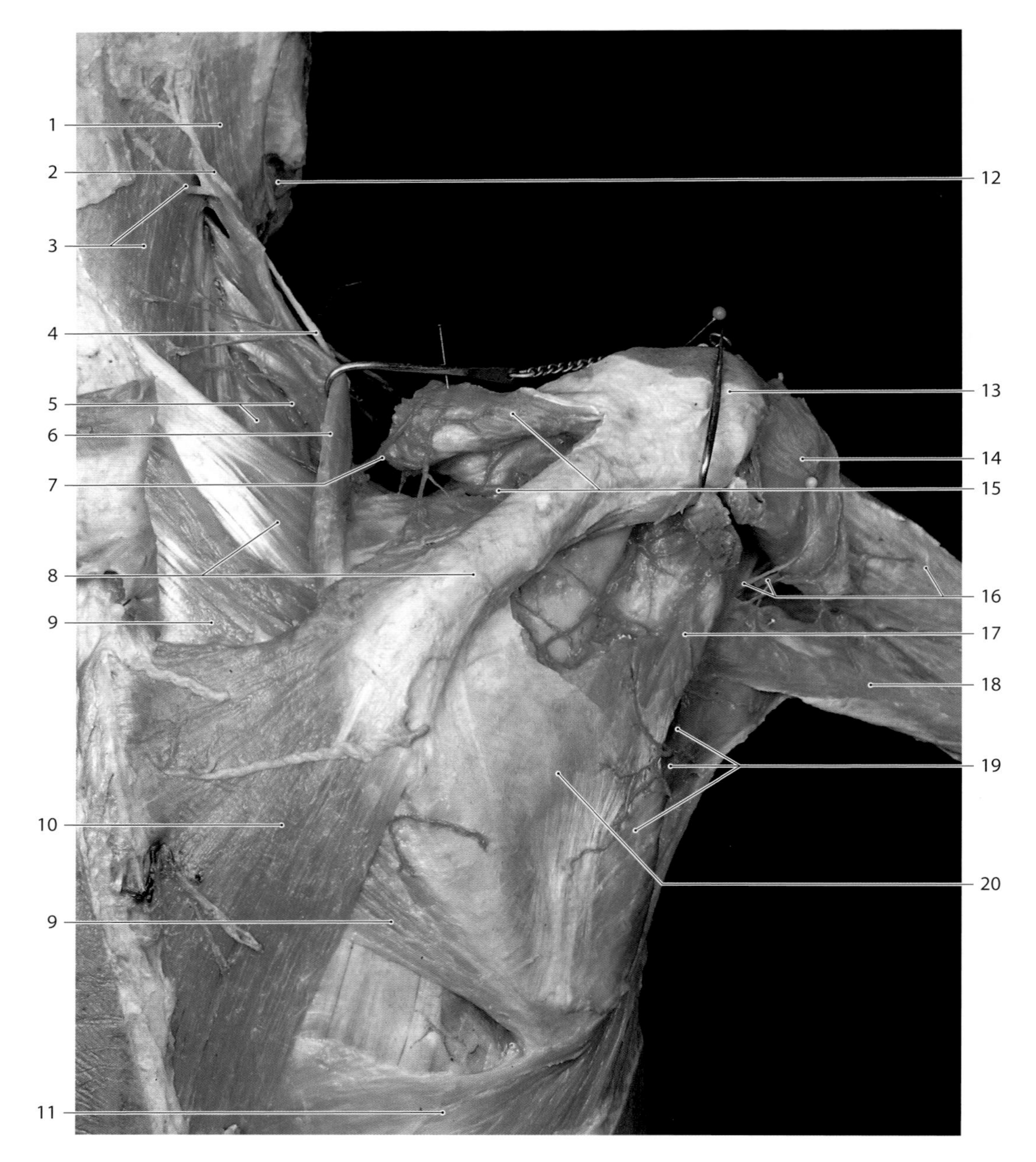

그림 3.87 **어깨의 뒤부위,** 깊은층. 어깨뼈부위의 동맥에 빨간색 젤라틴을 주입하였다. 등세모근, 어깨세모근 그리고 가시아래근의 일부를 제거하거나 젖혔다.

1 목빗근 Sternocleidomastoid muscle
2 작은뒤통수신경 Lesser occipital nerve
3 머리널판근과 셋째뒤통수신경
Splenius capitis muscle and third occipital nerve
4 더부신경(11번 뇌신경) Accessory nerve (CN XI)
5 목널판근과 가로목동맥(깊은가지)
Splenius cervicis muscle and transverse cervical artery (deep branch)
6 어깨올림근 Levator scapulae muscle
7 가로목동맥(얕은가지) Transverse cervical artery (superficial branch)
8 어깨뼈가시와 위뒤톱니근
Spine of scapula and serratus posterior superior muscle
9 큰마름근 Rhomboid major muscle
10 등세모근 Trapezius muscle
11 넓은등근 Latissimus dorsi muscle
12 얼굴동맥 Facial artery
13 봉우리 Acromion
14 어깨세모근 Deltoid muscle
15 어깨위동맥과 가시위근(젖힘)
Suprascapular artery and supraspinatus muscle (reflected)
16 겨드랑신경, 뒤위팔휘돌이동맥, 그리고 위팔세갈래근 가쪽갈래
Axillary nerve, posterior circumflex humeral artery,
and lateral head of triceps brachii muscle
17 작은원근 Teres minor muscle
18 위팔세갈래근의 긴갈래 Long head of triceps brachii muscle
19 어깨휘돌이동맥과 큰원근
Circumflex scapular artery and teres major muscle
20 가시아래근 근막 Infraspinatus muscle with fascia

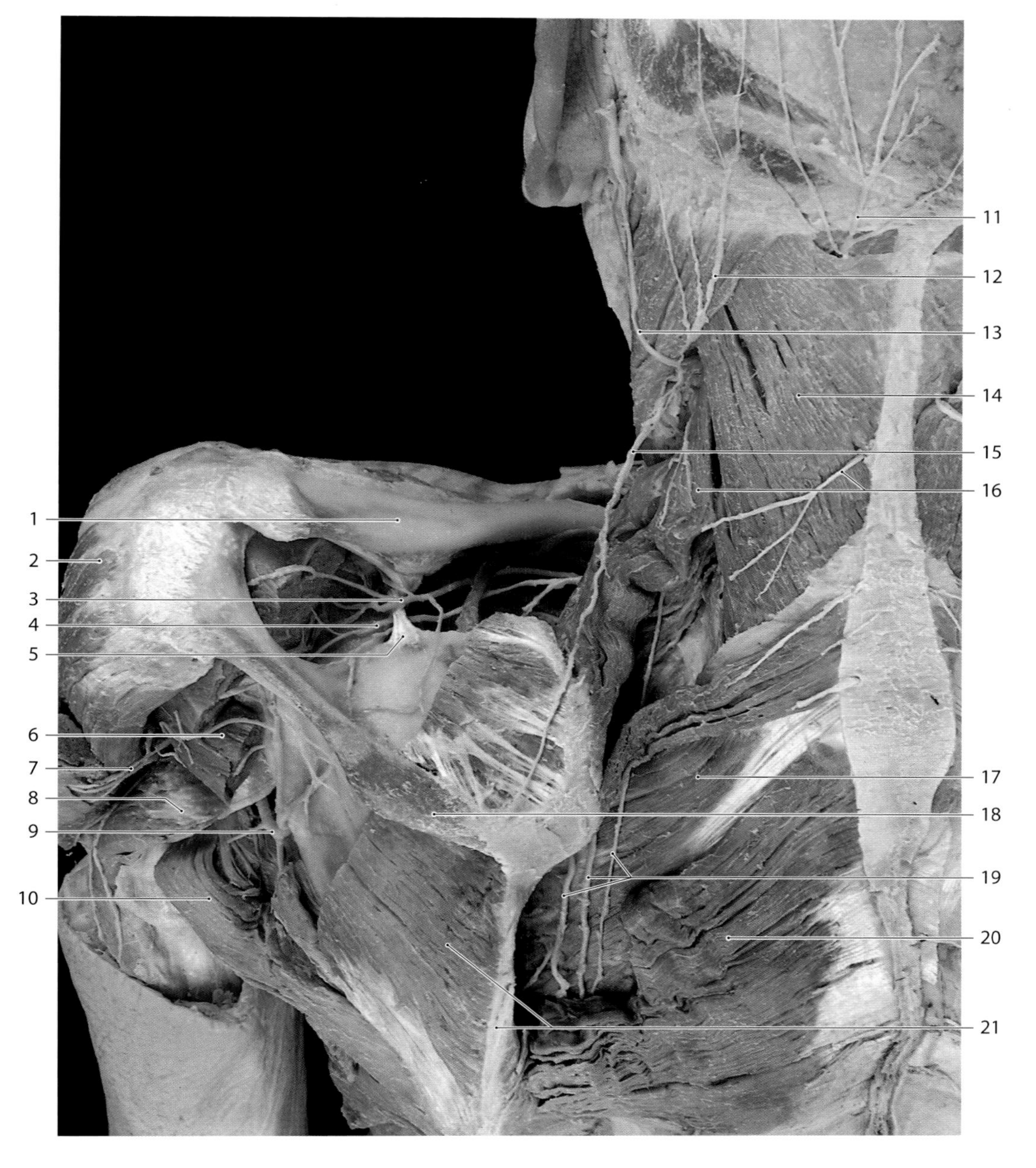

그림 3.88 **어깨의 뒤부위**, 가장깊은층. 마름근육과 어깨근육에 창을 내고, 어깨세모근의 뒤부분을 젖혔다.

1 빗장뼈 Clavicle
2 어깨세모근 Deltoid muscle
3 어깨위동맥 Suprascapular artery
4 어깨위신경 Suprascapular nerve
5 위가로어깨인대 Superior transverse scapular ligament
6 작은원근 Teres minor muscle
7 겨드랑신경과 뒤위팔휘돌이동맥 Axillary nerve and posterior circumflex humeral artery
8 위팔세갈래근의 긴갈래 Long head of triceps muscle
9 어깨휘돌이동맥 Circumflex scapular artery
10 큰원근 Teres major muscle
11 큰뒤통수신경 Greater occipital nerve
12 작은뒤통수신경 Lesser occipital nerve
13 큰귓바퀴신경 Great auricular nerve
14 머리널판근 Splenius capitis muscle
15 더부신경(11번 뇌신경) Accessory nerve (CN XI)
16 셋째뒤통수신경과 어깨올림근 Third occipital nerve and levator scapulae muscle
17 위뒤톱니근 Serratus posterior superior muscle
18 어깨뼈가시 Spine of scapula
19 등쪽어깨동맥과 등쪽어깨신경 Dorsal scapular artery and dorsal scapular nerve
20 큰마름근 Rhomboid major muscle
21 가시아래근과 어깨뼈 안쪽모서리 Infraspinatus muscle and medial margin of scapula
22 겨드랑동맥 Axillary artery
23 노신경과 위팔동맥 Radial nerve and brachial artery
24 가슴등동맥 Thoracodorsal artery
25 갑상목동맥줄기 Thyrocervical trunk
26 팔신경얼기 Brachial plexus

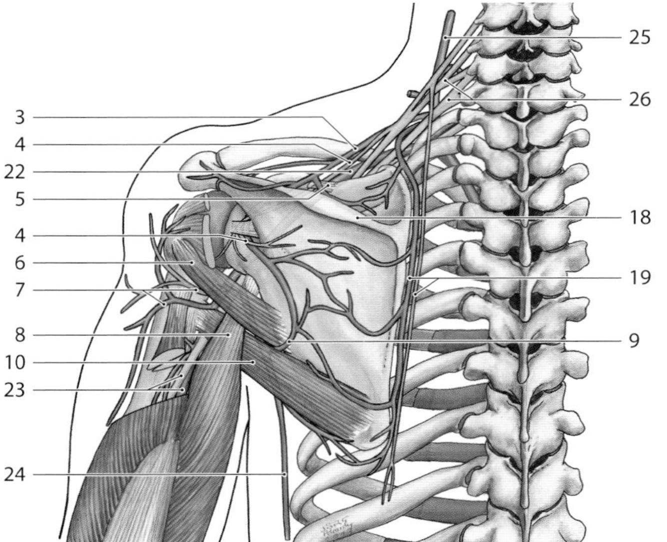

그림 3.89 **어깨부위의 동맥결순환**(뒤모습). 어깨위동맥과 어깨휘돌이동맥의 연결.

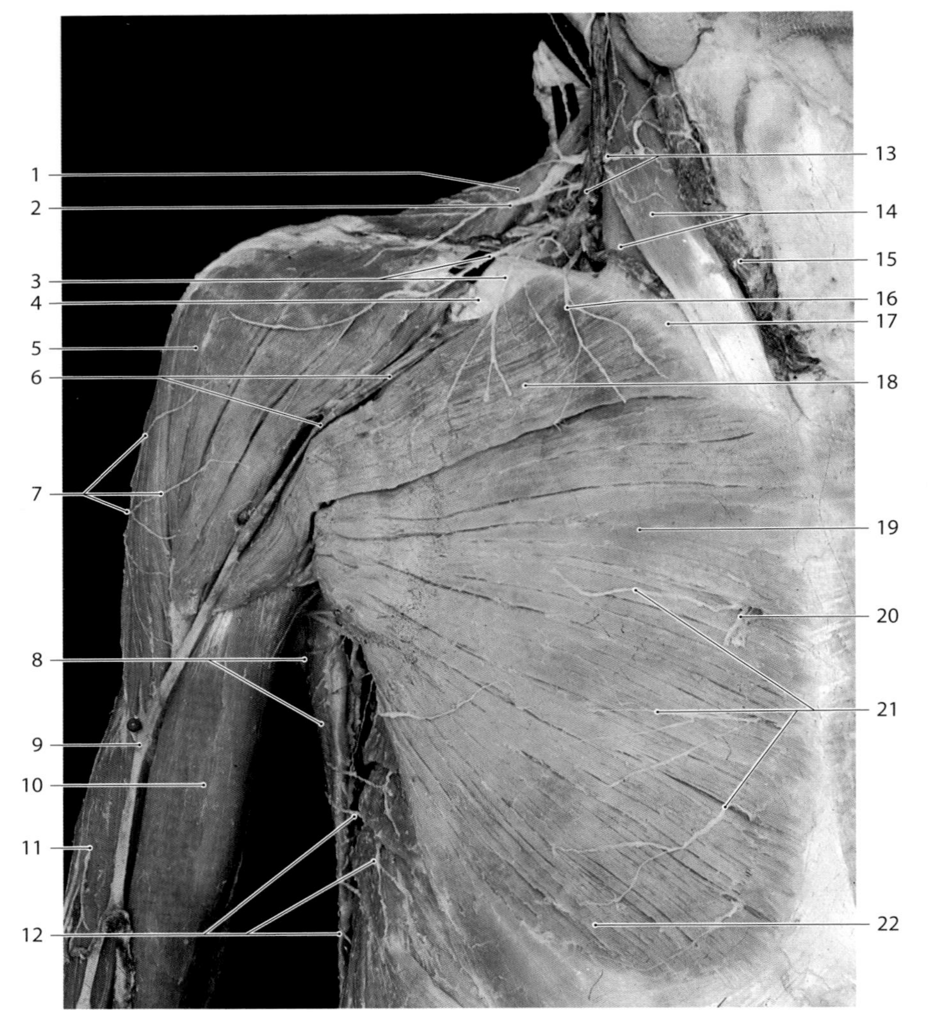

그림 3.90 **어깨와 가슴벽의 앞부위,** 얕은층. 피부신경과 피부정맥의 해부.

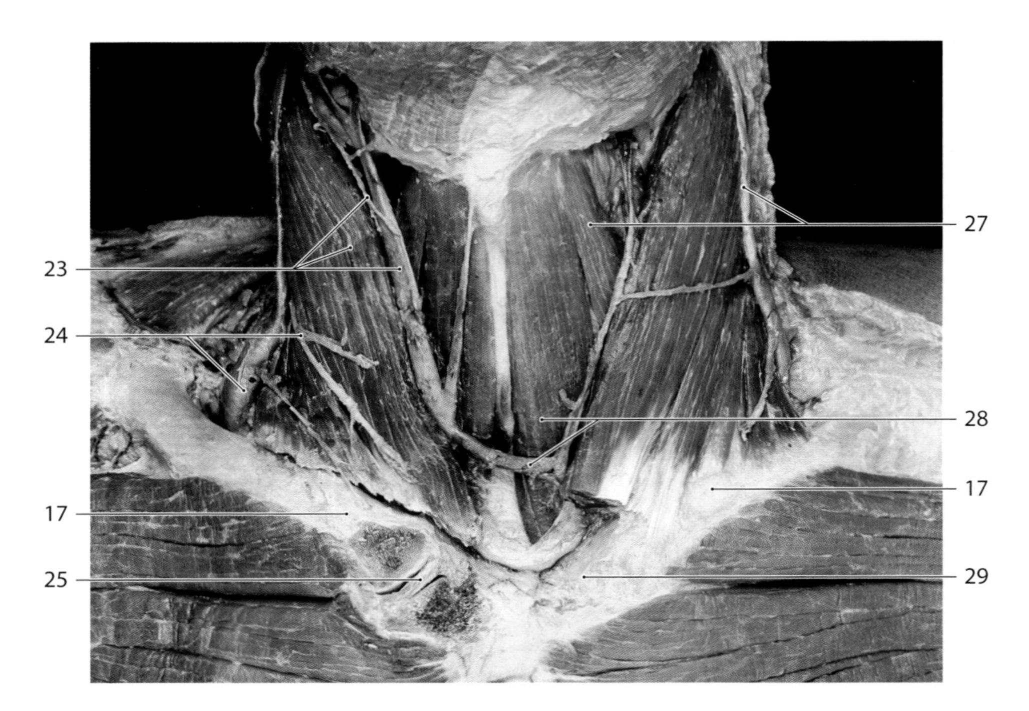

1 등세모근 Trapezius muscle
2 뒤빗장위신경 Posterior supraclavicular nerve
3 중간빗장위신경 Middle supraclavicular nerve
4 세모가슴근삼각 Deltopectoral triangle
5 어깨세모근 Deltoid muscle
6 세모가슴근고랑의 노쪽피부정맥
Cephalic vein within the deltopectoral groove
7 위가쪽위팔피부신경(겨드랑신경의 가지)
Upper lateral cutaneous nerve of arm
(branch of axillary nerve)
8 넓은등근 Latissimus dorsi muscle
9 노쪽피부정맥 Cephalic vein
10 위팔두갈래근 Biceps brachii muscle
11 위팔세갈래근 Triceps brachii muscle
12 갈비사이신경의 가쪽피부가지
Lateral cutaneous branches of intercostal nerves
13 가로목신경과 바깥목정맥
Transverse cervical nerve and external jugular vein
14 목빗근 Sternocleidomastoid muscle
15 앞목정맥 Anterior jugular vein
16 앞빗장위신경 Anterior supraclavicular nerve
17 빗장뼈 Clavicle
18 큰가슴근의 빗장부분
Clavicular part of pectoralis major muscle
19 큰가슴근의 복장갈비부분 Sternocostal part of pectoralis major muscle
20 속가슴동맥의 관통가지
Perforating branch of internal thoracic artery
21 갈비사이신경의 앞피부가지
Anterior cutaneous branches of intercostal nerves
22 큰가슴근의 배부분
Abdominal part of pectoralis major muscle
23 목빗근, 얼굴신경의 목가지 및 앞목정맥
Sternocleidomastoid muscle, cervical branch of facial nerve, and anterior jugular vein
24 바깥목정맥과 가로목신경(아래가지)
External jugular vein and transverse cervical nerve (inferior branch)
25 복장빗장관절(열려 있음)과 관절원반
Sternoclavicular joint (opened) with articular disc
26 큰가슴근 Pectoralis major muscle
27 어깨목뿔근과 바깥목정맥
Omohyoid muscle and external jugular vein
28 목정맥활과 복장목뿔근
Jugular venous arch and sternohyoid muscle
29 복장빗장관절(닫혀 있음)
Sternoclavicular joint (not opened)

그림 3.91 **가슴벽과 목의 앞부위.** 복장빗장관절이 보인다. 오른쪽에서 관절이 관상면으로 열려 있어 관절원반을 확인할 수 있다.

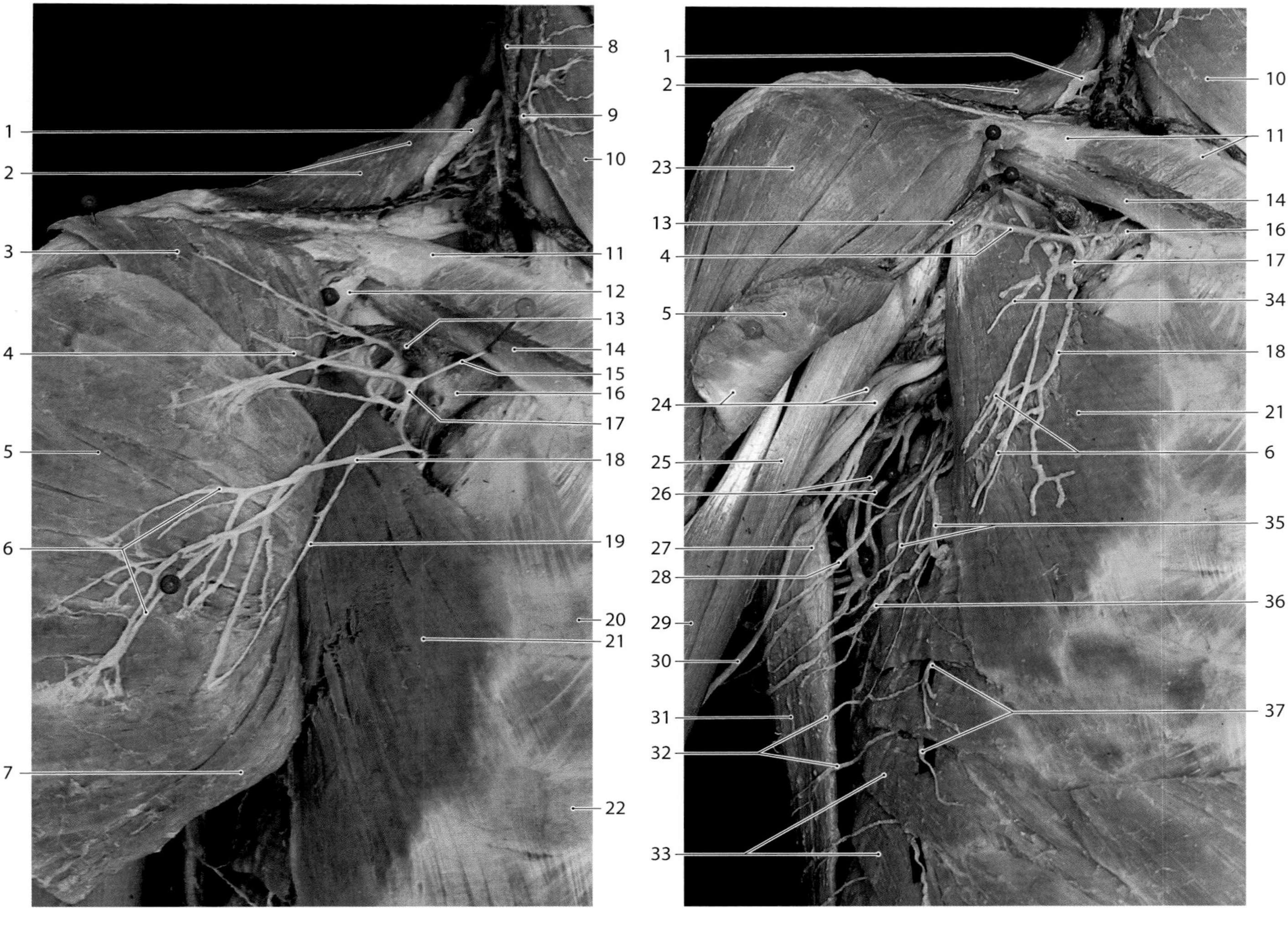

그림 3.92 **세모가슴근삼각과 빗장아래부위**(앞모습). 큰가슴근을 잘라서 젖혔다.

그림 3.93 **어깨앞부위, 가슴벽과 겨드랑.** 깊은층. 큰가슴근을 잘라 일부를 제거하였다.

1 더부신경 Accessory nerve
2 등세모근 Trapezius muscle
3 큰가슴근(빗장부분) Pectoralis major muscle (clavicular part)
4 가슴봉우리동맥의 봉우리가지 Acromial branch of thoraco-acromial artery
5 큰가슴근 Pectoralis major muscle
6 가쪽가슴근신경 Lateral pectoral nerves
7 큰가슴근의 배부분 Abdominal part of pectoralis major muscle
8 바깥목정맥 External jugular vein
9 목신경얼기의 피부가지 Cutaneous branches of cervical plexus
10 목빗근 Sternocleidomastoid muscle
11 빗장뼈 Clavicle
12 빗장가슴근막 Clavipectoral fascia
13 노쪽피부정맥 Cephalic vein
14 빗장밑근 Subclavius muscle
15 가슴봉우리동맥의 빗장가지 Clavicular branch of thoraco-acromial artery
16 빗장밑정맥 Subclavian vein
17 가슴봉우리동맥 Thoraco-acromial artery
18 가슴봉우리동맥의 가슴근가지 Pectoral branch of thoraco-acromial artery
19 안쪽가슴근신경 Medial pectoral nerve
20 둘째갈비뼈 Second rib
21 작은가슴근 Pectoralis minor muscle
22 셋째갈비뼈 Third rib
23 어깨세모근 Deltoid muscle
24 큰가슴근(젖힘), 위팔동맥 그리고 정중신경
Pectoralis major muscle (reflected), brachial artery, and median nerve
25 위팔두갈래근의 짧은갈래 Short head of biceps brachii muscle
26 가슴등동맥과 신경 Thoracodorsal artery and nerve
27 안쪽위팔피부신경 Medial cutaneous nerve of arm
28 갈비사이위팔신경 Intercostobrachial nerve (T2)
29 위팔두갈래근의 긴갈래 Long head of biceps brachii muscle
30 안쪽아래팔피부신경 Medial cutaneous nerve of forearm
31 넓은등근 Latissimus dorsi muscle
32 갈비사이신경의 가쪽피부가지(뒤가지)
Lateral cutaneous branches of intercostal nerves (posterior branches)
33 앞톱니근 Serratus anterior muscle
34 안쪽가슴근신경 Medial pectoral nerve
35 긴가슴신경과 가쪽가슴동맥 Long thoracic nerve and lateral thoracic artery
36 갈비사이위팔신경 Intercostobrachial nerve (T3)
37 갈비사이신경의 가쪽피부가지(앞가지)
Lateral cutaneous branches of intercostal nerves (anterior branches)

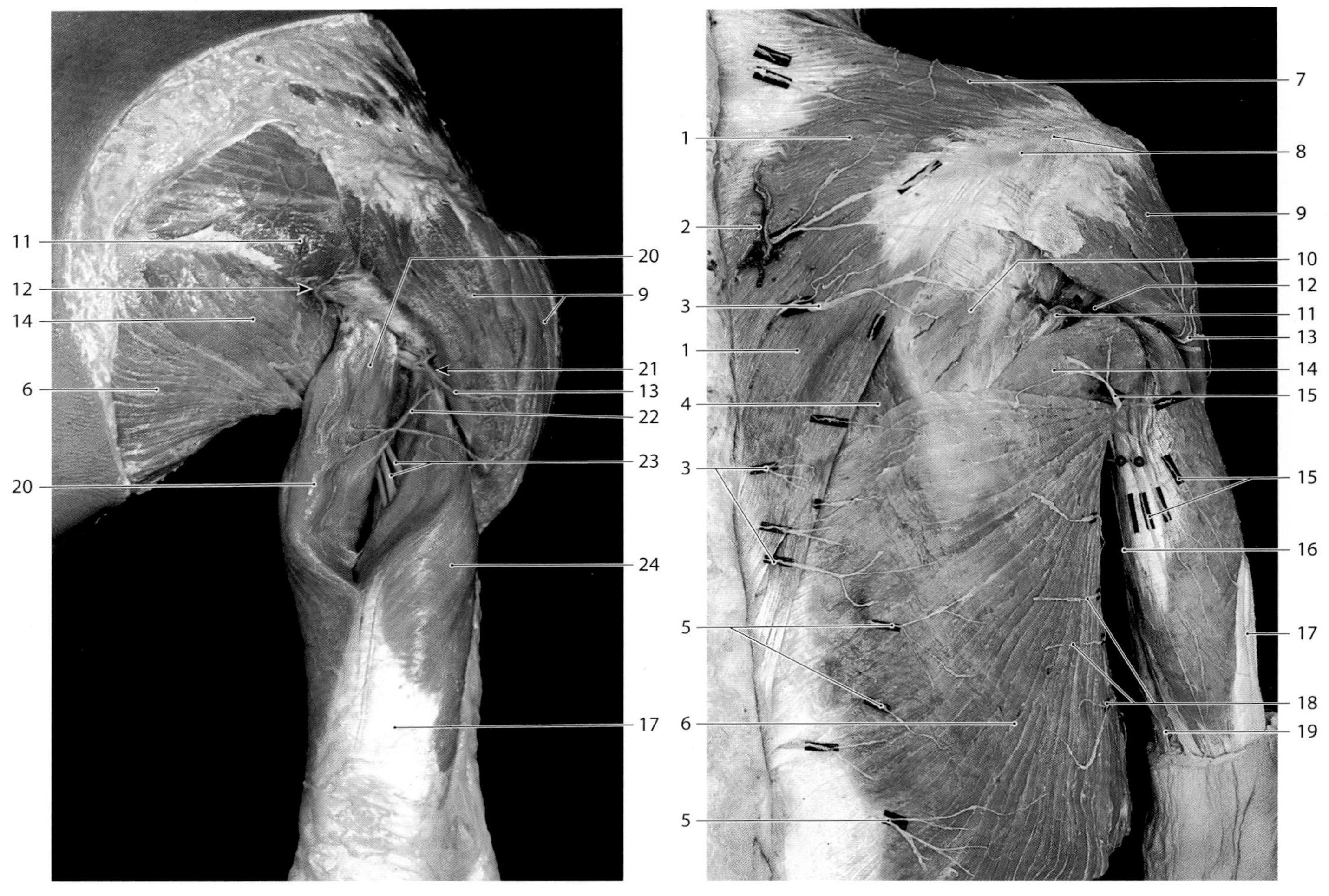

그림 3.94 **어깨와 위팔**(뒤모습). 겨드랑부위의 네모공간과 세모공간의 해부.

그림 3.95 **어깨부위와 위팔, 얕은층**(뒤모습). 등에 분포하는 피부신경의 구역별 분포를 확인하시오.

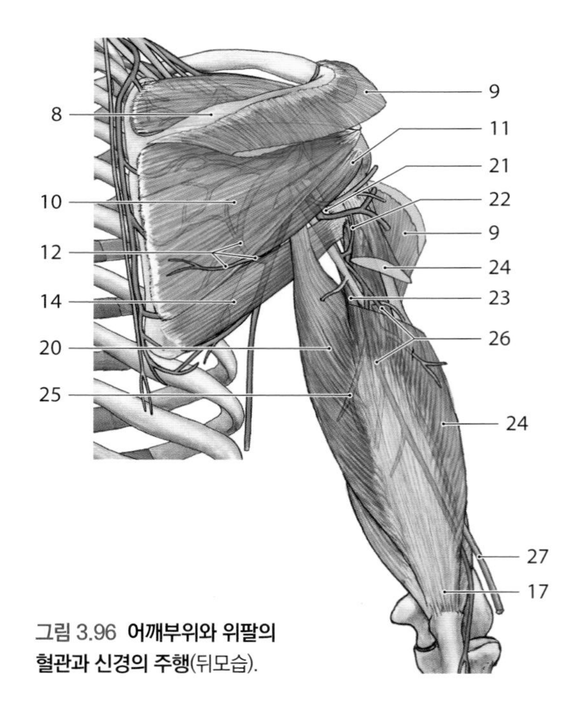

그림 3.96 **어깨부위와 위팔의 혈관과 신경의 주행**(뒤모습).

1 등세모근 Trapezius muscle
2 뒤갈비사이동맥 및 정맥의 등쪽가지(안쪽 피부가지) Dorsal branches of posterior intercostal artery and vein (medial cutaneous branches)
3 척수신경 뒤가지의 안쪽가지 Medial branches of dorsal rami of spinal nerves
4 큰마름근 Rhomboid major muscle
5 척수신경 뒤가지의 가쪽가지 Lateral branches of dorsal rami of spinal nerves
6 넓은등근 Latissimus dorsi muscle
7 뒤빗장위신경 Posterior supraclavicular nerve
8 어깨뼈가시 Spine of scapula
9 어깨세모근 Deltoid muscle
10 가시아래근 Infraspinatus muscle
11 작은원근 Teres minor muscle
12 어깨휘돌이동맥과 정맥이 통과하는 세모공간 Triangular space with circumflex scapular artery and vein
13 위가쪽위팔피부신경과 동행하는 동맥 Upper lateral cutaneous nerve of arm with artery
14 큰원근 Teres major muscle
15 갈비사이위팔신경의 종말가지 Terminal branches of intercostobrachial nerve
16 안쪽위팔피부신경 Medial cutaneous nerve of arm
17 위팔세갈래근힘줄 Tendon of triceps brachii muscle
18 갈비사이신경의 가쪽피부가지 Lateral cutaneous branches of intercostal nerves
19 안쪽아래팔피부신경 Medial cutaneous nerve of forearm
20 위팔세갈래근의 긴갈래 Long head of triceps brachii muscle
21 겨드랑신경과 뒤위팔휘돌이동맥이 통과하는 네모공간 Quadrangular space with axillary nerve and posterior humeral circumflex artery
22 깊은위팔동맥과 뒤위팔휘돌이동맥의 연결 Anastomosis between profunda brachii artery and posterior humeral circumflex artery
23 노신경과 깊은위팔동맥의 주행 Course of radial nerve and profunda brachii artery
24 위팔세갈래근의 가쪽갈래 Lateral head of triceps brachii muscle
25 안쪽곁동맥 Medial collateral artery
26 노쪽곁동맥 Radial collateral artery
27 노신경 Radial nerve

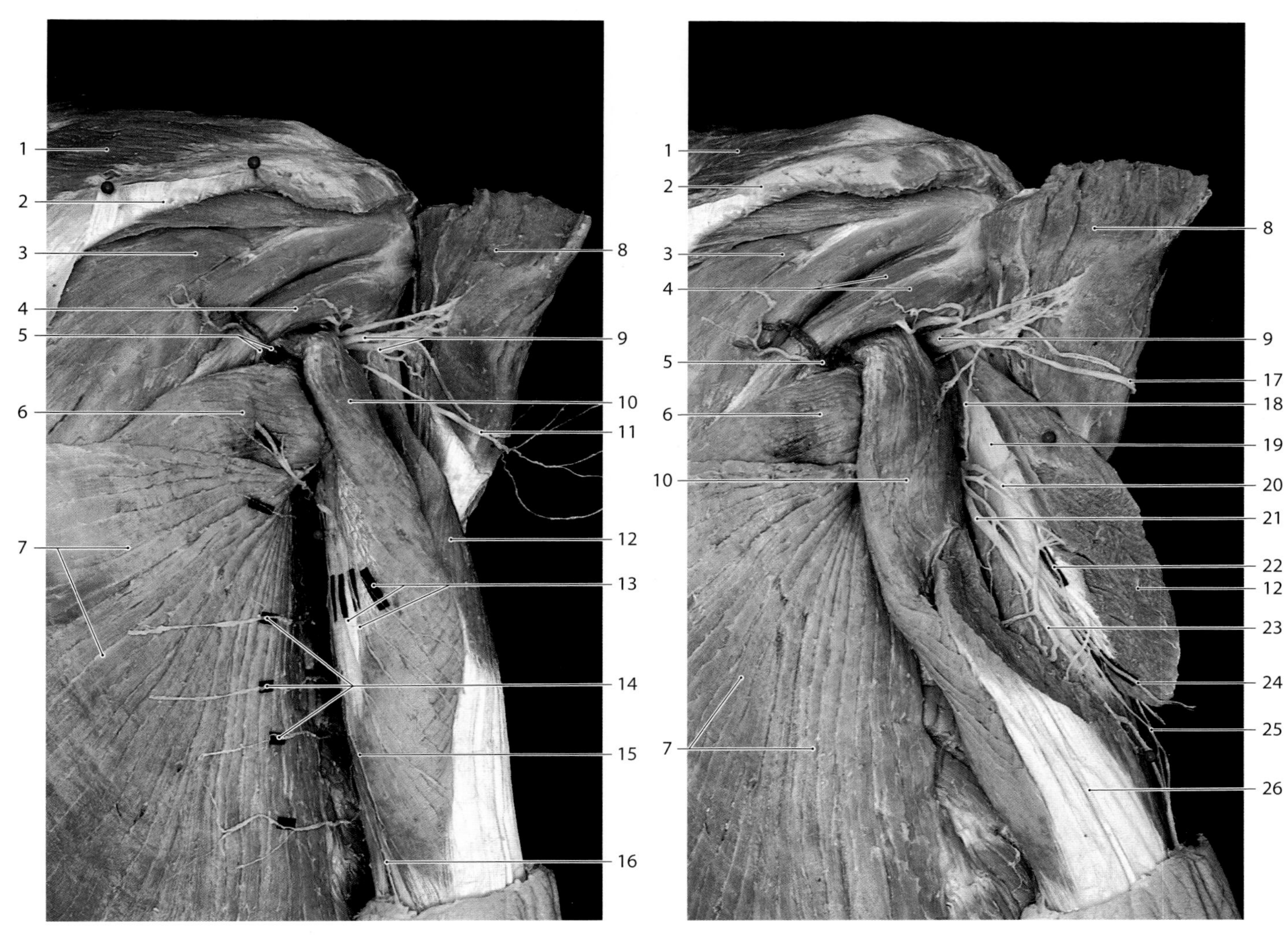

그림 3.97 **어깨부위와 위팔, 깊은층**(뒤모습). 어깨세모근 일부를 잘라 젖혀서 겨드랑부위의 네모공간과 세모공간이 보이게 하였다.

그림 3.98 **어깨부위와 위팔, 깊은층**(뒤모습). 위팔세갈래근의 가쪽갈래를 잘라 노신경과 함께 달리는 혈관이 보이게 하였다.

1 등세모근 Trapezius muscle
2 어깨뼈가시 Spine of scapula
3 가시아래근 Infraspinatus muscle
4 작은원근 Teres minor muscle
5 세모공간을 지나는 어깨휘돌이동맥과 정맥
Triangular space containing circumflex scapular artery and vein
6 큰원근 Teres major muscle
7 넓은등근 Latissimus dorsi muscle
8 어깨세모근(잘라서 젖힘) Deltoid muscle (cut and reflected)
9 네모공간을 지나는 겨드랑신경과 뒤위팔휘돌이동맥 및 정맥
Quadrangular space containing axillary nerve and posterior circumflex humeral artery and vein
10 위팔세갈래근의 긴갈래 Long head of triceps brachii muscle
11 겨드랑신경의 피부가지 Cutaneous branch of axillary nerve
12 위팔세갈래근의 가쪽갈래 Lateral head of triceps brachii muscle
13 갈비사이위팔신경의 종말가지
Terminal branches of intercostobrachial nerve
14 갈비사이신경의 가쪽피부가지
Lateral cutaneous branches of intercostal nerves
15 안쪽위팔피부신경 Medial cutaneous nerve of arm
16 안쪽아래팔피부신경 Medial cutaneous nerve of forearm
17 위가쪽위팔피부신경 Upper lateral cutaneous nerve of arm
18 깊은위팔동맥과 뒤위팔휘돌이동맥의 연결
Anastomosis between profunda brachii artery and posterior humeral circumflex artery
19 위팔뼈 Humerus
20 깊은위팔동맥 Profunda brachii artery
21 노신경 Radial nerve
22 노쪽곁동맥 Radial collateral artery
23 중간곁동맥 Middle collateral artery
24 아래가쪽위팔피부신경 Lower lateral cutaneous nerve of arm
25 뒤아래팔피부신경 Posterior cutaneous nerve of forearm
26 위팔세갈래근힘줄 Tendon of triceps brachii muscle

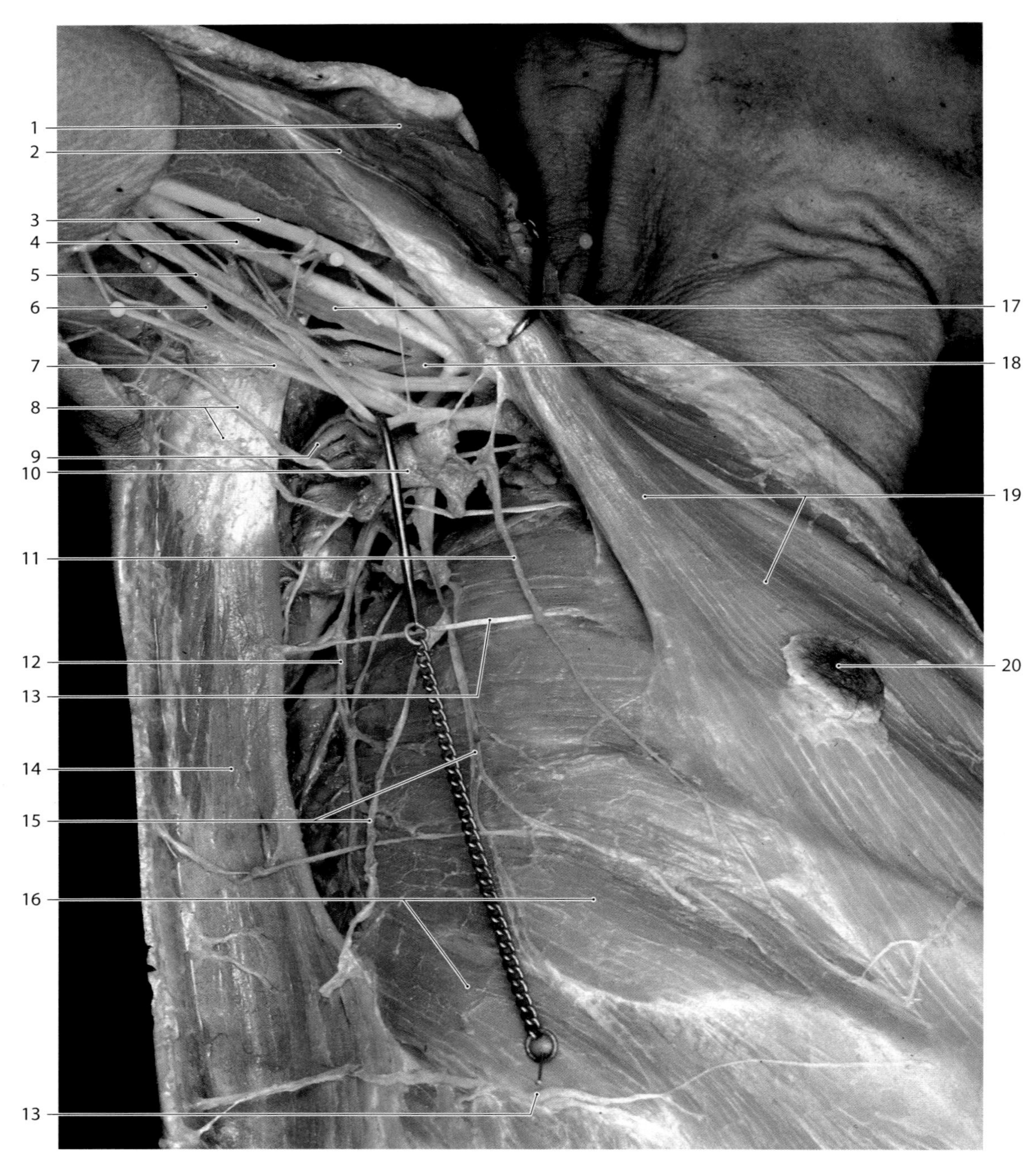

그림 3.99 **겨드랑부위**(오른쪽, 아래모습). 얕은겨드랑림프절와 림프관의 해부. 큰가슴근을 약간 들어 올렸다.

1 어깨세모근 Deltoid muscle
2 노쪽피부정맥 Cephalic vein
3 정중신경 Median nerve
4 위팔동맥 Brachial artery
5 안쪽위팔피부신경 및 안쪽아래팔피부신경 Medial cutaneous nerves of arm and forearm
6 자신경 Ulnar nerve
7 자쪽피부정맥 Basilic vein
8 갈비사이위팔신경 Intercostobrachial nerves
9 어깨휘돌이동맥 Circumflex scapular artery
10 얕은겨드랑림프절 Superficial axillary lymph nodes
11 가쪽가슴동맥 Lateral thoracic artery
12 가슴등동맥 Thoracodorsal artery
13 갈비사이신경의 가쪽피부가지 Lateral cutaneous branch of intercostal nerve
14 넓은등근 Latissimus dorsi muscle
15 가슴배벽정맥 Thoraco-epigastric vein
16 앞톱니근 Serratus anterior muscle
17 근육피부신경 Musculocutaneous nerve
18 노신경 Radial nerve
19 큰가슴근 Pectoralis major muscle
20 젖꼭지 Nipple

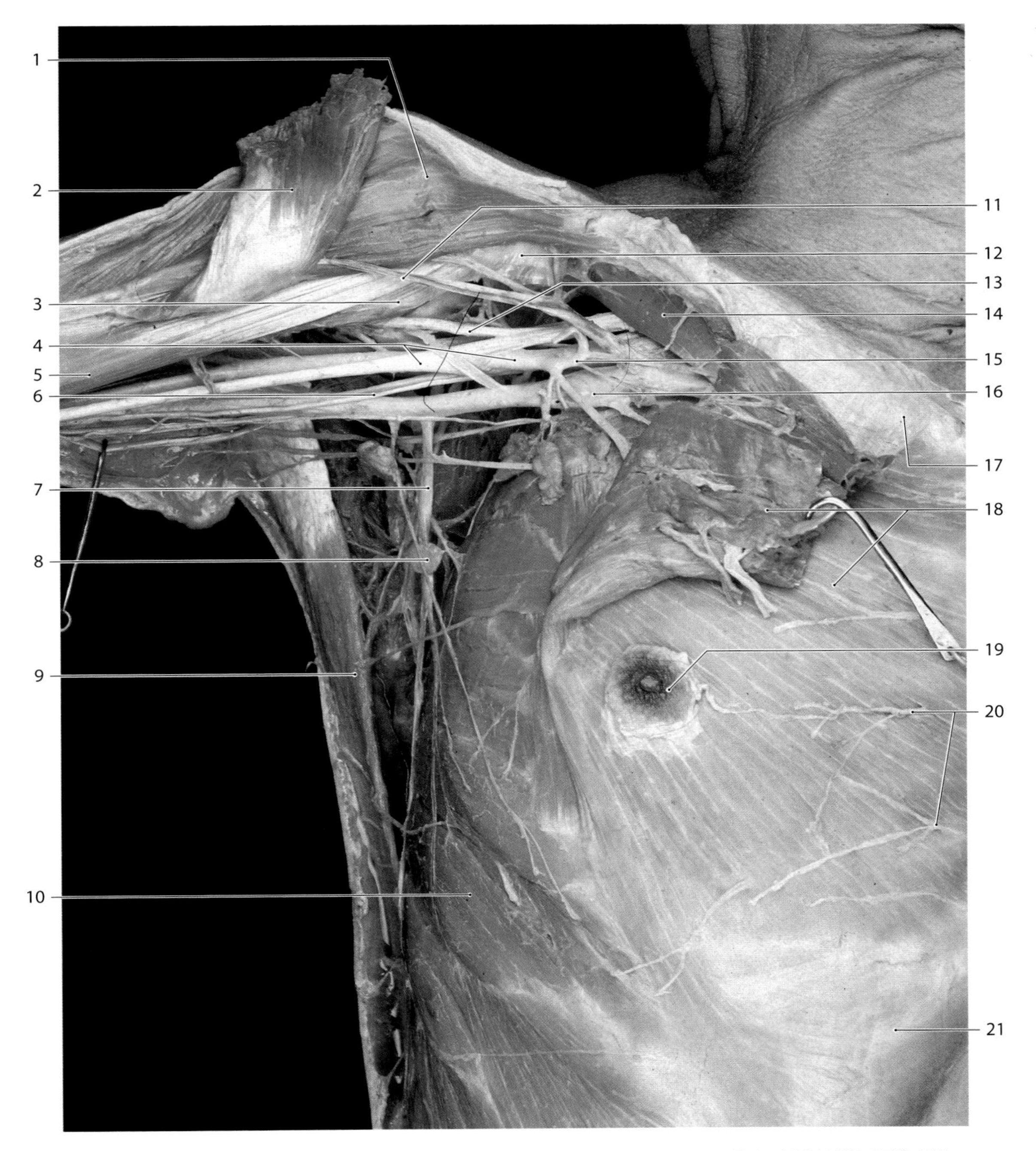

그림 3.100 **겨드랑부위**(오른쪽, 앞모습). 깊은겨드랑림프절의 해부. 큰 및 작은가슴근을 잘라서 젖혔다. 팔이음부위와 위팔을 들어 올려 젖혔다.

1 어깨세모근 Deltoid muscle
2 큰가슴근의 닿는곳 Insertion of pectoralis major muscle
3 부리위팔근 Coracobrachialis muscle
4 정중신경의 뿌리와 겨드랑동맥 Roots of median nerve and axillary artery
5 위팔두갈래근의 짧은갈래 Short head of biceps brachii muscle
6 자신경과 안쪽아래팔피부신경 Ulnar nerve and medial cutaneous nerve of forearm
7 가슴배벽정맥 Thoraco-epigastric vein
8 깊은겨드랑림프절 Deep axillary lymph nodes
9 넓은등근 Latissimus dorsi muscle
10 앞톱니근 Serratus anterior muscle
11 노쪽피부정맥 Cephalic vein
12 작은가슴근의 닿는곳(부리돌기) Insertion of pectoralis minor muscle(coracoid process)
13 근육피부신경 Musculocutaneous nerve
14 빗장밑근 Subclavius muscle
15 가슴봉우리동맥 Thoraco-acromial artery
16 겨드랑정맥 Axillary vein
17 빗장뼈 Clavicle
18 큰 및 작은가슴근(젖힘) Pectoralis major and minor muscles (reflected)
19 젖꼭지 Nipple
20 갈비사이신경의 앞피부가지 Anterior cutaneous branches of intercostal nerves
21 배곧은근집의 앞층 Anterior layer of rectus sheath

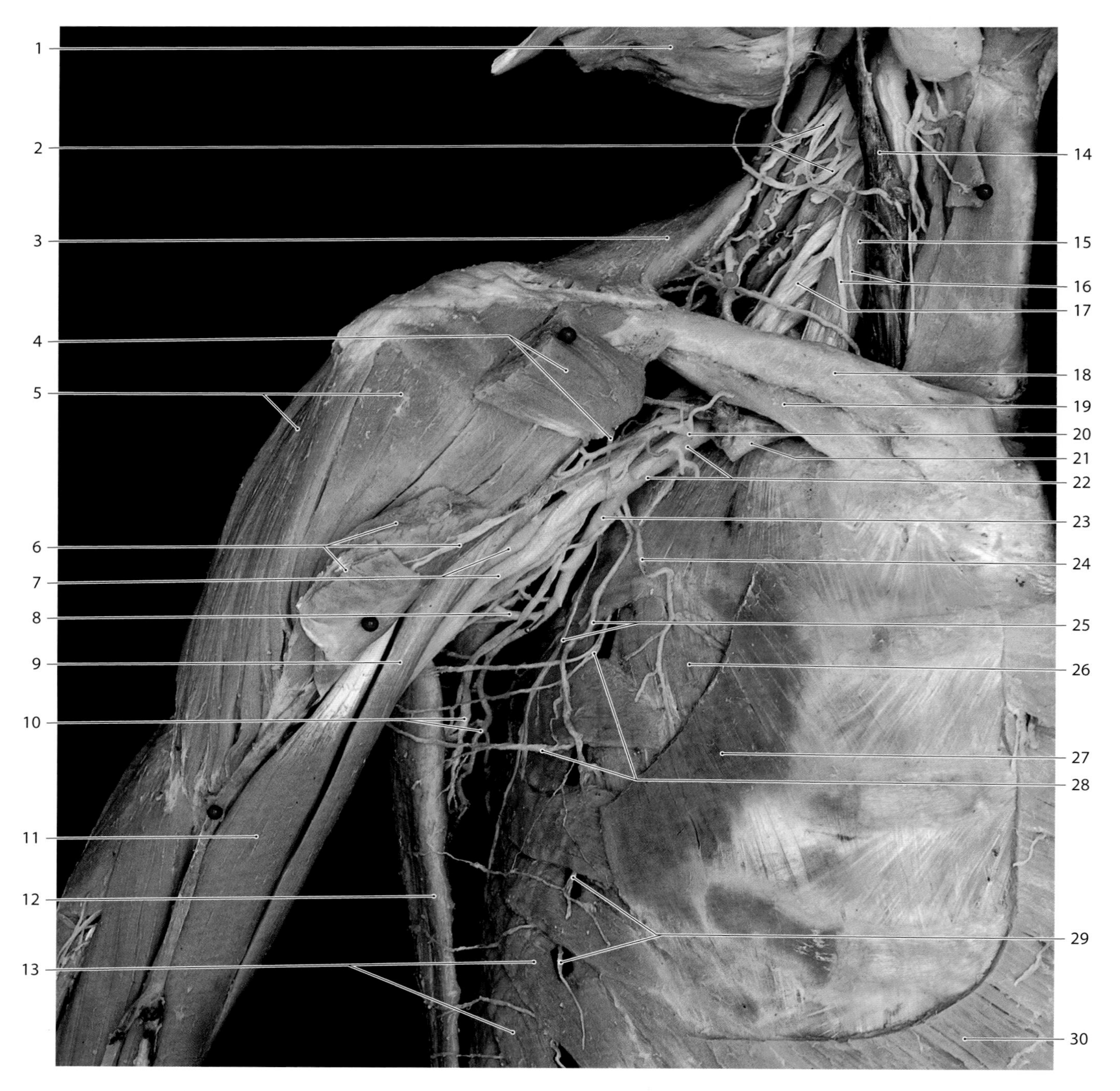

그림 3.101 **겨드랑부위**(오른쪽, 앞모습). 큰 및 작은가슴근을 잘라 젖혀서 겨드랑의 혈관과 신경이 보이게 하였다.

1 목빗근(잘라서 젖힘) Sternocleidomastoid muscle (cut and reflected)
2 목신경얼기 Cervical plexus
3 등세모근 Trapezius muscle
4 작은가슴근과 안쪽가슴근신경 Pectoralis minor muscle and medial pectoral nerve
5 어깨세모근 Deltoid muscle
6 큰가슴근과 가쪽가슴근신경 Pectoralis major muscle and lateral pectoral nerve
7 정중신경과 위팔동맥 Median nerve and brachial artery
8 어깨휘돌이동맥 Circumflex scapular artery
9 위팔두갈래근의 짧은갈래 Short head of biceps brachii muscle
10 가슴등동맥 및 신경 Thoracodorsal artery and nerve
11 위팔두갈래근의 긴갈래 Long head of biceps brachii muscle
12 넓은등근 Latissimus dorsi muscle
13 앞톱니근 Serratus anterior muscle
14 속목정맥 Internal jugular vein
15 앞목갈비근 Anterior scalene muscle
16 가로막신경과 오름목동맥 Phrenic nerve and ascending cervical artery
17 팔신경얼기(줄기 부위) Brachial plexus (at the levels of the trunks)
18 빗장뼈 Clavicle
19 빗장밑근 Subclavius muscle
20 가슴봉우리동맥 Thoraco-acromial artery
21 빗장밑정맥(잘림) Subclavian vein (cut)
22 겨드랑동맥 Axillary artery
23 어깨밑동맥 Subscapular artery
24 위가슴동맥 Superior thoracic artery
25 가쪽가슴동맥과 긴가슴신경 Lateral thoracic artery and long thoracic nerve
26 바깥갈비사이근 External intercostal muscle
27 작은가슴근의 닿는곳 Insertion of pectoralis minor muscle
28 갈비사이위팔신경 Intercostobrachial nerves
29 갈비사이신경의 가쪽피부가지 Lateral cutaneous branches of intercostal nerves
30 큰가슴근의 닿는곳 Insertion of pectoralis major muscle

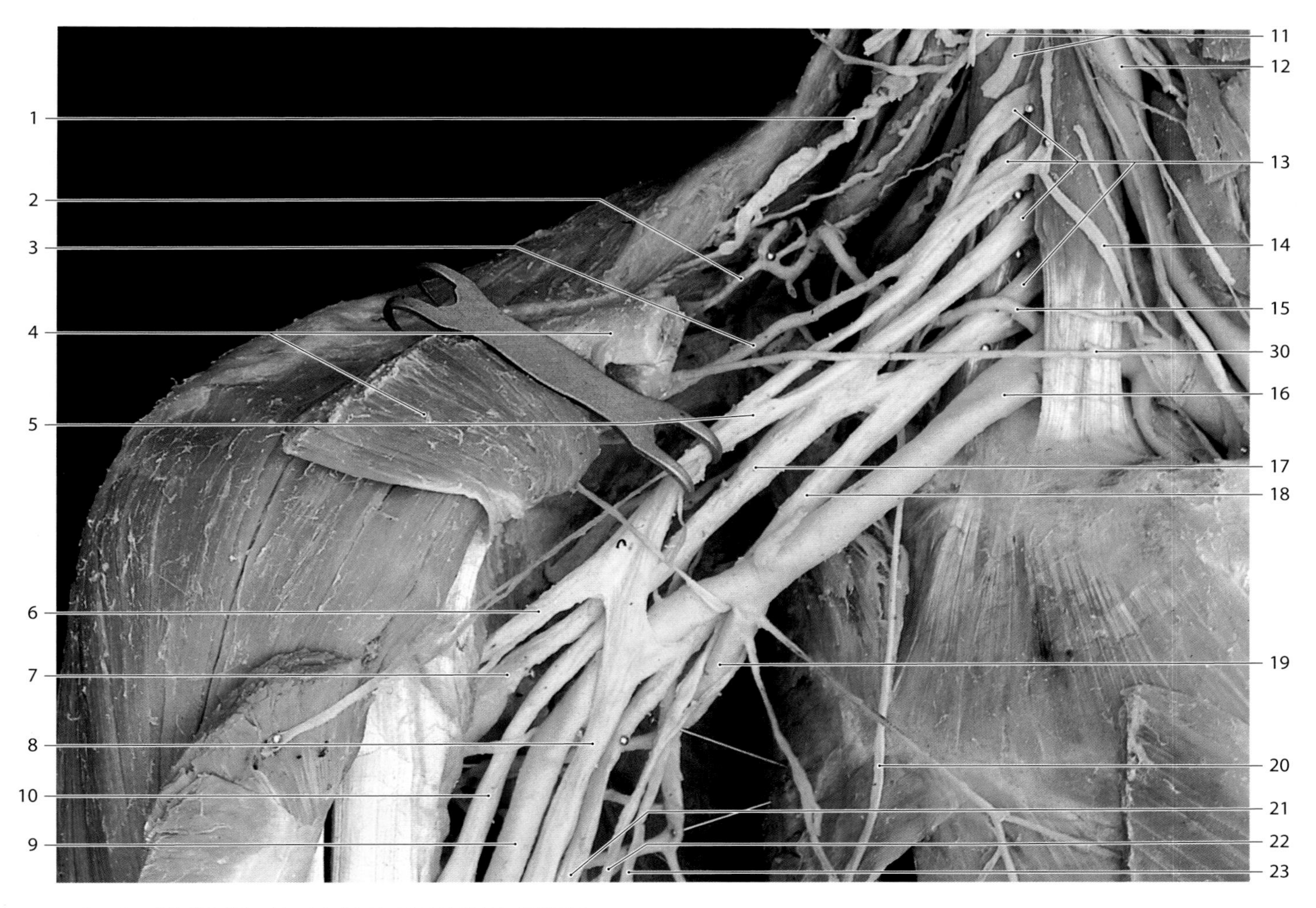

그림 3.102 **팔신경얼기**(앞모습). 빗장뼈와 두 가슴근의 일부를 제거하였다.

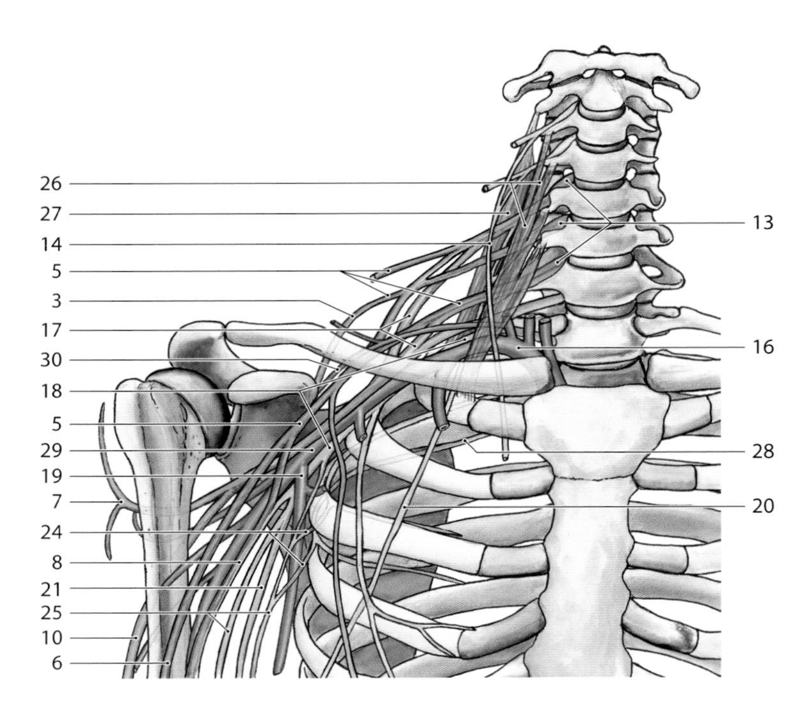

그림 3.103 **팔신경얼기의 주요 가지.** 뒤다발은 주황색, 가쪽다발은 황토색, 안쪽다발은 연한 노란색.

1 더부신경 Accessory nerve
2 등쪽어깨동맥 Dorsal scapular artery
3 어깨위신경 Suprascapular nerve
4 빗장뼈와 작은가슴근 Clavicle and pectoralis minor muscle
5 팔신경얼기의 가쪽다발 Lateral cord of brachial plexus
6 근육피부신경 Musculocutaneous nerve
7 겨드랑신경 Axillary nerve
8 정중신경 Median nerve
9 위팔동맥 Brachial artery
10 노신경 Radial nerve
11 목신경얼기 Cervical plexus
12 온목동맥 Common carotid artery
13 팔신경얼기의 뿌리 Roots of brachial plexus (C5-T1)
14 가로막신경 Phrenic nerve
15 가로목동맥 Transverse cervical artery
16 빗장밑동맥 Subclavian artery
17 팔신경얼기의 뒤다발 Posterior cord of brachial plexus
18 팔신경얼기의 안쪽다발 Medial cord of brachial plexus
19 어깨밑동맥 Subscapular artery
20 긴가슴신경 Long thoracic nerve
21 자신경 Ulnar nerve
22 안쪽아래팔피부신경 Medial cutaneous nerve of forearm
23 가슴등신경 Thoracodorsal nerve
24 갈비사이위팔신경 Intercostobrachial nerves
25 안쪽위팔 및 안쪽아래팔피부신경
Medial cutaneous nerves of arm and forearm
26 앞목갈비근 Anterior scalene muscle
27 중간목갈비근 Middle scalene muscle
28 갈비사이신경 Intercostal nerve (T3)
29 겨드랑동맥 Axillary artery
30 어깨위동맥 Suprascapular artery

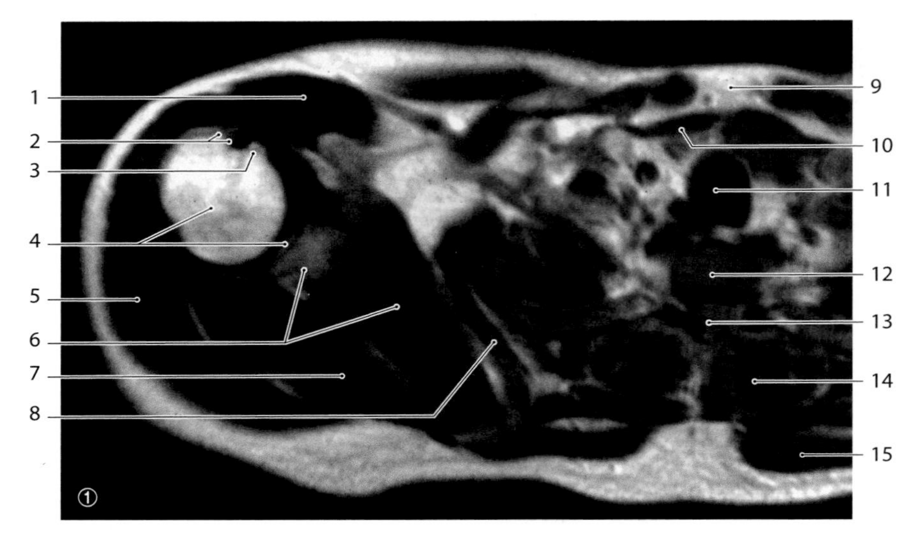

그림 3.104 **오른쪽 어깨관절의 수평단면.** 단면 1(아래면, 자기공명영상). (Heuck A, et al. MRT-Atlas des muskuloskelettalen Systems. Stuttgart, Germany: Schattauer, 2009.)

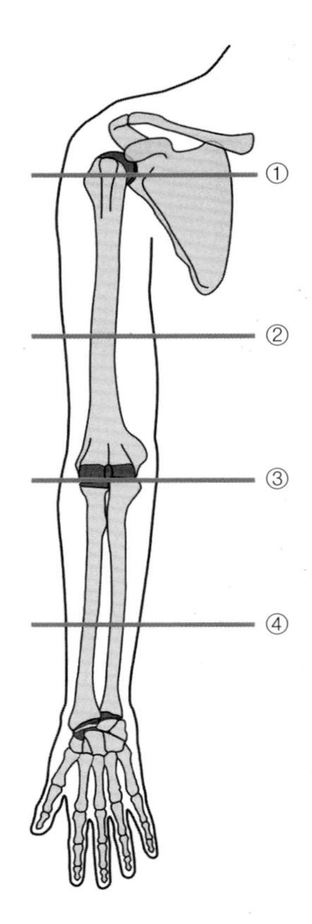

그림 3.106 **단면의 위치**

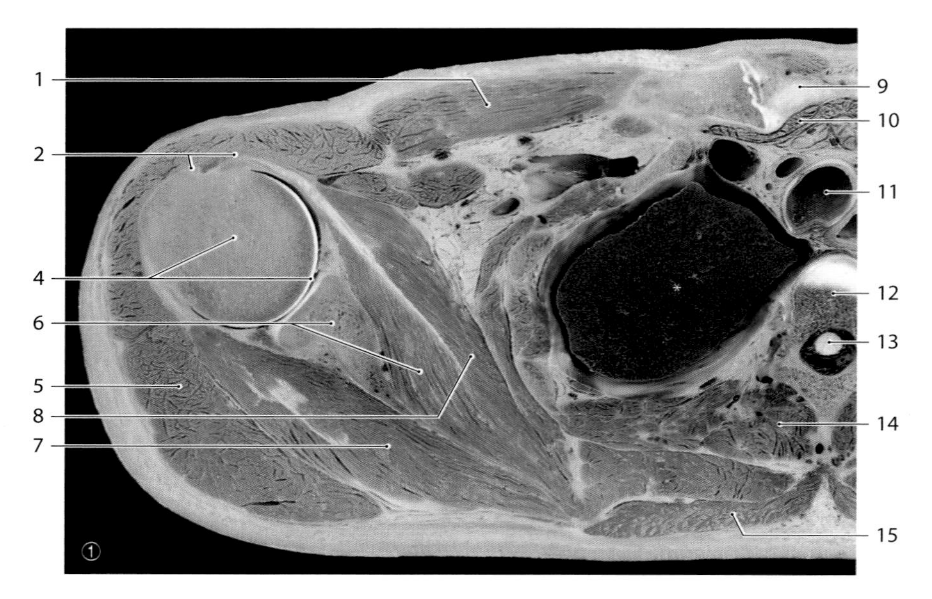

그림 3.105 **오른쪽 어깨관절의 수평단면.** 단면 1(아래모습). * = 허파의 위엽.

1 큰가슴근 Pectoralis major muscle
2 큰결절과 위팔두갈래근힘줄
Greater tubercle and tendon of biceps muscle
3 작은결절 Lesser tubercle
4 위팔뼈머리와 어깨관절의 관절안
Head of humerus and articular cavity of shoulder joint
5 어깨세모근 Deltoid muscle
6 어깨뼈 Scapula
7 가시아래근 Infraspinatus muscle
8 앞톱니근 Serratus anterior muscle
9 복장뼈 Sternum
10 목뿔아래근 Infrahyoid muscles
11 기관 Trachea
12 등뼈몸통 Body of thoracic vertebra
13 척주관과 척수 Vertebral canal and spinal cord
14 등의 깊은층근육 Deep muscles of the back
15 등세모근 Trapezius muscle
16 위팔근 Brachialis muscle
17 노신경과 깊은위팔동맥
Radial nerve and profunda brachii artery
18 위팔세갈래근 Triceps brachii muscle
19 노쪽피부정맥 Cephalic vein
20 위팔두갈래근 Biceps brachii muscle
21 근육피부신경 Musculocutaneous nerve
22 자신경 Ulnar nerve
23 정중신경 Median nerve
24 위팔동맥 및 정맥 Brachial artery and vein
25 위팔뼈몸통 Shaft of humerus
26 위팔노근 Brachioradialis muscle
27 노신경 Radial nerve
28 팔꿈치머리와 팔꿉관절의 관절안
Olecranon and articular cavity of elbow joint
29 자쪽피부정맥 Basilic vein
30 위팔뼈 Humerus
31 원엎침근 Pronator teres muscle
32 아래팔의 폄근육 Extensor muscles of forearm
33 노신경의 깊은가지 Deep branch of radial nerve
34 앞뼈사이동맥 및 신경
Anterior interosseous artery and nerve
35 뼈사이막 Interosseous membrane
36 자뼈 Ulna
37 노뼈 Radius
38 노동맥의 얕은가지
Superficial branch of radial artery
39 긴엄지굽힘근 Flexor pollicis longus muscle
40 얕은 및 깊은손가락굽힘근
Flexor digitorum superficialis and profundus muscles
41 자신경, 자동맥, 자정맥
Ulnar nerve, artery, and vein
42 자쪽손목굽힘근 Flexor carpi ulnaris muscle
43 노동맥 Radial artery

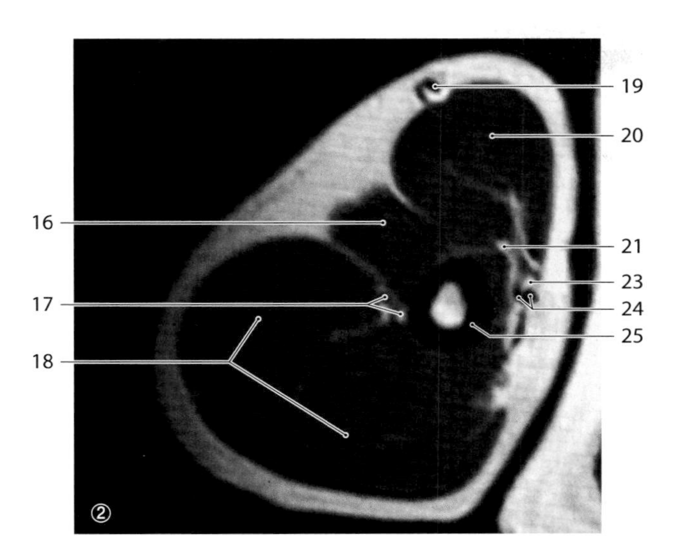

그림 3.107 **오른쪽 위팔 중간부위의 가로단면.** 단면 2(아래면, 자기공명영상). (Courtesy of Prof. Uder, Institute of Radiology, University Hospital Erlangen, Germany.)

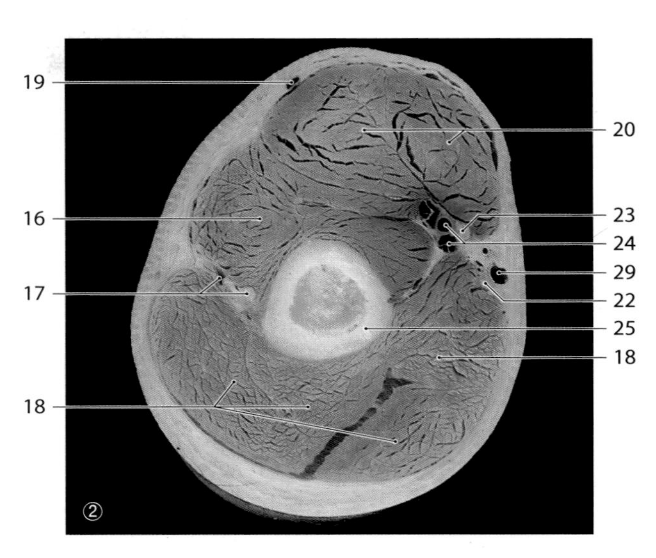

그림 3.108 **오른쪽 위팔 중간부위의 가로단면.** 단면 2(아래모습).

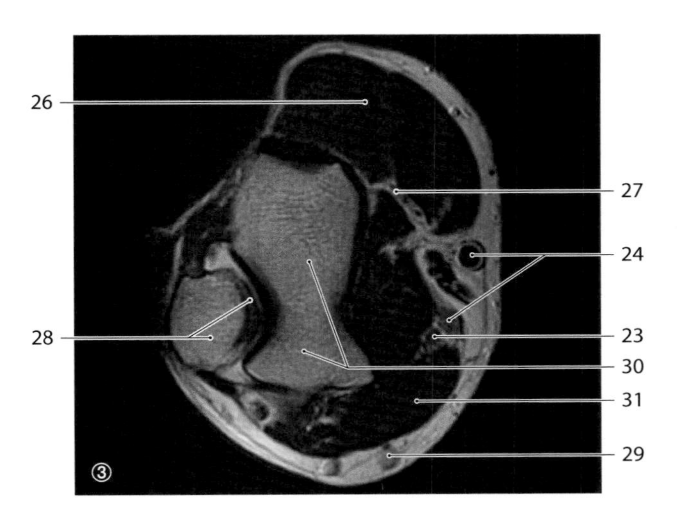

그림 3.109 **오른쪽 팔꿉관절의 가로단면.** 단면 3(아래모습, 자기공명영상). (Courtesy of Prof. Uder, Institute of Radiology, University Hospital Erlangen, Germany.)

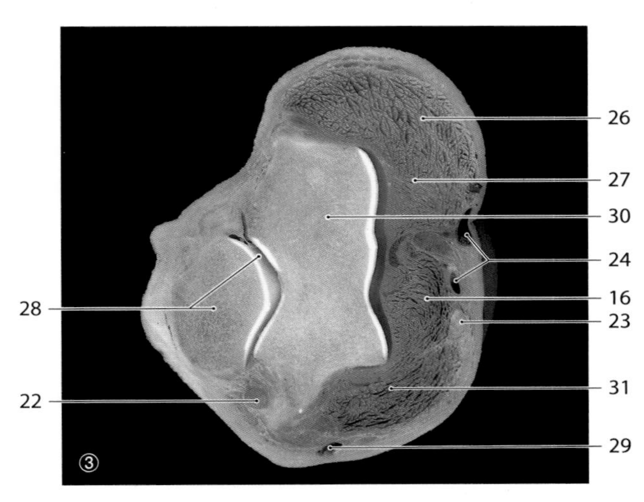

그림 3.110 **오른쪽 팔꿉관절의 가로단면.** 단면 3(아래모습).

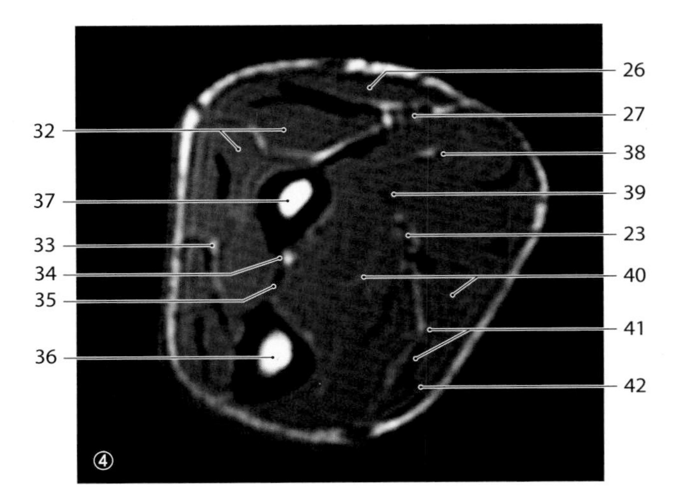

그림 3.111 **오른쪽 아래팔 중간부위의 가로단면.** 단면 4(아래모습, 자기공명영상). (Courtesy of Prof. Uder, Institute of Radiology, University Hospital Erlangen, Germany.)

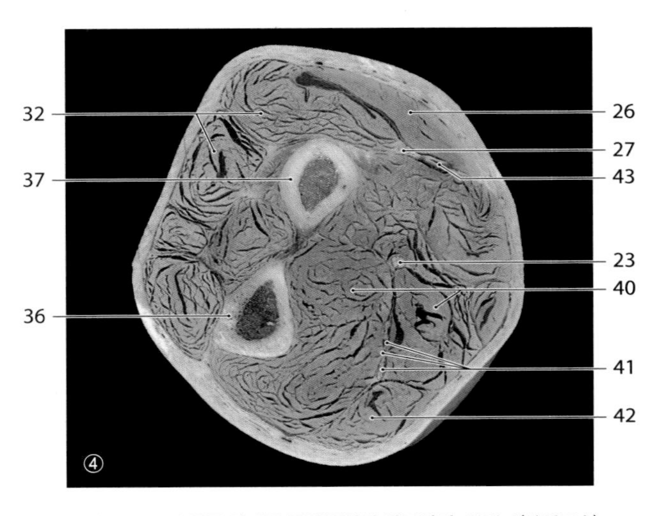

그림 3.112 **오른쪽 아래팔 중간부위의 가로단면.** 단면 4(아래모습).

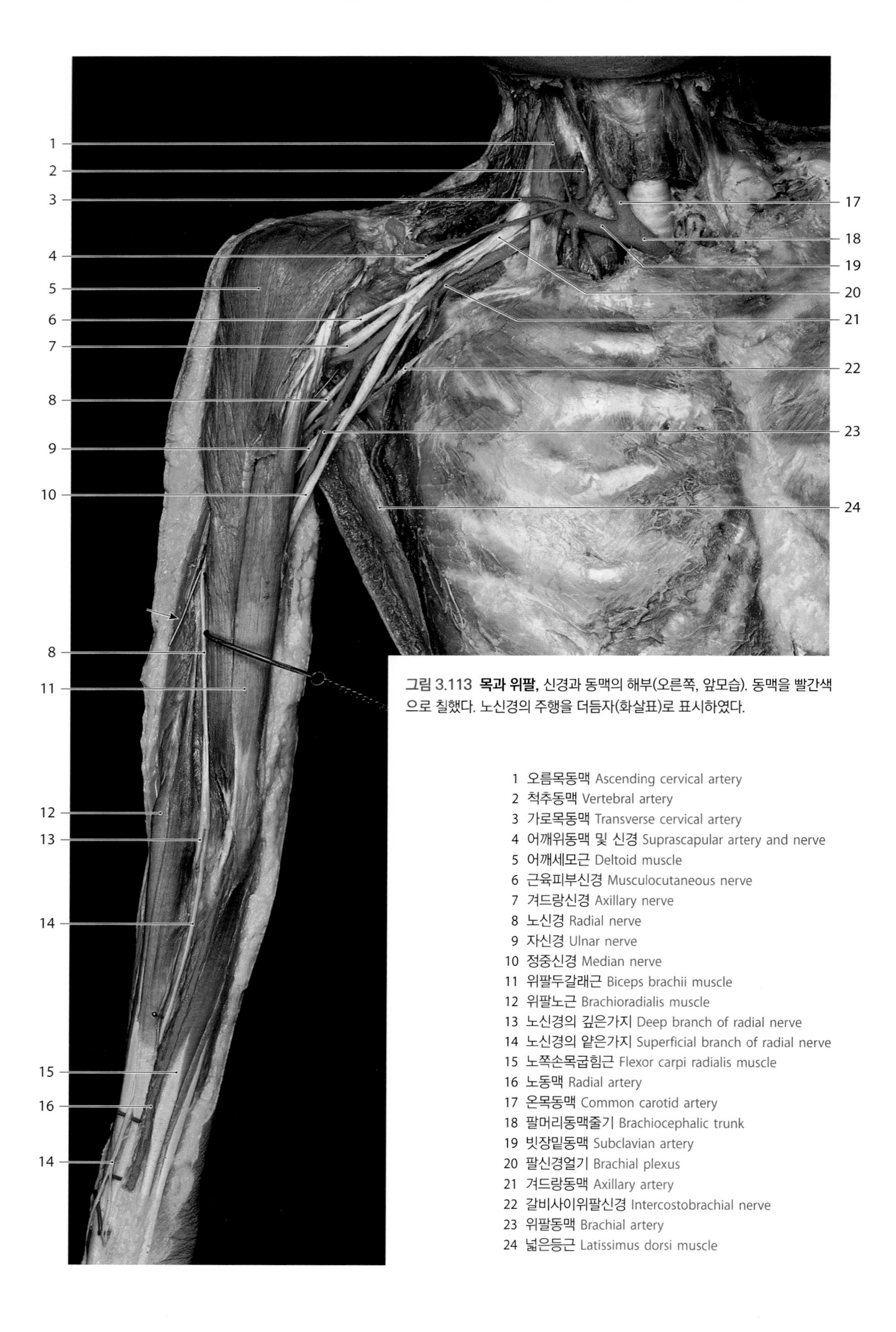

그림 3.113 **목과 위팔,** 신경과 동맥의 해부(오른쪽, 앞모습). 동맥을 빨간색으로 칠했다. 노신경의 주행을 더듬자(화살표)로 표시하였다.

1 오름목동맥 Ascending cervical artery
2 척추동맥 Vertebral artery
3 가로목동맥 Transverse cervical artery
4 어깨위동맥 및 신경 Suprascapular artery and nerve
5 어깨세모근 Deltoid muscle
6 근육피부신경 Musculocutaneous nerve
7 겨드랑신경 Axillary nerve
8 노신경 Radial nerve
9 자신경 Ulnar nerve
10 정중신경 Median nerve
11 위팔두갈래근 Biceps brachii muscle
12 위팔노근 Brachioradialis muscle
13 노신경의 깊은가지 Deep branch of radial nerve
14 노신경의 얕은가지 Superficial branch of radial nerve
15 노쪽손목굽힘근 Flexor carpi radialis muscle
16 노동맥 Radial artery
17 온목동맥 Common carotid artery
18 팔머리동맥줄기 Brachiocephalic trunk
19 빗장밑동맥 Subclavian artery
20 팔신경얼기 Brachial plexus
21 겨드랑동맥 Axillary artery
22 갈비사이위팔신경 Intercostobrachial nerve
23 위팔동맥 Brachial artery
24 넓은등근 Latissimus dorsi muscle

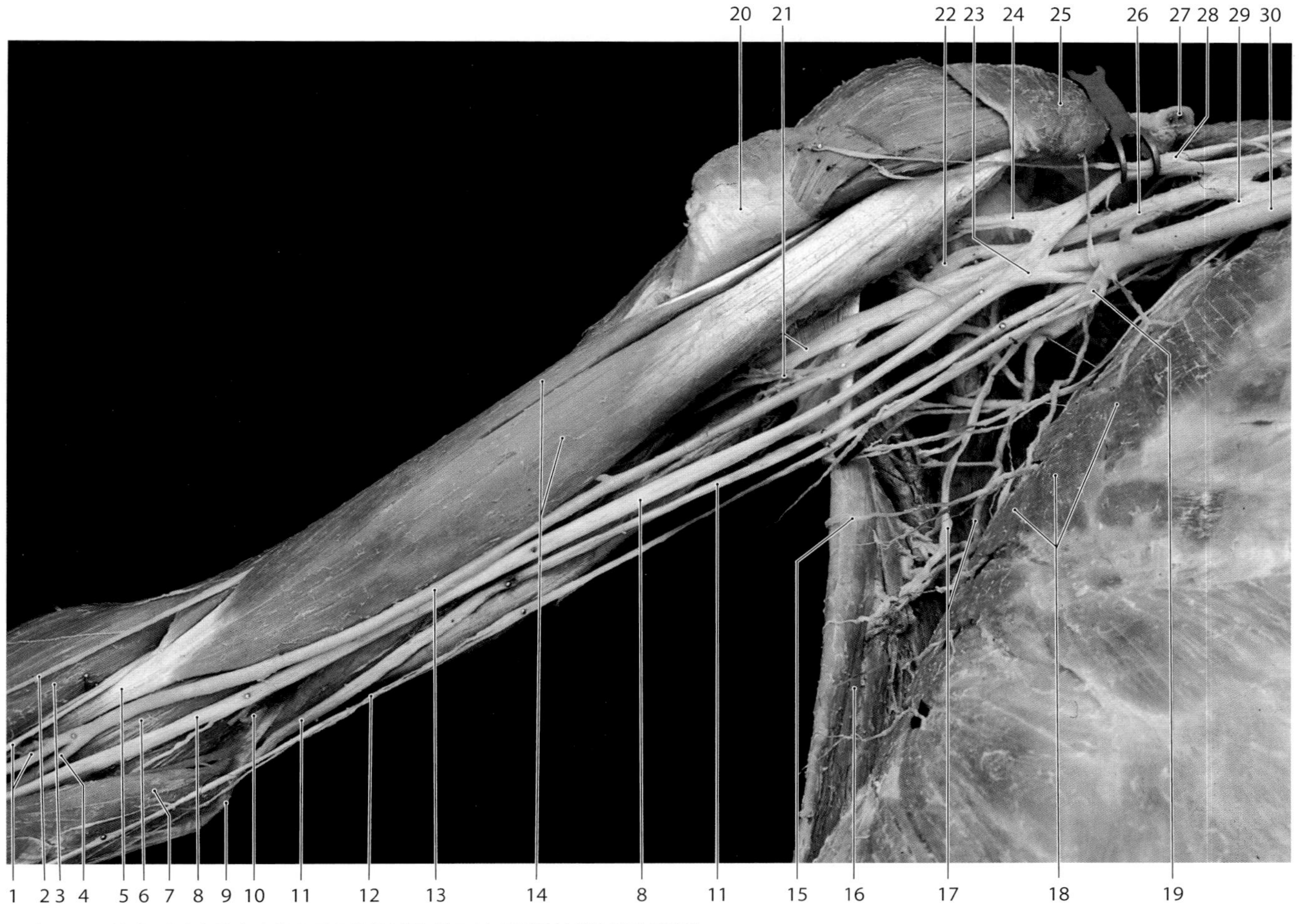

그림 3.114 **위팔,** 신경과 혈관의 해부, 깊은층(오른쪽, 앞모습). 팔이음부위를 약간 젖혔다.

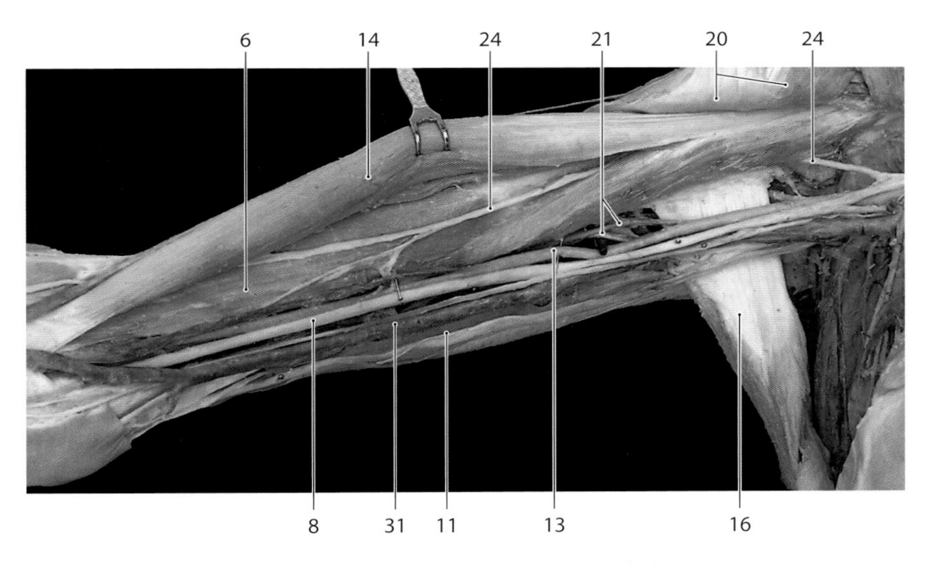

그림 3.115 **위팔,** 신경과 혈관의 해부, 중간층(오른쪽, 앞아래모습). 위팔두갈래근을 젖혔다.

1 노동맥과 노신경 얕은가지 Radial artery and superficial branch of radial nerve
2 가쪽아래팔피부신경 Lateral cutaneous nerve of forearm
3 위팔노근 Brachioradialis muscle
4 자동맥 Ulnar artery
5 위팔두갈래근힘줄 Tendon of biceps brachii muscle
6 위팔근 Brachialis muscle
7 원엎침근 Pronator teres muscle
8 정중신경 Median nerve
9 위팔뼈의 안쪽위관절융기 Medial epicondyle of humerus
10 아래자쪽곁동맥 Inferior ulnar collateral artery
11 자신경 Ulnar nerve
12 안쪽아래팔피부신경 Medial cutaneous nerve of forearm
13 위팔동맥 Brachial artery
14 위팔두갈래근 Biceps brachii muscle
15 갈비사이위팔신경 Intercostobrachial nerve (T3)
16 넓은등근 Latissimus dorsi muscle
17 가슴등신경과 동맥 Thoracodorsal nerve and artery
18 앞톱니근 Serratus anterior muscle
19 어깨밑동맥 Subscapular artery
20 큰가슴근(젖힘)과 가쪽가슴근신경 Pectoralis major muscle (reflected) and lateral pectoral nerve
21 노신경과 깊은위팔동맥 Radial nerve and profunda brachii artery
22 겨드랑신경 Axillary nerve
23 정중신경의 뿌리와 겨드랑동맥 Roots of the median nerve with axillary artery
24 근육피부신경 Musculocutaneous nerve
25 작은가슴근(젖힘)과 안쪽가슴근신경 Pectoralis minor muscle (reflected) and medial pectoral nerve
26 팔신경얼기의 뒤다발 Posterior cord of brachial plexus
27 빗장뼈(잘림) Clavicle (cut)
28 팔신경얼기의 가쪽다발 Lateral cord of brachial plexus
29 팔신경얼기의 안쪽다발 Medial cord of brachial plexus
30 빗장밑동맥 Subclavian artery
31 위팔정맥 Brachial vein

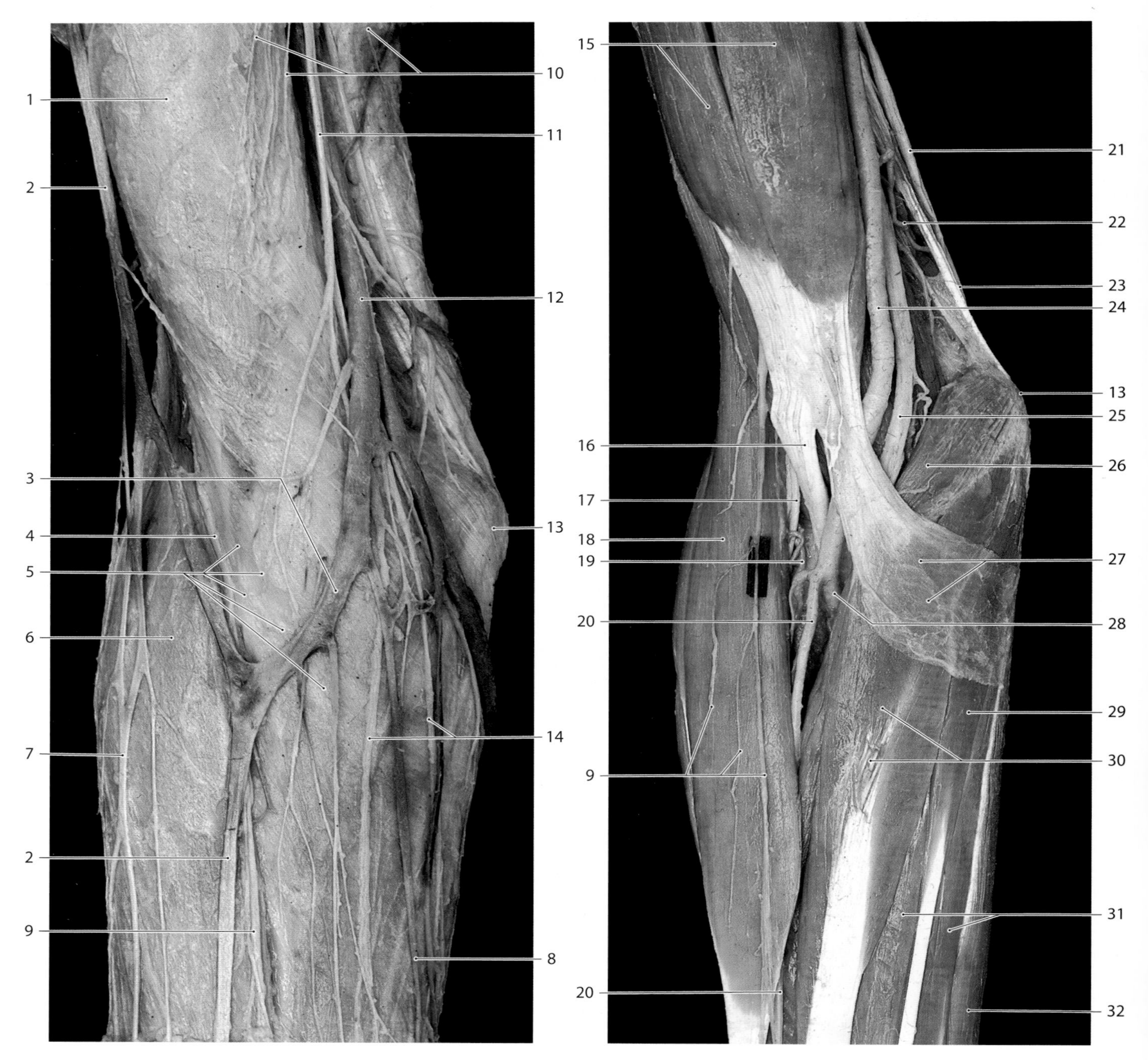

그림 3.116 **팔꿉부위**(앞모습). 피부신경과 피부정맥의 해부.

그림 3.117 **팔꿉부위, 얕은층**(앞모습). 근막을 제거하였다.

1 위팔두갈래근과 근막
Biceps brachii muscle with fascia
2 노쪽피부정맥 Cephalic vein
3 팔오금중간정맥 Median cubital vein
4 가쪽아래팔피부신경
Lateral cutaneous nerve of forearm
5 위팔두갈래근힘줄과 널힘줄(아래팔근막에 덮여 있다.)
Tendon and aponeurosis of biceps brachii muscle (covered by the antebrachial fascia)
6 위팔노근과 근막 Brachioradialis muscle with fascia
7 덧노쪽피부정맥 Accessory cephalic vein
8 아래팔중간정맥 Median vein of forearm
9 가쪽아래팔피부신경의 가지
Branches of lateral cutaneous nerve of forearm
10 안쪽위팔피부신경의 종말가지 Terminal branches of medial cutaneous nerve of arm
11 안쪽아래팔피부신경
Medial cutaneous nerve of forearm
12 자쪽피부정맥 Basilic vein
13 위팔뼈의 안쪽위관절융기
Medial epicondyle of humerus
14 안쪽아래팔피부신경의 종말가지
Terminal branches of medial cutaneous nerve of forearm
15 위팔두갈래근 Biceps brachii muscle
16 위팔두갈래근힘줄
Tendon of biceps brachii muscle
17 노신경 Radial nerve
18 위팔노근 Brachioradialis muscle
19 노쪽되돌이동맥 Radial recurrent artery
20 노동맥 Radial artery
21 자신경 Ulnar nerve
22 위자쪽곁동맥 Superior ulnar collateral artery
23 안쪽근육사이막 Medial intermuscular septum
24 위팔동맥 Brachial artery
25 정중신경 Median nerve
26 원엎침근 Pronator teres muscle
27 위팔두갈래근널힘줄 Bicipital aponeurosis
28 자동맥 Ulnar artery
29 긴손바닥근 Palmaris longus muscle
30 노쪽손목굽힘근 Flexor carpi radialis muscle
31 얕은손가락굽힘근
Flexor digitorum superficialis muscle
32 자쪽손목굽힘근 Flexor carpi ulnaris muscle

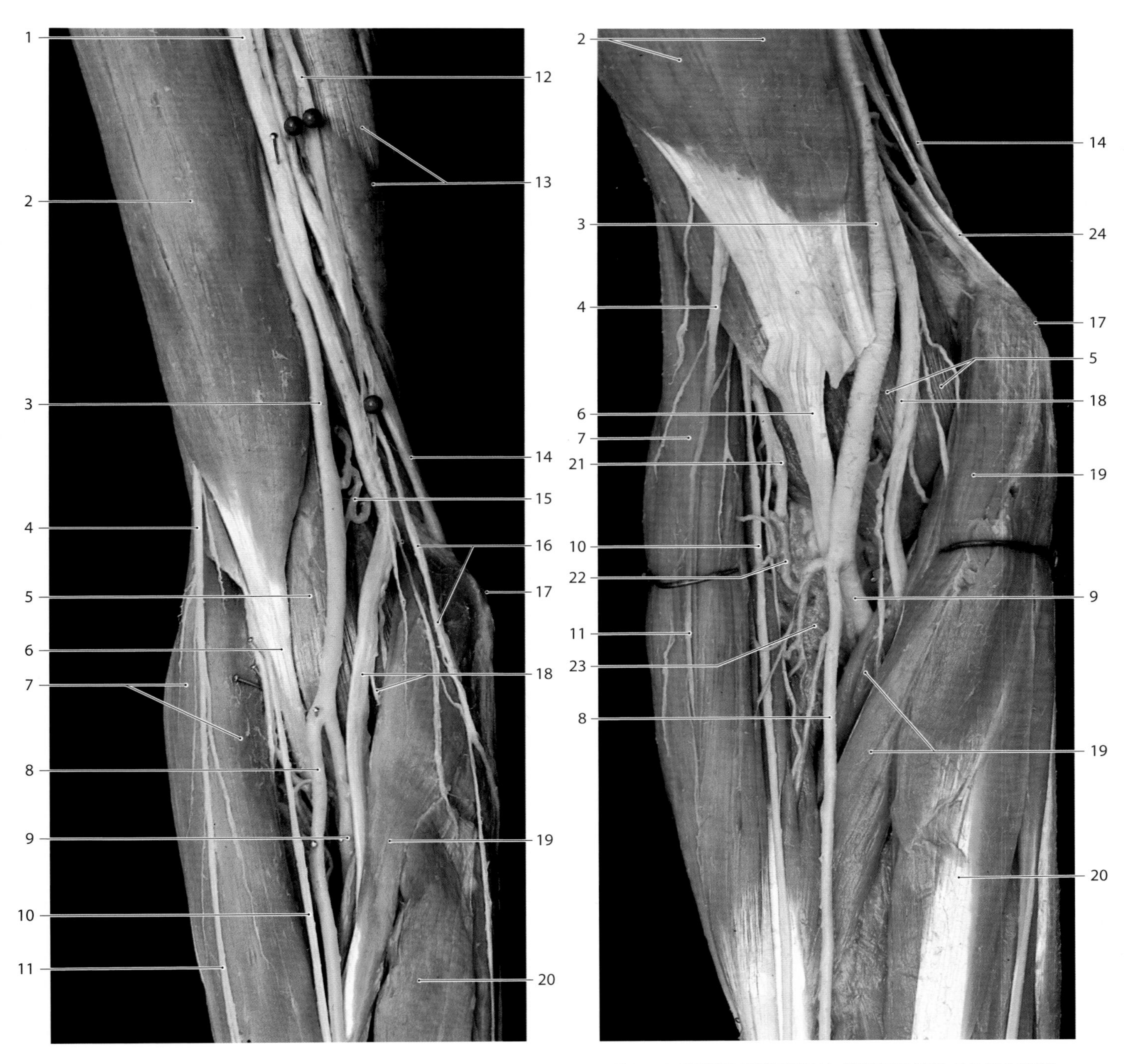

그림 3.118 **팔꿉부위, 중간층**(앞모습). 위팔두갈래근널힘줄을 제거하였다.

그림 3.119 **팔꿉부위, 중간층**(앞모습). 원엎침근과 위팔노근을 약간 젖혔다.

1 정중신경 Median nerve
2 위팔두갈래근 Biceps brachii muscle
3 위팔동맥 Brachial artery
4 가쪽아래팔피부신경(근육피부신경의 종말가지) Lateral cutaneous nerve of forearm (terminal branch of musculocutaneous nerve)
5 위팔근 Brachialis muscle
6 위팔두갈래근힘줄 Tendon of biceps brachii muscle
7 위팔노근 Brachioradialis muscle
8 노동맥 Radial artery
9 자동맥 Ulnar artery
10 노신경의 얕은가지 Superficial branch of radial nerve
11 가쪽아래팔피부신경 Lateral cutaneous nerve of forearm
12 안쪽아래팔피부신경 Medial cutaneous nerve of forearm
13 위팔세갈래근 Triceps brachii muscle
14 자신경 Ulnar nerve
15 아래자쪽곁동맥 Inferior ulnar collateral artery
16 안쪽아래팔피부신경의 앞가지 Anterior branch of medial cutaneous nerve of forearm
17 위팔뼈의 안쪽위관절융기 Medial epicondyle of humerus
18 정중신경과 원엎침근으로 가는 가지 Median nerve with branches to pronator teres muscle
19 원엎침근 Pronator teres muscle
20 노쪽손목굽힘근 Flexor carpi radialis muscle
21 노신경의 깊은가지 Deep branch of radial nerve
22 노쪽되돌이동맥 Radial recurrent artery
23 뒤침근 Supinator muscle
24 위팔의 안쪽근육사이막 Medial intermuscular septum of arm

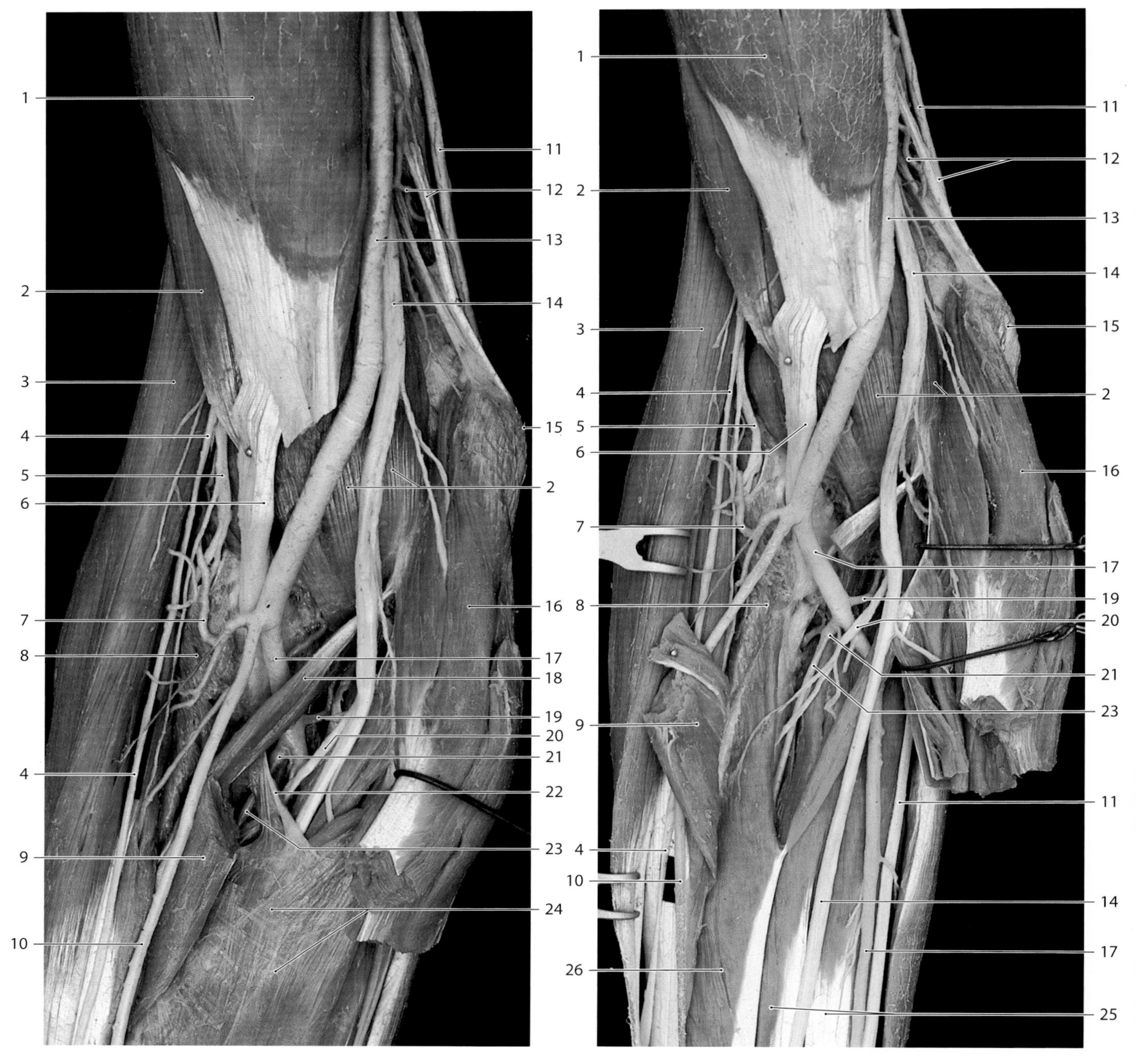

그림 3.120 **팔꿉부위,** 깊은층(앞모습). 원엎침근과 자쪽손목굽힘근을 잘라서 젖혔다.

그림 3.121 **팔꿉부위,** 가장깊은층(앞모습). 얕은손가락굽힘근과 원엎침근의 자갈래를 잘라서 젖혔다.

1 위팔두갈래근 Biceps brachii muscle
2 위팔근 Brachialis muscle
3 위팔노근 Brachioradialis muscle
4 노신경의 얕은가지
Superficial branch of radial nerve
5 노신경의 깊은가지
Deep branch of radial nerve
6 위팔두갈래근힘줄
Tendon of biceps brachii muscle
7 노쪽되돌이동맥 Radial recurrent artery
8 뒤침근 Supinator muscle
9 원엎침근의 닿는곳
Insertion of pronator teres muscle
10 노동맥 Radial artery
11 자신경 Ulnar nerve
12 위팔의 안쪽근육사이막과 위자쪽곁동맥
Medial intermuscular septum of arm and superior ulnar collateral artery
13 위팔동맥 Brachial artery
14 정중신경 Median nerve
15 위팔뼈의 안쪽위관절융기
Medial epicondyle of humerus
16 원엎침근의 위팔갈래
Humeral head of pronator teres muscle
17 자동맥 Ulnar artery
18 원엎침근의 자갈래
Ulnar head of pronator teres muscle
19 자쪽곁동맥 Ulnar recurrent artery
20 앞뼈사이신경 Anterior interosseous nerve
21 온뼈사이동맥 Common interosseous artery
22 얕은손가락굽힘근 힘줄활(노갈래)
Tendinous arch of flexor digitorum superficialis muscle (radial head)
23 앞뼈사이동맥 Anterior interosseous artery
24 얕은손가락굽힘근
Flexor digitorum superficialis muscle
25 깊은손가락굽힘근
Flexor digitorum profundus muscle
26 긴엄지굽힘근 Flexor pollicis longus muscle

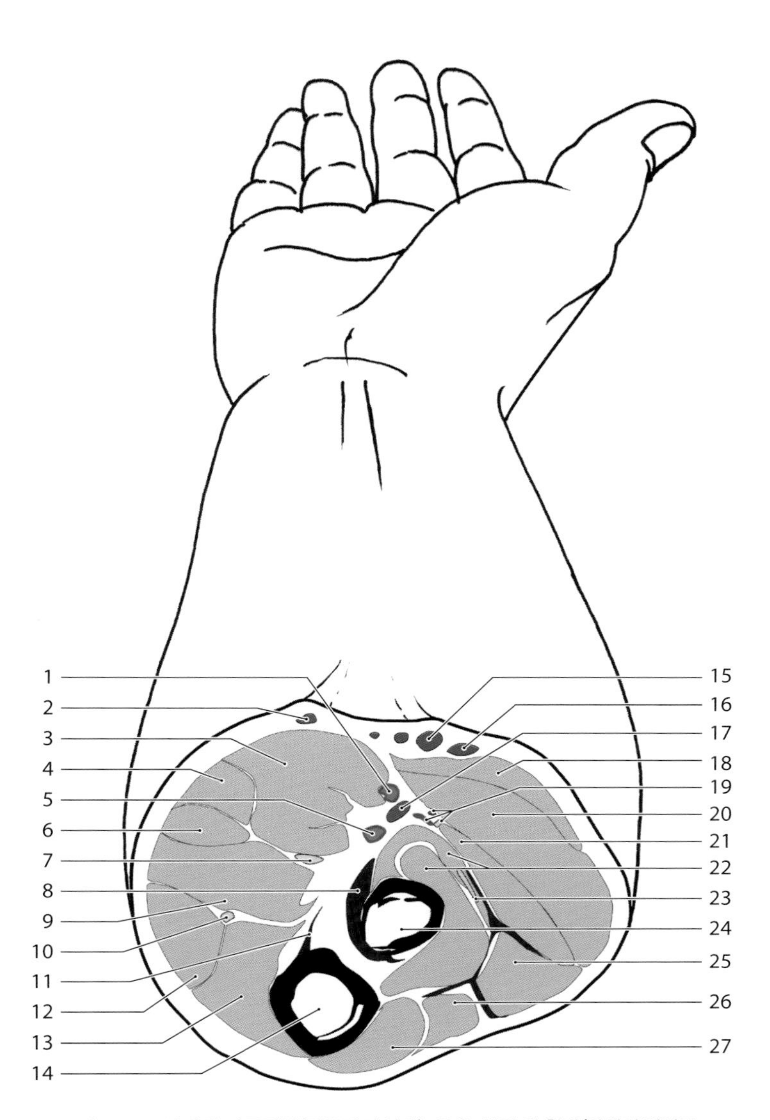

그림 3.122 **아래팔 가로단면**(팔꿉관절 아래). 근육, 신경 및 혈관(아래의 자기공명영상과 비교하시오).

1 노동맥 Radial artery
2 자쪽피부정맥 Basilic vein
3 원엎침근 Pronator teres muscle
4 노쪽손목굽힘근 Flexor carpi radialis muscle
5 자동맥 Ulnar artery
6 긴손바닥근 Palmaris longus muscle
7 정중신경 Median nerve
8 위팔두갈래근힘줄 Tendon of biceps brachii muscle
9 얕은손가락굽힘근 Flexor digitorum superficialis muscle
10 자신경 Ulnar nerve
11 위팔근힘줄 Tendon of brachialis muscle
12 자쪽손목굽힘근 Flexor carpi ulnaris muscle
13 깊은손가락굽힘근 Flexor digitorum profundus muscle
14 자뼈 Ulna
15 팔오금중간정맥 Median cubital vein
16 노쪽아래팔피부정맥 Cephalic antebrachii vein
17 노정맥 Radial vein
18 위팔노근 Brachioradialis muscle
19 노신경의 얕은가지, 노동맥과 노정맥
Superficial branch of radial nerve, radial artery and vein
20 긴노쪽손목폄근 Extensor carpi radialis longus muscle
21 짧은노쪽손목폄근 Extensor carpi radialis brevis muscle
22 뒤침근 Supinator muscle
23 노신경의 깊은가지 Deep branch of radial nerve
24 노뼈 Radius
25 손가락폄근 Extensor digitorum muscle
26 자쪽손목폄근 Extensor carpi ulnaris muscle
27 팔꿈치근 Anconeus muscle

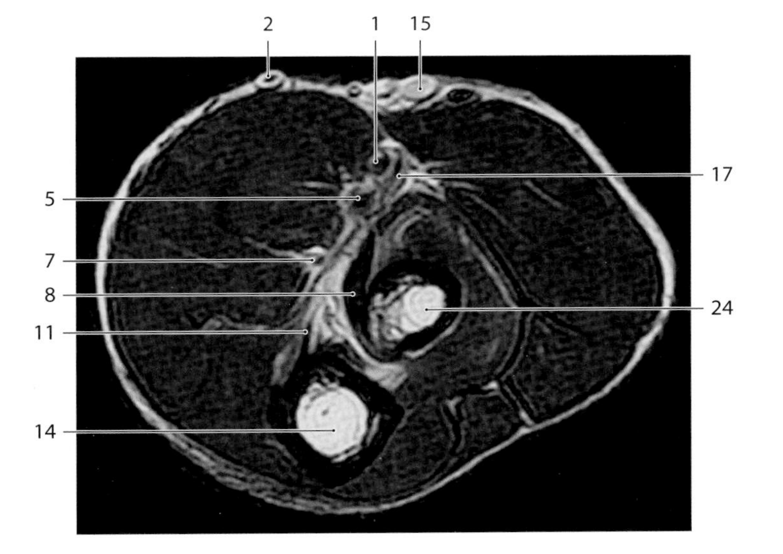

그림 3.123 **아래팔 가로단면**(팔꿉관절 아래)(자기공명영상; 자세한 구조물은 그림 3.122에서 볼 수 있다).(Heuck A, et al. MRT-Atlas des muskuloskelettalen Systems. Stuttgart, Germany: Schattauer, 2009.)

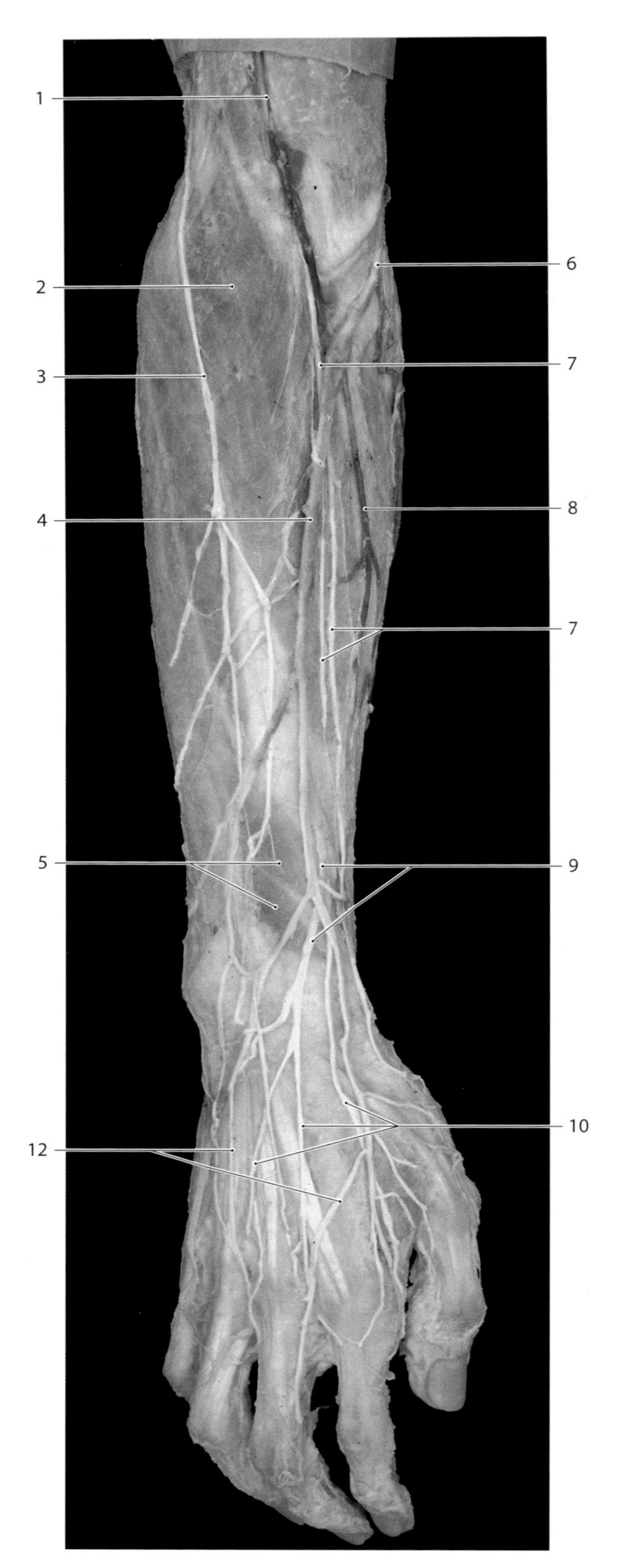

그림 3.124 **아래팔과 손의 뒤부위**, 피부정맥과 피부신경(오른쪽).

1 노쪽피부정맥 Cephalic vein
2 근막에 덮인 위팔노근 Brachioradialis muscle covered by its fascia
3 뒤아래팔피부신경(노신경의 가지) Posterior cutaneous nerve of forearm (branch of radial nerve)

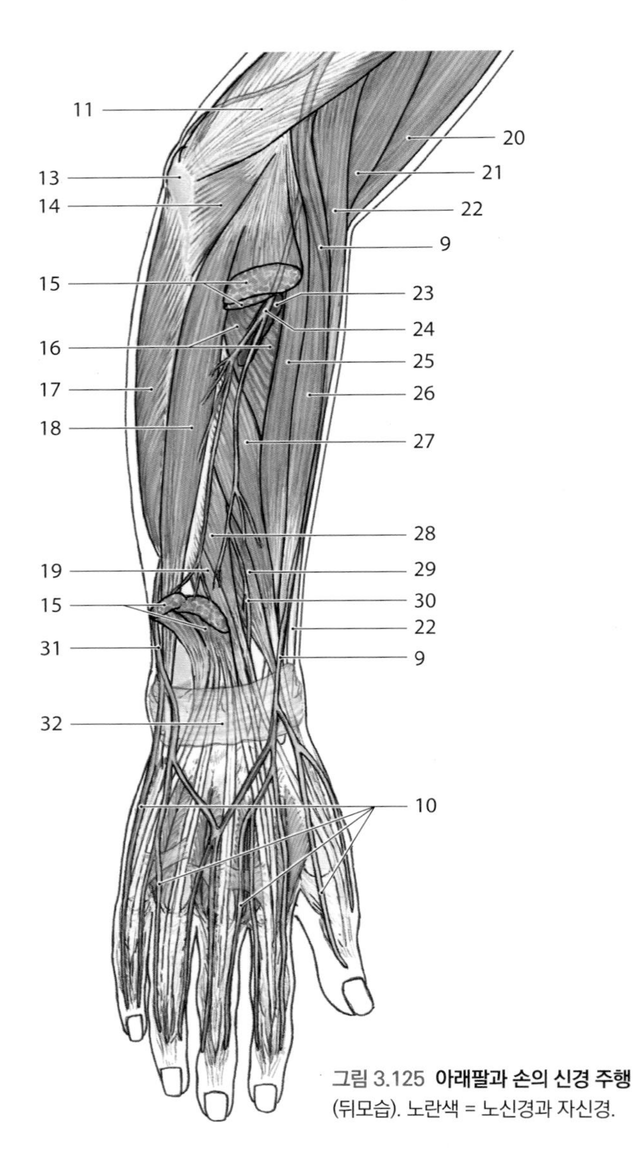

그림 3.125 **아래팔과 손의 신경 주행** (뒤모습). 노란색 = 노신경과 자신경.

4 아래팔의 노쪽피부정맥 Cephalic vein of forearm
5 근막에 덮인 긴 및 짧은엄지폄근 Extensor pollicis longus and brevis muscles covered by their fascia
6 팔오금중간정맥 Median cubital vein
7 가쪽아래팔피부신경(근육피부신경의 가지) Lateral cutaneous nerves of forearm (branch of musculocutaneous nerve)
8 아래팔중간정맥 Intermediate vein of forearm
9 노신경의 얕은가지 Superficial branch of radial nerve
10 노신경의 등쪽손가락가지 Dorsal digital branches of radial nerve
11 위팔세갈래근 Triceps brachii muscle
12 손등정맥그물 Dorsal venous network of hand
13 팔꿈치머리 Olecranon
14 팔꿈치근 Anconeus muscle
15 손가락폄근과 새끼폄근 Extensor digitorum and extensor digiti minimi muscles
16 뒤침근 Supinator muscle
17 자쪽손목굽힘근 Flexor carpi ulnaris muscle
18 자쪽손목폄근 Extensor carpi ulnaris muscle
19 집게폄근 Extensor indicis muscle
20 위팔두갈래근 Biceps brachii muscle
21 위팔근 Brachialis muscle
22 위팔노근 Brachioradialis muscle
23 뒤침근관 Supinator channel
24 노신경의 깊은가지 Deep branch of radial nerve
25 짧은노쪽손목폄근 Extensor carpi radialis brevis muscle
26 긴노쪽손목폄근 Extensor carpi radialis longus muscle
27 긴엄지벌림근 Abductor pollicis longus muscle
28 긴엄지폄근 Extensor pollicis longus muscle
29 짧은엄지폄근 Extensor pollicis brevis muscle
30 뒤뼈사이신경 Posterior interosseous nerve
31 자신경 Ulnar nerve
32 폄근지지띠 Extensor retinaculum

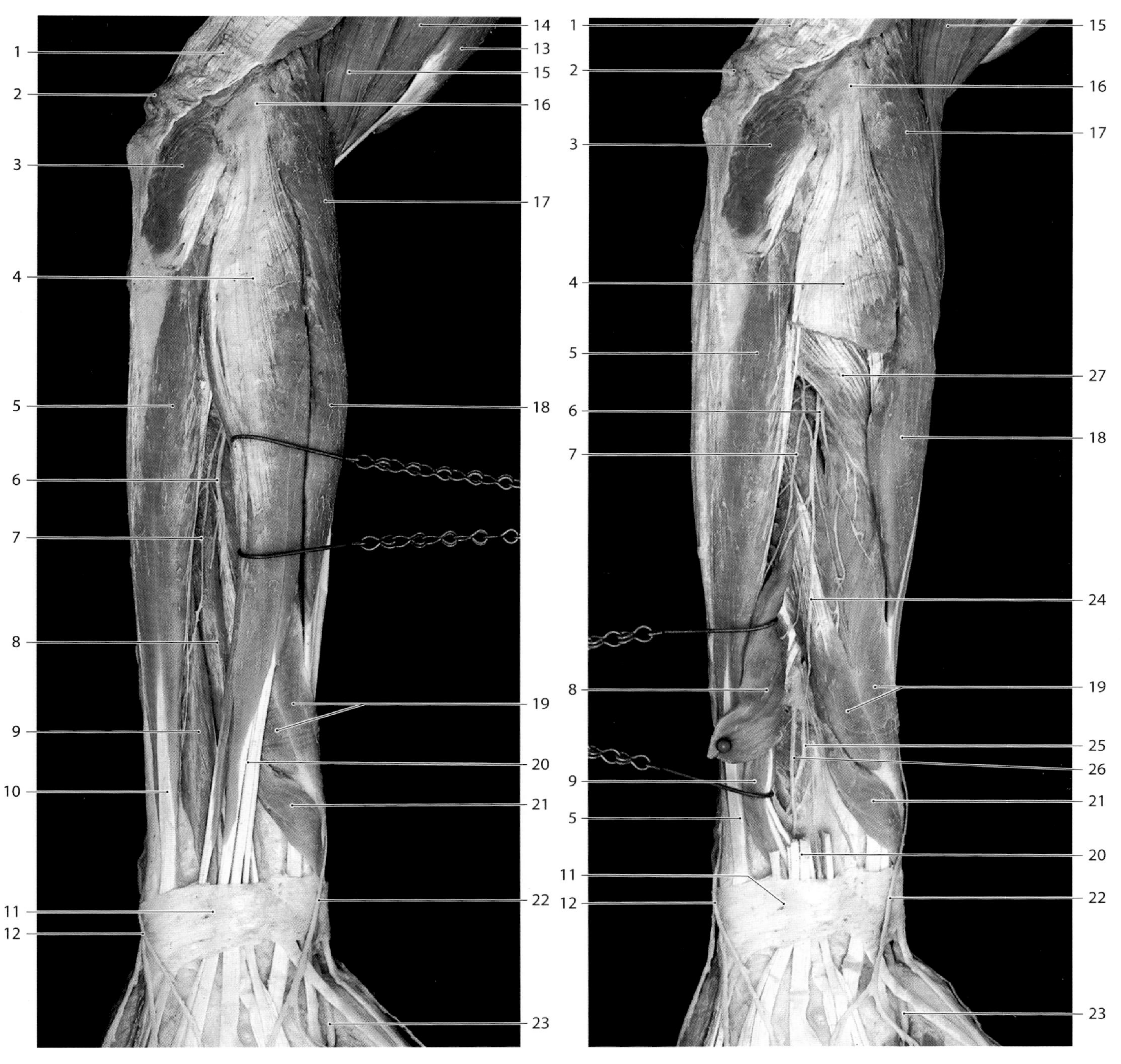

그림 3.126 **아래팔뒤부위,** 혈관과 신경, 얕은층(오른쪽).

그림 3.127 **아래팔뒤부위,** 혈관과 신경, 깊은층(오른쪽).

1 위팔세갈래근힘줄
Tendon of triceps brachii muscle
2 팔꿈치머리 Olecranon
3 팔꿈치근 Anconeus muscle
4 손가락폄근 Extensor digitorum muscle
5 자쪽손목폄근 Extensor carpi ulnaris muscle
6 노신경의 깊은가지
Deep branch of radial nerve
7 뒤뼈사이동맥 Posterior interosseous artery
8 긴엄지폄근 Extensor pollicis longus muscle
9 집게폄근 Extensor indicis muscle
10 자쪽손목폄근힘줄
Tendon of extensor carpi ulnaris muscle
11 폄근지지띠 Extensor retinaculum
12 자신경의 손등가지
Dorsal branch of ulnar nerve
13 위팔두갈래근 Biceps brachii muscle
14 위팔근 Brachialis muscle
15 위팔노근 Brachioradialis muscle
16 위팔뼈의 가쪽위관절융기
Lateral epicondyle of humerus
17 긴노쪽손목폄근
Extensor carpi radialis longus muscle
18 짧은노쪽손목폄근
Extensor carpi radialis brevis muscle
19 긴엄지벌림근
Abductor pollicis longus muscle
20 손가락폄근힘줄
Tendons of extensor digitorum muscle
21 짧은엄지폄근
Extensor pollicis brevis muscle
22 노신경의 얕은가지
Superficial branch of radial nerve
23 노동맥 Radial artery
24 뒤뼈사이신경 Posterior interosseous nerve
25 노신경의 뒤뼈사이신경
Posterior interosseous branch of radial nerve
26 앞뼈사이동맥의 뒤가지
Posterior branch of anterior interosseous artery
27 뒤침근 Supinator muscle

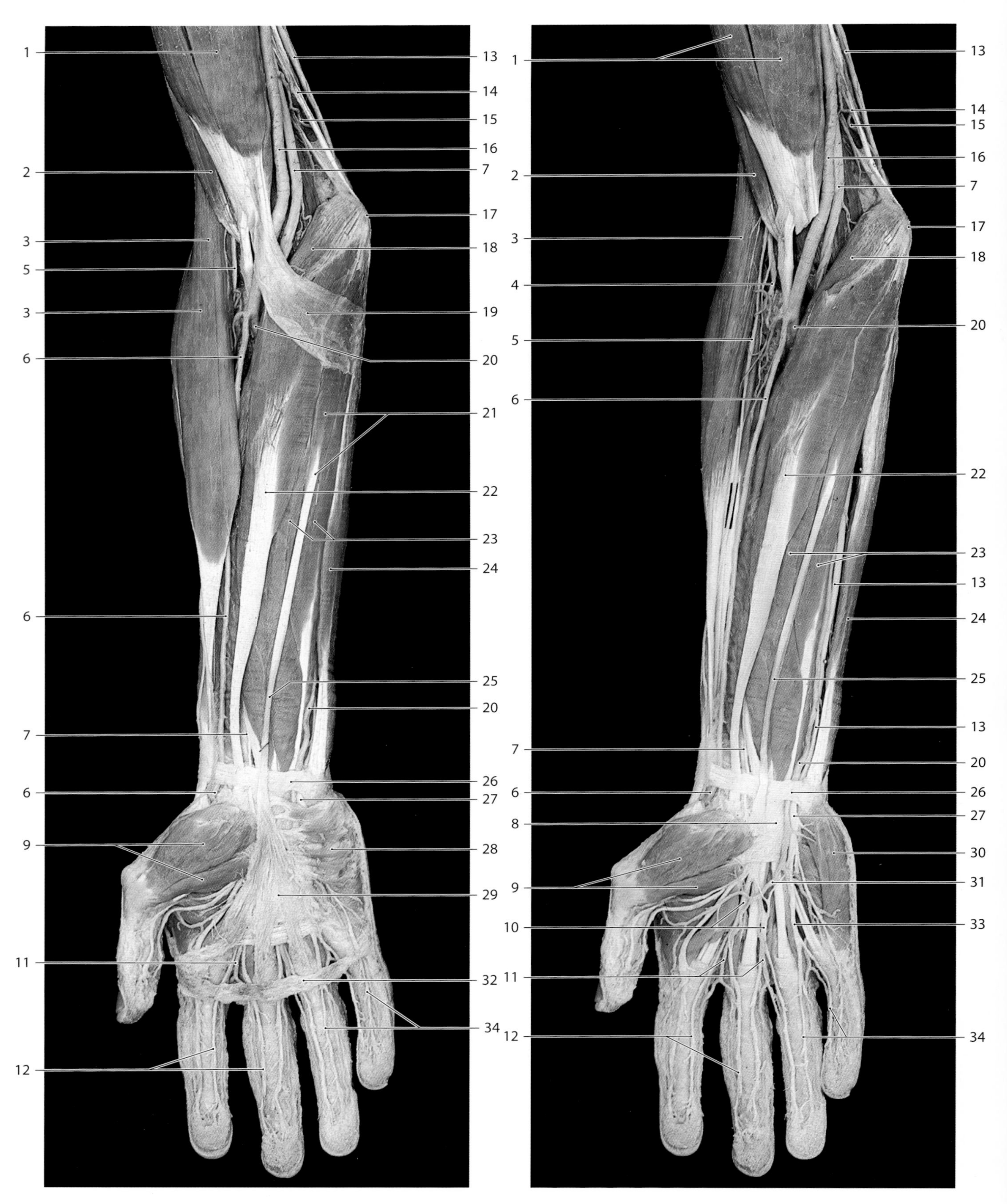

그림 3.128 **아래팔과 손의 앞부위,** 혈관과 신경, 얕은층(오른쪽).

그림 3.129 **아래팔과 손의 앞부위,** 혈관과 신경, 얕은층(오른쪽). 손바닥널힘줄과 위팔두갈래근널힘줄을 제거하였다.

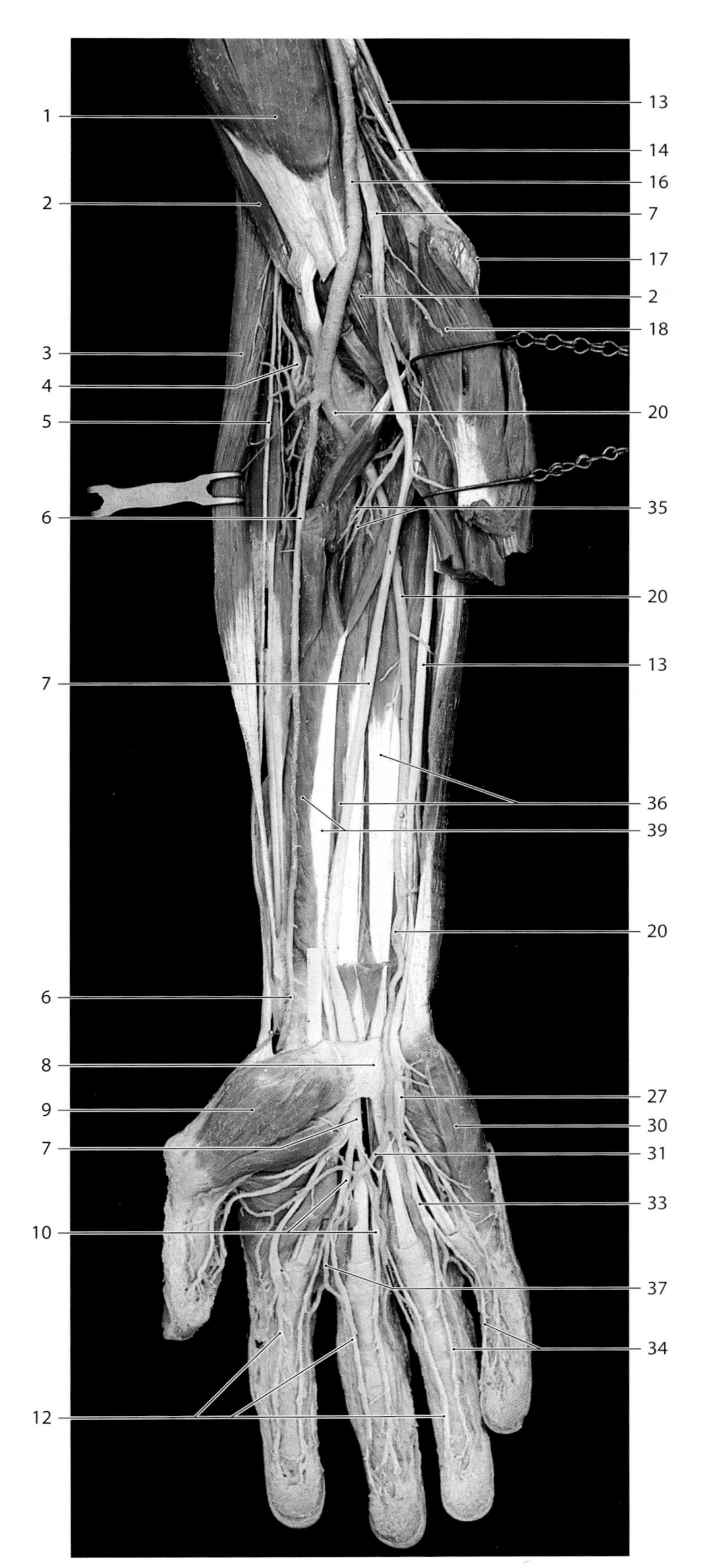

그림 3.130 **아래팔과 손의 앞부위,** 혈관과 신경, 깊은층(오른쪽). 굽힘근육의 얕은층을 제거하였다.

1 위팔두갈래근 Biceps brachii muscle
2 위팔근 Brachialis muscle
3 위팔노근 Brachioradialis muscle
4 노신경의 깊은가지 Deep branch of radial nerve
5 노신경의 얕은가지 Superficial branch of radial nerve
6 노동맥 Radial artery
7 정중신경 Median nerve
8 굽힘근지지띠 Flexor retinaculum
9 엄지두덩근육 Thenar muscles
10 정중신경의 온바닥쪽손가락신경 Common palmar digital nerves of median nerve
11 온바닥쪽손가락동맥 Common palmar digital arteries
12 정중신경의 고유바닥쪽손가락신경 Proper palmar digital nerves of median nerve
13 자신경 Ulnar nerve
14 위팔의 안쪽근육사이막 Medial intermuscular septum of arm
15 위자쪽곁동맥 Superior ulnar collateral artery
16 위팔동맥 Brachial artery
17 위팔뼈의 안쪽위관절융기 Medial epicondyle of humerus
18 원엎침근 Pronator teres muscle
19 위팔두갈래근널힘줄 Bicipital aponeurosis
20 자동맥 Ulnar artery
21 긴손바닥근 Palmaris longus muscle
22 노쪽손목굽힘근 Flexor carpi radialis muscle
23 얕은손가락굽힘근 Flexor digitorum superficialis muscle
24 자쪽손목굽힘근 Flexor carpi ulnaris muscle
25 긴손바닥근힘줄 Tendon of palmaris longus muscle
26 아래팔근막의 남은 부분(바닥쪽인대) Remnant of antebrachial fascia (palmar ligament)
27 자신경의 얕은가지 Superficial branch of ulnar nerve
28 짧은손바닥근 Palmaris brevis muscle
29 손바닥널힘줄 Palmar aponeurosis
30 새끼두덩근육 Hypothenar muscles
31 얕은손바닥동맥활 Superficial palmar arch
32 얕은가로손허리인대 Superficial transverse metacarpal ligament
33 자신경의 온바닥쪽손가락가지 Common palmar digital branch of ulnar nerve
34 자신경의 고유바닥쪽손가락가지 Proper palmar digital branches of ulnar nerve
35 앞뼈사이동맥 및 신경 Anterior interosseous artery and nerve
36 깊은손가락굽힘근 Flexor digitorum profundus muscle
37 온바닥쪽손가락동맥 Common palmar digital arteries
38 정중신경의 손바닥가지 Palmar branch of median nerve
39 긴엄지굽힘근 Flexor pollicis longus muscle
40 자신경의 바닥쪽피부가지 Palmar cutaneous branch of ulnar nerve

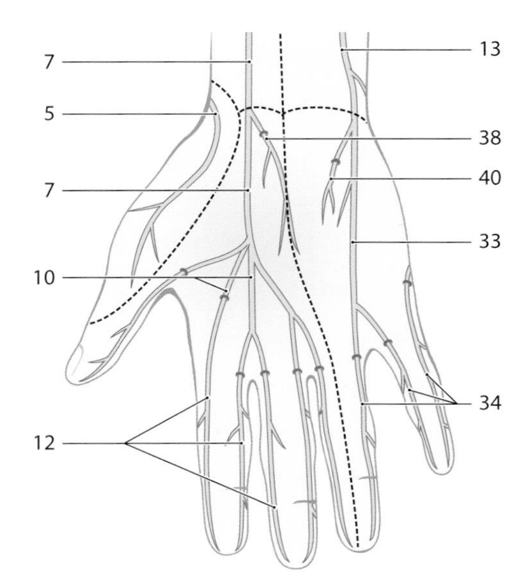

그림 3.131 **손의 피부신경분포**(바닥쪽모습). 손가락의 3½은 정중신경; 손가락의 1½은 자신경.

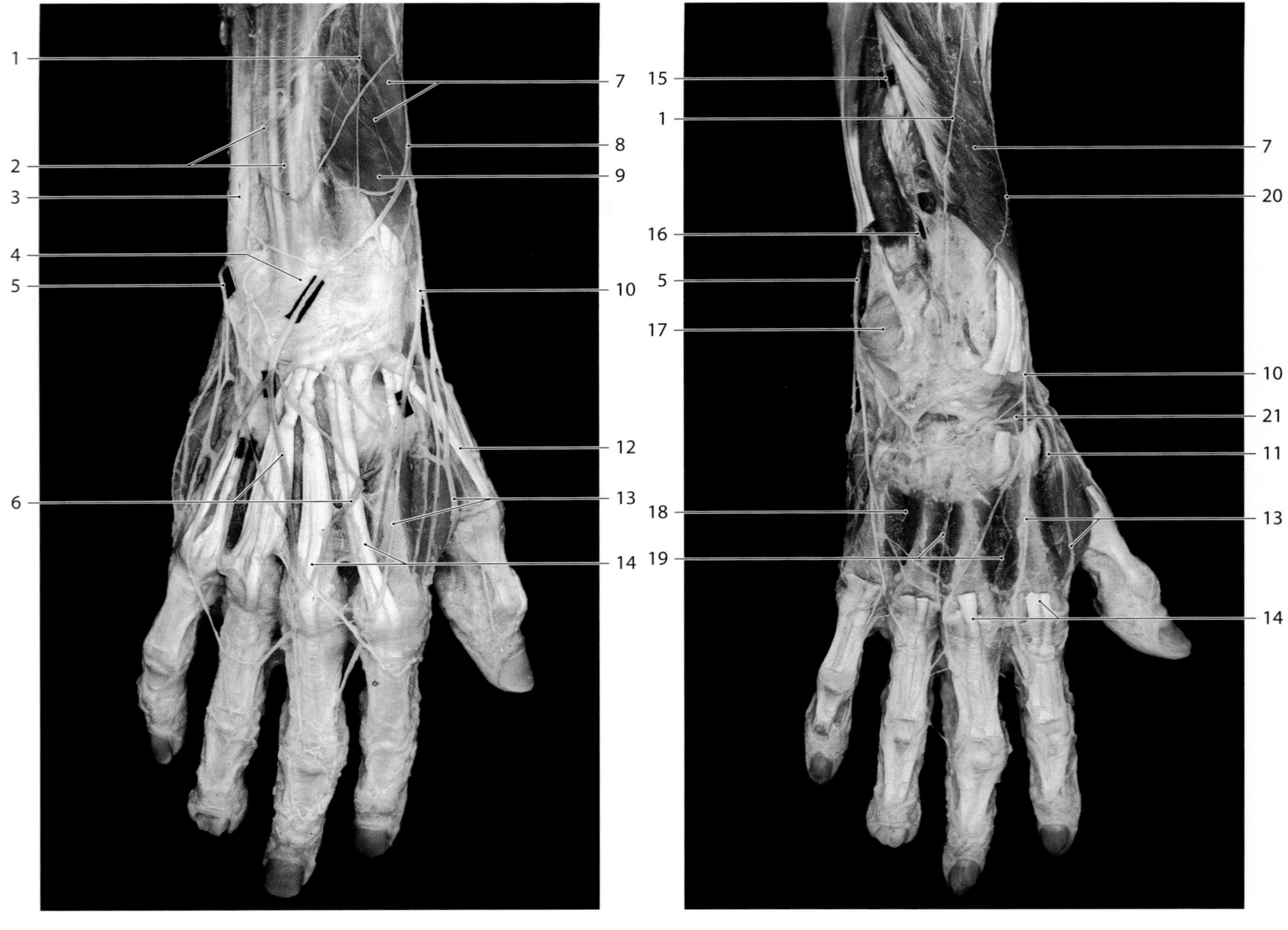

그림 3.132 **오른쪽 손등,** 얕은층. 피부신경과 피부정맥.

그림 3.133 **오른쪽 손등,** 중간층. 손가락폄근 일부를 제거하였다.

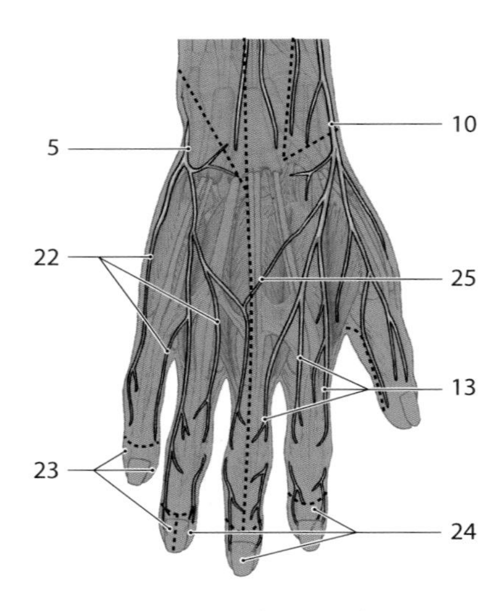

그림 3.134 **손의 신경지배 분포**(손등쪽모습). 손가락의 $2\frac{1}{2}$은 노신경, $2\frac{1}{2}$은 자신경이 분포한다. 손가락끝 등쪽면의 종말가지가 바닥쪽손가락신경에서 뻗어 나오는 것을 확인하시오. 피부신경 분포의 변이; 종종 사람에 따라 노신경이 손가락의 $3\frac{1}{2}$, 자신경이 $1\frac{1}{2}$에 분포한다.

1 뒤아래팔피부신경(노신경의 가지) Posterior cutaneous nerve of forearm (branch of radial nerve)
2 손가락폄근 Extensor digitorum muscle
3 자쪽손목폄근힘줄 Tendon of extensor carpi ulnaris muscle
4 폄근지지띠 Extensor retinaculum
5 자신경 Ulnar nerve
6 손등정맥그물 Dorsal venous network of hand
7 짧은엄지벌림근 Abductor pollicis brevis muscle
8 노쪽피부정맥 Cephalic vein
9 짧은엄지폄근 Extensor pollicis brevis muscle
10 노신경의 얕은가지 Superficial branch of radial nerve
11 노동맥 Radial artery
12 긴엄지폄근힘줄 Tendon of extensor pollicis longus muscle
13 노신경의 등쪽손가락가지 Dorsal digital branches of radial nerve
14 손가락폄근힘줄과 힘줄사이연결 Tendons of extensor digitorum muscle with intertendinous connections
15 뒤뼈사이신경(깊은노신경의 가지) Posterior interosseous nerve (branch of the deep radial nerve)
16 뒤뼈사이동맥 Posterior interosseous artery
17 자뼈붓돌기 Styloid process of ulna
18 등쪽뼈사이근 Dorsal interosseous muscle
19 노동맥의 등쪽손목가지 Dorsal carpal branch of radial artery
20 가쪽아래팔피부신경(근육피부신경의 가지) Lateral cutaneous nerve of forearm (branch of musculocutaneous nerve)
21 등쪽손허리동맥 Dorsal metacarpal artery
22 자신경의 등쪽손가락가지 Dorsal digital branches of ulnar nerve
23 바닥쪽손가락신경의 분포영역(자신경) Regions supplied by palmar digital nerves (ulnar nerve)
24 바닥쪽손가락신경의 분포영역(정중신경) Regions supplied by palmar digital nerves (median nerve)
25 자신경의 교통가지 Communicating branch with ulnar nerve

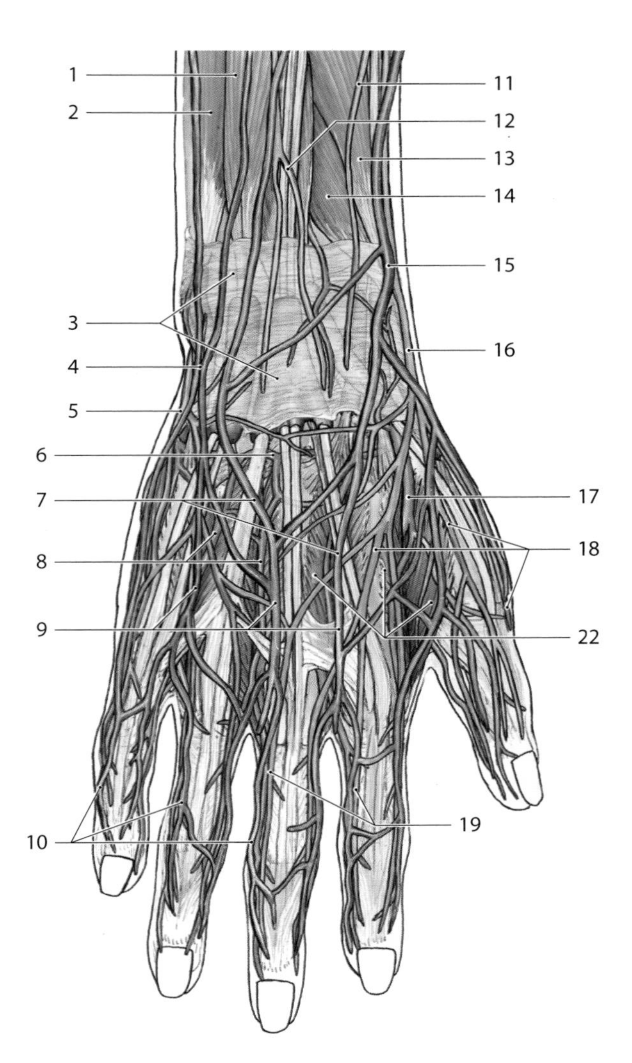

그림 3.135 **오른쪽 손등,** 얕은층. 피부정맥, 피부신경과 동맥. 손등근막을 제거하였다.

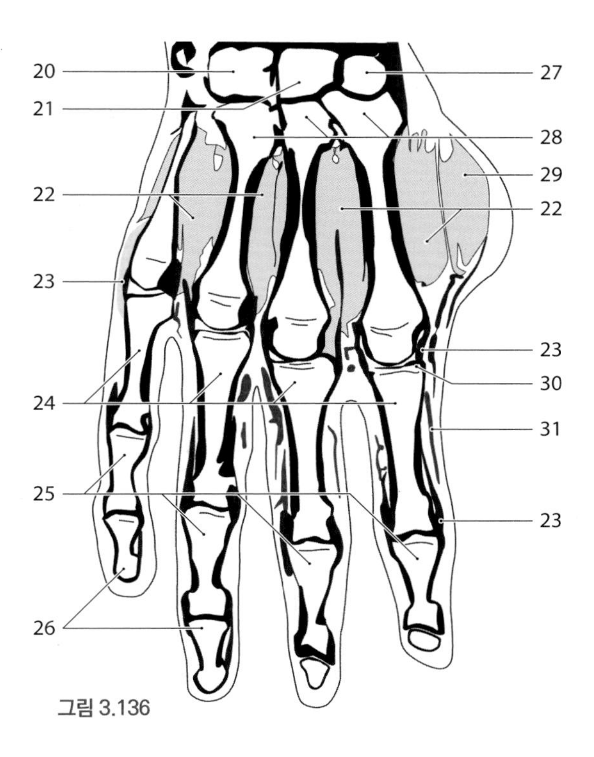

그림 3.136

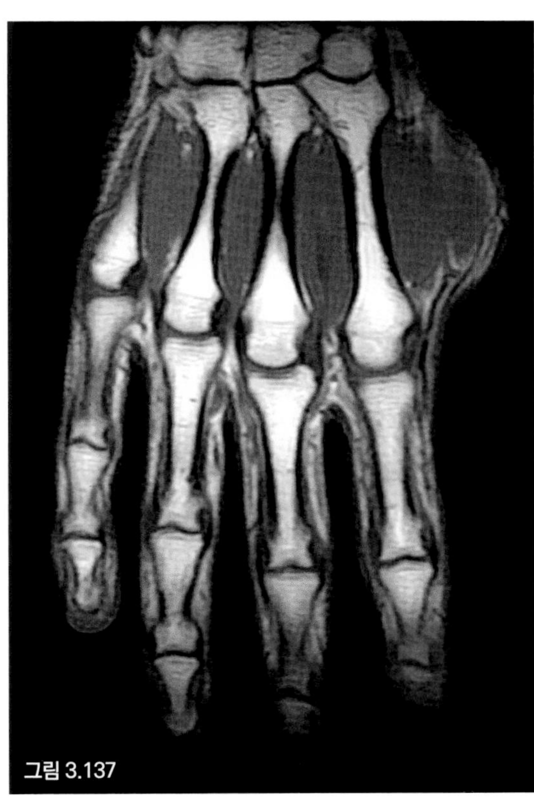

그림 3.137

그림 3.136, 3.137 **오른쪽 손의 관상단면**(손등면; 단순그림과 자기공명영상의 비교). (Heuck A, et al. MRT-Atlas des muskuloskelettalen Systems. Stuttgart, Germany: Schattauer, 2009.)

1 새끼폄근
Extensor digiti minimi muscle
2 자쪽손목폄근
Extensor carpi ulnaris muscle
3 폄근지지띠 Extensor retinaculum
4 자쪽피부정맥 Basilic vein
5 자신경의 손등가지
Dorsal branch of ulnar nerve
6 자동맥의 등쪽손목가지
Dorsal carpal branch of ulnar artery
7 손등정맥그물
Dorsal venous network of hand
8 등쪽손허리동맥
Dorsal metacarpal arteries
9 등쪽손허리정맥
Dorsal metacarpal veins
10 등쪽손가락정맥 Dorsal digital veins
11 가쪽아래팔피부신경
Lateral cutaneous nerve of forearm
12 뒤아래팔피부신경
Posterior cutaneous nerve of forearm
13 긴엄지벌림근
Abductor pollicis longus muscle
14 짧은엄지벌림근
Abductor pollicis brevis muscle
15 노쪽피부정맥 Cephalic vein
16 노신경의 얕은가지
Superficial branch of radial nerve
17 노동맥 Radial artery
18 노신경의 등쪽손가락신경
Dorsal digital branches of radial nerve
19 손가락의 등쪽손가락신경
Dorsal digital nerves for the fingers
20 갈고리뼈 Hamate bone
21 알머리뼈 Capitate bone
22 등쪽뼈사이근
Dorsal interossei muscles
23 곁인대 Collateral ligament
24 첫마디뼈 Proximal phalanges II-V
25 중간마디뼈 Middle phalanges II-V
26 끝마디뼈 Distal phalanges IV and V
27 작은마름뼈 Os trapezoideum
28 손허리뼈 Metacarpal bones II-IV
29 엄지맞섬근 Opponens pollicis muscle
30 둘째손허리손가락관절 Second metacarpophalangeal joint
31 고유바닥쪽손가락동맥
Proper palmar digital artery

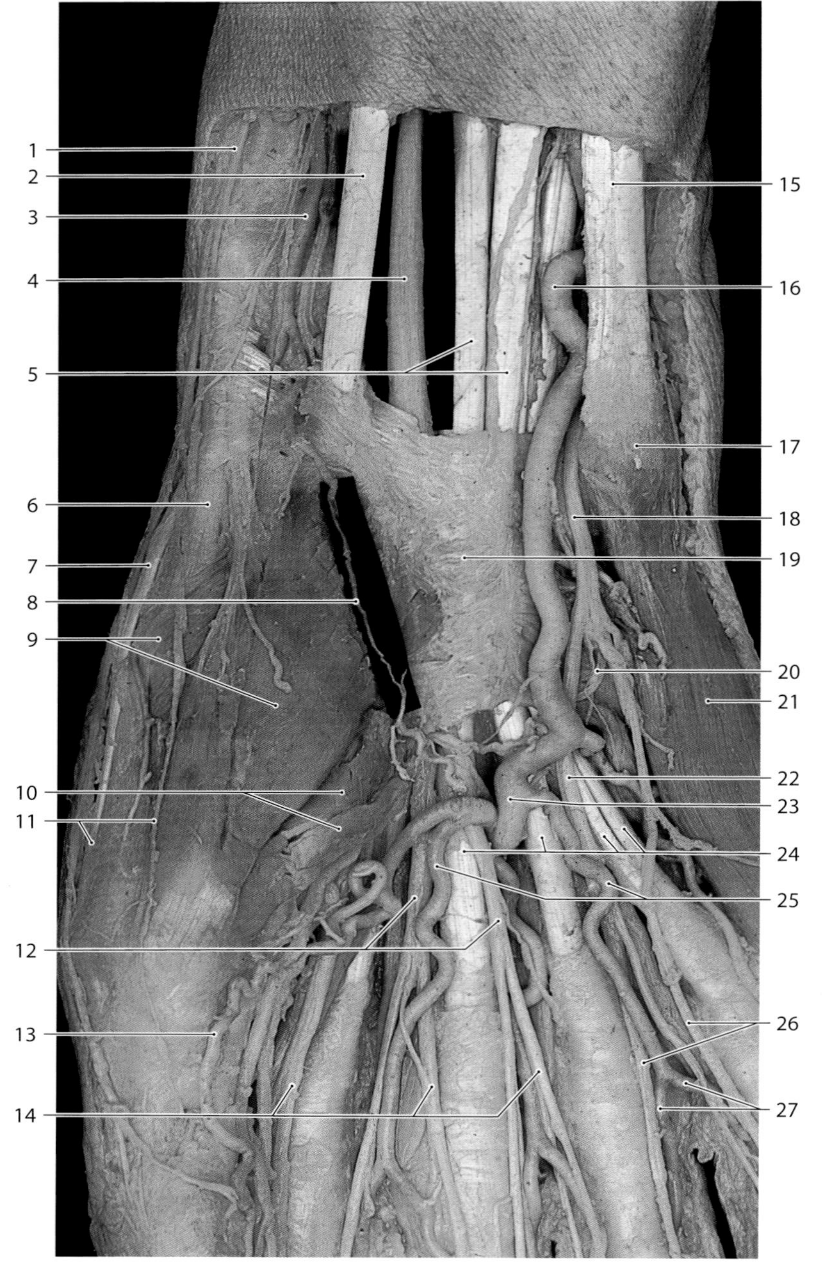

그림 3.138 **오른쪽 손목과 손바닥의 앞부위,** 얕은층. 얕은손바닥동맥활의 해부.

1 노신경의 얕은가지 Superficial branch of radial nerve
2 노쪽손목굽힘근힘줄 Tendon of flexor carpi radialis muscle
3 노동맥 Radial artery
4 정중신경 Median nerve
5 얕은손가락굽힘근힘줄 Tendon of flexor digitorum superficialis muscle
6 긴엄지벌림근힘줄 Tendon of abductor pollicis longus muscle
7 짧은엄지폄근힘줄 Tendon of extensor pollicis brevis muscle
8 노동맥의 얕은손바닥가지 Superficial palmar branch of radial artery
9 짧은엄지벌림근 Abductor pollicis brevis muscle
10 짧은엄지굽힘근의 얕은갈래 Superficial head of flexor pollicis brevis muscle
11 노신경 얕은가지의 종말가지 Terminal branches of superficial branch of radial nerve
12 온바닥쪽손가락신경(정중신경) Common palmar digital nerves (median nerve)
13 엄지의 고유바닥쪽손가락동맥 Proper palmar digital arteries of thumb
14 고유바닥쪽손가락신경(정중신경) Proper palmar digital nerves (median nerve)
15 자쪽손목굽힘근힘줄 Tendon of flexor carpi ulnaris muscle
16 자동맥 Ulnar artery
17 콩알뼈의 위치 Position of pisiform bone
18 자신경의 얕은가지 Superficial branch of ulnar nerve
19 굽힘근지지띠 Flexor retinaculum
20 자신경의 깊은가지 Deep branch of ulnar nerve
21 새끼벌림근 Abductor digiti minimi muscle
22 온바닥쪽손가락신경(자신경) Common palmar digital nerve (ulnar nerve)
23 얕은손바닥동맥활 Superficial palmar arch
24 손가락굽힘근힘줄 Tendons of flexor digitorum muscles
25 온바닥쪽손가락동맥 Common palmar digital arteries
26 바닥쪽손가락신경(자신경) Palmar digital nerves (ulnar nerve)
27 고유바닥쪽손가락동맥 Proper palmar digital arteries
28 손목굴 Carpal tunnel
29 손가락굽힘근힘줄의 섬유집 Fibrous sheaths for the tendons of flexor digitorum muscles
30 깊은손바닥동맥활 Deep palmar arch
31 엄지으뜸동맥 Princeps pollicis artery
32 정중신경의 손바닥가지 Palmar branch of median nerve
33 온바닥쪽손가락동맥 Common palmar digital artery
34 자신경 Ulnar nerve
35 손가락의 모세혈관그물 Capillary network of fingers
36 자신경의 손등가지 Dorsal branch of ulnar nerve

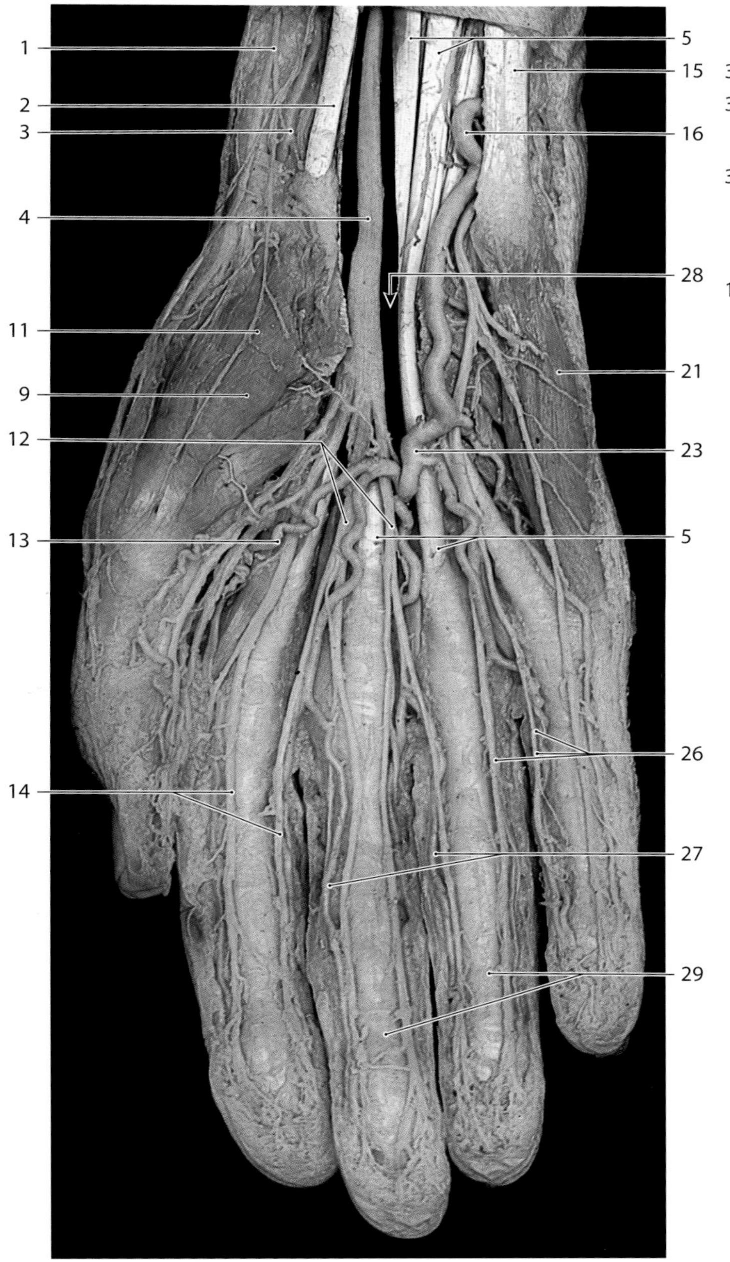

그림 3.139 **오른쪽 손바닥,** 중간층. 굽힘근지지띠를 제거하였다.

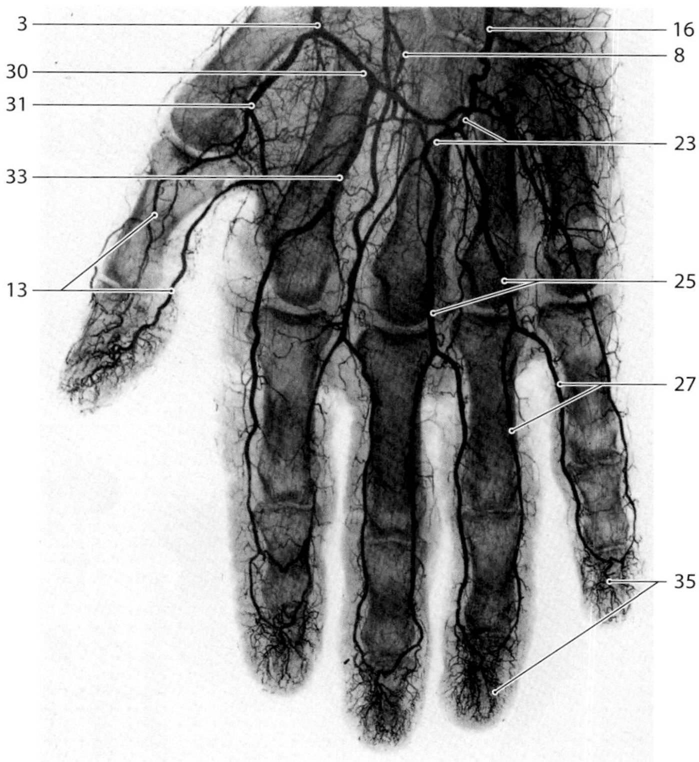

그림 3.140 **오른쪽 손의 동맥조영술**(손바닥쪽모습).

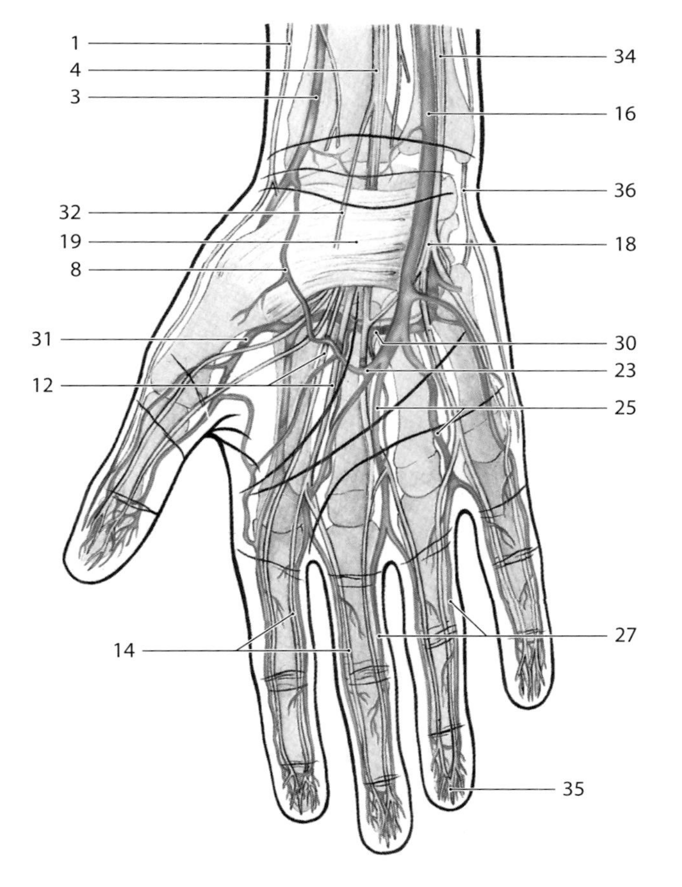

그림 3.141 **오른쪽 손바닥.** 동맥과 신경.

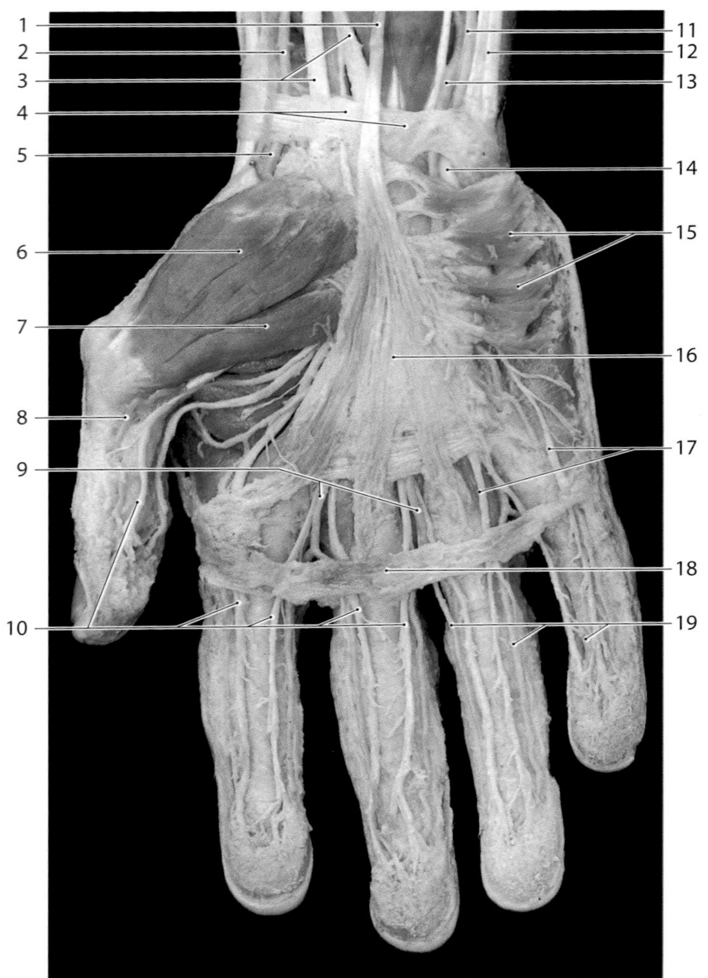

그림 3.142 **오른쪽 손바닥,** 얕은층. 혈관과 신경의 해부.

그림 3.143 **오른쪽 손바닥,** 얕은층. 혈관과 신경의 해부. 손바닥널힘줄을 제거하여 얕은손바닥동맥활이 보이게 하였다.

1 긴손바닥근힘줄 Tendon of palmaris longus muscle
2 노동맥 Radial artery
3 노쪽손목굽힘근힘줄과 정중신경
Tendon of flexor carpi radialis muscle and median nerve
4 아래팔근막의 먼쪽부분 Distal part of antebrachial fascia
5 해부학코담배갑을 지나는 노동맥
Radial artery passing into the anatomical snuffbox
6 짧은엄지벌림근 Abductor pollicis brevis muscle
7 짧은엄지굽힘근 얕은갈래 Superficial head of flexor pollicis brevis muscle
8 엄지의 바닥쪽손가락동맥 Palmar digital artery of thumb
9 온바닥쪽손가락동맥 Common palmar digital arteries
10 고유바닥쪽손가락신경(정중신경)
Proper palmar digital nerves (median nerve)
11 자신경 Ulnar nerve
12 자쪽손목굽힘근힘줄 Tendon of flexor carpi ulnaris muscle
13 자동맥 Ulnar artery
14 자신경의 얕은가지 Superficial branch of ulnar nerve
15 짧은손바닥근 Palmaris brevis muscle
16 손바닥널힘줄 Palmar aponeurosis
17 바닥쪽손가락신경(자신경) Palmar digital nerves (ulnar nerve)
18 얕은가로손허리인대 Superficial transverse metacarpal ligament
19 고유바닥쪽손가락동맥 Proper palmar digital arteries
20 노동맥의 얕은손바닥가지(얕은손바닥동맥활 형성에 참여)
Superficial palmar branch of radial artery
(contributing to the superficial palmar arch)
21 굽힘근지지띠 Flexor retinaculum
22 정중신경 Median nerve
23 새끼벌림근 Abductor digiti minimi muscle
24 짧은새끼굽힘근 Flexor digiti minimi brevis muscle
25 새끼맞섬근 Opponens digiti minimi muscle
26 얕은손바닥동맥활 Superficial palmar arch
27 얕은손가락굽힘근힘줄 Tendons of flexor digitorum superficialis muscle
28 자신경의 온바닥쪽손가락신경
Common palmar digital branch of ulnar nerve
29 정중신경의 온바닥쪽손가락신경
Common palmar digital branches of median nerve
30 굽힘근힘줄의 섬유집 Fibrous sheaths of tendons of flexor muscles

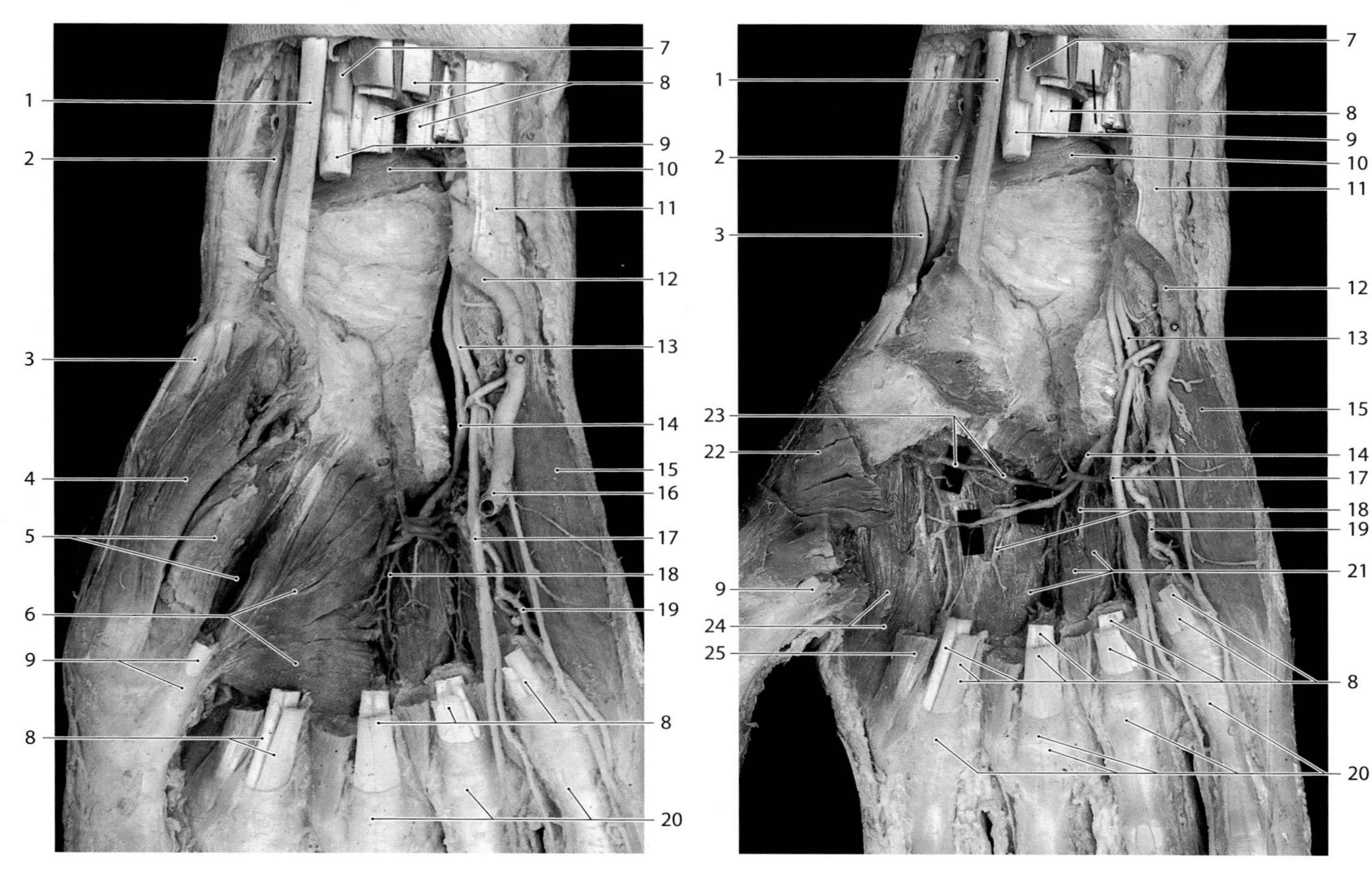

그림 3.144 오른쪽 손목과 손바닥의 앞부위, 깊은층. 손목굴을 열어 굽힘근육의 힘줄들을 제거하고 얕은손바닥동맥활을 잘랐다.

그림 3.145 오른쪽 손목과 손바닥의 앞부위, 깊은층. 깊은손바닥동맥활의 해부.

1 노쪽손목굽힘근힘줄 Tendon of flexor carpi radialis muscle
2 노동맥 Radial artery
3 긴엄지벌림근힘줄 Tendon of abductor pollicis longus muscle
4 짧은엄지벌림근 Abductor pollicis brevis muscle
5 짧은엄지굽힘근의 얕은 및 깊은갈래
Superficial and deep heads of flexor pollicis brevis muscle
6 엄지모음근의 빗 및 가로갈래
Oblique and transverse heads of adductor pollicis muscle
7 정중신경 Median nerve
8 얕은 및 깊은손가락굽힘근힘줄
Tendons of flexor digitorum superficialis and profundus muscles
9 긴엄지굽힘근힘줄 Tendon of flexor pollicis longus muscle
10 네모엎침근 Pronator quadratus muscle
11 자쪽손목굽힘근힘줄 Tendon of flexor carpi ulnaris muscle
12 자동맥 Ulnar artery
13 자신경의 얕은가지 Superficial branch of ulnar nerve
14 자신경의 깊은가지 Deep branch of ulnar nerve
15 새끼벌림근 Abductor digiti minimi muscle
16 얕은손바닥동맥활(잘린끝) Superficial palmar arch (cut end)
17 온바닥쪽손가락신경(자신경) Common palmar digital nerve (ulnar nerve)
18 깊은손바닥동맥활의 바닥쪽손허리동맥
Palmar metacarpal arteries of deep palmar arch
19 다섯째손가락의 바닥쪽손가락동맥 Palmar digital artery of the fifth finger
20 굽힘근힘줄섬유집 Fibrous sheaths of tendons of flexor muscles
21 바닥쪽뼈사이근 Palmar interossei muscles
22 엄지맞섬근(잘림) Opponens pollicis muscle(cut)
23 깊은손바닥동맥활 Deep palmar arch
24 첫째등쪽뼈사이근 First dorsal interosseous muscle
25 첫째벌레근 First lumbrical muscle

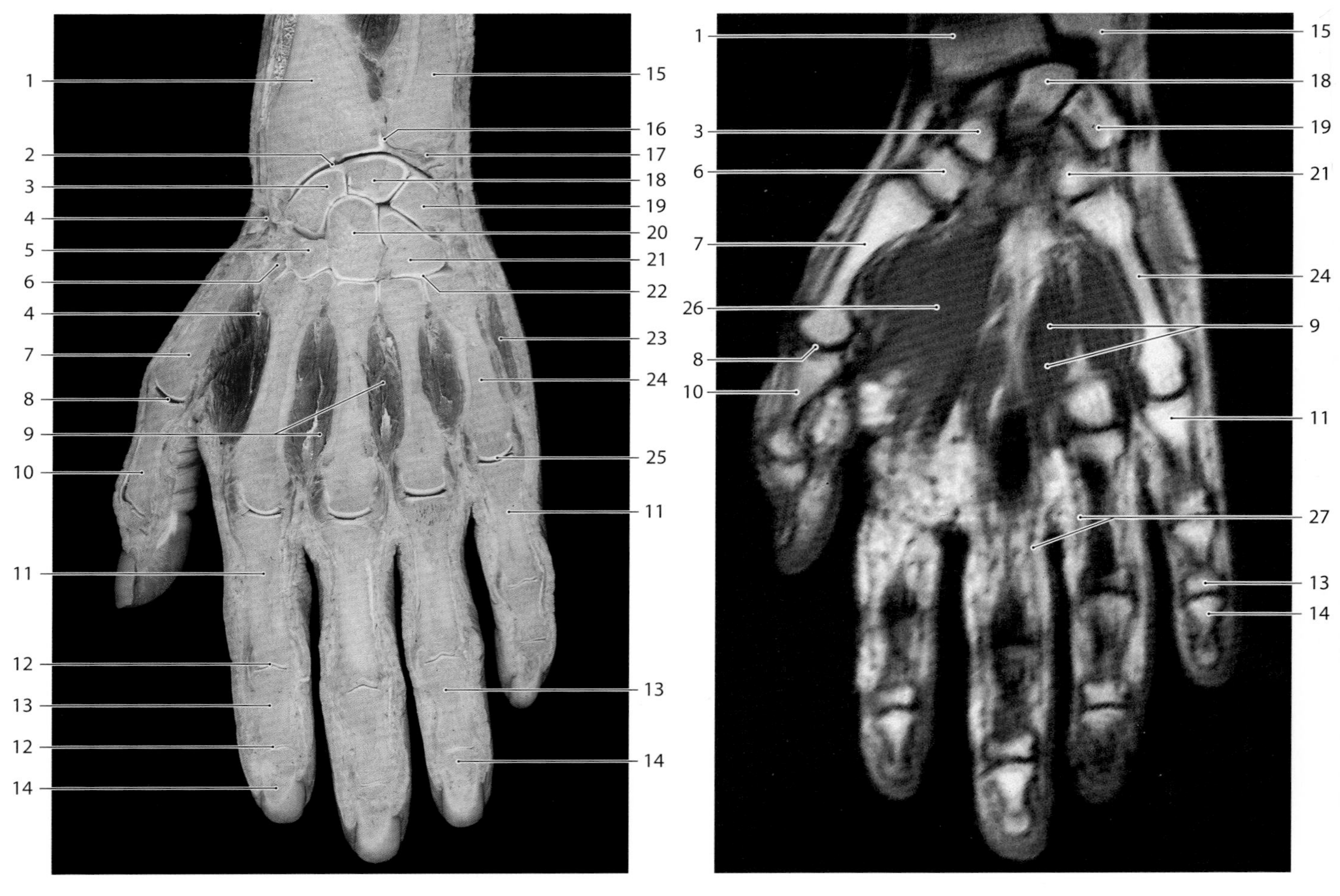

그림 3.146 **왼쪽 손의 관상단면,** 뼈사이근의 위치(손등쪽모습).

그림 3.147 **왼쪽 손의 관상단면,** 뼈사이근의 위치(손등면; 자기공명영상). (Heuck A, et al. MRT-Atlas des muskuloskelettalen Systems. Stuttgart, Germany: Schattauer, 2009.)

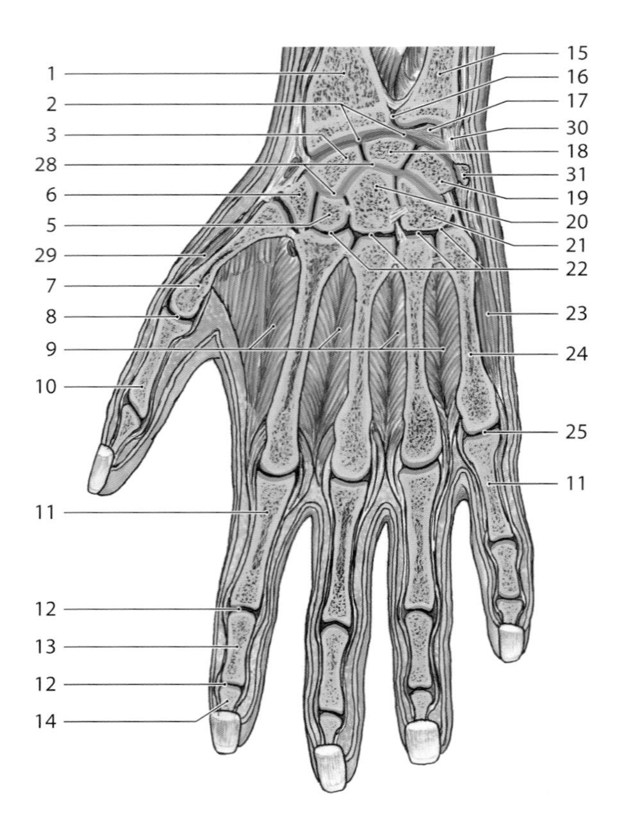

그림 3.148 **왼쪽 손의 관상단면,** 뼈사이근의 위치(손등쪽모습).

1 노뼈 Radius
2 노손목관절 Radiocarpal joint
3 손배뼈 Scaphoid (navicular) bone
4 노동맥 Radial artery
5 작은마름뼈 Trapezoid bone
6 큰마름뼈 Trapezium bone
7 첫째손허리뼈 First metacarpal bone
8 엄지의 손허리손가락관절 Metacarpophalangeal joint of thumb
9 뼈사이근 Interossei muscles
10 엄지의 첫마디뼈 Proximal phalanx of thumb
11 손가락의 첫마디뼈 Proximal phalanx of fingers
12 손가락뼈사이관절 Interphalangeal joints
13 중간마디뼈 Middle phalanx
14 끝마디뼈 Distal phalanx
15 자뼈 Ulna
16 먼쪽노자관절 Distal radio-ulnar joint
17 관절원반 Articular disc
18 반달뼈 Lunate bone
19 세모뼈 Triquetral bone
20 알머리뼈 Capitate bone
21 갈고리뼈 Hamate bone
22 손목손허리관절 Carpometacarpal joints
23 새끼벌림근 Abductor digiti minimi muscle
24 다섯째손허리뼈 Fifth metacarpal bone
25 손허리손가락관절 Metacarpophalangeal joint
26 엄지모음근 Adductor pollicis muscle
27 고유바닥쪽손가락동맥 Proper palmar digital arteries
28 손허리관절 Metacarpal joint
29 엄지맞섬근 Opponens pollicis muscle
30 자쪽곁인대 Ulnar collateral ligament
31 콩알뼈 Pisiform bone

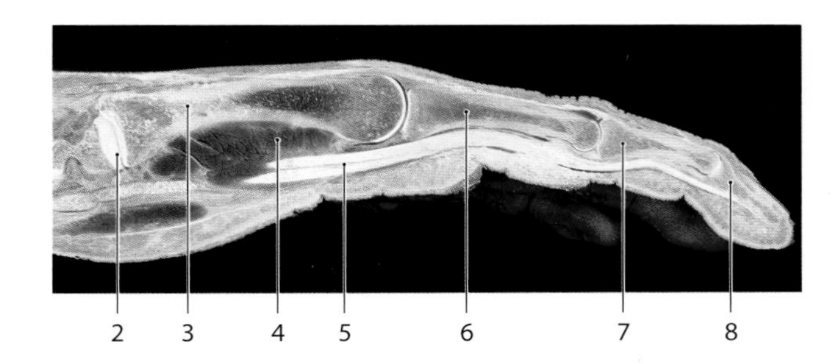

그림 3.149 **손의 세로단면,** 셋째손가락 위치.

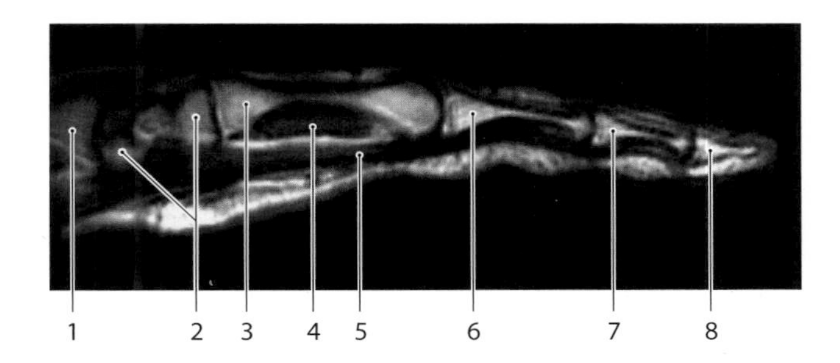

그림 3.150 **손의 세로단면,** 셋째손가락 위치(자기공명영상). (Heuck A, et al. MRT-Atlas des muskuloskelettalen Systems. Stuttgart, Germany: Schattauer, 2009.)

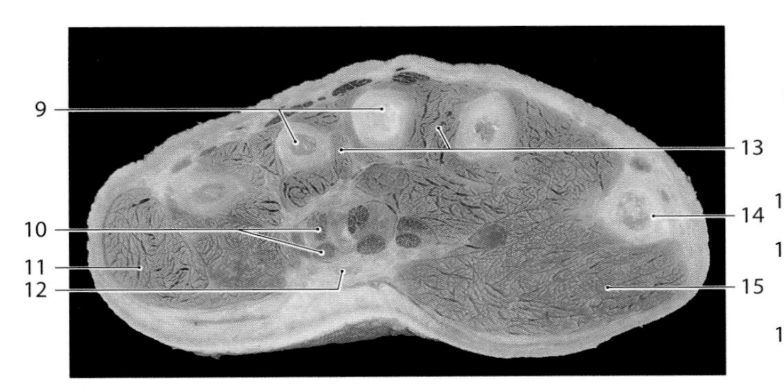

그림 3.151 **오른쪽 손의 가로단면.** 손허리뼈의 위치(아래모습).

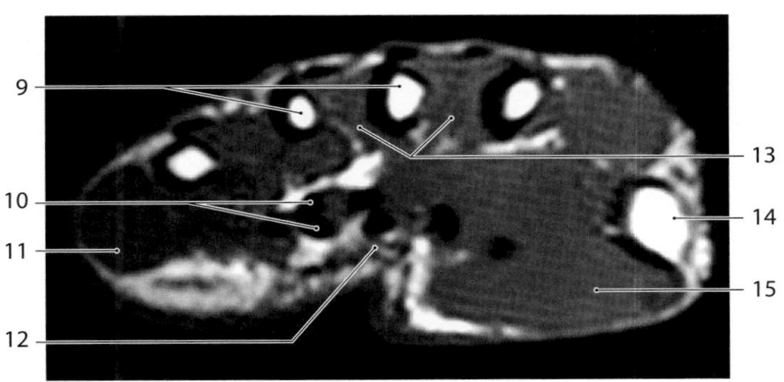

그림 3.152 **오른쪽 손의 가로단면.** 손허리뼈의 위치(아래모습, 자기공명영상). (Courtesy of Prof. Uder, Institute of Radiology, University Hospital Erlangen, Germany.)

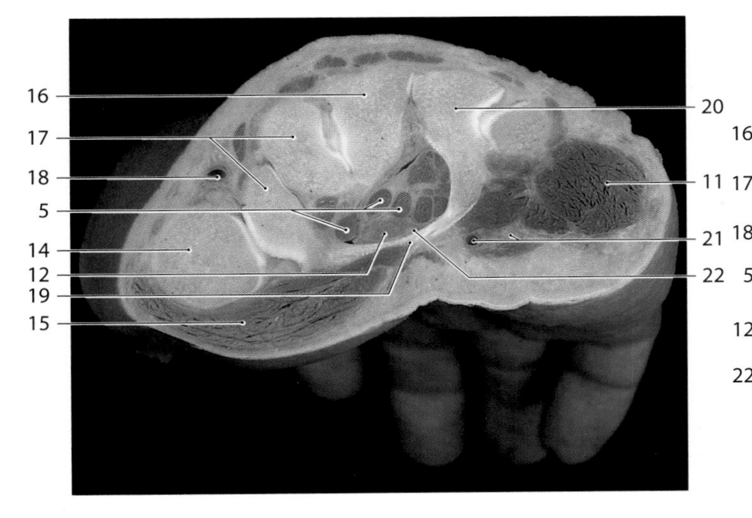

그림 3.153 **오른쪽 손의 가로단면,** 손목굴의 위치(몸쪽모습).

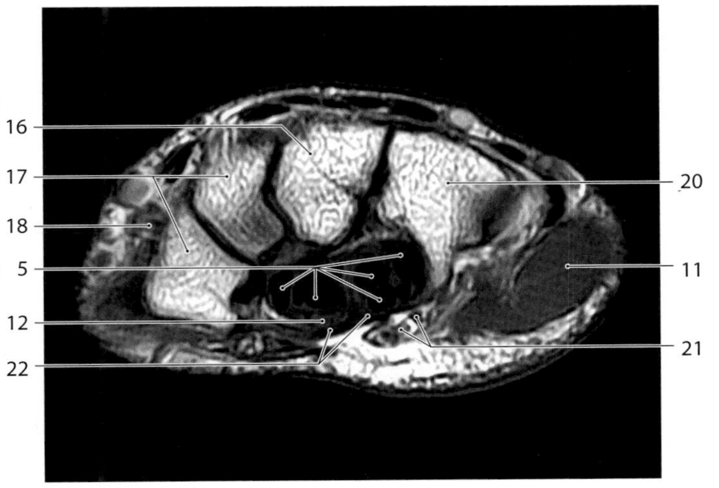

그림 3.154 **오른쪽 손의 가로단면.** 손목굴의 위치(몸쪽모습, 자기공명영상). (Heuck A, et al. MRT-Atlas des muskuloskelettalen Systems. Stuttgart, Germany: Schattauer, 2009.)

1 노뼈 Radius
2 손목뼈 Carpal bones
3 손허리뼈 Metacarpal bone
4 뼈사이근 Interossei muscles
5 깊은(위) 및 얕은(아래) 손가락굽힘근힘줄 Tendons of flexor digitorum profundus (upper) and superficialis (lower) muscles
6 첫마디뼈 Proximal phalanx
7 중간마디뼈 Middle phalanx
8 끝마디뼈 Distal phalanx
9 셋째 및 넷째손허리뼈 Third and fourth metacarpal bones
10 손가락굽힘근힘줄을 포함한 손목굴 Carpal tunnel with tendons of flexor digitorum muscles
11 새끼두덩근육 Hypothenar muscles
12 정중신경 Median nerve
13 뼈사이근 Interossei muscles
14 첫째손허리뼈 First metacarpal bone
15 엄지두덩근육 Thenar muscles
16 알머리뼈 Capitate bone
17 큰 및 작은마름뼈 Trapezium and trapezoid bones
18 노동맥 Radial artery
19 굽힘근지지띠 Flexor retinaculum
20 갈고리뼈 Hamate bone
21 자동맥과 자신경 Ulnar artery and nerve
22 손목굴 Carpal tunnel

4 다리 Lower Limb

해부학총론과 근육뼈대계통 General Anatomy and Musculoskeletal System

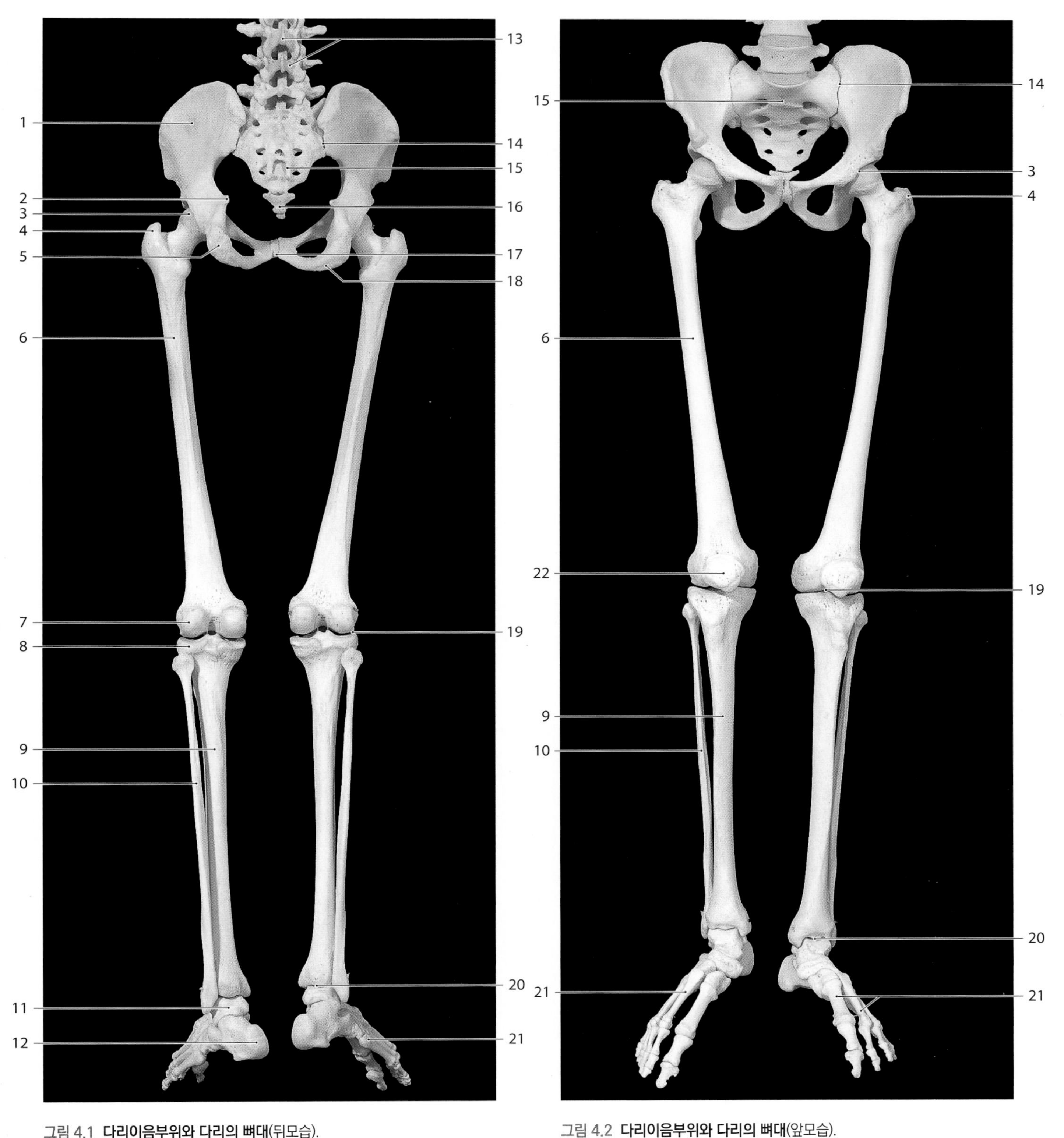

그림 4.1 **다리이음부위와 다리의 뼈대**(뒤모습).

그림 4.2 **다리이음부위와 다리의 뼈대**(앞모습).

1 엉덩뼈 Ilium
2 궁둥뼈가시 Ischial spine
3 엉덩관절 Hip joint
4 큰돌기 Greater trochanter
5 궁둥뼈결절 Ischial tuberosity
6 넓적다리뼈 Femur
7 넓적다리뼈의 가쪽관절융기 Lateral condyle of femur
8 정강뼈의 가쪽관절융기 Lateral condyle of tibia
9 정강뼈 Tibia
10 종아리뼈 Fibula
11 목말뼈 Talus
12 발꿈치뼈 Calcaneus
13 허리뼈 Lumbar vertebrae
14 엉치엉덩관절 Sacro-iliac joint
15 엉치뼈 Sacrum
16 꼬리뼈 Coccyx
17 두덩결합 Pubic symphysis
18 궁둥뼈결절 Ischial tuberosity
19 무릎관절 Knee Joint
20 발목관절 Ankle joint
21 발허리뼈 Metatarsal bones
22 무릎뼈 Patella

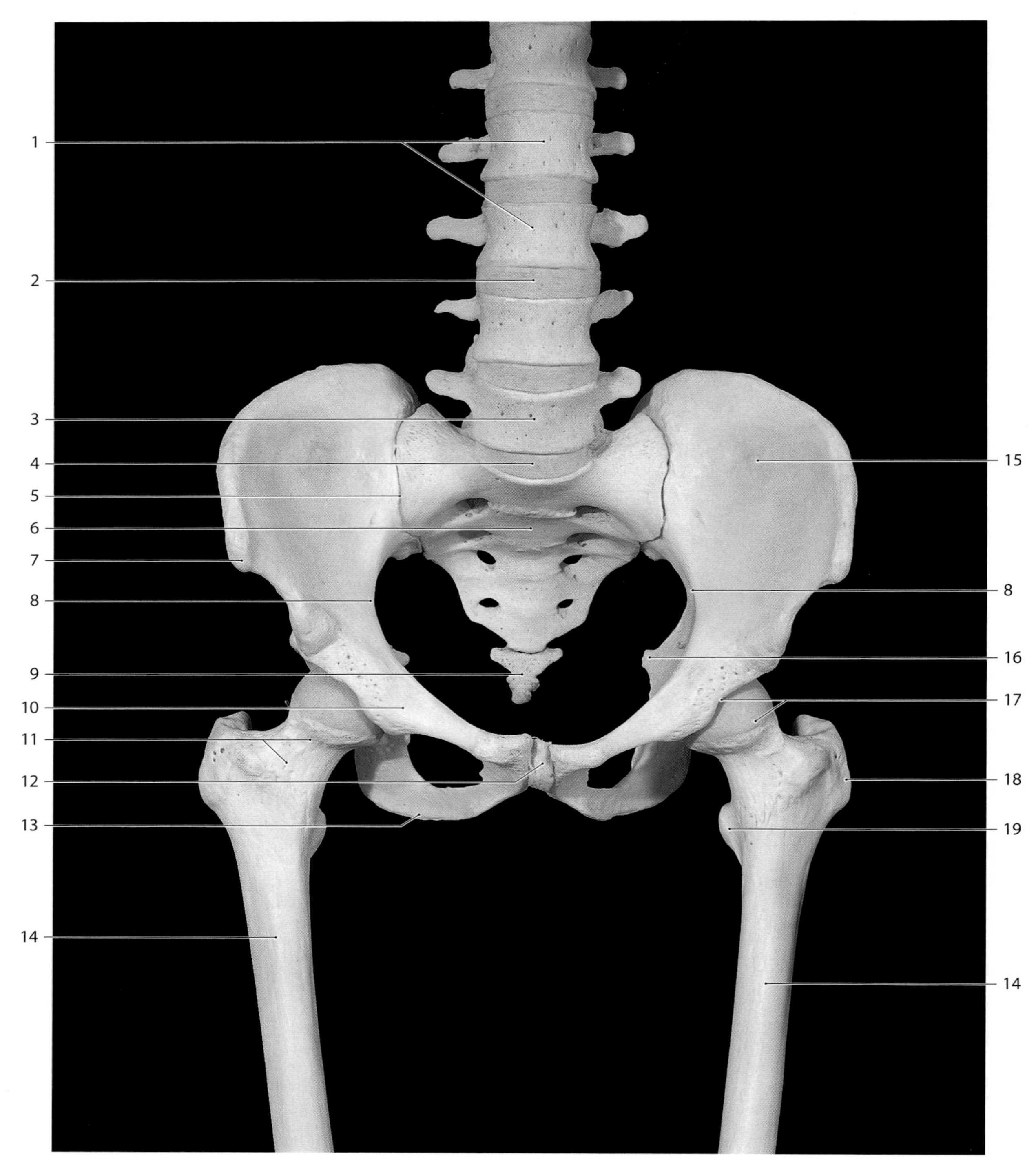

그림 4.3 **허리뼈와 양쪽 넓적다리뼈가 연결된 다리이음부위의 뼈대**(앞모습).

1 둘째 및 셋째허리뼈 Second and third lumbar vertebrae
2 척추사이원반 Intervertebral disc
3 다섯째허리뼈 Fifth lumbar vertebra
4 다섯째허리뼈와 엉치뼈 사이의 척추사이원반
Intervertebral disc between fifth lumbar vertebra and sacrum
5 엉치엉덩관절 Sacro-iliac joint
6 엉치뼈 Sacrum
7 앞위엉덩뼈가시 Anterior superior iliac spine
8 분계선 Linea terminalis
9 꼬리뼈 Coccyx
10 두덩뼈 Pubis
11 넓적다리뼈목 Neck of femur
12 두덩결합 Pubic symphysis
13 궁둥뼈결절 Ischial tuberosity
14 넓적다리뼈 Femur
15 엉덩뼈오목 Iliac fossa
16 궁둥뼈가시 Ischial spine
17 넓적다리뼈머리(엉덩관절의 위치)
Head of femur (and localization of hip joint)
18 큰돌기 Greater trochanter
19 작은돌기 Lesser trochanter

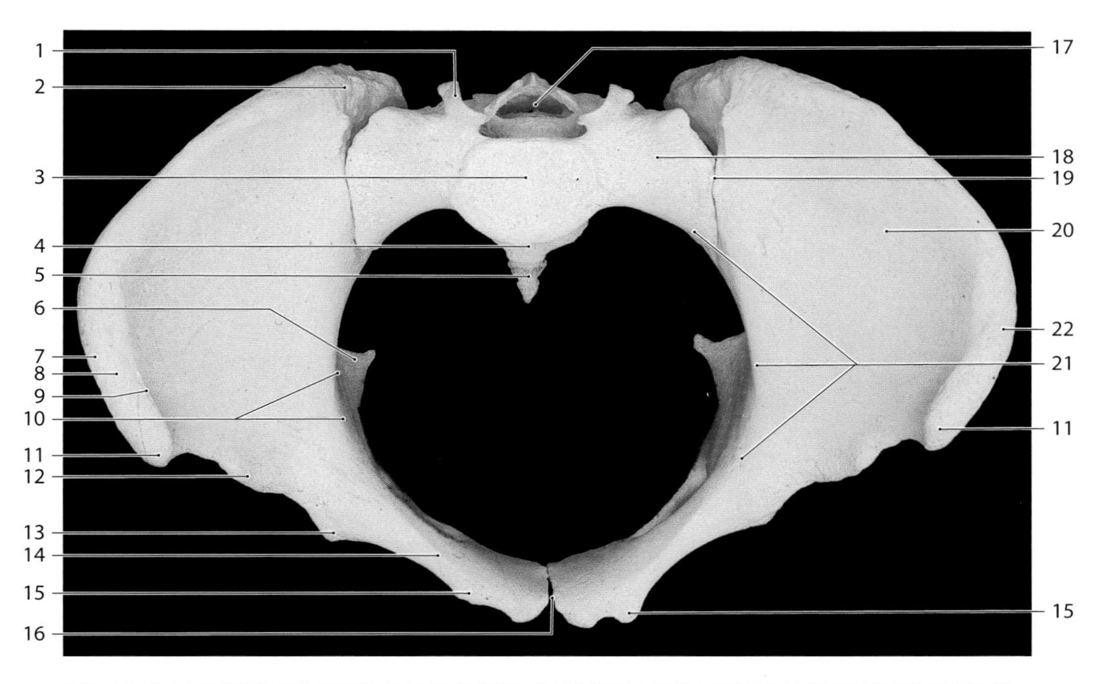

그림 4.4 **여자 골반뼈**(위모습). 엉치뼈, 위 및 아래골반문, 엉덩뼈날개의 모양과 크기로 남녀 골반뼈의 차이를 확인하시오.

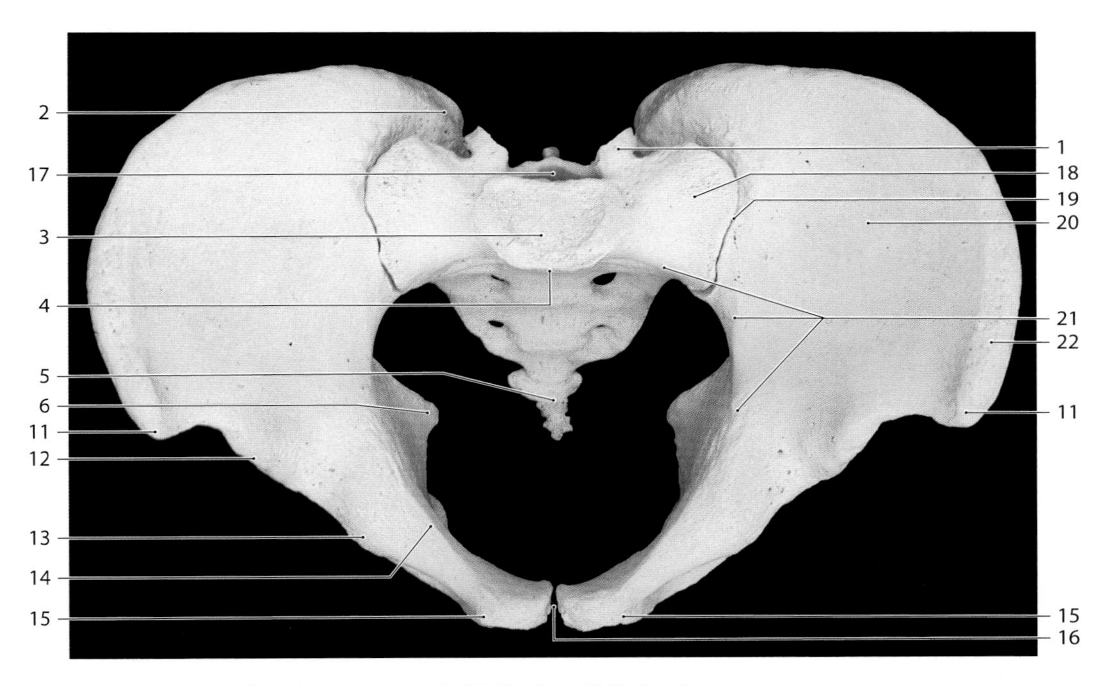

그림 4.5 **남자 골반뼈**(위모습). 그림 4.4에서 설명한 여자 골반뼈와 비교하시오.

1 엉치뼈의 위관절돌기 Superior articular process of sacrum
2 뒤위엉덩뼈가시 Posterior superior iliac spine
3 엉치뼈바닥 Base of sacrum
4 엉치뼈곶 Sacral promontory
5 꼬리뼈 Coccyx
6 궁둥뼈가시 Ischial spine
7 바깥능선 External lip
8 중간능선 Intermediate line
9 속능선 Internal lip
(7–9: 엉덩뼈능선 of iliac crest)
10 활꼴선 Arcuate line
11 앞위엉덩뼈가시 Anterior superior iliac spine
12 앞아래엉덩뼈가시 Anterior inferior iliac spine
13 엉덩두덩융기 Iliopubic eminence
14 두덩뼈빗 Pecten pubis
15 두덩뼈결절 Pubic tubercle
16 두덩결합 Pubic symphysis
17 엉치뼈관 Sacral canal
18 엉치뼈날개 Ala of sacrum
19 엉치엉덩관절의 위치 Position of sacro-iliac joint
20 엉덩뼈오목 Iliac fossa
21 분계선 Linea terminalis
22 엉덩뼈능선 Iliac crest

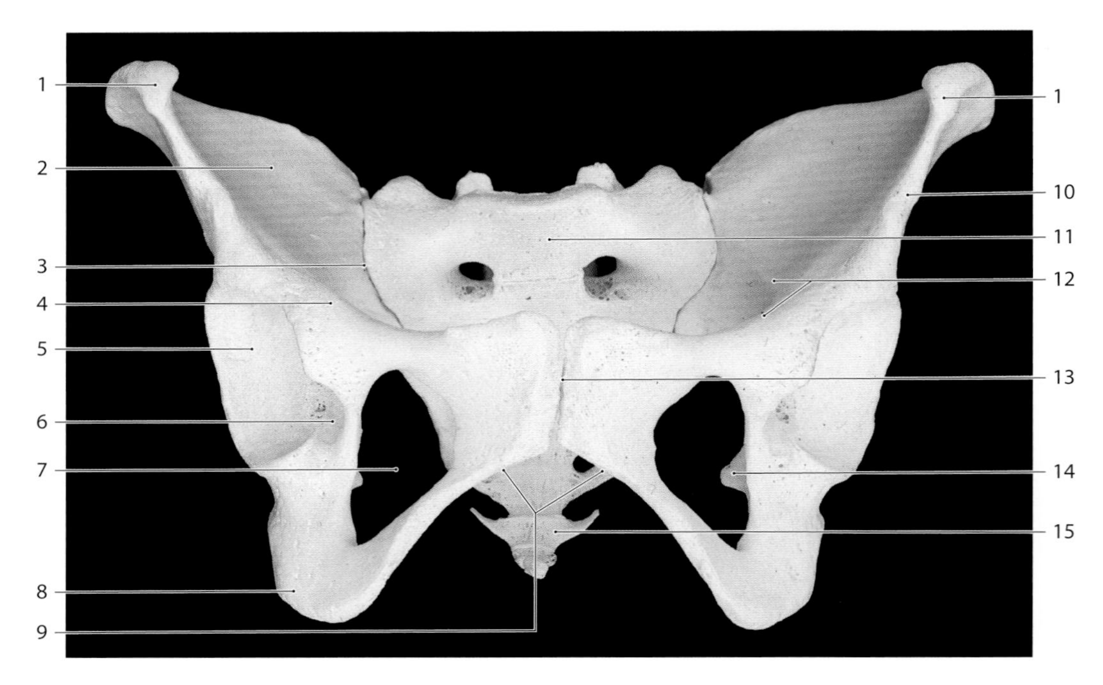

그림 4.6 **여자 골반뼈**(앞모습). 남녀 골반뼈의 모양과 크기의 차이를 확인하시오. 여자의 두덩활이 남자에 비해 더 넓다. 여자 골반뼈에서 폐쇄구멍의 모양은 삼각형인 반면, 남자 골반에서는 난원형이다.

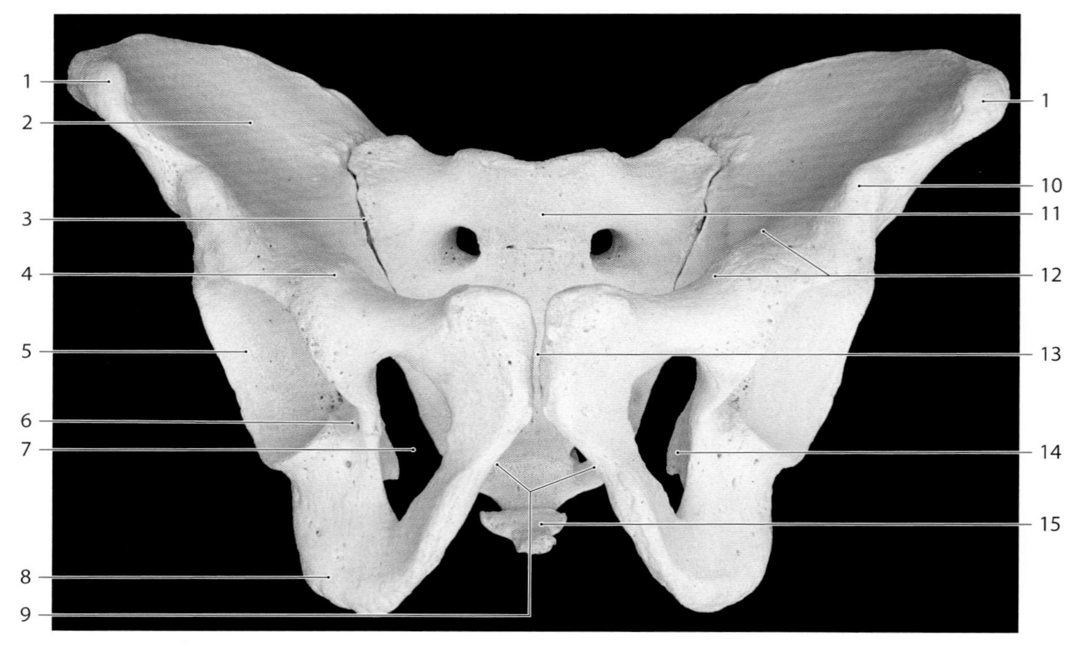

그림 4.7 **남자 골반뼈**(앞모습). 그림 4.6에서 설명한 여자 골반뼈와 비교하시오.

1 앞위엉덩뼈가시 Anterior superior iliac spine
2 엉덩뼈오목 Iliac fossa
3 엉치엉덩관절의 위치 Position of sacro-iliac joint
4 엉덩두덩융기 Iliopubic eminence
5 절구의 반달면 Lunate surface of acetabulum
6 절구파임 Acetabular notch
7 폐쇄구멍 Obturator foramen
8 궁둥뼈결절 Ischial tuberosity
9 두덩활 Pubic arch
10 앞아래엉덩뼈가시 Anterior inferior iliac spine
11 엉치뼈 Sacrum
12 분계선(위골반문 가장자리) Linea terminalis (at margin of superior aperture)
13 두덩결합 Pubic symphysis
14 궁둥뼈가시 Ischial spine
15 꼬리뼈 Coccyx

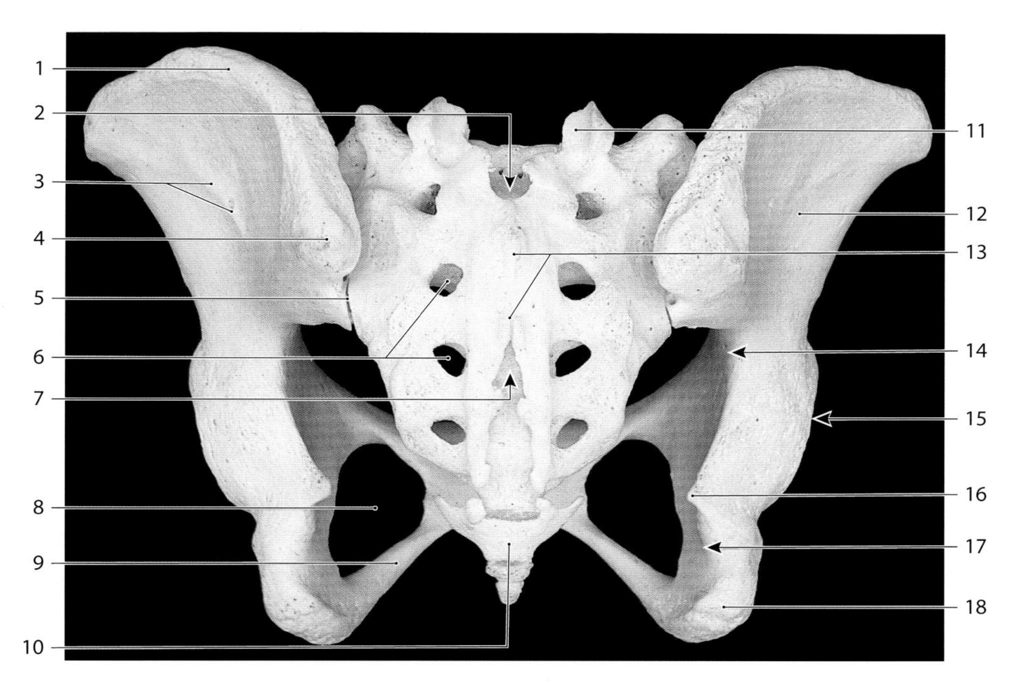

그림 4.8 **여자 골반뼈**(뒤모습). 여자와 남자 골반뼈의 차이를 아래골반문, 엉치뼈 모양, 두 궁둥파임 그리고 두덩활을 비교하여 확인하시오.

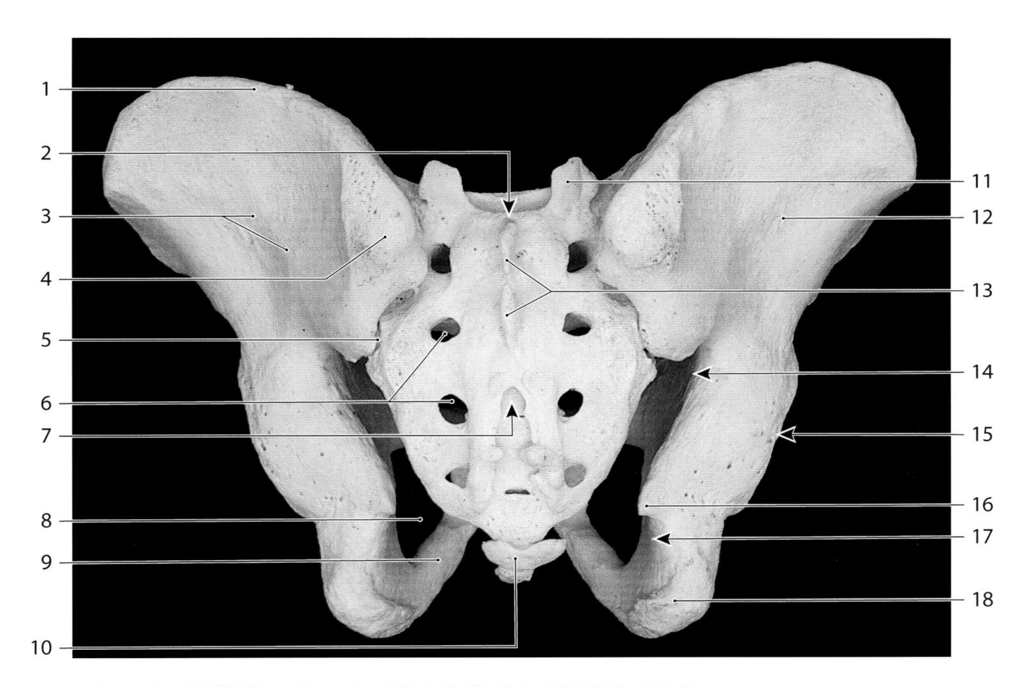

그림 4.9 **남자 골반뼈**(뒤모습). 그림 4.8에서 설명한 여자 골반뼈와 비교하시오.

1 엉덩뼈능선 Iliac crest
2 엉치뼈관 Sacral canal
3 뒤볼기근선 Posterior gluteal line
4 뒤위엉덩뼈가시 Posterior superior iliac spine
5 엉치엉덩관절의 위치 Position of sacro-iliac joint
6 뒤엉치뼈구멍 Dorsal sacral foramina
7 엉치뼈틈새 Sacral hiatus
8 폐쇄구멍 Obturator foramen
9 궁둥뼈가지 Ramus of ischium
10 꼬리뼈 Coccyx
11 엉치뼈의 위관절돌기 Superior articular process of sacrum
12 엉덩뼈의 볼기면 Gluteal surface of ilium
13 정중엉치뼈능선 Median sacral crest
14 큰궁둥파임 Greater sciatic notch
15 절구의 위치 Position of acetabulum
16 궁둥뼈가시 Ischial spine
17 작은궁둥파임 Lesser sciatic notch
18 궁둥뼈결절 Ischial tuberosity

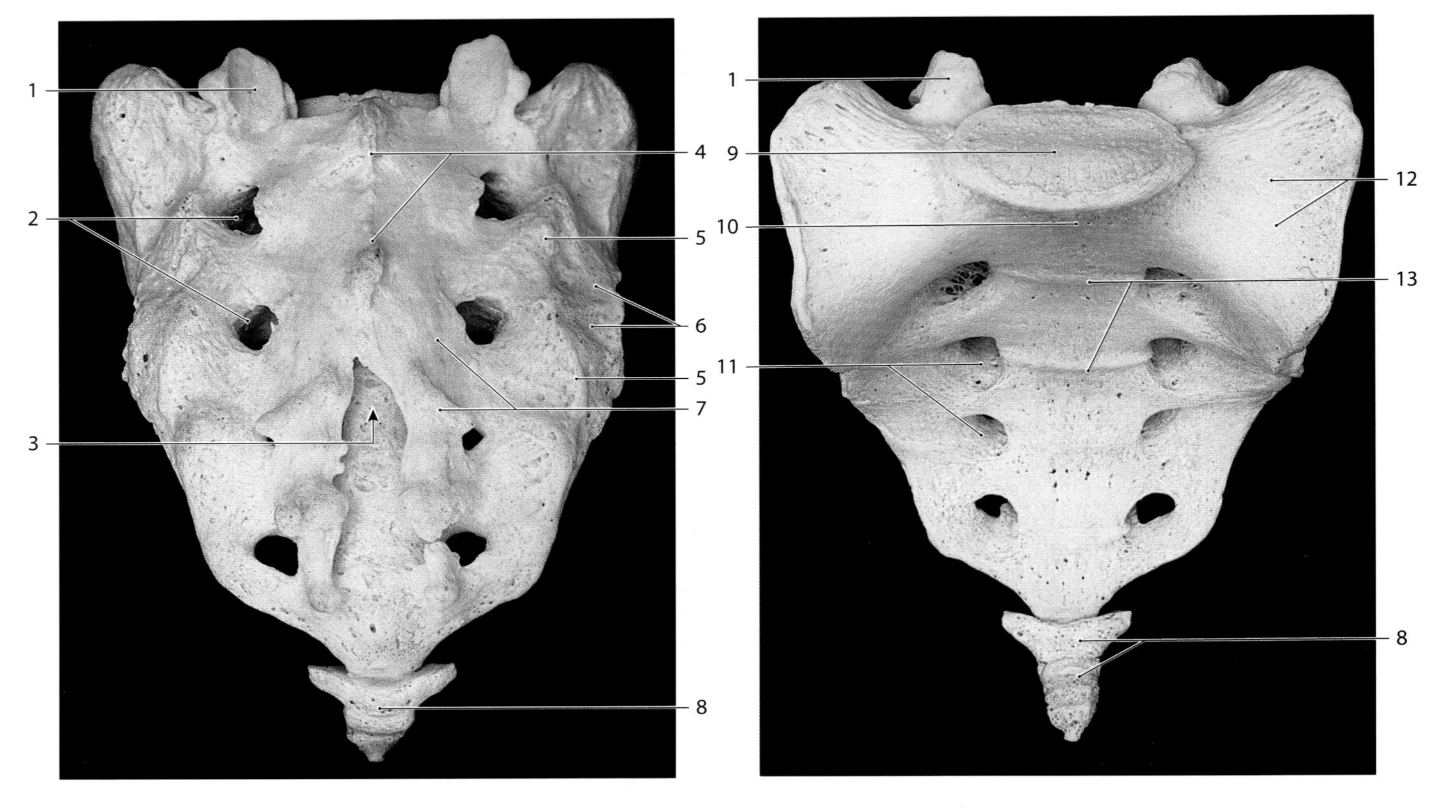

그림 4.10 **엉치뼈**(뒤모습).

그림 4.11 **엉치뼈**(앞모습).

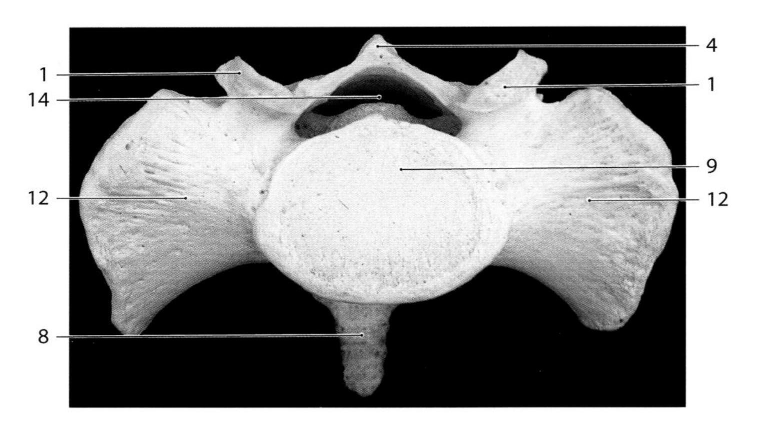

그림 4.12 **엉치뼈**(위모습).

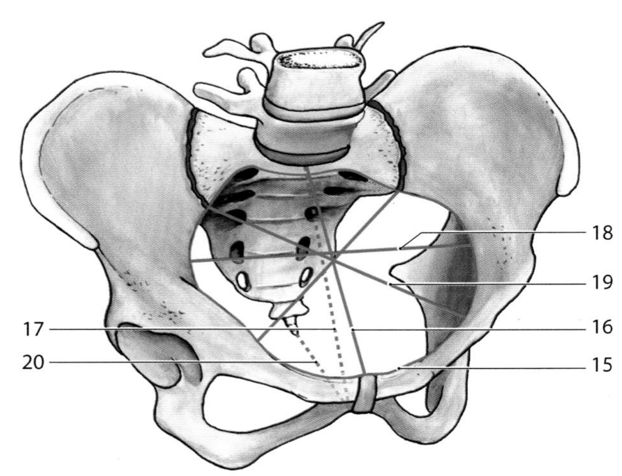

그림 4.13 **골반의 지름**(비스듬위모습).

1 엉치뼈의 위관절돌기
Superior articular process of sacrum
2 뒤엉치뼈구멍
Posterior sacral foramina
3 엉치뼈틈새 Sacral hiatus
4 정중엉치뼈능선
Median sacral crest
5 가쪽엉치뼈능선
Lateral sacral crest
6 엉치뼈거친면 Sacral tuberosity
7 중간엉치뼈능선
Intermediate sacral crest
8 꼬리뼈 Coccyx
9 엉치뼈바닥 Base of sacrum
10 엉치뼈곶 Sacral promontory
11 앞엉치뼈구멍
Anterior sacral foramina
12 엉치뼈의 가쪽부분(엉치뼈날개)
Lateral part of sacrum (ala)
13 엉치뼈의 가로선
Transverse line of sacrum
14 엉치뼈관 Sacral canal
15 분계선 Linea terminalis
16 참앞뒤지름 True conjugate
17 빗앞뒤지름 Diagonal conjugate
18 가로지름 Transverse diameter
19 빗지름 Oblique diameter
20 아래골반문
Inferior pelvic aperture or outlet

다리이음부위는 엉치엉덩관절을 통해 척주와 강하게 연결된다. 따라서(걸을 때처럼) 한쪽 다리로만 지탱하더라도 몸은 쉽게 선 자세가 유지된다. 다리의 가동성은 팔보다 더 제한적이다.

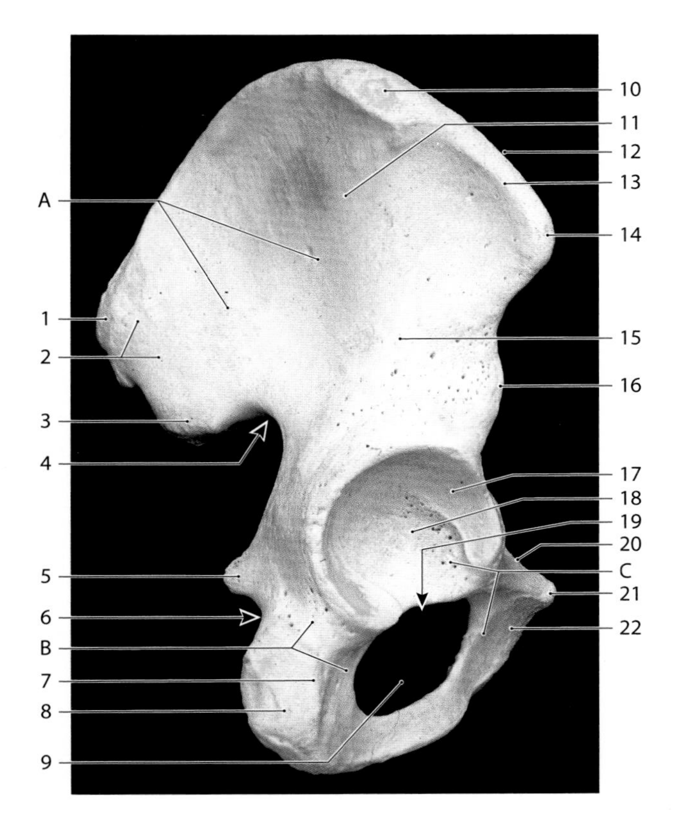

그림 4.14 **오른쪽 볼기뼈**(가쪽모습).

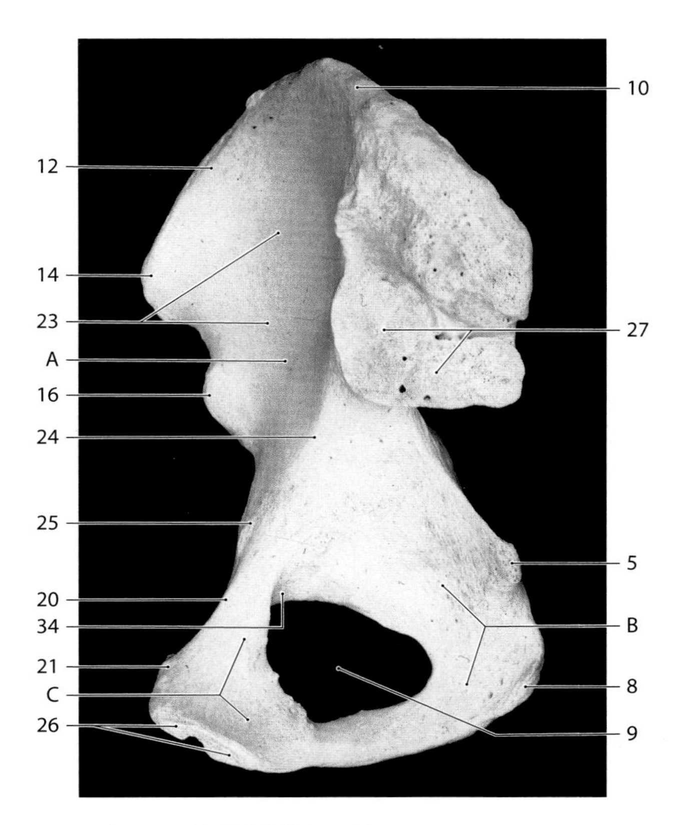

그림 4.15 **오른쪽 볼기뼈**(안쪽모습).

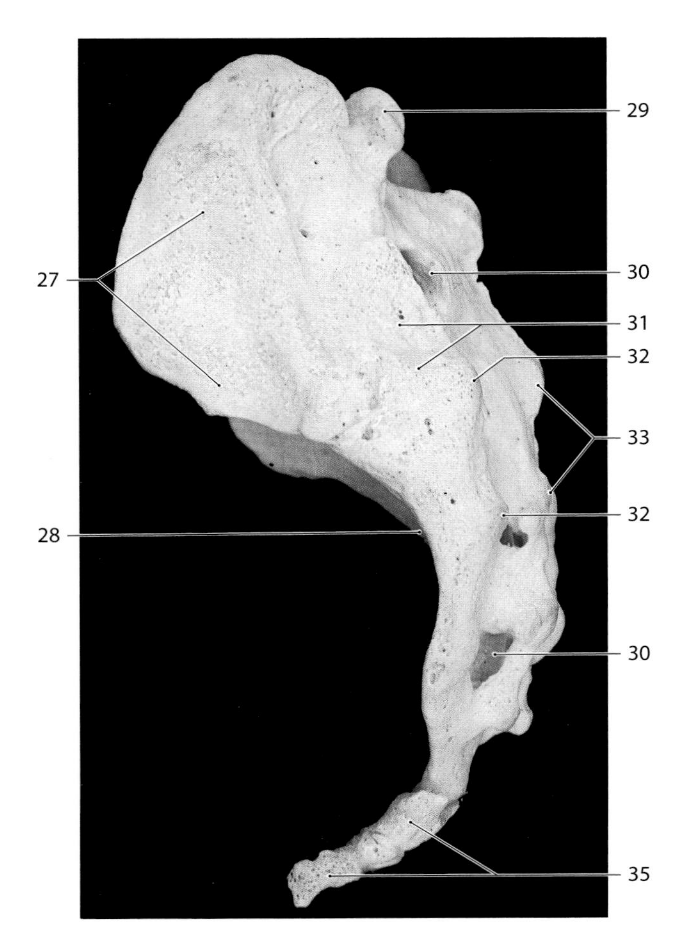

그림 4.16 **엉치뼈와 꼬리뼈**(가쪽모습).

A = 엉덩뼈 Ilium
B = 궁둥뼈 Ischium
C = 두덩뼈 Pubis

1 뒤위엉덩뼈가시 Posterior superior iliac spine
2 뒤볼기근선 Posterior gluteal line
3 뒤아래엉덩뼈가시 Posterior inferior iliac spine
4 큰궁둥파임 Greater sciatic notch
5 궁둥뼈가시 Ischial spine
6 작은궁둥파임 Lesser sciatic notch
7 궁둥뼈몸통 Body of ischium
8 궁둥뼈결절 Ischial tuberosity
9 폐쇄구멍 Obturator foramen
10 엉덩뼈능선 Iliac crest
11 앞볼기근선 Anterior gluteal line
12 엉덩뼈능선의 속능선 Internal lip of iliac crest
13 엉덩뼈능선의 바깥능선 External lip of iliac crest
14 앞위엉덩뼈가시 Anterior superior iliac spine
15 아래볼기근선 Inferior gluteal line
16 앞아래엉덩뼈가시 Anterior inferior iliac spine
17 절구의 반달면 Lunate surface of acetabulum
18 절구오목 Acetabular fossa
19 절구파임 Acetabular notch
20 두덩뼈빗 Pecten pubis
21 두덩뼈결절 Pubic tubercle
22 두덩뼈몸통 Body of pubis
23 엉덩뼈오목 Iliac fossa
24 활꼴선 Arcuate line
25 엉덩두덩융기 Iliopubic eminence
26 두덩뼈의 두덩결합면 Symphysial surface of pubis
27 귓바퀴면 Auricular surface
28 엉치뼈의 골반면 Pelvic surface of sacrum
29 엉치뼈의 위관절돌기 Superior articular process of sacrum
30 뒤엉치뼈구멍 Dorsal sacral foramina
31 엉치뼈거친면 Sacral tuberosity
32 가쪽엉치뼈능선 Lateral sacral crest
33 정중엉치뼈능선 Median sacral crest
34 폐쇄고랑 Obturator groove
35 꼬리뼈 Coccyx

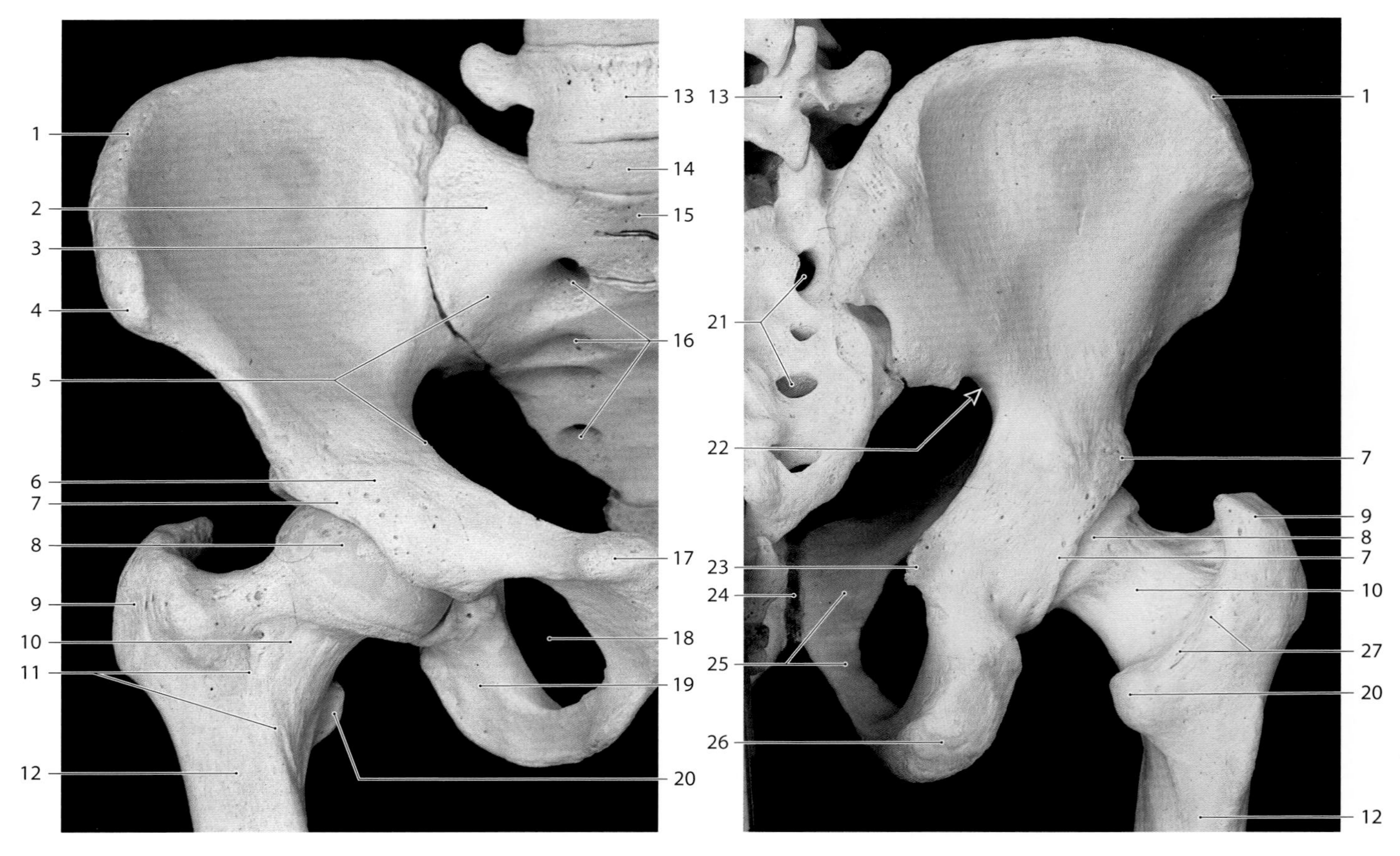

그림 4.17 **오른쪽 엉덩관절의 뼈**(앞모습).

그림 4.18 **오른쪽 엉덩관절의 뼈**(뒤모습).

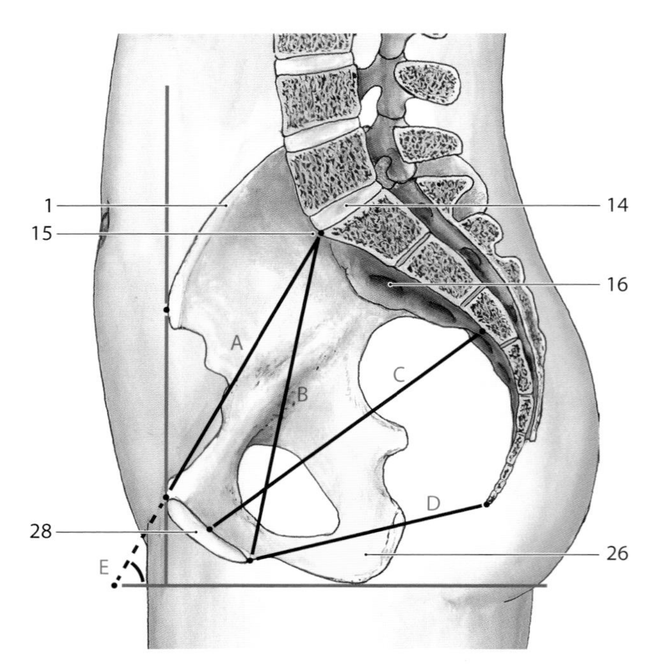

그림 4.19 **여자 골반의 기울기와 지름**, 오른쪽 절반(안쪽모습).

1 엉덩뼈능선 Iliac crest
2 엉치뼈의 가쪽부분(엉치뼈날개) Lateral part of sacrum (ala)
3 엉치엉덩관절의 위치 Position of sacro-iliac joint
4 앞위엉덩뼈가시 Anterior superior iliac spine
5 분계선 Linea terminalis
6 엉덩두덩융기 Iliopubic eminence
7 절구뼈모서리 Bony margin of acetabulum
8 넓적다리뼈머리 Head of femur
9 큰돌기 Greater trochanter
10 넓적다리뼈목 Neck of femur
11 돌기사이선 Intertrochanteric line
12 넓적다리뼈몸통 Shaft of femur
13 다섯째허리뼈 Fifth lumbar vertebra
14 다섯째허리뼈와 엉치뼈 사이의 척추사이원반(모조품) Intervertebral disc between fifth lumbar vertebra and sacrum (imitation)
15 엉치뼈곶 Sacral promontory
16 앞엉치뼈구멍 Anterior sacral foramina
17 두덩뼈결절 Pubic tubercle
18 폐쇄구멍 Obturator foramen
19 궁둥뼈가지 Ramus of ischium
20 작은돌기 Lesser trochanter
21 뒤엉치뼈구멍 Posterior sacral foramina
22 큰궁둥파임 Greater sciatic notch
23 궁둥뼈가시 Ischial spine
24 두덩결합 Pubic symphysis
25 두덩뼈 Pubis
26 궁둥뼈결절 Ischial tuberosity
27 돌기사이능선 Intertrochanteric crest
28 두덩결합면 Symphysial surface

골반의 지름 Diameters of the pelvis

A = 참앞뒤지름(11-11.5 cm) True conjugate (conjugata vera)
B = 빗앞뒤지름(12.5-13 cm) Diagonal conjugate
C = 골반의 가장 큰 지름 Largest diameter of pelvis
D = 아래골반문 Inferior pelvic aperture
E = 골반기울기(60°) Pelvic inclination

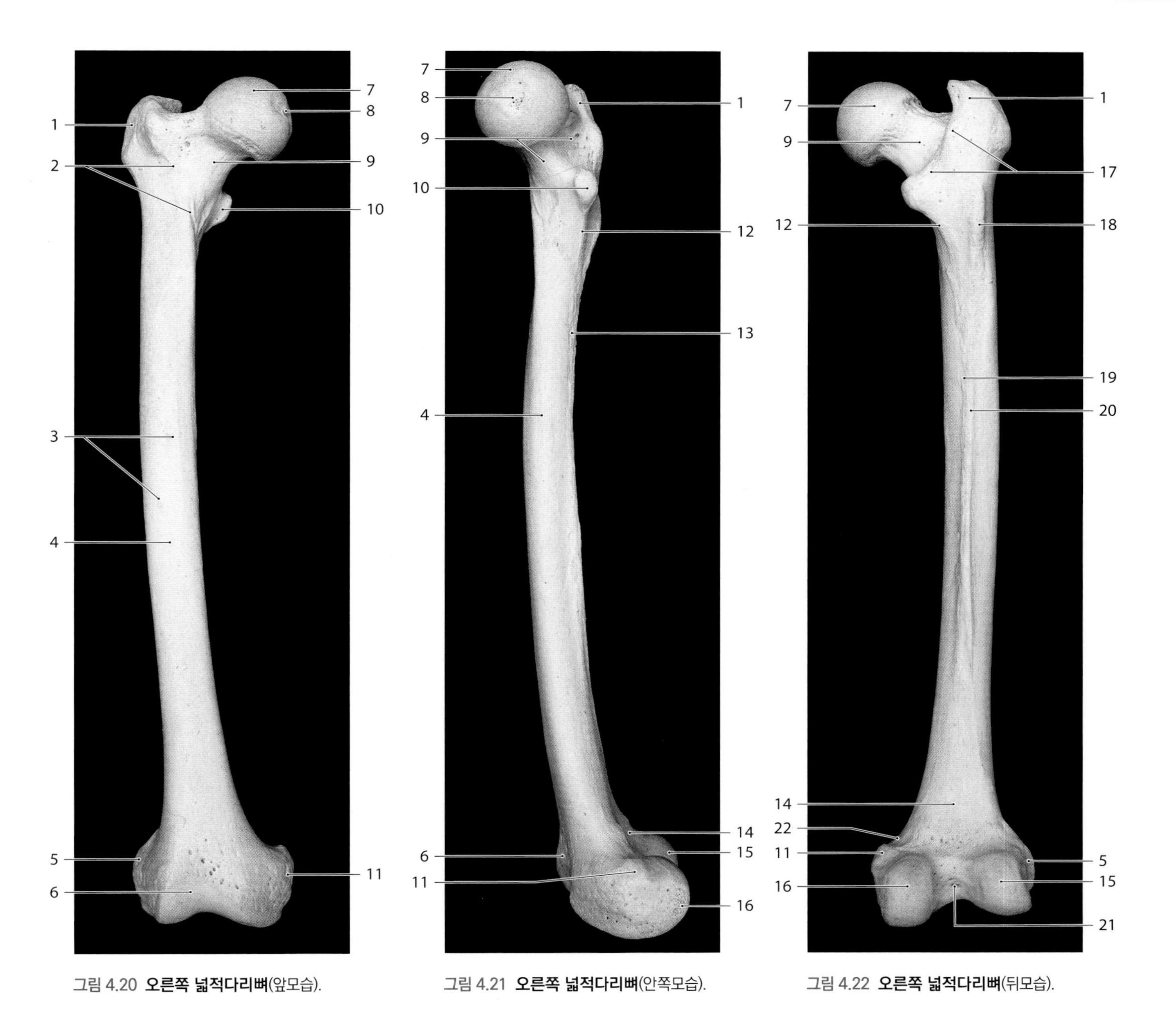

그림 4.20 **오른쪽 넓적다리뼈**(앞모습).

그림 4.21 **오른쪽 넓적다리뼈**(안쪽모습).

그림 4.22 **오른쪽 넓적다리뼈**(뒤모습).

1 큰돌기 Greater trochanter
2 돌기사이선 Intertrochanteric line
3 영양구멍 Nutrient foramina
4 넓적다리뼈몸통(뼈몸통) Shaft of femur (diaphysis)
5 가쪽위관절융기 Lateral epicondyle
6 무릎면 Patellar surface
7 머리 Head
8 넓적다리뼈머리오목 Fovea of head
9 목 Neck
10 작은돌기 Lesser trochanter
11 안쪽위관절융기 Medial epicondyle
12 두덩근선 Pectineal line
13 거친선 Linea aspera
14 오금면 Popliteal surface
15 가쪽관절융기 Lateral condyle
16 안쪽관절융기 Medial condyle
17 돌기사이능선 Intertrochanteric crest
18 셋째돌기 Third trochanter
19 안쪽선 Medial lip } 거친선
20 가쪽선 Lateral lip } of linea aspera
21 융기사이오목 Intercondylar fossa
22 모음근결절 Adductor tubercle

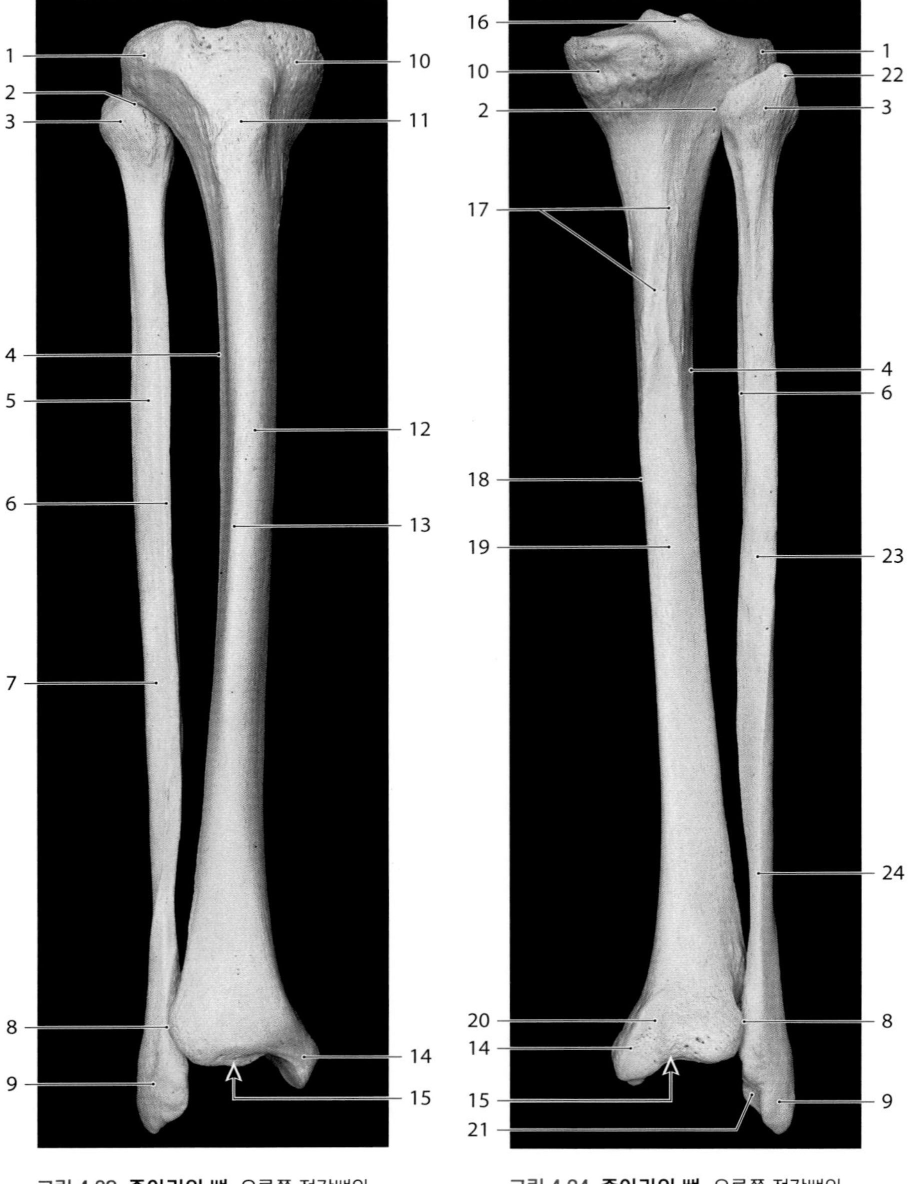

그림 4.23 **종아리의 뼈.** 오른쪽 정강뼈와 종아리뼈(앞모습).

그림 4.24 **종아리의 뼈.** 오른쪽 정강뼈와 종아리뼈(뒤모습).

1 정강뼈의 가쪽관절융기 Lateral condyle of tibia
2 정강종아리관절의 위치 Position of tibiofibular joint
3 종아리뼈머리 Head of fibula
4 정강뼈의 뼈사이모서리 Interosseous border of tibia
5 종아리뼈몸통 Shaft of fibula
6 종아리뼈의 뼈사이모서리 Interosseous border of fibula
7 종아리뼈의 가쪽면 Lateral surface of fibula
8 정강종아리인대결합의 위치 Position of tibiofibular syndesmosis
9 가쪽복사 Lateral malleolus
10 정강뼈의 안쪽관절융기 Medial condyle of tibia
11 정강뼈거친면 Tuberosity of tibia
12 정강뼈몸통(뼈몸통) Shaft of tibia (diaphysis)
13 정강뼈의 앞모서리 Anterior margin of tibia
14 안쪽복사 Medial malleolus
15 정강뼈의 아래관절면 Inferior articular surface of tibia
16 융기사이융기 Intercondylar eminence
17 가자미근선 Soleal line
18 정강뼈의 안쪽모서리 Medial border of tibia
19 정강뼈의 뒤면 Posterior surface of tibia
20 정강뼈의 안쪽복사고랑 Malleolar sulcus of tibia
21 가쪽복사관절면 Articular facet of lateral malleolus
22 종아리뼈의 머리끝 Apex of head of fibula
23 종아리뼈의 뒤면 Posterior surface of fibula
24 종아리뼈의 뒤모서리 Posterior border of fibula
25 안쪽융기사이결절 Medial intercondylar tubercle
26 뒤융기사이구역 Posterior intercondylar area
27 앞융기사이구역 Anterior intercondylar area
28 가쪽융기사이결절 Lateral intercondylar tubercle

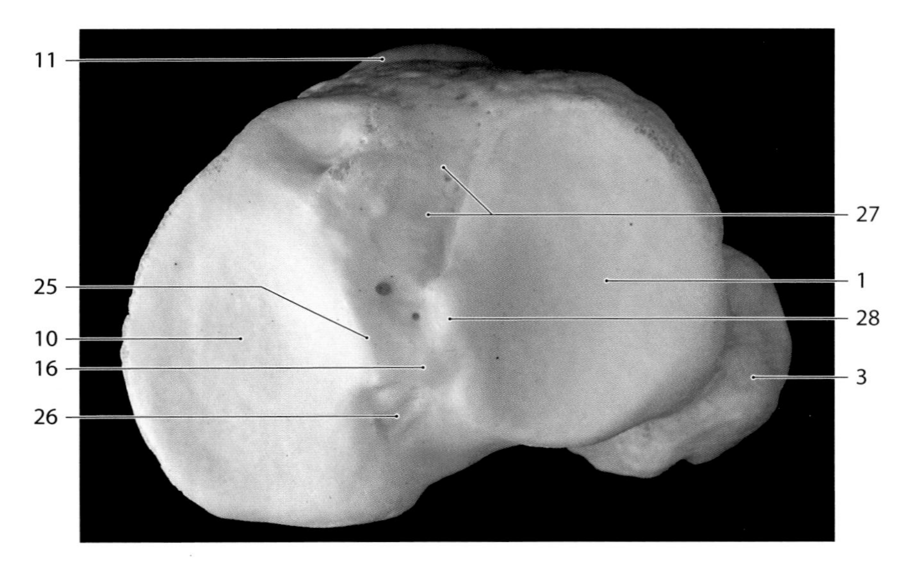

그림 4.25 **정강뼈와 종아리뼈의 위끝**(위에서 본 모습). 그림의 위쪽이 앞쪽 가장자리이다. 정강뼈의 위관절면.

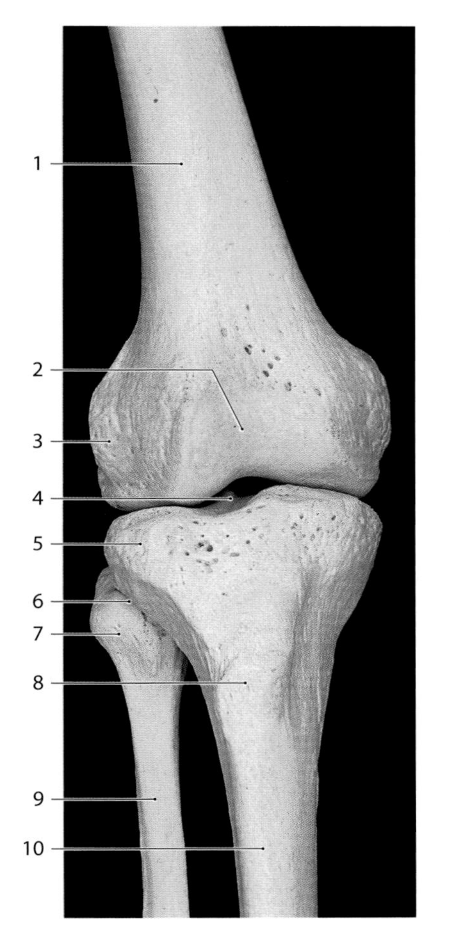

그림 4.26 **오른쪽 무릎관절의 뼈**(앞모습).

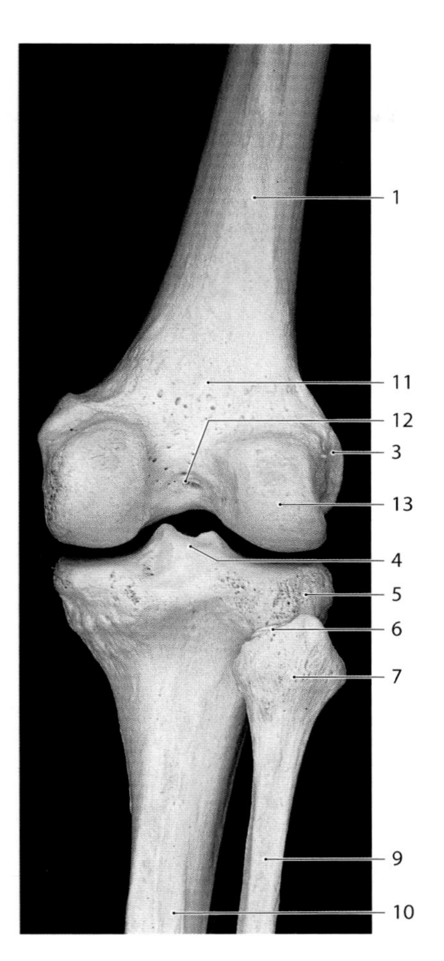

그림 4.27 **오른쪽 무릎관절의 뼈**(뒤모습).

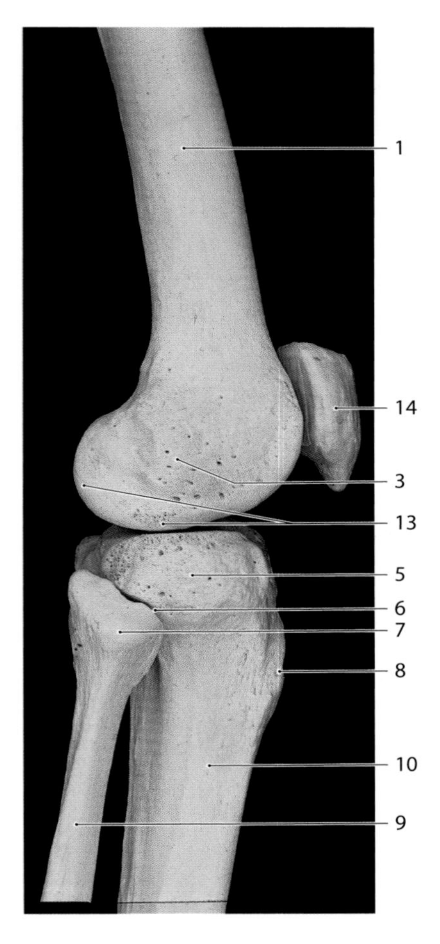

그림 4.28 **오른쪽 무릎관절의 뼈**(가쪽모습).

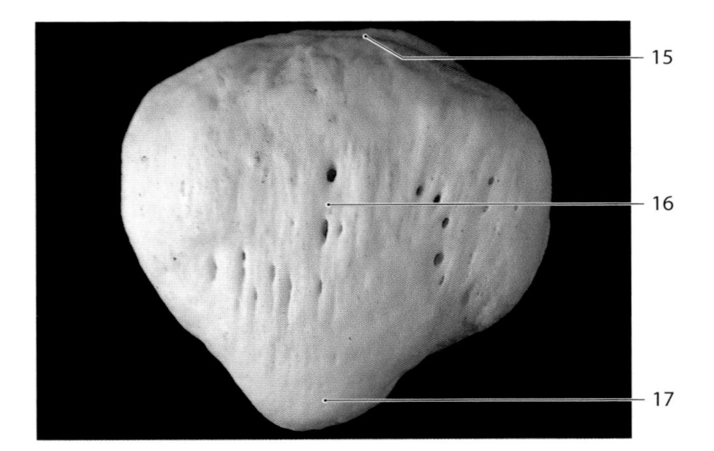

그림 4.29 **오른쪽 무릎뼈**(앞모습).

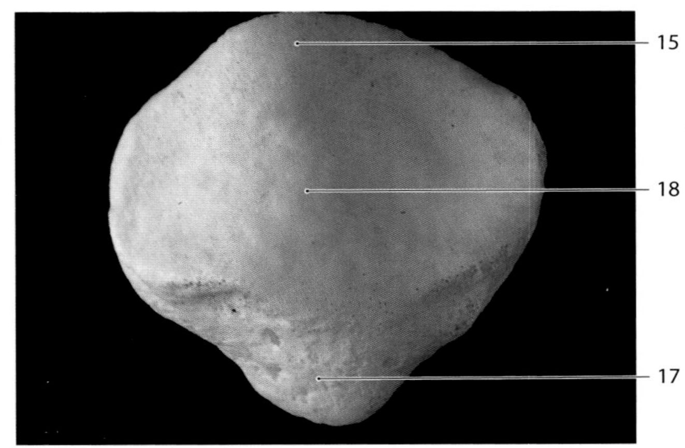

그림 4.30 **오른쪽 무릎뼈**(뒤모습).

1 넓적다리뼈 Femur
2 넓적다리뼈의 무릎면 Patellar surface of femur
3 넓적다리뼈의 가쪽위관절융기 Lateral epicondyle of femur
4 정강뼈의 융기사이융기 Intercondylar eminence of tibia
5 정강뼈의 가쪽관절융기 Lateral condyle of tibia
6 정강종아리관절의 위치 Position of tibiofibular joint
7 종아리뼈머리 Head of fibula
8 정강뼈거친면 Tuberosity of tibia
9 종아리뼈 Fibula
10 정강뼈몸통 Shaft of tibia
11 넓적다리뼈의 오금면 Popliteal surface of femur
12 넓적다리뼈의 융기사이오목 Intercondylar fossa of femur
13 넓적다리뼈의 가쪽관절융기 Lateral condyle of femur
14 무릎뼈 Patella
15 무릎뼈바닥 Base of patella
16 무릎뼈의 앞면 Anterior surface of patella
17 무릎뼈끝 Apex of patella
18 무릎뼈의 관절면 Articular surface of patellalla

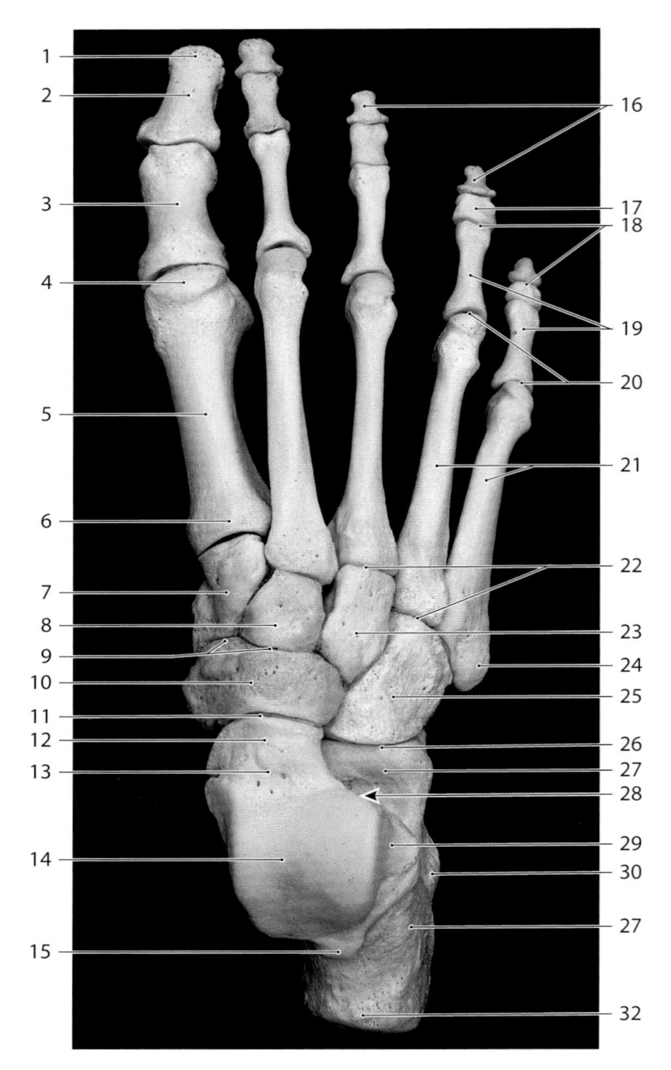

그림 4.31 **오른쪽 발의 뼈**(발등쪽모습).

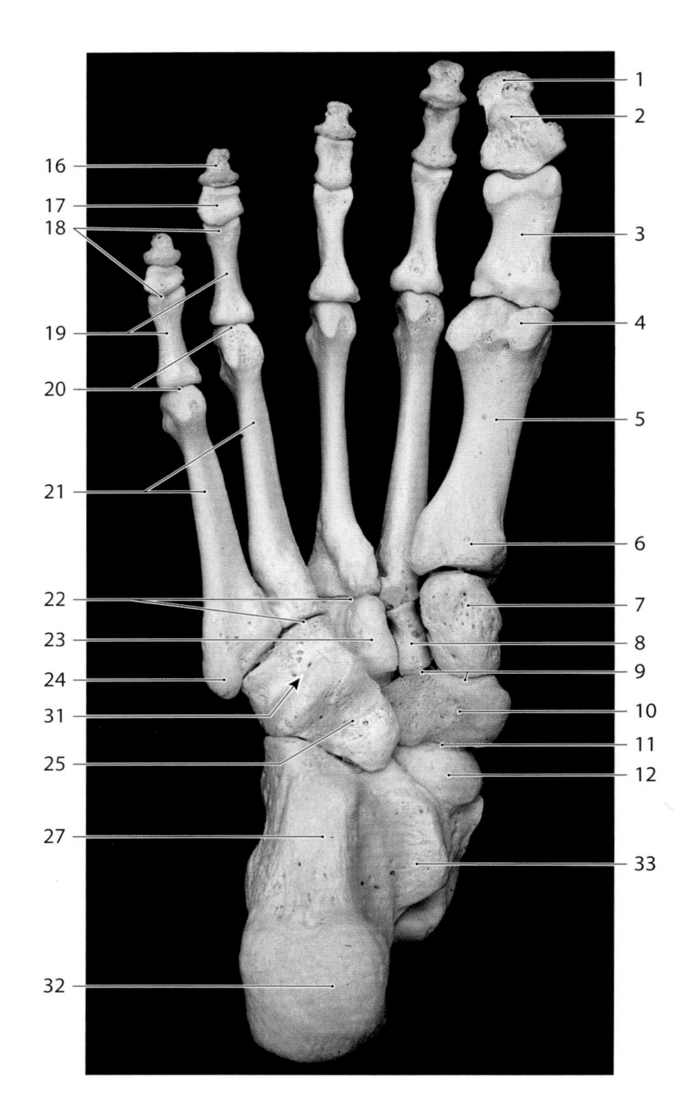

그림 4.32 **오른쪽 발의 뼈**(발바닥쪽모습).

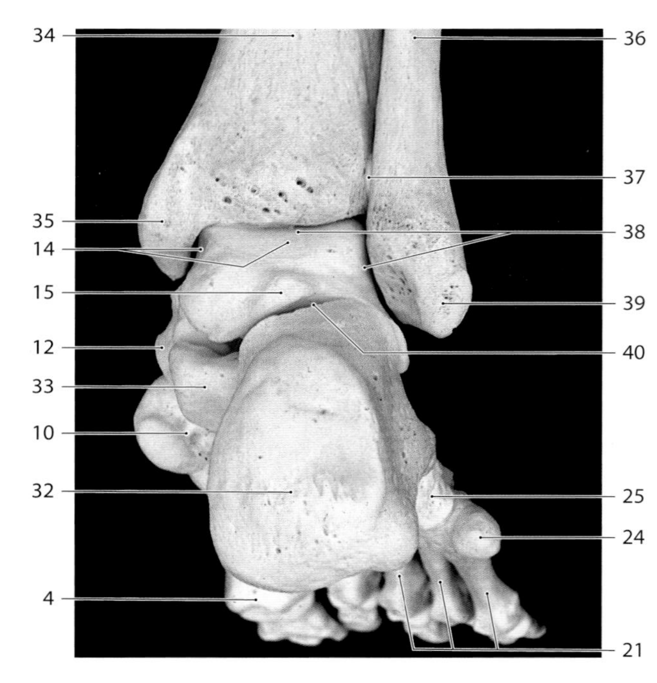

그림 4.33 **오른쪽 발의 뼈,** 정강뼈와 종아리뼈(뒤모습).

1 엄지발가락의 끝마디뼈거친면 Tuberosity of distal phalanx of great toe
2 엄지발가락의 끝마디뼈 Distal phalanx of great toe
3 엄지발가락의 첫마디뼈 Proximal phalanx of great toe
4 첫째발허리뼈머리 Head of first metatarsal bone
5 첫째발허리뼈 First metatarsal bone
6 첫째발허리뼈바닥 Base of first metatarsal bone
7 안쪽쐐기뼈 Medial cuneiform bone
8 중간쐐기뼈 Intermediate cuneiform bone
9 쐐기발배관절의 위치 Position of cuneonavicular joint
10 발배뼈 Navicular bone
11 목말발꿈치발배관절의 위치 Position of talocalcaneonavicular joint
12 목말뼈머리 Head of talus
13 목말뼈목 Neck of talus
14 목말뼈도르래 Trochlea of talus
15 뒤목말돌기 Posterior talar process
16 끝마디뼈 Distal phalanges
17 중간마디뼈 Middle phalanx
18 발가락뼈사이관절의 위치 Position of interphalangeal joints
19 첫마디뼈 Proximal phalanges
20 발허리발가락관절의 위치 Position of metatarsophalangeal joints
21 발허리뼈 Metatarsal bones

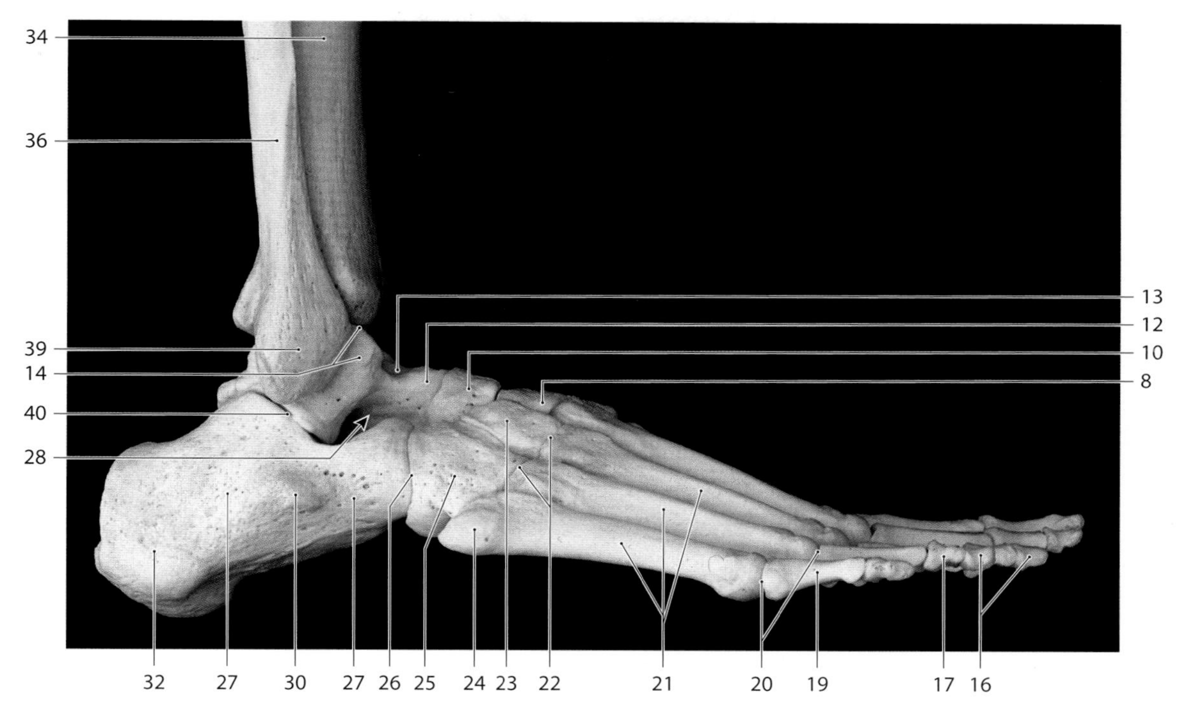

그림 4.34 **오른쪽 발의 뼈, 정강뼈, 종아리뼈**(가쪽모습).

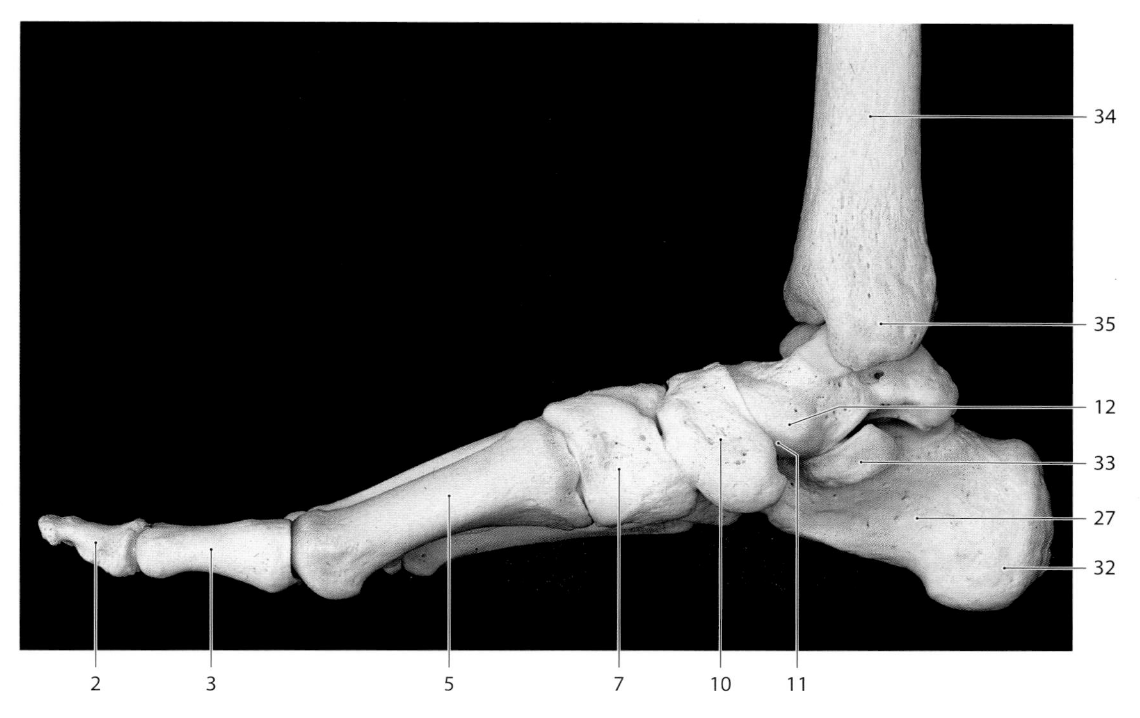

그림 4.35 **오른쪽 발의 뼈, 정강뼈, 종아리뼈**(안쪽모습)

22 발목발허리관절의 위치 Position of tarsometatarsal joints
23 가쪽쐐기뼈 Lateral cuneiform bone
24 다섯째발허리뼈거친면 Tuberosity of fifth metatarsal bone
25 입방뼈 Cuboid bone
26 발꿈치입방관절의 위치 Position of calcaneocuboid joint
27 발꿈치뼈 Calcaneus
28 발목뼈굴 Tarsal sinus
29 목말뼈의 가쪽복사면 Lateral malleolar surface of talus
30 발꿈치뼈의 종아리근도르래 Peroneal trochlea of calcaneus
31 긴종아리근힘줄고랑 Groove for the tendon of peroneus longus muscle
32 발꿈치뼈융기 Calcaneal tuberosity
33 목말받침돌기 Sustentaculum tali
34 정강뼈 Tibia
35 안쪽복사 Medial malleolus
36 종아리뼈 Fibula
37 정강종아리인대결합의 위치 Position of tibiofibular syndesmosis
38 발목관절의 위치 Position of ankle joint
39 가쪽복사 Lateral malleolus
40 목말밑관절의 위치 Position of subtalar joint

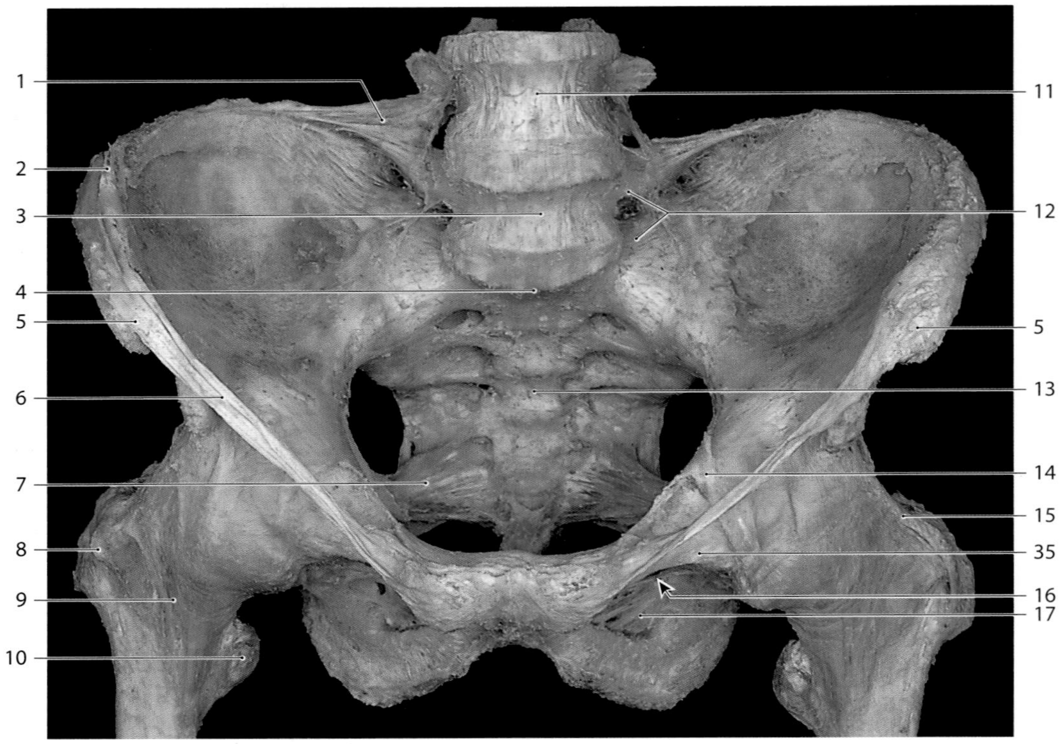

그림 4.36 골반과 엉덩관절의 인대(앞모습).

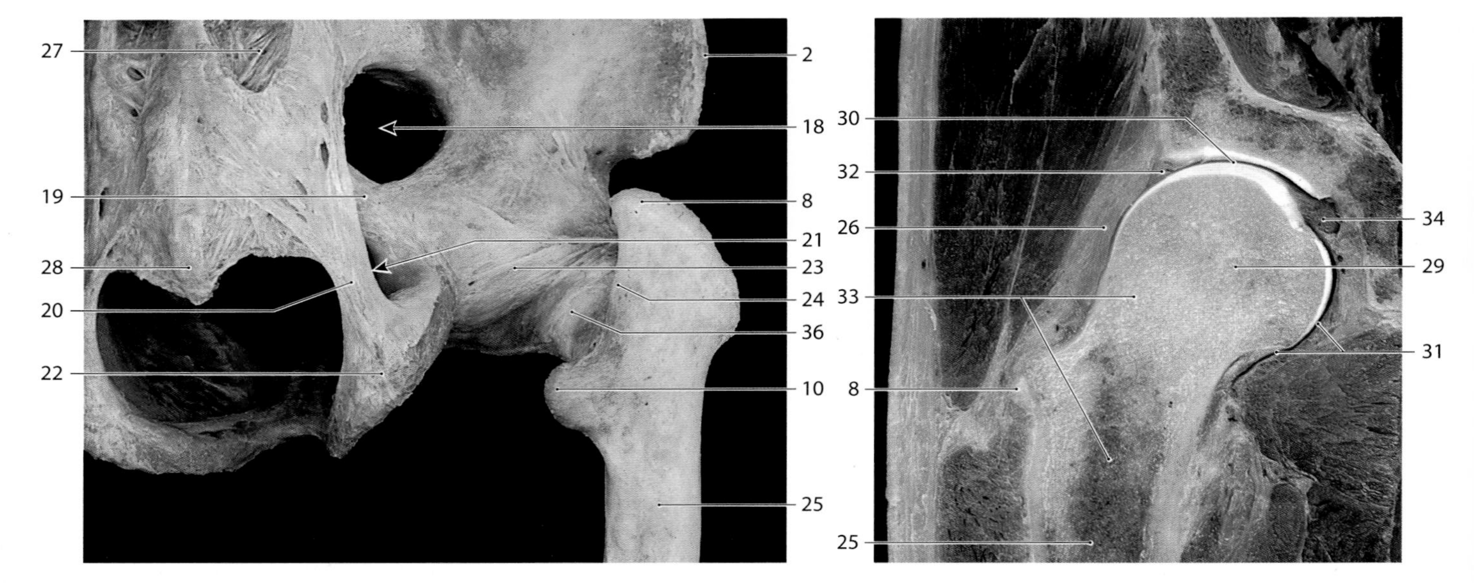

그림 4.37 골반과 엉덩관절의 인대(오른쪽 뒤모습).

그림 4.38 오른쪽 엉덩관절의 관상단면(앞모습).

1 엉덩허리인대 Iliolumbar ligament
2 엉덩뼈능선 Iliac crest
3 다섯째허리뼈 Fifth lumbar vertebra
4 엉치뼈곶 Sacral promontory
5 앞위엉덩뼈가시 Anterior superior iliac spine
6 고샅인대 Inguinal ligament
7 엉치가시인대 Sacrospinous ligament
8 큰돌기 Greater trochanter
9 엉덩넓적다리인대(내림부분) Iliofemoral ligament (vertical band)
10 작은돌기 Lesser trochanter
11 넷째허리뼈 Fourth lumbar vertebra
12 엉덩허리 및 앞엉치엉덩인대 Iliolumbar and ventral sacro-iliac ligaments
13 엉치뼈 Sacrum
14 엉덩두덩활 Iliopectineal arch
15 엉덩넓적다리인대(가로부분) Iliofemoral ligament (horizontal band)
16 폐쇄관 Obturator canal
17 폐쇄막 Obturator membrane
18 큰궁둥구멍 Greater sciatic foramen
19 엉치가시인대 Sacrospinous ligament
20 엉치결절인대 Sacrotuberous ligament
21 작은궁둥구멍 Lesser sciatic foramen
22 궁둥뼈결절 Ischial tuberosity
23 궁둥넓적다리인대 Ischiofemoral ligament
24 돌기사이능선 Intertrochanteric crest
25 넓적다리뼈 Femur
26 엉덩관절의 관절주머니 Articular capsule of hip joint
27 뒤엉치엉덩인대 Dorsal sacro-iliac ligaments
28 꼬리뼈와 얕은뒤엉치꼬리인대 Coccyx with superficial dorsal sacrococcygeal ligament
29 넓적다리뼈머리 Head of femur
30 넓적다리뼈머리의 관절연골 Articular cartilage of head of femur
31 엉덩관절의 관절안 Articular cavity of hip joint
32 절구테두리 Acetabular lip
33 해면뼈 Spongy bone
34 넓적다리뼈머리인대 Ligament of head of femur
35 두덩넓적다리인대 Pubofemoral ligament
36 둘레띠 Zona orbicularis

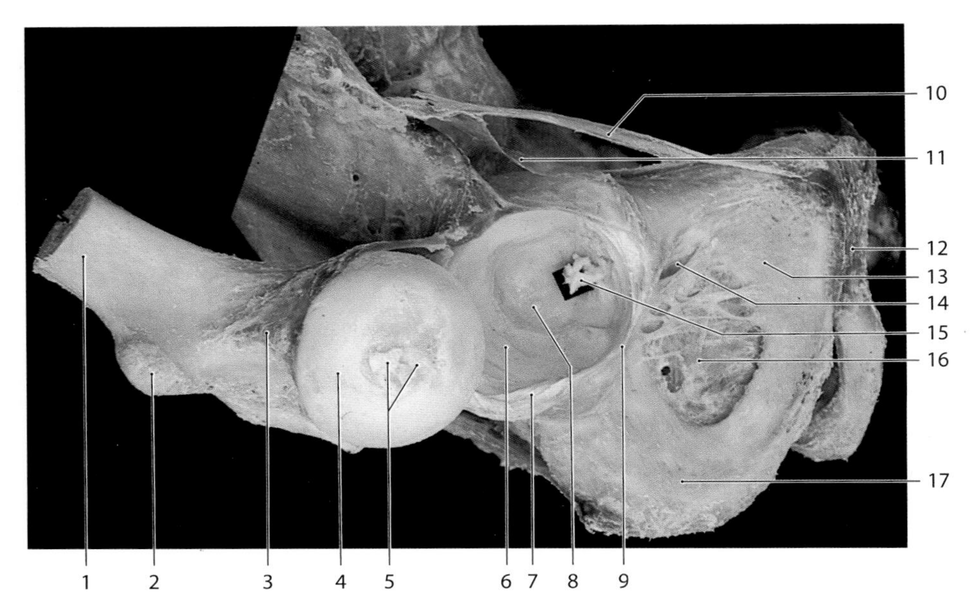

그림 4.39 **오른쪽 엉덩관절, 열려 있음**(가쪽앞모습). 넙적다리뼈머리인대를 잘라 넙적다리뼈를 뒤쪽으로 젖혔다.

1 넙적다리뼈 Femur
2 작은돌기 Lesser trochanter
3 넙적다리뼈목 Neck of femur
4 넙적다리뼈머리 Head of femur
5 넙적다리뼈머리인대의 잘린 모습과 넙적다리뼈머리오목 Fovea of head with cut edge of ligament of head
6 절구의 반달면 Lunate surface of acetabulum
7 절구테두리 Acetabular lip
8 절구오목 Acetabular fossa
9 절구가로인대 Transverse acetabular ligament
10 고샅인대 Inguinal ligament
11 엉덩두덩활 Iliopectineal arch
12 두덩결합 Pubic symphysis
13 두덩뼈 Pubis
14 폐쇄관 Obturator canal
15 넙적다리뼈머리인대 Ligament of head of femur
16 폐쇄막 Obturator membrane
17 궁둥뼈 Ischium
18 앞세로인대(다섯째허리뼈 높이) Anterior longitudinal ligament (level of fifth lumbar vertebra)
19 엉치뼈곶 Sacral promontory
20 엉덩허리인대 Iliolumbar ligament
21 엉덩뼈능선 Iliac crest
22 앞위엉덩뼈가시 Anterior superior iliac spine
23 엉덩넙적다리인대(가로부분) Iliofemoral ligament (horizontal band)
24 엉덩넙적다리인대(내림부분) Iliofemoral ligament (vertical band)
25 큰돌기 Greater trochanter
26 두덩넙적다리인대 Pubofemoral ligament
27 앞아래엉덩뼈가시 Anterior inferior iliac spine
28 앞엉치엉덩인대 Ventral sacro-iliac ligaments
29 엉치가시인대 Sacrospinous ligament
30 엉치결절인대 Sacrotuberous ligament
31 돌기사이선 Intertrochanteric line
32 궁둥넙적다리인대 Ischiofemoral ligament
33 둘레띠 Zona orbicularis

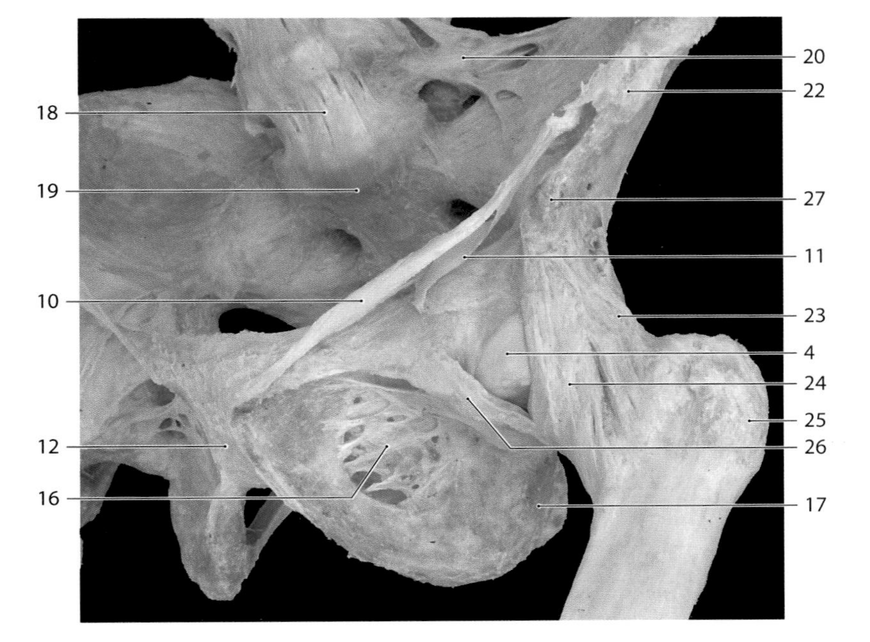

그림 4.40 **골반과 엉덩관절의 인대**(앞가쪽모습).

그림 4.41 **골반과 엉덩관절의 인대**(앞모습).

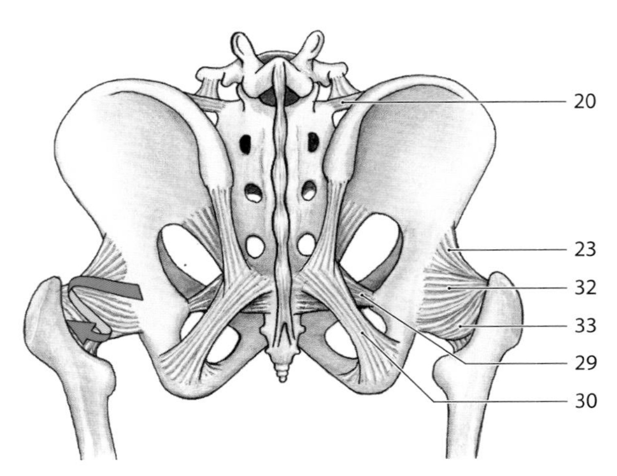

그림 4.42 **골반과 엉덩관절의 인대**(뒤모습).

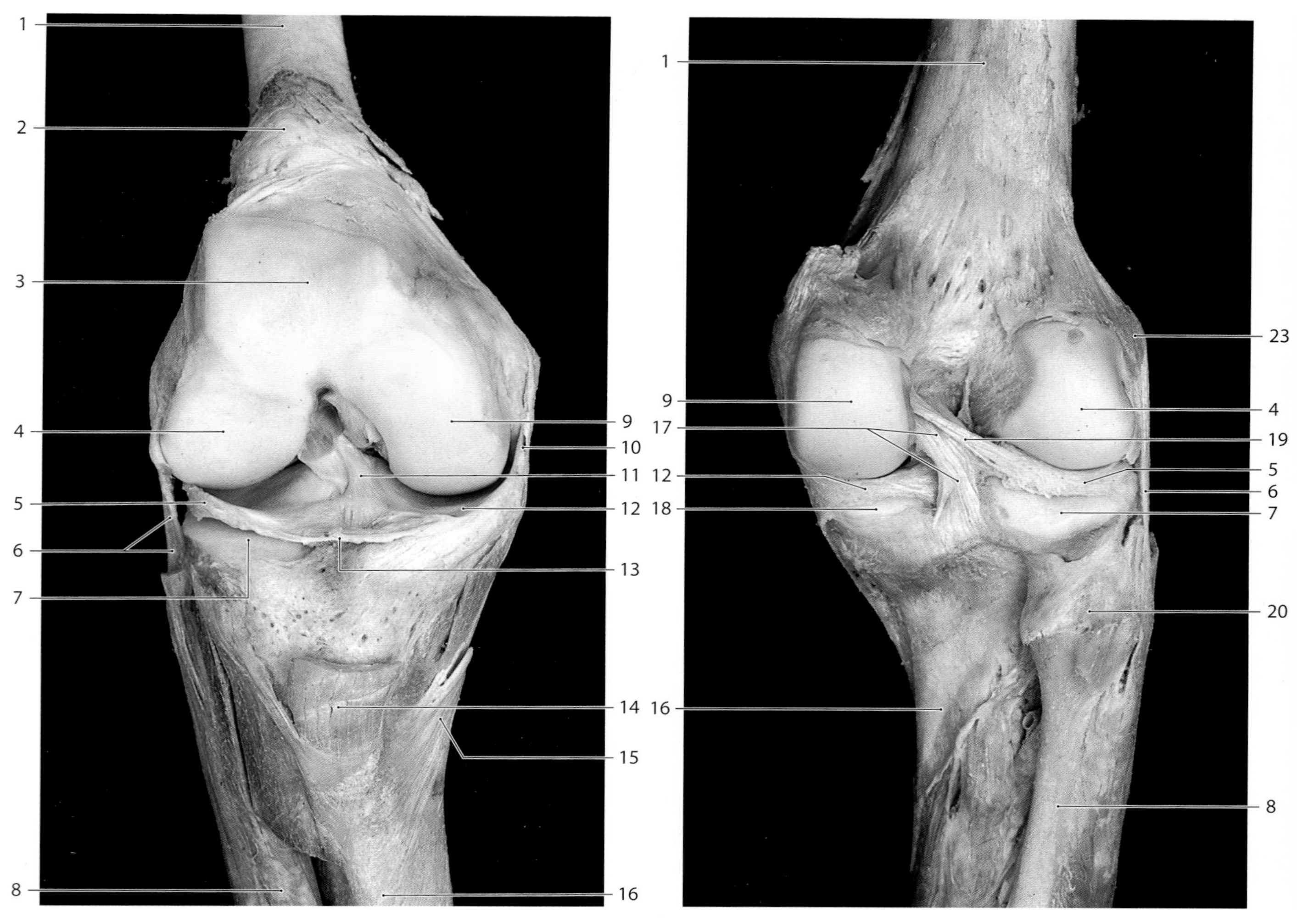

그림 4.43 **오른쪽 무릎관절과 인대**(앞모습), 무릎뼈와 관절주머니를 제거하고 넓적다리뼈를 약간 굽혔다.

그림 4.44 **오른쪽 무릎관절과 인대**(뒤모습). 관절을 펴고 관절주머니를 제거하였다.

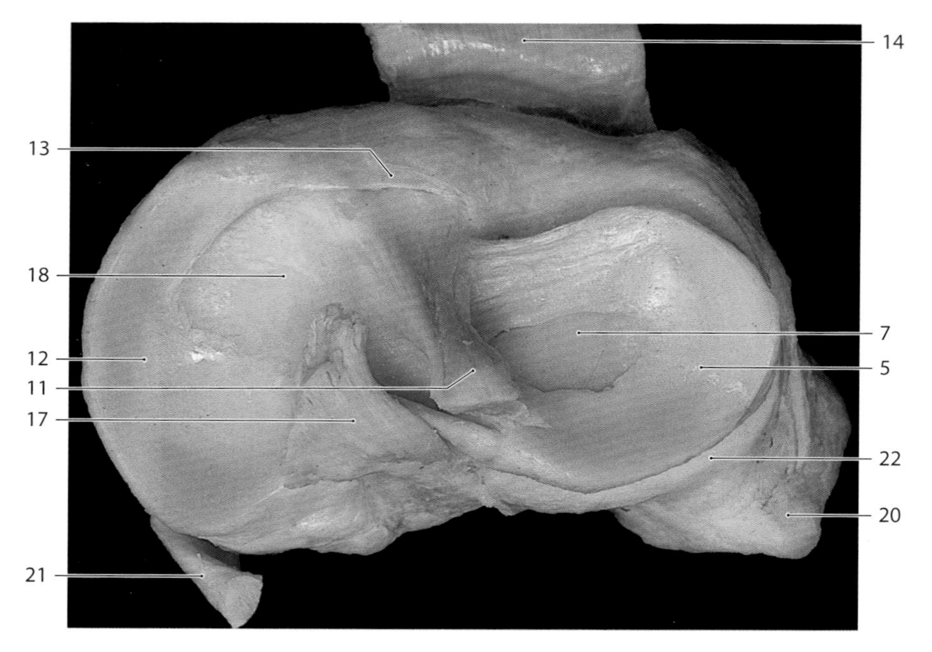

그림 4.45 **오른쪽 정강뼈의 관절면, 반달과 십자인대**(위모습). 사진의 위쪽이 정강뼈의 앞 가장자리이다.

1 넓적다리뼈 Femur
2 관절주머니와 무릎뼈위주머니 Articular capsule with suprapatellar bursa
3 무릎면 Patellar surface
4 넓적다리뼈의 가쪽관절융기 Lateral condyle of femur
5 무릎관절의 가쪽반달 Lateral meniscus of knee joint
6 종아리쪽곁인대 Fibular collateral ligament
7 정강뼈의 가쪽관절융기(위관절면) Lateral condyle of tibia (superior articular surface)
8 종아리뼈 Fibula
9 넓적다리뼈의 안쪽관절융기 Medial condyle of femur
10 정강쪽곁인대 Tibial collateral ligament
11 앞십자인대 Anterior cruciate ligament
12 무릎관절의 안쪽반달 Medial meniscus of knee joint
13 무릎가로인대 Transverse ligament of knee
14 무릎뼈인대 Patellar ligament
15 넓적다리빗근, 반힘줄근, 두덩정강근의 온힘줄 Common tendon of sartorius, semitendinosus, and gracilis muscles
16 정강뼈 Tibia
17 뒤십자인대 Posterior cruciate ligament
18 정강뼈의 안쪽관절융기(위관절면) Medial condyle of tibia (superior articular surface)
19 뒤반달넓적다리인대 Posterior meniscofemoral ligament
20 종아리뼈머리 Head of fibula
21 반막근힘줄 Tendon of semimembranosus muscle
22 무릎관절 관절주머니의 뒤쪽 부착부위 Posterior attachment of articular capsule of knee joint
23 넓적다리뼈의 가쪽위관절융기 Lateral epicondyle of femur

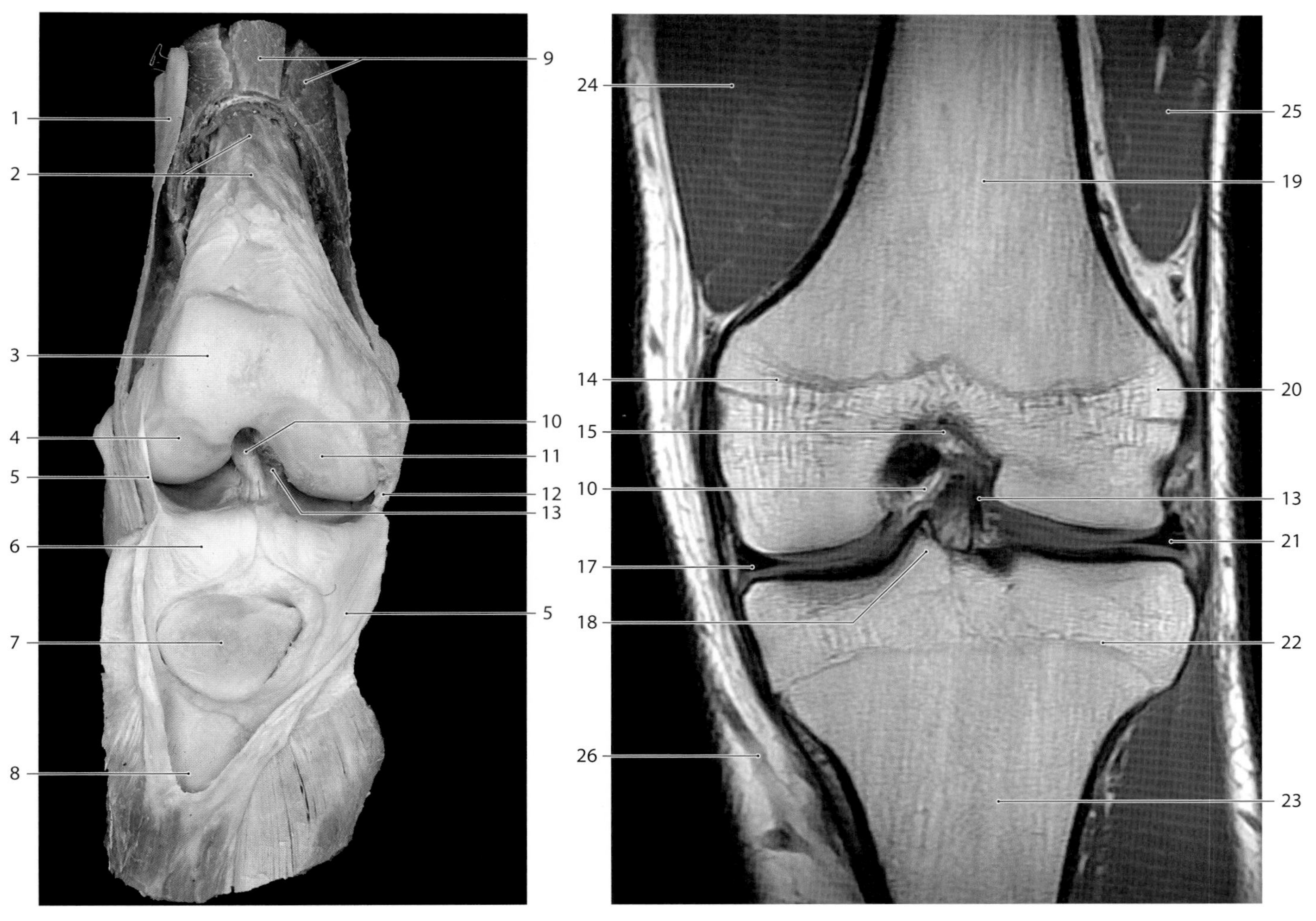

그림 4.46 **오른쪽 무릎관절**, 열려 있음(앞모습). 무릎뼈인대를 무릎뼈와 함께 젖혔다.

그림 4.47 **무릎관절의 관상단면**(자기공명영상). (Heuck A, et al. MRT-Atlas des muskuloskelettalen Systems. Stuttgart, Germany: Schattauer, 2009.)

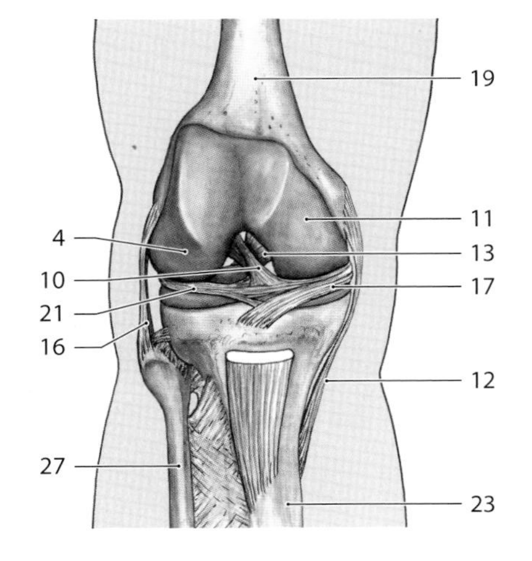

그림 4.48 **오른쪽 무릎관절의 인대** (앞모습).

19
11
4
10
28
21
17
13
12
23
27

그림 4.49 **오른쪽 무릎관절의 인대** (뒤모습).

1 엉덩정강띠 Iliotibial tract
2 무릎관절근 Articular muscle of knee
3 무릎면 Patellar surface
4 넓적다리뼈의 가쪽관절융기 Lateral condyle of femur
5 관절주머니 Articular capsule
6 무릎아래지방덩이 Infrapatellar fat pad
7 무릎뼈(관절면) Patella (articular surface)
8 무릎뼈위주머니 Suprapatellar bursa
9 넓적다리네갈래근 Quadriceps femoris muscle
10 앞십자인대 Anterior cruciate ligament
11 넓적다리뼈의 안쪽관절융기 Medial condyle of femur
12 정강쪽곁인대 Tibial collateral ligament
13 뒤십자인대 Posterior cruciate ligament
14 넓적다리뼈의 안쪽위관절융기 Medial epicondyle of femur
15 넓적다리뼈의 융기사이오목 Intercondylar fossa of femur
16 종아리쪽곁인대 Fibular collateral ligament
17 안쪽반달 Medial meniscus
18 안쪽융기사이결절 Medial intercondylar tubercle
19 넓적다리뼈 Femur
20 넓적다리뼈의 가쪽위관절융기 Lateral epicondyle of femur
21 가쪽반달 Lateral meniscus
22 정강뼈의 뼈끝선 Epiphysial line of tibia
23 정강뼈 Tibia
24 안쪽넓은근 Vastus medialis muscle
25 가쪽넓은근 Vastus lateralis muscle
26 큰두렁정맥 Great saphenous vein
27 종아리뼈 Fibula
28 뒤반달넓적다리인대 Posterior meniscofemoral ligament

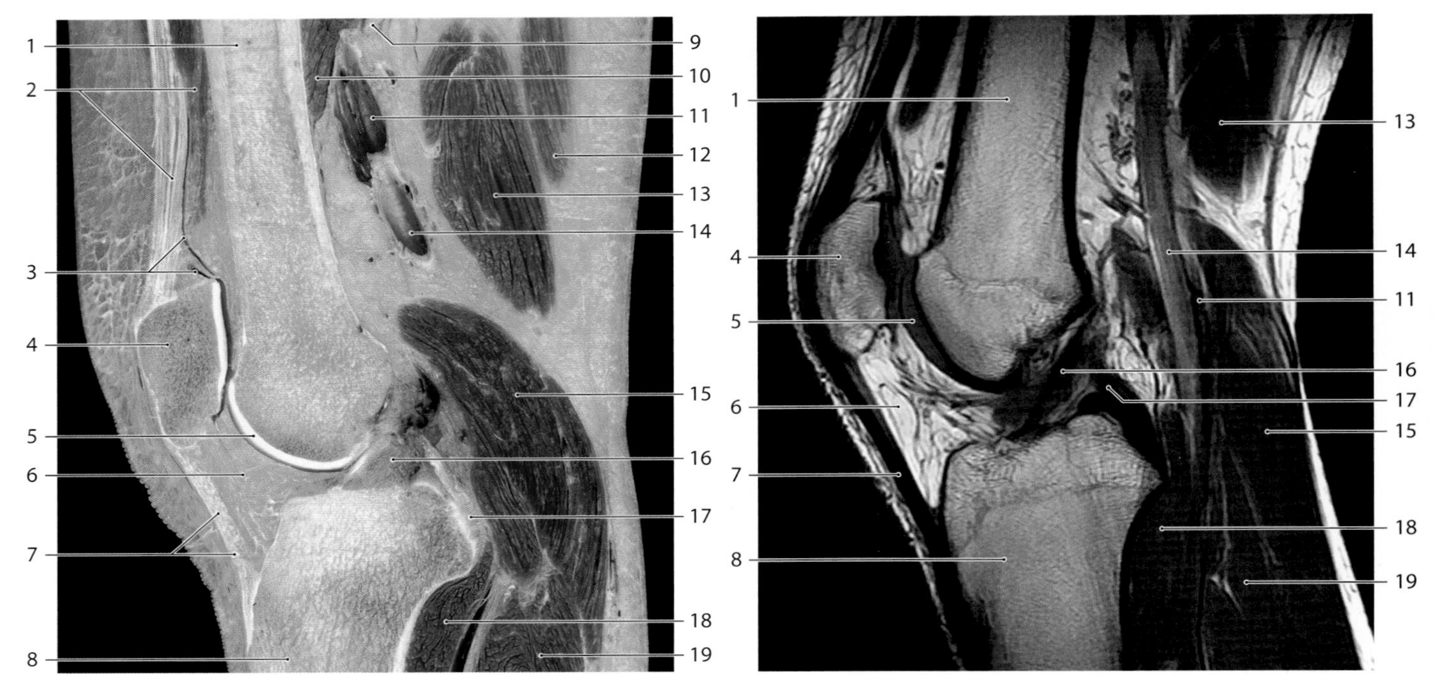

그림 4.50 **무릎관절의 시상단면**(가쪽모습), 사진의 왼쪽이 앞쪽.

그림 4.51 **무릎관절의 시상단면**(자기공명영상). (Heuck A, et al. MRT-Atlas des muskuloskelettalen Systems. Stuttgart, Germany: Schattauer, 2009.)

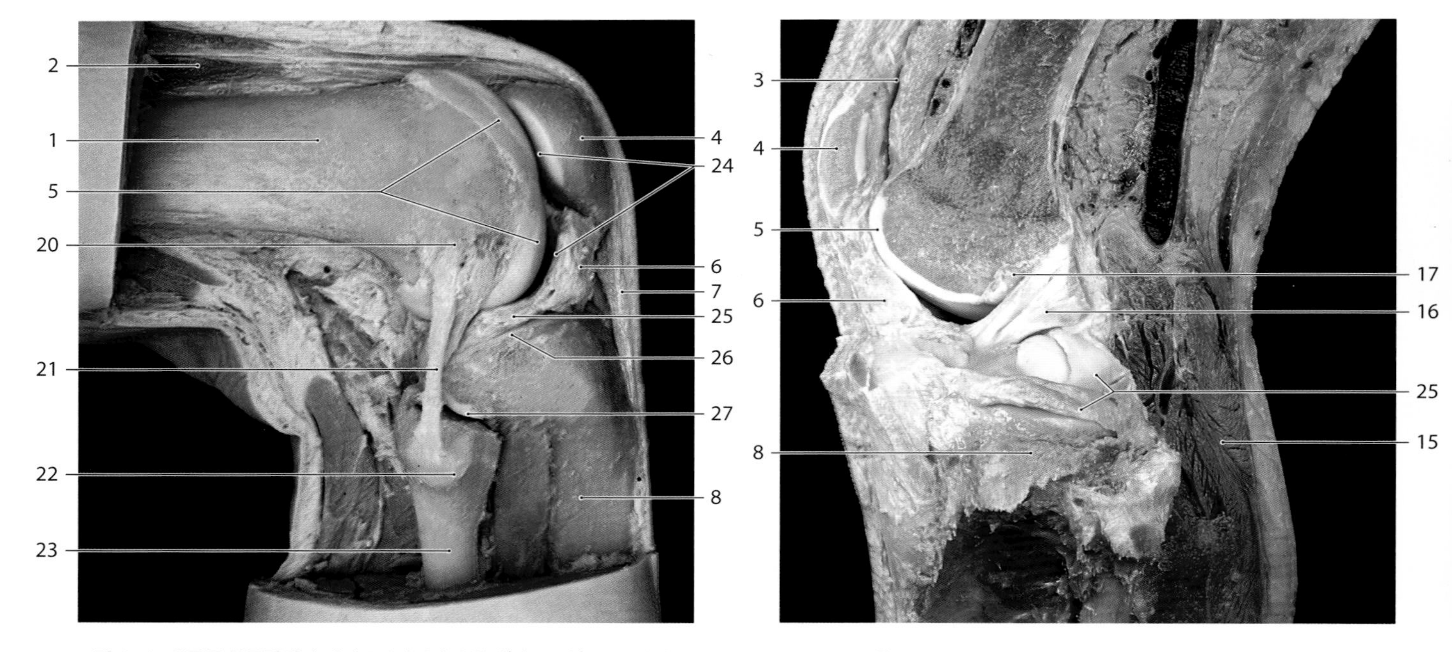

그림 4.52 **오른쪽 무릎관절**과 정강종아리관절과 인대(가쪽모습). 가쪽반달의 위치를 확인하시오.

그림 4.53 **왼쪽 무릎관절**과 앞십자인대(가쪽모습).

1 넓적다리뼈 Femur
2 넓적다리네갈래근 Quadriceps femoris muscle
3 무릎뼈위주머니와 관절안 Suprapatellar bursa and articular cavity
4 무릎뼈 Patella
5 넓적다리뼈의 관절연골 Articular cartilage of femur
6 무릎아래지방덩이 Infrapatellar fat pad
7 무릎뼈인대 Patellar ligament
8 정강뼈 Tibia
9 정강신경 Tibial nerve
10 큰모음근 Adductor magnus muscle
11 오금정맥 Popliteal vein
12 반힘줄근 Semitendinosus muscle
13 반막근 Semimembranosus muscle
14 오금동맥 Popliteal artery
15 장딴지근 Gastrocnemius muscle
16 앞십자인대 Anterior cruciate ligament
17 뒤십자인대 Posterior cruciate ligament
18 오금근 Popliteus muscle
19 가자미근 Soleus muscle
20 넓적다리뼈의 가쪽위관절융기 Lateral epicondyle of femur
21 종아리쪽곁인대 Fibular collateral ligament
22 종아리뼈머리 Head of fibula
23 종아리뼈 Fibula
24 무릎관절의 관절안 Articular cavity of knee joint
25 무릎관절의 가쪽반달 Lateral meniscus of knee joint
26 정강뼈의 가쪽관절융기 Lateral condyle of tibia
27 정강종아리관절 Tibiofibular joint

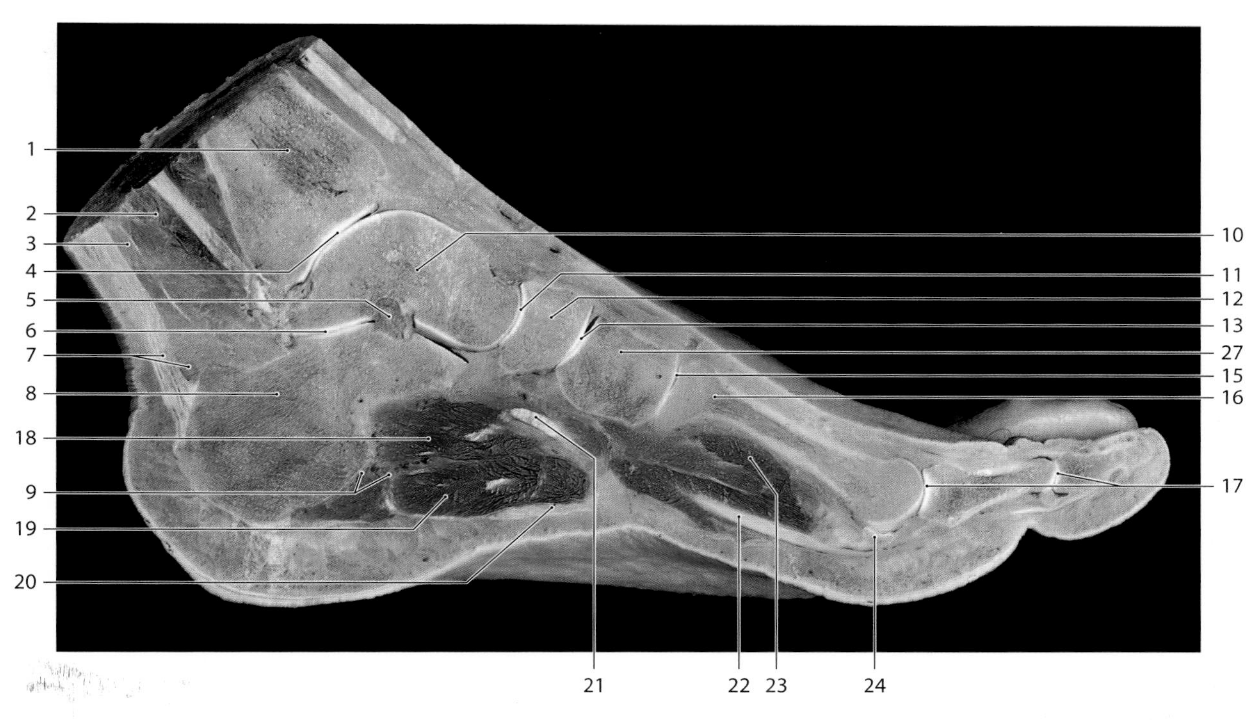

그림 4.54 **발의 시상단면,** 엄지발가락을 지남.

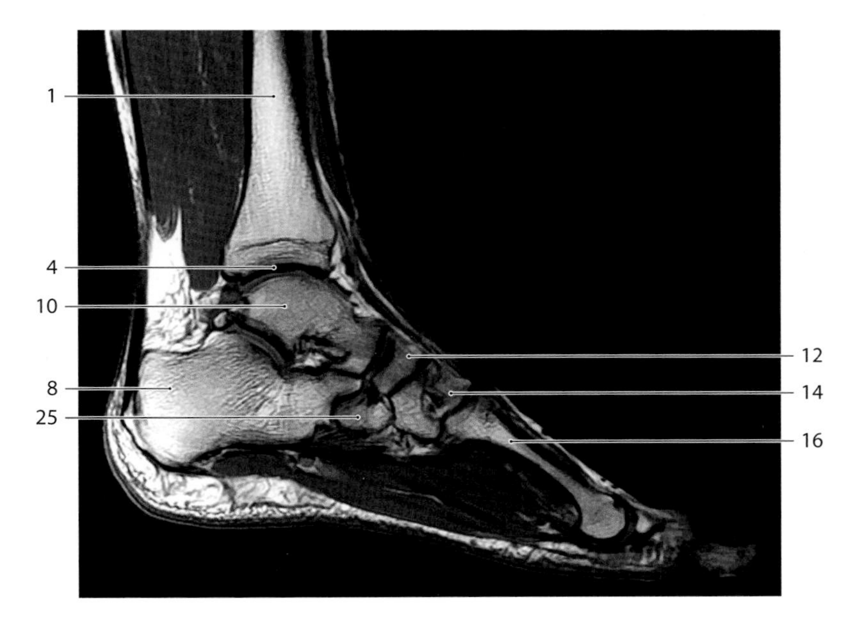

그림 4.55 **발과 종아리를 지나는 시상단면**(자기공명영상). (Heuck A, et al. MRT-Atlas des muskuloskelettalen Systems. Stuttgart, Germany: Schattauer, 2009.)

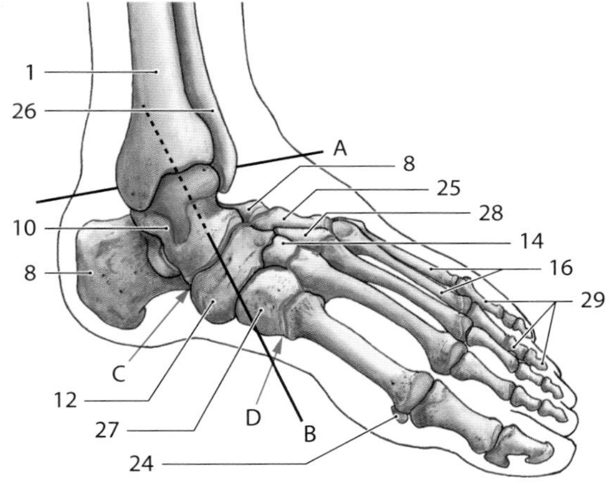

그림 4.56 **왼쪽 발의 뼈대.** 관절은 파란색으로 표시하였다. 빨간색 선 = 관절의 축

A = 발목관절 Talocrural joint
B = 목말발꿈치발배관절 Talocalcaneonavicular joint
C = 가로발목뼈관절 Transverse tarsal joint (Chopart joint line)
D = 발목발허리관절 Tarsometatarsal joints (Lisfranc joint line)

1 정강뼈 Tibia
2 종아리의 깊은굽힘근육 Deep flexor muscles of leg
3 종아리의 얕은굽힘근육 Superficial flexor muscles of leg
4 발목관절 Ankle joint
5 뼈사이목말발꿈치인대 Interosseous talocalcaneal ligament
6 목말밑관절 Subtalar joint
7 발꿈치힘줄(아킬레스힘줄)과 윤활주머니 Calcaneal or Achilles tendon and bursa
8 발꿈치뼈 Calcaneus
9 발의 혈관과 신경 Vessels and nerves of foot
10 목말뼈 Talus
11 목말발꿈치발배관절 Talocalcaneonavicular joint
12 발배뼈 Navicular bone
13 쐐기발배관절 Cuneonavicular joint
14 중간쐐기뼈 Intermediate cuneiform bone
15 첫째발목발허리관절 First tarsometatarsal joint
16 발허리뼈 Metatarsal bones
17 발허리발가락 및 발가락뼈사이관절 Metatarsophalangeal and Interphalangeal joints
18 발바닥네모근과 굽힘근힘줄 Quadratus plantae muscle with flexor tendons
19 짧은발가락굽힘근 Flexor digitorum brevis muscle
20 발바닥널힘줄 Plantar aponeurosis
21 뒤정강근힘줄 Tendon of tibialis posterior muscle
22 긴엄지굽힘근힘줄 Tendon of flexor hallucis longus muscle
23 짧은엄지굽힘근 Flexor hallucis brevis muscle
24 종자뼈 Sesamoid bone
25 입방뼈 Cuboid bone
26 종아리뼈 Fibula
27 안쪽쐐기뼈 Medial cuneiform bone
28 가쪽쐐기뼈 Lateral cuneiform bone
29 발가락뼈 Phalanges

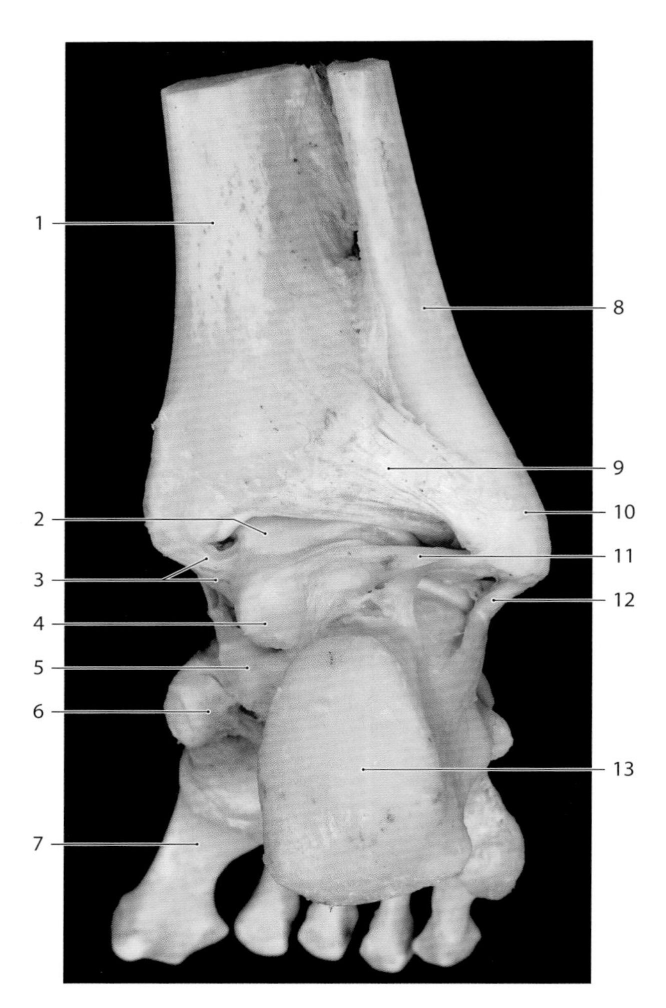

그림 4.57 **오른쪽 발목관절의 인대**(뒤쪽모습).

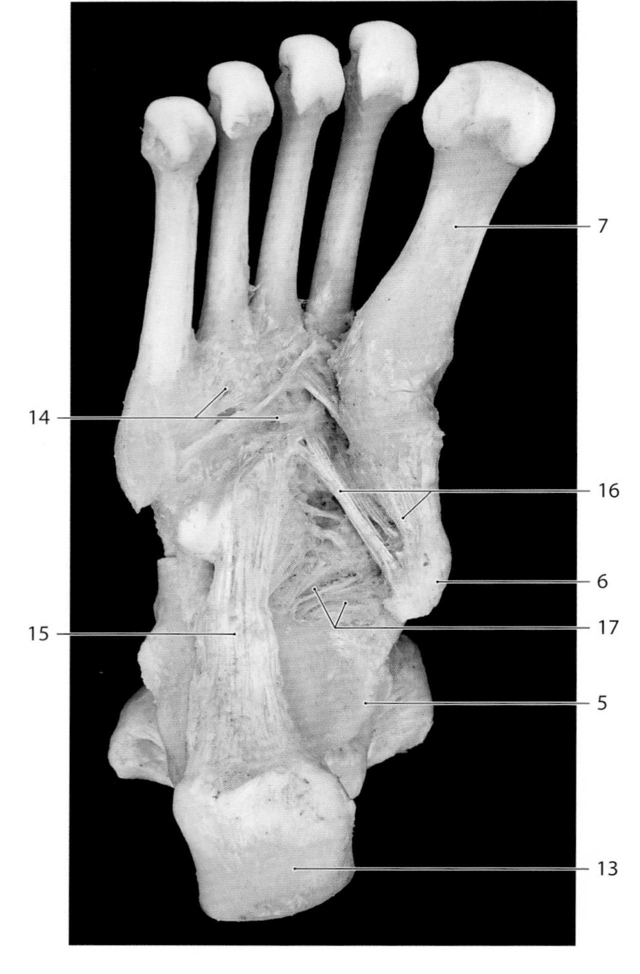

그림 4.58 **오른쪽 발의 깊은 인대**(발바닥쪽모습). 발가락뼈는 모두 제거하였다.

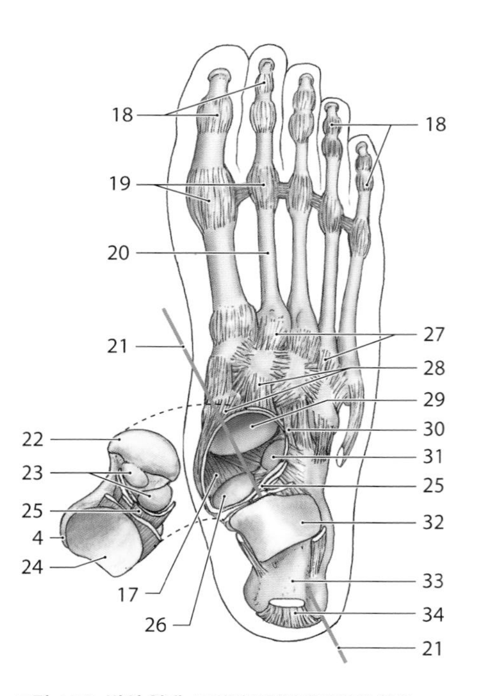

그림 4.59 **발의 인대.** 목말발꿈치발배관절의 위면. 목말뼈를 돌려서 관절면이 보이게 하였다.

1 정강뼈 Tibia
2 목말뼈도르래 Trochlea of talus
3 발목의 안쪽 또는 세모인대(뒤정강목말부분) Medial or deltoid ligament of ankle (posterior tibiotalar part)
4 목말뼈 Talus
5 목말받침돌기 Sustentaculum tali
6 발배뼈 Navicular bone
7 첫째발허리뼈 First metatarsal bone
8 종아리뼈 Fibula
9 뒤정강종아리인대 Posterior tibiofibular ligament
10 가쪽복사 Lateral malleolus
11 뒤목말종아리인대 Posterior talofibular ligament
12 발꿈치종아리인대 Calcaneofibular ligament
13 발꿈치뼈융기 Calcaneal tuberosity
14 바닥쪽발목발허리인대 Plantar tarsometatarsal ligaments
15 긴발바닥인대 Long plantar ligament
16 바닥쪽쐐기발배인대 Plantar cuneonavicular ligaments
17 바닥쪽발꿈치발배인대 Plantar calcaneonavicular ligament
18 발가락뼈사이관절의 관절주머니 Articular capsules of interphalangeal joints
19 발허리발가락관절의 관절주머니 Articular capsules of metatarsophalangeal joints
20 둘째발허리뼈 Second metatarsal bone
21 발의 안쪽번짐과 가쪽번짐 축 Axis for inversion and eversion of foot
22 발배관절면 Navicular articular surface
23 앞 및 중간발꿈치관절면 Anterior and middle calcaneal surfaces
24 뒤발꿈치관절면 Posterior calcaneal surface
(22–24: 목말뼈 of talus)
25 뼈사이목말발꿈치인대 Talocalcaneal interosseous ligament
26 발꿈치뼈의 중간목말관절면 Middle talar articular surface of calcaneus
27 등쪽발목발허리인대 Dorsal tarsometatarsal ligaments
28 목말발배인대 Talonavicular ligament
29 발배뼈의 관절면 Articular surface of navicular bone
30 두갈래인대 Bifurcate ligament
31 앞목말관절면 Anterior talar articular surface
32 뒤목말관절면 Posterior talar articular surface
(31–32: 발꿈치뼈 of calcaneus)
33 발꿈치뼈 Calcaneus
34 발꿈치힘줄(아킬레스힘줄)과 윤활주머니 Calcaneal or Achilles tendon and bursa

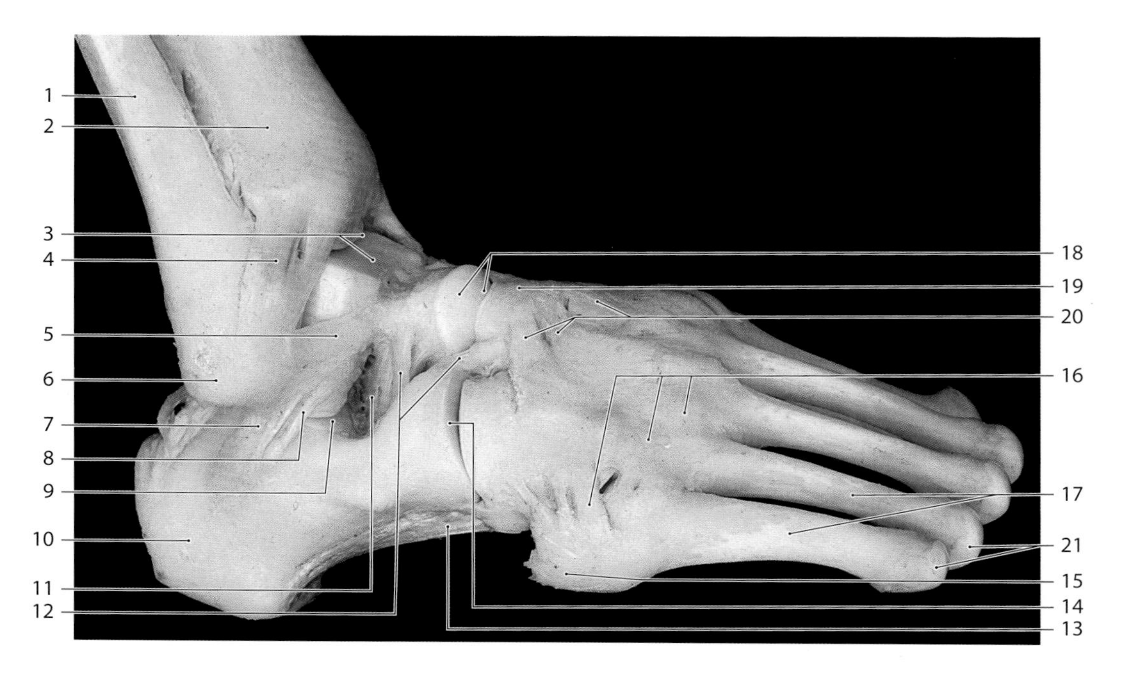

그림 4.60 **오른쪽 발의 인대** (가쪽모습).

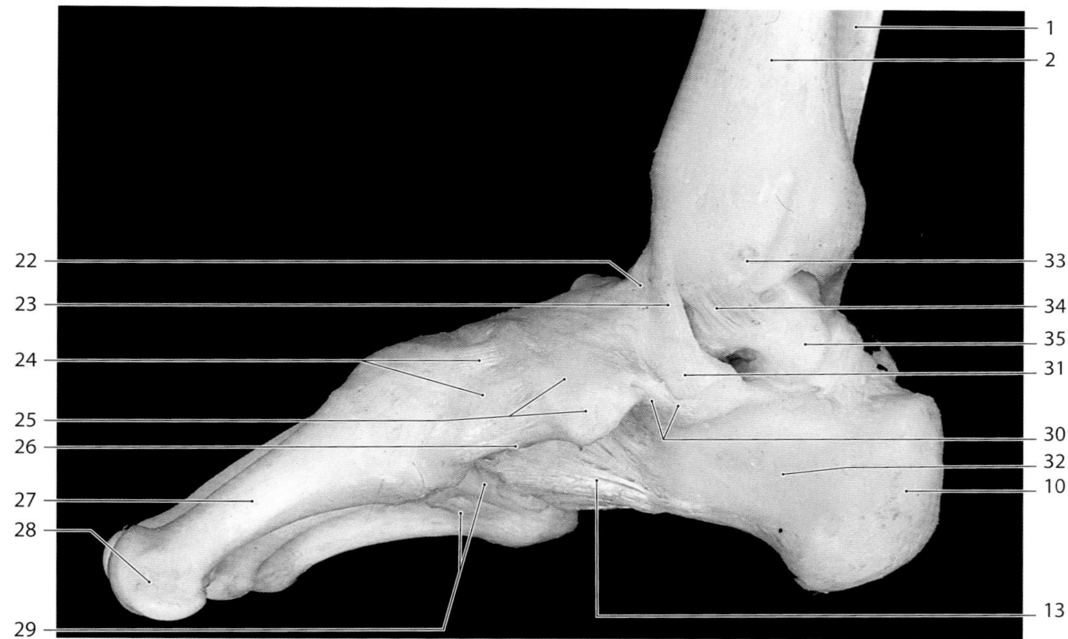

그림 4.61 **오른쪽 발의 인대** (안쪽모습).

1 종아리뼈 Fibula
2 정강뼈 Tibia
3 목말뼈도르래와 발목관절 Trochlea of talus and ankle joint
4 앞정강종아리인대 Anterior tibiofibular ligament
5 앞목말종아리인대 Anterior talofibular ligament
6 가쪽복사 Lateral malleolus
7 발꿈치종아리인대 Calcaneofibular ligament
8 가쪽목말발꿈치인대 Lateral talocalcaneal ligament
9 목말밑관절 Subtalar joint
10 발꿈치뼈융기 Calcaneal tuberosity
11 뼈사이목말발꿈치인대 Interosseous talocalcaneal ligament
12 두갈래인대 Bifurcate ligament
13 긴발바닥인대 Long plantar ligament
14 발꿈치입방관절 Calcaneocuboid joint
15 다섯째발허리뼈거친면 Tuberosity of fifth metatarsal bone
16 등쪽발목발허리인대 Dorsal tarsometatarsal ligaments
17 발허리뼈 Metatarsal bones
18 목말뼈머리와 목말발꿈치발배관절 Head of talus and talocalcaneonavicular joint
19 발배뼈 Navicular bone
20 등쪽쐐기발배인대 Dorsal cuneonavicular ligaments
21 발허리뼈머리 Heads of metatarsal bones
22 발목의 안쪽 또는 세모인대(정강발배부분) Medial or deltoid ligament of ankle (tibionavicular part)
23 발목의 안쪽 또는 세모인대(정강발꿈치부분) Medial or deltoid ligament of ankle (tibiocalcaneal part)
24 등쪽쐐기발배인대 Dorsal cuneonavicular ligaments
25 발배뼈 Navicular bone
26 바닥쪽쐐기발배인대 Plantar cuneonavicular ligament
27 첫째발허리뼈 First metatarsal bone
28 첫째발허리뼈의 머리 Head of first metatarsal bone
29 바닥쪽발목발허리인대 Plantar tarsometatarsal ligaments
30 바닥쪽발꿈치발배인대 Plantar calcaneonavicular ligament
31 목말받침돌기 Sustentaculum tali
32 발꿈치뼈 Calcaneus
33 안쪽복사 Medial malleolus
34 발목의 안쪽 또는 세모인대(뒤정강목말부분) Medial or deltoid ligament of ankle (posterior tibiotalar part)
35 목말뼈 Talus

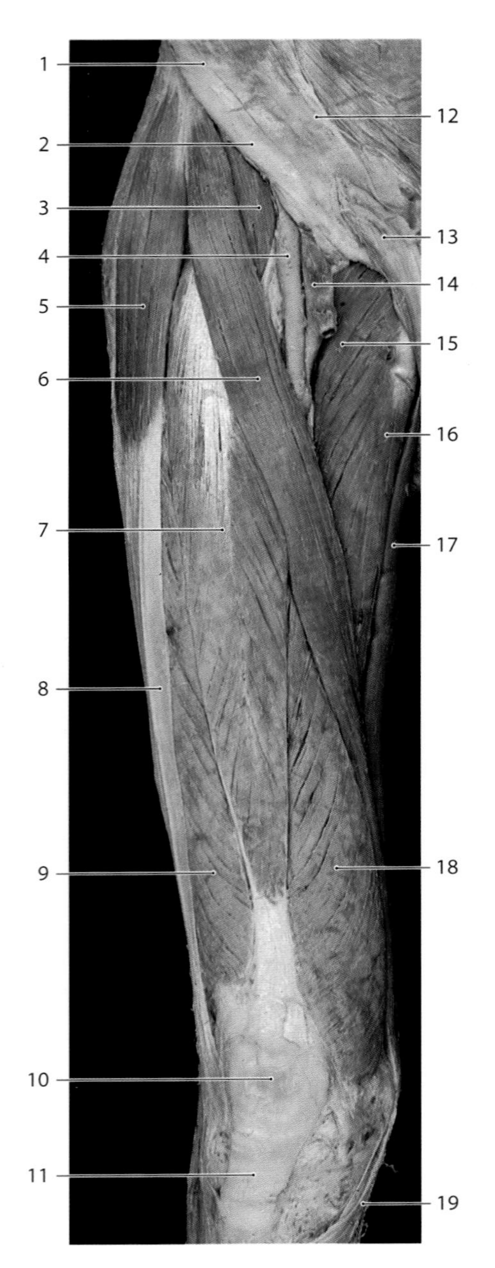

그림 4.62 **넓적다리의 폄 및 모음근육** (오른쪽, 앞모습).

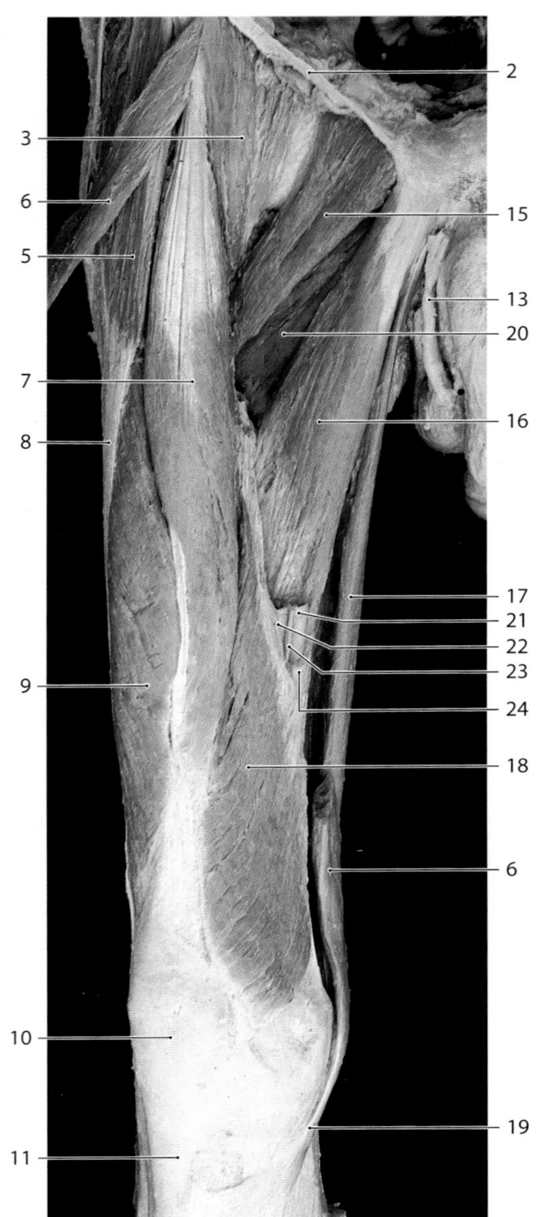

그림 4.63 **넓적다리의 네갈래근과 모음근 얕은층** (오른쪽, 앞모습). 넓적다리빗근을 잘랐다.

그림 4.64 **넓적다리 폄근육의 주행**과 정강뼈에 닿는 온힘줄(앞모습).

1 앞위엉덩뼈가시 Anterior superior iliac spine
2 고샅인대 Inguinal ligament
3 엉덩허리근 Iliopsoas muscle
4 넓적다리동맥 Femoral artery
5 넓적다리근막긴장근 Tensor fasciae latae muscle
6 넓적다리빗근 Sartorius muscle
7 넓적다리곧은근 Rectus femoris muscle
8 엉덩정강띠 Iliotibial tract
9 가쪽넓은근 Vastus lateralis muscle
10 무릎뼈 Patella
11 무릎뼈인대 Patellar ligament
12 배바깥빗근의 널힘줄
Aponeurosis of external abdominal oblique muscle
13 정삭 Spermatic cord
14 넓적다리정맥 Femoral vein
15 두덩근 Pectineus muscle
16 긴모음근 Adductor longus muscle
17 두덩정강근 Gracilis muscle
18 안쪽넓은근 Vastus medialis muscle
19 넓적다리빗근, 두덩정강근, 반힘줄근의 온힘줄(거위발)
Common tendon of sartorius, gracilis, and semitendinosus muscles (pes anserinus)
20 짧은모음근 Adductor brevis muscle
21 넓적다리동맥 Femoral artery
22 넓적다리정맥 Femoral vein
23 두렁신경 Saphenous nerve
(21–23) 모음근굴로 듦 entering the adductor canal
24 넓은근모음근막 Vasto-adductor membrane
25 중간넓은근 Vastus intermedius muscle
26 무릎관절근 Articularis genus muscle
27 반힘줄근 Semitendinosus muscle

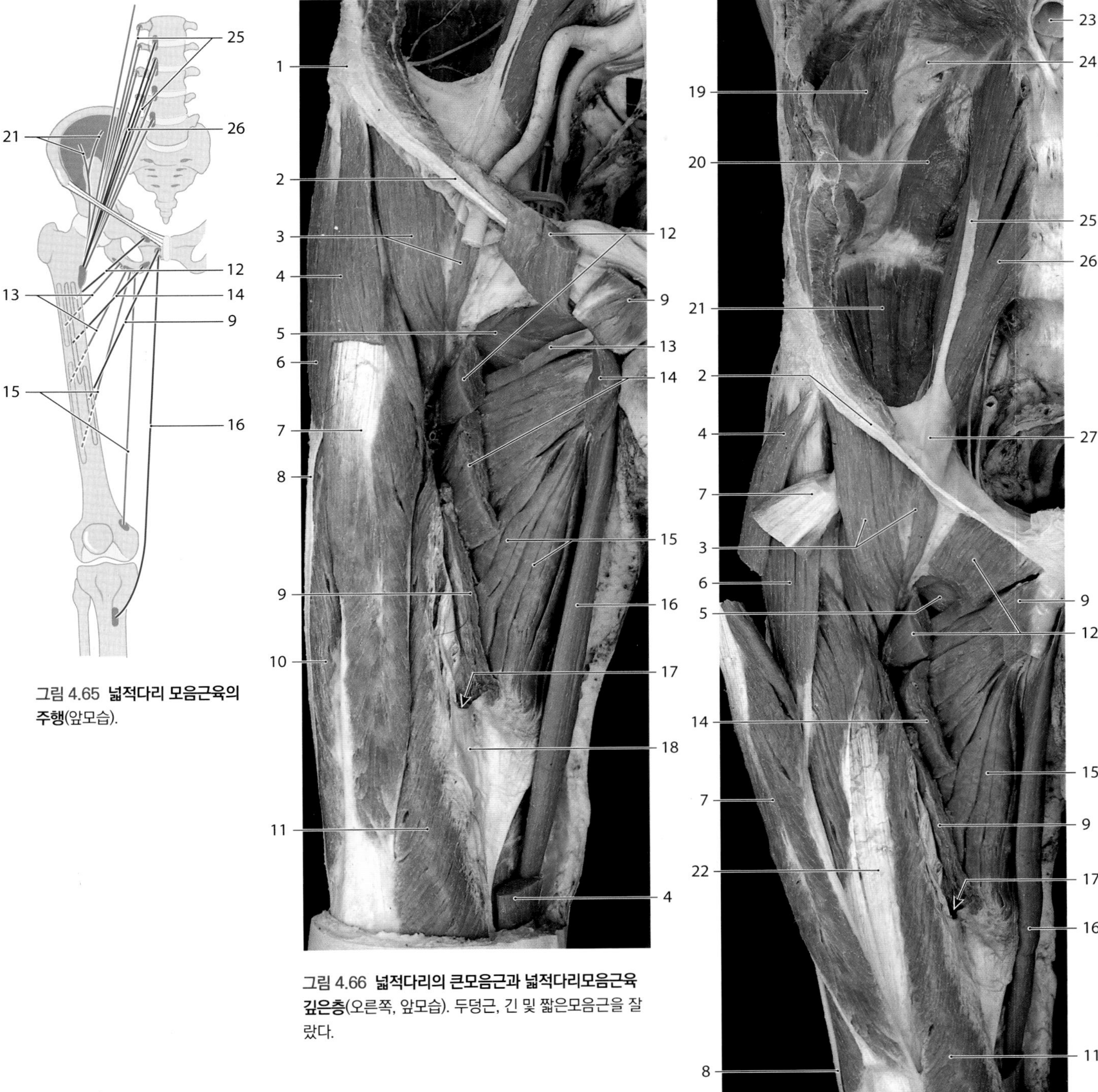

그림 4.65 **넓적다리 모음근육의 주행**(앞모습).

그림 4.66 **넓적다리의 큰모음근과 넓적다리모음근육 깊은층**(오른쪽, 앞모습). 두덩근, 긴 및 짧은모음근을 잘랐다.

그림 4.67 **넓적다리의 엉덩허리근과 넓적다리모음근육의 가장깊은층**(오른쪽, 앞모습). 두덩근, 긴 및 짧은모음근을 잘랐다. 엉덩근과 작은 및 큰허리근이 모여 엉덩허리근이 형성됨을 확인하시오.

1 앞위엉덩뼈가시 Anterior superior iliac spine
2 고샅인대 Inguinal ligament
3 엉덩허리근 Iliopsoas muscle
4 넓적다리빗근 Sartorius muscle
5 바깥폐쇄근 Obturator externus muscle
6 넓적다리근막긴장근 Tensor fasciae latae muscle
7 넓적다리곧은근 Rectus femoris muscle
8 엉덩정강띠 Iliotibial tract
9 긴모음근(잘림) Adductor longus muscle (divided)
10 가쪽넓은근 Vastus lateralis muscle
11 안쪽넓은근 Vastus medialis muscle
12 두덩근(잘림) Pectineus muscle (divided)
13 작은모음근 Adductor minimus muscle
14 짧은모음근(잘림) Adductor brevis muscle (cut)
15 큰모음근 Adductor magnus muscle
16 두덩정강근 Gracilis muscle
17 모음근굴 Adductor canal
18 넓은근모음근막 Vasto-adductor membrane
19 가로막 Diaphragm
20 허리네모근 Quadratus lumborum muscle
21 엉덩근 Iliacus muscle
22 중간넓은근 Vastus intermedius muscle
23 대동맥구멍 Aortic hiatus
24 열두째갈비뼈 Twelfth rib
25 작은허리근 Psoas minor muscle
26 큰허리근 Psoas major muscle
27 엉덩두덩활 Iliopectineal arch

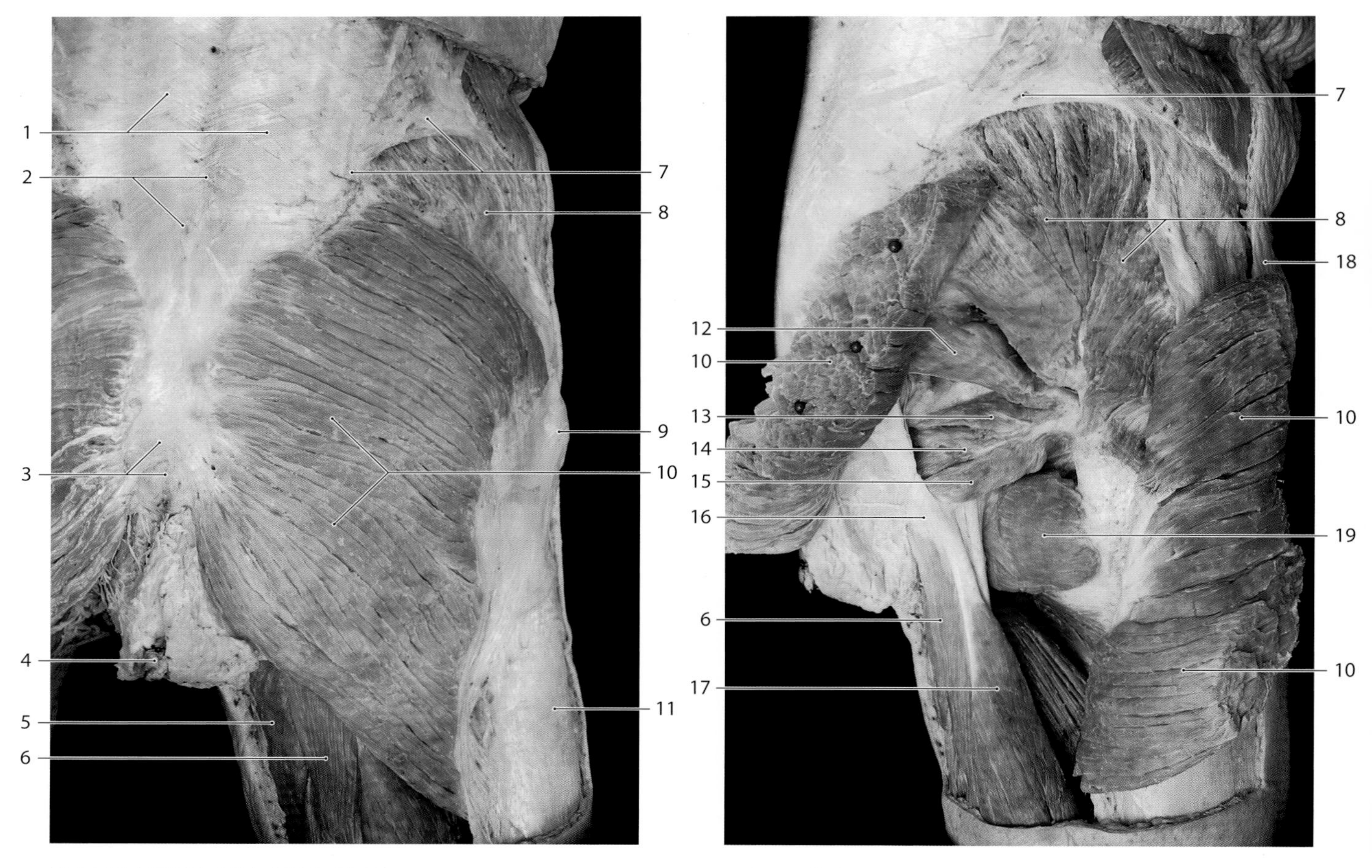

그림 4.68 **볼기근육,** 얕은층(오른쪽, 뒤모습).

그림 4.69 **볼기근육,** 중간층(오른쪽, 뒤모습).

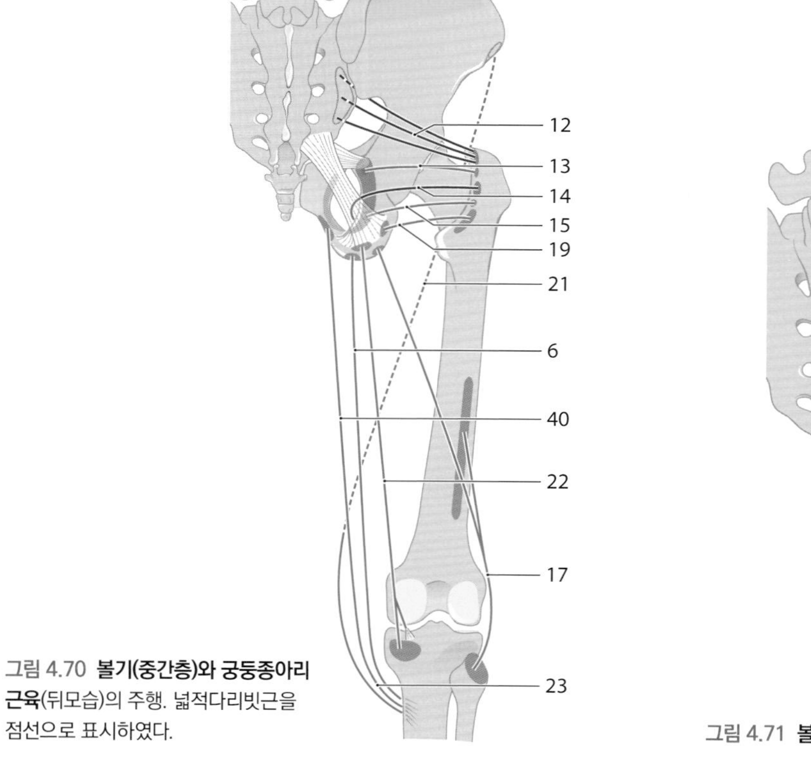

그림 4.70 **볼기(중간층)와 궁둥종아리 근육**(뒤모습)의 주행. 넓적다리빗근을 점선으로 표시하였다.

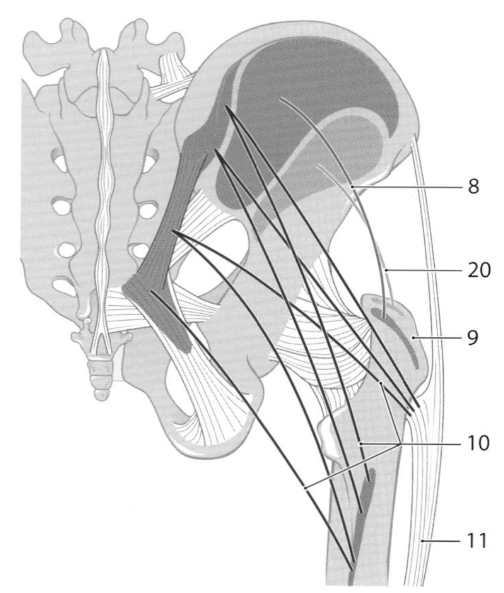

그림 4.71 **볼기근육의 주행**(뒤모습).

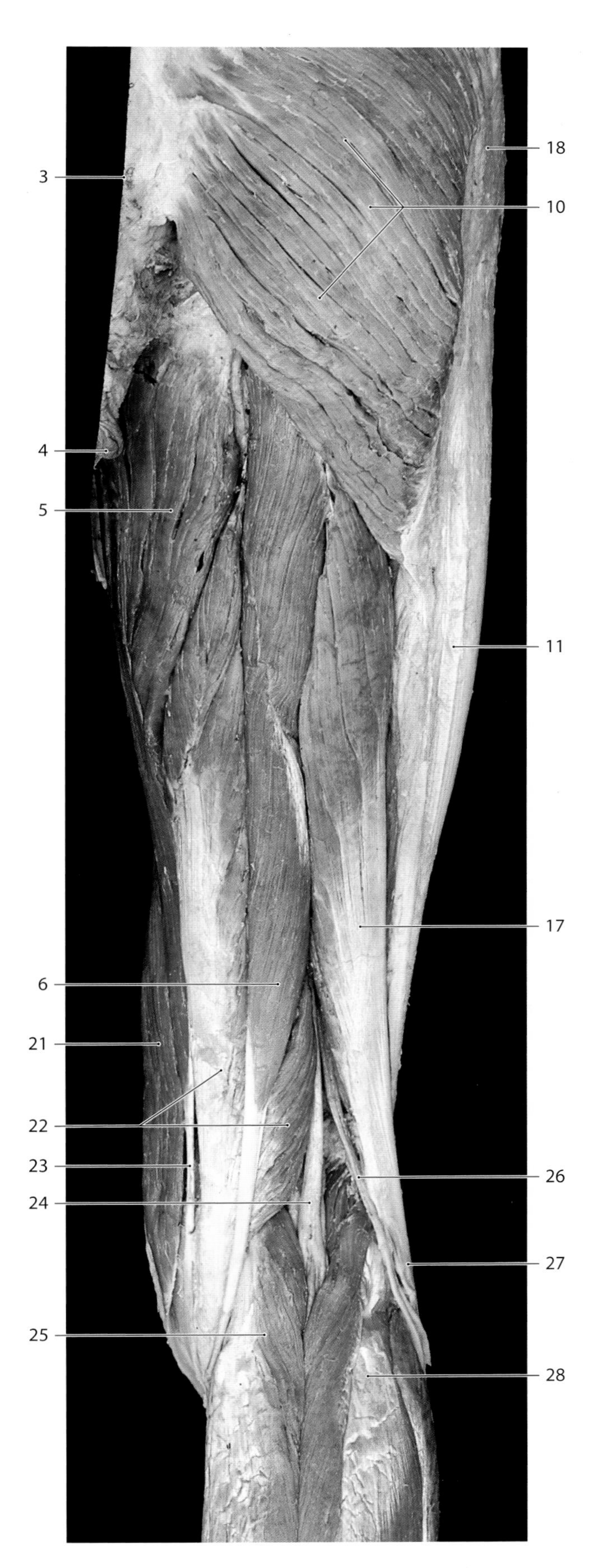

그림 4.72 **넓적다리의 굽힘근육,** 얕은층(오른쪽, 뒤모습).

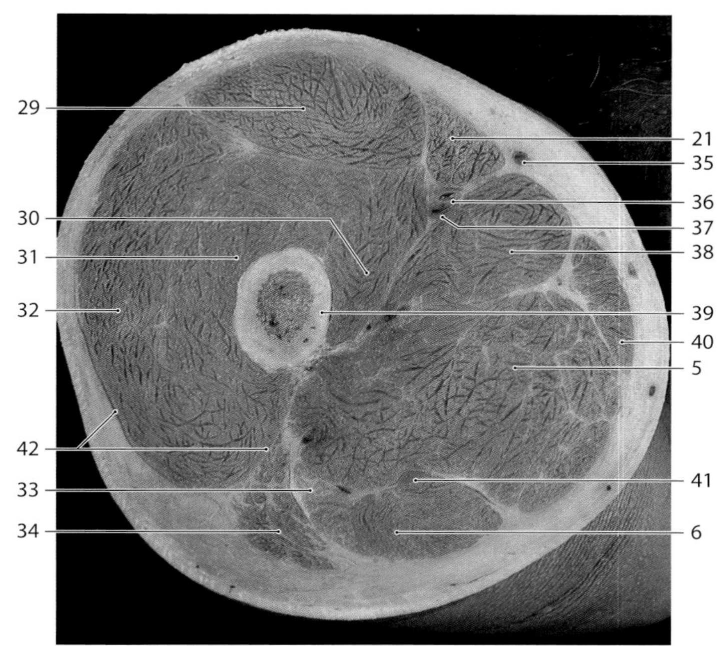

그림 4.73 **오른쪽 넓적다리의 가로단면**(아래모습). 사진의 위쪽이 앞쪽이다.

1 등허리근막 Thoracolumbar fascia
2 허리뼈의 가시돌기 Spinous processes of lumbar vertebrae
3 꼬리뼈 Coccyx
4 항문 Anus
5 큰모음근 Adductor magnus muscle
6 반힘줄근 Semitendinosus muscle
7 엉덩뼈능선 Iliac crest
8 중간볼기근 Gluteus medius muscle
9 큰돌기 Greater trochanter
10 큰볼기근 Gluteus maximus muscle
11 엉덩정강띠 Iliotibial tract
12 궁둥구멍근 Piriformis muscle
13 위쌍동근 Superior gemellus muscle
14 속폐쇄근 Obturator internus muscle
15 아래쌍동근 Inferior gemellus muscle
16 궁둥뼈결절 Ischial tuberosity
17 넓적다리두갈래근 Biceps femoris muscle
18 넓적다리근막긴장근 Tensor fasciae latae muscle
19 넓적다리네모근 Quadratus femoris muscle
20 작은볼기근 Gluteus minimus muscle
21 넓적다리빗근 Sartorius muscle
22 반막근 Semimembranosus muscle
23 두덩정강근힘줄 Tendon of gracilis muscle
24 정강신경 Tibial nerve
25 장딴지근의 안쪽갈래 Medial head of gastrocnemius muscle
26 온종아리신경 Common fibular nerve
27 넓적다리두갈래근힘줄 Tendon of biceps femoris muscle
28 장딴지근의 가쪽갈래 Lateral head of gastrocnemius muscle
29 넓적다리곧은근 Rectus femoris muscle
30 안쪽넓은근 Vastus medialis muscle
31 중간넓은근 Vastus intermedius muscle
32 가쪽넓은근 Vastus lateralis muscle
33 궁둥신경 Sciatic nerve
34 큰볼기근(닿는곳) Gluteus maximus muscle (insertion)
35 큰두렁정맥 Great saphenous vein
36 넓적다리동맥 Femoral artery
37 넓적다리정맥 Femoral vein
38 긴모음근 Adductor longus muscle
39 넓적다리뼈 Femur
40 두덩정강근 Gracilis muscle
41 반힘줄근과 반막근 사이의 사이막 Septum between semitendinosus and semimembranosus muscles
42 가쪽근육사이막 Lateral intermuscular septum

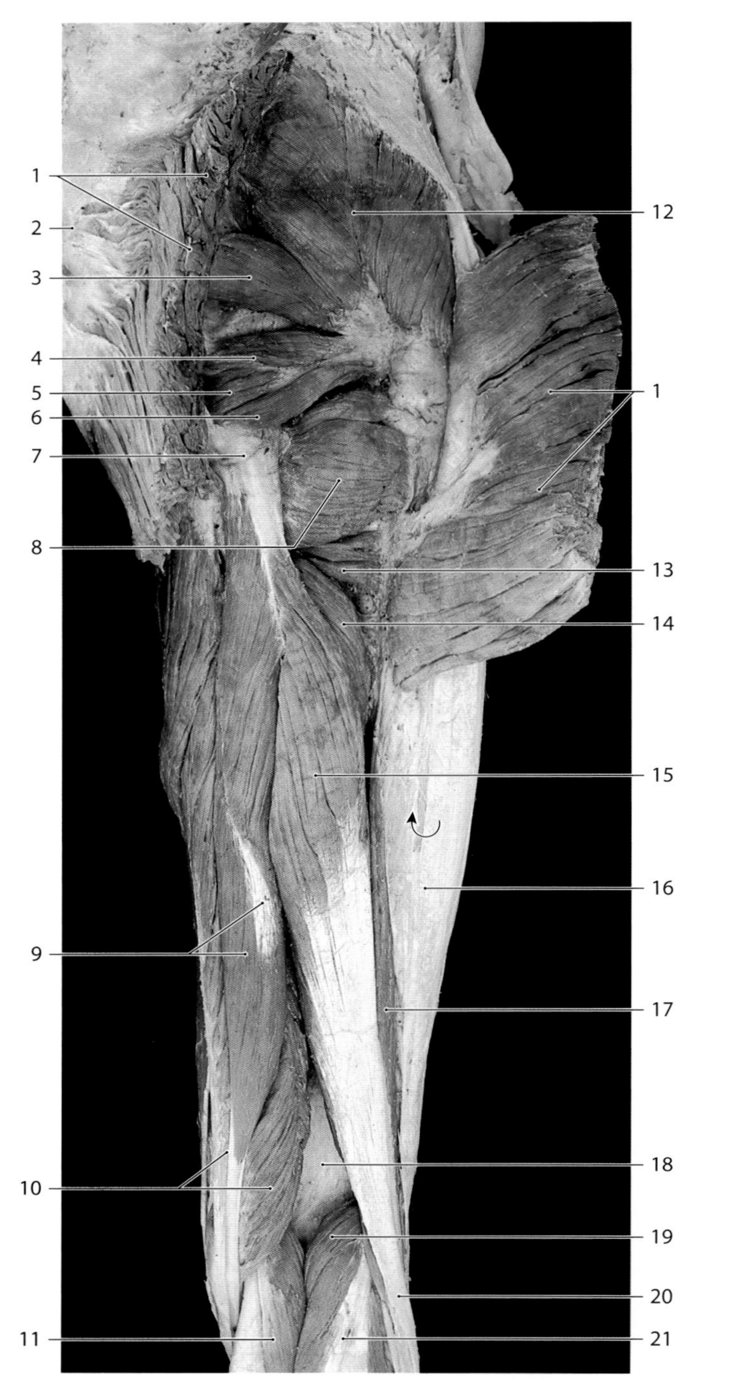

그림 4.74 **넓적다리의 굽힘근육**(오른쪽, 뒤모습). 큰볼기근을 잘라서 젖혔다. 화살표 = 근육사이막의 방향

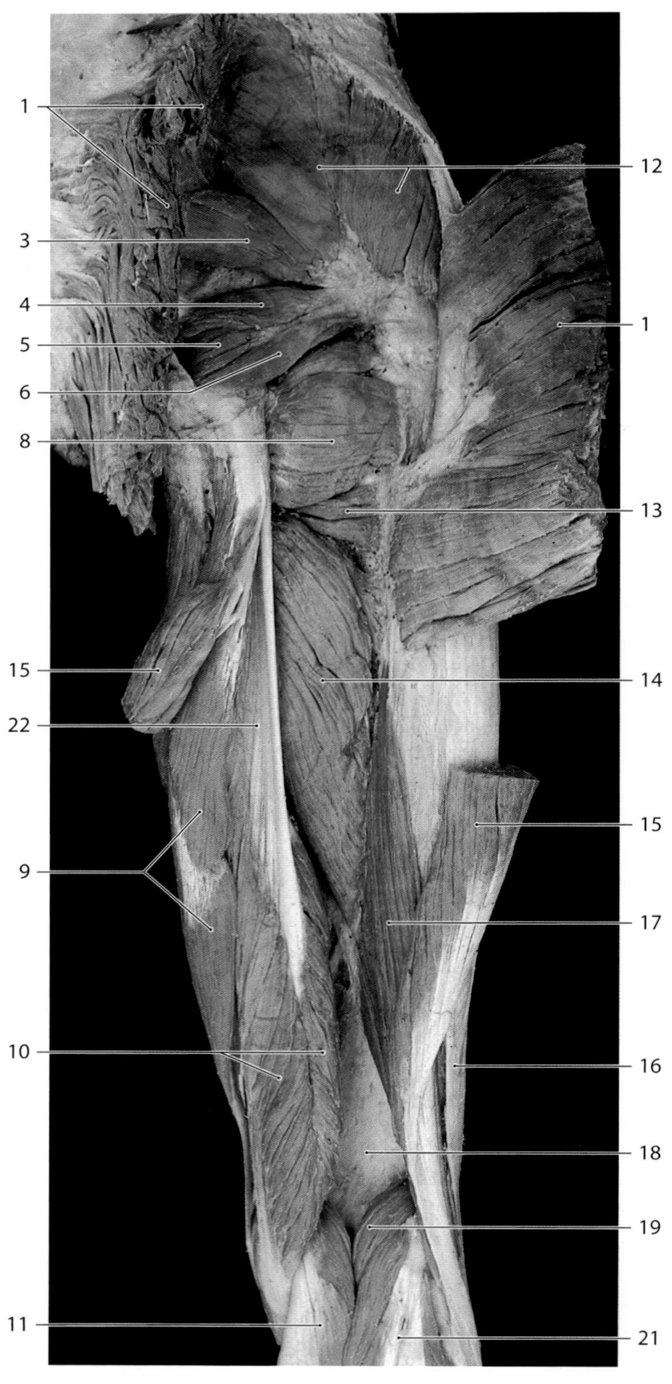

그림 4.75 **넓적다리의 굽힘근**(오른쪽, 뒤모습). 큰볼기근과 넓적다리두갈래근의 긴갈래를 잘라서 젖혔다.

1 큰볼기근(잘림)
Gluteus maximus muscle (divided)
2 꼬리뼈의 위치 Position of coccyx
3 궁둥구멍근 Piriformis muscle
4 위쌍동근 Superior gemellus muscle
5 속폐쇄근 Obturator internus muscle
6 아래쌍동근 Inferior gemellus muscle
7 궁둥뼈결절 Ischial tuberosity
8 넓적다리네모근 Quadratus femoris muscle
9 반힘줄근과 중간힘줄
Semitendinosus muscle with intermediate tendon
10 반막근 Semimembranosus muscle
11 장딴지근의 안쪽갈래
Medial head of gastrocnemius muscle
12 중간볼기근 Gluteus medius muscle
13 작은모음근 Adductor minimus muscle
14 큰모음근 Adductor magnus muscle
15 넓적다리두갈래근의 긴갈래
Long head of biceps femoris muscle
16 엉덩정강띠 Iliotibial tract
17 넓적다리두갈래근의 짧은갈래
Short head of biceps femoris muscle
18 넓적다리뼈 오금면
Popliteal surface of femur
19 장딴지빗근 Plantaris muscle
20 넓적다리두갈래근힘줄
Tendon of biceps femoris muscle
21 장딴지근의 가쪽갈래
Lateral head of gastrocnemius muscle
22 반막근힘줄
Tendon of semimembranosus muscle

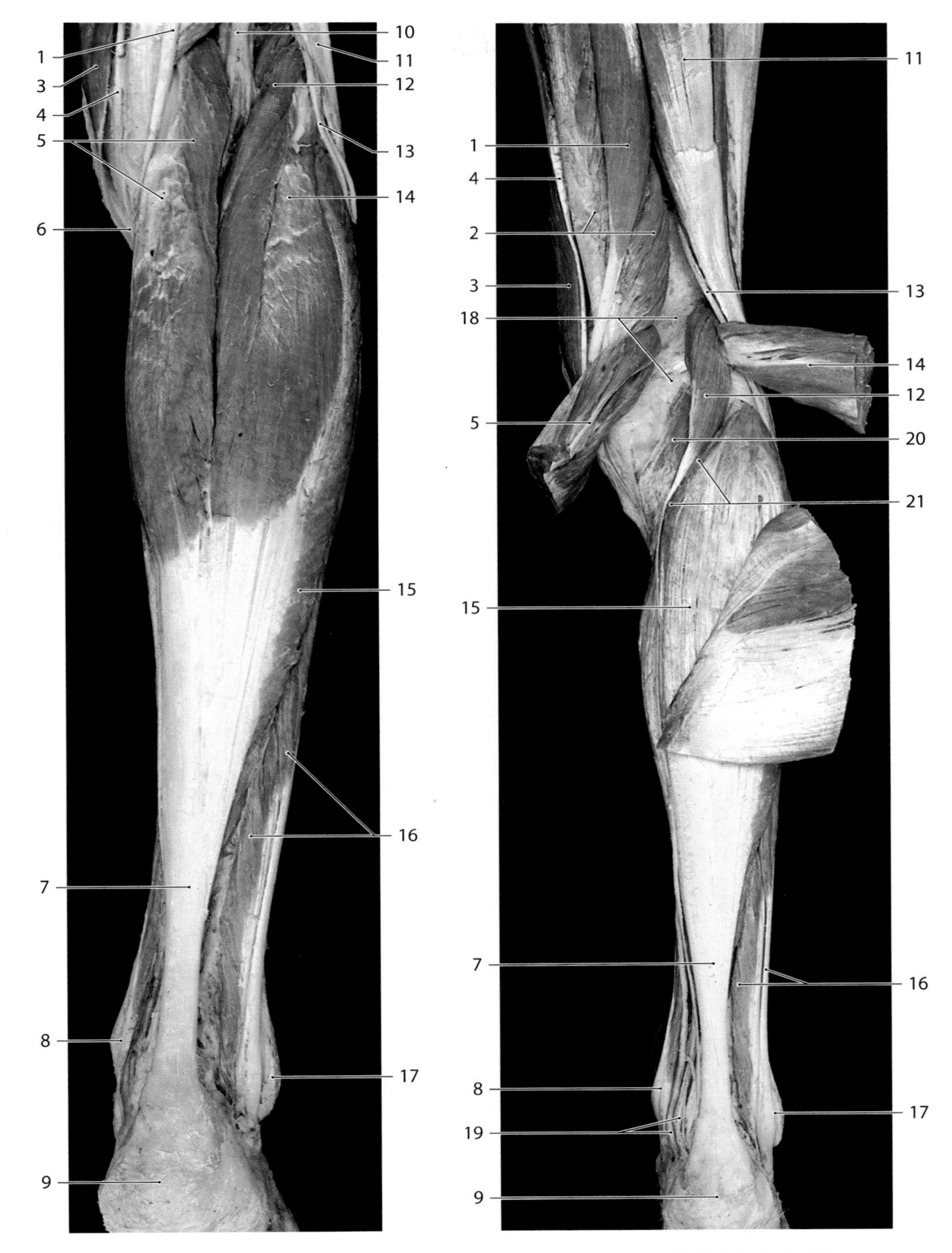

그림 4.76 **종아리의 굽힘근육**
(오른쪽, 뒤모습).

그림 4.77 **종아리의 굽힘근육**(오른쪽, 뒤모습).
장딴지근의 두 갈래를 모두 잘라서 젖혔다.

22
12
5
14
15
12
23
24
7

그림 4.78 **종아리 굽힘근육의 주행**(뒤모습).

1 반힘줄근 Semitendinosus muscle
2 반막근 Semimembranosus muscle
3 넙적다리빗근 Sartorius muscle
4 두덩정강근힘줄 Tendon of gracilis muscle
5 장딴지근의 안쪽갈래 Medial head of gastrocnemius muscle
6 넙적다리빗근, 두덩정강근, 반힘줄근의 온힘줄(거위발)
Common tendon of sartorius, gracilis,
and semitendinosus muscles (pes anserinus)
7 발꿈치힘줄(아킬레스힘줄) Calcaneal or Achilles tendon
8 안쪽복사 Medial malleolus
9 발꿈치뼈융기 Calcaneal tuberosity
10 정강신경 Tibial nerve
11 넙적다리두갈래근 Biceps femoris muscle
12 장딴지빗근 Plantaris muscle
13 온종아리신경 Common fibular nerve
14 장딴지근의 가쪽갈래 Lateral head of gastrocnemius muscle
15 가자미근 Soleus muscle
16 긴 및 짧은종아리근 Peroneus longus and brevis muscles
17 가쪽복사 Lateral malleolus
18 다리오금 Popliteal fossa
19 정강신경과 뒤정강동맥 Tibial nerve and posterior tibial artery
20 오금근 Popliteus muscle
21 가자미근힘줄활 Tendinous arch of soleus muscle
22 넙적다리뼈 Femur
23 종아리뼈 Fibula
24 정강뼈 Tibia

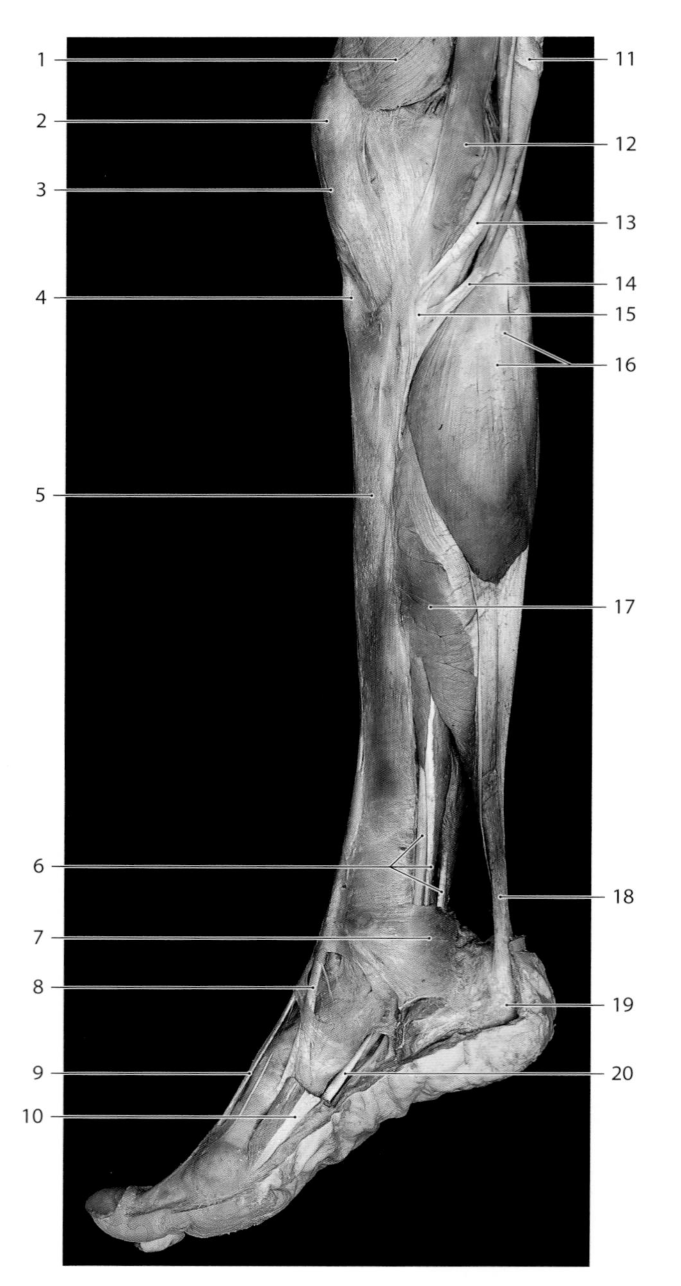

그림 4.79 **종아리와 발의 근육**(오른쪽, 안쪽모습).

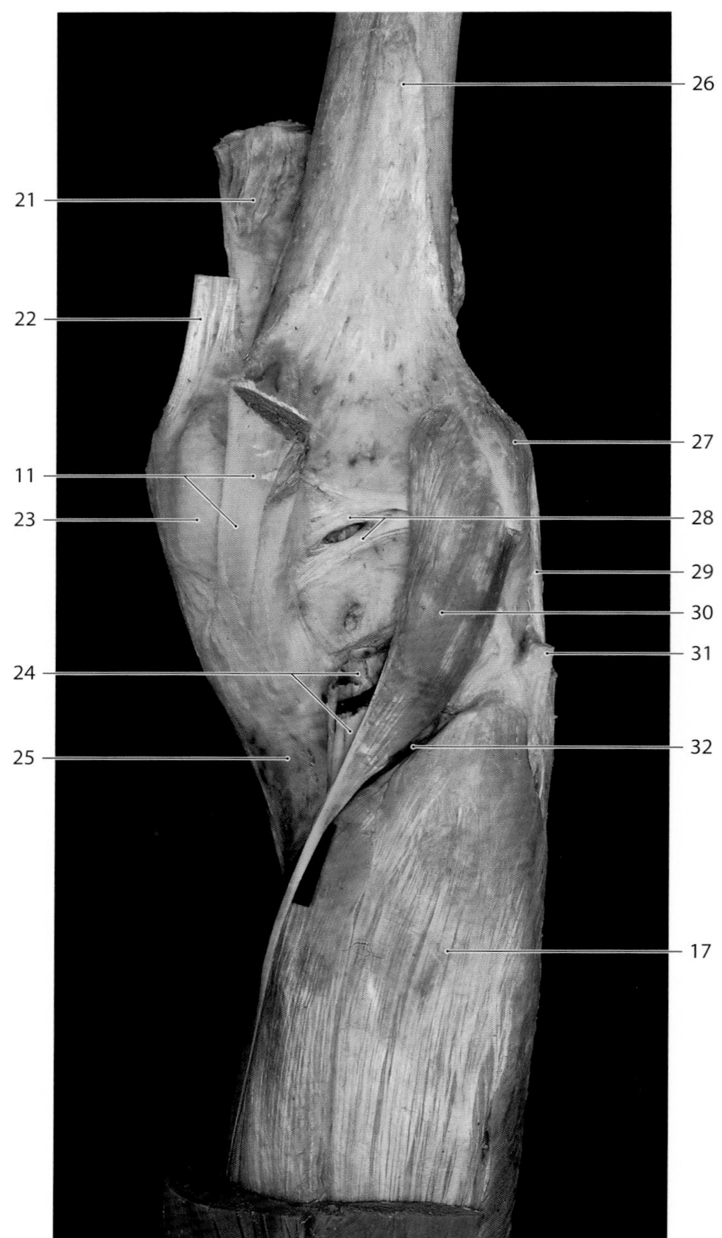

그림 4.80 **다리오금 부위의 장딴지빗근과 가자미근**(오른쪽, 뒤모습). 반막근힘줄의 닿는곳을 확인하시오.

1 안쪽넓은근 Vastus medialis muscle
2 무릎뼈 Patella
3 무릎뼈인대 Patellar ligament
4 정강뼈거친면 Tibial tuberosity
5 정강뼈 Tibia
6 깊은 굽힘근육의 힘줄(앞에서 뒤로: 1. 뒤정강근; 2. 긴발가락굽힘근; 3. 긴엄지굽힘근) Tendons of deep flexor muscles (from anterior to posterior: 1. tibialis posterior; 2. flexor digitorum longus; 3. flexor hallucis longus muscles)
7 굽힘근지지띠 Flexor retinaculum
8 앞정강근힘줄 Tendon of tibialis anterior muscle
9 긴엄지폄근힘줄 Tendon of extensor hallucis longus muscle
10 엄지벌림근 Abductor hallucis muscle
11 반막근힘줄 Tendon of semimembranosus muscle
12 넓적다리빗근 Sartorius muscle
13 두덩정강근힘줄 Tendon of gracilis muscle
14 반힘줄근힘줄 Tendon of semitendinosus muscle
15 넓적다리빗근, 두덩정강근, 반힘줄근의 온힘줄(거위발) Common tendon of sartorius, gracilis, and semitendinosus muscles (pes anserinus)
16 장딴지근의 안쪽갈래 Medial head of gastrocnemius muscle
17 가자미근 Soleus muscle
18 발꿈치힘줄(아킬레스힘줄) Calcaneal or Achilles tendon
19 발꿈치뼈 Calcaneus
20 긴엄지굽힘근힘줄 Tendon of flexor hallucis longus muscle
21 넓적다리네갈래근(잘림) Quadriceps femoris muscle (divided)
22 큰모음근힘줄(잘림) Tendon of adductor magnus muscle (divided)
23 넓적다리뼈의 안쪽관절융기 Medial condyle of femur
24 오금동맥, 오금정맥, 정강신경 Popliteal artery and vein, and tibial nerve
25 정강뼈 Tibia
26 넓적다리뼈 Femur
27 넓적다리뼈의 가쪽위관절융기 Lateral epicondyle of femur
28 빗오금인대 Oblique popliteal ligament
29 가쪽(종아리쪽)곁인대 Lateral (fibular) collateral ligament
30 장딴지빗근 Plantaris muscle
31 넓적다리두갈래근힘줄(잘림) Tendon of biceps femoris muscle (divided)
32 가자미근힘줄활 Tendinous arch of Soleus muscle

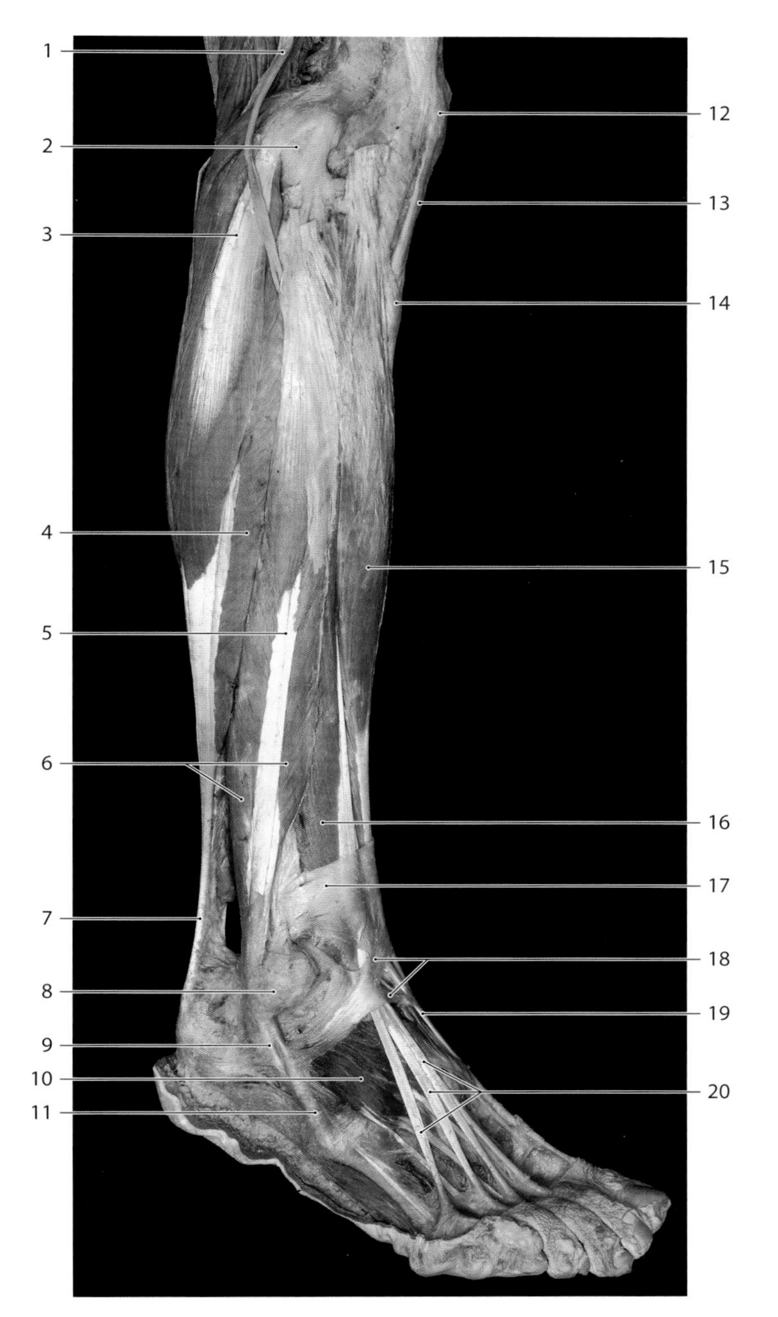

그림 4.81 **종아리와 발의 근육**(오른쪽, 가쪽모습).

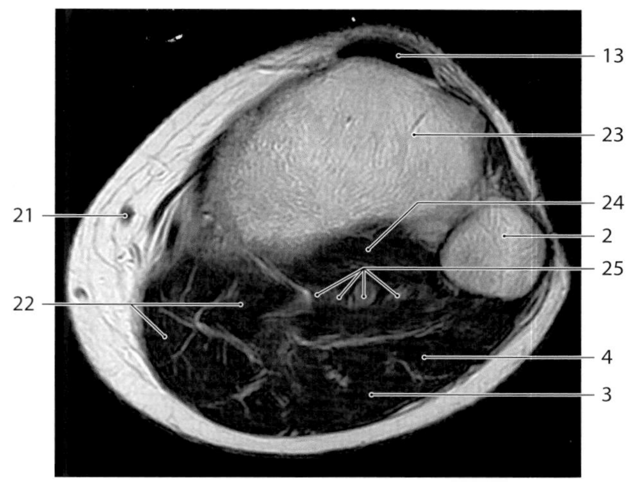

그림 4.82 **오른쪽 종아리의 가로단면,** 무릎관절 아래쪽(자기공명영상; 그림 4.83과 일치). (Heuck A, et al. MRT-Atlas des muskuloskelettalen Systems. Stuttgart, Germany: Schattauer, 2009.)

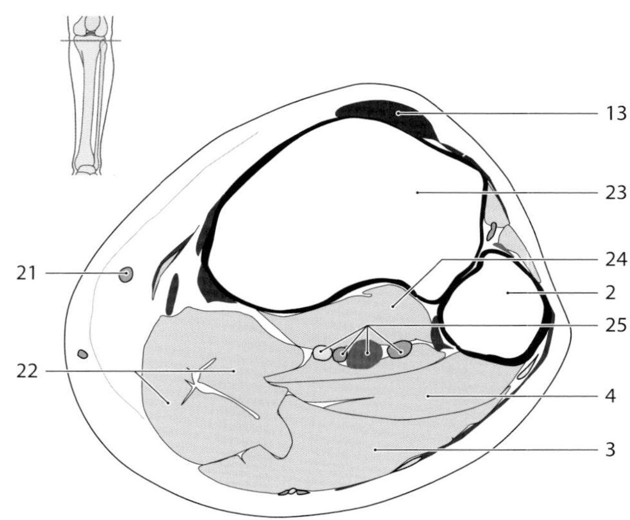

그림 4.83 **오른쪽 종아리의 가로단면, 무릎관절 아래쪽** (그림 4.82의 간단 그림). (Heuck A, et al. MRT-Atlas des muskuloskelettalen Systems. Stuttgart, Germany: Schattauer, 2009.)

1 온종아리신경 Common fibular nerve
2 종아리뼈머리 Head of fibula
3 장딴지근의 가쪽갈래 Lateral head of gastrocnemius muscle
4 가자미근 Soleus muscle
5 긴종아리근 Peroneus longus muscle
6 짧은종아리근 Peroneus brevis muscle
7 발꿈치힘줄(아킬레스힘줄) Calcaneal or Achilles tendon
8 가쪽복사 Lateral malleolus
9 긴종아리근힘줄 Tendon of peroneus longus muscle
10 짧은발가락폄근 Extensor digitorum brevis muscle
11 짧은종아리근힘줄 Tendon of peroneus brevis muscle
12 무릎뼈 Patella
13 무릎뼈인대 Patellar ligament
14 정강뼈거친면 Tuberosity of tibia
15 앞정강근 Tibialis anterior muscle
16 긴발가락폄근 Extensor digitorum longus muscle
17 위폄근지지띠 Superior extensor retinaculum
18 아래폄근지지띠 Inferior extensor retinaculum
19 긴엄지폄근힘줄 Tendon of extensor hallucis longus muscle
20 긴발가락폄근힘줄 Tendons of extensor digitorum longus muscle
21 큰두렁정맥 Great saphenous vein
22 장딴지근의 안쪽갈래 Medial head of gastrocnemius muscle
23 정강뼈 Tibia
24 오금근 Popliteus muscle
25 정강신경, 오금동맥 및 정맥 Tibial nerve, Popliteal artery, and veins

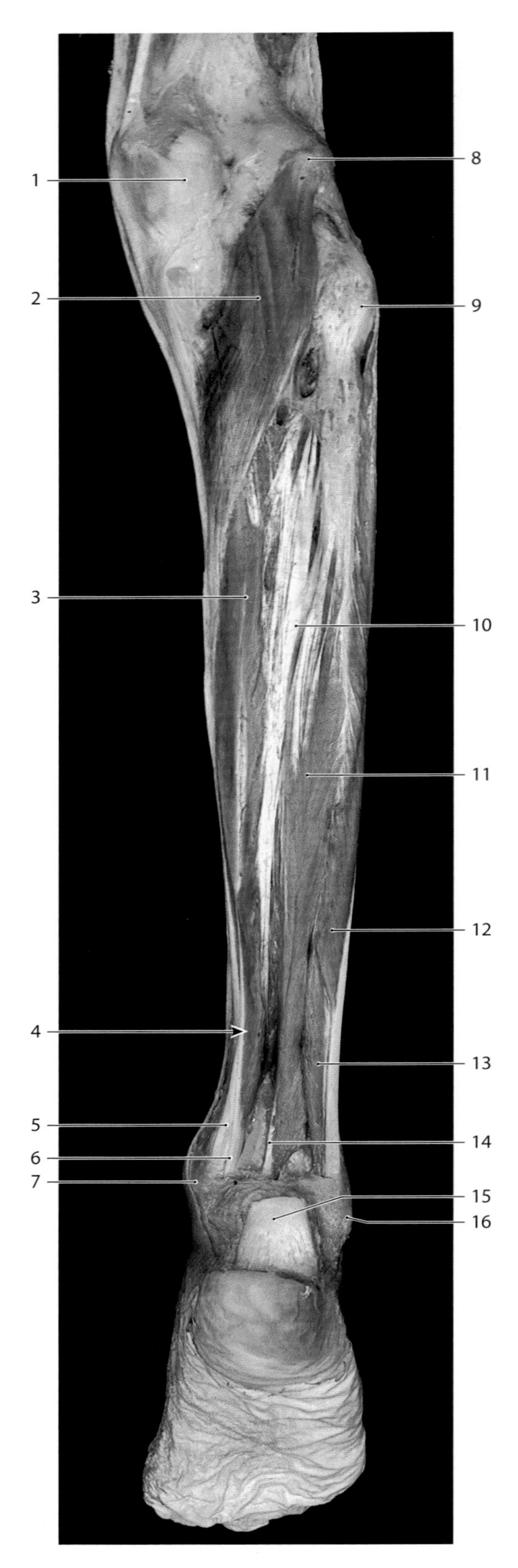

1 넓적다리뼈의 안쪽관절융기 Medial condyle of femur
2 오금근 Popliteus muscle
3 긴발가락굽힘근 Flexor digitorum longus muscle
4 종아리에서 힘줄의 교차 Crossing of tendons in the leg
5 뒤정강근힘줄 Tendon of tibialis posterior muscle
6 긴발가락굽힘근힘줄 Tendon of flexor digitorum longus muscle
7 안쪽복사 Medial malleolus
8 넓적다리뼈의 가쪽관절융기 Lateral condyle of femur
9 종아리뼈머리 Head of fibula
10 뒤정강근 Tibialis posterior muscle
11 긴엄지굽힘근 Flexor hallucis longus muscle
12 긴종아리근 Peroneus longus muscle
13 짧은종아리근 Peroneus brevis muscle
14 긴엄지굽힘근힘줄 Tendon of flexor hallucis longus muscle
15 발꿈치힘줄(아킬레스힘줄)(잘림) Calcaneal or Achilles tendon (divided)
16 가쪽복사 Lateral malleolus

그림 4.84 **종아리와 발의 깊은 굽힘근육**(오른쪽, 뒤모습).

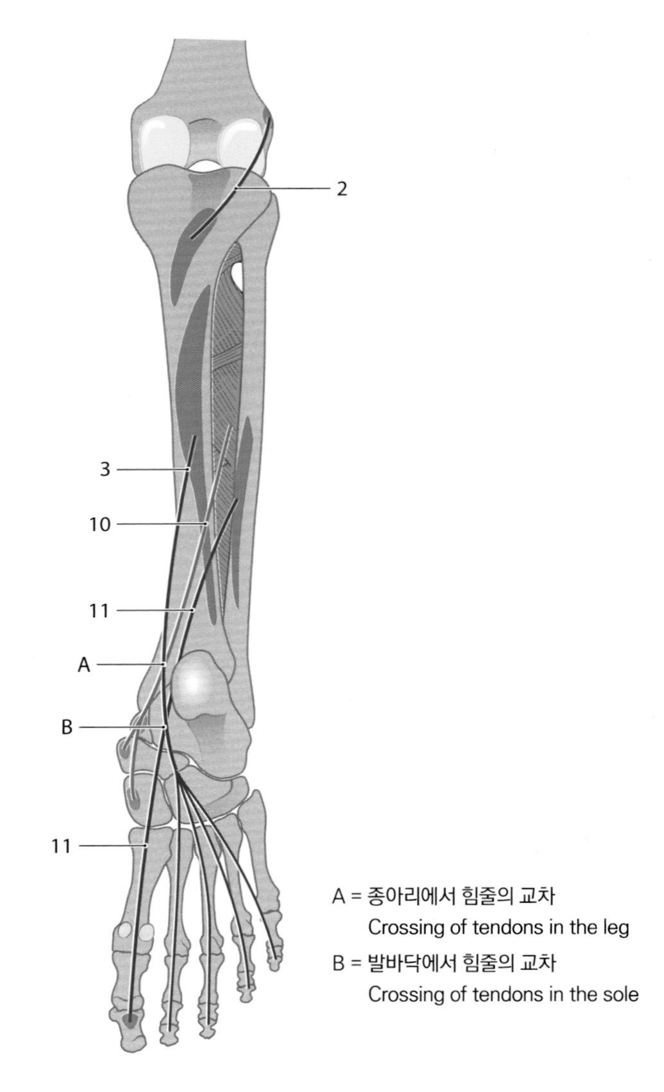

그림 4.85 **종아리 깊은 굽힘근육의 주행**(뒤모습)

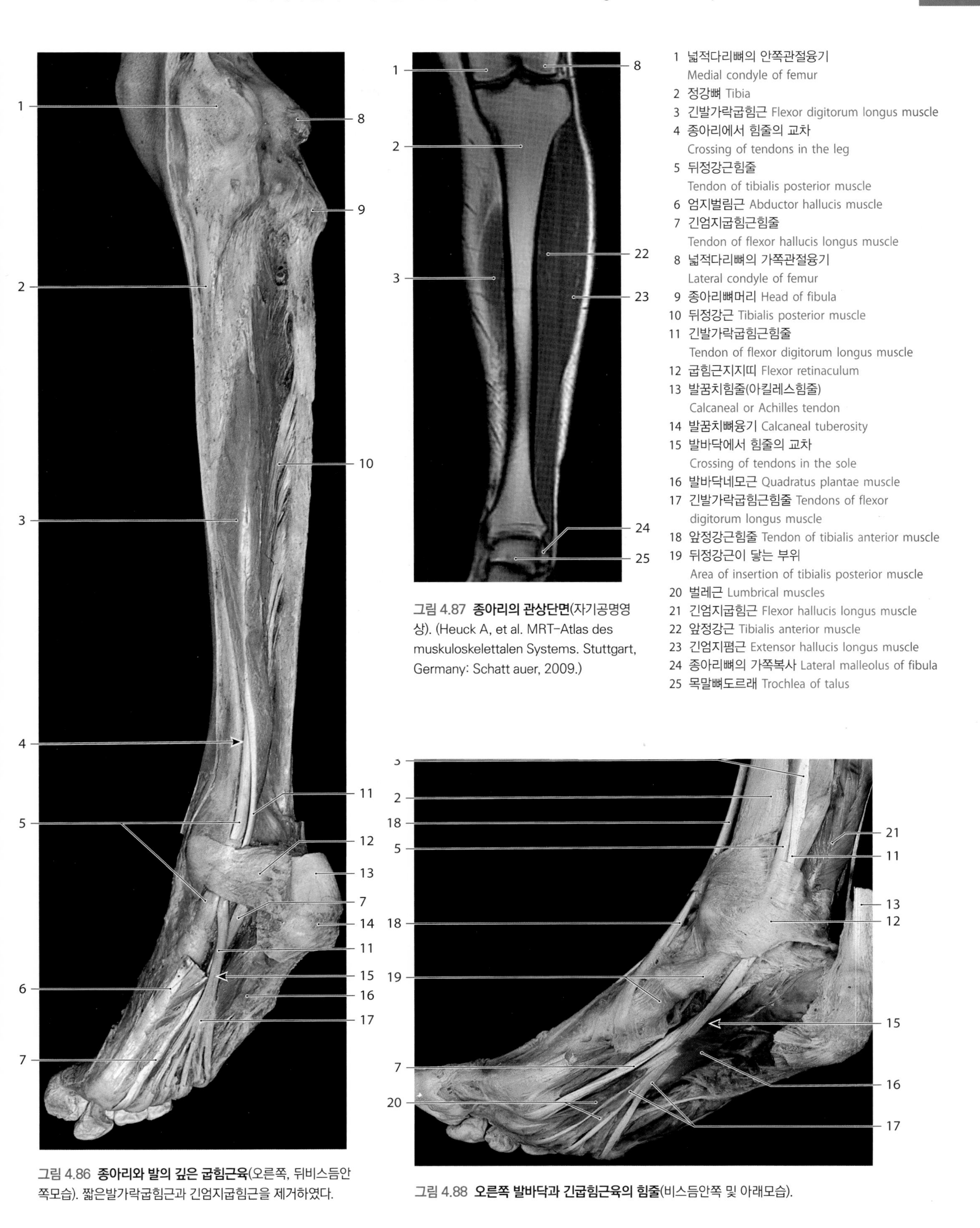

1 넓적다리뼈의 안쪽관절융기 Medial condyle of femur
2 정강뼈 Tibia
3 긴발가락굽힘근 Flexor digitorum longus muscle
4 종아리에서 힘줄의 교차 Crossing of tendons in the leg
5 뒤정강근힘줄 Tendon of tibialis posterior muscle
6 엄지벌림근 Abductor hallucis muscle
7 긴엄지굽힘근힘줄 Tendon of flexor hallucis longus muscle
8 넓적다리뼈의 가쪽관절융기 Lateral condyle of femur
9 종아리뼈머리 Head of fibula
10 뒤정강근 Tibialis posterior muscle
11 긴발가락굽힘근힘줄 Tendon of flexor digitorum longus muscle
12 굽힘근지지띠 Flexor retinaculum
13 발꿈치힘줄(아킬레스힘줄) Calcaneal or Achilles tendon
14 발꿈치뼈융기 Calcaneal tuberosity
15 발바닥에서 힘줄의 교차 Crossing of tendons in the sole
16 발바닥네모근 Quadratus plantae muscle
17 긴발가락굽힘근힘줄 Tendons of flexor digitorum longus muscle
18 앞정강근힘줄 Tendon of tibialis anterior muscle
19 뒤정강근이 닿는 부위 Area of insertion of tibialis posterior muscle
20 벌레근 Lumbrical muscles
21 긴엄지굽힘근 Flexor hallucis longus muscle
22 앞정강근 Tibialis anterior muscle
23 긴엄지폄근 Extensor hallucis longus muscle
24 종아리뼈의 가쪽복사 Lateral malleolus of fibula
25 목말뼈도르래 Trochlea of talus

그림 4.86 **종아리와 발의 깊은 굽힘근육**(오른쪽, 뒤비스듬안쪽모습). 짧은발가락굽힘근과 긴엄지굽힘근을 제거하였다.

그림 4.87 **종아리의 관상단면**(자기공명영상). (Heuck A, et al. MRT-Atlas des muskuloskelettalen Systems. Stuttgart, Germany: Schattauer, 2009.)

그림 4.88 **오른쪽 발바닥과 긴굽힘근육의 힘줄**(비스듬안쪽 및 아래모습).

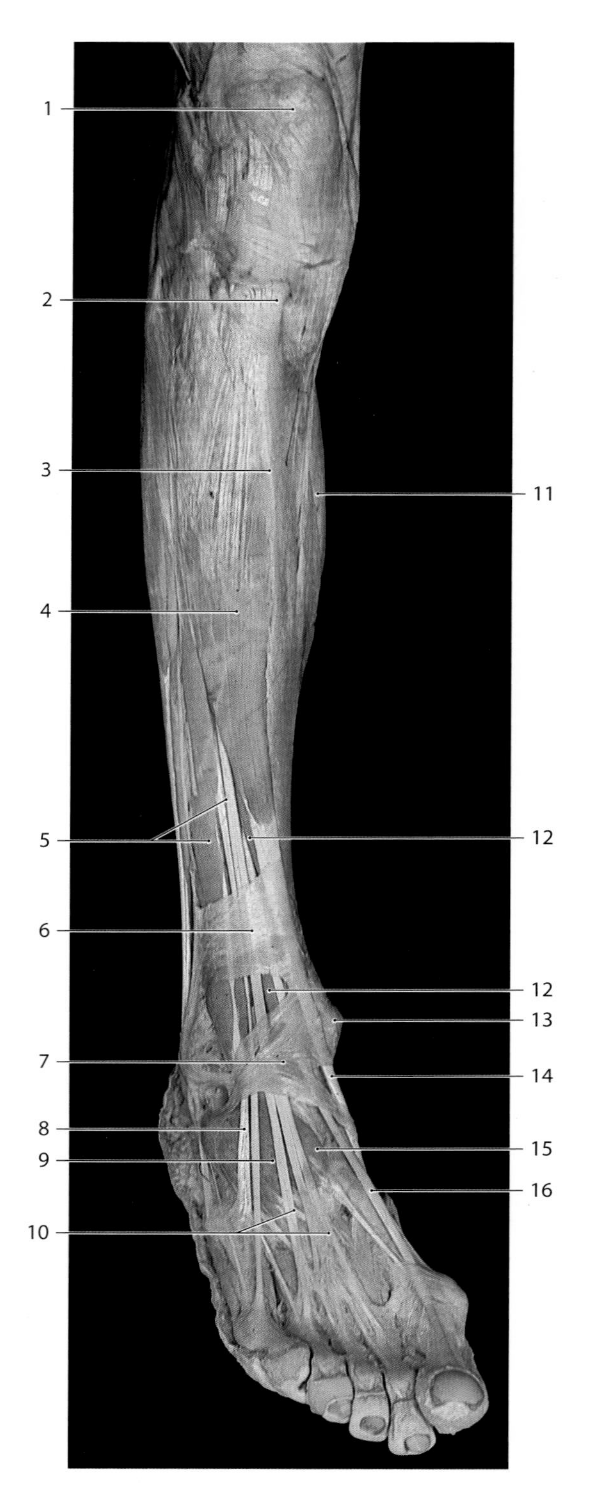

그림 4.89 **종아리와 발의 폄근육**(오른쪽, 비스듬앞가쪽모습).

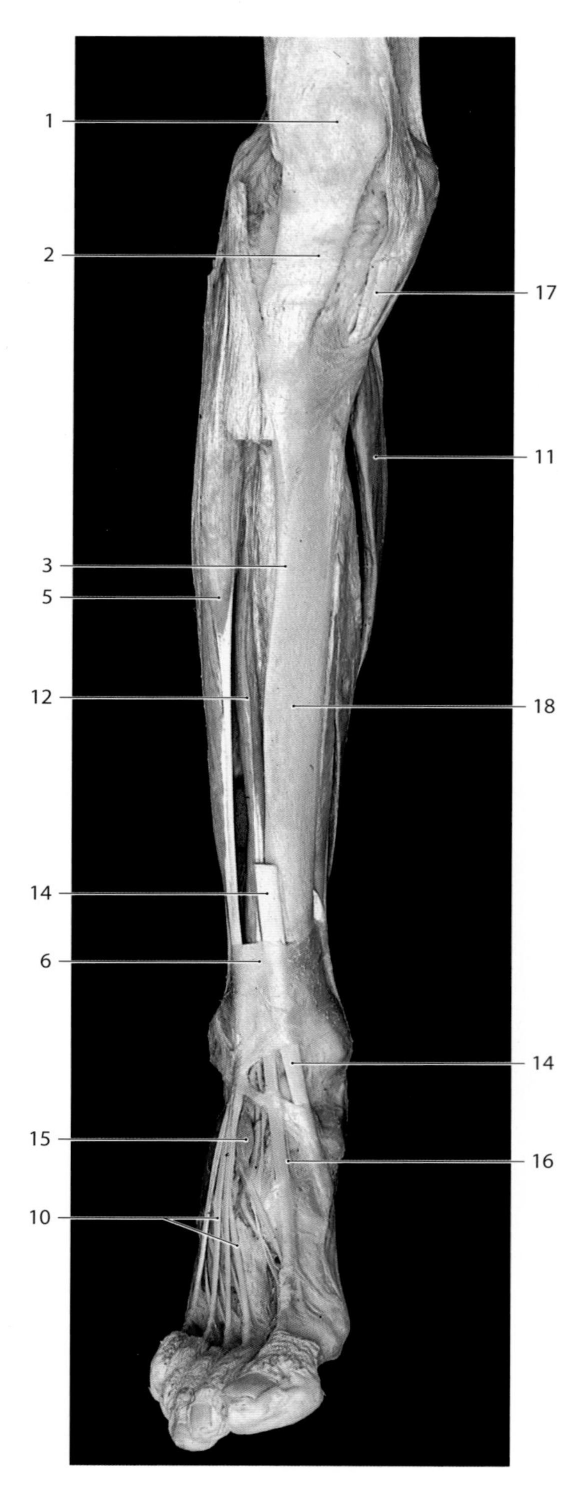

그림 4.90 **종아리와 발의 폄근육**(오른쪽, 앞모습).
앞정강근 일부를 제거하였다.

1 무릎뼈 Patella
2 무릎뼈인대 Patellar ligament
3 정강뼈의 앞모서리 Anterior margin of tibia
4 앞정강근 Tibialis anterior muscle
5 긴발가락폄근 Extensor digitorum longus muscle
6 위폄근지지띠 Superior extensor retinaculum
7 아래폄근지지띠 Inferior extensor retinaculum
8 셋째종아리근힘줄 Tendon of peroneus tertius muscle
9 짧은발가락폄근 Extensor digitorum brevis muscle
10 긴발가락폄근힘줄 Tendons of extensor digitorum longus muscle
11 가자미근 Soleus muscle
12 긴엄지폄근 Extensor hallucis longus muscle
13 안쪽복사 Medial malleolus
14 앞정강근힘줄 Tendon of tibialis anterior muscle
15 짧은엄지폄근 Extensor hallucis brevis muscle
16 긴엄지폄근힘줄 Tendon of extensor hallucis longus muscle
17 넙적다리빗근, 두덩정강근, 반힘줄근의 온힘줄(거위발)
Common tendon of sartorius, gracilis,
and semitendinosus muscles (pes anserinus)
18 정강뼈 Tibia

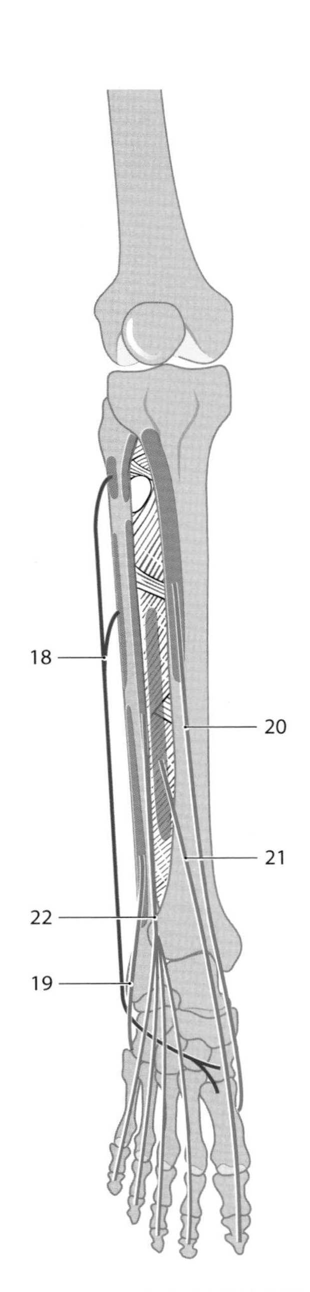

그림 4.91 **종아리 폄근육의 주행** (앞모습).

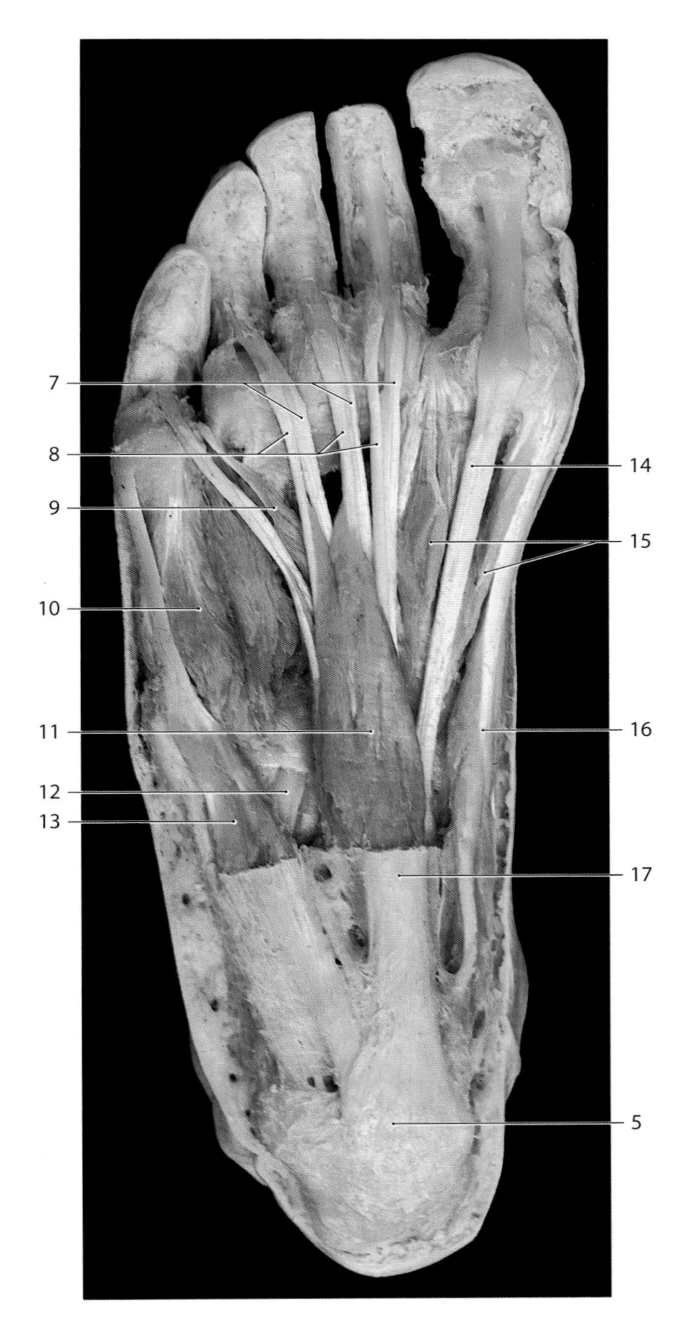

그림 4.92 **발바닥의 근육,** 얕은층. 발바닥널힘줄과 얕은근육의 근막을 제거하였다.

그림 4.93 **발바닥과 발바닥널힘줄.**

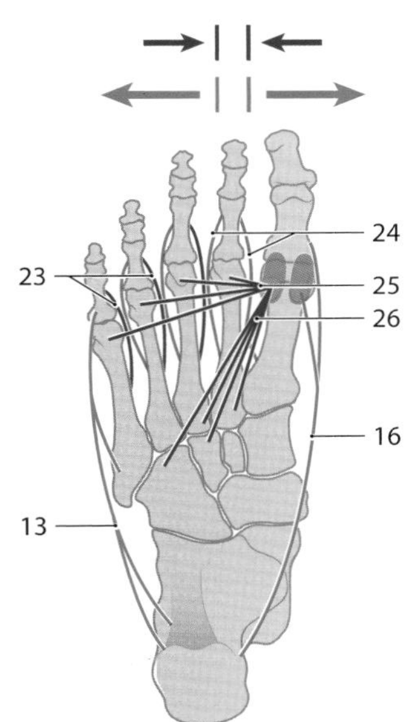

그림 4.94 **발의 벌림근육과 모음근육의 주행**(발바닥쪽모습). 빨간색 화살표 = 벌림; 파란색 화살표: 모음.

1 발바닥널힘줄의 세로다발
Longitudinal bands of plantar aponeurosis
2 발바닥널힘줄 Plantar aponeurosis
3 다섯째발허리뼈거친면의 위치
Position of tuberosity of fifth metatarsal bone
4 다섯째발가락 근육과 근막
Muscles of fifth toe with fascia
5 발꿈치뼈융기 Calcaneal tuberosity
6 엄지발가락의 근육과 힘줄
Muscles of great toe with fascia
7 긴발가락굽힘근힘줄
Tendons of flexor digitorum longus muscle
8 짧은발가락굽힘근힘줄
Tendons of flexor digitorum brevis muscle
9 벌레근 Lumbrical muscle
10 짧은새끼굽힘근 Flexor digiti minimi brevis muscle
11 짧은발가락굽힘근 Flexor digitorum brevis muscle
12 긴종아리근힘줄 Tendon of peroneus longus muscle
13 새끼벌림근 Abductor digiti minimi muscle
14 긴엄지굽힘근힘줄
Tendon of flexor hallucis longus muscle
15 짧은엄지굽힘근 Flexor hallucis brevis muscle
16 엄지벌림근 Abductor hallucis muscle
17 발바닥널힘줄(잘림) Plantar aponeurosis (cut)
18 긴종아리근 Peroneus longus muscle
19 짧은종아리근 Peroneus brevis muscle
20 앞정강근 Tibialis anterior muscle
21 긴엄지폄근 Extensor hallucis longus muscle
22 긴발가락폄근 Extensor digitorum longus muscle
23 바닥쪽뼈사이근(파랑)
Plantar interossei muscles (blue)
24 등쪽뼈사이근(빨강)
Dorsal interossei muscles (red)
25 엄지모음근의 가로갈래(파랑)
Transverse head of adductor hallucis muscle (blue)
26 엄지모음근의 빗갈래(파랑)
Oblique head of adductor hallucis muscle (blue)

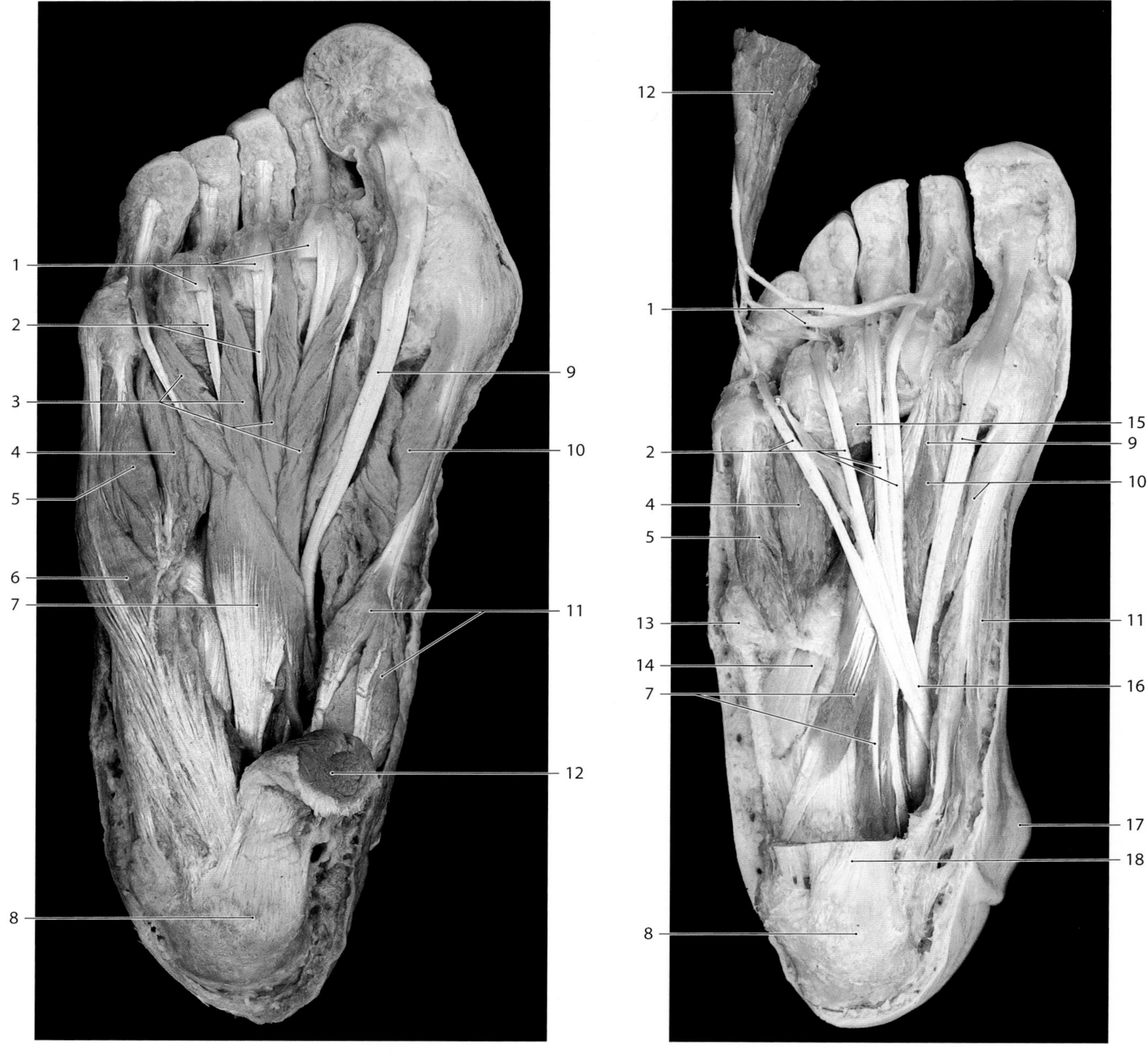

그림 4.95 **발바닥의 근육,** 중간층. 짧은발가락굽힘근을 잘랐다.

그림 4.96 **발바닥의 근육,** 중간층. 굽힘근육힘줄과 교차하는 힘줄이 보인다. 짧은발가락굽힘근을 잘라서 젖혔다.

1 짧은발가락굽힘근힘줄 Tendons of flexor digitorum brevis muscle
2 긴발가락굽힘근힘줄 Tendons of flexor digitorum longus muscle
3 벌레근 Lumbrical muscles
4 뼈사이근 Interossei muscles
5 짧은새끼굽힘근 Flexor digiti minimi brevis muscle
6 새끼벌림근 Abductor digiti minimi muscle
7 발바닥네모근 Quadratus plantae muscle
8 발꿈치뼈융기 Calcaneal tuberosity
9 긴엄지굽힘근힘줄 Tendon of flexor hallucis longus muscle
10 짧은엄지굽힘근 Flexor hallucis brevis muscle
11 엄지벌림근 Abductor hallucis muscle
12 짧은발가락굽힘근(잘림) Flexor digitorum brevis muscle (divided)
13 다섯째발허리뼈거친면 Tuberosity of fifth metatarsal bone
14 긴종아리근힘줄 Tendon of peroneus longus muscle
15 엄지모음근의 가로갈래 Transverse head of adductor hallucis muscle
16 발바닥에서 힘줄의 교차 Crossing of tendons in the sole of foot
17 안쪽복사 Medial malleolus
18 발바닥널힘줄(잘림) Plantar aponeurosis (divided)

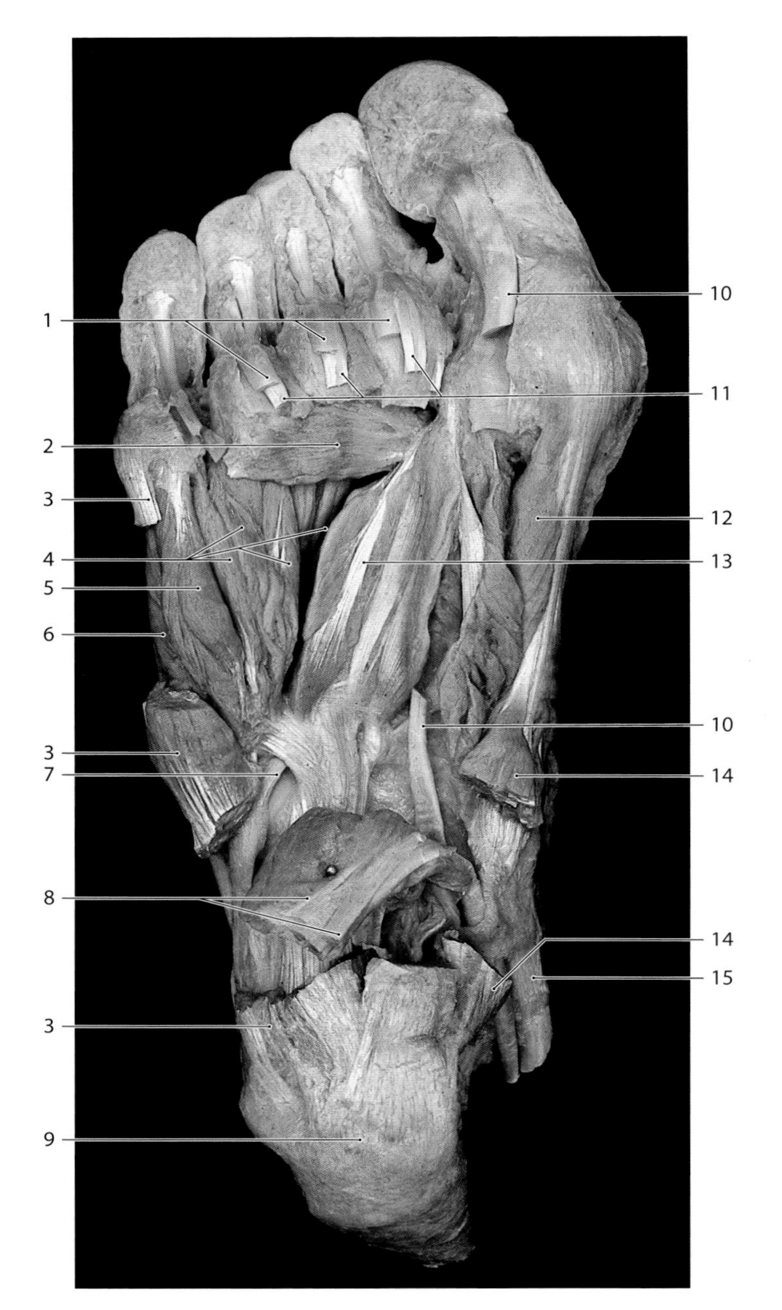

그림 4.97 **발바닥의 근육,** 깊은층. 짧은발가락굽힘근을 제거하고, 발바닥네모근, 엄지벌림근, 새끼벌림근을 잘랐다.

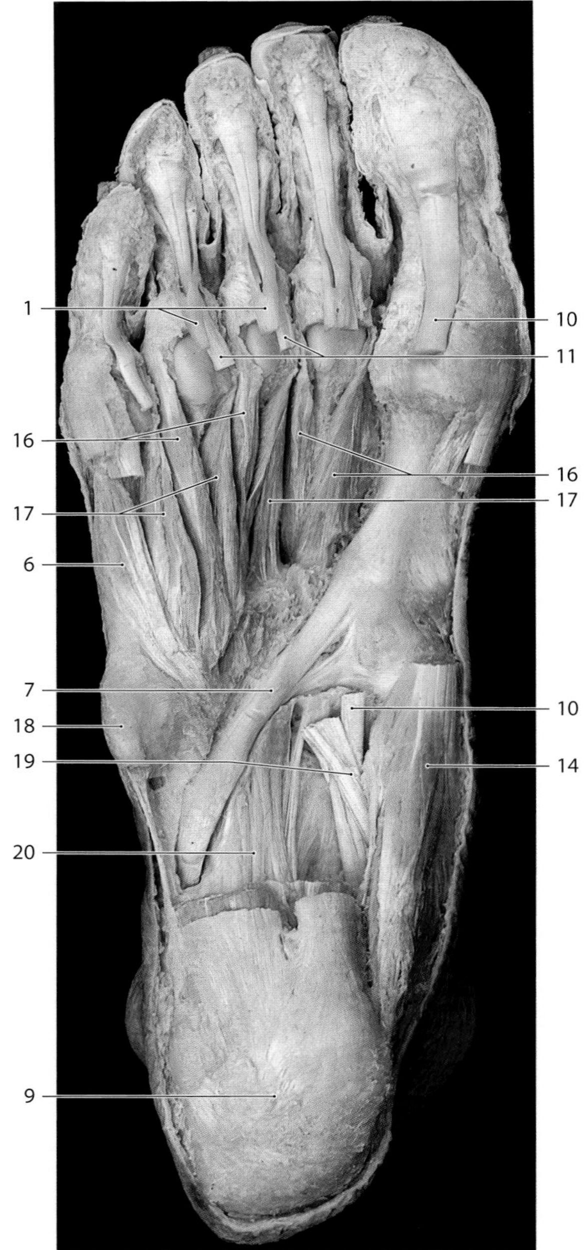

그림 4.98 **발바닥의 근육,** 가장깊은층. 뼈사이근과 함께 긴종아리근 힘줄이 지나는 관이 보인다.

1 짧은발가락굽힘근힘줄 Tendons of flexor digitorum brevis muscle
2 엄지모음근의 가로갈래 Transverse head of adductor hallucis muscle
3 새끼벌림근 Abductor digiti minimi muscle
4 뼈사이근 Interossei muscles
5 짧은새끼굽힘근 Flexor digiti minimi brevis muscle
6 새끼맞섬근 Opponens digiti minimi muscle
7 긴종아리근힘줄 Tendon of peroneus longus muscle
8 발바닥네모근과 긴발가락굽힘근힘줄 Quadratus plantae muscle with tendon of flexor digitorum longus muscle
9 발꿈치뼈융기 Calcaneal tuberosity
10 긴엄지굽힘근힘줄(잘림) Tendon of flexor hallucis longus muscle (divided)
11 긴발가락굽힘근힘줄 Tendons of flexor digitorum longus muscle
12 짧은엄지굽힘근 Flexor hallucis brevis muscle
13 엄지모음근의 빗갈래 Oblique head of adductor hallucis muscle
14 엄지벌림근(잘림) Abductor hallucis muscle (cut)
15 뒤정강근힘줄 Tendon of tibialis posterior muscle
16 등쪽뼈사이근 Dorsal interossei muscles
17 바닥쪽뼈사이근 Plantar interossei muscles
18 다섯째발허리뼈거친면 Tuberosity of fifth metatarsal bone
19 긴발가락굽힘근힘줄(발바닥의 다른 힘줄과 교차) Tendon of flexor digitorum longus muscle (crossing of plantar tendons)
20 긴발바닥인대 Long plantar ligament

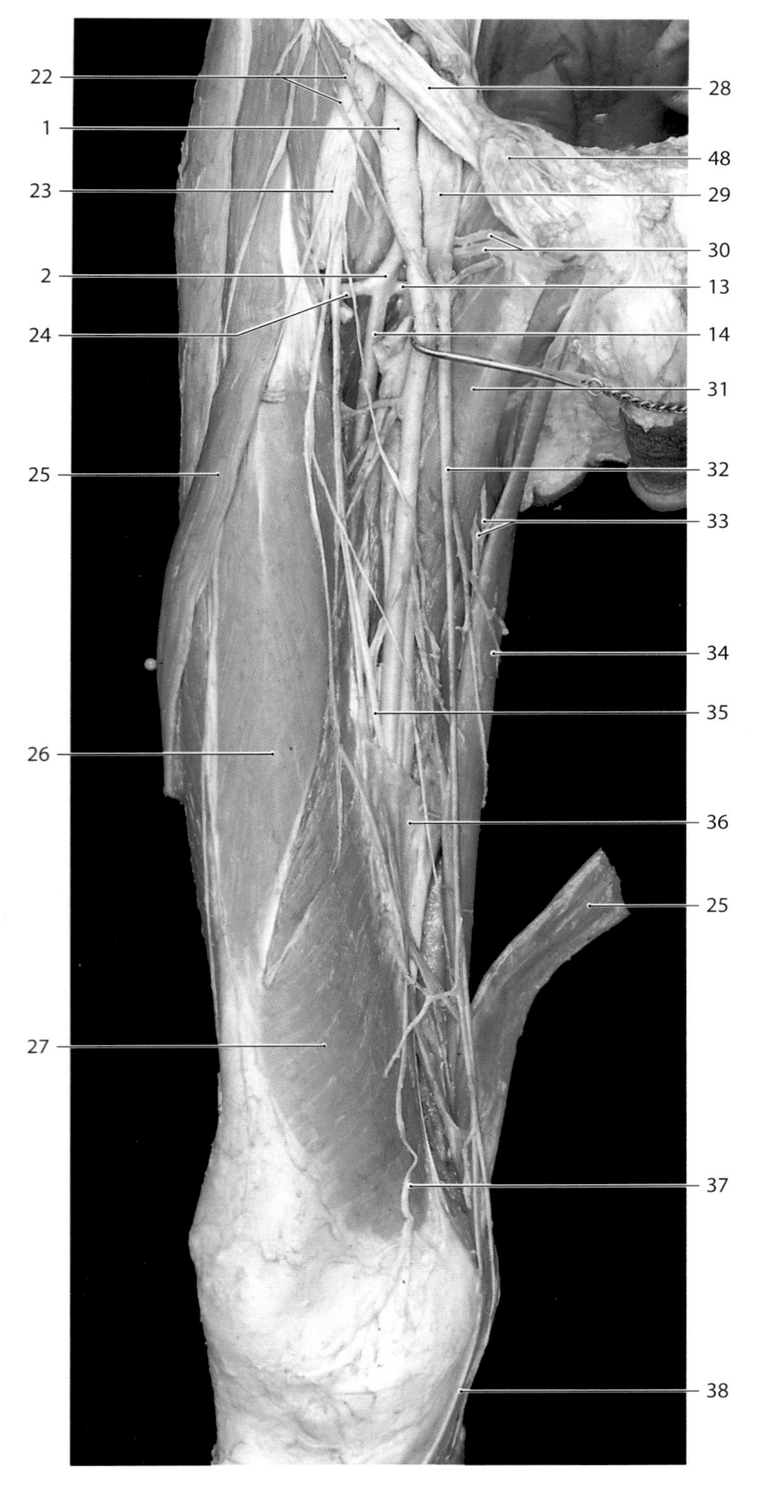

그림 4.99 **넓적다리의 주요 동맥과 신경**(오른쪽, 앞모습). 넓적다리빗근을 잘라서 젖혔다. 넓적다리정맥의 일부를 잘라서 깊은넓적다리동맥을 보여주고 있다. 모음근굴을 지나 다리오금에 닿는 혈관을 확인하시오.

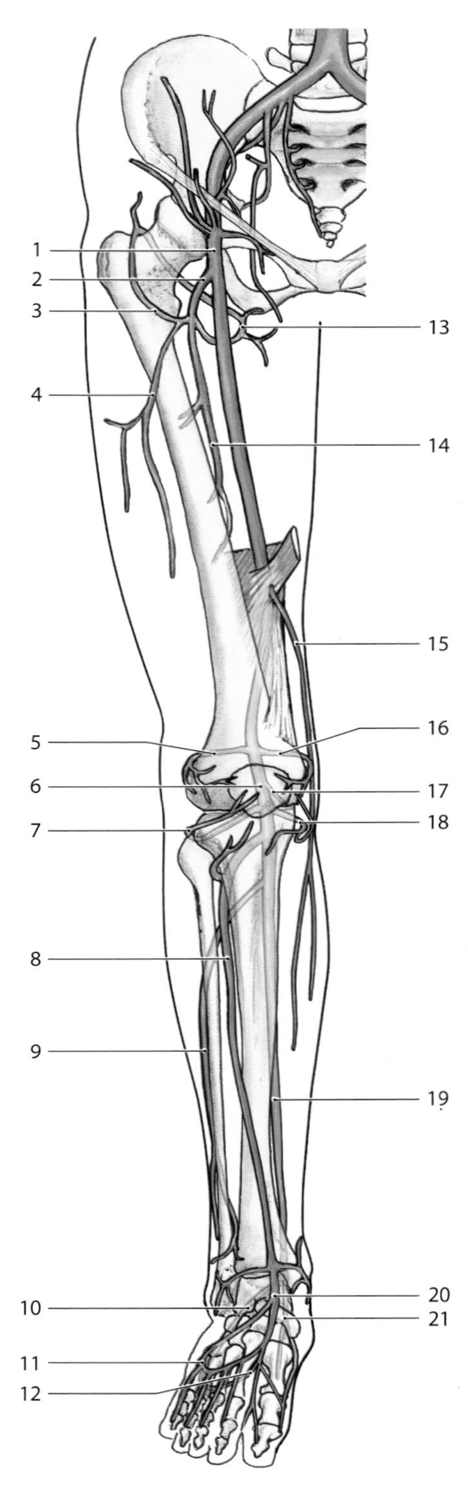

그림 4.100 **다리의 주요 동맥**(앞모습).

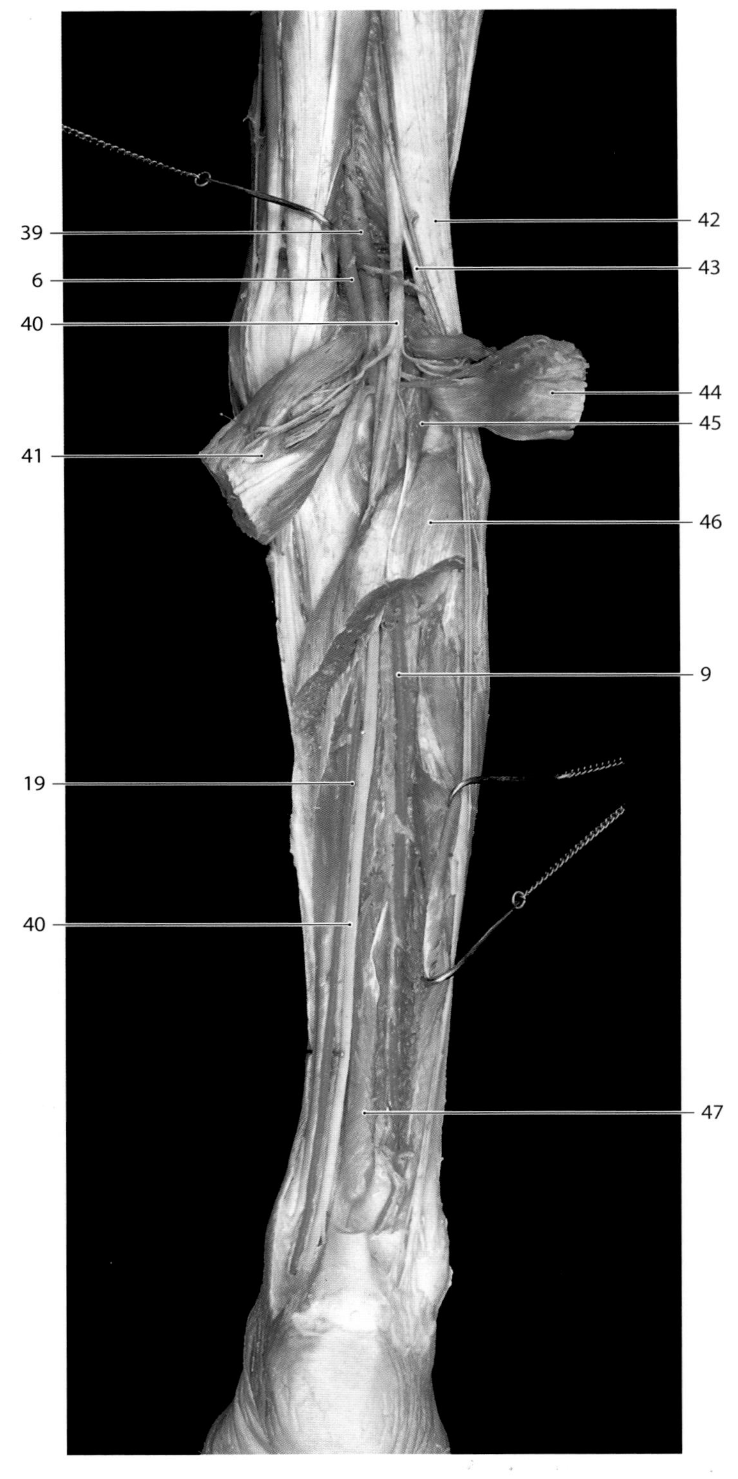

그림 4.101 **종아리의 동맥**(오른쪽, 뒤모습).

1 넓적다리동맥 Femoral artery
2 깊은넓적다리동맥 Deep artery of thigh
3 가쪽넓적다리휘돌이동맥의 오름가지
Ascending branch of lateral circumflex femoral artery
4 가쪽넓적다리휘돌이동맥의 내림가지
Descending branch of lateral circumflex femoral artery
5 가쪽위무릎동맥 Lateral superior genicular artery
6 오금동맥 Popliteal artery
7 가쪽아래무릎동맥 Lateral inferior genicular artery
8 앞정강동맥 Anterior tibial artery
9 종아리동맥 Peroneal artery
10 가쪽발바닥동맥 Lateral plantar artery
11 활꼴동맥과 등쪽발허리동맥
Arcuate artery with dorsal metatarsal arteries
12 발바닥동맥활과 바닥쪽발허리동맥
Plantar arch with plantar metatarsal arteries
13 안쪽넓적다리휘돌이동맥 Medial circumflex femoral artery
14 깊은넓적다리동맥과 관통가지
Deep artery of thigh with perforating arteries
15 내림무릎동맥 Descending genicular artery
16 안쪽위무릎동맥 Medial superior genicular artery
17 중간무릎동맥 Middle genicular artery
18 안쪽아래무릎동맥 Medial inferior genicular artery
19 뒤정강동맥 Posterior tibial artery
20 발등동맥 Dorsalis pedis artery
21 안쪽발바닥동맥 Medial plantar artery
22 얕은 및 깊은엉덩휘돌이동맥
Superficial and deep circumflex iliac arteries
23 넓적다리신경 Femoral nerve
24 가쪽넓적다리휘돌이동맥 Lateral circumflex femoral artery
25 넓적다리빗근(잘라서 젖힘)
Sartorius muscle (cut and reflected)
26 넓적다리곧은근 Rectus femoris muscle
27 안쪽넓은근 Vastus medialis muscle
28 고샅인대 Inguinal ligament
29 넓적다리동맥 Femoral vein
30 바깥음부동맥 및 정맥 External pudendal artery and vein
31 긴모음근 Adductor longus muscle
32 큰두렁정맥 Great saphenous vein
33 폐쇄동맥 및 신경 Obturator artery and nerve
34 두덩정강근 Gracilis muscle
35 두렁신경 Saphenous nerve
36 넓은근모음근막 Vasto-adductor membrane
37 넓적다리신경의 앞피부가지
Anterior cutaneous branch of femoral nerve
38 두렁신경의 무릎아래가지
Infrapatellar branch of saphenous nerve
39 오금정맥 Popliteal vein
40 정강신경 Tibial nerve
41 장딴지근의 안쪽갈래
Medial head of gastrocnemius muscle
42 넓적다리두갈래근 Biceps femoris muscle
43 온종아리신경 Common fibular nerve
44 장딴지근의 가쪽갈래
Lateral head of gastrocnemius muscle
45 장딴지빗근 Plantaris muscle
46 가자미근 Soleus muscle
47 긴엄지굽힘근 Flexor hallucis longus muscle
48 정삭 Spermatic cord

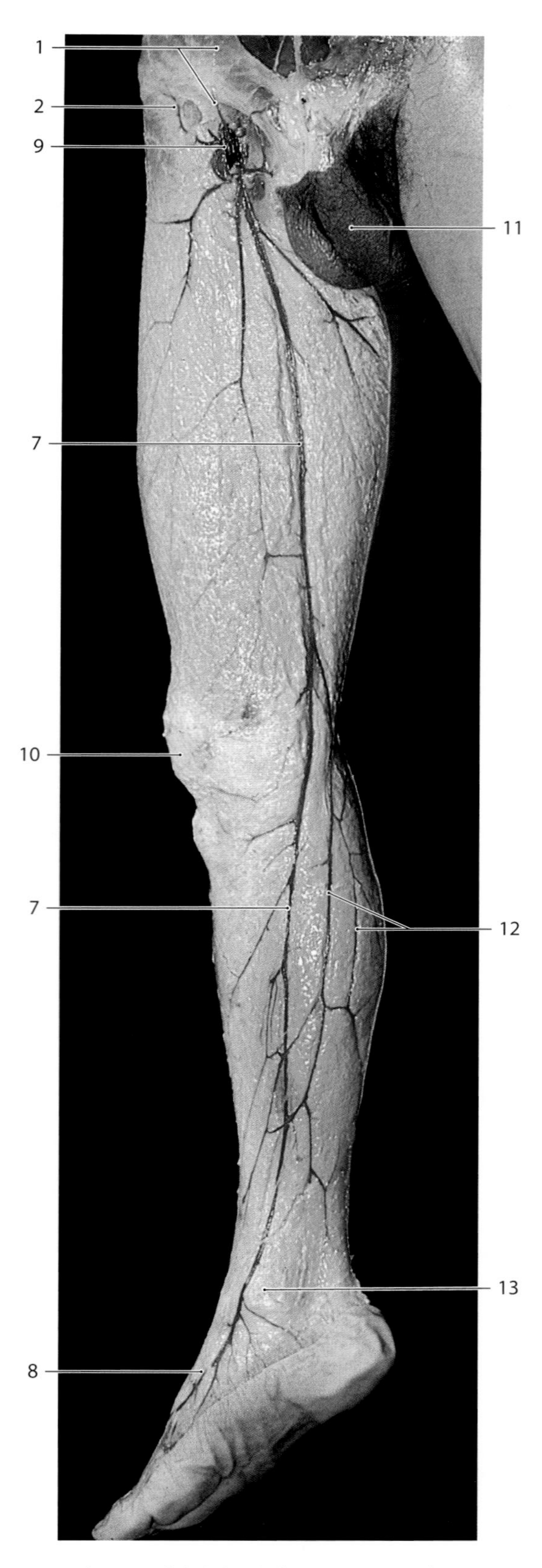

그림 4.102 **다리의 피부정맥**(오른쪽, 안쪽앞모습).
정맥에 빨간색 용액을 주입하였다.

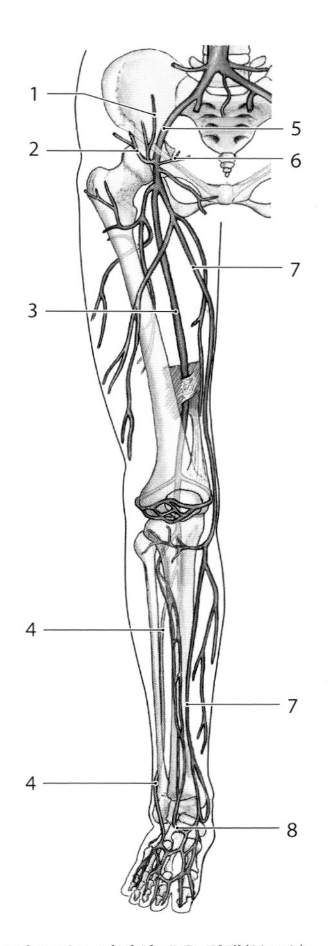

그림 4.103 **다리의 주요 정맥**(앞모습).

1 얕은배벽정맥 Superficial epigastric vein
2 얕은엉덩휘돌이정맥 Superficial circumflex iliac vein
3 넙적다리정맥 Femoral vein
4 작은두렁정맥 Small saphenous vein
5 바깥엉덩정맥 External iliac vein
6 바깥음부정맥 External pudendal vein
7 큰두렁정맥 Great saphenous vein
8 발등정맥활 Dorsal venous arch of foot
9 두렁정맥구멍과 넓적다리정맥 Saphenous opening with femoral vein
10 무릎뼈 Patella
11 음경 Penis
12 큰 및 작은두렁정맥의 연결 Anastomoses between great and small saphenous veins
13 안쪽복사 Medial malleolus
14 두렁신경 Saphenous nerve
15 뒤정강동맥 및 정맥 Posterior tibial artery and veins
16 정강신경 Tibial nerve
17 안쪽발등피부신경 Medial dorsal cutaneous nerve
18 뒤정강정맥 Posterior tibial vein
19 다리오금 Popliteal fossa
20 관통정맥 Perforating veins
21 가쪽복사 Lateral malleolus
22 종아리근막의 얕은층 Superficial layer of crural fascia
23 관통정맥 I-III Perforating veins I-III (of Cockett)
24 정강뼈 Tibia
25 등쪽발가락정맥 Dorsal digital veins of foot
26 발등정맥활 Dorsal venous arch of foot
27 등쪽발허리정맥 Dorsal metatarsal veins
28 앞정강동맥 및 정맥 Anterior tibial artery and vein
29 종아리뼈 Fibula
30 종아리동맥 및 정맥 Peroneal artery and vein
31 종아리근막의 깊은층 Deep layer of crural fascia

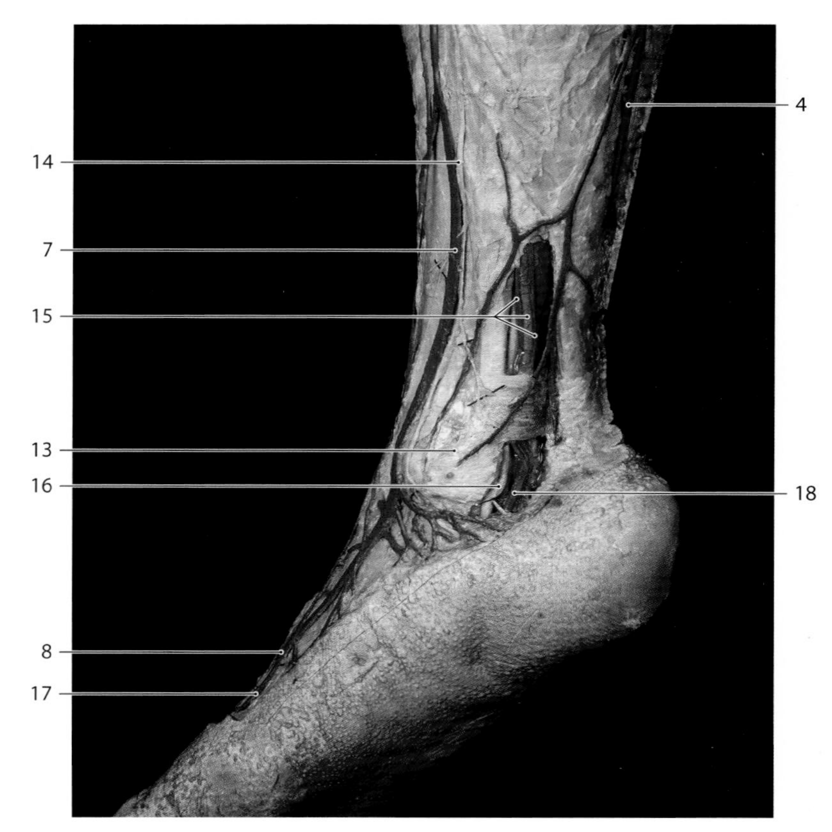

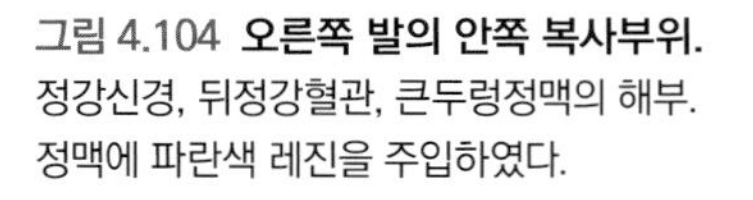

그림 4.104 **오른쪽 발의 안쪽 복사부위.**
정강신경, 뒤정강혈관, 큰두렁정맥의 해부.
정맥에 파란색 레진을 주입하였다.

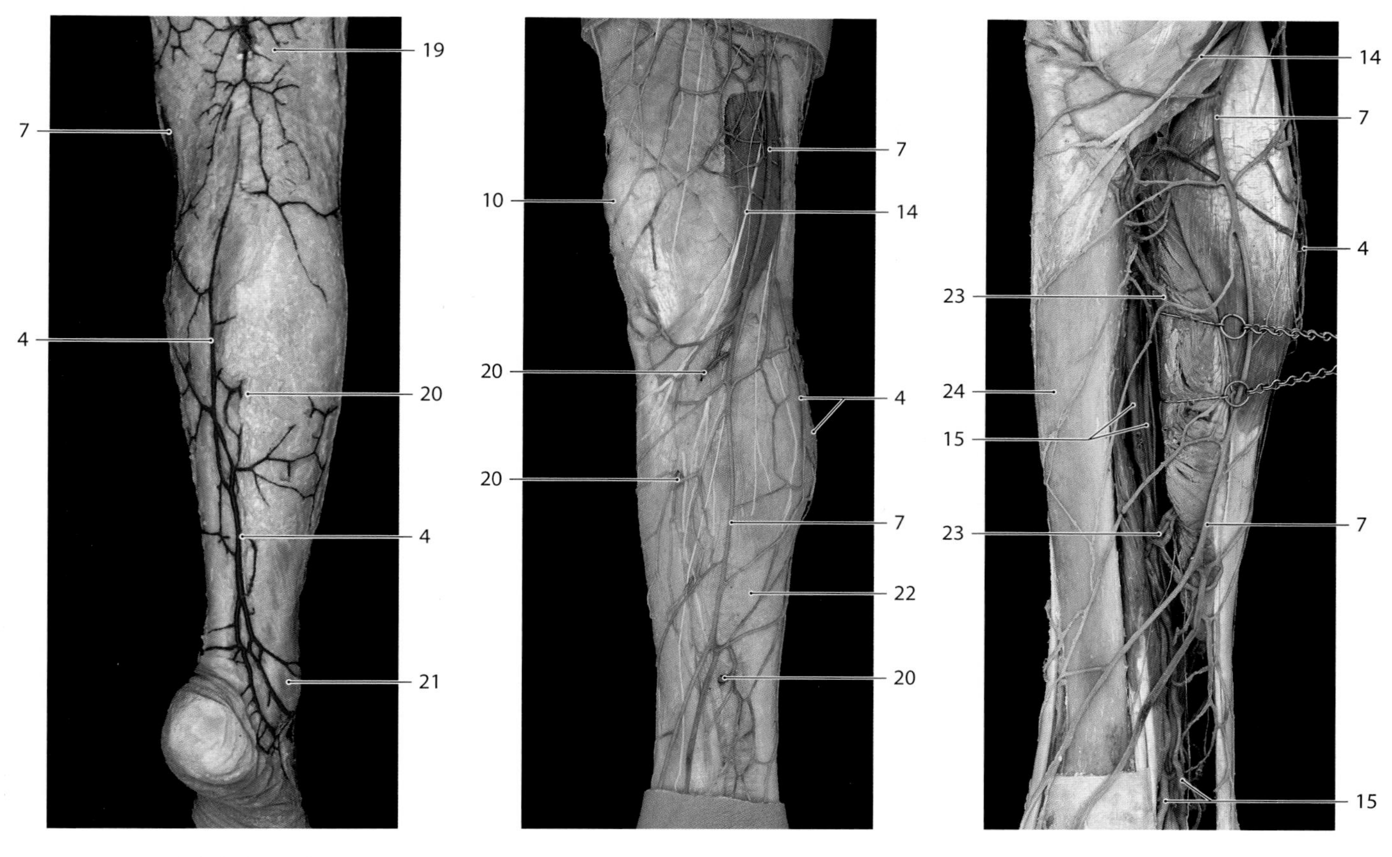

그림 4.105 **종아리의 피부정맥**(오른쪽, 뒤모습). 정맥에 파란색 레진을 주입하였다.

그림 4.106 **종아리의 피부정맥**(오른쪽, 안쪽모습). Cockett 관통정맥을 해부하였다.

그림 4.107 **종아리의 정맥**(오른쪽, 안쪽모습). 피부정맥과 깊은정맥의 연결을 볼 수 있다.

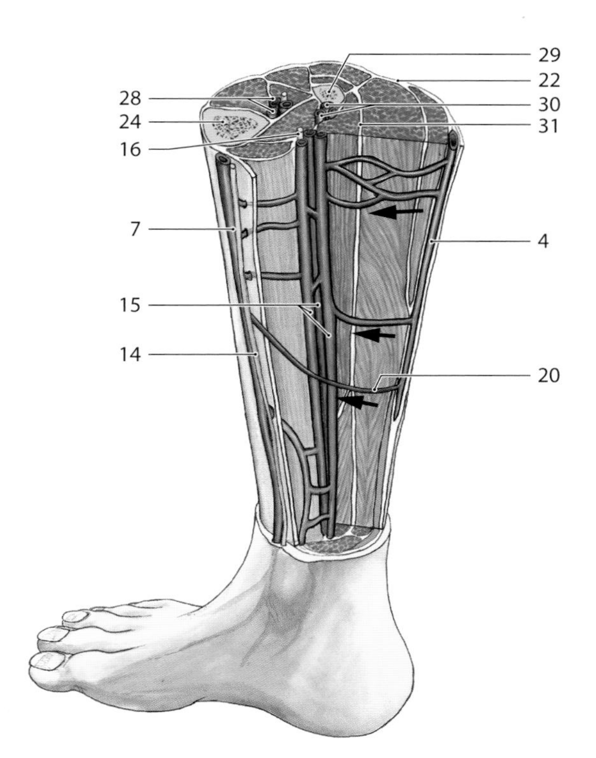

그림 4.108 **종아리의 피부정맥과 깊은정맥 사이의 연결.** 화살표: 혈류의 방향

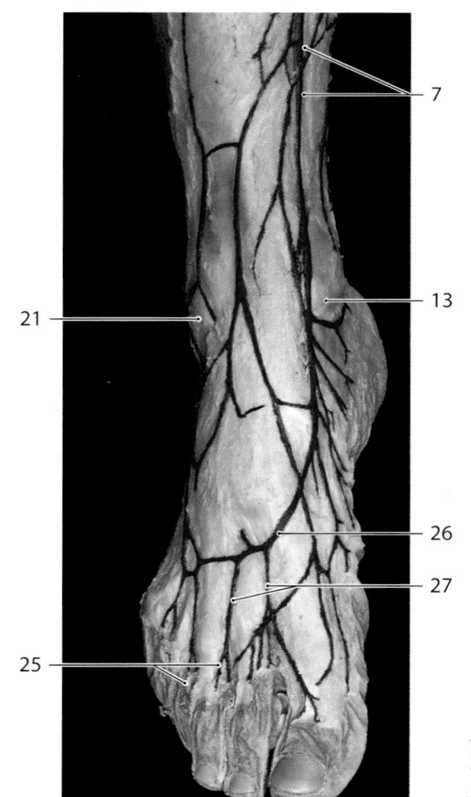

그림 4.109 **오른쪽 발등의 피부정맥.** 정맥에 파란색 레진을 주입하였다.

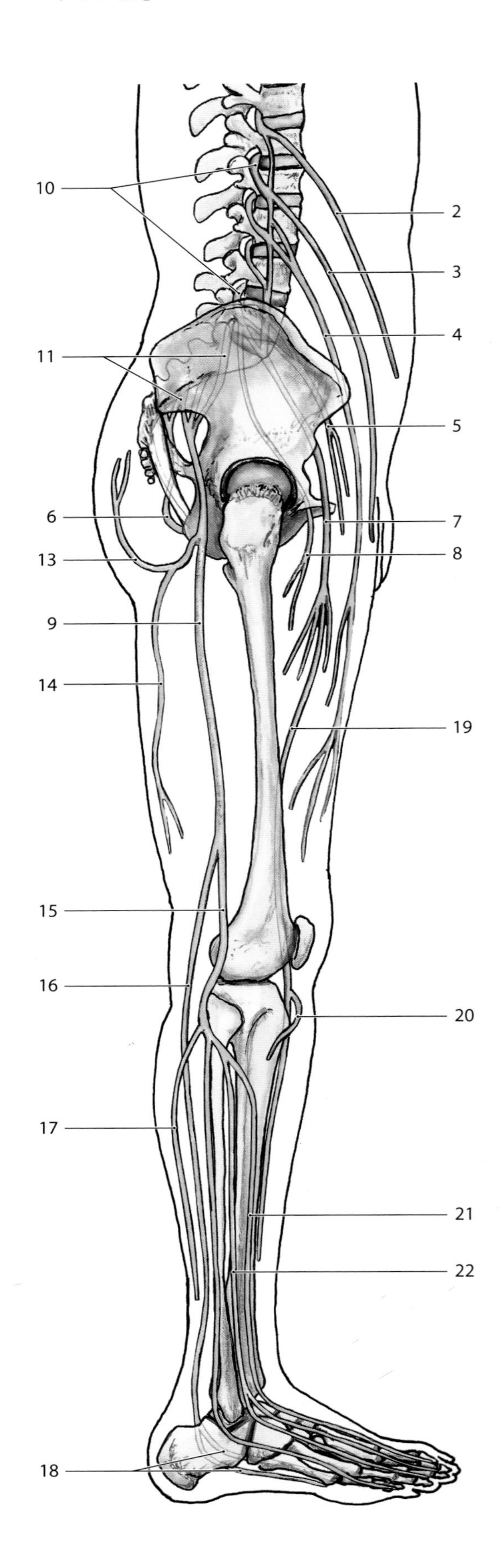

그림 4.110 **다리의 신경**(가쪽모습).

1 갈비밑신경 Subcostal nerve
2 엉덩아랫배신경 Iliohypogastric nerve
3 엉덩고샅신경 Ilio-inguinal nerve
4 가쪽넓적다리피부신경 Lateral femoral cutaneous nerve
5 음부넓적다리신경 Genitofemoral nerve
6 음부신경 Pudendal nerve
7 넓적다리신경 Femoral nerve
8 폐쇄신경 Obturator nerve
9 궁둥신경 Sciatic nerve
10 허리신경얼기 Lumbar plexus (L1-L4)
11 엉치신경얼기 Sacral plexus (L4-S4)
12 음부신경얼기 "Pudendal" plexus (S2-S4)
(10–12: 허리엉치신경얼기 lumbosacral plexus)
13 아래볼기피부신경 Inferior cluneal nerves
14 뒤넓적다리피부신경 Posterior femoral cutaneous nerve
15 온종아리신경 Common fibular nerve
16 정강신경 Tibial nerve
17 가쪽장딴지피부신경 Lateral sural cutaneous nerve
18 안쪽 및 가쪽발바닥신경 Medial and lateral plantar nerves
19 두렁신경 Saphenous nerve
20 두렁신경의 무릎아래가지 Infrapatellar branch of saphenous nerve
21 깊은종아리신경 Deep fibular nerve
22 얕은종아리신경 Superficial fibular nerve
23 엉덩아랫배신경의 앞피부가지 Anterior cutaneous branch of iliohypogastric nerve
24 엉덩아랫배신경의 가쪽피부가지 Lateral cutaneous branch of iliohypogastric nerve
25 음부넓적다리신경의 넓적다리가지 Femoral branch of genitofemoral nerve
26 갈비사이신경의 가쪽피부가지 Lateral cutaneous branches of intercostal nerves
27 갈비사이신경의 앞쪽피부가지 Anterior cutaneous branches of intercostal nerves
28 음부넓적다리신경의 음부가지 Genital branch of genitofemoral nerve
29 앞음낭신경 Anterior scrotal nerves

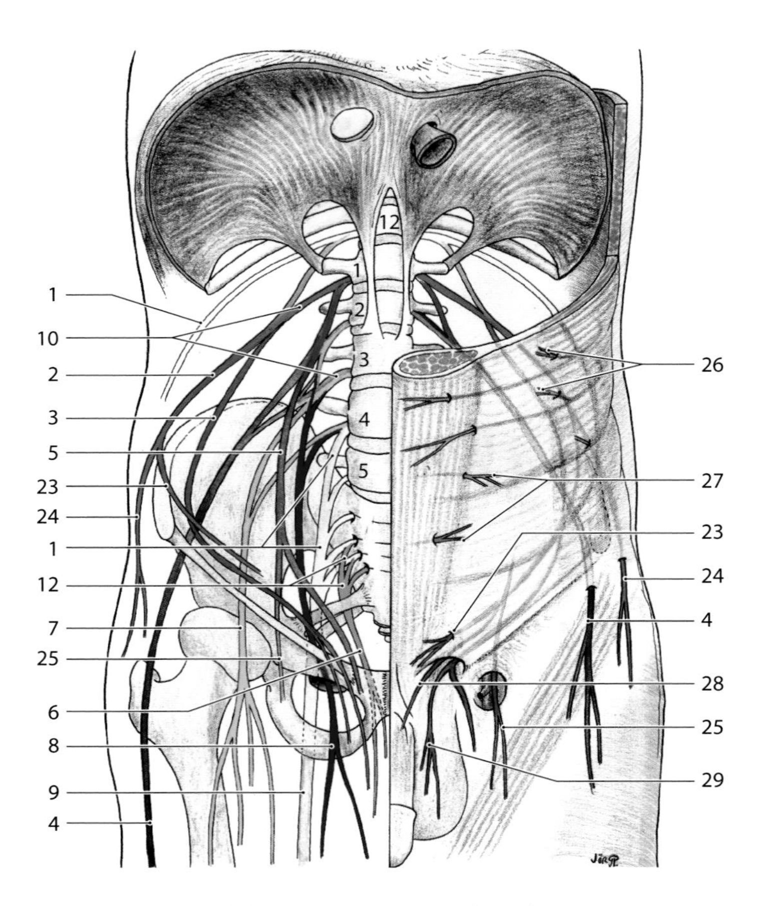

그림 4.111 **허리엉치신경얼기의 주요 가지**(앞모습).

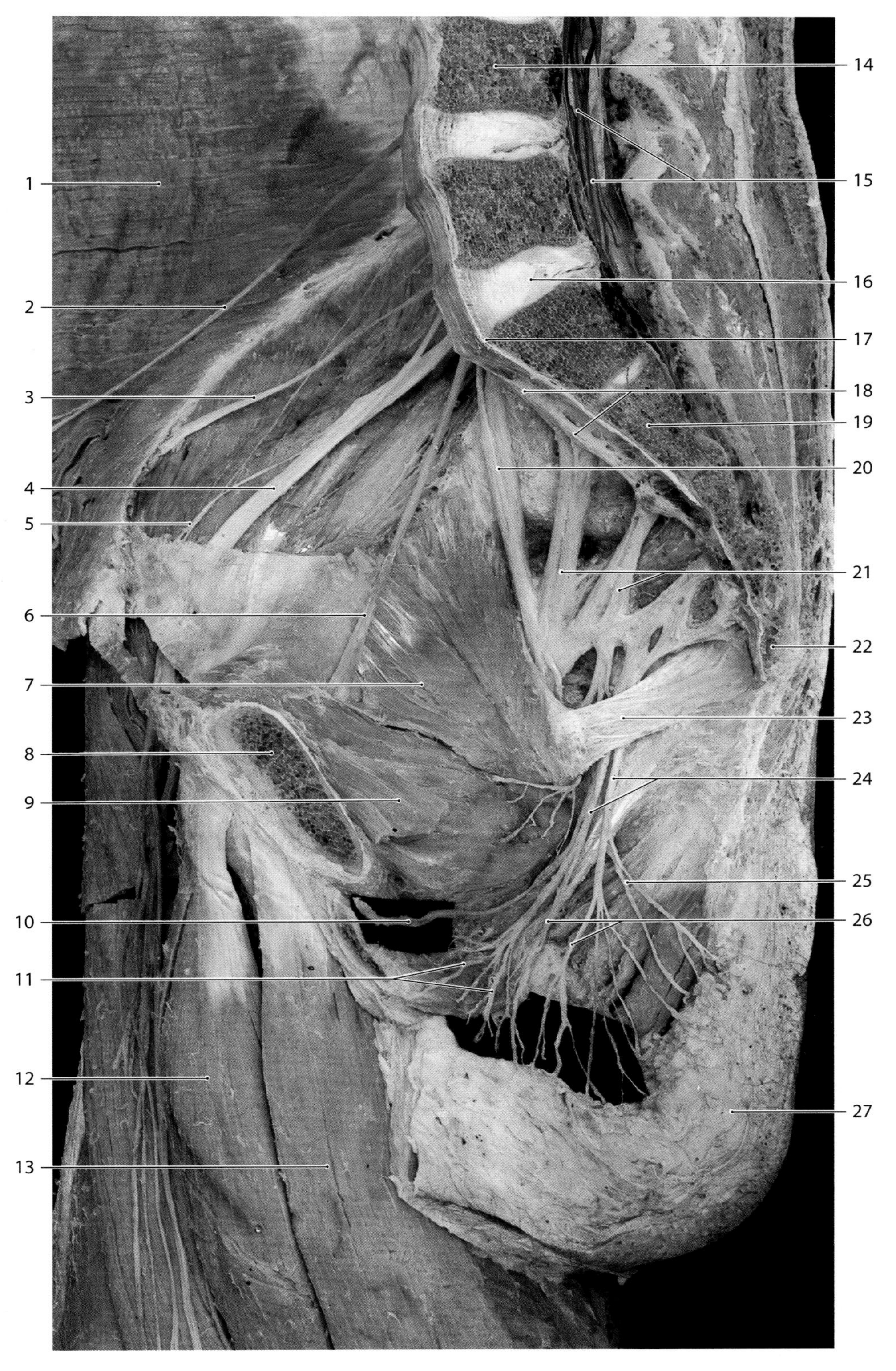

1 배가로근 Transverse abdominal muscle
2 엉덩아랫배신경 Iliohypogastric nerve
3 엉덩고샅신경 Ilio-inguinal nerve
4 넓적다리신경 Femoral nerve
5 가쪽넓적다리피부신경 Lateral femoral cutaneous nerve
6 폐쇄신경 Obturator nerve
7 속폐쇄근 Obturator internus muscle
8 두덩뼈 Pubis (cut edge)
9 항문올림근(남은 부분) Levator ani muscle (remnant)
10 음경등신경 Dorsal nerve of penis
11 음부신경의 뒤음낭신경 Posterior scrotal nerves of pudendal nerve
12 긴모음근 Adductor longus muscle
13 두덩정강근 Gracilis muscle
14 넷째허리뼈몸통 Body of fourth lumbar vertebra
15 말총 Cauda equina
16 척추사이원반 Intervertebral disc
17 엉치뼈곶 Sacral promontory
18 교감신경줄기 Sympathetic trunk
19 엉치뼈 Sacrum
20 허리엉치신경줄기 Lumbosacral trunk
21 엉치신경얼기 Sacral plexus
22 꼬리뼈 Coccyx
23 엉치가시인대 Sacrospinous ligament
24 음부신경 Pudendal nerve
25 아래곧창자신경 Inferior rectal nerves
26 음부신경의 샅신경 Perineal nerves of pudendal nerve
27 볼기부위의 피부밑지방조직 Subcutaneous fat tissue of gluteal region

그림 4.112 **허리엉치신경얼기**(오른쪽, 안쪽모습). 복막과 골반기관 그리고 항문올림근 일부를 제거하였다.

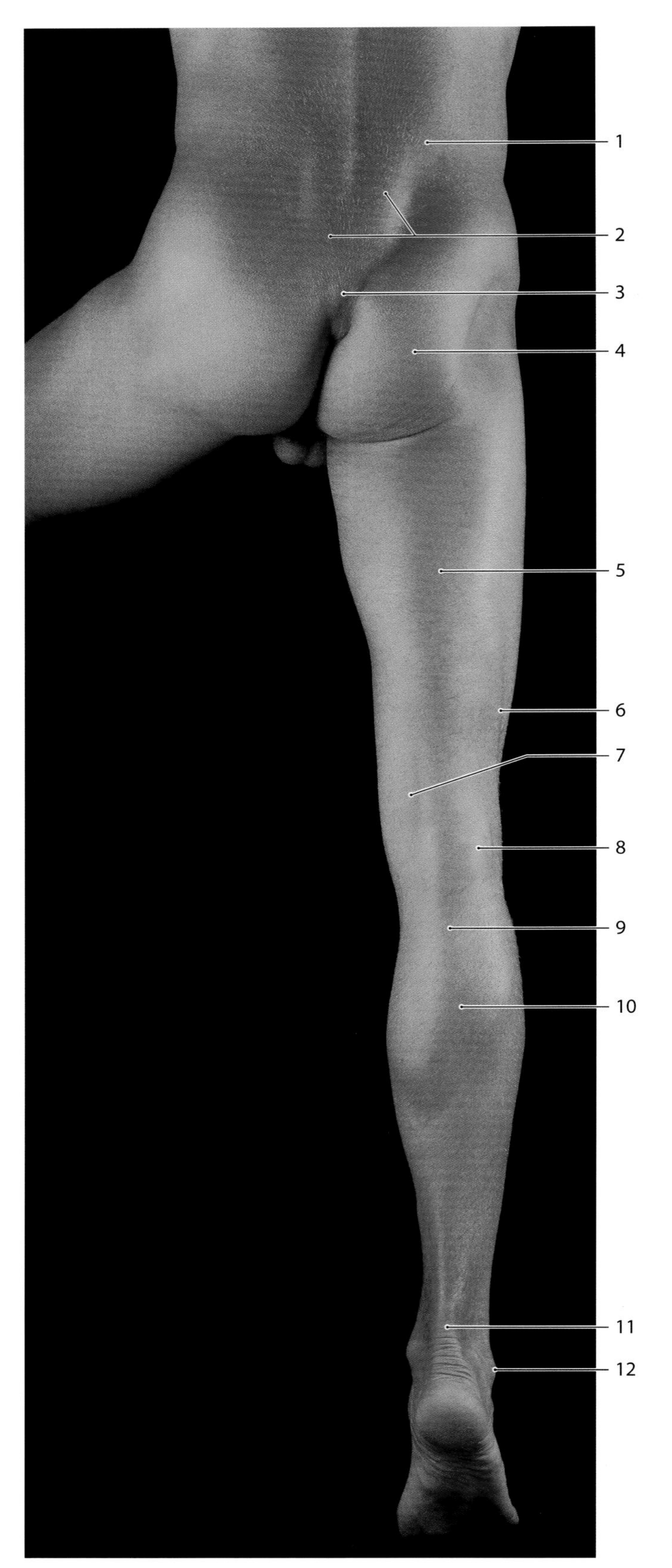

그림 4.113 **다리의 표면해부학**(오른쪽, 뒤모습). 볼기근육이 수축되어 있다.

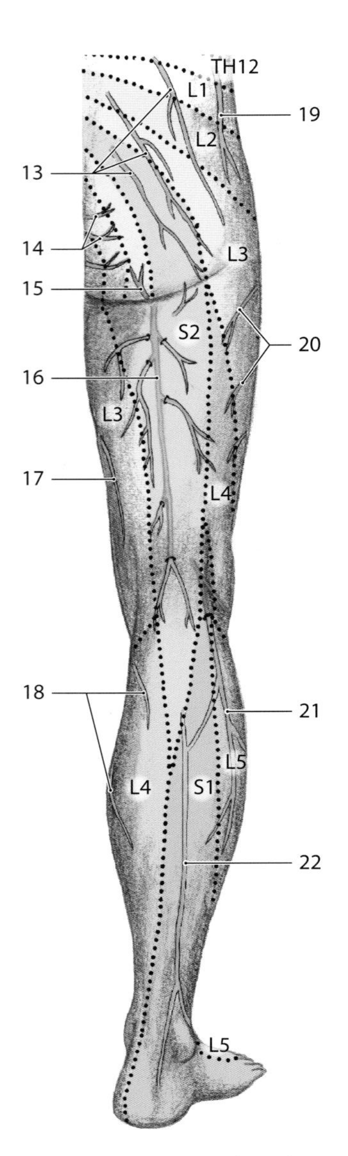

그림 4.114 **다리의 피부신경**(뒤모습).
점선 = 피부분절의 경계.

1 엉덩뼈능선 Iliac crest
2 엉치뼈 Sacrum
3 꼬리뼈 Coccyx
4 큰볼기근 Gluteus maximus muscle
5 궁둥종아리근육 Ischiocrural muscles
6 엉덩정강띠 Iliotibial tract
7 반막근힘줄 Tendon of semimembranosus muscle
8 넓적다리두갈래근힘줄 Tendon of biceps femoris muscle
9 다리오금 Popliteal fossa
10 장딴지세갈래근 Triceps surae muscle
11 발꿈치힘줄(아킬레스힘줄) Calcaneal or Achilles tendon
12 가쪽복사 Lateral malleolus
13 위볼기피부신경 Superior cluneal nerves
14 중간볼기피부신경 Middle cluneal nerves
15 아래볼기피부신경 Inferior cluneal nerves
16 뒤넓적다리피부신경 Posterior femoral cutaneous nerve
17 폐쇄신경 Obturator nerve
18 두렁신경 Saphenous nerve
19 엉덩아랫배신경 Iliohypogastric nerve
20 가쪽넓적다리피부신경 Lateral femoral cutaneous nerves
21 온종아리신경 Common fibular nerve
22 장딴지신경 Sural nerve

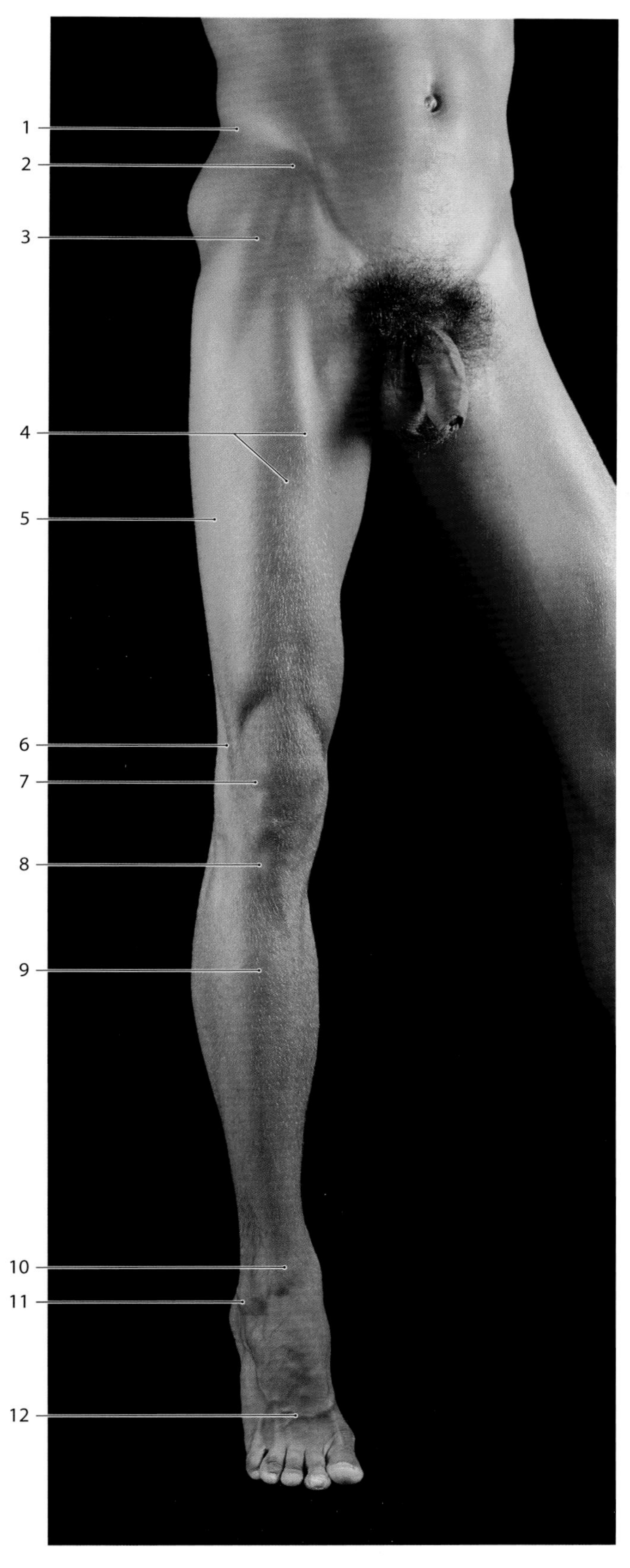

그림 4.115 **다리의 표면해부학**(오른쪽, 앞모습).

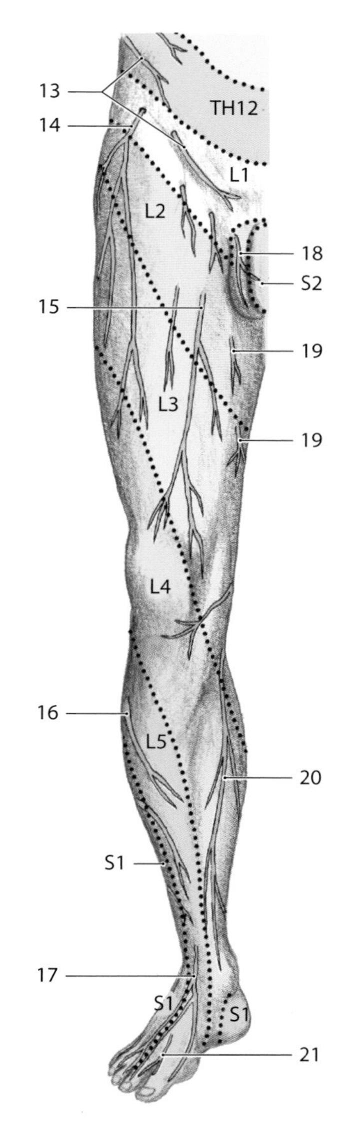

그림 4.116 **다리의 피부신경**(앞모습).
점선 = 피부분절의 경계.

1 엉덩뼈능선 Iliac crest
2 앞위엉덩뼈가시
Anterior superior iliac spine
3 넓적다리근막긴장근
Tensor fasciae latae muscle
4 넓적다리네갈래근
Quadriceps femoris muscle
5 엉덩정강띠 Iliotibial tract
6 넓적다리두갈래근힘줄
Tendon of biceps femoris muscle
7 무릎뼈 Patella
8 무릎뼈인대 Patellar ligament
9 정강뼈 Tibia
10 앞정강근힘줄
Tendon of tibialis anterior muscle
11 가쪽복사 Lateral malleolus
12 발등정맥활
Dorsal venous arch of foot
13 엉덩아랫배신경
Iliohypogastric nerve
14 가쪽넓적다리피부신경
Lateral femoral cutaneous nerve
15 넓적다리신경 Femoral nerve
16 온종아리신경
Common fibular nerve
17 얕은종아리신경
Superficial fibular nerve
18 엉덩고샅신경 Ilio-inguinal nerve
19 폐쇄신경 Obturator nerve
20 두렁신경 Saphenous nerve
21 깊은종아리신경
Deep fibular nerve

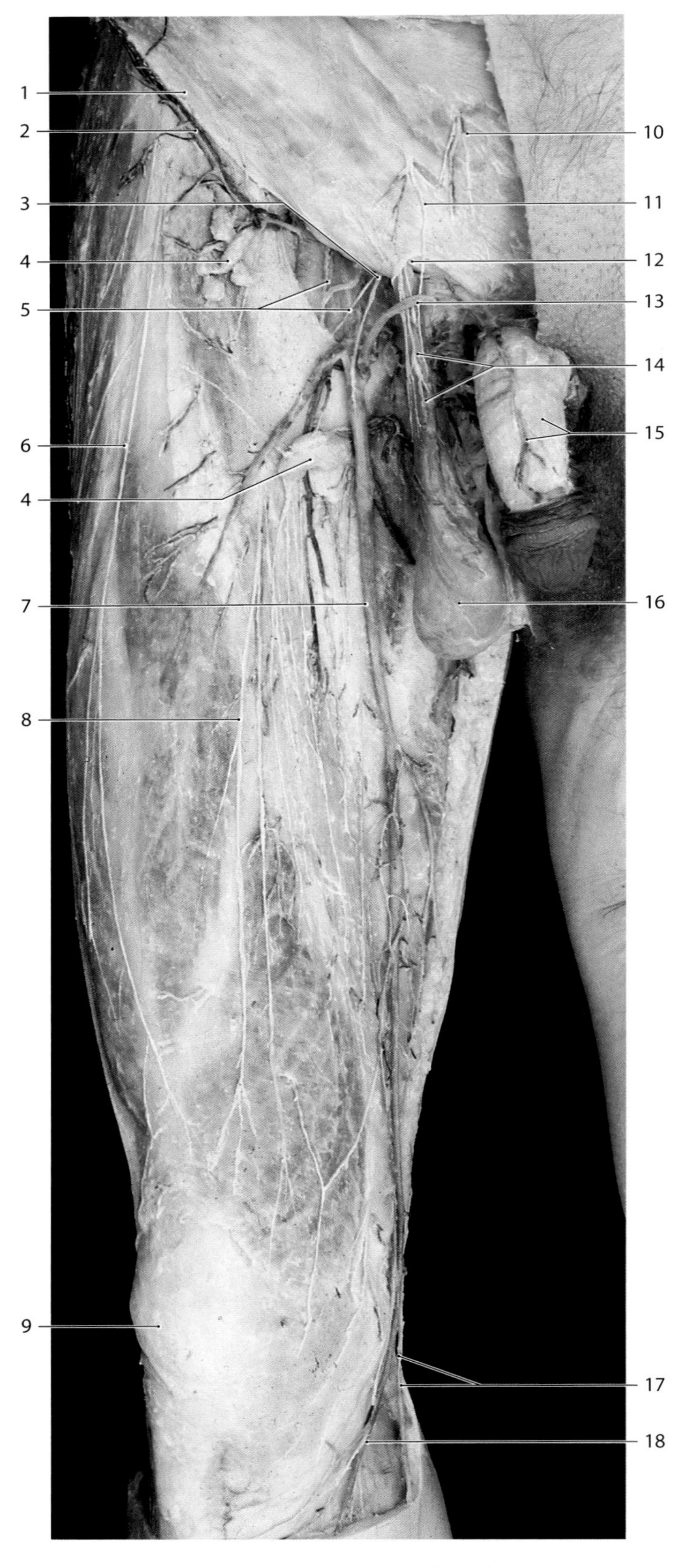

그림 4.117 **넓적다리 앞부위,** 피부신경과 피부정맥(오른쪽).

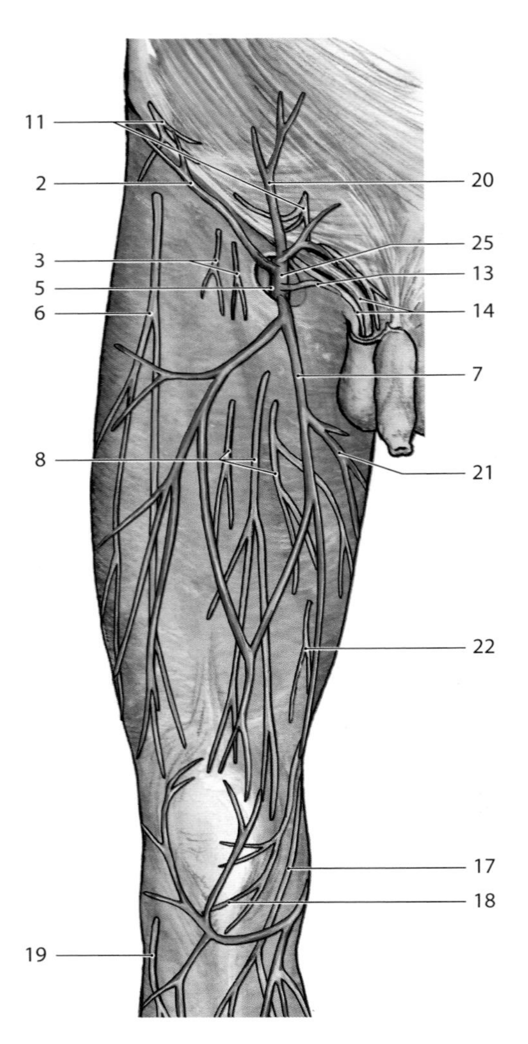

그림 4.118 **넓적다리 앞부위,** 피부신경과 피부정맥 (오른쪽; 그림 4.117과 일치)

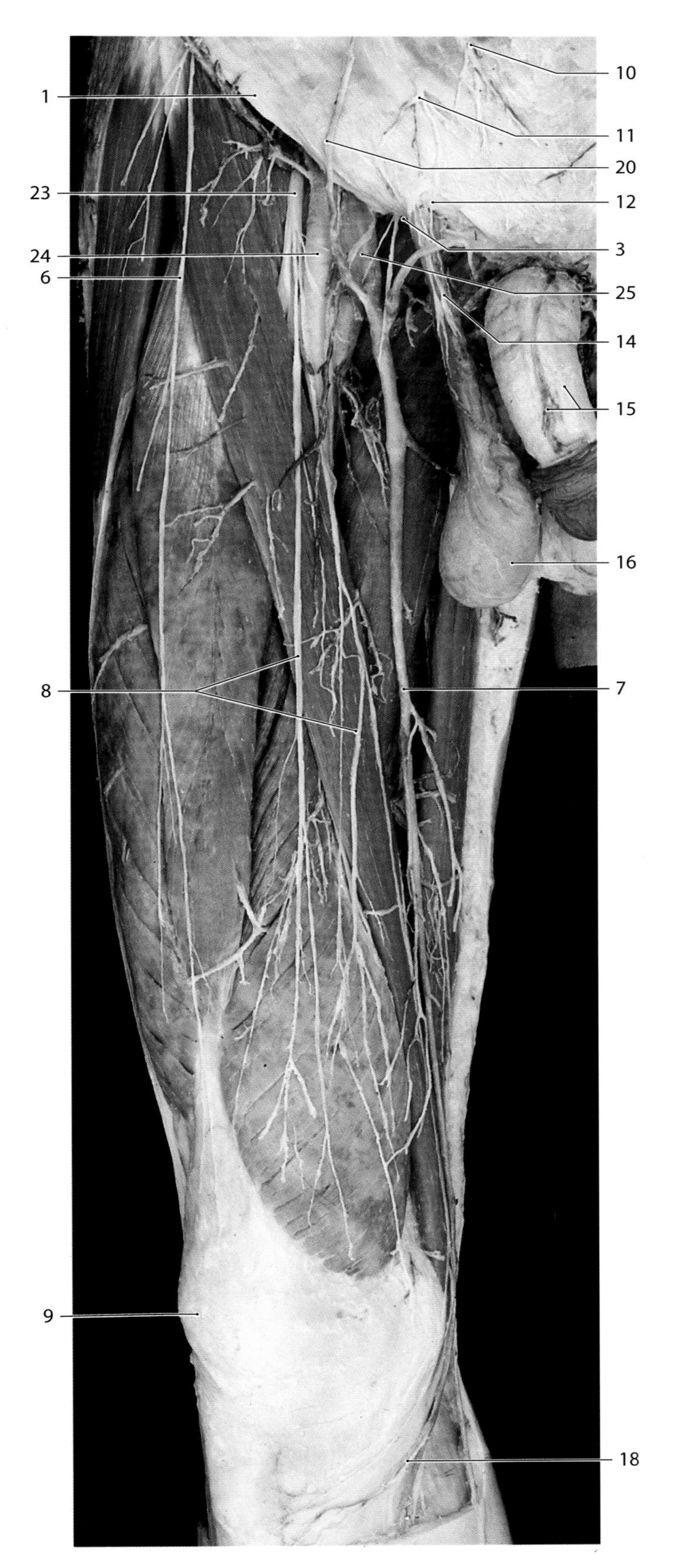

그림 4.119 **넓적다리 앞부위,** 피부신경과 피부정맥(오른쪽). 넓적다리 근막과 근육의 근막을 제거하였다.

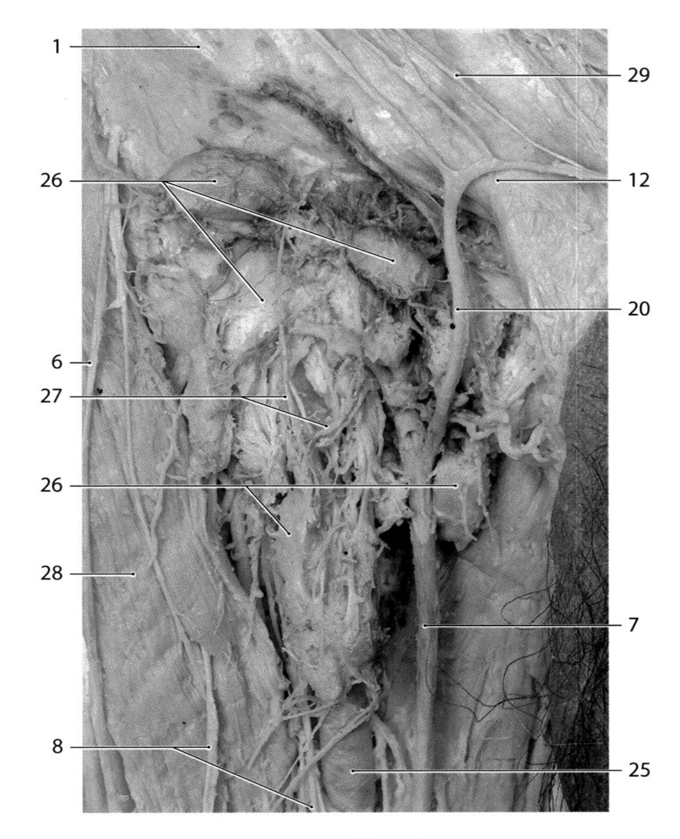

그림 4.120 **고샅림프절과 림프관**(앞모습).

1 고샅인대 Inguinal ligament
2 얕은엉덩휘돌이정맥 Superficial circumflex iliac vein
3 음부넓적다리신경의 넓적다리가지 Femoral branch of genitofemoral nerve
4 얕은고샅림프절 Superficial inguinal lymph nodes
5 두렁정맥구멍과 넓적다리동맥 및 정맥 Saphenous opening with femoral artery and vein
6 가쪽넓적다리피부신경 Lateral femoral cutaneous nerve
7 큰두렁정맥 Great saphenous vein
8 넓적다리신경의 앞쪽피부가지 Anterior cutaneous branches of femoral nerve
9 무릎뼈 Patella
10 갈비밑신경의 종말가지 Terminal branches of subcostal nerve
11 엉덩아랫배신경의 종말가지 Terminal branches of iliohypogastric nerve
12 얕은고샅구멍 Superficial inguinal ring
13 바깥음부정맥 External pudendal vein
14 정삭과 음부넓적다리신경의 음부가지 Spermatic cord with genital branch of genitofemoral nerve
15 음경과 얕은음경등정맥 Penis with superficial dorsal vein of penis
16 고환과 덮개 Testis and its coverings
17 두렁신경 Saphenous nerve
18 두렁신경의 무릎아래가지 Infrapatellar branch of saphenous nerve
19 가쪽장딴지피부신경 Lateral sural cutaneous nerve
20 얕은배벽정맥 Superficial epigastric vein
21 덧두렁정맥 Accessory saphenous vein
22 폐쇄신경의 피부가지 Cutaneous branch of obturator nerve
23 넓적다리신경 Femoral nerve
24 넓적다리동맥 Femoral artery
25 넓적다리정맥 Femoral vein
26 얕은 및 아래고샅림프절(커져 있음) Superficial and inferior inguinal lymph nodes (enlarged)
27 림프관 Lymphatic vessels
28 넓적다리빗근 Sartorius muscle
29 엉덩아랫배신경 Iliohypogastric nerve

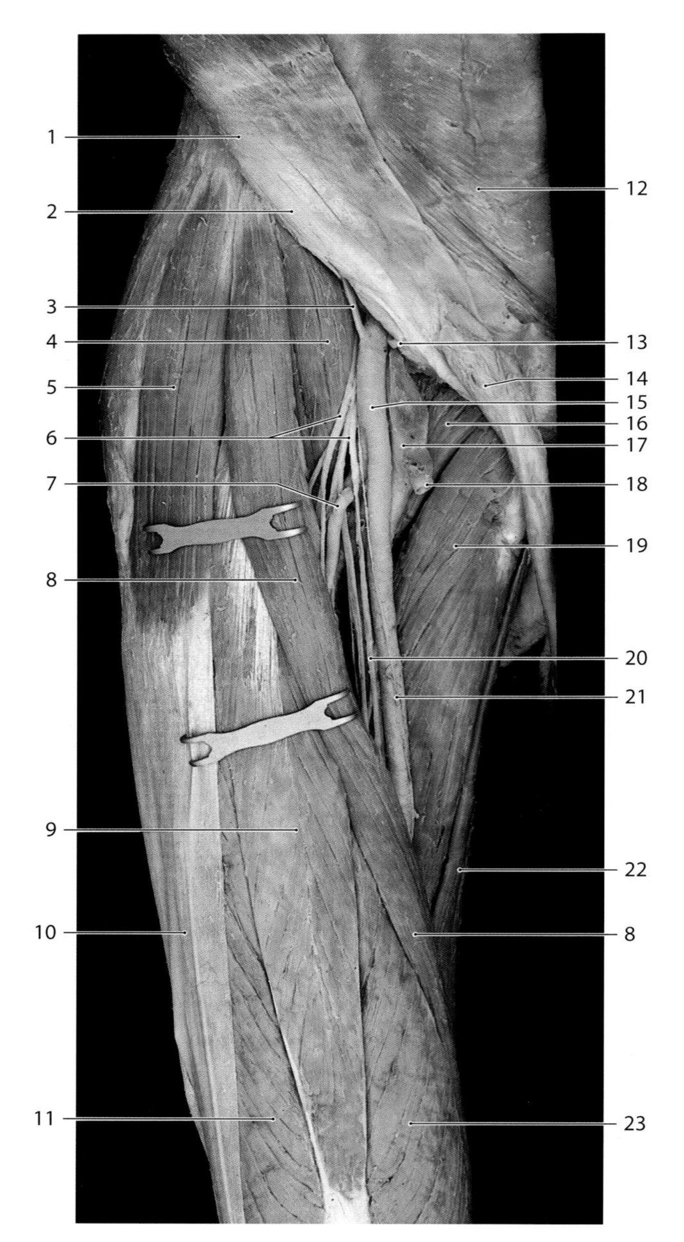

그림 4.121 **넓적다리의 앞부위**(오른쪽, 앞모습). 넓적다리근막을 제거하여 넓적다리빗근을 약간 젖혔다.

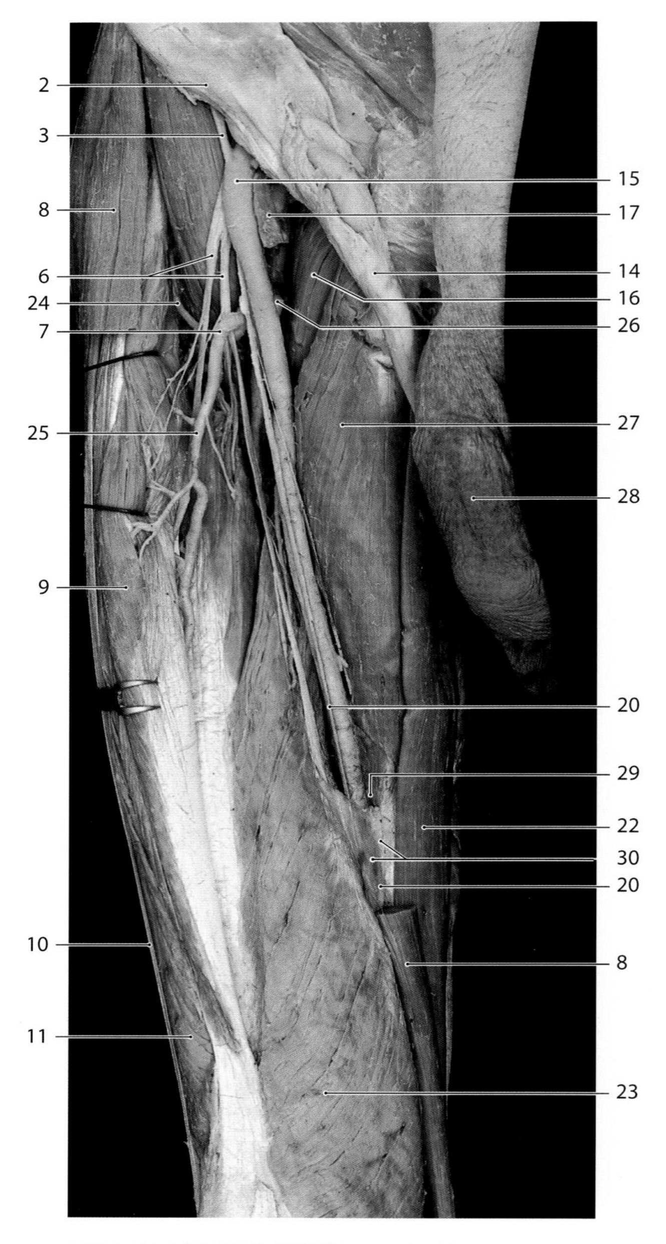

그림 4.122 **넓적다리의 앞부위**(오른쪽, 앞모습). 넓적다리근막을 제거하고 넓적다리빗근을 잘랐다.

1 앞위엉덩가시 Anterior superior iliac spine
2 고샅인대 Inguinal ligament
3 깊은엉덩휘돌이동맥 Deep circumflex iliac artery
4 엉덩허리근 Iliopsoas muscle
5 넓적다리근막긴장근 Tensor fasciae latae muscle
6 넓적다리신경 Femoral nerve
7 가쪽넓적다리휘돌이동맥 Lateral circumflex femoral artery
8 넓적다리빗근 Sartorius muscle
9 넓적다리곧은근 Rectus femoris muscle
10 엉덩정강띠 Iliotibial tract
11 가쪽넓은근 Vastus lateralis muscle
12 배곧은근집의 앞층 Anterior sheath of rectus abdominis muscle
13 아래배벽동맥 Inferior epigastric artery
14 정삭 Spermatic cord
15 넓적다리동맥 Femoral artery
16 두덩근 Pectineus muscle
17 넓적다리정맥 Femoral vein
18 큰두렁정맥(잘림) Great saphenous vein (divided)
19 긴모음근 Adductor longus muscle
20 두렁신경 Saphenous nerve
21 넓적다리신경의 근육가지 Muscular branch of femoral nerve
22 두덩정강근 Gracilis muscle
23 안쪽넓은근 Vastus medialis muscle
24 가쪽넓적다리휘돌이동맥의 오름가지
Ascending branch of lateral circumflex femoral artery
25 가쪽넓적다리휘돌이동맥의 내림가지
Descending branch of lateral circumflex femoral artery
26 안쪽넓적다리휘돌이동맥 Medial circumflex femoral artery
27 긴모음근 Adductor longus muscle
28 음경 Penis
29 모음근관의 입구 Entrance to adductor canal
30 넓적다리빗근 아래의 넓은근모음근막
Vasto-adductor membrane of fascia beneath sartorius muscle

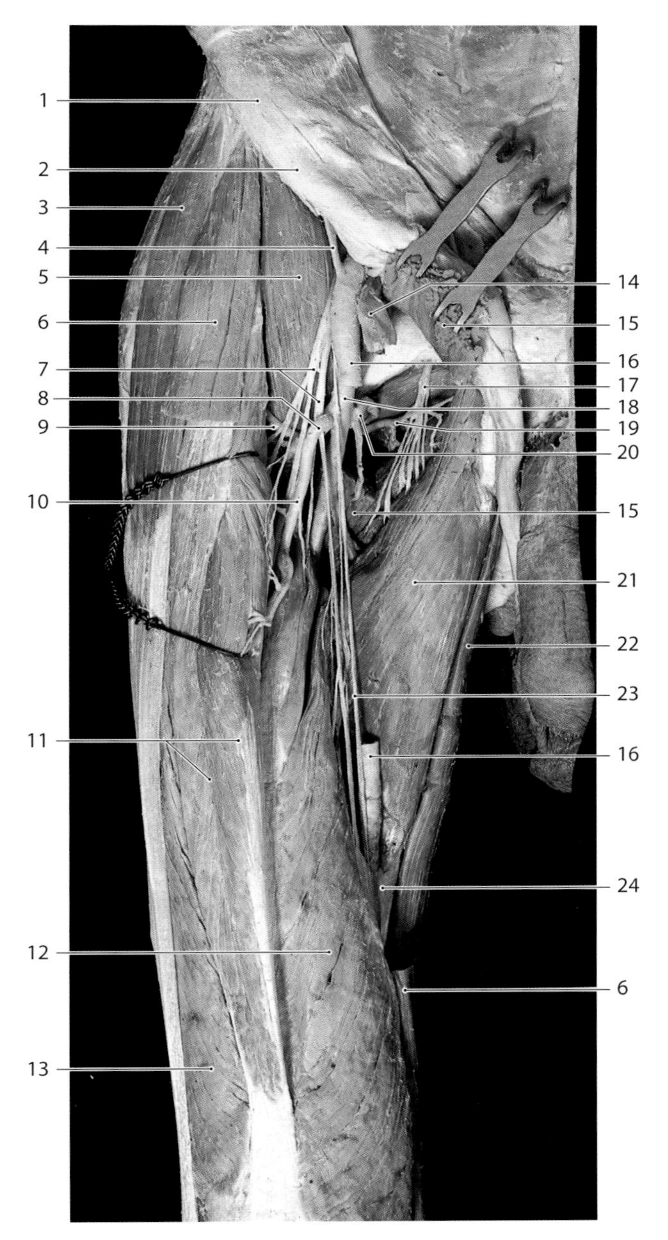

그림 4.123 **넓적다리의 앞부위**(오른쪽, 앞모습), 넓적다리근막을 제거하였다. 넓적다리빗근, 두덩근, 넓적다리동맥을 잘라서 깊은넓적다리동맥과 그 가지를 보여주고 있다. 넓적다리곧은근을 약간 젖혔다.

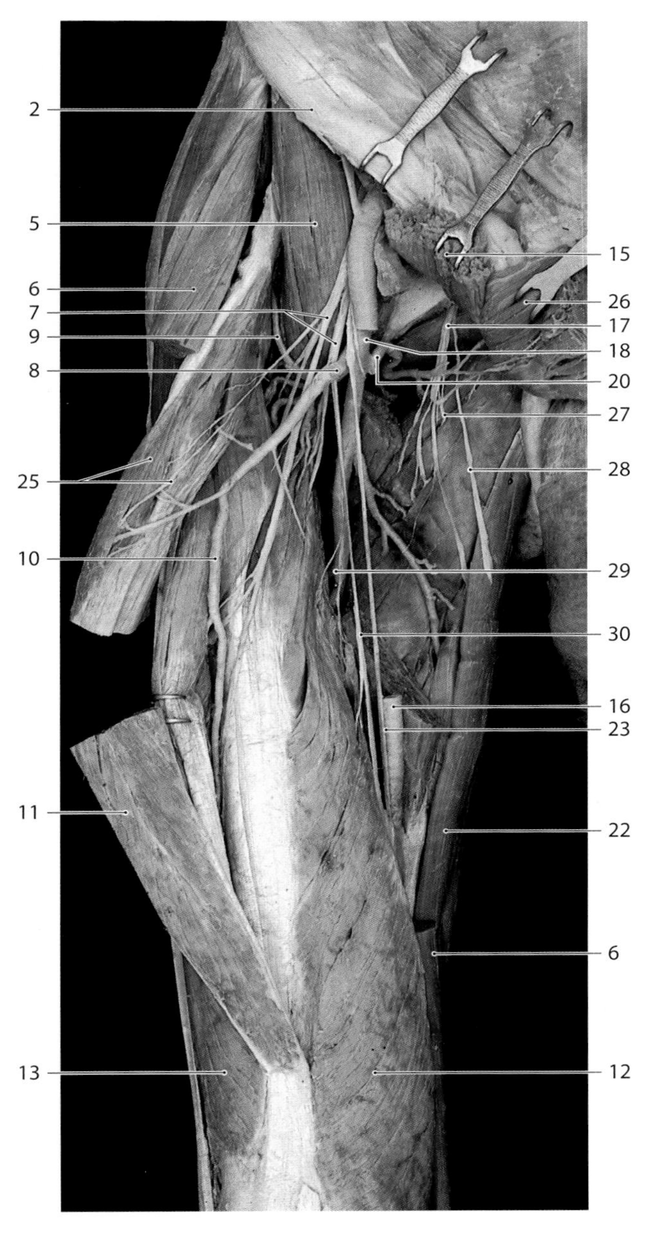

그림 4.124 **넓적다리의 앞부위**(오른쪽, 앞모습). 넓적다리빗근, 두덩근, 긴모음근, 넓적다리곧은근을 잘라서 젖혔다. 넓적다리동맥의 대부분을 제거하였다.

1 앞위엉덩뼈가시 Anterior superior iliac spine
2 고샅인대 Inguinal ligament
3 넓적다리근막긴장근 Tensor fasciae latae muscle
4 깊은엉덩휘돌이동맥 Deep circumflex iliac artery
5 엉덩허리근 Iliopsoas muscle
6 넓적다리빗근(잘림) Sartorius muscle (cut)
7 넓적다리신경 Femoral nerve
8 가쪽넓적다리휘돌이동맥 Lateral circumflex femoral artery
9 가쪽넓적다리휘돌이동맥의 오름가지
Ascending branch of lateral circumflex femoral artery
10 가쪽넓적다리휘돌이동맥의 내림가지
Descending branch of lateral circumflex femoral artery
11 넓적다리곧은근 Rectus femoris muscle
12 안쪽넓은근 Vastus medialis muscle
13 가쪽넓은근 Vastus lateralis muscle
14 넓적다리정맥 Femoral vein
15 두덩근(잘림) Pectineus muscle (cut)
16 넓적다리동맥(잘림) Femoral artery (cut)
17 폐쇄신경 Obturator nerve
18 넓적다리깊은동맥 Deep artery of thigh
19 안쪽넓적다리휘돌이동맥의 오름가지
Ascending branch of medial circumflex femoral artery
20 안쪽넓적다리휘돌이동맥 Medial circumflex femoral artery
21 긴모음근 Adductor longus muscle
22 두덩정강근 Gracilis muscle
23 두렁신경 Saphenous nerve
24 넓은근모음근막의 먼쪽부분 Distal part of vasto-adductor membrane
25 넓적다리곧은근과 넓적다리신경의 근육가지
Rectus femoris muscle with muscular branches of femoral nerve
26 긴모음근(잘림) Adductor longus muscle (divided)
27 폐쇄신경의 뒤가지 Posterior branch of obturator nerve
28 폐쇄신경의 앞가지 Anterior branch of obturator nerve
29 깊은넓적다리동맥 관통가지의 시작점
Point at which perforating artery branches off from deep artery of thigh
30 안쪽넓은근에 분포하는 넓적다리신경의 근육가지
Muscular branch of femoral nerve to vastus medialis muscle

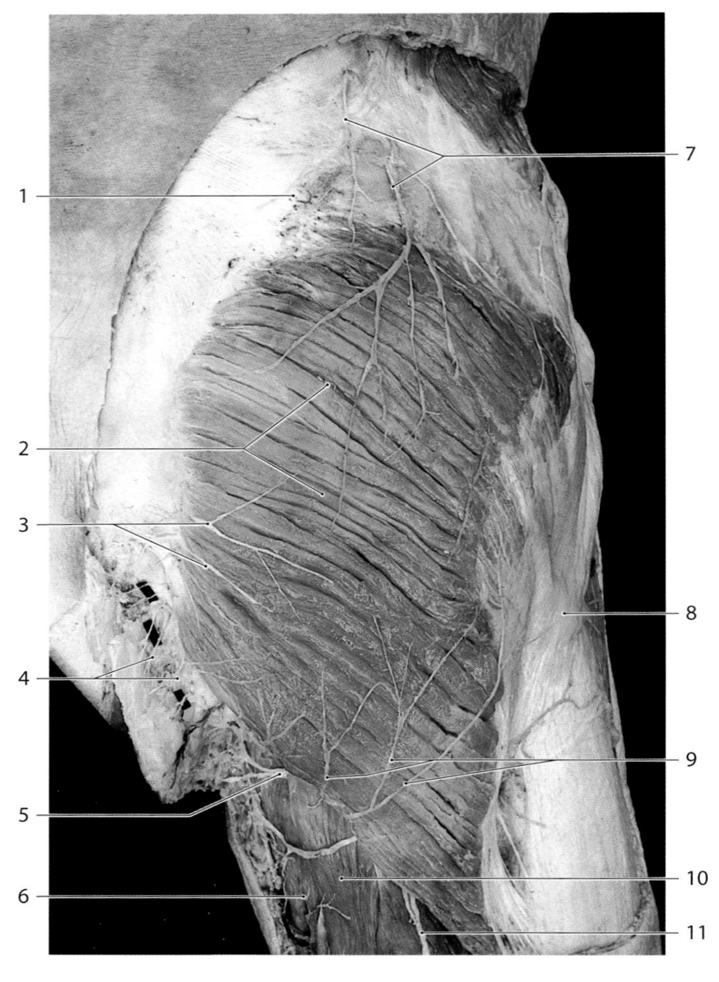

1 엉덩뼈능선 Iliac crest
2 큰볼기근 Gluteus maximus muscle
3 중간볼기피부신경 Middle cluneal nerves
4 항문꼬리신경 Anococcygeal nerves
5 뒤넓적다리피부신경의 샅가지
Perineal branch of posterior femoral cutaneous nerve
6 큰모음근 Adductor magnus muscle
7 위볼기피부신경 Superior cluneal nerves
8 큰돌기의 위치 Position of greater trochanter
9 아래볼기피부신경 Inferior cluneal nerves
10 반힘줄근 Semitendinosus muscle
11 뒤넓적다리피부신경 Posterior femoral cutaneous nerve
12 넓적다리두갈래근의 긴갈래 Long head of biceps femoris muscle

그림 4.125 **볼기부위**(오른쪽). 피부신경의 해부.

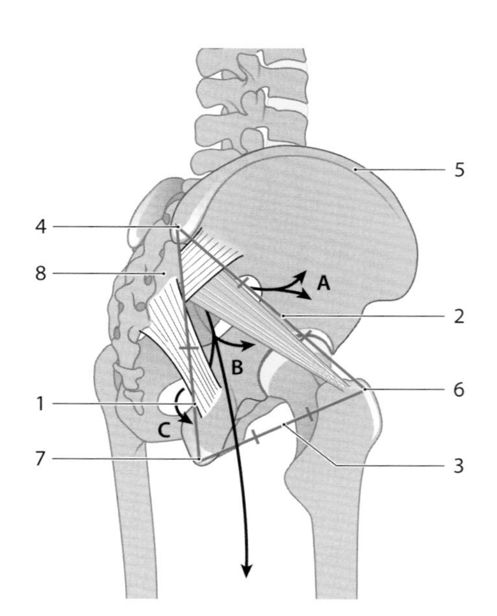

그림 4.126 **볼기부위 뼈와 궁둥구멍(A, B, C)의 위치 관계** (뒤가쪽모습).

빨간색 선 Red lines

1 **가시-결절선** Spine-tuber line
(궁둥구멍근아래구멍은 이 선의 중앙에 위치한다)

2 **가시-돌기선** Spine-trochanter line
(궁둥구멍근위구멍은 위 ⅓에 위치한다)

3 **결절-돌기선** Tuber-trochanter line
(궁둥신경은 가운데 ⅓과 뒤쪽 ⅓ 사이에 보인다)

나머지 구조물 Other structures

4 뒤위엉덩뼈가시 Posterior superior iliac spine
5 엉덩뼈능선 Iliac crest
6 큰돌기 Greater trochanter
7 궁둥뼈결절 Ischial tuberosity
8 엉치뼈 Sacrum

A 궁둥구멍근위구멍(큰궁둥구멍의) Suprapiriform foramen(of greater sciatic foramen)
위볼기동맥, 정맥, 신경
Superior gluteal artery, vein, and nerve

B 궁둥구멍근아래구멍(큰궁둥구멍의) Infrapiriform foramen (of greater sciatic foramen)
- 궁둥신경 Sciatic nerve
- 아래볼기동맥, 정맥, 신경
Inferior gluteal artery, vein, and nerve
- 뒤넓적다리피부신경
Posterior femoral cutaneous nerve
- 속음부동맥과 정맥
Internal pudendal artery and vein
- 음부신경 Pudendal nerve
- 속폐쇄신경
Internal obturator nerve
- 넓적다리네모근신경
Nerve to quadratus femoris muscle

C 작은궁둥구멍 Lesser sciatic foramen
- 음부신경
Pudendal nerve
- 속음부동맥과 정맥
Internal pudendal artery and vein
- 속폐쇄신경
Internal obturator nerve

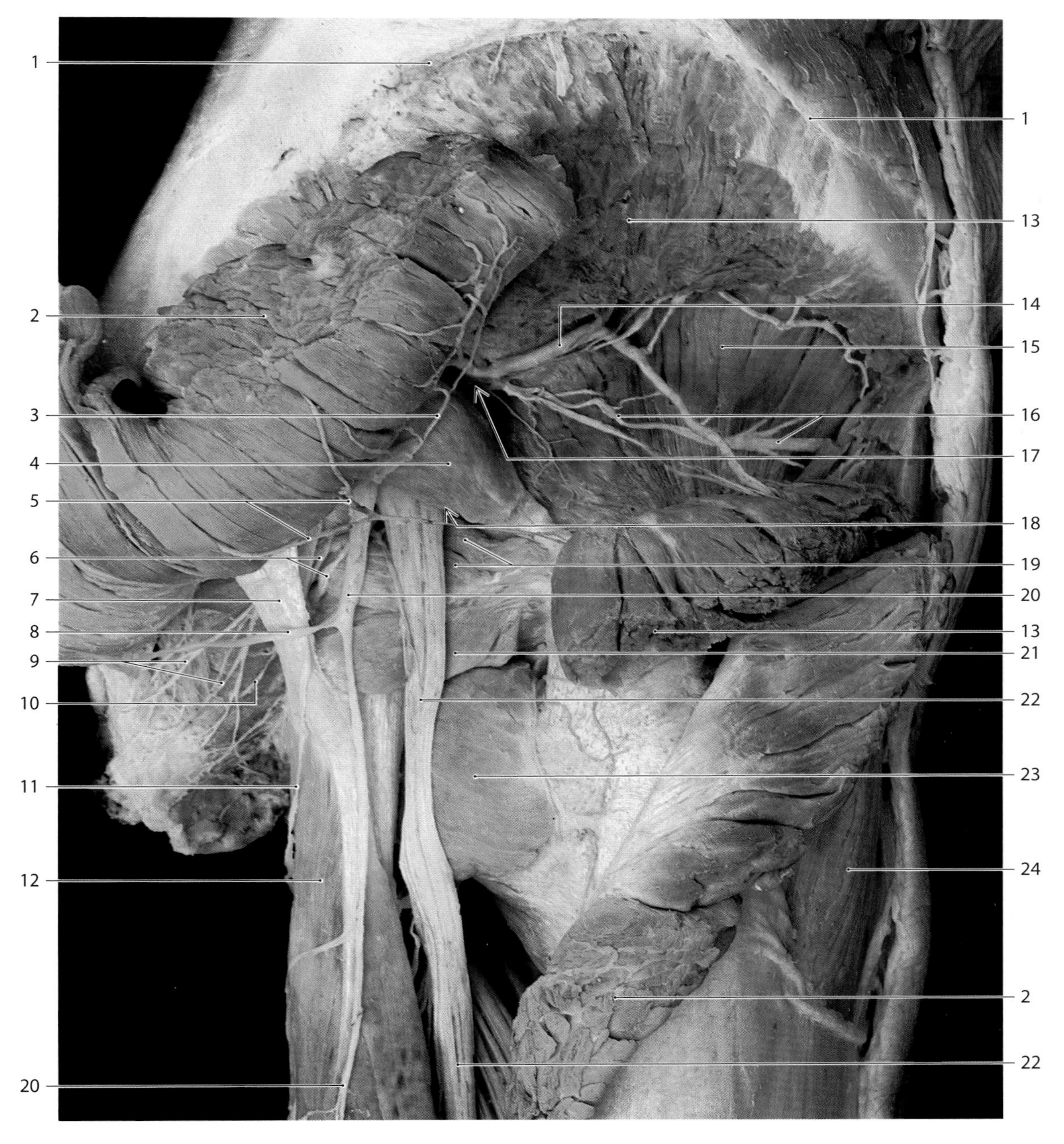

그림 4.127 **볼기부위**(오른쪽). 큰볼기근과 중간볼기근을 잘라서 젖혔다. 궁둥구멍근 위와 아래의 구멍과 작은궁둥구멍의 위치를 확인하시오.

1 엉덩뼈능선 Iliac crest
2 큰볼기근(잘림) Gluteus maximus muscle (cut)
3 아래볼기신경 Inferior gluteal nerve
4 궁둥구멍근 Piriformis muscle
5 아래볼기동맥의 근육가지 Muscular branches of inferior gluteal artery
6 작은궁둥구멍 속의 음부신경과 속음부동맥(음부신경관으로 들어가는 곳) Pudendal nerve and internal pudendal artery within the lesser sciatic foramen (entrance to the pudendal canal)
7 엉치결절인대 Sacrotuberous ligament
8 아래볼기피부신경 Inferior cluneal nerve
9 아래곧창자신경 Inferior rectal nerves
10 아래곧창자동맥 Inferior rectal arteries
11 뒤넓적다리피부신경의 관통피부신경 Perforating cutaneous nerve of posterior femoral cutaneous nerve
12 넓적다리두갈래근의 긴갈래 Long head of biceps femoris muscle
13 중간볼기근(잘림) Gluteus medius muscle (cut)
14 위볼기동맥의 깊은가지 Deep branch of superior gluteal artery
15 작은볼기근 Gluteus minimus muscle
16 위볼기신경 Superior gluteal nerve
17 궁둥구멍근위구멍 Suprapiriform foramen } 큰궁둥구멍 Greater sciatic foramen
18 궁둥구멍근아래구멍 Infrapiriform foramen } 큰궁둥구멍 Greater sciatic foramen
19 속폐쇄근과 위쌍동근 Obturator internus and Superior gemellus muscles
20 뒤넓적다리피부신경 Posterior femoral cutaneous nerve
21 아래쌍동근 Inferior gemellus muscle
22 궁둥신경 Sciatic nerve
23 넓적다리네모근 Quadratus femoris muscle
24 넓적다리근막긴장근 Tensor fasciae latae muscle

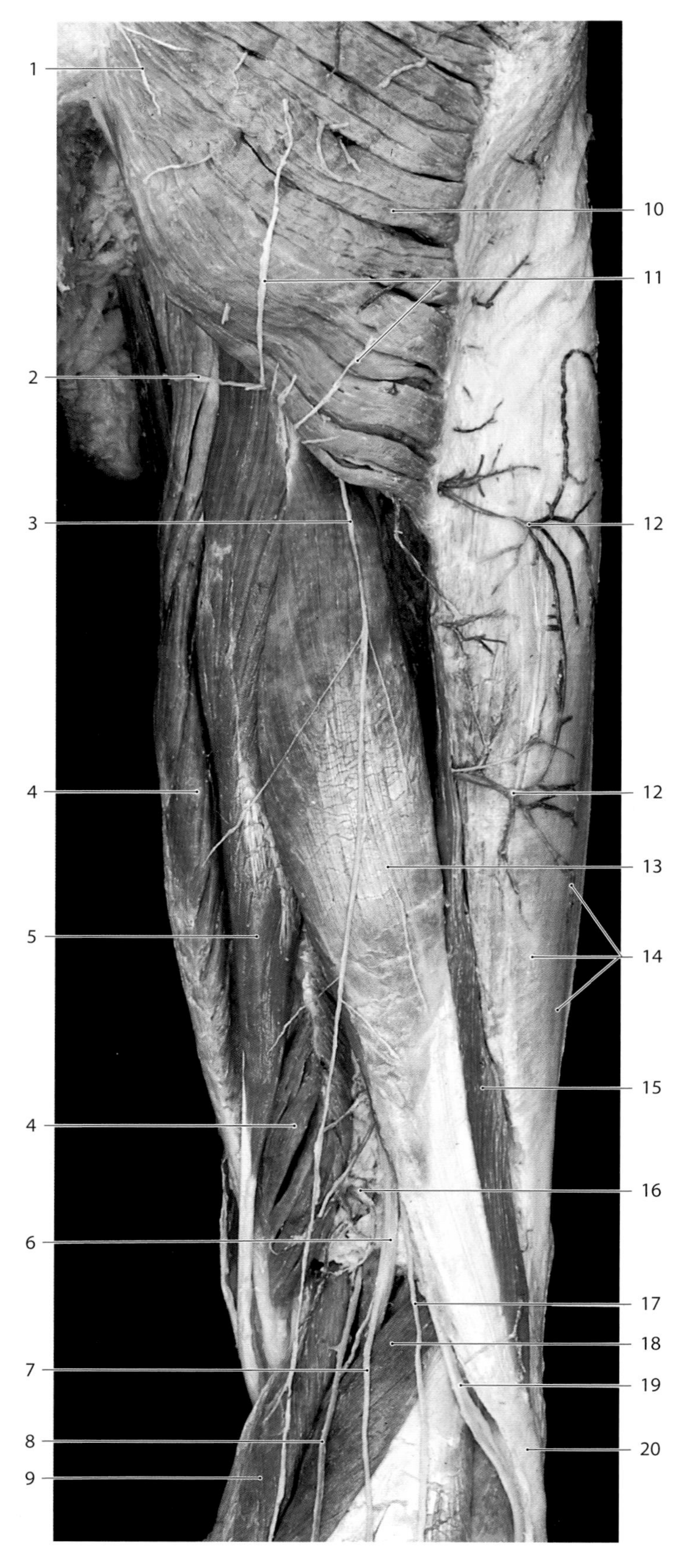

그림 4.128 **볼기부위와 넓적다리 뒤부위,** 피부신경(오른쪽). 넓적다리근막과 근육의 근막을 제거하였다.

1 중간볼기피부신경 Middle cluneal nerves
2 뒤넓적다리피부신경의 샅가지
Perineal branch of posterior femoral cutaneous nerve
3 뒤넓적다리피부신경 Posterior femoral cutaneous nerve
4 반막근 Semimembranosus muscle
5 반힘줄근 Semitendinosus muscle
6 정강신경 Tibial nerve
7 안쪽장딴지피부신경 Medial sural cutaneous nerve
8 작은두렁정맥 Small saphenous vein
9 장딴지근의 안쪽갈래 Medial head of gastrocnemius muscle
10 큰볼기근 Gluteus maximus muscle
11 아래볼기피부신경 Inferior cluneal nerves
12 피부정맥 Cutaneous veins
13 넓적다리두갈래근의 긴갈래 Long head of biceps femoris muscle
14 엉덩정강띠 Iliotibial tract
15 넓적다리두갈래근의 짧은갈래
Short head of biceps femoris muscle
16 다리오금 Popliteal fossa
17 가쪽장딴지피부신경 Lateral sural cutaneous nerve
18 장딴지근의 가쪽갈래 Lateral head of gastrocnemius muscle
19 온종아리신경 Common fibular nerve
20 넓적다리두갈래근힘줄 Tendon of biceps femoris muscle
21 아래볼기신경 Inferior gluteal nerve
22 엉치결절인대 Sacrotuberous ligament
23 음부신경의 아래곧창자가지
Inferior rectal branches of pudendal nerve
24 항문 Anus
25 중간볼기근 Gluteus medius muscle
26 궁둥구멍근 Piriformis muscle
27 궁둥신경 Sciatic nerve
28 아래볼기동맥 Inferior gluteal artery
29 큰볼기근(잘림) Gluteus maximus muscle (cut)
30 넓적다리네모근 Quadratus femoris muscle
31 궁둥신경의 갈림(온종아리신경과 정강신경)
Sciatic nerve dividing into its two branches
(the common fibular nerve and the tibial nerve)
32 궁둥종아리근육의 궁둥신경 근육가지
Muscular branches of sciatic nerve to the ischiocrural muscles
33 오금동맥 Popliteal artery
34 오금정맥 Popliteal vein
35 작은두렁정맥(잘림) Small saphenous vein (cut)
36 넓적다리두갈래근의 긴갈래(잘림)
Long head of biceps femoris muscle (cut)
37 얕은종아리신경 Superficial fibular nerve

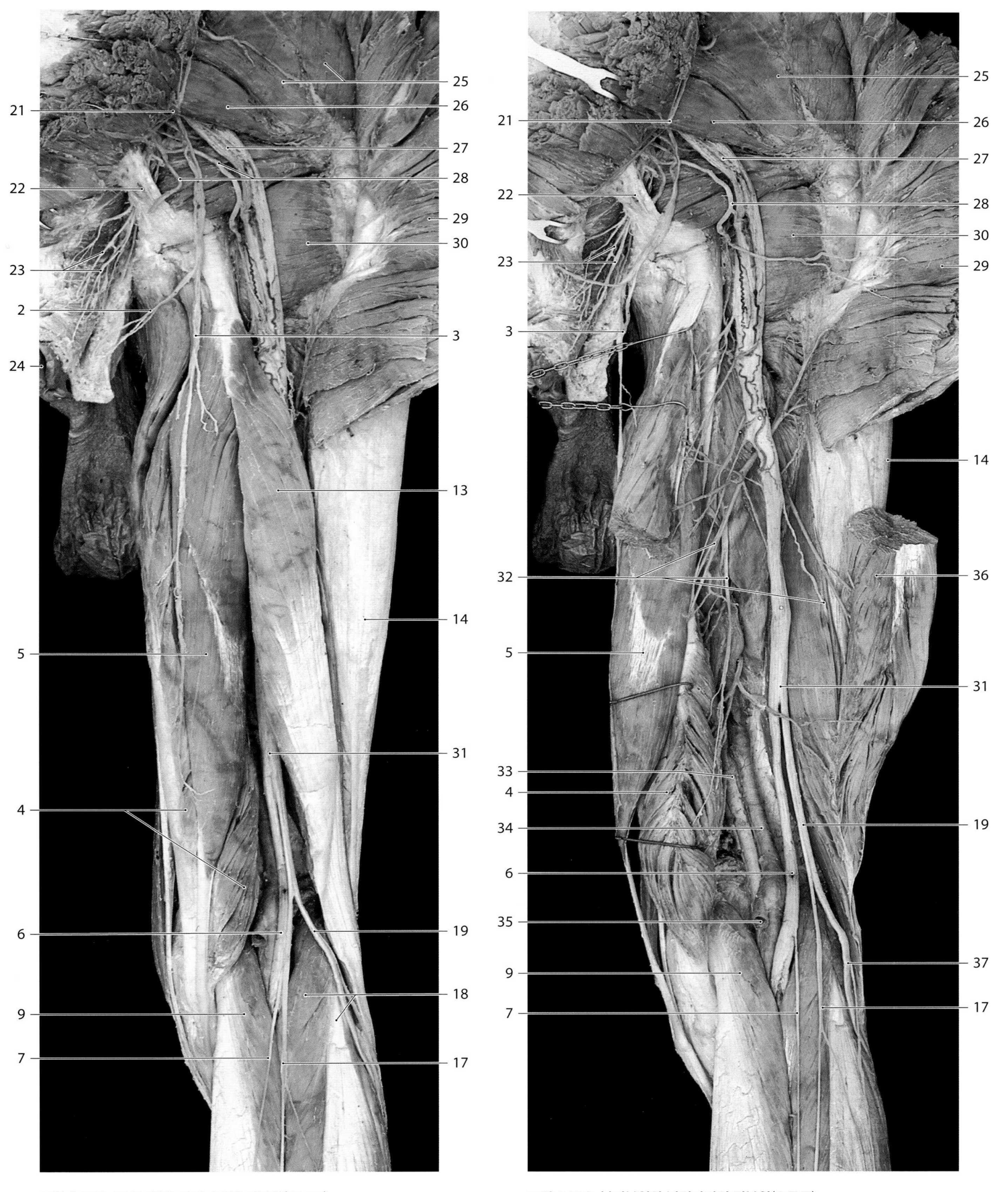

그림 4.129 **볼기부위와 넓적다리의 뒤부위**(오른쪽).
큰볼기근을 잘라서 젖혔다.

그림 4.130 **볼기부위와 넓적다리의 뒤부위**(오른쪽).
큰볼기근과 넓적다리두갈래근 긴갈래를 잘라서 젖혔다.

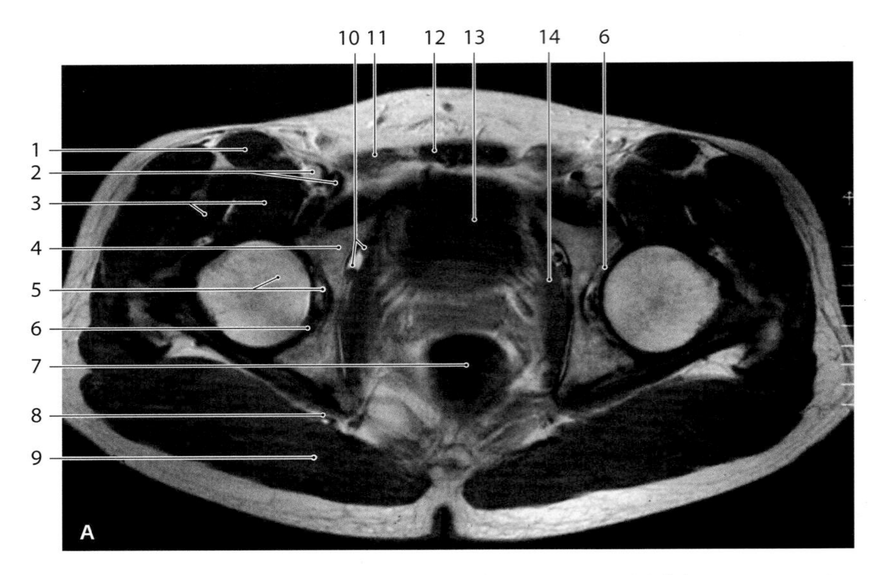

그림 4.131 **엉덩관절 높이의 골반 가로단면.** 단면 A(아래모습, 자기공명영상).(Courtesy of Prof. Uder, Institute of Radiology, University Hospital Erlangen, Germany.)

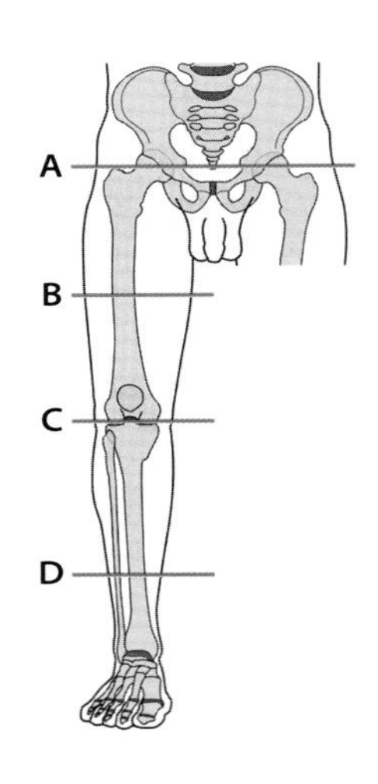

그림 4.133 **다리, 단면의 위치.**

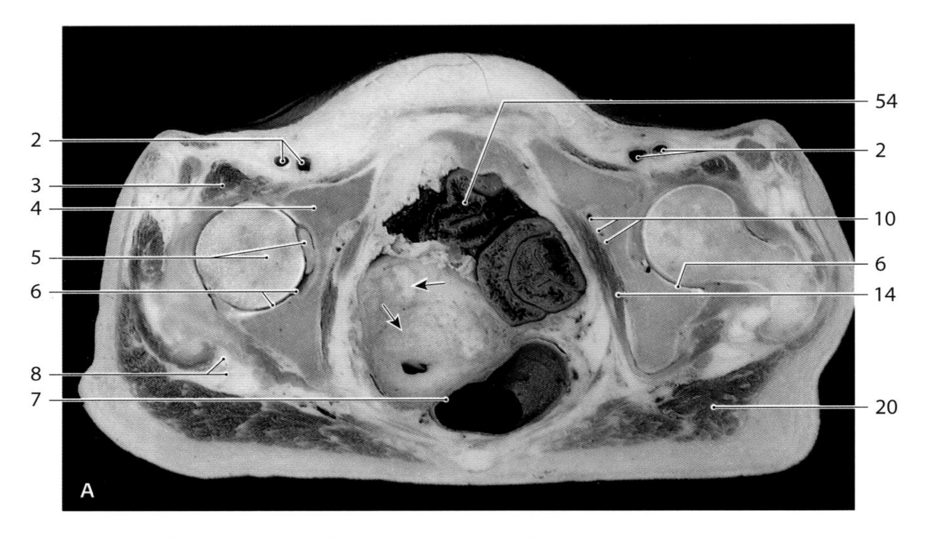

그림 4.132 **엉덩관절 높이의 골반 가로단면.** 여자. 단면 A(아래모습).
화살표: 자궁(자궁근종이 있는 자궁근육층).

1 넙적다리빗근 Sartorius muscle
2 넓적다리동맥 및 정맥 Femoral artery and vein
3 엉덩허리근 Iliopsoas muscle
4 두덩뼈 Pubis
5 넓적다리뼈머리와 넓적다리뼈머리인대
Head of femur with ligament of head of femur
6 관절안 Articular cavity
7 곧창자 Rectum
8 궁둥신경과 동반동맥
Sciatic nerve and accompanying artery
9 큰볼기근 Gluteus maximus muscle
10 폐쇄동맥, 정맥, 신경
Obturator artery, vein, and nerve
11 배곧은근 Rectus abdominis muscle
12 배세모근 Pyramidalis muscle
13 방광 Urinary bladder
14 속폐쇄근 Obturator internus muscle
15 넓적다리곧은근 Rectus femoris muscle
16 넓적다리네갈래근의 중간넓은근과 가쪽넓은근
Vastus intermedius and vastus lateralis muscles of quadriceps femoris muscle
17 넓적다리뼈 Femur
18 관통동맥 Perforating artery
19 궁둥신경 Sciatic nerve
20 큰볼기근(닿는곳)
Gluteus maximus muscle (insertion)
21 안쪽넓은근 Vastus medialis muscle
22 넓적다리빗근 Sartorius muscle
23 넓적다리동맥과 정맥 Femoral artery and vein
24 큰두렁정맥 Great saphenous vein
25 두덩정강근 Gracilis muscle
26 모음근육 Adductor muscles
27 넓적다리두갈래근 Biceps femoris muscle
28 무릎뼈인대 Patellar ligament
29 넓적다리뼈의 가쪽관절융기
Lateral condyle of femur
30 뒤십자인대 Posterior cruciate ligament
31 정강신경 Tibial nerve
32 오금동맥과 정맥 Popliteal artery and vein
33 장딴지근의 가쪽갈래
Lateral head of gastrocnemius muscle
34 넓적다리뼈의 안쪽관절융기
Medial condyle of femur
35 장딴지근의 안쪽갈래
Medial head of gastrocnemius muscle
36 앞정강근 Tibialis anterior muscle
37 정강뼈 Tibia
38 깊은종아리신경, 앞정강동맥과 정맥
Deep fibular nerve, anterior tibial artery, and vein
39 무릎면 Patellar surface
40 긴 및 짧은종아리근
Peroneus longus and brevis muscles
41 종아리뼈 Fibula
42 가자미근 Soleus muscle
43 긴발가락굽힘근
Flexor digitorum longus muscle
44 뒤정강근 Tibialis posterior muscle
45 뒤정강동맥과 정맥, 정강신경
Posterior tibial artery and vein, and tibial nerve
46 종아리동맥 Peroneal artery
47 작은두렁정맥과 장딴지신경
Small saphenous vein and sural nerve
48 긴엄지폄근 Extensor hallucis longus muscle
49 긴발가락폄근
Extensor digitorum longus muscle
50 반막근 Semimembranosus muscle
51 반힘줄근 Semitendinosus muscle
52 앞십자인대 Anterior cruciate ligament
53 장딴지빗근 Plantaris muscle
54 작은창자 Small intestine

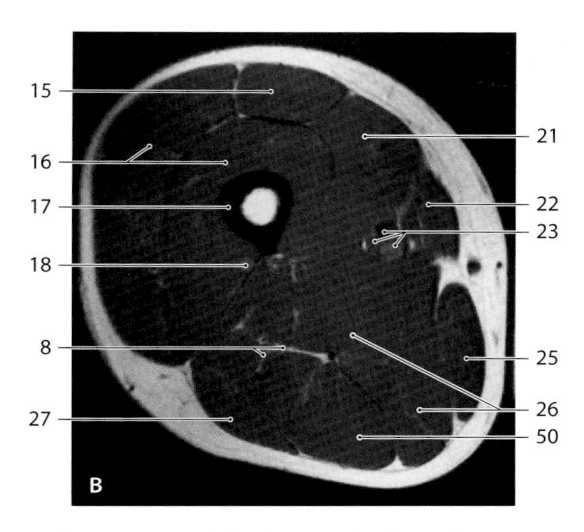

그림 4.134 **오른쪽 넓적다리 중간부위의 가로단면.** 단면 B (아래모습, 자기공명영상). (Courtesy of Prof. Uder, Institute of Radiology, University Hospital Erlangen, Germany.)

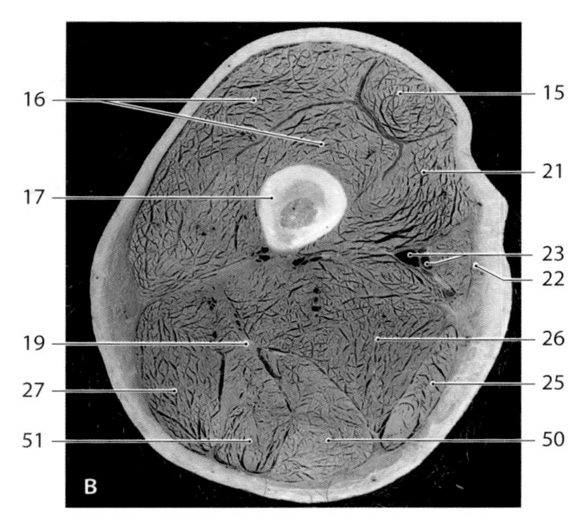

그림 4.135 **오른쪽 넓적다리 중간부위의 가로단면.** 단면 B(아래모습).

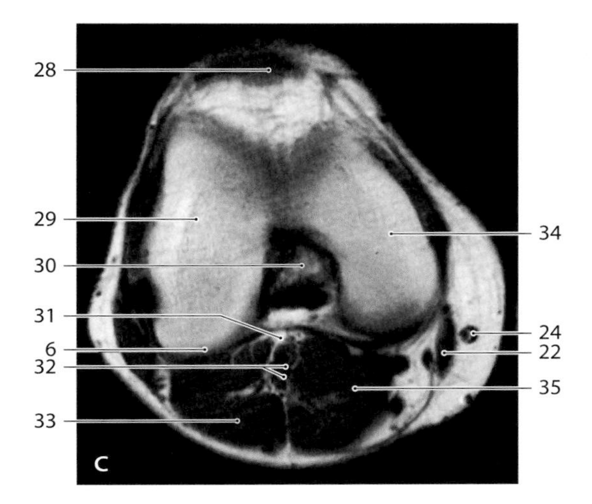

그림 4.136 **오른쪽 무릎관절의 가로단면.** 단면 C(아래면, 자기공명영상). (Courtesy of Prof. Uder, Institute of Radiology, University Hospital Erlangen, Germany.)

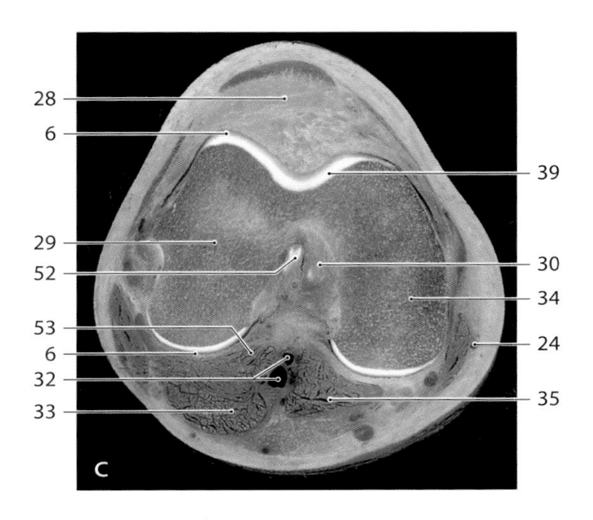

그림 4.137 **오른쪽 무릎관절의 가로단면.** 단면 C(아래모습).

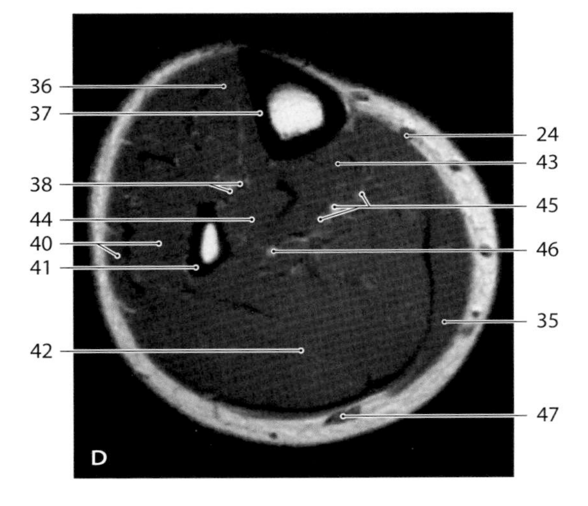

그림 4.138 **오른쪽 종아리 중간부위의 가로단면.** 단면 D (아래모습, 자기공명영상). (Courtesy of Prof. Uder, Institute of Radiology, University Hospital Erlangen, Germany.)

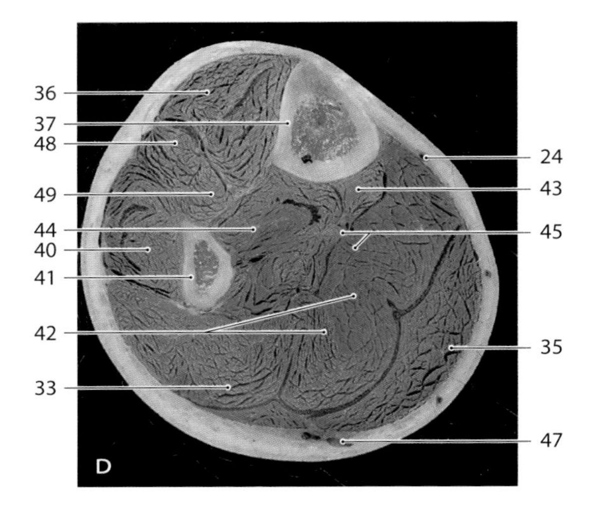

그림 4.139 **오른쪽 종아리 중간부위의 가로단면.** 단면 D(아래모습).

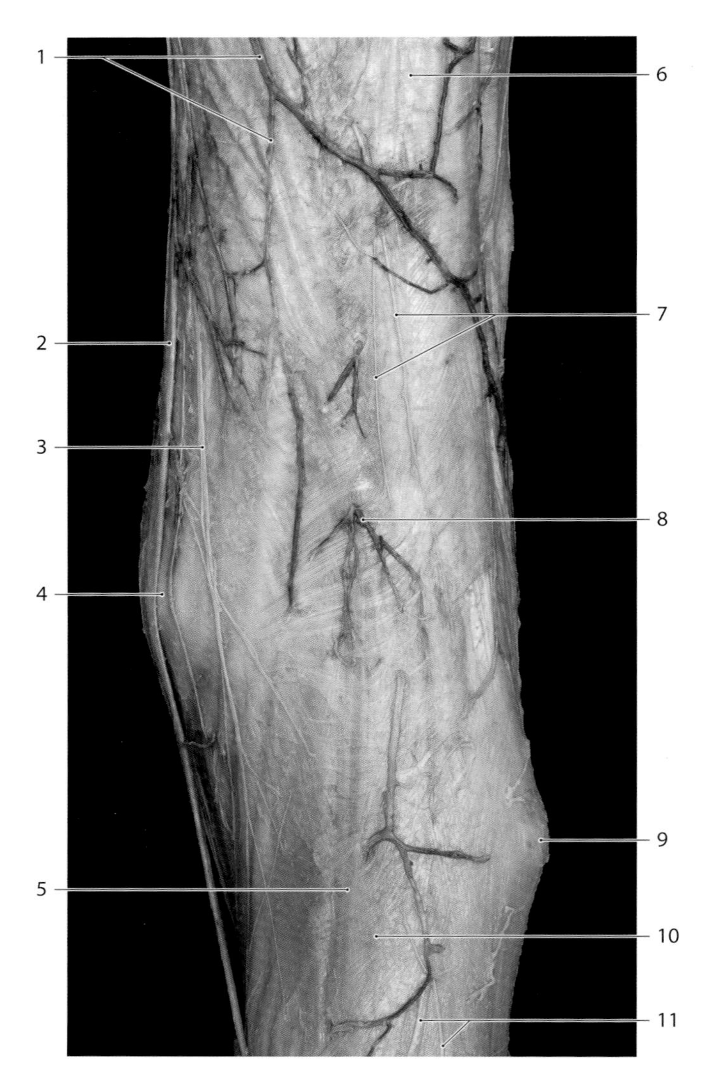

그림 4.140 **무릎의 뒤부위,** 피부신경과 피부정맥(오른쪽).

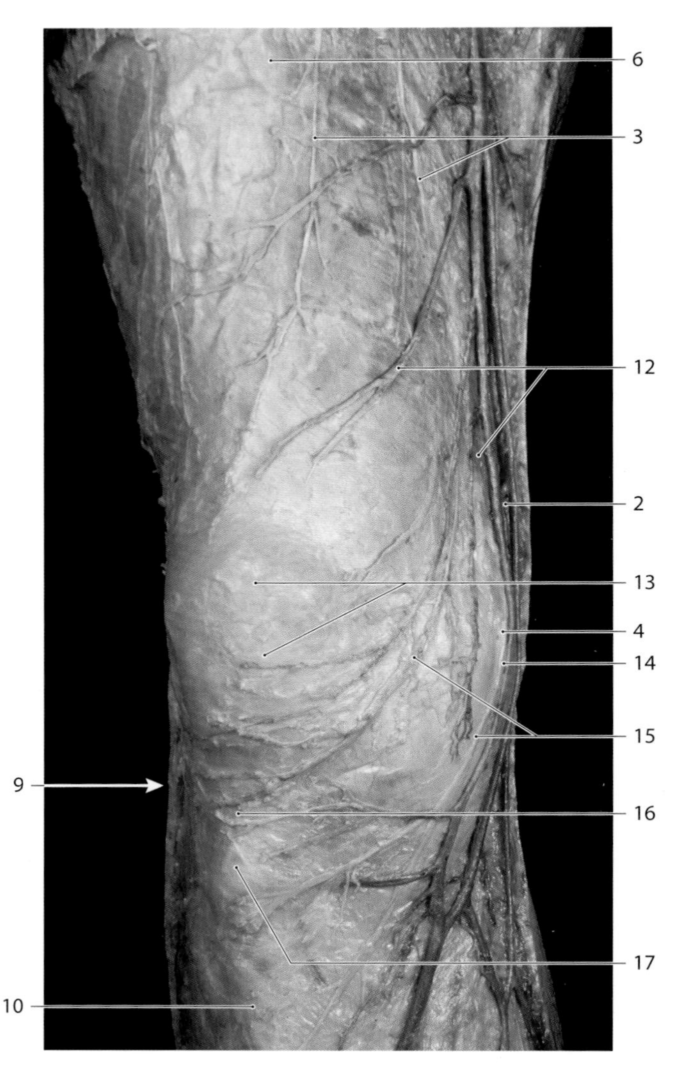

그림 4.141 **무릎의 앞부위,** 피부신경과 피부정맥(오른쪽).

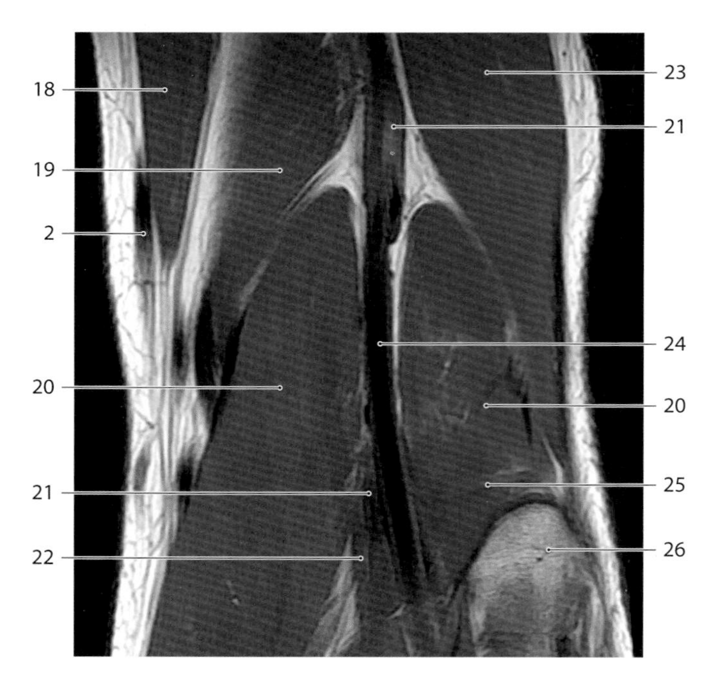

그림 4.142 **다리오금의 관상단면**(자기공명영상). (Heuck A, et al. MRT-Atlas des muskuloskelettalen Systems. Stuttgart, Germany: Schattauer, 2009.)

1 피부정맥(큰두렁정맥의 지류) Cutaneous veins (tributaries of great saphenous vein)
2 큰두렁정맥 Great saphenous vein
3 넓적다리신경의 피부가지 Cutaneous branches of femoral nerve
4 넓적다리뼈 안쪽관절융기의 위치 Position of medial condyle of femur
5 작은두렁정맥의 위치 Position of small saphenous vein
6 넓적다리근막 Fascia lata
7 뒤넓적다리피부신경의 종말가지 Terminal branches of posterior femoral cutaneous nerve
8 다리오금의 피부정맥 Cutaneous veins of popliteal fossa
9 종아리뼈머리의 위치 Position of head of fibula
10 종아리근막의 얕은층 Superficial layer of fascia cruris
11 가쪽장딴지피부신경 Lateral sural cutaneous nerve
12 무릎 주변의 정맥그물 Venous network around knee
13 무릎뼈 Patella
14 두렁신경 Saphenous nerve
15 두렁신경의 무릎아래가지 Infrapatellar branch of saphenous nerve
16 무릎뼈인대 Patellar ligament
17 정강뼈거친면의 위치 Position of tibial tuberosity
18 넓적다리빗근 Sartorius muscle
19 반막근 Semimembranosus muscle
20 장딴지근 Gastrocnemius muscle
21 오금정맥 Popliteal vein
22 정강신경 Tibial nerve
23 넓적다리두갈래근 Biceps femoris muscle
24 오금동맥 Popliteal artery
25 가쪽아래무릎동맥 Lateral inferior genicular artery
26 종아리뼈 Fibula

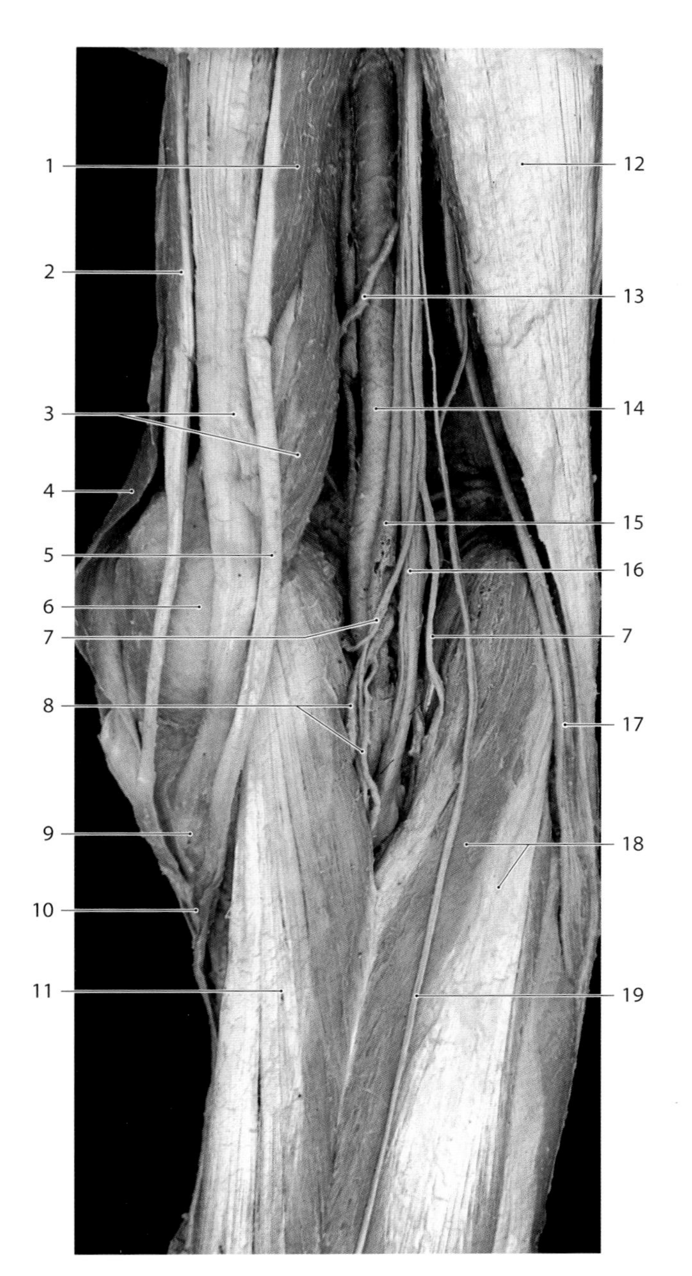

그림 4.143 **다리오금,** 중간층(오른쪽). 근막을 제거하여 장딴지근이 보이게 하였다.

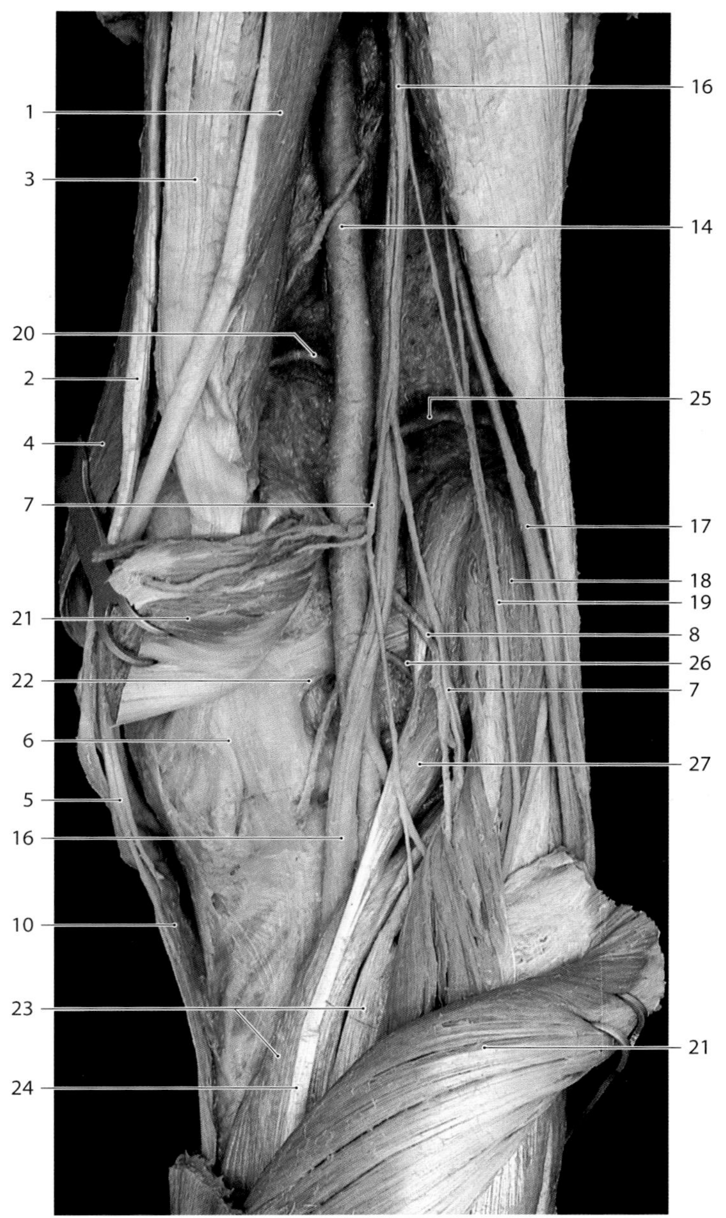

그림 4.144 **다리오금,** 중간층(오른쪽). 장딴지근과 가자미근을 잘라서 젖혔다.

1 반힘줄근 Semitendinosus muscle
2 두덩정강근 Gracilis muscle
3 반막근 Semimembranosus muscle
4 넓적다리빗근 Sartorius muscle
5 반힘줄근힘줄 Tendon of semitendinosus muscle
6 넓적다리뼈 안쪽관절융기의 위치 Position of medial condyle of femur
7 정강신경의 근육가지 Muscular branches of tibial nerve
8 종아리동맥 및 정맥 Sural arteries and veins
9 반막근힘줄 Tendon of Semimembranosus muscle
10 넓적다리빗근, 두덩정강근, 반힘줄근의 온힘줄(거위발)
Common tendon of sartorius, gracilis,
and semitendinosus muscles (pes anserinus)
11 장딴지근의 안쪽갈래 Medial head of gastrocnemius muscle
12 넓적다리두갈래근 Biceps femoris muscle
13 오금동맥의 근육가지 Muscular branch of popliteal artery
14 오금동맥 Popliteal artery
15 오금정맥 Popliteal vein
16 정강신경 Tibial nerve
17 온종아리신경 Common fibular nerve
18 장딴지근의 가쪽갈래 Lateral head of gastrocnemius muscle
19 안쪽장딴지피부신경 Medial sural cutaneous nerve
20 안쪽위무릎동맥 Medial superior genicular artery
21 장딴지근의 안쪽갈래
Medial head of gastrocnemius muscle (cut and reflected)
22 안쪽아래무릎동맥 Medial inferior genicular artery
23 가자미근 Soleus muscle
24 장딴지빗근힘줄 Tendon of plantaris muscle
25 가쪽위무릎동맥 Lateral superior genicular artery
26 가쪽아래무릎동맥 Lateral inferior genicular artery
27 장딴지빗근 Plantaris muscle

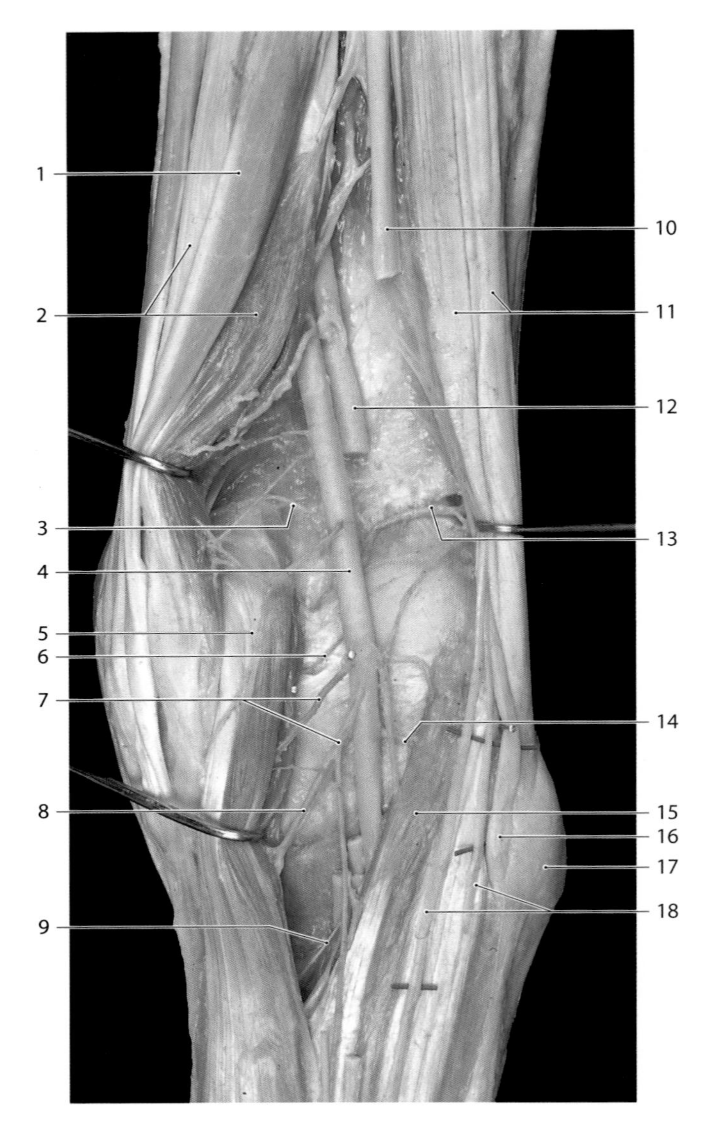

그림 4.145 **다리오금,** 깊은층(오른쪽). 근육을 젖혀서 무릎동맥을 보여주고 있다.

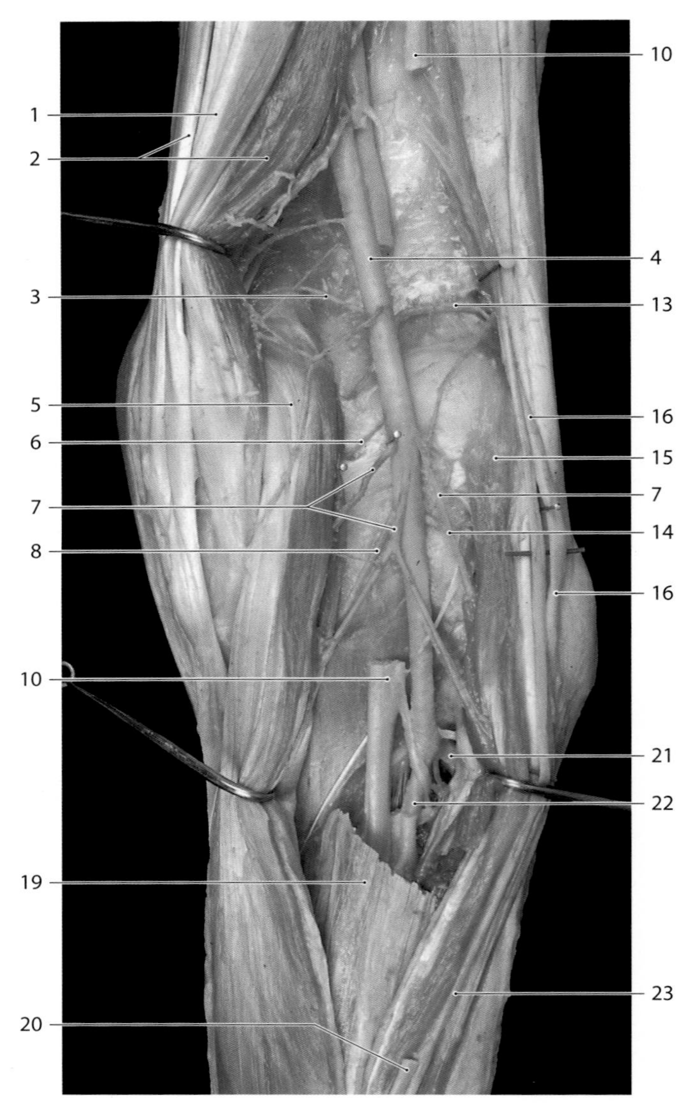

그림 4.146 **다리오금,** 가장깊은층(오른쪽). 정강신경과 오금정맥의 일부를 제거하고, 가자미근 일부를 잘라서 앞정강동맥을 보여주고 있다.

1 반힘줄근 Semitendinosus muscle
2 반막근 Semimembranosus muscle
3 안쪽위무릎동맥 Medial superior genicular artery
4 오금동맥 Popliteal artery
5 장딴지근의 안쪽갈래 Medial head of gastrocnemius muscle
6 중간무릎동맥 Middle genicular artery
7 오금동맥의 근육가지 Muscular branches of popliteal artery
8 안쪽아래무릎동맥 Medial inferior genicular artery
9 장딴지빗근힘줄 Tendon of plantaris muscle
10 정강신경(잘림) Tibial nerve (cut)
11 넓적다리두갈래근 Biceps femoris muscle
12 오금정맥(잘림) Popliteal vein (cut)
13 가쪽위무릎동맥 Lateral superior genicular artery
14 가쪽아래무릎동맥 Lateral inferior genicular artery
15 장딴지근의 가쪽갈래 Lateral head of gastrocnemius muscle
16 온종아리신경 Common fibular nerve
17 종아리뼈머리 Head of fibula
18 가쪽장딴지피부신경 Lateral sural cutaneous nerves
19 가자미근 Soleus muscle
20 안쪽장딴지피부신경 Medial sural cutaneous nerve
21 앞정강동맥 Anterior tibial artery
22 뒤정강동맥 Posterior tibial artery
23 가쪽장딴지피부신경 Lateral sural cutaneous nerve

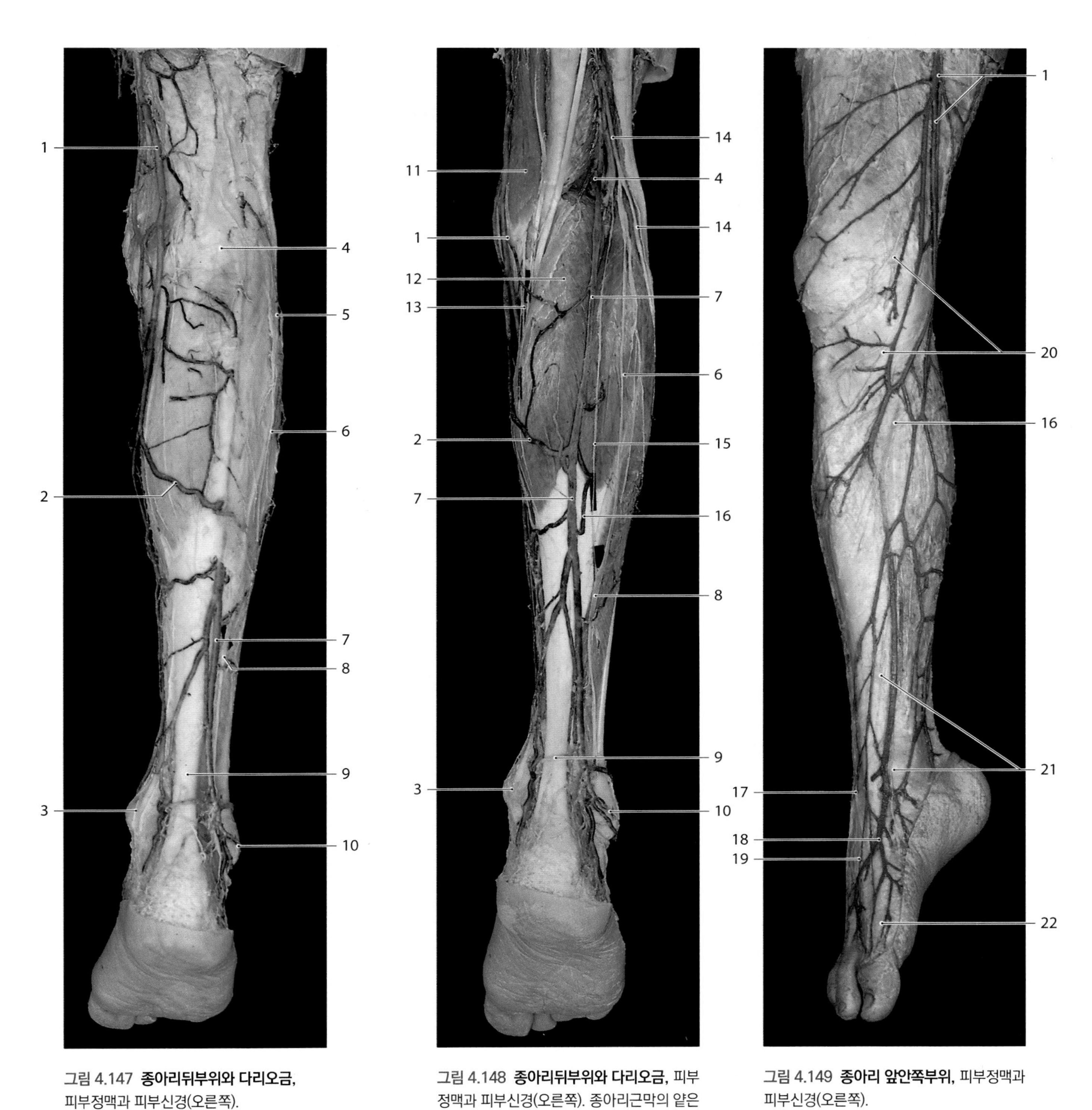

그림 4.147 **종아리뒤부위와 다리오금**, 피부정맥과 피부신경(오른쪽).

그림 4.148 **종아리뒤부위와 다리오금**, 피부정맥과 피부신경(오른쪽). 종아리근막의 얕은 층을 제거하였다.

그림 4.149 **종아리 앞안쪽부위**, 피부정맥과 피부신경(오른쪽).

1 큰두렁정맥 Great saphenous vein
2 큰 및 작은두렁정맥의 연결 Anastomosis between small and great saphenous veins
3 안쪽복사 Medial malleolus
4 다리오금 Popliteal fossa
5 종아리뼈머리의 위치 Position of head of fibula
6 가쪽장딴지피부신경 Lateral sural cutaneous nerve
7 작은두렁정맥 Small saphenous vein
8 장딴지신경 Sural nerve
9 발꿈치힘줄(아킬레스힘줄) Calcaneal or Achilles tendon
10 가쪽복사 Lateral malleolus
11 반힘줄근 Semitendinosus muscle
12 장딴지근의 안쪽갈래 Medial head of gastrocnemius muscle
13 두렁신경 Saphenous nerve
14 온종아리신경 Common fibular nerve
15 안쪽장딴지피부신경 Medial sural cutaneous nerve
16 관통정맥 Perforating veins
17 얕은종아리신경 Superficial fibular nerve
18 발등정맥활 Dorsal venous arch of foot
19 중간발등피부신경 Intermediate dorsal cutaneous nerve
20 두렁신경의 무릎아래가지 Infrapatellar branches of saphenous nerve
21 두렁신경의 종말가지 Terminal branches of saphenous nerve
22 안쪽발등피부신경 Medial dorsal cutaneous nerve

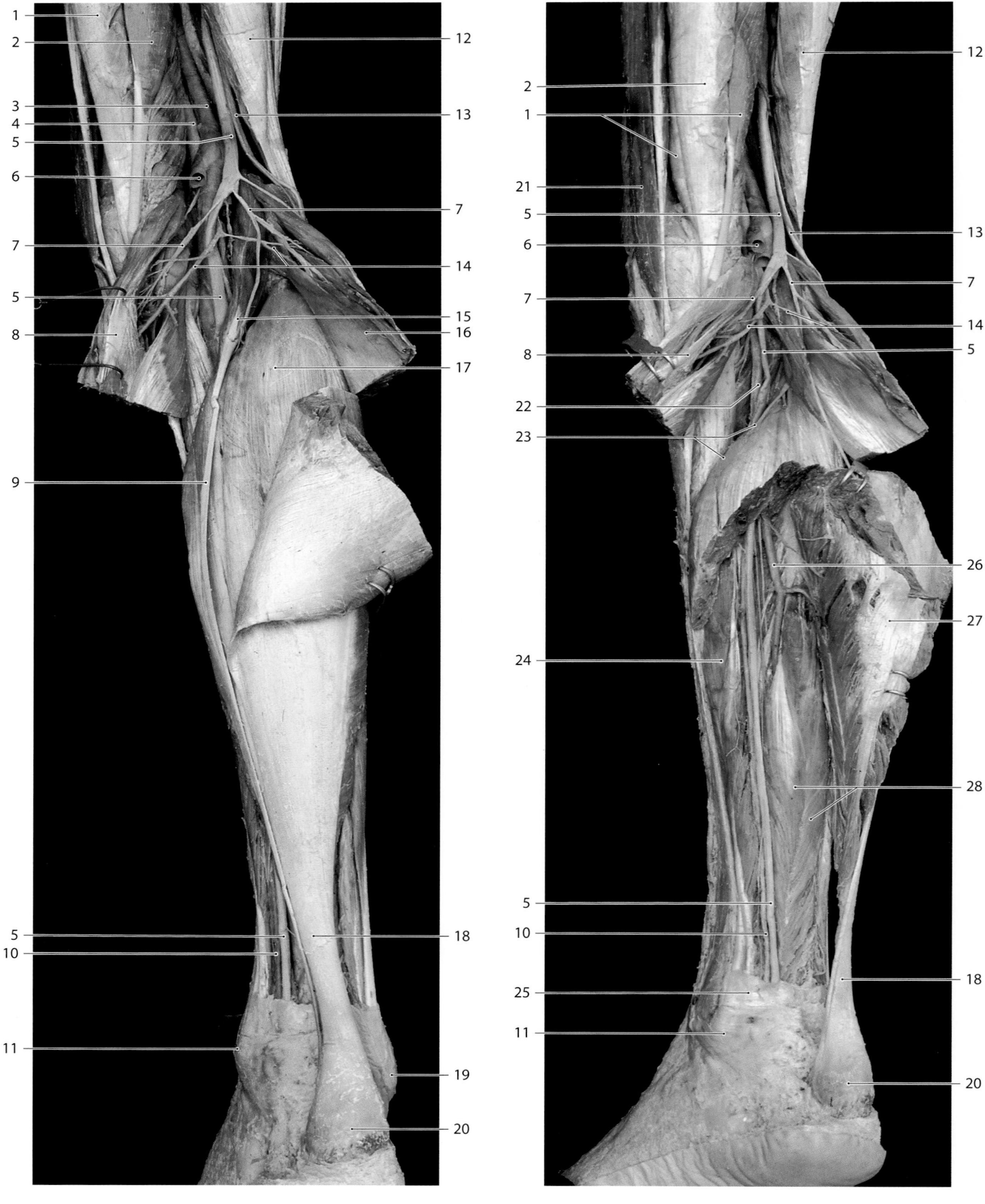

그림 4.150 **종아리뒤부위와 다리오금,** 얕은층(오른쪽). 피부정맥과 피부신경을 제거하였다.

그림 4.151 **종아리뒤부위와 다리오금,** 중간층(오른쪽). 종아리근의 안쪽갈래를 잘라서 젖혔다.

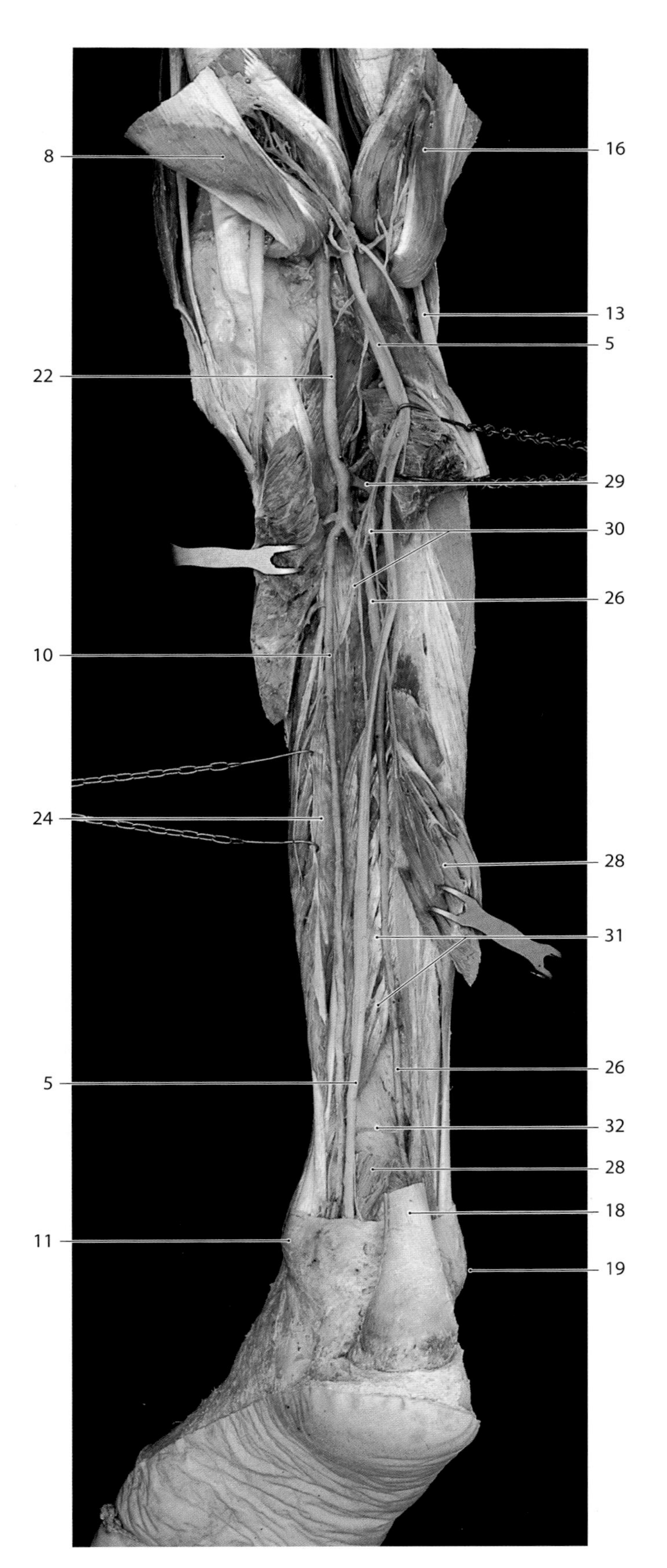

그림 4.152 **종아리뒤부위와 다리오금,** 깊은층(오른쪽). 장딴지세갈래근(장딴지근과 가자미근)과 긴엄지굽힘근을 잘라서 젖혔다.

1 반막근 Semimembranosus muscle
2 반힘줄근 Semitendinosus muscle
3 오금정맥 Popliteal vein
4 오금동맥 Popliteal artery
5 정강신경 Tibial nerve
6 작은두렁정맥(잘림) Small saphenous vein (cut)
7 정강신경의 근육가지 Muscular branch of tibial nerve
8 장딴지근의 안쪽갈래 Medial head of gastrocnemius muscle
9 장딴지빗근힘줄 Tendon of plantaris muscle
10 뒤정강동맥 Posterior tibial artery
11 안쪽복사 Medial malleolus
12 넓적다리두갈래근 Biceps femoris muscle
13 온종아리신경 Common fibular nerve
14 장딴지동맥 Sural arteries
15 장딴지빗근 Plantaris muscle
16 장딴지근의 가쪽갈래 Lateral head of gastrocnemius muscle
17 가자미근 Soleus muscle
18 발꿈치힘줄(아킬레스힘줄) Calcaneal or Achilles tendon
19 가쪽복사 Lateral malleolus
20 발꿈치뼈융기 Calcaneal tuberosity
21 넓적다리빗근 Sartorius muscle
22 오금동맥 Popliteal artery
23 가자미근힘줄활 Tendinous arch of soleus muscle
24 긴발가락굽힘근 Flexor digitorum longus muscle
25 굽힘근지지띠 Flexor retinaculum
26 종아리동맥 Peroneal artery
27 장딴지세갈래근(잘림) Triceps surae muscle (cut)
28 긴엄지굽힘근 Flexor hallucis longus muscle
29 앞정강동맥 Anterior tibial artery
30 정강신경의 근육가지 Muscular branches of tibial nerve
31 뒤정강근 Tibialis posterior muscle
32 종아리동맥의 교통가지 Communicating branch of peroneal artery
33 앞정강근힘줄 Tendon of tibialis anterior muscle
34 정강뼈 Tibia
35 긴엄지폄근힘줄 Tendon of extensor hallucis longus muscle
36 긴발가락폄근힘줄 Tendons of extensor digitorum longus muscle
37 앞정강동맥 Anterior tibial artery
38 종아리뼈 Fibula
39 긴 및 짧은종아리근힘줄 Tendons of peroneus longus and brevis muscles

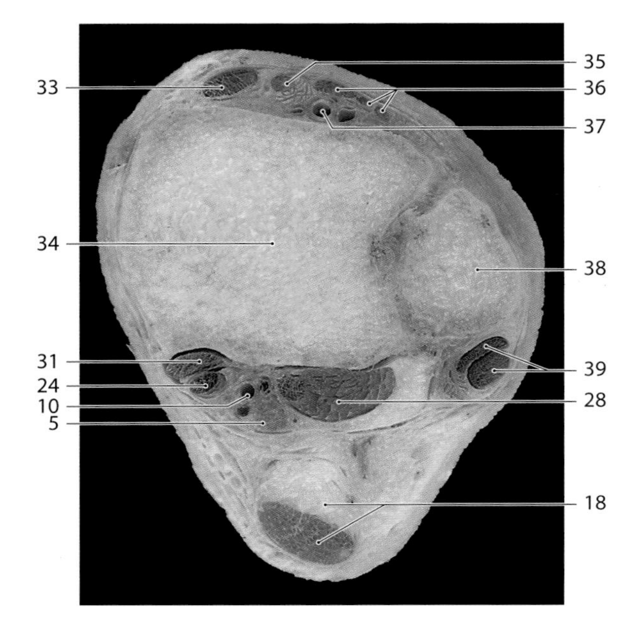

그림 4.153 **종아리의 가로단면,** 반달의 위(아래모습).

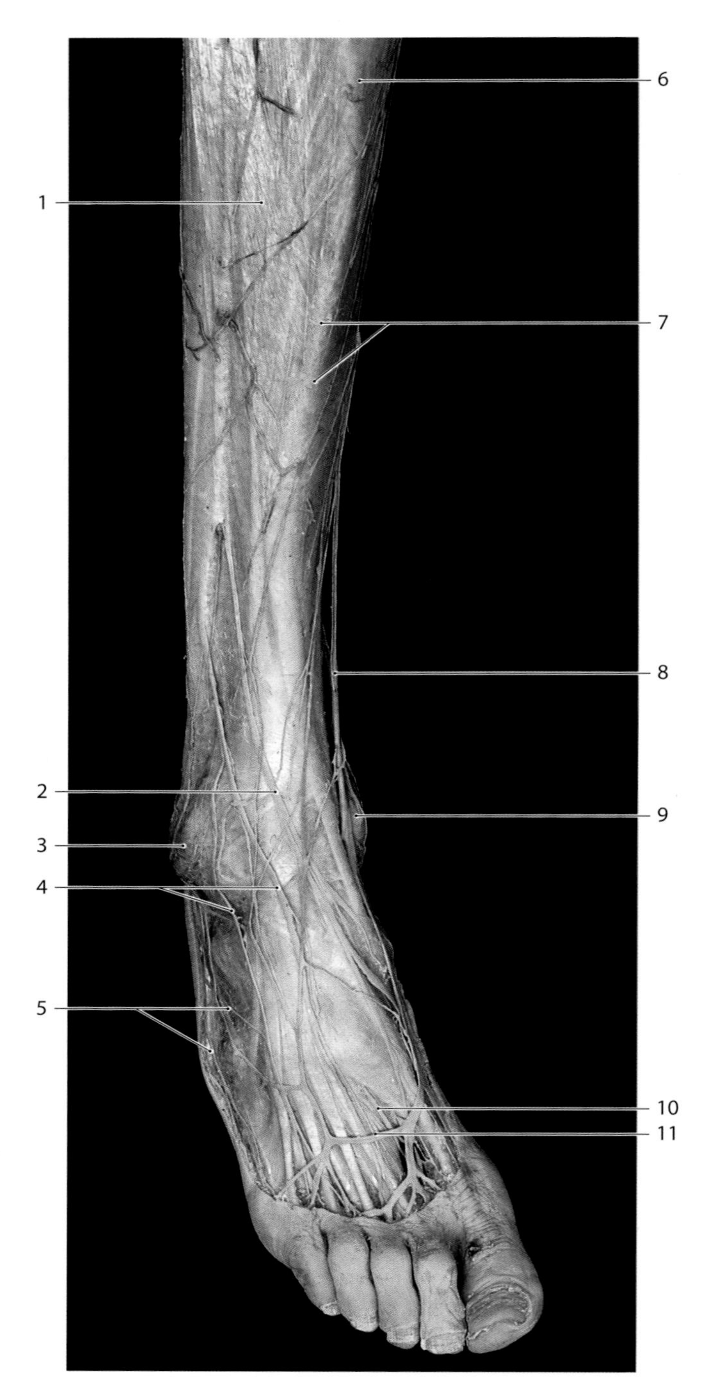

그림 4.154 **종아리앞부위와 발등,** 피부신경과 피부정맥(오른쪽).

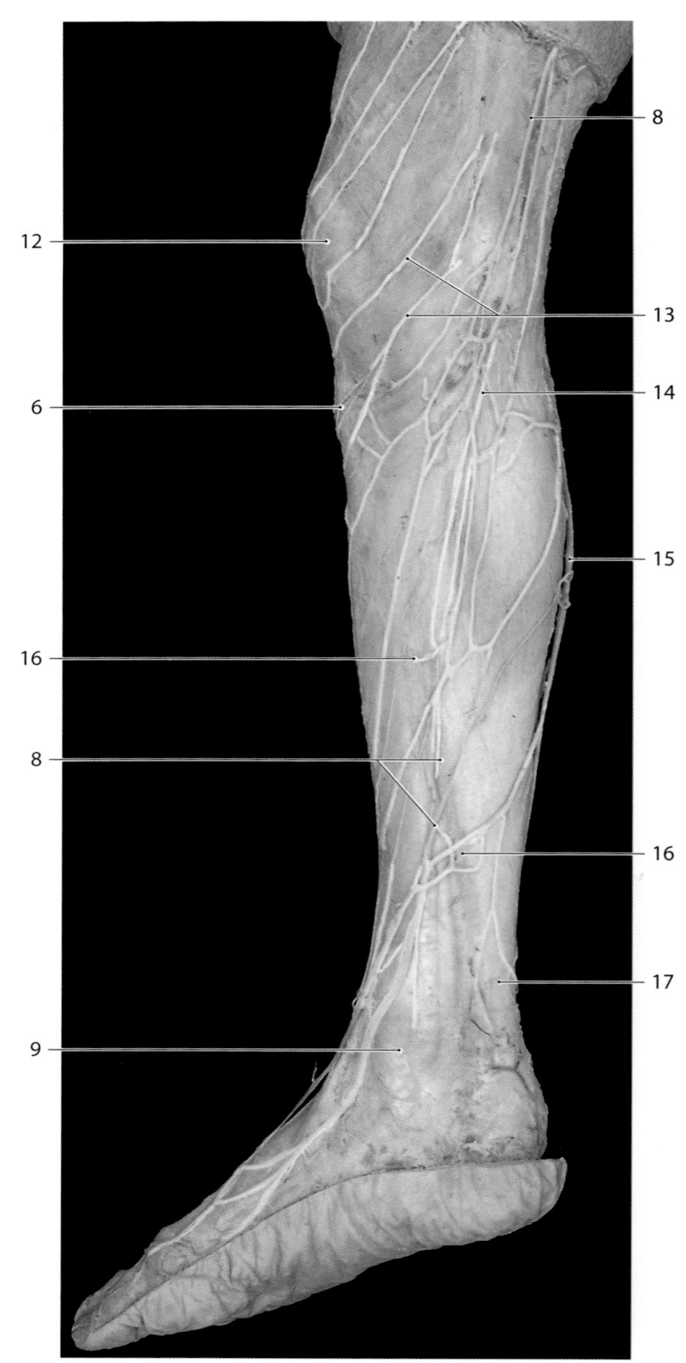

그림 4.155 **종아리안쪽부위와 발,** 피부신경과 피부정맥(오른쪽).

1 얕은종아리근막 Superficial crural fascia
2 얕은종아리신경의 안쪽발등피부가지
Medial dorsal cutaneous branch of superficial fibular nerve
3 가쪽복사 Lateral malleolus
4 얕은종아리신경의 중간발등피부가지
Intermediate dorsal cutaneous branch of superficial fibular nerve
5 장딴지신경의 가쪽발등피부가지
Lateral dorsal cutaneous branch of sural nerve
6 정강뼈거친면의 위치 Position of Tibial tuberosity
7 정강뼈의 앞모서리 Anterior margin of tibia
8 큰두렁정맥 Great saphenous vein
9 안쪽복사 Medial malleolus
10 깊은종아리신경 Deep fibular nerve
11 발등정맥활 Dorsal venous arch of foot
12 무릎뼈의 위치 Position of patella
13 두렁신경의 무릎아래가지 Infrapatellar branches of saphenous nerve
14 두렁신경 Saphenous nerve
15 작은두렁정맥 Small saphenous vein
16 관통정맥 Perforating vein
17 발꿈치힘줄(아킬레스힘줄) Calcaneal or Achilles tendon

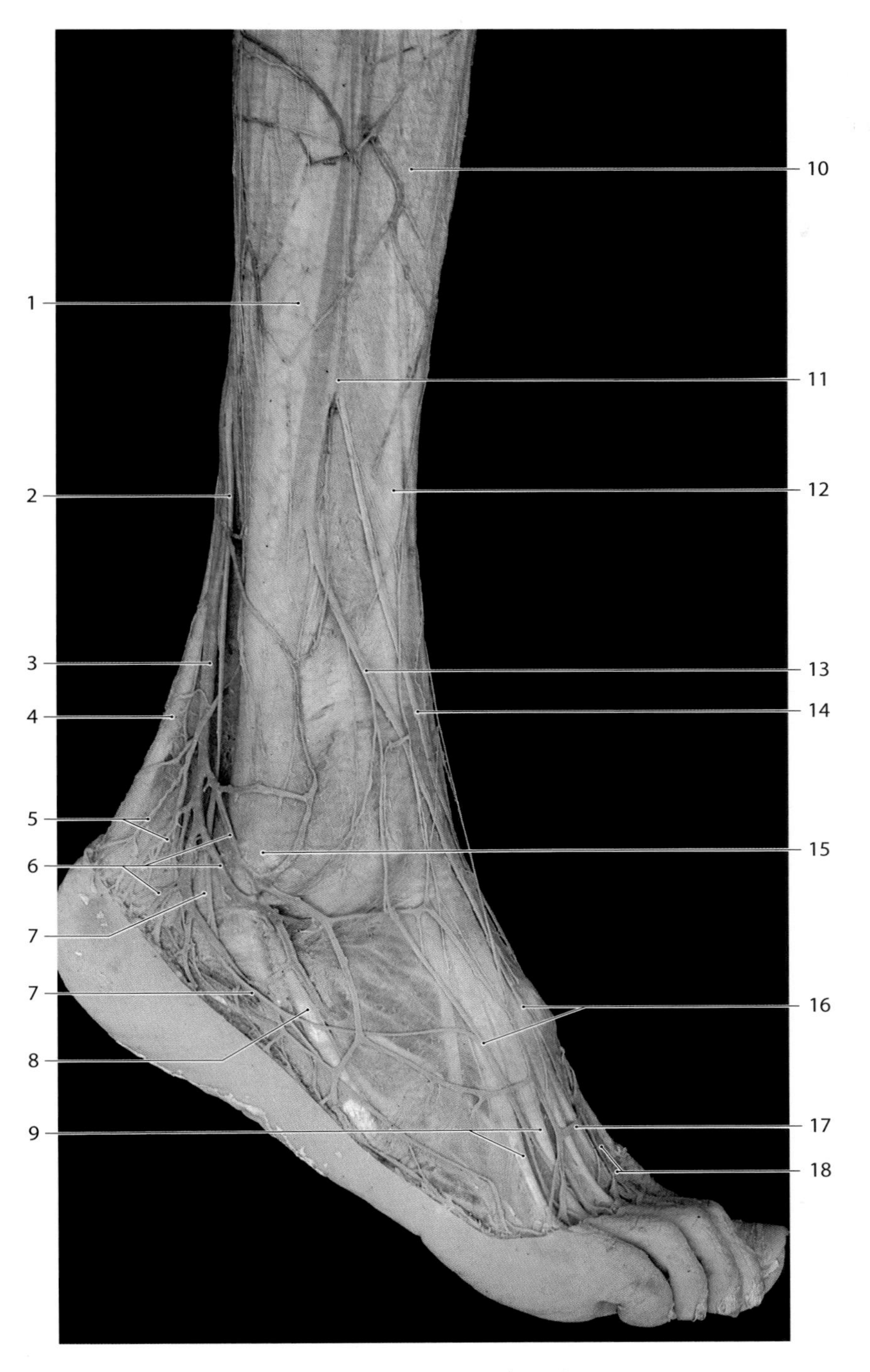

그림 4.156 **종아리가쪽부위와 발**, 피부신경과 피부정맥(오른쪽).

그림 4.157 **종아리앞부위와 발등**, 피부신경과 피부정맥.

1 종아리뼈의 위치 Position of fibula
2 장딴지신경 Sural nerve
3 작은두렁정맥 Small saphenous vein
4 발꿈치힘줄(아킬레스힘줄) Calcaneal or Achilles tendon
5 장딴지신경의 가쪽발꿈치가지 Lateral calcaneal branches of sural nerve
6 가쪽반달의 정맥그물 Venous plexus of lateral malleolus
7 장딴지신경의 가쪽발등피부가지 Lateral dorsal cutaneous branch of sural nerve
8 짧은종아리근힘줄 Tendon of peroneus brevis muscle
9 긴발가락폄근힘줄 Tendons of extensor digitorum longus muscle
10 종아리근막 Crural fascia
11 얕은종아리신경 Superficial fibular nerve
12 정강뼈의 위치 Position of tibia
13 얕은종아리신경의 중간발등피부가지 Intermediate dorsal cutaneous branch of superficial fibular nerve
14 얕은종아리신경의 안쪽발등피부가지 Medial dorsal cutaneous branch of superficial fibular nerve
15 가쪽복사 Lateral malleolus
16 등쪽발가락신경 Dorsal digital nerves
17 발등정맥활 Dorsal venous arch of foot
18 깊은종아리신경 Deep fibular nerve
19 등쪽발허리정맥 Dorsal metatarsal veins
20 두렁신경 Saphenous nerve
21 큰두렁정맥 Great saphenous vein

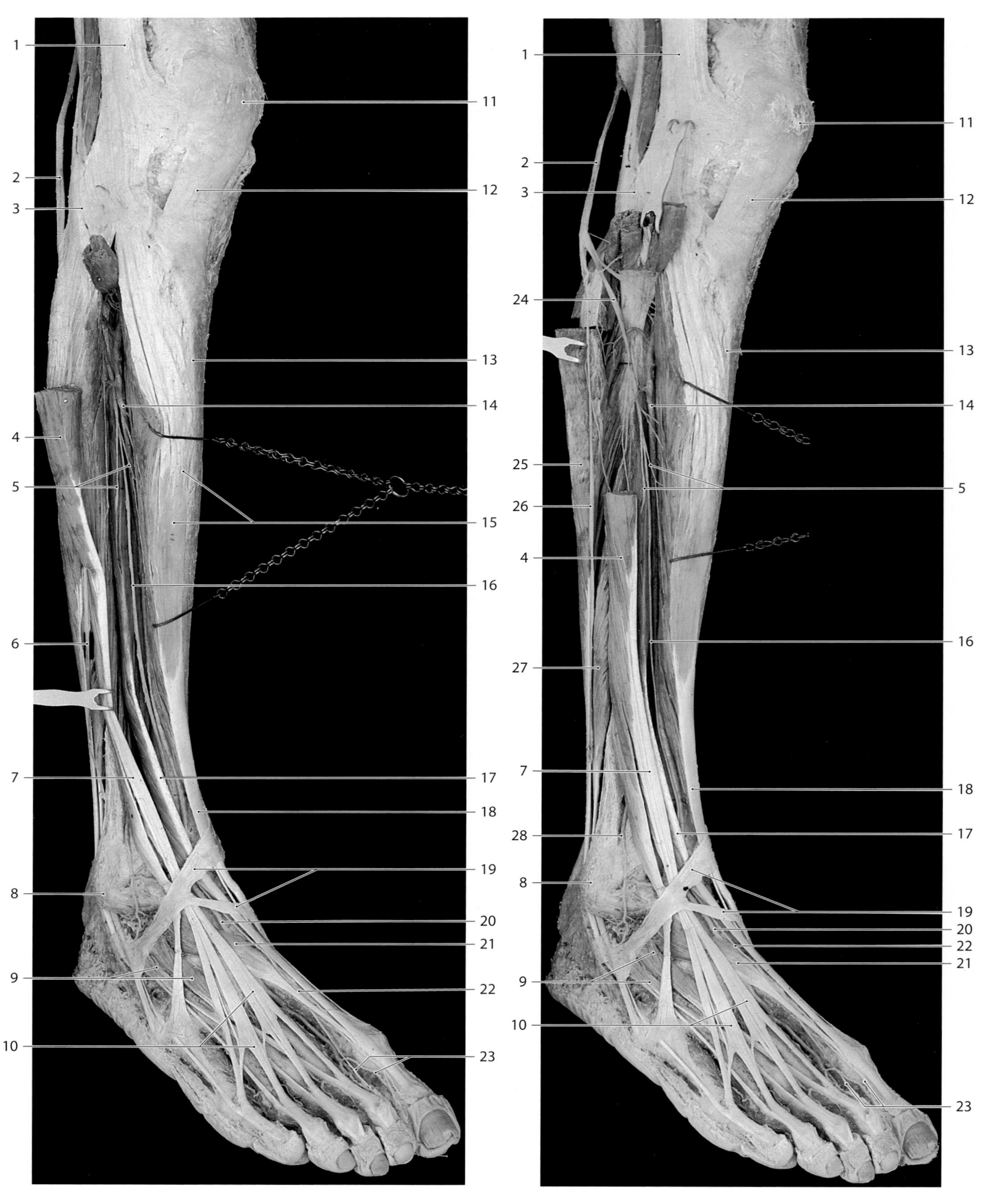

그림 4.158 **종아리가쪽부위와 발등,** 중간층(오른쪽, 앞가쪽모습). 긴발가락폄근을 잘라서 가쪽으로 젖혔다.

그림 4.159 **종아리앞부위와 발등,** 깊은층(오른쪽, 앞가쪽모습). 긴발가락폄근과 긴종아리근을 자르거나 제거하였다. 온종아리신경을 들어 올려 종아리뼈머리 주변에서 이 신경의 주행을 돋보이게 하였다.

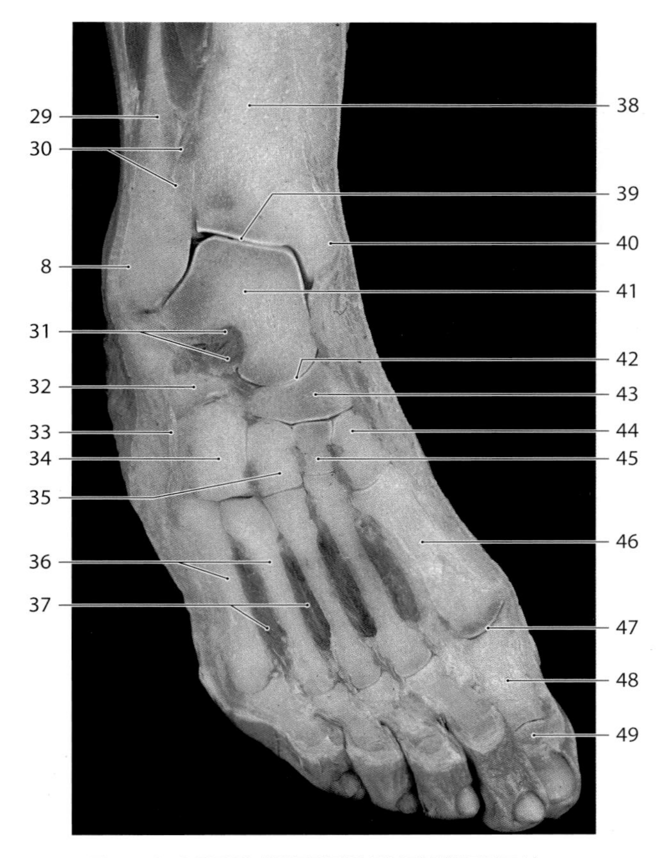

그림 4.160 **오른쪽 발과 발목관절의 관상단면**(발등쪽모습).

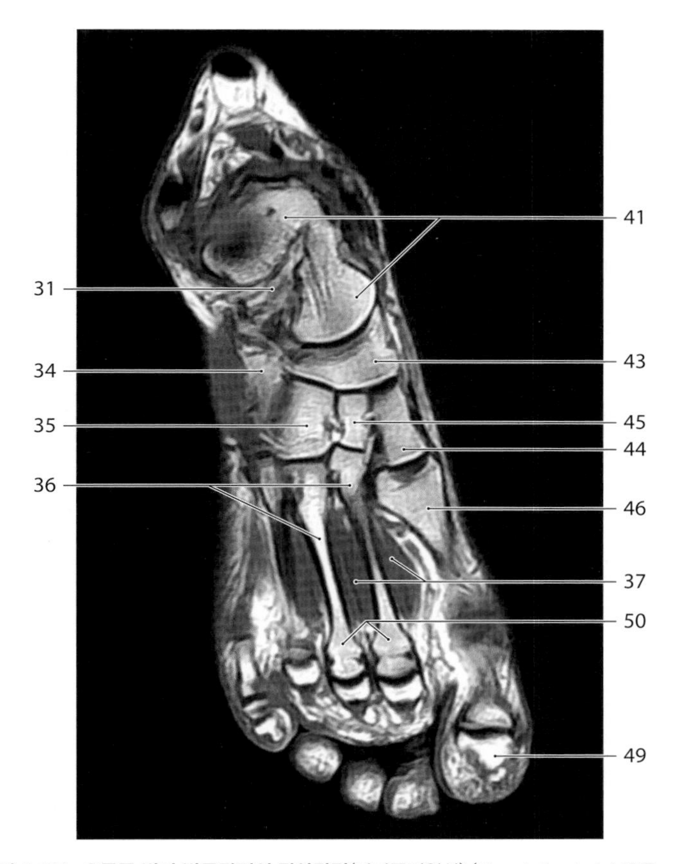

그림 4.161 **오른쪽 발과 발목관절의 관상단면**(자기공명영상).(Heuck A, et al. MRT-Atlas des muskuloskelettalen Systems. Stuttgart, Germany: Schattauer, 2009.)

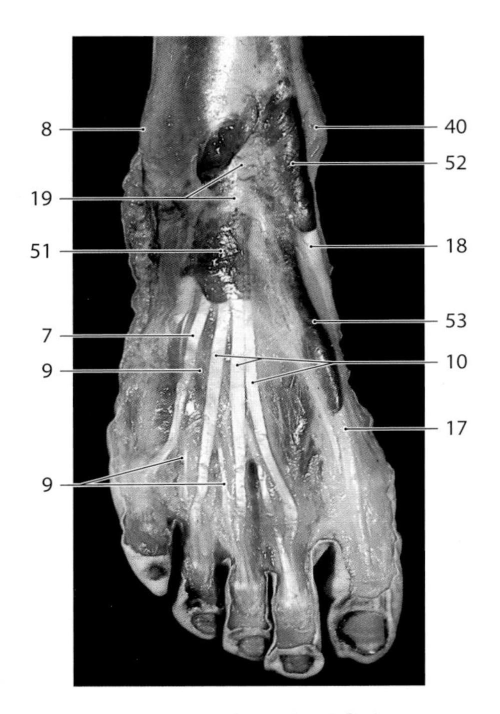

그림 4.162 **폄근육힘줄의 힘줄윤활집**(발등쪽모습). 윤활집에 파란색 젤라틴을 주입하였다.

1 엉덩정강띠 Iliotibial tract
2 온종아리신경 Common fibular nerve
3 종아리뼈머리의 위치 Position of head of fibula
4 긴발가락폄근 Extensor digitorum longus muscle
5 깊은종아리신경의 근육가지 Muscular branches of deep fibular nerve
6 얕은종아리신경 Superficial fibular nerve
7 긴발가락폄근힘줄 Tendon of extensor digitorum longus muscle
8 가쪽복사 Lateral malleolus
9 짧은발가락폄근과 힘줄 Extensor digitorum brevis muscle with tendons
10 긴발가락폄근힘줄 Tendons of extensor digitorum longus muscle
11 무릎뼈 Patella
12 무릎뼈인대 Patellar ligament
13 정강뼈의 앞모서리 Anterior margin of tibia
14 앞정강동맥 Anterior tibial artery
15 앞정강근 Tibialis anterior muscle
16 깊은종아리신경 Deep fibular nerve
17 긴엄지폄근 Extensor hallucis longus muscle
18 앞정강근힘줄 Tendon of tibialis anterior muscle
19 아래폄근지지띠 Inferior extensor retinaculum
20 발등동맥 Dorsalis pedis artery
21 짧은엄지폄근 Extensor hallucis brevis muscle
22 깊은종아리신경(발등에 분포하는) Deep fibular nerve (on dorsum of foot)
23 깊은종아리신경의 종말가지 Terminal branches of deep fibular nerve
24 깊은종아리신경 Deep fibular nerve
25 긴종아리근(잘림) Peroneus longus muscle (cut)
26 얕은종아리신경(종아리근육을 가쪽으로 젖힌 상태) Superficial fibular nerve (with peroneal muscles laterally reflected)
27 짧은종아리근 Peroneus brevis muscle
28 가쪽앞복사동맥 Lateral anterior malleolar artery
29 종아리뼈 Fibula
30 아래정강종아리관절(인대결합) Distal tibiofibular joint (syndesmosis)
31 뼈사이목말발꿈치인대 Talocalcaneal interosseous ligament
32 발꿈치뼈 Calcaneus
33 짧은종아리근힘줄 Tendon of peroneus brevis muscle
34 입방뼈 Cuboid bone
35 가쪽쐐기뼈 Lateral cuneiform bone
36 발허리뼈 Metatarsal bones
37 등쪽뼈사이근 Dorsal interossei muscles
38 정강뼈 Tibia
39 발목관절 Ankle joint
40 안쪽복사 Medial malleolus
41 목말뼈 Talus
42 목말발꿈치발배관절 Talocalcaneonavicular joint
43 발배뼈 Navicular bone
44 안쪽쐐기뼈 Medial cuneiform bone
45 중간쐐기뼈 Intermediate cuneiform bone
46 첫째발허리뼈 First metatarsal bone
47 엄지의 발허리발가락관절 Metatarsophalangeal joint of great toe
48 엄지의 첫마디뼈 Proximal phalanx of great toe
49 엄지의 끝마디뼈 Distal phalanx of great toe
50 둘째 및 셋째발허리뼈머리 Heads of the second and third metatarsal bones
51 긴발가락폄근힘줄과 힘줄윤활집 Synovial sheath of tendons of extensor digitorum longus muscle
52 앞정강근힘줄과 힘줄윤활집 Synovial sheath of tendon of tibialis anterior muscle
53 긴엄지폄근힘줄과 힘줄윤활집 Synovial sheath of tendon of extensor hallucis longus muscle

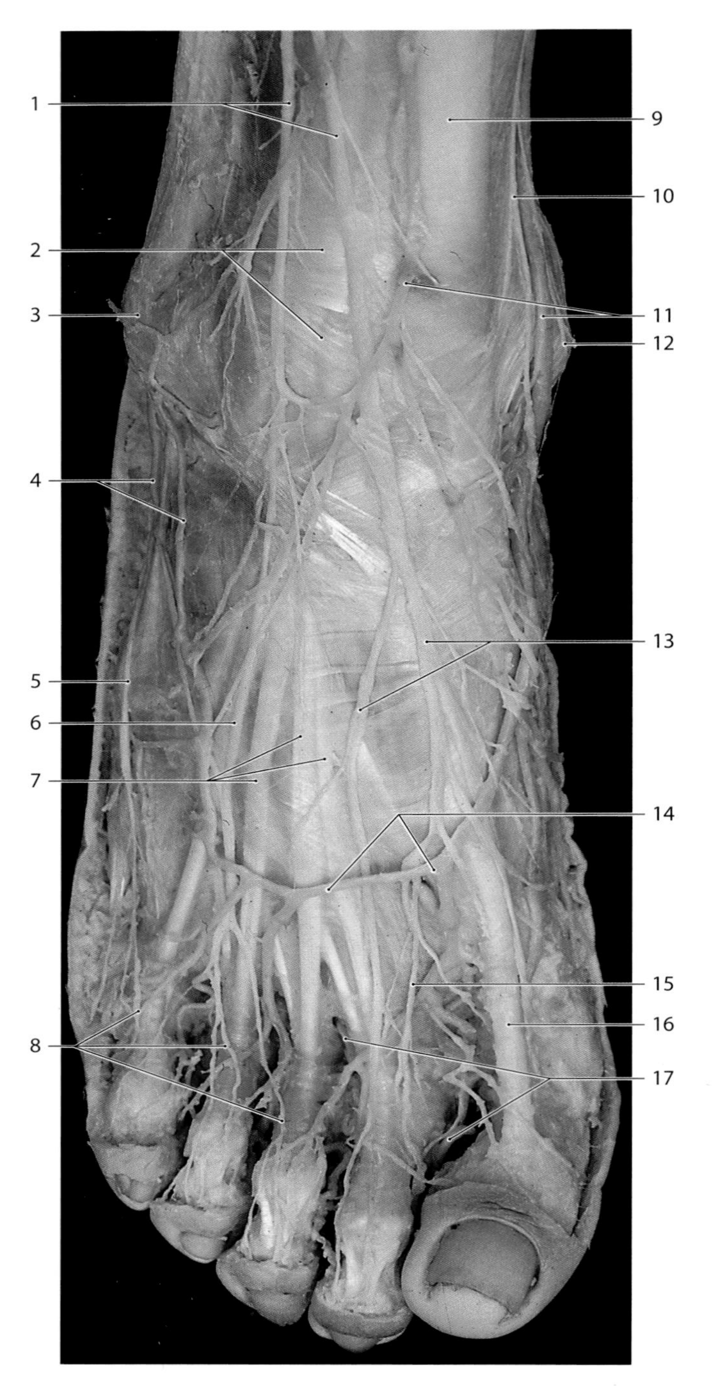

그림 4.163 **오른쪽 발등,** 얕은층.

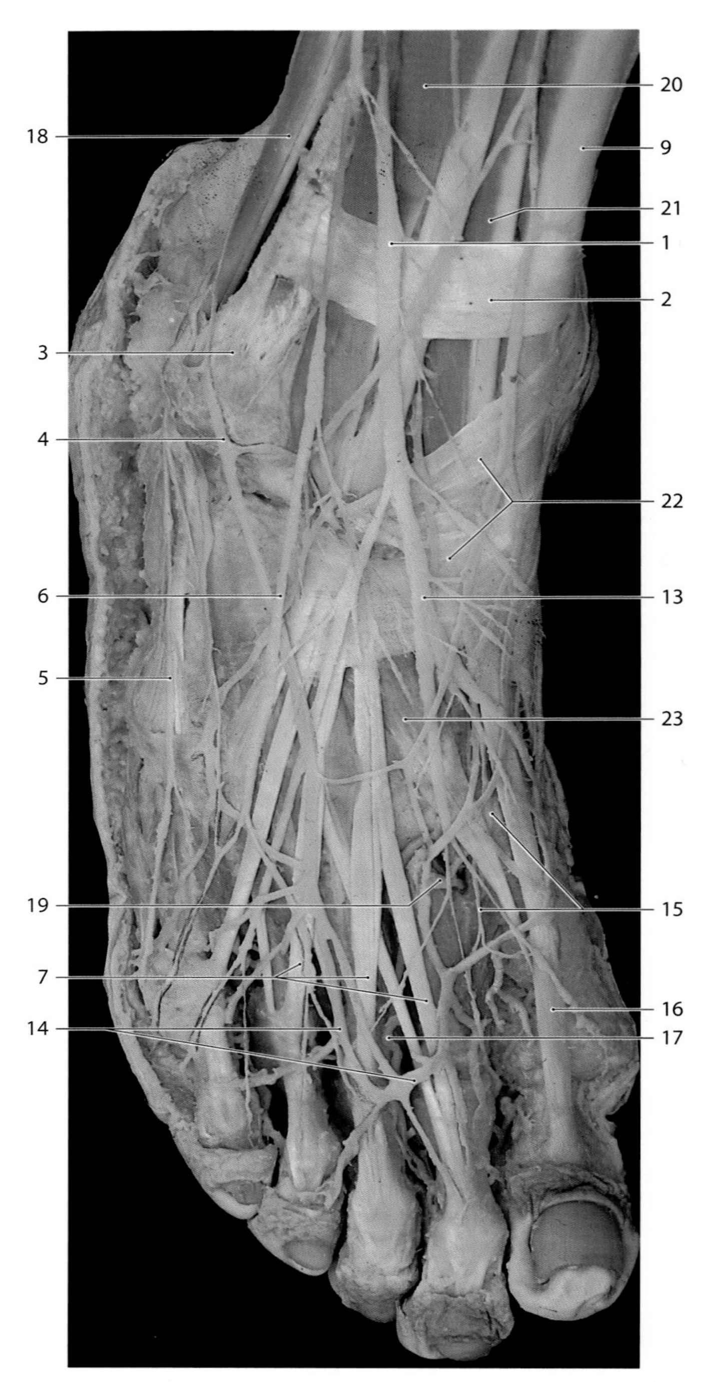

그림 4.164 **오른쪽 발등,** 얕은층. 발등근막을 제거하였다.

1 얕은종아리신경 Superficial fibular nerve
2 위폄근지지띠 Superior extensor retinaculum
3 가쪽복사 Lateral malleolus
4 가쪽복사 정맥그물과 작은두렁정맥의 지류
Venous network of lateral malleolus and tributaries of small saphenous vein
5 장딴지신경의 가쪽발등피부신경
Lateral dorsal cutaneous branch of sural nerve
6 중간발등피부신경 Intermediate dorsal cutaneous nerve
7 긴발가락폄근힘줄 Tendons of extensor digitorum longus muscle
8 등쪽발가락신경 Dorsal digital nerves
9 앞정강근힘줄 Tendon of tibialis anterior muscle
10 두렁신경 Saphenous nerve
11 안쪽복사 정맥그물과 큰두렁정맥의 지류
Venous network of medial malleolus and tributaries of great saphenous vein
12 안쪽복사 Medial malleolus
13 안쪽발등피부신경 Medial dorsal cutaneous nerves
14 발등정맥활 Dorsal venous arch of foot
15 등쪽발가락신경(깊은종아리신경의) Dorsal digital nerve (of deep fibular nerve)
16 긴엄지폄근힘줄 Tendon of extensor hallucis longus muscle
17 등쪽발가락동맥 Dorsal digital arteries
18 종아리근육 Peroneal muscles
19 발바닥동맥활과 연결되는 발등동맥의 깊은발바닥가지
Deep plantar branch of dorsalis pedis artery anastomosing with plantar arch
20 긴발가락폄근 Extensor digitorum longus muscle
21 긴엄지폄근 Extensor hallucis longus muscle
22 아래폄근지지띠 Inferior extensor retinaculum
23 짧은엄지폄근 Extensor hallucis brevis muscle

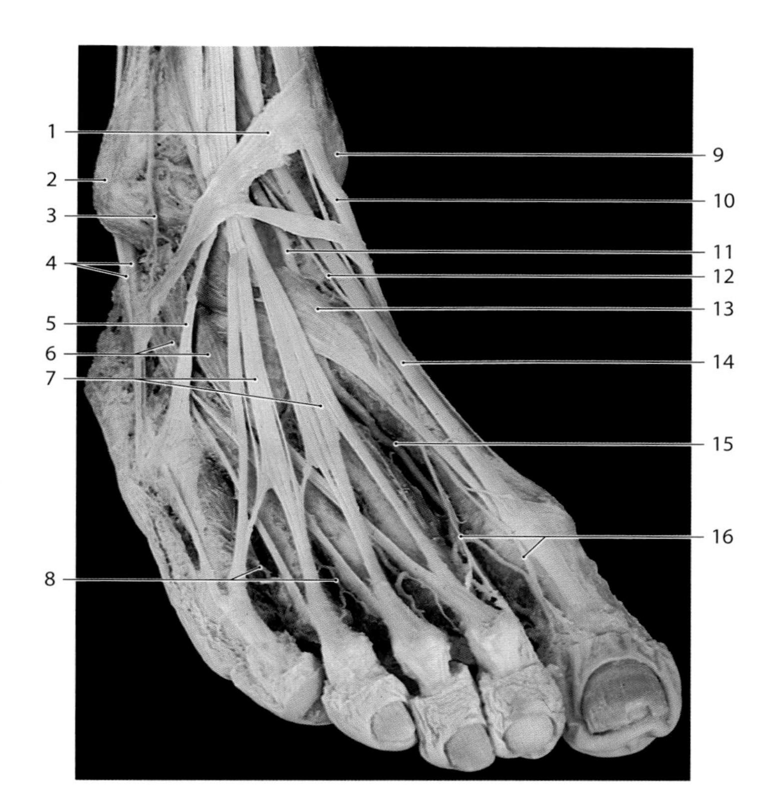

그림 4.165 **오른쪽 발등,** 중간층. 피부신경을 제거하였다.

1 아래폄근지지띠 Inferior extensor retinaculum
2 가쪽복사 Lateral malleolus
3 가쪽앞복사동맥 Lateral anterior malleolar artery
4 종아리근육의 힘줄 Tendons of peroneal muscles
5 셋째종아리근힘줄 Tendon of peroneus tertius muscle
6 짧은발가락폄근 Extensor digitorum brevis muscle
7 긴발가락폄근힘줄 Tendons of extensor digitorum longus muscle
8 등쪽발허리동맥 Dorsal metatarsal arteries
9 안쪽복사 Medial malleolus
10 앞정강근힘줄 Tendon of tibialis anterior muscle
11 발등동맥 Dorsalis pedis artery
12 깊은종아리신경(발등의) Deep fibular nerve (on dorsum of foot)
13 짧은엄지폄근 Extensor hallucis brevis muscle
14 긴엄지폄근힘줄 Tendon of extensor hallucis longus muscle
15 발등동맥과 발바닥동맥활로 연결되는 깊은발바닥가지
Dorsalis pedis artery with deep plantar branch to the plantar arch
16 깊은종아리신경의 종말가지 Terminal branches of deep fibular nerve
17 가쪽발목동맥 Lateral tarsal artery
18 짧은발가락폄근(잘림) Extensor digitorum brevis muscle (divided)
19 활꼴동맥 Arcuate artery
20 등쪽뼈사이근육 Dorsal interossei muscles
21 깊은종아리신경 Deep fibular nerve

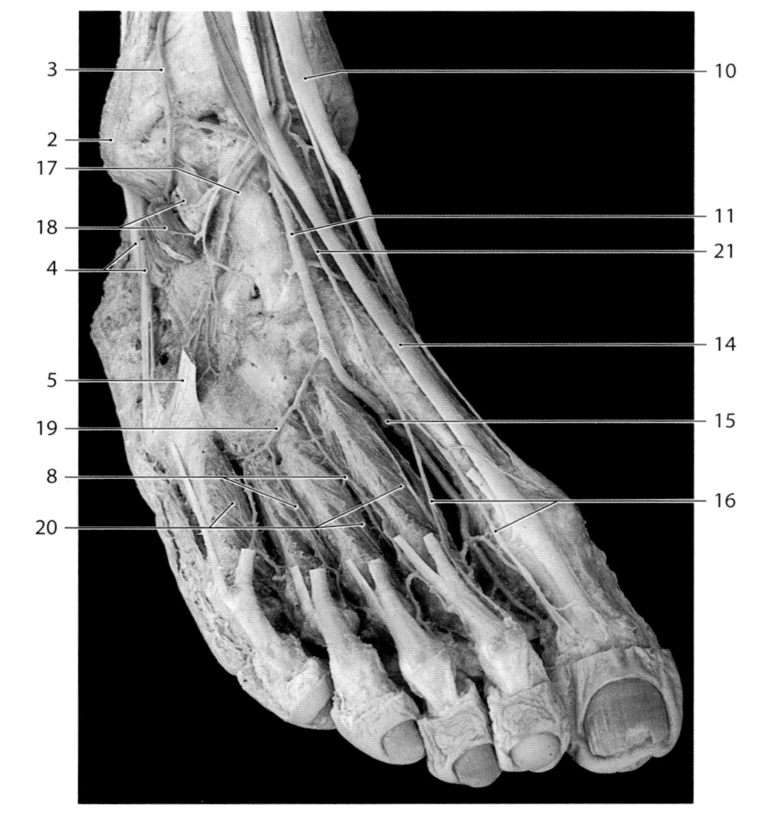

그림 4.166 **오른쪽 발등,** 깊은층. 발가락폄근과 짧은엄지폄근을 제거하였다.

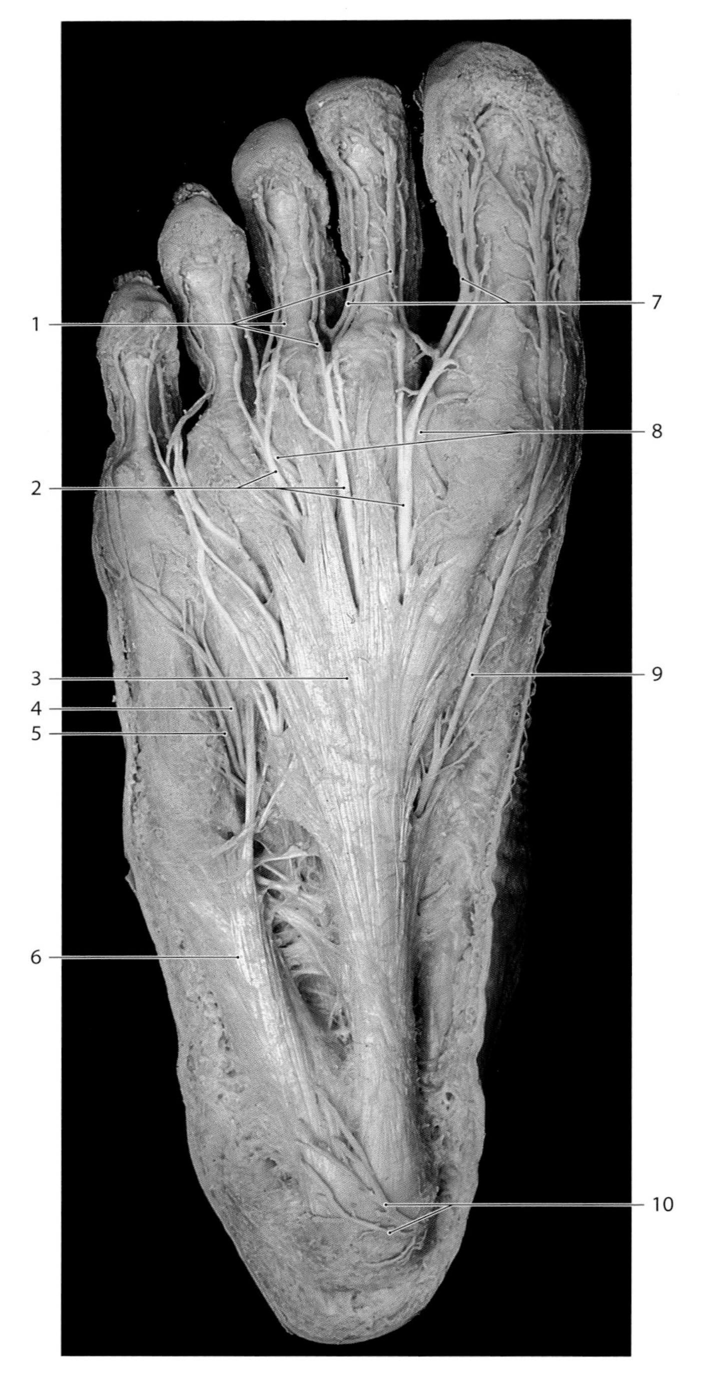

그림 4.167 **오른쪽 발바닥,** 얕은층. 피부신경과 혈관의 해부.

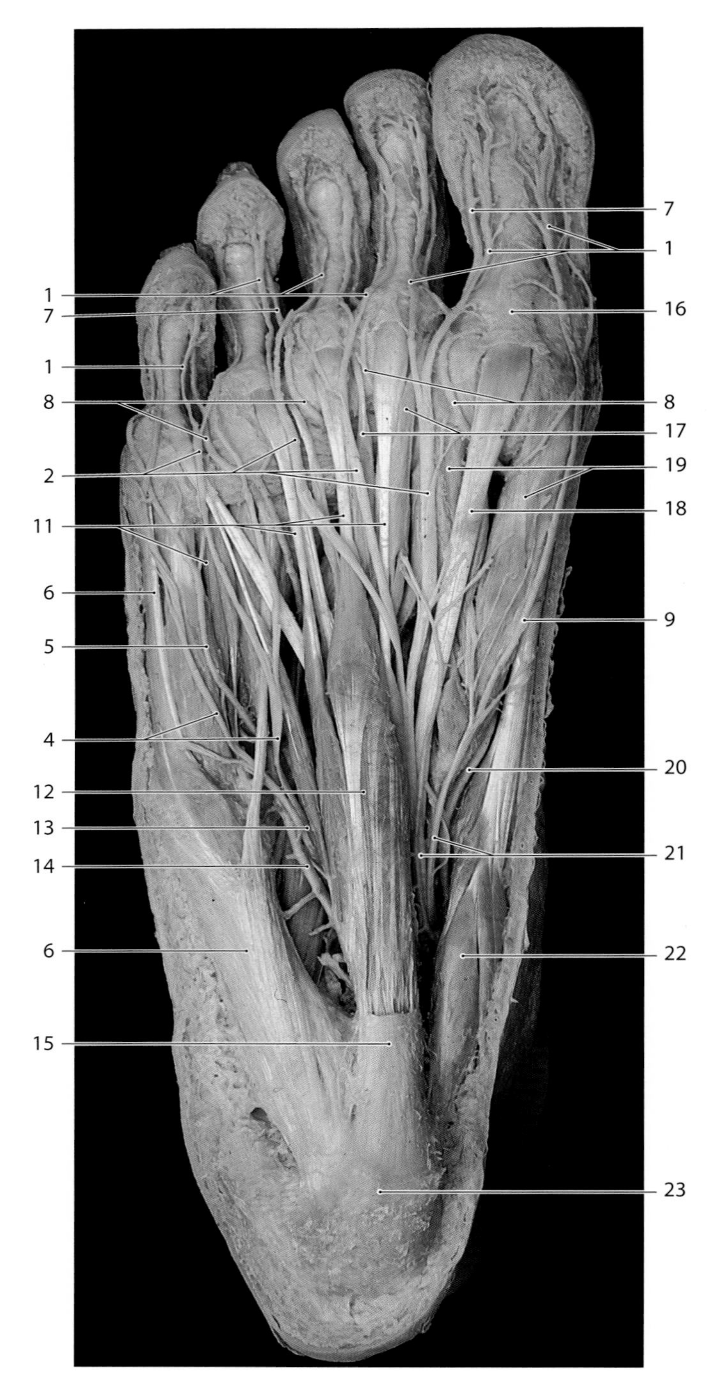

그림 4.168 **오른쪽 발바닥,** 중간층. 발바닥널힘줄을 제거하였다.

1 고유바닥쪽발가락신경 Proper plantar digital nerves
2 온바닥쪽발가락신경 Common plantar digital nerves
3 발바닥널힘줄 Plantar aponeurosis
4 가쪽발바닥신경의 얕은가지 Superficial branch of lateral plantar nerve
5 가쪽발바닥동맥의 얕은가지 Superficial branch of lateral plantar artery
6 새끼벌림근 Abductor digiti minimi muscle
7 고유바닥쪽발가락동맥 Proper plantar digital arteries
8 온바닥쪽발가락동맥 Common plantar digital arteries
9 안쪽발바닥신경의 엄지쪽 가지
Digital branch of medial plantar nerve to great toe
10 안쪽발꿈치가지 Medial calcaneal branches
11 짧은발가락굽힘근힘줄 Tendons of flexor digitorum brevis muscle
12 짧은발가락굽힘근 Flexor digitorum brevis muscle
13 가쪽발바닥신경의 얕은가지 Superficial branch of lateral plantar nerve
14 가쪽발바닥동맥 Lateral plantar artery
15 발바닥널힘줄(남은 부분) Plantar aponeurosis (remnant)
16 발가락섬유집 Fibrous sheath of toe
17 벌레근 Lumbrical muscles
18 긴엄지굽힘근힘줄 Tendon of flexor hallucis longus muscle
19 짧은엄지굽힘근 Flexor hallucis brevis muscle
20 안쪽발바닥동맥 Medial plantar artery
21 안쪽발바닥신경 Medial plantar nerve
22 엄지벌림근 Abductor hallucis muscle
23 발꿈치뼈융기 Calcaneal tuberosity

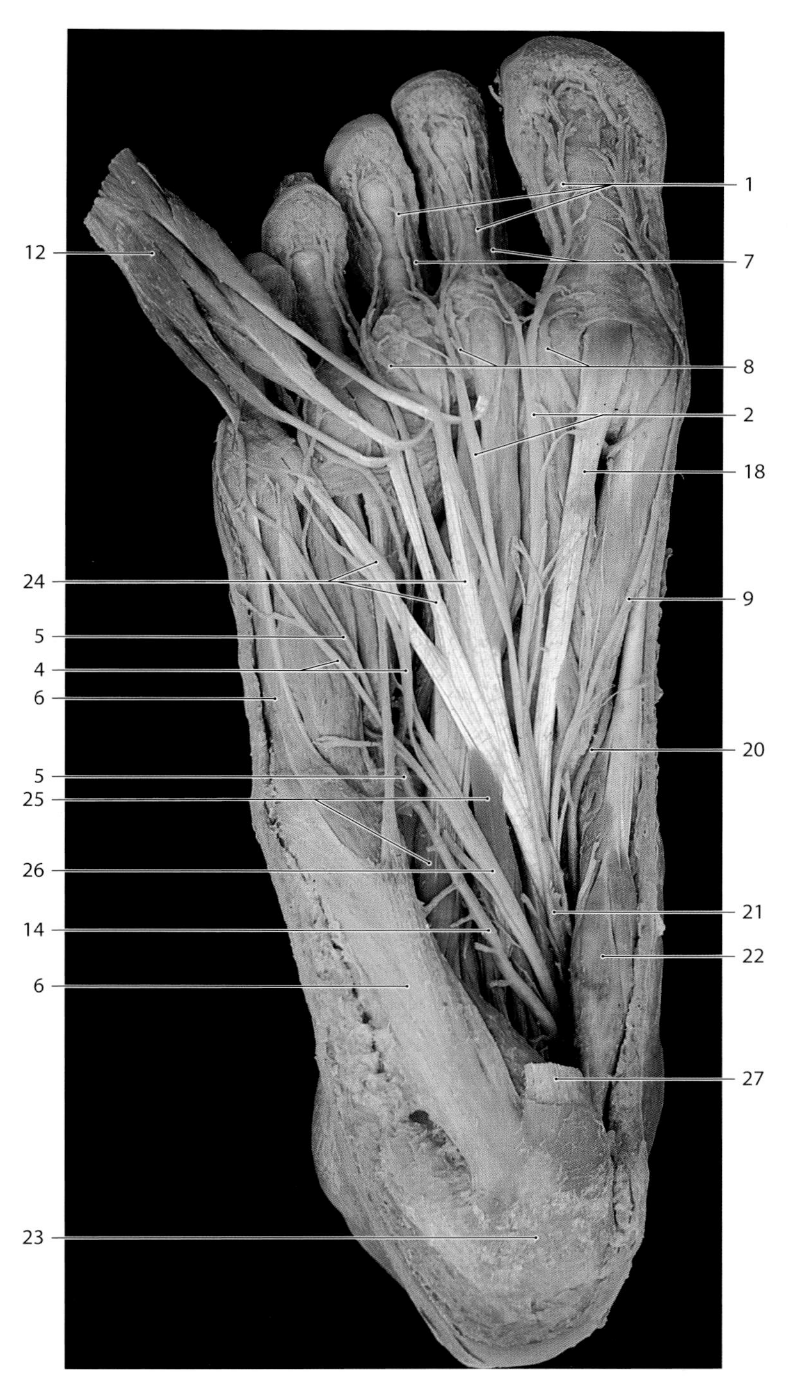

그림 4.169 **오른쪽 발바닥,** 중간층. 혈관과 신경의 해부. 짧은발가락굽힘근을 잘라 앞쪽으로 젖혔다.

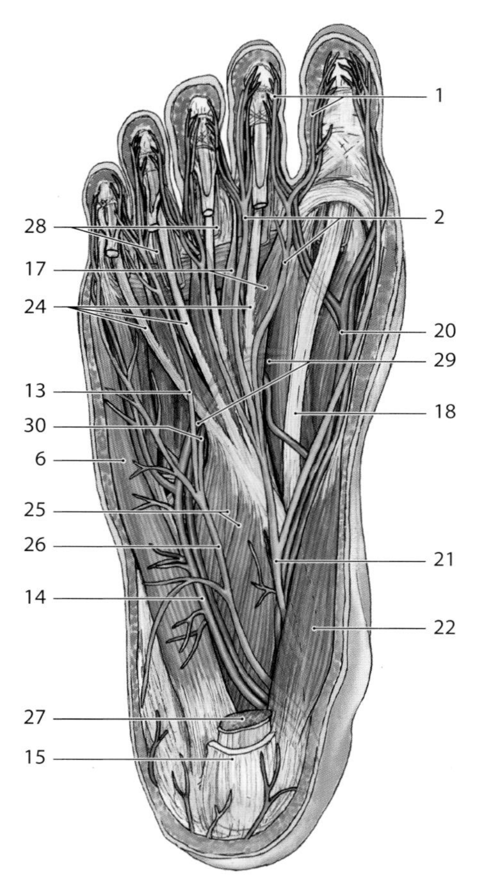

그림 4.170 **오른쪽 발바닥,** 혈관과 신경. 짧은발가락굽힘근을 제거하였다. 연한 청색 = 굽힘근윤활집(28)

24 긴발가락굽힘근힘줄 Tendons of flexor digitorum longus muscle
25 발바닥네모근 Quadratus plantae muscle
26 가쪽발바닥신경 Lateral plantar nerve
27 짧은발가락굽힘근(잘림) Flexor digitorum brevis muscle (cut)
28 긴 및 짧은발가락굽힘근의 힘줄윤활집 Synovial sheaths of tendons of flexor digitorum longus and brevis muscles
29 발바닥동맥활 Plantar arch
30 가쪽발바닥신경의 깊은가지 Deep branch of lateral plantar nerve

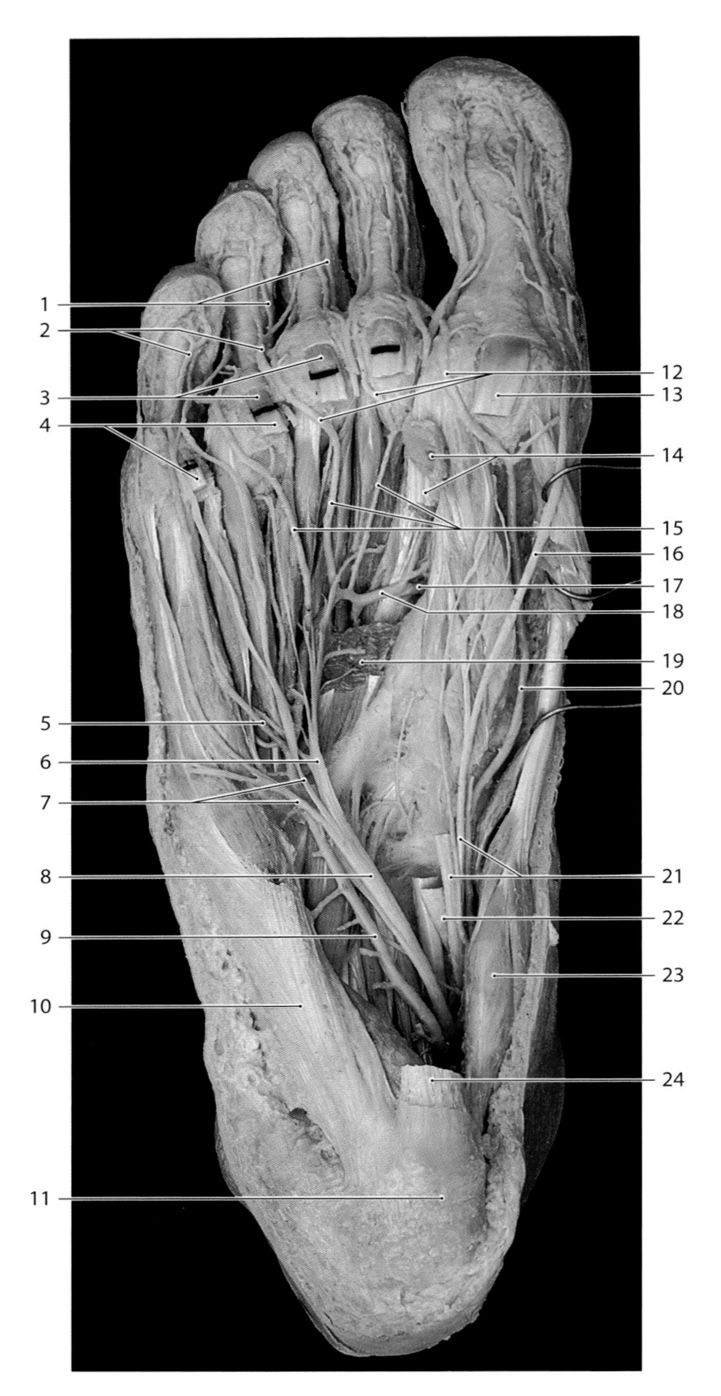

그림 4.171 **오른쪽 발바닥,** 깊은층. 혈관과 신경의 해부. 짧은발가락굽힘근, 발바닥네모근, 긴발가락굽힘근힘줄 및 안쪽발바닥신경의 일부 가지를 제거하였다. 짧은엄지굽힘근과 엄지모음근 일부를 제거하여 발의 깊은근육과 (약간 비전형적인 주행을 보이는) 안쪽발바닥동맥이 보이게 하였다.

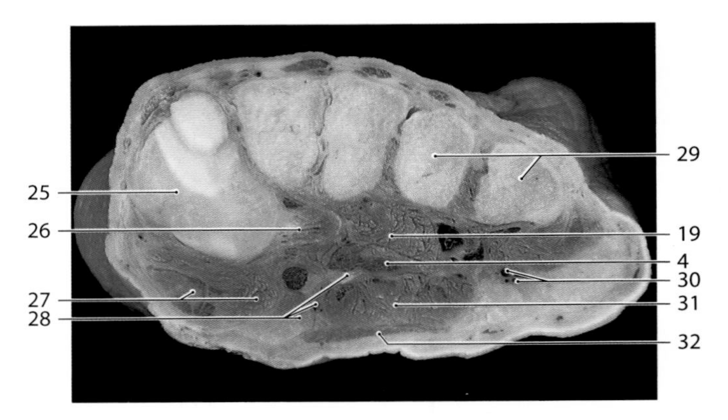

그림 4.172 **오른쪽 발의 가로단면,** 발허리뼈 부위 (뒤모습; 그림 4.175와 일치).

1 고유바닥쪽발가락동맥 Proper plantar digital arteries
2 고유바닥쪽발가락신경 Proper plantar digital nerves
3 짧은발가락굽힘근힘줄 Tendons of flexor digitorum brevis muscle
4 긴발가락굽힘근힘줄 Tendons of flexor digitorum longus muscle
5 가쪽발바닥동맥의 얕은가지 Superficial branch of lateral plantar artery
6 가쪽발바닥신경의 깊은가지 Deep branch of lateral plantar nerve
7 가쪽발바닥신경의 얕은가지 Superficial branch of lateral plantar nerve
8 가쪽발바닥신경 Lateral plantar nerve
9 가쪽발바닥동맥 Lateral plantar artery
10 새끼벌림근 Abductor digiti minimi muscle
11 발꿈치뼈융기 Calcaneal tuberosity
12 온바닥쪽발가락동맥 Common plantar digital arteries
13 긴엄지굽힘근힘줄 Tendon of flexor hallucis longus muscle
14 엄지모음근 두갈래의 닿는곳
Insertion of both heads of adductor hallucis muscle
15 바닥쪽발허리동맥 Plantar metatarsal arteries
16 안쪽고유바닥쪽발가락신경 Medial proper plantar digital nerve
17 등쪽발허리동맥의 깊은바닥쪽가지(관통가지)
Deep plantar branch of dorsal metatarsal artery (perforating branch)
18 발바닥동맥활 Plantar arch
19 엄지모음근의 빗갈래(잘림)
Oblique head of adductor hallucis muscle (cut)
20 안쪽발바닥동맥 Medial plantar artery
21 안쪽발바닥신경 Medial plantar nerve
22 발바닥에서 교차하는 힘줄(긴엄지굽힘근과 긴발가락굽힘근)
Crossing of tendons in the sole of foot (flexor hallucis longus and flexor digitorum longus muscles)
23 엄지벌림근 Abductor hallucis muscle
24 짧은엄지굽힘근의 이는곳 Origin of flexor hallucis brevis muscle
25 안쪽쐐기뼈와 첫째발허리뼈
Medial cuneiform and first metatarsal bones
26 긴종아리근힘줄 Tendon of peroneus longus muscle
27 엄지벌림근과 짧은엄지굽힘근
Abductor hallucis and flexor hallucis brevis muscles
28 안쪽발바닥동맥, 정맥, 신경 Medial plantar artery, vein, and nerve
29 넷째 및 다섯째발허리뼈 Fourth and fifth metatarsal bones
30 가쪽발바닥동맥 Lateral plantar artery, vein, and nerve
31 짧은발가락굽힘근 Flexor digitorum brevis muscle
32 발바닥널힘줄 Plantar aponeurosis

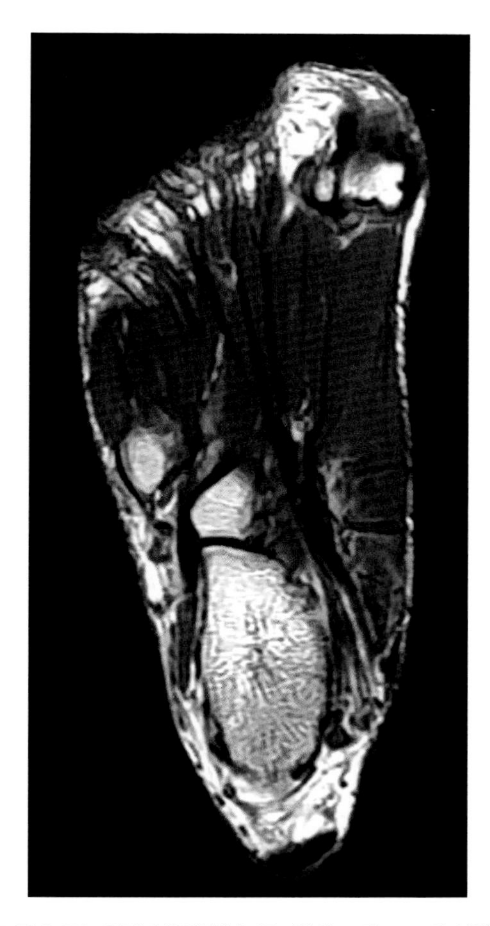

그림 4.173 **오른쪽 발바닥**(자기공명영상; 그림 4.174와 일치). (Heuck A, et al. MRT-Atlas des muskuloskelettalen Systems. Stuttgart, Germany: Schattauer, 2009.)

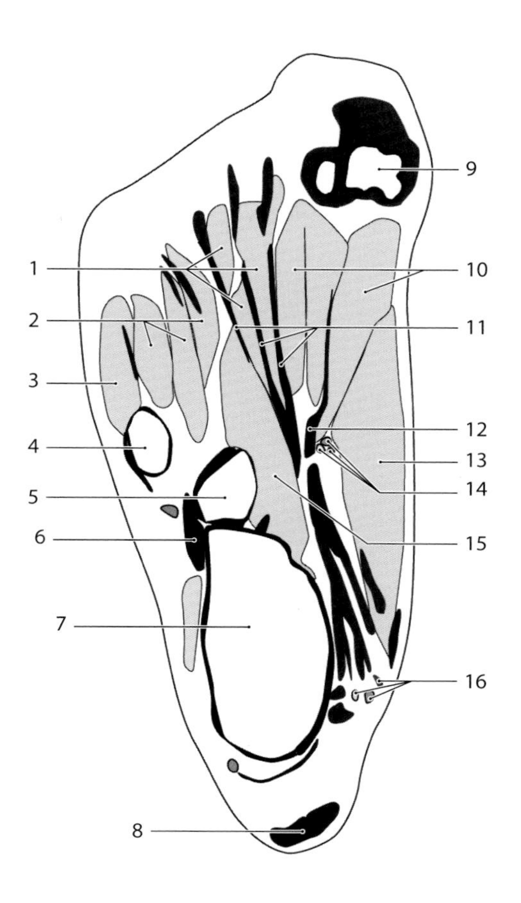

그림 4.174 **오른쪽 발바닥.** (Heuck A, et al. MRT-Atlas des muskuloskelettalen Systems. Stuttgart, Germany: Schattauer, 2009.)

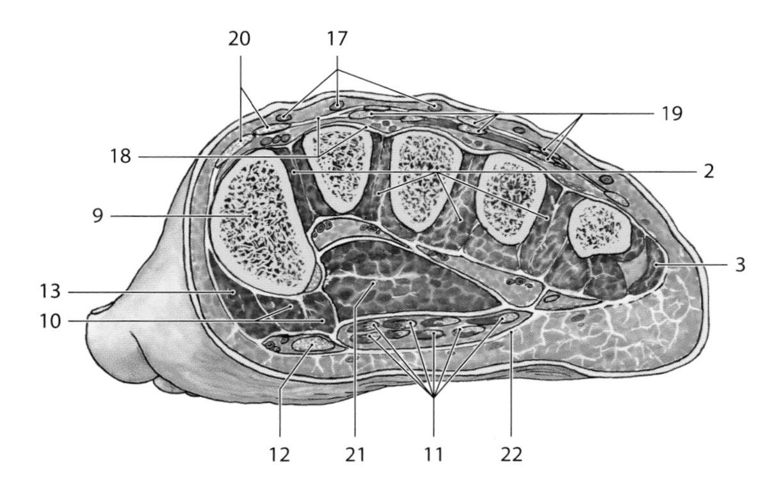

그림 4.175 **오른쪽 발의 가로단면,** 발허리뼈 부위(뒤모습; 그림 4.172와 일치).

1 벌레근 Lumbrical muscles
2 바닥쪽뼈사이근 Plantar interossei muscles
3 새끼벌림근 Abductor digiti minimi muscle
4 다섯째발허리뼈거친면 Tuberosity of fifth metatarsal bone
5 입방뼈 Cuboid bone
6 긴종아리근힘줄 Tendon of peroneus longus muscle
7 발꿈치뼈 Calcaneus
8 발꿈치힘줄(아킬레스힘줄) Calcaneal or Achilles tendon
9 첫째발허리뼈 First metatarsal bone
10 짧은엄지굽힘근 Flexor hallucis brevis muscle
11 긴 및 짧은발가락굽힘근힘줄 Tendons of flexor digitorum longus and brevis muscles
12 긴엄지굽힘근힘줄 Tendon of flexor hallucis longus muscle
13 엄지벌림근 Abductor hallucis muscle
14 안쪽발바닥동맥, 정맥, 신경 Medial plantar artery, vein, and nerve
15 발바닥네모근 Quadratus plantae muscle
16 가쪽발바닥동맥, 정맥, 신경 Lateral plantar artery, vein, and nerve
17 발등정맥그물 Dorsal venous network of foot
18 발의 얕은 및 깊은발등근막 Superficial and deep dorsal fascia of foot
19 긴 및 짧은발가락폄근힘줄 Tendons of extensor digitorum longus and brevis muscles
20 긴 및 짧은엄지폄근힘줄 Tendons of extensor hallucis longus and brevis muscles
21 엄지모음근 Adductor hallucis muscle
22 발바닥널힘줄 Plantar aponeurosis

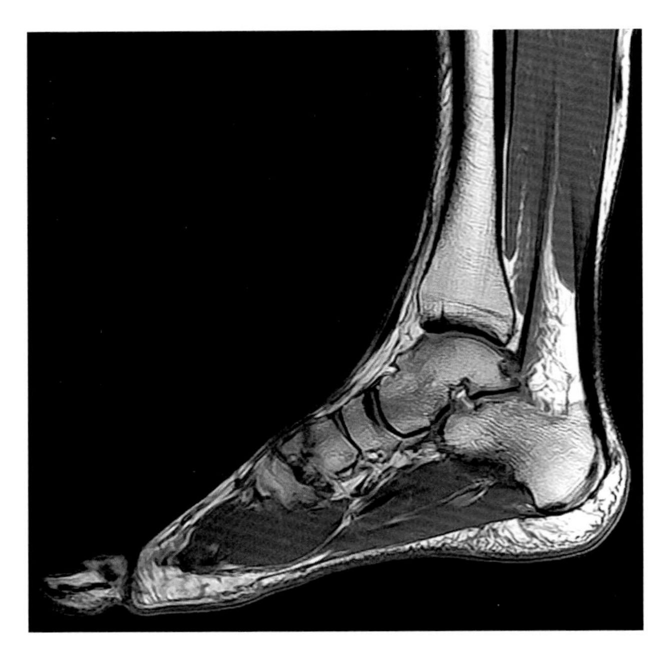

그림 4.176 **발목관절과 발의 시상단면.** 엄지발가락 부위(자기공명영상; 그림 4.177과 일치).(Heuck A, et al. MRT-Atlas des muskuloskelettalen Systems. Stuttgart, Germany: Schattauer, 2009.)

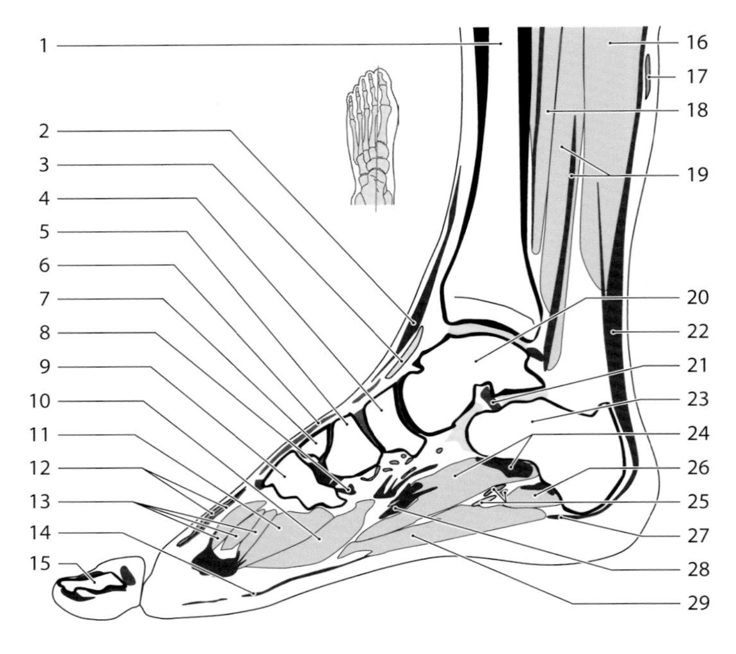

그림 4.177 **발목관절과 발의 시상단면.** 엄지발가락 부위.(Heuck A, et al. MRT-Atlas des muskuloskelettalen Systems. Stuttgart, Germany: Schattauer, 2009.)

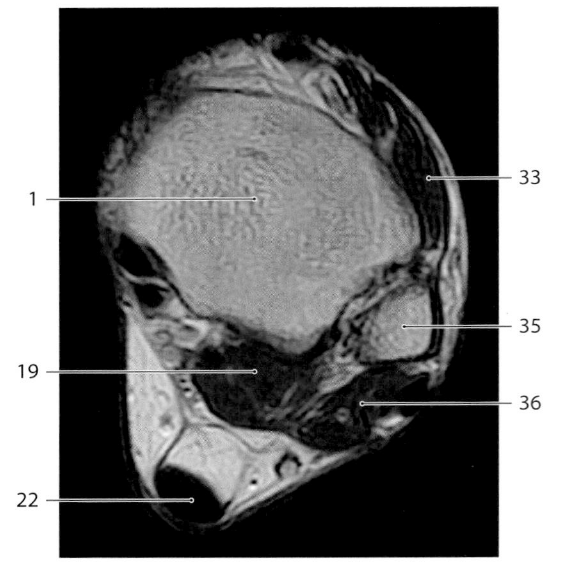

그림 4.178 **오른쪽 종아리의 가로단면,** 복사뼈 위쪽(자기공명영상). (Heuck A, et al. MRT-Atlas des muskuloskelettalen Systems. Stuttgart, Germany: Schattauer, 2009.)

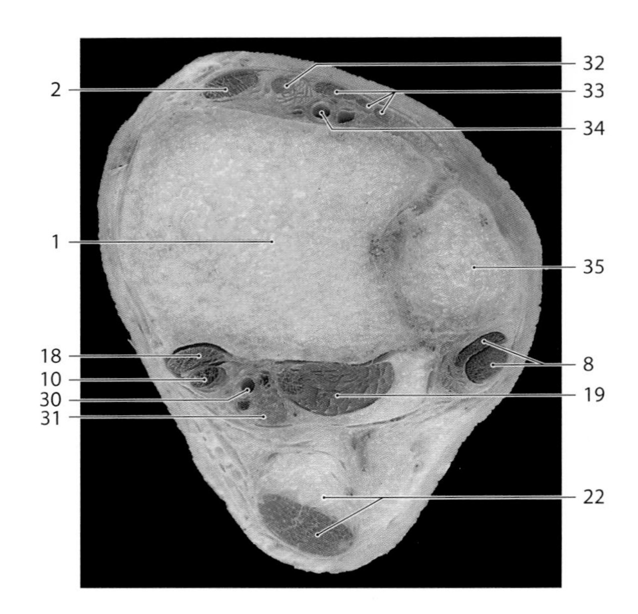

그림 4.179 **오른쪽 종아리의 가로단면,** 복사뼈 위쪽(아래모습).

1 정강뼈 Tibia
2 앞정강근힘줄 Tendon of tibialis anterior muscle
3 깊은종아리신경 Deep peroneal nerve
4 발배뼈 Navicular bone
5 중간쐐기뼈 Intermediate cuneiform bone
6 발등동맥 Dorsal artery of the foot
7 안쪽쐐기뼈 Medial cuneiform bone
8 긴종아리근힘줄 Tendon of peroneus longus muscle
9 첫째발허리뼈바닥 Base of the first metatarsal bone
10 긴발가락굽힘근 Flexor digitorum longus muscle
11 엄지모음근 Adductor hallucis muscle
12 등쪽발허리동맥과 정맥 Dorsal metatarsal artery and vein
13 뼈사이근 Interossei muscles
14 발바닥널힘줄 Plantar aponeurosis
15 끝마디뼈 Distal phalanx
16 가자미근 Soleus muscle
17 작은두렁정맥 Small saphenous vein
18 뒤정강근 Tibialis posterior muscle
19 긴엄지굽힘근 Flexor hallucis longus muscle
20 목말뼈 Talus
21 뼈사이목말발꿈치인대 Talocalcaneal interosseous ligament
22 발꿈치힘줄(아킬레스힘줄) Calcaneal or Achilles tendon
23 발꿈치뼈 Calcaneus
24 발바닥네모근 Quadratus plantae muscle
25 가쪽발바닥동맥, 정맥, 신경 Lateral plantar artery, vein, and nerve
26 새끼벌림근 Abductor digiti minimi muscle
27 발바닥널힘줄 Plantar aponeurosis
28 긴발가락굽힘근힘줄 Tendon of flexor digitorum longus muscle
29 짧은발가락굽힘근 Flexor digitorum brevis muscle
30 뒤정강동맥 Posterior tibial artery
31 정강신경 Tibial nerve
32 긴엄지폄근힘줄 Tendon of extensor hallucis longus muscle
33 긴발가락폄근힘줄 Tendons of extensor digitorum longus muscle
34 앞정강동맥 Anterior tibial artery
35 종아리뼈 Fibula
36 짧은종아리근 Peroneus brevis muscle

내장기관 Internal Organs

5 가슴기관 Thoracic Organs

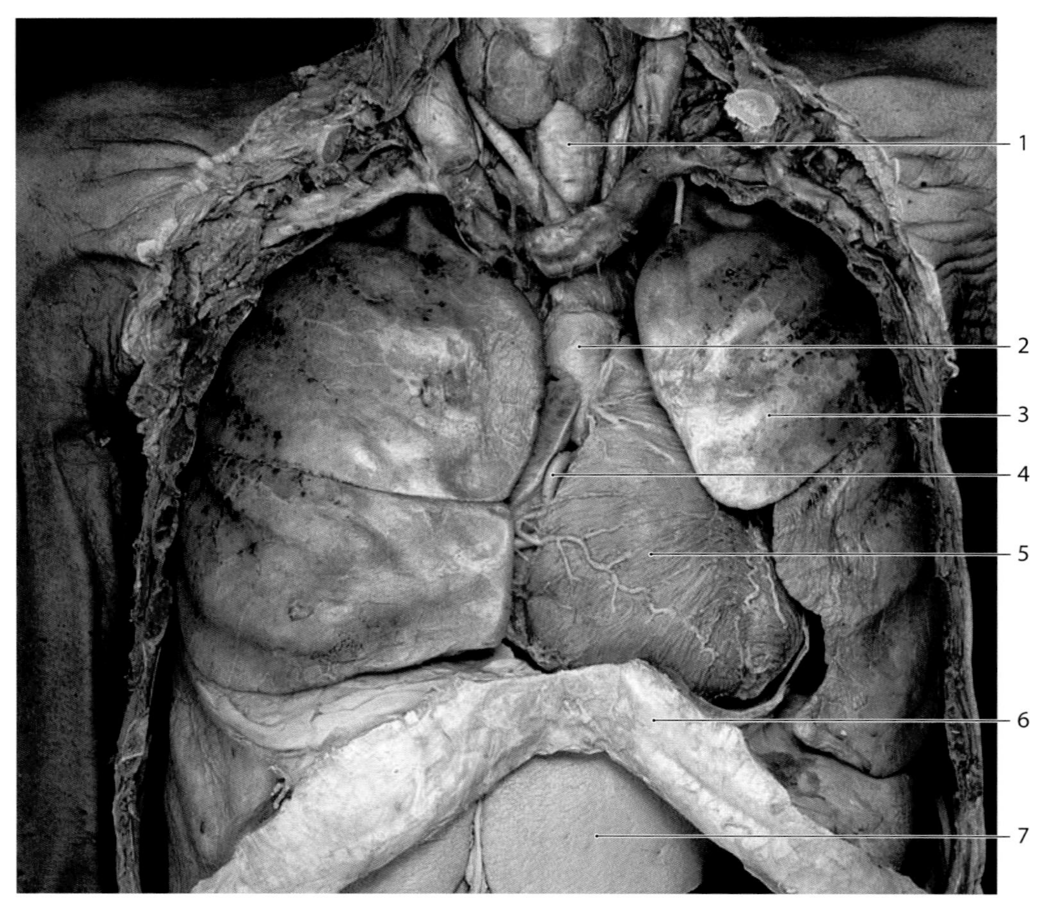

1 기관 Trachea
2 오름대동맥 Ascending aorta
3 왼허파 위엽
Upper lobe of left lung
4 오른관상동맥
Right coronary artery
5 심장의 오른심실
Right ventricle of the heart
6 갈비모서리 Costal margin
7 간 Liver
8 복장뼈 Sternum
9 심장의 오른심방귀
Right auricle of the heart
10 오른허파 중간엽
Middle lobe of right lung
11 심장의 오른심방
Right atrium of the heart
12 기관지 Main bronchus
13 홀정맥 Azygos vein
14 심장의 왼심실과 대동맥팽대
Left ventricle of the heart
and bulb of aorta
15 식도 Esophagus
16 내림대동맥 Descending aorta
17 척수 Spinal cord

그림 5.1 **가슴기관의 위치**(앞모습). 앞가슴벽을 제거하였다.

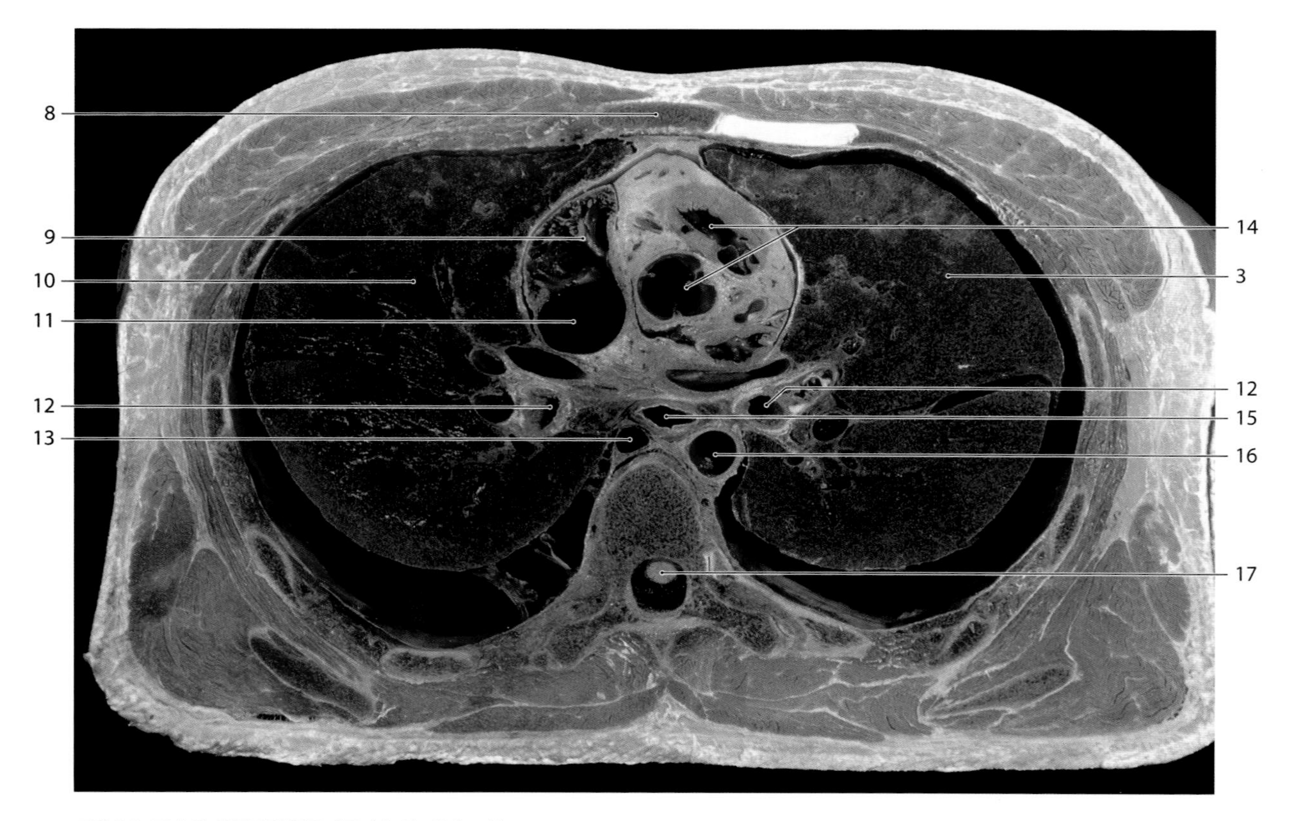

그림 5.2 **가슴의 수평단면**(일곱째등뼈 높이, 아래모습).

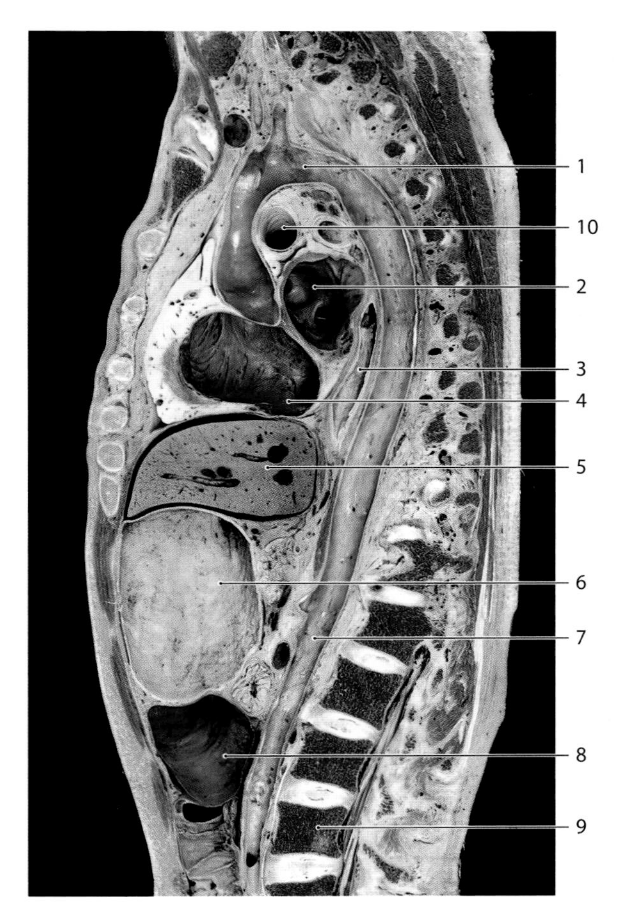

그림 5.3 **가슴안과 배안의 시상단면**(복장곁).

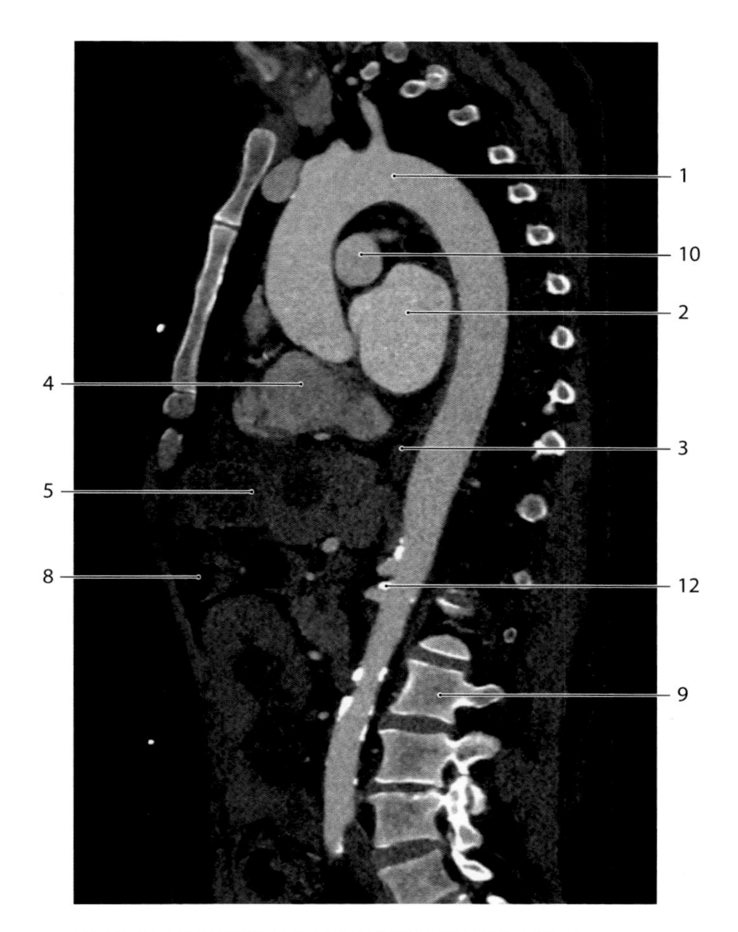

그림 5.4 **가슴안과 배안의 시상단면**(복장곁, 컴퓨터단층촬영). (Courtesy of Prof. Uder, Dept. of Radiology, Univ. Erlangen-Nuremberg).

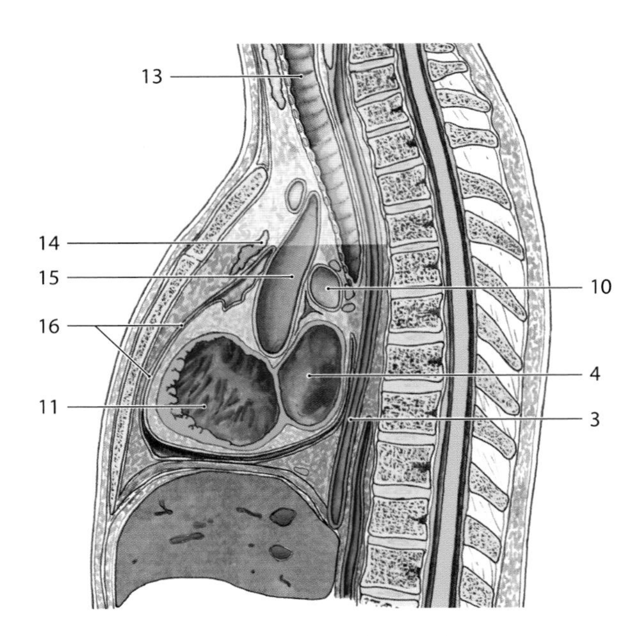

그림 5.5 **가슴안의 시상단면.** 가슴세로칸의 각 부분들을 색깔로 표시했다(오른쪽 표와 비교해 볼 것).

1 대동맥활 Aortic arch
2 심장의 왼심방 Left atrium of the heart
3 식도 Esophagus
4 심장의 오른심방 Right atrium of the heart
5 간 Liver
6 위 Stomach
7 배대동맥 Abdominal aorta
8 가로잘록창자(확장됨) Transverse colon (dilated)
9 허리뼈몸통 Body of lumber vertebrae
10 허파동맥줄기 Pulmonary trunk
11 심장의 오른심실 Right ventricle of the heart
12 위창자간막동맥 Superior mesenteric artery
13 기관 Trachea
14 가슴샘 남은 부분 Remaining parts of thymus gland
15 오름대동맥 Ascending aorta
16 심장막 Pericardium

세로칸 구분 Parts of mediastinum	내용물 Content
위세로칸(노랑) Superior mediastinum (yellow)	기관, 팔머리정맥, 대동맥활, 식도, 가슴림프관
중간세로칸(파랑) Middle mediastinum (blue)	심장, 오름대동맥, 허파동맥줄기, 허파정맥, 가로막신경
뒤세로칸(빨강) Posterior mediastinum (red)	식도와 미주신경, 내림대동맥, 가슴림프관, 교감신경줄기
앞세로칸(분홍) Anterior mediastinum (pink)	작은혈관과 신경, 지방과 결합조직, 어린이는 가슴샘도 관찰됨

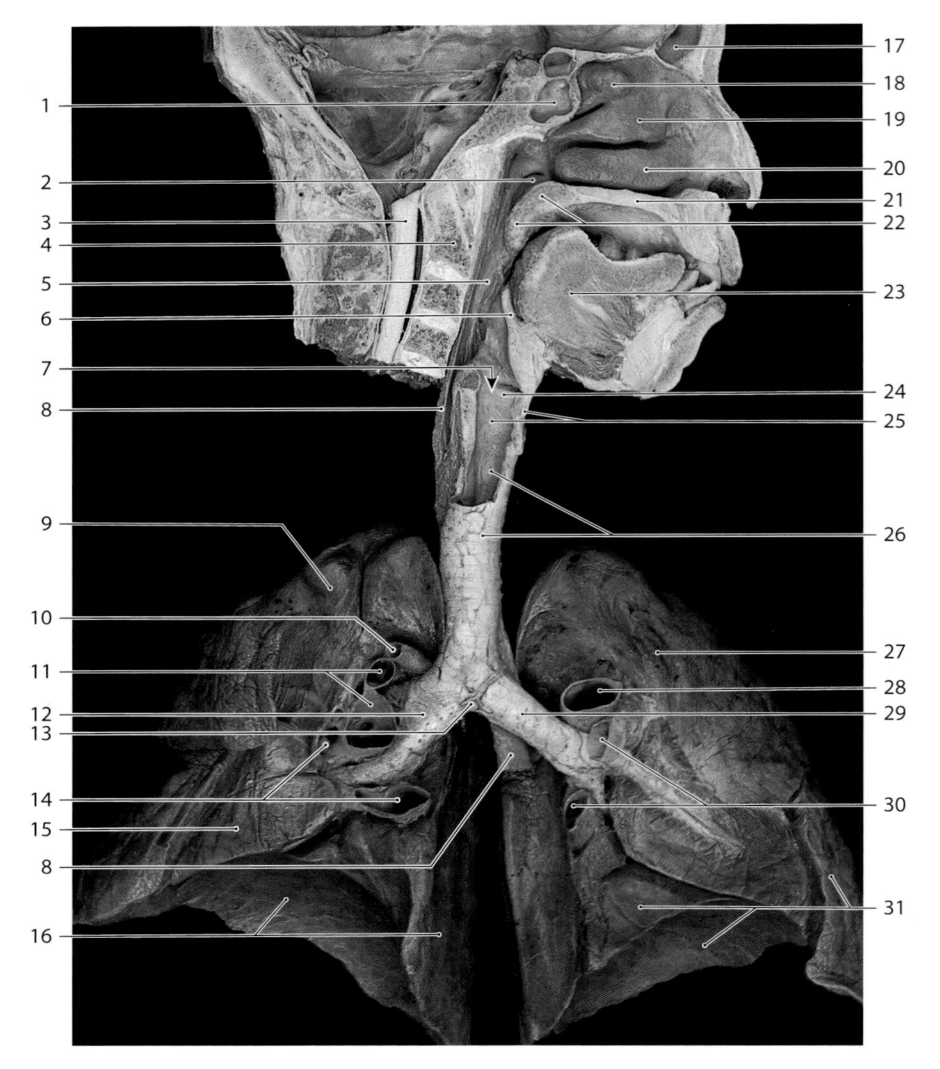

그림 5.6 **호흡기계통.** 날숨 상태로 허파가 고정됐고, 가쪽으로 돌아갔다. 머리는 반으로 잘려 가쪽으로 돌아갔다.

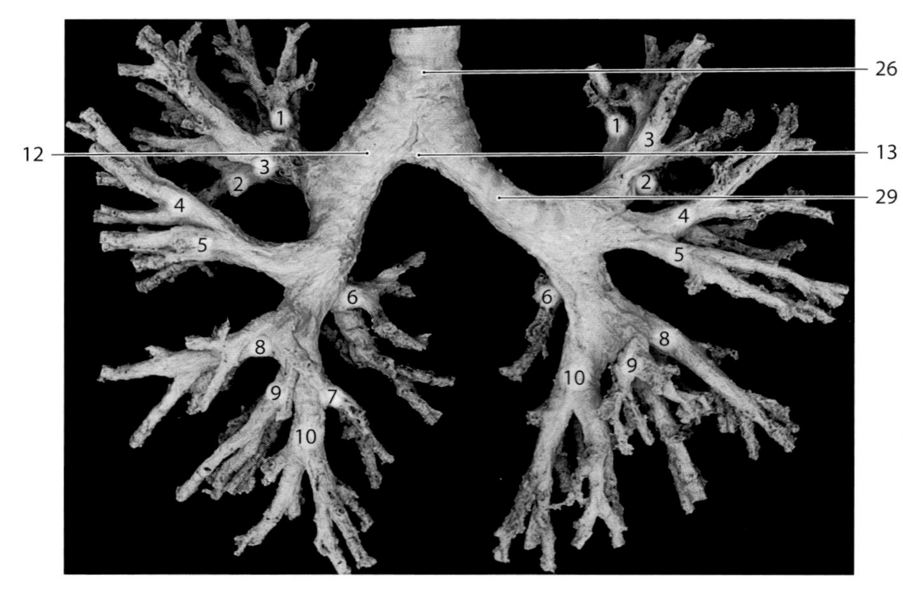

그림 5.7 **기관지나무**(앞모습). 허파조직은 제거하였다. 기관지허파구역은 1–10번으로 번호를 붙였다.

1 나비굴 Sphenoid sinus
2 귀관의 인두구멍 Pharyngeal opening of auditory tube
3 척수 Spinal cord
4 중쇠뼈 치아돌기 Dens of axis
5 입인두(목구멍잘록) Oropharynx (oropharyngeal isthmus)
6 후두덮개 Epiglottis
7 후두입구 Entrance of larynx
8 식도 Esophagus
9 오른허파 위엽 Upper lobe of right lung
10 홀정맥 Azygos vein
11 허파동맥의 가지 Branches of pulmonary artery
12 오른기관지 Right main bronchus
13 기관갈림 Bifurcation of trachea
14 오른허파정맥의 지류 Tributaries of right pulmonary veins
15 오른허파 중간엽 Middle lobe of right lung
16 오른허파 아래엽 Lower lobe of right lung
17 이마굴 Frontal sinus
18 위코선반 Superior nasal concha
19 중간코선반 Middle nasal concha
20 아래코선반 Inferior nasal concha
21 단단입천장 Hard palate
22 물렁입천장과 목젖 Soft palate with uvula
23 혀 Tongue
24 성대주름 Vocal fold
25 후두 Larynx
26 기관 Trachea
27 왼허파 위엽 Upper lobe of left lung
28 왼허파동맥 Left pulmonary artery
29 왼기관지 Left main bronchus
30 왼허파정맥 Left pulmonary veins
31 왼허파 아래엽 Lower lobe of left lung

▶ **223쪽 그림들에 해당하는 보기:**

1 코안 Nasal cavity
2 인두 Pharynx
3 후두(갑상연골) Larynx (thyroid cartilage)
4 기관 Trachea
5 오른허파 위엽 Upper lobe of right lung
6 기관갈림 Bifurcation of trachea
7 오른기관지 Right main bronchus
8 오른허파 수평틈새 Horizontal fissure of right lung
9 오른허파 중간엽 Middle lobe of right lung
10 허파의 빗틈새 Oblique fissures of lungs
11 오른허파 아래엽 Lower lobe of right lung
12 빗장뼈 Clavicle
13 왼허파 위엽 Upper lobe of left lung
14 왼기관지 Left main bronchus
15 기관지허파구역으로 가는 기관지 Bronchi supplying bronchopulmonary segments
16 왼허파 아래엽 Lower lobe of left lung
17 갈비모서리 Costal margin
18 목뿔뼈 Hyoid bone
19 오른위엽기관지 Right superior lobe bronchus
20 오른중간엽기관지 Right middle lobe bronchus
21 오른아래엽기관지 Right inferior lobe bronchus
22 왼위엽기관지 Left superior lobe bronchus
23 왼아래엽기관지 Left inferior lobe bronchus
24 구역기관지 Segmental bronchi
25 허파동맥의 가지 Branches of pulmonary arteries
26 허파정맥의 가지 Branches of pulmonary veins

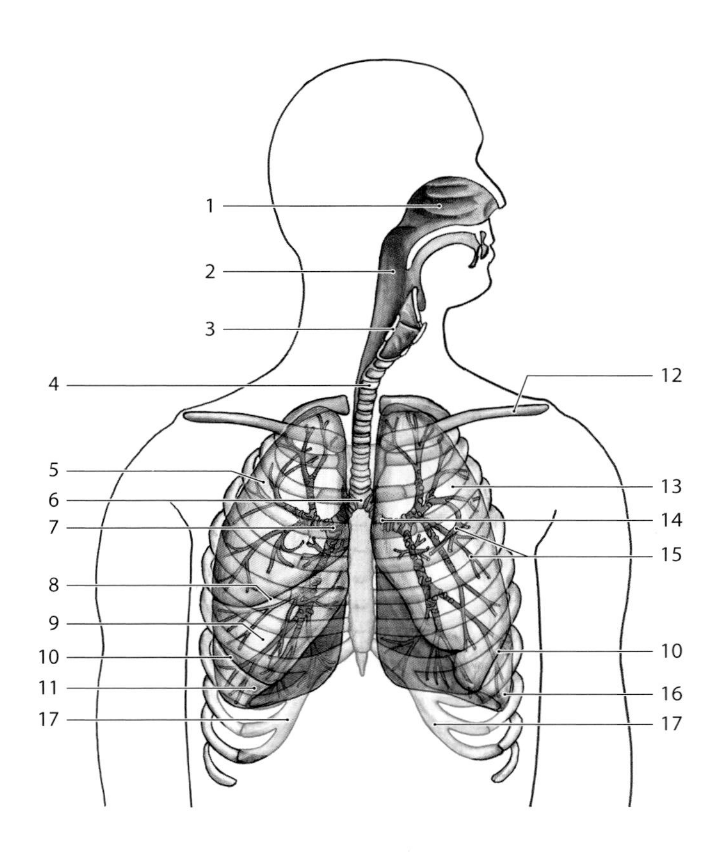

그림 5.8 **호흡기관의 구성과 위치**(앞모습).

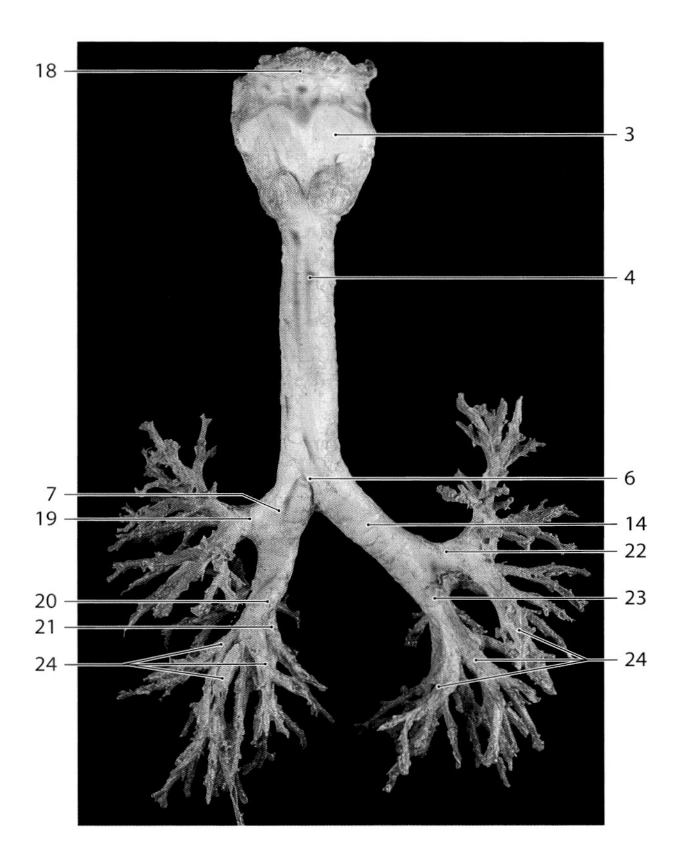

그림 5.9 **후두, 기관, 기관지나무**

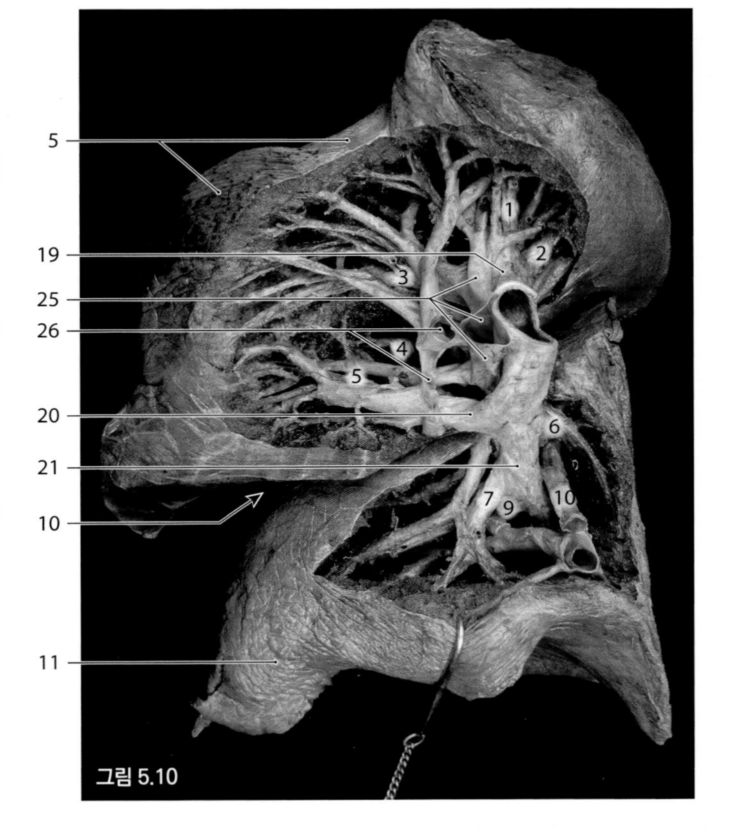

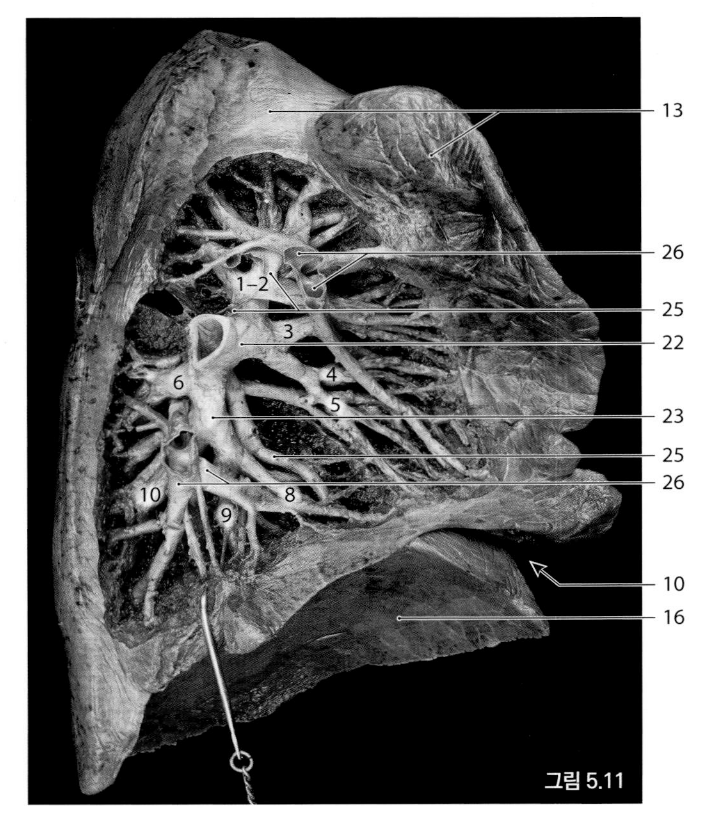

그림 5.10과 5.11 오른허파(그림 5.10)와 왼허파(그림 5.11)의 **기관지나무, 허파정맥, 허파동맥의 세로칸 해부**(안쪽면). 기관지허파구역은 1–10번으로 번호를 붙였다.

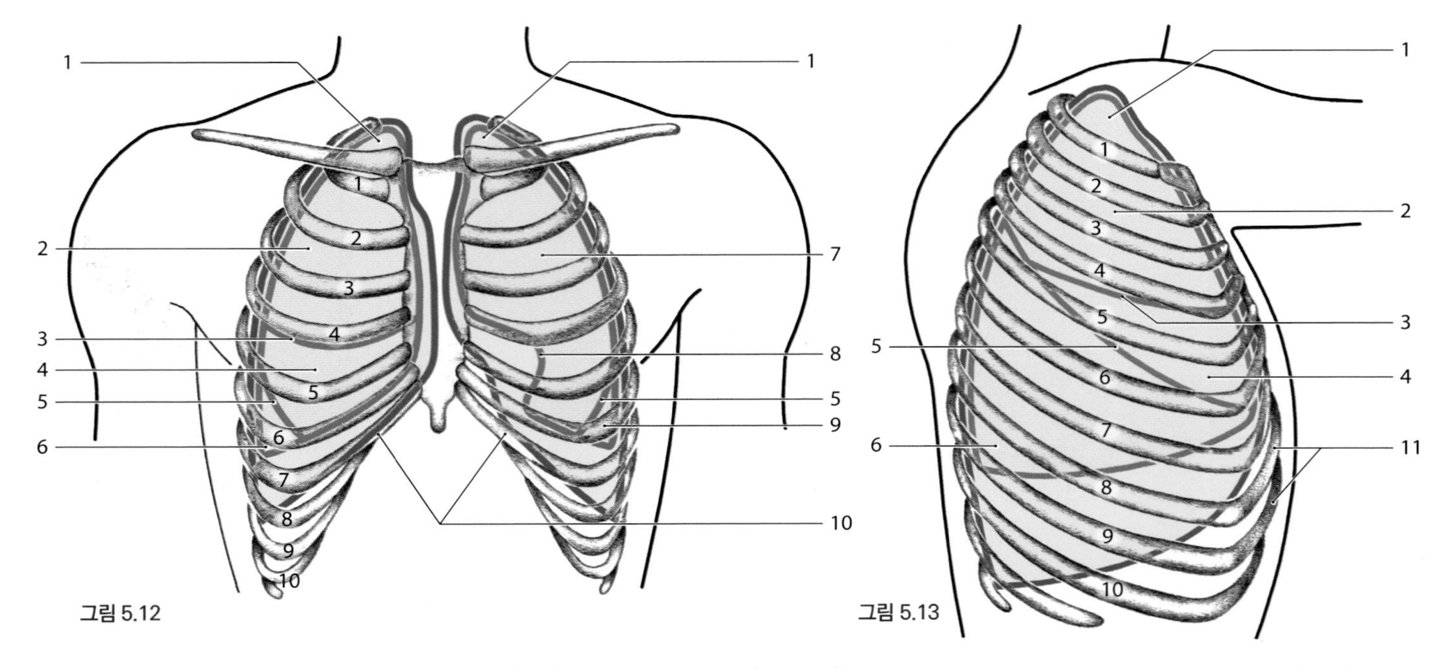

그림 5.12와 5.13 가슴벽에서 허파와 가슴막의 투영. (앞면[그림 5.12]과 오른가쪽면[그림 5.13]). 빨강 = 허파모서리; 파랑 = 가슴막모서리. 숫자는 해당 갈비뼈를 가리킨다.

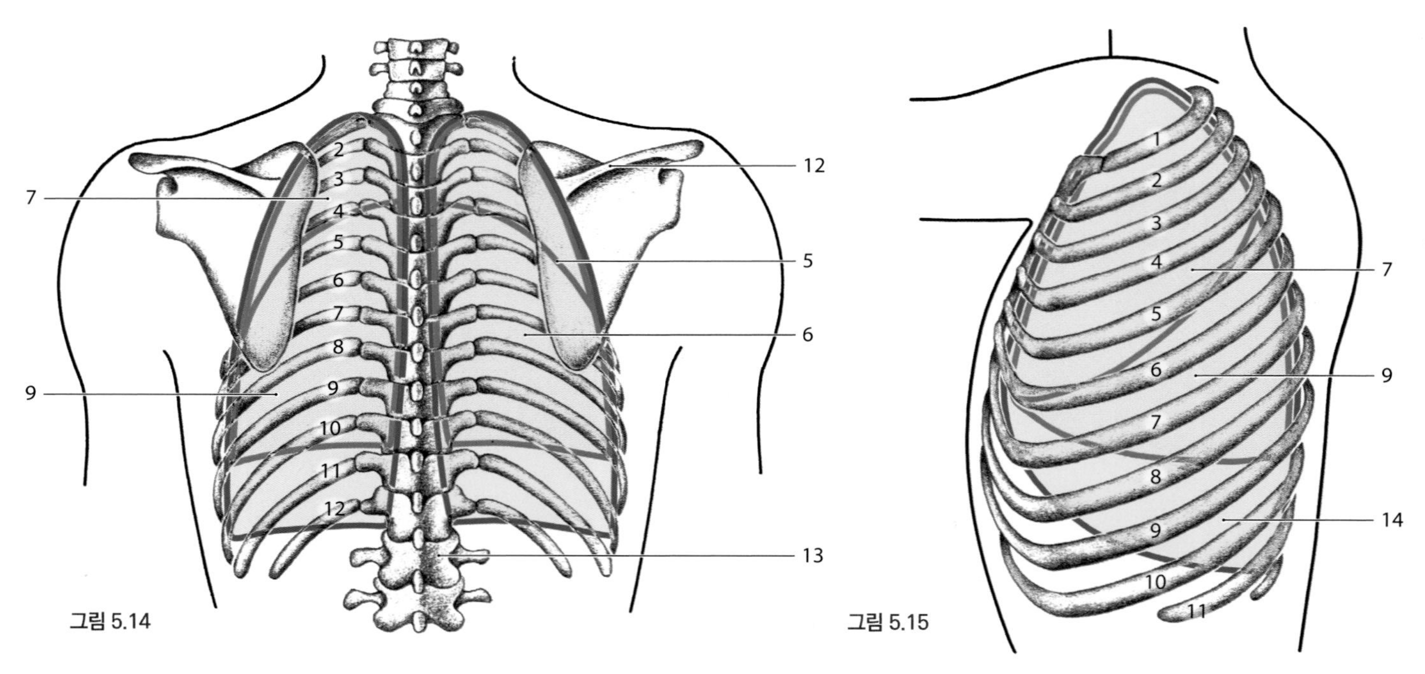

그림 5.14와 5.15 가슴벽에서 허파와 가슴막의 투영. (앞면[그림 5.14]과 왼가쪽면[그림 5.15]). 빨강 = 허파모서리; 파랑 = 가슴막모서리. 숫자는 해당 갈비뼈를 가리킨다.

1 허파꼭대기 Apex of lung
2 오른허파 위엽 Upper lobe of right lung
3 오른허파 수평틈새 Horizontal fissure of right lung
4 오른허파 중간엽 Middle lobe of right lung
5 허파 빗틈새 Oblique fissures of lung
6 오른허파 아래엽 Lower lobe of right lung
7 왼허파 위엽 Upper lobe of left lung
8 왼허파 심장패임 Cardiac notch of left lung
9 왼허파 아래엽 Lower lobe of left lung
10 명치각 Infrasternal angle
11 갈비모서리 Costal margin
12 어깨뼈가시 Spine of scapula
13 첫째허리뼈 First lumber vertebra
14 허파와 가슴막 사이의 공간(갈비가로막오목)
Space between border of lung and pleura (costodiaphagmatic recess)

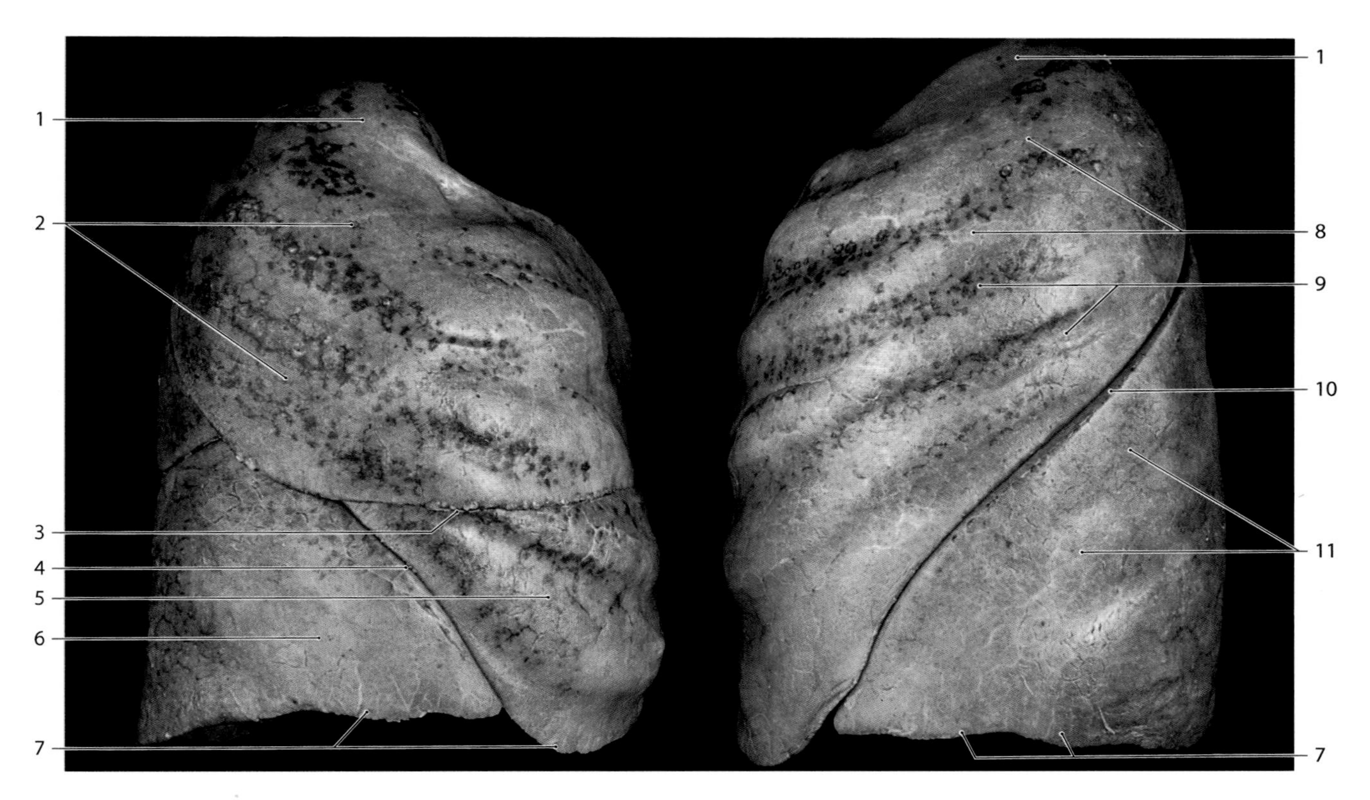

그림 5.16 **오른허파**(가쪽모습) **왼허파**(가쪽모습)

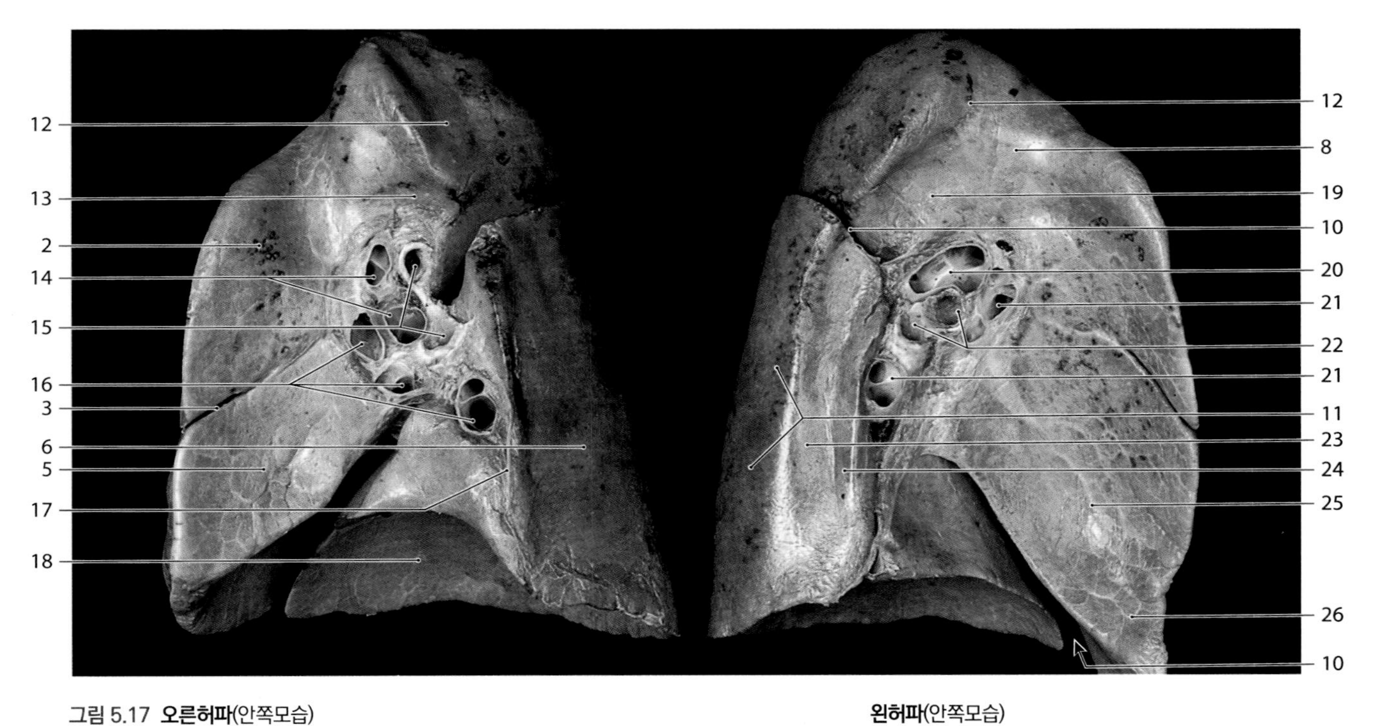

그림 5.17 **오른허파**(안쪽모습) **왼허파**(안쪽모습)

1 허파꼭대기 Apex of lung
2 오른허파 위엽 Upper lobe of right lung
3 오른허파 수평틈새 Horizontal fissure of right lung
4 오른허파 빗틈새 Oblique fissure of right lung
5 오른허파 중간엽 Middle lobe of right lung
6 오른허파 아래엽 Lower lobe of right lung
7 아래모서리 Inferior border
8 왼허파 위엽 Upper lobe of left lung
9 갈비뼈자국 Impressions of ribs
10 왼허파 빗틈새 Oblique fissure of left lung
11 왼허파 아래엽 Lower lobe of left lung
12 빗장밑동맥고랑 Groove of subclavian artery
13 홀정맥활고랑 Groove of azygos arch
14 오른허파동맥 가지 Branches of right pulmonary arteries
15 기관지 Bronchi
16 오른허파정맥 Right pulmonary veins
17 허파인대 Pulmonary ligament
18 가로막면 Diaphragmatic surface
19 대동맥활고랑 Groove of aortic arch
20 왼허파동맥 Left pulmonary artery
21 왼허파동맥 가지 Branches of left pulmonary arteries
22 왼쪽 엽기관지 Left secondary bronchi
23 가슴대동맥고랑 Groove of thoracic aorta
24 식도고랑 Groove of esophagus
25 심장자국 Cardiac impression
26 허파혀 Lingula

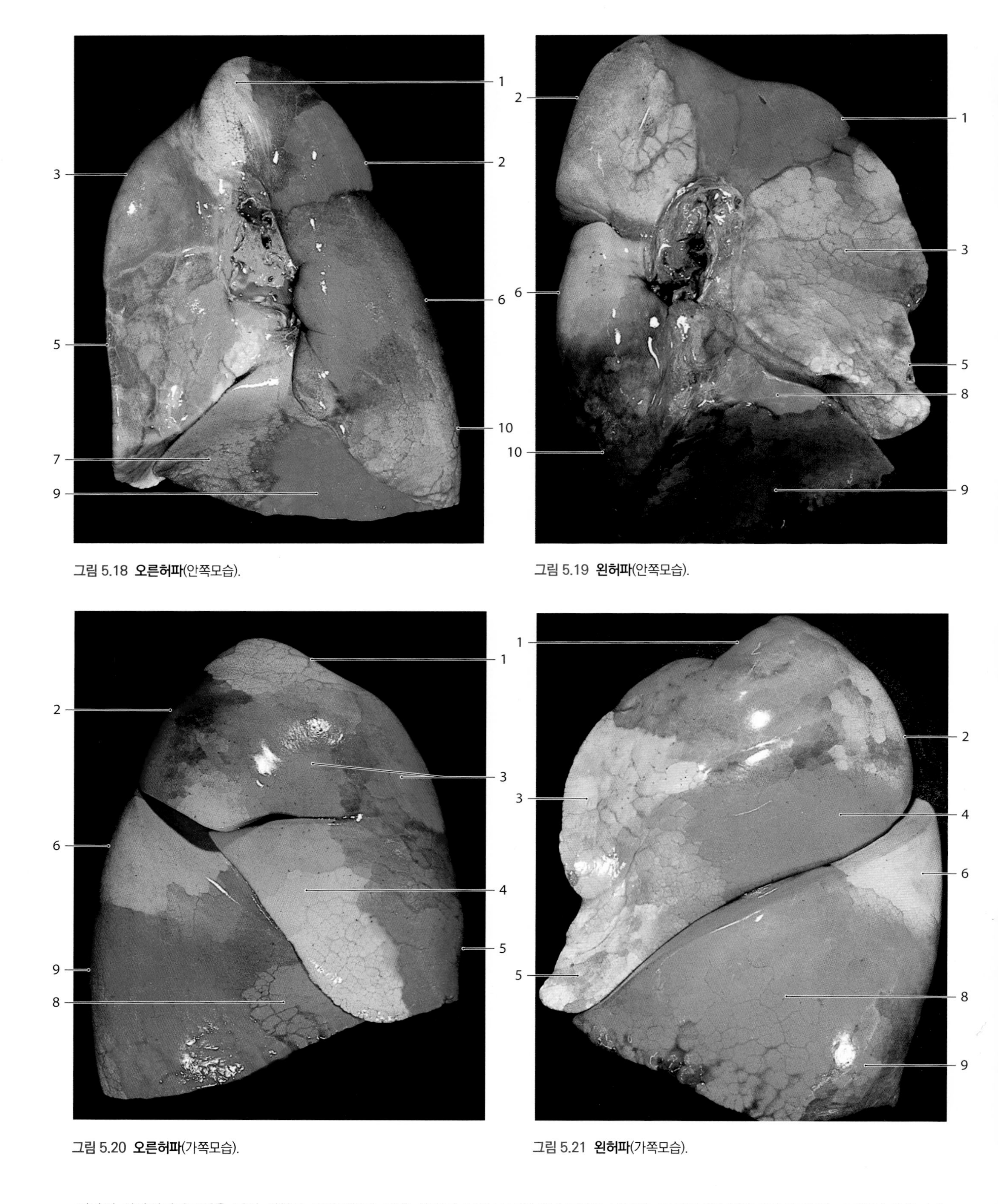

그림 5.18 **오른허파**(안쪽모습).

그림 5.19 **왼허파**(안쪽모습).

그림 5.20 **오른허파**(가쪽모습).

그림 5.21 **왼허파**(가쪽모습).

허파의 기관지허파구역을 여러 색깔로 구별하였다. 다음 페이지 그림 5.22의 단순그림과 비교해 오른허파의 일곱째에 해당하는 구역이 왼허파에 없는 것을 확인하시오.

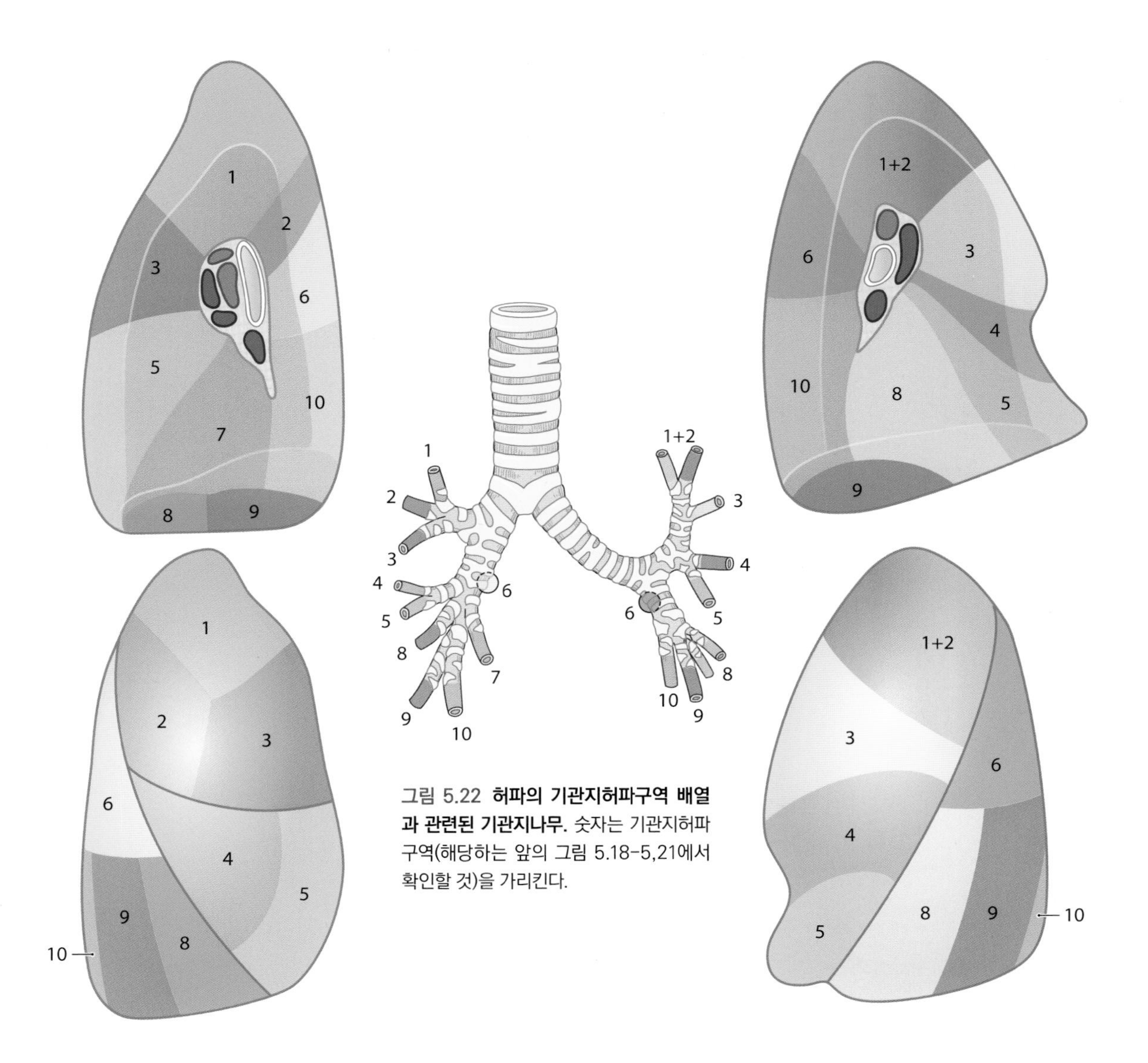

그림 5.22 **허파의 기관지허파구역 배열과 관련된 기관지나무.** 숫자는 기관지허파구역(해당하는 앞의 그림 5.18-5,21에서 확인할 것)을 가리킨다.

기관지허파구역은 형태적 기능적으로 나눠져 있어, 허파조직의 독립된 호흡단위이다. 각 구역은 허파쪽가슴막으로 이어지는 결합조직에 싸여 있다. 구역기관지는 각 구역에서 가운데에 위치하며, 허파동맥의 가지와 함께 달리지만, 허파정맥의 지류들은 구역사이로 달린다. 따라서 정맥은 두 이웃한 구역에서 하나 이상의 정맥으로부터 거둬들인 대부분의 혈액을 받는다. 그래서, 허파구역은 완전히 독립된 혈관단위는 아니지만, 이런 허파혈관의 특수한 구조 때문에 구역이 나뉜다.

오른허파 Right lung			왼허파 Left lung			
1	꼭대기구역 Apical segment	위엽기관지 Upper lobar bronchus	1+2	꼭대기뒤구역 Apicoposterior Segment	위갈래 Superior division	위엽기관지 Upper lobar bronchus
2	뒤구역 Posterior segment					
3	앞구역 Anterior segment		3	앞구역 Anterior segment		
4	가쪽구역 Lateral segment	중간엽기관지 Middle lobar bronchus	4	위혀구역 Superior lingular segment	아래갈래 Inferior division	
5	안쪽구역 Medial segment		5	아래혀구역 Inferior lingular segment		
6	위구역 Superior(apical) segment	아래엽기관지 Lower lobar bronchus	6	위구역 Superior(apical) segment	아래엽기관지 Lower lobar bronchus	
7	안쪽바닥구역 Medial basal segment		7	없음 Absent		
8	앞바닥구역 Anterior basal segment		8	앞안쪽바닥구역 Anteromedial basal segment		
9	가쪽바닥구역 Lateral basal segment		9	가쪽바닥구역 Lateral basal segment		
10	뒤바닥구역 Posterior basal segment		10	뒤바닥구역 Posterior basal segment		

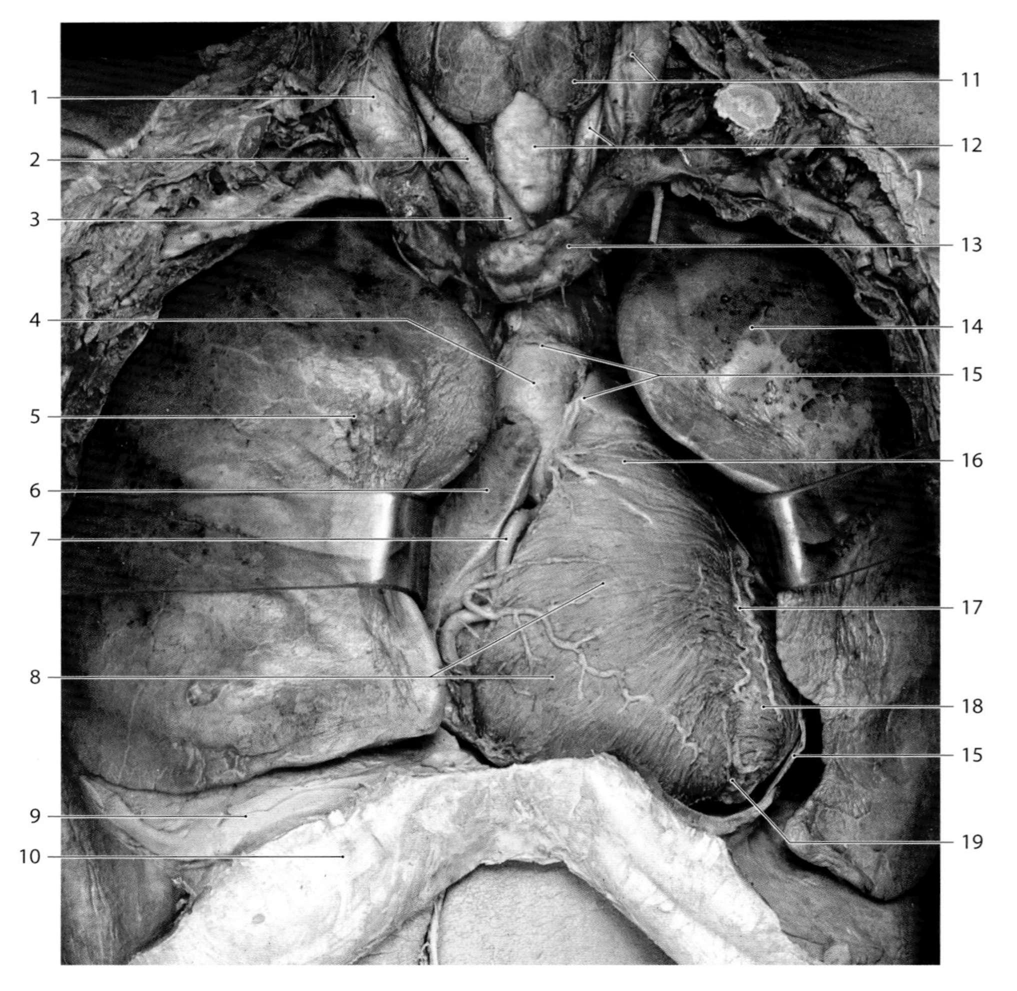

1 속목정맥 Internal jugular vein
2 온목동맥 Common carotid artery
3 팔머리동맥줄기 Brachiocephalic trunk
4 오름대동맥 Ascending aorta
5 오른허파 Right lung
6 오른심방귀 Right auricle
7 오른관상동맥 Right coronary artery
8 오른심실의 심장근육층 Myocardium of right ventricle
9 가로막 Diaphragm
10 갈비모서리 Costal margin
11 갑상샘과 속목정맥 Thyroid gland and internal jugular vein
12 기관과 왼온목동맥 Trachea and left Common carotid artery
13 왼팔머리정맥 Left brachiocephalic vein
14 왼허파 Left lung
15 심장막(잘린 모서리) Pericardium (cut edge)
16 허파동맥줄기 Pulmonary trunk
17 앞심실사이동맥 Anterior interventricular artery
18 왼심실의 심장근육층 Myocardium of left ventricle
19 심장끝 Apex of heart

그림 5.23 **심장과 관련 혈관들의 위치**(앞모습). 심장근육층과 관상동맥이 관찰된다.

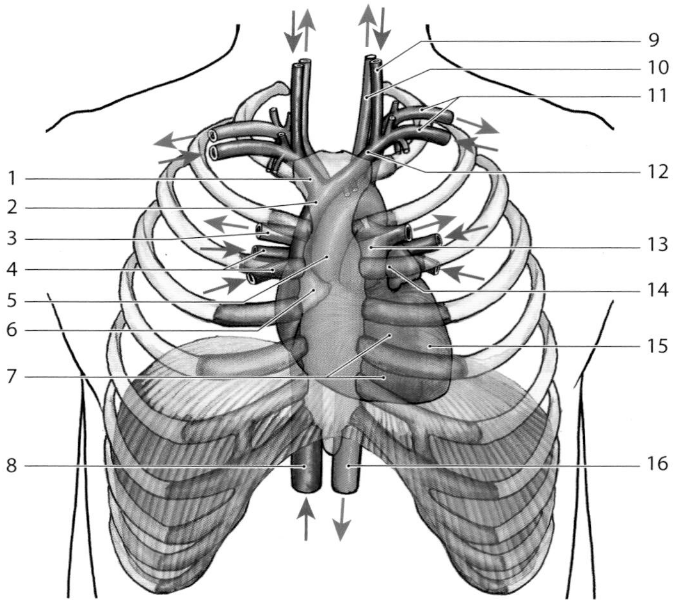

1 오른팔머리정맥 Right brachiocephalic vein
2 위대정맥 Superior vena cava
3 오른허파동맥 Right pulmonary artery
4 오른허파정맥 Right pulmonary veins
5 오름대동맥 Ascending aorta
6 오른심방 Right atrium
7 오른심실 Right ventricle
8 아래대정맥 Inferior vena cava
9 왼속목정맥 Left internal jugular vein
10 왼온목동맥 Left common carotid artery
11 왼겨드랑동맥과 정맥 Left axillary artery and vein
12 왼팔머리정맥 Left brachiocephalic vein
13 허파동맥줄기 Pulmonary trunk
14 왼심방 Left atrium
15 왼심실 Left ventricle
16 내림대동맥 Descending aorta

그림 5.24 **가슴안에서 심장과 관련 혈관들의 위치**(앞모습). 파랑 = 심장과 정맥피가 흐르는 혈관부위; 빨강 = 심장과 동맥피가 흐르는 혈관부위; 파란색 화살표: 정맥; 빨간색 화살표: 동맥.

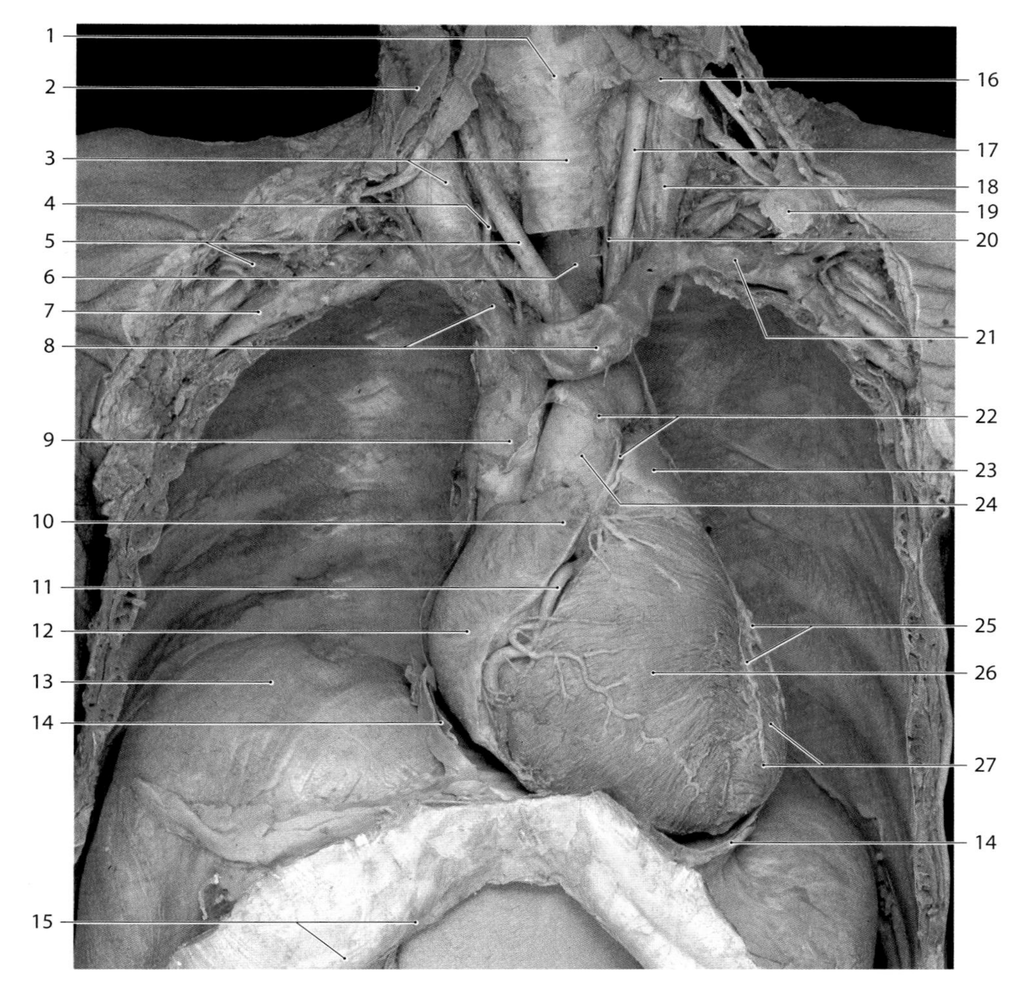

그림 5.25 **심장과 관련 혈관들의 위치**(앞모습). 앞가슴벽, 심장막, 심장바깥막을 제거하고, 기관을 잘랐다.

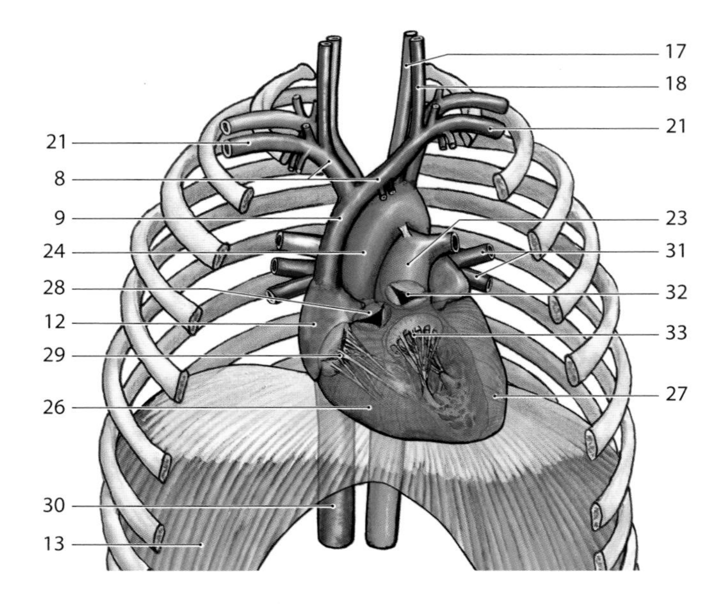

그림 5.26 **심장과 관련 혈관들의 위치**(앞모습). 심장판막들의 위치.

1 후두(갑상연골) Larynx (thyroid cartilage)
2 목빗근(잘림) Sternocleidomastoid muscle (divided)
3 기관(잘림) 및 오른속목정맥 Trachea (divided) and right internal jugular vein
4 미주신경 Vagus nerve
5 오른온목동맥과 노쪽피부정맥 Right common carotid artery and cephalic vein
6 식도 Esophagus
7 오른겨드랑정맥 Right axillary vein
8 오른 및 왼팔머리정맥 Right and left brachiocephalic veins
9 위대정맥 Superior vena cava
10 오른심방귀 Right auricle
11 오른관상동맥 Right coronary artery
12 오른심방 Right atrium
13 가로막 Diaphragm
14 심장막(잘린 모서리) Pericardium (cut edge)
15 갈비모서리 Costal margin
16 어깨목뿔근 Omohyoid muscle
17 왼온목동맥 Left common carotid artery
18 왼속목정맥 Left internal jugular vein
19 빗장뼈(잘림) Clavicle (divided)
20 왼되돌이후두신경 Left recurrent laryngeal nerve
21 빗장밑정맥 Subclavian vein
22 심장막이 접히는 곳 Pericardial reflection
23 허파동맥줄기 Pulmonary trunk
24 오름대동맥 Ascending aorta
25 앞심실사이고랑과 왼관상동맥의 앞심실사이가지 Anterior interventricular sulcus and anterior interventricular branch of left coronary artery
26 오른심실 Right ventricle
27 왼심실 Left ventricle
28 대동맥판막 Aortic valve
29 삼첨판막(오른방실판막) Tricuspid or right atrioventricular valve
30 아래대정맥 Inferior vena cava
31 허파정맥 Pulmonary veins
32 허파동맥판막 Pulmonary valve
33 왼방실판막(승모판막) Left atrioventricular (bicuspid or mitral) valve

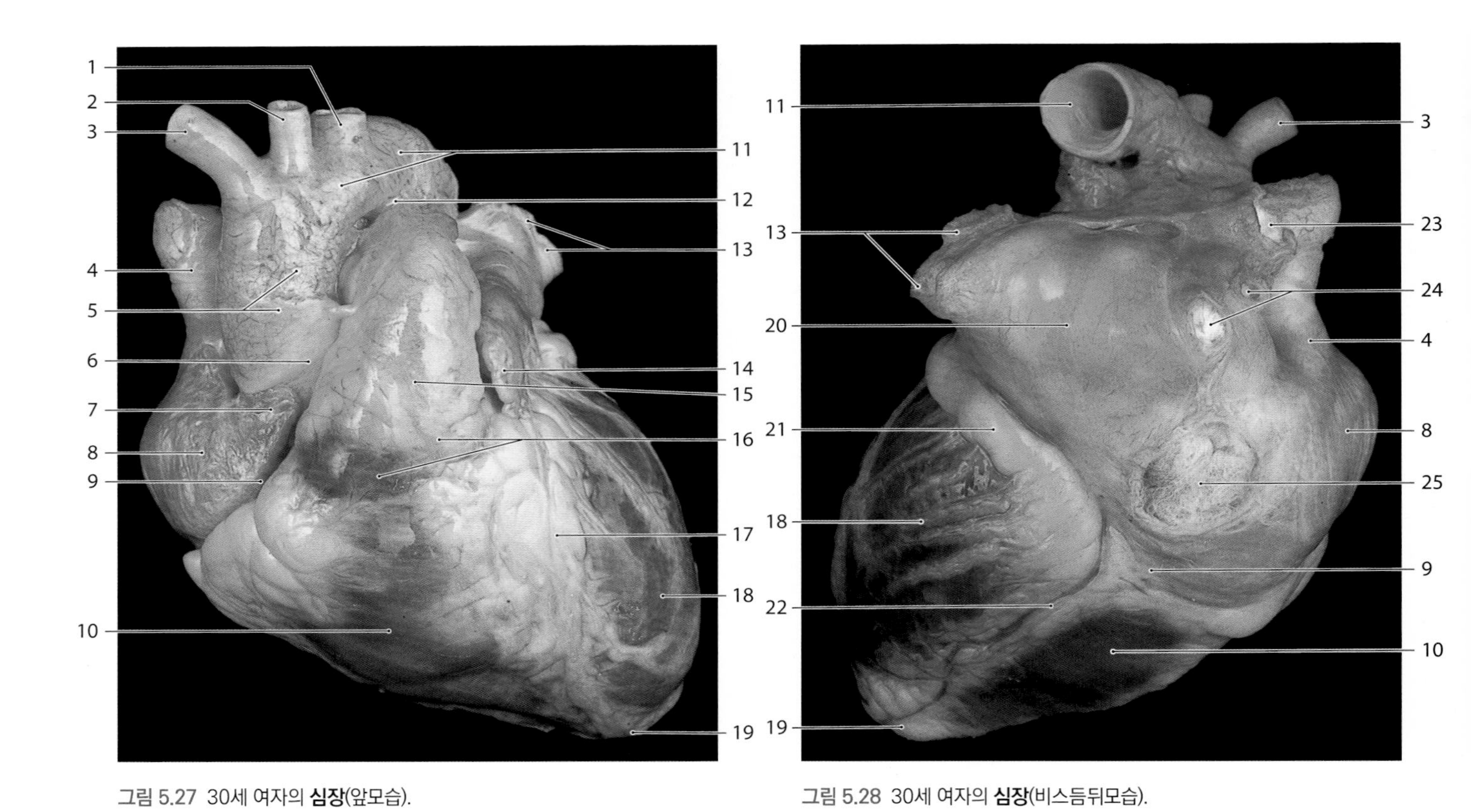

그림 5.27 30세 여자의 **심장**(앞모습).

그림 5.28 30세 여자의 **심장**(비스듬뒤모습).

그림 5.29 **심장**(뒤모습) 보다 깊은층에서 근섬유다발들이 더 돌아서 들어가는 것이 보이도록 왼심실 심장근육층에 창을 내었다.

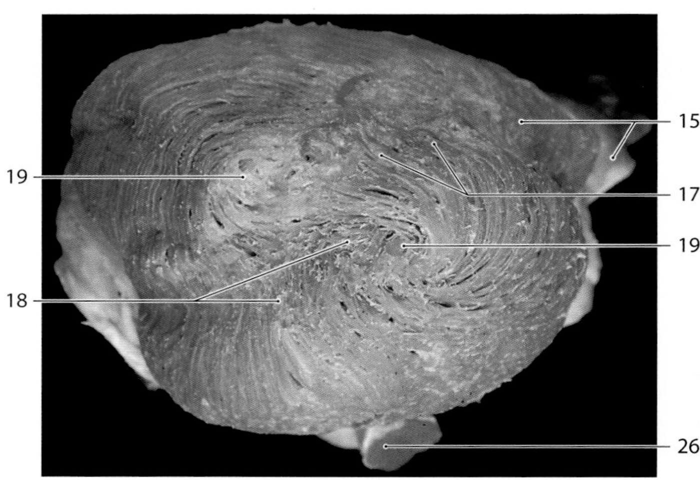

그림 5.30 **근육섬유의 똬리**(아래모습).

1 왼빗장밑동맥 Left subclavian artery
2 왼온목동맥 Left common carotid artery
3 팔머리동맥줄기 Brachiocephalic trunk
4 위대정맥 Superior vena cava
5 오름대동맥 Ascending aorta
6 대동맥팽대 Bulb of the aorta
7 오른심방귀 Right auricle
8 오른심방 Right atrium
9 방실사이고랑 Coronary sulcus
10 오른심실 Right ventricle
11 대동맥활 Aortic arch
12 동맥관인대 Ligamentum arteriosum
13 왼허파정맥 Left pulmonary veins
14 왼심방귀 Left auricle
15 허파동맥줄기 Pulmonary trunk
16 허파동맥굴 Sinus of pulmonary trunk
17 앞심실사이고랑 Anterior interventricular sulcus
18 왼심실 Left ventricle
19 심장끝 Apex of heart
20 왼심방 Left atrium
21 심장정맥굴을 덮는 심외막 지방 Epicardial fat overlying coronary sinus
22 뒤심실사이고랑 Posterior interventricular sulcus
23 허파동맥 Pulmonary artery
24 오른허파정맥 Right pulmonary veins
25 아래대정맥 Inferior vena cava
26 허파정맥 Pulmonary veins

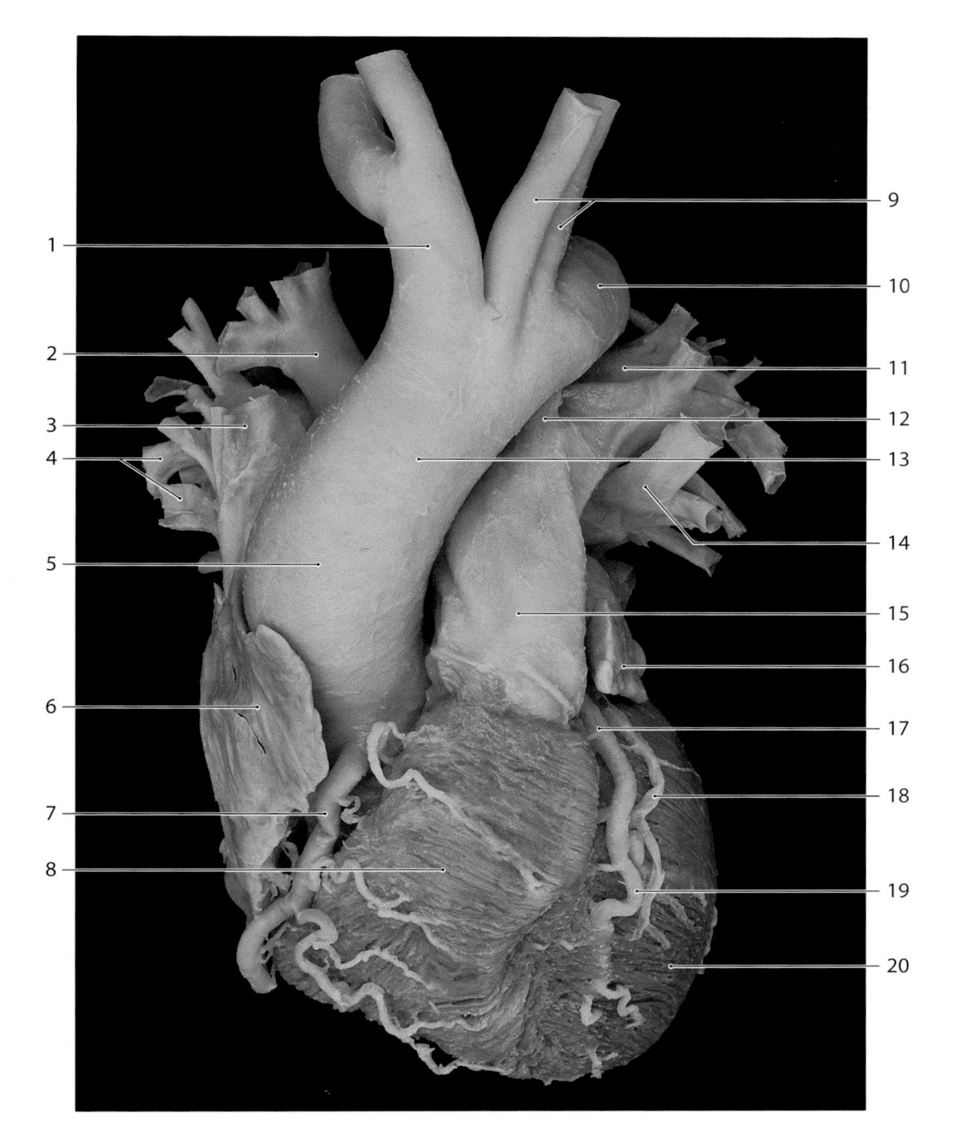

1 팔머리동맥줄기 Brachiocephalic trunk
2 오른허파동맥 Right pulmonary artery
3 위대정맥 Superior vena cava
4 오른허파정맥 Right pulmonary veins
5 오름대동맥 Ascending aorta
6 오른심방 Right atrium
7 오른관상동맥 Right coronary artery
8 오른심실 Right ventricle
9 왼온목동맥과 왼빗장밑동맥 Left common carotid artery and left subclavian artery
10 내림대동맥(가슴부분) Descending aorta (thoracic part)
11 동맥관인대(동맥관의 흔적) Ligamentum arteriosum (remnant of ductus arteriosus Botalli)
12 왼허파동맥 Left pulmonary artery
13 대동맥활 Aortic arch
14 왼허파정맥 Left pulmonary veins
15 허파동맥줄기 Pulmonary trunk
16 왼심방 Left atrium
17 왼관상동맥 Left coronary artery
18 왼관상동맥의 비스듬가지 Diagonal branch of left coronary artery
19 왼관상동맥의 앞심실사이가지 Interventricular branch of left coronary artery
20 왼심실 Left ventricle
21 오른팔머리정맥 Right brachiocephalic vein
22 가슴벽 Thoracic wall
23 간 Liver
24 대동맥판막 Aortic valve
25 힘줄끈 Chordae tendineae
26 꼭지근 Papillary muscles
27 위 Stomach

그림 5.31 **심장과 관상동맥**(앞면, 심장 활동의 수축기).

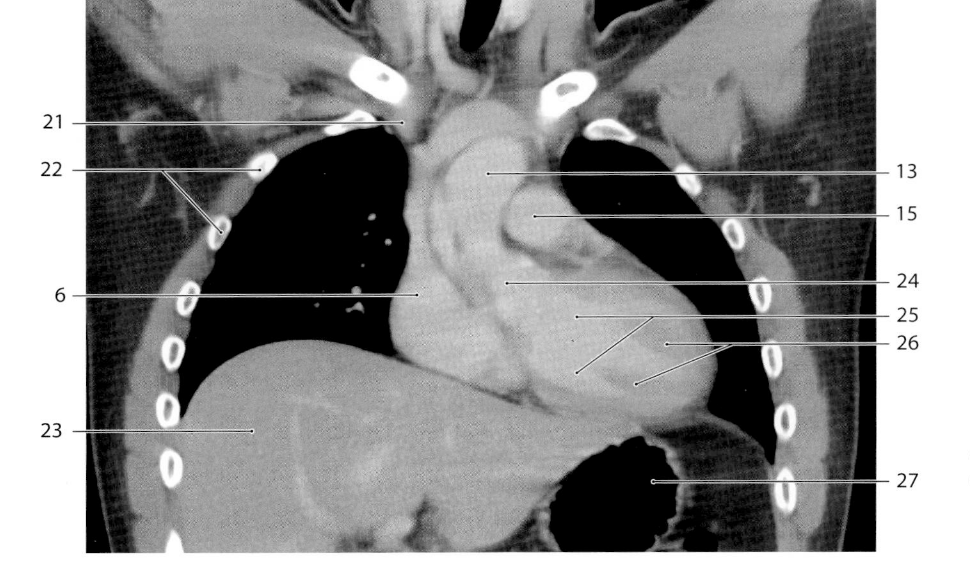

그림 5.32 오름대동맥이 지나는 위치에서 **가슴의 관상단면**(컴퓨터단층촬영). (Courtesy of Prof. Uder, Dept. of Radiology, Univ. Erlangen-Nuremberg, Germany).

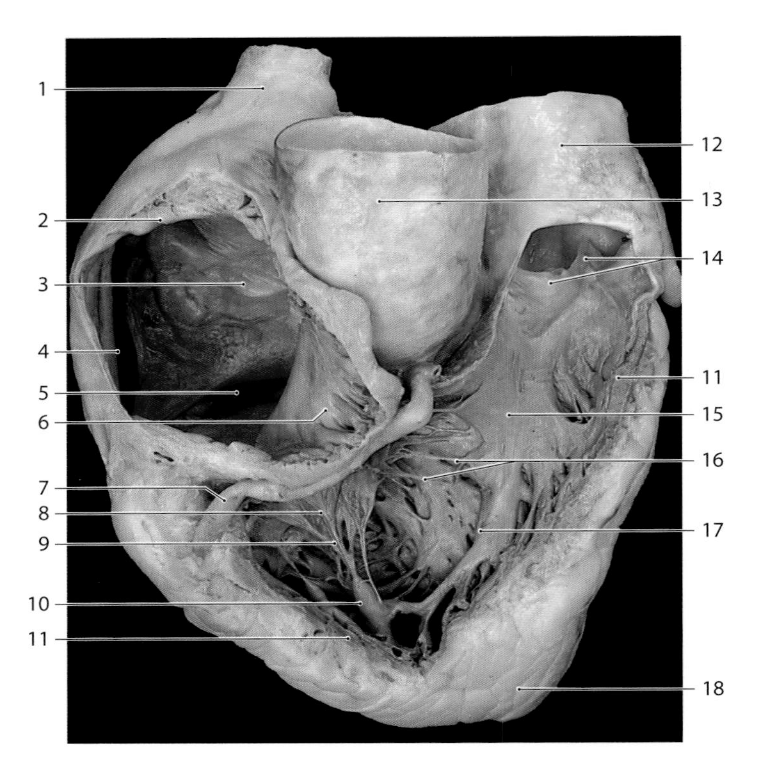

1 위대정맥 Superior vena cava
2 분계능선 Crista terminalis
3 타원오목 Fossa ovalis
4 아래대정맥구멍 Opening of inferior vena cava
5 심장정맥굴구멍 Opening of coronary sinus
6 오른심방귀 Right auricle
7 오른관상동맥과 방실사이고랑 Right coronary artery and coronary sulcus
8 삼첨판막의 앞첨판 Anterior cusp of tricuspid valve
9 힘줄끈 Chordae tendineae
10 앞꼭지근 Anterior papillary muscle
11 심장근육층 Myocardium
12 허파동맥줄기 Pulmonary trunk
13 오름대동맥 Ascending aorta
14 허파동맥판막 Pulmonic valve
15 동맥원뿔(심실사이막) Conus arteriosus (interventricular septum)
16 사이막꼭지근 Septal papillary muscles
17 사이막모서리기둥 Septomarginal or moderator band
18 심장끝 Apex of heart
19 왼심방귀 Left auricle
20 대동맥판막 Aortic valve
21 왼심실 Left ventricle
22 허파정맥 Pulmonary veins
23 타원오목의 위치 Position of fossa ovalis
24 왼심방 Left atrium
25 왼방실판막(승모판막) Left atrioventricular (bicuspid or mitral) valve
26 오른심방 Right atrium
27 심장막 Pericardium
28 뒤꼭지근 Posterior papillary muscle
29 오른심실 Right ventricle
30 심실사이막 Interventricular septum

그림 5.33 **오른심장**(앞모습). 오른심방과 심실의 앞벽을 제거하였다.

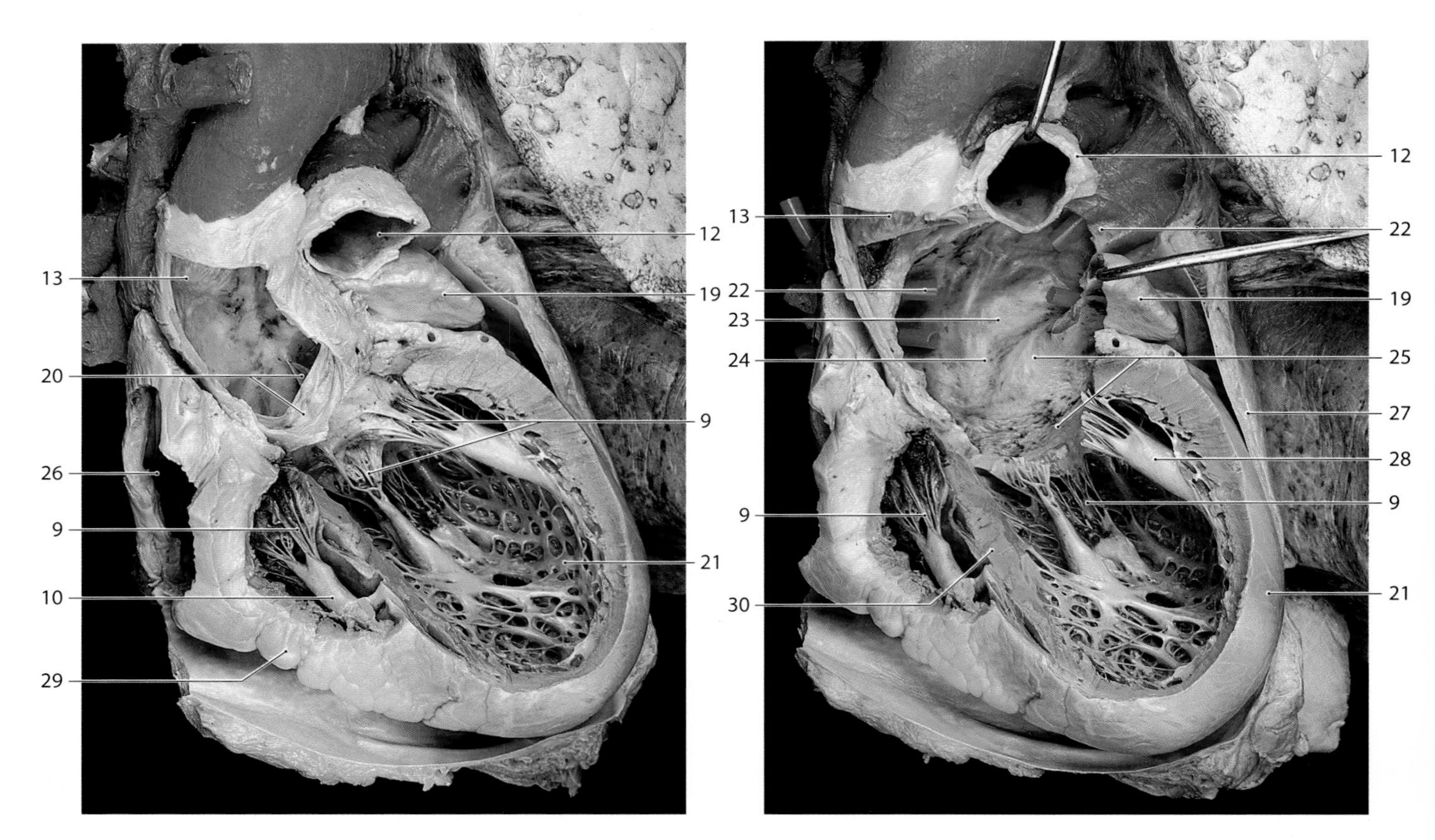

그림 5.34 **심장, 왼심실과 승모판막, 꼭지근, 대동맥판막.** 심장의 앞부분을 제거하였다.

그림 5.35 **왼심실, 승모판막의 뒤첨판과 꼭지근.** 심방이 열려 있다.

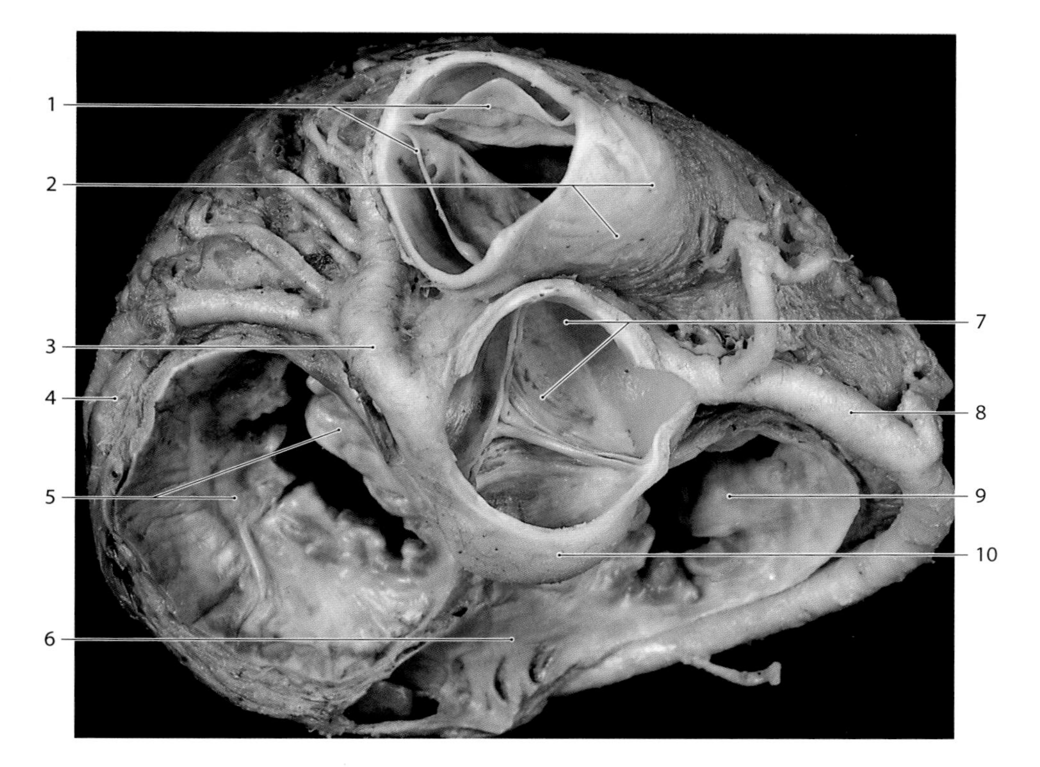

그림 5.36 **심장판막**(위모습) 양쪽 심방을 제거하고 관상동맥을 해부하였다. 그림의 위쪽이 심장앞벽이다.

1 허파동맥판막 Pulmonic valve
2 허파동맥굴줄기 Sinus of pulmonary trunk
3 왼관상동맥 Left coronary artery
4 큰심장정맥 Great cardiac vein
5 왼방실판막(승모판막) Left atrioventricular(mitral) valve
6 심장정맥굴 Coronary sinus
7 대동맥판막 Aortic valve
8 오른관상동맥 Right coronary artery
9 오른방실판막(삼첨판막) Right atrioventricular (tricuspid) valve
10 대동맥팽대 Bulb of the aorta
11 허파동맥판막의 앞반달첨판 Anterior semilunar cusp of pulmonic valve
12 허파동맥판막의 왼반달첨판 Left semilunar cusp of pulmonic valve
13 허파동맥판막의 오른반달첨판 Right semilunar cusp of pulmonic valve
14 대동맥판막의 왼반달첨판 Left semilunar cusp of aortic valve
15 대동맥판막의 오른반달첨판 Right semilunar cusp of aortic valve
16 대동맥판막의 뒤반달첨판 Posterior semilunar cusp of aortic valve
17 허파동맥 Pulmonary artery
18 오른심방 Right atrium
19 허파정맥과 왼심방 Left atrium with pulmonary veins
20 오름대동맥과 대동맥판막 Ascending aorta with aortic valve

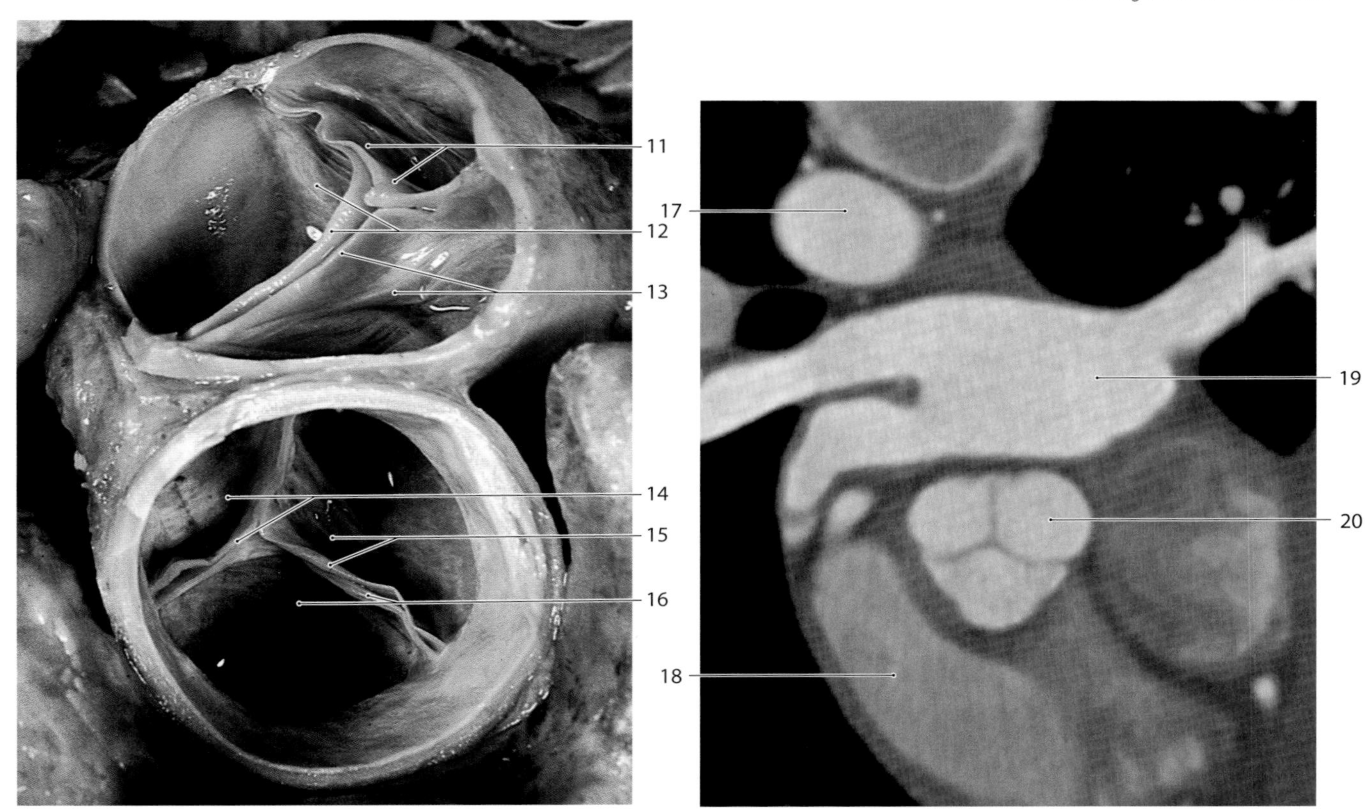

그림 5.37 **허파동맥판막과 대동맥판막**(위모습). 양쪽 판막이 모두 닫혀 있다. 그림의 위쪽이 심장앞벽이다.

그림 5.38 대동맥판막 위치에서 **심장의 수평단면**(컴퓨터단층촬영). (Courtesy of Prof. Uder, Institute of Radiology, University Hospital Erlangen, Germany).

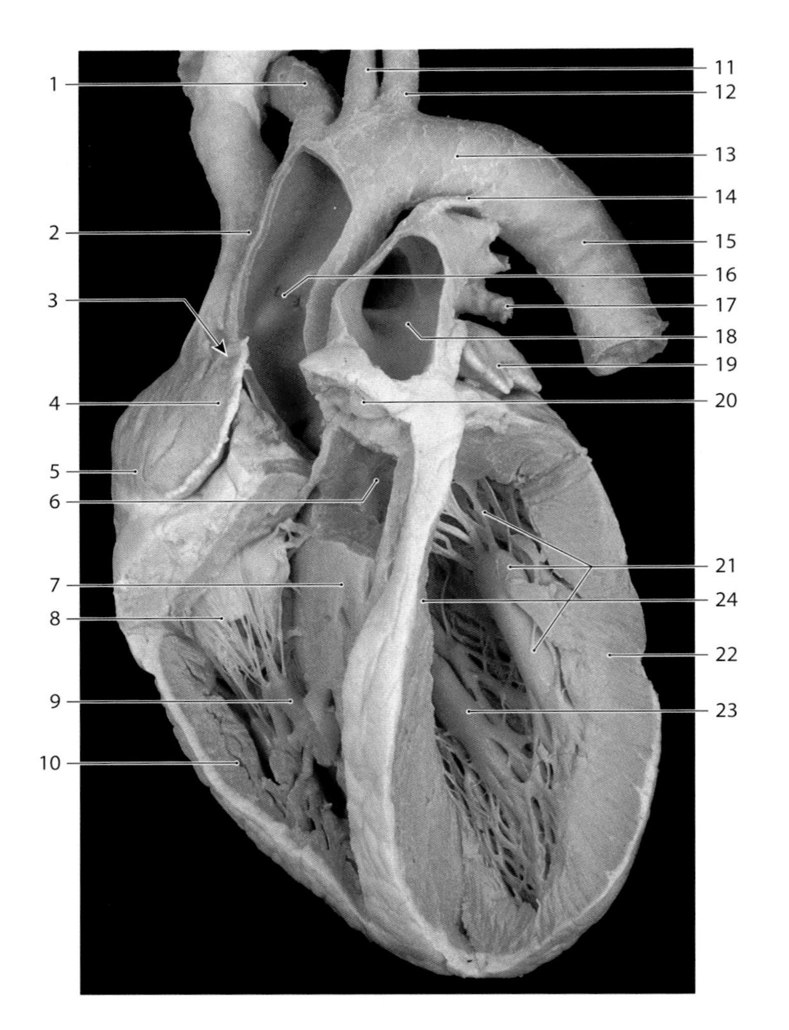

1 팔머리동맥줄기 Brachiocephalic trunk
2 위대정맥 Superior vena cava
3 분계고랑 Sulcus terminalis
4 오른심방귀 Right auricle
5 오른심방 Right atrium
6 대동맥판막 Aortic valve
7 동맥원뿔(심실사이벽) Conus arteriosus (interventricular septum)
8 오른방실판막(삼첨판막) Right atrioventricular (tricuspid) valve
9 앞꼭지근 Anterior papillary muscle
10 오른심실의 심장근육층 Myocardium of right ventricle
11 왼온목동맥 Left common carotid artery
12 왼빗장밑동맥 Left subclavian artery
13 대동맥활 Aortic arch
14 동맥관인대(동맥관의 흔적) Ligamentum arteriosum (remnant of ductus arteriosus Botalli)
15 가슴대동맥(내림대동맥) Thoracic aorta (descending aorta)
16 오름대동맥 Ascending aorta
17 왼허파정맥 Left pulmonary vein
18 허파동맥줄기 Pulmonary trunk
19 왼심방귀 Left auricle
20 허파동맥판막 Pulmonic valve
21 앞꼭지근과 힘줄끈 Anterior papillary muscle with chordae tendineae
22 왼심실의 심장근육층 Myocardium of left ventricle
23 뒤꼭지근 Posterior papillary muscle
24 심실사이벽 Interventricular septum
25 팔머리정맥 Brachiocephalic veins
26 힘줄끈 Chordae tendineae
27 오른심실의 꼭지근 Papillary muscle of right ventricle
28 왼심방 Left atrium
29 왼방실판막(승모판막)과 힘줄끈 Left atrioventricular (bicuspid or mitral) valve and chordae tendineae
30 심장끝 Apex of heart
31 왼관상동맥 Left coronary artery
32 왼심실 Left ventricle

그림 5.39 **심장**(앞모습). 4개 심장판막의 해부.

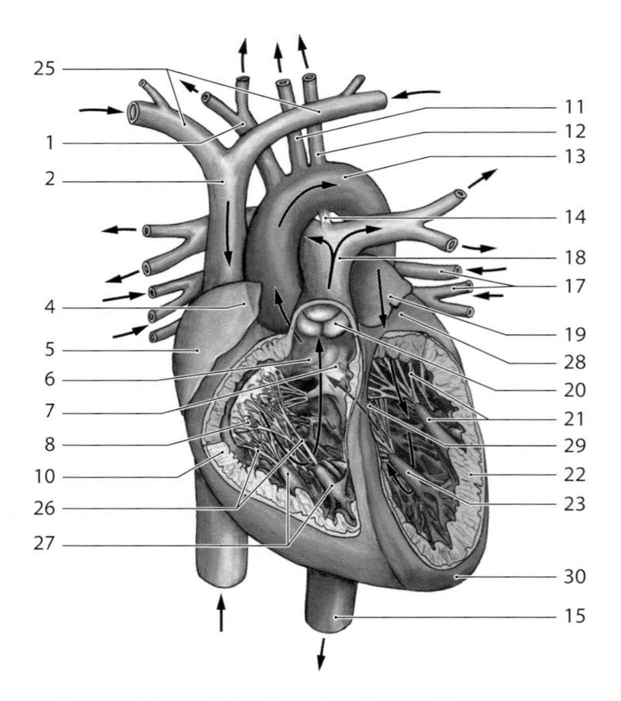

그림 5.40 **심장속 순환**(앞모습). 화살표= 혈류의 방향.

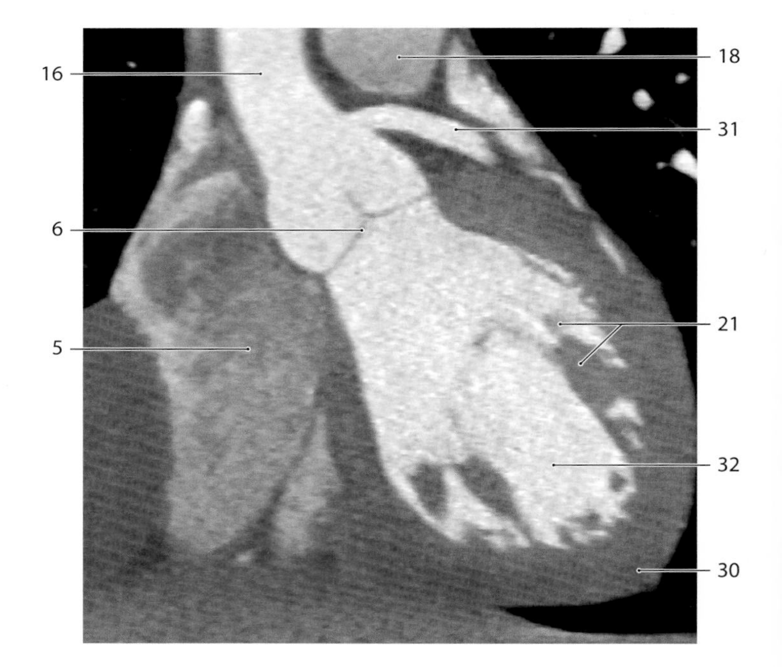

그림 5.41 왼심실과 오름대동맥 위치에서 **심장의 관상단면**(컴퓨터단층촬영). 대동맥판막을 확인하시오. (Courtesy of Prof. Uder, Institute of Radiology, University Hospital Erlangen, Germany).

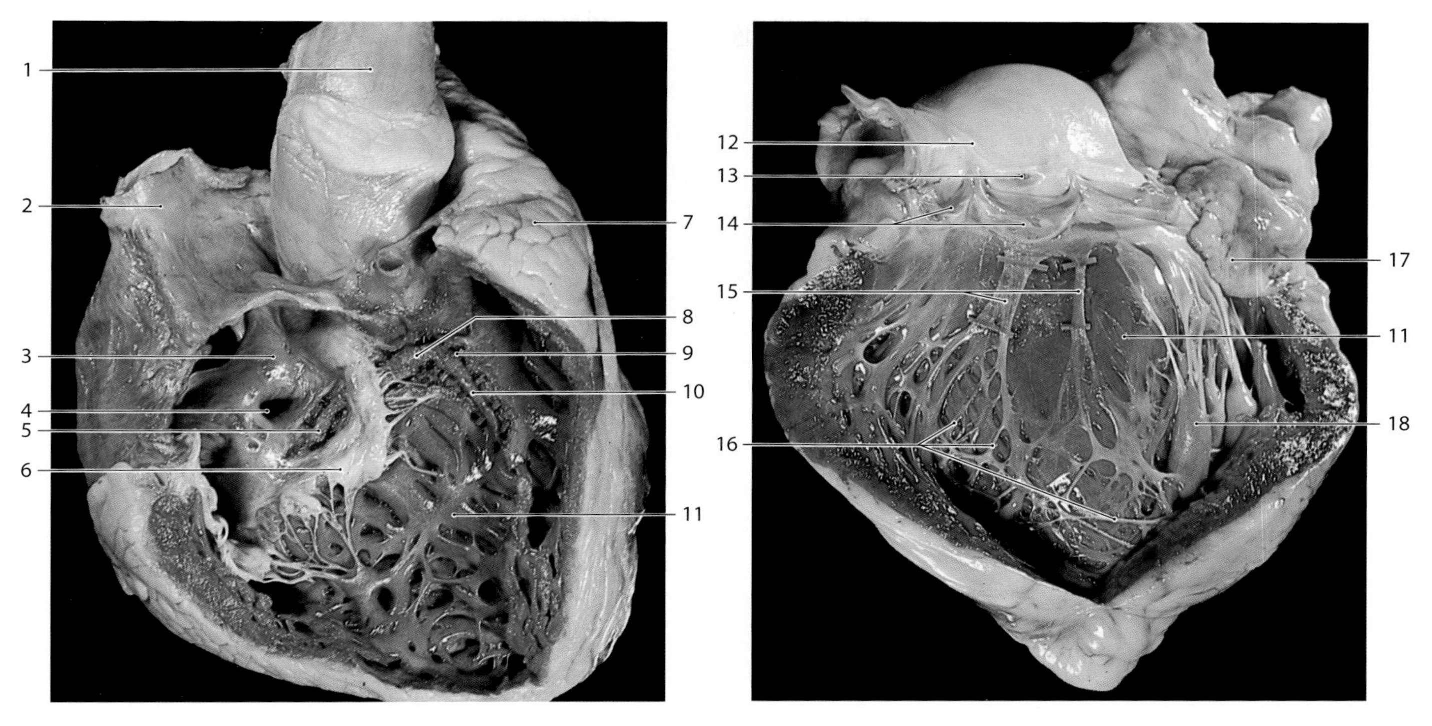

그림 5.42 **오른심실.** 방실결절, 방실다발 및 전도계통의 오른방실다발갈래(더듬자).

그림 5.43 **왼심실.** 전도계통의 왼방실다발갈래(더듬자) 해부.

1 오름대동맥 Ascending aorta
2 위대정맥 Superior vena cava
3 오른심방 Right atrium
4 심장정맥굴구멍 Opening of coronary sinus
5 방실결절 Atrioventricular node
6 오른방실판막 Right atrioventricular valve
7 허파동맥줄기 Pulmonary trunk
8 방실다발 Atrioventricular bundle (bundle of His)
9 방실다발갈림 Bifurcation of atrioventricular bundle
10 오른방실다발갈래 Right bundle branch
11 심실사이막 Interventricular septum
12 대동맥굴 Aortic sinus
13 왼관상동맥구멍 Entrance to left coronary artery
14 대동맥판막 Aortic valve
15 왼방실다발갈래의 가지 Branches of left bundle branch
16 심장전도근육섬유 Purkinje fibers
17 왼심방귀 Left auricle
18 앞꼭지근 Anterior papillary muscle
19 분계고랑 Sulcus terminalis
20 대동맥팽대 Bulb of the aorta
21 굴심방결절(화살표) Sinu-atrial node (arrows)
22 오른심방의 근육섬유다발 Muscle fiber bundles of right atrium
23 방실사이고랑(오른관상동맥이 있음) Coronary sulcus (with right coronary artery)
24 전도계통의 다발 Bundles of conducting system
25 아래대정맥 Inferior vena cava
26 꼭지근과 심장전도근육섬유 Papillary muscles with Purkinje fibers
27 왼심방 Left atrium
28 왼갈래 Left bundle branch

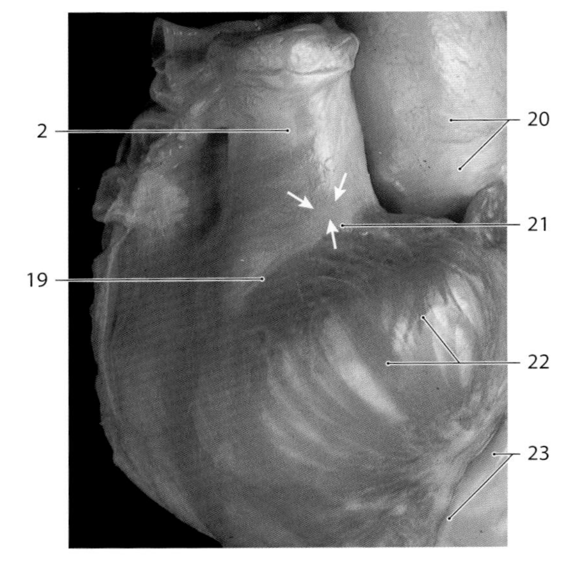

그림 5.44 **오른심방.** 앞벽, 굴심방결절의 위치를 보여준다(화살표).

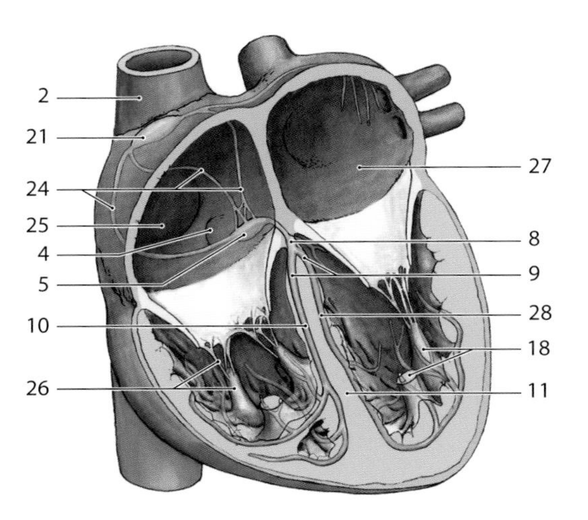

그림 5.45 **심장의 전도계통**(노랑).

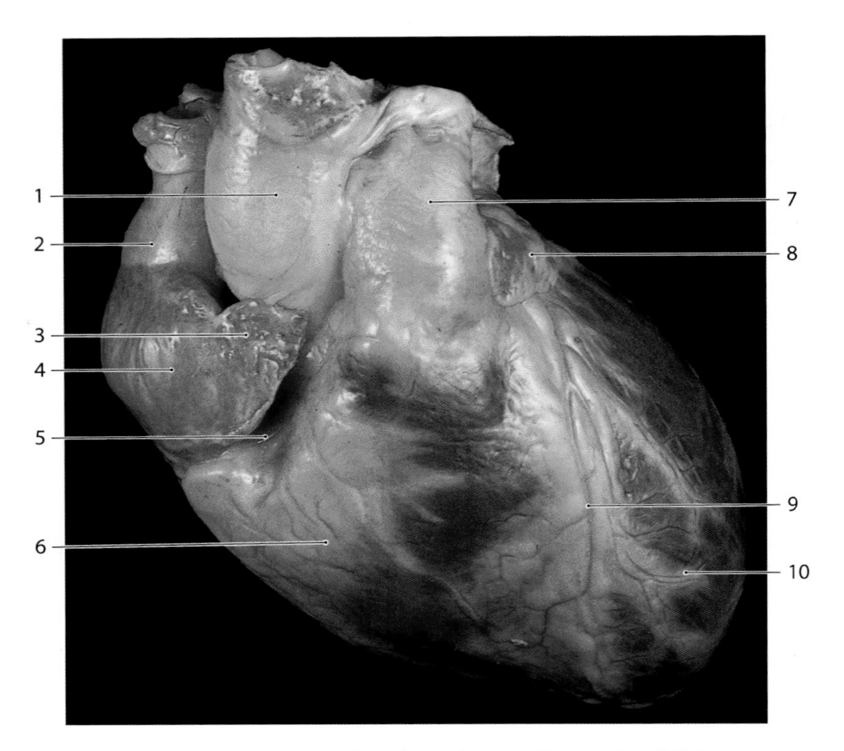

그림 5.46 **확장기에서 고정된 심장**(앞모습). 심실은 이완되었고, 심방은 수축했다.

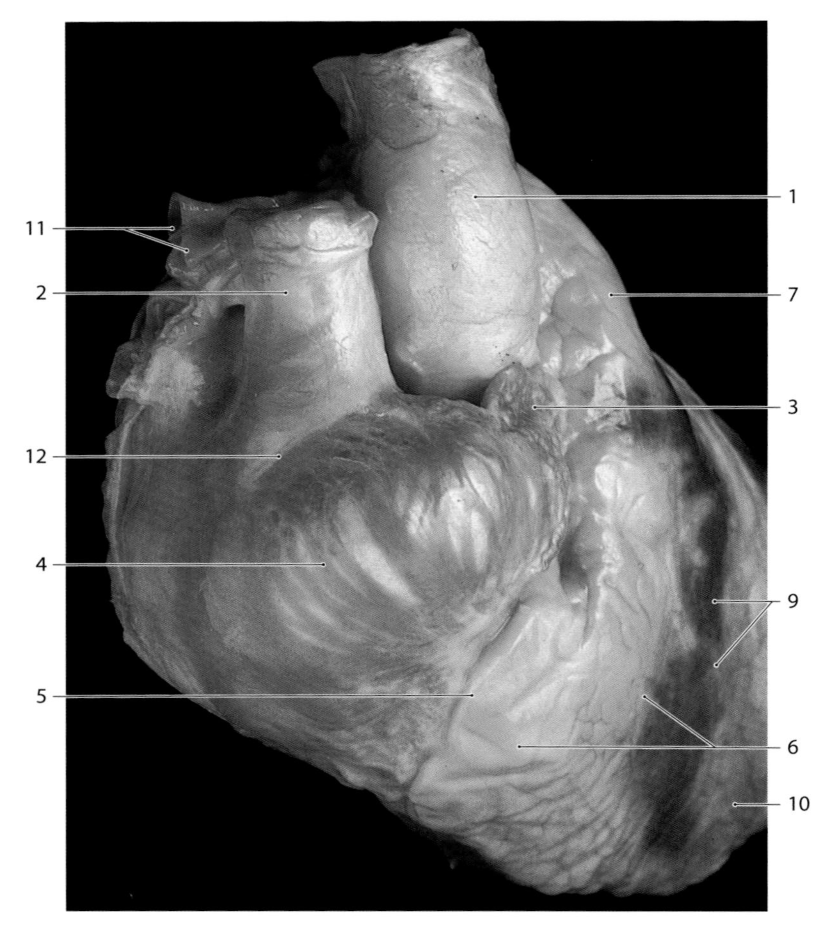

그림 5.47 **수축기에서 고정된 심장**(앞가쪽모습). 심실은 수축되었고 심방은 확장되었다.

1 오름대동맥 Ascending aorta
2 위대정맥 Superior vena cava
3 오른심방귀 Right auricle
4 오른심방 Right atrium
5 방실사이고랑 Coronary sulcus
6 오른심실 Right ventricle
7 허파동맥줄기 Pulmonary trunk
8 왼심방귀 Left auricle
9 앞심실사이고랑 Anterior interventricular sulcus
10 왼심실 Left ventricle
11 오른허파동맥 Right pulmonary artery
12 분계고랑과 굴심방결절
Sulcus terminalis with sinu-atrial node
13 판막 위치면을 나타내는 선
Line indicating plane of position of vlaves
14 오른심방의 심장근육층 Myocardium of right atrium
15 아래대정맥 Inferior vena cava
16 허파동맥줄기의 판막 Valve of pulmonary trunk
17 오른삼첨판막 Right tricuspid valve
18 오른심실의 심장근육층 Myocardium of right ventricle

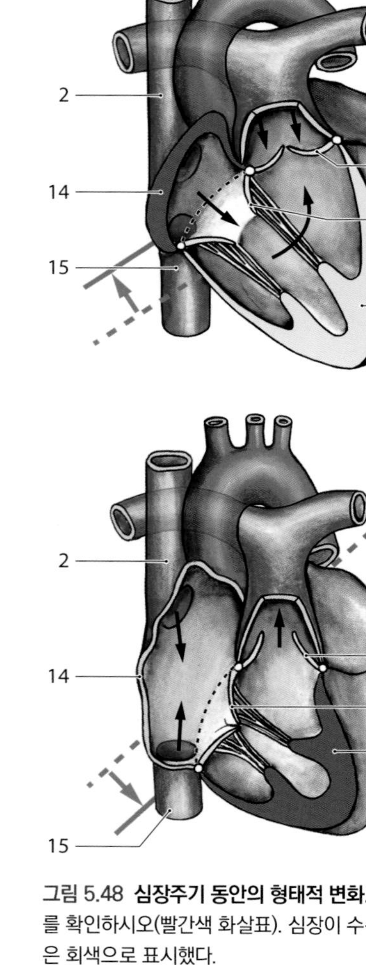

그림 5.48 **심장주기 동안의 형태적 변화.** 판막위치의 변화를 확인하시오(빨간색 화살표). 심장이 수축하는 부분은 짙은 회색으로 표시했다.

A = **확장기:** 심실근육이 이완했고, 방실판막은 열렸으며, 반달판막은 닫혔다.

B = **수축기:** 심실근육이 수축했고, 방실판막은 닫혔으며, 반달판막은 열렸다.

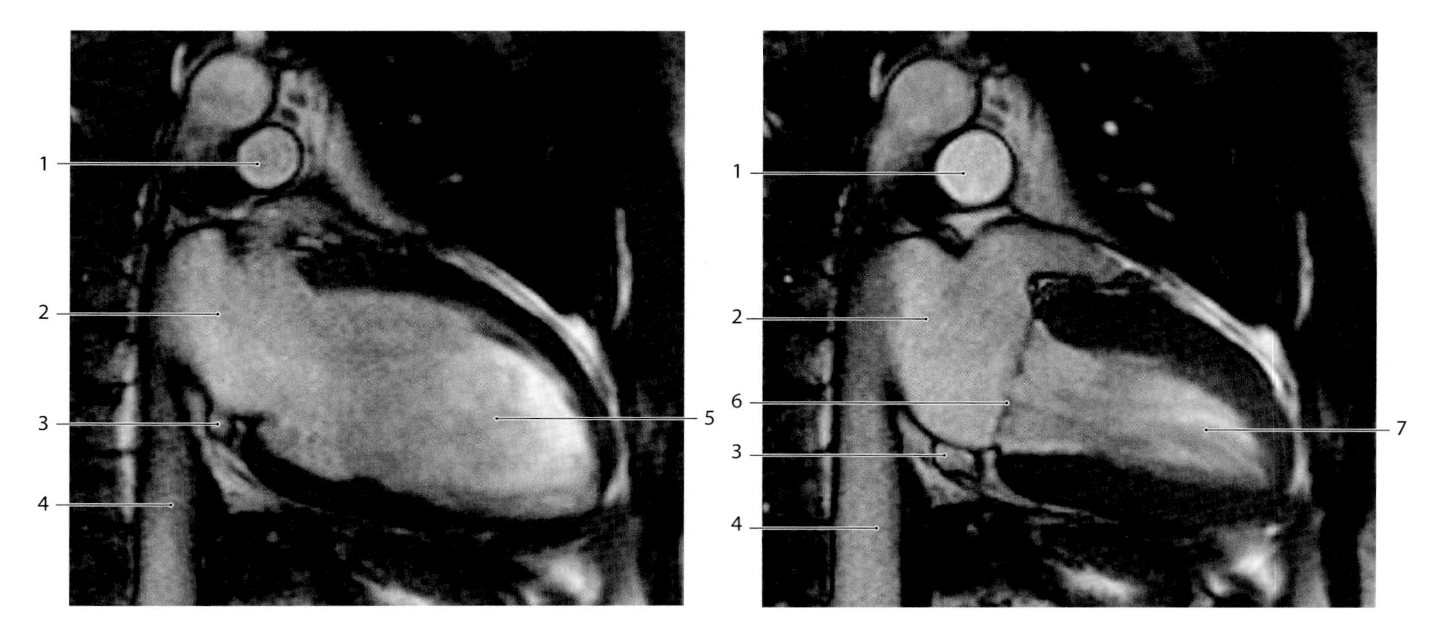

그림 5.49 **확장기 왼심실에서 가슴의 관상단면**(자기공명영상). (Courtesy of Prof. Uder, Institute of Radiology, University Hospital Erlangen, Germany).

그림 5.50 **수축기 왼심실에서 가슴의 관상단면**(자기공명영상). (Courtesy of Prof. Uder, Institute of Radiology, University Hospital Erlangen, Germany).

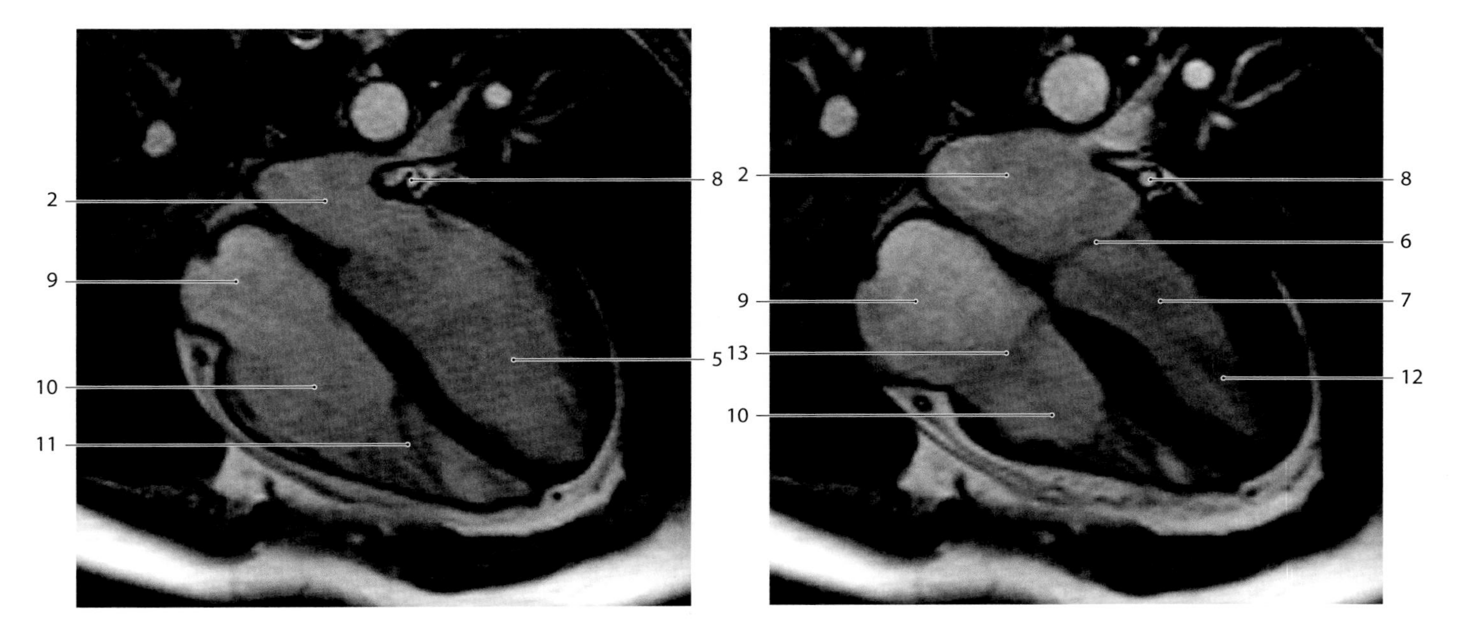

그림 5.51 **확장기에서 사람심장의 관상단면**(자기공명영상). (Courtesy of Prof. Uder, Institute of Radiology, University Hospital Erlangen, Germany).

그림 5.52 **수축기에서 사람심장의 관상단면**(자기공명영상). (Courtesy of Prof. Uder, Institute of Radiology, University Hospital Erlangen, Germany).

1 허파동맥 Pulmonary artery
2 왼심방 Left atrium
3 심장정맥굴 Coronary sinus
4 아래대정맥 Inferior vena cava
5 왼심실(확장됨) Left ventricle (dilated)
6 왼방실판막(승모판막) Left atrioventricular (mitral) valve
7 왼심실(수축됨) Left ventricle (contracted)
8 큰심장정맥(왼심장정맥) Great cardiac vein (left coronary vein)
9 오른심방 Right atrium
10 오른심실 Right ventricle
11 사이막모서리기둥 Septomarginal trabecula
12 꼭지근 Papillary muscle
13 오른방실판막(삼첨판막) Right atrioventricular (tricuspid) valve

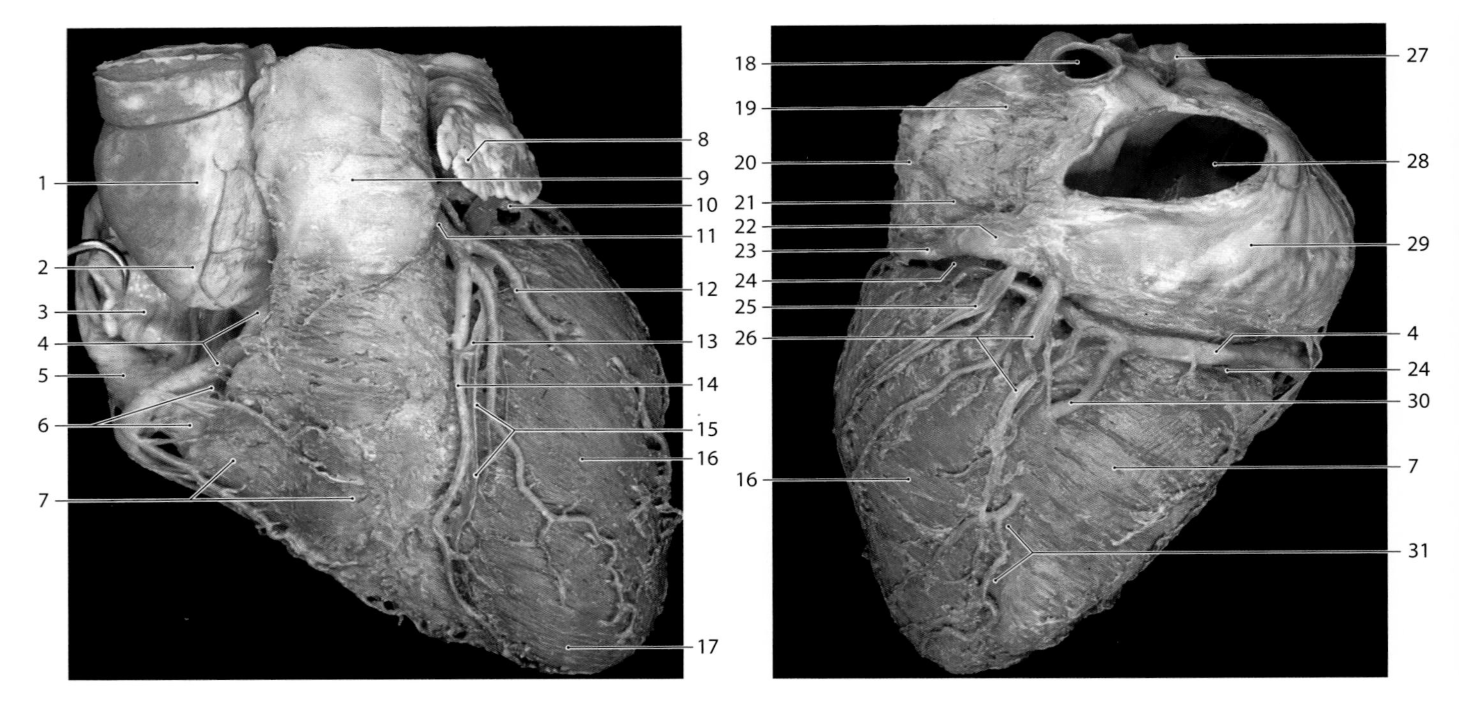

그림 5.53 **관상동맥**(앞모습). 심장바깥막과 심장바깥막밑 지방조직을 제거하였다. 빨간 레진을 대동맥을 통해 동맥에 주입했다.

그림 5.54 **심장의 오른관상동맥과 정맥**(뒤모습). 심장바깥막과 심장바깥막밑 지방조직을 제거하였다. 빨간 레진을 대동맥을 통해 동맥에 주입했다.

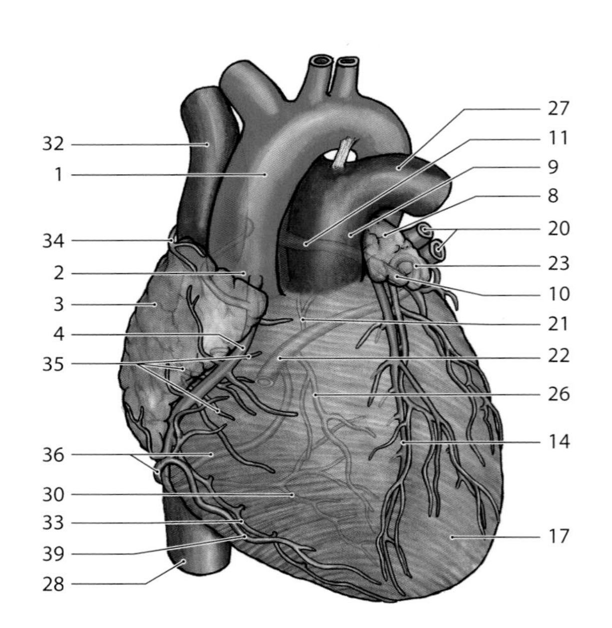

그림 5.55 **심장의 관상동맥과 정맥**(앞모습).

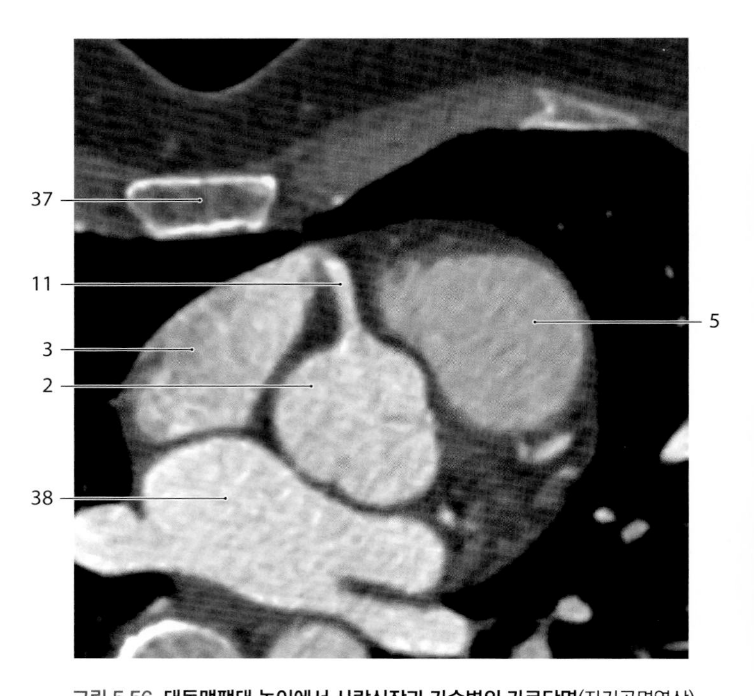

그림 5.56 **대동맥팽대 높이에서 사람심장과 가슴벽의 가로단면**(자기공명영상). (Courtesy of Prof. Uder, Dept. of Radiology, Univ. Erlangen-Nuremberg, Germany).

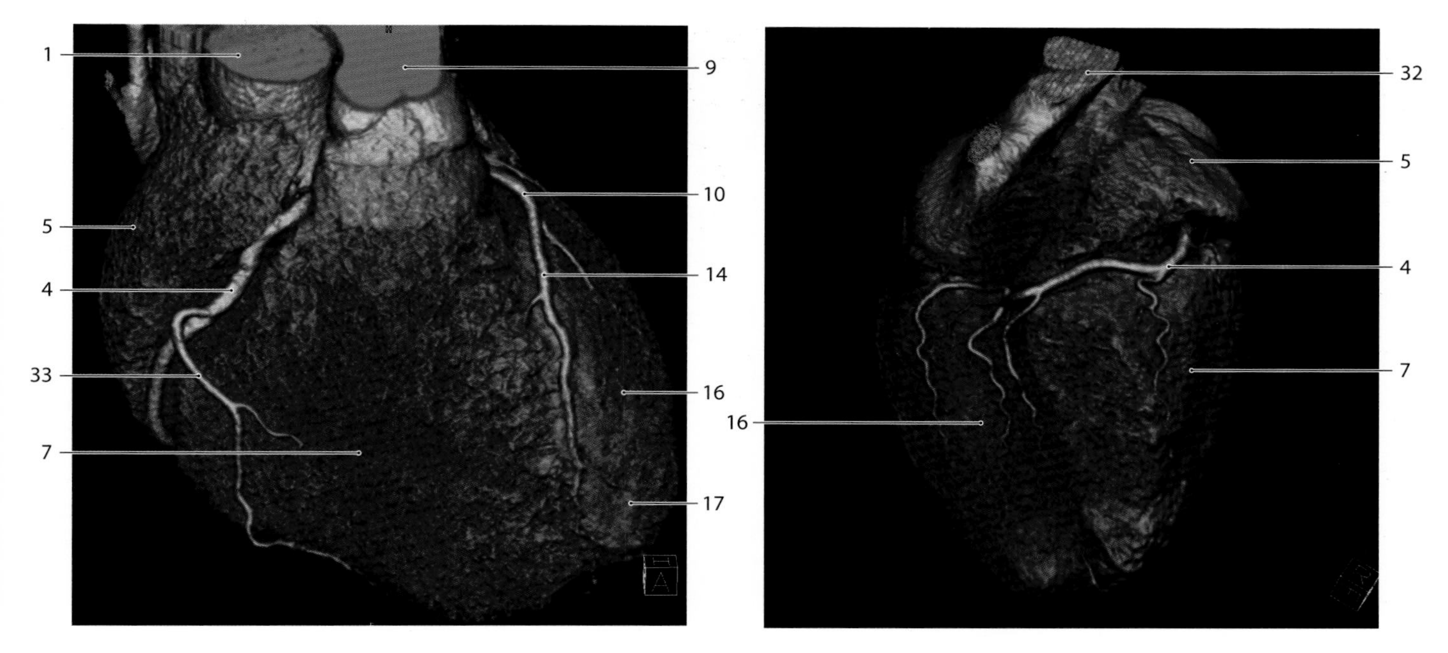

그림 5.57 **관상동맥**(앞모습, 입체 컴퓨터단층촬영). (Courtesy of Prof. Uder, Institute of Radiology, University Hospital Erlangen, Germany).

그림 5.58 **관상동맥**(뒤모습, 입체 컴퓨터단층촬영). (Courtesy of Prof. Uder, Institute of Radiology, University Hospital Erlangen, Germany).

1 오름대동맥 Ascending aorta
2 대동맥팽대와 오른관상동맥의 굴심방결절가지 Aortic bulb and sinu-atrial branch of right coronary artery
3 오른심방귀 Right auricle
4 오른관상동맥 Right coronary artery
5 오른심방 Right atrium
6 방실사이고랑 Coronary sulcus
7 오른심실 Right ventricle
8 왼심방귀 Left auricle
9 허파동맥줄기 Pulmonary trunk
10 왼관상동맥의 휘돌이가지 Circumflex branch of left coronary artery
11 왼관상동맥 Left coronary artery
12 왼관상동맥의 비스듬가지 Diagonal branch of left coronary artery
13 앞심실사이정맥 Anterior interventricular vein
14 앞심실사이동맥 Anterior interventricular artery
15 앞심실사이고랑 Anterior interventricular sulcus
16 왼심실 Left ventricle
17 심장끝 Apex of heart
18 오른허파정맥 Right pulmonary vein
19 왼심방 Left atrium
20 왼허파정맥 Left pulmonary veins
21 왼심방빗정맥 Oblique vein of left atrium (Marshall's vein)
22 심장정맥굴 Coronary sinus
23 큰심장정맥 Great cardiac vein
24 방실사이고랑(뒤부분) Coronary sulcus (posterior portion)
25 왼심실뒤정맥 Posterior vein of left ventricle
26 중간심장정맥 Middle cardiac vein
27 왼허파동맥 Left pulmonary artery
28 아래대정맥 Inferior vena cava
29 오른심방 Right atrium
30 오른관상동맥의 뒤심실사이가지 Posterior interventricular branch of right coronary artery
31 뒤심실사이고랑 Posterior interventricular sulcus
32 위대정맥 Superior vena cava
33 오른모서리가지 Right marginal branch
34 굴심방결절가지 Branch of sinu-atrial node
35 최소심장정맥 Minimal cardiac veins
36 작은심장정맥 Small cardiac vein
37 복장뼈 Sternum
38 왼심방과 허파정맥 Left atrium with pulmonary veins
39 오른모서리정맥 Right marginal vein

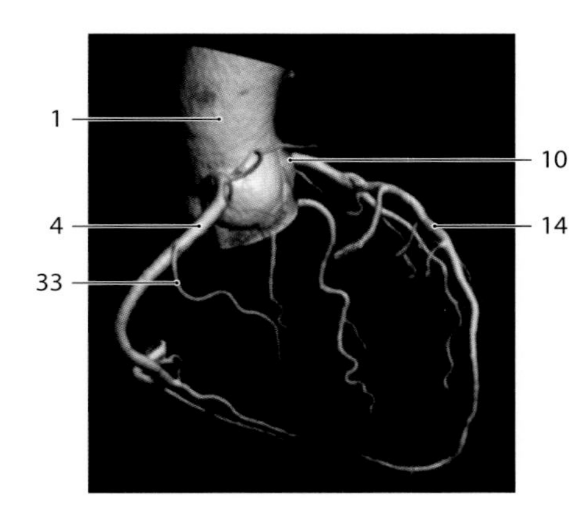

그림 5.59 **관상동맥**(입체 컴퓨터단층촬영). (Courtesy of Prof. Uder, Institute of Radiology, University Hospital Erlangen, Germany).

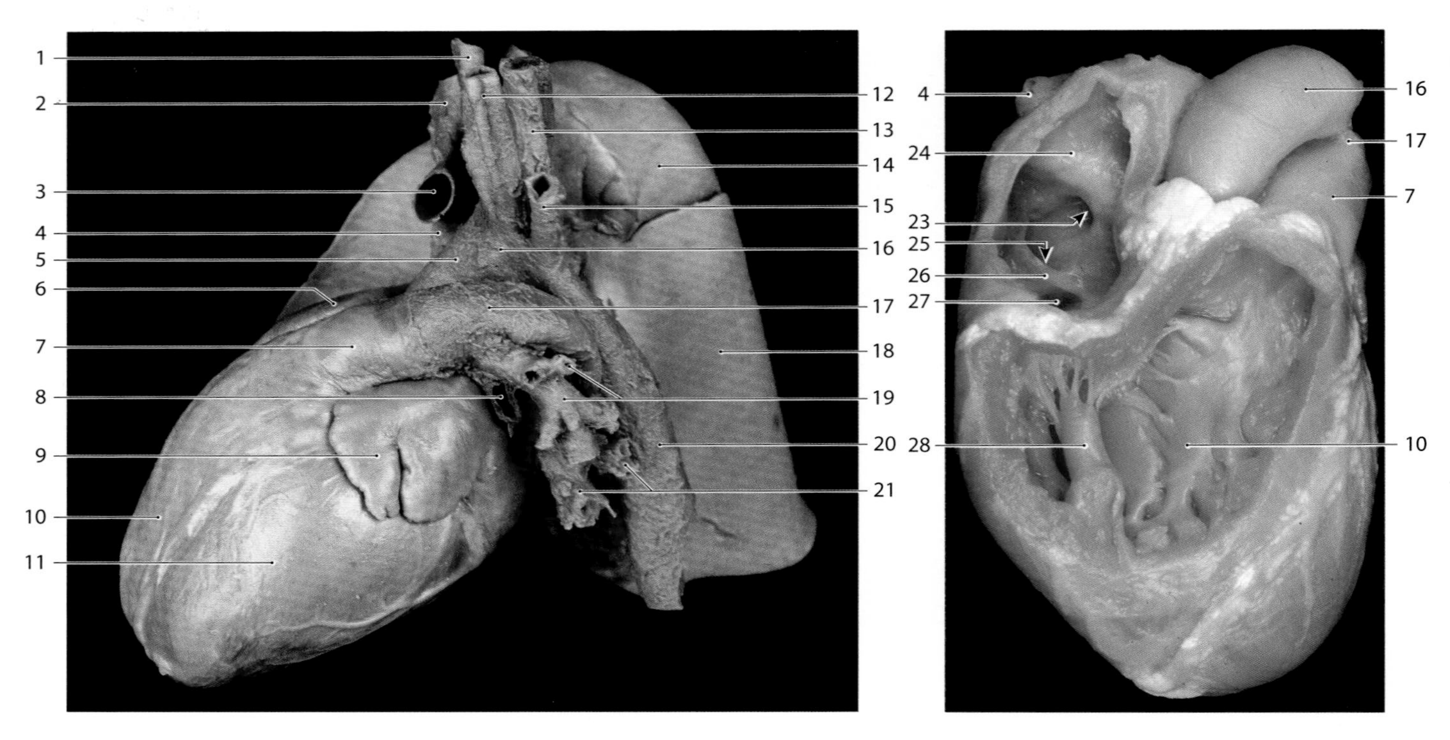

그림 5.60 **태아의 심장과 오른허파**(왼쪽에서 본 모습). 왼허파는 제거하였다. 동맥관(Botalli)을 확인하시오.

그림 5.61 **태아의 심장**(앞모습). 오른심방과 심실을 열었다.

태아 순환계통의 사잇길 Shunts in the fetal circulation system		
1. 정맥관 Ductus venosus (of Arantius)	배꼽정맥과 아래대정맥 사이 between umbilical vein and inferior vena cava	간순환을 우회함 bypass of liver circulation
2. 타원구멍 Foramen ovale	오른심방과 왼심방 사이 between right and left atrium	허파순환을 우회함 bypass of pulmonary circulation
3. 동맥관 Ductus arteriosus (Botalli)	허파동맥줄기와 대동맥 사이 between pulmonary trunk and aorta	

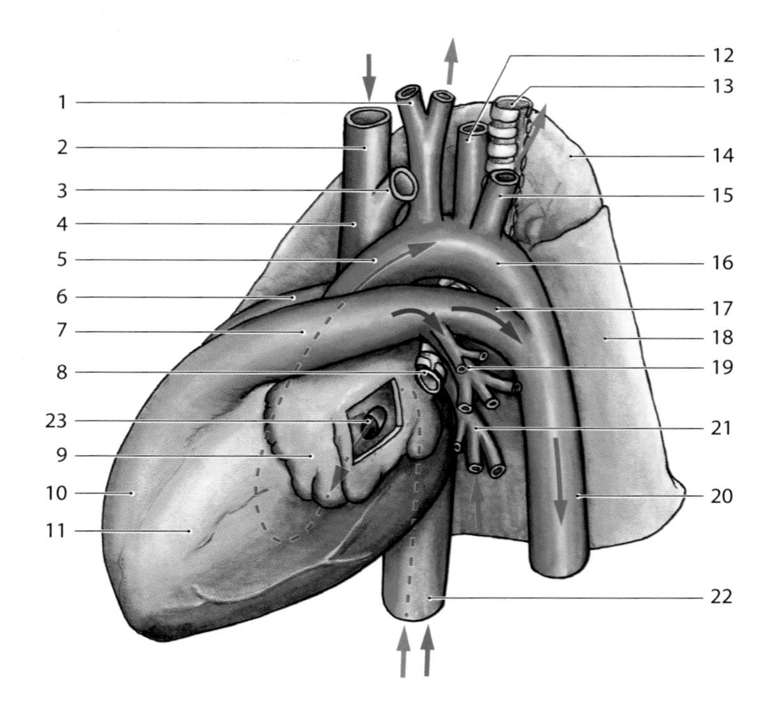

1 오른온목동맥 Right common carotid artery
2 오른팔머리정맥 Right brachiocephalic vein
3 왼팔머리정맥 Left brachiocephalic vein
4 위대정맥 Superior vena cava
5 오름대동맥 Ascending aorta
6 오른심방귀 Right auricle
7 허파동맥줄기 Pulmonary trunk
8 왼기관지 Left primary bronchus
9 왼심방귀 Left auricle
10 오른심실 Right ventricle
11 왼심실 Left ventricle
12 왼온목동맥 Left common carotid artery
13 기관 Trachea
14 오른허파 위엽 Superior lobe of right lung
15 왼빗장밑동맥 Left subclavian artery
16 대동맥활 Aortic arch
17 동맥관 Ductus arteriosus (Botalli)
18 오른허파 아래엽 Inferior lobe of right lung
19 왼허파동맥의 가지 Left pulmonary artery with branches to the left lung
20 내림대동맥 Descending aorta
21 왼허파정맥 Left pulmonary veins
22 아래대정맥 Inferior vena cava
23 타원구멍 Foramen ovale
24 오른심방 Right atrium
25 아래대정맥구멍 Opening of inferior vena cava
26 아래대정맥의 판막 Valve of inferior vena cava (Eustachian valve)
27 심장정맥굴구멍 Opening of coronary sinus
28 오른심실의 앞꼭지근 Anterior papillary muscle of right ventricle

그림 5.62 **태아의 심장과 오른허파**(위 그림 5.60의 해부와 비교해 확인하시오). 혈류의 방향을 화살표로 표시했다. 동맥관에서 대동맥으로 들어간 이후 혈액의 산소농도 변화를 확인하시오.

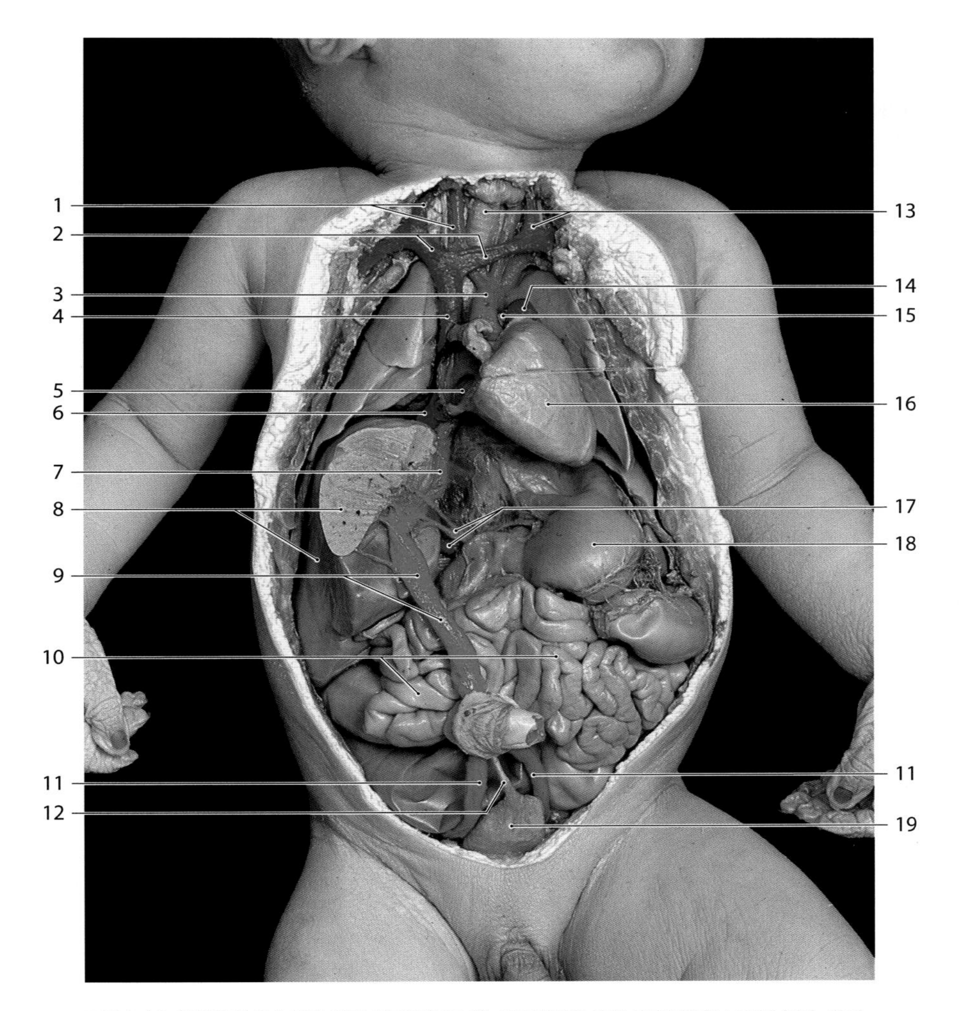

그림 5.63 **신생아의 가슴안과 배안 기관들**(앞모습). 오른심방을 열어 타원구멍이 보이게 했다. 간의 왼엽은 제거하였다.

1 속목정맥과 오른온목동맥
Internal jugular vein and right common carotid artery
2 오른팔머리정맥과 왼팔머리정맥
Right and left brachiocephalic vein
3 대동맥활 Aortic arch
4 위대정맥 Superior vena cava
5 타원구멍 Foramen ovale
6 아래대정맥 Inferior vena cava
7 정맥관 Ductus venosus
8 간 Liver
9 배꼽정맥 Umbilical vein
10 작은창자 Small intestine
11 배꼽동맥 Umbilical artery
12 요막관 Urachus
13 기관과 왼속목정맥
Trachea and left internal jugular vein
14 왼허파동맥 Left pulmonary artery
15 동맥관 Ductus arteriosus (Botalli)
16 오른심실 Right ventricle
17 간동맥(빨강)과 간문맥(파랑)
Hepatic arteries (red) and portal vein (blue)
18 위 Stomach
19 방광 Urinary bladder
20 간문맥 Portal vein
21 허파정맥 Pulmonary veins
22 내림대동맥 Descending aorta
23 태반 Placenta

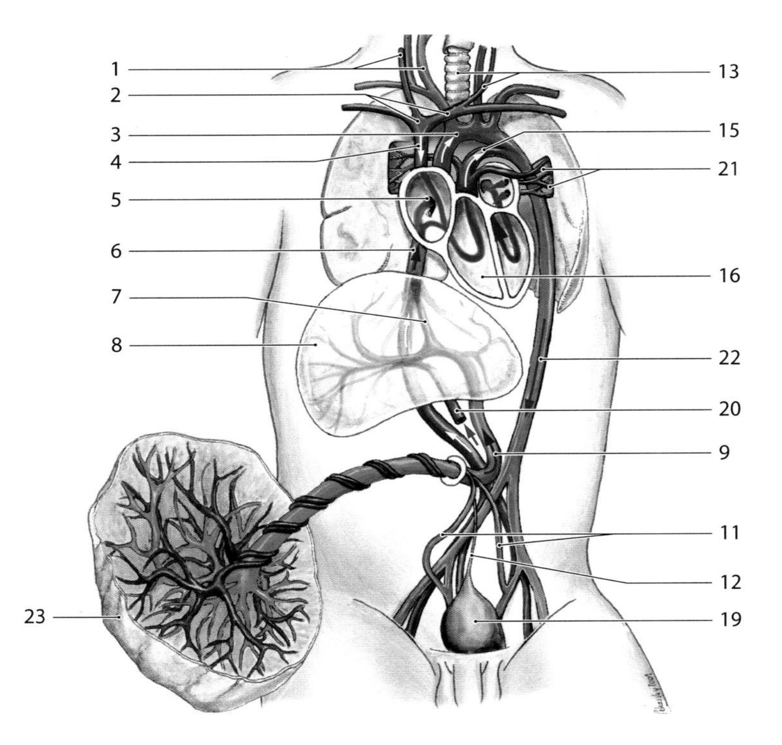

그림 5.64 **태아 순환계통.**
산소농도 차이는 색깔로 나타내었다.

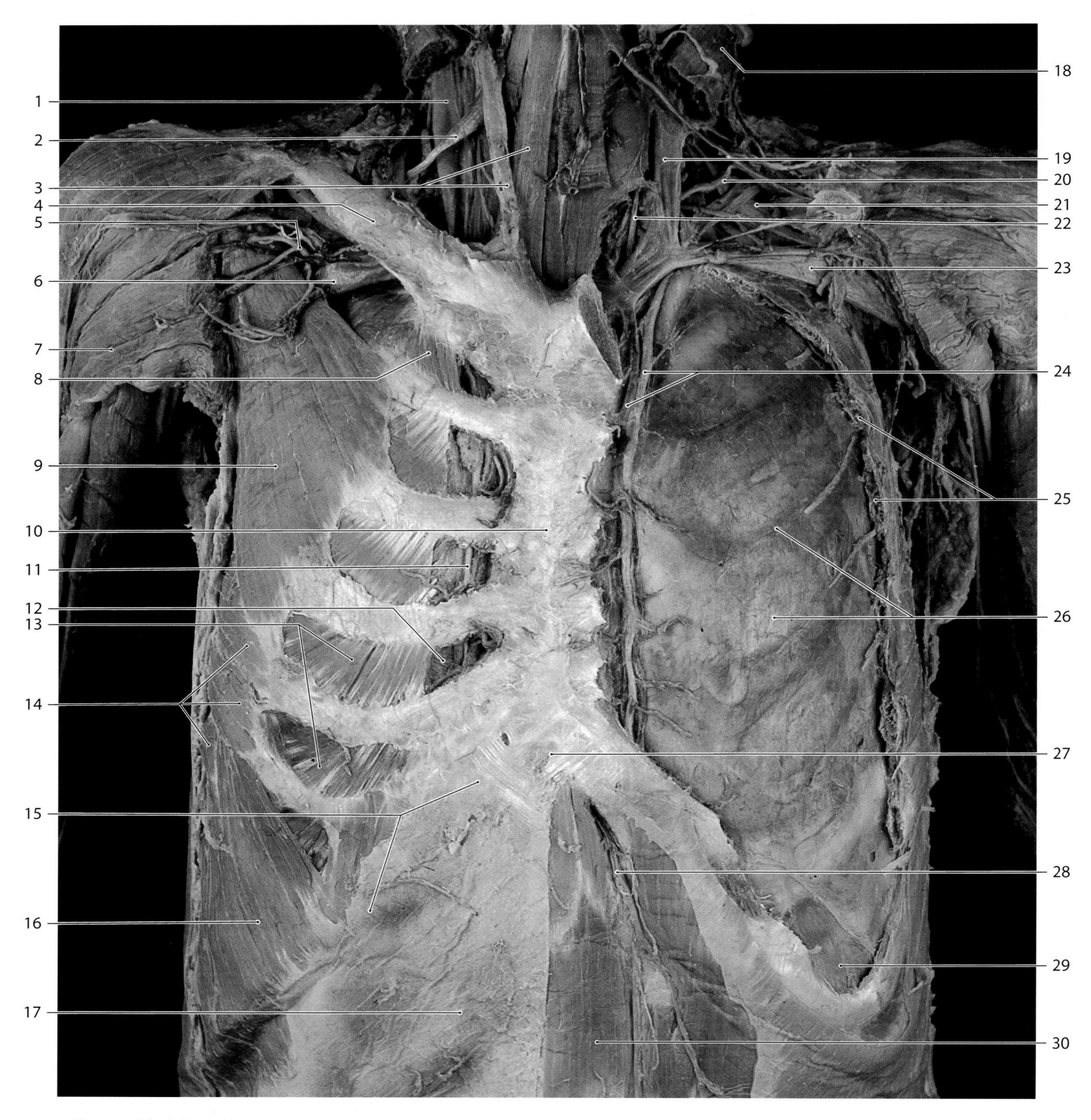

그림 5.65 **가슴기관**(앞모습). 왼쪽 빗장뼈와 갈비뼈 일부를 제거하고, 오른쪽 갈비사이공간을 열어 속가슴정맥과 속가슴동맥이 보이게 했다.

1 오른속목정맥 Right internal jugular vein
2 어깨목뿔근 Omohyoid muscle
3 복장목뿔근과 바깥목정맥 Sternohyoid muscle and external jugular vein
4 빗장뼈 Clavicle
5 가슴봉우리동맥 Thoraco-acromial artery
6 오른빗장밑정맥 Right subclavian vein
7 큰가슴근 Pectoralis major muscle
8 바깥갈비사이근 External intercostal muscle
9 작은가슴근 Pectoralis minor muscle
10 복장뼈몸통 Body of sternum
11 오른쪽 속가슴동맥과 정맥 Right internal thoracic artery and vein
12 가슴가로근의 다발 Fascicles of transversus thoracis muscle
13 속갈비사이근 Internal intercostal muscle
14 앞톱니근 Serratus anterior muscle
15 갈비모서리 Costal margin
16 배바깥빗근 External abdominal oblique muscle
17 배곧은근집 앞층 Anterior sheath of rectus abdominis muscle
18 목빗근 Sternocleidomastoid muscle
19 왼속목정맥 Left internal jugular vein
20 가로목동맥 Transverse cervical artery
21 팔신경얼기 Brachial plexus
22 미주신경 Vagus nerve
23 왼겨드랑정맥 Left axillary vein
24 왼속가슴동맥과 정맥 Left internal thoracic artery and vein
25 갈비뼈와 가슴벽(잘림) Ribs and thoracic wall (cut)
26 갈비가슴막 Costal pleura
27 칼돌기 Xiphoid process
28 위배벽동맥 Superior epigastric artery
29 가로막 Diaphragm
30 배곧은근 Rectus abdominis muscle

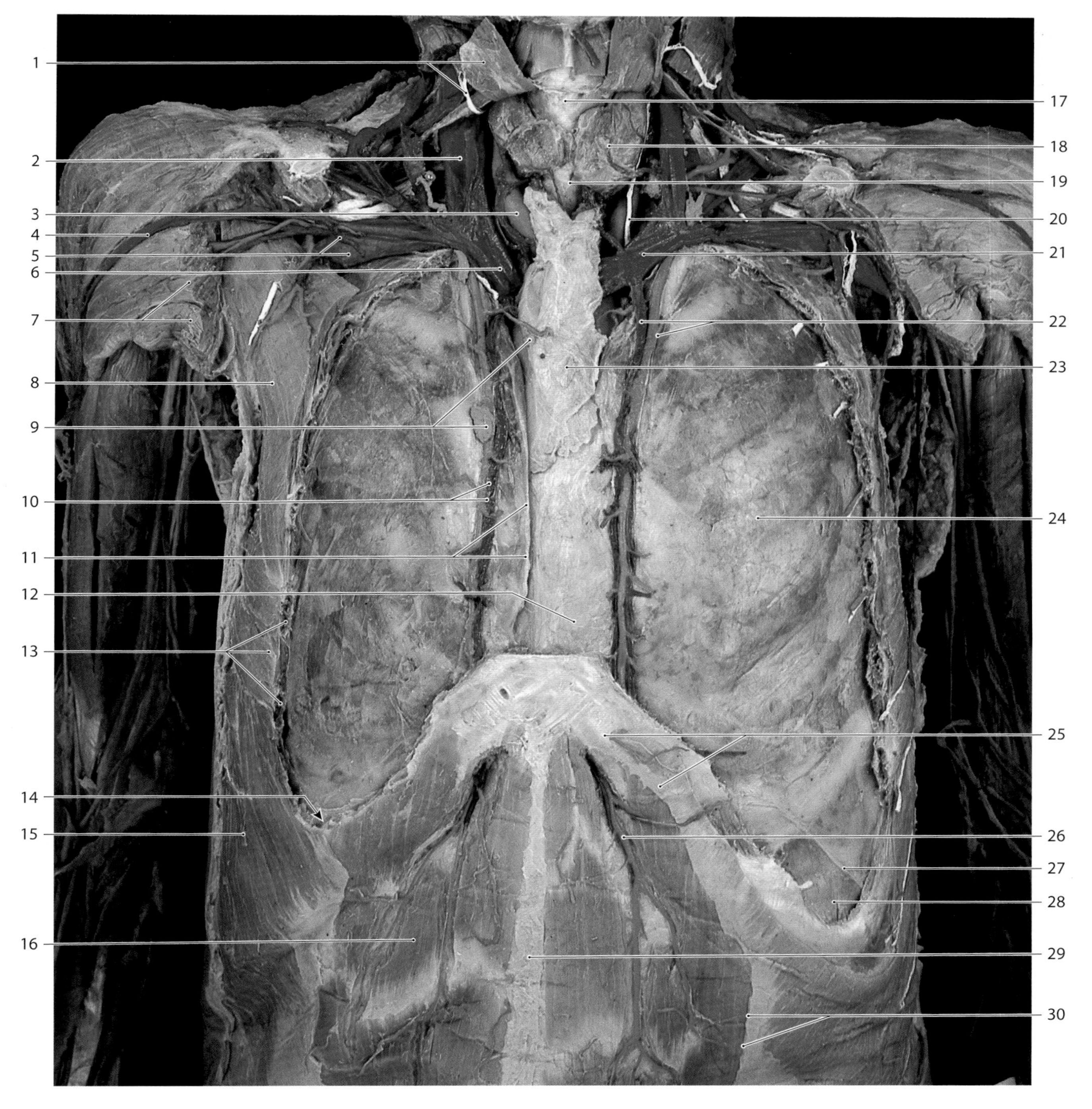

그림 5.66 **가슴기관**(앞모습). 갈비뼈, 빗장뼈, 복장뼈 일부를 제거하여 앞세로칸과 가슴막이 보이게 했다. 빨강 = 동맥; 파랑 = 정맥; 초록 = 림프관과 림프절.

1 복장갑상근과 신경(목신경고리의 가지) Sternothyroid muscle and its nerve (a branch of the ansa cervicalis)
2 오른속목정맥 Right internal jugular vein
3 오른온목동맥 Right common carotid artery
4 노쪽피부정맥 Cephalic vein
5 오른빗장밑정맥 Right subclavian vein
6 오른팔머리정맥 Right brachiocephalic vein
7 큰가슴근(잘림) Pectoralis major muscle (divided)
8 작은가슴근(잘림) Pectoralis minor muscle (divided)
9 복장옆림프절 Parasternal lymph nodes
10 속가슴동맥과 정맥 Internal thoracic artery and vein
11 갈비가슴막의 앞모서리 Anterior margin of costal pleura
12 심장막 Pericardium
13 다섯째와 여섯째갈비뼈(잘림)와 앞톱니근 Fifth and sixth ribs(divided) and serratus anterior muscle
14 갈비가로막오목 Costodiaphragmatic recess
15 배바깥빗근 External abdominal oblique muscle
16 배곧은근 Rectus abdominis muscle
17 후두(갑상연골) Larynx (thyroid cartilage)
18 갑상샘 Thyroid gland
19 기관 Trachea
20 왼미주신경 Left vagus nerve
21 왼팔머리정맥 Left brachiocephalic vein
22 왼속가슴동맥과 정맥 Left internal thoracic artery and vein
23 가슴샘 Thymus
24 갈비가슴막 Costal pleura
25 갈비모서리 Costal margin
26 위배벽동맥 Superior epigastric artery
27 갈비가슴막 모서리 Margin of costal pleura
28 가로막 Diaphragm
29 백색선 Linea alba
30 배곧은근집 앞층이 잘린 모서리 Cut edge of anterior layer of rectus sheath

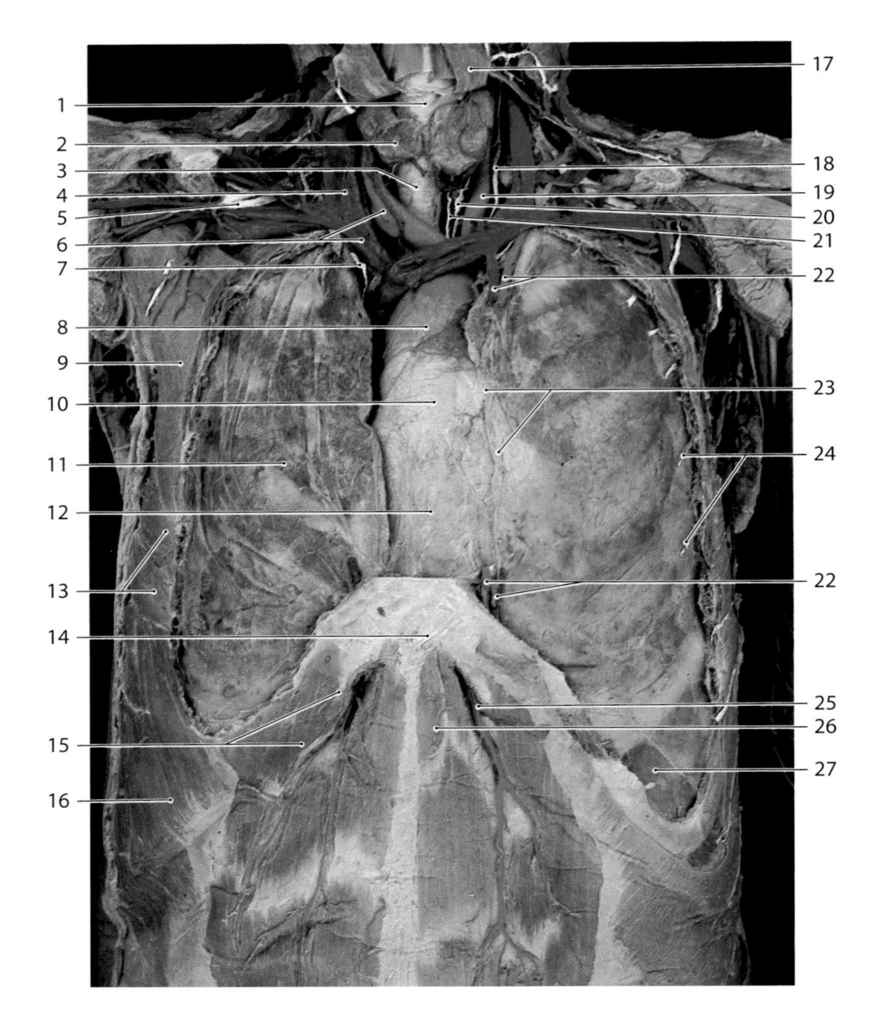

그림 5.67 **가슴기관(앞모습).** 속가슴혈관을 제거하고, 심장과 큰 혈관을 포함한 앞세로칸과 중간세로칸이 보이도록 가슴막의 앞모서리와 허파를 약간 젖혔다. 빨강 = 동맥; 파랑 = 정맥; 초록 = 림프관과 림프절.

1 후두(갑상연골) Larynx (thyroid cartilage)
2 갑상샘 Thyroid gland
3 기관 Trachea
4 속목정맥 Internal jugular vein
5 팔신경얼기 Brachial plexus
6 오른팔머리정맥과 온목동맥
Right brachiocephalic vein and common carotid artery
7 오른가로막신경 Right phrenic nerve
8 오름대동맥 Ascending aorta
9 작은가슴근(잘림) Pectoralis minor muscle (divided)
10 허파동맥줄기(심장막에 둘러싸임)
Pulmonary trunk (covered by pericardium)
11 갈비가슴막 Costal pleura
12 심장막과 심장 Pericardium and heart
13 앞톱니근 Serratus anterior muscle
14 칼돌기 Xiphoid process
15 갈비모서리 Costal margin
16 배바깥빗근 External abdominal oblique muscle
17 복장갑상근(잘라 젖힘)
Sternothyroid muscle (divided and reflected)
18 미주신경 Vagus nerve
19 왼온목동맥 Left common carotid artery
20 왼교감신경줄기 Left sympathetic trunk
21 왼되돌이후두신경 Left recurrent laryngeal nerve
22 왼속가슴동맥과 정맥(잘림)
Left internal thoracic artery and vein (divided)
23 갈비가슴막 모서리 Margin of costal pleura
24 갈비사이신경과 혈관 Intercostal nerve and vessels
25 위배벽동맥 Superior epigastric artery
26 배곧은근 Rectus abdominis muscle
27 가로막 Diaphragm
28 목신경고리 Ansa cervicalis
29 가로막신경과 앞목갈비근
Phrenic nerve and scalenus anterior muscle
30 바깥목정맥(잘림) External jugular vein (divided)
31 오른빗장밑정맥 Right subclavian vein
32 오른팔머리정맥 Right brachiocephalic vein
33 속가슴동맥(잘림) Internal thoracic artery (divided)
34 속가슴정맥(잘림) Internal thoracic vein (divided)
35 오른허파 Right lung
36 반지갑상근 Cricothyroid muscle
37 어깨목뿔근 Omohyoid muscle
38 가슴샘 Thymus
39 왼허파 Left lung

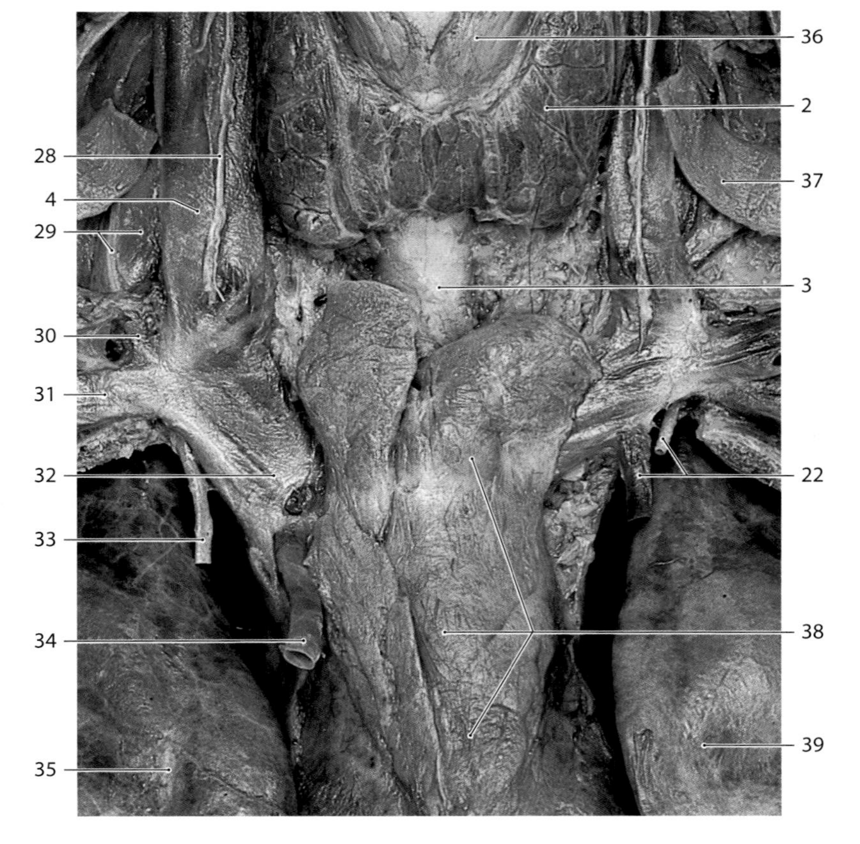

그림 5.68 **가슴기관**(앞모습, 확대).
가슴샘의 위치(심장 위)와 크기가 확인된다.

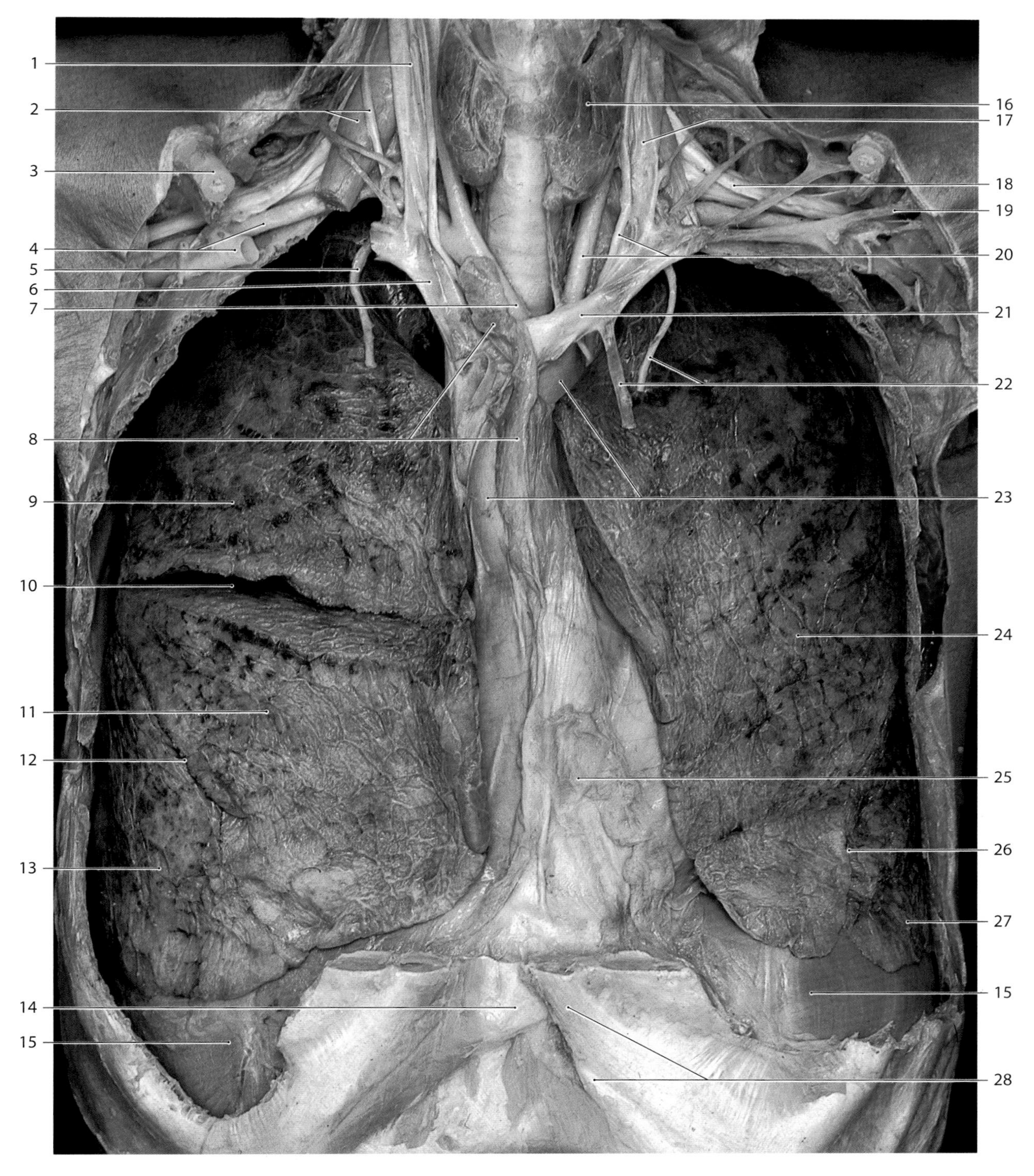

그림 5.69 **가슴기관**(앞모습). 가슴막을 열어 허파를 노출했다. 가슴샘 잔유물과 심장막이 보인다.

1 오른속목정맥 Right internal jugular vein
2 가로막신경과 앞목갈비근
Phrenic nerve and scalenus anterior muscle
3 빗장뼈(잘림) Clavicle (divided)
4 오른빗장밑동맥과 정맥
Right subclavian artery and vein
5 속가슴동맥 Internal thoracic artery
6 오른팔머리정맥 Right brachiocephalic vein
7 팔머리동맥줄기 Brachiocephalic trunk
8 가슴샘(위축됨) Thymus (atrophic)
9 오른허파 위엽 Upper lobe of right lung
10 오른허파 수평틈새
Horizontal fissure of right lung (incomplete)
11 오른허파 중간엽 Middle lobe of right lung
12 오른허파 빗틈새 Oblique fissure of right lung
13 오른허파 아래엽 Lower lobe of right lung
14 칼돌기 Xiphoid process
15 가로막 Diaphragm
16 갑상샘 Thyroid gland
17 왼속목정맥 Left internal jugular vein
18 팔신경얼기 Brachial plexus
19 왼노쪽피부정맥 Left cephalic vein
20 왼온목동맥과 미주신경
Left common carotid artery and vagus nerve
21 왼팔머리정맥 Left brachiocephalic vein
22 속가슴동맥과 정맥(잘림)
Internal thoracic artery and vein (divided)
23 오름대동맥과 대동맥활
Ascending aorta and aortic arch
24 왼허파 위엽 Upper lobe of left lung
25 심장막 Pericardium
26 왼허파 빗틈새 Oblique fissure of left lung
27 왼허파 아래엽 Lower lobe of left lung
28 갈비모서리 Costal margin

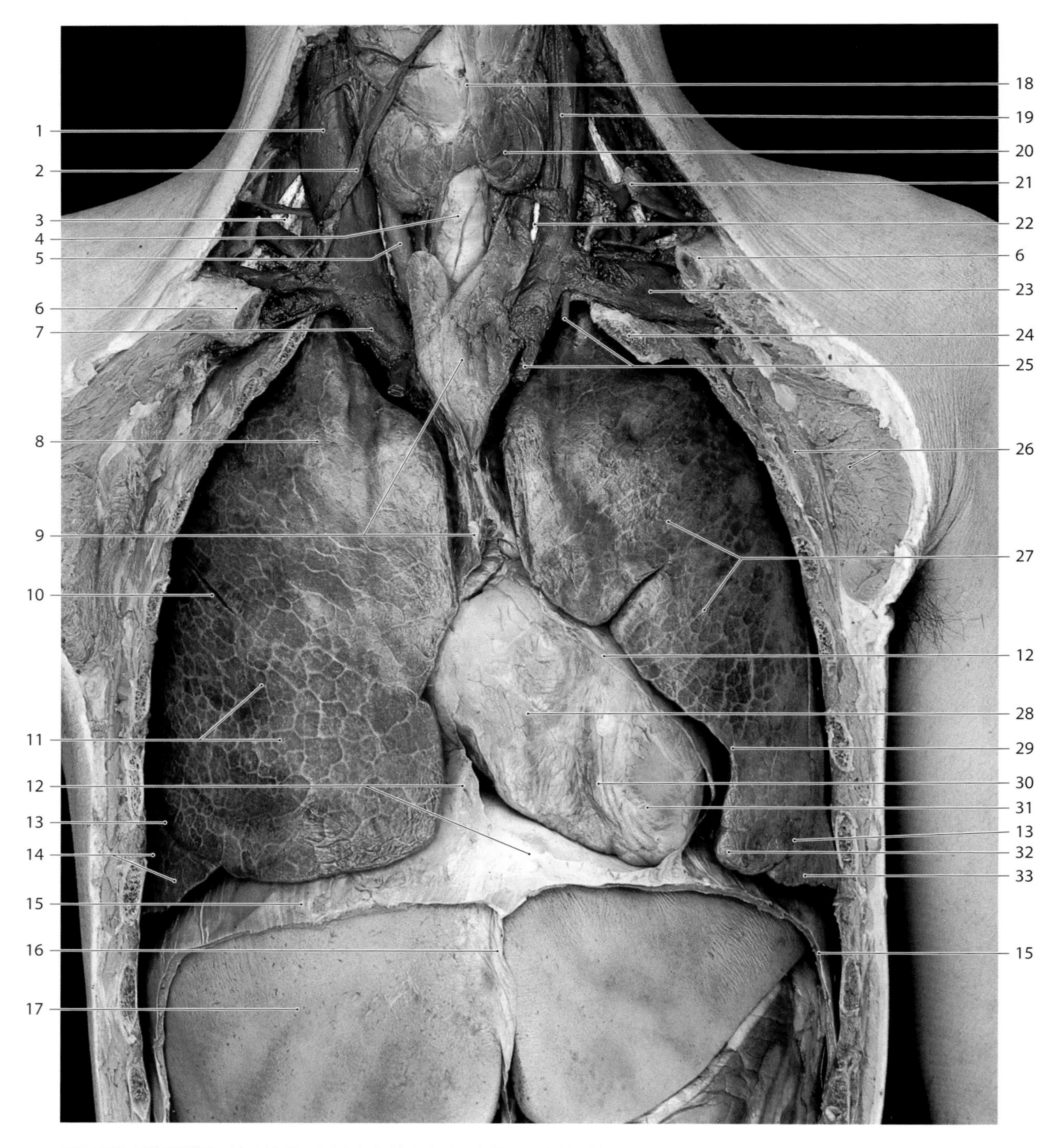

그림 5.70 **가슴기관**(앞모습). 가슴벽, 갈비가슴막, 심장막, 가로막 일부를 제거하였다. 빨강 = 동맥; 파랑 = 정맥.

1 속목정맥 Internal jugular vein
2 바깥목정맥(안쪽으로 젖힘) External jugular vein (displaced medially)
3 팔신경얼기 Brachial plexus
4 기관 Trachea
5 오른온목동맥 Right common carotid artery
6 빗장뼈(잘림) Clavicle (divided)
7 오른팔머리정맥 Right brachiocephalic vein
8 오른허파 위엽 Upper lobe of right lung
9 가슴샘(위축됨) Thymus (atrophic)
10 오른허파 수평틈새 Horizontal fissure of right lung
11 오른허파 중간엽 Middle lobe of right lung
12 심장막(잘린 모서리) Pericardium (cut edge)
13 오른허파 빗틈새 Oblique fissure of right lung
14 오른허파 아래엽 Lower lobe of right lung
15 가로막 Diaphragm
16 낫인대 Falciform ligament
17 간 Liver
18 후두의 위치 Location of larynx
19 왼속목정맥 Left internal jugular vein
20 갑상샘 Thyroid gland
21 어깨목뿔근(잘림) Omohyoid muscle (divided)
22 미주신경 Vagus nerve
23 왼빗장밑정맥 Left subclavian vein
24 첫째갈비뼈(잘림) First rib (divided)
25 속가슴동맥과 정맥 Internal thoracic artery and vein
26 큰가슴근과 작은가슴근(잘린 모서리) Pectoralis major and pectoralis minor muscle (cut edge)
27 왼허파 위엽 Upper lobe of left lung
28 오른심실 Right ventricle
29 왼허파 심장파임 Cardiac notch of left lung
30 심장의 심실사이고랑 Interventricular sulcus of heart
31 왼심실 Left ventricle
32 왼허파혀 Lingula
33 왼허파 아래엽 Lower lobe of left lung

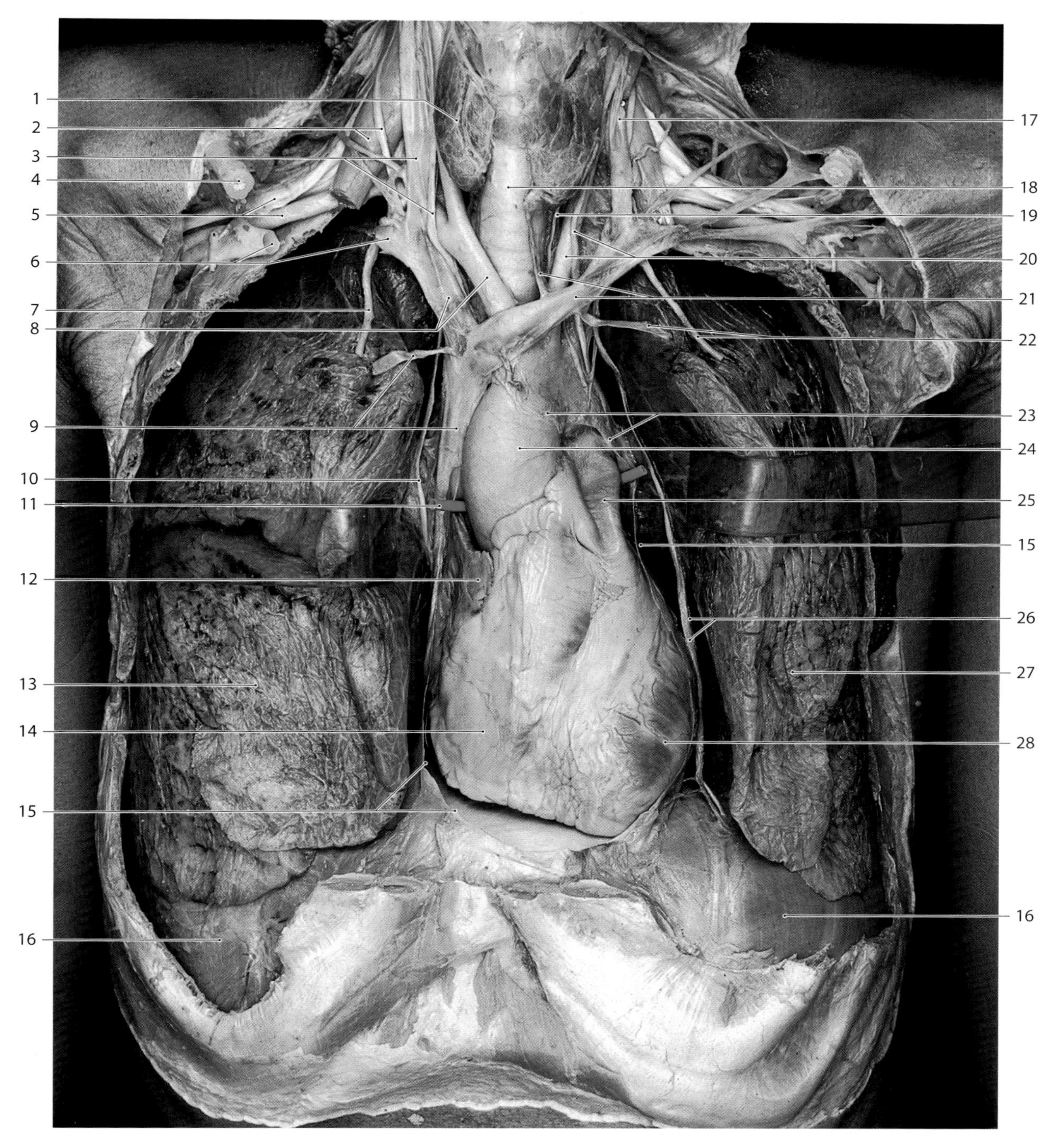

그림 5.71 **가슴기관**(앞모습). 심장과 중간세로칸의 위치. 가슴의 앞가슴벽, 갈비가슴막, 심장막을 제거하고 허파를 약간 젖혔다.

1 갑상샘 Thyroid gland
2 가로막신경과 앞목갈비근
Phrenic nerve and scalenus anterior muscle
3 미주신경과 속목정맥
Vagus nerve and internal jugular vein
4 빗장뼈(잘림) Clavicle (divided)
5 팔신경얼기와 빗장밑동맥
Brachial plexus and subclavian artery
6 빗장밑정맥 Subclavian vein
7 속가슴동맥 Internal thoracic artery
8 팔머리동맥줄기와 오른팔머리정맥
Brachiocephalic trunk and
right brachiocephalic vein
9 위대정맥과 가슴샘정맥
Superior vena cava and thymic vein
10 오른가로막신경 Right phrenic nerve
11 가로심장막굴(더듬자)
Transverse pericardial sinus (probe)
12 오른심방귀 Right auricle
13 오른허파 중간엽 Middle lobe of right lung
14 오른심실 Right ventricle
15 심장막의 잘린 모서리 Cut edge of pericardium
16 가로막 Diaphragm
17 속목정맥 Internal jugular vein
18 기관 Trachea
19 왼되돌이후두신경
Left recurrent laryngeal nerve
20 왼온목동맥과 미주신경
Left common carotid artery and vagus nerve
21 왼팔머리정맥과 아래갑상정맥
Left brachiocephalic vein and inferior thyroid vein
22 왼속가슴동맥과 정맥(잘림)
Left internal thoracic artery and vein (divided)
23 심장막 주머니 위모서리
Upper margin of pericardial sac
24 오름대동맥 Ascending aorta
25 허파동맥줄기 Pulmonary trunk
26 왼가로막신경 및 왼심장가로막동맥과 정맥
Left phrenic nerve and left pericardiacophrenic
artery and vein
27 왼허파 위엽 Upper lobe of left lung
28 왼심실 Left ventricle

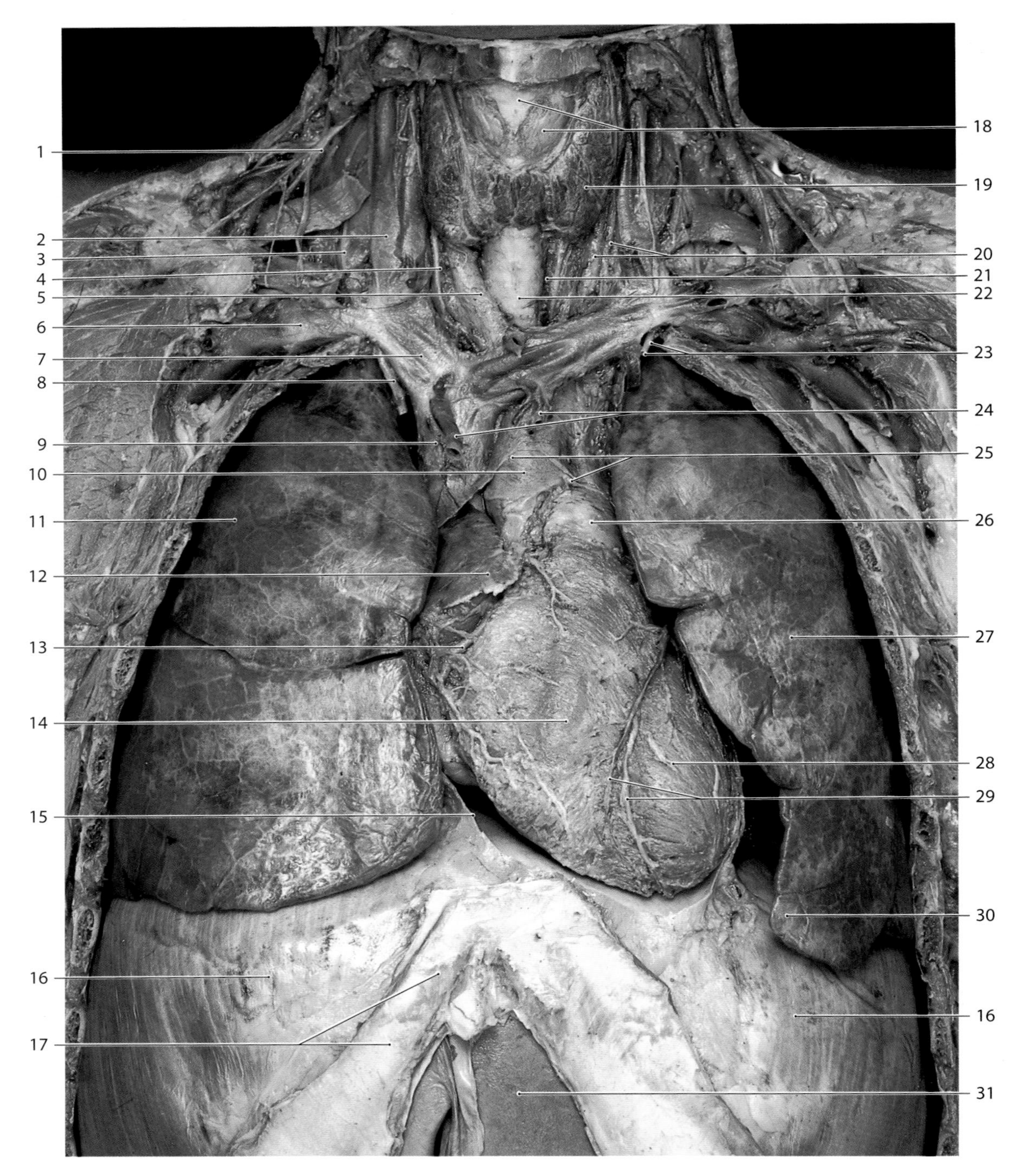

그림 5.72 **가슴기관**(앞모습). 심장의 위치와 심장혈관의 위치. 앞가슴벽, 갈비가슴막, 심장막은 제거하였다.

1 중간빗장위신경 Intermediate supraclavicular nerve
2 속목정맥 Internal jugular vein
3 오른가로막신경 Right phrenic nerve
4 오른미주신경 Right vagus nerve
5 오른온목동맥 Right common carotid artery
6 오른빗장밑정맥 Right subclavian vein
7 오른팔머리정맥 Right brachiocephalic vein
8 오른속가슴동맥 Right internal thoracic artery
9 위대정맥 Superior vena cava
10 오름대동맥 Ascending aorta
11 오른허파 Right lung
12 오른심방 Right atrium
13 오른관상동맥과 작은심장정맥 Right coronary artery and small cardiac vein
14 오른심실 Right ventricle
15 심장막의 잘린 모서리 Cut edge of pericardium
16 가로막 Diaphragm
17 갈비모서리 Costal margin
18 후두(반지갑상근과 갑상연골) Larynx (cricothyroid muscle and thyroid cartilage)
19 갑상샘 Thyroid gland
20 왼온목동맥과 왼미주신경 Left common carotid artery and left vagus nerve
21 왼되돌이후두신경 Left recurrent laryngeal nerve
22 기관 Trachea
23 왼속가슴동맥과 정맥(잘림) Left internal thoracic artery and vein (divided)
24 가슴샘정맥 Thymic veins
25 심장막 주머니 모서리 Margin of pericardial sac
26 허파동맥줄기 Pulmonary trunk
27 왼허파 Left lung
28 왼심실 Left ventricle
29 앞심실사이동맥과 정맥 Anterior interventricular artery and vein
30 왼허파혀 Lingula
31 간 Liver

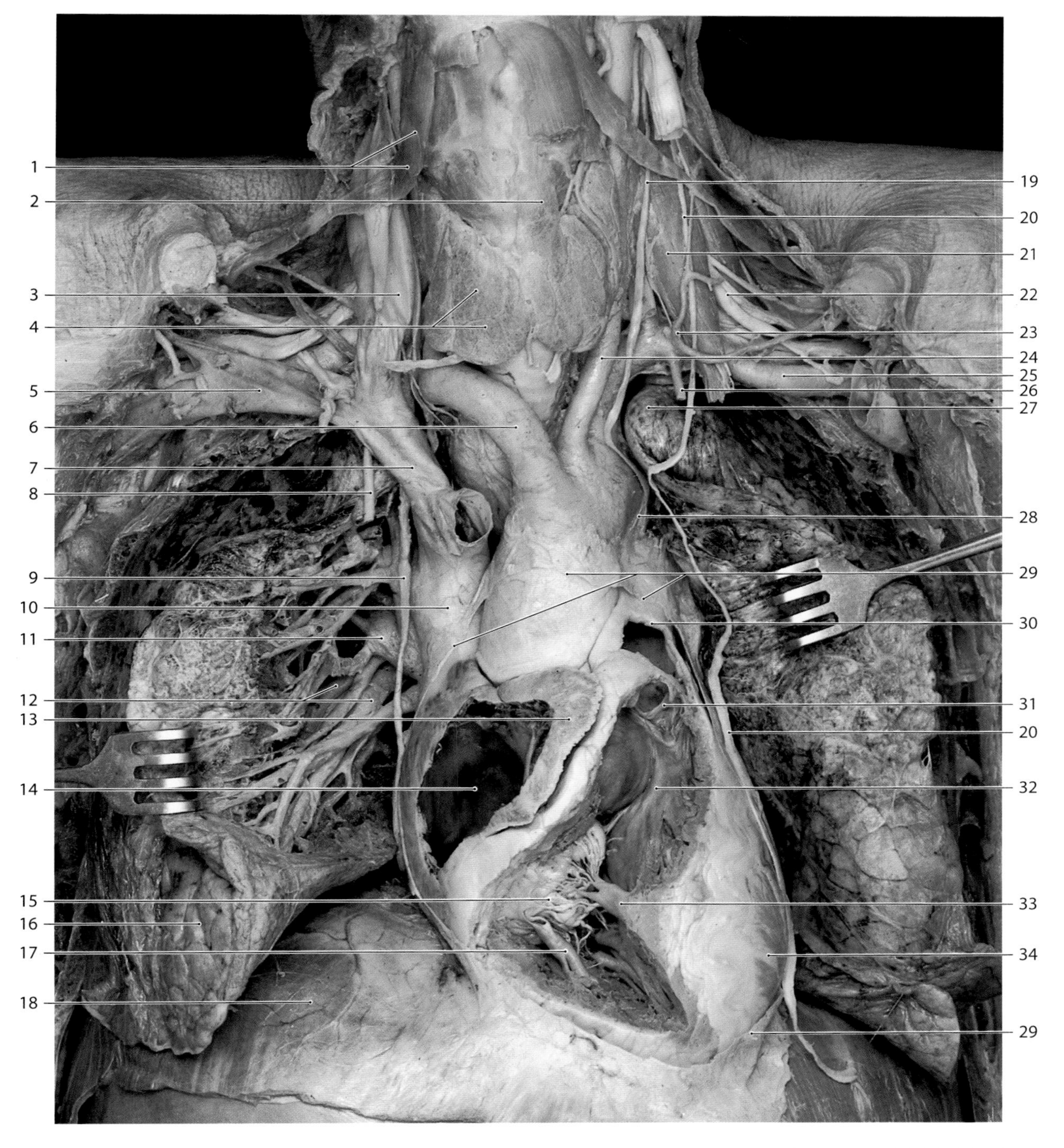

그림 5.73 **가슴기관**(앞모습). 심장판막 위치. 앞가슴벽, 가슴막, 심장막의 앞부분은 제거하였다. 오른심방과 심실을 열어 오른방실판막과 허파동맥 판막이 보이게 했다.

1 어깨목뿔근 Omohyoid muscle
2 갑상샘의 피라미드엽 Pyramidal lobe of thyroid gland
3 속목정맥 Internal jugular vein
4 갑상샘 Thyroid gland
5 오른빗장밑정맥 Right subclavian vein
6 팔머리동맥줄기 Brachiocephalic trunk
7 오른팔머리정맥 Right brachiocephalic vein
8 오른속가슴동맥 Right internal thoracic artery
9 오른가로막신경 Right phrenic nerve
10 위대정맥 Superior vena cava
11 허파정맥 Pulmonary vein
12 허파동맥의 가지 Branches of pulmonary artery
13 오른심방귀 Right auricle
14 오른심방 Right atrium
15 오른방실판막(삼첨판막) Right atrioventricular (tricuspid) valve
16 오른허파 Right lung
17 뒤꼭지근 Posterior papillary muscle
18 가로막 Diaphragm
19 왼미주신경 Left vagus nerve
20 왼가로막신경 Left phrenic nerve
21 앞목갈비근 Scalenus anterior muscle
22 팔신경얼기 Brachial plexus
23 갑상목동맥줄기 Thyrocervical trunk
24 왼온목동맥 Left common carotid artery
25 왼빗장밑동맥 Left subclavian artery
26 왼속가슴동맥 Left internal thoracic artery
27 왼허파꼭대기 Apex of left lung
28 왼되돌이후두신경 Left recurrent laryngeal nerve
29 심장막의 잘린 모서리 Cut edge of pericardium
30 허파동맥줄기(창을 냄) Pulmonary trunk (fenestrated)
31 허파동맥판막 Pulmonic valve
32 심실위능선 Supraventricular crest
33 앞꼭지근 Anterior papillary muscle
34 왼심실 Left ventricle

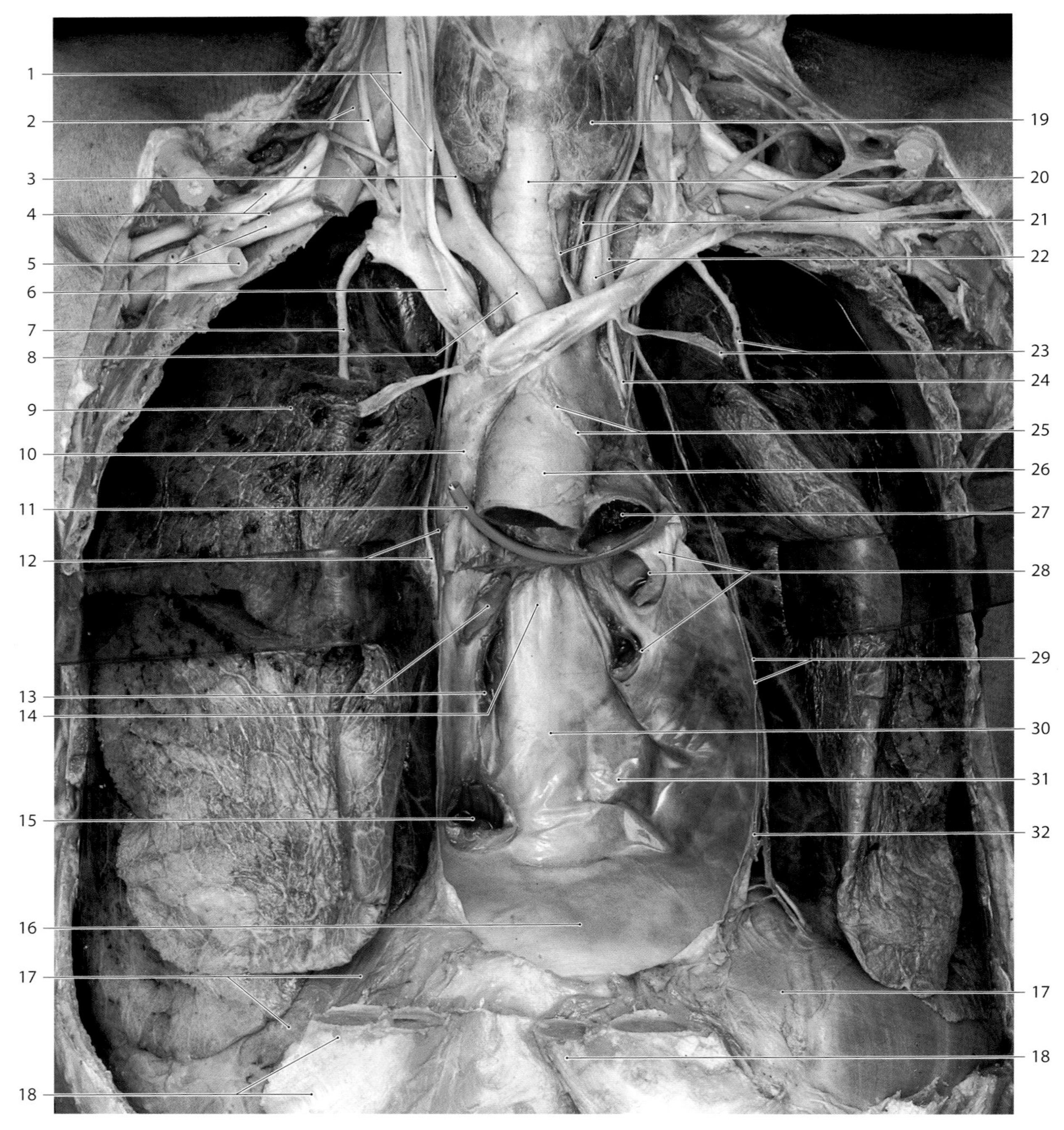

그림 5.74 **가슴기관**(앞모습). 심장막과 세로칸. 앞가슴벽과 심장을 제거하고, 허파를 약간 젖혔다. 가로심장막굴에 있는 더듬자를 확인하시오.

1 오른속목정맥과 오른미주신경 Right internal jugular vein and right vagus nerve
2 오른가로막신경과 앞목갈비근 Right phrenic nerve and scalenus anterior muscle
3 오른온목동맥 Right common carotid artery
4 팔신경얼기 Brachial plexus
5 오른빗장밑동맥과 정맥 Right subclavian artery and vein
6 오른팔머리정맥 Right brachiocephalic vein
7 오른속가슴동맥(잘림) Right internal thoracic artery (divided)
8 팔머리동맥줄기 Brachiocephalic trunk
9 오른허파 위엽 Upper lobe of right lung
10 위대정맥 Superior vena cava
11 가로심장막굴(더듬자) Transverse pericardial sinus (probe)
12 오른가로막신경 및 오른심장가로막동맥과 정맥 Right phrenic nerve and right pericardiacophrenic artery and vein
13 오른허파정맥 Right pulmonary veins
14 빗심장막굴 Oblique sinus of pericardium
15 아래대정맥 Inferior vena cava
16 심장막의 가로막부분 Diaphragmatic part of pericardium
17 가로막 Diaphragm
18 갈비모서리 Costal margin
19 갑상샘 Thyroid gland
20 기관 Trachea
21 왼되돌이후두신경과 아래갑상정맥 Left recurrent laryngeal nerve and inferior thyroid vein
22 왼온목동맥과 왼미주신경 Left common carotid artery and left vagus nerve
23 왼속가슴동맥과 정맥(잘림) Left internal thoracic artery and vein (divided)
24 대동맥활 부위의 미주신경 Vagus nerve at aortic arch
25 심장막의 잘린 모서리 Cut edge of pericardium
26 오름대동맥 Ascending aorta
27 허파동맥줄기(잘림) Pulmonary trunk (divided)
28 왼허파정맥 Left pulmonary veins
29 왼가로막신경 및 왼심장가로막동맥과 정맥 Left phrenic nerve and left pericardiacophrenic artery and vein
30 심장막 뒤의 식도 윤곽 Contour of esophagus beneath pericardium
31 심장막 뒤의 대동맥 윤곽 Contour of aorta beneath pericardium
32 심장막(잘린 모서리) Pericardium (cut edge)

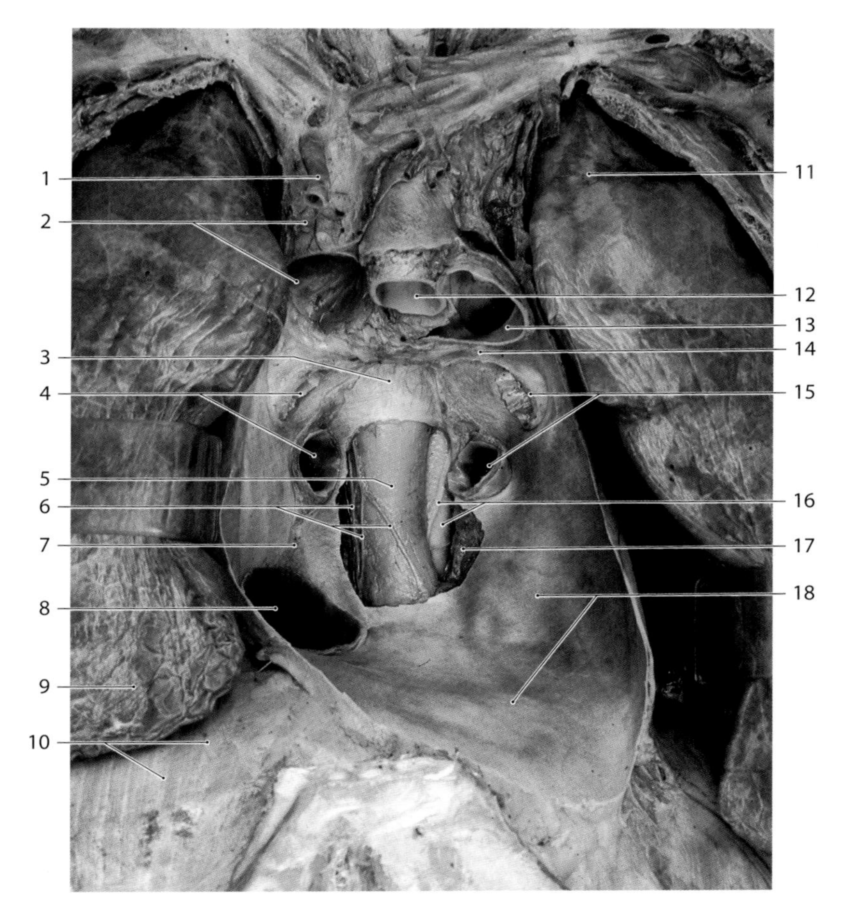

그림 5.75 **심장막주머니**(앞모습). 심장을 제거하고, 심장막의 뒤벽을 열어 이웃한 식도와 대동맥이 보이게 했다.

1 이속가슴정맥 Internal thoracic vein
2 위대정맥 Superior vena cava
3 빗심장막굴 Oblique sinus of pericardium
4 오른허파정맥 Right pulmonary veins
5 식도 Esophagus
6 오른미주신경의 가지 Branches of right vagus nerve
7 심장간막 Mesocardium
8 아래대정맥 Inferior vena cava
9 오른허파 중간엽 Middle lobe of right lung
10 가로막 Diaphragm
11 왼허파 위엽 Superior lobe of left lung
12 오름대동맥 Ascending aorta
13 허파동맥 Pulmonary trunk
14 가로심장막굴 Transverse pericardial sinus
15 왼허파정맥 Left pulmonary veins
16 내림대동맥과 왼미주신경
Descending aorta and left vagus nerve
17 왼허파(심장막 근처) Left lung (adjacent to pericardium)
18 심장막 Pericardium
19 왼빗장밑동맥 Left subclavian artery
20 미주신경 Vagus nerve
21 왼되돌이후두신경 Left recurrent laryngeal nerve
22 내림대동맥 Descending aorta
23 허파동맥 Pulmonary artery
24 왼심방 Left atrium
25 왼심실 Left ventricle
26 심장정맥굴 Coronary sinus
27 왼온목동맥 Left common carotid artery
28 팔머리동맥줄기 Brachiocephalic trunk
29 홀정맥활 Azygos arch
30 오른심방 Right atrium
31 오른심실 Right ventricle
32 대동맥활 Aortic arch

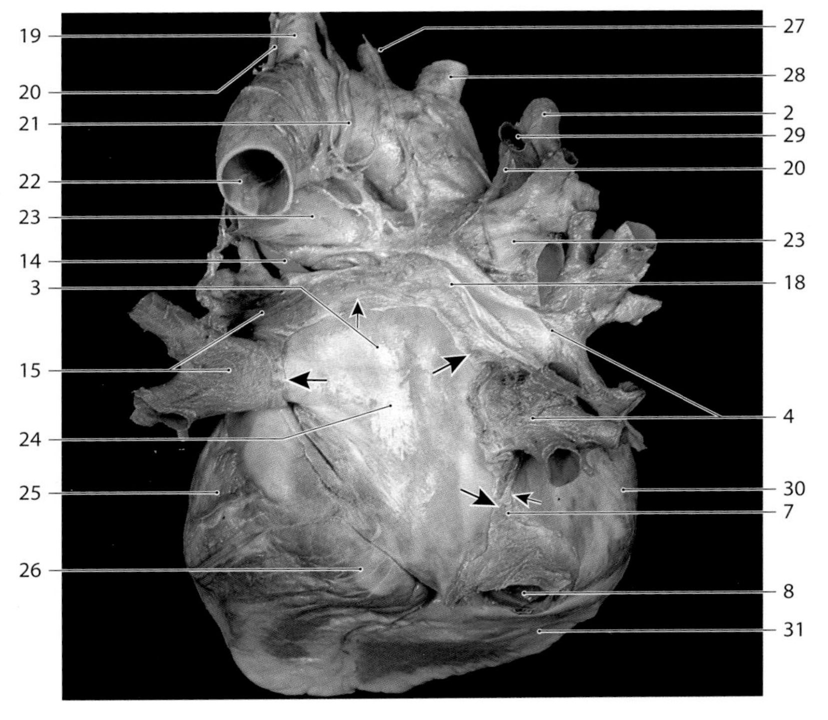

그림 5.76 **심장과 심장바깥막**(뒤모습). 화살표: 빗심장막굴.

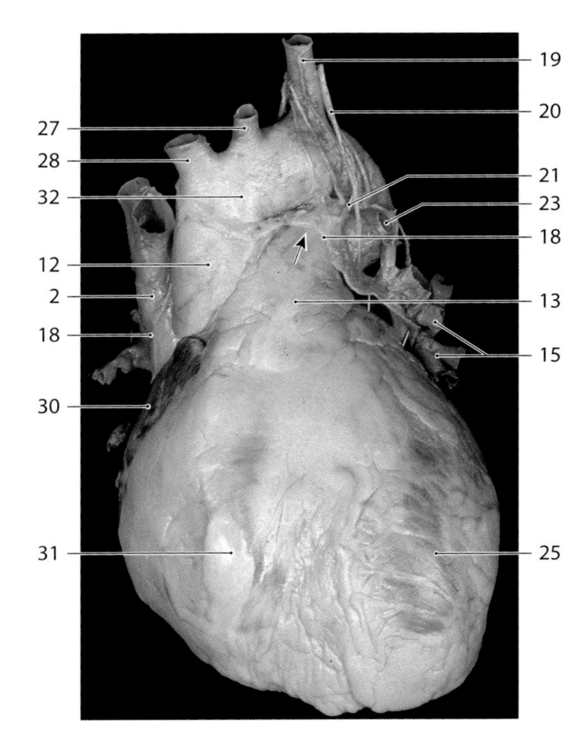

그림 5.77 **심장과 심장바깥막**(앞모습).
화살표: 심장막이 접히는 곳.

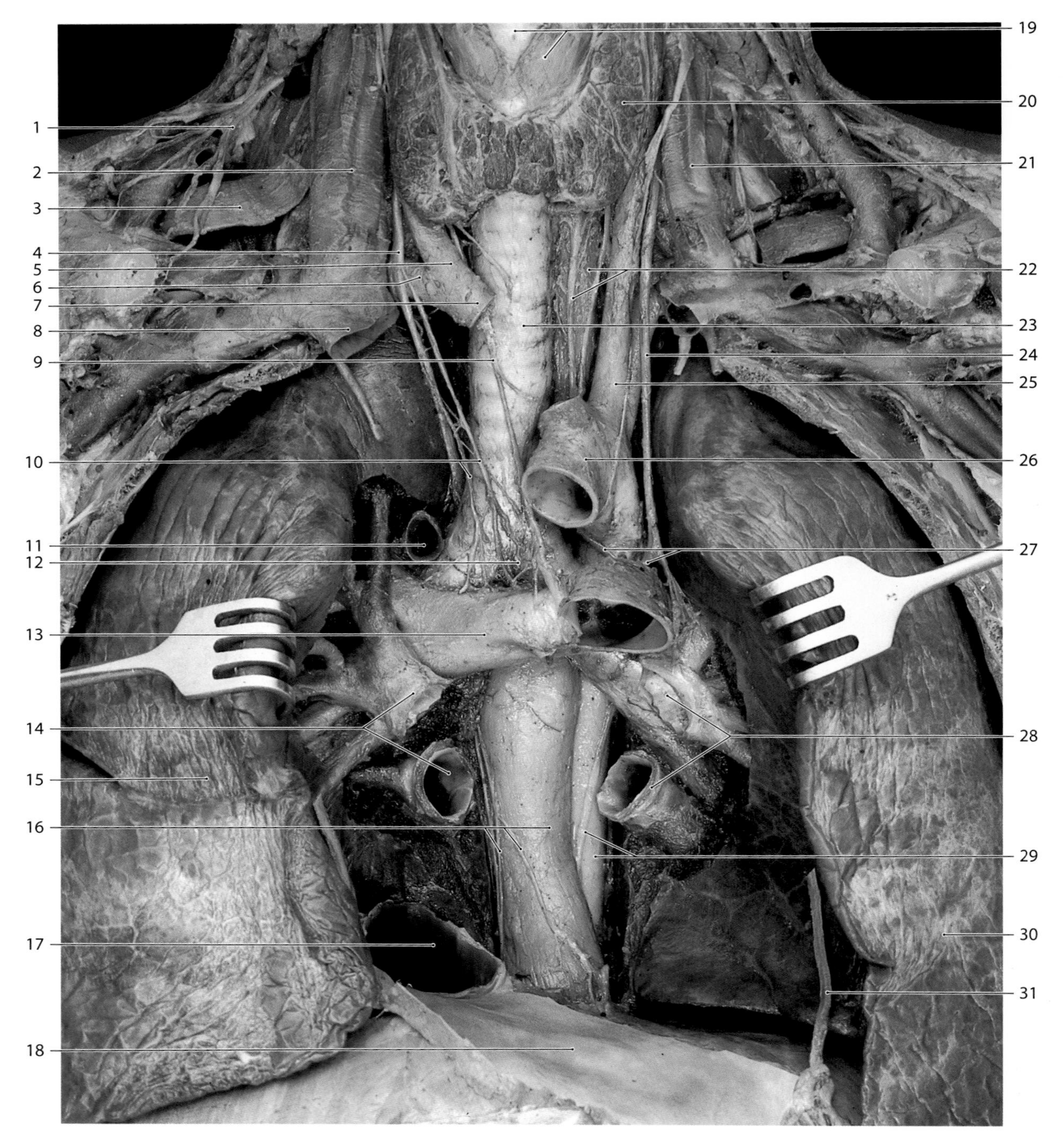

그림 5.78 **뒤세로칸**(앞모습). 심장과 심장막을 제거하였다. 양쪽 허파는 약간 젖혔다.

1 빗장위신경 Supraclavicular nerves
2 속목정맥 Internal jugular vein
3 어깨목뿔근 Omohyoid muscle
4 오른미주신경 Right vagus nerve
5 오른온목동맥 Right common carotid artery
6 오른빗장밑동맥 Right subclavian artery
7 팔머리동맥줄기 Brachiocephalic trunk
8 오른팔머리정맥 Right brachiocephalic vein
9 미주신경의 위목심장가지 Superior cervical cardiac branches of vagus nerve
10 미주신경의 아래목심장가지 Inferior cervical cardiac branches of vagus nerve
11 홀정맥활(잘림) Azygos arch (divided)
12 기관갈림 Bifurcation of trachea
13 오른허파동맥 Right pulmonary artery
14 오른허파정맥 Right pulmonary veins
15 오른허파 Right lung
16 식도와 오른미주신경의 가지 Esophagus and branches of right vagus nerve
17 아래대정맥 Inferior vena cava
18 심장막 Pericardium
19 후두(갑상연골, 반지갑상근) Larynx (thyroid cartilage, cricothyroid muscle)
20 갑상샘 Thyroid gland
21 속목정맥 Internal jugular vein
22 식도와 왼되돌이후두신경 Esophagus and left recurrent laryngeal nerve
23 기관 Trachea
24 왼미주신경 Left vagus nerve
25 왼온목동맥 Left common carotid artery
26 대동맥활 Aortic arch
27 미주신경에서 갈라진 왼되돌이후두신경 Left recurrent laryngeal nerve branching off from vagus nerve
28 왼허파정맥 Left pulmonary veins
29 가슴대동맥과 왼미주신경 Thoracic aorta and left vagus nerve
30 왼허파 Left lung
31 왼가로막신경(잘림) Left phrenic nerve (divided)

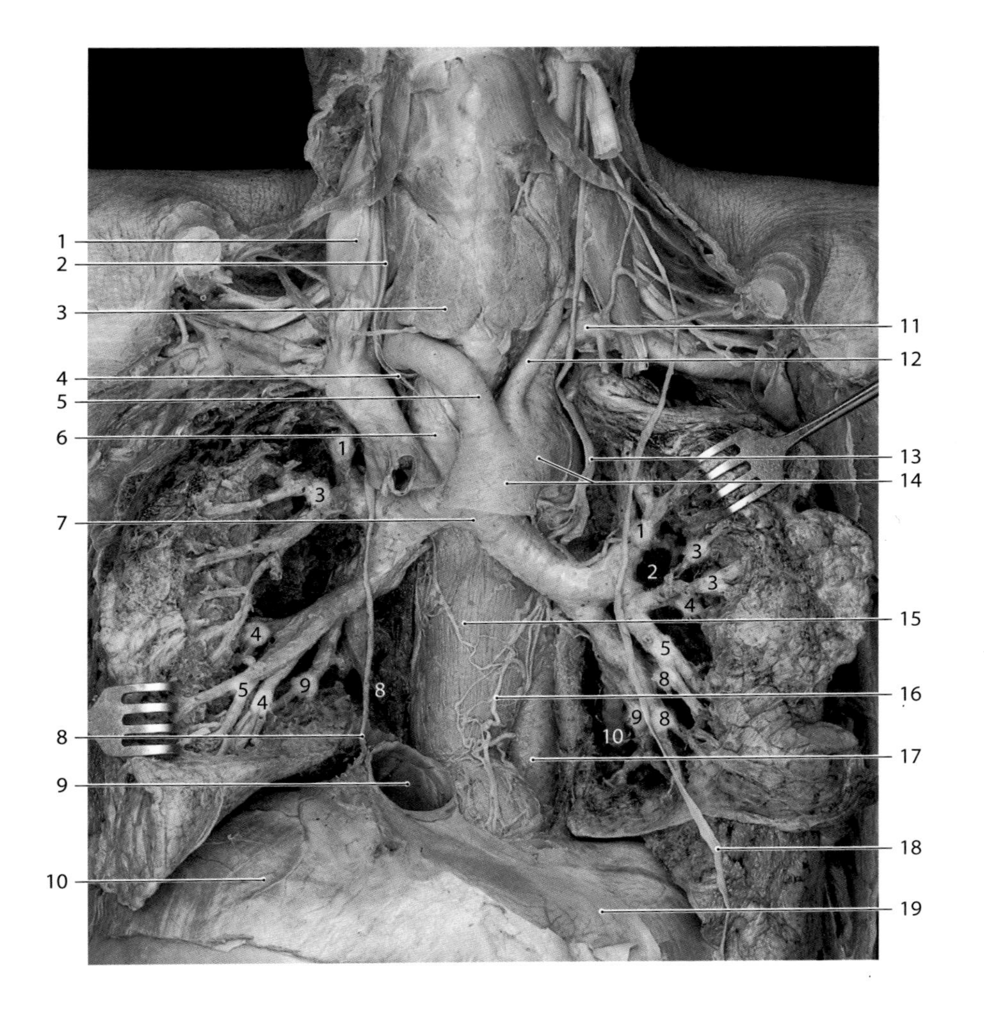

그림 5.79 **기관지나무의 위치**(앞모습). 심장과 심장막을 제거하였다. 기관지허파구역의 기관지를 해부하였다. 1–10 = 구역번호(222쪽, 223쪽, 227쪽 그림과 비교하시오).

1 속목정맥 Internal jugular vein
2 오른미주신경 Right vagus nerve
3 갑상샘 Thyroid gland
4 오른되돌이후두신경 Right recurrent laryngeal nerve
5 팔머리동맥줄기 Brachiocephalic trunk
6 기관 Trachea
7 기관갈림 Bifurcation of trachea
8 오른가로막신경 Right phrenic nerve
9 아래대정맥 Inferior vena cava
10 가로막 Diaphragm
11 왼빗장밑동맥 Left subclavian artery
12 왼온목동맥 Left common carotid artery
13 왼미주신경 Left vagus nerve
14 대동맥활 Aortic arch
15 식도 Esophagus
16 식도신경얼기 Esophageal plexus
17 가슴대동맥 Thoracic aorta
18 왼가로막신경 Left phrenic nerve
19 가로막 중심널힘줄에 붙은 심장막 Pericardium at the central tendon of diaphragm
20 위대정맥 Superior vena cava
21 허파정맥과 왼심방 Pulmonary veins and left atriumLeft atrioventricular (bicuspid or mitral) valve

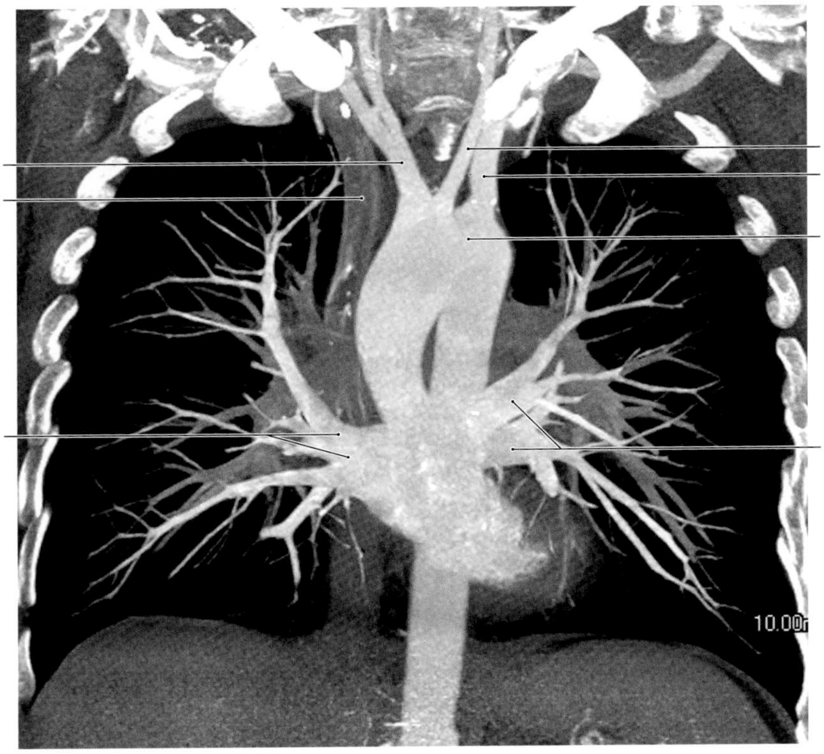

그림 5.80 세로칸혈관을 보여주는 **가슴안의 관상면**(자기공명영상). (Courtesy of Prof. Uder, Institute of Radiology, University Hospital Erlangen, Germany).

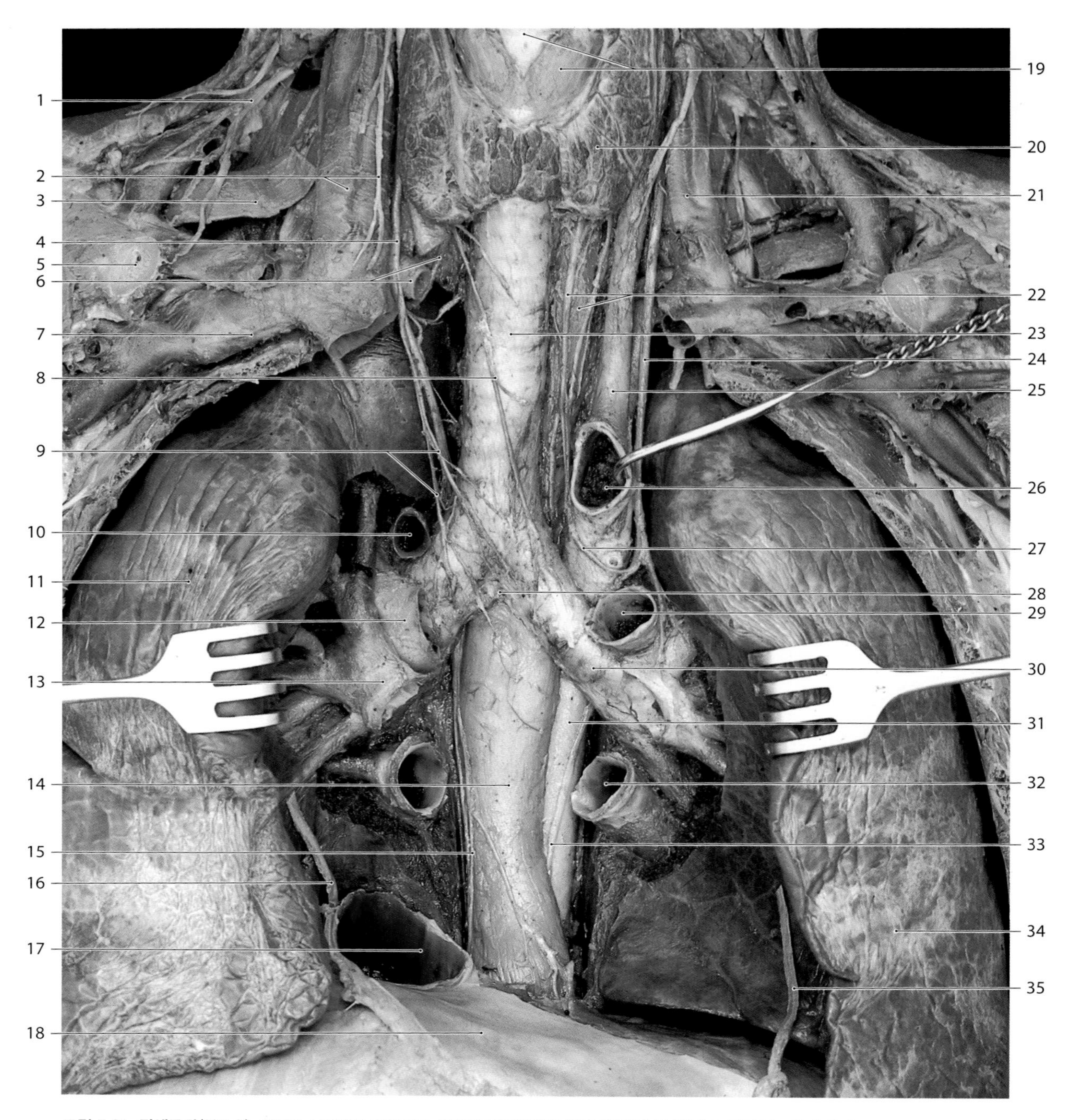

그림 5.81 **뒤세로칸**(앞모습). 심장과 심장막을 제거하고, 허파와 대동맥활을 약간 젖혀 미주신경과 그 가지가 보이게 했다.

1 빗장위신경 Supraclavicular nerves
2 오른속목정맥과 목신경고리 Right internal jugular vein with ansa cervicalis
3 어깨목뿔근 Omohyoid muscle
4 오른미주신경 Right vagus nerve
5 빗장뼈 Clavicle
6 오른빗장밑동맥과 되돌이후두신경 Right subclavian artery and recurrent laryngeal nerve
7 오른빗장밑정맥 Right subclavian vein
8 미주신경의 위목심장가지 Superior cervical cardiac branches of vagus nerve
9 미주신경의 아래목심장가지 Inferior cervical cardiac branches of vagus nerve
10 홀정맥활(잘림) Azygos arch (divided)
11 오른허파 Right lung
12 오른허파동맥 Right pulmonary artery
13 오른허파정맥 Right pulmonary veins
14 식도 Esophagus
15 식도신경얼기 Esophageal plexus
16 오른가로막신경(잘림) Right phrenic nerve (divided)
17 아래대정맥 Inferior vena cava
18 가로막을 덮는 심장막 Pericardium covering the diaphragm
19 후두(갑상연골과 반지갑상근) Larynx (thyroid cartilage and cricothyroid muscle)
20 갑상샘 Thyroid gland
21 왼속목정맥 Left internal jugular vein
22 식도와 왼되돌이후두신경 Esophagus and left recurrent laryngeal nerve
23 기관 Trachea
24 왼미주신경 Left vagus nerve
25 왼온목동맥 Left common carotid artery
26 대동맥활 Aortic arch
27 왼되돌이후두신경 Left recurrent laryngeal nerve
28 기관갈림 Bifurcation of trachea
29 왼허파동맥 Left pulmonary artery
30 왼기관지 Left main bronchus
31 내림대동맥 Descending aorta
32 왼허파정맥 Left pulmonary veins
33 왼미주신경의 가지 Branches of left vagus nerve
34 왼허파 Left lung
35 왼가로막신경(잘림) Left phrenic nerve (divided)

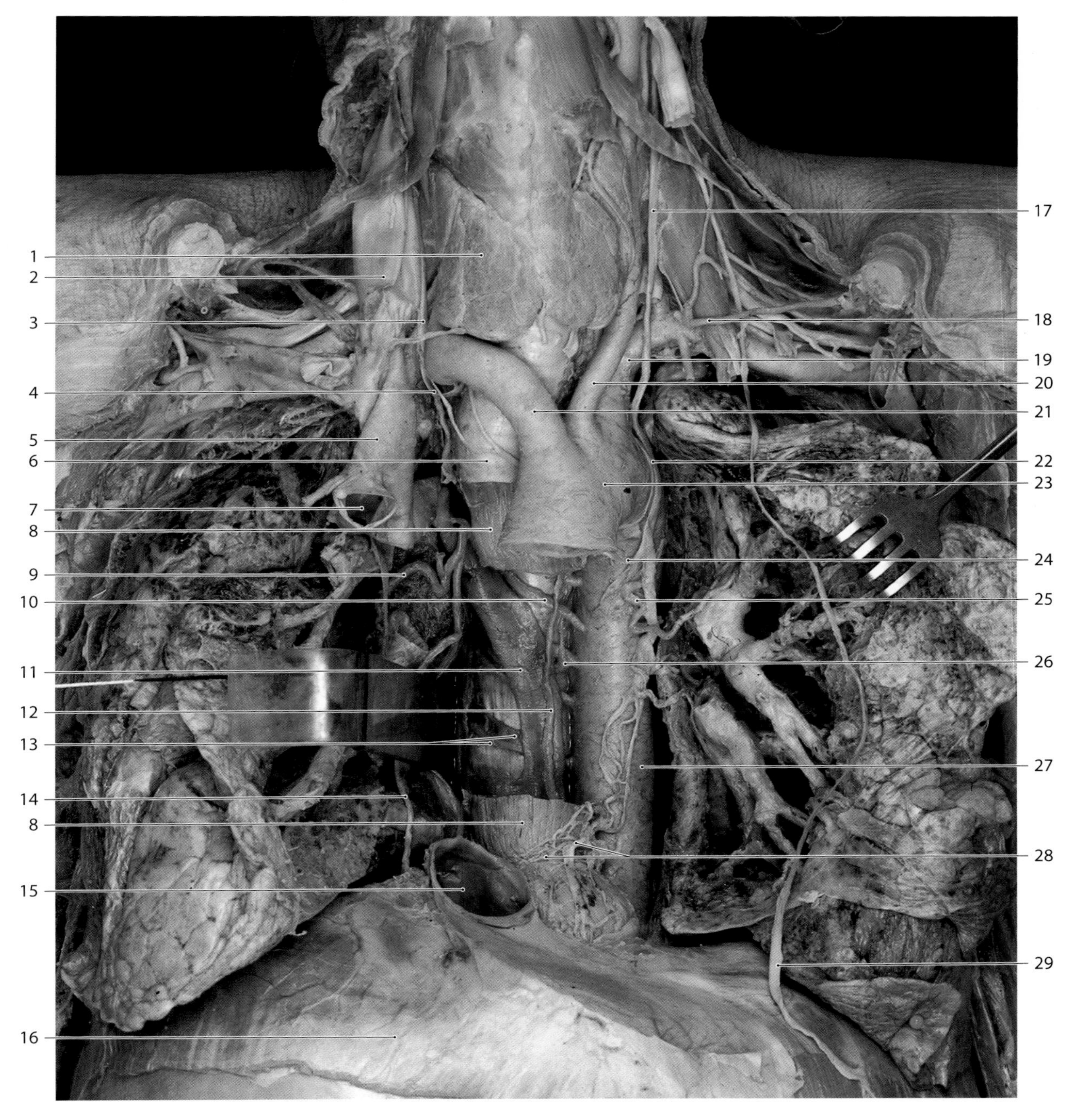

그림 5.82 **뒤세로칸**(앞모습). 세로칸기관(앞모습). 심장과 식도의 아래부분을 제거하여 뒤세로칸의 혈관과 신경이 보이게 했다.

1 갑상샘 Thyroid gland
2 오른속목정맥 Right internal jugular vein
3 오른미주신경 Right vagus nerve
4 오른되돌이후두신경이 미주신경에서 갈라지는 곳 Point where right recurrent laryngeal nerve is branching off the vagus nerve
5 오른팔머리정맥 Right brachiocephalic vein
6 기관 Trachea
7 왼팔머리정맥(젖힘) Left brachiocephalic vein (reflected)
8 식도 Esophagus
9 오른기관지동맥 Right bronchial artery
10 뒤갈비사이동맥 Posterior intercostal artery
11 홀정맥 Azygos vein
12 가슴림프관 Thoracic duct
13 뒤갈비사이동맥과 정맥(척주의 앞에 있는) Posterior intercostal artery and vein (in front of the vertebral column)
14 오른가로막신경 Right phrenic nerve
15 아래대정맥 Inferior vena cava
16 가로막 Diaphragm
17 왼미주신경 Left vagus nerve
18 갑상목동맥줄기 Thyrocervical trunk
19 왼빗장밑동맥 Left subclavian artery
20 왼온목동맥 Left common carotid artery
21 팔머리동맥줄기 Brachiocephalic trunk
22 왼미주신경 left vagus nerve
23 대동맥활 Aortic arch
24 왼되돌이후두신경 Left recurrent laryngeal nerve
25 왼기관지동맥 Left bronchial artery
26 림프절 Lymph node
27 가슴대동맥 Thoracic aorta
28 식도신경얼기 Esophageal plexus
29 왼가로막신경 Left phrenic nerve

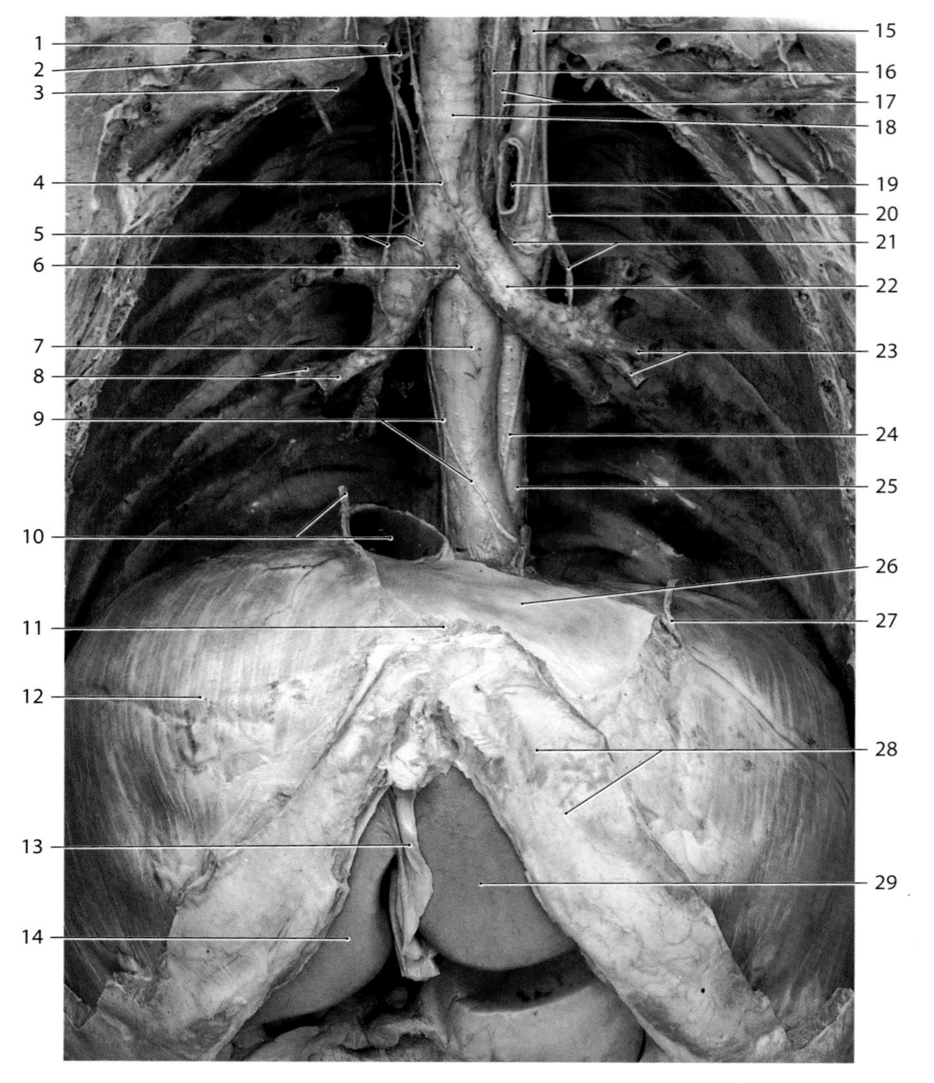

그림 5.83 **뒤세로칸과 가로막**(앞모습). 심장과 허파를 제거하고, 갈비모서리는 그대로 남겨뒀다. 오른미주신경과 왼미주신경의 주행이 다른 것을 확인하시오.

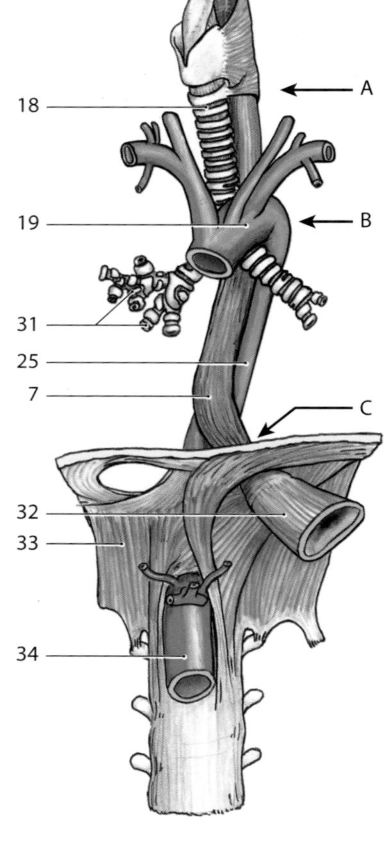

그림 5.84 **뒤세로칸기관과 가로막**(앞모습). 식도에서 3부위가 좁아진 것을 보였다.

A = 위식도조임근(반지연골 높이)

B = 중간식도조임근(대동맥활 높이)

C = 아래식도조임근(가로막 높이)

1 오른빗장밑동맥 Right subclavian artery
2 오른되돌이후두신경 Right recurrent laryngeal nerve
3 오른팔머리정맥 Right brachiocephalic vein
4 위목심장신경 Superior cervical cardiac nerve
5 아래목심장신경과 허파가지 Inferior cervical cardiac nerves and pulmonary branches
6 기관갈림 Bifurcation of trachea
7 식도(가슴부분) Esophagus (thoracic part)
8 중간엽의 가쪽 및 안쪽구역기관지 Bronchi of lateral and medial segments of middle lobe
9 식도신경얼기와 오른미주신경의 가지 Esophageal plexus and branches of right vagus nerve
10 아래대정맥과 오른가로막신경(잘림) Inferior vena cava and phrenic nerve (cut)
11 가로막의 복장부분 Sternal part of diaphragm
12 가로막의 갈비부분 Costal part of diaphragm
13 간의 낫인대 Falciform ligament of liver
14 간(네모엽) Liver (quadrate lobe)
15 왼온목동맥 Left common carotid artery
16 왼되돌이후두신경 Left recurrent laryngeal nerve
17 왼미주신경의 식도가지와 식도 Esophageal branches of left vagus nerve and esophagus
18 기관 Trachea
19 대동맥활 Aortic arch
20 왼미주신경 Left vagus nerve
21 왼되돌이후두신경과 아래심장신경 Left recurrent laryngeal nerve with inferior cardiac nerve
22 왼기관지 Left primary bronchus
23 위혀구역기관지와 아래혀구역기관지 Superior and inferior lingular bronchi
24 왼미주신경의 식도신경얼기 Esophageal plexus and of left vagus nerve
25 내림대동맥 Descending aorta
26 심장막에 덮인 가로막 중심널힘줄 Central tendon of diaphragm covered with pericardium
27 왼가로막신경(잘림) Left phrenic nerve (divided)
28 갈비모서리 Costal margin
29 간(왼엽) Liver (left lobe)
30 인두 Pharynx
31 이차기관지 Secondary bronchi
32 식도(배부분) Esophagus (abdominal part)
33 가로막 Diaphragm
34 배대동맥 Abdominal aorta

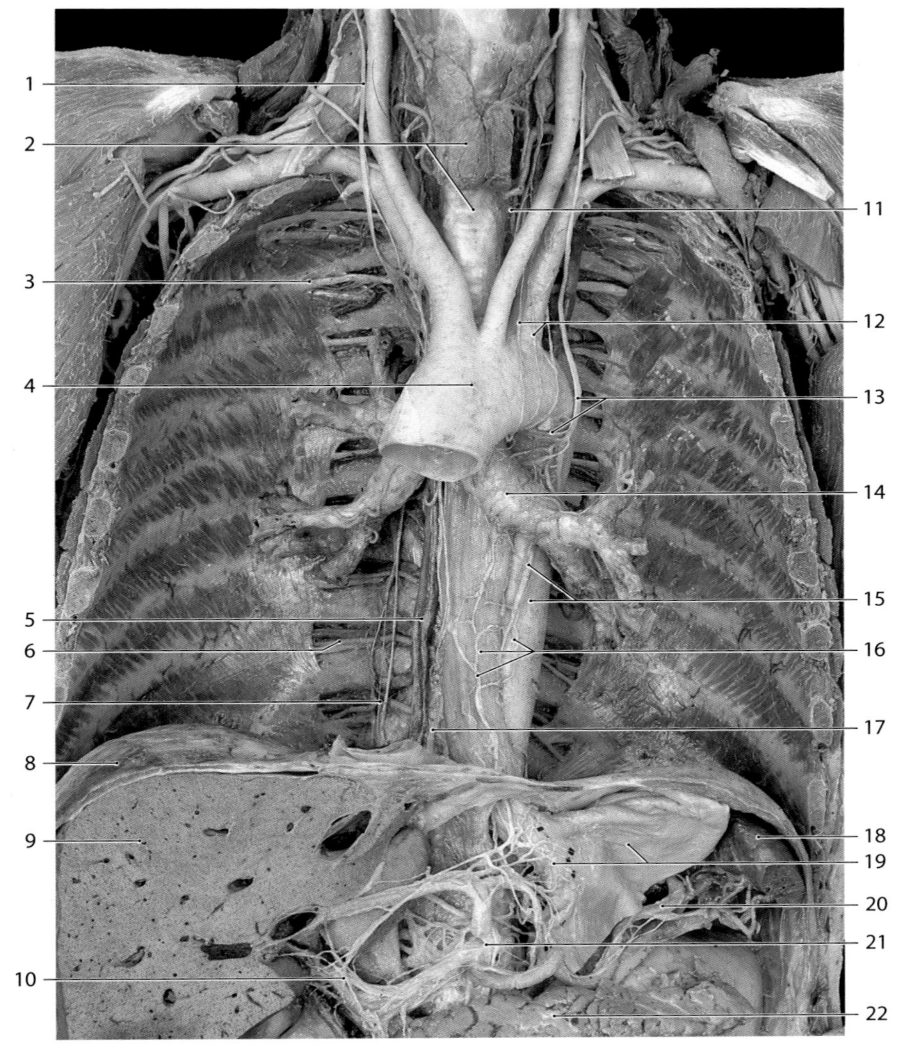

그림 5.85 **뒤세로칸**(앞모습). 가슴대동맥과 식도와 미주신경가지의 해부.

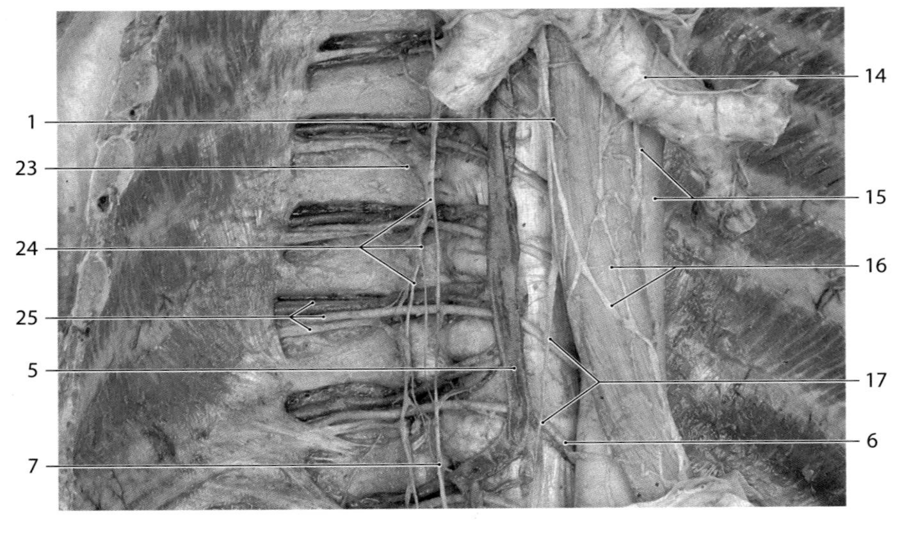

그림 5.86 **뒤세로칸의 아래구역**(앞모습).

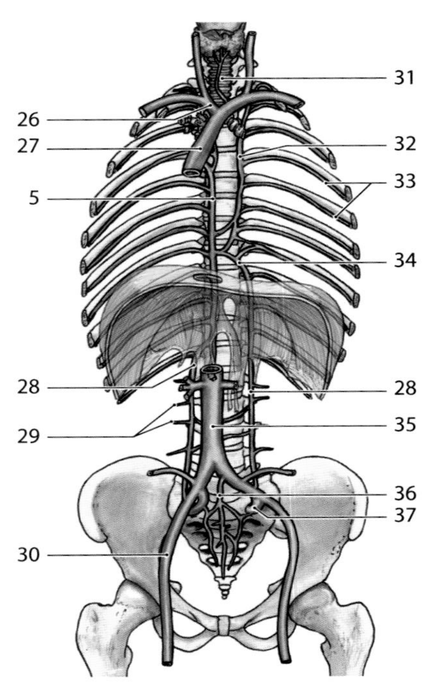

그림 5.87 **가슴안과 배안의 뒤벽 정맥**(앞모습).

1 오른미주신경 Right vagus nerve
2 갑상샘과 기관 Thyroid gland and trachea
3 갈비사이신경 Intercostal nerve
4 대동맥활 Aortic arch
5 홀정맥 Azygos vein
6 뒤갈비사이동맥 Posterior intercostal artery
7 큰내장신경 Greater splanchnic nerve
8 가로막 Diaphragm
9 간 Liver
10 고유간동맥과 간신경얼기 Proper hepatic artery and hepatic plexus
11 왼되돌이후두신경 Left recurrent laryngeal nerve
12 아래목심장신경 Inferior cervical cardiac nerves
13 왼미주신경과 왼되돌이후두신경 Left vagus nerve and left recurrent laryngeal nerve
14 왼기관지 Left primary bronchus
15 가슴대동맥과 왼미주신경 Thoracic aorta and left vagus nerve
16 식도와 식도신경얼기 Esophagus and esophageal plexus
17 가슴림프관 Thoracic duct
18 지라 Spleen
19 앞위신경얼기와 위(잘림) Anterior gastric plexus and stomach (divided)
20 지라동맥과 지라신경얼기 Splenic artery and splenic plexus
21 복강동맥줄기와 복강신경얼기 Celiac trunk and celiac plexus
22 이자 Pancreas
23 교통가지 Ramus communicans
24 교감신경줄기와 신경절 Sympathetic trunk with ganglion
25 뒤갈비사이정맥과 동맥 및 갈비사이신경 Posterior intercostal vein and artery and intercostal nerve
26 오른팔머리정맥 Right brachiocephalic vein
27 위대정맥 Superior vena cava
28 오름허리정맥 Ascending lumbar vein
29 허리정맥 Lumbar vein
30 오른바깥엉덩정맥 Right external iliac vein
31 기관 Trachea
32 덧반홀정맥 Accessory hemiazygos vein
33 뒤갈비사이정맥 Posterior intercostal veins
34 반홀정맥 Hemiazygos vein
35 아래대정맥 Inferior vena cava
36 정중엉치정맥 Median sacral vein
37 속엉덩정맥 Internal iliac vein

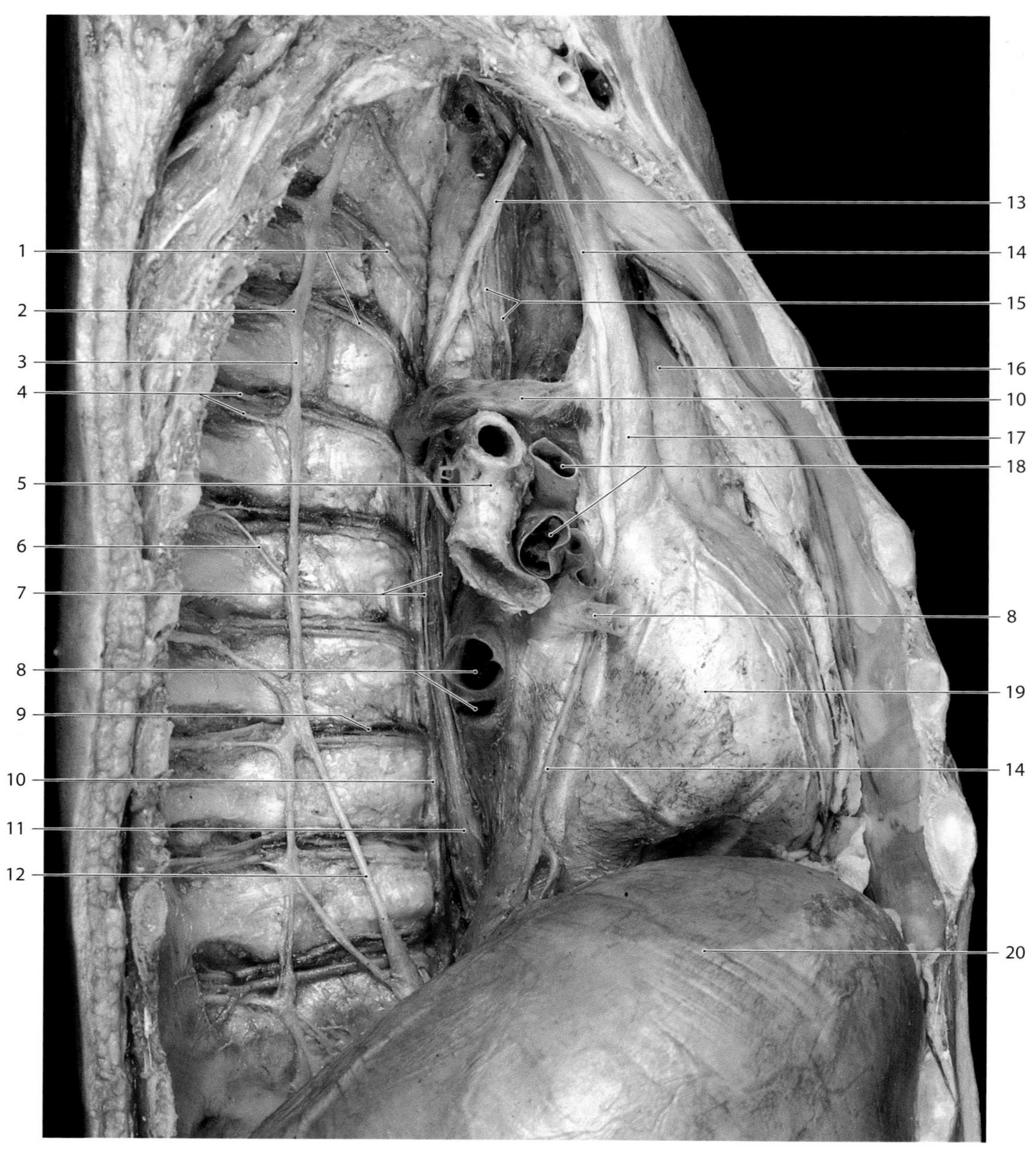

그림 5.88 **뒤세로칸**(오른가쪽모습). 오른허파와 가슴의 오른쪽 가슴막을 제거하였다.

1 뒤갈비사이동맥 Posterior intercostal artery
2 교감신경줄기 신경절 Ganglion of sympathetic trunk
3 교감신경줄기 Sympathetic trunk
4 갈비사이공간의 혈관과 신경
(위로부터: 뒤갈비사이정맥, 동맥 및 갈비사이신경)
Vessels and nerves of the intercostal space
(from above: posterior intercostal vein and artery and intercostal nerve)
5 오른기관지 Right primary bronchus
6 교감신경줄기 교통가지 Ramus communicans of sympathetic trunk
7 식도신경얼기(오른미주신경의 가지)
Esophageal plexus (branches of right vagus nerve)
8 허파정맥 Pulmonary vein
9 뒤갈비사이정맥 Posterior intercostal vein
10 홀정맥 Azygos vein
11 식도 Esophagus
12 큰내장신경 Greater splanchnic nerve
13 오른미주신경 Right vagus nerve
14 오른가로막신경 Right phrenic nerve
15 미주신경의 아래목심장가지
Inferior cervical cardiac branches of vagus nerve
16 대동맥활 Aortic arch
17 위대정맥 Superior vena cava
18 오른허파동맥 Right pulmonary artery
19 심장과 심장막 Heart with pericardium
20 가로막 Diaphragm

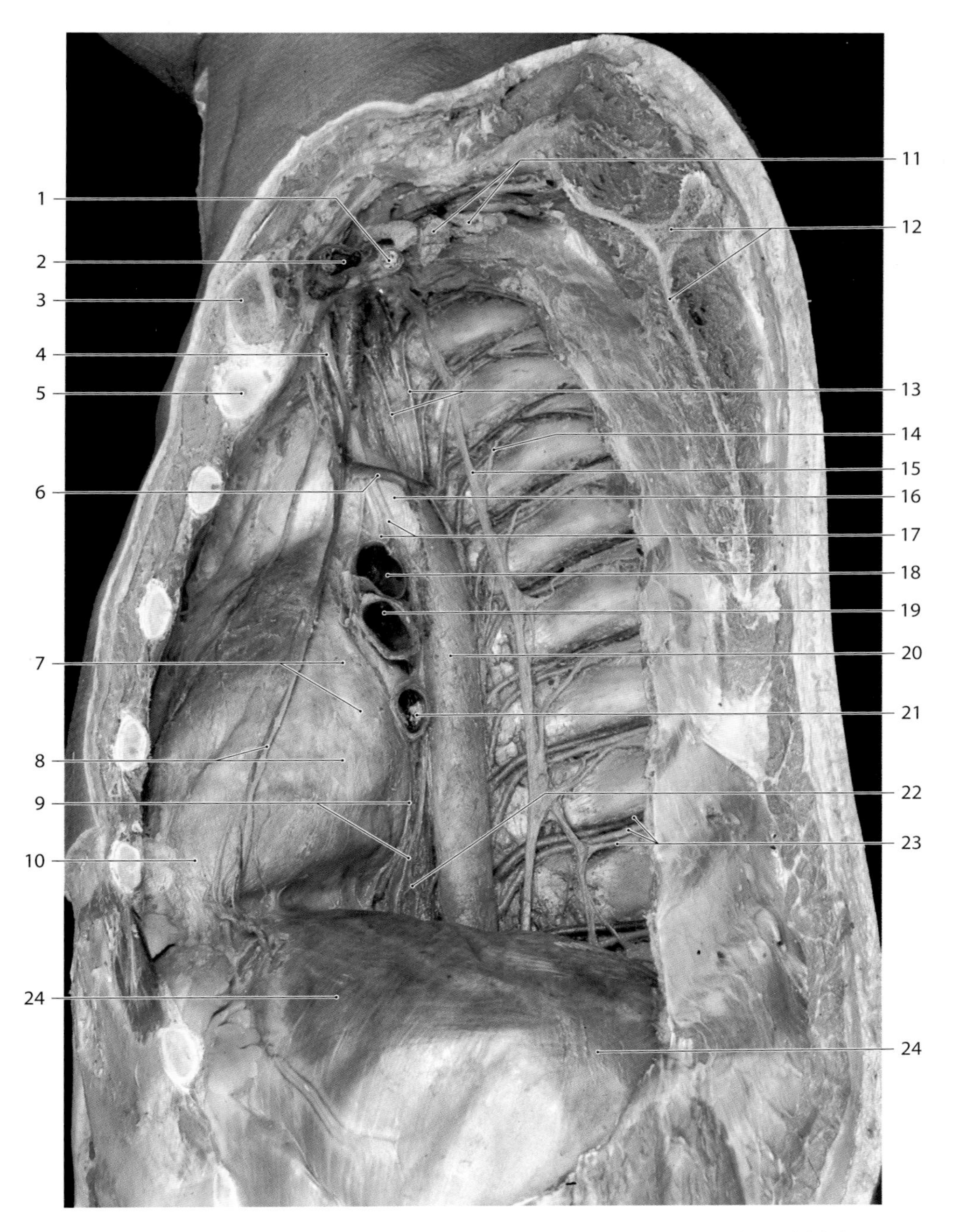

그림 5.89 **뒤세로칸과 위세로칸**(왼가쪽모습). 심장과 심장막이 그대로 놓여있다. 뒤세로칸에는 내림가슴대동맥과 교감신경줄기가 보인다.

그림 5.90 **내림대동맥의 주요 가지**(앞모습).

1 빗장밑동맥 Subclavian artery
2 빗장밑정맥 Subclavian vein
3 빗장뼈(잘림) Clavicle (divided)
4 왼미주신경 Left vagus nerve
5 첫째갈비뼈(잘림) First rib (divided)
6 왼위갈비사이정맥 Left superior intercostal vein
7 왼심방과 심장막 Left atrium with pericardium
8 왼가로막신경 및 심장가로막동맥과 정맥 Left phrenic nerve and Pericardiacophrenic artery and vein
9 식도신경얼기(왼미주신경에서 유래한 가지) Esophageal plexus (branches derived from left vagus nerve)
10 심장끝과 심장막 Apex of heart with pericardium
11 팔신경얼기 Brachial plexus
12 어깨뼈(잘림) Scapula (divided)
13 뒤갈비사이동맥 Posterior intercostal arteries
14 교감신경줄기의 백색교통가지 White ramus communicans of sympathetic trunk
15 교감신경줄기 Sympathetic trunk
16 대동맥활 Aortic arch
17 왼미주신경과 왼되돌이후두신경 Left vagus nerve and left recurrent laryngeal nerve
18 왼허파동맥 Left pulmonary artery
19 왼기관지 Left primary bronchus
20 가슴대동맥 Thoracic aorta
21 허파정맥 Pulmonary vein
22 식도(가슴부분) Esophagus (thoracic part)
23 뒤갈비사이동맥과 정맥 및 갈비사이신경 Posterior intercostal artery and vein and intercostal nerve
24 가로막 Diaphragm
25 온목동맥 Common carotid artery
26 빗장밑동맥 Subclavian artery
27 맨위갈비사이동맥 Highest intercostal artery
28 기관갈림 Bifurcation of trachea
29 복강동맥줄기 Celiac trunk
30 콩팥동맥 Renal artery
31 위창자간막동맥 Superior mesenteric artery
32 아래창자간막동맥 Inferior mesenteric artery
33 온엉덩동맥 Common iliac artery

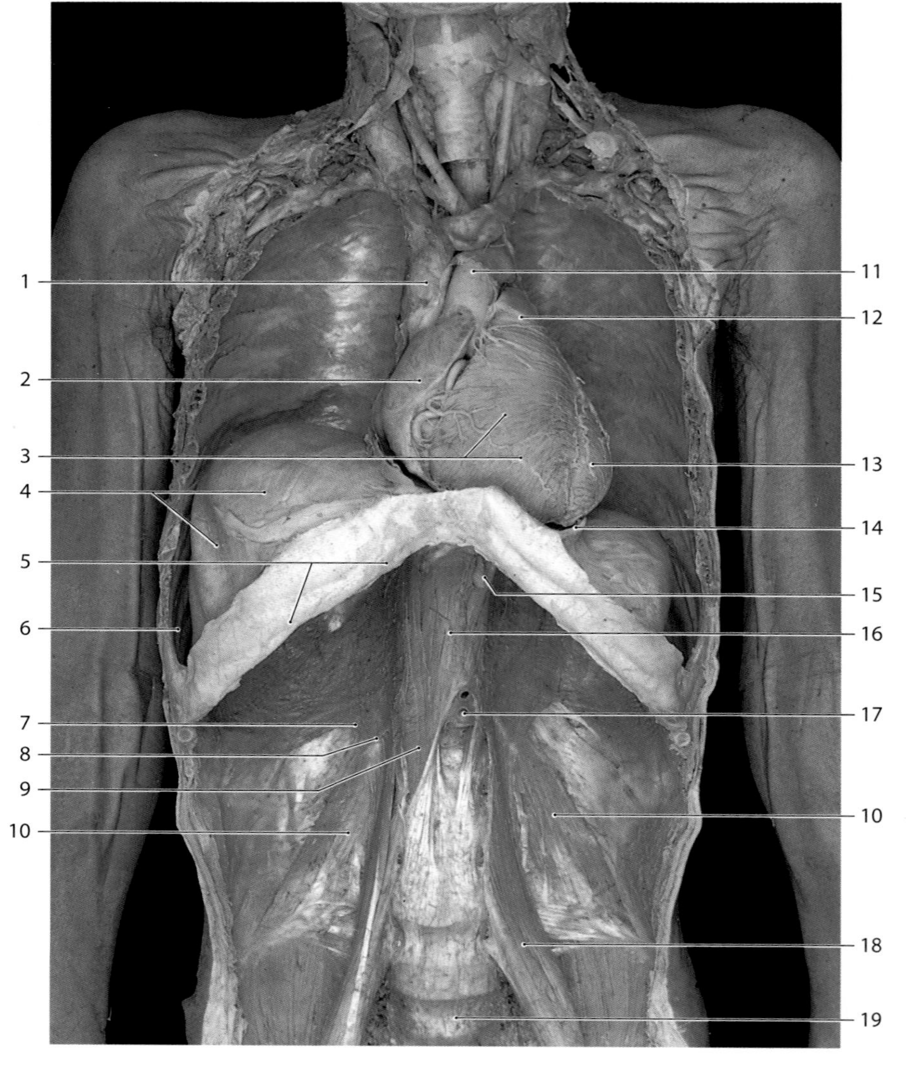

1 위대정맥 Superior vena cava
2 오른심방 Right atrium
3 오른심실 Right ventricle
4 가로막 갈비부분 Costal part of diaphragm
5 갈비모서리 Costal margin
6 갈비가로막오목의 위치 Position of costodiaphragmatic recess
7 가쪽활꼴인대 Lateral arcuate ligament
8 안쪽활꼴인대 Medial arcuate ligament
9 가로막 허리부분의 오른다리 Right crus of lumbar part of diaphragm
10 허리네모근 Quadratus lumborum muscle
11 오름대동맥 Ascending aorta
12 허파동맥줄기 Pulmonary trunk
13 왼심실 Left ventricle
14 심장막과 가로막 Pericardium, diaphragm
15 식도구멍과 식도의 배부분(잘림) Esophageal hiatus and abdominal part of esophagus (cut)
16 가로막의 허리부분 Lumbar part of diaphragm
17 대동맥구멍 Aortic hiatus
18 큰허리근 Psoas major muscle
19 허리뼈 Lumbar vertebrae

그림 5.91 **가로막의 위치**(앞모습). 가슴안과 배안의 앞벽을 제거하였다. 가로막의 중심널힘줄 위에 있는 심장의 원래 위치를 확인할 수 있다.

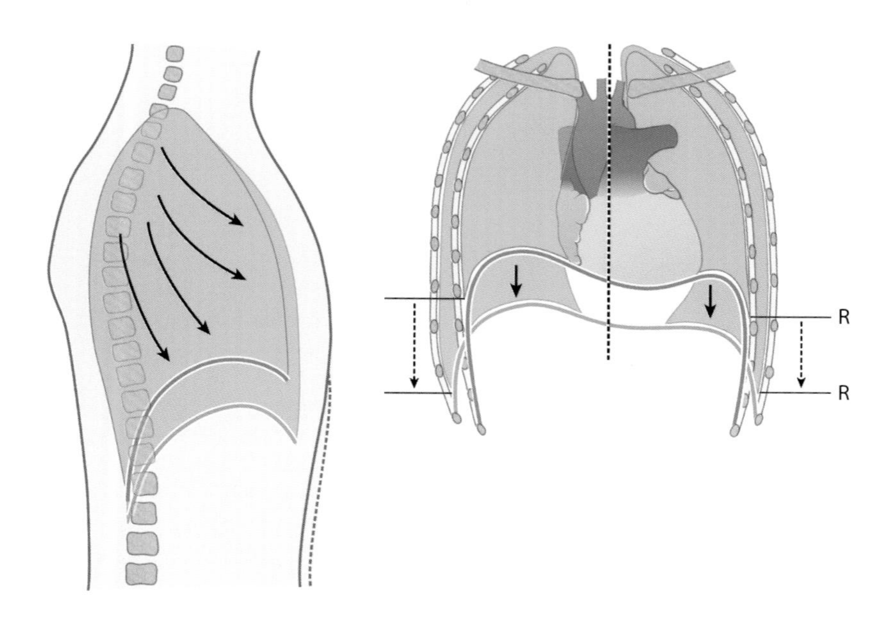

그림 5.92 **호흡 동안 가로막과 가슴우리의 위치 변화.** (왼쪽[가쪽모습]; 오른쪽[앞모습]). 들숨 동안 가로막은 아래쪽으로 움직이고, 가슴우리는 앞가쪽으로 확장되므로 갈비가로막오목(R)이 커지게 된다(점선 화살표 참고).

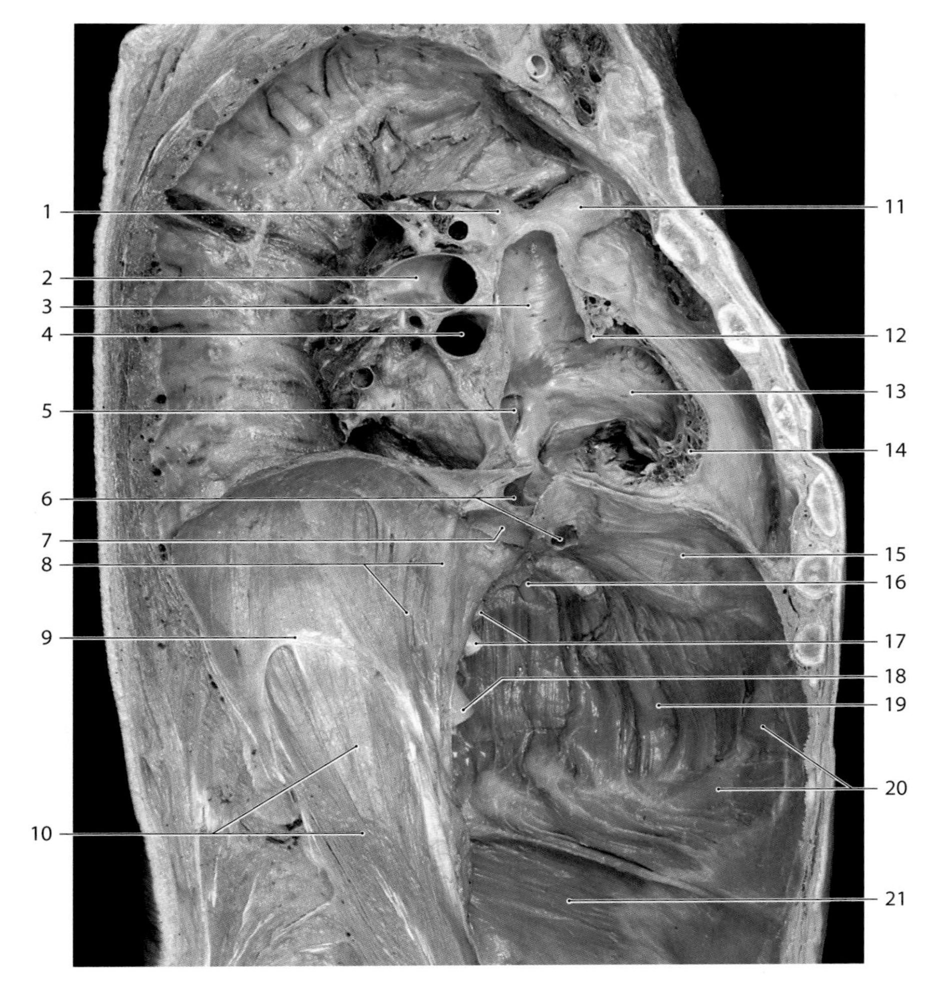

그림 5.93 **가로막과 가슴기관.** 가슴안과 배안의 위부분을 지나는 정중옆단면(정중면에서 오른쪽을 자름). 이 면은 척추뼈몸통의 바로 오른쪽에 있는 위 및 아래대정맥을 지난다. 심장의 대부분은 이 면의 왼쪽에 그대로 남아있다(오른쪽에서 본 모습).

1 홀정맥활 Azygos venous arch
2 오른허파동맥 Right pulmonary artery
3 위대정맥 Superior vena cava
4 오른허파정맥 Right pulmonary veins
5 타원오목 Fossa ovalis
6 간정맥 Hepatic veins
7 아래대정맥 Inferior vena cava
8 가로막 허리부분의 오른다리
Right crus of lumbar part of diaphragm
9 안쪽활꼴인대 Medial arcuate ligament
10 큰허리근 Psoas major muscle
11 왼팔머리정맥 Left brachiocephalic vein
12 분계능선 Crista terminalis
13 오른심방 Right atrium
14 오른심방귀 Right auricle
15 가로막 중심널힘줄 Central tendon of diaphragm
16 식도 Esophagus
17 복강동맥줄기와 위창자간막동맥
Celiac trunk and superior mesenteric artery
18 대동맥 Aorta
19 가로막 갈비부분 Costal part of diaphragm
20 갈비모서리 Costal margin
21 배가로근 Transverse abdominal muscle

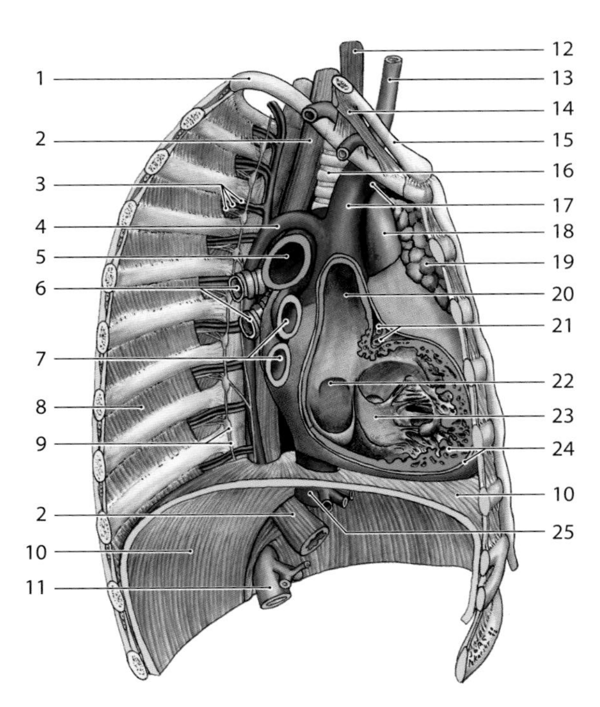

그림 5.94 **가로막과 가슴기관**(정중옆단면). 심장을 부분적으로 제거하였다.

1 첫째갈비뼈 First rib
2 식도 Esophagus
3 갈비사이동맥, 정맥, 신경
Intercostal artery, vein, nerve
4 홀정맥활 Azygos venous arch
5 허파동맥 Pulmonary artery
6 오른기관지 Right Bronchi
7 허파정맥 Pulmonary veins
8 속갈비사이근 Internal intercostal muscle
9 교감신경줄기 Sympathetic trunk
10 가로막 Diaphragm
11 배대동맥 Abdominal aorta
12 앞목갈비근 Anterior scalene muscle
13 속목정맥 Internal jugular vein
14 빗장밑근 Subclavius muscle
15 빗장뼈 Clavicle
16 기관 Trachea
17 위대정맥과 왼팔머리정맥의 합류점
Junction between superior vena cava and left brachiocephalic vein
18 대동맥 Aorta
19 가슴샘의 잔유물 Remnants of thymus gland
20 위대정맥이 오른심방으로 들어감
Entrance of superior vena cava into the right atrium
21 오른관상동맥과 정맥
Right coronary artery and vein
22 타원오목 Fossa ovalis
23 오른방실판막과 앞꼭지근
Right atrioventricular valve and anterior papillary muscle
24 오른심실과 심장막
Right ventricle with pericardium
25 아래대정맥 Inferior vena cava

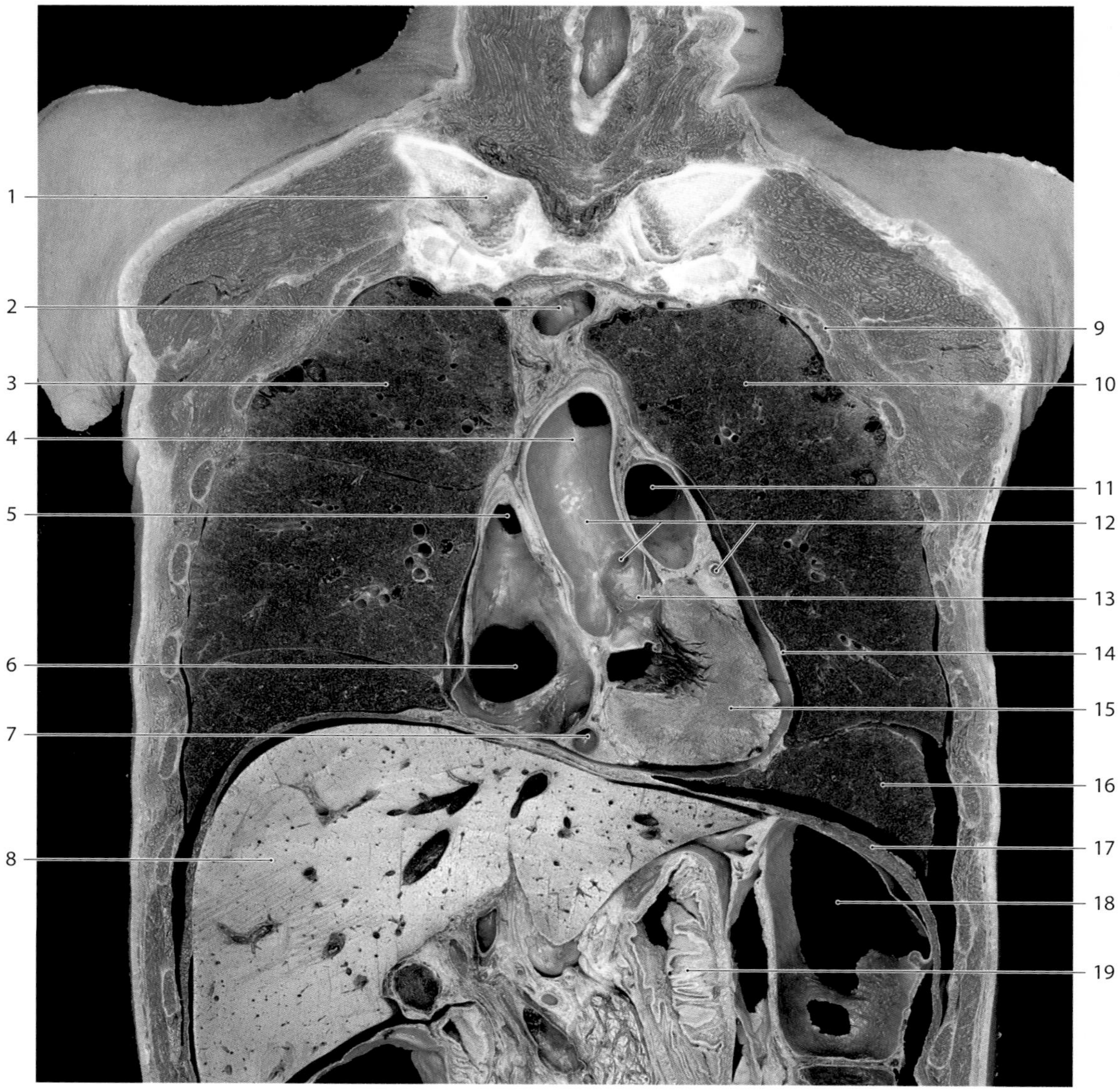

그림 5.95 오름대동맥 위치에서 **가슴의 관상단면**(앞모습).

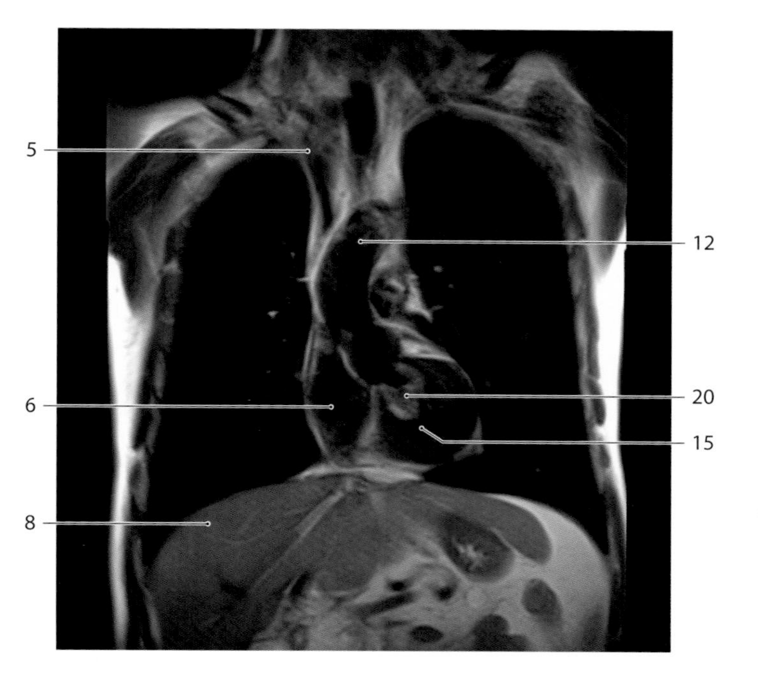

1 빗장뼈 Clavicle
2 왼팔머리정맥 Left brachiocephalic vein
3 오른허파 위엽 Upper lobe of right lung
4 대동맥활 Aortic arch
5 위대정맥 Superior vena cava
6 오른심방(아래대정맥 입구) Right atrium (entrance of superior vena cava)
7 심장정맥굴 Coronary sinus
8 간 Liver
9 둘째갈비뼈 Second rib
10 왼허파 위엽 Upper lobe of left lung
11 허파동맥줄기 Pulmonary trunk
12 오름대동맥과 왼관상동맥 Ascending aorta and left coronary artery
13 대동맥판막 Aortic valve
14 심장막 Pericardium
15 왼심실의 심장근육층 Myocardium of left ventricle
16 왼허파의 아래엽 Lower lobe of left lung
17 가로막 Diaphragm
18 왼잘록창자굽이 Left colic flexure
19 위 Stomach
20 팔머리동맥줄기 Brachiocephalic trunk

그림 5.96 오름대동맥 위치에서 **가슴의 관상단면**(자기공명영상). (Courtesy of Prof. Uder, Institute of Radiology, University Hospital Erlangen, Germany).

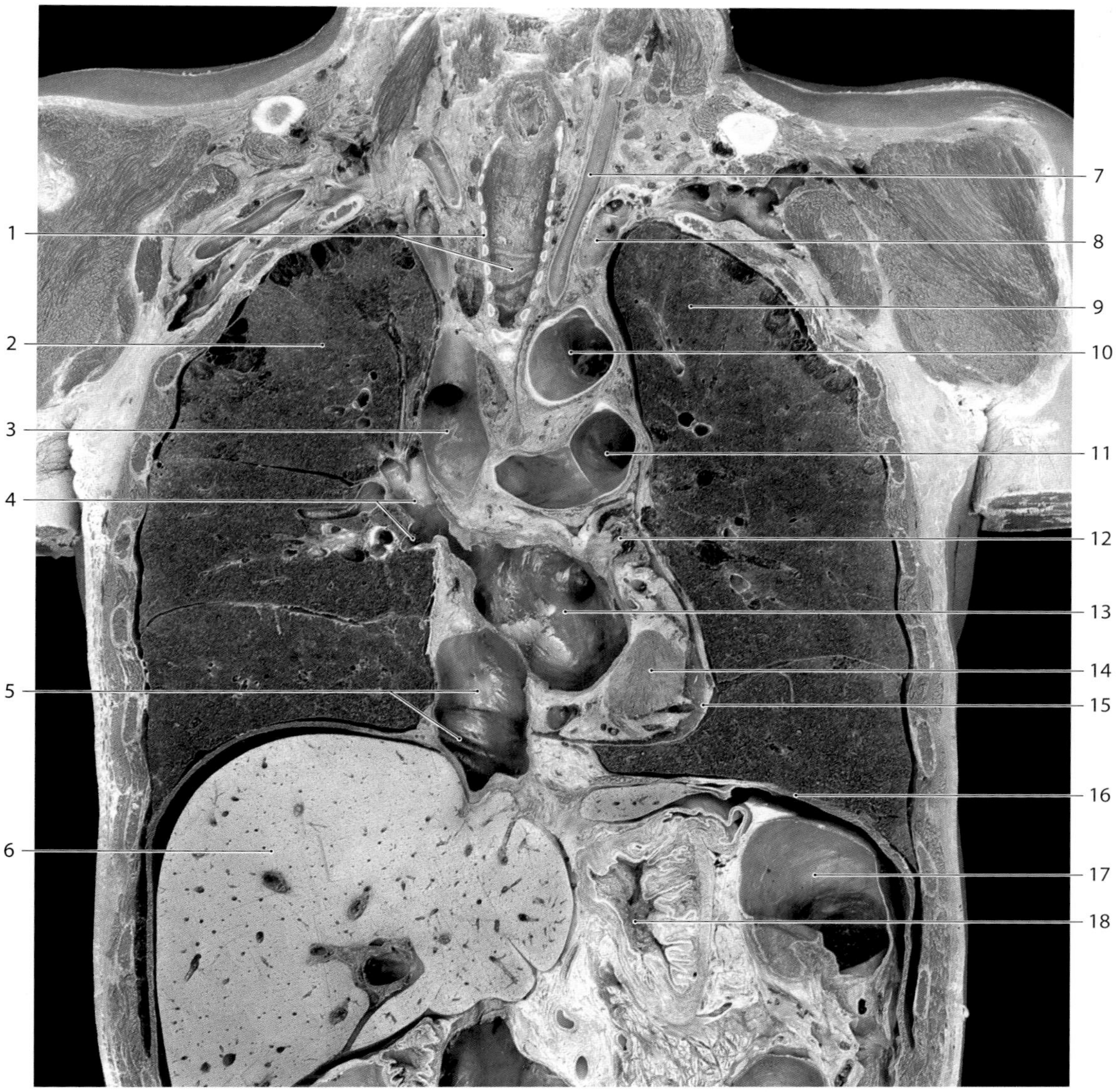

그림 5.97 위대정맥과 아래대정맥 위치에서 **가슴의 관상단면**(앞모습).

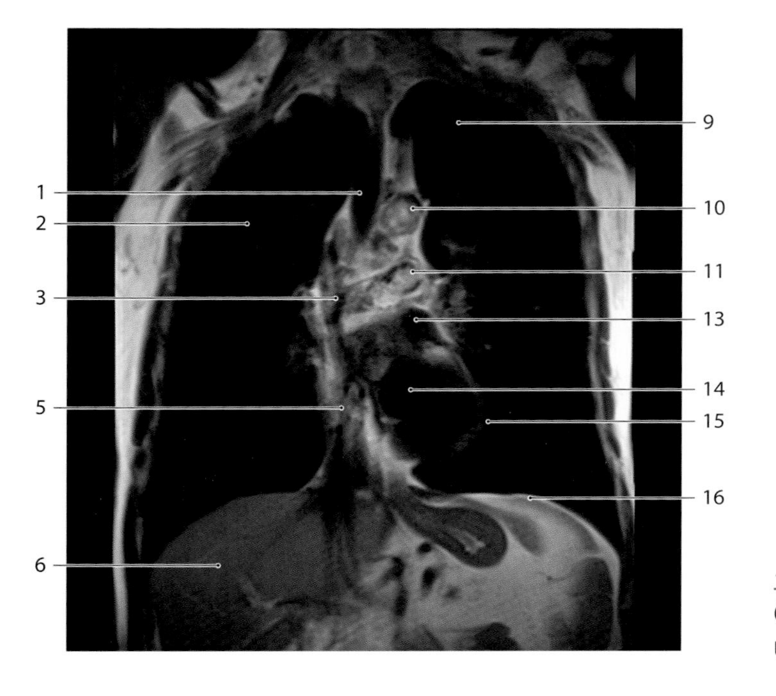

1 기관 Trachea
2 오른허파 위엽
Upper lobe of right lung
3 위대정맥 Superior vena cava
4 오른허파정맥
Right pulmonary veins
5 아래대정맥과 오른심방
Superior vena cava and right atrium
6 간 Liver
7 왼온목동맥
Left common carotid artery
8 왼빗장밑정맥
Left subclavian vein
9 왼허파 위엽
Upper lobe of left lung
10 대동맥활 Aortic arch
11 왼허파동맥
Left pulmonary artery
12 왼심방귀 Left auricle
13 왼심방과 허파정맥구멍
Left atrium with orifices of pulmonary veins
14 왼심실(심장근육층)
Left ventricle (myocardium)
15 심장막 Pericardium
16 가로막 Diaphragm
17 왼잘록창자굽이
Left colic flexure
18 위 Stomach

그림 5.98 **위대정맥 위치에서 가슴의 관상단면**(자기공명영상).
(Courtesy of Prof. Uder, Institute of Radiology, University Hospital Erlangen, Germany.)

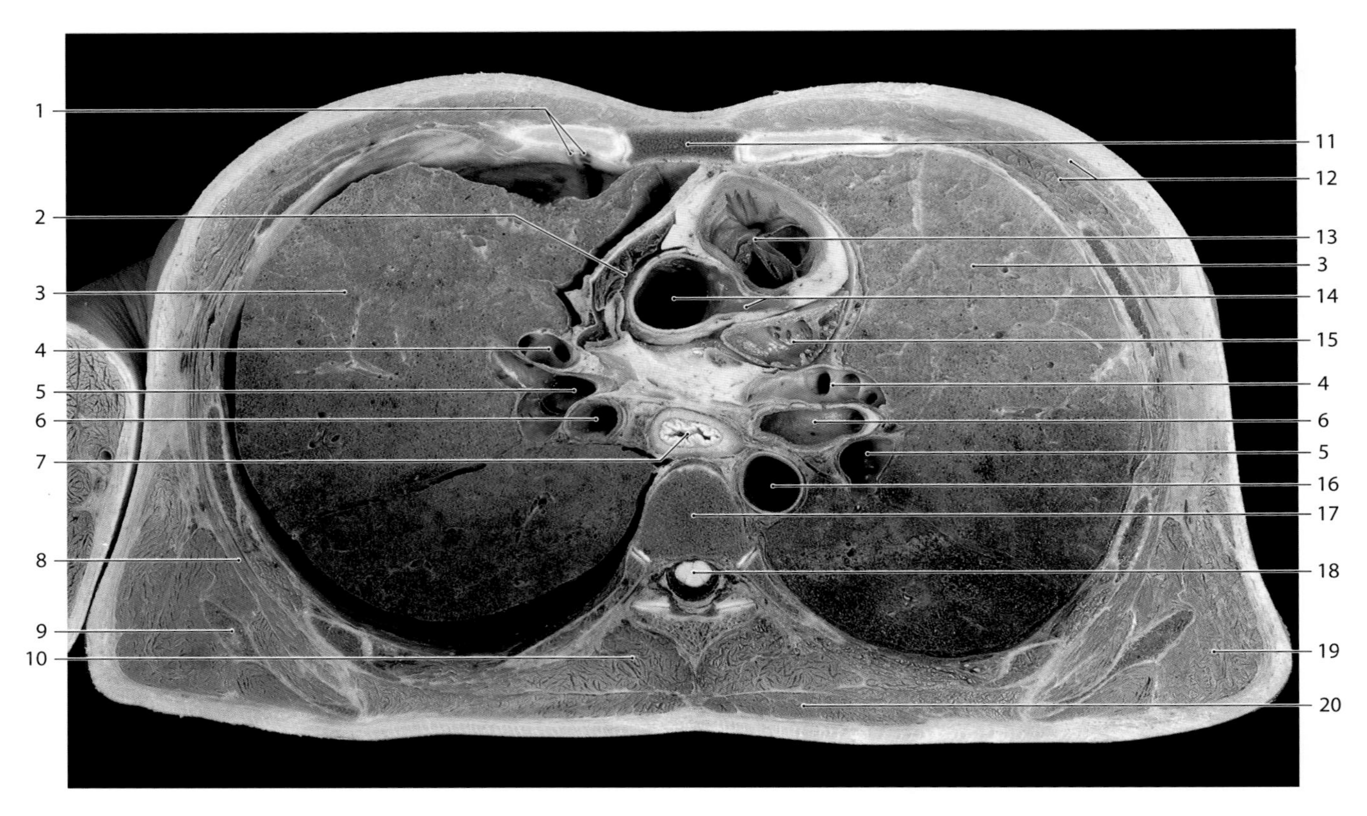

그림 5.99 **가슴의 수평단면. 단면1**(아래에서 본 모습).

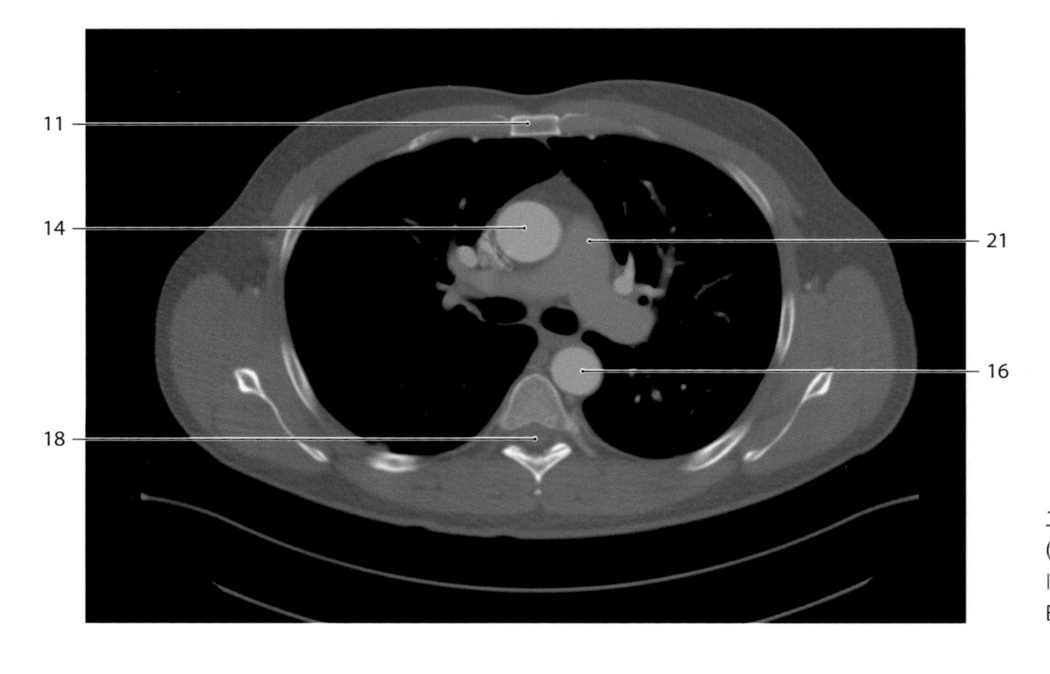

그림 5.100 단면1 높이에서 **가슴의 수평단면.** (자기공명영상). (Courtesy of Prof. Uder, Institute of Radiology, University Hospital Erlangen, Germany.)

1 속가슴동맥과 정맥 Internal thoracic artery and vein
2 오른심방 Right atrium
3 허파 Lung
4 허파동맥 Pulmonary artery
5 허파정맥 Pulmonary vein
6 일차기관지 Primary bronchus
7 식도 Esophagus
8 앞톱니근 Serratus anterior muscle
9 어깨뼈 Scapula
10 등가장긴근 Longissimus thoracis mucle
11 복장뼈 Sternum
12 큰가슴근과 작은가슴근 Pectoralis major and pectoralis minor muscle
13 동맥원뿔(오른심실) 과 허파동맥판막 Conus arteriosus (right ventricle) and pulmonic valve
14 오름대동맥과 왼관상동맥(그림 5.99에서만) Ascending aorta and left coronary artery (Figure 5.99 only)
15 왼심방 Left atrium
16 내림대동맥 Descending aorta
17 등뼈 Thoracic vertebra
18 척수 Spinal cord
19 넓은등근 Latissimus dorsi muscle
20 등세모근 Trapezius muscle
21 허파동맥줄기 Pulmonary trunk

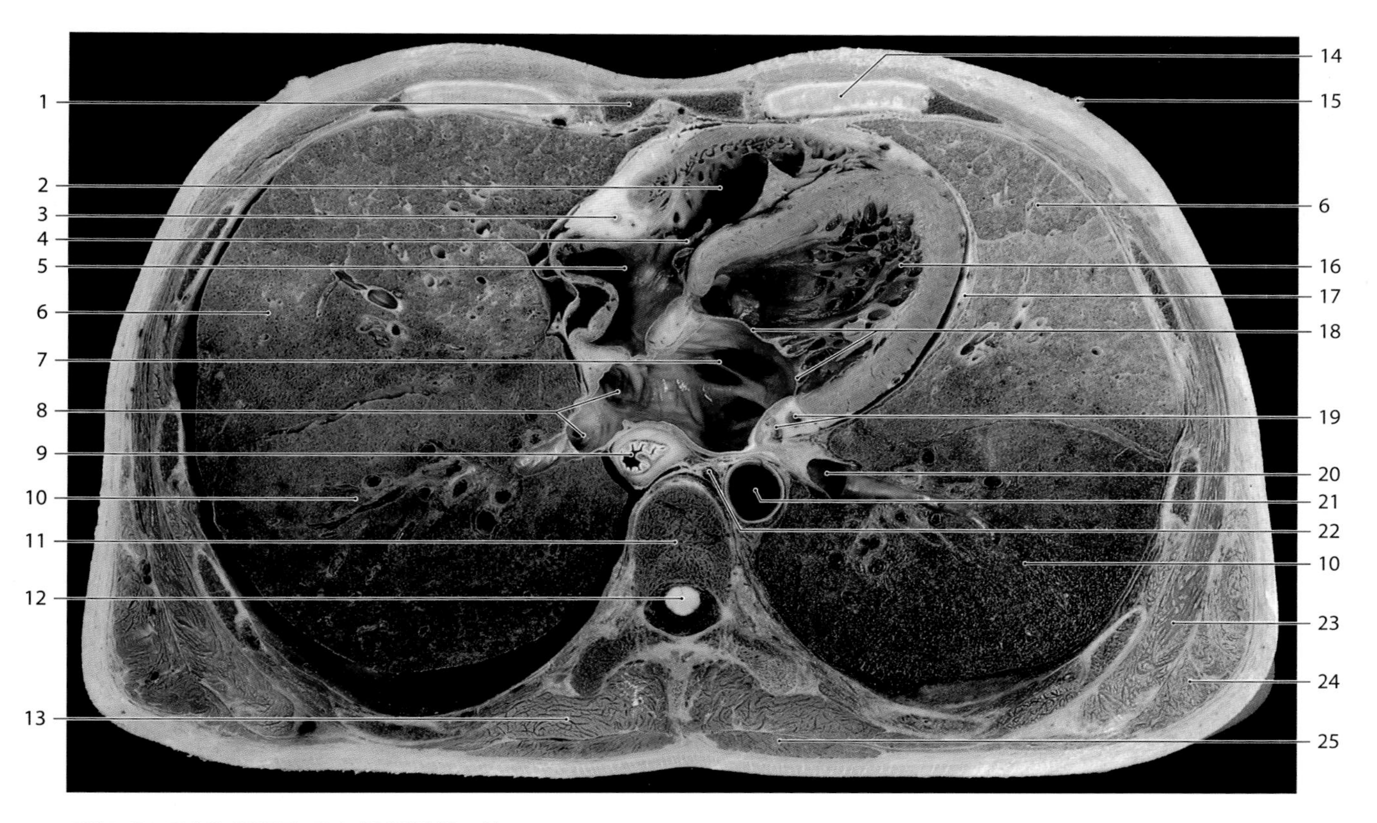

그림 5.101 **가슴의 수평단면.** 단면2(아래에서 본 모습).

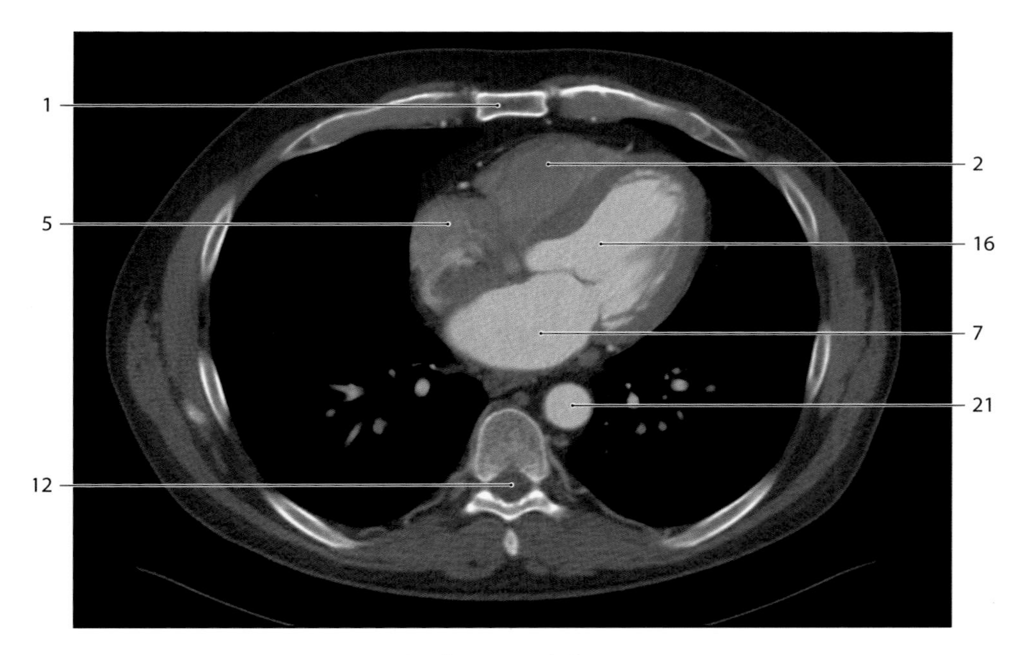

그림 5.102 단면2 높이에서 **가슴의 수평단면.** (자기공명영상). (Courtesy of Prof. Uder, Institute of Radiology, University Hospital Erlangen, Germany.)

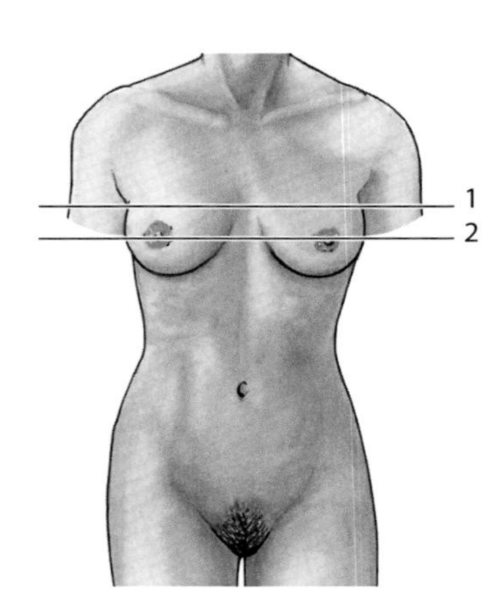

그림 5.103 **가슴의 수평단면.** 단면의 높이를 나타냈다.

1 복장뼈 Sternum
2 오른심실 Right ventricle
3 오른관상동맥 Right coronary artery
4 오른방실판막 Right atrioventricular valve
5 오른심방 Right atrium
6 허파 위엽 Upper lobe of lung
7 왼심방 Left atrium
8 허파정맥 Pulmonary veins
9 식도 Esophagus
10 허파 아래엽 Lower lobe of lung
11 등뼈 Thoracic vertebra
12 척수 Spinal cord
13 척주세움근 Erector spinae muscle
14 갈비모서리 Costal cartilage
15 유두 Nipple
16 왼심실 Left ventricle
17 심장막 Pericardium
18 왼방실판막 Left atrioventricular valve
19 왼관상동맥과 심장정맥굴 Left coronary artery and coronary sinus
20 허파정맥 Pulmonary vein
21 내림대동맥 Descending aorta
22 덧반홀정맥 Accessory hemiazygos vein
23 앞톱니근 Serratus anterior muscle
24 넓은등근 Latissimus dorsi muscle
25 등세모근 Trapezius muscle

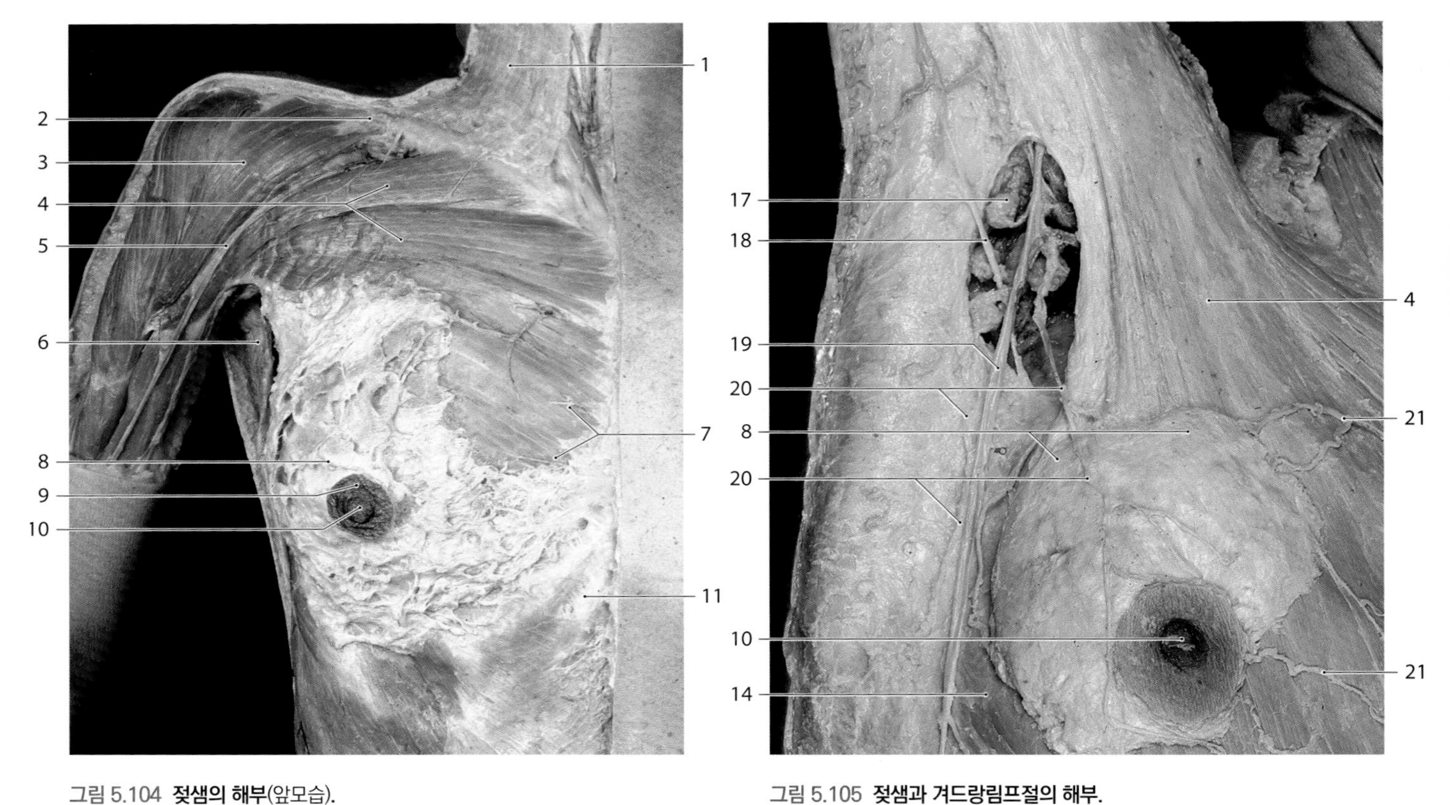

그림 5.104 **젖샘의 해부**(앞모습).

그림 5.105 **젖샘과 겨드랑림프절의 해부.**

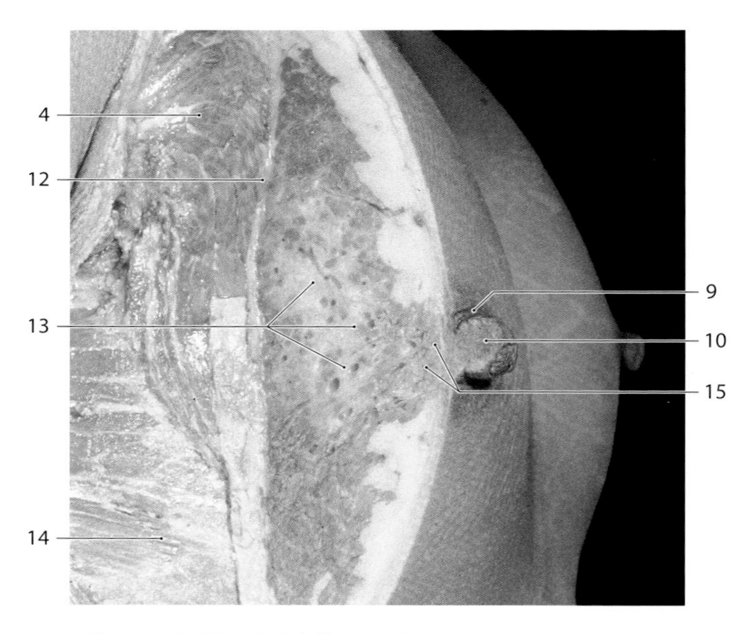

그림 5.106 임신한 여성의 **젖샘**(시상단면).

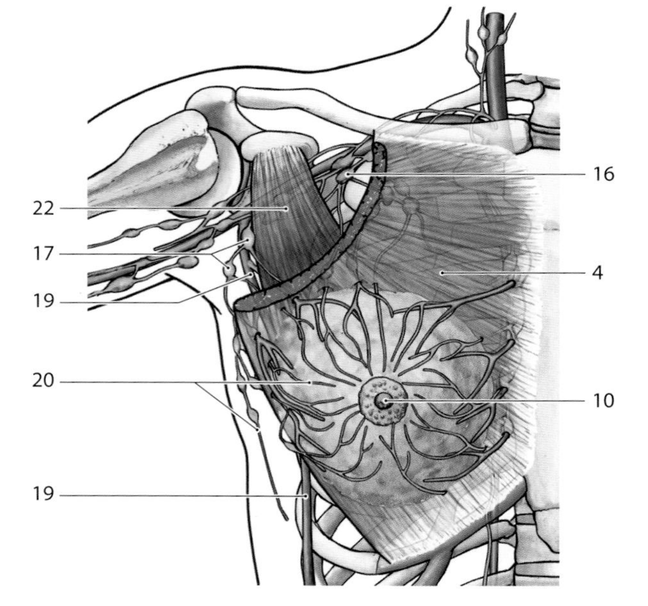

그림 5.107 **젖샘의 림프절.** 대부분의 림프관은 겨드랑림프절로 배출한다.

1 넓은목근 Platysma
2 빗장뼈 Clavicle
3 어깨세모근 Deltoid muscle
4 큰가슴근 Pectoralis major muscle
5 세모가슴근고랑과 노쪽피부정맥 Deltopectoral groove and cephalic vein
6 넓은등근 Latissimus dorsi muscle
7 갈비사이신경의 안쪽젖샘가지 Medial mammary branches of intercostal nerves
8 젖샘조직 Breast tissue
9 젖꽃판 Areola
10 유두 Nipple (papilla)
11 갈비모서리 Costal margin
12 가슴근막 Pectoral fascia
13 젖샘 Mammary gland
14 앞톱니근(닿는곳) Serratus anterior muscle (insertion)
15 젖샘관팽대 Lactiferous sinus
16 꼭대기림프절 Apical lymph nodes
17 겨드랑림프절 Axillary lymph nodes
18 갈비사이위팔신경 Intercostobrachial nerve
19 가쪽가슴정맥 Lateral thoracic vein
20 림프관 Lymph vessels
21 갈비사이동맥의 안쪽젖샘가지 Medial mammary branches of intercostal arteries
22 작은가슴근 Pectoralis minor muscle

내장기관 Internal Organs

6 배안기관 Abdominal Organs

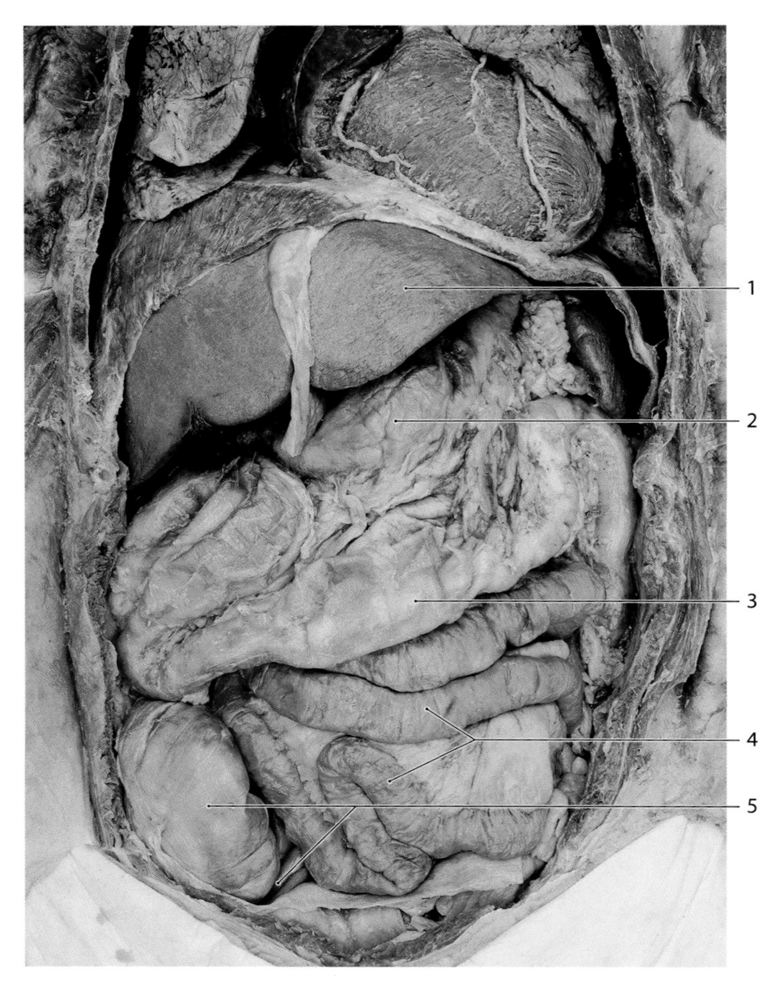

그림 6.1 **제자리에 있는 배안기관**(앞모습). 큰그물막 일부를 제거하고 젖혔다.

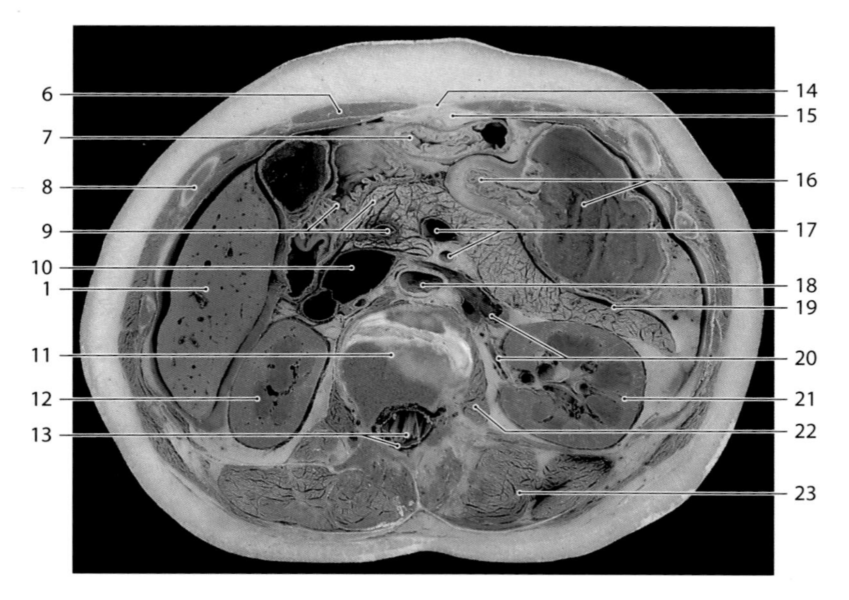

그림 6.2 **배안의 가로단면.** 둘째허리뼈 높이(아래모습).

1 간(왼엽) Liver (left lobe)
2 위 Stomach
3 가로잘록창자(횡행결장) Transverse colon
4 소장 Small intestine
5 막창자(맹장)와 막창자꼬리(충수) Cecum with vermiform appendix
6 배곧은근 Rectus abdominis muscle
7 소장과 복막 Small intestine and peritoneum
8 갈비뼈(잘림) Rib (cut)
9 쓸개관(담관), 샘창자(십이지장), 이자(췌장) Bile duct, duodenum, and pancreas
10 아래대정맥 Inferior vena cava
11 둘째허리뼈몸통(L2) Body of second lumbar vertebra (L2)
12 오른콩팥(우신장) Right kidney
13 말총과 경막 Cauda equina and dura mater
14 백색선 Linea alba
15 낫인대 Falciform ligament
16 위와 날문 Stomach and pylorus
17 위창자간막동맥과 정맥 Superior mesenteric artery and vein
18 배대동맥 Abdominal aorta
19 그물막주머니에 접한 이자(췌장) Pancreas adjacent to lesser sac (omental bursa)
20 왼콩팥동맥과 정맥 Left renal artery and vein
21 왼콩팥(좌신장) Left kidney
22 큰허리근 Psoas major muscle
23 깊은등근육 Deep muscles of the back

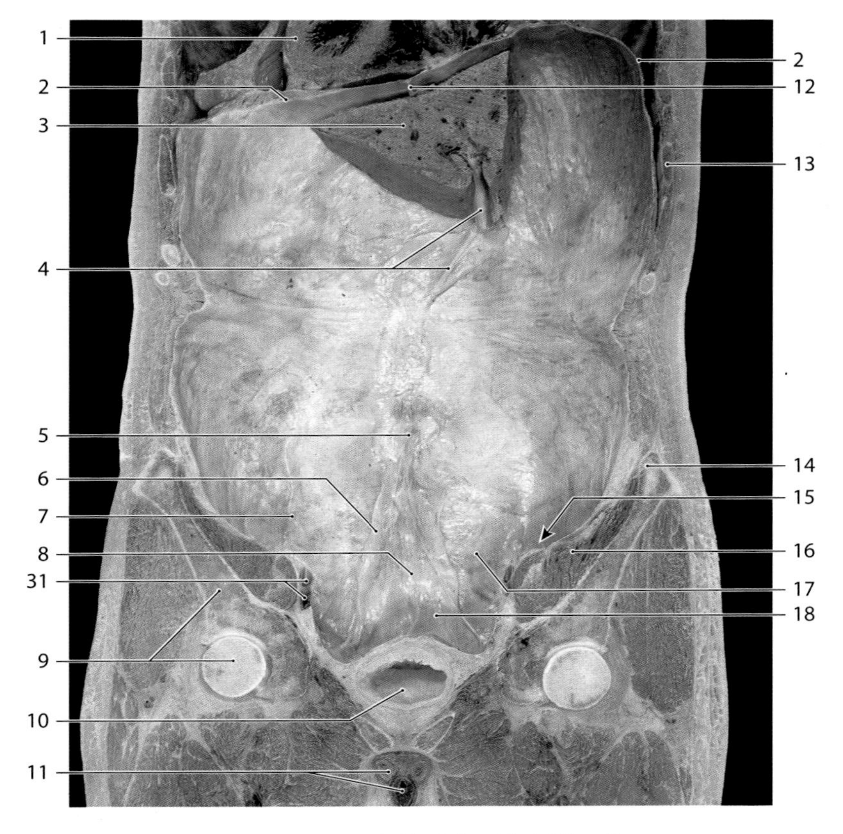

그림 6.3 **남성 앞배벽.** 골반안과 엉덩관절을 지나는 관상단면(속모습).

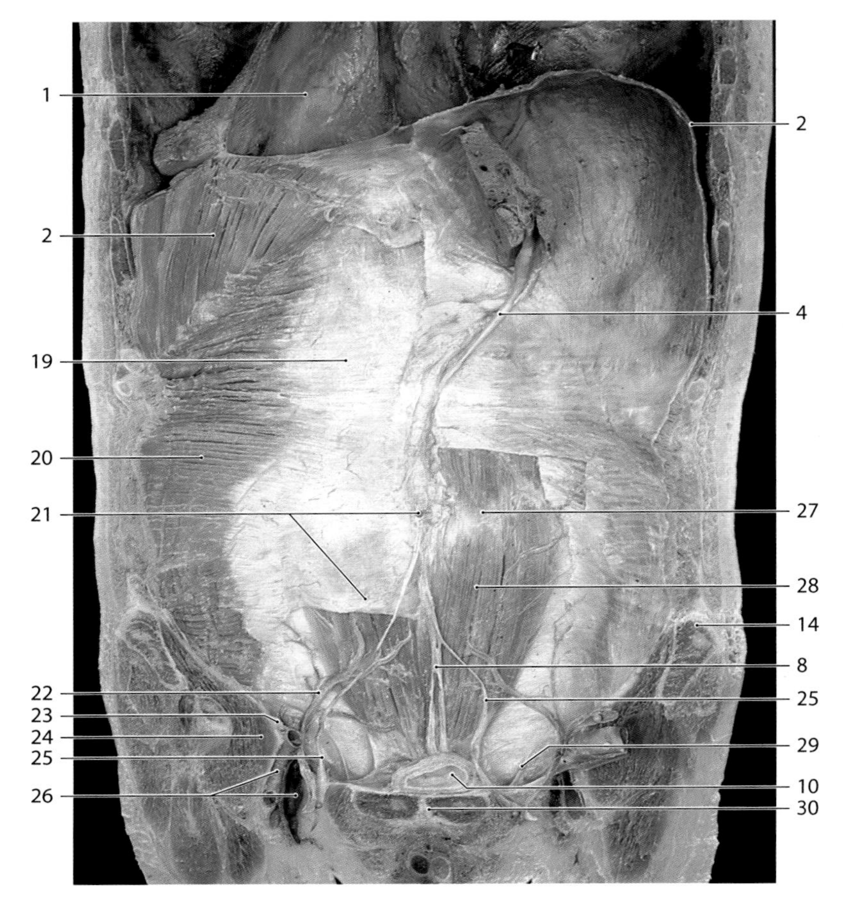

그림 6.4 **남성 앞배벽**(속모습). 복막과 배곧은근집의 뒤층 일부를 제거하였다. 아래배벽동맥과 정맥의 해부.

1 왼심실(좌심실)과 심장막
Left ventricle with pericardium
2 가로막 Diaphragm
3 간의 일부 Remnant of liver
4 간원인대(낫인대의 자유모서리)
Ligamentum teres (free margin of falciform ligament)
5 배꼽의 위치 Site of umbilicus
6 안쪽배꼽주름(안쪽배꼽인대 포함)
Medial umbilical fold (containing the obliterated umbilical artery)
7 가쪽배꼽주름(아래배벽동맥과 정맥 포함)
Lateral umbilical fold (containing inferior epigastric artery and vein)
8 정중배꼽주름(요막관잔류 포함)
Median umbilical fold (containing remnant of urachus)
9 넓적다리뼈머리와 골반뼈
Head of femur and pelvic bone
10 방광 Urinary bladder
11 음경뿌리 Root of penis
12 낫인대 Falciform ligament of liver
13 갈비뼈(잘림) Rib (divided)
14 엉덩뼈능선(잘림) Iliac crest (divided)
15 깊은고샅구멍의 위치와 가쪽고샅오목
Site of deep inguinal ring and lateral inguinal fossa
16 엉덩허리근(잘림) Iliopsoas muscle (divided)
17 안쪽고샅오목 Medial inguinal fossa
18 방광위오목 Supravesical fossa
19 배곧은근집의 뒤층
Posterior layer of rectus sheath
20 배가로근 Transverse abdominal muscle
21 배꼽과 활꼴선 Umbilicus and arcuate line
22 아래배벽동맥 Inferior epigastric artery
23 넓적다리신경 Femoral nerve
24 엉덩허리근 Iliopsoas muscle
25 배꼽동맥잔류 Remnant of umbilical artery
26 넓적다리동맥과 정맥 Femoral artery and vein
27 배곧은근의 나눔힘줄
Tendinous intersection of rectus abdominis muscle
28 배곧은근 Rectus abdominis muscle
29 오목사이인대 Interfoveolar ligament
30 두덩결합(잘림) Pubic symphysis (divided)
31 바깥엉덩동맥과 정맥
External iliac artery and vein

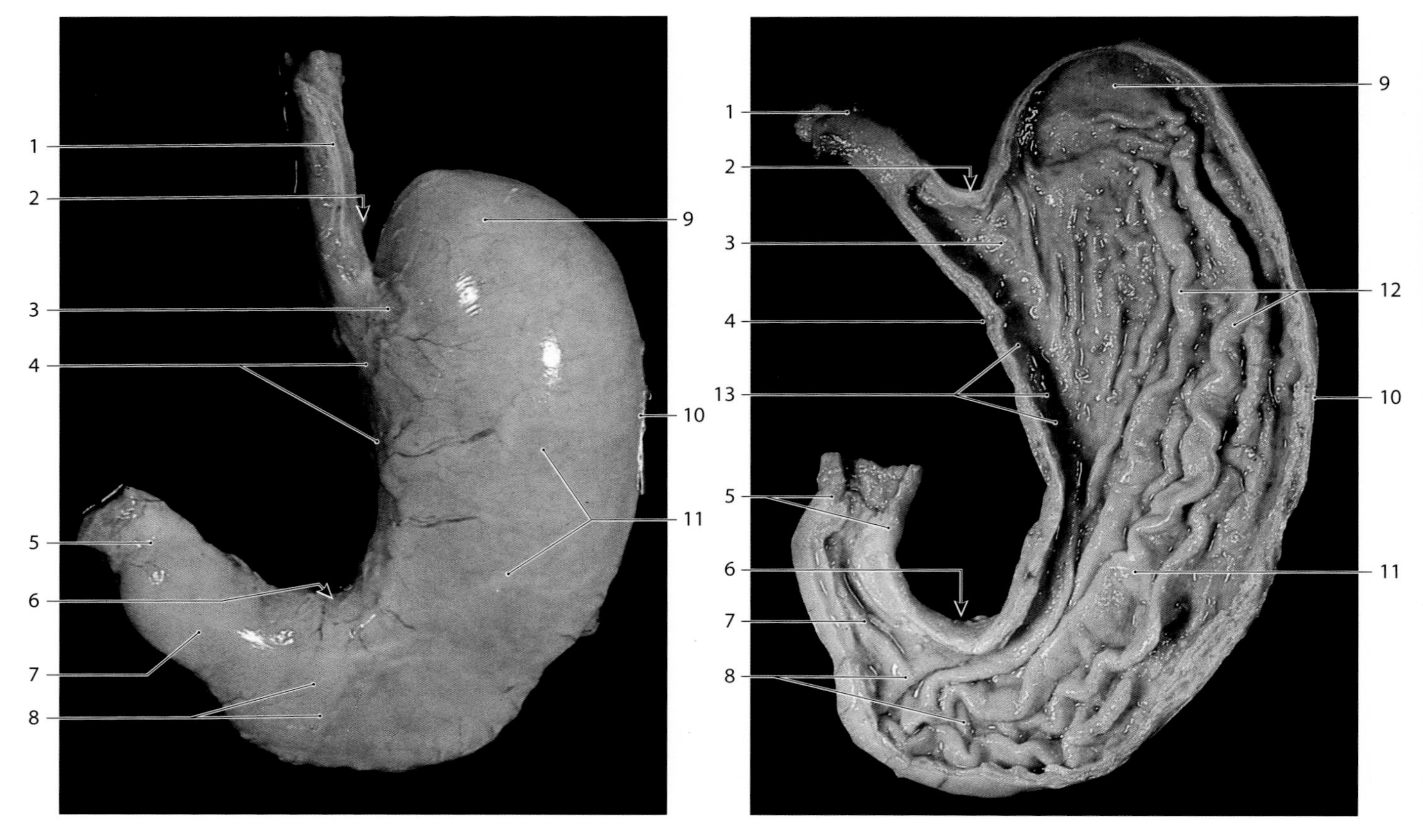

그림 6.5 **위**(앞모습).

그림 6.6 **위의 뒤벽 점막**(앞모습).

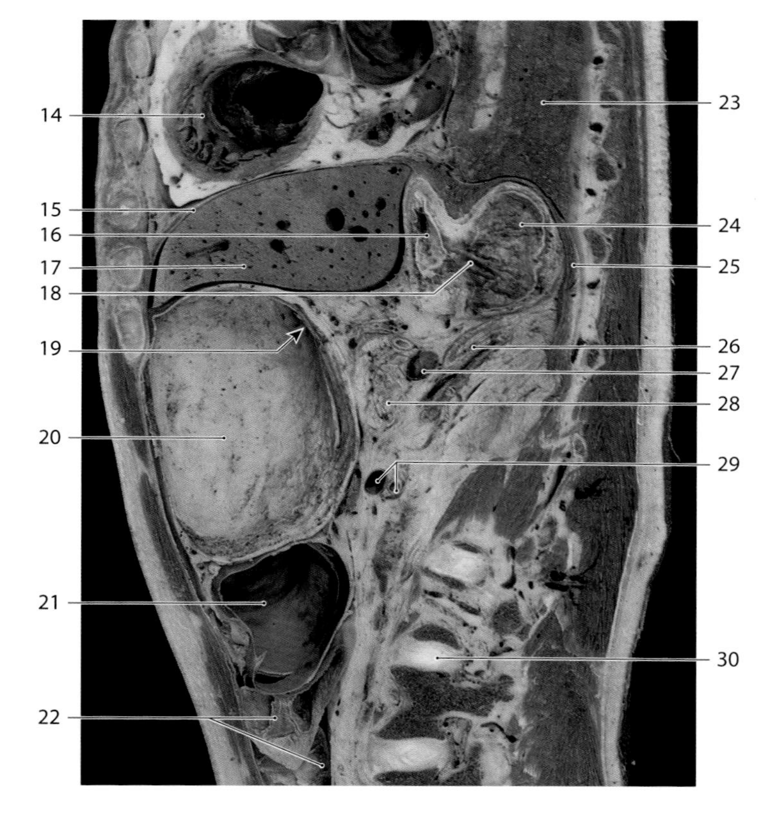

그림 6.7 **위의 위치**(정중면에서 왼쪽으로 3.5 cm 떨어진 지점을 지나는 배안 위부분의 시상단면).

1 식도 Esophagus
2 들문파임 Cardial notch
3 위의 들문부분 Cardial part of stomach
4 위의 작은굽이 Lesser curvature of stomach
5 날문조임근 Pyloric sphincter
6 모파임 Angular notch(incisura angularis)
7 날문관 Pyloric canal
8 날문방 Pyloric antrum
9 위바닥 Fundus of stomach
10 위의 큰굽이 Greater curvature of stomach
11 위몸통 Body of stomach
12 점막주름(위주름) Folds of mucous membrane (gastric rugae)
13 위몸통관 Gastric canal
14 오른심실(우심실) Right ventricle of heart
15 가로막(단면) Diaphragm (cut edge)
16 식도의 배부분 Abdominal portion of esophagus
17 간 Liver
18 위의 들문부분(단면) Cardial part of stomach (cut edge)
19 날문관의 위치 Position of pyloric canal
20 위몸통 Body of stomach
21 가로잘록창자(횡행결장) Transverse colon
22 소장 Small intestine
23 허파(폐)(단면) Lung (cut edge)
24 위바닥(잘림) Fundus of stomach (section)
25 가로막의 허리부분(단면) Lumbar portion of diaphragm (cut edge)
26 부신 Suprarenal gland
27 지라정맥(비장정맥) Splenic vein
28 이자(췌장) Pancreas
29 위창자간막동맥과 정맥 Superior mesenteric artery and vein
30 척추사이원반 Intervertebral disc

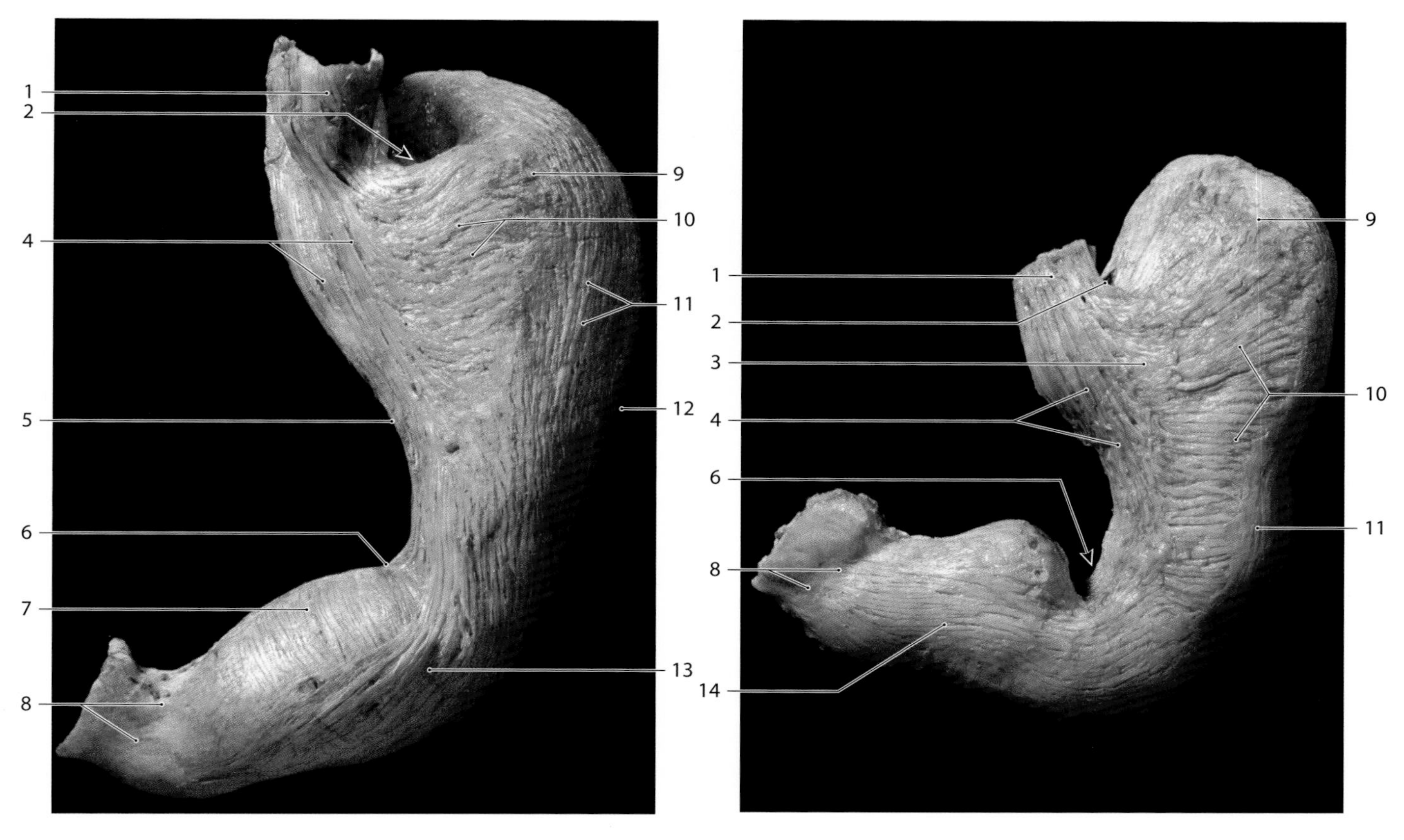

그림 6.8 **위의 근육층,** 바깥층(앞모습).

그림 6.9 **위의 근육층,** 중간층(앞모습).

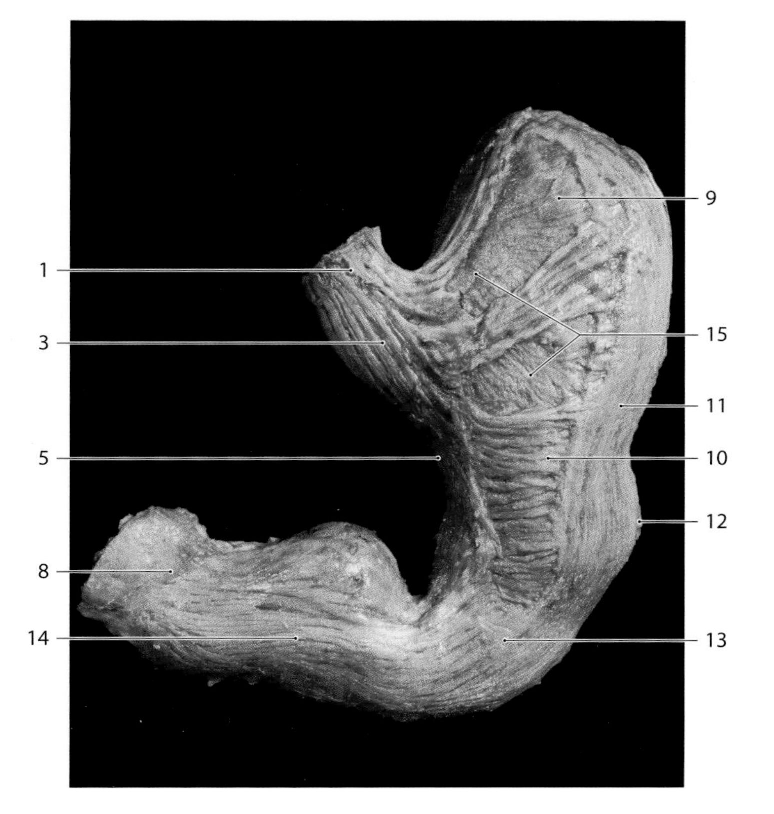

그림 6.10 **위의 근육층,** 속층(앞모습).

1 식도(배안부분) Esophagus (abdominal part)
2 들문파임 Cardial notch
3 위의 들문부분 Cardial part of stomach
4 작은굽이의 세로근육층
Longitudinal muscle layer at lesser curvature of stomach
5 작은굽이 Lesser curvature
6 모파임 Incisura angularis
7 날문부분의 돌림근육층
Circular muscle layer of pyloric part of stomach
8 날문조임근 Pyloric sphincter muscle
9 위바닥 Fundus of stomach
10 위바닥의 돌림근육층
Circular muscle layer of fundus of stomach
11 큰굽이의 세로근육층
Longitudinal muscle layer of greater curvature of stomach
12 위의 큰굽이 Greater curvature of stomach
13 세로근육층(위몸통에서 날문부분으로 이행하는 부분)
Longitudinal muscle layer (transition from body to pyloric part of stomach)
14 위의 날문부분 Pyloric part of stomach
15 빗근육섬유 Oblique muscle fibers

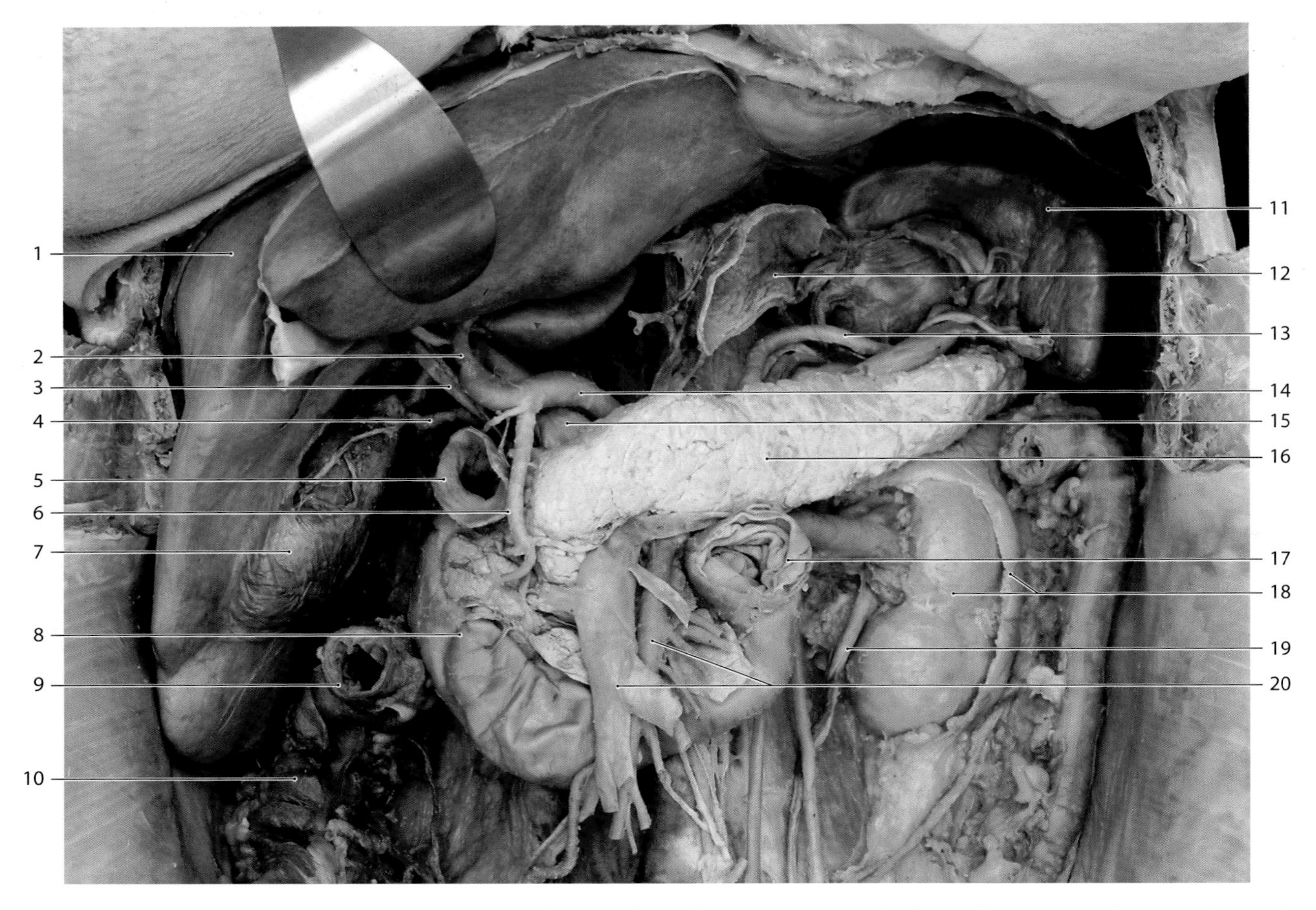

그림 6.11 **위배부위의 이자(췌장), 샘창자(십이지장), 지라(비장) 및 왼콩팥(좌신장)**(앞모습). 위와 가로잘록창자(횡행결장)를 제거하고, 간은 위쪽으로 올렸다. 위창자간막정맥이 약간 커져 있다.

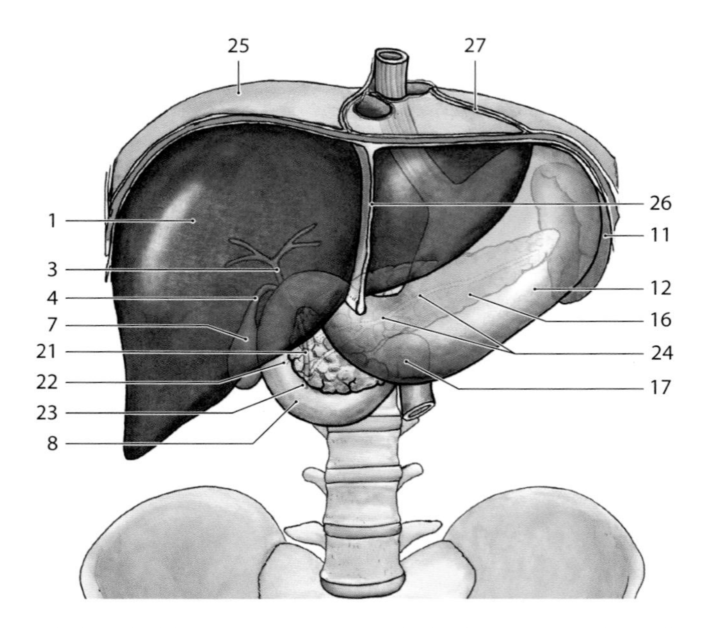

그림 6.12 **이자(췌장), 샘창자(십이지장), 간 및 간바깥쓸개관**(앞모습). 이 그림에서 간은 약간 투명하게 나타내었다. 형태적으로 간은 왼엽, 오른엽, 네모엽, 꼬리엽의 4개 엽으로 나뉜다(276쪽 그림 참조). 낫인대에 의해 커다란 오른엽과 작은 왼엽으로 나뉜다.

1 간 Liver
2 고유간동맥 Proper hepatic artery
3 간관 Hepatic duct
4 쓸개주머니관(담낭관) Cystic duct
5 날문 Pylorus
6 위샘창자동맥(위십이지장동맥) Gastroduodenal artery
7 쓸개(담낭) Gallbladder
8 샘창자(십이지장) Duodenum
9 가로잘록창자(횡행결장)(잘림) Transverse colon (cut)
10 오름잘록창자(상행결장) Ascending colon
11 지라(비장) Spleen
12 들문 Cardia
13 지라동맥(비장동맥) Splenic artery
14 온간동맥 Common hepatic artery
15 간문맥 Portal vein
16 이자(췌장) Pancreas
17 샘빈창자굽이 Duodenojejunal flexure
18 콩팥(신장)과 지방피막 Kidney (with capsula adiposa)
19 요관 Ureter
20 위창자간막동맥과 정맥 Superior mesenteric artery and vein
21 온쓸개관 Common bile duct
22 작은샘창자유두 Lesser duodenal papilla
23 큰샘창자유두 Greater duodenal papilla
24 이자관 Pancreatic duct
25 복막 Peritoneum
26 낫인대 Falciform ligament } of liver
27 관상인대 Coronary ligament } of liver

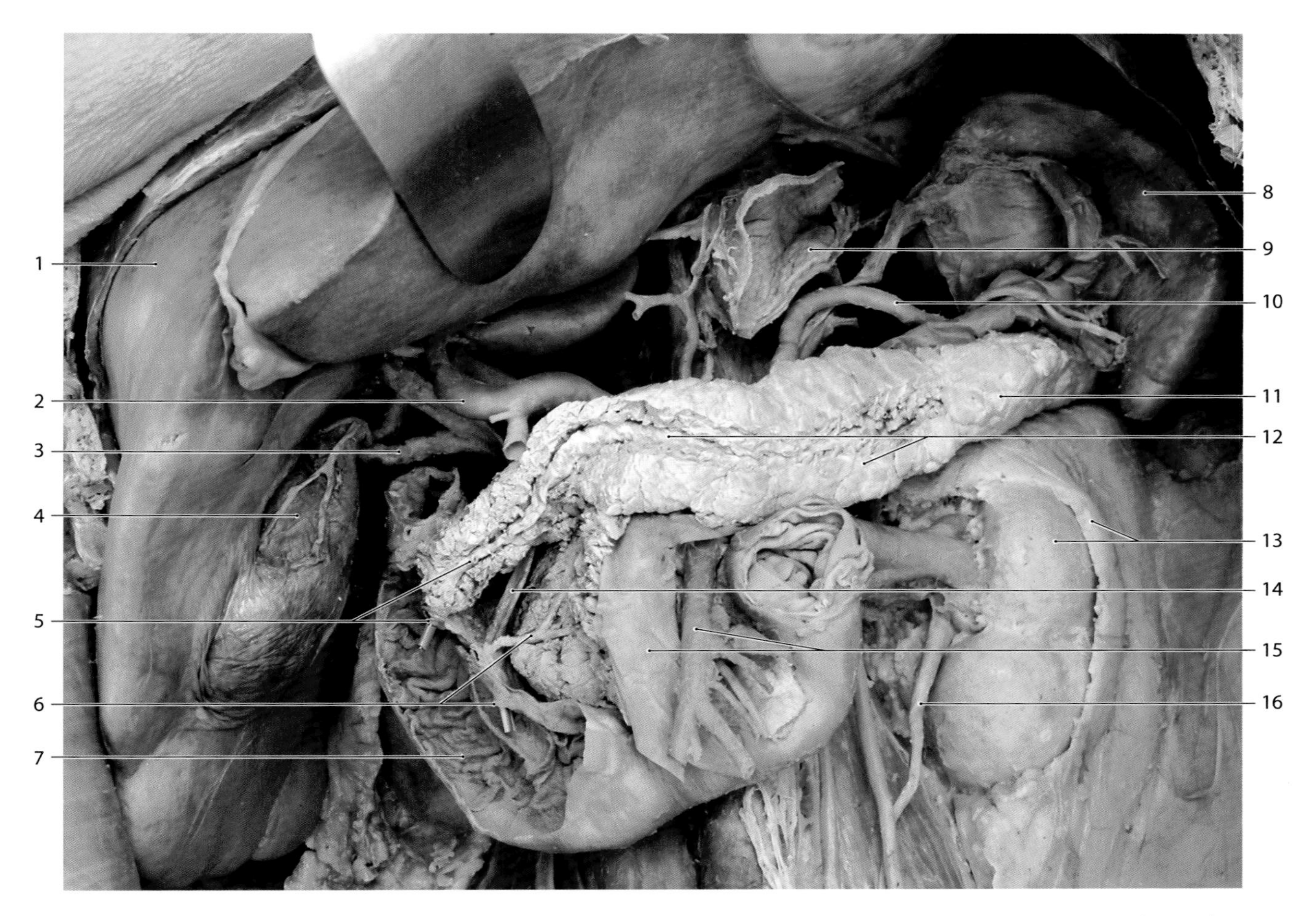

그림 6.13 **위배안의 이자(췌장), 샘창자(십이지장), 지라(비장) 및 왼콩팥(좌신장)**(앞모습). 위와 가로잘록창자(횡행결장)는 제거하였고, 샘창자(십이지장)는 구멍을 내었다. 간바깥쓸개관이 보이게 간을 위쪽으로 올렸다. 이 경우는 덧이자관이 이자(췌장)의 주된 배출관이다.

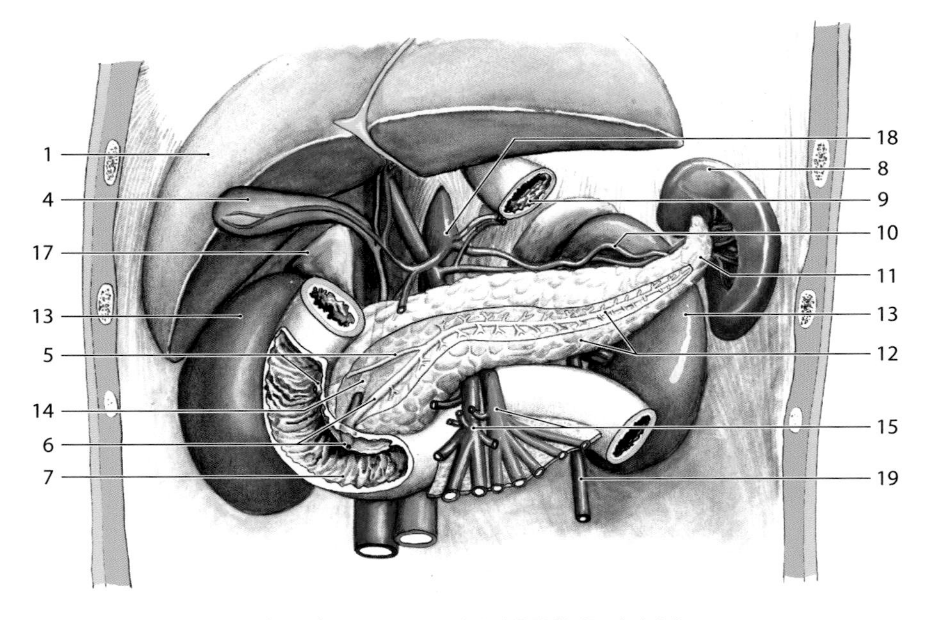

그림 6.14 **위배안기관**(앞모습). 그림은 이자관의 가장 흔한 형태를 나타낸다.

1 간 Liver
2 고유간동맥 Proper hepatic artery
3 쓸개주머니관(담낭관) Cystic duct
4 쓸개(담낭) Gallbladder
5 작은샘창자유두와 덧이자관 Lesser duodenal papilla and accessory pancreatic duct
6 큰샘창자유두와 이자관 Greater duodenal papilla and pancreatic duct
7 샘창자(십이지장) Duodenum (fenestrated)
8 지라(비장) Spleen
9 위 Stomach
10 지라동맥(비장동맥) Splenic artery
11 이자꼬리(췌장꼬리) Tail of pancreas
12 이자(췌장)(이자관과 이자몸통) Pancreas (pancreatic duct and body of pancreas)
13 콩팥(신장)과 지방피막 Kidney (with capsula adiposa in Fig. 6.13)
14 온쓸개관 Common bile duct
15 위창자간막동맥과 정맥 Superior mesenteric artery and vein
16 요관 Ureter
17 부신 Suprarenal gland
18 대동맥과 복강동맥 Aorta with celiac trunk
19 아래창자간막정맥 Inferior mesenteric vein

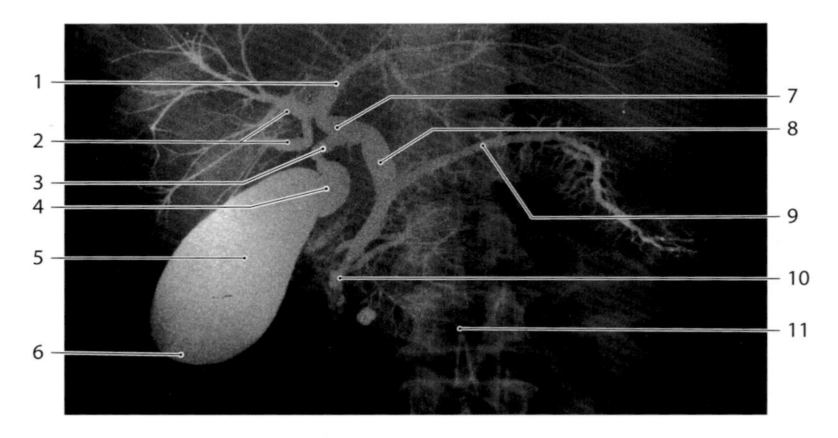

그림 6.15 **쓸개관(담관), 쓸개(담낭) 및 이자관**(방사선사진, 정면촬영). (Courtesy of Prof. Uder, Institute of Radiology, University Hospital Erlangen, Germany.)

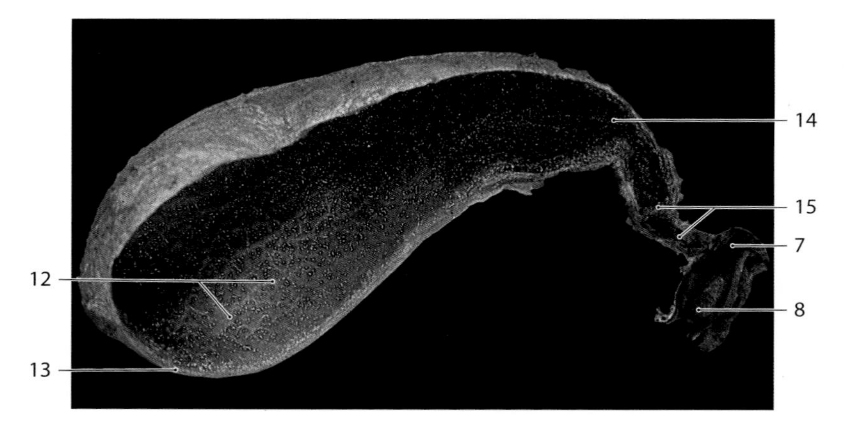

그림 6.16 **분리한 쓸개(담낭)와 쓸개주머니관(담낭관)**(앞모습). 점막을 볼 수 있도록 쓸개(담낭)를 열었다.

1 왼간관 Left hepatic duct
2 오른간관 Right hepatic duct
3 쓸개주머니관(담낭관) Cystic duct
4 쓸개목(담낭목) Neck of gallbladder
5 쓸개몸통(담낭몸통) Body of gallbladder
6 쓸개바닥(담낭바닥) Fundus of gallbladder
7 온간관 Common hepatic duct
8 온쓸개관 Common bile duct
9 이자관 Pancreatic duct
10 큰샘창자유두 Greater duodenal papilla
11 둘째허리뼈 Second lumbar vertebra
12 쓸개(담낭)의 점막주름
Folds of mucous membrane of gallbladder
13 쓸개(담낭)의 근육층 Muscular coat of gallbladder
14 쓸개목(담낭목)(열음) Neck of gallbladder (opened)
15 쓸개주머니관(담낭관)과 나선주름
Cystic duct with spiral fold
16 작은샘창자유두 Lesser duodenal papilla
17 덧이자관 Accessory pancreatic duct
18 갈고리돌기 Uncinate process
19 샘창자(십이지장)의 돌림주름
Plica circularis of duodenum (Kerckring's fold)
20 이자머리(췌장머리) Head of pancreas
21 이자몸통(췌장몸통) Body of pancreas
22 이자꼬리(췌장꼬리) Tail of pancreas
23 샘창자(십이지장)의 내림부분
Descending part of duodenum
24 이자파임(췌장파임) Incisure of pancreas

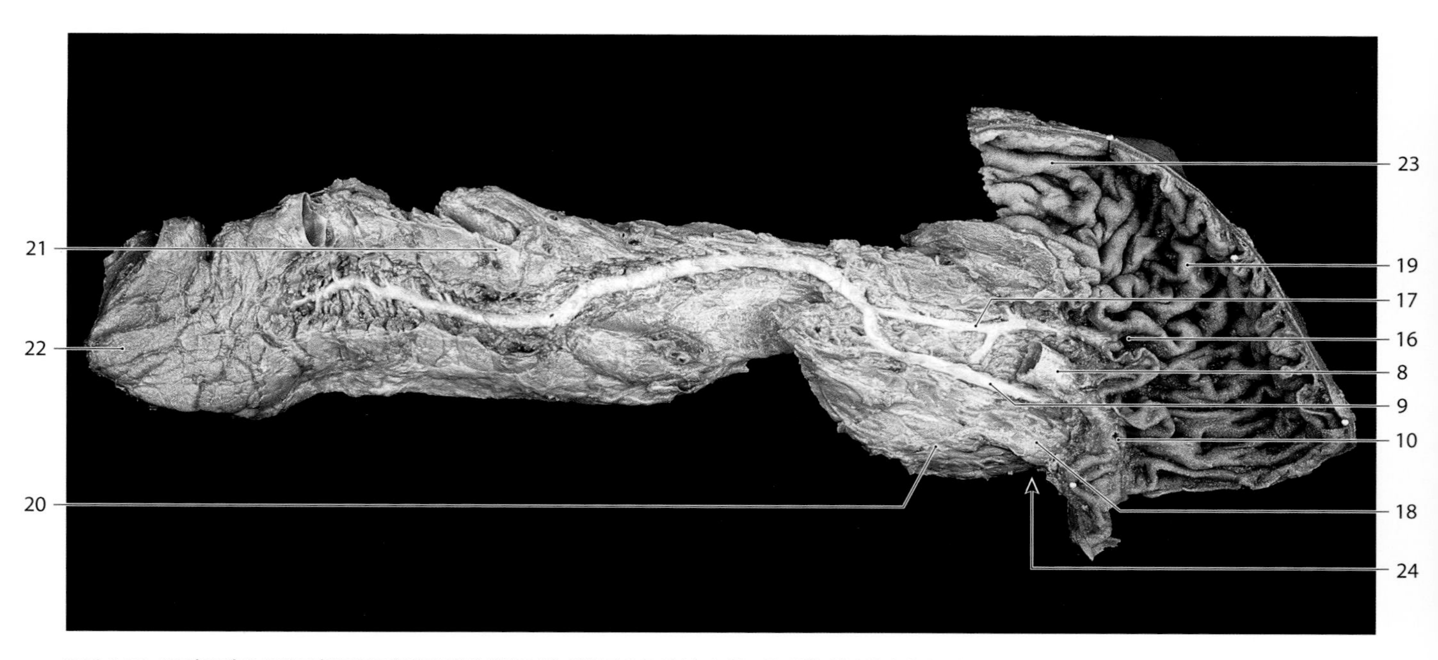

그림 6.17 **이자(췌장)과 샘창자(십이지장)의 내림부분**(뒤모습). 샘창자유두를 볼 수 있도록 샘창자(십이지장)를 열었다. 이자관을 해부하고, 온쓸개관을 잘랐다. 팽대조임근이 보인다.

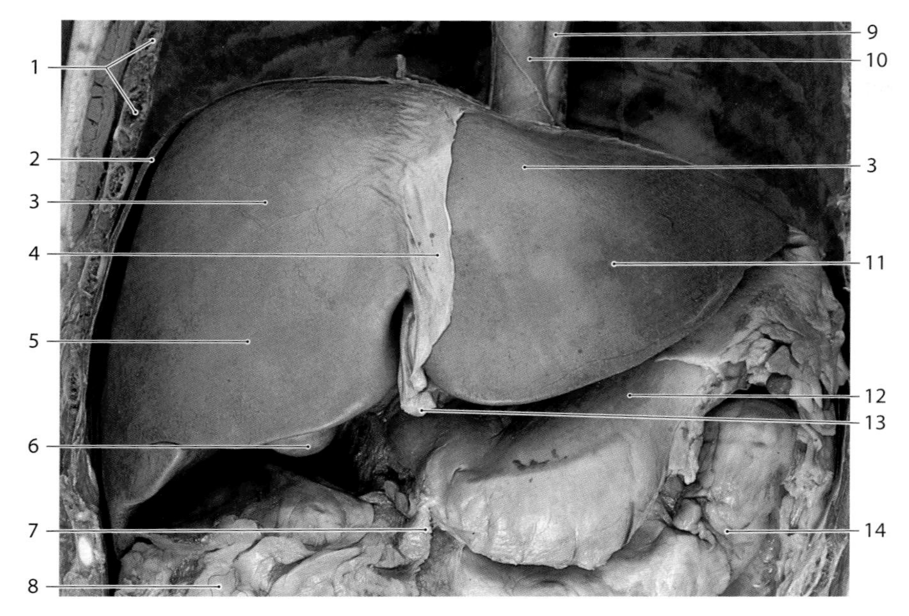

그림 6.18 **제자리의 간**(앞모습). 가로막 일부를 제거하였다.

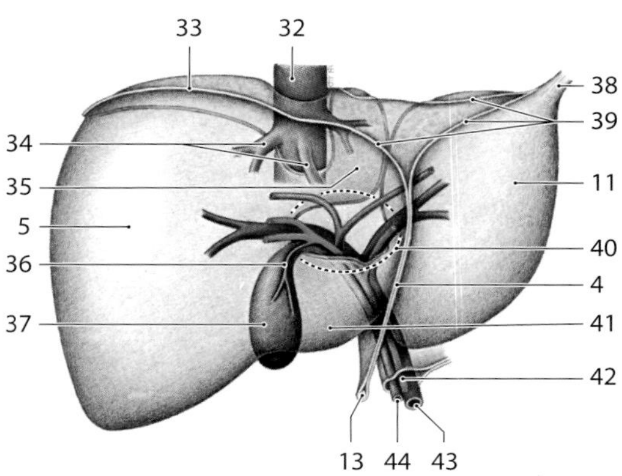

그림 6.19 **간과 복막주름의 가장자리**(앞모습). 간은 투명하게 나타내었다.

1 갈비뼈(단면) Ribs (cut edges)
2 가로막 Diaphragm
3 간의 가로막면 Diaphragmatic surface of liver
4 낫인대 Falciform ligament of liver
5 간의 오른엽 Right lobe of liver
6 쓸개바닥(담낭바닥) Fundus of gallbladder
7 위잘록창자인대 Gastrocolic ligament
8 큰그물막 Greater omentum
9 대동맥 Aorta
10 식도 Esophagus
11 간의 왼엽 Left lobe of liver
12 위 Stomach
13 간원인대 Ligamentum teres of liver
14 가로잘록창자(횡행결장) Transverse colon
15 오른심방(우심방) Right atrium of heart
16 가로막의 중심널힘줄과 복장부분
Central tendon and sternal portion of diaphragm
17 간(단면) Liver (cut edge)
18 샘창자(십이지장) 입구(날문)
Entrance to duodenum (pylorus)
19 위 Stomach
20 샘창자(십이지장) Duodenum
21 가로잘록창자(횡행결장)(잘림, 확장됨)
Transverse colon (divided, dilated)
22 소장 Small intestine
23 가슴대동맥(세로로 잘림)
Thoracic aorta (longitudinally divided)
24 식도(세로로 잘림) Esophagus (longitudinally divided)
25 가로막의 식도구멍 Esophageal hiatus of diaphragm
26 그물막주머니 Omental bursa (lesser sac)
27 지라동맥(비장동맥) Splenic artery
28 이자(췌장) Pancreas
29 왼콩팥정맥 Left renal vein
30 척추사이원반 Intervertebral disc
31 배대동맥(세로로 잘림)
Abdominal aorta (longitudinally divided)
32 아래대정맥 Inferior vena cava
33 복막(단면) Peritoneum (cut edges)
34 간정맥 Hepatic veins
35 간의 꼬리엽 Caudate lobe of liver
36 쓸개동맥(담낭동맥) Cystic artery
37 쓸개바닥(담낭바닥) Fundus of gallbladder
38 간섬유띠(왼세모인대)
Appendix fibrosa (left triangular ligament)
39 관상인대 Coronary ligament of liver
40 간문 Porta hepatis
41 간의 네모엽 Quadrate lobe of liver
42 고유간동맥 Hepatic artery proper
43 간문맥 Portal vein
44 온쓸개관 Common bile duct
(42–44: 간세동이 Portal triad)

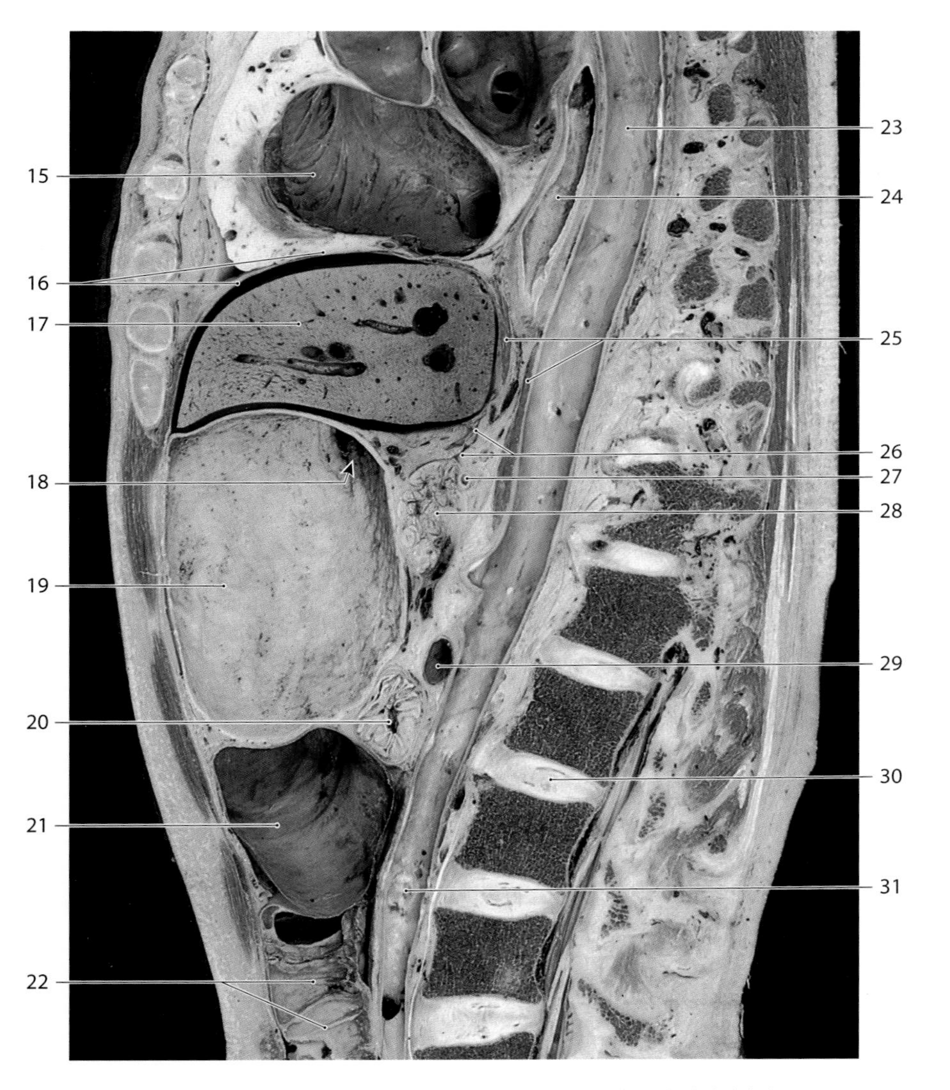

그림 6.20 **제자리의 간.** 정중면에서 왼쪽으로 2 cm 떨어진 곳을 지나는 배안의 시상단면.

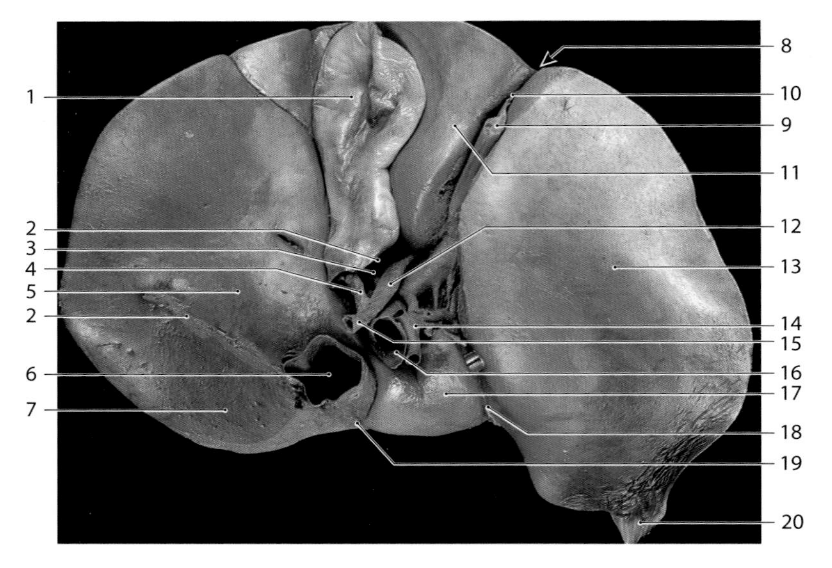

그림 6.21 **간**(아래모습). 간문의 해부. 쓸개(담낭) 일부가 쭈그러들었다. 위쪽이 간의 앞모서리.

1 쓸개바닥(담낭바닥) Fundus of gallbladder
2 복막(단면) Peritoneum (cut edges)
3 쓸개동맥(담낭동맥) Cystic artery
4 쓸개주머니관(담낭관) Cystic duct
5 간의 오른엽 Right lobe of liver
6 아래대정맥 Inferior vena cava
7 간의 무장막구역 Bare area of liver
8 간원인대파임과 낫인대 Notch for ligamentum teres and falciform ligament
9 간원인대 Ligamentum teres
10 낫인대 Falciform ligament of liver
11 간의 네모엽 Quadrate lobe of liver
12 온간관 Common hepatic duct
13 간의 왼엽 Left lobe of liver
14 고유간동맥 Hepatic artery proper
15 온쓸개관 Common bile duct
16 간문맥 Portal vein
(14–16: 간세동이 Portal triad)
17 간의 꼬리엽 Caudate lobe of liver
18 정맥관인대 Ligamentum venosum
19 아래대정맥인대 Ligament of inferior vena cava
20 간섬유띠(왼세모인대) Appendix fibrosa (left triangular ligament)
21 관상인대 Coronary ligament of liver
22 간정맥 Hepatic veins
23 간문 Porta hepatis
24 간동맥 Hepatic arteries

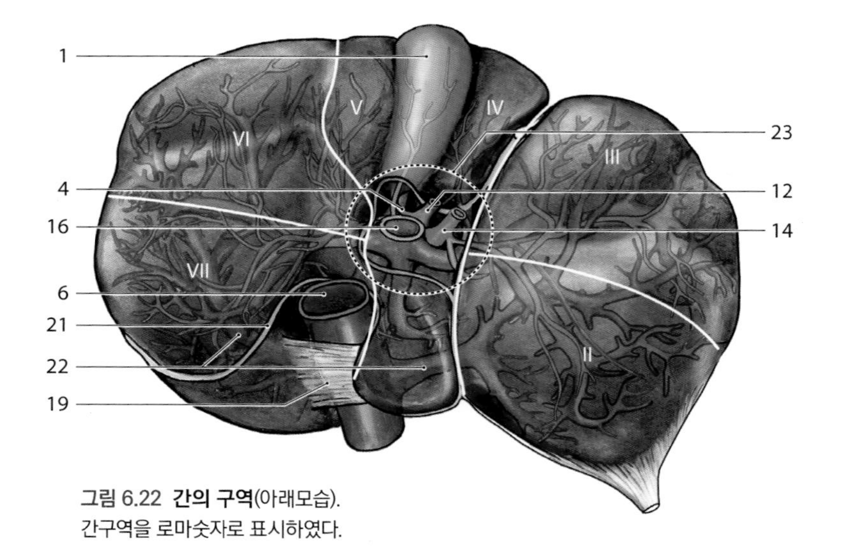

그림 6.22 **간의 구역**(아래모습). 간구역을 로마숫자로 표시하였다.

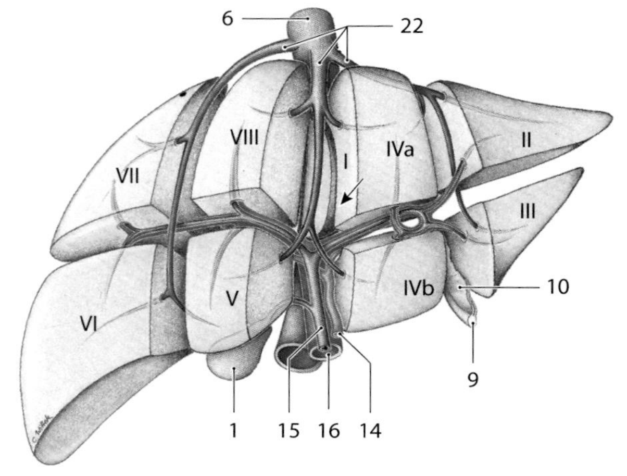

그림 6.23 **간의 구역**(앞모습). 간구역을 로마숫자로 표시하였다.

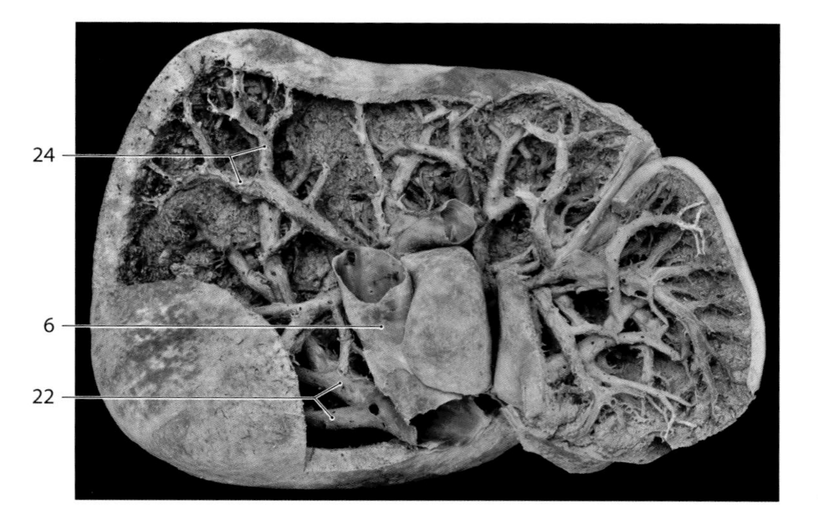

수술로 구역마다 절제가 가능하므로 여덟 개의 기능적 간구역은 임상적으로 매우 중요하다. 간의 표면에서 간구역은 보이지 않는다. 여덟 개의 기능적 간구역에는 간세동이(고유간동맥, 온쓸개관, 간문맥)의 가지가 하나씩 분포한다.

그림 6.24 **간의 구역**(아래모습). 간동맥과 간정맥의 해부.

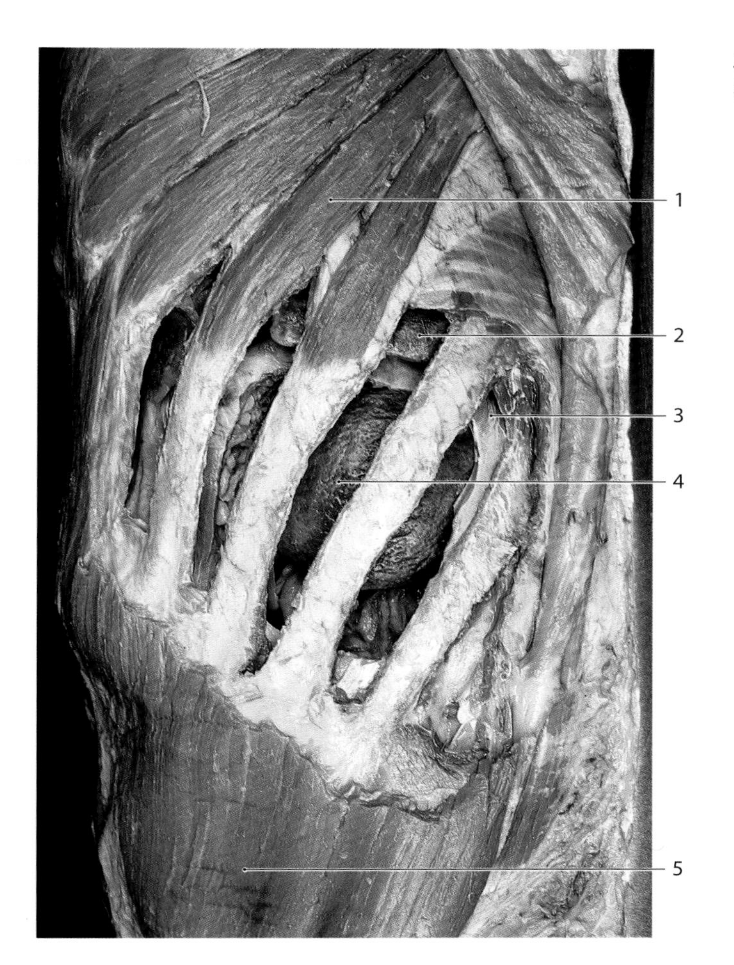

그림 6.25 **제자리의 지라(비장)**(왼가쪽모습). 갈비사이공간과 가로막에 창을 내었다.

1 앞톱니근 Serratus anterior muscle
2 왼허파(좌폐) Left lung
3 가로막 Diaphragm
4 지라(비장) Spleen
5 배바깥빗근 External abdominal oblique muscle
6 위지라인대 Gastrosplenic ligament
7 지라동맥(비장동맥) Splenic artery
8 이자꼬리(췌장꼬리) Tail of pancreas
9 지라(비장)의 위모서리 Superior margin of spleen
10 지라(비장)의 앞모서리 Anterior border of spleen
11 허파모서리(폐모서리) Border of lung
12 간구역 Area of liver
13 위구역 Area of stomach
14 열째갈비뼈 Tenth rib
15 열한째갈비뼈 Eleventh rib
16 열두째갈비뼈 Twelfth rib

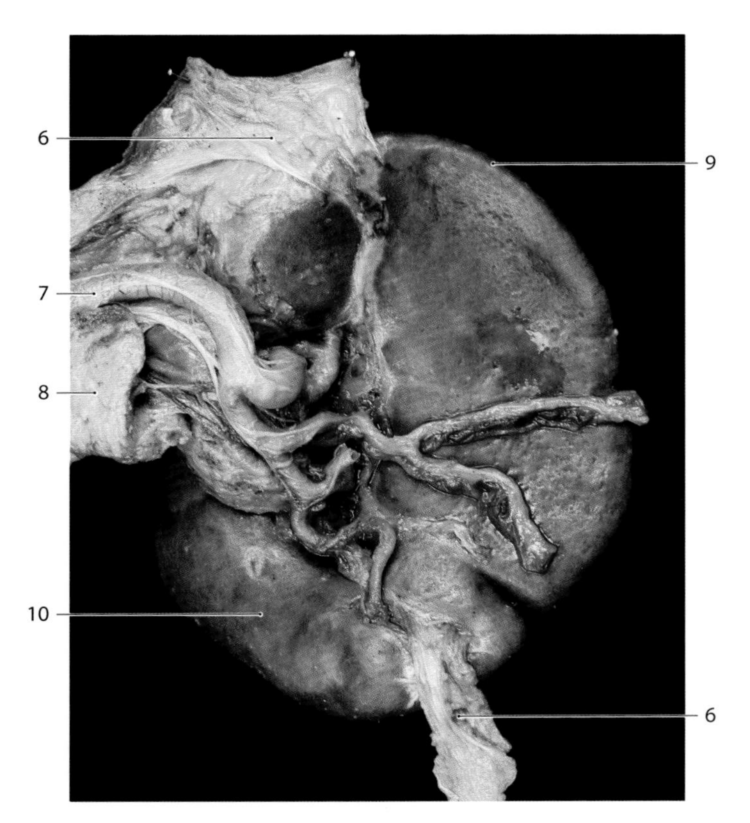

그림 6.26 **지라(비장)**(내장면). 지라문의 혈관, 신경 및 인대.

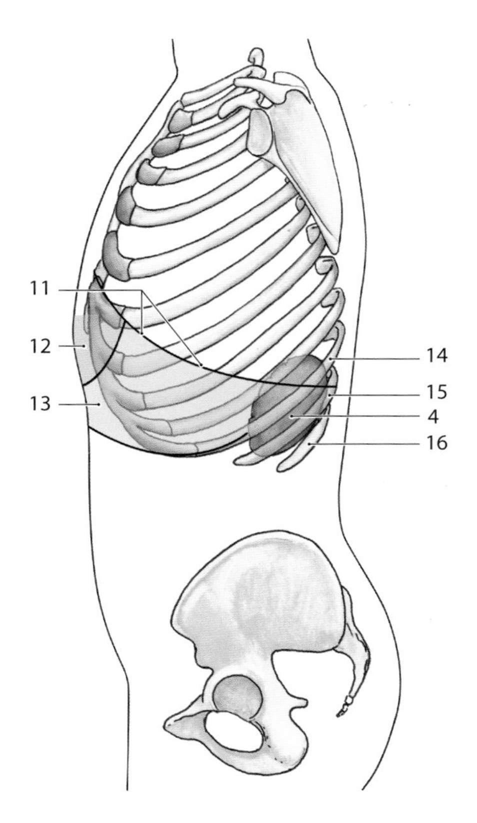

그림 6.27 **지라(비장)의 위치**(왼가쪽모습).

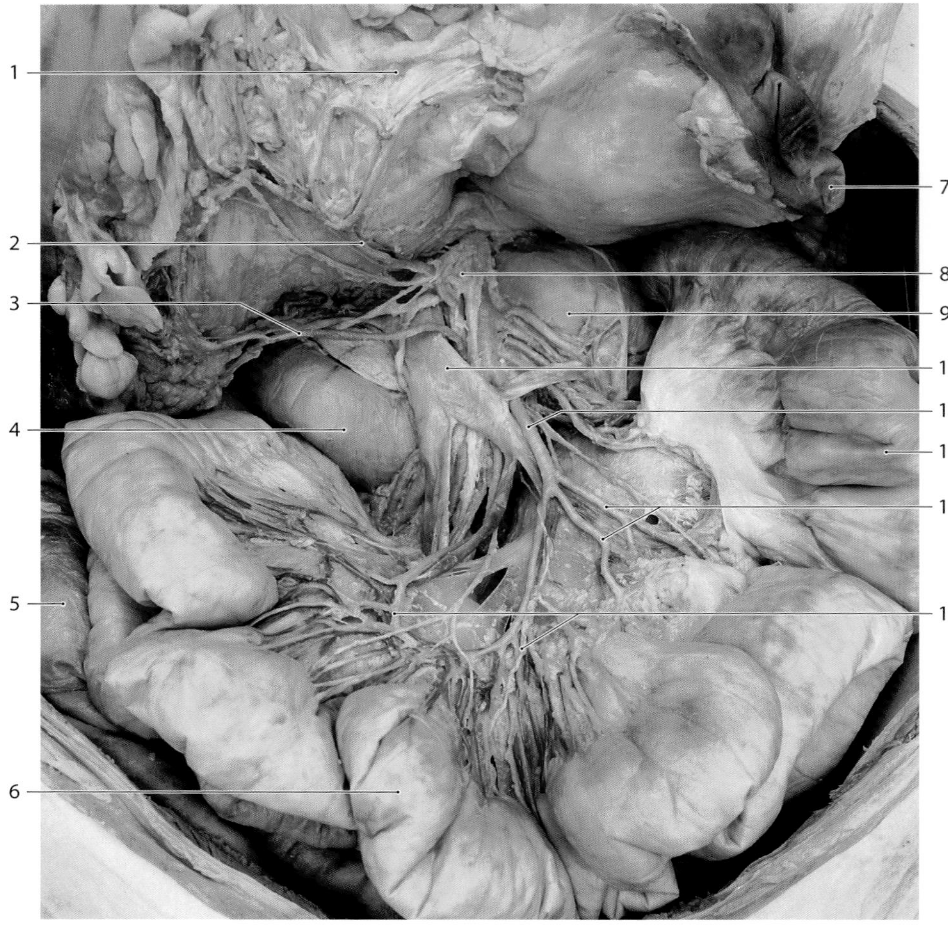

그림 6.28 **위배안기관과 소장의 혈관**(앞모습). 위창자간막동맥과 정맥의 해부. 큰그물막과 가로잘록창자(횡행결장)는 위로 젖혔다.

1 큰그물막 Greater omentum
2 중간잘록창자동맥 Middle colic artery
3 오른잘록창자동맥 Right colic artery
4 샘창자(십이지장) Duodenum
5 내림잘록창자(하행결장) Ascending colon
6 돌창자(회장) Ileum
7 가로잘록창자(횡행결장) Transverse colon
8 복강신경얼기 Celiac plexus
9 샘빈창자굽이 Duodenojejunal flexure
10 위창자간막정맥 Superior mesenteric vein
11 위창자간막동맥 Superior mesenteric artery
12 빈창자(공장) Jejunum
13 빈창자동맥 Jejunal arteries
14 돌창자동맥(회장동맥) Ileal arteries
15 간 Liver
16 복강동맥과 배대동맥
Celiac trunk and abdominal aorta
17 쓸개(담낭) Gallbladder
18 이자(췌장) Pancreas
19 돌잘록창자동맥(회결장동맥) Ileocolic artery
20 위 Stomach
21 지라(비장) Spleen
22 왼잘록창자굽이 Left colic flexure
23 막창자꼬리동맥(충수동맥) Appendicular artery
24 막창자꼬리(충수) Vermiform appendix
25 척수신경절 Spinal ganglion
26 교감신경절 Sympathetic ganglion
27 갈비사이동맥과 정맥 Intercostal artery and vein
28 갈비사이신경 Intercostal nerve
29 내장신경 Splanchnic nerves
30 교감신경줄기 Sympathetic trunk
31 교통가지 Rami communicantes
32 오른미주신경줄기 Right vagal trunk
33 왼미주신경줄기 Left vagal trunk
34 가로막 Diaphragm
35 식도 Esophagus
36 복강동맥과 복강신경얼기
Celiac trunk with celiac plexus
37 콩팥신경얼기 Renal plexus
38 창자간막신경얼기 Mesenteric plexus
39 가슴대동맥 Thoracic aorta

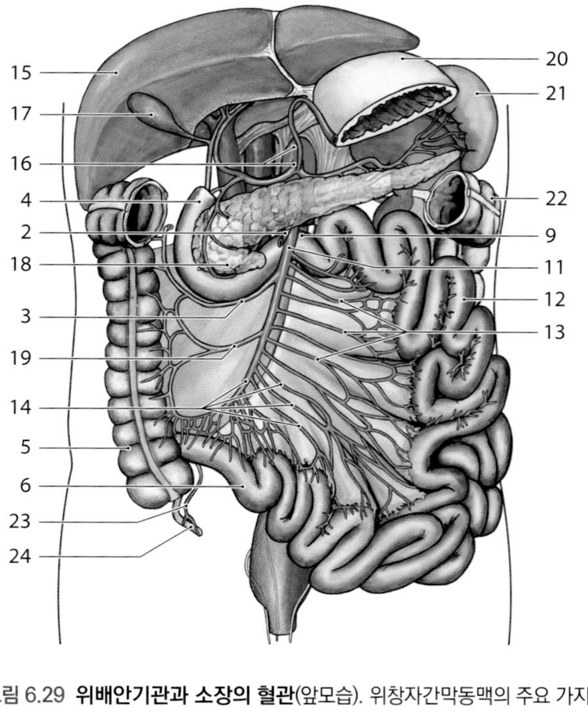

그림 6.29 **위배안기관과 소장의 혈관**(앞모습). 위창자간막동맥의 주요 가지.

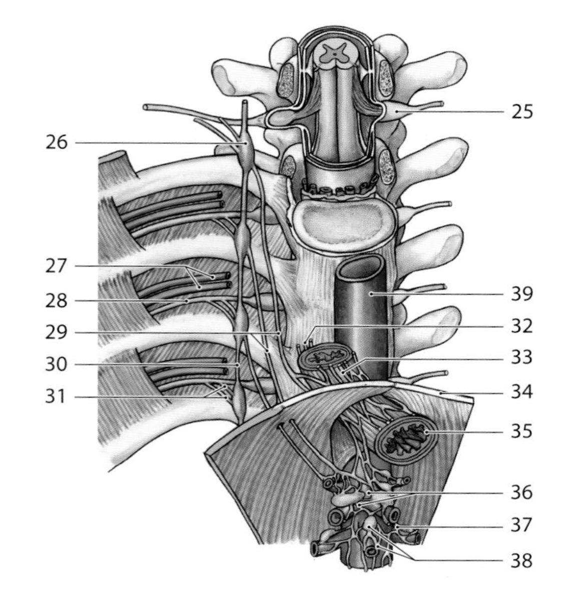

그림 6.30 **복강, 콩팥(신장) 및 위창자간막신경얼기의 가지**가 혈관과 함께 분포 기관을 향해 주행한다.

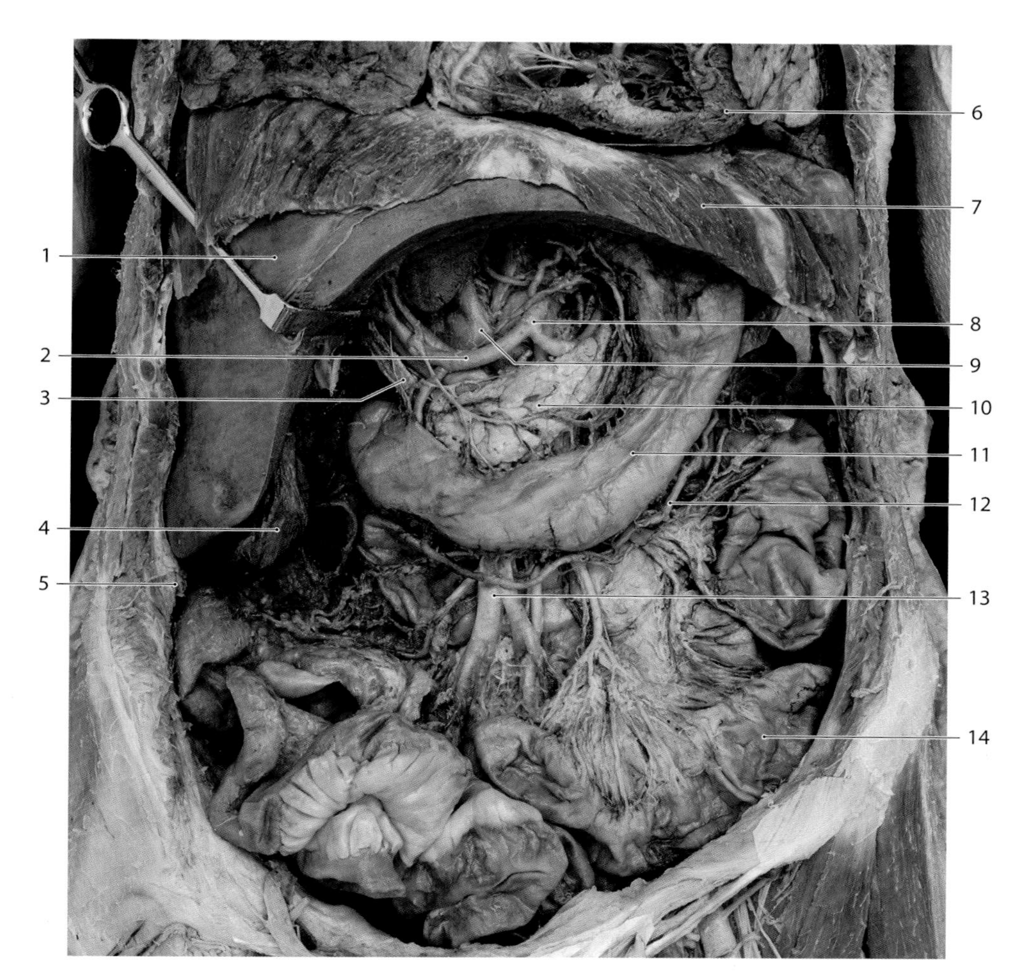

그림 6.31 **위배안기관과 소장의 혈관** (앞모습). 위창자간막정맥의 해부. 간은 해부하여 위로 젖혔다.

1 간 Liver
2 온간동맥 Common hepatic artery
3 간관 Hepatic duct
4 쓸개(담낭) Gallbladder
5 큰샘창자유두 Major duodenal papilla
6 심장끝 Apex of the heart
7 가로막 Diaphragm
8 복강동맥 Celiac trunk
9 아래대정맥 Inferior vena cava
10 이자(췌장) Pancreas
11 위 Stomach
12 위그물막동맥 Gastro-omental (gastro-epiploic) artery
13 위창자간막정맥 Superior mesenteric vein
14 소장 Small intestine
15 빈창자정맥 Jejunal vein
16 위창자간막동맥 Superior mesenteric artery
17 창자림프관 Intestinal lymphatic vessels
18 위창자간막신경얼기 Superior mesenteric plexus
19 위창자간막동맥의 가지 Branches of superior mesenteric artery

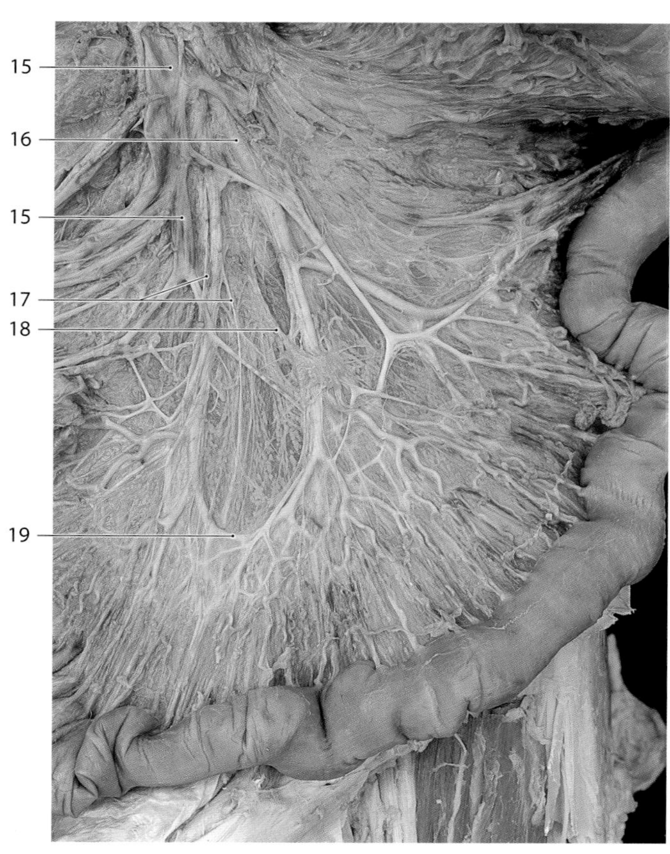

그림 6.31 **소장의 혈관과 림프관(앞모습).**
소장 옆에 있는 창자간막동맥의 동맥활에 주목하시오.

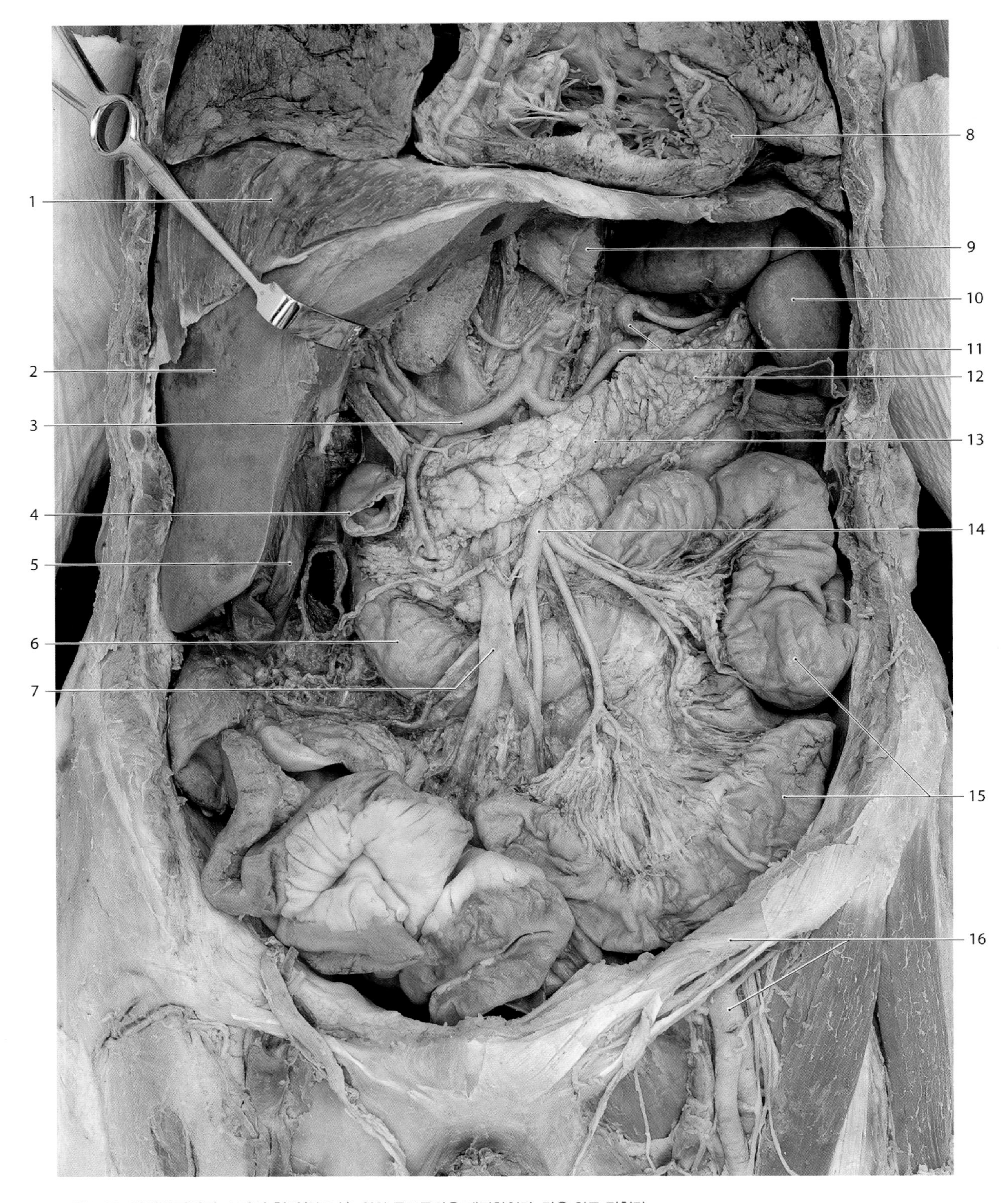

그림 6.33 **위배안기관과 소장의 혈관**(앞모습). 위와 큰그물막은 제거하였다. 간은 위로 젖혔다.

1 가로막 Diaphragm
2 간 Liver
3 온간동맥 Common hepatic artery
4 샘창자(십이지장) Duodenum
5 쓸개(담낭) Gallbladder
6 아래샘창자굽이 Inferior duodenal flexure
7 위창자간막정맥 Superior mesenteric vein
8 심장끝 Apex of the heart
9 식도(배안부분) Esophagus (abdominal part)
10 지라(비장) Spleen
11 지라동맥(비장동맥) Splenic artery
12 이자꼬리(췌장꼬리) Tail of pancreas
13 이자(췌장) Pancreas
14 위창자간막동맥 Superior mesenteric artery
15 소장 Small intestine
16 고샅인대와 넓적다리동맥 Inguinal ligament and femoral artery

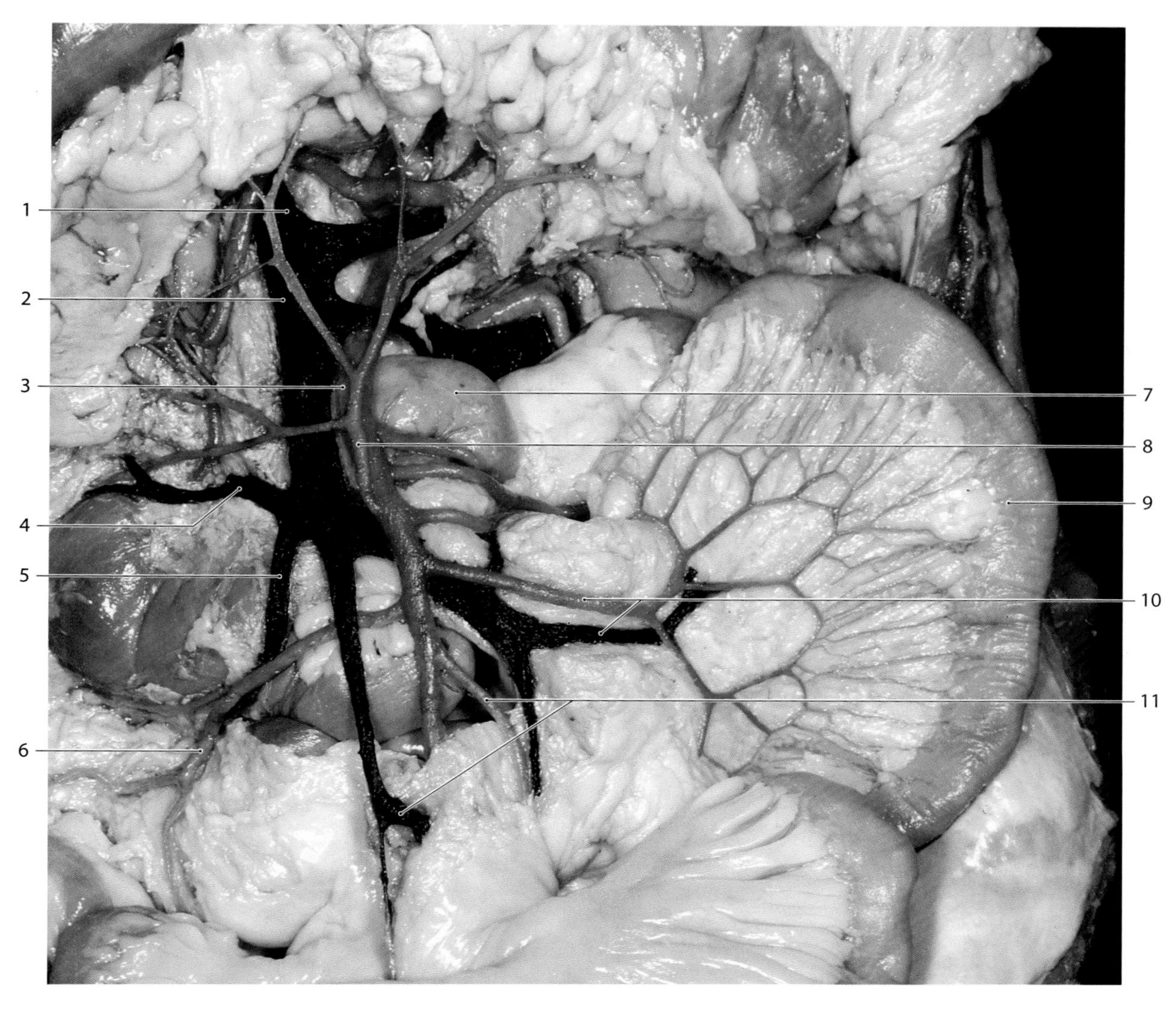

그림 6.34 **문맥계통의 해부**(앞모습). 파란색 = 간문맥의 지류, 붉은색 = 위창자간막동맥의 가지

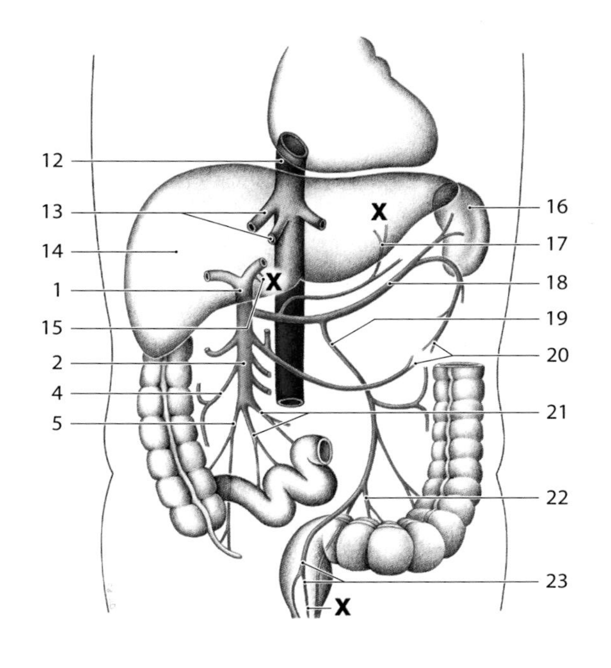

1 간문맥 Portal vein
2 위창자간막정맥 Superior mesenteric vein
3 위창자간막동맥 Superior mesenteric artery
4 오른잘록창자정맥 Right colic vein
5 돌잘록창자정맥 Ileocolic vein
6 돌잘록창자동맥(회결장동맥) Ileocolic artery
7 샘빈창자굽이 Duodenojejunal flexure
8 중간잘록창자동맥 Middle colic artery
9 빈창자(공장) Jejunum
10 빈창자동맥과 정맥 Jejunal arteries and veins
11 돌창자동맥(회장동맥)과 정맥 Ileal arteries and veins
12 아래대정맥 Inferior vena cava
13 간정맥 Hepatic veins
14 간 Liver
15 배꼽옆정맥(간원인대 주위에 있음) Para-umbilical veins (located within the ligamentum teres)
16 지라(비장) Spleen
17 왼위정맥과 식도가지 Left gastric vein with esophageal branches
18 지라정맥(비장정맥) Splenic vein
19 아래창자간막정맥 Inferior mesenteric vein
20 위그물막정맥 Gastro-omental veins
21 돌창자정맥 Ileal veins
22 구불잘록창자정맥 Sigmoid veins
23 위곧창자정맥 Superior rectal vein

그림 6.35 **간문맥의 주요 지류**(앞모습).
파란색 = 간문맥의 지류, 보라색 = 아래대정맥, X = 문맥대정맥연결 위치.

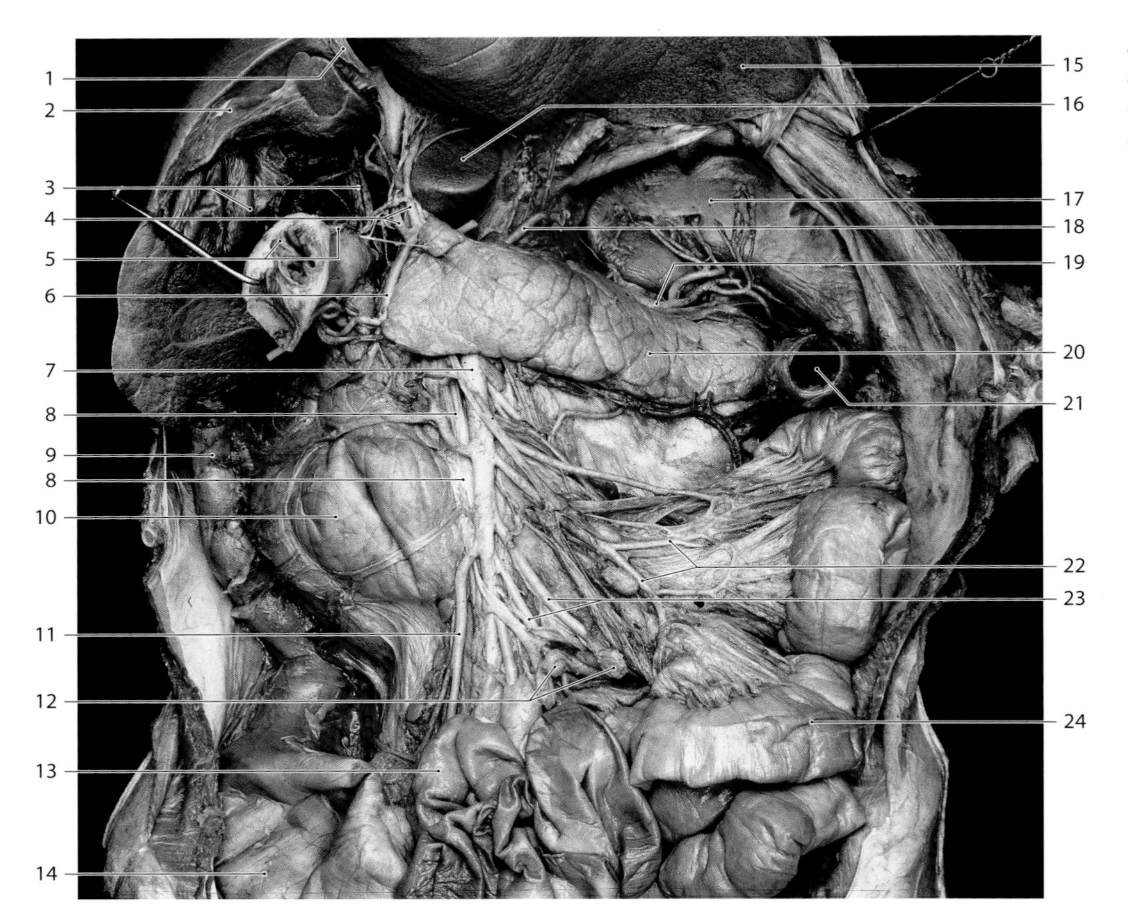

그림 6.36 **위창자간막혈관과 이자(췌장), 샘창자(십이지장)의 관계**(앞모습). 위와 가로잘록창자(횡행결장)를 제거하고 간을 들어올렸다. 지라(비장)의 위치에 주목하시오. 노란 더듬자를 그물막구멍에 넣었다.

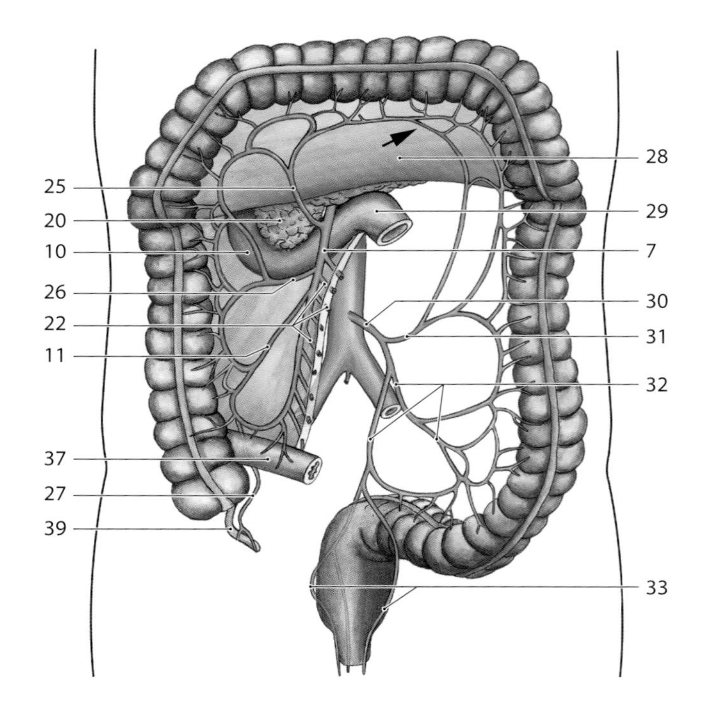

그림 6.37 **위 및 아래창자간막동맥의 주요 가지.** 화살표 = 리오랑연결(Riolan's anastomosis).

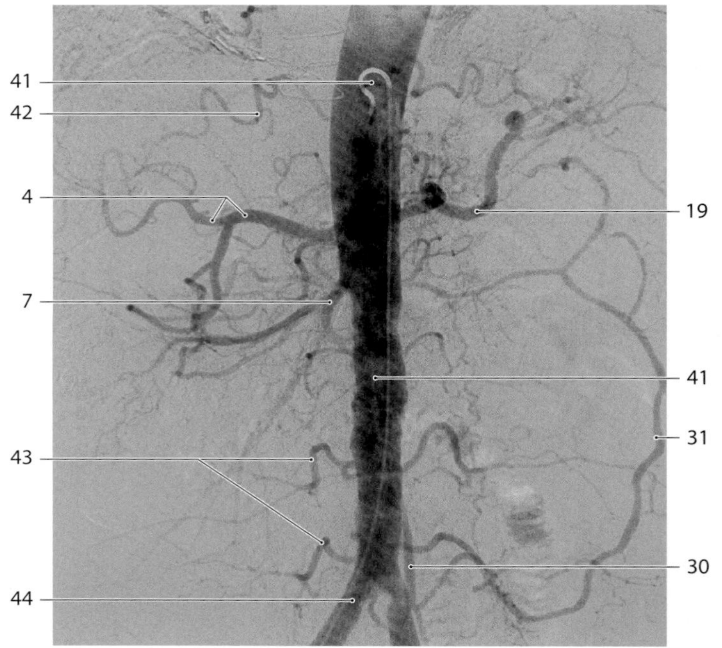

그림 6.38 **배대동맥의 동맥조영상(arteriogram).** 대동맥의 먼쪽 부위에서 경화성 변화(sclerotic change)가 보인다.

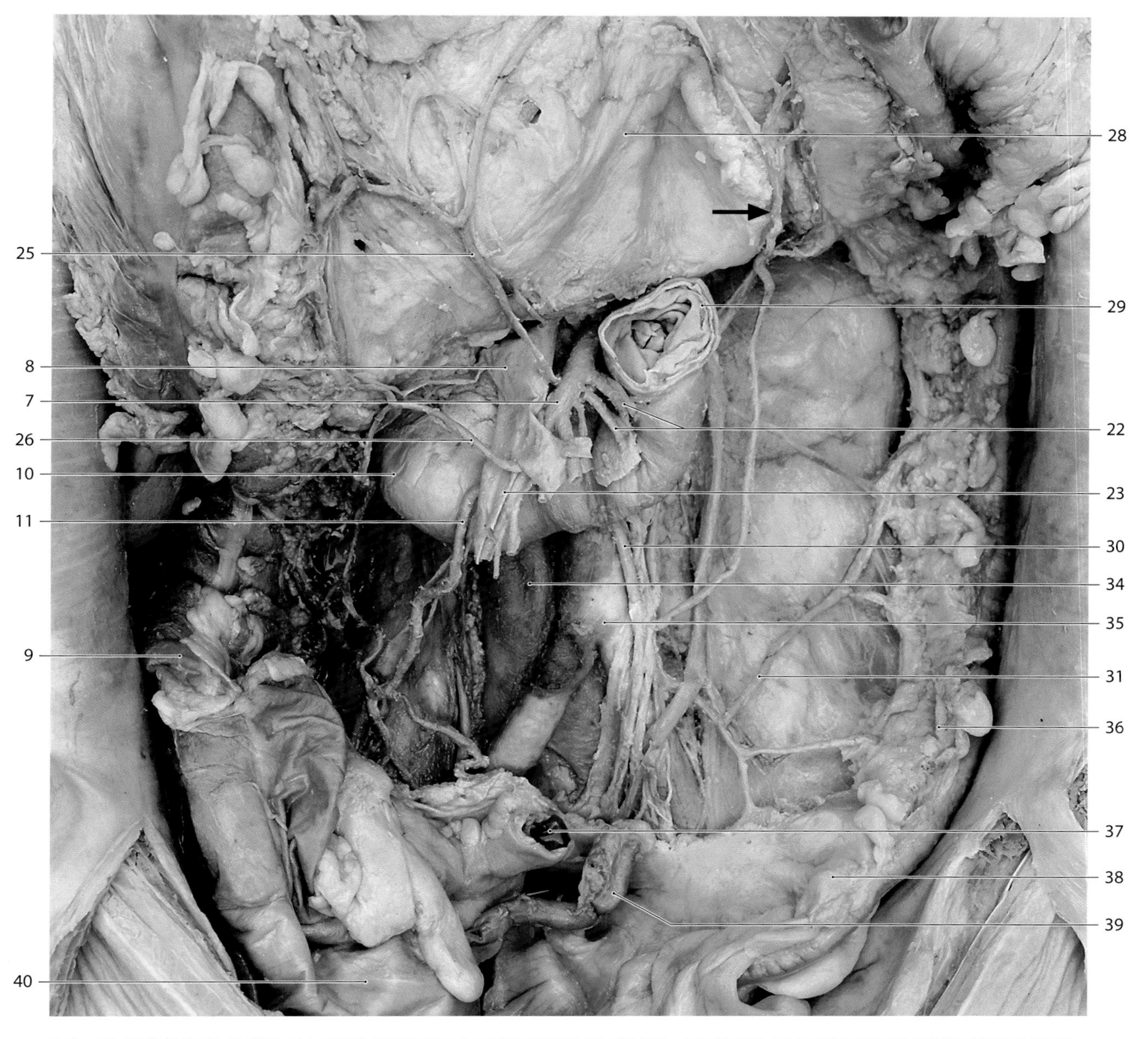

그림 6.39 **복막뒤기관의 혈관**(앞모습). 아래창자간막동맥과 중간창자동맥연결 해부(화살표 = 리오랑연결). 큰그물막과 가로잘록창자(횡행결장)를 젖혔고, 소장 일부를 제거하였다. 막창자꼬리(충수)는 흔히 막창자(맹장)의 뒤쪽에 위치하지만, 이 경우는 막창자(맹장)의 앞쪽에 위치한다. 오른온엉덩동맥이 혈전에 부분적으로 막혀있다.

1 간원인대 Round ligament of the liver
2 간 Liver
3 쓸개(담낭)와 온쓸개관
Gallbladder and common bile duct
4 고유간동맥과 간문맥
Hepatic artery proper and portal vein
5 오른위동맥과 날문
Right gastric artery and pylorus
6 위샘창자동맥(위십이지장동맥)
Gastroduodenal artery
7 위창자간막동맥 Superior mesenteric artery
8 위창자간막정맥 Superior mesenteric vein
9 오름잘록창자(상행결장) Ascending colon
10 샘창자(십이지장) Duodenum
11 돌잘록창자동맥(회결장동맥) Ileocolic artery
12 림프절 Lymph nodes
13 돌창자(회장) Ileum
14 막창자(맹장) Cecum
15 간의 왼엽 Left lobe of liver
16 간의 꼬리엽 Caudate lobe of liver
17 지라(비장) Spleen
18 왼위동맥 Left gastric artery
19 지라동맥(비장동맥) Splenic artery
20 이자(췌장) Pancreas
21 왼잘록창자굽이(잘림) Left colic flexure (cut)
22 빈창자동맥 Jejunal arteries
23 돌창자동맥(회장동맥) Ileal arteries
24 빈창자(공장) Jejunum
25 중간잘록창자동맥 Middle colic artery
26 오른잘록창자동맥 Right colic artery
27 막창자꼬리동맥(충수동맥) Appendicular artery
28 가로잘록창자간막(횡행결장간막)
Transverse mesocolon
29 샘빈창자굽이 Duodenojejunal flexure
30 아래창자간막동맥 Inferior mesenteric artery
31 왼잘록창자동맥 Left colic artery
32 구불잘록창자동맥 Sigmoid arteries
33 위곧창자동맥 Superior rectal arteries
34 아래대정맥 Inferior vena cava
35 배대동맥 Abdominal aorta
36 내림잘록창자(하행결장) Descending colon
37 돌창자(회장) Ileum
38 구불잘록창자(구불결장) Sigmoid colon
39 막창자꼬리(충수) Vermiform appendix
40 막창자(맹장) Cecum
41 배대동맥 Abdominal aorta
42 위부신동맥 Superior suprarenal artery
43 허리동맥 Lumbar arteries
44 온엉덩동맥 Common iliac artery

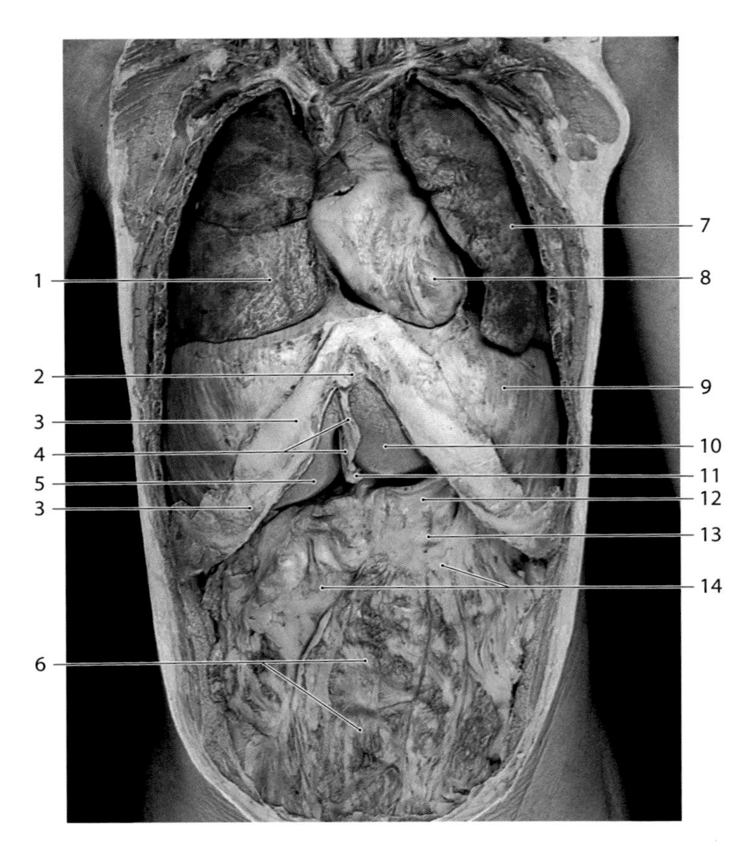

1 오른허파(우폐)의 중간엽 Middle lobe of right lung
2 칼돌기 Xiphoid process
3 갈비모서리 Costal margin
4 낫인대 Falciform ligament of liver
5 간의 네모엽 Quadrate lobe of liver
6 큰그물막 Greater omentum
7 왼허파(좌폐)의 위엽 Upper lobe of left lung
8 심장 Heart
9 가로막 Diaphragm
10 간의 왼엽 Left lobe of liver
11 간원인대 Ligamentum teres
12 위 Stomach
13 위잘록창자인대 Gastrocolic ligament
14 가로잘록창자(횡행결장) Transverse colon
15 잘록창자띠 Taenia coli
16 복막주렁 Appendices epiploicae
17 막창자(맹장) Cecum
18 잘록창자띠 Taenia coli
19 돌창자(회장) Ileum
20 가로잘록창자간막(횡행결장간막) Transverse mesocolon
21 빈창자(공장) Jejunum
22 구불잘록창자(구불결장) Sigmoid colon
23 창자간막뿌리(장간막뿌리)의 위치
Position of root of mesentery
24 막창자꼬리(충수) Vermiform appendix
25 샘빈창자굽이 Duodenojejunal flexure
26 창자간막(장간막) Mesentery

그림 6.40 **배안기관**(앞모습). 앞가슴벽과 앞배벽을 제거하였다.

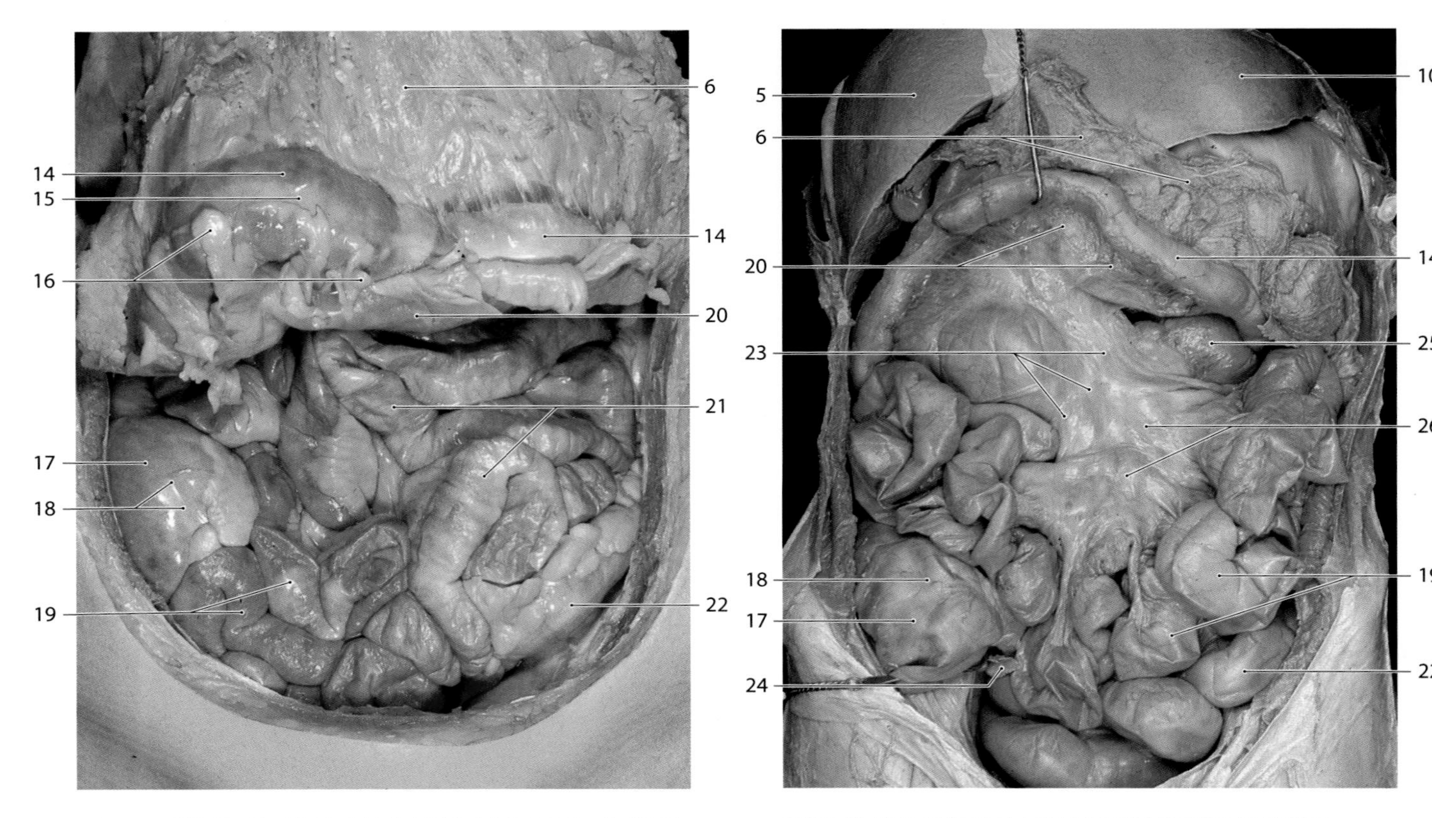

그림 6.41 **배안기관**(앞모습). 가로잘록창자(횡행결장)에 붙은 큰그물막을 위로 올렸다.

그림 6.42 **배안기관**(앞모습). 가로잘록창자(횡행결장)를 위로 젖혔다.

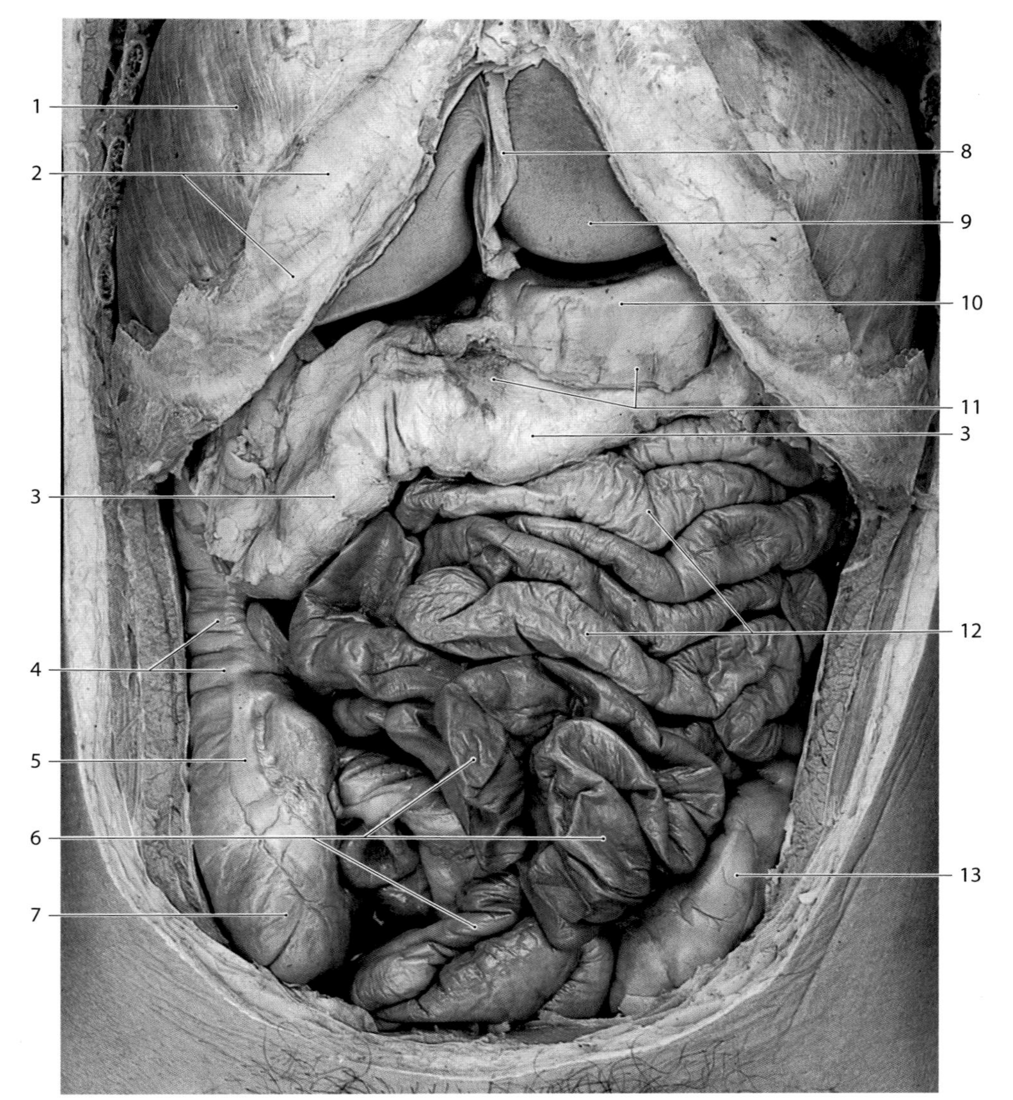

1 가로막 Diaphragm
2 갈비모서리 Costal margin
3 가로잘록창자(횡행결장) Transverse colon
4 오름잘록창자(상행결장)와 잘록창자팽대 (결장팽대) Ascending colon with haustra
5 막창자(맹장)의 자유띠 Free taenia of cecum
6 돌창자(회장) Ileum
7 막창자(맹장) Cecum
8 낫인대 Falciform ligament of liver
9 간 Liver
10 위 Stomach
11 간잘록창자인대 Gastrocolic ligament
12 빈창자(공장) Jejunum
13 구불잘록창자(구불결장) Sigmoid colon
14 돌막창자판막(회맹판막) Ileocecal valve
15 돌창자구멍(회장구멍) Ileal ostium
16 돌창자구멍주름띠 Frenulum of ileal opening
17 막창자꼬리구멍(더듬자) Ostium of vermiform appendix (probe in Fig. 6.44)
18 돌잘록창자동맥(회결장동맥) Ileocolic artery
19 돌창자(회장) 끝부분 Terminal ileum
20 막창자꼬리동맥(충수동맥) Appendicular artery
21 막창자꼬리(충수) Vermiform appendix
22 막창자꼬리간막(충수간막) Meso-appendix
23 창자간막(장간막) Mesentery

그림 6.43 **배안기관**(앞모습). 큰그물막을 제거하였다.

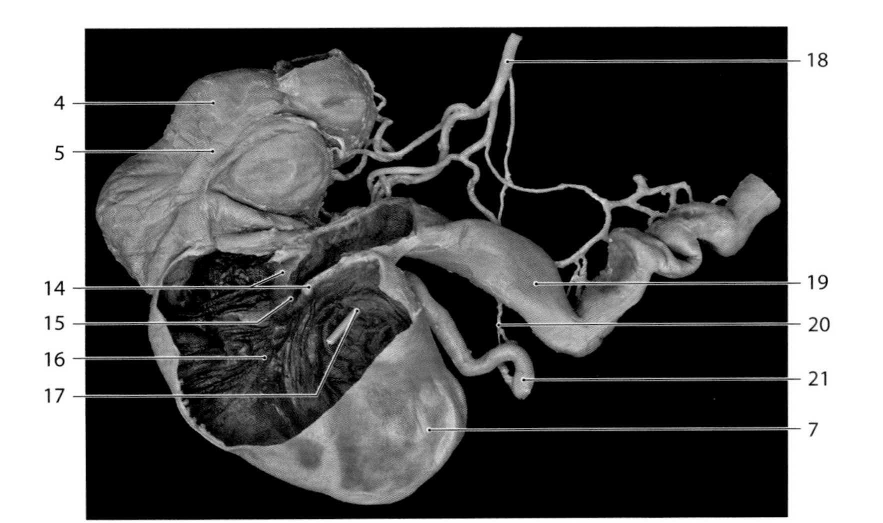

그림 6.44 **오름잘록창자(상행결장), 막창자(맹장) 및 막창자꼬리(충수).** 막창자(맹장)를 열었다. 막창자꼬리(충수)의 입구에 있는 더듬자를 확인하시오.

a = 막창자뒤 retrocecal
b = 잘록창자옆 paracolic
c = 돌창자뒤 retro-ileal
d = 돌창자앞 pre-ileal
e = 막창자아래 subcecal

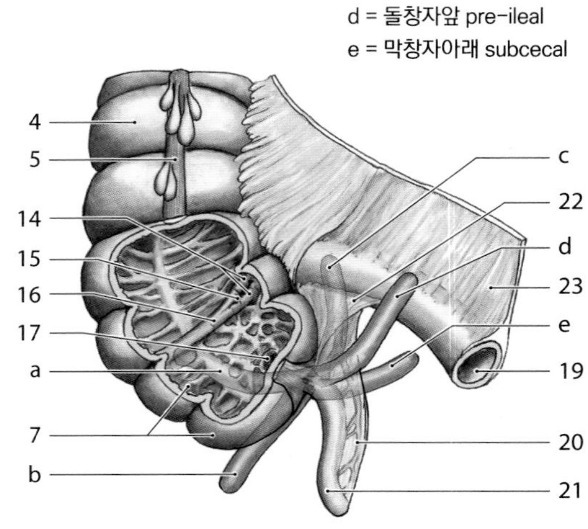

그림 6.45 **막창자꼬리(충수)의 위치 변이.** 막창자(맹장)를 열어 돌창자입구를 볼 수 있도록 하였다.

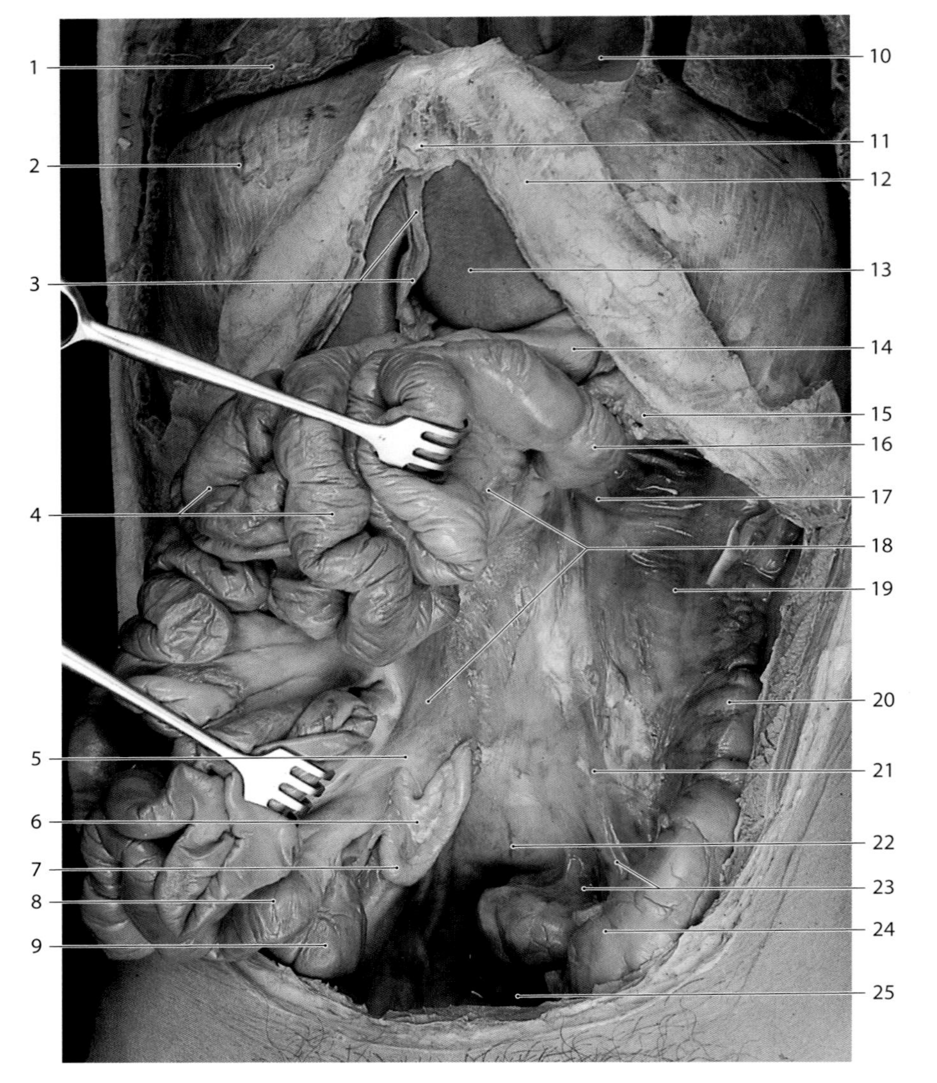

그림 6.46 **배안기관과 창자간막(장간막)**(앞모습). 창자간막(장간막)이 드러나도록 소장을 가쪽으로 젖혔다.

1 허파(폐) Lung
2 가로막 Diaphragm
3 낫인대 Falciform ligament of liver
4 빈창자(공장) Jejunum
5 돌막창자주름(회맹장주름) Ileocecal fold
6 막창자꼬리간막(충수간막) Meso-appendix
7 막창자꼬리(충수) Vermiform appendix
8 돌창자(회장) 끝부분 Terminal ileum
9 막창자(맹장) Cecum
10 심장막주머니 Pericardial sac
11 칼돌기 Xiphoid process
12 갈비모서리 Costal margin
13 간 Liver
14 위 Stomach
15 가로잘록창자(횡행결장) Transverse colon
16 샘빈창자굽이 Duodenojejunal flexure
17 아래샘창자주름 Inferior duodenal fold
18 창자간막(장간막) Mesentery
19 왼콩팥(좌신장)의 위치 Position of left kidney
20 내림잘록창자(하행결장) Descending colon
21 왼온엉덩동맥의 위치 Position of left common iliac artery
22 엉치뼈곶 Sacral promontory
23 구불잘록창자간막(구불결장간막) Sigmoid mesocolon
24 구불잘록창자(구불결장) Sigmoid colon
25 곧창자(직장) Rectum
26 빈창자(공장)의 시작부분 Beginning of jejunum
27 뒤배벽의 복막 Peritoneum of posterior abdominal wall
28 가로잘록창자간막(횡행결장간막) Transverse mesocolon
29 위샘창자주름 Superior duodenal fold
30 위샘창자오목 Superior duodenal recess
31 샘창자뒤오목 Retroduodenal recess
32 오름잘록창자(상행결장)의 자유띠 Free taenia of ascending colon
33 돌막창자판막(회맹판막) Ileocecal valve
34 돌막창자판막(회맹판막)의 주름띠 Frenulum of ileocecal valve
35 막창자꼬리구멍(더듬자) Orifice of vermiform appendix (probe)
36 돌잘록창자동맥(회결장동맥) Ileocolic artery
37 막창자꼬리(충수)와 막창자꼬리동맥(충수동맥) Vermiform appendix with appendicular artery
38 오름잘록창자(상행결장) Ascending colon

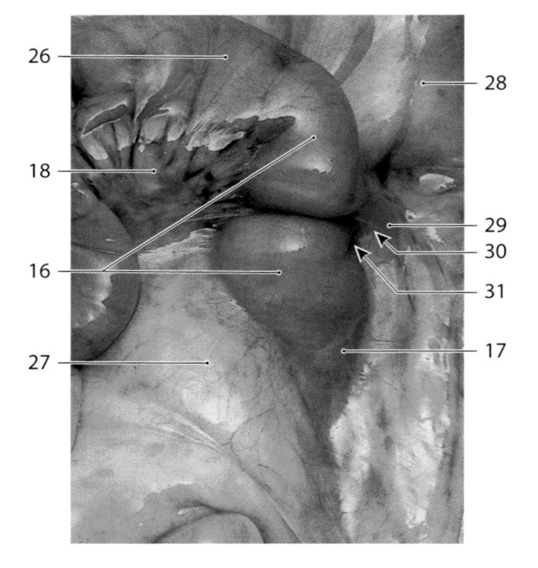

그림 6.47 **샘빈창자굽이**(자세히).

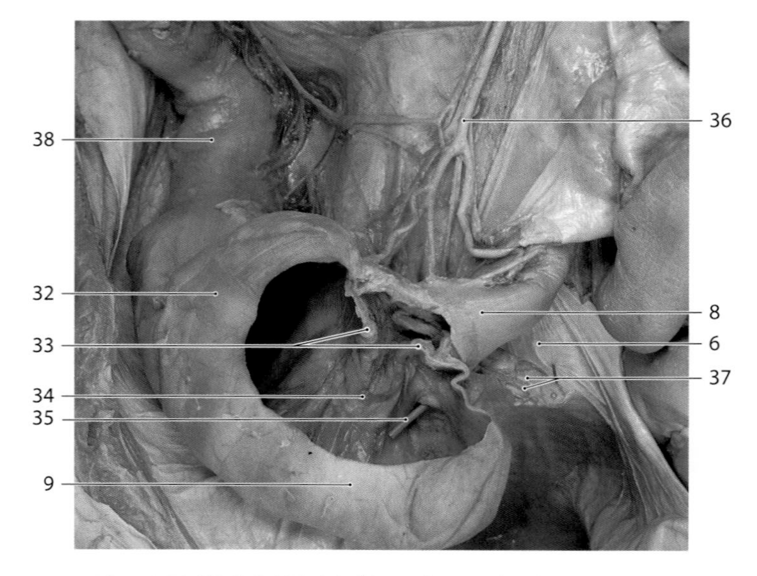

그림 6.48 **돌막창자판막(회맹판막)**(앞모습). 막창자(맹장)와 돌창자(회장)의 끝부분을 열었다.

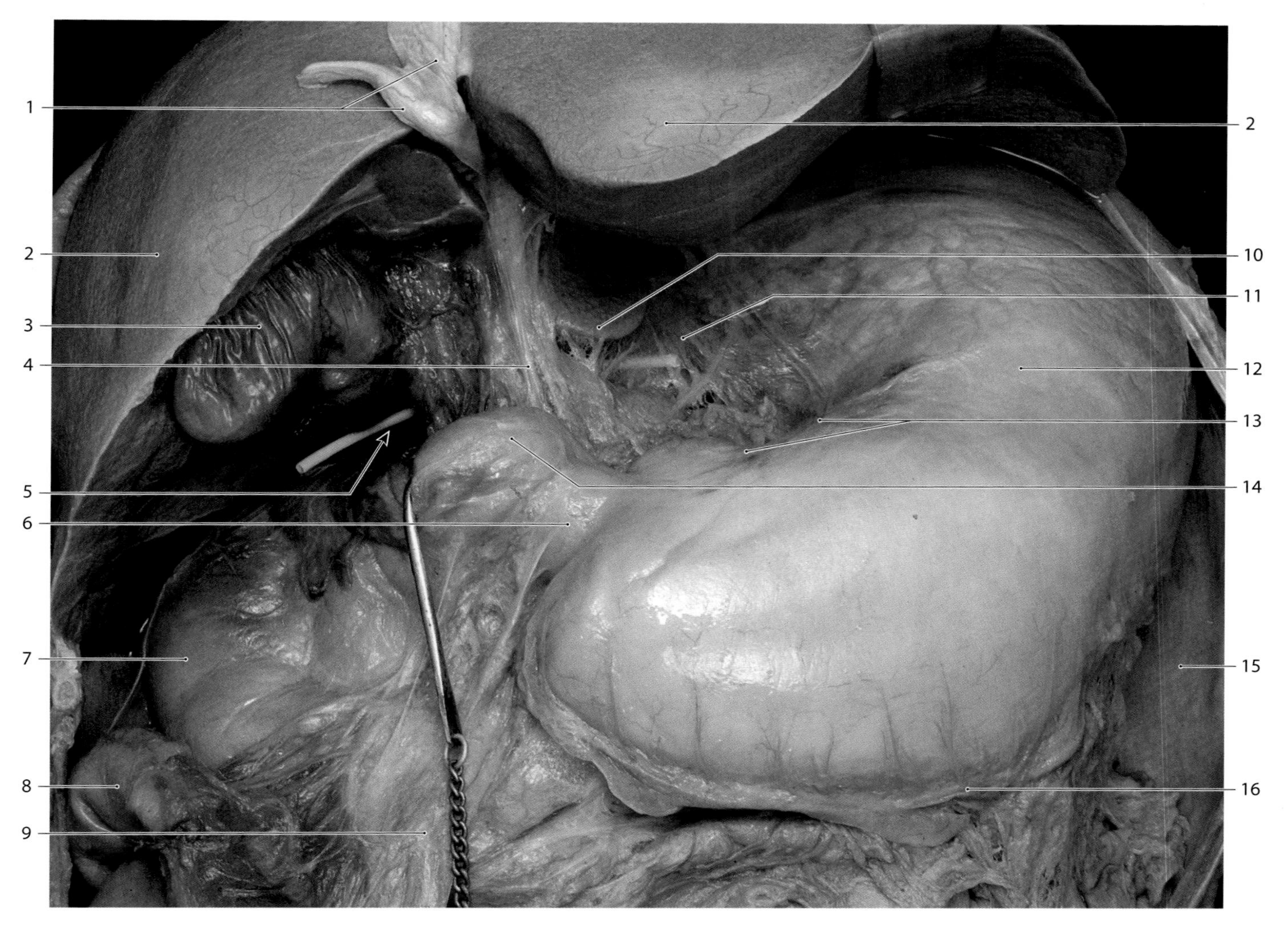

그림 6.49 **위배안기관**(앞모습). 가슴과 가로막의 앞부분을 제거하고 간을 들어 올려 작은그물막이 보이게 하였다. 그물막구멍과 그물막주머니로 더듬자를 넣었다.

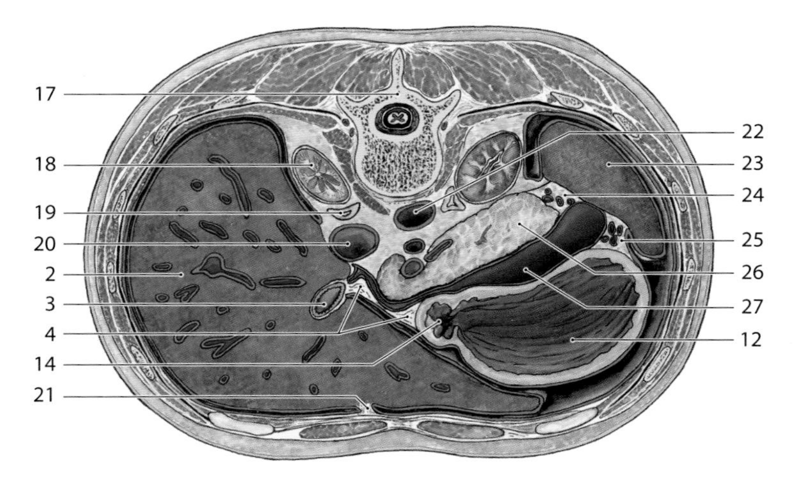

그림 6.50 **그물막주머니를 지나는 수평단면으로 그물막구멍보다 위쪽 높이**(위모습).

1 낫인대와 간원인대 Falciform ligament and round ligament of the liver
2 간 Liver
3 쓸개(바닥) Gallbladder (fundus)
4 간샘창자인대(간십이지장인대) Hepatoduodenal ligament
5 그물막구멍(더듬자) Epiploic foramen (probe)
6 날문 Pylorus
7 샘창자(십이지장)의 내림부분 Descending part of duodenum
8 오른잘록창자굽이 Right colic flexure
9 위잘록창자인대 Gastrocolic ligament
10 간의 꼬리엽(작은그물막 뒤)
Caudate lobe of liver (behind lesser omentum)
11 작은그물막 Lesser omentum
12 위 Stomach
13 위의 작은굽이 Lesser curvature of stomach
14 샘창자(십이지장)의 위부분 Superior part of duodenum
15 가로막 Diaphragm
16 위의 큰굽이와 위그물막혈관
Greater curvature of stomach with gastro-omental vessels
17 열두째등뼈 Twelfth thoracic vertebra
18 오른콩팥(우신장) Right kidney
19 오른부신 Right suprarenal gland
20 아래대정맥 Inferior vena cava
21 낫인대 Falciform ligament of liver
22 배대동맥 Abdominal aorta
23 지라(비장) Spleen
24 지라콩팥인대(비신장인대) Lienorenal ligament
25 위지라인대 Gastrosplenic ligament
26 이자(췌장) Pancreas
27 그물막주머니 Lesser sac (omental bursa)

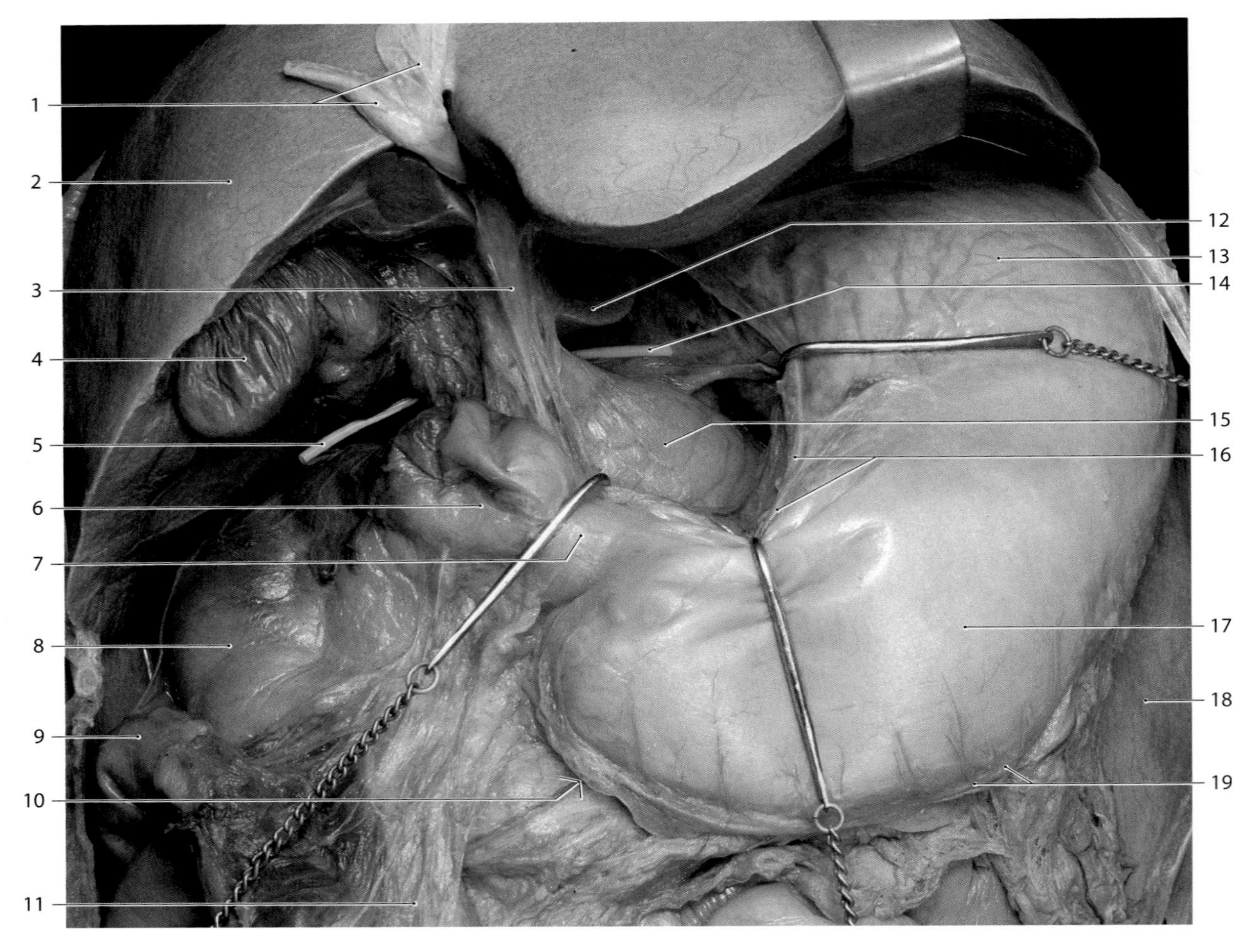

그림 6.51 **위배안기관**(앞모습). 그물막주머니. 작은그물막 일부를 제거하고 간과 위를 약간 젖혔다.

1 낫인대와 간원인대
Falciform ligament and round ligament of the liver
2 간 Liver
3 간샘창자인대(간십이지장인대) Hepatoduodenal ligament
4 쓸개(담낭) Gallbladder
5 그물막구멍의 더듬자 Probe within the epiploic foramen
6 샘창자(십이지장)의 위부분 Superior part of duodenum
7 날문 Pylorus
8 샘창자(십이지장)의 내림부분 Descending part of duodenum
9 오른잘록창자굽이 Right colic flexure
10 위잘록창자인대 Gastrocolic ligament
11 큰그물막 Greater omentum
12 간의 꼬리엽 Caudate lobe of liver
13 위바닥 Fundus of stomach
14 (그물막구멍을 통해) 그물막주머니의 안뜰로 들어간 더듬자
Probe at the level of the vestibule of lesser sac
(through epiploic foramen)
15 이자머리(췌장머리) Head of pancreas
16 위의 작은굽이 Lesser curvature of stomach
17 위몸통 Body of stomach
18 가로막 Diaphragm
19 큰굽이와 위그물막혈관 Greater curvature with gastro-omental vessels
20 이자머리(췌장머리)와 위이자주름
Head of pancreas and gastropancreatic fold
21 지라(비장) Spleen
22 이자꼬리(췌장꼬리) Tail of pancreas
23 왼잘록창자굽이 Left colic flexure
24 가로잘록창자간막(횡행결장간막)의 뿌리 Root of transverse mesocolon
25 가로잘록창자간막(횡행결장간막) Transverse mesocolon
26 위잘록창자인대(단면) Gastrocolic ligament (cut edge)
27 가로잘록창자(횡행결장) Transverse colon
28 배꼽 Umbilicus
29 소장 Small intestine
30 작은그물막 Lesser omentum
31 그물막주머니 Lesser sac (omental bursa)
32 샘창자(십이지장) Duodenum
33 창자간막(장간막) Mesentery
34 구불잘록창자(구불결장) Sigmoid colon

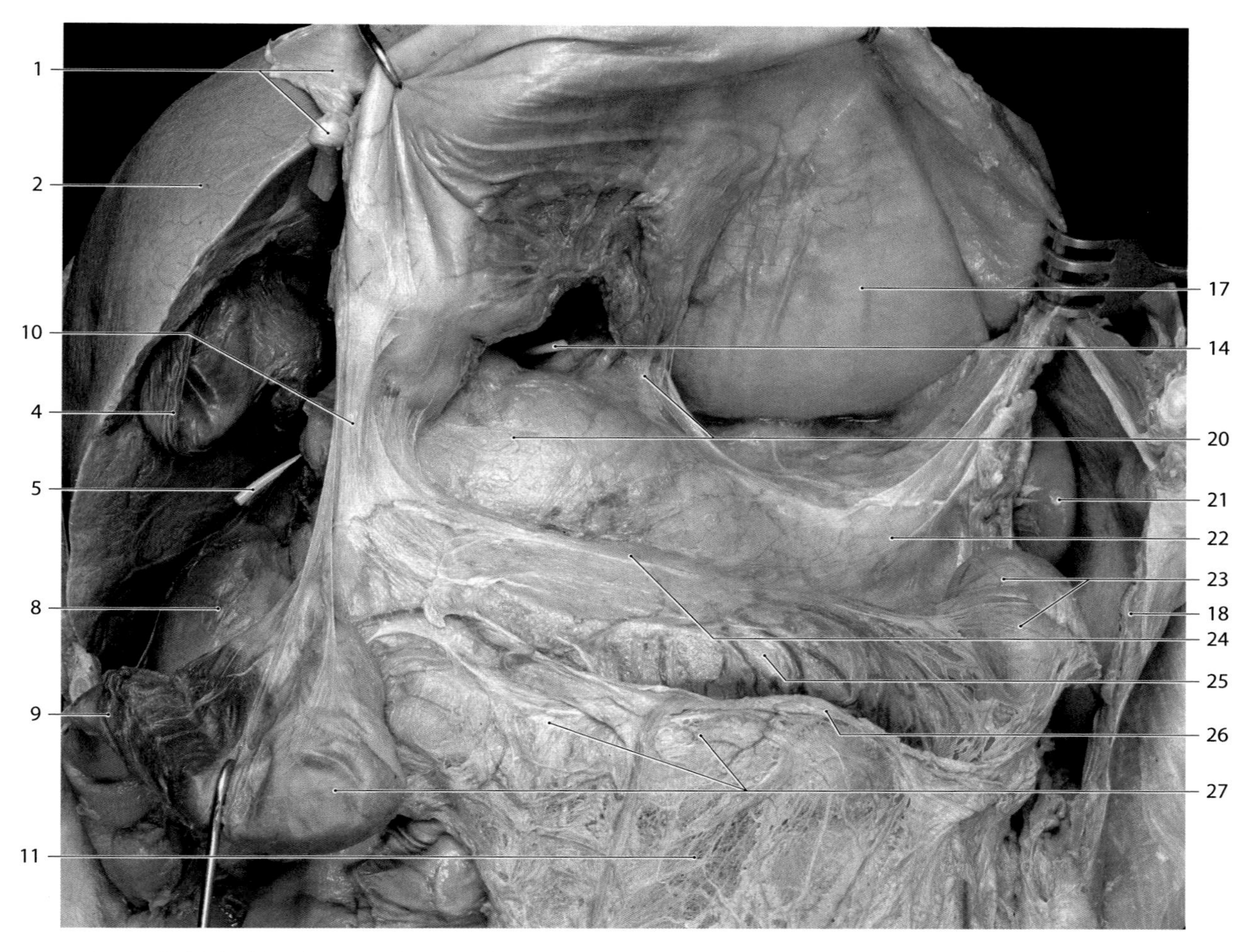

그림 6.52 **위배안기관**(앞모습). 그물막주머니. 위잘록창자인대를 자르고 위 전체를 들어 올려서 그물막주머니의 뒤벽이 보이게 하였다.

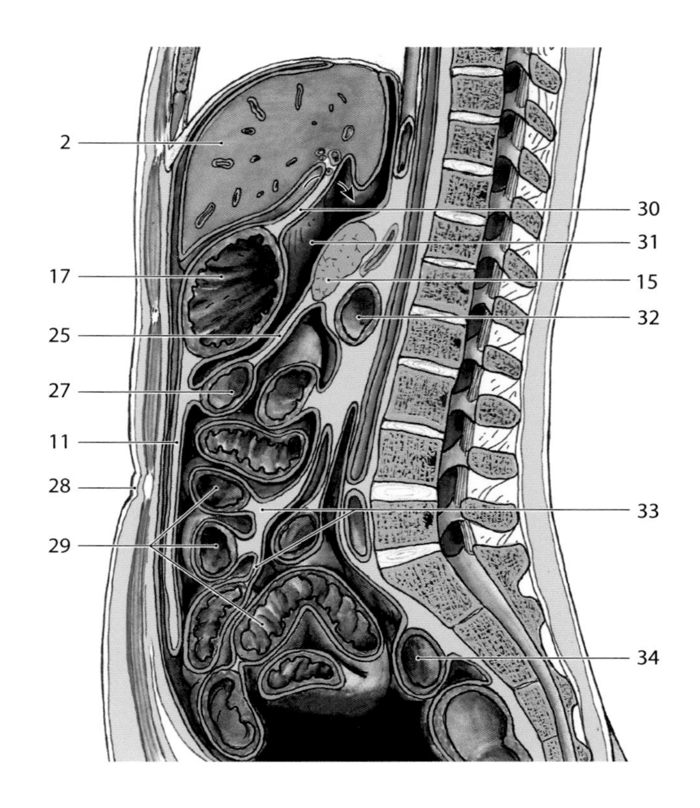

그림 6.53 **배안의 정중단면,** 그물막주머니의 위치를 표시하였음. 파란색 = 그물막주머니; 녹색 = 복막; 화살표 = 그물막주머니의 입구(그물막구멍).

그림 6.54 **위배안기관**(앞모습). 복강동맥. 작은그물막을 제거하고 위의 작은굽이를 젖혀서 복강동맥의 가지가 보이게 하였다. 그물막구멍 속에 더듬자가 놓여 있다.

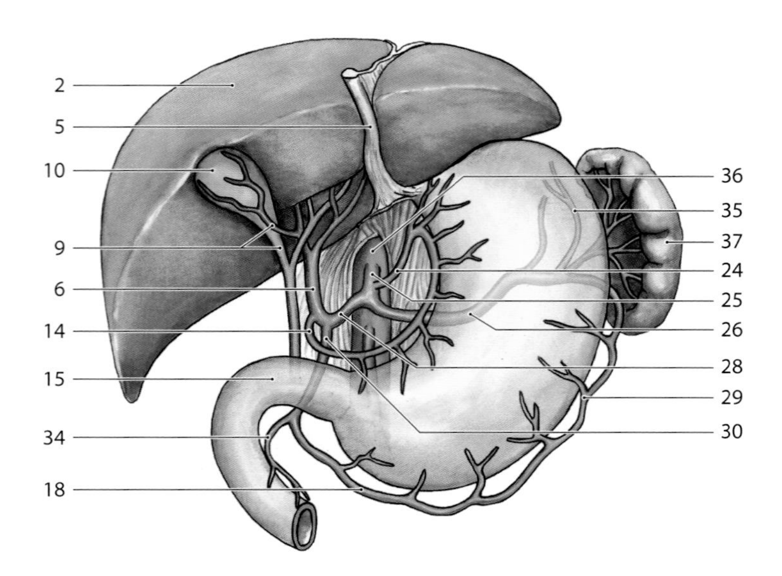

그림 6.55 **위배안기관에 분포하는 동맥과 복강동맥의 가지.**

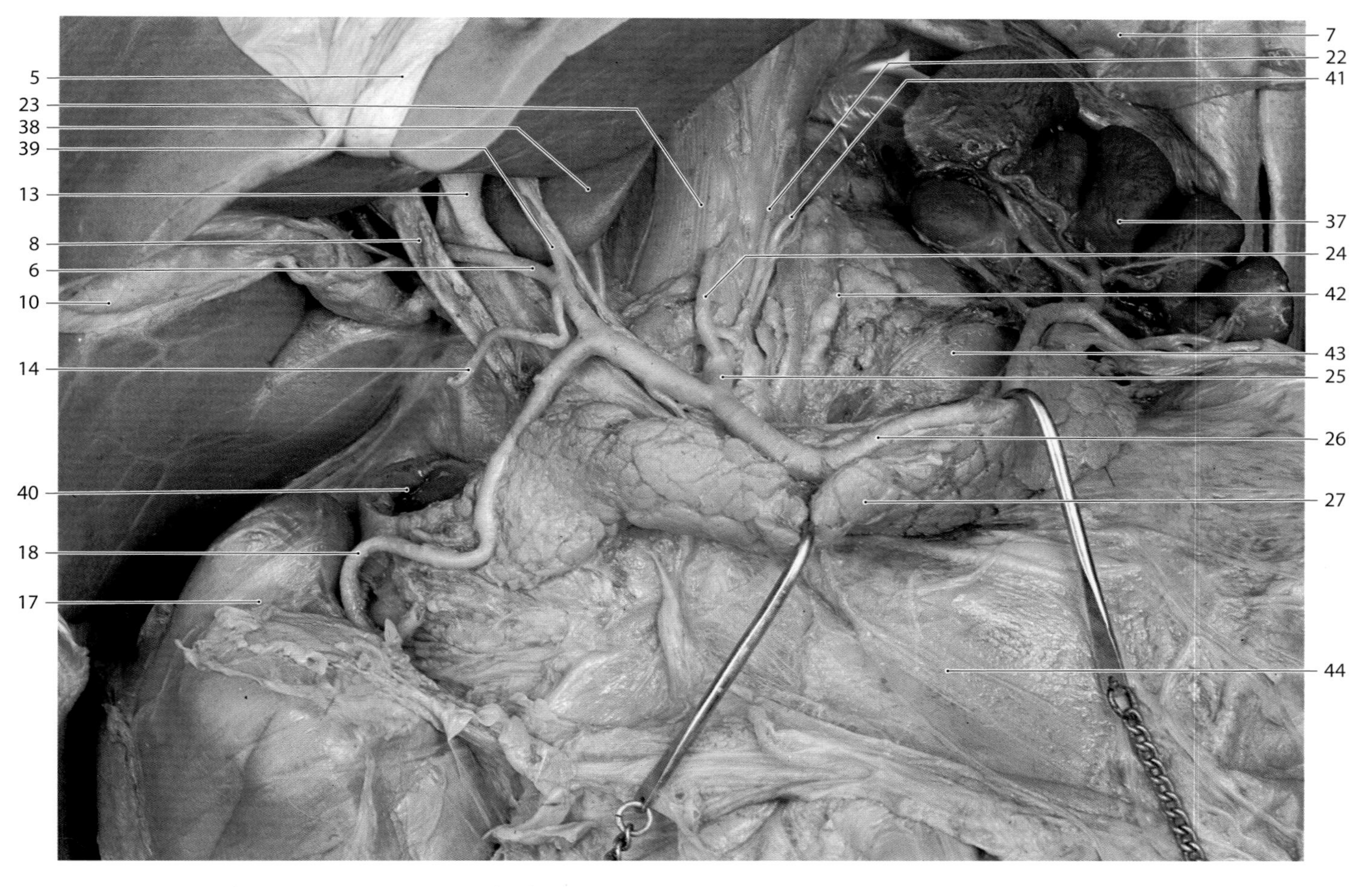

그림 6.56 **위배안기관**(앞모습). 복강동맥의 가지; 간, 이자(췌장) 및 지라(비장)의 혈관분포. 위, 샘창자(십이지장)의 위부분, 복강신경절을 제거하여 그물막주머니 뒤벽의 앞면과 간샘창자인대(간십이지장인대)의 혈관과 배출관이 보이게 하였다. 이자(췌장)를 약간 앞쪽으로 젖혔다.

1 허파(폐) Lung
2 간(내장면) Liver (visceral surface)
3 림프절 Lymph node
4 아래대정맥 Inferior vena cava
5 간원인대(젖힘) Ligamentum teres (reflected)
6 고유간동맥의 오른가지 Right branch of hepatic artery proper
7 가로막 Diaphragm
8 온간관(커짐) Common hepatic duct (dilated)
9 쓸개주머니관(담낭관)과 쓸개동맥(담낭동맥) Cystic duct and artery
10 쓸개(담낭) Gallbladder
11 그물막구멍 속의 더듬자 Probe in epiploic foramen
12 간의 오른엽 Right lobe of liver
13 간문맥 Portal vein
14 오른위동맥 Right gastric artery
15 샘창자(십이지장) Duodenum
16 날문 Pylorus
17 오른잘록창자굽이 Right colic flexure
18 오른그물막동맥 Right gastro-omental (gastro-epiploic) artery
19 가로잘록창자(횡행결장) Transverse colon
20 식도의 배안부분(위의 들문부분) Abdominal part of esophagus (cardiac part of stomach)
21 위바닥 Fundus of stomach
22 왼위동맥의 식도가지 Esophageal branches of left gastric artery
23 가로막의 허리부분 Lumbar part of diaphragm
24 왼위동맥 Left gastric artery
25 복강동맥 Celiac trunk
26 지라동맥(비장동맥) Splenic artery
27 이자(췌장) Pancreas
28 온간동맥 Common hepatic artery
29 왼위그물막동맥 Left gastro-omental (gastro-epiploic) artery
30 위샘창자동맥(위십이지장동맥) Gastroduodenal artery
31 위의 날문부분 Pyloric part of stomach
32 위의 큰굽이 Greater curvature of stomach
33 위잘록창자인대 Gastrocolic ligament
34 샘창자위동맥(십이지장위동맥) Supraduodenal artery
35 짧은위동맥 Short gastric arteries
36 대동맥 Aorta
37 지라(비장) Spleen
38 간의 꼬리엽 Caudate lobe of liver
39 고유간동맥의 왼가지 Left branch of hepatic artery proper
40 샘창자(십이지장)의 내림부분(잘림) Descending part of duodenum (cut)
41 왼아래가로막동맥 Left inferior phrenic artery
42 부신 Suprarenal gland
43 콩팥(신장) Kidney
44 가로잘록창자간막(횡행결장간막) Transverse mesocolon

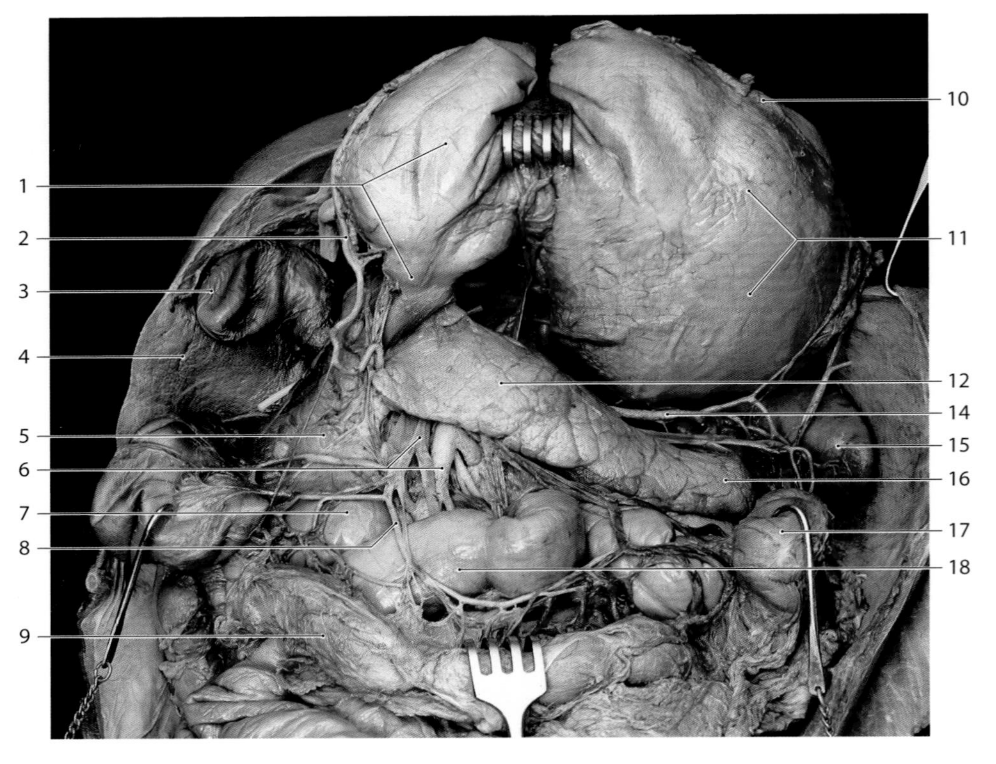

그림 6.57 **제자리의 이자(췌장)과 간바깥쓸개관**(앞모습). 위잘록창자인대를 자르고 가로잘록창자(횡행결장)와 위를 젖혀서 이자(췌장)과 위창자간막혈관이 보이게 하였다.

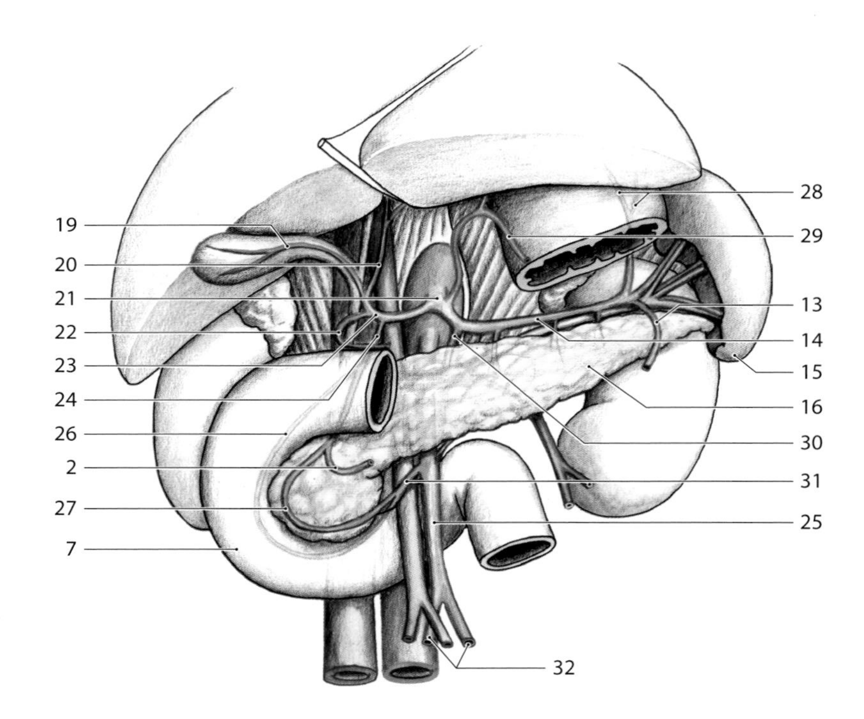

그림 6.58 **위배안기관의 혈관분포**(뒷장 그림 6.59 참조). 복강동맥의 분지를 확인하시오.

1 위(날문부분)와 날문
Stomach (pyloric part) and pylorus
2 오른위그물막동맥
Right gastro-omental (gastro-epiploic) artery
3 쓸개바닥(담낭바닥)
Fundus of gallbladder
4 간(오른엽) Liver (right lobe)
5 이자머리(췌장머리) Head of pancreas
6 위창자간막동맥과 정맥
Superior mesenteric artery and vein
7 샘창자(십이지장) Duodenum
8 중간잘록창자동맥 Middle colic artery
9 가로잘록창자(횡행결장)
Transverse colon
10 위의 큰굽이(위잘록창자인대잔류)
Greater curvature of stomach (remnants of gastrocolic ligament)
11 위몸통 Body of stomach
12 이자몸통(췌장몸통) Body of pancreas
13 왼위그물막동맥
Left gastro-omental (gastro-epiploic) artery
14 지라동맥(비장동맥) Splenic artery
15 지라(비장) Spleen
16 이자꼬리(췌장꼬리) Tail of pancreas
17 왼잘록창자굽이 Left colic flexure
18 빈창자(공장) Jejunum
19 쓸개동맥(담낭동맥) Cystic artery
20 고유간동맥 Hepatic artery proper
21 복강동맥 Celiac trunk
22 오른위동맥 Right gastric artery
23 온간동맥 Common hepatic artery
24 위샘창자동맥(위십이지장동맥)
Gastroduodenal artery
25 위창자간막동맥
Superior mesenteric artery
26 뒤위이자샘창자동맥
Superior posterior pancreaticoduodenal artery
27 앞위이자샘창자동맥
Superior anterior pancreaticoduodenal artery
28 짧은위동맥 Short gastric arteries
29 왼위동맥 Left gastric artery
30 지라동맥(비장동맥)의 뒤이자가지
Posterior pancreatic branch of splenic artery
31 아래이자샘창자동맥 Inferior pancreaticoduodenal artery
32 빈창자동맥 Jejunal arteries

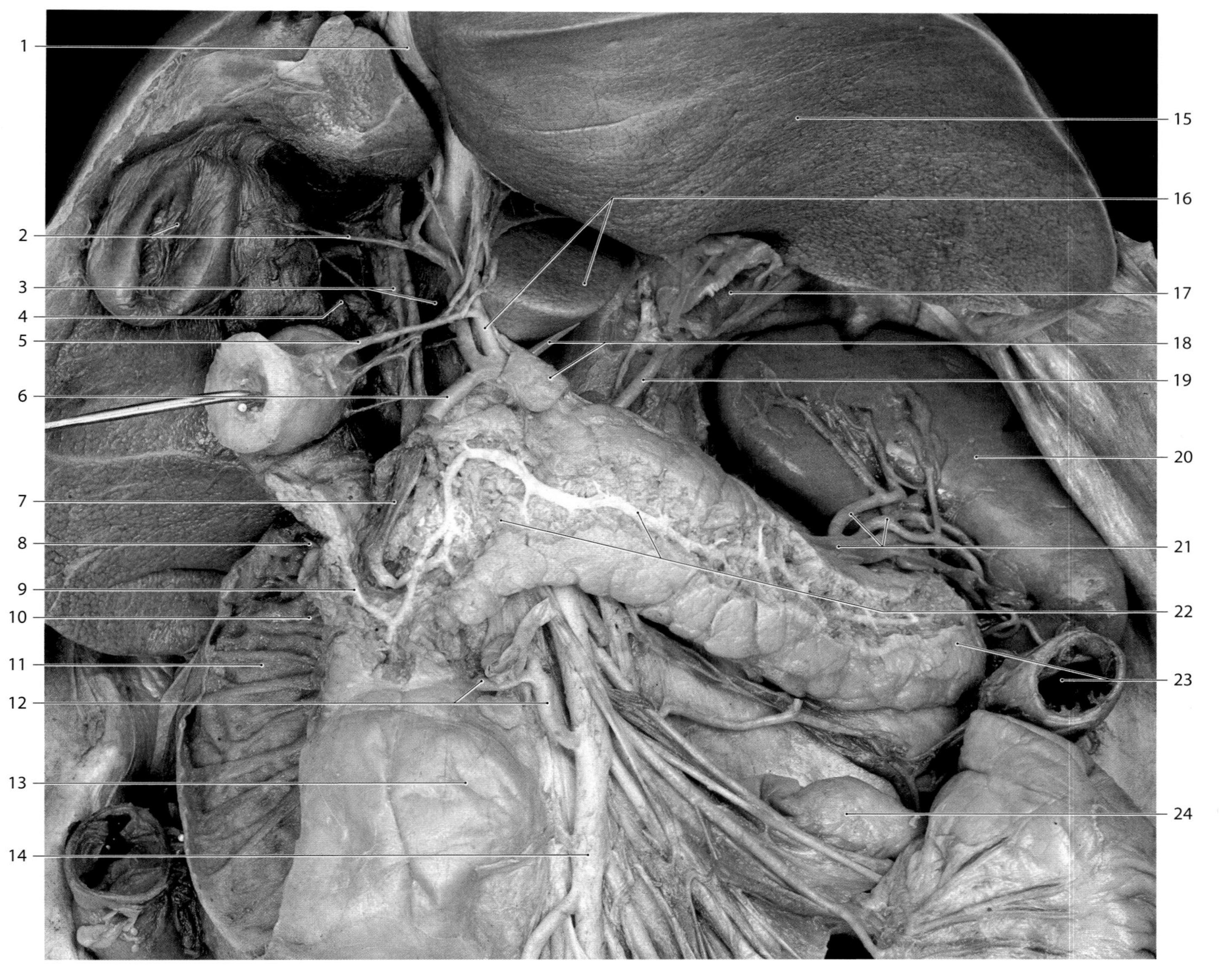

그림 6.59 **뒤배벽의 이자(췌장), 간바깥쓸개관, 지라(비장), 간 및 제자리의 혈관**(앞모습). 위를 제거하고, 간을 들어 올렸으며 샘창자(십이지장)의 내림부분을 열어 이자관의 입구를 보이게 하였다. 이자관을 해부하였다. 샘창자(십이지장)와 이자(췌장) 사이에 위치한 위창자간막동맥과 정맥을 확인하시오.

1 간원인대 Round ligament of the liver
2 쓸개(담낭)와 쓸개동맥(담낭동맥) Gallbladder and cystic artery
3 온간관과 간문맥 Common hepatic duct and portal vein
4 쓸개주머니관(담낭관) Cystic duct
5 오른위동맥(날문과 샘창자의 위부분, 잘라 젖힘) Right gastric artery (pylorus with superior part of duodenum, cut and reflected)
6 위샘창자동맥(위십이지장동맥) Gastroduodenal artery
7 온쓸개관 Common bile duct
8 작은샘창자유두 속의 더듬자 Probe within the minor duodenal papilla
9 덧이자관 Accessory pancreatic duct
10 큰샘창자유두 속의 더듬자 Probe within the major duodenal papilla
11 샘창자(십이지장)의 내림부분(열림) Descending part of duodenum (opened)
12 중간잘록창자동맥과 아래이자샘창자동맥 Middle colic artery and inferior pancreaticoduodenal artery
13 샘창자(십이지장)의 수평부분(커짐) Horizontal part of duodenum(distended)
14 위창자간막동맥 Superior mesenteric artery
15 간(왼엽) Liver (left lobe)
16 간의 꼬리엽과 고유간동맥 Caudate lobe of liver and hepatic artery proper
17 식도의 배안부분(잘림) Abdominal part of esophagus(cut)
18 그물막구멍 속의 더듬자와 림프절 Probe in epiploic foramen and lymph node
19 왼위동맥 Left gastric artery
20 지라(비장) Spleen
21 지라정맥(비장정맥)과 지라동맥(비장동맥)의 가지 Splenic vein and branches of splenic artery
22 주이자관과 이자머리(췌장머리) Main pancreatic duct and head of pancreas
23 왼잘록창자굽이와 이자꼬리(췌장꼬리) Left colic flexure and tail of pancreas
24 샘빈창자굽이 Duodenojejunal flexure

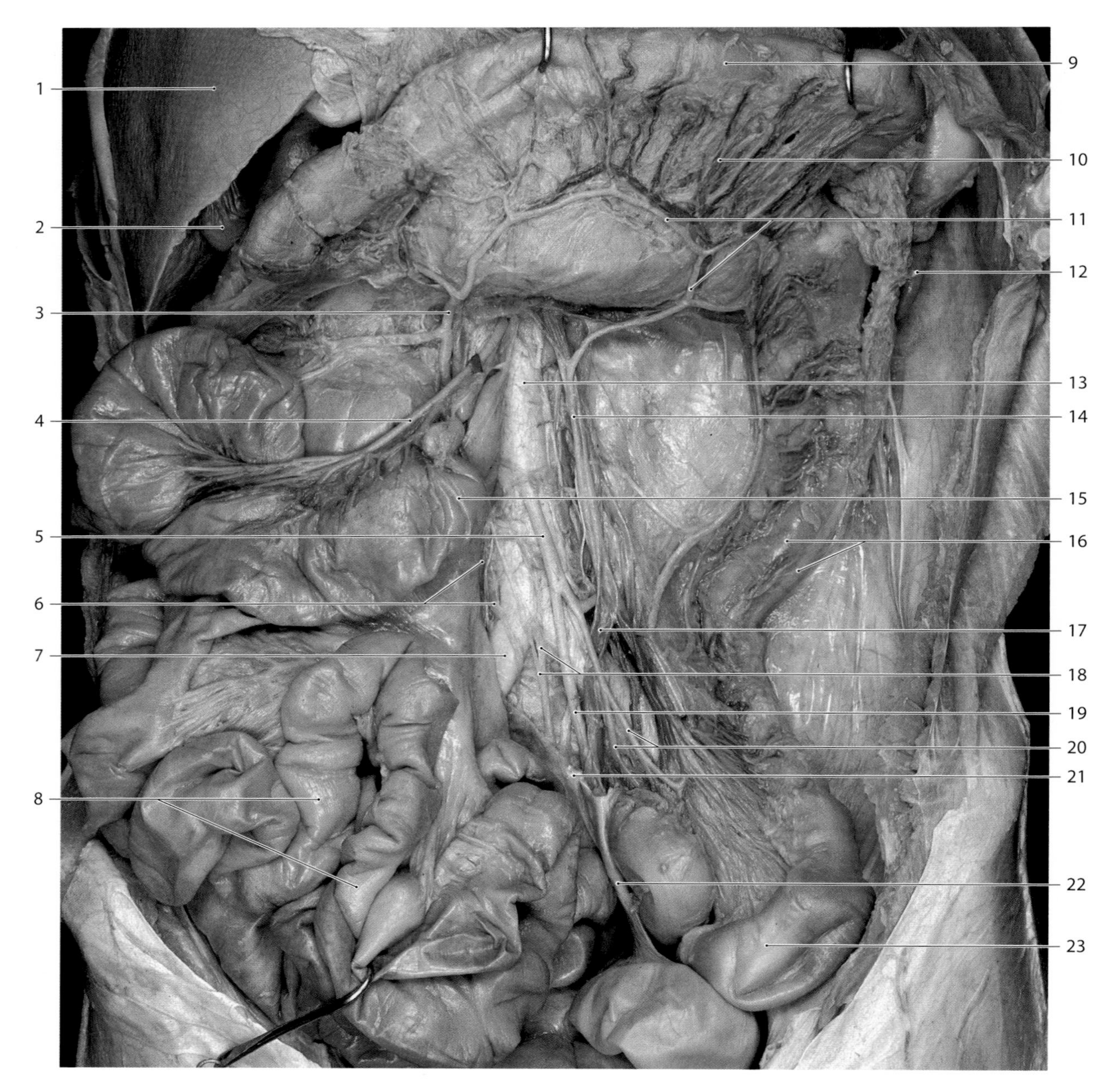

그림 6.60 **아래배안기관**(앞모습). 아래창자간막동맥과 자율신경얼기. 가로잘록창자(횡행결장)와 가로잘록창자간막(횡행결장간막)을 들어 올렸고, 소장을 젖혔다.

1 간 Liver
2 쓸개(담낭) Gallbladder
3 중간잘록창자동맥 Middle colic artery
4 빈창자동맥 Jejunal artery
5 아래창자간막동맥 Inferior mesenteric artery
6 교감신경과 신경절 Sympathetic nerves and ganglia
7 오른온엉덩동맥 Right common iliac artery
8 소장(돌창자) Small intestine (ileum)
9 가로잘록창자(횡행결장)(젖힘) Transverse colon (reflected)
10 가로잘록창자간막(횡행결장간막) Transverse mesocolon
11 중간 및 왼잘록창자동맥 사이의 연결
Anastomosis between middle and left colic artery
12 지라(비장) Spleen
13 배대동맥 Abdominal aorta
14 왼잘록창자동맥 Left colic artery
15 샘빈창자굽이 Duodenojejunal flexure
16 내림잘록창자(하행결장)의 자유띠
Descending colon (free taenia of colon)
17 아래창자간막정맥 Inferior mesenteric vein
18 위아랫배신경얼기 Superior hypogastric plexus
19 위곧창자동맥 Superior rectal artery
20 구불잘록창자동맥 Sigmoid arteries
21 복막(단면) Peritoneum (cut edge)
22 구불잘록창자간막(구불결장간막) Sigmoid mesocolon
23 구불잘록창자(구불결장) Sigmoid colon

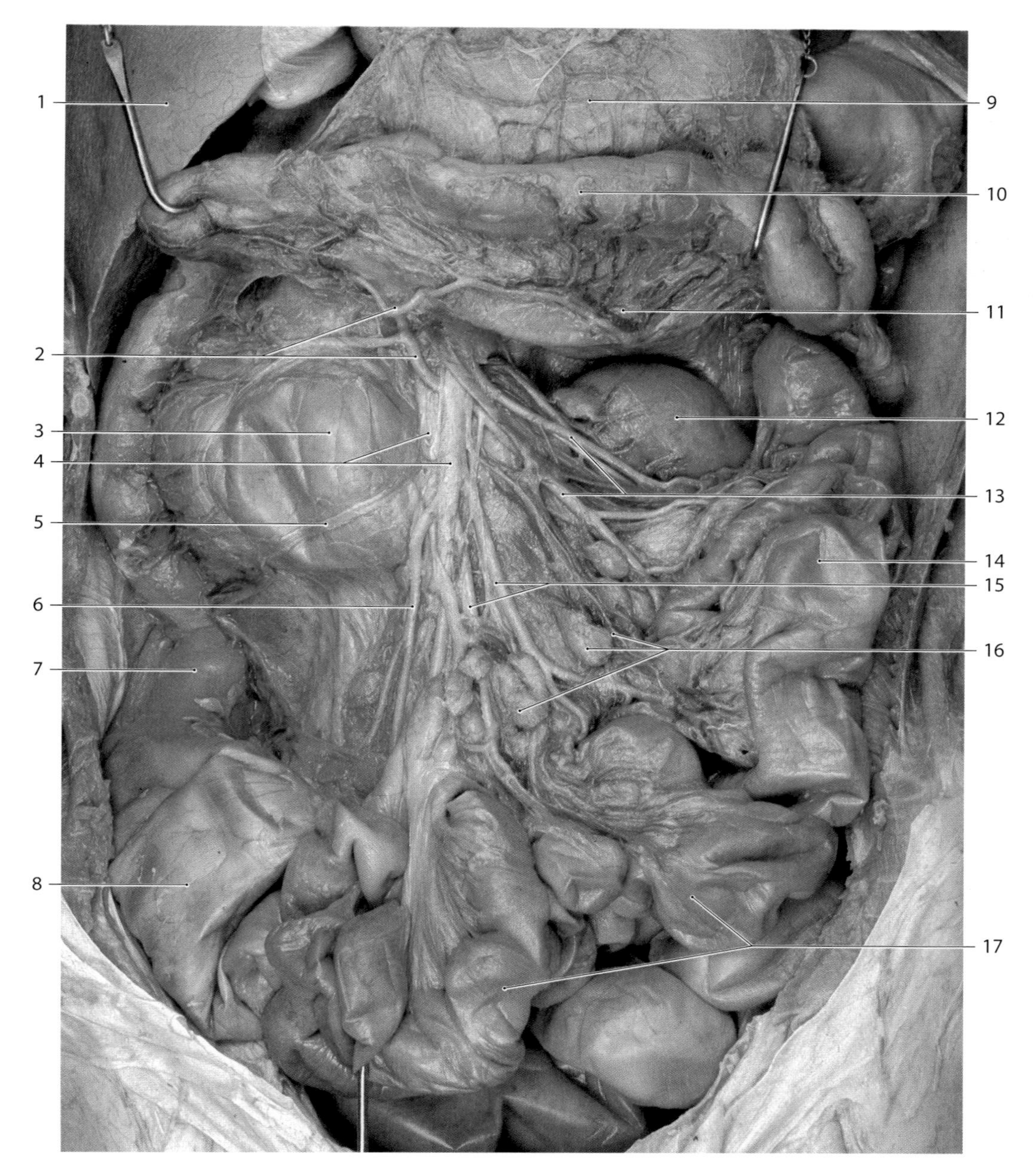

그림 6.61 **아래배안기관**(앞모습). 위창자간막동맥과 림프절. 가로잘록창자(횡행결장)를 젖혔다.

1 간 Liver
2 중간잘록창자동맥 Middle colic artery
3 샘창자(십이지장)의 수평부분(커짐) Horizontal part of duodenum (extended)
4 위창자간막동맥과 정맥 Superior mesenteric artery and vein
5 오른잘록창자동맥 Right colic artery
6 돌잘록창자동맥(회결장동맥) Ileocolic artery
7 오름잘록창자(상행결장) Ascending colon
8 막창자(맹장) Cecum
9 큰그물막(젖힘) Greater omentum (reflected)
10 가로잘록창자(횡행결장) Transverse colon
11 가로잘록창자간막(횡행결장간막) Transverse mesocolon
12 샘빈창자굽이 Duodenojejunal flexure
13 빈창자동맥 Jejunal arteries
14 빈창자(공장) Jejunum
15 돌창자동맥(회장동맥) Ileal arteries
16 창자간막림프절과 림프관 Mesenteric lymph nodes and lymph vessels
17 돌창자(회장) Ileum
18 위 Stomach
19 이자머리(췌장머리) Head of pancreas
20 간문맥 Portal vein
21 내림잘록창자(하행결장) Descending colon

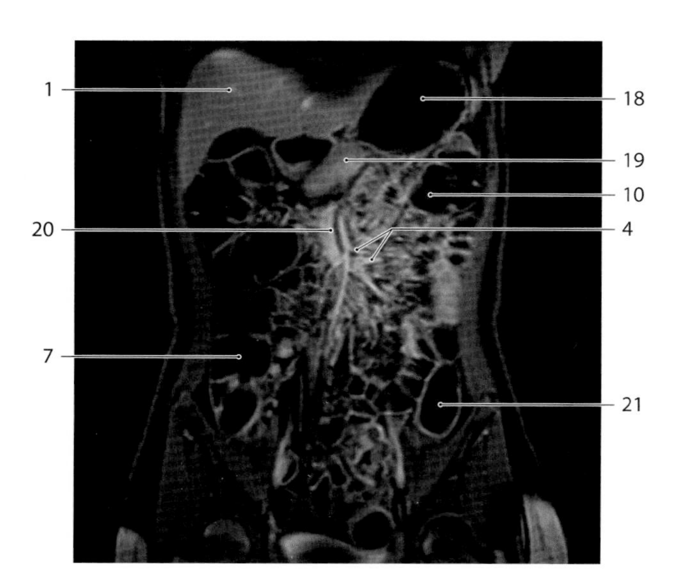

그림 6.62 **창자간막뿌리(장간막뿌리) 높이에서 배안의 관상단면**(자기공명영상, Sellink technique). (Courtesy of Prof. Uder, Institute of Radiology, University Hospital Erlangen, Germany.)

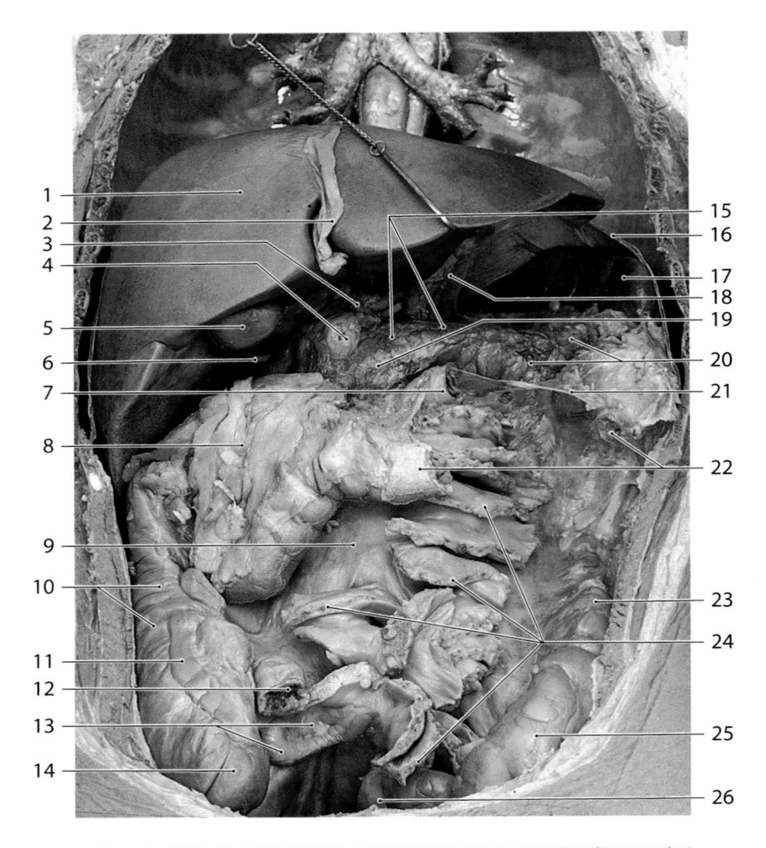

그림 6.63 **배안.** 위, 빈창자(공장), 돌창자(회장) 및 가로잘록창자(횡행결장)의 일부를 제거하고 간을 약간 들어 올렸다.

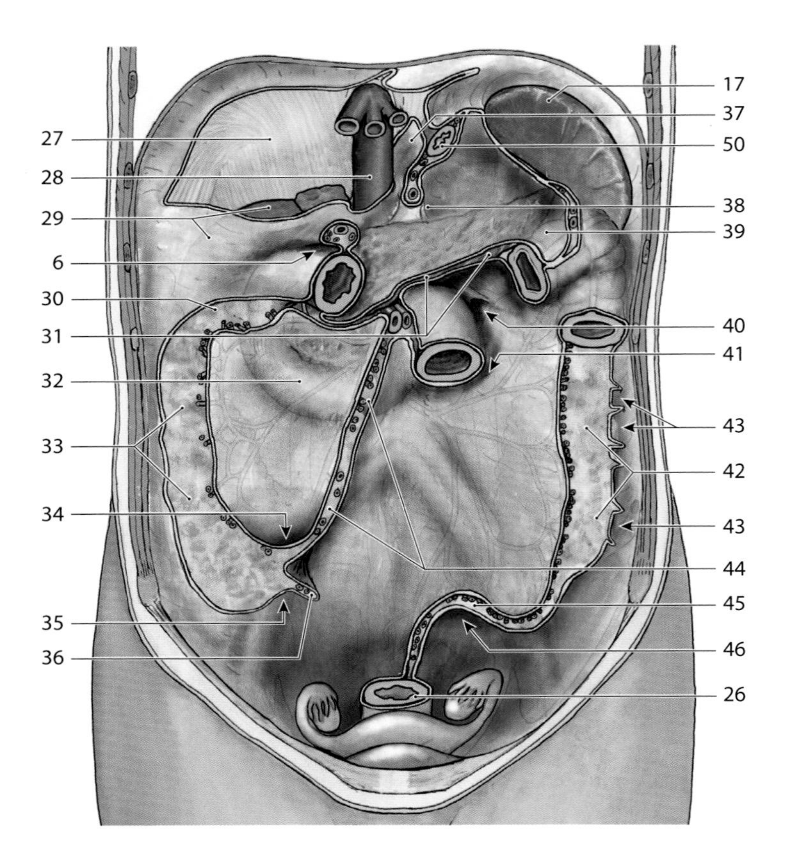

1 간 Liver
2 낫인대 Falciform ligament
3 간샘창자인대(간십이지장인대) Hepatoduodenal ligament
4 날문(잘림) Pylorus (divided)
5 쓸개(담낭) Gallbladder
6 그물막구멍 속의 더듬자 Probe within the epiploic foramen
7 샘빈창자굽이(잘림) Duodenojejunal flexure (divided)
8 큰그물막 Greater omentum
9 창자간막뿌리(장간막뿌리) Root of mesentery
10 오름잘록창자(상행결장) Ascending colon
11 자유띠 Free colic taenia
12 돌창자(회장)의 끝(잘림) End of ileum (divided)
13 막창자꼬리(충수)와 막창자꼬리간막(충수간막) Vermiform appendix with meso-appendix
14 막창자(맹장) Cecum
15 이자(췌장)과 그물막주머니의 위치 Pancreas and site of lesser sac (omental bursa)
16 가로막 Diaphragm
17 지라(비장) Spleen
18 들문(위, 잘림) Cardia (part of stomach, divided)
19 이자머리(췌장머리) Head of pancreas
20 이자몸통과 꼬리(췌장몸통과 꼬리) Body and tail of pancreas
21 가로잘록창자간막(횡행결장간막) Transverse mesocolon
22 가로잘록창자(횡행결장)(잘림) Transverse colon (divided)
23 내림잘록창자(하행결장) Descending colon
24 창자간막(장간막)의 단면 Cut edge of mesentery
25 구불잘록창자(구불결장) Sigmoid colon
26 곧창자(직장) Rectum
27 간의 무장막구역이 붙는 위치 Attachment of bare area of liver
28 아래대정맥 Inferior vena cava
29 콩팥(신장) Kidney
30 오른잘록창자굽이가 붙는 위치 Attachment of right colic flexure
31 가로잘록창자간막뿌리 Root of transverse mesocolon
32 샘창자(십이지장)의 내림부분과 수평부분의 경계 Junction between descending and horizontal parts of duodenum
33 오름잘록창자(상행결장)와 접하는 복막이 없는 면 Bare surface for ascending colon
34 돌막창자오목 Ileocecal recess
35 막창자뒤오목 Retrocecal recess
36 막창자꼬리간막뿌리 Root of meso-appendix
37 위오목 Superior recess
38 잘록(열림) Isthmus (opening)
39 지라오목 Splenic recess
40 위샘창자오목 Superior duodenal recess
41 아래샘창자오목 Inferior duodenal recess
42 내림잘록창자(하행결장)와 접하는 복막이 없는 면 Bare surface for descending colon
43 잘록창자옆오목 Paracolic recesses
44 창자간막뿌리(장간막뿌리) Root of mesentery
45 구불잘록창자간막(구불결장간막)의 뿌리 Root of mesosigmoid
46 구불창자간막오목 Intersigmoid recess
47 간정맥 Hepatic veins
48 샘빈창자굽이 Duodenojejunal flexure
49 왼잘록창자굽이가 접하는 위치 Attachment of left colic flexure
50 식도 Esophagus

그림 6.64 **기관의 복막접힘과 뒤배벽의 창자간막뿌리(장간막뿌리) 및 복막오목의 위치.** 화살표 = 복막오목 위치.

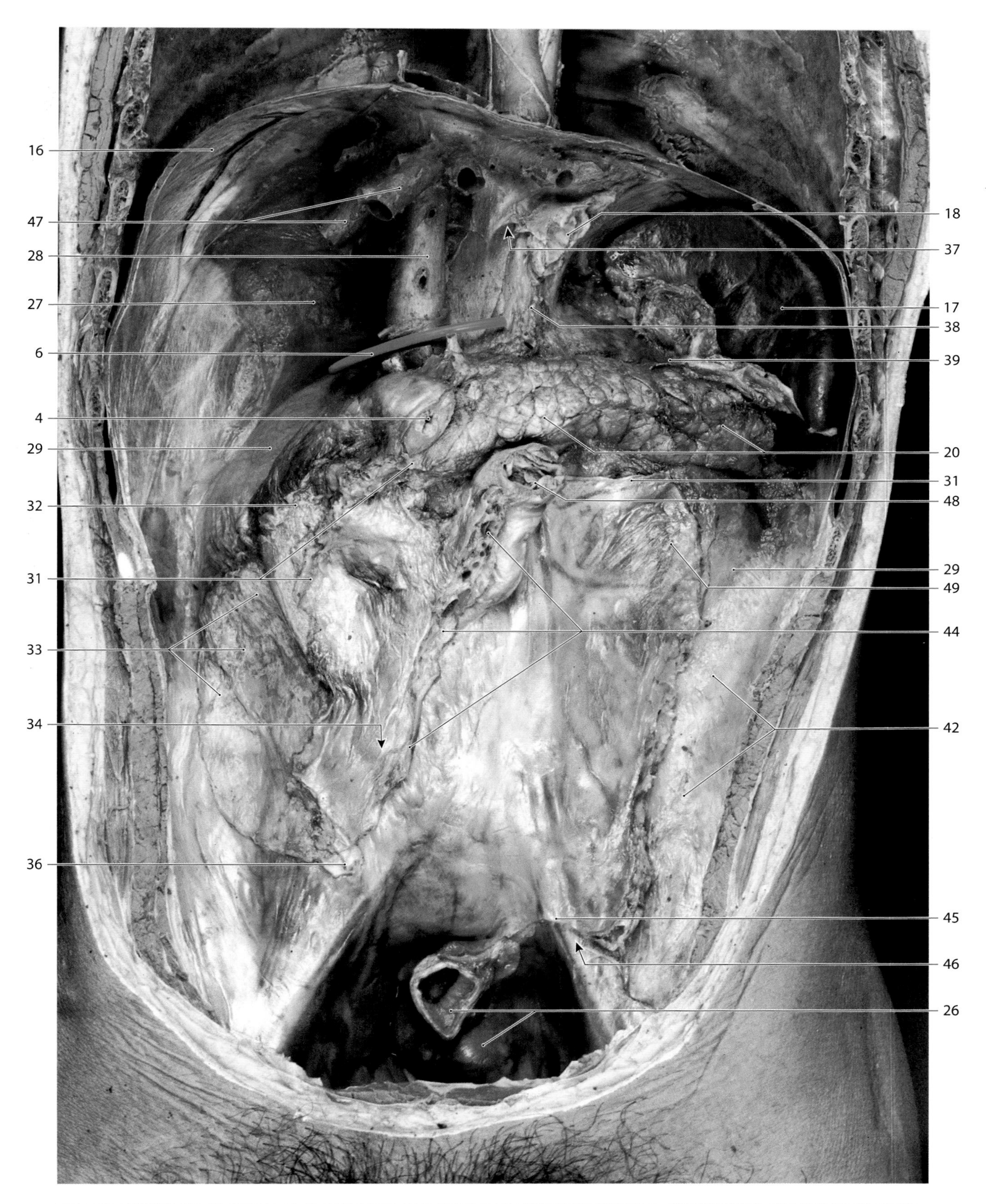

그림 6.65 **뒤배벽의 복막오목**(앞모습). 간, 위, 빈창자(공장), 돌창자(회장) 및 잘록창자(결장)를 제거하였다. 샘창자(십이지장), 이자(췌장) 및 지라(비장)은 제자리에 남겨두었다. 화살표 = 복막오목 위치.

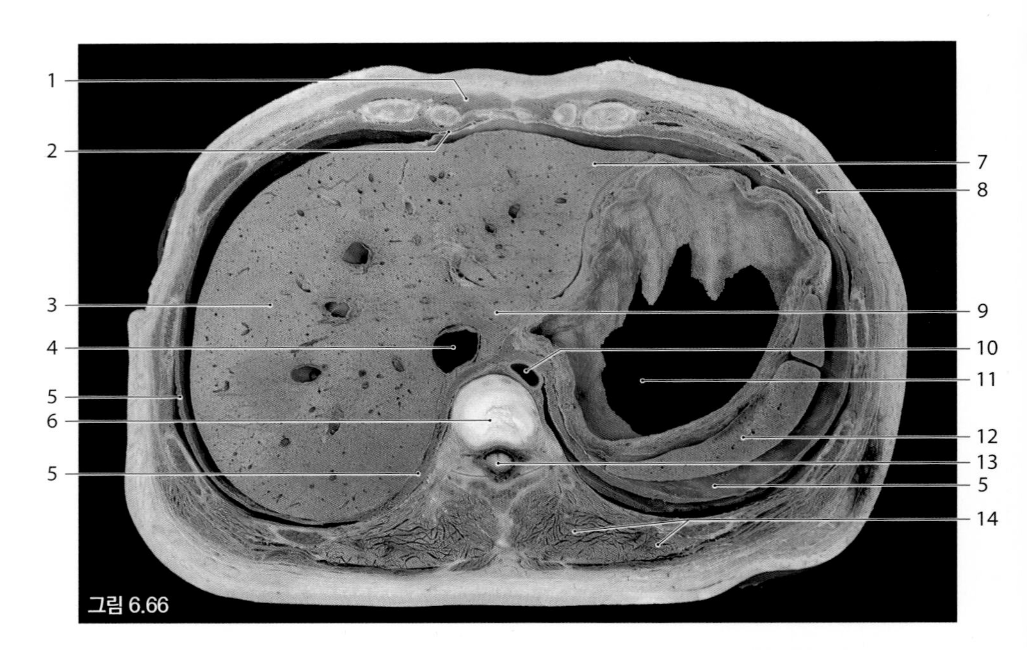

그림 6.66 **배안의 수평단면.**
단면1 높이(아래모습).

1 배곧은근 Rectus abdominis muscle
2 낫인대 Falciform ligament
3 간(오른엽) Liver (right lobe)
4 아래대정맥 Inferior vena cava
5 가로막 Diaphragm
6 척추사이원반 Intervertebral disc
7 간(왼엽) Liver (left lobe)
8 갈비뼈 Rib
9 간(꼬리엽) Liver (caudate lobe)
10 배대동맥 Abdominal (descending) aorta
11 위 Stomach
12 지라(비장) Spleen
13 척수 Spinal cord
14 척주세움근 Erector spinae muscle
15 배곧은근 Rectus abdominis muscle
16 배바깥빗근
External abdominal oblique muscle
17 가로잘록창자(횡행결장) Transverse colon
18 이자머리(췌장머리) Head of pancreas
19 큰샘창자유두 Major duodenal papilla
20 샘창자(십이지장) Duodenum
21 부신과 요관 Suprarenal gland and ureter
22 콩팥(신장) Kidney
23 척추뼈몸통 Body of vertebra
24 간원인대 Round ligament of liver
25 소장 Small intestine
26 위창자간막동맥과 정맥
Superior mesenteric artery and vein
27 큰허리근 Psoas major muscle
28 내림잘록창자(하행결장) Descending colon
29 허리네모근 Quadratus lumborum muscle
30 말총 Cauda equina
31 돌막창자판막(회맹판막) Ileocecal valve
32 막창자(맹장) Cecum

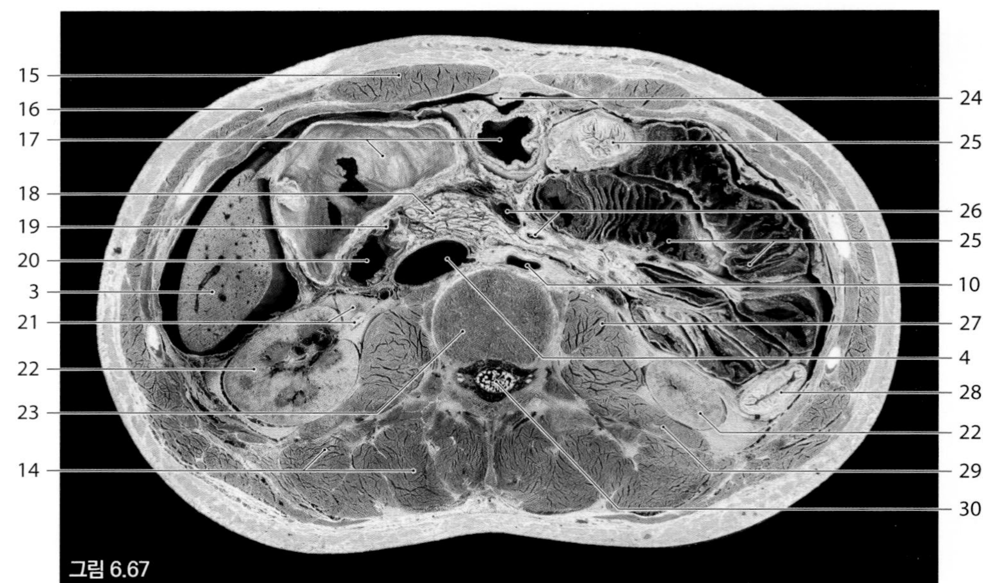

그림 6.67 **배안의 수평단면.**
큰샘창자유두 높이. 단면2 높이(아래모습).

33 온엉덩동맥과 정맥
Common iliac artery and vein
34 중간볼기근 Gluteus medius muscle
35 척주관과 경막
Vertebral canal and dura mater
36 엉덩근 Iliacus muscle
37 엉덩뼈 Ilium
38 오른콩팥정맥 Right renal vein
39 온엉덩동맥 Common iliac arteries
40 가시돌기 Spinous process
41 배속빗근
Internal abdominal oblique muscle
42 배가로근 Transverse abdominal muscle

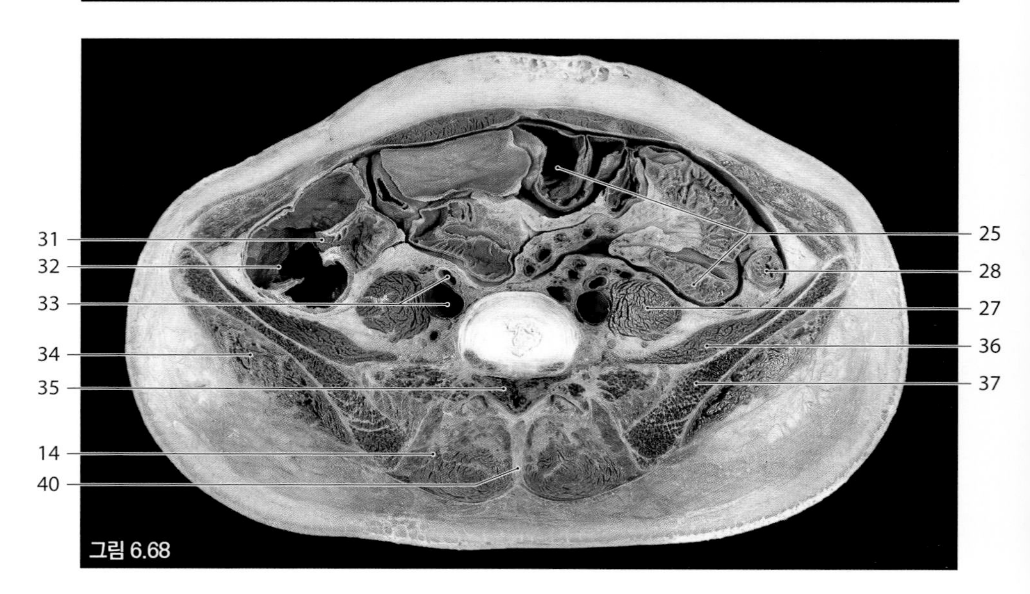

그림 6.68 **배안의 수평단면.**
단면3 높이(아래모습).

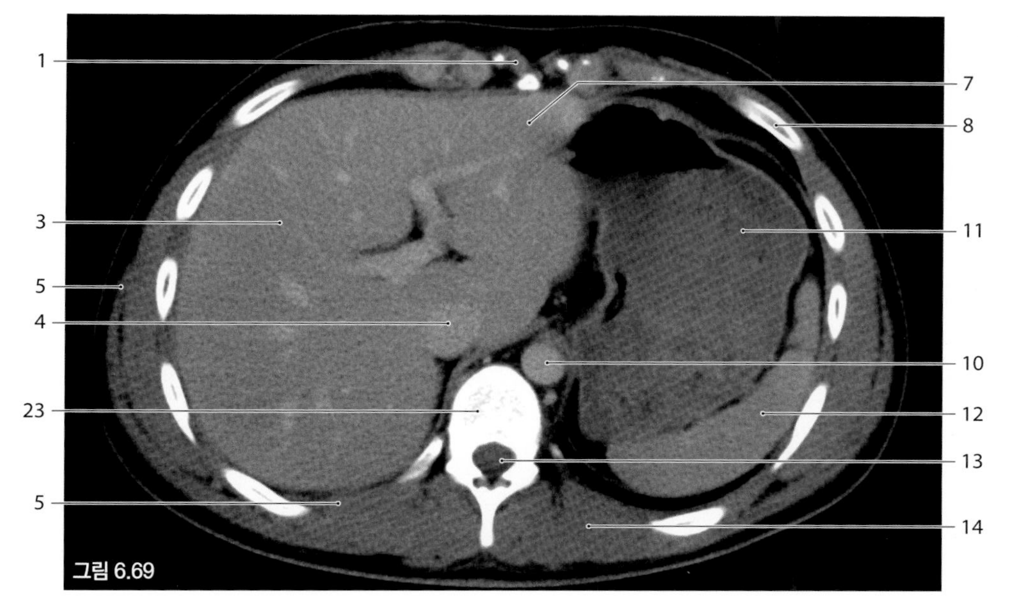

그림 6.69 **배안의 수평단면.** 단면1 높이 (컴퓨터단층촬영영상). (Courtesy of Prof. Uder, Institute of Radiology, University Hospital Erlangen, Germany.)

1
2
3

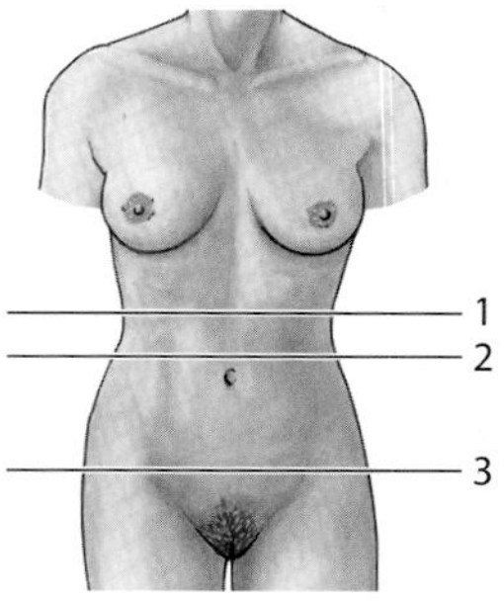

그림 6.72 배안의 수평단면. 단면의 높이를 표시하였다.

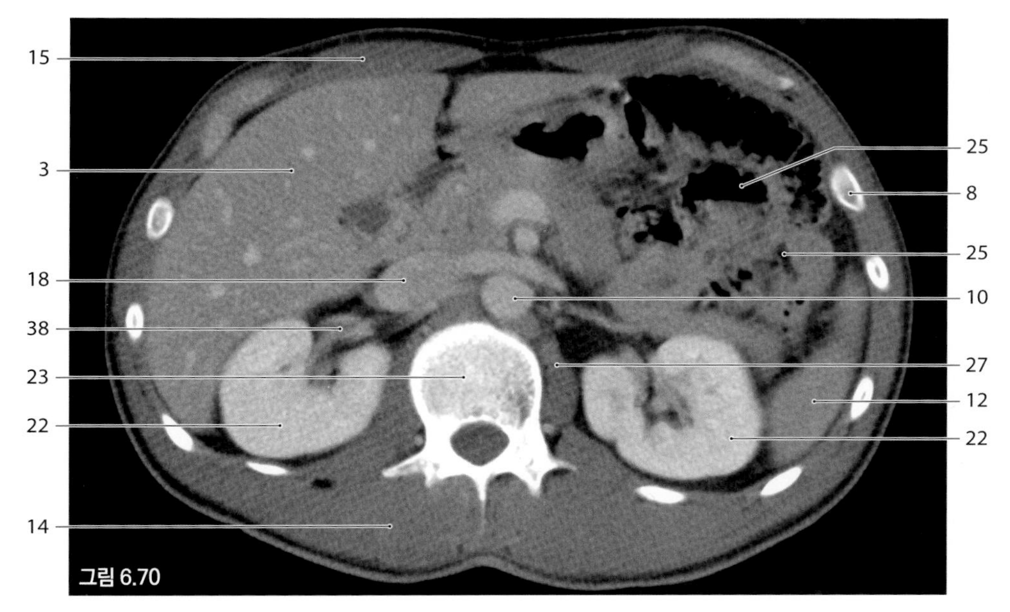

그림 6.70 **배안의 수평단면.** 단면2 높이 (컴퓨터단층촬영영상). (Courtesy of Prof. Uder, Institute of Radiology, University Hospital Erlangen, Germany.)

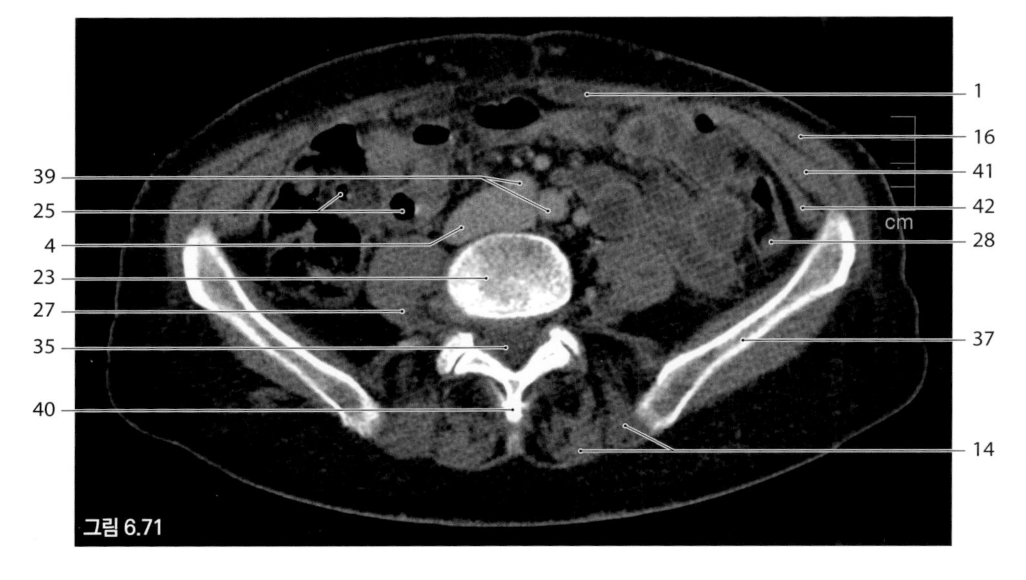

그림 6.71 **배안의 수평단면.** 단면3 높이 (컴퓨터단층촬영영상). (Courtesy of Prof. Uder, Institute of Radiology, University Hospital Erlangen, Germany.)

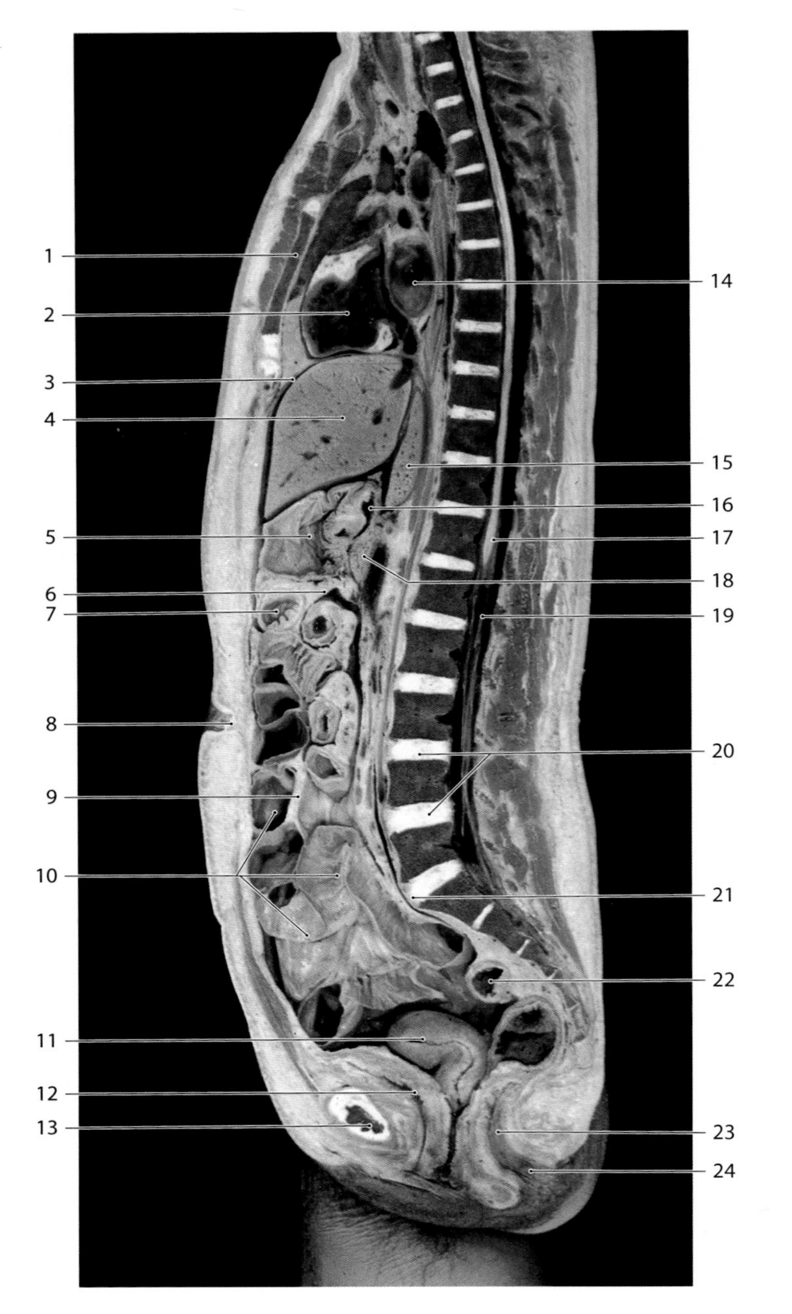

그림 6.73 **여성 몸통의 정중단면.**

그림 6.74 **여성 몸통의 정중단면.** 파란색 = 그물막주머니; 녹색 = 복막

1 복장뼈 Sternum
2 오른심실(우심실) Right ventricle of heart
3 가로막 Diaphragm
4 간 Liver
5 위 Stomach
6 가로잘록창자간막(횡행결장간막) Transverse mesocolon
7 가로잘록창자(횡행결장) Transverse colon
8 배꼽 Umbilicus
9 창자간막(장간막) Mesentery
10 소장 Small intestine
11 자궁 Uterus
12 방광 Urinary bladder
13 두덩결합 Pubic symphysis
14 왼심방(좌심방) Left atrium of heart
15 간의 꼬리엽 Caudate lobe of liver
16 그물막주머니 Lesser sac (omental bursa)
17 척수원뿔 Conus medullaris
18 이자(췌장) Pancreas
19 말총 Cauda equina
20 척추사이원반(허리척주) Intervertebral discs (lumbar vertebral column)
21 엉치뼈곶 Sacral promontory
22 구불잘록창자(구불결장) Sigmoid colon
23 항문관 Anal canal
24 항문 Anus
25 작은그물막 Lesser omentum
26 큰그물막 Greater omentum
27 방광자궁오목 Vesico-uterine pouch
28 요도 Urethra
29 그물막구멍 Epiploic (omental) foramen
30 샘창자(십이지장) Duodenum
31 곧창자(직장) Rectum
32 곧창자자궁오목(직장자궁오목) Recto-uterine pouch
33 자궁목의 질부분 Vaginal part of cervix of uterus
34 질 Vagina

내장기관 Internal Organs

7 복막뒤기관 Retroperitoneal Organs

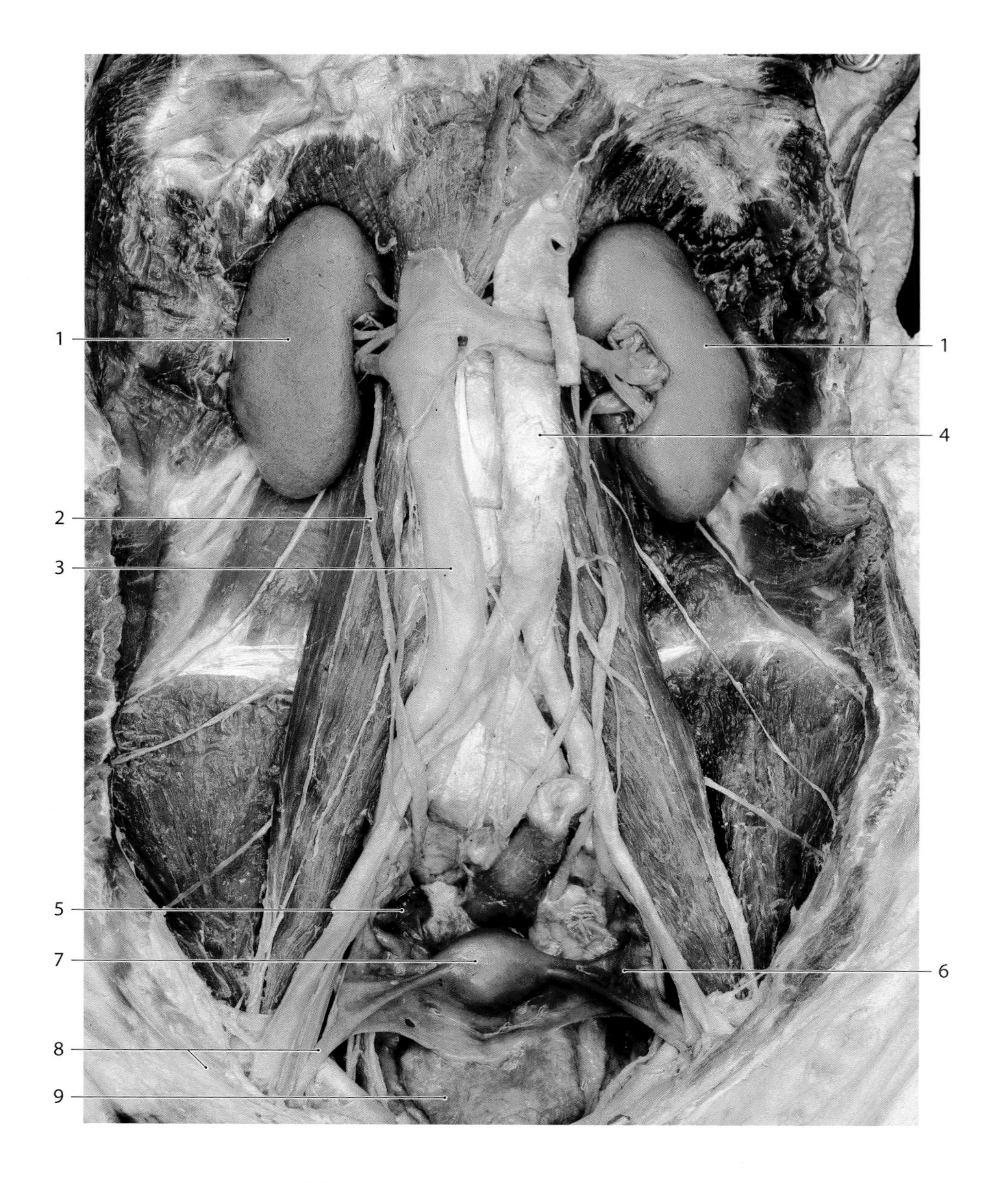

그림 7.1 **제자리의 여성 복막뒤기관** (앞모습). 여성골반에서 자궁, 자궁인대, 난소 및 방광이 보이는 모습.

1 콩팥(신장) Kidney
2 요관 Ureter
3 아래대정맥 Inferior vena cava
4 배대동맥 Abdominal aorta
5 난소 Ovary
6 자궁관 Uterine tube
7 자궁 Uterus
8 자궁원인대와 고샅굴 Round ligament of uterus and inguinal canal
9 방광 Urinary bladder

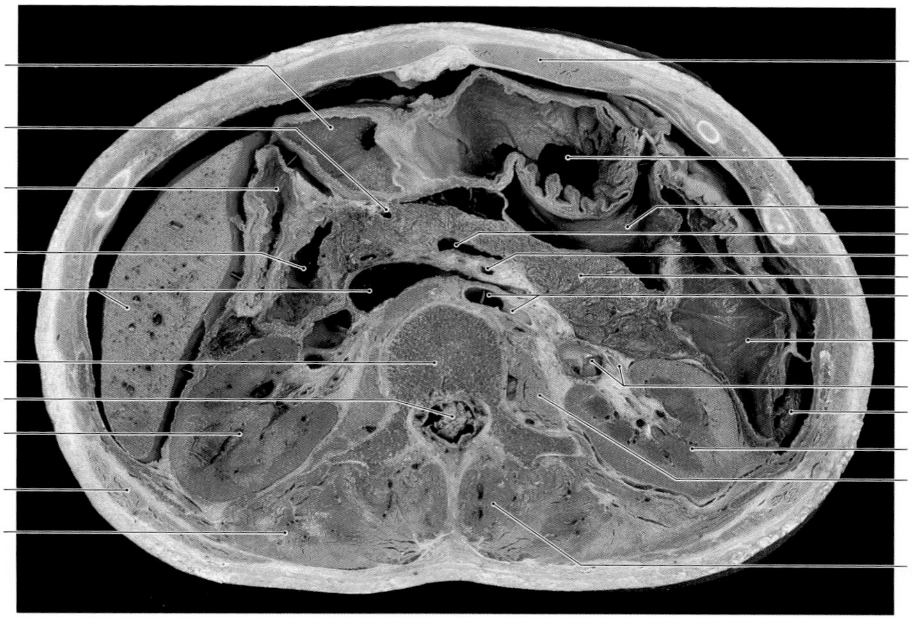

1 날문방 Pyloric antrum
2 위샘창자동맥(위십이지장동맥) Gastroduodenal artery
3 샘창자(십이지장)의 내림부분 Descending part of duodenum
4 그물막주머니의 안뜰 Vestibule of lesser sac (omental bursa)
5 아래대정맥과 간 Inferior vena cava and liver
6 첫째허리뼈몸통 Body of first lumbar vertebra
7 말총 Cauda equina
8 오른콩팥(우신장) Right kidney
9 넓은등근 Latissimus dorsi muscle
10 엉덩갈비근 Iliocostalis muscle
11 배곧은근 Rectus abdominis muscle
12 위 Stomach
13 그물막주머니 Lesser sac (omental bursa)
14 지라정맥(비장정맥) Splenic vein
15 위창자간막동맥 Superior mesenteric artery
16 이자(췌장) Pancreas
17 대동맥과 왼콩팥동맥 Aorta and left renal artery
18 가로잘록창자(횡행결장) Transverse colon
19 콩팥동맥(신장동맥)과 정맥 Renal artery and vein
20 지라(비장) Spleen
21 왼콩팥(좌신장) Left kidney
22 큰허리근 Psoas major muscle
23 뭇갈래근 Multifidus muscle

그림 7.2 **배안의 수평단면.** 첫째허리뼈 높이(아래모습).

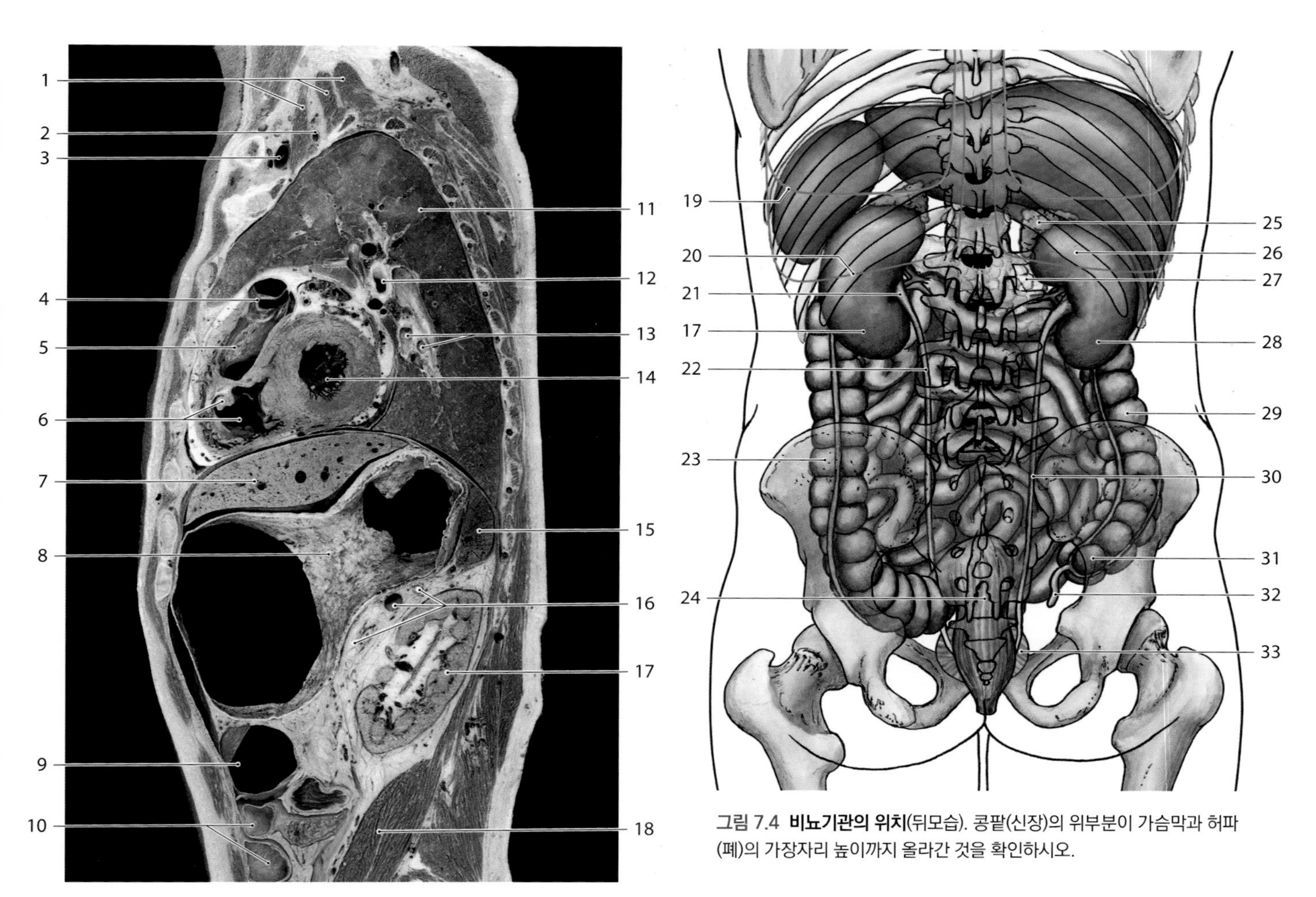

그림 7.3 **가슴안과 배안의 시상단면.** 정중면에서 왼쪽으로 5.5 cm 떨어진, 왼콩팥(좌신장)을 지나는 단면.

그림 7.4 **비뇨기관의 위치**(뒤모습). 콩팥(신장)의 위부분이 가슴막과 허파(폐)의 가장자리 높이까지 올라간 것을 확인하시오.

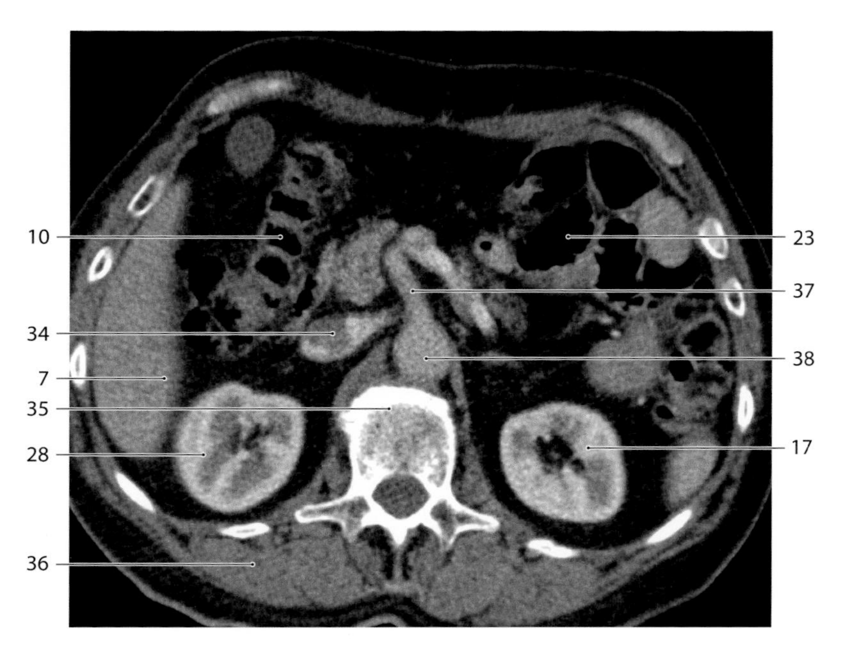

그림 7.5 **배안의 수평단면**(컴퓨터단층촬영영상). (Courtesy of Prof. Uder, Institute of Radiology, University Hospital Erlangen, Germany.)

1 앞, 중간, 뒤목갈비근 Anterior, middle, and posterior scalene muscles
2 왼빗장밑동맥 Left subclavian artery
3 왼빗장밑정맥 Left subclavian vein
4 허파동맥판막(폐동맥판) Pulmonic valve
5 동맥원뿔 Arterial cone
6 오른심실(우심실) Right ventricle of heart
7 간 Liver
8 위 Stomach
9 가로잘록창자(횡행결장) Transverse colon
10 소장 Small intestine
11 왼허파(좌폐) Left lung
12 왼기관지 Left main bronchus
13 허파정맥(폐정맥)의 가지 Branches of pulmonary vein
14 왼심실(좌심실) Left ventricle of heart
15 지라(비장) Spleen
16 지라동맥(비장동맥)과 정맥 및 이자(췌장) Splenic artery and vein and pancreas
17 왼콩팥(좌신장) Left kidney
18 큰허리근 Psoas major muscle
19 허파모서리(폐모서리) Margin of lung
20 가슴막모서리 Margin of pleura
21 콩팥깔때기(신우) Renal pelvis
22 왼요관 Left ureter
23 내림잘록창자(하행결장) Descending colon
24 곧창자(직장) Rectum
25 부신 Suprarenal gland
26 열두째갈비뼈 Twelfth rib
27 이자(췌장) Pancreas
28 오른콩팥(우신장) Right kidney
29 오름잘록창자(상행결장) Ascending colon
30 오른요관 Right ureter
31 막창자(맹장) Cecum
32 막창자꼬리(충수) Vermiform appendix
33 방광 Urinary bladder
34 아래대정맥 Inferior vena cava
35 허리뼈몸통 Body of lumbal vertebra (L1)
36 엉덩갈비근 Iliocostal muscle
37 위창자간막동맥 Superior mesenteric artery
38 배대동맥 Abdominal aorta

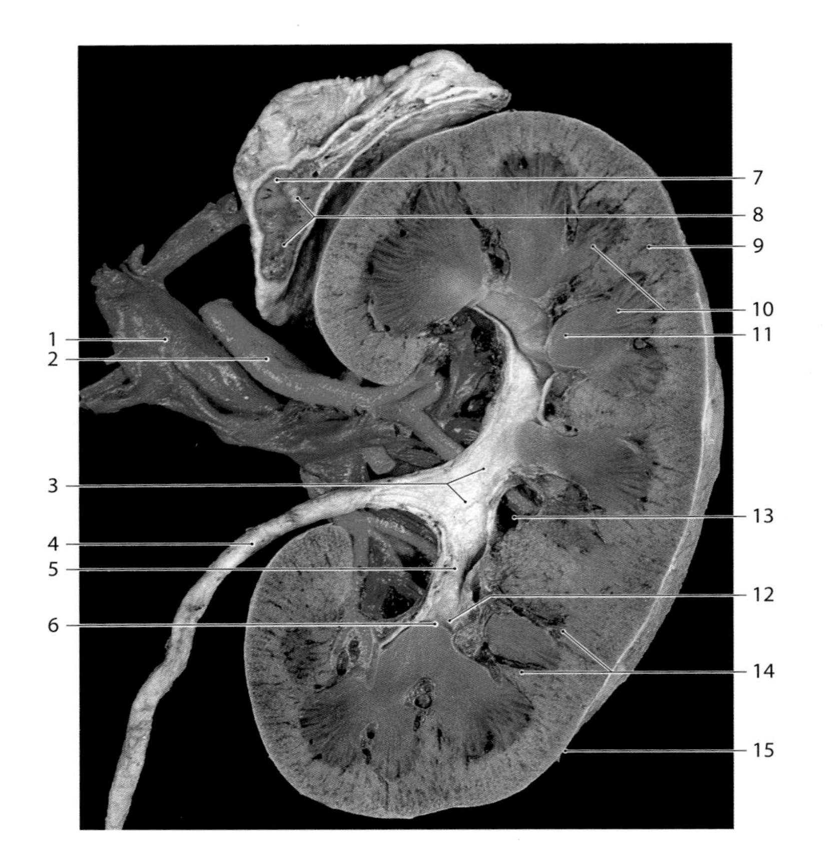

그림 7.6 **오른콩팥(우신장)과 부신을 지나는 관상단면**(뒤모습). 콩팥깔때기(신우)를 열었고, 지방조직을 제거하여 콩팥혈관이 보이게 하였다.

1 콩팥정맥 Renal vein
2 콩팥동맥(신장동맥) Renal artery
3 콩팥깔때기(신우) Renal pelvis
4 요관의 배안부분 Abdominal part of ureter
5 큰콩팥잔 Major renal calyx
6 콩팥유두(신장유두)의 체구역 Cribriform area of renal papilla
7 부신겉질(부신피질) Cortex of suprarenal gland
8 부신속질(부신수질) Medulla of suprarenal gland
9 콩팥겉질(신장피질) Cortex of kidney
10 콩팥속질(신장수질) Medulla of kidney
11 콩팥유두(신장유두) Renal papilla
12 작은콩팥잔 Minor renal calyx
13 콩팥굴 Renal sinus
14 콩팥기둥 Renal columns
15 콩팥섬유피막 Fibrous capsule of kidney

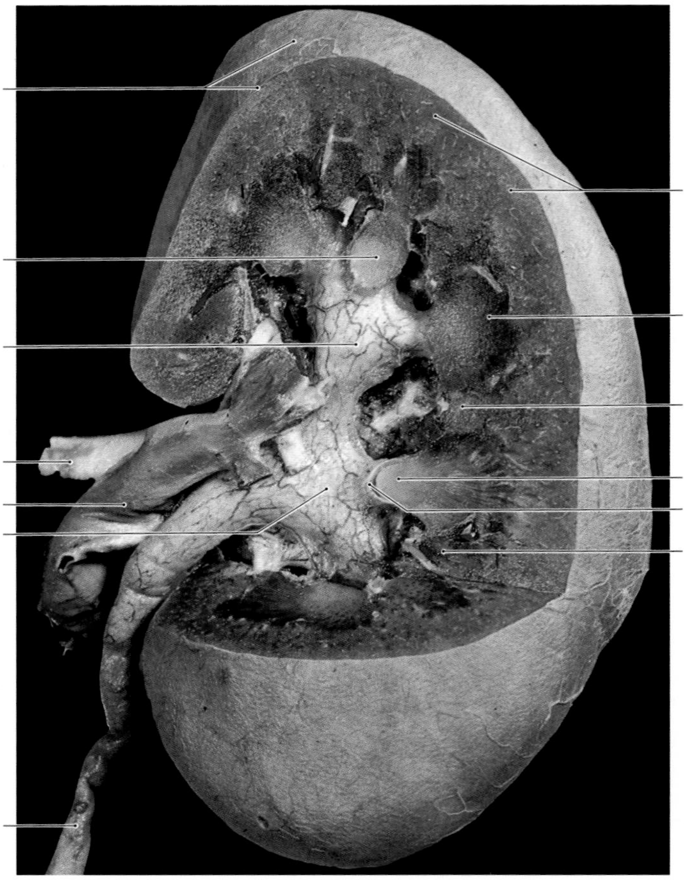

그림 7.7 **오른콩팥(우신장)**(뒤모습). 부분관상단면으로 콩팥(신장)의 속구조를 노출하였다.

각 콩팥(신장)은 끝동맥인 엽사이동맥의 분포에 따라 5구역으로 나뉜다. 엽사이동맥이 막히면 그 부위의 색깔이 변하기 때문에 구역의 경계를 알 수 있다. 콩팥(신장) 앞면에는 4개의 구역, 뒤면에는 3개의 구역(1, 4, 5)이 있다.

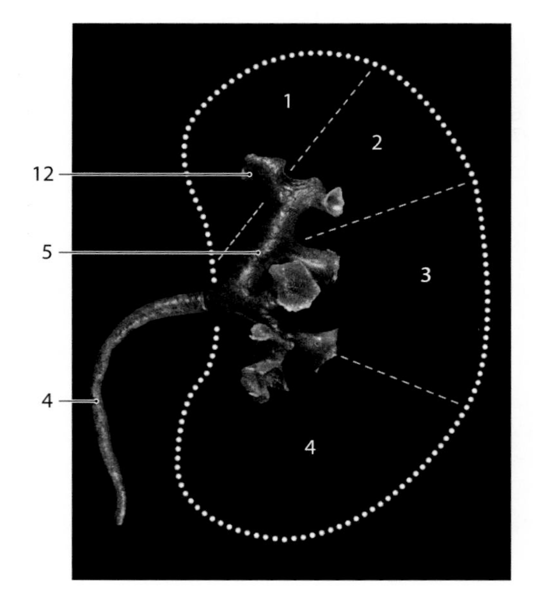

그림 7.8 **콩팥깔때기(신우)와 콩팥잔의 거푸집(cast).** 1-4 = 앞면에서 본 콩팥구역.

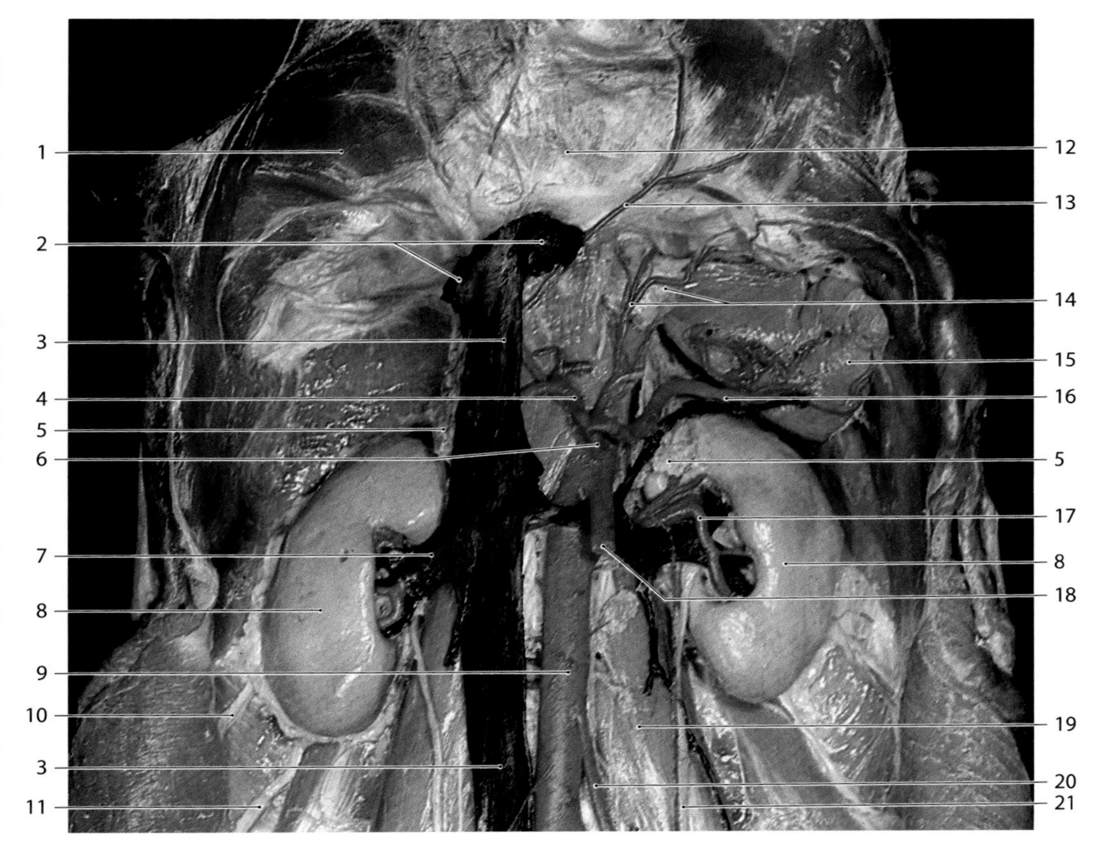

그림 7.9 **제자리의 복막뒤기관, 콩팥(신장) 및 부신**(앞모습). 붉은색 = 동맥; 파란색 = 정맥.

1 가로막 Diaphragm
2 간정맥 Hepatic veins
3 아래대정맥 Inferior vena cava
4 온간동맥 Common hepatic artery
5 부신 Suprarenal gland
6 복강동맥 Celiac trunk
7 오른콩팥정맥 Right renal vein
8 콩팥(신장) Kidney
9 배대동맥 Abdominal aorta
10 갈비밑신경 Subcostal nerve
11 엉덩아랫배신경 Iliohypogastric nerve
12 가로막의 중심널힘줄 Central tendon of diaphragm
13 아래가로막동맥 Inferior phrenic artery
14 위의 들문부분 Cardiac part of stomach
15 지라(비장) Spleen
16 지라동맥(비장동맥) Splenic artery
17 왼콩팥동맥 Left renal artery
18 위창자간막동맥 Superior mesenteric artery
19 큰허리근 Psoas major muscle
20 아래창자간막동맥 Inferior mesenteric artery
21 요관 Ureter
22 토리(사구체) Glomerulus
23 토리(사구체)의 들세동맥 Afferent arteriole of glomerulus
24 토리(사구체) Glomeruli
25 겉질부챗살동맥 Radiating cortical artery
26 활꼴동맥 Subcortical or arcuate artery
27 활꼴정맥 Subcortical or arcuate vein
28 엽사이정맥 Interlobar vein
29 엽사이동맥 Interlobar artery
30 콩팥피막의 혈관 Vessels of renal capsule
31 토리(사구체)의 날세동맥 Efferent arteriole of glomerulus
32 콩팥속질(신장수질)의 곧은혈관 Vasa recta of renal medulla
33 콩팥깔때기(신우)의 나선동맥 Spiral arteries of renal pelvis

23
24
25
26
27
28
29
30
31
32
33

그림 7.10 **콩팥(신장) 혈관계통의 구조.**

그림 7.11 **토리(사구체)와 주변 동맥을 보여주는 전자현미경 사진**(×210).

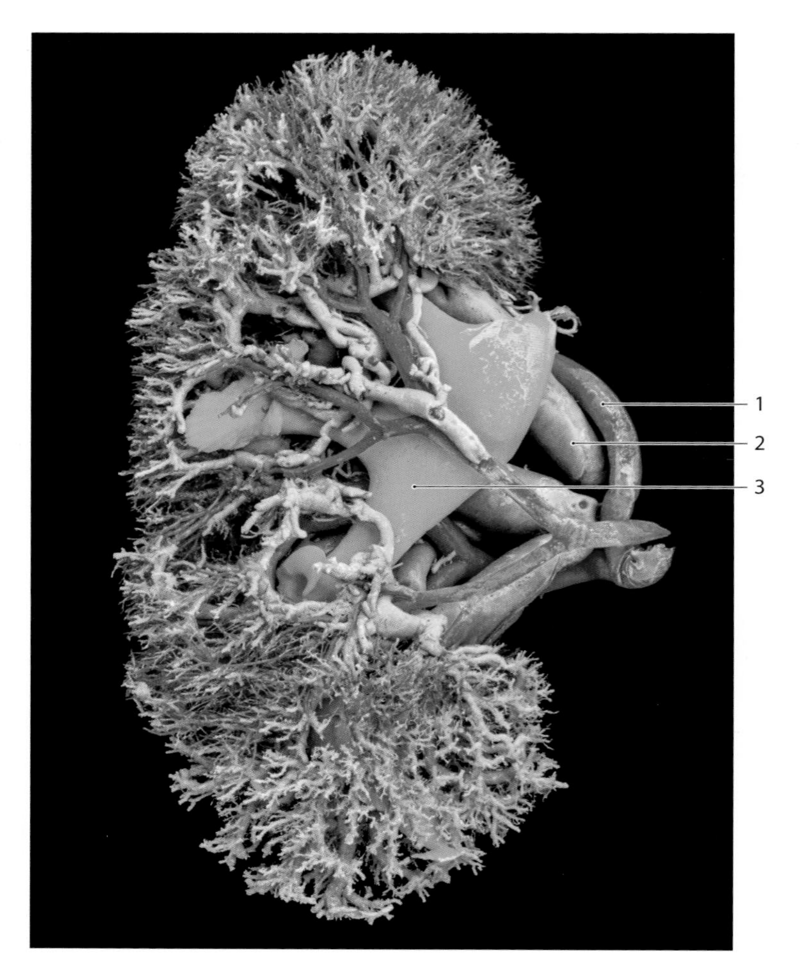

그림 7.12 **콩팥깔때기(신우)와 동맥, 정맥의 거푸집(cast).**

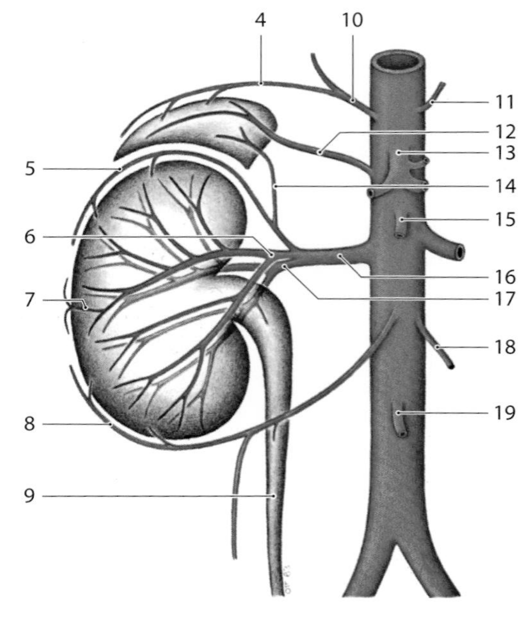

그림 7.13 **콩팥(신장)과 부신의 동맥**

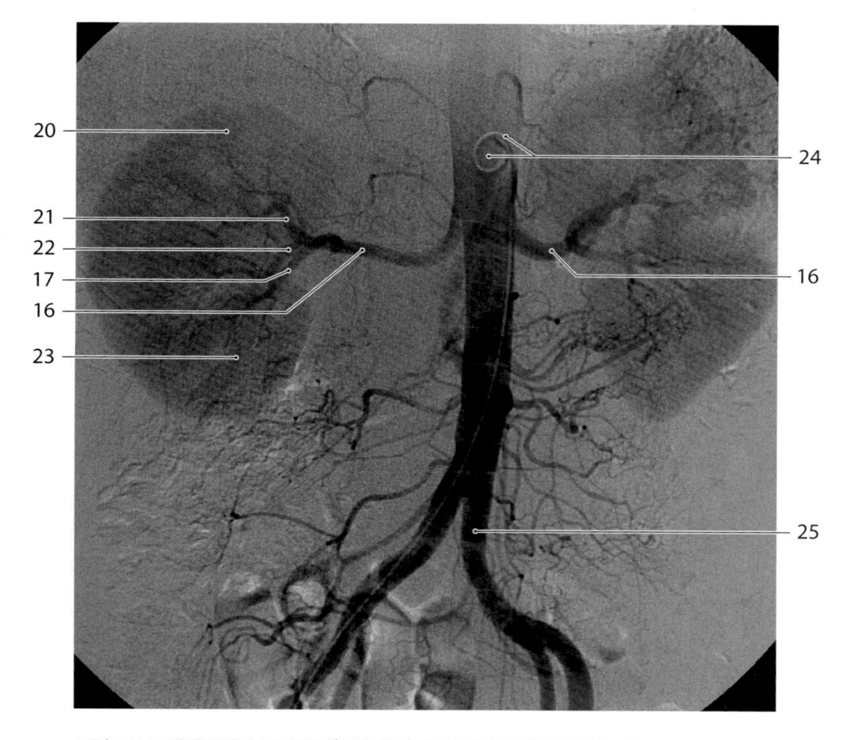

그림 7.14 **배대동맥과 콩팥동맥(신장동맥), 콩팥혈관의 동맥조영술.** (Courtesy of Dr. Wieners, Department of Radiology, Charité Universitäsmedizin Berlin, Germany.)

1 콩팥동맥(신장동맥)의 가지 Branches of renal artery
2 콩팥정맥의 지류 Tributaries of renal vein
3 콩팥깔때기(신우) Renal pelvis
4 위부신동맥 Superior suprarenal artery
5 위피막동맥 Upper capsular artery
6 콩팥동맥(신장동맥)의 앞가지
Anterior branch of renal artery
7 관통동맥 Perforating artery
8 아래피막동맥 Lower capsular artery
9 요관 Ureter
10 오른아래가로막동맥 Right inferior phrenic artery
11 왼아래가로막동맥 Left inferior phrenic artery
12 중간부신동맥 Middle suprarenal artery
13 복강동맥 Celiac trunk
14 아래부신동맥 Inferior suprarenal artery
15 위창자간막동맥 Superior mesenteric artery
16 콩팥동맥(신장동맥) Renal artery
17 콩팥동맥(신장동맥)의 뒤가지
Posterior branch of renal artery
18 왼고환(또는 난소)동맥 Left testicular (or ovarian) artery
19 아래창자간막동맥 Inferior mesenteric artery
20 콩팥(신장)의 위끝 Upper pole of kidney
21 콩팥동맥(신장동맥)의 위앞구역동맥
Anterior superior segmental artery of renal artery
22 콩팥동맥(신장동맥)의 앞구역동맥
Anterior segmental artery of renal artery
23 콩팥(신장)의 아래끝 Lower pole of kidney
24 배대동맥과 카테터 Abdominal aorta (with catheter)
25 온엉덩동맥 Common iliac artery

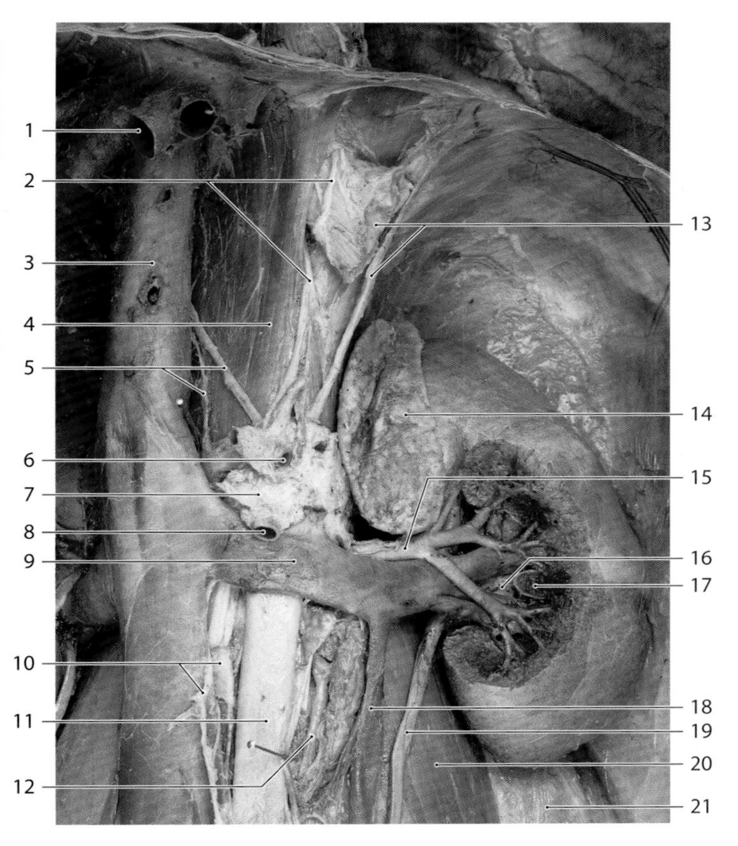

그림 7.15 **제자리의 왼콩팥(좌신장)과 부신.** 콩팥(신장)의 앞쪽 겉질을 제거하여 콩팥깔때기(신우)와 콩팥유두(신장유두)가 보이게 하였다.

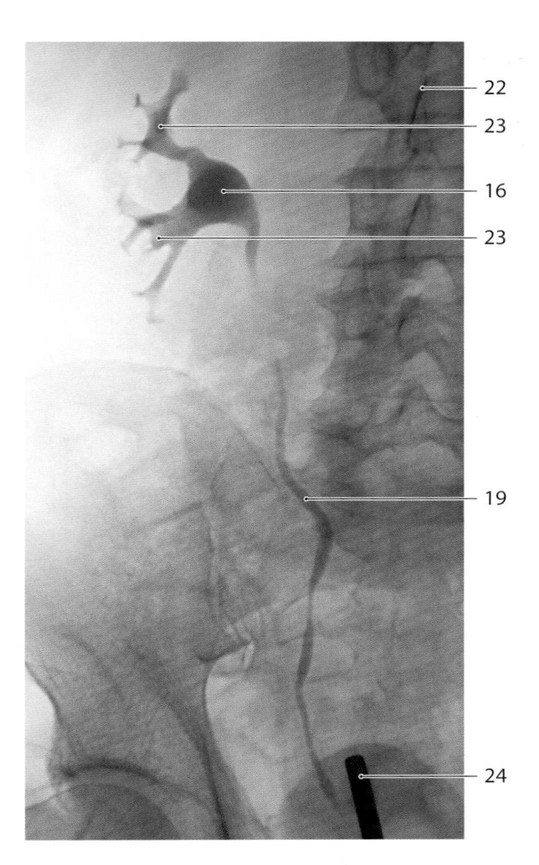

그림 7.16 **콩팥깔때기(신우)와 콩팥잔, 요관**(역방향 주입, 방사선사진). (Courtesy of Prof. Herrlinger, Fürth, Germany.)

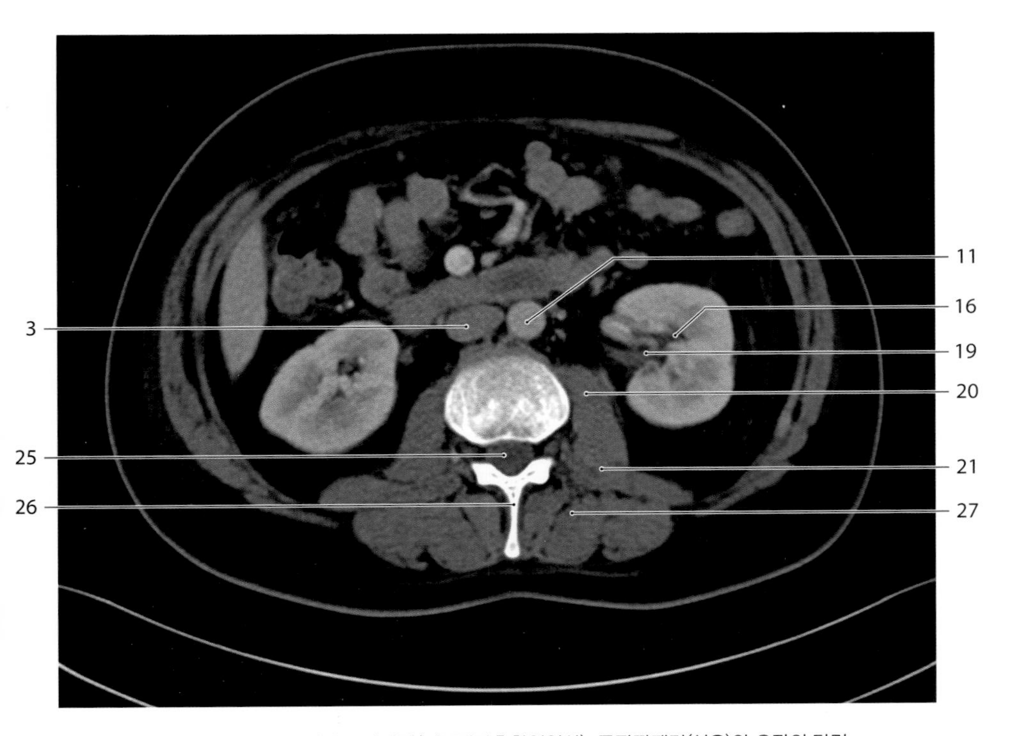

그림 7.17 **첫째허리뼈 높이의 배안 수평단면**(컴퓨터단층촬영영상). 콩팥깔때기(신우)와 요관의 단면. (Courtesy of Prof. Uder, Institute of Radiology, University Hospital Erlangen, Germany.)

1 간정맥 Hepatic vein
2 앞, 뒤미주신경줄기 Anterior and posterior vagal trunk
3 아래대정맥 Inferior vena cava
4 가로막의 허리부분 Lumbar part of diaphragm
5 오른큰내장신경과 작은내장신경 Right greater and lesser splanchnic nerves
6 복강동맥 Celiac trunk
7 복강신경절과 신경얼기 Celiac ganglion and plexus
8 위창자간막동맥 Superior mesenteric artery
9 왼콩팥정맥 Left renal vein
10 오른교감신경줄기와 신경절 Right sympathetic trunk and ganglion
11 배대동맥 Abdominal aorta
12 왼교감신경줄기 Left sympathetic trunk
13 식도(잘림), 왼큰내장신경 Esophagus (cut), left greater splanchnic nerve
14 왼부신 Left suprarenal gland
15 왼콩팥동맥 Left renal artery
16 콩팥깔때기(신우) Renal pelvis
17 콩팥유두(신장유두)와 작은콩팥잔 Renal papilla with minor calyx
18 왼고환정맥 Left testicular vein
19 요관 Ureter
20 큰허리근 Psoas major muscle
21 허리네모근 Quadratus lumborum muscle
22 허리뼈 Lumbar vertebra (L2)
23 콩팥잔 Renal calyx
24 카테터 Catheter
25 척수 Spinal cord
26 허리뼈의 가시돌기 Spinous process of lumbar vertebra
27 척주세움근 Erector spinae muscle

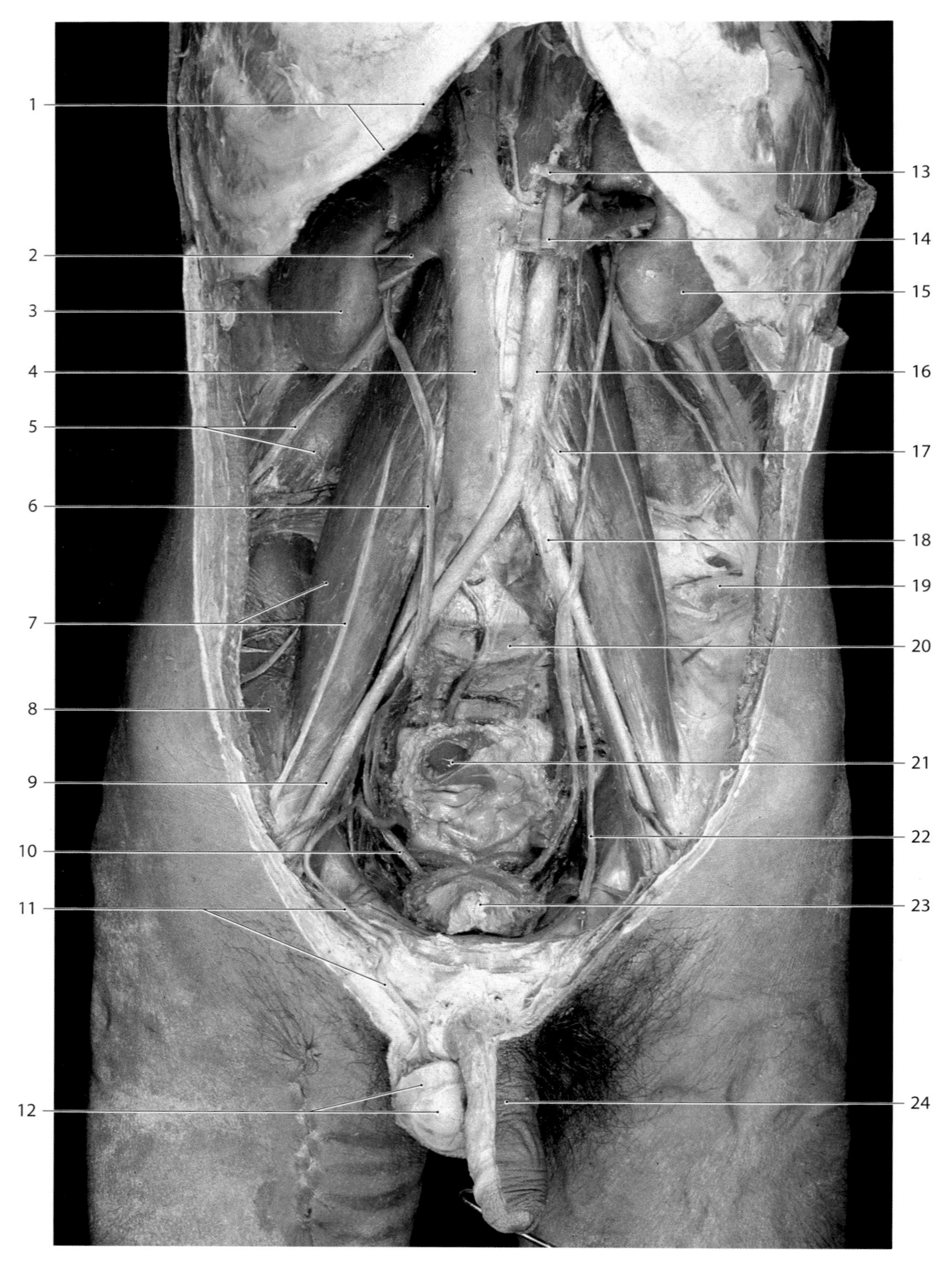

그림 7.18 **남성 비뇨계통**(앞모습). 복막을 제거하였다.

1 갈비활 Costal arch
2 오른콩팥정맥 Right renal vein
3 오른콩팥(우신장) Right kidney
4 아래대정맥 Inferior vena cava
5 엉덩아랫배신경과 허리네모근 Iliohypogastric nerve and quadratus lumborum muscle
6 요관(배안부분) Ureter (abdominal part)
7 큰허리근과 음부넓적다리신경 Psoas major muscle and genitofemoral nerve
8 엉덩근 Iliacus muscle
9 바깥엉덩동맥 External iliac artery
10 요관(골반부분) Ureter (pelvic part)
11 정관 Ductus deferens
12 고환과 부고환 Testis and epididymis
13 복강동맥 Celiac trunk
14 위창자간막동맥 Superior mesenteric artery
15 왼콩팥(좌신장) Left kidney
16 배대동맥 Abdominal aorta
17 아래창자간막동맥 Inferior mesenteric artery
18 온엉덩동맥 Common iliac artery
19 엉덩뼈능선 Iliac crest
20 엉치뼈곶 Sacral promontory
21 곧창자(직장)(잘림) Rectum (cut)
22 안쪽배꼽인대 Medial umbilical ligament
23 방광 Urinary bladder
24 음경 Penis

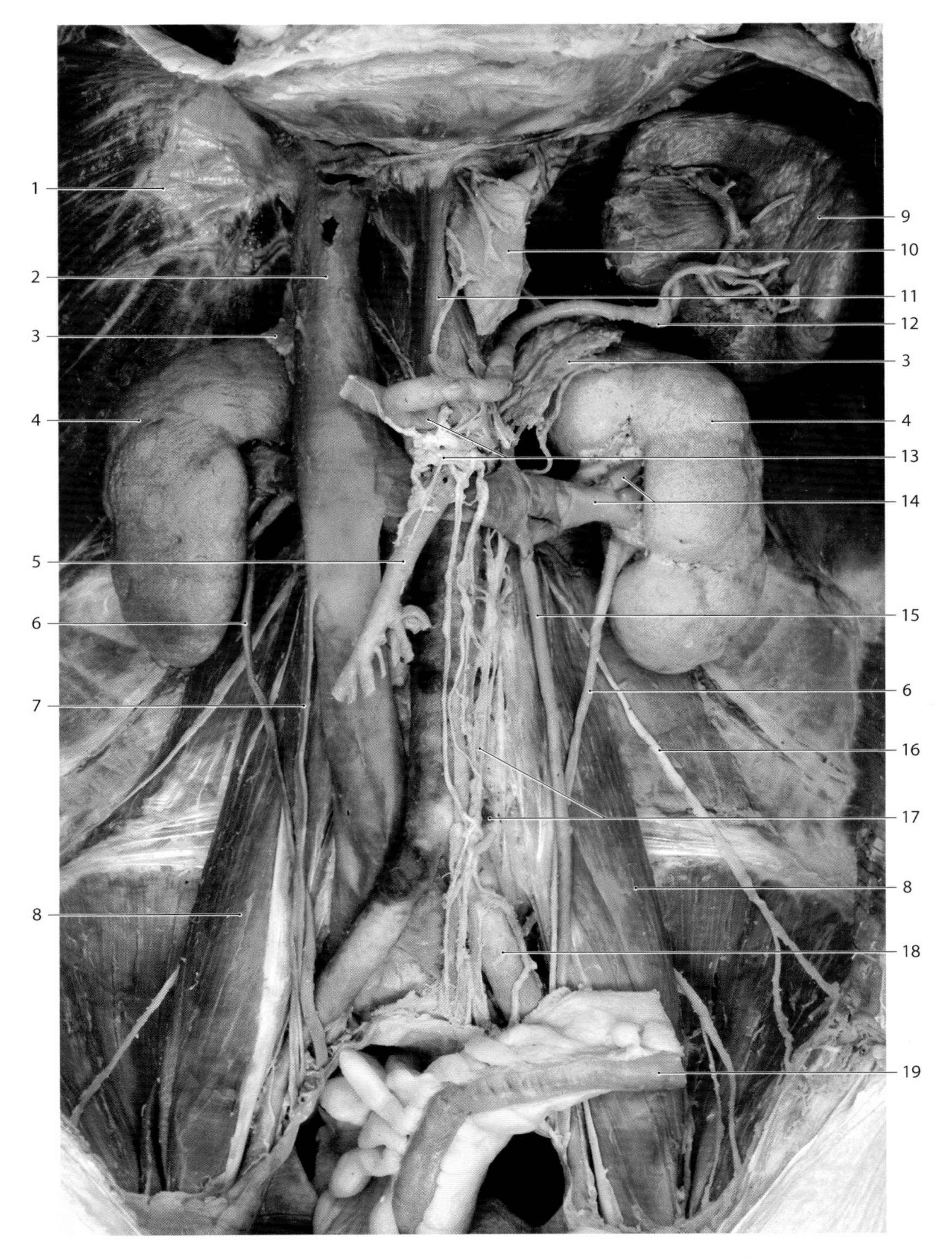

그림 7.19 **남성 비뇨계통**(앞모습). 복막을 제거하였다. 배대동맥 주위의 자율신경얼기와 신경절을 확인하시오.

1 가로막 Diaphragm
2 아래대정맥 Inferior vena cava
3 부신 Suprarenal gland
4 콩팥(신장) Kidney
5 위창자간막동맥 Superior mesenteric artery
6 요관 Ureter
7 오른고환정맥 Right spermatic vein
8 큰허리근 Psoas major muscle
9 지라(비장) Spleen
10 위의 들문부분 Cardiac part of stomach
11 배대동맥 Abdominal aorta
12 지라동맥(비장동맥) Splenic artery
13 복강동맥과 복강신경절 Celiac trunk and celiac ganglion
14 콩팥동맥(신장동맥)과 정맥 Renal artery and vein
15 왼고환정맥 Left spermatic vein
16 엉덩고샅신경 Ilio-inguinal nerve
17 위아랫배신경얼기와 신경절 Superior hypogastric plexus and ganglion
18 왼온엉덩동맥 Left common iliac artery
19 구불잘록창자(구불결장) Sigmoid colon

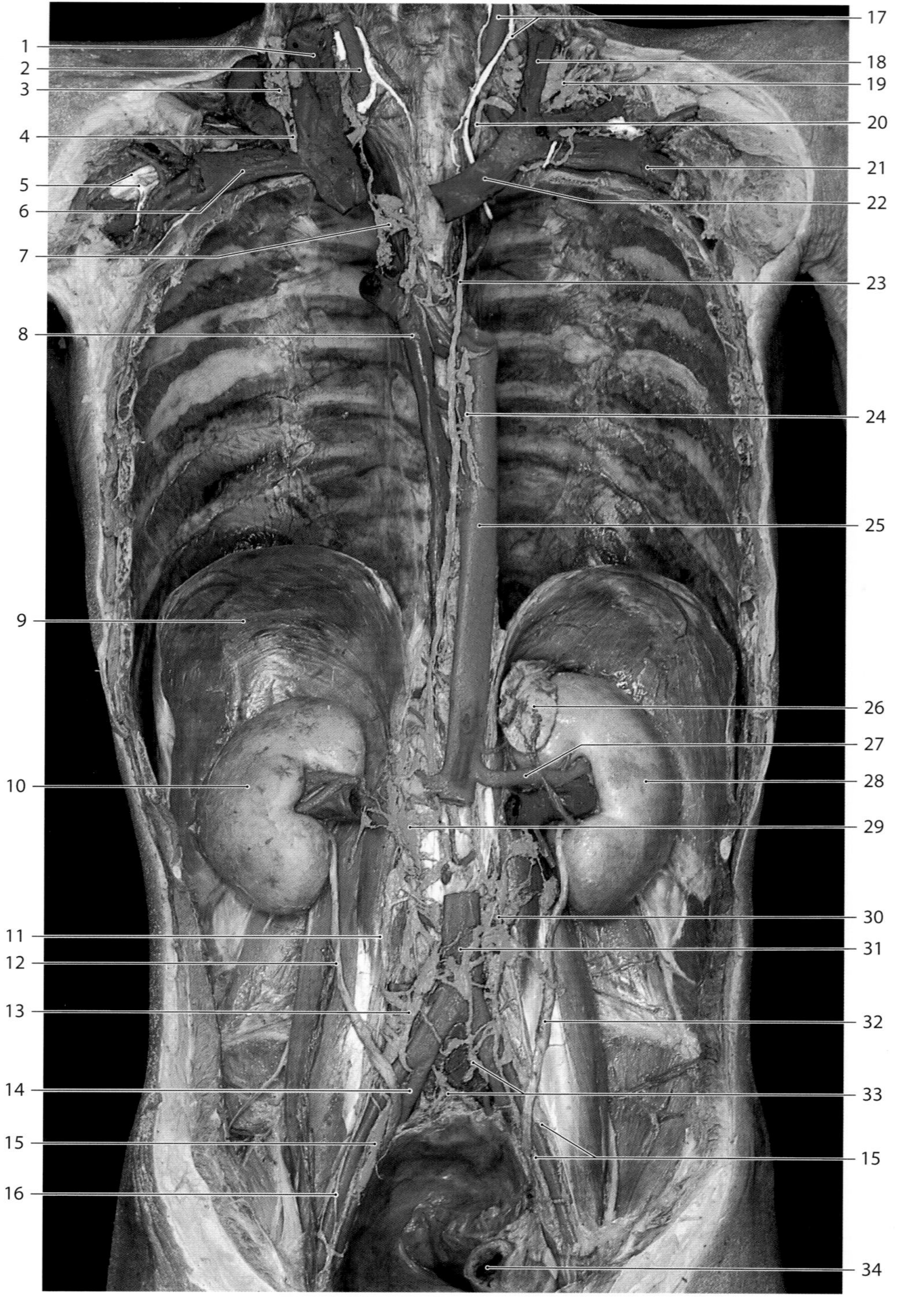

그림 7.20 **가슴안과 배안 뒤벽의 림프관과 림프절**(앞모습).
녹색 = 림프관과 림프절; 파란색 = 정맥; 붉은색 = 동맥; 흰색 = 신경.

1 속목정맥 Internal jugular vein
2 오른온목동맥과 오른미주신경 Right common carotid artery and right vagus nerve
3 목정맥어깨목뿔근림프절 Jugulo-omohyoid lymph node
4 오른림프관 Right lymphatic duct
5 빗장밑림프줄기 Subclavian trunk
6 오른빗장밑정맥 Right subclavian vein
7 기관지세로칸림프줄기 Bronchomediastinal trunk
8 홀정맥 Azygos vein
9 가로막 Diaphragm
10 오른콩팥(우신장) Right kidney
11 오른허리림프줄기 Right lumbar trunk
12 오른요관 Right ureter
13 온엉덩림프절 Common iliac lymph nodes
14 오른속엉덩동맥 Right internal iliac artery
15 바깥엉덩림프절 External iliac lymph nodes
16 오른바깥엉덩동맥 Right external iliac artery
17 왼온목동맥과 왼미주신경 Left common carotid artery and left vagus nerve
18 속목정맥 Internal jugular vein
19 깊은목림프절 Deep cervical lymph nodes
20 왼쪽 정맥각으로 들어가는 가슴림프관 Thoracic duct entering left jugular angle
21 왼빗장밑정맥 Left subclavian vein
22 왼팔머리정맥 Left brachiocephalic vein
23 가슴림프관 Thoracic duct
24 세로칸림프절 Mediastinal lymph nodes
25 가슴대동맥 Thoracic aorta
26 왼부신 Left suprarenal gland
27 왼콩팥동맥 Left renal artery
28 왼콩팥(좌신장) Left kidney
29 가슴림프관팽대 Cisterna chyli
30 허리림프절 Lumbar lymph nodes
31 배대동맥 Abdominal aorta
32 왼요관 Left ureter
33 엉치림프절 Sacral lymph nodes
34 곧창자(직장)(단면) Rectum (cut edge)
35 대동맥활 Aortic arch
36 위대정맥 Superior vena cava
37 갈비사이정맥 Intercostal vein
38 왼목림프줄기 Left jugular trunk
39 왼빗장밑동맥 Left subclavian artery
40 허리네모근 Quadratus lumborum muscle
41 큰허리근 Psoas major muscle
42 귀밑샘림프절 Parotid lymph nodes
43 겨드랑림프절 Axillary lymph nodes

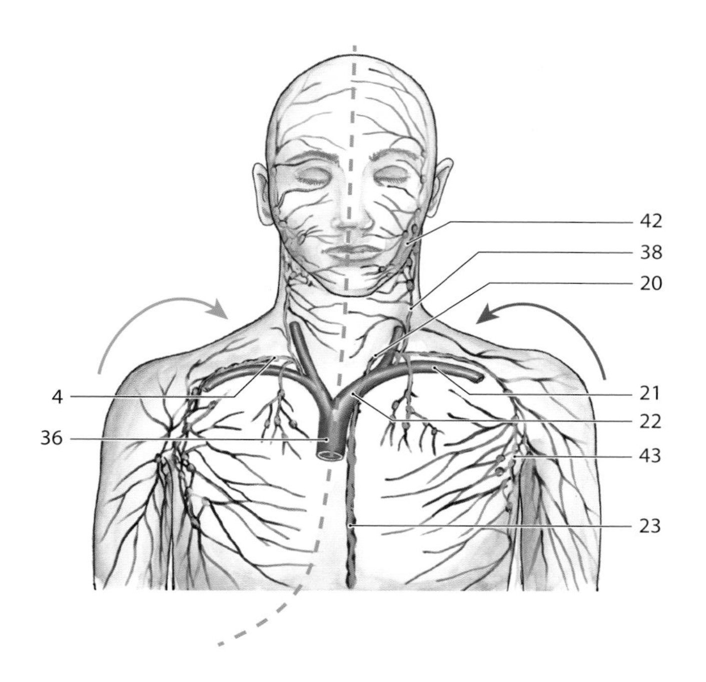

그림 7.21 **몸 위부분의 림프관과 림프절.** 오른팔, 머리와 목의 오른쪽 부분 및 오른가슴의 림프는 오른정맥각(속목정맥과 빗장밑정맥 사이)으로 들어간다. 다른 모든 부위의 림프는 가슴림프관을 통해 왼정맥각으로 들어간다. 붉은색 점선 = 오른쪽과 왼쪽 림프 배출 구역의 경계.

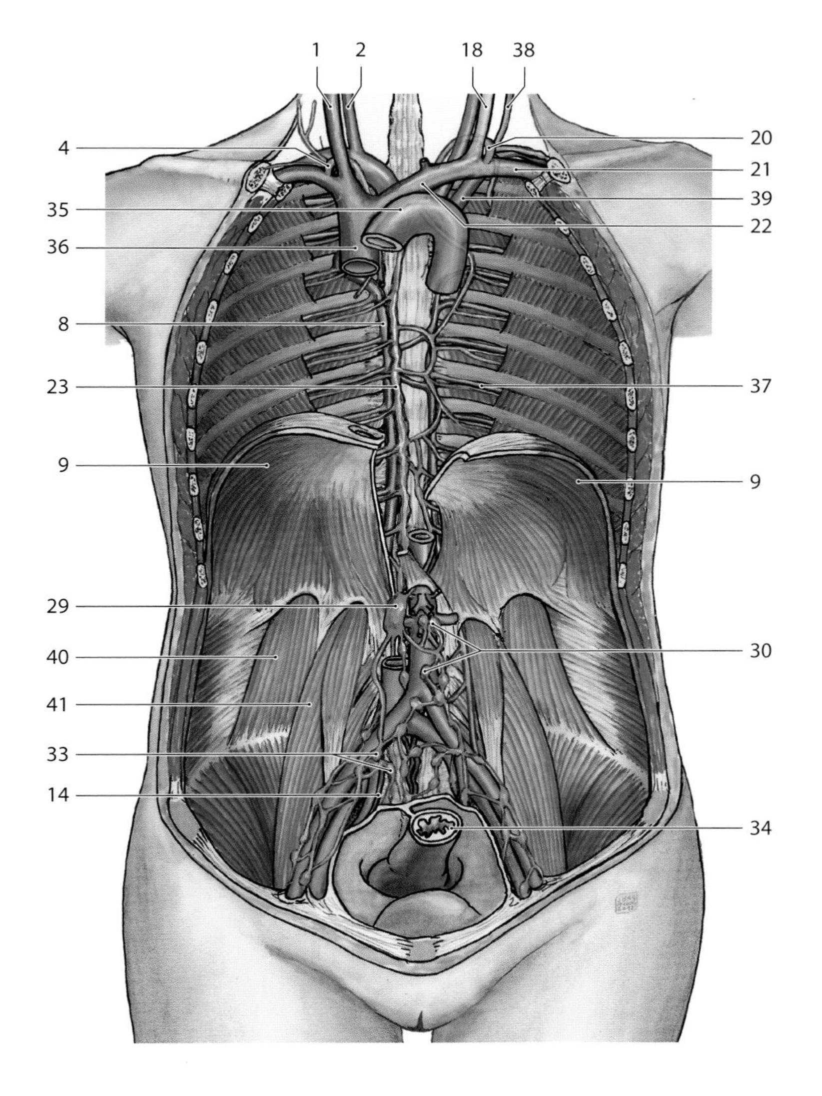

그림 7.22 **가슴안과 배안 뒤벽의 림프관과 림프절**(앞모습). 가슴림프관팽대부터 왼쪽 정맥각까지 주행하는 가슴림프관의 경로에 주목하시오. 갈비사이공간의 림프관은 주로 가슴림프관과 연결된다.

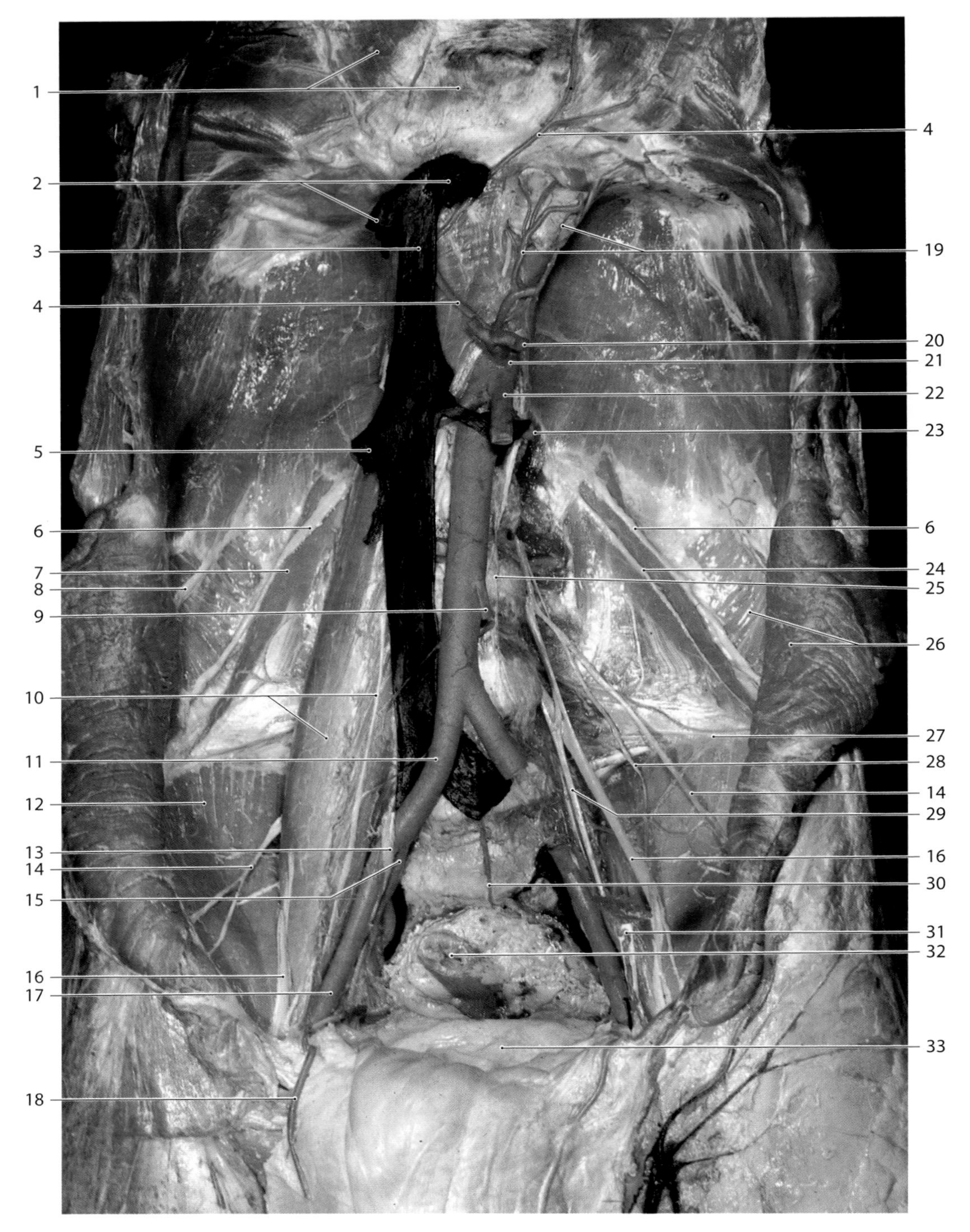

그림 7.23 **복막뒤공간의 혈관과 신경**(앞모습). 왼쪽 큰허리근 일부를 제거하여 허리신경얼기가 보이게 하였다. 붉은색 = 동맥; 파란색=정맥.

1 가로막 Diaphragm
2 간정맥 Hepatic veins
3 아래대정맥 Inferior vena cava
4 아래가로막동맥 Inferior phrenic artery
5 오른콩팥정맥 Right renal vein
6 엉덩아랫배신경 Iliohypogastric nerve
7 허리네모근 Quadratus lumborum muscle
8 갈비밑신경 Subcostal nerve
9 아래창자간막동맥 Inferior mesenteric artery
10 오른음부넓적다리신경과 큰허리근 Right genitofemoral nerve and psoas major muscle
11 온엉덩동맥 Common iliac artery
12 엉덩근 Iliacus muscle
13 오른요관(잘림) Right ureter (divided)
14 가쪽넓적다리피부신경 Lateral femoral cutaneous nerve
15 속엉덩동맥 Internal iliac artery
16 넙적다리신경 Femoral nerve
17 바깥엉덩동맥 External iliac artery
18 아래배벽동맥 Inferior epigastric artery
19 위의 들문부분과 왼위동맥의 식도가지 Cardiac part of stomach and esophageal branches of left gastric artery
20 지라동맥(비장동맥) Splenic artery
21 복강동맥 Celiac trunk
22 위창자간막동맥 Superior mesenteric artery
23 왼콩팥동맥 Left renal artery
24 엉덩고샅신경 Ilio-inguinal nerve
25 교감신경줄기 Sympathetic trunk
26 배가로근 Transverse abdominal muscle
27 엉덩뼈능선 Iliac crest
28 왼음부넓적다리신경 Left genitofemoral nerve
29 왼폐쇄신경 Left obturator nerve
30 정중엉치동맥 Median sacral artery
31 큰허리근(잘림)과 분포한 동맥 Psoas major muscle(divided) with supplying artery
32 곧창자(직장)(잘림) Rectum (cut)
33 방광 Urinary bladder

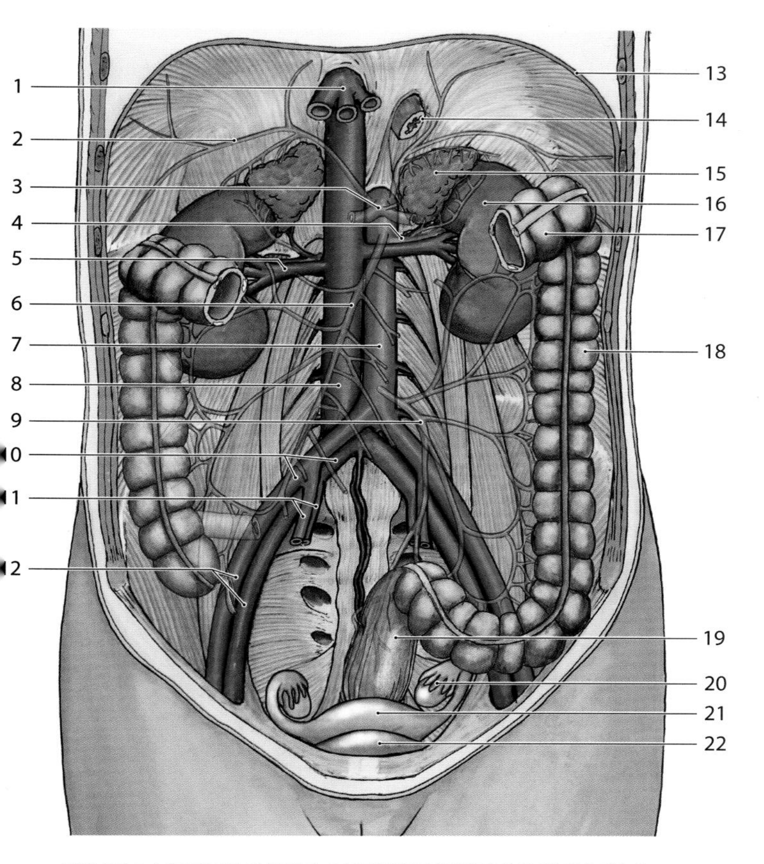

그림 7.24 **복막뒤공간의 혈관**과 오름잘록창자(상행결장)와 내림잘록창자(하행결장)에 혈액을 공급하는 위 및 아래창자간막동맥의 주행.

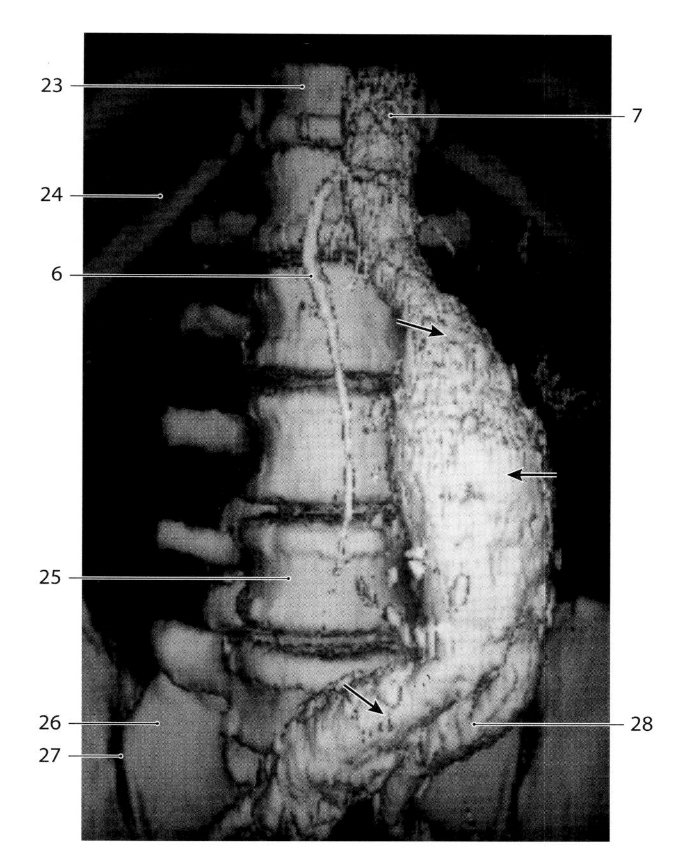

그림 7.25 **콩팥동맥(신장동맥) 아래쪽에서 동맥류**(aneurysm)가 생긴 배대동맥(3차원 재구성). 화살표 = 양쪽 엉덩동맥. (Courtesy of Prof. Rupprecht, Neumarkt, Germany.)

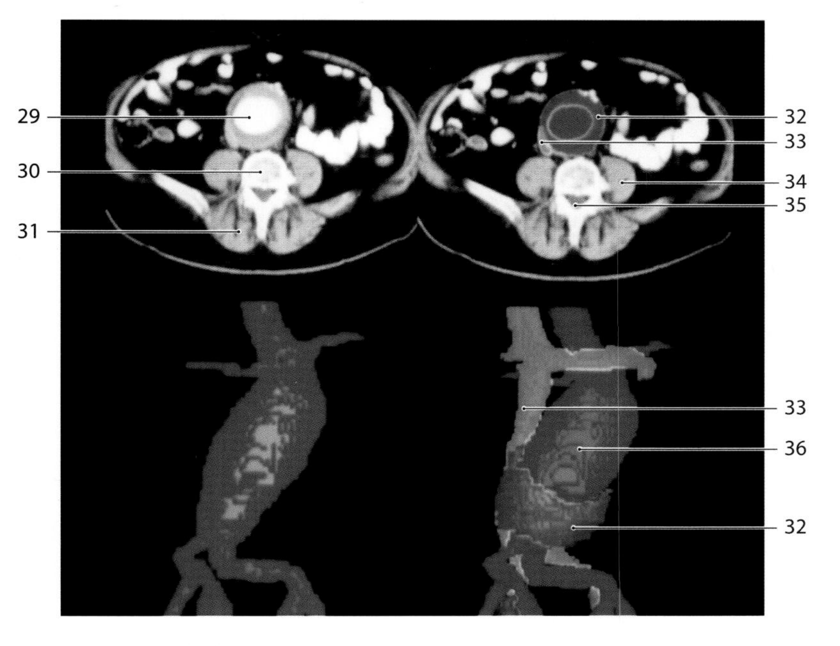

그림 7.26 **동맥류가 생긴 배대동맥**에 조영제를 주사함. 위 = 배안의 수평단면으로 대동맥과 동맥류 속의 조영제 농도가 다른 것이 보임; 아래 = 동맥류의 3차원 재구성; 붉은색 = 대동맥; 녹색 = 혈전구역; 파란색 = 아래대정맥(일부 눌림). (Courtesy of Prof. Rupprecht, Neumarkt, Germany.)

1 간정맥 Hepatic veins
2 아래가로막동맥 Inferior phrenic artery
3 복강동맥 Celiac trunk
4 왼콩팥동맥 Left renal artery
5 오른콩팥정맥 Right renal vein
6 위창자간막동맥 Superior mesenteric artery
7 배대동맥 Aorta (abdominal part)
8 아래대정맥 Inferior vena cava
9 아래창자간막동맥 Inferior mesenteric artery
10 온엉덩동맥과 정맥 Common iliac artery and vein
11 속엉덩동맥과 정맥 Internal iliac artery and vein
12 바깥엉덩동맥과 정맥 External iliac artery and vein
13 가로막 Diaphragm
14 식도 Esophagus
15 부신 Suprarenal gland
16 콩팥(신장) Kidney
17 가로잘록창자(횡행결장) Transverse colon
18 내림잘록창자(하행결장) Descending colon
19 곧창자(직장) Rectum
20 난소와 자궁관깔때기 Ovary with infundibulum of uterine tube
21 자궁 Uterus
22 방광 Urinary bladder
23 열두째등뼈 Twelfth thoracic vertebra (T12)
24 열두째갈비뼈 Twelfth rib (rib XII)
25 넷째허리뼈 Fourth lumbar vertebra (L4)
26 엉치뼈 Sacrum
27 엉치엉덩관절 Sacro-iliac articulation
28 왼온엉덩동맥(동맥류 포함) Left common iliac artery (included into the aneurysm)
29 동맥류가 생긴 대동맥 Aorta with aneurysm
30 허리뼈몸통 Body of lumbar vertebra
31 척추세움근 Erector spinae muscle
32 동맥류에 생긴 혈전(녹색) Thrombotic part of the aneurysm (green)
33 아래대정맥(눌림, 파란색) Inferior vena cava (compressed, blue)
34 엉덩허리근 Iliopsoas muscle
35 척주관 Vertebral canal
36 대동맥류(붉은색) Aneurysm of the aorta (red)

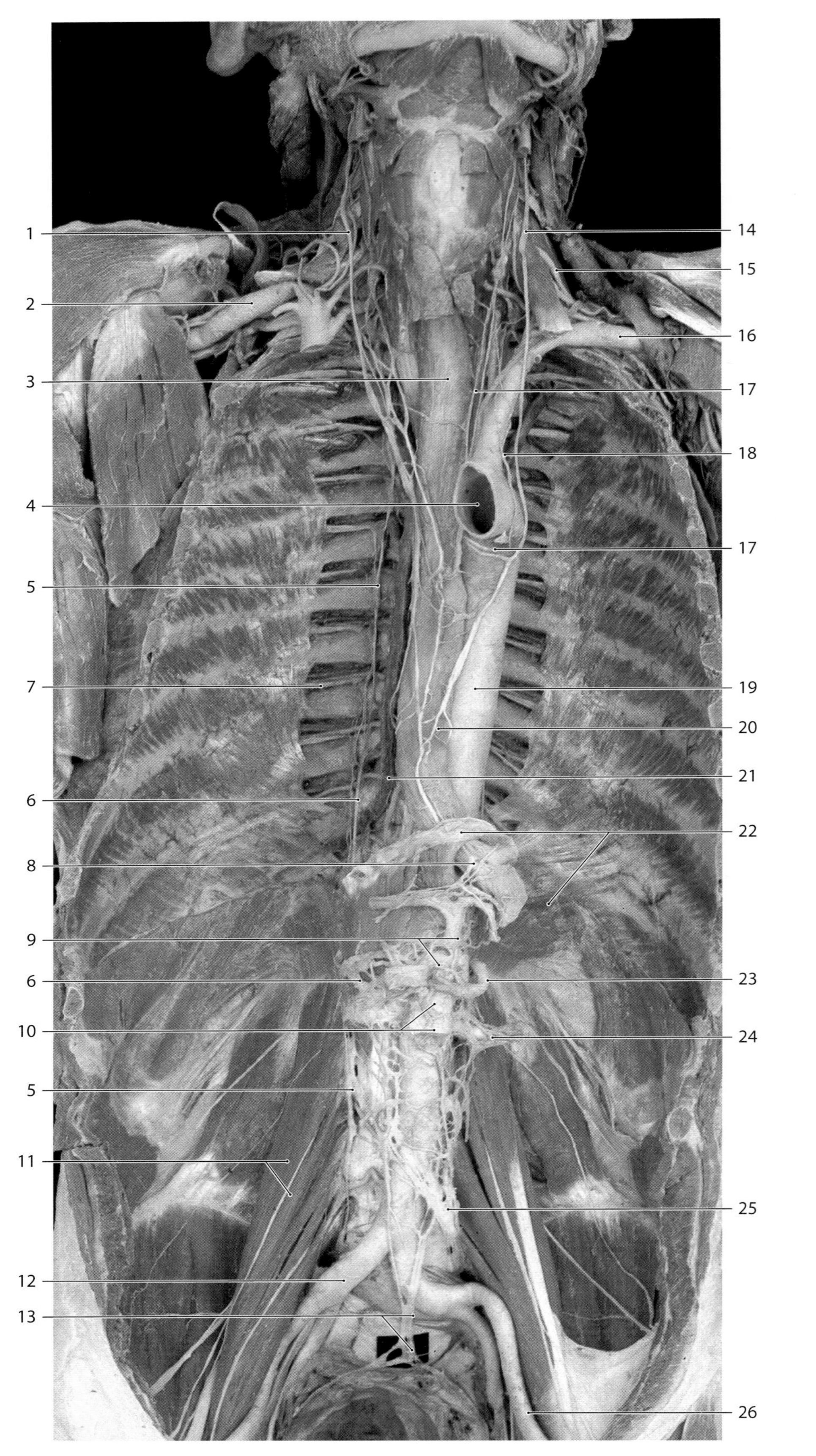

그림 7.27 **가슴안과 배안의 뒤벽.** 교감신경줄기, 미주신경 및 자율신경절(앞모습).
가슴안과 배안기관을 식도와 대동맥만 남기고 제거하였다.

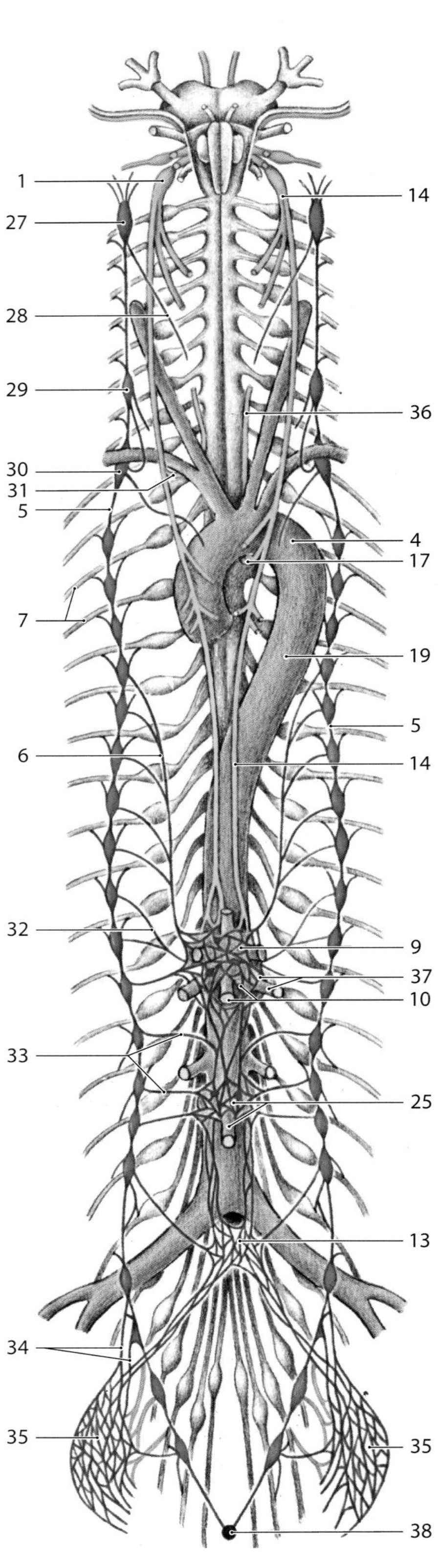

그림 7.28 **자율신경계통의 구성.**
노란색 = 부교감신경; 녹색 = 교감신경.

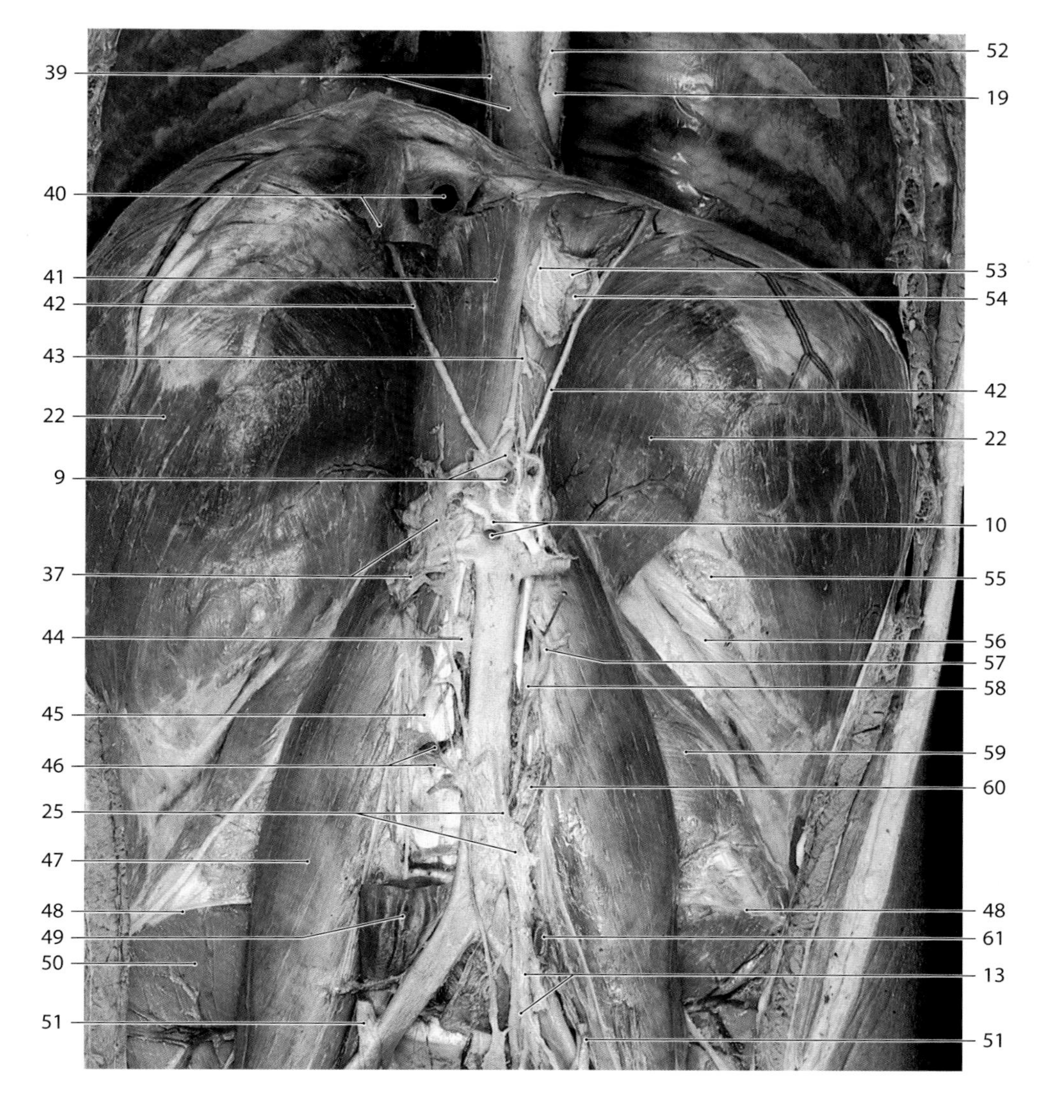

그림 7.29 **복막뒤공간에 있는 자율신경계통의 신경절과 신경얼기**(앞모습). 콩팥(신장) 및 아래대정맥과 그 지류는 제거하였다.

1 오른미주신경 Right vagus nerve
2 오른빗장밑동맥 Right subclavian artery
3 식도 Esophagus
4 대동맥활 Aortic arch
5 교감신경줄기 Sympathetic trunk
6 큰내장신경 Greater splanchnic nerve
7 갈비사이신경 Intercostal nerve
8 식도의 배안부분과 미주신경줄기 Abdominal part of esophagus and vagal trunk
9 복강동맥과 복강신경절 Celiac trunk with celiac ganglion
10 위창자간막동맥과 신경절 Superior mesenteric artery and ganglion
11 큰허리근과 음부넓적다리신경 Psoas major muscle and genitofemoral nerve
12 온엉덩동맥 Common iliac artery
13 위아랫배신경얼기와 신경절 Superior hypogastric plexus and ganglion
14 왼미주신경 Left vagus nerve
15 팔신경얼기 Brachial plexus
16 왼빗장밑동맥 Left subclavian artery
17 왼되돌이후두신경 Left recurrent laryngeal nerve
18 아래목심장신경 Inferior cervical cardiac nerve
19 가슴대동맥 Thoracic aorta
20 식도신경얼기 Esophageal plexus
21 홀정맥 Azygos vein
22 가로막 Diaphragm
23 지라동맥(비장동맥) Splenic artery
24 왼콩팥동맥과 신경얼기 Left renal artery and plexus
25 아래창자간막신경절과 동맥 Inferior mesenteric ganglion and artery
26 왼바깥엉덩동맥 Left external iliac artery
27 교감신경줄기의 위목신경절 Superior cervical ganglion of sympathetic trunk
28 교감신경줄기의 위심장가지 Superior cardiac branch of sympathetic trunk
29 교감신경줄기의 중간목신경절 Middle cervical ganglion of sympathetic trunk
30 교감신경줄기의 아래목신경절 Inferior cervical ganglion of sympathetic trunk
31 오른되돌이후두신경 Right recurrent laryngeal nerve
32 작은내장신경 Lesser splanchnic nerve
33 허리내장신경 Lumbar splanchnic nerves
34 엉치내장신경 Sacral splanchnic nerves
35 아래아랫배신경절과 신경얼기 Inferior hypogastric ganglion and plexus
36 왼되돌이후두신경 Left recurrent laryngeal nerve
37 대동맥콩팥신경얼기와 콩팥동맥(신장동맥) Aorticorenal plexus and renal artery
38 홀신경절 Ganglion impar
39 식도와 미주신경의 가지 Esophagus with branches of vagus nerve
40 간정맥 Hepatic veins
41 가로막의 오른다리 Right crus of diaphragm
42 아래가로막동맥 Inferior phrenic artery
43 복강신경절로 들어가는 오른미주신경 Right vagus nerve entering the celiac ganglion
44 오른허리림프줄기 Right lumbar lymph trunk
45 오른교감신경줄기의 허리부분 Lumbar part of right sympathetic trunk
46 허리동맥과 정맥 Lumbar artery and vein
47 큰허리근 Psoas major muscle
48 엉덩뼈능선 Iliac crest
49 아래대정맥 Inferior vena cava
50 엉덩근 Iliacus muscle
51 요관 Ureter
52 식도신경얼기를 형성하는 왼미주신경 Left vagus nerve forming the esophageal plexus
53 위신경얼기를 형성하는 왼미주신경 Left vagus nerve forming the gastric plexus
54 위의 들문부분으로 이어지는 식도 Esophagus continuing into the cardiac part of stomach
55 허리갈비삼각 Lumbocostal triangle
56 열두째갈비뼈의 위치 Position of twelfth rib
57 왼허리림프줄기 Left lumbar lymph trunk
58 교감신경줄기의 신경절 Ganglion of sympathetic trunk
59 허리네모근 Quadratus lumborum muscle
60 왼교감신경줄기의 허리부분 Lumbar part of left sympathetic trunk
61 엉덩림프관 Iliac lymph vessels

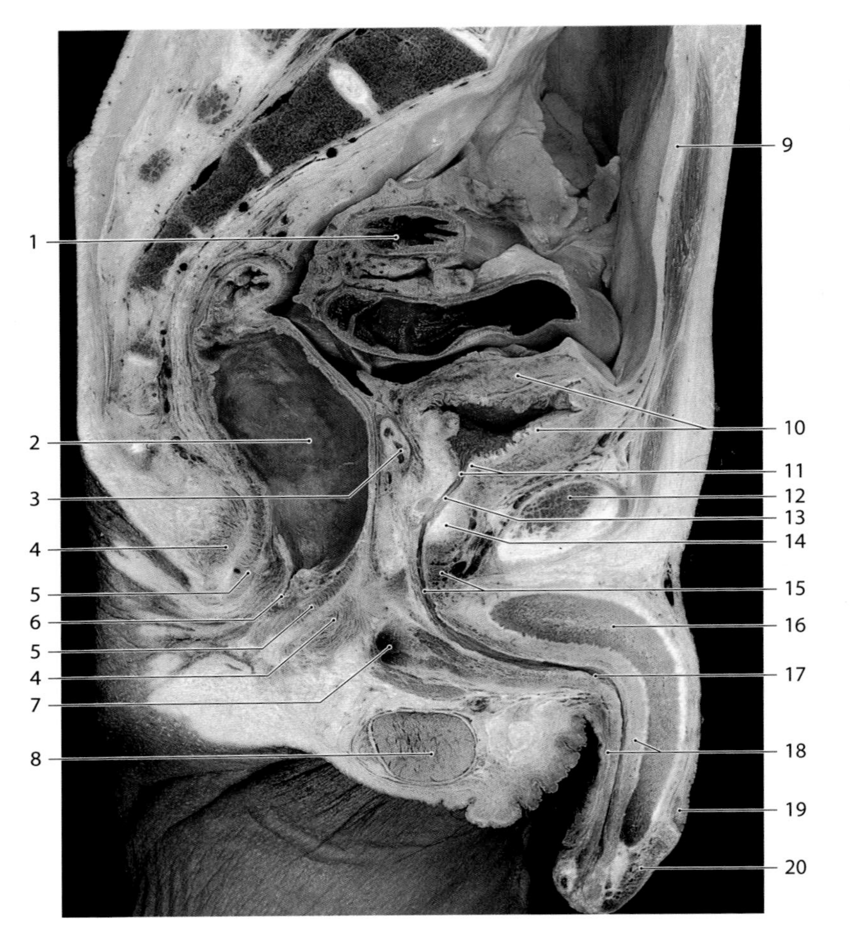

그림 7.30 **남성비뇨생식계통**(골반안을 지나는 정중단면).

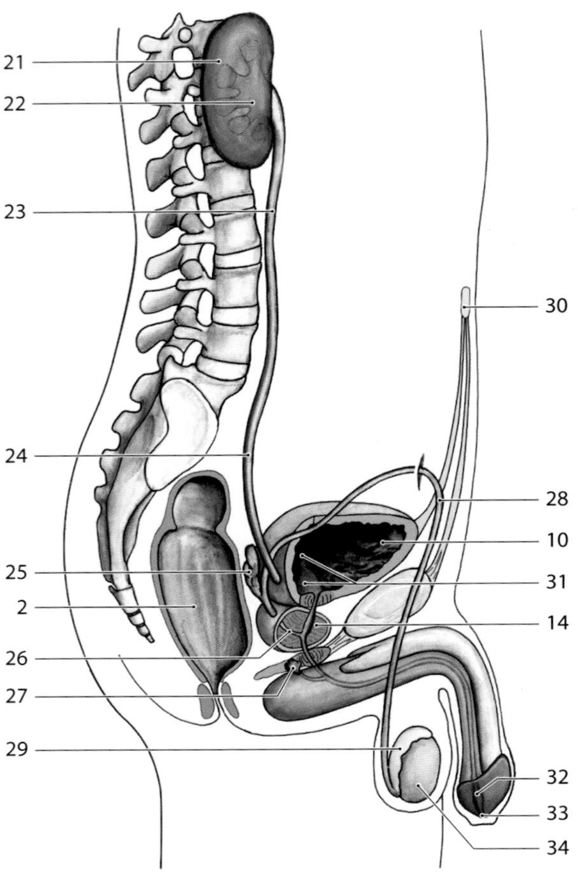

그림 7.31 **남성비뇨생식계통**(가쪽모습).

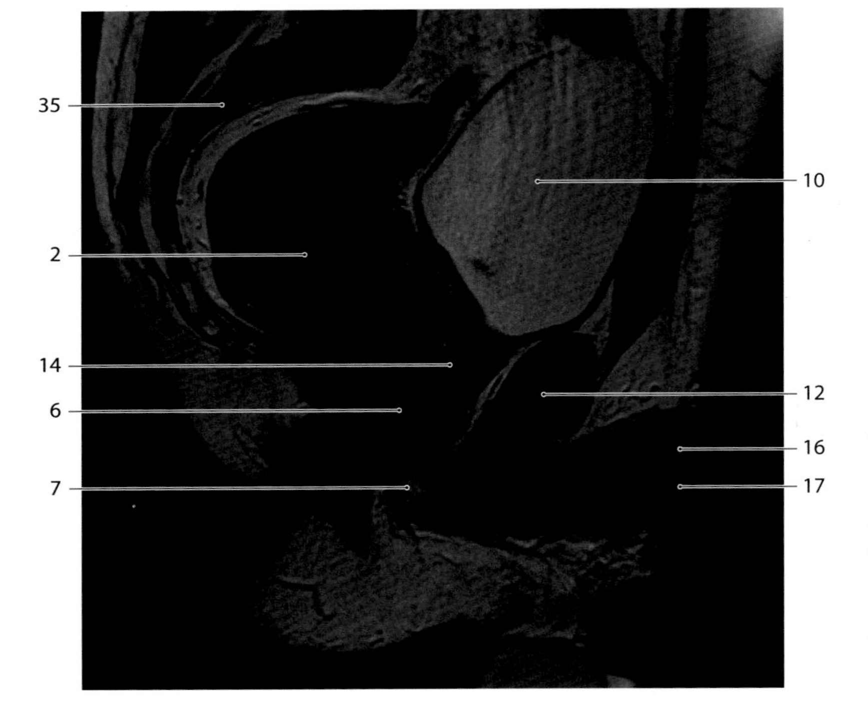

그림 7.32 **남성의 골반안을 지나는 정중단면**(자기공명영상). (Courtesy of Prof. Uder, Institute of Radiology, University Hospital Erlangen, Germany.)

1 구불잘록창자(구불결장) Sigmoid colon
2 곧창자팽대(직장팽대) Ampulla of rectum
3 정관팽대 Ampulla of ductus deferens
4 바깥항문조임근 External anal sphincter muscle
5 속항문조임근 Internal anal sphincter muscle
6 항문관 Anal canal
7 음경망울 Bulb of penis
8 고환(단면) Testis (cut surface)
9 정중배꼽인대 Median umbilical ligament
10 방광 Urinary bladder
11 속요도구멍과 조임근 Internal urethral orifice and sphincter
12 두덩결합 Pubic symphysis
13 요도의 전립샘부분 Prostatic part of urethra
14 전립샘 Prostate gland
15 요도의 막부분과 바깥요도조임근 Membranous part of urethra and external urethral sphincter
16 음경해면체 Corpus cavernosum of penis
17 요도의 해면체부분 Spongy urethra
18 요도해면체 Corpus spongiosum of penis
19 음경꺼풀 Foreskin (prepuce)
20 음경귀두 Glans penis
21 콩팥(신장) Kidney
22 콩팥깔때기(신우) Renal pelvis
23 요관의 배안부분 Abdominal part of ureter
24 요관의 골반부분 Pelvic part of ureter
25 정낭 Seminal vesicle
26 사정관 Ejaculatory duct
27 망울요도샘 Bulbo-urethral gland(Cowper's gland)
28 정관 Ductus deferens
29 부고환 Epididymis
30 배꼽 Umbilicus
31 방광삼각과 요관구멍 Trigone of bladder and ureteric orifice
32 요도배오목 Navicular fossa of urethra
33 바깥요도구멍 External urethral orifice
34 고환 Testis
35 엉치뼈 Sacrum

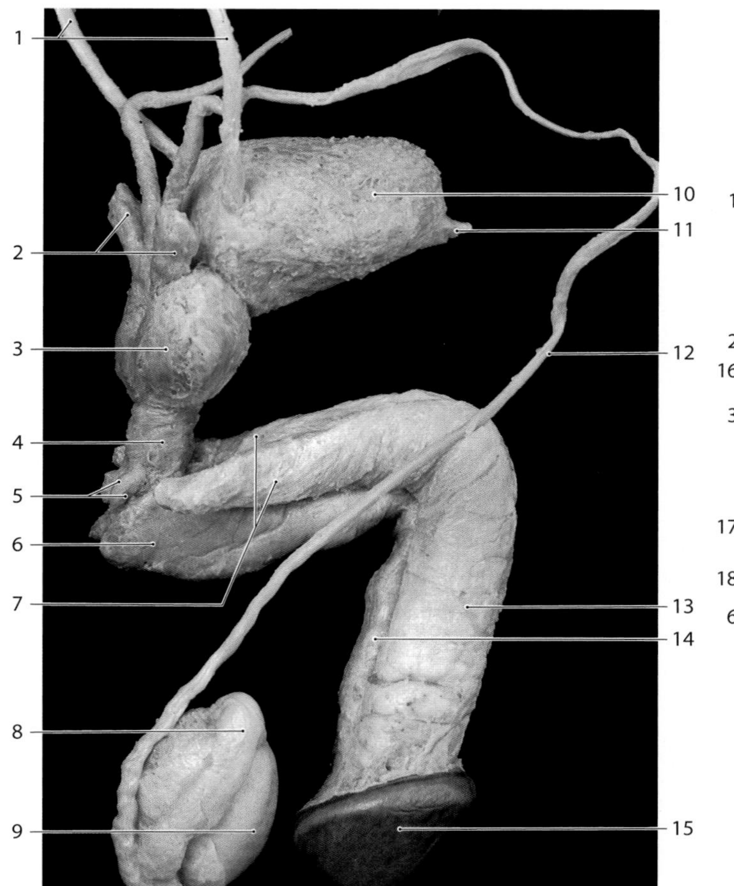

그림 7.33 **남성생식기관, 분리함**(오른가쪽모습).

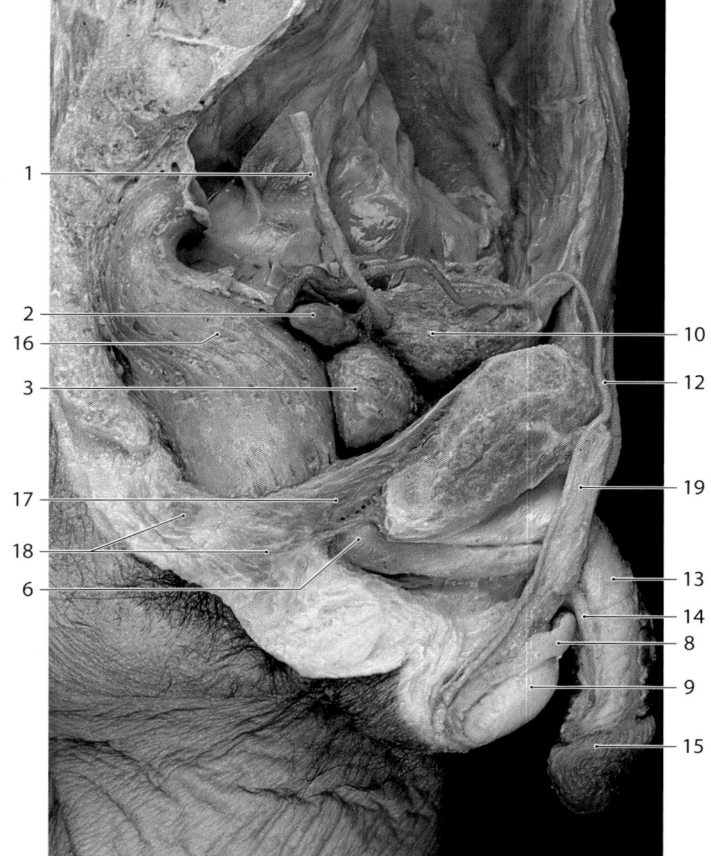

그림 7.34 **제자리의 남성생식기관**(오른가쪽모습).

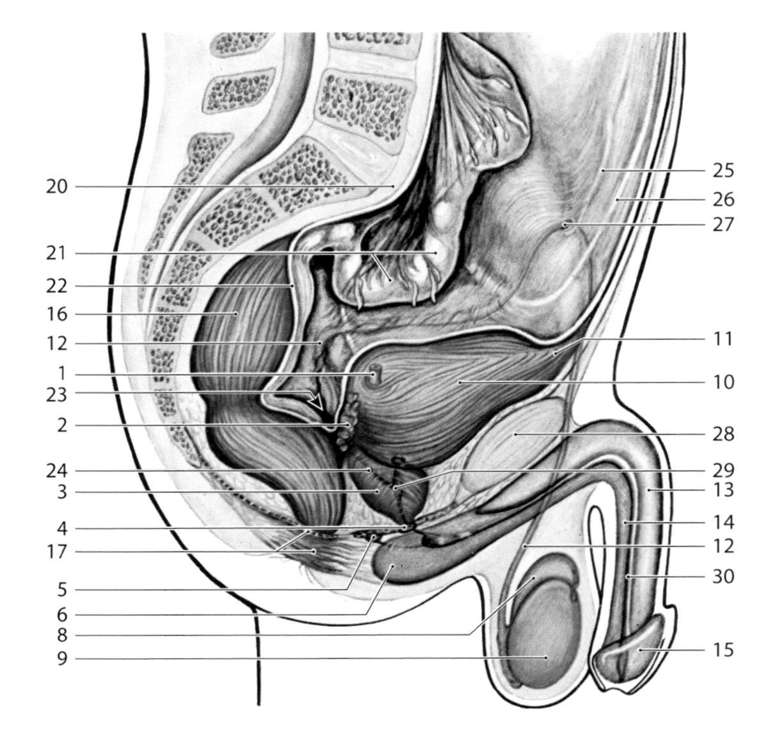

그림 7.35 **남성생식기관의 위치**(오른가쪽모습).

1 요관 Ureter
2 정낭 Seminal vesicle
3 전립샘 Prostate gland
4 비뇨생식가로막과 요도의 막부분 Urogenital diaphragm and membranous part of urethra
5 망울요도샘 Bulbo-urethral gland (Cowper's gland)
6 음경망울 Bulb of penis
7 음경의 오른 및 왼다리 Left and right crus of penis
8 부고환 Epididymis
9 고환 Testis
10 방광 Urinary bladder
11 방광꼭대기 Apex of urinary bladder
12 정관 Ductus deferens
13 음경해면체 Corpus cavernosum of penis
14 요도해면체 Corpus spongiosum of penis
15 음경귀두 Glans penis
16 곧창자팽대(직장팽대) Ampulla of rectum
17 항문올림근 Levator ani muscle
18 항문관과 바깥항문조임근 Anal canal and external anal sphincter muscle
19 정삭(잘림) Spermatic cord (cut)
20 엉치뼈곶 Sacral promontory
21 구불잘록창자(구불결장) Sigmoid colon
22 복막(단면) Peritoneum (cut edge)
23 곧창자방광오목(직장방광오목) Rectovesical pouch
24 사정관 Ejaculatory duct
25 가쪽배꼽주름 Lateral umbilical fold
26 안쪽배꼽주름 Medial umbilical fold
27 깊은고샅구멍과 정관 Deep inguinal ring and ductus deferens
28 두덩결합 Pubic symphysis
29 요도의 전립샘부분 Prostatic part of urethra
30 해면체요도 Spongy urethra

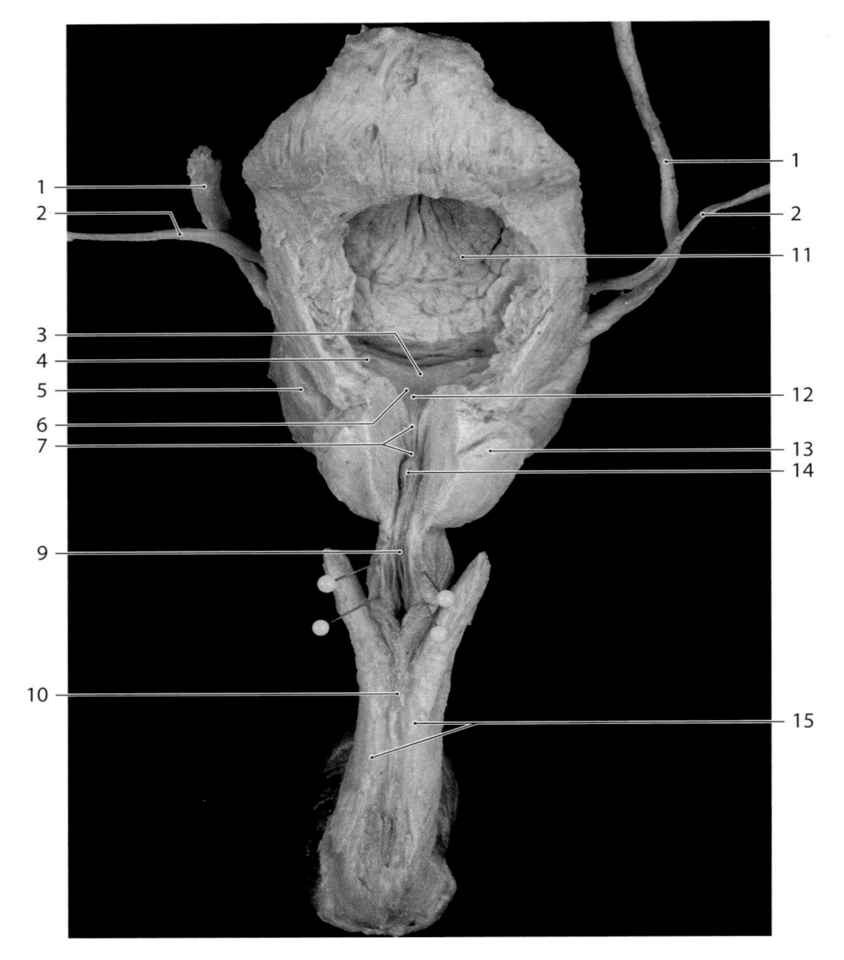

1 요관 Ureter
2 정관 Ductus deferens
3 요관사이주름 Interureteric fold
4 요관구멍 Ureteric orifice
5 정낭 Seminal vesicle
6 방광삼각 Trigone of urinary bladder
7 전립샘요도의 요도둔덕과 요도능선
Prostatic urethra with seminal colliculus and urethral crest
8 깊은샅가로근 Deep transverse perineal muscle
9 막요도 Membranous urethra
10 해면체요도 Spongy urethra
11 방광의 점막 Mucous membrane of urinary bladder
12 속요도구멍과 방광목젖
Internal urethral orifice and uvula of bladder
13 전립샘 Prostate
14 전립샘소실 Prostatic utricle
15 오른 및 왼음경해면체
Right and left corpus cavernosum of penis
16 사정관 Ejaculatory duct
17 바깥요도조임근 Sphincter urethrae muscle
18 방광의 조임근 Sphincter muscle of urinary bladder
19 망울요도샘 Bulbo-urethral gland (Cowper's gland)
20 음경다리 Crus penis
21 망울요도샘구멍 Orifices of bulbo-urethral glands
22 음경귀두 Glans penis
23 요관구멍 Ureteric orifices

그림 7.36 **남성생식기관과 방광, 분리됨**(앞모습). 방광, 전립샘 및 요도를 열었다. 방광은 수축되어 있다.

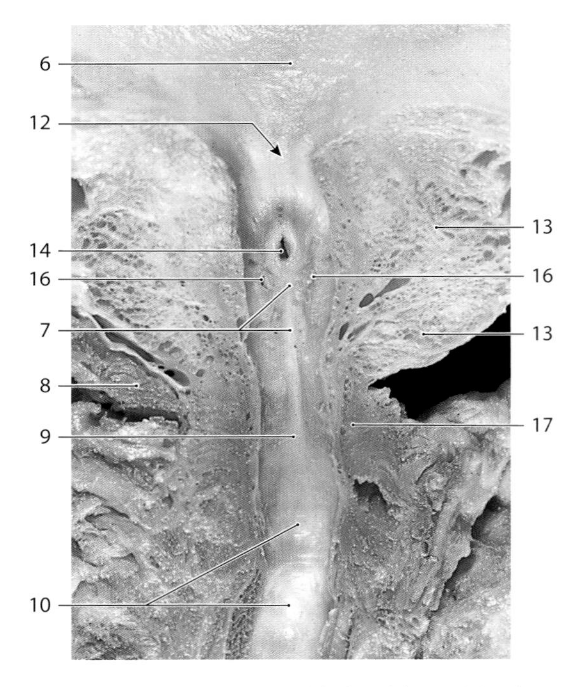

그림 7.37 **남성요도와 전립샘의 뒤쪽 절반**으로 방광목과 연결됨(앞모습).

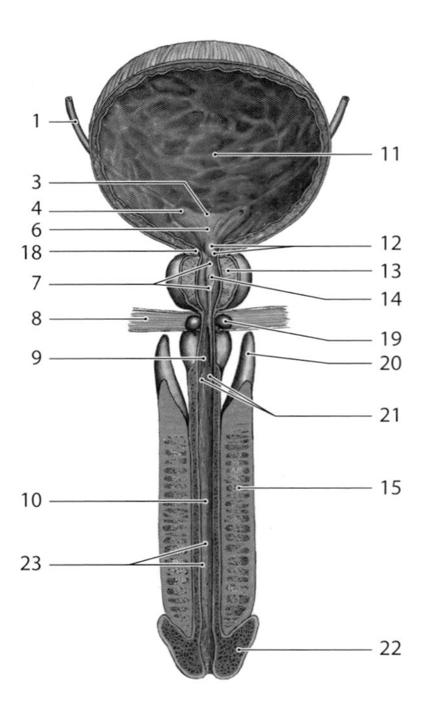

그림 7.38 **남성생식기관과 방광**(앞모습). 방광, 요도 및 음경을 해부하였다.

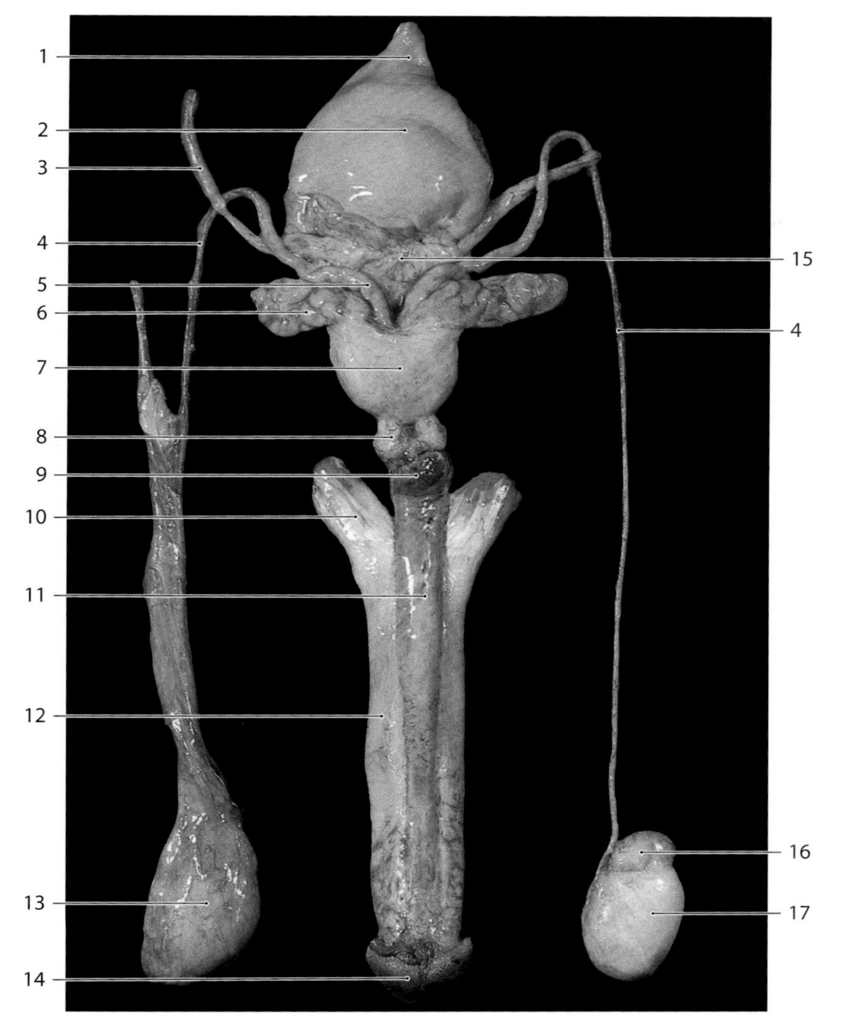

그림 7.39 **남성생식기관과 방광, 분리됨**(뒤모습).

1 방광꼭대기와 요막관 Apex of urinary bladder with urachus
2 방광 Urinary bladder
3 요관 Ureter
4 정관 Ductus deferens
5 정관팽대 Ampulla of ductus deferens
6 정낭 Seminal vesicle
7 전립샘 Prostate
8 망울요도샘 Bulbo-urethral (Cowper's gland)
9 음경망울 Bulb of penis
10 음경다리 Crus penis
11 요도해면체 Corpus spongiosum of penis
12 음경해면체 Corpus cavernosum of penis
13 고환, 부고환 및 이를 둘러싸는 구조 Testis and epididymis with coverings
14 음경귀두 Glans penis
15 방광바닥 Fundus of bladder
16 부고환머리 Head of epididymis
17 고환 Testis
18 방광의 점막 Mucous membrane of bladder
19 방광삼각 Trigone of bladder
20 요관구멍 Ureteric orifice
21 속요도구멍 Internal urethral orifice
22 요도둔덕 Seminal colliculus
23 전립샘 Prostate
24 전립샘요도 Prostatic urethra
25 막요도 Membranous urethra
26 해면체요도 Spongy(penile) urethra
27 음경의 피부 Skin of penis
28 음경등정맥(짝이 없음) Deep dorsal vein of penis (unpaired)
29 음경등동맥(짝이 있음) Dorsal artery of penis (paired)
30 음경해면체의 백색막 Tunica albuginea of corpora cavernosa
31 음경사이막 Septum of penis
32 깊은음경동맥 Deep artery of penis
33 요도해면체의 백색막 Tunica albuginea of corpus spongiosum
34 깊은음경근막 Deep fascia of penis

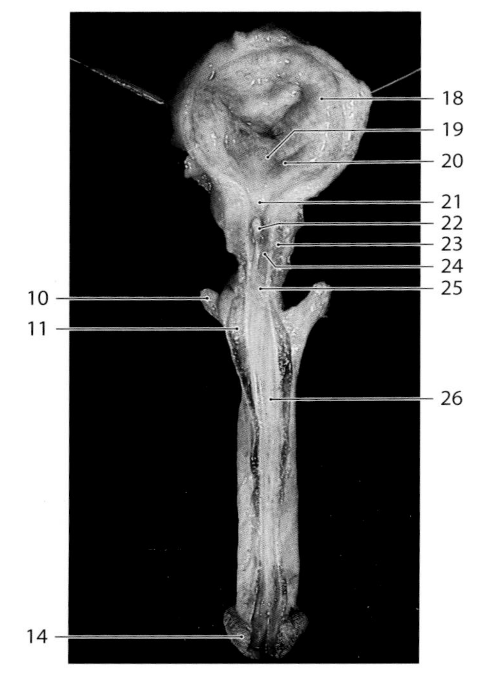

그림 7.40 **방광, 요도 및 음경**(앞모습, 세로로 열림).

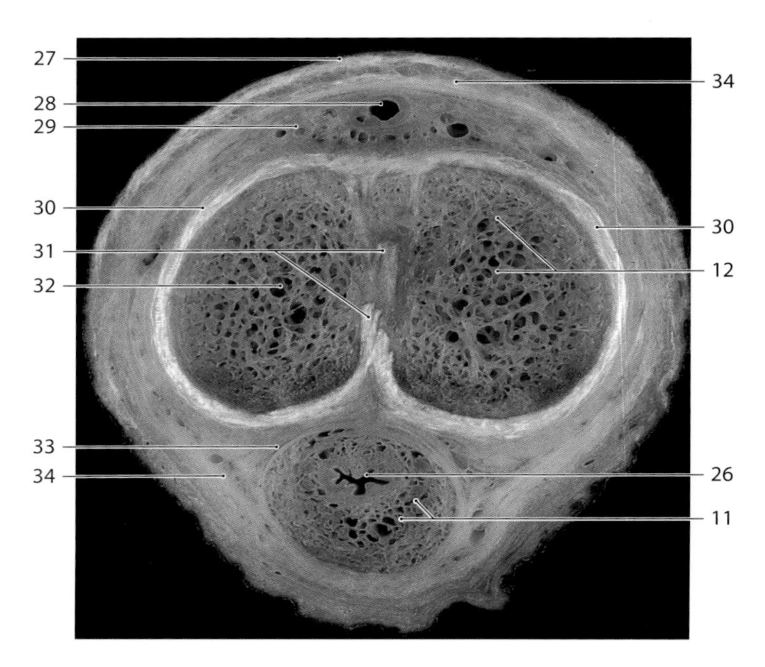

그림 7.41 **음경의 가로단면(아래모습).**

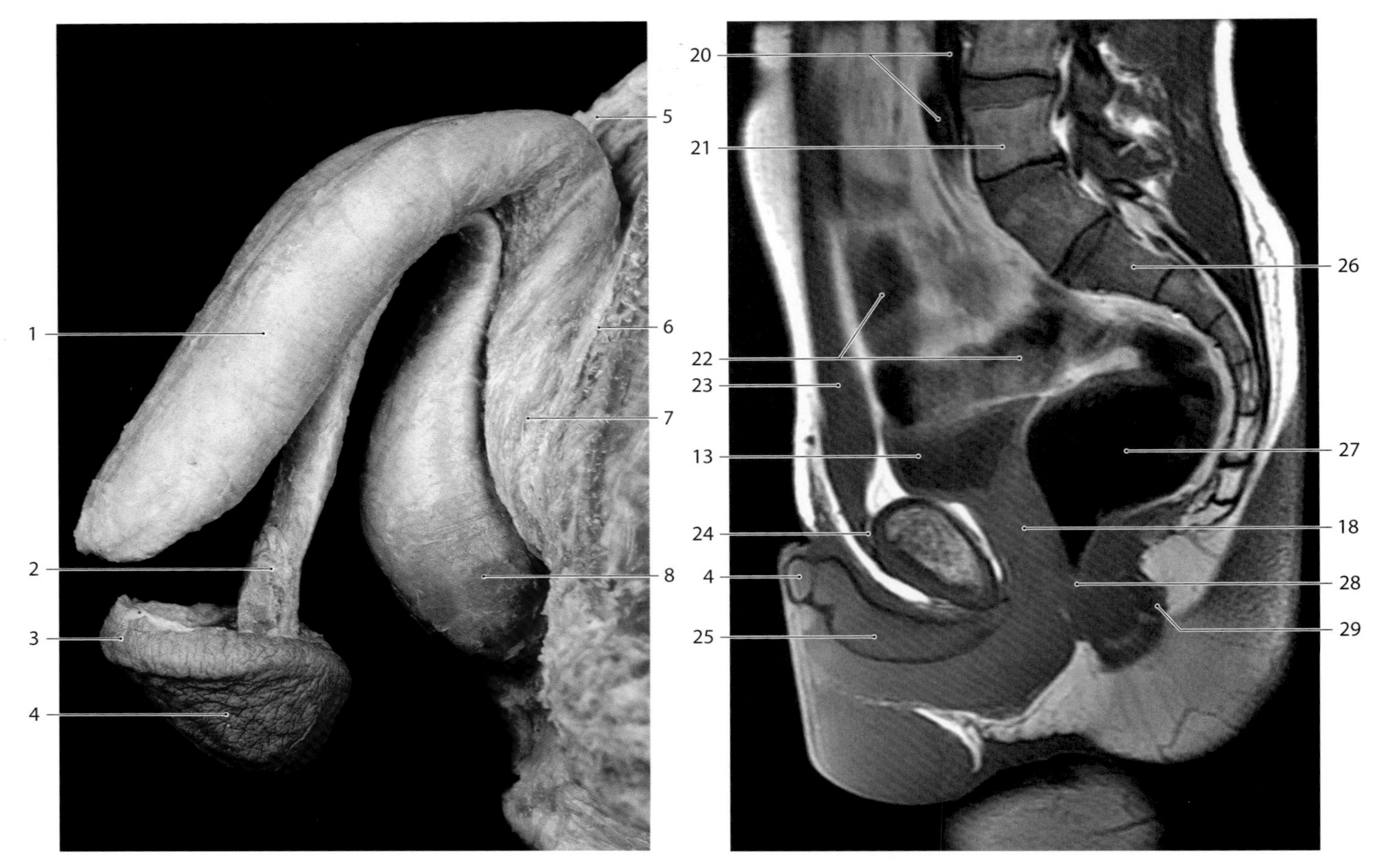

그림 7.42 **남성바깥생식기관**(가쪽모습). 요도해면체와 귀두를 분리하여 젖혔다.

그림 7.43 **골반안과 남성생식기관을 지나는 시상단면**(자기공명영상). (Heuck A, et al. MRT-Atlas des muskuloskelettalen Systems. Stuttgart, Germany: Schattauer, 2009.)

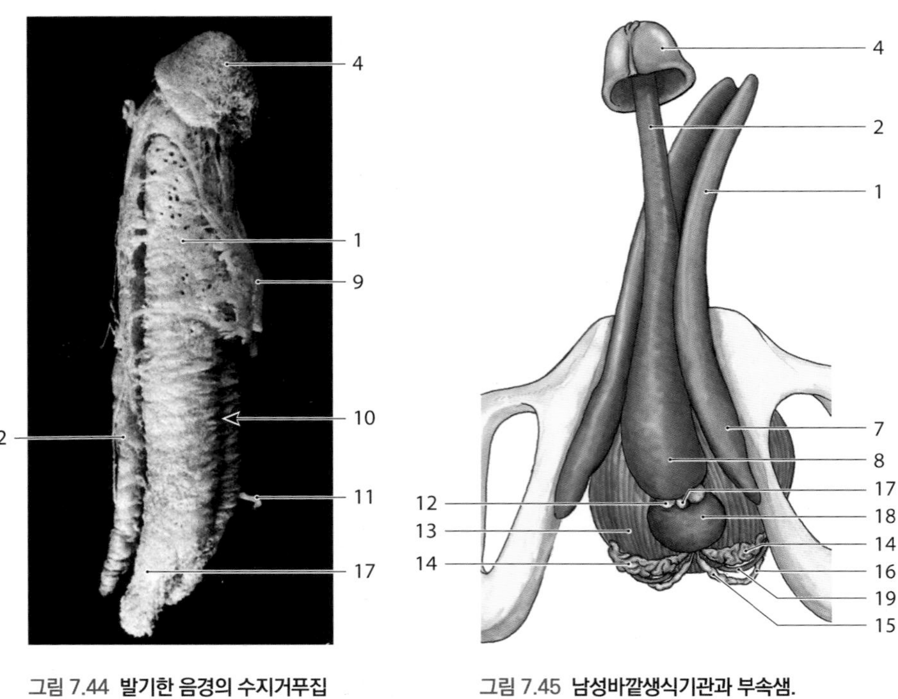

그림 7.44 **발기한 음경의 수지거푸집** (resin cast).

그림 7.45 **남성바깥생식기관과 부속샘.**

1 음경해면체 Corpus cavernosum of penis
2 요도해면체 Corpus spongiosum of penis
3 귀두관 Corona of glans penis
4 음경귀두 Glans penis
5 음경걸이인대 Suspensory ligament of penis
6 두덩뼈(아래가지, 해부됨)
Pubis (inferior pubic ramus, dissected)
7 음경다리 Crus penis
8 음경망울 Bulb of penis
9 음경등정맥 Dorsal vein of penis
10 음경사이막 Septum pectiniforme
11 음경등동맥 Dorsal artery of penis
12 망울요도샘 Bulbo-urethral gland (Cowper's gland)
13 방광 Urinary bladder
14 정낭 Seminal vesicle
15 정관팽대 Ampulla of ductus deferens
16 정관 Ductus deferens
17 막요도 Membranous urethra
18 전립샘 Prostate
19 요관 Ureter
20 온엉덩동맥과 정맥 Common iliac artery and vein
21 다섯째허리뼈몸통 Fifth lumbar vertebral body
22 창자고리 Intestinal loops
23 배곧은근 Rectus abdominis muscle
24 두덩결합 Pubic symphysis
25 음경뿌리 Root of penis
26 엉치뼈 Sacrum
27 곧창자팽대(직장팽대) Ampulla of rectum
28 항문관 Anal canal
29 바깥항문조임근 External anal sphincter muscle

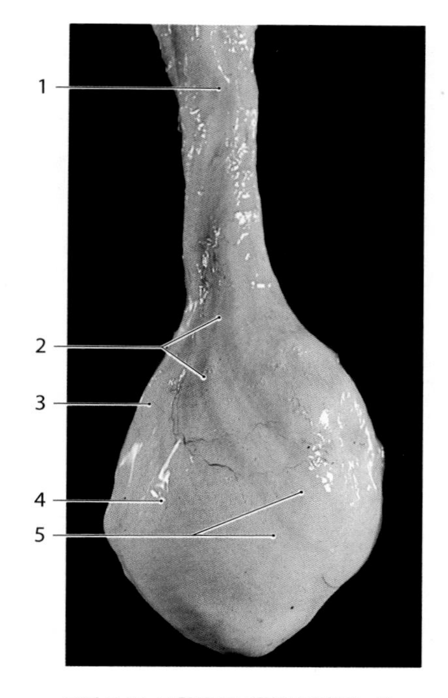

그림 7.46 **고환과 부고환을 둘러싸는 층** (가쪽모습).

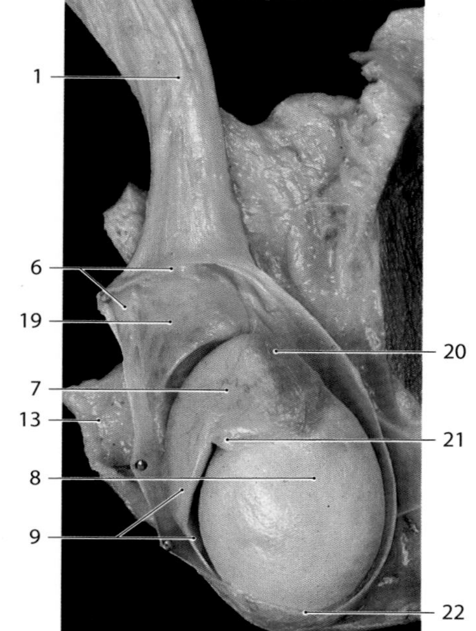

그림 7.47 **고환과 부고환**(가쪽모습). 고환집막을 열었다.

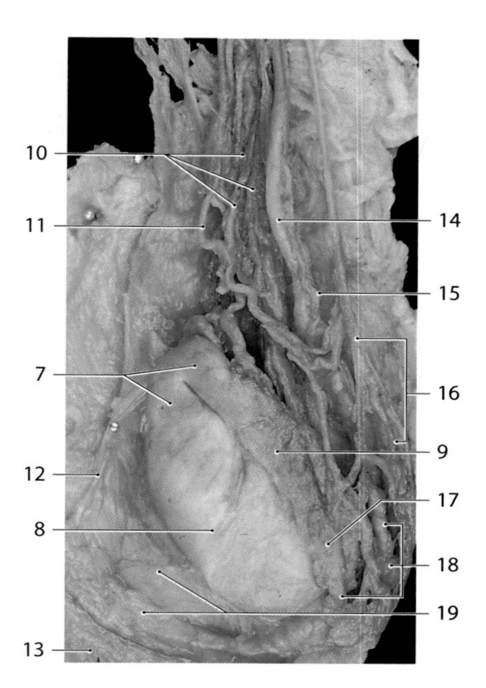

그림 7.48 **고환, 부고환, 정삭**(왼쪽, 뒤가쪽 모습). 정삭과 정관의 해부.

1 정삭과 고환올림근막
Spermatic cord covered with cremasteric fascia
2 고환올림근 Cremaster muscle
3 부고환의 위치 Position of epididymis
4 속정삭근막 Internal spermatic fascia
5 고환의 위치 Position of testis
6 속정삭근막과 고환을 둘러싸는 층(단면)
Internal spermatic fascia with adjacent investing layers of testis (cut surface)
7 부고환머리 Head of epididymis
8 고환과 고환집막(고환층)
Testis with tunica vaginalis (visceral layer)
9 부고환몸통 Body of epididymis
10 덩굴정맥얼기(앞정맥)
Pampiniform venous plexus (anterior veins)
11 고환동맥 Testicular artery
12 고환집막(벽층, 단면)
Tunica vaginalis (parietal layer, cut edge)
13 피부와 음낭근(젖힘)
Skin and dartos muscle (reflected)
14 정관 Ductus deferens
15 정관동맥 Artery of ductus deferens
16 덩굴정맥얼기의 뒤정맥
Posterior veins of pampiniform plexus
17 부고환꼬리 Tail of epididymis
18 부고환관과 정관의 연결부와 정맥얼기
Transition of epididymal duct to ductus deferens and venous plexus
19 고환집막의 벽층 Parietal layer of tunica vaginalis
20 부고환곁자취 Appendix of epididymis
21 고환곁자취 Appendix of testis
22 고환길잡이 Gubernaculum testis

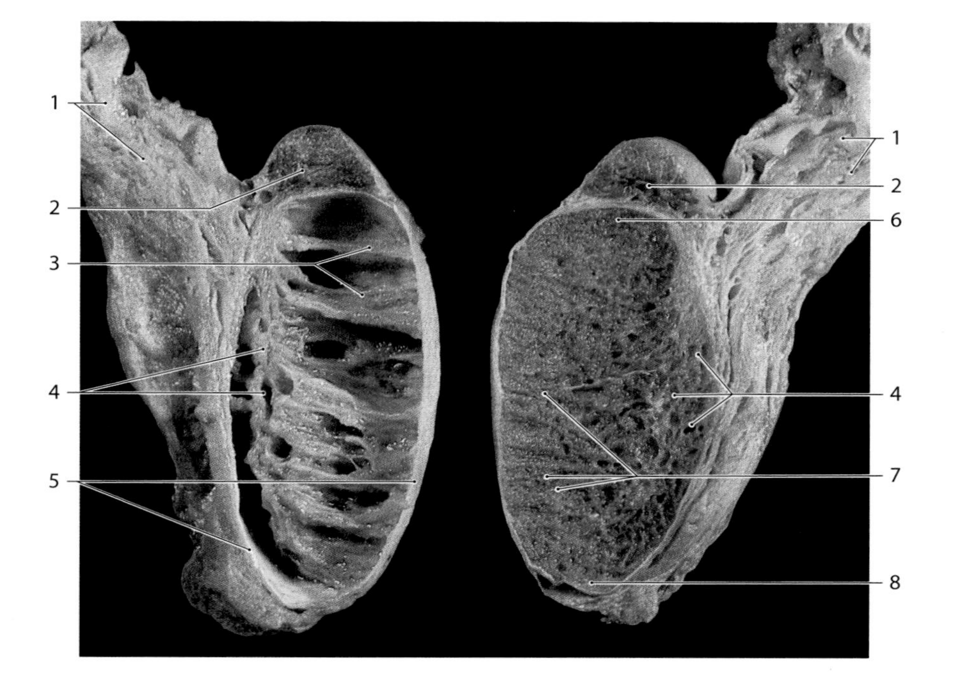

1 정삭(단면) Spermatic cord (cut surface)
2 부고환머리(단면) Head of epididymis (cut surface)
3 고환사이막 Septa of testis
4 고환세로칸 Mediastinum testis
5 백색막 Tunica albuginea
6 고환의 위끝 Superior pole of testis
7 곱슬정세관 Convoluted seminiferous tubules
8 고환의 아래끝 Inferior pole of testis

그림 7.49 **고환과 부고환의 세로단면.** 왼쪽은 정세관을 제거하여 고환사이막이 드러나게 한 사진이다.

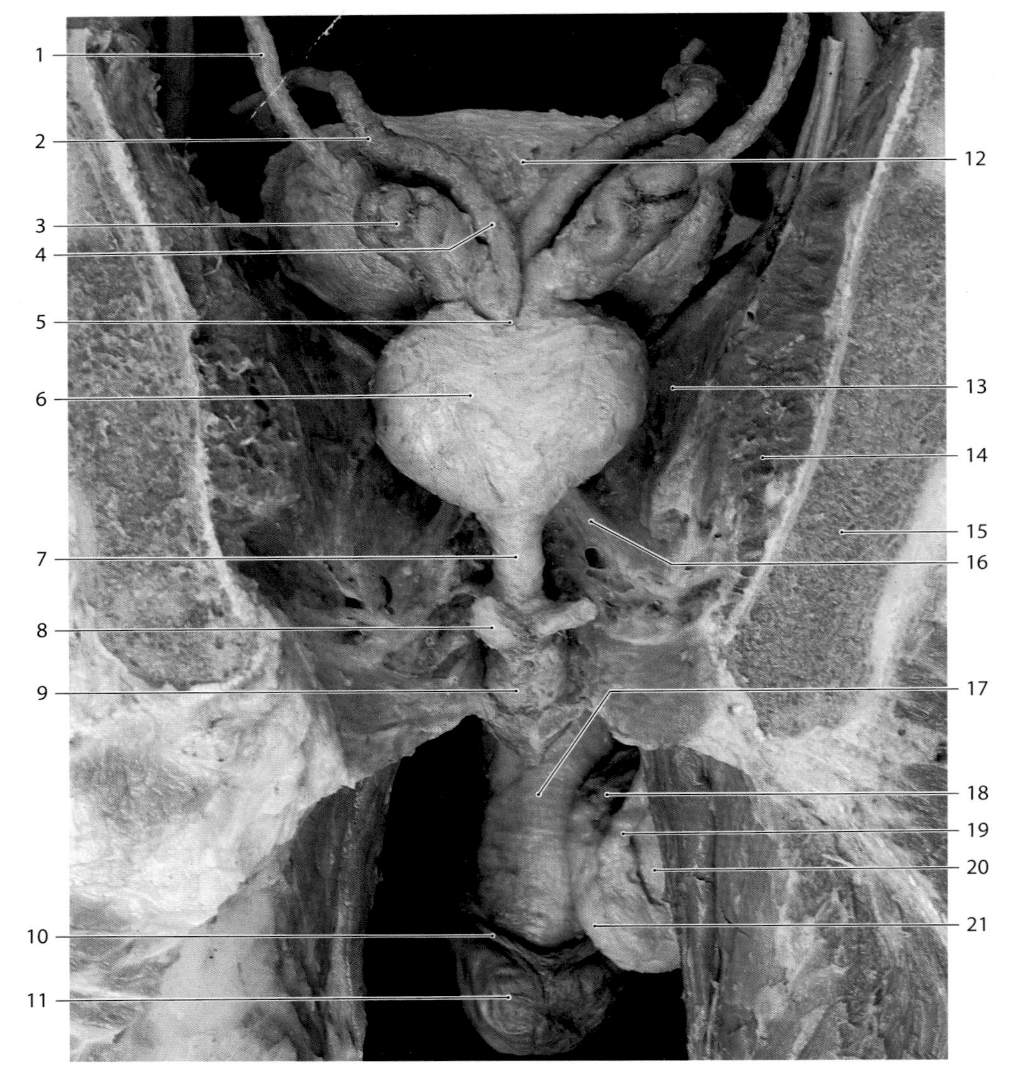

그림 7.50 **남성생식기관의 부속샘.** 골반안의 관상단면. 방광, 전립샘 및 정낭의 뒤면.

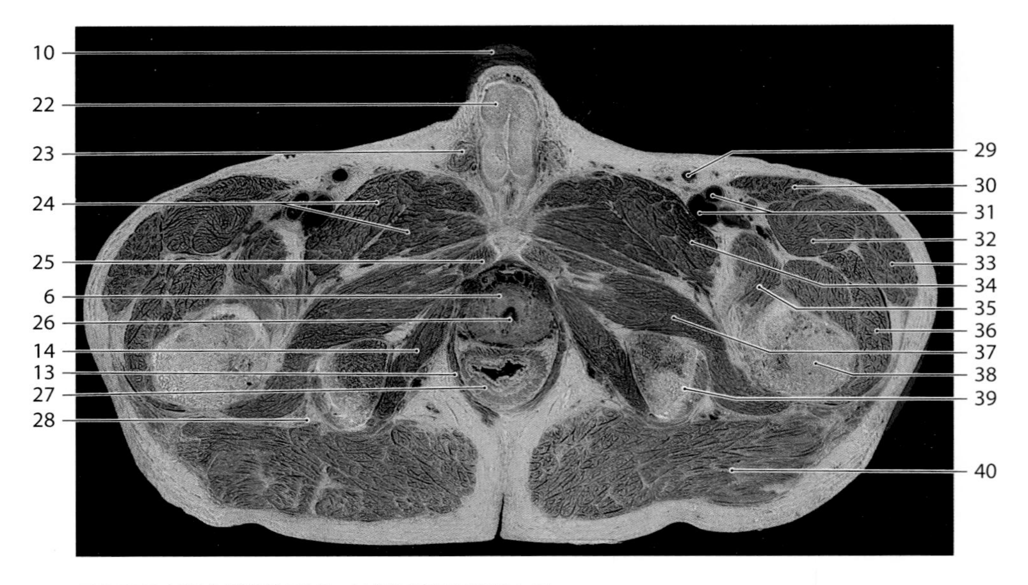

그림 7.51 **남성 골반안을 지나는 수평단면**으로 전립샘 높이.

1 요관 Ureter
2 정관 Ductus deferens
3 정낭 Seminal vesicle
4 정관팽대 Ampulla of ductus deferens
5 사정관(몸쪽부분) Ejaculatory duct (proximal portion)
6 전립샘 Prostate
7 막요도 Membranous urethra
8 망울요도샘 Bulbo-urethral gland (Cowper's gland)
9 음경망울 Bulb of penis
10 음경 Penis
11 음경귀두 Glans penis
12 방광 Urinary bladder
13 항문올림근 Levator ani muscle
14 속폐쇄근 Obturator internus muscle
15 골반뼈(단면) Pelvic bone (cut edge)
16 두덩전립샘인대 Puboprostatic ligament
17 요도해면체 Corpus spongiosum of penis
18 부고환머리 Head of epididymis
19 정관의 시작부분 Beginning of ductus deferens
20 고환 Testis
21 부고환꼬리 Tail of epididymis
22 음경해면체 Corpus cavernosum of penis
23 정삭 Spermatic cord
24 두덩근과 모음근 Pectineus and adductor muscles
25 두덩뼈 Pubic bone
26 요도의 전립샘부분(요도둔덕) Prostatic part of urethra (seminal colliculus)
27 곧창자(직장) Rectum
28 궁둥신경 Sciatic nerve
29 큰두렁정맥 Great saphenous vein
30 넙적다리빗근 Sartorius muscle
31 넙적다리동맥과 정맥 Femoral artery and vein
32 넙적다리곧은근 Rectus femoris muscle
33 넙적다리근막긴장근 Tensor fasciae latae muscle
34 두덩근 Pectineus muscle
35 엉덩허리근 Iliopsoas muscle
36 가쪽넓은근 Vastus lateralis muscle
37 바깥폐쇄근 Obturator externus muscle
38 넙적다리뼈 Femur
39 궁둥뼈결절 Ischial tuberosity
40 큰볼기근 Gluteus maximus muscle

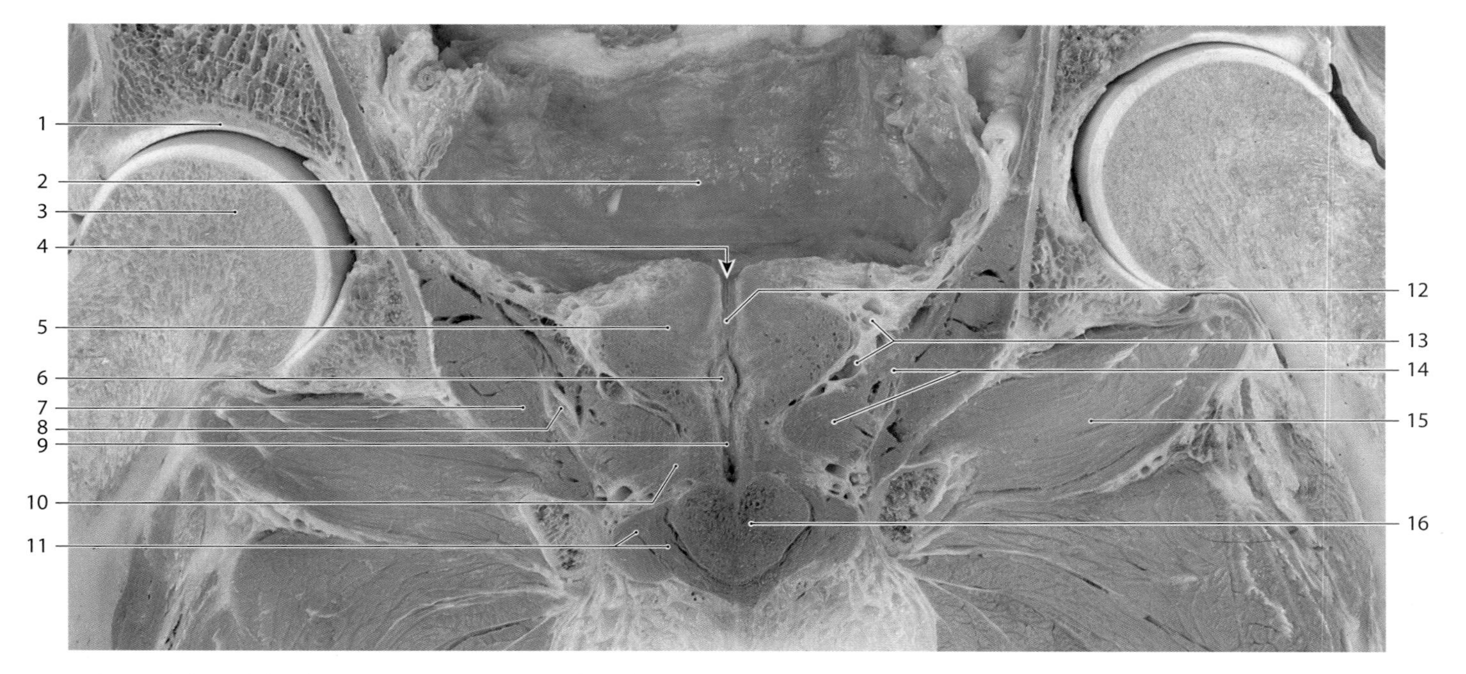

그림 7.52 **남성 골반안의 관상단면**으로 전립샘과 엉덩관절 높이(앞모습).

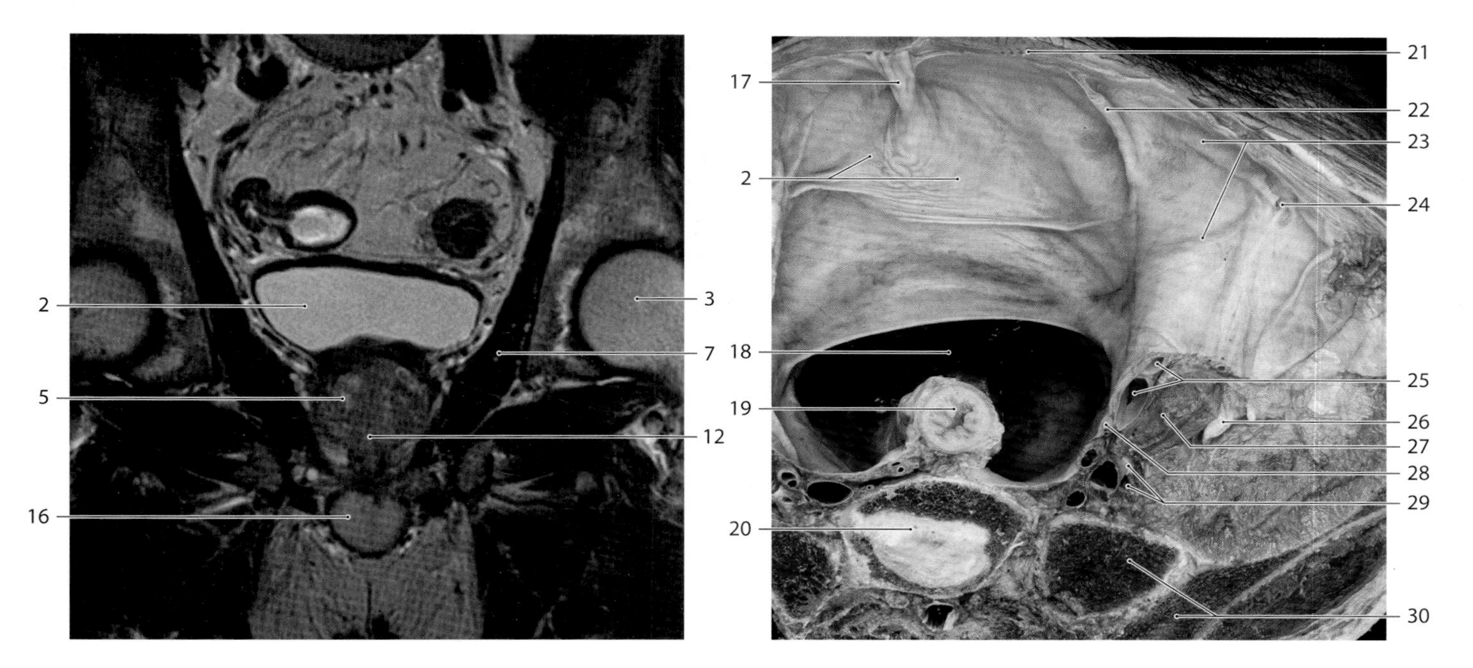

그림 7.53 **남성 골반안의 관상단면**(자기공명영상). (Courtesy of Prof. Uder, Institute of Radiology, University Hospital Erlangen, Germany.)

그림 7.54 **남성 골반안**(아래모습).

1 절구 Acetabulum of hip joint
2 방광 Urinary bladder
3 넓적다리뼈머리 Head of femur
4 속요도구멍 Internal urethral orifice
5 전립샘 Prostate
6 요도둔덕 Seminal colliculus
7 속폐쇄근 Obturator internus muscle
8 궁둥곧창자오목 Ischiorectal fossa
9 막요도 Membranous urethra
10 깊은샅가로근 Deep transverse perineal muscle
11 음경다리와 궁둥해면체근
Crus penis and ischiocavernosus muscle
12 요도의 전립샘부분 Prostatic part of urethra
13 전립샘정맥얼기 Prostatic plexus
14 항문올림근 Levator ani muscle
15 바깥폐쇄근 Obturator externus muscle
16 음경망울 Bulb of penis
17 정중배꼽주름과 요막관잔류
Median umbilical fold with remnant of urachus
18 곧창자방광오목(직장방광오목) Rectovesical pouch
19 곧창자(직장) Rectum
20 엉치뼈 Sacrum
21 아래배벽동맥 Inferior epigastric artery
22 안쪽배꼽주름과 배꼽동맥잔류
Medial umbilical fold with remnant of umbilical artery
23 깊은고샅구멍과 정관
Deep inguinal ring and ductus deferens
24 깊은엉덩휘돌이동맥
Deep iliac circumflex artery
25 바깥엉덩동맥과 정맥
External iliac artery and vein
26 넓적다리신경 Femoral nerve
27 엉덩허리근 Iliopsoas muscle
28 요관 Ureter
29 폐쇄신경과 속엉덩동맥
Obturator nerve and internal iliac artery
30 엉덩뼈와 엉치뼈 Ilium and sacrum

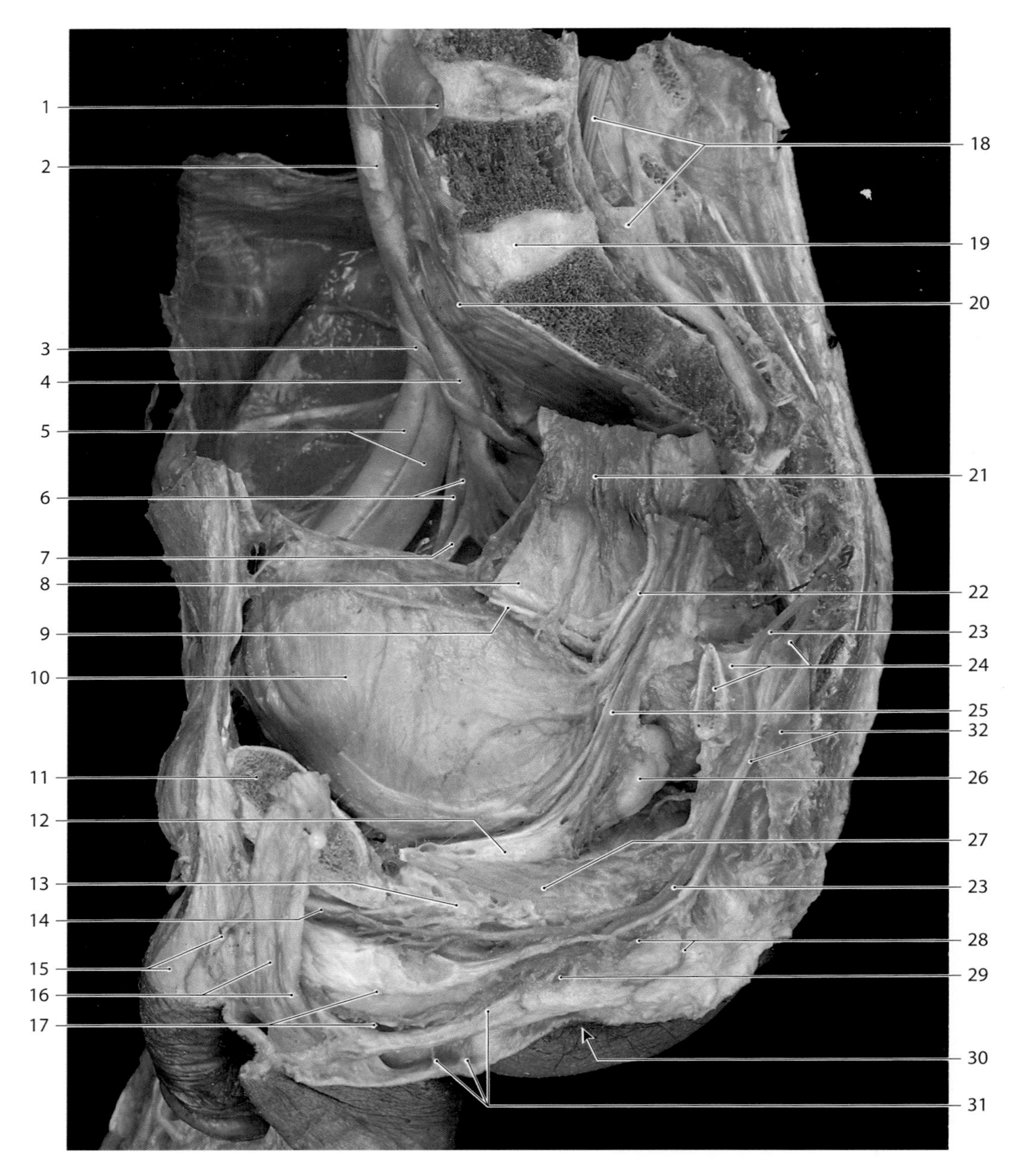

그림 7.55 **남성 골반안의 혈관**(시상단면의 오른쪽 절반). 동맥에 붉은색 수지를 주입하였다. 복막의 벽층을 제거하였고, 방광은 최대한 부풀렸다.

1 왼온엉덩동맥 Left common iliac artery
2 오른온엉덩동맥 Right common iliac artery
3 오른요관 Right ureter
4 오른속엉덩동맥 Right internal iliac artery
5 오른바깥엉덩동맥과 정맥 Right external iliac artery and vein
6 오른폐쇄동맥과 신경 Right obturator artery and nerve
7 배꼽동맥 Umbilical artery
8 구불잘록창자(구불결장)와 위방광동맥 Sigmoid colon and superior vesical artery
9 왼정관 Left ductus deferens
10 방광 Urinary bladder
11 두덩뼈(잘림) Pubic bone (cut)
12 전립샘 Prostate
13 방광전립샘정맥얼기 Vesicoprostatic venous plexus
14 깊은음경등정맥과 음경등동맥 Deep dorsal vein of penis and dorsal artery of penis
15 음경과 얕은음경등정맥 Penis and superficial dorsal vein of penis
16 정삭과 고환동맥 Spermatic cord and testicular artery
17 음경망울과 깊은음경동맥 Bulb of penis and deep artery of penis
18 말총과 경막(잘림) Cauda equina and dura mater (divided)
19 다섯째허리뼈와 엉치뼈 사이의 척추사이원반 Intervertebral disc between fifth lumbar vertebra and sacrum
20 엉치뼈곶 Sacral promontory
21 구불잘록창자간막(구불결장간막) Mesosigmoid
22 왼요관 Left ureter
23 왼속음부동맥 Left internal pudendal artery
24 궁둥뼈가시(잘림), 엉치가시인대 및 아래볼기동맥 Ischial spine (cut), sacrospinous ligament, inferior gluteal artery
25 왼아래방광동맥 Left inferior vesical artery
26 정낭 Seminal vesicle
27 항문올림근 Levator ani muscle
28 아래곧창자동맥의 가지 Branches of inferior rectal artery
29 샅동맥(회음동맥) Perineal artery
30 항문 Anus
31 뒤음낭가지 Posterior scrotal branches
32 음부신경과 엉치결절인대 Pudendal nerve and sacrotuberous ligament

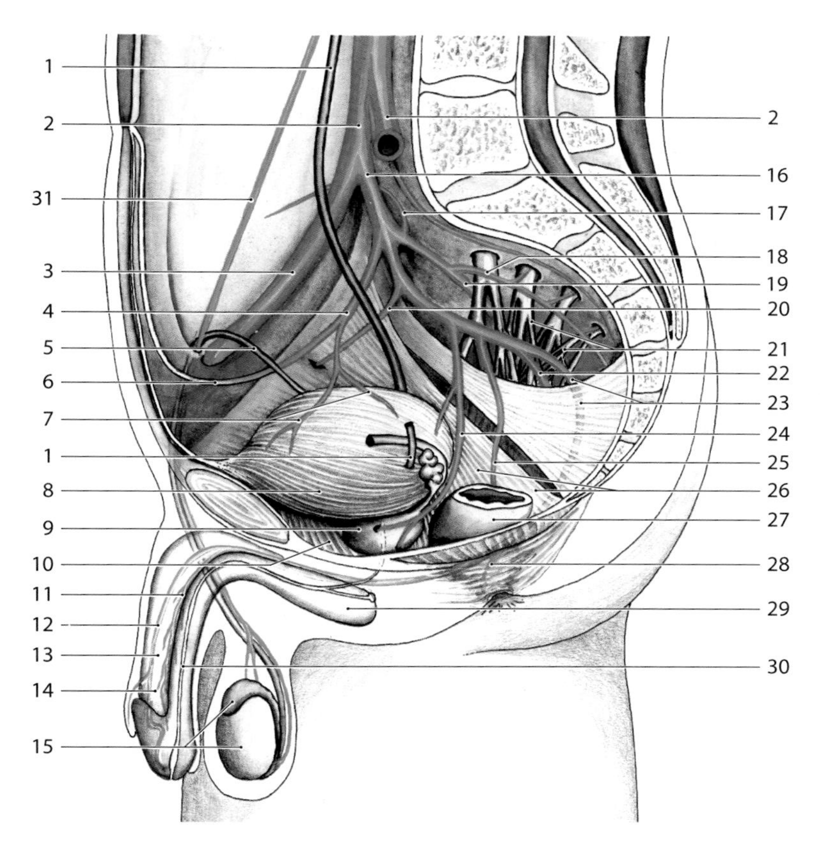

그림 7.56 **남성 속엉덩동맥의 주요 가지**(가쪽모습).

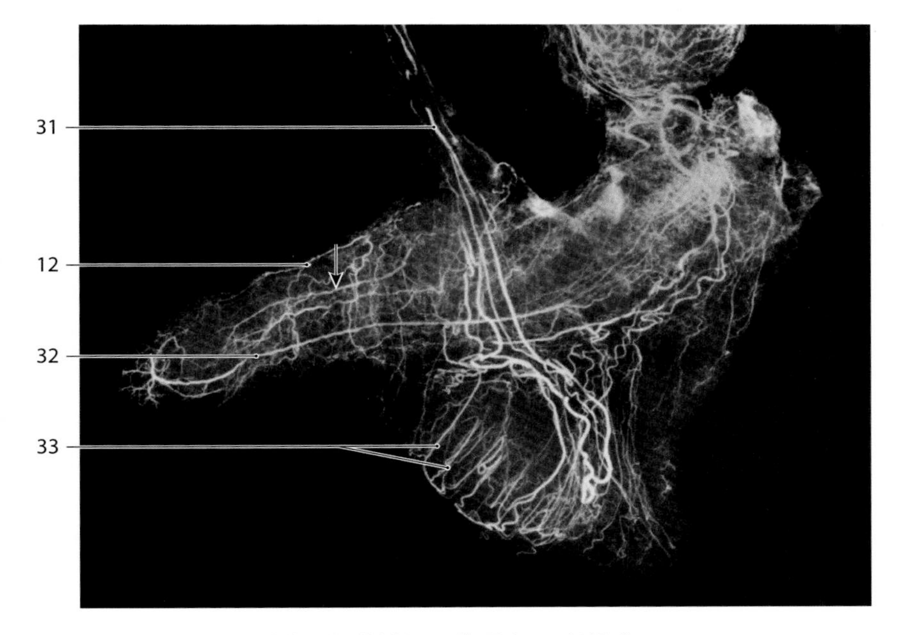

그림 7.57 **남성생식기관의 동맥조영술**(가쪽모습). 화살표 = 나선동맥

1 요관 Ureter
2 온엉덩동맥 Common iliac artery
3 바깥엉덩동맥 External iliac artery
4 배꼽동맥 Umbilical artery
5 정관 Ductus deferens
6 안쪽배꼽인대 Medial umbilical ligament
7 위방광동맥의 가지
Branches of superior vesical artery
8 방광 Urinary bladder (vesica urinaria)
9 전립샘 Prostate
10 비뇨생식가로막 Urogenital diaphragm
11 깊은음경동맥 Deep artery of penis
12 음경등동맥 Dorsal artery of penis
13 음경 Penis
14 음경해면체 Cavernous body of penis
15 고환과 부고환 Testis and epididymis
16 속엉덩동맥 Internal iliac artery
17 엉덩허리동맥 Iliolumbar artery
18 가쪽엉치동맥 Lateral sacral artery
19 위볼기동맥 Superior gluteal artery
20 폐쇄동맥 Obturator artery
21 엉치신경얼기 Plexus sacralis
22 아래볼기동맥 Inferior gluteal artery
23 속음부동맥 Internal pudendal artery
24 아래방광동맥 Inferior vesical artery
25 중간곧창자동맥 Middle rectal artery
26 항문올림근 Levator ani muscle
27 곧창자(직장) Rectum
28 아래곧창자동맥 Inferior rectal artery
29 요도해면체 Spongy part of penis
30 요도(해면체부분) Urethra(spongy part)
31 바깥엉덩동맥 External iliac artery
32 음경망울동맥 Artery of bulb of penis
33 음경사이막 Septum of penis

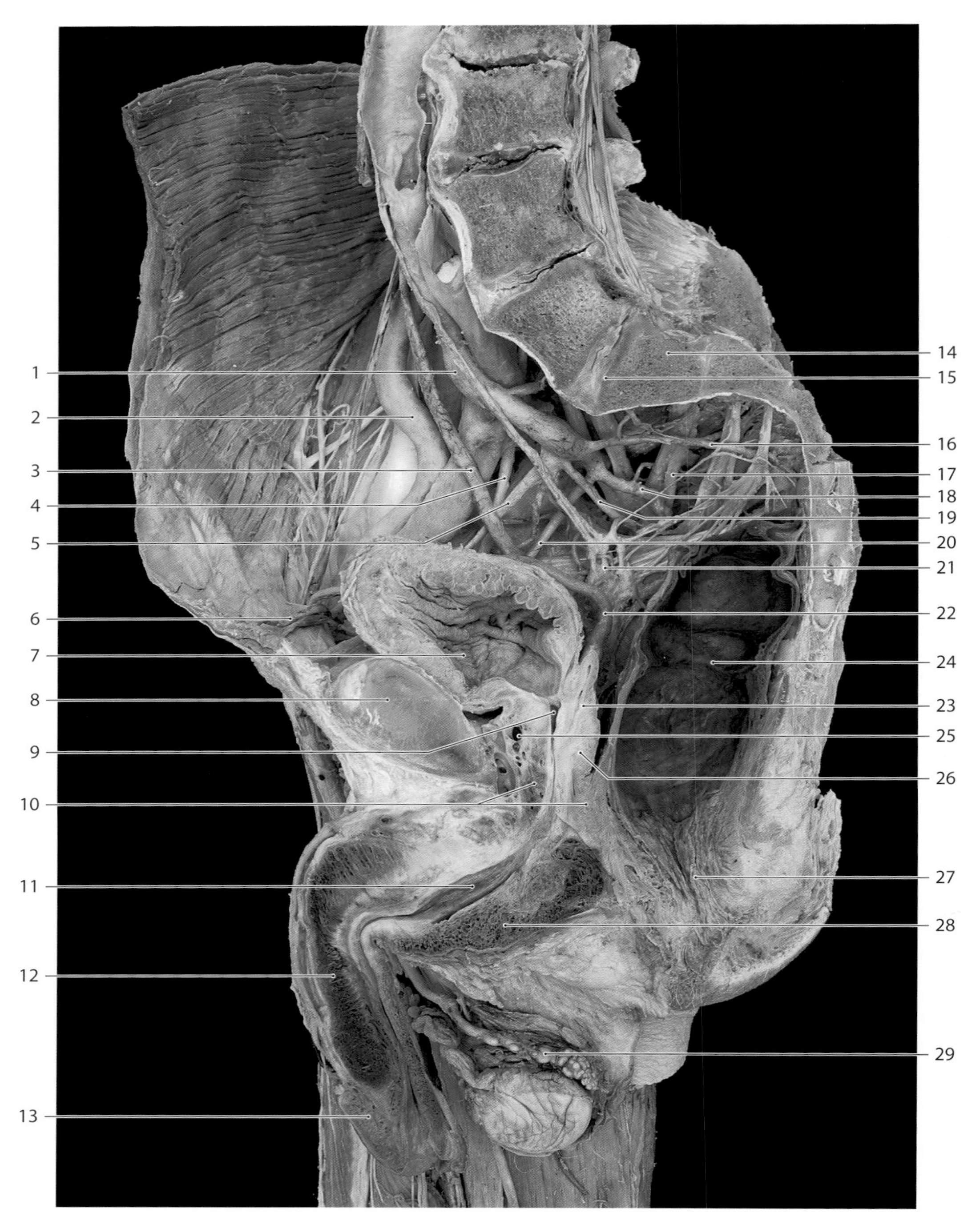

그림 7.58 **남성 골반안의 혈관**(안쪽모습, 정중단면). 큰볼기근을 제거하였다.

1 속엉덩동맥 Internal iliac artery
2 바깥엉덩동맥 External iliac artery
3 요관 Ureter
4 폐쇄신경 Obturator nerve
5 배꼽동맥 Umbilical artery
6 깊은고샅구멍 Deep inguinal ring
7 방광 Urinary bladder (vesica urinaria)
8 두덩결합 Symphysis
9 요도의 전립샘부분 Prostatic part of urethra
10 요도조임근 Sphincter muscle of urethra
11 요도(해면체부분) Urethra (spongy part)
12 음경해면체 Cavernous body of penis
13 음경귀두 Glans penis
14 엉치뼈 Sacrum
15 엉치뼈곶 Promontory
16 가쪽엉치동맥 Lateral sacral artery
17 엉치신경얼기 Plexus sacralis
18 아래볼기동맥 Inferior gluteal artery
19 속음부동맥 Internal pudendal artery
20 폐쇄동맥 Obturator artery
21 아래아랫배신경얼기 Inferior hypogastric plexus
22 정관 Ductus deferens
23 정낭 Seminal vesicle (vesicula seminalis)
24 곧창자(직장) Rectum
25 전립샘정맥얼기 Prostatic venous plexus
26 전립샘 Prostate
27 항문관 Anal canal
28 요도해면체 Spongy part of penis
29 덩굴정맥얼기 Pampiniform plexus

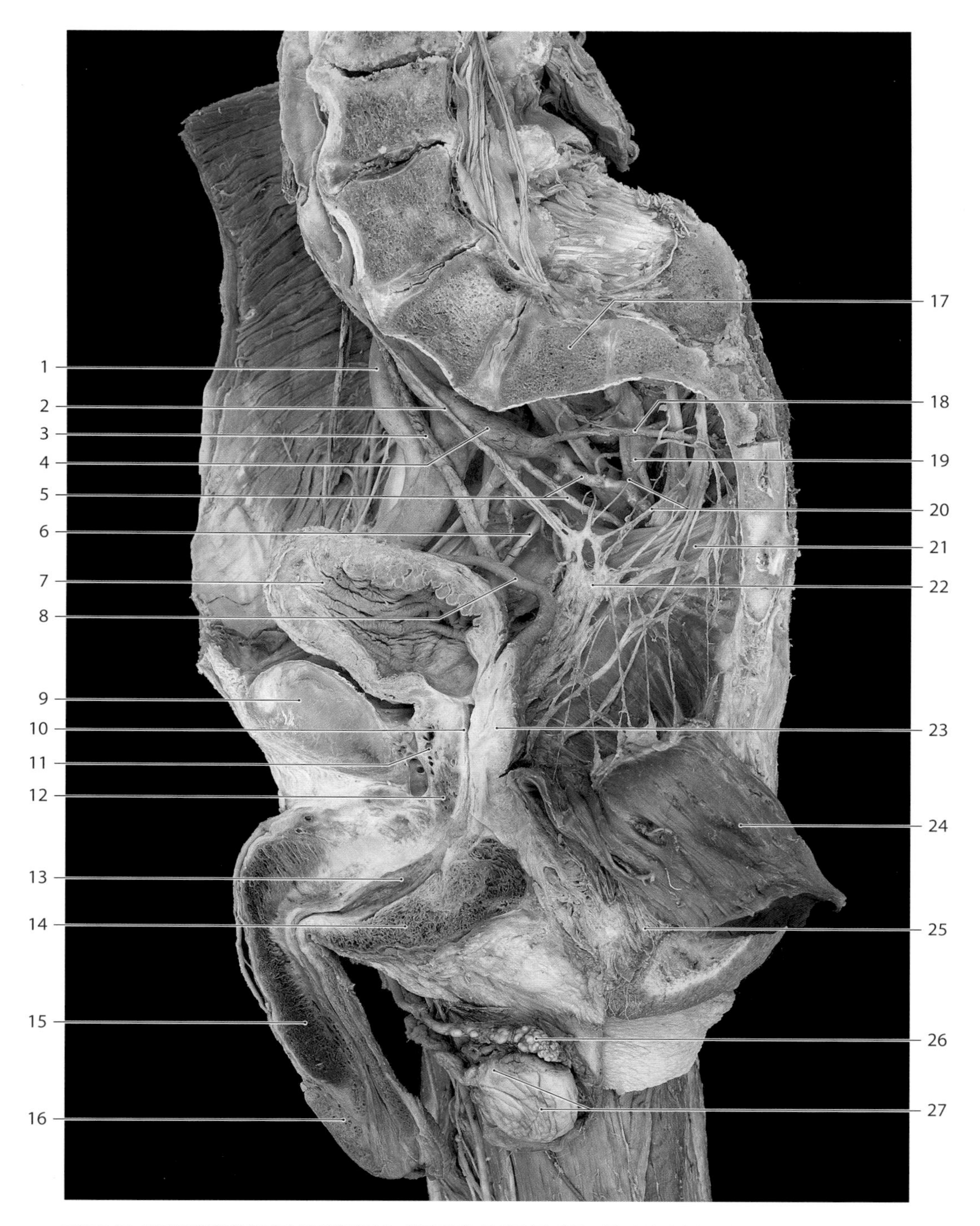

그림 7.59 **남성 골반안의 혈관과 신경**(안쪽모습, 정중단면). 곧창자(직장)를 젖혀서 아래아랫배신경얼기가 보이게 하였다. 큰볼기근은 제거하였다.

1 바깥엉덩동맥 External iliac artery
2 오른아랫배신경 Right hypogastric nerve
3 요관 Ureter
4 속엉덩동맥 Internal iliac artery
5 아래볼기동맥과 속음부동맥 Inferior gluteal artery and internal pudendal artery
6 폐쇄동맥 Obturator artery
7 방광 Urinary bladder
8 정관 Ductus deferens
9 두덩결합 Symphysis pubica
10 요도의 전립샘부분 Prostatic part of urethra
11 전립샘정맥얼기 Prostatic venous plexus
12 바깥요도조임근 Sphincter urethrae muscle
13 요도의 해면체부분 Spongy part of urethra
14 요도해면체 Corpus spongiosum penis
15 음경해면체 Corpus cavernosum penis
16 음경귀두 Glans penis
17 엉치뼈 Sacrum
18 가쪽엉치동맥 Lateral sacral artery
19 엉치신경얼기 Sacral plexus
20 골반내장신경 Pelvic splanchnic nerves (nervi erigentes)
21 항문올림근 Levator ani muscle
22 아래아랫배신경얼기(골반신경얼기) Inferior hypogastric plexus (pelvic plexus)
23 전립샘 Prostate
24 곧창자(직장)(젖힘) Rectum (reflected)
25 항문관과 바깥항문조임근 Anal canal and external anal sphincter muscle
26 고환정맥으로 이어지는 덩굴정맥얼기 Pampiniform plexus continuous with testicular vein
27 고환과 부고환 Testis and epididymis

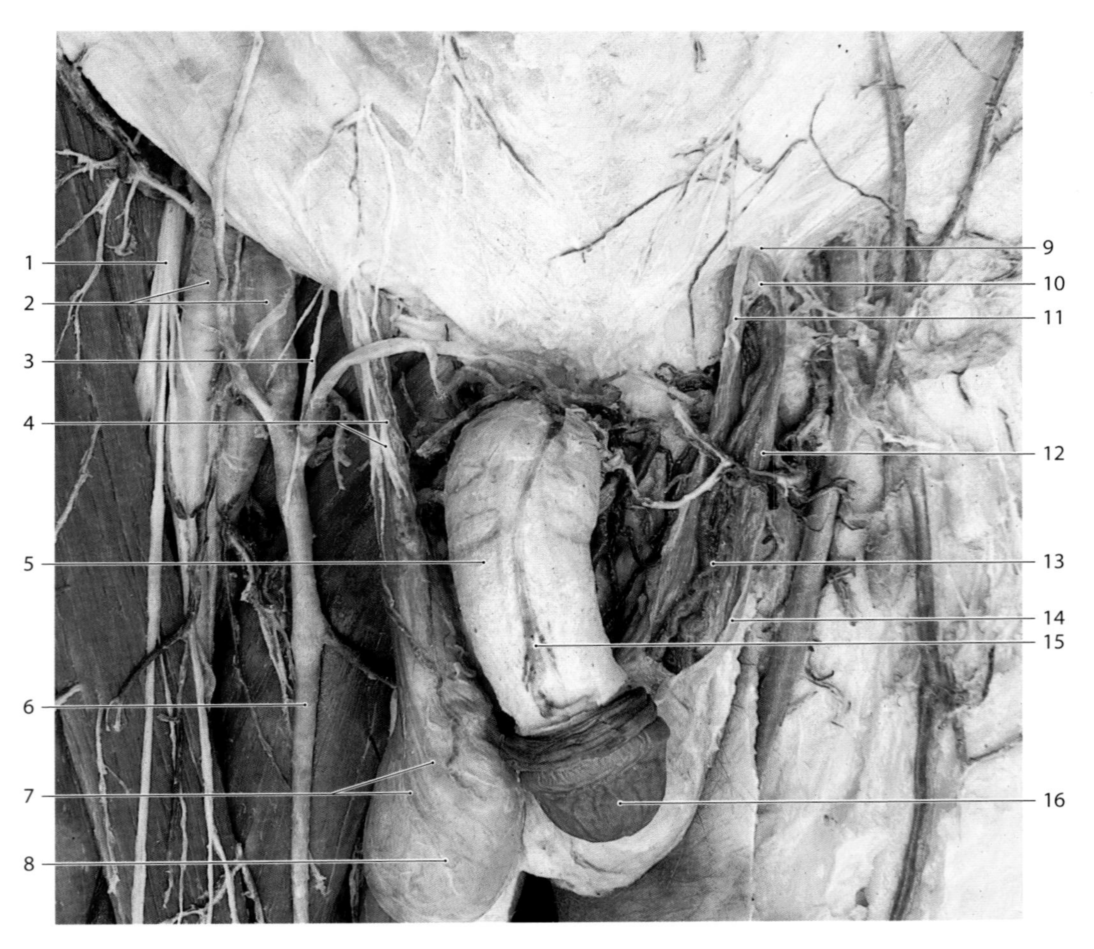

그림 7.60 **남성바깥생식기관, 음경, 고환, 정삭**의 얕은 층(앞모습).

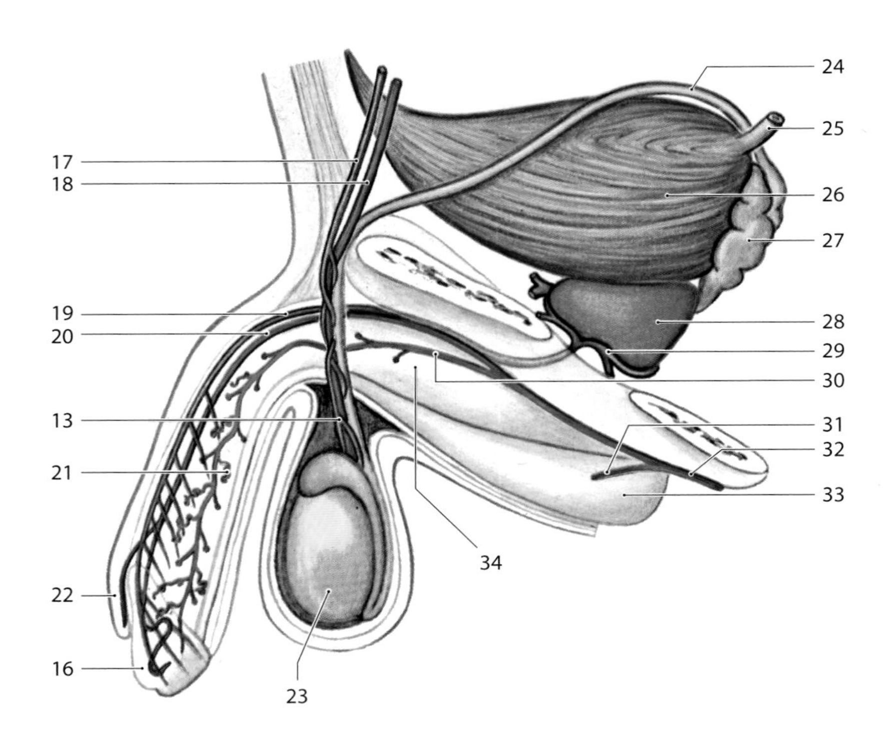

그림 7.61 **남성생식기관의 혈관**(가쪽모습). B = 음경의 가로단면.

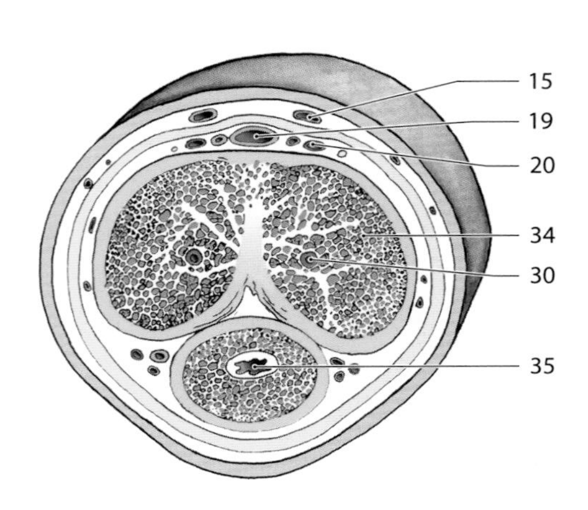

그림 7.62 **남성생식기관의 혈관**(음경의 가로단면).

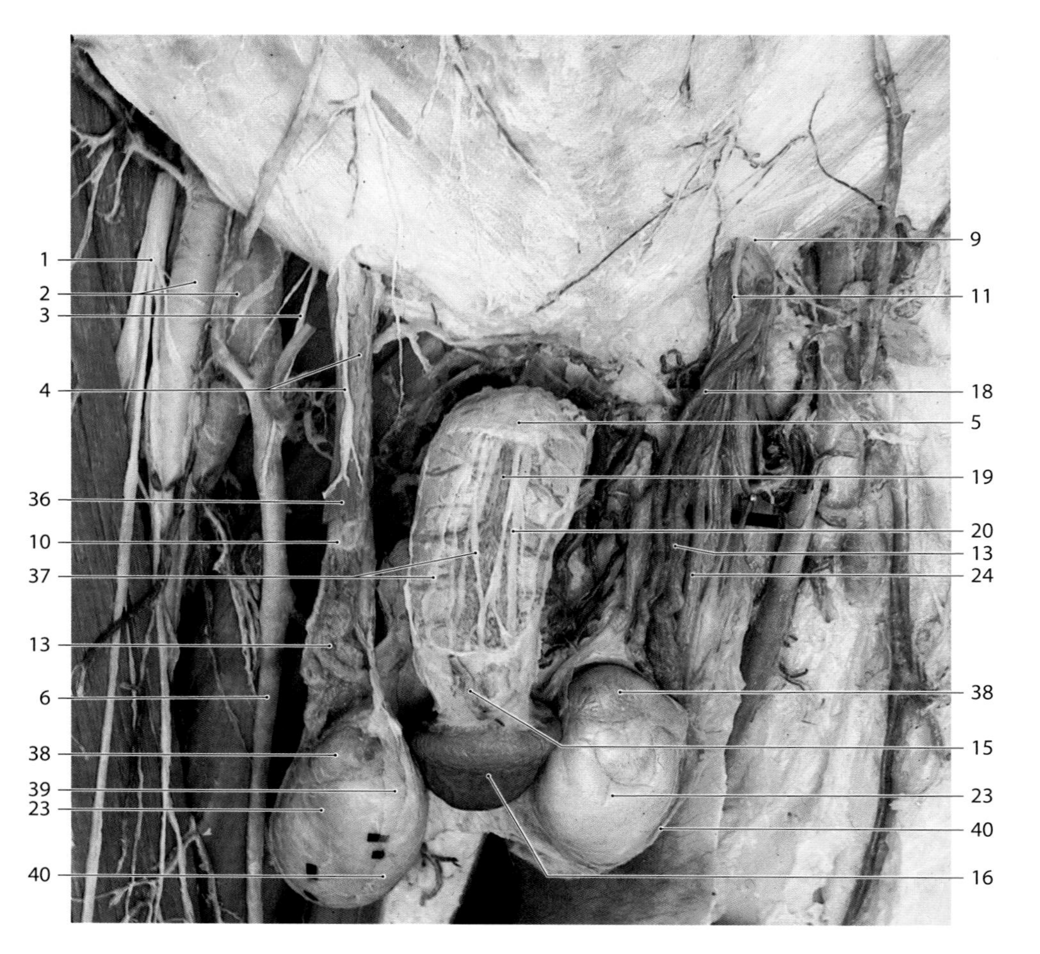

그림 7.63 **남성바깥생식기관, 음경, 고환, 정삭**의 깊은 층(앞모습). 깊은음경근막을 열어 음경등신경과 혈관이 보이게 하였다.

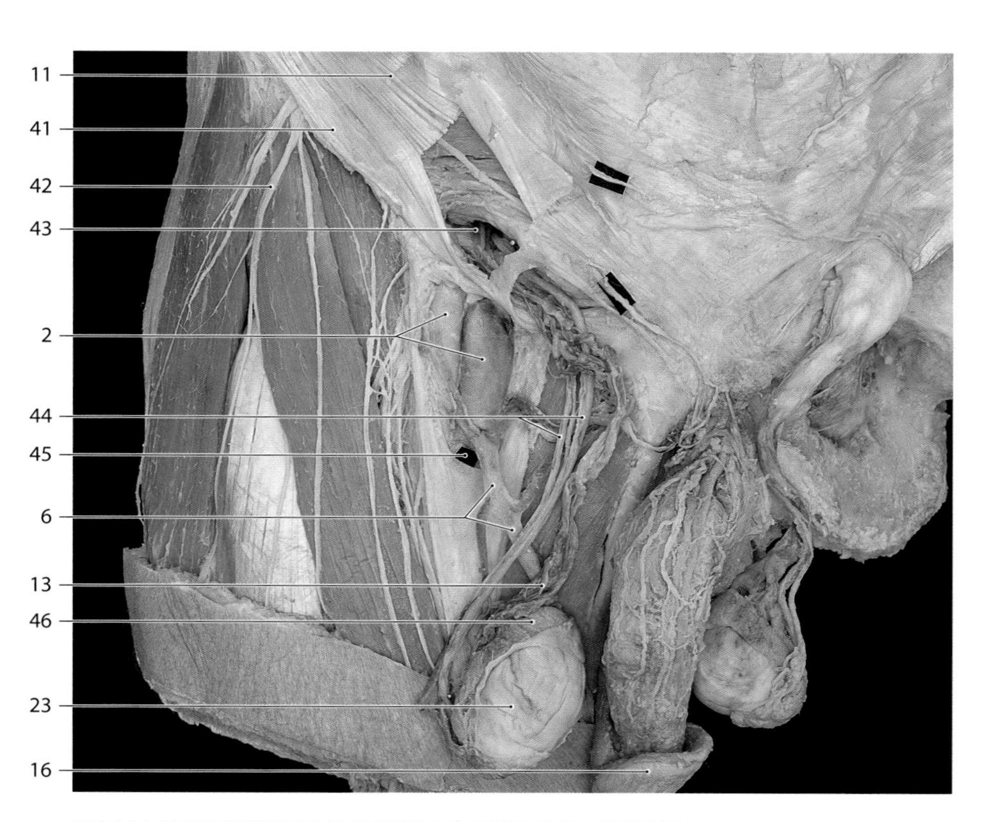

그림 7.64 **남성바깥생식기관과 고샅부위**(앞모습). 고샅굴, 정관, 고환동맥 해부.

1 넓적다리신경 Femoral nerve
2 넓적다리동맥과 정맥 Femoral artery and vein
3 음부넓적다리신경의 넓적다리가지 Femoral branch of genitofemoral nerve
4 정삭과 음부넓적다리신경의 음부가지 Spermatic cord with genital branch of genitofemoral nerve
5 음경과 음경근막 Penis with deep fascia
6 큰두렁정맥 Great saphenous vein
7 고환올림근 Cremaster muscle
8 고환과 고환올림근 Testis with cremaster muscle
9 얕은고샅구멍 Superficial inguinal ring
10 속정삭근막(단면) Internal spermatic fascia (cut edge)
11 엉덩고샅신경 Ilio-inguinal nerve
12 왼정삭 Left spermatic cord
13 덩굴정맥얼기 Pampiniform venous plexus
14 바깥정삭근막 External spermatic fascia
15 얕은음경등정맥 Superficial dorsal vein of penis
16 음경귀두 Glans penis
17 고환정맥 Testicular vein
18 고환동맥 Testicular artery
19 깊은음경등정맥 Deep dorsal vein of penis
20 음경등동맥 Dorsal artery of penis
21 나선동맥 Helicine arteries
22 음경꺼풀 Prepuce
23 고환과 백색막 Testis with tunica albuginea
24 정관 Ductus deferens
25 요관 Ureter
26 방광 Urinary bladder
27 정낭 Seminal vesicle
28 전립샘 Prostate
29 방광전립샘정맥얼기 Vesicoprostatic venous plexus
30 깊은음경동맥 Deep artery of penis
31 음경망울동맥 Artery of bulb of penis
32 속음부동맥 Internal pudendal artery
33 요도해면체 Corpus spongiosum of penis
34 음경해면체 Corpus cavernosum of penis
35 요도 Urethra
36 고환올림근과 근막 Cremasteric fascia with cremaster muscle
37 음경등신경 Dorsal nerve of penis
38 부고환 Epididymis
39 고환집막(고환층) Tunica vaginalis (visceral layer)
40 고환집막(벽층) Tunica vaginalis (parietal layer)
41 고샅인대 Inguinal ligament
42 넓적다리피부신경 Femoral cutaneous nerve
43 깊은고샅구멍 Deep inguinal ring
44 정관과 고환동맥 Ductus deferens and testicular artery
45 두렁정맥구멍 Hiatus saphenous
46 부고환 Epididymis

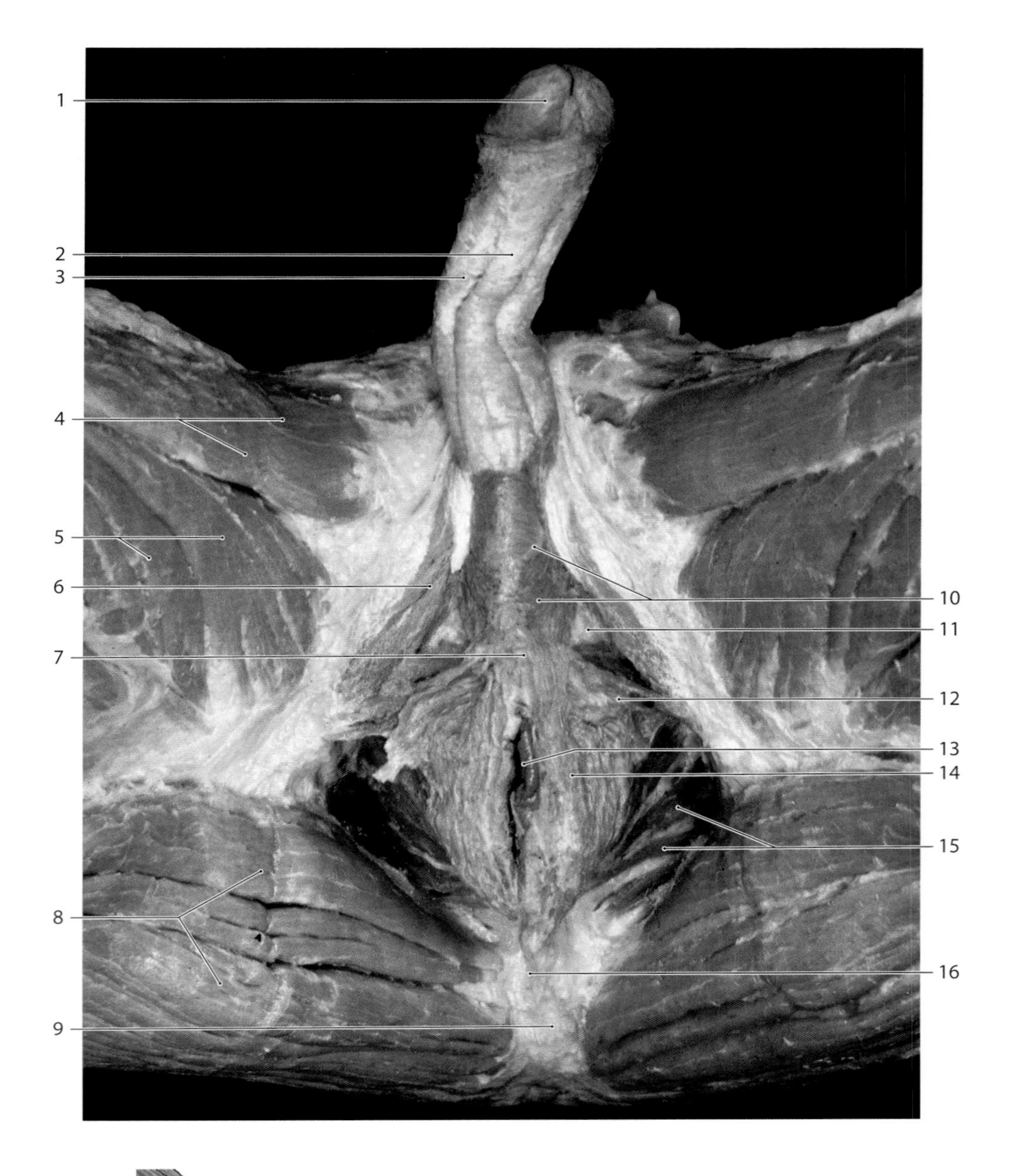

그림 7.65 **남성의 비뇨생식가로막, 바깥생식기관** 및 골반바닥을 이루는 근육(아래모습)

1 음경귀두 Glans penis
2 요도해면체 Corpus spongiosum of penis
3 음경해면체 Corpus cavernosum of penis
4 두덩정강근 Gracilis muscle
5 모음근육 Adductor muscles
6 음경다리를 덮은 궁둥해면체근 Ischiocavernosus muscle overlying crus of penis
7 샅중심체(회음중심체) Central tendon of the perineum
8 큰볼기근 Gluteus maximus muscle
9 꼬리뼈 Coccyx
10 망울해면체근 Bulbospongiosus muscle
11 비뇨생식가로막의 아래근막에 덮인 깊은샅가로근 Deep transverse perineal muscle covered by inferior fascia of urogenital diaphragm
12 얕은샅가로근 Superficial transverse perineal muscle
13 항문 Anus
14 바깥항문조임근 External anal sphincter muscle
15 항문올림근 Levator ani muscle
16 항문꼬리인대 Anococcygeal ligament
17 고환 Testis
18 요도 Urethra
19 깊은음경등정맥 Deep dorsal vein of penis
20 음경등동맥 Dorsal artery of penis
21 깊은샅가로근 Deep transverse perineal muscle
22 속폐쇄근 Obturator internus muscle
23 엉치결절인대 Sacrotuberal ligament

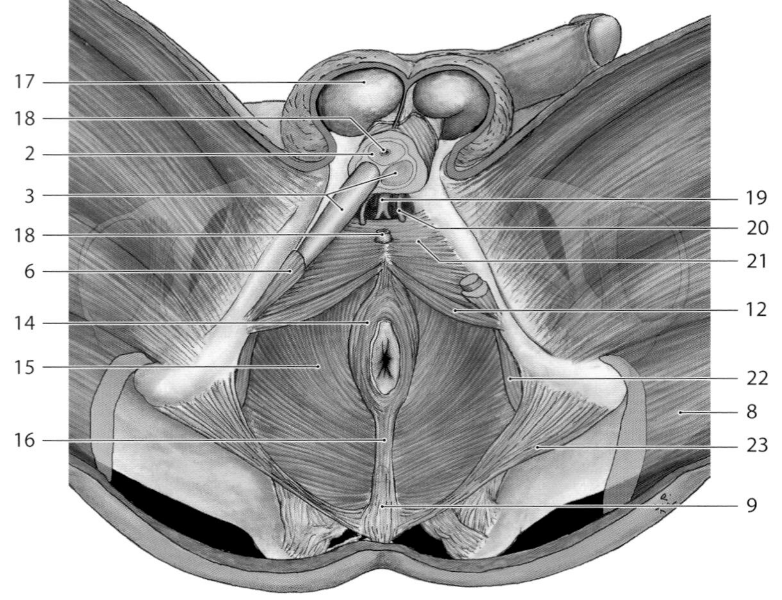

그림 7.66 **남성의 비뇨생식부위와 항문부위**(아래모습). 비뇨생식가로막과 골반가로막의 근육.

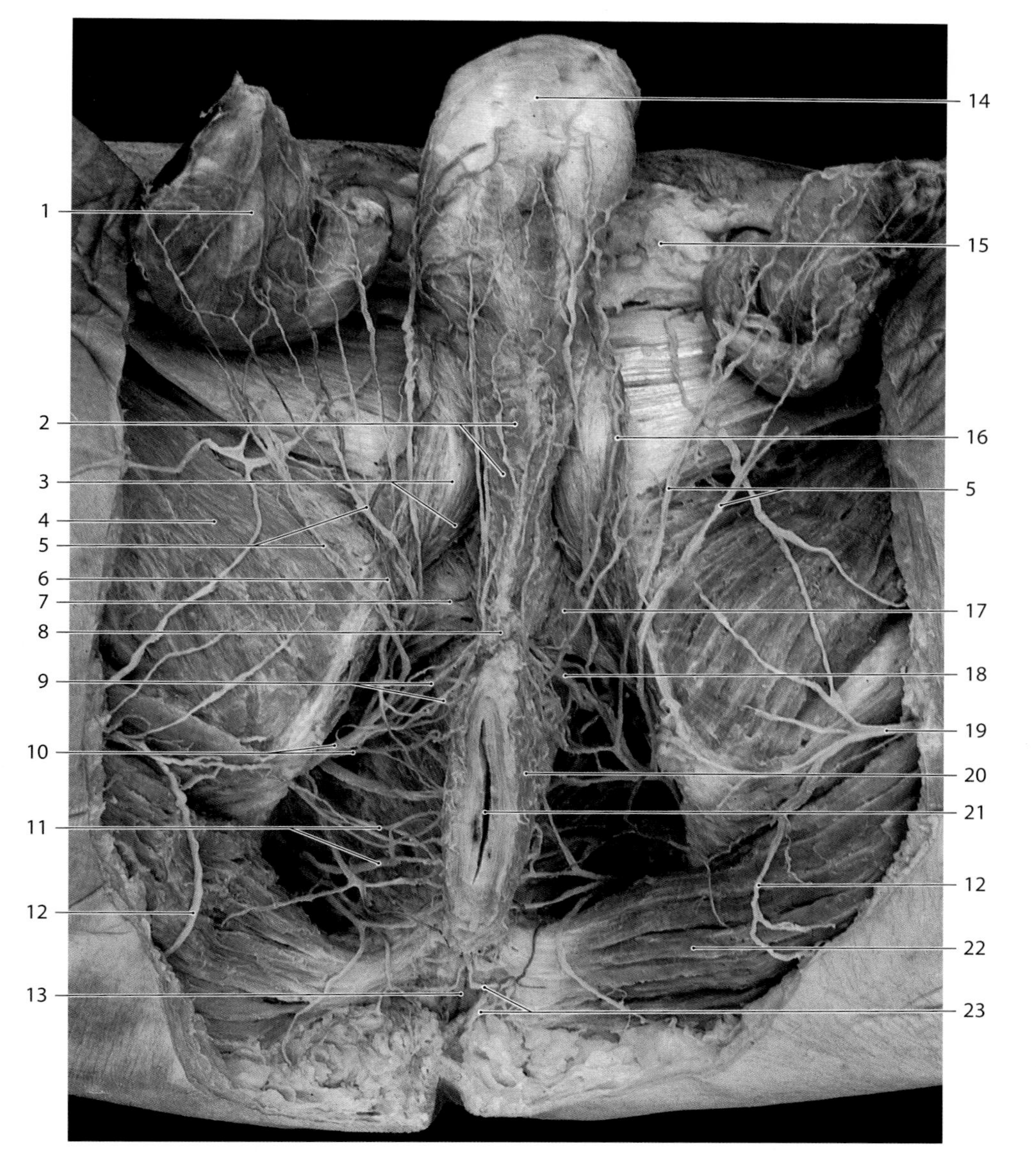

그림 7.67 **남성의 비뇨생식가로막, 바깥생식기관** 및 혈관과 신경(아래모습). 고환을 가쪽으로 젖혔다.

1 오른쪽 고환(위가쪽으로 젖힘) Right testis (reflected laterally and upward)
2 망울해면체근 Bulbospongiosus muscle
3 궁둥해면체근 Ischiocavernosus muscle
4 큰모음근 Adductor magnus muscle
5 뒤음낭신경과 얕은샅동맥 Posterior scrotal nerves and superficial perineal arteries
6 뒤음낭동맥과 정맥 Posterior scrotal artery and vein
7 오른음경망울동맥 Right artery of bulb of penis
8 샅중심체(회음중심체) Central tendon of the perineum
9 음부신경의 샅가지 Perineal branches of pudendal nerve
10 음부신경과 속음부동맥 Pudendal nerve and internal pudendal artery
11 아래곧창자동맥과 신경 Inferior rectal arteries and nerves
12 아래볼기피부신경 Inferior cluneal nerve
13 꼬리뼈(위치) Coccyx (location)
14 음경 Penis
15 왼쪽 고환(가쪽으로 젖힘) Left testis (reflected laterally)
16 왼뒤음낭동맥 Left posterior scrotal artery
17 깊은샅가로근 Deep transverse perineal muscle
18 왼음경망울동맥 Left artery of bulb of penis
19 뒤넓적다리피부신경 Posterior femoral cutaneous nerve
20 바깥항문조임근 External anal sphincter muscle
21 항문 Anus
22 큰볼기근 Gluteus maximus muscle
23 항문꼬리신경 Anococcygeal nerves
24 절구(넓적다리뼈 제거) Acetabulum (femur removed)
25 넓적다리뼈머리인대 Ligament of femoral head
26 궁둥뼈몸통(잘림) Body of ischium (cut)
27 궁둥신경 Sciatic nerve
28 꼬리근 Coccygeus muscle
29 항문올림근 Levator ani muscle
(a) 엉덩꼬리근 Iliococcygeus muscle
(b) 두덩꼬리근 Pubococcygeus muscle
(c) 두덩곧창자근 Puborectalis muscle
30 전립샘정맥얼기 Prostatic venous plexus
31 두덩뼈 Pubis
32 고환 Testis

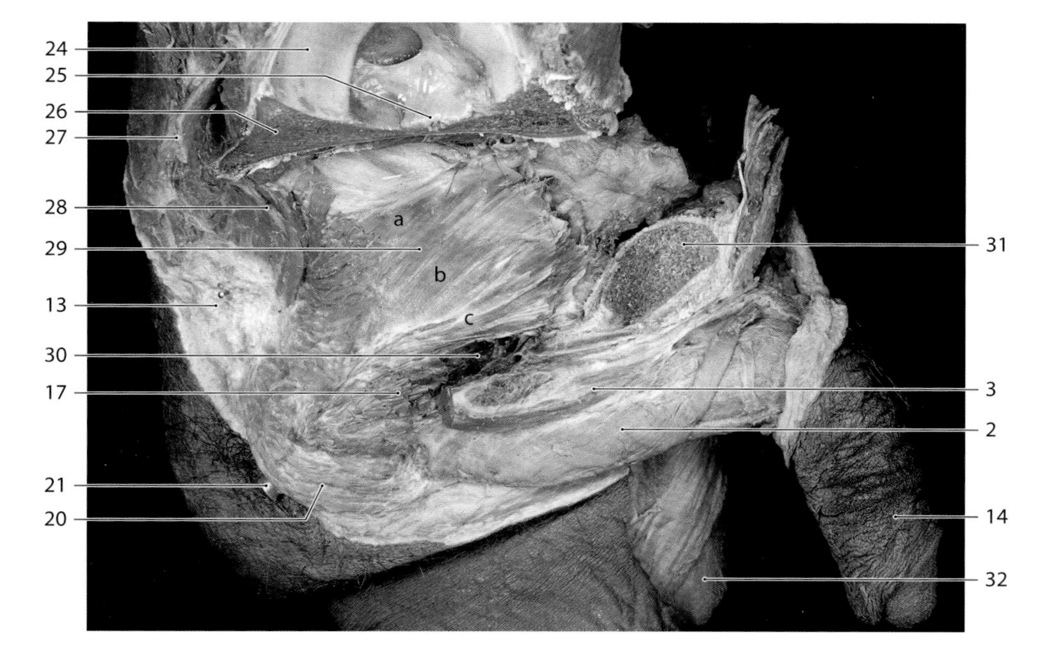

그림 7.68 **남성의 골반가로막과 바깥생식기관**(가쪽모습). 속폐쇄근을 포함한 오른쪽 골반의 절반과 넓적다리뼈를 제거하여 오른쪽 항문올림근의 절반이 드러나게 하였다.

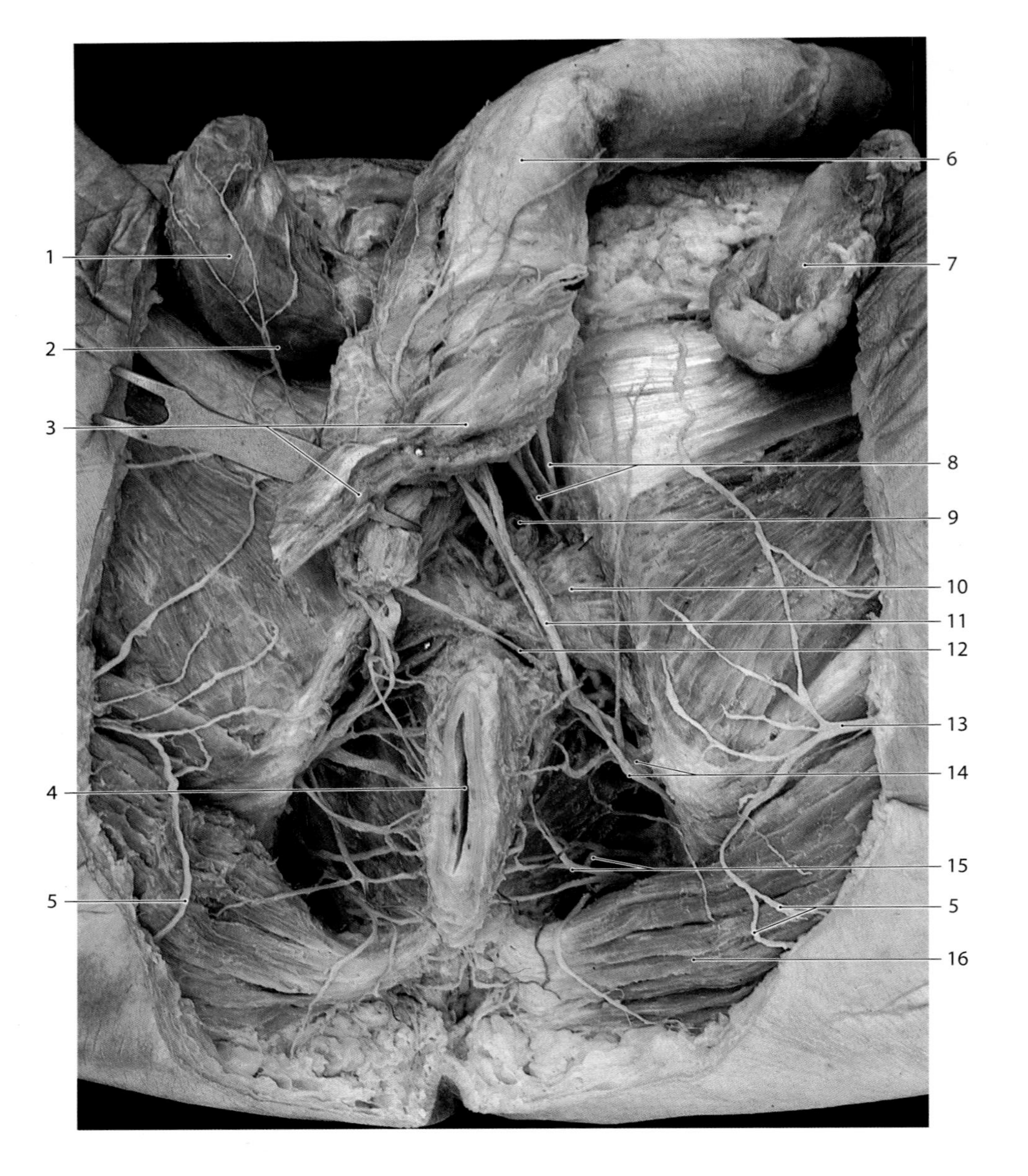

그림 7.69 **남성의 비뇨생식가로막과 바깥생식기관**(아래모습). 왼쪽 음경다리를 분리하여 음경망울과 함께 가쪽으로 젖혔다. 요도는 잘렸다.

1 오른쪽 고환(젖힘)
Right testis(reflected)
2 뒤음낭신경 Posterior scrotal nerves
3 왼쪽 음경다리와 궁둥해면체근
Left crus penis with ischiocavernosus muscle
4 항문 Anus
5 아래볼기피부신경
Inferior cluneal nerves
6 음경 Penis
7 왼쪽 고환(젖힘) Left testis (reflected)
8 음경등동맥과 신경
Dorsal artery and nerve of penis
9 요도 Urethra
10 깊은샅가로근
Deep transverse perineal muscle
11 음부신경의 샅가지
Perineal branch of pudendal nerve
12 음경망울동맥(젖힘)
Artery of bulb of penis (reflected)
13 뒤넓적다리피부신경의 가지
Branch of posterior femoral cutaneous nerve
14 속음부동맥과 음부신경
Internal pudendal artery and pudendal nerve
15 아래곧창자동맥과 신경
Inferior rectal arteries and nerves
16 큰볼기근 Gluteus maximus muscle
17 음경등신경 Dorsal nerve of penis
18 뒤넓적다리피부신경
Posterior femoral cutaneous nerve
19 음부신경의 샅가지
Perineal branches of pudendal nerve
20 음부신경 Pudendal nerve
21 아래곧창자신경 Inferior rectal nerves
22 망울해면체근
Bulbospongiosus muscle
23 궁둥해면체근
Ischiocavernosus muscle
24 음경등동맥 Dorsal artery of penis
25 샅동맥(회음동맥) Perineal artery
26 바깥항문조임근
External anal sphincter muscle
27 속음부동맥과 정맥
Internal pudendal artery and vein
28 아래곧창자동맥
Inferior rectal arteries

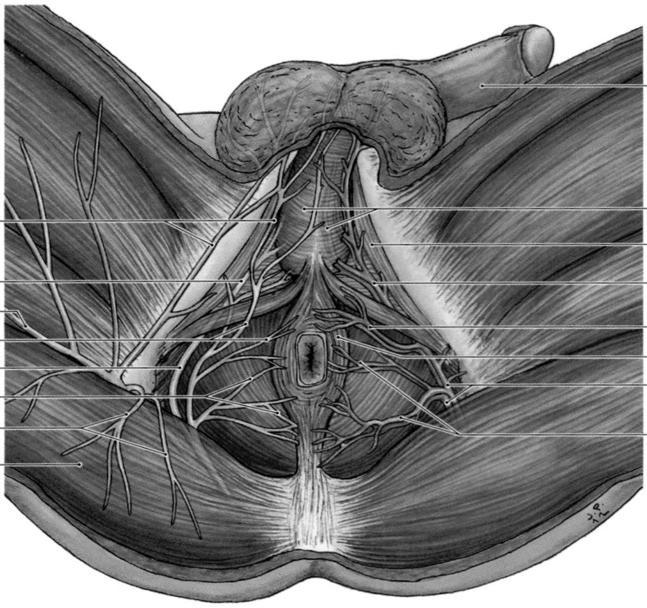

그림 7.70 **남성의 비뇨생식부위와 항문부위**(아래모습). 오른쪽 = 신경; 왼쪽 = 동맥과 정맥.

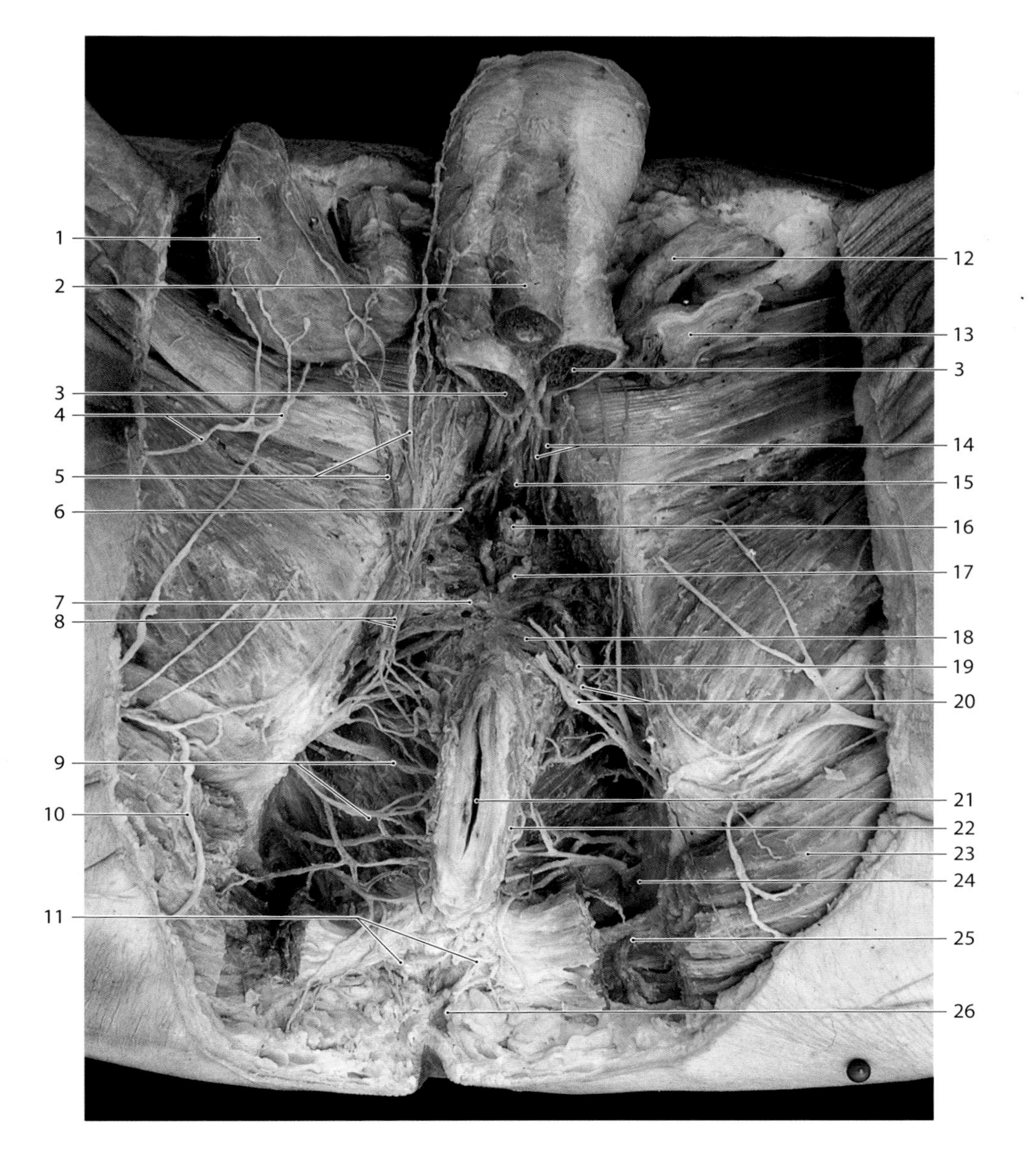

그림 7.71 **남성의 비뇨생식가로막과 바깥생식기관**(아래모습). 비뇨생식가로막 해부. 음경뿌리를 잘랐다.

1 오른쪽 고환(젖힘) Right testis (reflected)
2 요도해면체 Corpus spongiosum of penis
3 음경해면체 Corpus cavernosum of penis
4 뒤넓적다리피부신경의 샅가지 Perineal branch of posterior femoral cutaneous nerve
5 뒤음낭동맥과 신경 Posterior scrotal arteries and nerves
6 깊은음경동맥 Deep artery of penis
7 깊은샅가로근 Deep transverse perineal muscle
8 오른샅신경 Right perineal nerves
9 아래곧창자신경 Inferior rectal nerves
10 아래볼기피부신경 Inferior cluneal nerve
11 항문꼬리신경 Anococcygeal nerves
12 왼정삭 Left spermatic cord
13 왼쪽 고환(단면) Left testis(cut surface)
14 음경등동맥과 신경 Dorsal artery and nerve of penis
15 깊은음경등정맥 Deep dorsal vein of penis
16 요도(잘림) Urethra (cut)
17 음경망울동맥 Artery of bulb of penis
18 얕은샅가로근 Superficial transverse perineal muscle
19 왼음경망울동맥 Left artery of bulb of penis
20 음부신경의 샅가지 Perineal branch of pudendal nerve
21 항문 Anus
22 바깥항문조임근 External anal sphincter muscle
23 큰볼기근 Gluteus maximus muscle
24 속폐쇄근막과 음부신경관(음부신경, 속음부동맥과 정맥이 들어있음) Obturator fascia with Alcock's canal for pudendal nerve, and internal pudendal artery and vein
25 엉치결절인대 Sacrotuberous ligament
26 꼬리뼈 Coccyx
27 비뇨생식가로막과 샅막(회음막) Urogenital diaphragm with perineal membrane
28 샅근막(회음근막) Perineal fascia(superficial investing fascia of perineum)

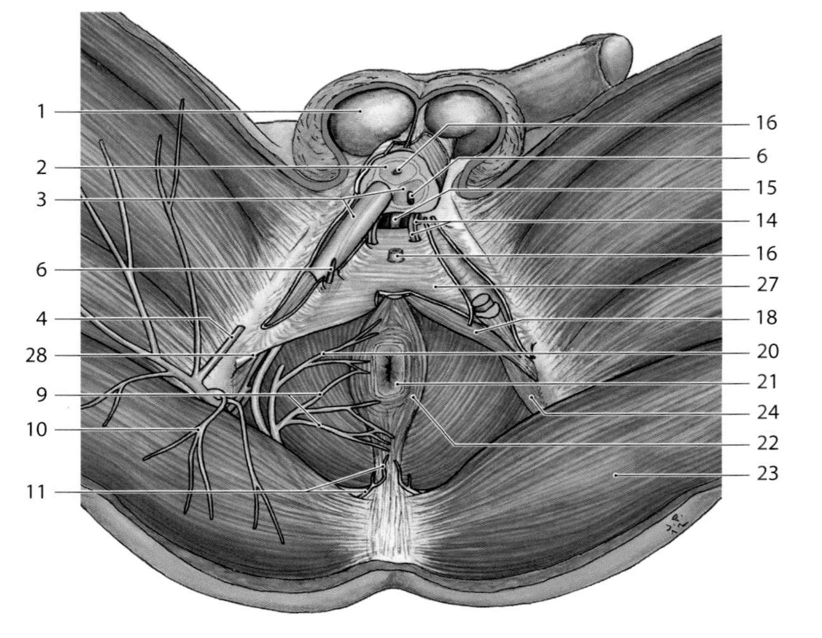

그림 7.72 **남성의 비뇨생식부위와 항문부위**(아래모습). 비뇨생식가로막과 골반가로막을 이루는 근육. 왼쪽 궁둥해면체근과 음경해면체를 둘러싸는 근막은 제거하였다. 옅은 파란색 = 샅근막(회음근막)과 샅막(회음막).

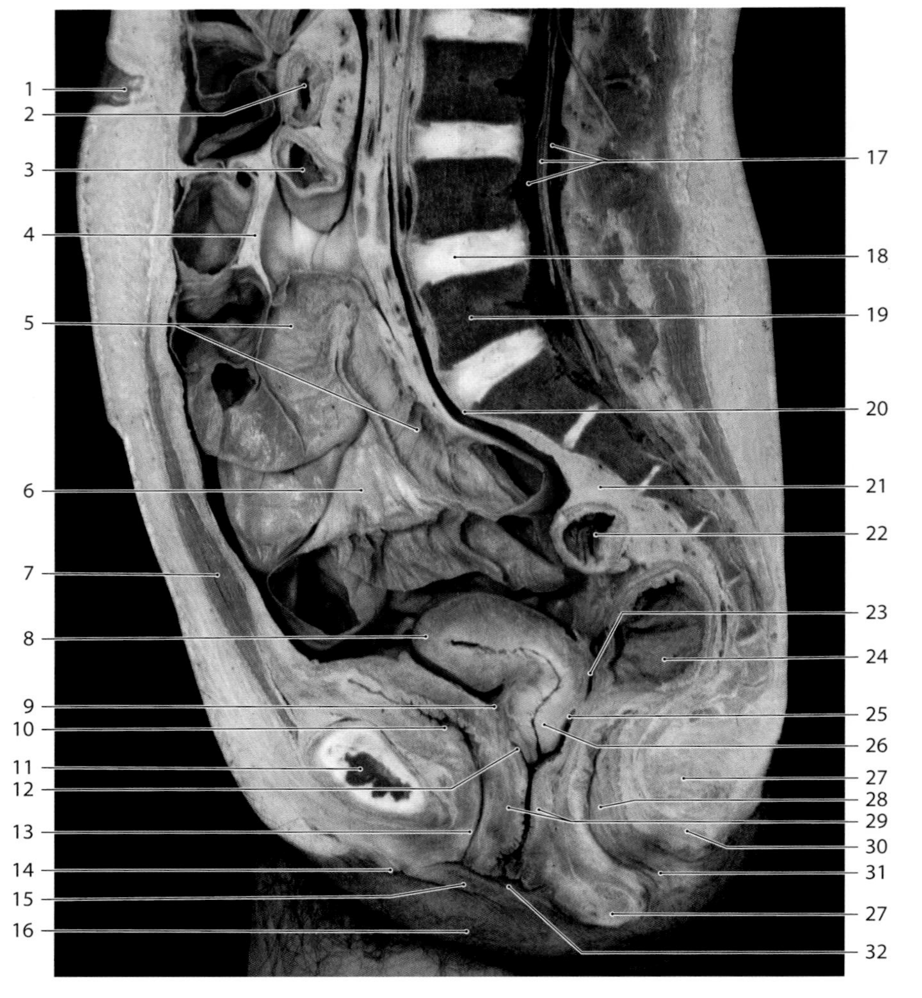

그림 7.73 **여성비뇨생식계통**(골반안을 지나는 정중단면). 방광은 비었고, 자궁의 위치와 모양은 정상이다.

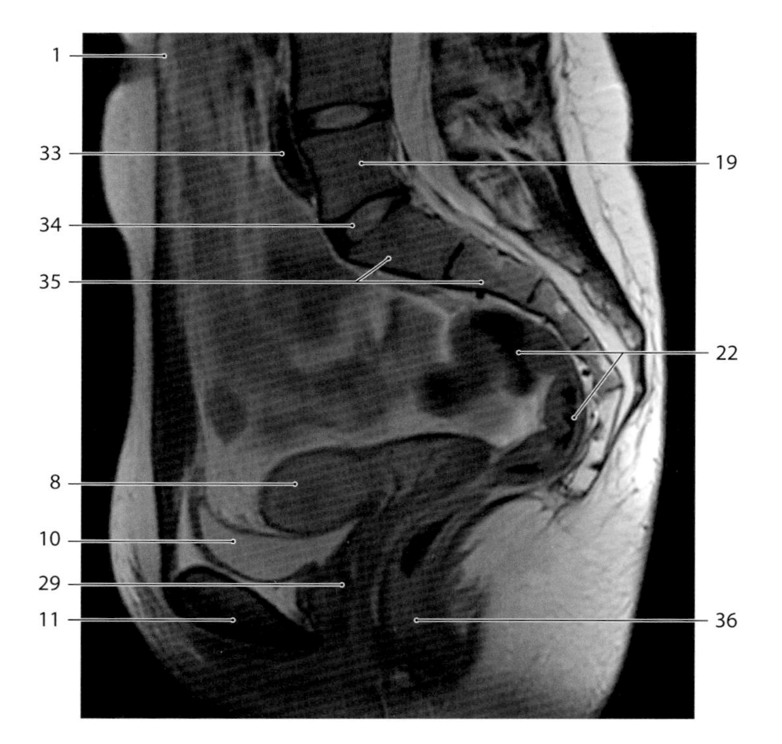

그림 7.74 **젊은 여성 골반안의 정중단면.** 자궁의 과도한 앞굽이가 보인다(자기공명영상). (Courtesy of Prof. Uder, Institute of Radiology, University Hospital Erlangen, Germany.)

1 배꼽 Umbilicus
2 샘창자(십이지장) Duodenum
3 샘창자(십이지장)의 오름부분 Ascending part of duodenum
4 창자간막뿌리(장간막뿌리) Root of mesentery
5 소장 Small intestine
6 창자간막(장간막) Mesentery
7 배곧은근 Rectus abdominis muscle
8 자궁 Uterus
9 방광자궁오목 Vesico-uterine pouch
10 방광(쭈그러듦) Urinary bladder (collapsed)
11 두덩결합 Pubic symphysis
12 질천장의 앞부분 Anterior fornix of vagina
13 요도 Urethra
14 음핵 Clitoris
15 소음순 Labium minus
16 대음순 Labium majus
17 척주관과 말총 Vertebral canal with cauda equina
18 척추사이원반 Intervertebral disc
19 다섯째허리뼈몸통 Body of fifth lumbar vertebra (L5)
20 엉치뼈곶 Sacral promontory
21 구불잘록창자간막(구불결장간막) Mesosigmoid
22 구불잘록창자(구불결장) Sigmoid colon
23 곧창자자궁오목(직장자궁오목) Recto-uterine pouch (of Douglas)
24 곧창자팽대(직장팽대) Ampulla of rectum
25 질천장의 뒤부분 Posterior fornix of vagina
26 자궁목 Cervix of uterus
27 바깥항문조임근 External anal sphincter muscle
28 항문관 Anal canal
29 질 Vagina
30 속항문조임근 Internal anal sphincter muscle
31 항문 Anus
32 처녀막 Hymen
33 배대동맥 Abdominal aorta
34 척추사이원반, 엉치뼈곶 Discus intervertebralis, promontory
35 엉치뼈 Sacrum
36 곧창자(직장) Rectum

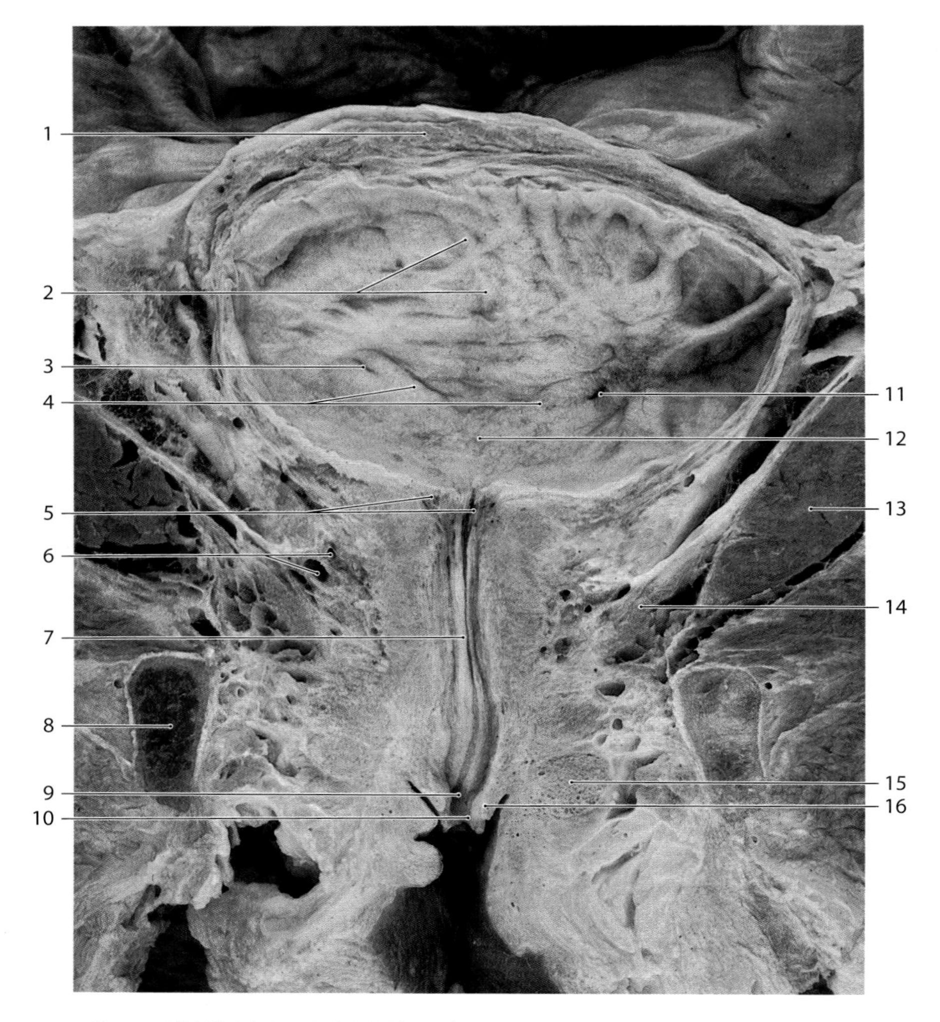

그림 7.75 **여성 방광과 요도의 관상단면**(앞모습).

1 방광의 근육층 Muscular coat of urinary bladder
2 방광의 점막주름 Folds of mucous membrane of urinary bladder
3 오른쪽 요관구멍 Right ureteric orifice
4 요관사이주름 Interureteric fold
5 속요도구멍 Internal urethral orifice
6 방광자궁정맥얼기 Vesico-uterine venous plexus
7 요도 Urethra
8 두덩뼈(단면) Pubis (cut edge)
9 바깥요도구멍 External urethral orifice
10 질어귀 Vestibule of vagina
11 왼쪽 요관구멍 Left ureteric orifice
12 방광삼각 Trigone of bladder
13 속폐쇄근 Obturator internus muscle
14 항문올림근 Levator ani muscle
15 질어귀망울 Bulb of vestibule
16 왼쪽 소음순 Left labium minus
17 배꼽 Umbilicus
18 구불잘록창자(구불결장) Sigmoid colon
19 정중배꼽주름과 요막관 Median umbilical fold with urachus
20 자궁관깔때기 Infundibulum of uterine tube
21 자궁관술 Fimbriae of uterine tube
22 난소 Ovary
23 자궁관(잘록) Uterine tube (isthmus)
24 자궁 Uterus
25 자궁원인대 Round ligament of uterus
26 방광자궁오목 Vesico-uterine pouch
27 방광 Urinary bladder
28 질 Vagina
29 두덩결합 Pubic symphysis
30 음핵 Clitoris
31 다섯째허리뼈몸통 Body of fifth lumbar vertebra (L5)
32 엉치뼈곶 Sacral promontory
33 오른요관 Right ureter
34 복막(단면) Peritoneum (cut edge)
35 왼요관 Left ureter
36 곧창자자궁오목(직장자궁오목) Recto-uterine pouch (of Douglas)
37 곧창자팽대(직장팽대) Rectal ampulla
38 콩팥(신장) Kidney

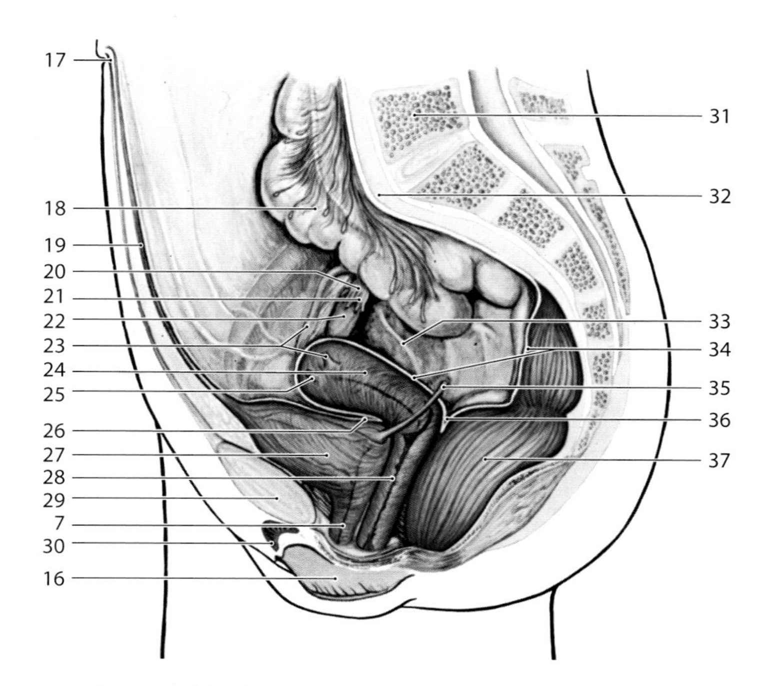

그림 7.76 **여성생식기관의 위치**(정중모습).

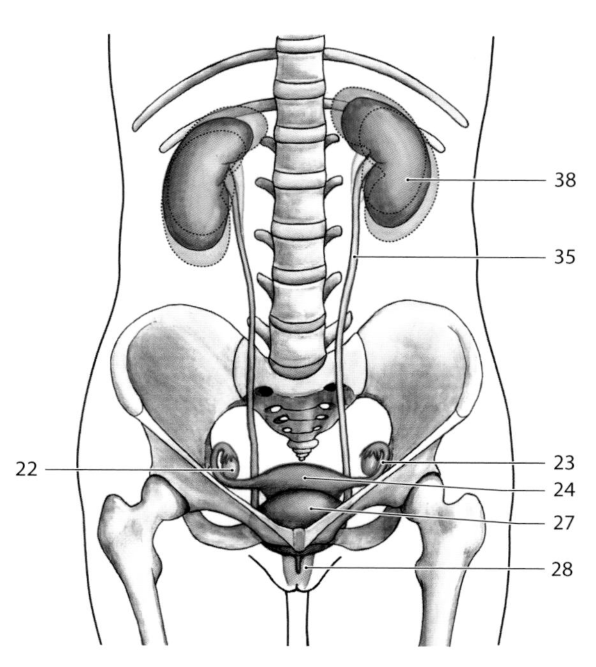

그림 7.77 **여성 콩팥(신장), 비뇨생식기관의 위치**(앞모습). 콩팥(신장)의 움직임을 표시하였다.

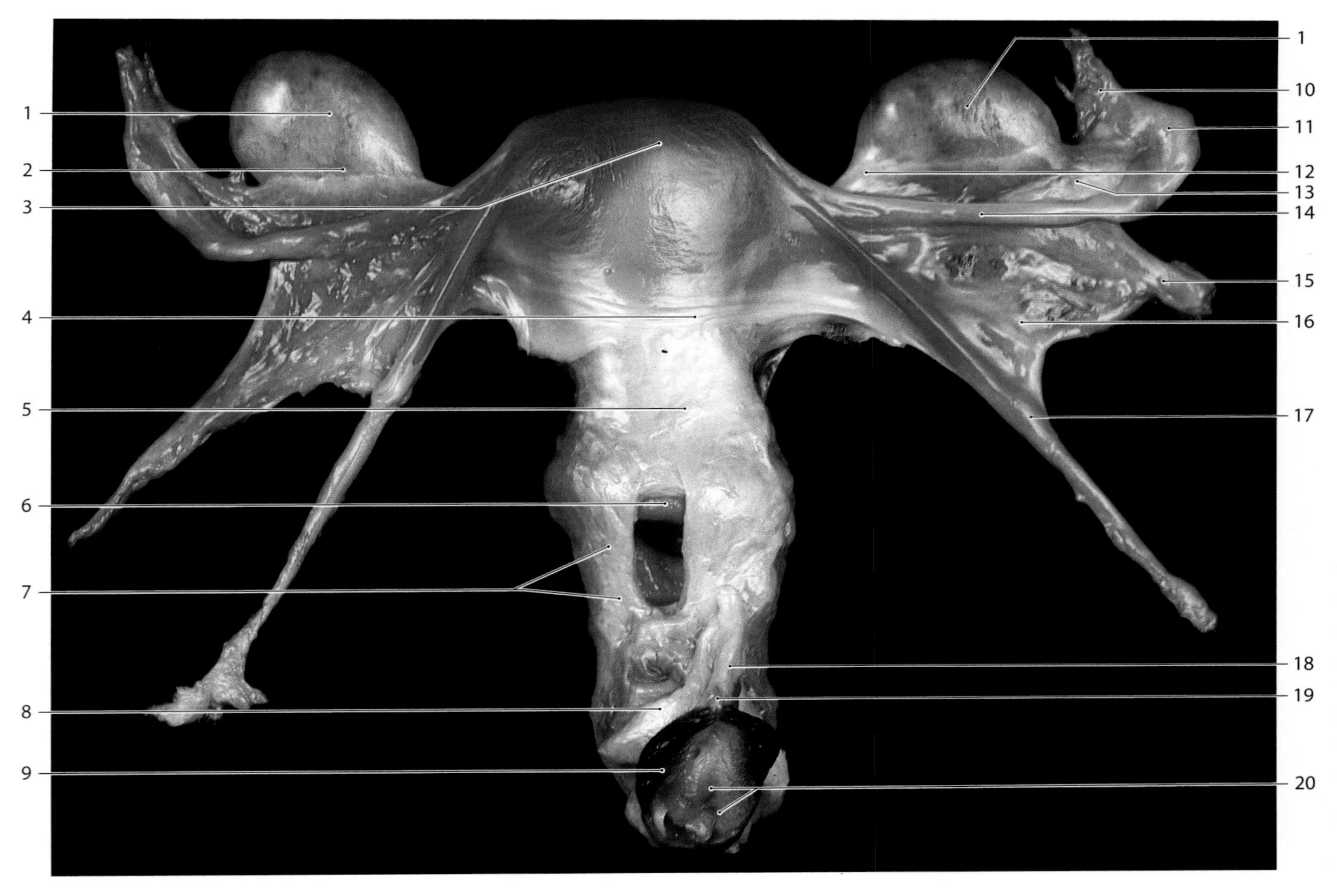

그림 7.78 **여성생식기관, 분리됨**(앞모습). 질의 앞벽을 열고 자궁목의 질부분이 보이게 하였다.

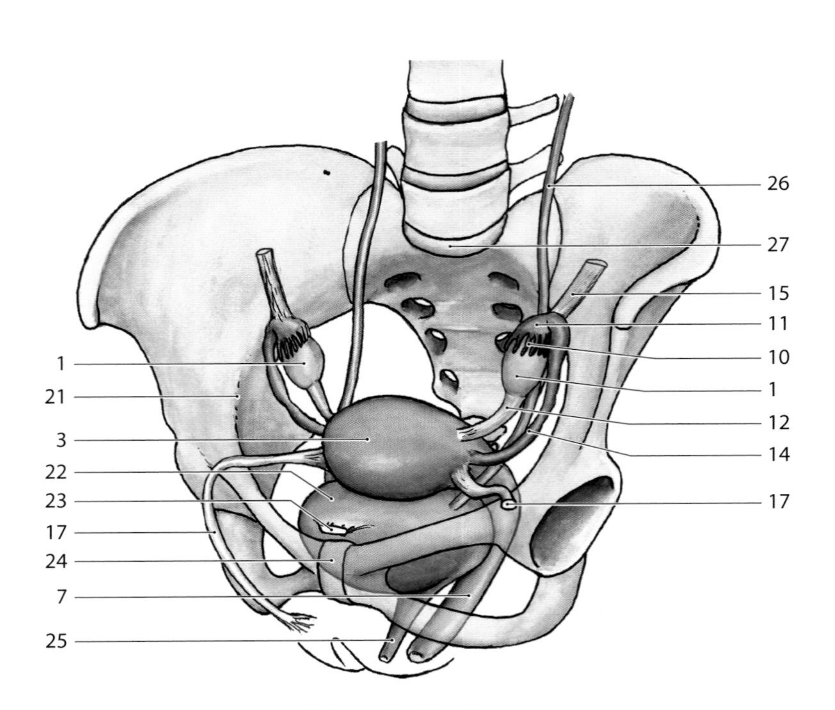

그림 7.79 **여성속생식기관의 위치**(비스듬한 앞쪽모습).

1 난소 Ovary
2 난소간막 Mesovarium
3 자궁바닥 Fundus of uterus
4 방광자궁오목 Vesico-uterine pouch
5 자궁목 Cervix of uterus
6 자궁목의 질부분 Vaginal portion of cervix
7 질 Vagina
8 음핵다리 Crus of clitoris
9 소음순 Labium minus
10 자궁관술 Fimbriae of uterine tube
11 자궁관깔때기 Infundibulum of uterine tube
12 난소인대 Ligament of the ovary
13 자궁관간막 Mesosalpinx
14 자궁관 Uterine tube
15 난소걸이인대(아래쪽으로 밀림) Suspensory ligament of ovary (caudally displaced)
16 자궁넓은인대 Broad ligament of uterus
17 자궁원인대 Round ligament of uterus
18 음핵해면체 Corpus cavernosum of clitoris
19 음핵귀두 Glans of clitoris
20 처녀막과 질구멍 Hymen and vaginal orifice
21 분계선 Linea terminalis
22 방광 Urinary bladder
23 안쪽배꼽인대 Medial umbilical ligament
24 두덩결합 Pubic symphysis
25 요도 Urethra
26 요관 Ureter
27 엉치뼈곶 Promontory

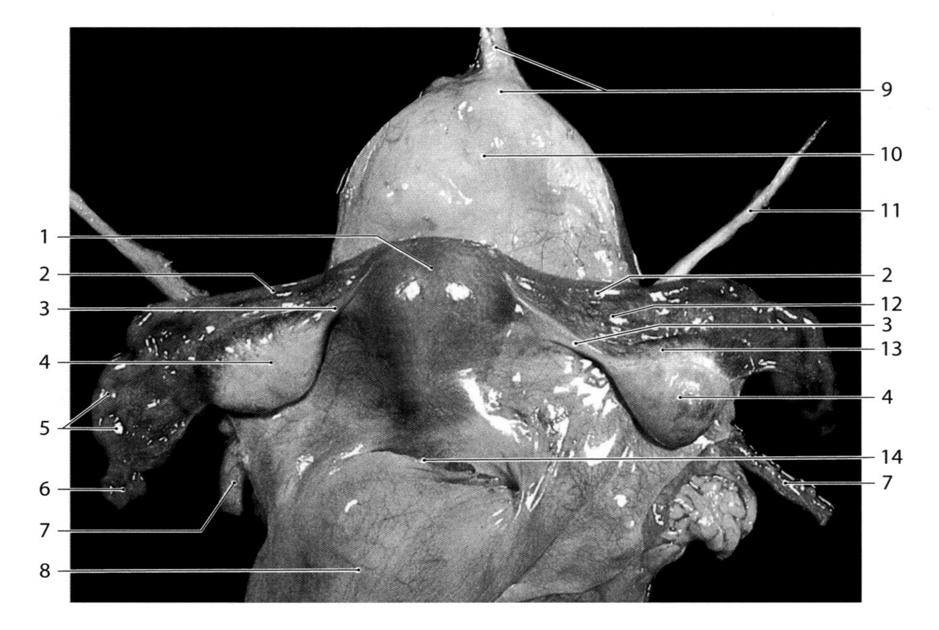

그림 7.80 **여성속생식기관, 분리됨**(위뒤모습).

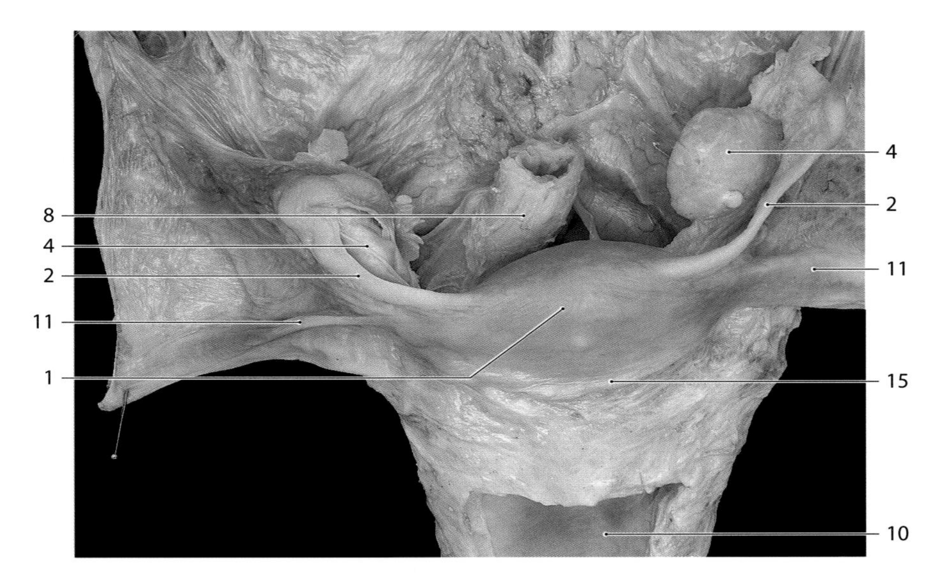

그림 7.81 **자궁과 관련기관, 분리됨**(위모습). 왼쪽 난소가 커져있다.

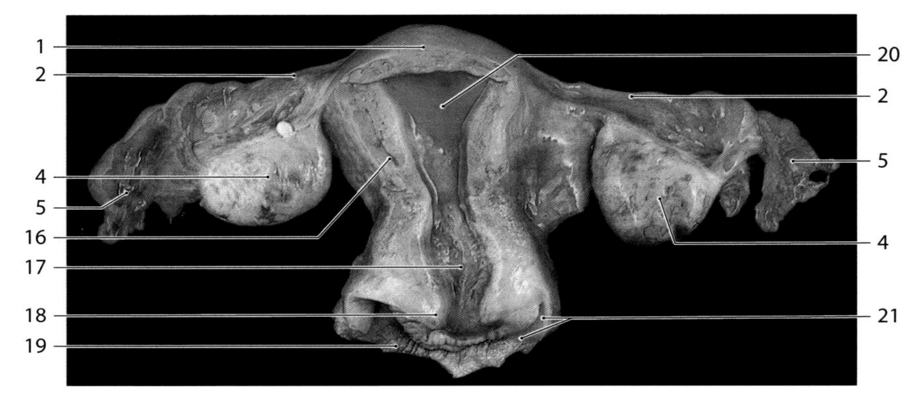

그림 7.82 **자궁과 관련기관, 분리됨**(뒤모습). 자궁의 뒤벽을 열었다.

1 자궁바닥 Fundus of uterus
2 자궁관 Uterine tube
3 고유난소인대 Ligament of the ovary
4 난소 Ovary
5 자궁관깔때기 Infundibulum of uterine tube
6 자궁관술 Fimbriae of uterine tube
7 요관 Ureter
8 곧창자(직장) Rectum
9 방광꼭대기와 정중배꼽인대 Apex of urinary bladder and median umbilical ligament
10 방광(정중앙에서 열었음) Urinary bladder (fenestrated in the dissection in the middle)
11 자궁원인대 Round ligament of uterus
12 자궁관간막 Mesosalpinx
13 난소간막 Mesovarium
14 곧창자자궁오목(직장자궁오목) Recto-uterine pouch (of Douglas)
15 방광자궁오목 Vesico-uterine pouch
16 자궁몸통 Body of uterus
17 자궁목 Cervix of uterus
18 자궁목의 질부분 Vaginal portion of cervix of uterus
19 질 Vagina
20 충혈된 자궁점막 Mucous membrane of uterus congestion
21 질천장의 앞부분 Anterior fornix of vagina

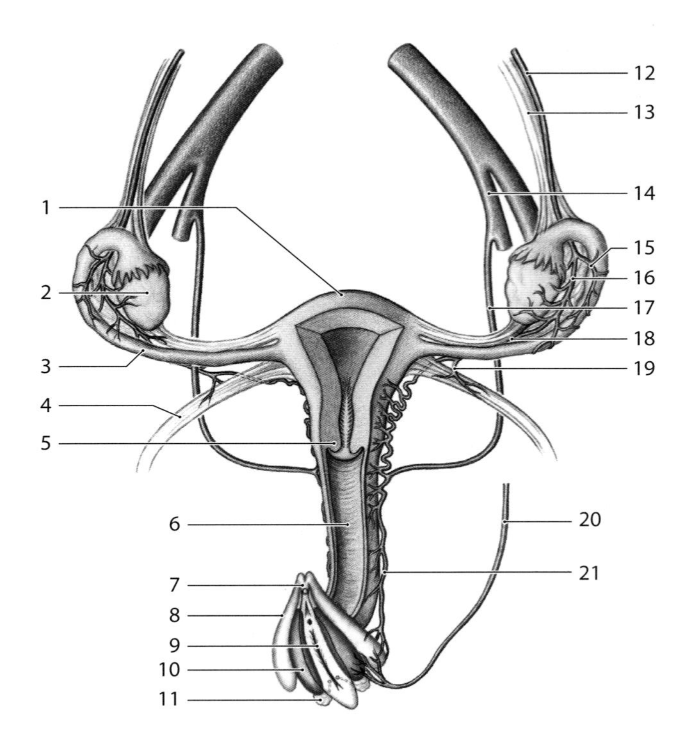

그림 7.83 **여성생식기관의 동맥.**

그림 7.84 **자궁과 관련기관에서 림프관의 주요 배출 경로**(화살표로 표시).

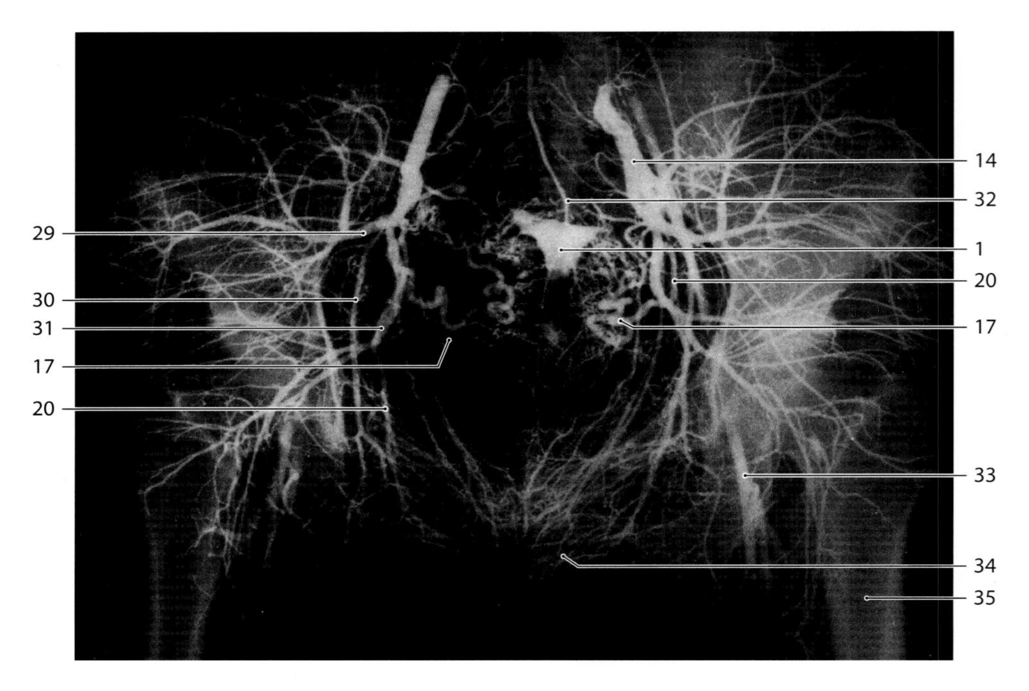

그림 7.85 **여성 골반혈관의 동맥조영술** (정면촬영).

1 자궁 Uterus
2 난소 Ovary
3 자궁관 Uterine tube
4 자궁원인대 Round ligament of uterus
5 자궁목의 질부분 Vaginal portion of cervix of uterus
6 질 Vagina
7 음핵 Clitoris
8 음핵해면체 Corpus cavernosum of clitoris
9 질구멍 Vaginal orifice
10 질어귀망울 Bulb of vestibule
11 큰질어귀샘 Greater vestibular gland
12 난소동맥 Ovarian artery
13 난소걸이인대 Suspensory ligament of ovary
14 속엉덩동맥 Internal iliac artery
15 난소동맥의 자궁관가지 Tubal branch of ovarian artery
16 난소동맥의 난소가지 Ovarian branch of ovarian artery
17 자궁동맥 Uterine artery
18 자궁동맥의 난소가지 Ovarian branch of uterine artery
19 자궁원인대동맥 Artery of round ligament
20 속음부동맥 Internal pudendal artery
21 질동맥 Vaginal artery
22 허리림프절 Lumbar lymph nodes
23 바깥엉덩림프절 External iliac lymph nodes
24 고샅림프절 Inguinal lymph nodes
25 배대동맥 Abdominal aorta
26 바깥엉덩동맥 External iliac artery
27 엉치림프절 Sacral lymph nodes
28 속엉덩림프절 Internal iliac lymph nodes
29 위볼기동맥 Superior gluteal artery
30 폐쇄동맥 Obturator artery
31 아래볼기동맥 Inferior gluteal artery
32 정중엉치동맥 Middle sacral artery
33 넓적다리동맥 Femoral artery
34 대음순의 혈관 Vessels of labium majus
35 넓적다리뼈 Femur

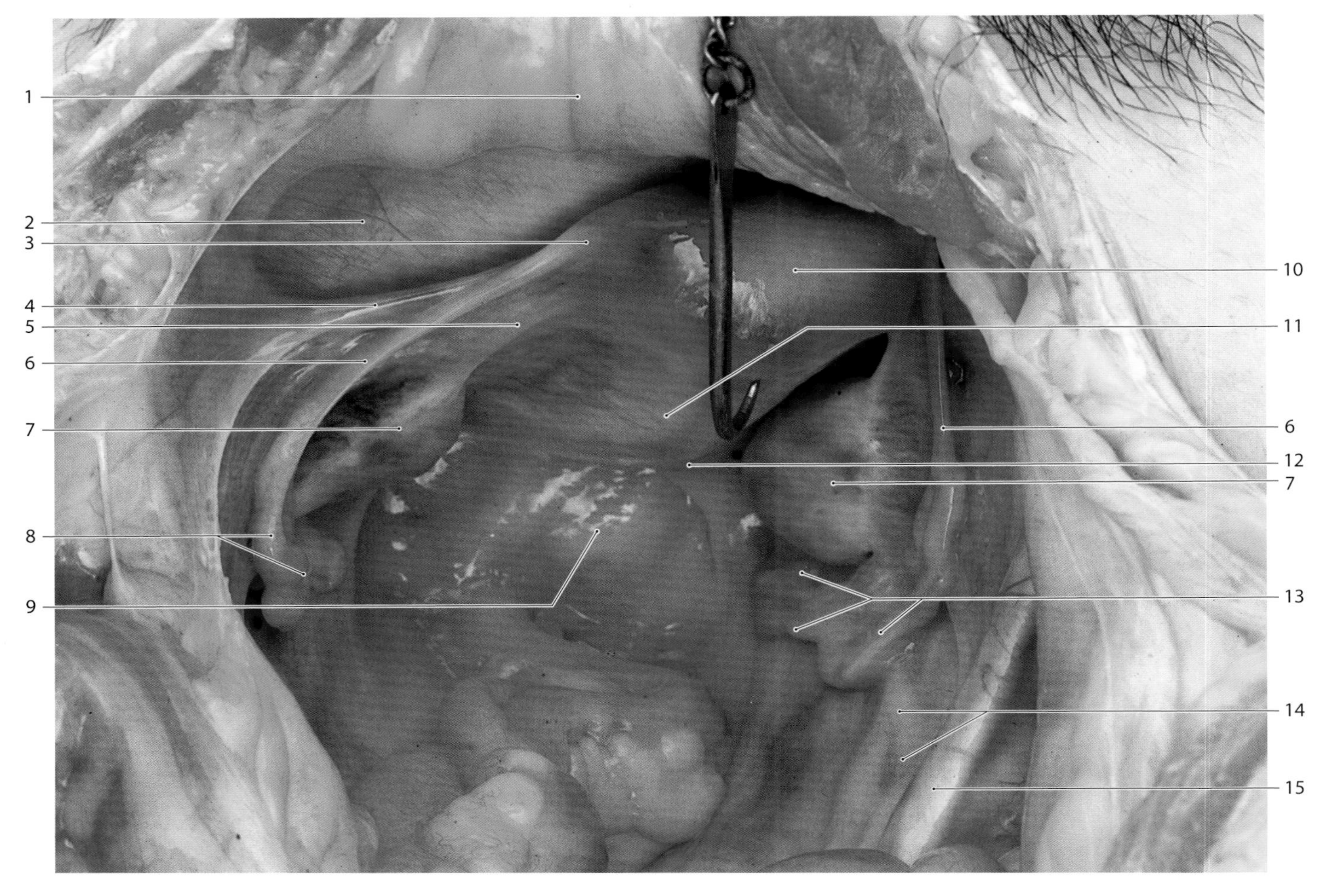

그림 7.86 **여성속생식기관.** 골반안의 모습(위모습). 자궁을 오른쪽으로 젖혔다.

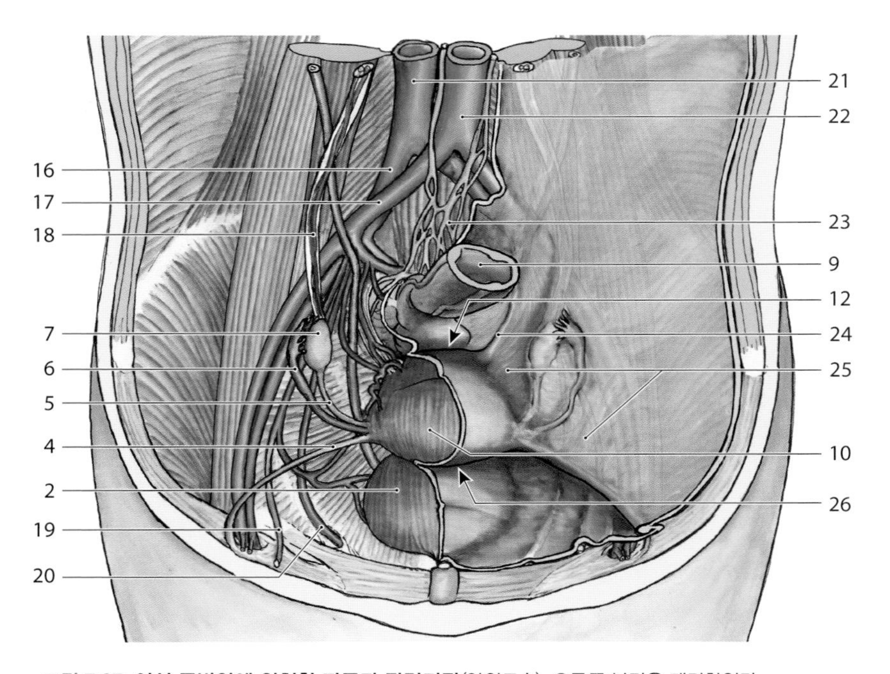

그림 7.87 **여성 골반안에 위치한 자궁과 관련기관**(앞위모습). 오른쪽 복막을 제거하였다. 화살표 = 방광자궁오목과 곧창자자궁오목(직장자궁오목).

1 정중배꼽주름과 요막관 Median umbilical fold with urachus
2 방광 Urinary bladder
3 자궁바닥의 자궁관 닿는곳 Insertion of uterine tube at fundus of uterus
4 자궁원인대 Round ligament of uterus
5 난소인대 Ligament of ovary
6 자궁관(잘록) Uterine tube (isthmus)
7 난소 Ovary
8 자궁관팽대 Ampulla of uterine tube
9 곧창자(직장) Rectum
10 자궁 Uterus
11 질 Vagina
12 곧창자자궁오목(직장자궁오목) Recto-uterine pouch (of Douglas)
13 자궁관술 Fimbriae of uterine tube
14 난소걸이인대 Suspensory ligament of ovary
15 오른온엉덩동맥(복막에 덮임) Right common iliac artery (covered by peritoneum)
16 온엉덩정맥 Common iliac vein
17 온엉덩동맥 Common iliac artery
18 난소동맥과 정맥 Ovarian artery and vein
19 배꼽주름 Umbilical fold
20 폐쇄동맥 Obturator artery
21 아래대정맥 Inferior vena cava
22 배대동맥 Abdominal aorta
23 위아랫배신경얼기 Superior hypogastric plexus
24 곧창자자궁주름(직장자궁주름) Recto-uterine fold
25 자궁넓은인대 Broad ligament of uterus
26 방광자궁오목 Vesico-uterine pouch

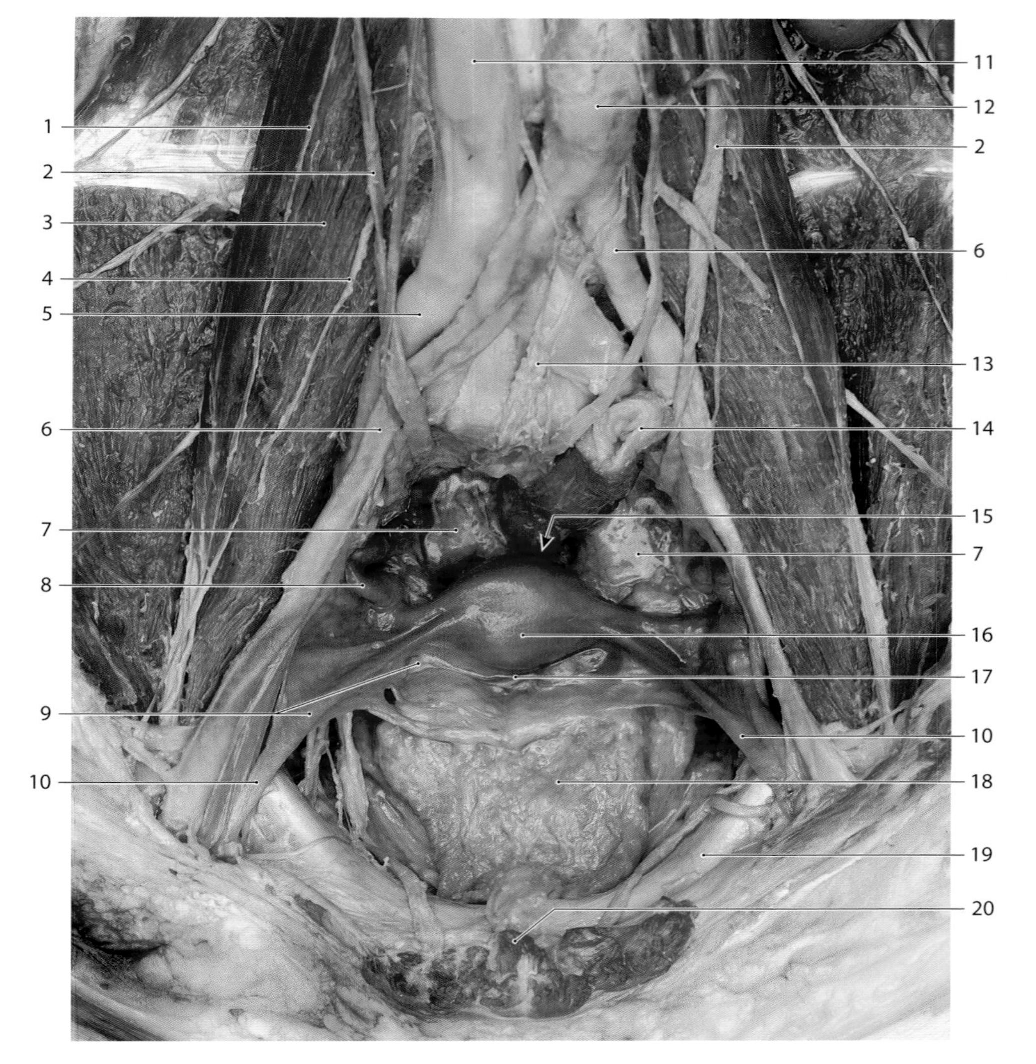

1 엉덩고샅신경 Ilio-inguinal nerve
2 요관 Ureter
3 큰허리근 Psoas major muscle
4 음부넓적다리신경 Genitofemoral nerve
5 온엉덩정맥 Common iliac vein
6 온엉덩동맥 Common iliac artery
7 난소 Ovary
8 자궁관 Uterine tube
9 복막 Peritoneum
10 자궁원인대 Round ligament of uterus
11 아래대정맥 Inferior vena cava
12 배대동맥 Abdominal aorta
13 위아랫배신경얼기 Superior hypogastric plexus
14 곧창자(직장) Rectum
15 곧창자자궁오목(직장자궁오목) Recto-uterine pouch (of Douglas)
16 자궁 Uterus
17 방광자궁오목 Vesico-uterine pouch
18 방광 Urinary bladder
19 엉덩뼈능선 Iliac crest
20 두덩결합 Pubic symphysis
21 곧창자팽대(직장팽대) Rectal ampulla
22 속폐쇄근 Obturator internus muscle
23 엉치뼈곶 Promontorium
24 구불잘록창자(구불결장) Sigmoid colon
25 넓적다리뼈머리 Head of femur
26 요도 Urethra
27 질 Vagina
28 소음순 Labium minus

그림 7.88 **여성 골반안에 위치한 자궁과 관련기관**(위모습). 복막의 대부분을 제거하였다.

그림 7.89 **여성 골반안의 관상단면**(자기공명영상). (Courtesy of Prof. Uder, Institute of Radiology, University Hospital Erlangen, Germany.)

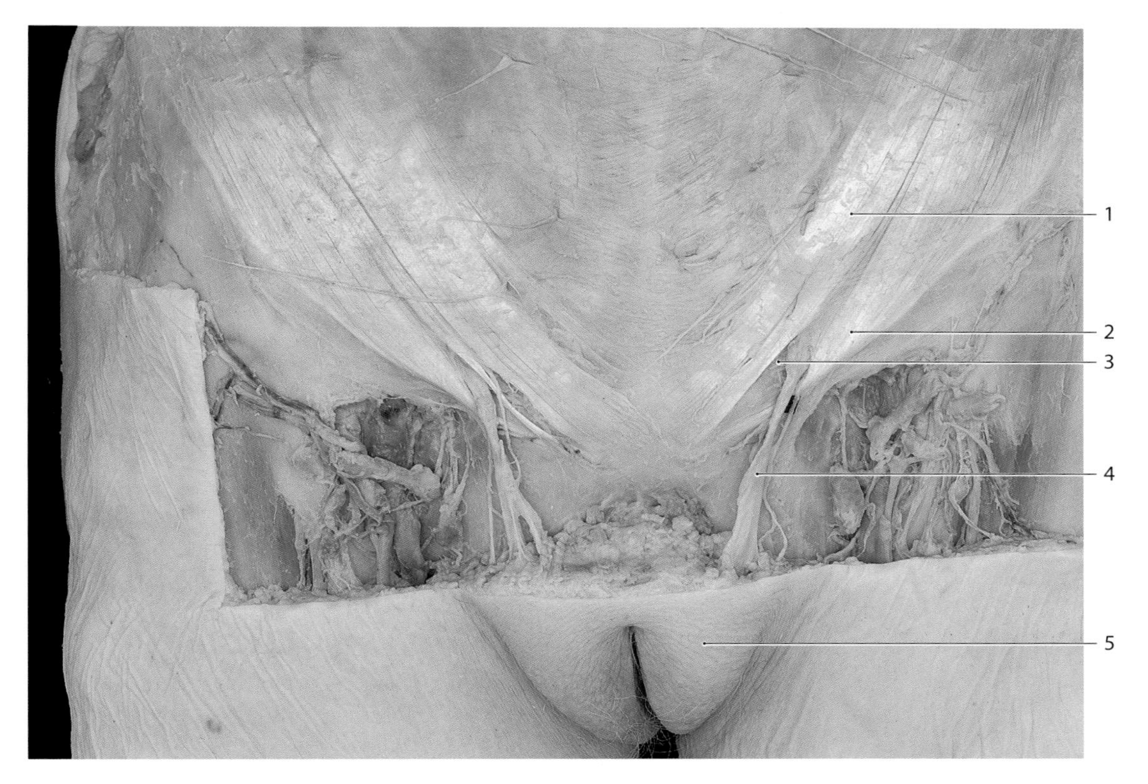

1 얕은고샅구멍의 안쪽다리 Medial crus of superficial inguinal ring
2 얕은고샅구멍의 가쪽다리 Lateral crus of superficial inguinal ring
3 얕은고샅구멍 Superficial inguinal ring
4 자궁원인대 Round ligament of uterus
5 대음순 Outer labia (labium majus)
6 배곧은근과 아래배벽동맥 Rectus abdominis muscle and inferior epigastric artery
7 깊은고샅구멍과 엉덩고샅신경 Deep inguinal ring with ilio-inguinal nerve
8 고샅인대 Inguinal ligament
9 넓적다리신경 Femoral nerve
10 넓적다리동맥 Femoral artery

그림 7.90 **여성의 고샅부위와 바깥생식기관**(앞모습). 어린 여성의 고샅굴과 자궁원인대 해부.

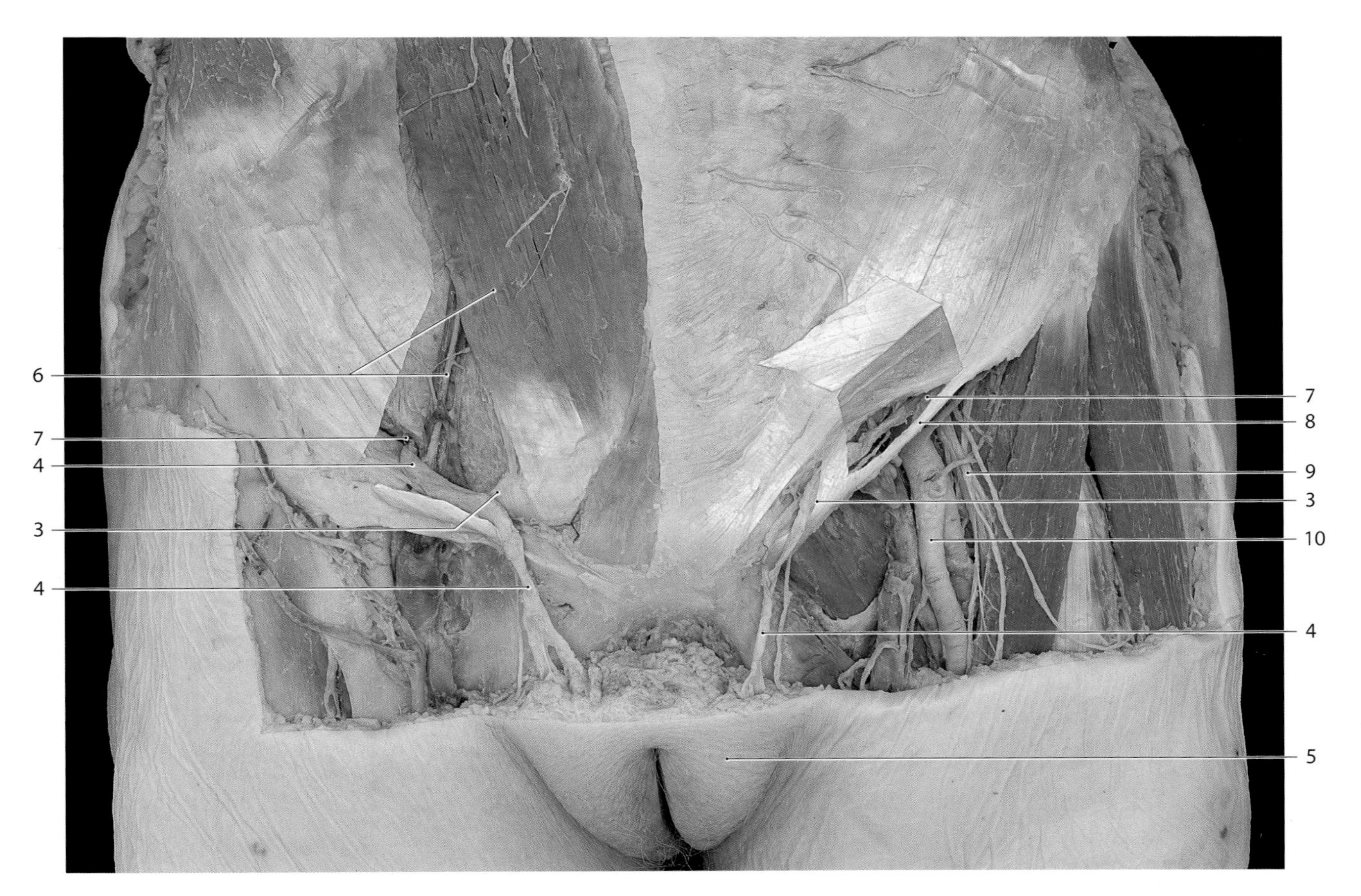

그림 7.91 **여성의 고샅부위와 바깥생식기관**(앞모습). 고샅굴을 해부하여 자궁원인대와 엉덩고샅신경을 보이게 하였다.

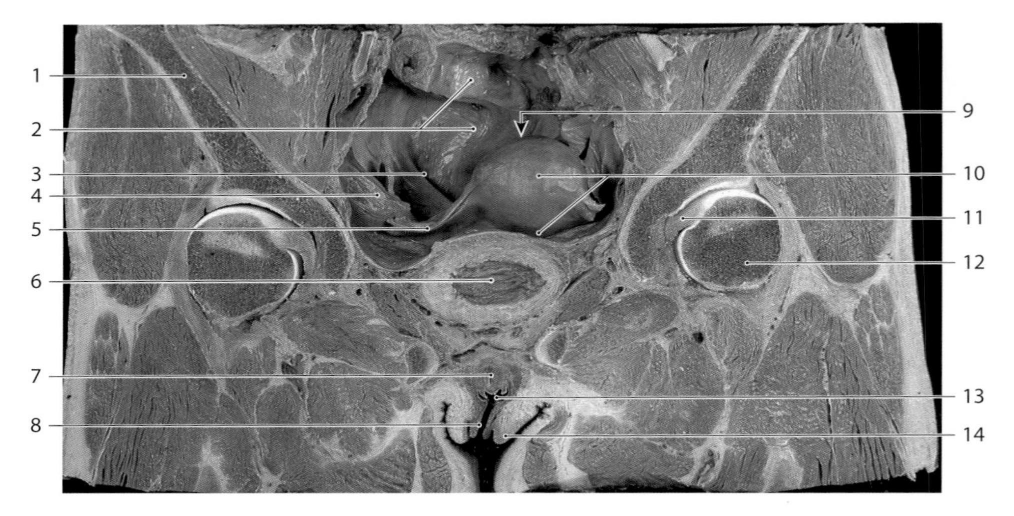

그림 7.92 **여성 골반안의 관상단면**으로 엉덩관절 높이.

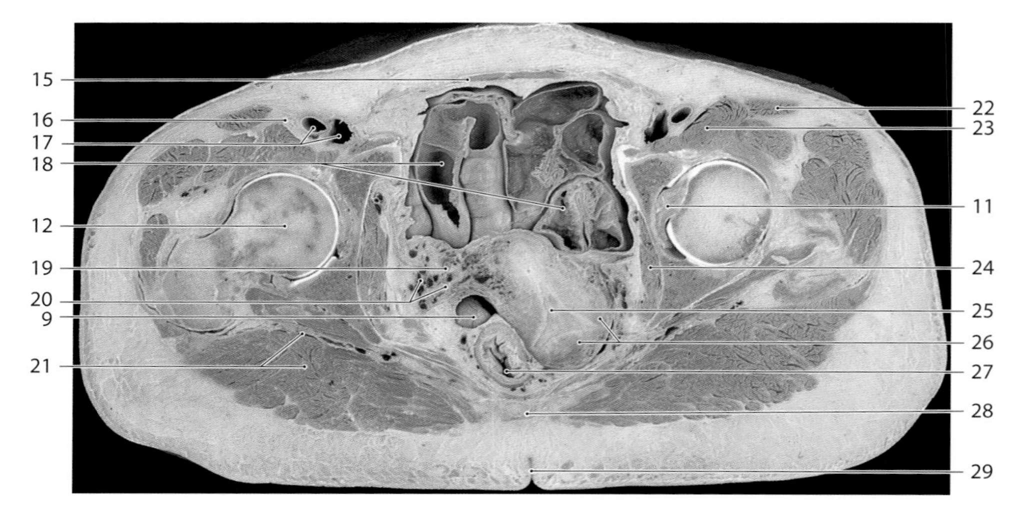

그림 7.93 **여성 골반안의 수평단면**으로 자궁 높이(아래모습). 자궁은 왼쪽 뒤로 굽어있다.

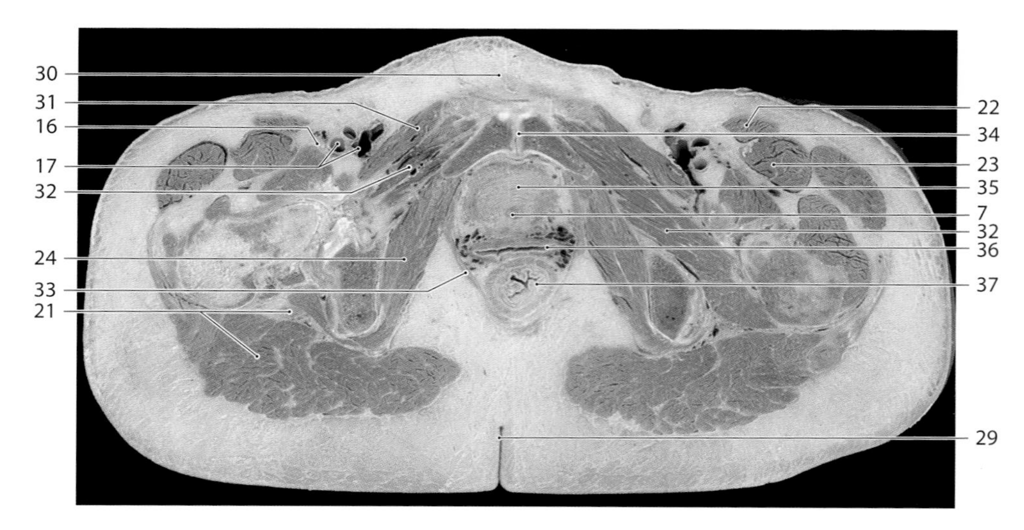

그림 7.94 **여성 골반안의 수평단면**으로 요도조임근과 질 높이(아래모습).

1 엉덩뼈 Ilium
2 곧창자(직장) Rectum
3 곧창자자궁주름(직장자궁주름) Recto-uterine fold
4 난소 Ovary
5 자궁관 Uterine tube
6 방광 Urinary bladder
7 요도 Urethra
8 소음순 Labium minus
9 곧창자자궁오목(직장자궁오목) Recto-uterine pouch
10 자궁과 방광자궁오목 Uterus and vesico-uterine pouch
11 넓적다리뼈머리인대 Ligament of the head of femur
12 넓적다리뼈머리 Head of femur
13 질어귀 Vestibule of vagina
14 대음순 Labium majus
15 배세모근 Pyramidalis muscle
16 넓적다리신경 Femoral nerve
17 넓적다리동맥과 정맥 Femoral artery and vein
18 소장 Small intestine
19 자궁넓은인대 Broad ligament of uterus
20 자궁정맥얼기 Uterine venous plexus
21 궁둥신경과 큰볼기근 Sciatic nerve and gluteus maximus muscle
22 넓적다리빗근 Sartorius muscle
23 엉덩허리근 Iliopsoas muscle
24 속폐쇄근 Obturator internus muscle
25 자궁속막 Endometrium
26 자궁근육층 Myometrium
27 곧창자팽대(직장팽대) Rectal ampulla
28 꼬리뼈 Coccyx
29 항문틈새 Anal cleft
30 불두덩 Mons pubis
31 두덩근 Pectineus muscle
32 바깥폐쇄근 Obturator externus muscle
33 항문올림근 Levator ani muscle
34 두덩결합 Pubic symphysis
35 요도조임근(방광바닥) Urethral sphincter muscle (base of urinary bladder)
36 질 Vagina
37 곧창자(항문관) Rectum (anal canal)

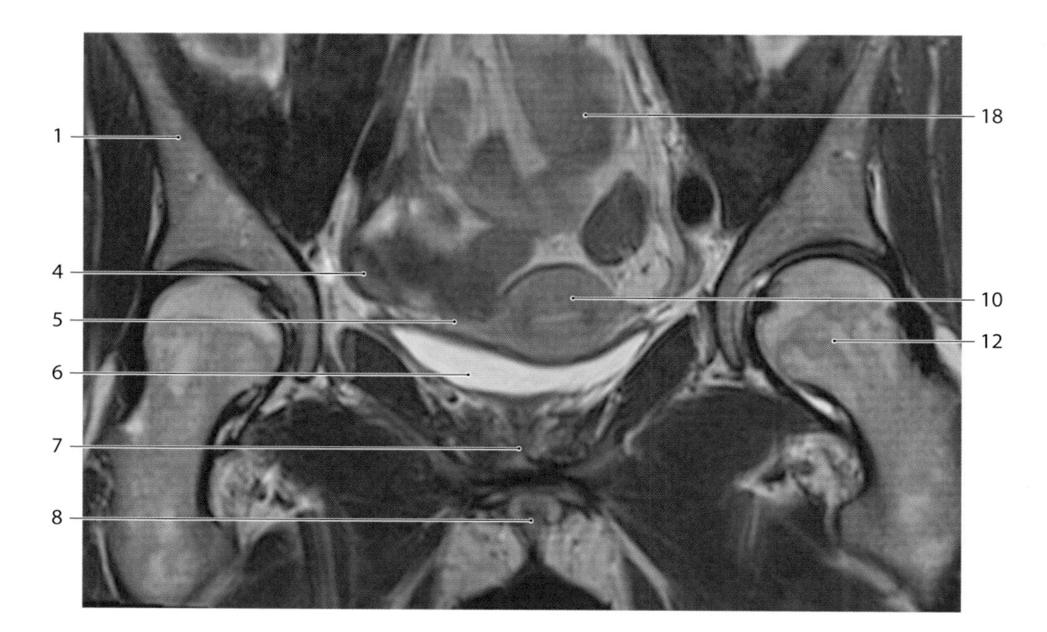

그림 7.95 **여성 골반안의 관상단면**으로 엉덩관절 높이(자기공명영상). (Courtesy of Prof. Uder, Institute of Radiology, University Hospital Erlangen, Germany.)

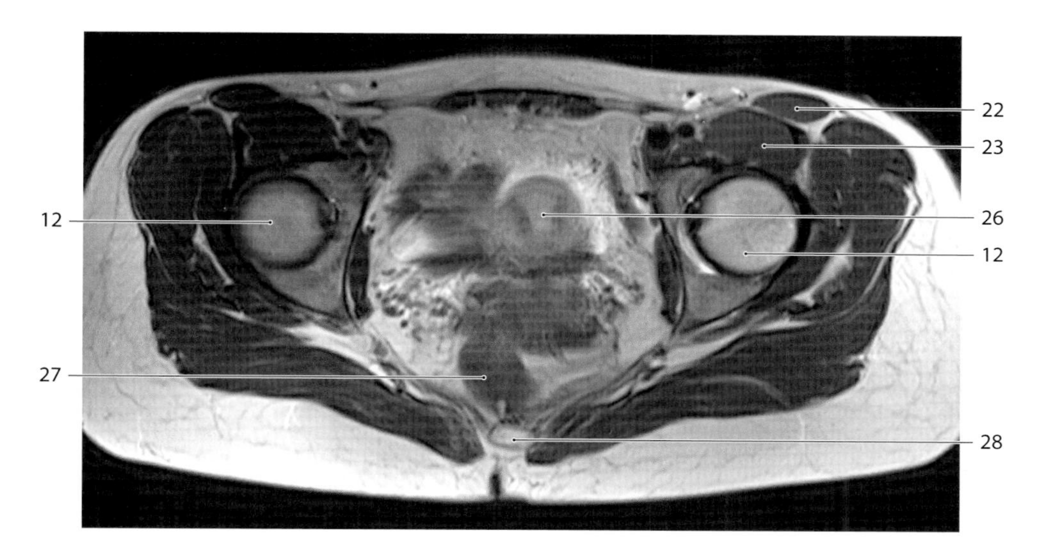

그림 7.96 **여성 골반안의 수평단면**으로 자궁 높이(자기공명영상). (Courtesy of Prof. Uder, Institute of Radiology, University Hospital Erlangen, Germany.)

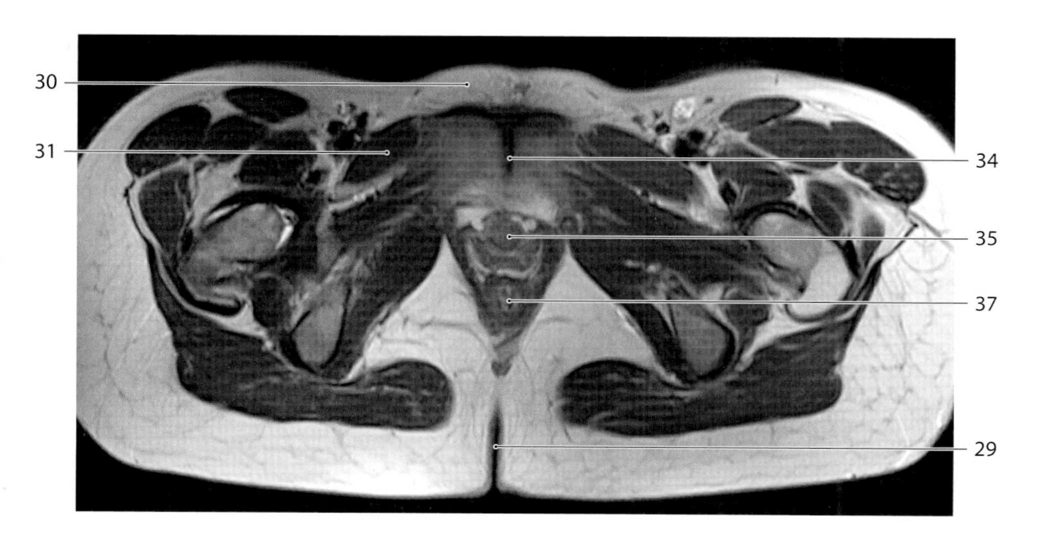

그림 7.97 **여성 골반안의 수평단면**으로 요도조임근과 질 높이(자기공명영상). (Courtesy of Prof. Uder, Institute of Radiology, University Hospital Erlangen, Germany.)

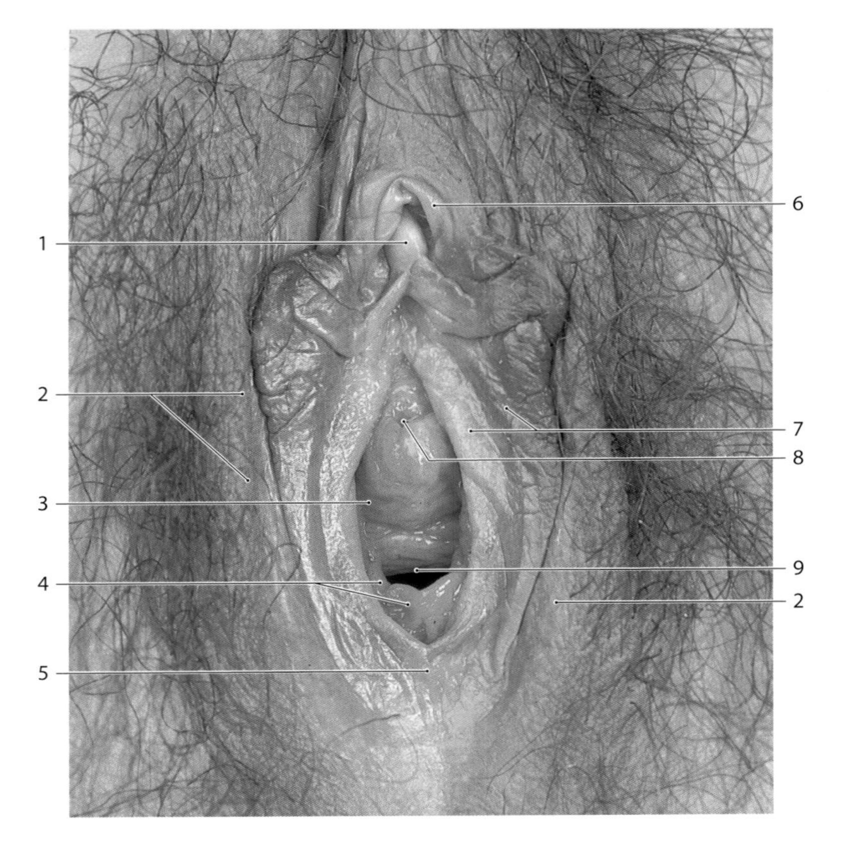

1 음핵귀두 Glans of clitoris
2 대음순 Labium majus
3 질어귀 Vestibule of vagina
4 처녀막 Hymen
5 뒤음순연결 Posterior labial commissure
6 음핵꺼풀 Prepuce of clitoris
7 소음순 Labium minus
8 바깥요도구멍 External urethral orifice
9 질구멍 Vaginal orifice
10 음핵몸통 Body of clitoris
11 음핵다리 Crus of clitoris
12 질어귀망울과 망울해면체근
Bulb of vestibule with bulbospongiosus muscle
13 음핵주름띠 Frenulum of clitoris
14 큰질어귀샘 Greater vestibular gland
15 요관 Ureter
16 자궁부속기관 Adnexa of uterus
17 음핵해면체 Cavernous body of clitoris
18 항문과 속항문조임근
Anus and internal anal sphincter
19 요막관 Urachus
20 방광 Urinary bladder
21 자궁관깔때기 Infundibulum of uterine tube
22 난소 Ovary
23 자궁관 Uterine tube
24 난소걸이인대 Suspensory ligament of ovary
25 샅중심체(회음중심체) Perineal body
26 바깥항문조임근 External anal sphincter

그림 7.98 **제자리의 여성바깥생식기관**(앞모습). 음순을 젖혔다.

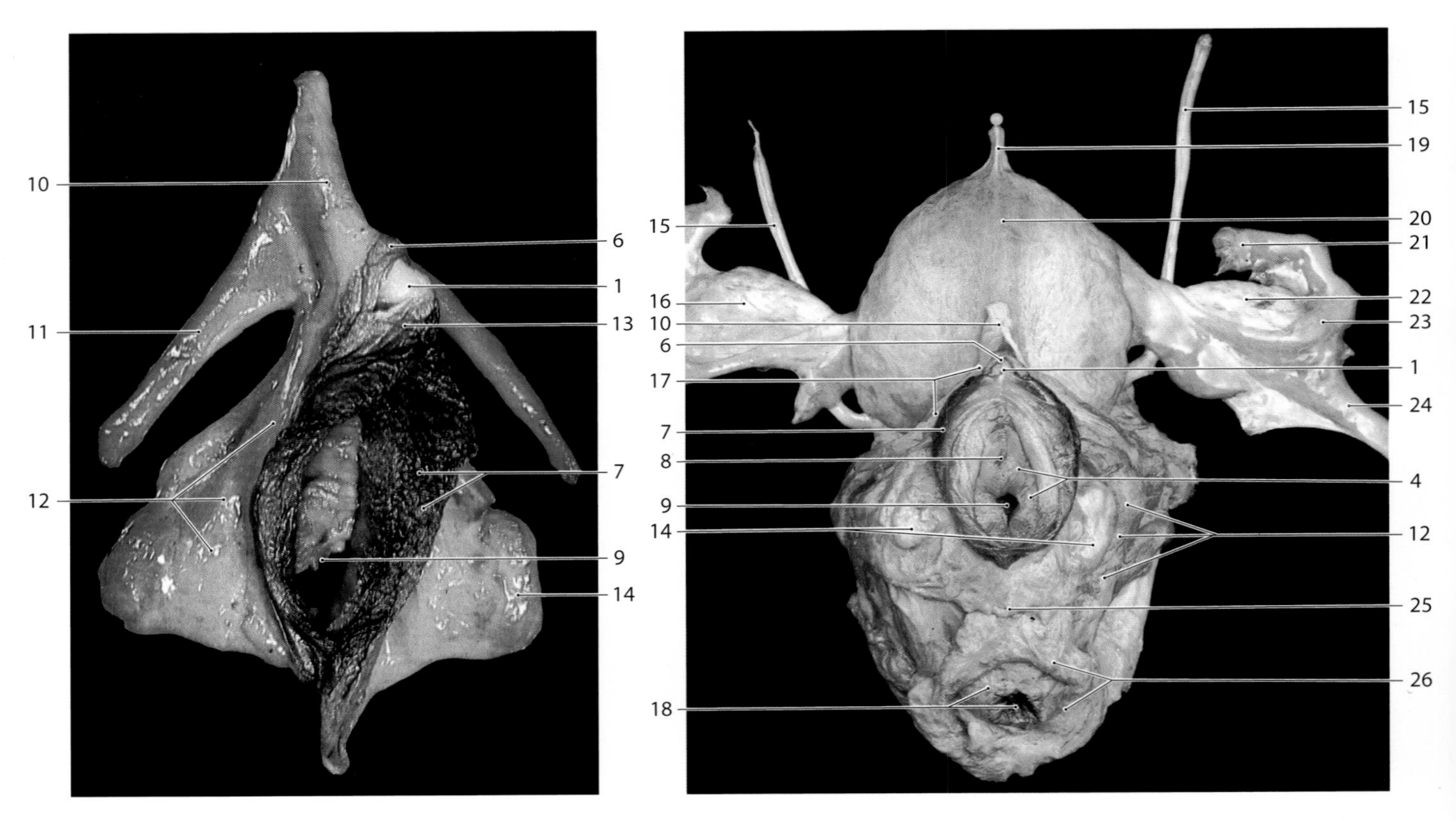

그림 7.99 **여성바깥생식기관의 해면조직**, 분리됨(앞모습)

그림 7.100 **여성바깥생식기관**과 속생식기관 및 비뇨계통과의 관계, 분리됨(앞모습).

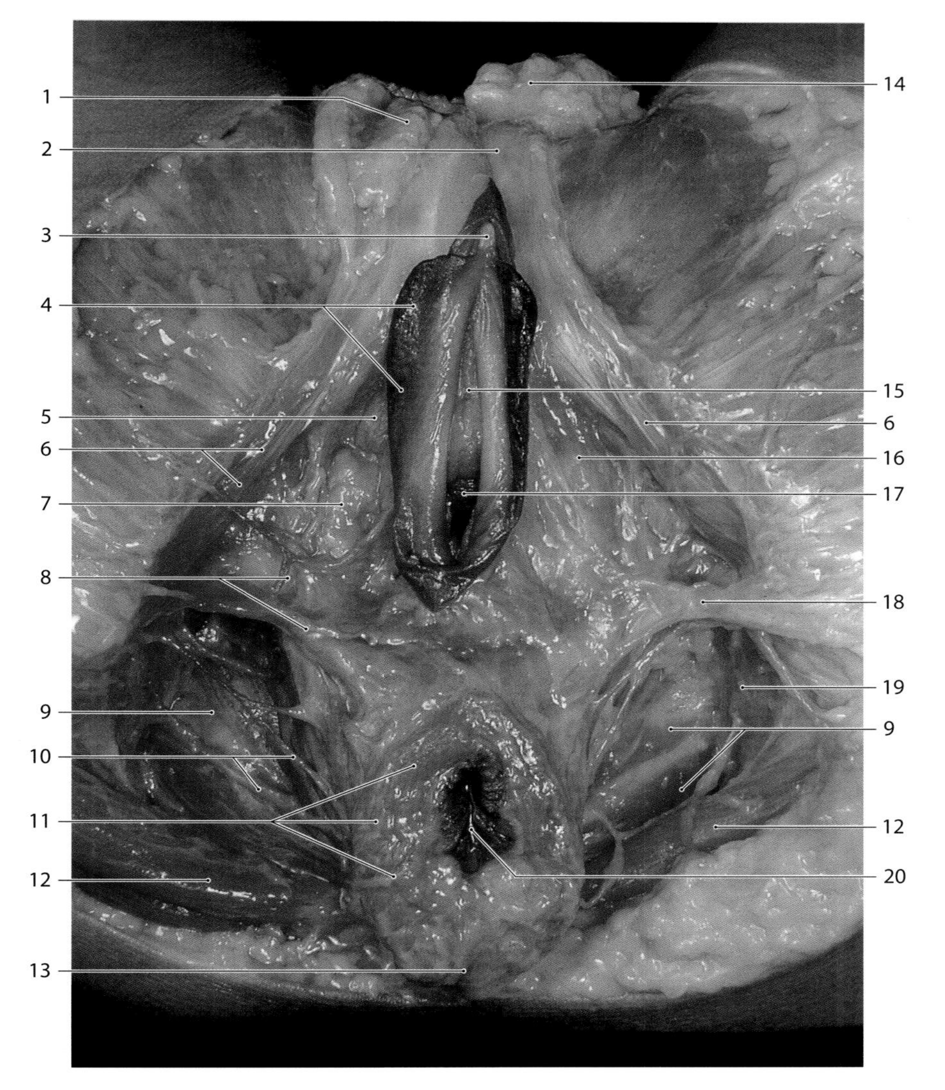

그림 7.101 **여성바깥생식기관과 비뇨생식가로막,** 얕은층(아래모습).

1 자궁원인대를 둘러싸는 지방조직
Fatty tissue encasing round ligament of uterus
2 두덩결합의 위치 Position of pubic symphysis
3 음핵 Clitoris
4 소음순 Labium minus
5 질어귀망울 Bulb of vestibule
6 궁둥해면체근 Ischiocavernosus muscle
7 큰질어귀샘 Greater vestibular gland
8 음부신경의 샅가지
Perineal branches of pudendal nerve
9 항문올림근 Levator ani muscle
10 아래곧창자신경 Inferior rectal nerves
11 바깥항문조임근 External anal sphincter muscle
12 큰볼기근 Gluteus maximus muscle
13 꼬리뼈 Coccyx
14 불두덩의 지방조직 Fatty tissue of mons pubis
15 바깥요도구멍 External orifice of urethra
16 비뇨생식가로막과 깊은샅가로근의 근막
Urogenital diaphragm with fascia of deep transverse perineal muscle
17 질구멍 Vaginal orifice
18 얕은샅가로근
Superficial transverse perineal muscle
19 속폐쇄근 Obturator internus muscle
20 항문 Anus
21 음핵걸이인대 Suspensory ligament of clitoris
22 음핵귀두 Glans of clitoris
23 음핵다리 Crus of clitoris
24 샅중심체(회음중심체) Perineal body
25 음핵꺼풀 Prepuce of clitoris
26 음핵주름띠 Frenulum of clitoris
27 뒤음순연결 Posterior commissure of labia

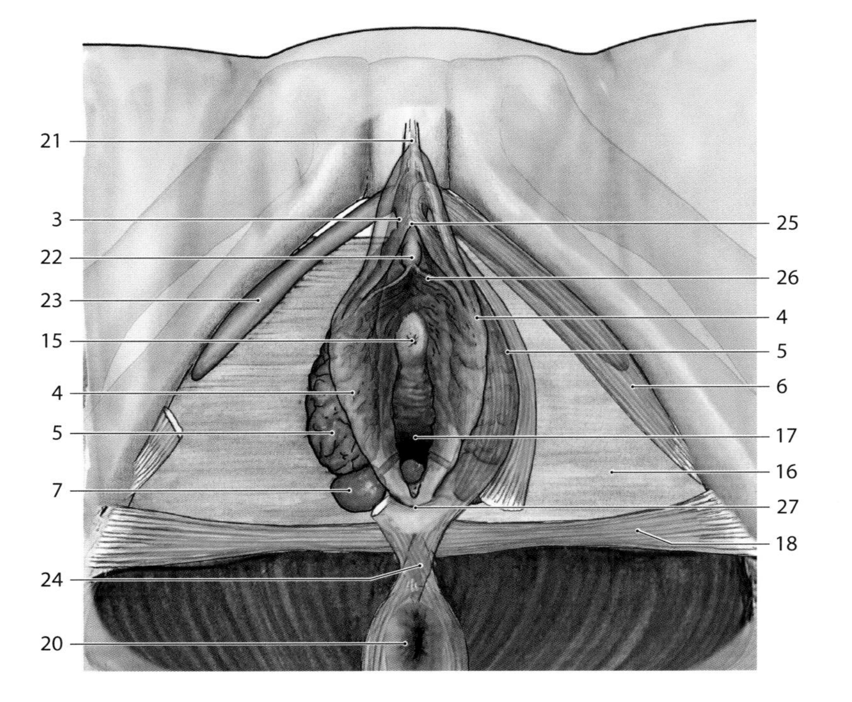

그림 7.102 **여성바깥생식기관의 해면조직**(아래모습).
파란색 = 음핵과 질어귀망울의 해면조직.

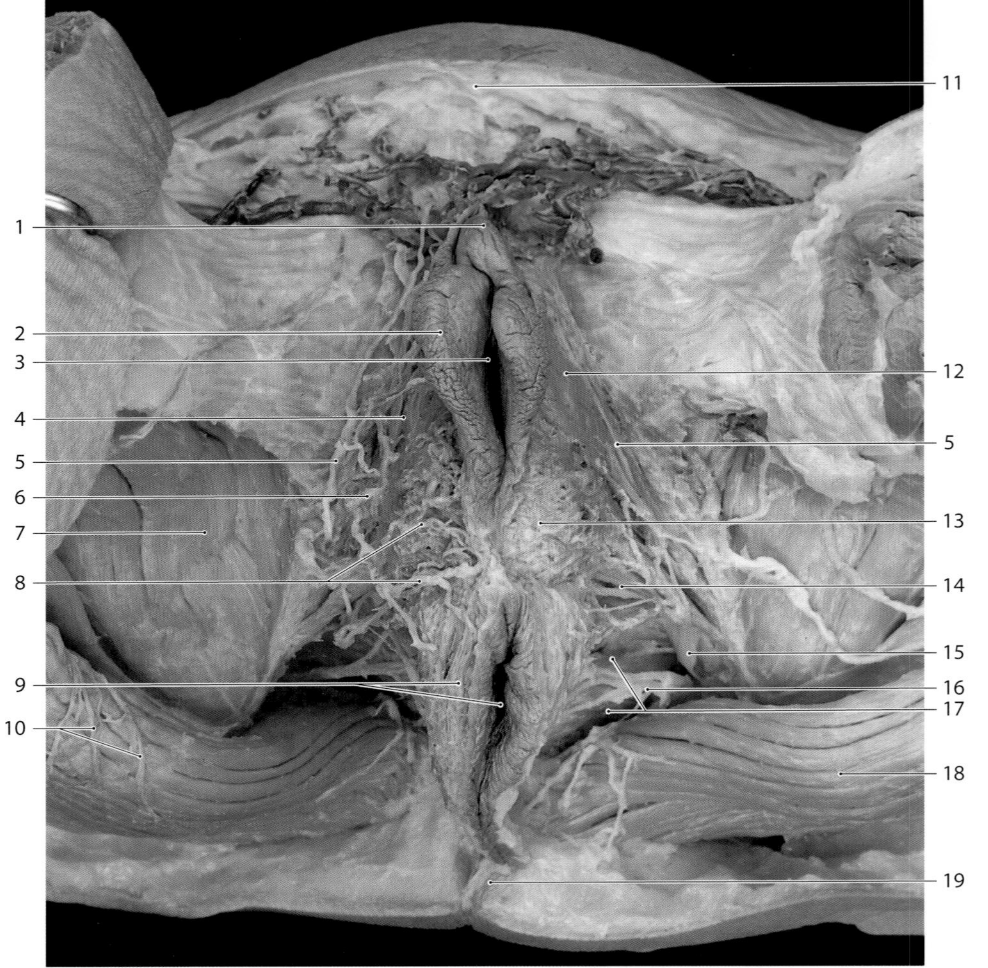

1 음핵꺼풀 Prepuce of clitoris
2 소음순 Labium minus
3 질구멍 Vaginal orifice
4 깊은샅가로근 Deep transverse perineal muscle
5 음핵등신경 Dorsal nerve of clitoris
6 뒤음순신경 Posterior labial nerves
7 큰모음근 Great adductor muscle
8 음부신경의 샅가지 Perineal branch of pudendal nerve
9 항문과 바깥항문조임근 Anus and external anal sphincter muscle
10 아래볼기피부신경 Inferior cluneal nerves
11 불두덩 Mons pubis
12 음핵다리와 궁둥해면체근 Crus of clitoris with ischiocavernosus muscle
13 질어귀망울 Bulb of vestibule
14 얕은샅가로근 Superficial transverse perineal muscle
15 음부신경과 속음부동맥 Pudendal nerve and internal pudendal artery
16 아래곧창자신경 Inferior rectal nerves
17 항문올림근 Levator ani muscle
18 큰볼기근 Gluteus maximus muscle
19 항문꼬리인대 Anococcygeal ligament
20 바깥요도구멍 External urethral orifice

그림 7.103 **여성바깥생식기관과 비뇨생식가로막,** 깊은층(아래모습). 오른쪽 질어귀망울을 제거하였다.

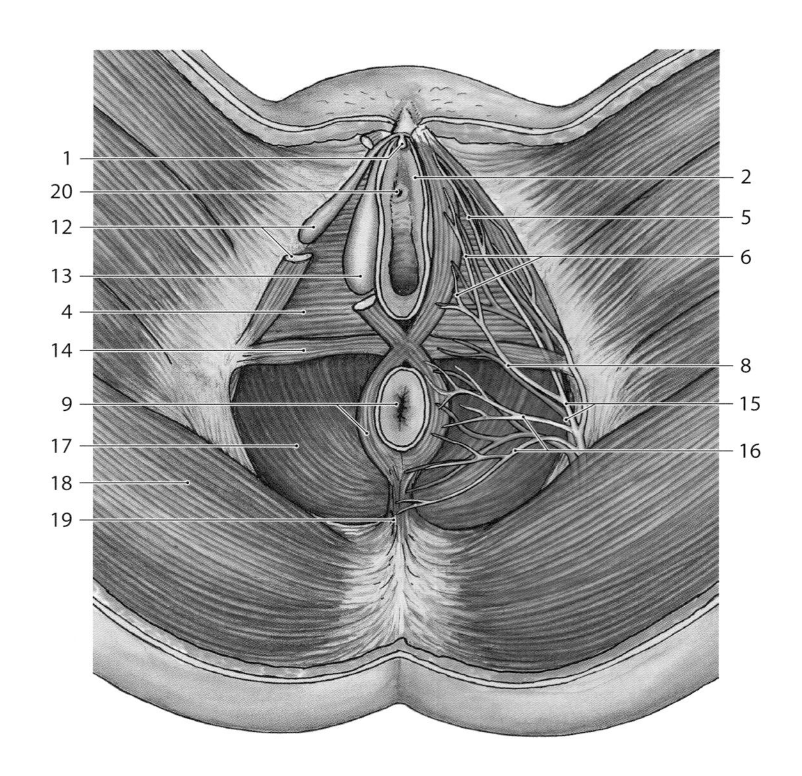

그림 7.104 **여성 비뇨생식가로막과 골반가로막**(아래모습). 근육, 신경 및 동맥을 드러나게 하였다. 질어귀망울을 일부 제거하였다.

그림 7.105 **여성바깥생식기관**(위모습). 음핵을 해부하여 오른쪽으로 약간 젖혔다. 음핵꺼풀을 잘라 음핵귀두가 보이게 하였다.

1 두덩결합의 위치 Position of pubic symphysis
2 음핵몸통 Body of clitoris
3 음핵꺼풀 Prepuce of clitoris
4 긴모음근과 두덩정강근 Adductor longus and gracilis muscles
5 질구멍과 소음순 External orifice of vagina and labium minus
6 뒤음순신경 Posterior labial nerve
7 샅중심체(회음중심체) Perineal body
8 깊은음핵동맥과 음핵등신경 Deep artery of clitoris and dorsal nerve of clitoris
9 짧은모음근 Adductor brevis muscle
10 음핵귀두 Glans of clitoris
11 음핵다리와 궁둥해면체근 Crus of clitoris and ischiocavernosus muscle
12 질어귀망울과 망울해면체근 Bulb of vestibule and bulbospongiosus muscle
13 폐쇄신경의 앞가지 Anterior branch of obturator nerve
14 음핵 Clitoris
15 소음순 Labium minus
16 질구멍 Vaginal orifice
17 뒤음순신경 Posterior labial nerves
18 음부신경의 샅가지 Perineal branches of pudendal nerve
19 바깥항문조임근 External anal sphincter muscle
20 항문 Anus
21 음핵다리와 궁둥해면체근 Crus of clitoris and ischiocavernosus muscle
22 질어귀망울 Bulb of vestibule
23 음핵등동맥 Dorsal artery of clitoris
24 얕은샅가로근 Superficial transverse perineal muscle
25 뒤넓적다리피부신경의 샅가지 Perineal branch of posterior femoral cutaneous nerve
26 항문올림근 Levator ani muscle
27 속음부동맥 Internal pudendal artery
28 아래곧창자신경 Inferior rectal nerves
29 큰볼기근 Gluteus maximus muscle
30 항문꼬리인대 Anococcygeal ligament

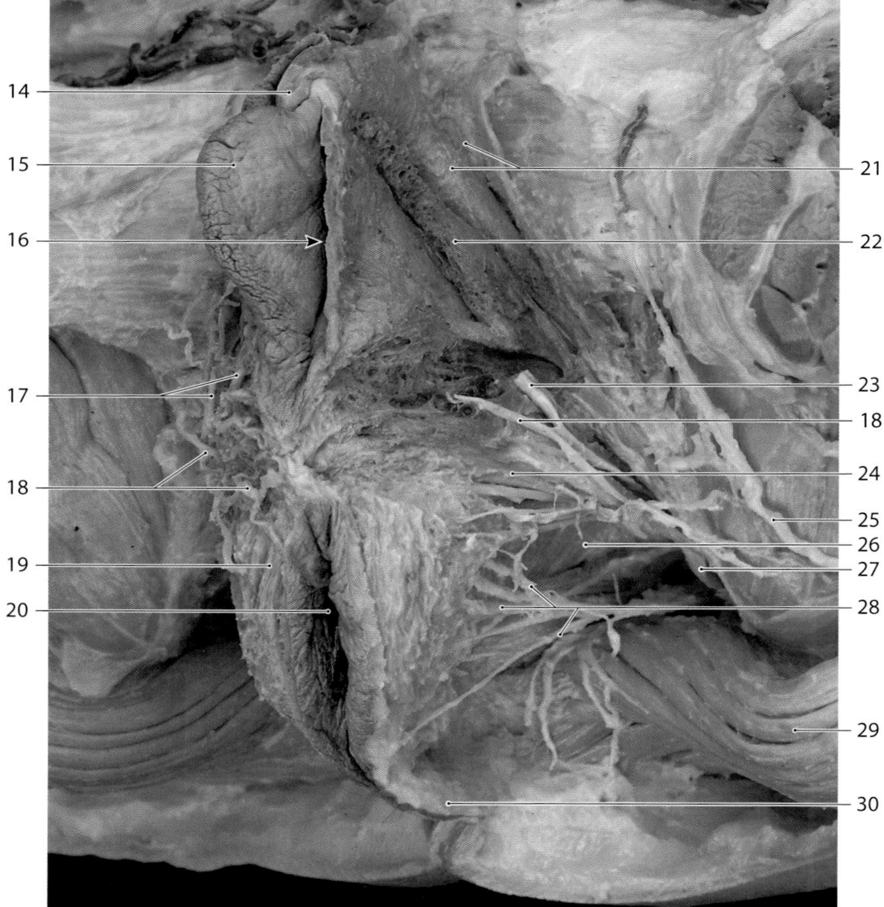

그림 7.106 **여성바깥생식기관과 비뇨생식가로막**(가쪽아래모습). 질어귀멍울의 일부를 제거하고 왼쪽 소음순을 잘라내었다.

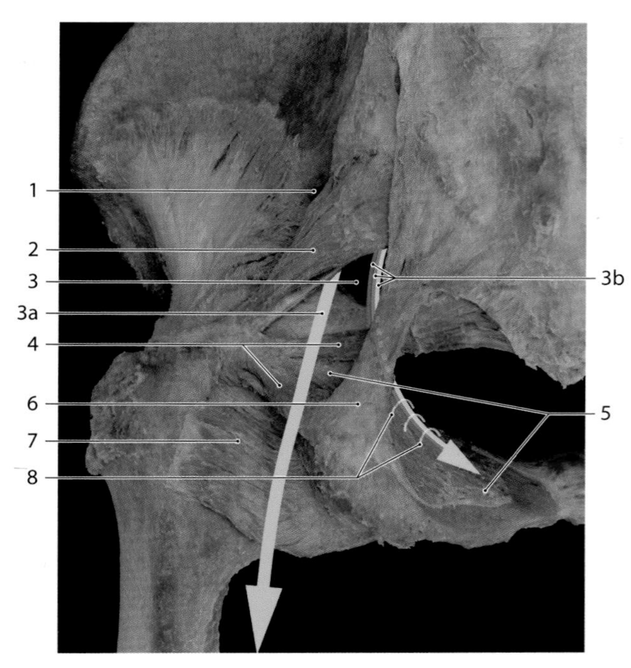

그림 7.107 **여성의 작은골반 속 음부신경과 속음부동맥 및 정맥(작은 화살표)의 경로**(뒤모습). 혈관과 신경은 궁둥구멍근아래구멍을 거쳐 작은골반을 나와 궁둥뼈가시 주위에서 굽어져 작은궁둥구멍을 지나(그림 7.109 참조) 속폐쇄근 바로 위에서 골반의 앞부분으로 주행한다. 노란색 큰 화살표 = 궁둥신경의 경로

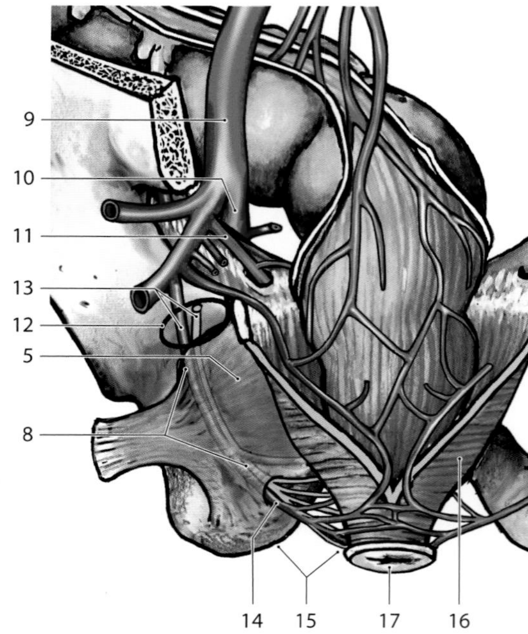

그림 7.108 **속폐쇄근과 항문올림근 사이의 궁둥항문오목 속 음부신경과 속음부동맥**(뒤모습). 정맥은 나타내지 않았다. 음부신경은 작은궁둥구멍을 지나(그림 7.107 참조) 작은골반으로 들어간 후 속음부동맥 및 정맥과 함께 궁둥항문오목의 가쪽벽에 위치한 음부신경관(Alcock's canal)을 통과하여 궁둥항문오목에서 항문과 바깥생식기관을 향해 주행한다.

1 궁둥구멍근위구멍(p. 196 표 참조) Suprapiriform foramen (see table on p. 196)
2 궁둥구멍근 Piriform muscle
3 궁둥구멍근아래구멍(p. 196 표 참조) Infrapiriform foramen (see table on p. 196)
3a 궁둥신경 Sciatic nerve
3b 음부동맥, 정맥, 신경 Pudendal artery, vein, and nerve
4 쌍동근 Gemelli muscles
5 속폐쇄근 Obturator internus muscle
6 엉치결절인대 Sacrotuberous ligament
7 넓적다리네모근 Quadratus femoris muscle
8 음부신경관 Pudendal canal (Alcock's canal)
9 속엉덩동맥 Internal iliac artery
10 바깥엉덩동맥 External iliac artery
11 폐쇄동맥 Obturator artery
12 궁둥구멍근아래구멍 높이 Level of infrapiriform foramen
13 음부동맥과 신경 Pudendal artery and nerve
14 중간곧창자동맥 Middle rectal artery
15 궁둥항문오목 Ischioanal fossa
16 항문올림근 Levator ani muscle
17 항문 Anus
18 엉치가시인대 Sacrospinous ligament
19 작은궁둥구멍 Lesser sciatic foramen
20 바깥엉덩동맥 External iliac artery
21 항문올림근 힘줄활 Tendinous arch of levator ani
22 두덩결합 Pubic symphysis
23 엉치신경얼기 Sacral plexus

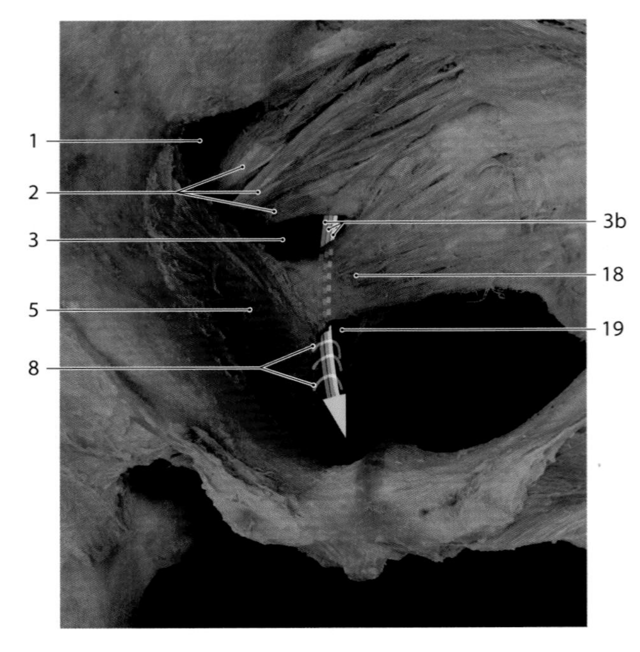

그림 7.109 **음부신경관을 지나는 음부신경과 속음부동맥 및 정맥의 경로**(그림 7.107의 속모습). 음부신경과 혈관(화살표)이 함께 작은궁둥구멍을 지나 폐쇄근막 속 음부신경관을 통과하는 경로를 확인하시오(그림 7.108 참조).

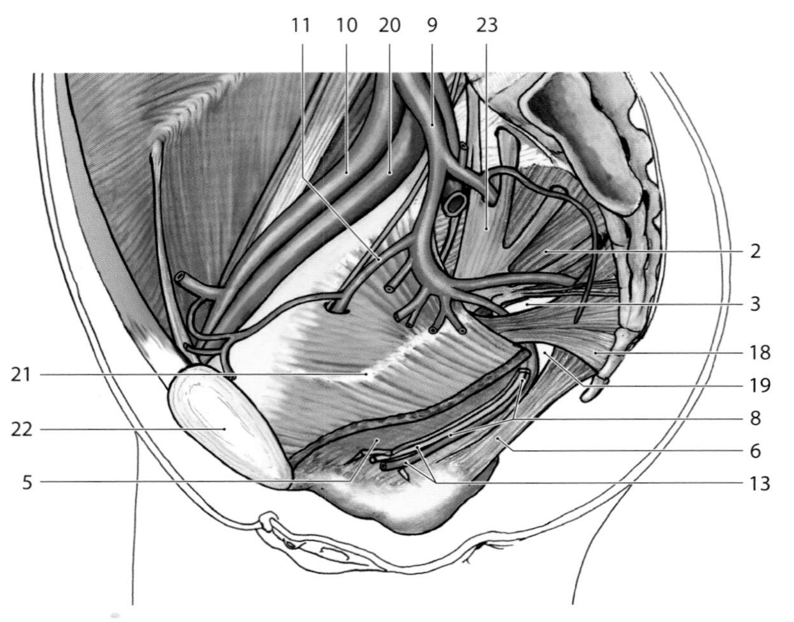

그림 7.110 **음부신경관**(가쪽속모습). 엉덩정맥의 지류는 나타내지 않았다. 음부신경관을 드러내기 위해 두덩결합과 엉덩엉치관절에서 골반을 분리하였다.

8 머리와 목 Head and Neck

머리, 목, 그리고 뇌 Head, Neck, and Brain

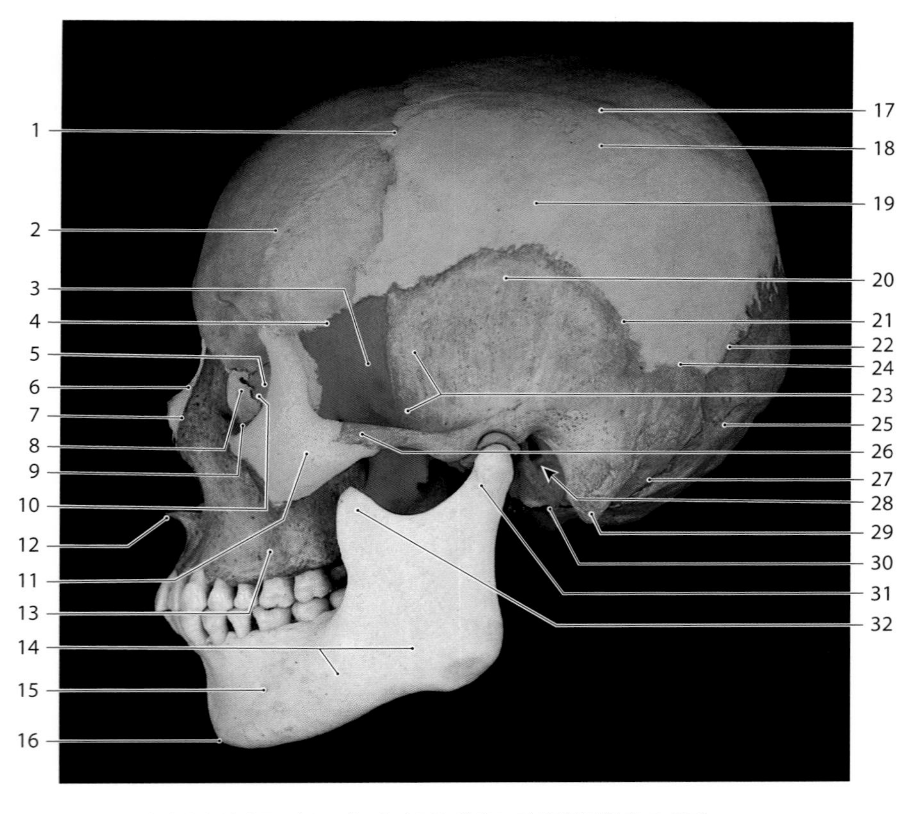

그림 8.1 **머리뼈의 일반구조**(가쪽면): 각 뼈들은 색깔로 구분하였다(아래 표 참조).

1 관상봉합 Coronal suture
2 이마뼈 Frontal bone
3 나비뼈 Sphenoidal bone
4 나비이마봉합 Sphenofrontal suture
5 벌집뼈 Ethmoidal bone
6 코뼈 Nasal bone
7 코위턱봉합 Nasomaxillary suture
8 눈물뼈 Lacrimal bone
9 눈물위턱봉합 Lacrimomaxillary suture
10 벌집눈물봉합 Ethmoidolacrimal suture
11 광대뼈 Zygomatic bone
12 앞코가시 Anterior nasal spine
13 위턱뼈 Maxilla
14 아래턱뼈 Mandible
15 턱끝구멍 Mental foramen
16 턱끝융기 Mental protuberance
17 위관자선 Superior temporal line
18 아래관자선 Inferior temporal line
19 마루뼈 Parietal bone
20 관자뼈 Temporal bone
21 비늘봉합 Squamous suture
22 시옷봉합 Lambdoid suture
23 관자우묵 Temporal fossa
24 마루꼭지봉합 Parietomastoid suture
25 뒤통수뼈 Occipital bone
26 광대활 Zygomatic arch
27 뒤통수꼭지봉합 Occipitomastoid suture
28 바깥귀길 External acoustic meatus
29 꼭지돌기 Mastoid process
30 관자뼈의 고막틀부분 Tympanic portion of temporal bone
31 아래턱뼈의 관절돌기 Condylar process of mandible
32 아래턱뼈의 근육돌기 Coronoid process of mandible

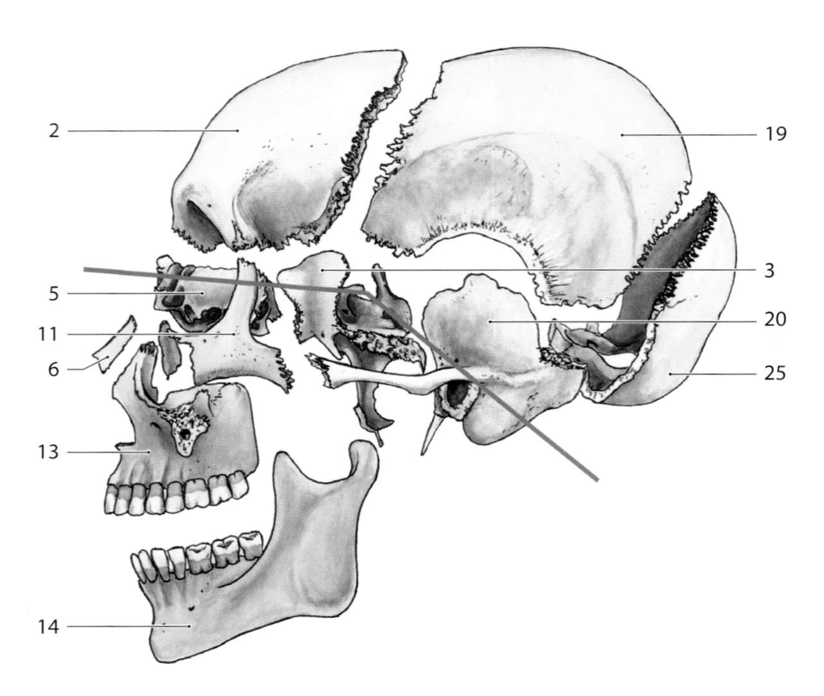

그림 8.2 **분리된 머리뼈**(가쪽면). 파란색 = 얼굴뼈; 빨간선 = 비스듬틀의 각

2 이마뼈(주황색) Frontal bone (orange) 19 마루뼈(옅은노란색) Parietal bone (light yellow) 3 나비뼈큰날개(빨간색) Greater wing of sphenoidal bone (red) 25 뒤통수뼈의 비늘부분(파란색) Squama of occipital bone (blue) 20 관자뼈의 비늘부분(갈색) Squama of temporal bone (brown)	머리덮개뼈 Cranial bones	뇌머리뼈 Neurocranium	
5 벌집뼈(짙은 초록색) Ethmoidal bone (dark green) 3 나비뼈(빨간색) Sphenoidal bone (red) 비늘부분을 제외한 관자뼈(갈색) Temporal bone excluding squama (brown) 30 관자뼈의 고막부분(짙은갈색) Tympanic portion of temporal bone (dark brown) 비늘부분을 제외한 뒤통수뼈(파란색) Occipital bone excluding squama (blue)	머리뼈바닥 Base of skull		
6 코뼈(흰색) Nasal bone (white) 8 눈물뼈(옅은 노란색) Lacrimal bone (light yellow) 코선반뼈 Inferior nasal concha 보습뼈 Vomer 11 광대뼈(짙은 노란색) Zygomatic bone (dark yellow) 입천장뼈 Palatine bone 13 위턱뼈(보라색) Maxilla (violet) 14 아래턱뼈(흰색) Mandible (white)	얼굴뼈 Facial bones	내장머리뼈 Viscerocranium	
망치뼈 Malleus 모루뼈 Incus 등자뼈 Stapes } 관자뼈의 바위부분 안에	귓속뼈 Auditory ossicles		
목뿔뼈 Hyoid			

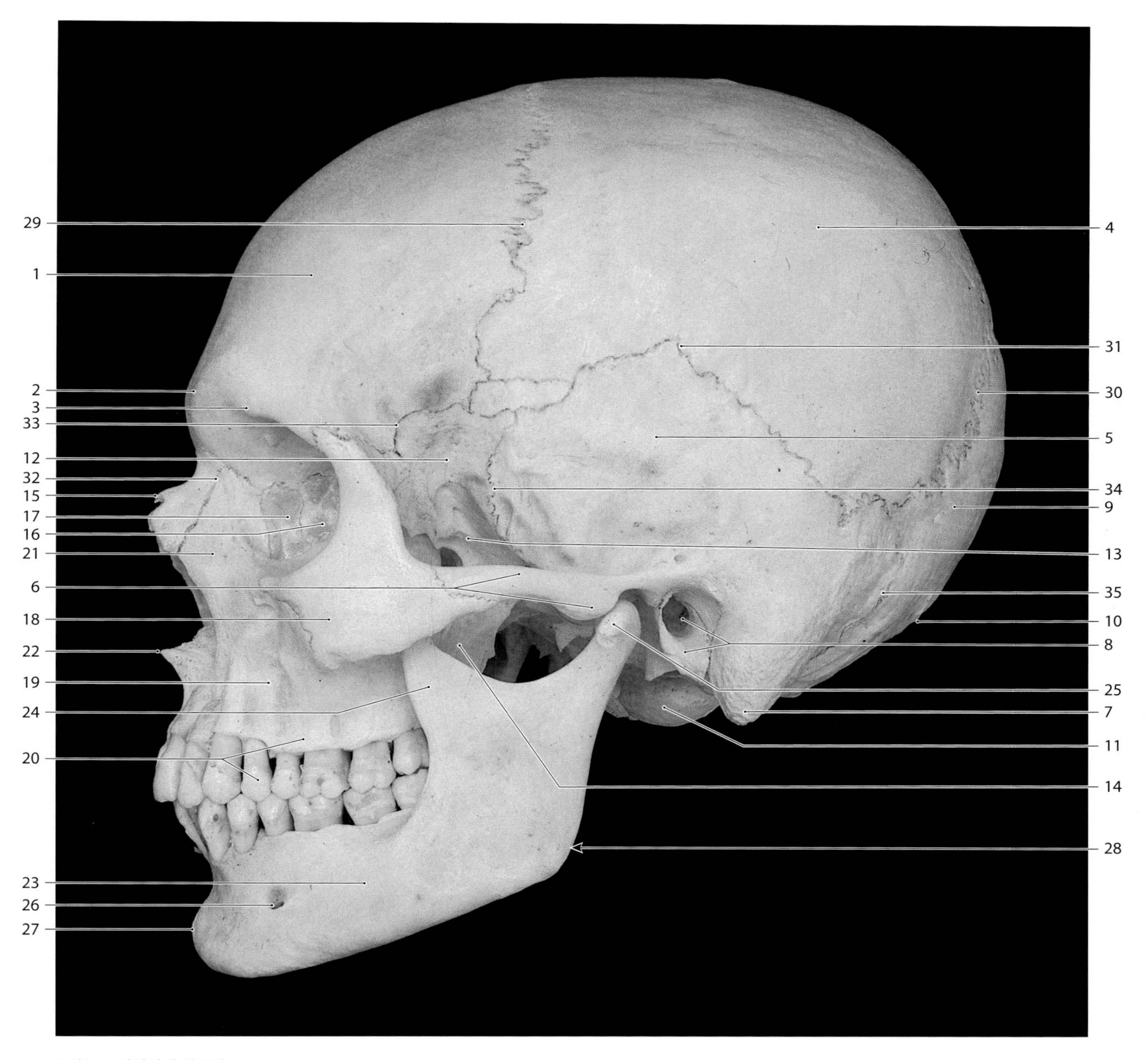

그림 8.3 **머리뼈의 가쪽면.**

1 이마뼈 Frontal bone
2 미간 Glabella
3 눈확위모서리 Supraorbital margin
4 마루뼈 Parietal bone
5 관자뼈(비늘부분) Temporal bone (squamous part)
6 광대돌기(관절결절) Zygomatic process (articular tubercle)
7 꼭지돌기 Mastoid process
8 고막틀부분과 바깥귀길 Tympanic part (tympanic plate) and external acoustic meatus
9 뒤통수뼈(비늘부분) Occipital bone (squamous part)
10 바깥뒤통수뼈융기 External occipital protuberance
11 뒤통수뼈관절융기 Occipital condyle
12 나비뼈(큰날개) Sphenoidal bone (greater wing)
13 나비뼈의 관자아래능선 Infratemporal crest of sphenoid
14 날개돌기(가쪽날개판) Pterygoid process (lateral pterygoid plate)
15 코뼈 Nasal bone
16 벌집뼈(눈확부분) Ethmoidal bone (orbital part)
17 눈물뼈 Lacrimal bone
18 광대뼈 Zygomatic bone
19 위턱뼈(몸통) Maxilla (body)
20 이틀돌기와 치아 Alveolar process and teeth
21 이마돌기 Frontal process
22 앞코가시 Anterior nasal spine
23 아래턱뼈(몸통) Mandible (body)
24 근육돌기 Coronoid process
25 관절돌기 Condylar process
26 턱끝구멍 Mental foramen
27 턱끝융기 Mental protuberance
28 턱뼈각 Angle of the mandible

봉합

29 관상봉합 Coronal suture
30 시옷봉합 Lambdoid suture
31 비늘봉합 Squamous suture
32 코위턱봉합 Nasomaxillary suture
33 이마나비봉합 Frontosphenoid suture
34 나비비늘봉합 Sphenosquamosal suture
35 뒤통수꼭지봉합 Occipitomastoid suture

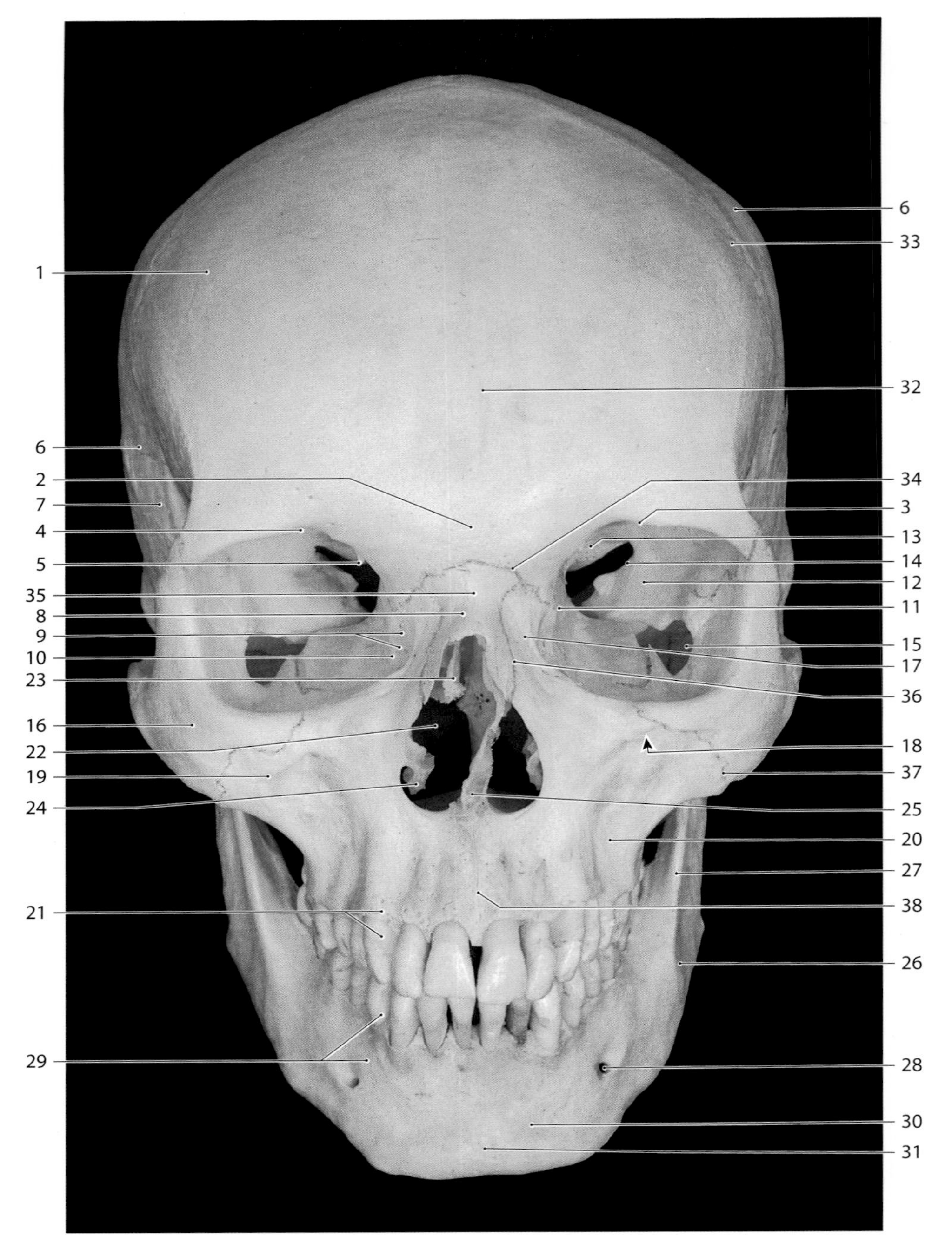

그림 8.4 **머리뼈의 앞면.**

1 이마뼈 Frontal bone
2 미간 Glabella
3 눈확위모서리 Supra-orbital margin
4 눈확위파임 Supra-orbital notch
5 도르래가시 Trochlear spine
6 마루뼈 Parietal bone
7 관자뼈 Temporal bone
8 코뼈 Nasal bone

눈확
9 눈물뼈 Lacrimal bone
10 뒤눈물능선 Posterior lacrimal crest
11 벌집뼈 Ethmoidal bone

나비뼈
12 나비뼈큰날개 Greater wing of sphenoidal bone
13 나비뼈작은날개 Lesser wing of sphenoidal bone
14 위눈확틈새 Superior orbital fissure
15 아래눈확틈새 Inferior orbital fissure
16 광대뼈 Zygomatic bone

위턱뼈
17 이마돌기 Frontal process
18 눈확아래구멍 Infra-orbital foramen
19 광대돌기 Zygomatic process
20 위턱뼈몸통 Body of maxilla
21 치아가 있는 이틀돌기 Alveolar process with teeth

코안
22 앞콧구멍 Anterior nasal aperture
23 중간코선반 Middle nasal concha
24 아래코선반 Inferior nasal concha
25 코중격, 보습뼈 Nasal septum, vomer

아래턱뼈
26 아래턱뼈몸통 Body of mandible
27 턱뼈가지 Ramus of mandible
28 턱끝구멍 Mental foramen
29 치아가 있는 이틀부분 Alveolar part with teeth
30 턱뼈바닥 Base of mandible
31 턱끝융기 Mental protuberance

봉합
32 이마봉합 Frontal suture
33 관상봉합 Coronal suture
34 이마코봉합 Frontonasal suture
35 코사이봉합 Internasal suture
36 코위턱봉합 Nasomaxillary suture
37 광대위턱봉합 Zygomaticomaxillary suture
38 위턱사이봉합 Intermaxillary suture

머리뼈는 많은 뼈가 복잡하게 짜맞추어져 뇌를 보호하는 머리뼈공간(뇌머리뼈)과 얼굴부위의 코안과 입안 같은 여러 개의 공간을 이루고 있다. 뇌머리뼈는 결합조직 판으로 부터 직접 발생한 큰 뼈판(섬유막머리뼈)으로 구성된다. 머리뼈바닥은 연골조직으로 부터 형성된 후(연골머리뼈) 이차적으로 뼈가 된다. 물고기에서 아가미가 되는 내장뼈대는 고등척추동물에서는 씹는부분과 청각부분(위턱뼈, 아래턱뼈, 귓속뼈, 목뿔뼈)이 된다.

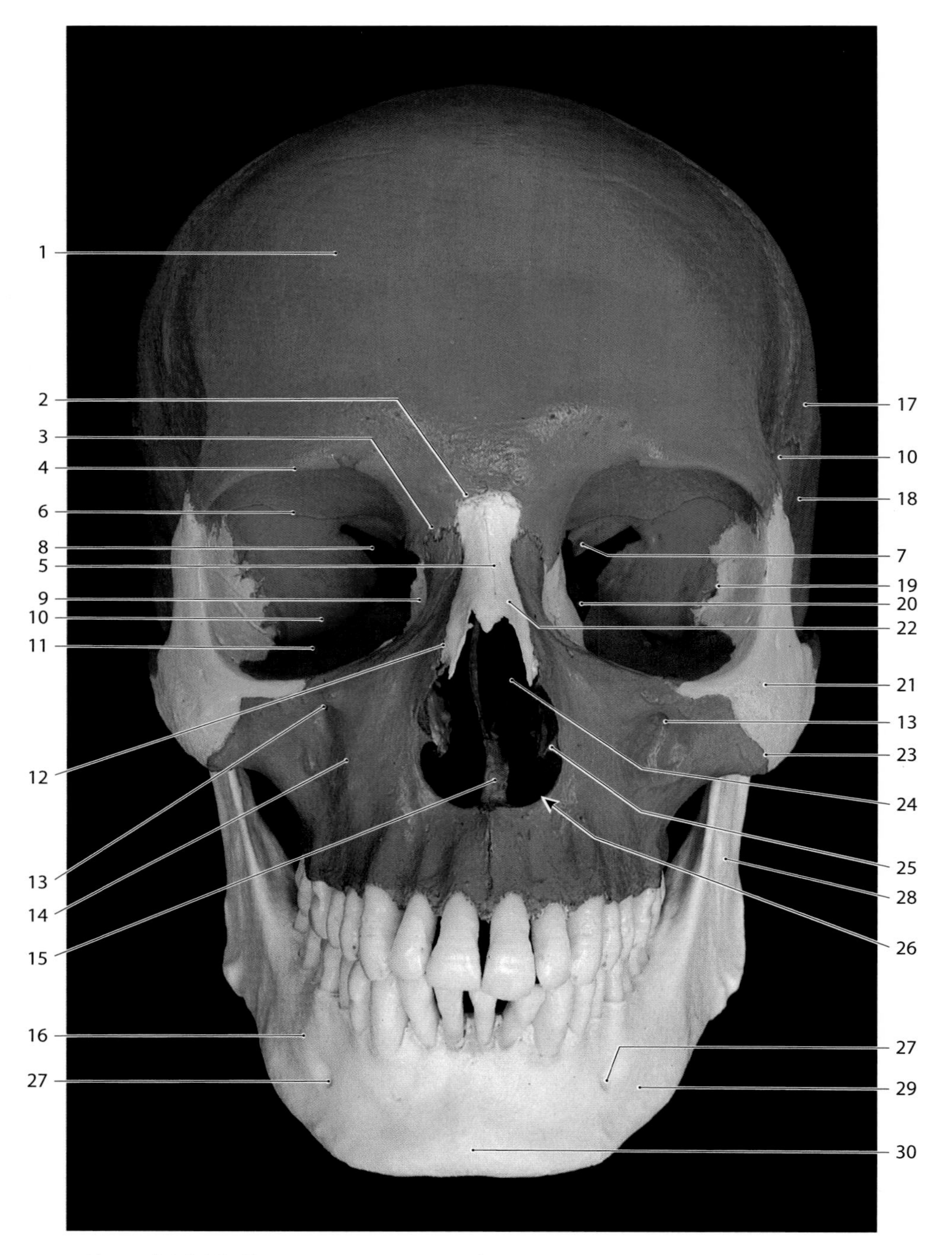

그림 8.5 **머리뼈의 앞면**(각각의 뼈는 색깔로 구분하였음).

1 이마뼈 Frontal bone
2 이마코봉합 Frontonasal suture
3 이마위턱봉합 Frontomaxillary suture
4 눈확위모서리 Supra-orbital margin
5 코사이봉합 Internasal suture
6 나비이마봉합 Sphenofrontal suture
7 나비뼈작은날개의 시각신경관 Optic canal in lesser wing of sphenoidal bone
8 위눈확틈새 Superior orbital fissure
9 눈물뼈 Lacrimal bone
10 나비뼈(큰날개) Sphenoidal bone (greater wing)
11 아래눈확틈새 Inferior orbital fissure
12 코위턱봉합 Nasomaxillary suture
13 눈확아래구멍 Infra-orbital foramen
14 위턱뼈 Maxilla
15 보습뼈 Vomer
16 아래턱뼈몸통 Body of mandible
17 마루뼈 Parietal bone
18 관자뼈 Temporal bone
19 나비광대봉합 Sphenozygomatic suture
20 벌집뼈 Ethmoidal bone
21 광대뼈 Zygomatic bone
22 코뼈 Nasal bone
23 광대위턱봉합 Zygomaticomaxillary suture
24 중간코선반 Middle nasal concha
25 아래코선반 Inferior nasal concha
26 앞콧구멍 Anterior nasal aperture
27 턱끝구멍 Mental foramen
28 턱뼈가지 Ramus of mandible
29 턱뼈바닥 Base of mandible
30 턱끝융기 Mental protuberance

뼈
갈색 = 이마뼈 frontal bone
옅은초록색 = 마루뼈 parietal bone
짙은갈색 = 관자뼈 temporal bone
빨간색 = 나비뼈 sphenoidal bone
노란색 = 광대뼈 zygomatic bone
짙은초록색 = 벌집뼈 ethmoidal bone
노란색 = 눈물뼈 lacrimal bone
주황색 = 보습뼈 vomer
보라색 = 위턱뼈 maxilla
흰색 = 코뼈 nasal bone
흰색 = 아래턱뼈 mandible

다음에 나오는 그림들은 머리뼈가 어떻게 짜맞춰져 있는지 이해할 수 있도록 배열되어 있다. 머리뼈바닥을 이루는 뼈(나비뼈와 뒤통수뼈)로 시작해서 다른 뼈들을 한개씩 단계적으로 추가하였다. 얼굴뼈대는 벌집뼈에 입천장뼈와 위턱뼈가 가쪽에 붙어 형성되고; 작은 코뼈와 눈물뼈들이 나머지 공간을 채운다. 연골은 코의 바깥부분에만 남아있다.

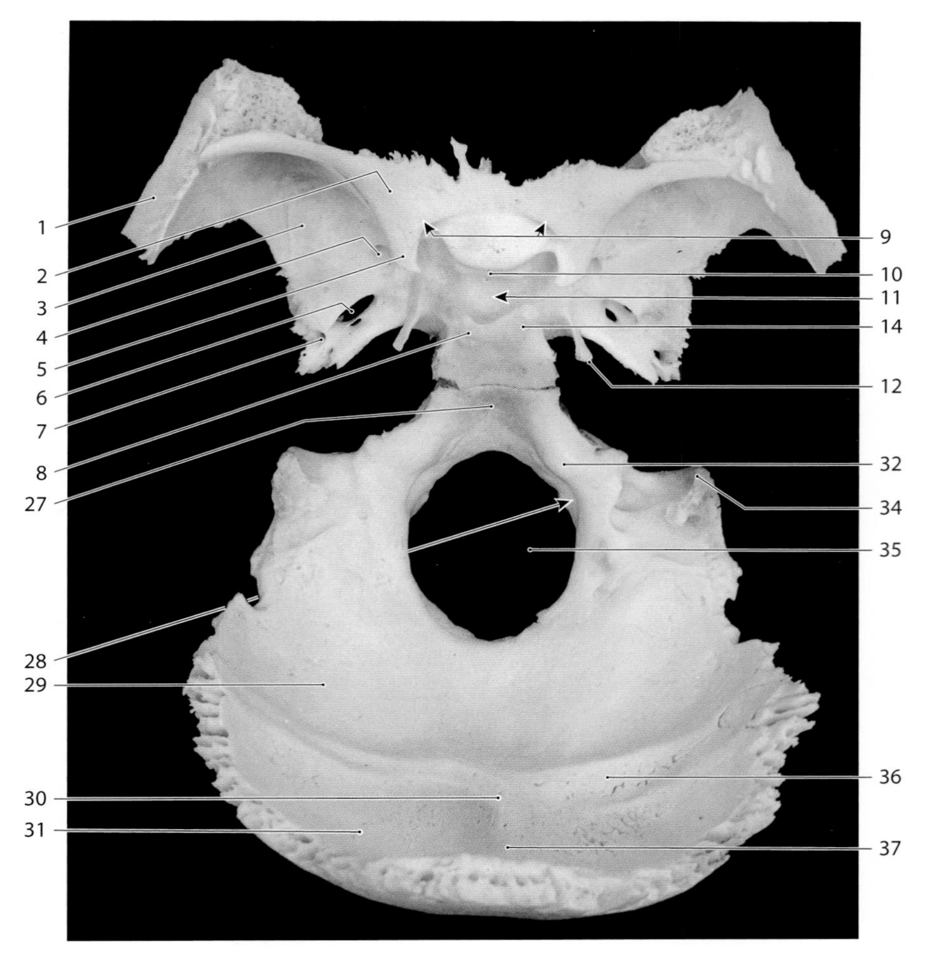

그림 8.6 **나비뼈와 뒤통수뼈**(위에서 본 모습).

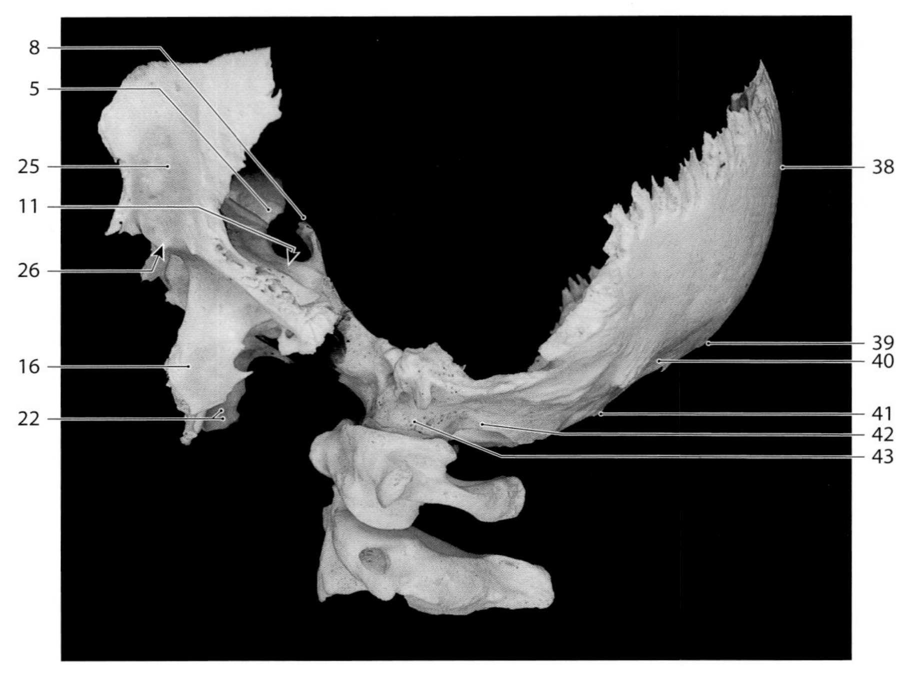

그림 8.7 **고리뼈(첫째목뼈)와 중쇠뼈(둘째목뼈)**가 연결된 나비뼈와 뒤통수뼈(왼가쪽면).

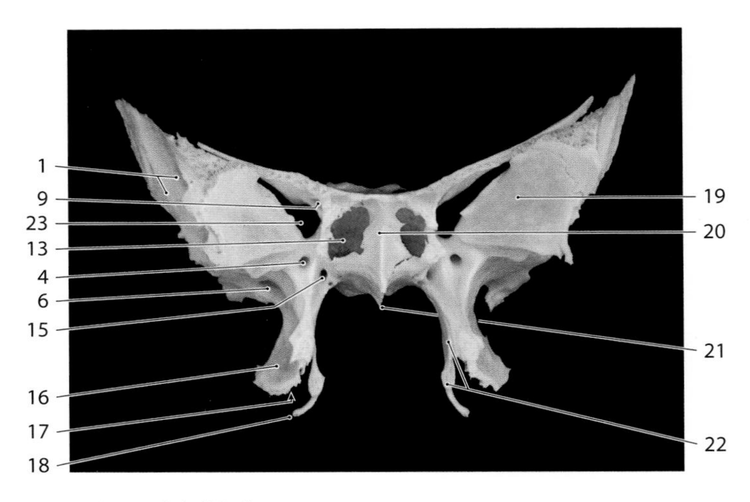

그림 8.8 **나비뼈**(앞면).

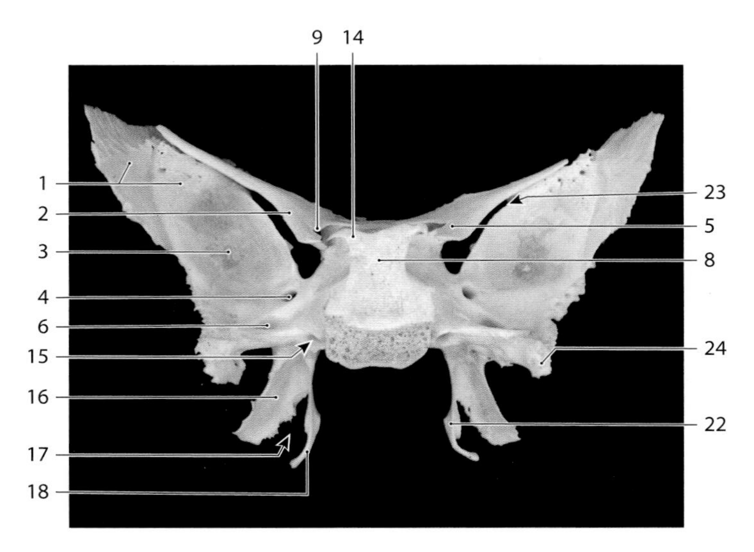

그림 8.9 **나비뼈**(뒤면).

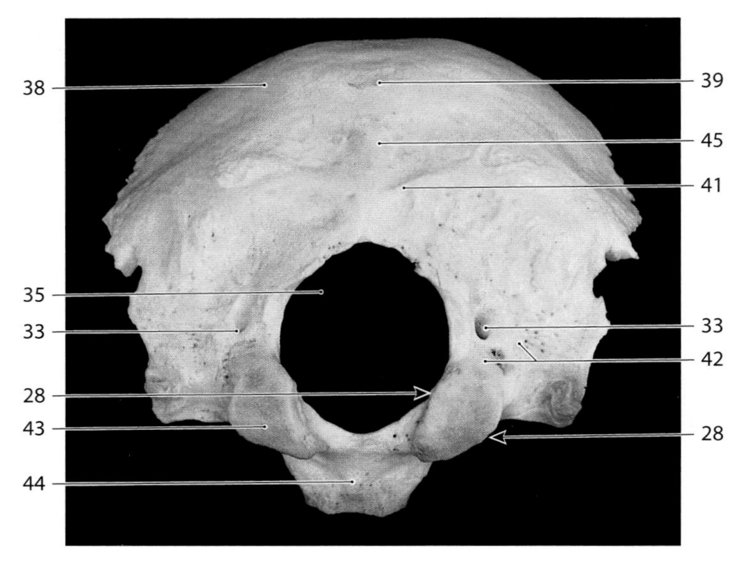

그림 8.10 **뒤통수뼈**(아래면).

나비뼈

1 큰날개 Greater wing
2 작은날개 Lesser wing
3 큰날개의 대뇌면 또는 위면
Cerebral or superior surface of greater wing
4 원형구멍 Foramen rotundum
5 앞침대돌기 Anterior clinoid process
6 타원구멍 Foramen ovale
7 뇌막동맥구멍 Foramen spinosum
8 안장등 Dorsum sellae
9 시각신경관 Optic canal
10 교차고랑 Chiasmatic groove (sulcus chiasmatis)
11 뇌하수체오목(안장) Hypophysial fossa (sella turcica)
12 혀돌기 Lingula
13 나비굴구멍 Opening of sphenoidal sinus
14 뒤침대돌기 Posterior clinoid process
15 날개관 Pterygoid canal
16 날개돌기의 가쪽날개판 Lateral pterygoid plate of pterygoid process
17 날개파임 Pterygoid notch
18 날개갈고리 Pterygoid hamulus
19 큰날개의 눈확면 Orbital surface of greater wing
20 나비뼈능선 Sphenoidal crest
21 나비뼈부리 Sphenoidal rostrum
22 안쪽날개판 Medial pterygoid plate
23 위눈확틈새 Superior orbital fissure
24 나비뼈가시 Spine of sphenoid
25 큰날개의 관자면 Temporal surface of greater wing
26 관자아래능선 Infratemporal crest

뒤통수뼈

27 뒤통수뼈의 바닥부분과 비스듬틀
Clivus with basilar part of occipital bone
28 혀밑신경관 Hypoglossal canal
29 소뇌우묵 Fossa for cerebellar hemisphere
30 속뒤통수뼈융기 Internal occipital protuberance
31 대뇌우묵 Fossa for cerebral hemisphere
32 목정맥구멍결절 Jugular tubercle
33 관절융기관 Condylar canal
34 목정맥구멍돌기 Jugular process
35 큰구멍 Foramen magnum
36 가로정맥굴고랑 Groove for transverse sinus
37 위시상정맥굴고랑 Groove for superior sagittal sinus
38 뒤통수뼈의 비늘부분
Squamous part of the occipital bone
39 바깥뒤통수뼈융기 External occipital protuberance
40 위목덜미선 Superior nuchal line
41 아래목덜미선 Inferior nuchal line
42 관절융기오목 Condylar fossa
43 관절융기 Condyle
44 인두결절 Pharyngeal tubercle
45 바깥뒤통수능선 External occipital crest

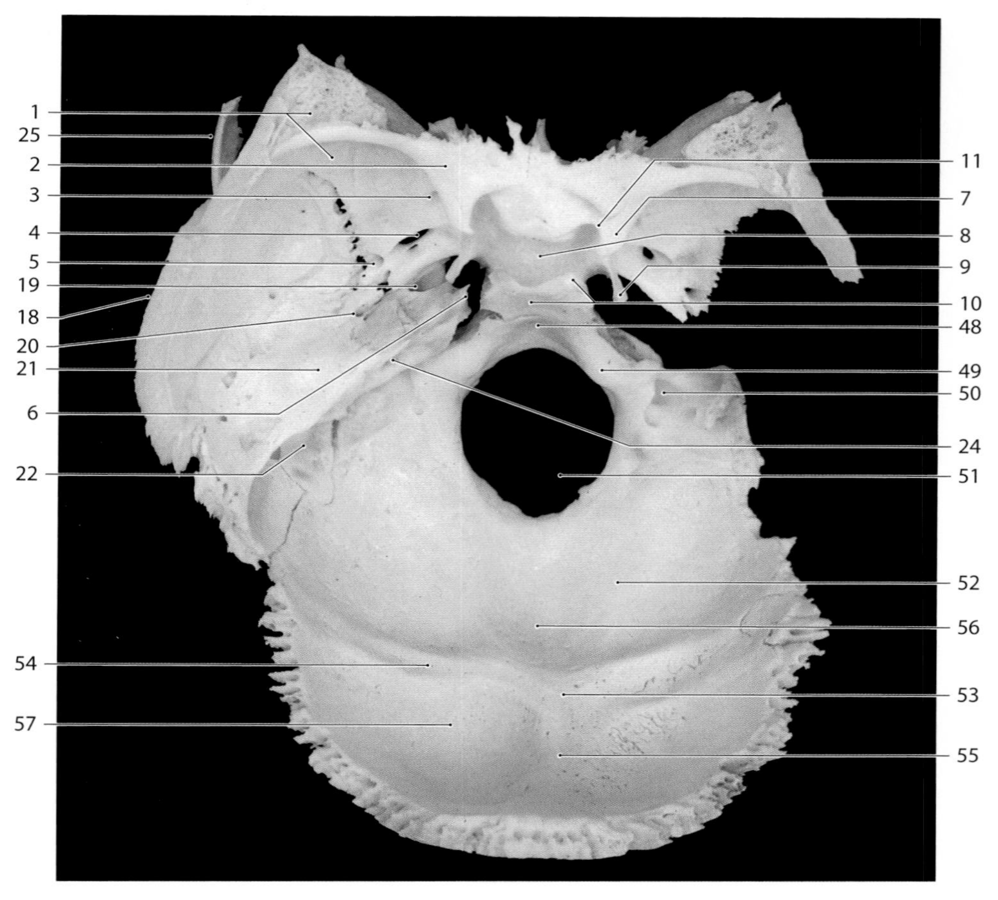

나비뼈

1 큰날개 Greater wing
2 작은날개 Lesser wing
3 원형구멍 Foramen rotundum
4 타원구멍 Foramen ovale
5 뇌막동맥구멍 Foramen spinosum
6 파열구멍 Foramen lacerum
7 앞침대돌기 Anterior clinoid process
8 뇌하수체오목(안장) Hypophysial fossa (sella turcica)
9 혀돌기 Lingula
10 안장등과 뒤침대돌기 Dorsum sellae and posterior clinoid process
11 시각신경관 Optic canal
12 나비뼈부리 Sphenoidal rostrum
13 안쪽날개판 Medial pterygoid plate
14 가쪽날개판 Lateral pterygoid plate
15 날개갈고리 Pterygoid hamulus
16 관자아래능선 Infratemporal crest
17 나비뼈몸통 Body of the sphenoidal bone

그림 8.11 **나비뼈, 뒤통수뼈와 왼쪽 관자뼈**(위면). 머리뼈바닥의 속면. 앞 페이지 뒤통수뼈 그림에 왼쪽 관자뼈가 더 붙어있음.

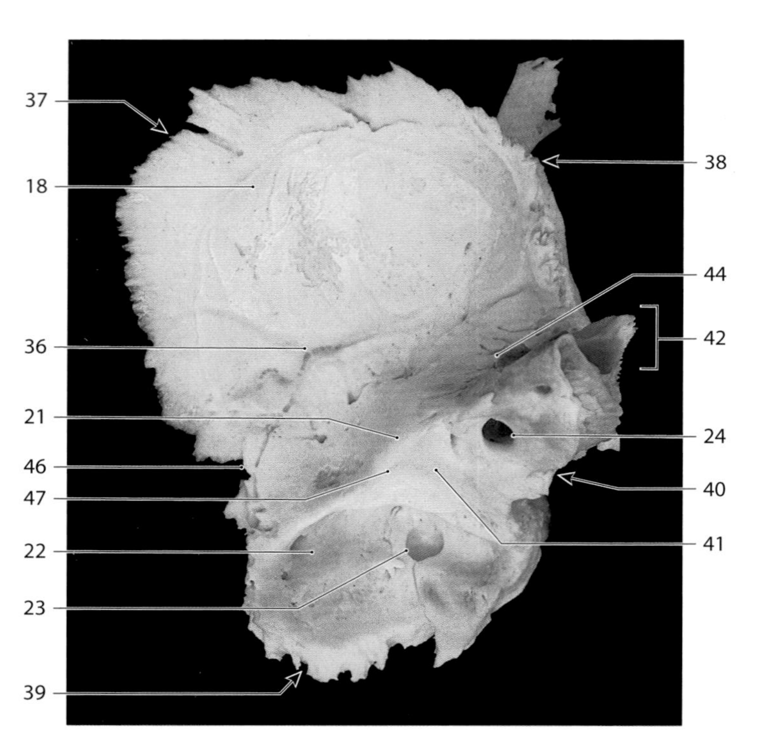

그림 8.12 **왼쪽 관자뼈**(안쪽면).

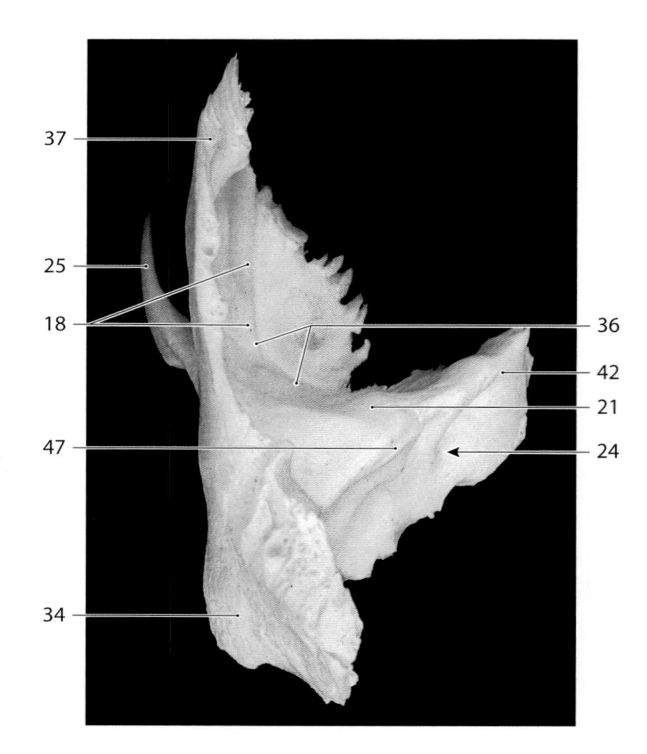

그림 8.13 **왼쪽 관자뼈**(위면).

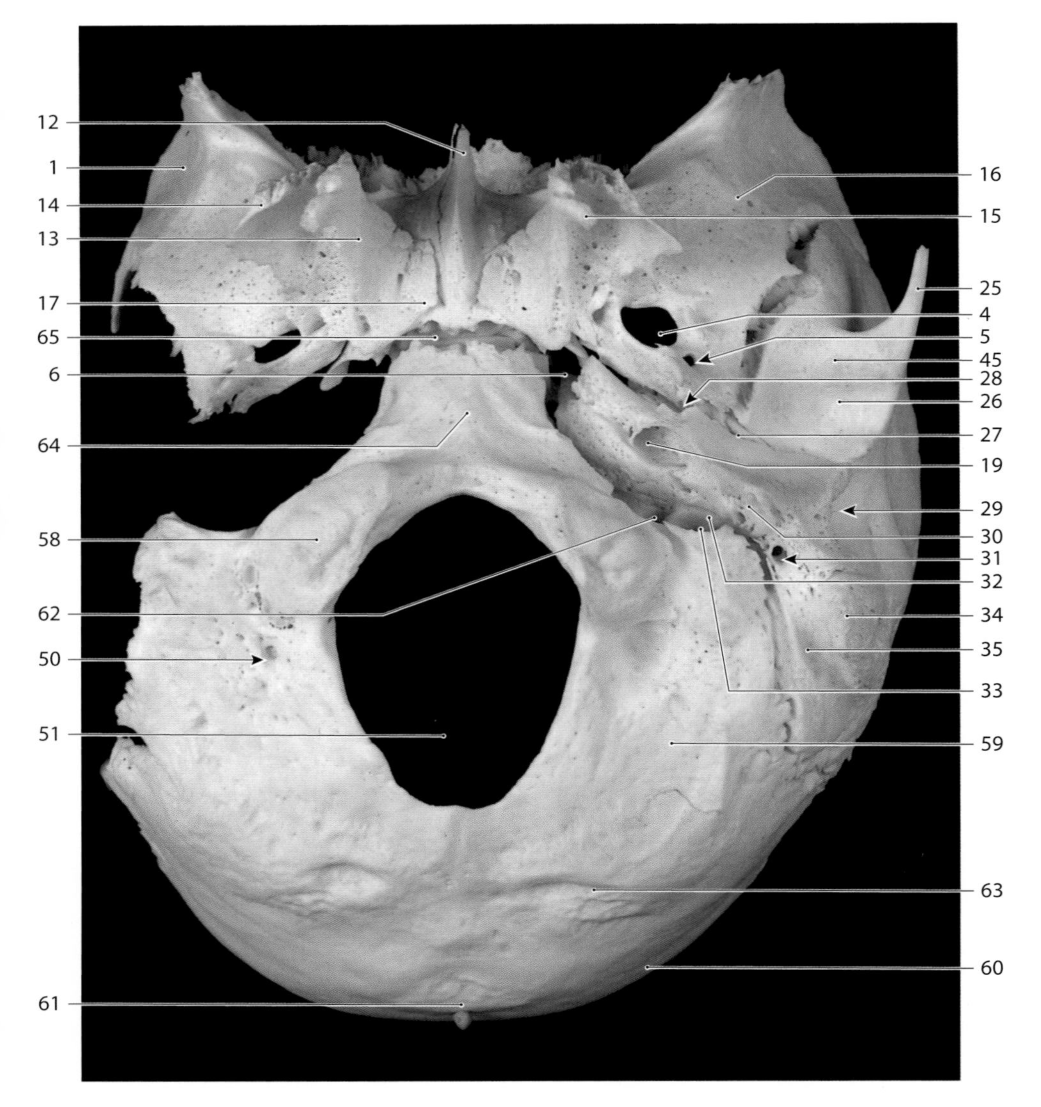

그림 8.14 **나비뼈, 뒤통수뼈와 왼쪽 관자뼈.** 머리뼈의 아래(바깥면).

관자뼈

18 비늘부분 Squamous part
19 목동맥관 Carotid canal
20 얼굴신경관틈새(큰바위신경) Hiatus of facial canal (for the greater petrosal nerve)
21 활꼴융기 Arcuate eminence
22 구불정맥굴고랑 Groove for the sigmoid sinus
23 꼭지구멍 Mastoid foramen
24 속귀길 Internal acoustic meatus
25 광대돌기 Zygomatic process
26 턱관절오목 Mandibular fossa
27 바위고막틈틈새 Petrotympanic fissure
28 근육귀뼈관(귀관의 뼈부분) Canalis musculotubarius (bony part of auditory tube)
29 바깥귀길 External acoustic meatus
30 붓돌기(남은부분) Styloid process (remnant only)
31 붓꼭지구멍 Stylomastoid foramen
32 꼭지소관 Mastoid canaliculus
33 목정맥오목 Jugular fossa
34 꼭지돌기 Mastoid process
35 꼭지파임 Mastoid notch
36 중간뇌막동맥고랑 Groove for middle meningeal vessels
37 마루모서리 Parietal margin
38 나비모서리 Sphenoidal margin
39 뒤통수모서리 Occipital margin
40 달팽이소관 Cochlear canaliculus
41 안뜰수도관 Aqueduct of the vestibule
42 바위끝 Apex of the petrous part
43 고막틀부분 Tympanic part
44 삼차신경절자국 Trigeminal impression
45 관절결절 Articular tubercle
46 마루파임 Parietal notch
47 위바위정맥굴고랑
Groove for the superior petrosal sinus

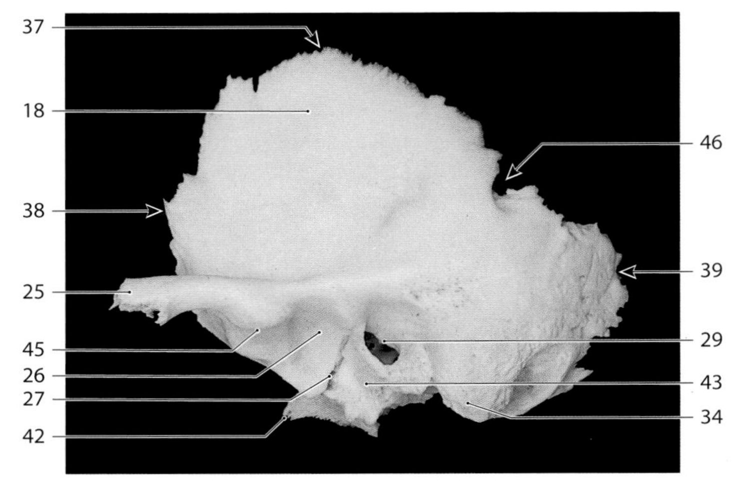

그림 8.15 **왼쪽 관자뼈**(가쪽면).

뒤통수뼈

48 비스듬틀 Clivus
49 목정맥구멍결절 Jugular tubercle
50 관절융기관 Condylar canal
51 큰구멍 Foramen magnum
52 뒤통수뼈비늘의 아래부분(소뇌우묵) Lower part of squamous occipital bone (cerebellar fossa)
53 속뒤통수뼈융기 Internal occipital protuberance
54 가로정맥굴고랑 Groove for the transverse sinus
55 위시상정맥굴고랑 Groove for the superior sagittal sinus
56 속뒤통수뼈능선 Internal occipital crest
57 뒤통수뼈비늘의 위부분(대뇌우묵) Upper part of squamous occipital bone (cerebral fossa)
58 관절융기 Condyle
59 목덜미널판 Nuchal plane
60 위목덜미선 Superior nuchal line
61 바깥뒤통수뼈융기
External occipital protuberance
62 목정맥구멍 Jugular foramen
63 아래목덜미선
Inferior nuchal line
64 인두결절 Pharyngeal tubercle
65 나비뒤통수연골결합
Spheno-occipital synchondrosis

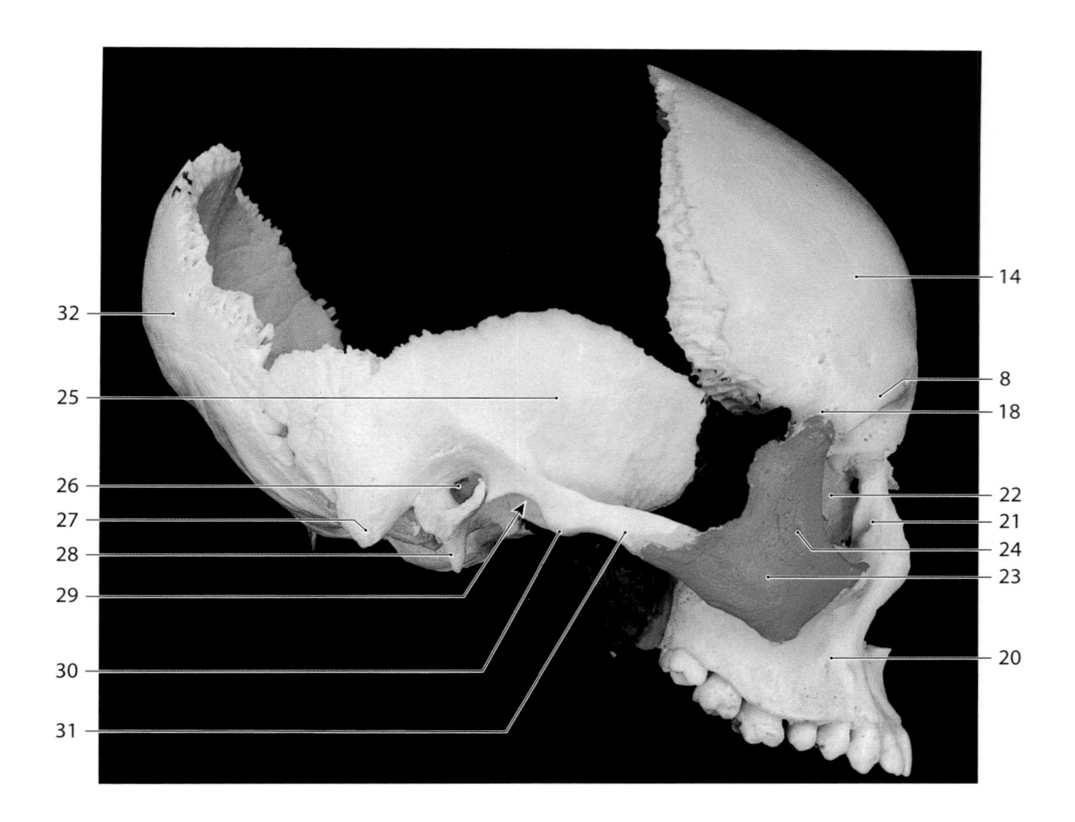

그림 8.16 **분리된 머리뼈부분**(오른쪽 가쪽면). 이마뼈와 위턱뼈가 광대뼈(주황색)에 의해 관자뼈와 연결되어 있다. 검은색 = 나비뼈; 빨간색 = 입천장뼈; 노란색 = 눈물뼈.

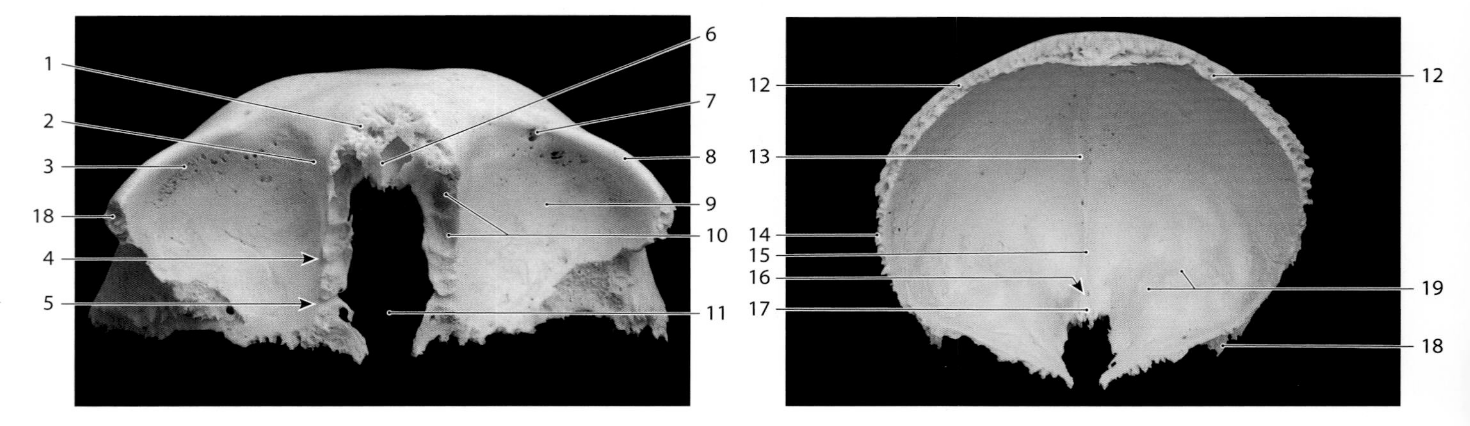

그림 8.17 **이마뼈**(아래면). 벌집뼈속 오목이 벌집뼈 안을 덮고있다.

그림 8.18 **이마뼈**(뒤면).

이마뼈
1 코모서리 Nasal margin
2 도르래오목 Trochlear fossa
3 눈물샘오목 Fossa for lacrimal gland
4 앞벌집구멍 Anterior ethmoidal foramen
5 뒤벌집구멍 Posterior ethmoidal foramen
6 코가시 Nasal spine
7 눈확위파임 Supra-orbital notch
8 눈확위모서리 Supra-orbital margin
9 눈확판 Orbital plate
10 벌집뼈의 벌집천장 Roofs of the ethmoidal air cells
11 벌집파임 Ethmoidal notch
12 마루모서리 Parietal margin
13 위시상정맥굴고랑 Groove for superior sagittal sinus
14 이마뼈의 비늘부분 Squamous part of frontal bone
15 이마뼈능선 Frontal crest
16 막구멍 Foramen cecum
17 코가시 Nasal spine
18 이마뼈의 광대돌기 Zygomatic process of frontal bone
19 손가락자국 Juga cerebralia

얼굴뼈
20 위턱뼈 Maxilla
21 위턱뼈의 이마돌기 Frontal process of maxilla
22 눈물뼈(노란색) Lacrimal bone (yellow)
23 광대뼈(주황색) Zygomatic bone (orange)
24 광대얼굴구멍 Zygomaticofacial foramen

관자뼈
25 관자뼈의 비늘부분 Squamous part of temporal bone
26 바깥귀길 External acoustic meatus
27 꼭지돌기 Mastoid process
28 붓돌기 Styloid process
29 턱관절오목 Mandibular fossa
30 관절결절 Articular tubercle
31 광대돌기 Zygomatic process

뒤통수뼈
32 뒤통수뼈의 비늘부분 Squamous part of occipital bone

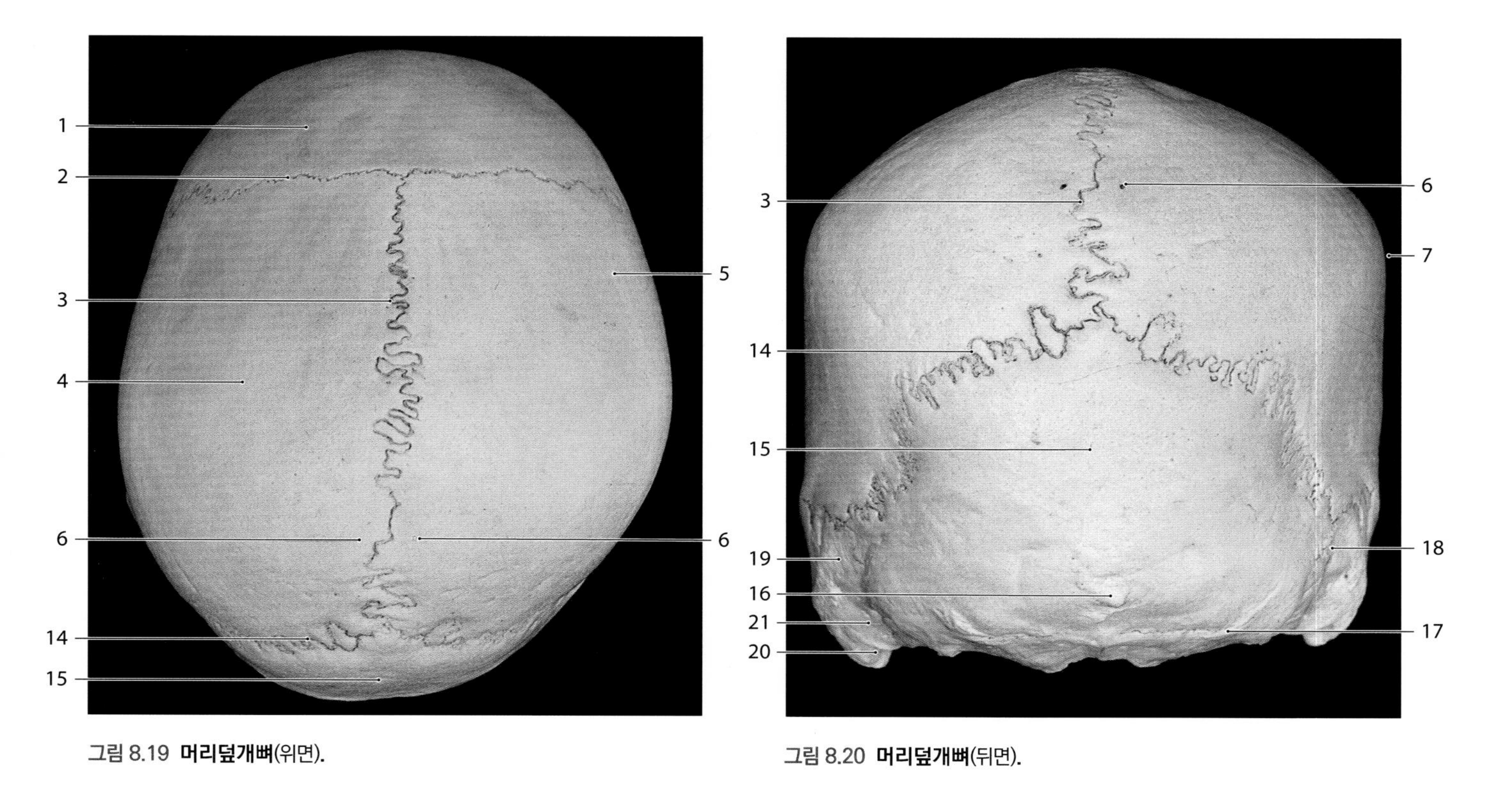

그림 8.19 **머리덮개뼈**(위면).

그림 8.20 **머리덮개뼈**(뒤면).

그림 8.21 **왼쪽 마루뼈**(바깥면).

그림 8.22 **왼쪽 마루뼈**(속면).

1 이마뼈 Frontal bone
2 관상봉합 Coronal suture
3 시상봉합 Sagittal suture
4 마루뼈 Parietal bone
5 위관자선 Superior temporal line
6 마루뼈구멍 Parietal foramen
7 마루뼈융기 Parietal tuber or eminence
8 정중모서리 Sagittal margin
9 뒤통수모서리 Occipital margin
10 이마모서리 Frontal margin
11 비늘모서리 Squamous margin
12 나비각 Sphenoidal angle
13 중간뇌막동맥고랑 Groove for middle meningeal artery
14 시옷봉합 Lambdoid suture
15 뒤통수뼈 Occipital bone
16 바깥뒤통수뼈융기 External occipital protuberance
17 아래목덜미선 Inferior nuchal line
18 뒤통수꼭지봉합 Occipitomastoid suture
19 관자뼈 Temporal bone
20 꼭지돌기 Mastoid process
21 꼭지파임 Mastoid notch

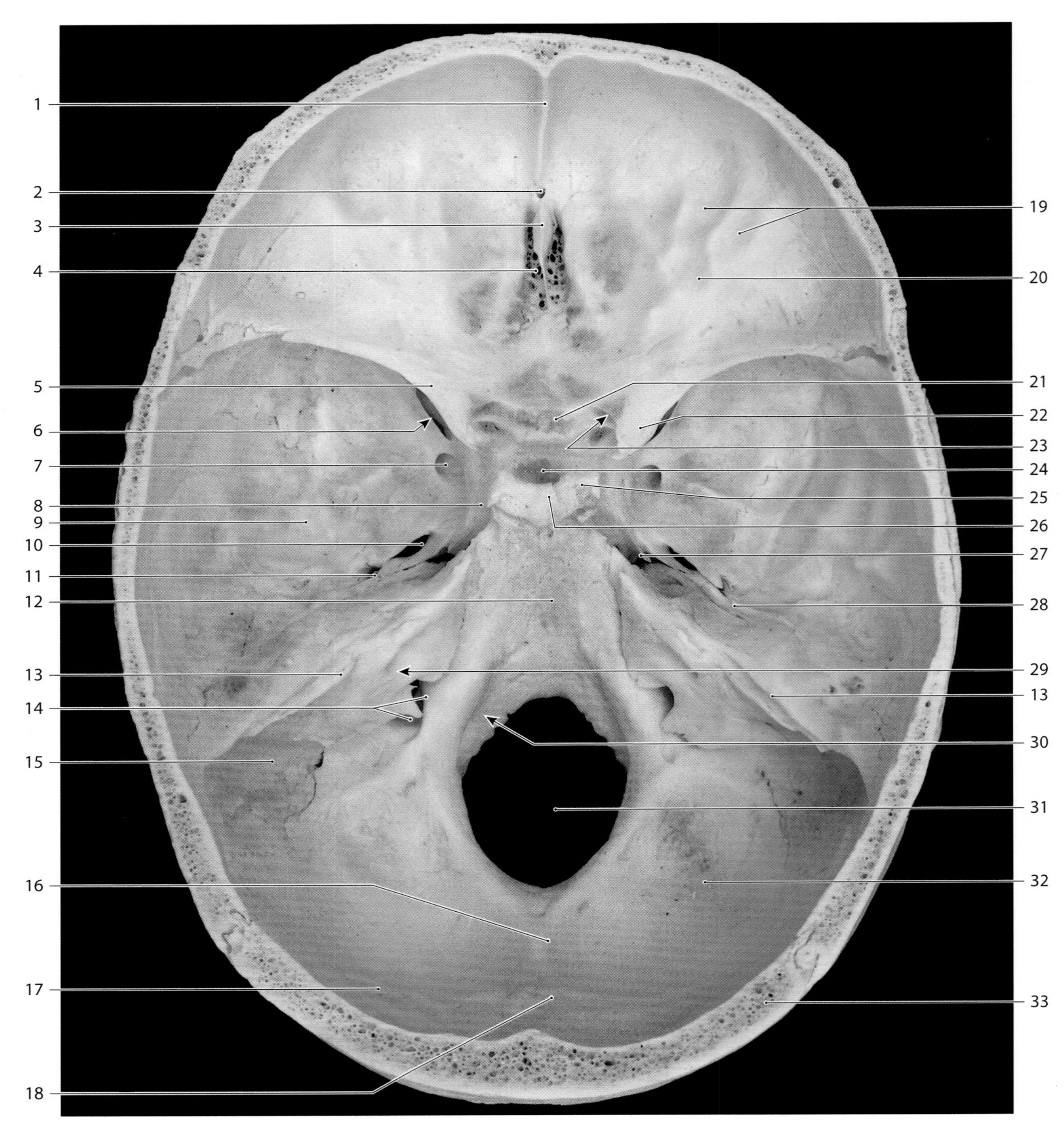

그림 8.23 **머리뼈바닥.** 머리덮개뼈는 제거되었음(속면).

1 이마능선 Frontal crest
2 막구멍 Foramen cecum
3 볏돌기 Crista galli
4 벌집뼈체판
Cribriform plate of ethmoidal bone
5 나비뼈작은날개
Lesser wing of sphenoidal bone
6 위눈확틈새 Superior orbital fissure
7 원형구멍 Foramen rotundum
8 목동맥고랑 Carotid sulcus
9 중간머리뼈우묵 Middle cranial fossa
10 타원구멍 Foramen ovale
11 뇌막동맥구멍 Foramen spinosum
12 비스듬틀 Clivus
13 위바위정맥굴고랑
Groove for superior petrosal sinus
14 목정맥구멍 Jugular foramen
15 구불정맥굴고랑
Groove for sigmoid sinus
16 속뒤통수뼈능선 Internal occipital crest
17 가로정맥굴고랑
Groove for transverse sinus
18 속뒤통수뼈융기 Internal occipital protuberance
19 손가락자국 Digitate impressions
20 앞머리뼈우묵 Anterior cranial fossa
21 교차고랑 Chiasmatic sulcus
22 앞침대돌기 Anterior clinoid process
23 시각신경관 Optic canal
24 안장(뇌하수체오목)
Sella turcica (hypophysial fossa)
25 뒤침대돌기 Posterior clinoid process
26 안장등 Dorsum sellae
27 파열구멍 Foramen lacerum
28 큰바위신경고랑
Groove for greater petrosal nerve
29 속귀길 Internal acoustic meatus
30 혀밑신경관 Hypoglossal canal
31 큰구멍 Foramen magnum
32 뒤머리뼈우묵 Posterior cranial fossa
33 판사이층 Diploe

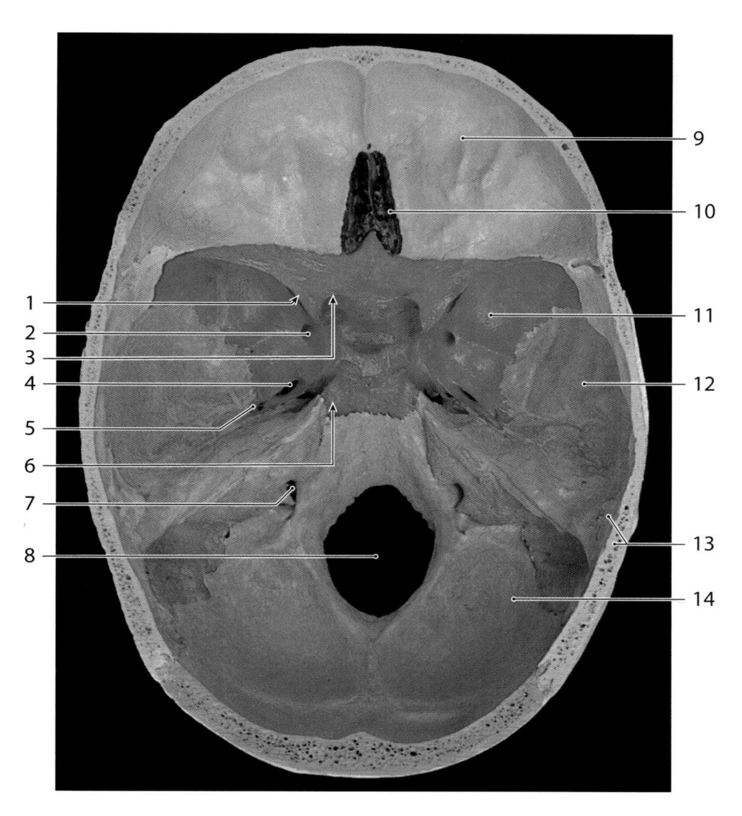

그림 8.24 **머리뼈바닥**(속면, 위모습). 각각의 뼈는 다른 색깔로 표시하였음.

머리뼈바닥의 관, 틈새 및 구멍

1 위눈확틈새 Superior orbital fissure
2 원형구멍 Foramen rotundum
3 시각신경관 Optic canal
4 타원구멍 Foramen ovale
5 뇌막동맥구멍 Foramen spinosum
6 속귀길 Internal acoustic meatus
7 목정맥구멍 Jugular foramen
8 큰구멍 Foramen magnum

뼈

9 이마뼈(주황색)
10 벌집뼈(짙은 초록색)
11 나비뼈(빨간색)
12 관자뼈(갈색)
13 마루뼈(노란색)
14 뒤통수뼈(파란색)

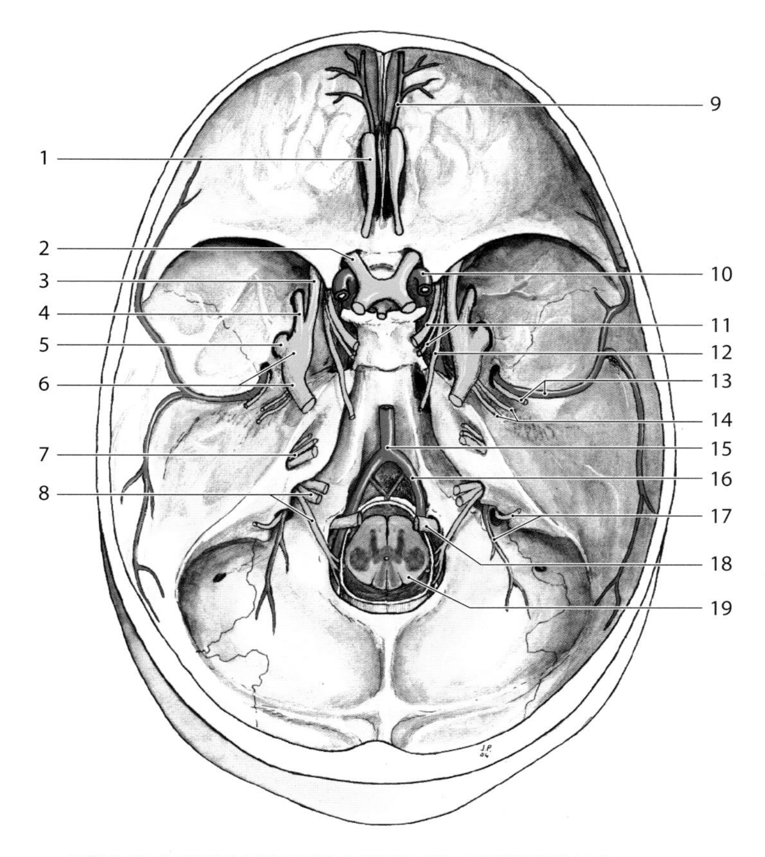

그림 8.25 **뇌신경과 뇌막동맥을 포함하고 있는 머리뼈바닥**(속면).

1 후각망울 Olfactory bulb
2 시각신경 Optic nerve (CN II)
3 눈신경 Ophthalmic nerve (CN V1)
4 위턱신경 Maxillary nerve (CN V2)
5 아래턱신경 Mandibular nerve (CN V3)
6 삼차신경과 삼차신경절 Trigeminal nerve (CN V)with trigeminal ganglion
7 얼굴신경과 속귀신경 Facial nerve (CN VII) and vestibulocochlear nerve (CN VIII)
8 혀인두신경, 미주신경과 더부신경 Glossopharyngeal nerve (CN IX), vagus nerve (CN X) and accessory nerve (CN XI)
9 앞뇌막동맥 Anterior meningeal artery
10 속목동맥 Internal carotid artery
11 눈돌림신경과 도르래신경 Oculomotor nerve (CN III) and trochlear nerve (CN IV)
12 갓돌림신경 Abducent nerve (CN VI)
13 중간뇌막동맥과 아래턱신경의 뇌막가지 Middle meningeal artery and meningeal branch of mandibular nerve
14 큰바위신경과 작은바위신경 Greater and lesser petrosal nerves
15 뇌바닥동맥 Basilar artery
16 척추동맥 Vertebral artery
17 뒤뇌막동맥과 되돌이뇌막신경 Posterior meningeal artery and recurrent meningeal nerve
18 혀밑신경 Hypoglossal nerve (CN XII)
19 숨뇌 Medulla oblongata

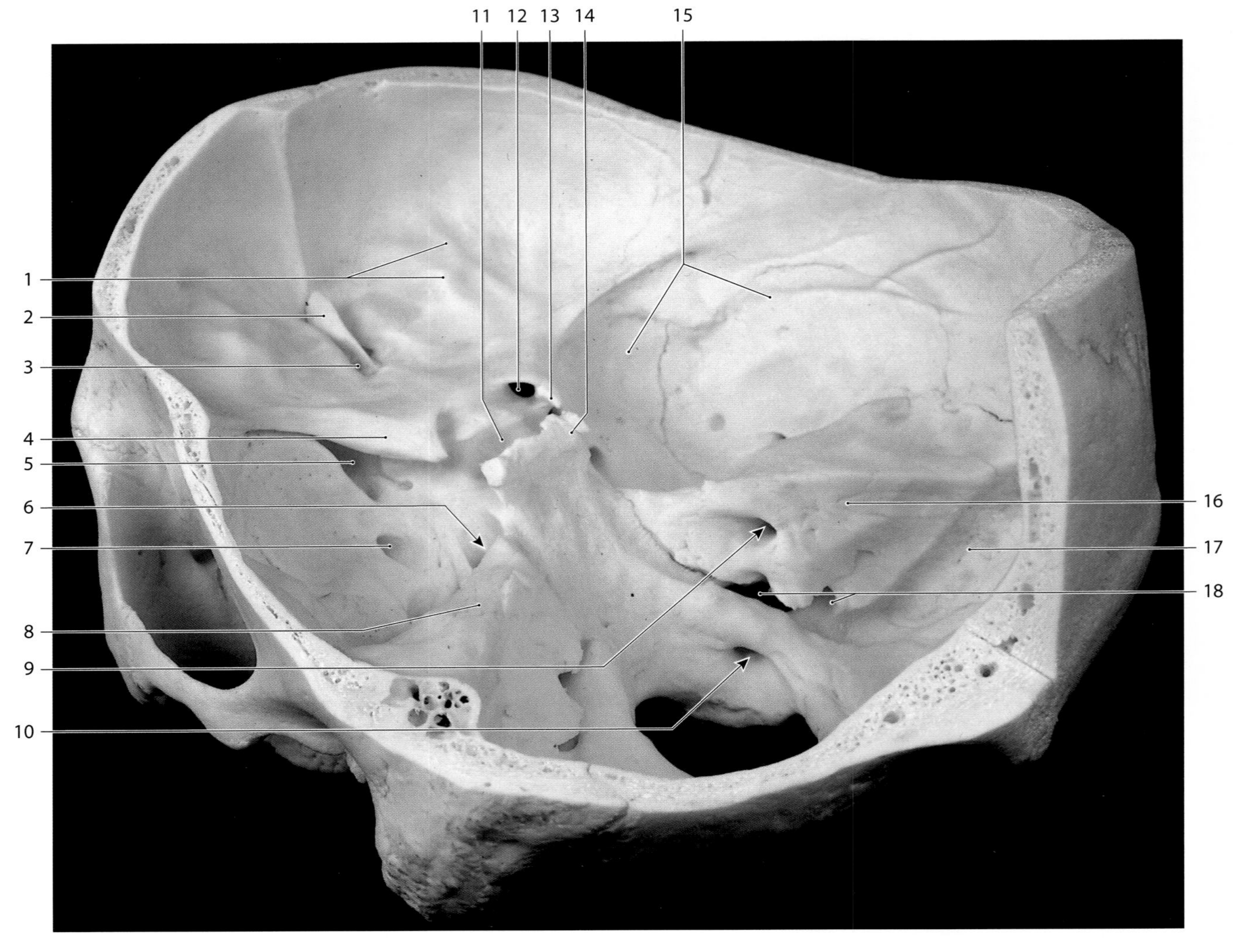

그림 8.26 **머리뼈바닥**(속면, 왼쪽 비스듬가쪽면). 아래 뇌신경과 혈관이 지나가는 구멍 참조.

	Cranial nerves and vessels	Related foramina	Related regions
Anterior cranial fossa	Olfactory nerves (CN I), Anterior ethmoidal artery, vein, and nerve, Anterior meningeal artery	Lamina cribrosa	Nasal cavity
Middle cranial fossa	Optic nerve (CN II), Ophthalmic artery	Optic canal	Orbit
	Oculomotor nerve (CN III), Trochlear nerve (CN IV), Abducent nerve (CN VI), Ophthalmic nerve (CN V1), Superior ophthalmic vein	Superior orbital fissure	Orbit
	Maxillary nerve (CN V2)	Foramen rotundum	Pterygopalatine fossa
	Mandibular nerve (CN V3)	Foramen ovale	Infratemporal fossa
	Middle meningeal artery, Meningeal branch of mandibular nerve (CN V3)	Foramen spinosum	Infratemporal fossa
	Internal carotid artery	Carotid canal	Cavernous sinus, Base of skull
	Facial nerve (CN VII), Vestibulocochlear nerve (CN VIII), Artery and vein of the labyrinth	Internal acoustic meatus, Stylomastoid foramen, Facial canal	Inner ear, Face
	Glossopharyngeal nerve (CN IX), Vagus nerve (CN X), Accessory nerve (CN XI), Internal jugular vein, Posterior meningeal artery	Jugular foramen	Parapharyngeal region
	Hypoglossal nerve (CN XII)	Hypoglossal canal	Tongue
	Accessory nerve (CN XI, spinal root), Vertebral arteries, Anterior and posterior spinal arteries, Medulla oblongata	Foramen magnum	Base of skull

1 손가락자국(이마뼈) Digitate impressions (frontal bone)
2 볏돌기 Crista galli
3 체판 Cribriform plate
4 나비뼈작은날개 Lesser wing of sphenoid bone
5 위눈확틈새 Superior orbital fissure
6 파열구멍 Foramen lacerum
7 원형구멍 Foramen rotundum
8 삼차신경절자국 Trigeminal impression
9 속귀길 Internal acoustic meatus
10 혀밑신경관 Hypoglossal canal
11 뇌하수체오목(안장) Hypophysial fossa (sella turcica)
12 시각신경관 Optic canal
13 앞침대돌기 Anterior clinoid process
14 안장등(뒤침대돌기) Dorsum sellae (posterior clinoid process)
15 나비뼈큰날개, 중간뇌막동맥고랑 Greater wing of sphenoid bone, groove for middle meningeal artery
16 관자뼈 바위부분 Petrous part of temporal bone
17 구불정맥굴고랑 Groove for sigmoid sinus
18 목정맥구멍 Jugular foramen

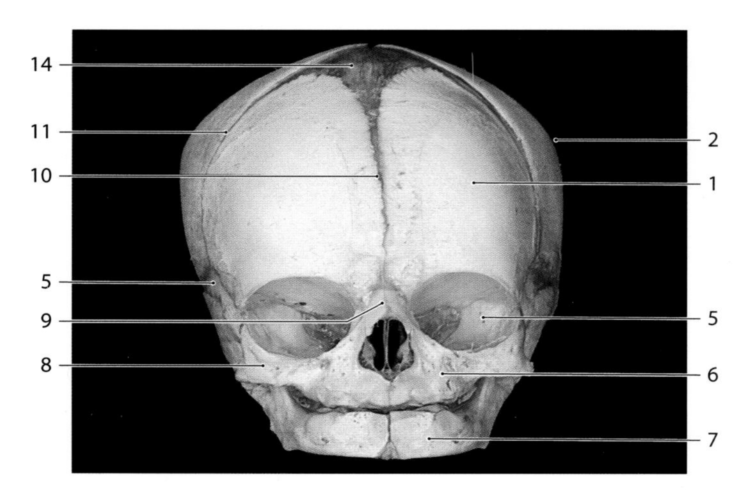

그림 8.27 **신생아의 머리뼈**(앞면).

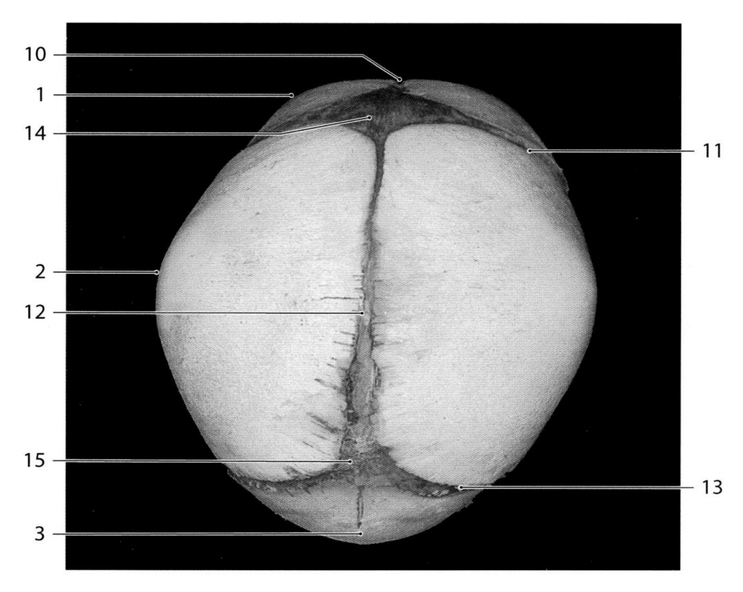

그림 8.28 **신생아의 머리뼈**(위면).

머리뼈대

1 이마뼈융기 Frontal tuber or eminence
2 마루뼈융기 Parietal tuber or eminence
3 뒤통수뼈융기 Occipital tuber or eminence
4 관자뼈의 비늘부분 Squamous part of temporal bone
5 나비뼈큰날개 Greater wing of sphenoidal bone

얼굴뼈대

6 위턱뼈 Maxilla
7 아래턱뼈 Mandible
8 광대뼈 Zygomatic bone
9 코뼈 Nasal bone

봉합과 숫구멍

10 이마봉합 Frontal suture
11 관상봉합 Coronal suture
12 시상봉합 Sagittal suture
13 시옷봉합 Lambdoid suture
14 앞숫구멍 Anterior fontanelle
15 뒤숫구멍 Posterior fontanelle
16 앞가쪽숫구멍 Sphenoidal (anterolateral) fontanelle
17 뒤가쪽숫구멍 Mastoid (posterolateral) fontanelle

머리뼈바닥

18 이마뼈 Frontal bone
19 벌집뼈 Ethmoidal bone
20 나비뼈 Sphenoidal bone
21 뇌하수체오목(안장) Hypophysial fossa (sella turcica)
22 안장등 Dorsum sellae
23 관자뼈 Temporal bone
24 뒤가쪽숫구멍 Mastoid (posterolateral) fontanelle
25 뒤통수뼈 Occipital bone

신생아의 얼굴뼈대는 머리뼈대에 비해 상대적으로 작아보인다. 그것은 입안에 아직 치아가 없고 머리뼈는 넓은 숫구멍에 의해 벌어져 있기 때문이다.

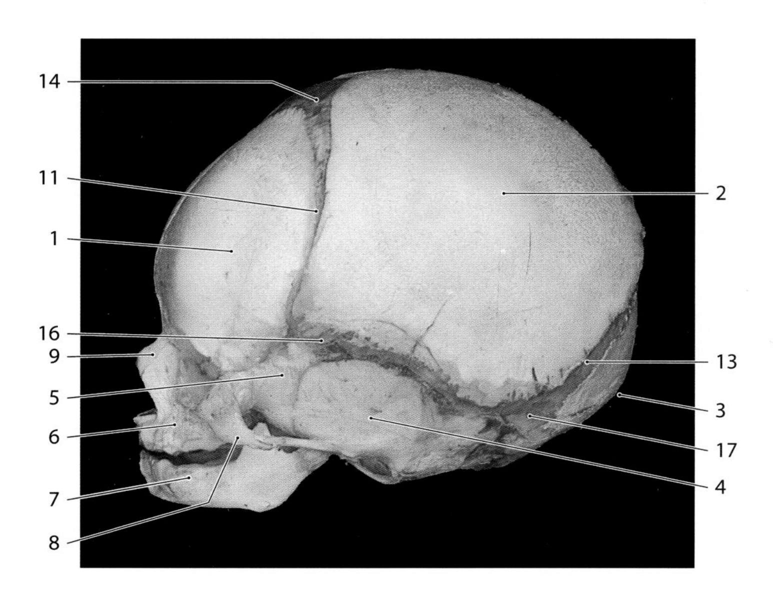

그림 8.29 **신생아의 머리뼈**(가쪽면).

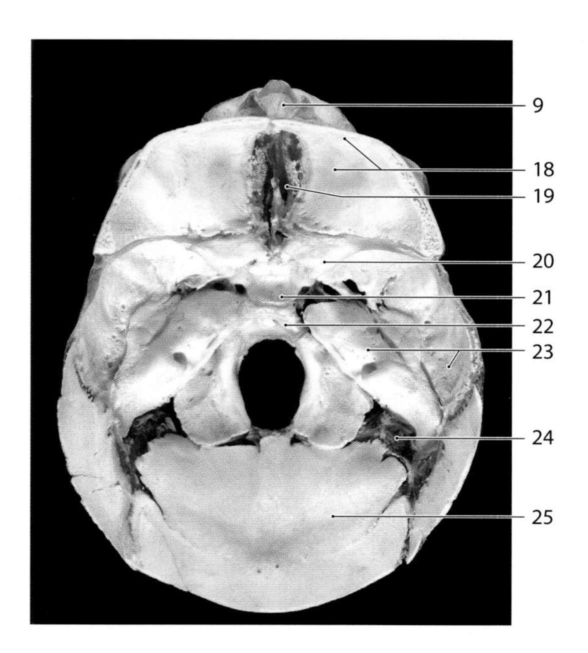

그림 8.30 **신생아의 머리뼈**(속면).

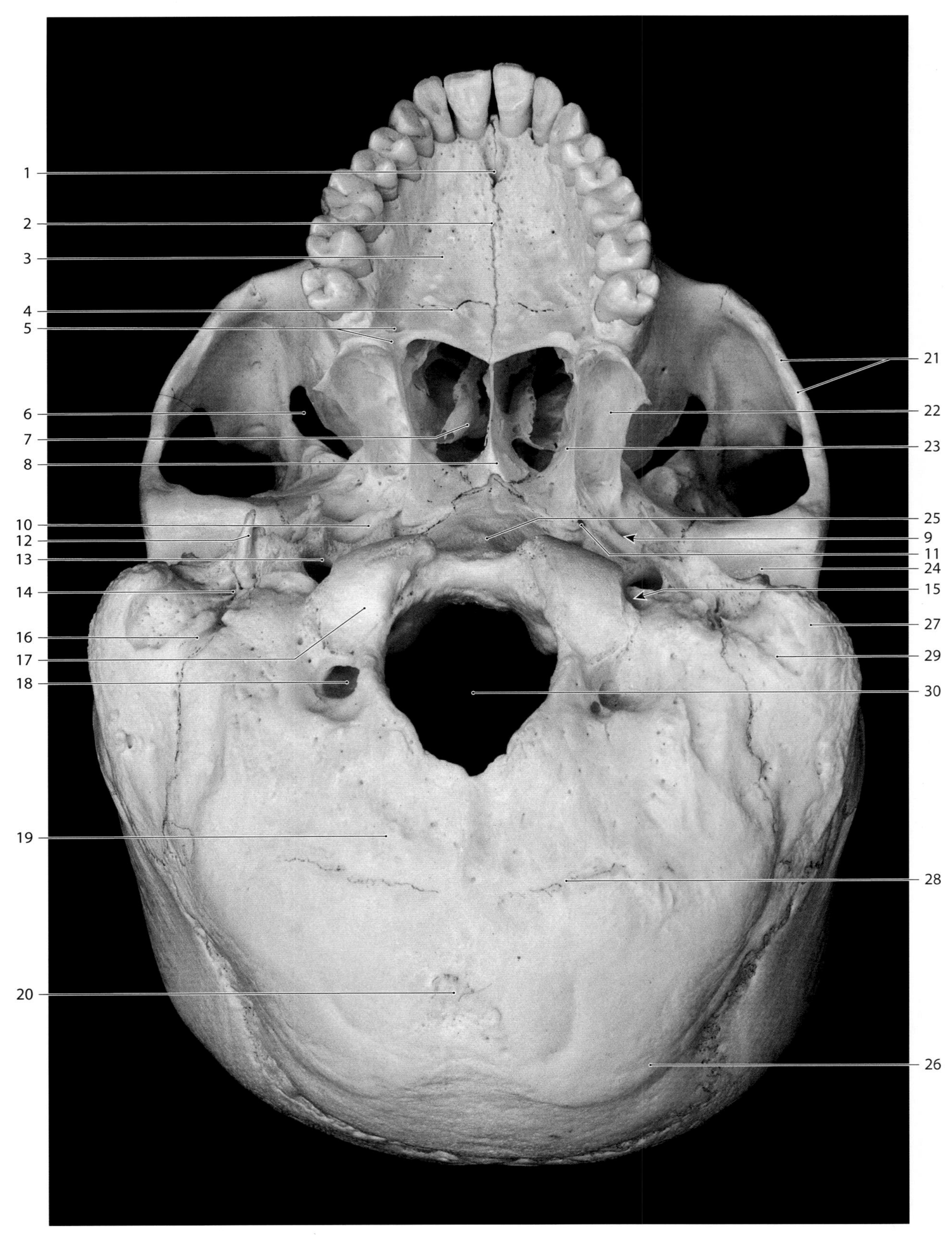

그림 8.31 **머리뼈바닥**(아래면).

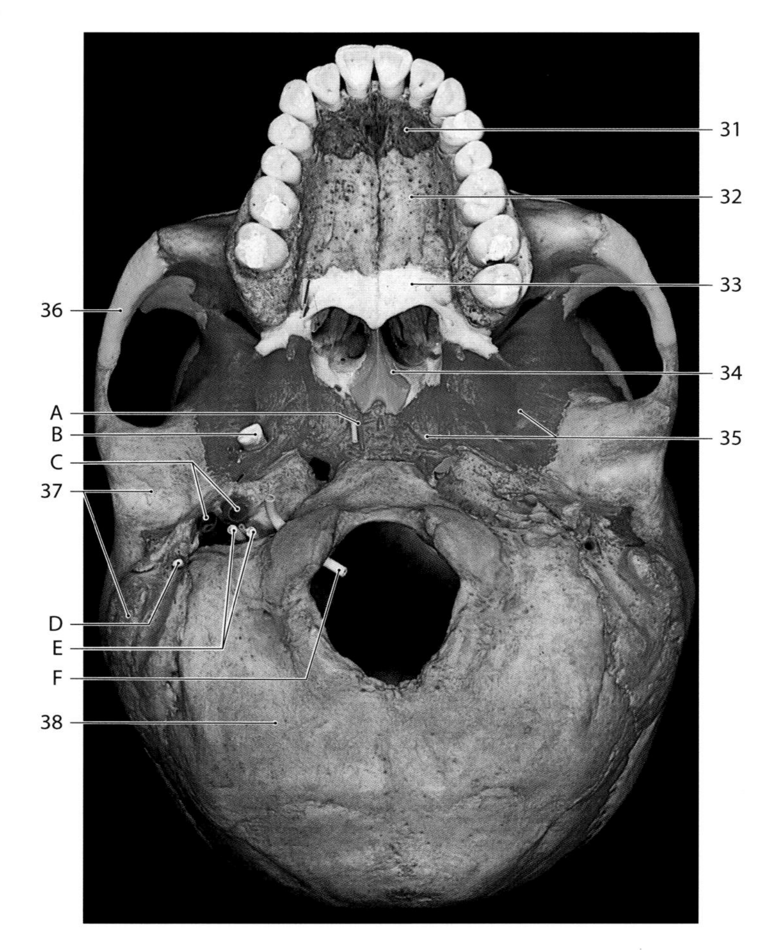

그림 8.32 **머리뼈바닥**(아래면). 각 뼈는 다른 색깔로 표시하였다.

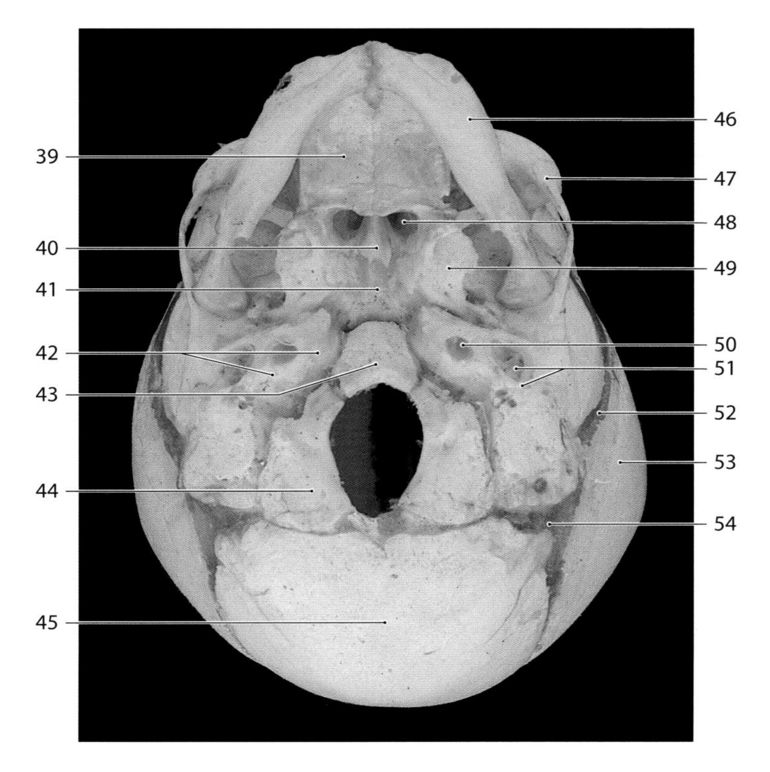

그림 8.33 **신생아의 머리뼈**(아래면).

A = 날개관
B = 타원구멍
C = 목동맥관의 속목동맥과 목정맥구멍의 속목정맥
D = 붓꼭지구멍(얼굴신경)
E = 목정맥구멍(혀인두신경, 미주신경과 더부신경)
F = 혀밑신경관(혀밑신경)

1 앞니관 Incisive canal
2 정중입천장봉합 Median palatine suture
3 위턱뼈의 입천장돌기 Palatine process of maxilla
4 입천장위턱봉합 Palatomaxillary suture
5 큰 및 작은입천장구멍 Greater and lesser palatine foramina
6 아래눈확틈새 Inferior orbital fissure
7 중간코선반(벌집뼈돌기) Middle concha (process of ethmoidal bone)
8 보습뼈 Vomer
9 타원구멍 Foramen ovale
10 귀관고랑 Groove for auditory tube
11 날개관 Pterygoid canal
12 붓돌기 Styloid process
13 목동맥관 Carotid canal
14 붓꼭지구멍 Stylomastoid foramen
15 목정맥구멍 Jugular foramen
16 뒤통수동맥고랑 Groove for occipital artery
17 뒤통수뼈관절융기 Occipital condyle
18 관절융기관 Condylar canal
19 목덜미널판 Nuchal plane
20 바깥뒤통수뼈융기 External occipital protuberance
21 광대활 Zygomatic arch
22 가쪽날개판 Lateral pterygoid plate
23 안쪽날개판 Medial pterygoid plate
24 턱관절오목 Mandibular fossa
25 인두결절 Pharyngeal tubercle
26 위목덜미선 Superior nuchal line
27 꼭지돌기 Mastoid process
28 아래목덜미선 Inferior nuchal line
29 꼭지파임 Mastoid notch
30 큰구멍 Foramen magnum

뼈
31 앞니뼈(짙은 보라색) Incisive bone or premaxilla (dark violet)
32 위턱뼈(보라색) Maxilla (violet)
33 입천장뼈(흰색) Palatine bone (white)
34 보습뼈(주황색) Vomer (orange)
35 나비뼈(빨간색) Sphenoidal bone (red)
36 광대뼈(노란색) Zygomatic bone (yellow)
37 관자뼈(갈색) Temporal bone (brown)
38 뒤통수뼈(파란색) Occipital bone (blue)
39 위턱뼈의 입천장돌기 Palatine process of maxilla
40 보습뼈 Vomer
41 나비뼈 Sphenoidal bone
42 관자뼈의 바위부분 Petrous part of temporal bone
43 바닥부분 뒤통수뼈 Basilar part of occipital bone
44 가쪽부분 뒤통수뼈 Lateral part of occipital bone
45 비늘부분 뒤통수뼈 Squamous part of occipital bone
46 아래턱뼈 Mandible
47 광대활 Zygomatic arch
48 뒤콧구멍 Choana
49 나비뼈의 날개돌기 Pterygoid process of sphenoidal bone
50 목동맥관 Carotid canal
51 바깥귀길(고막틀고리) External acoustic meatus (tympanic anulus)
52 앞가쪽숫구멍 Sphenoidal fontanelle
53 마루뼈 Parietal bone
54 뒤가쪽숫구멍 Mastoid fontanelle

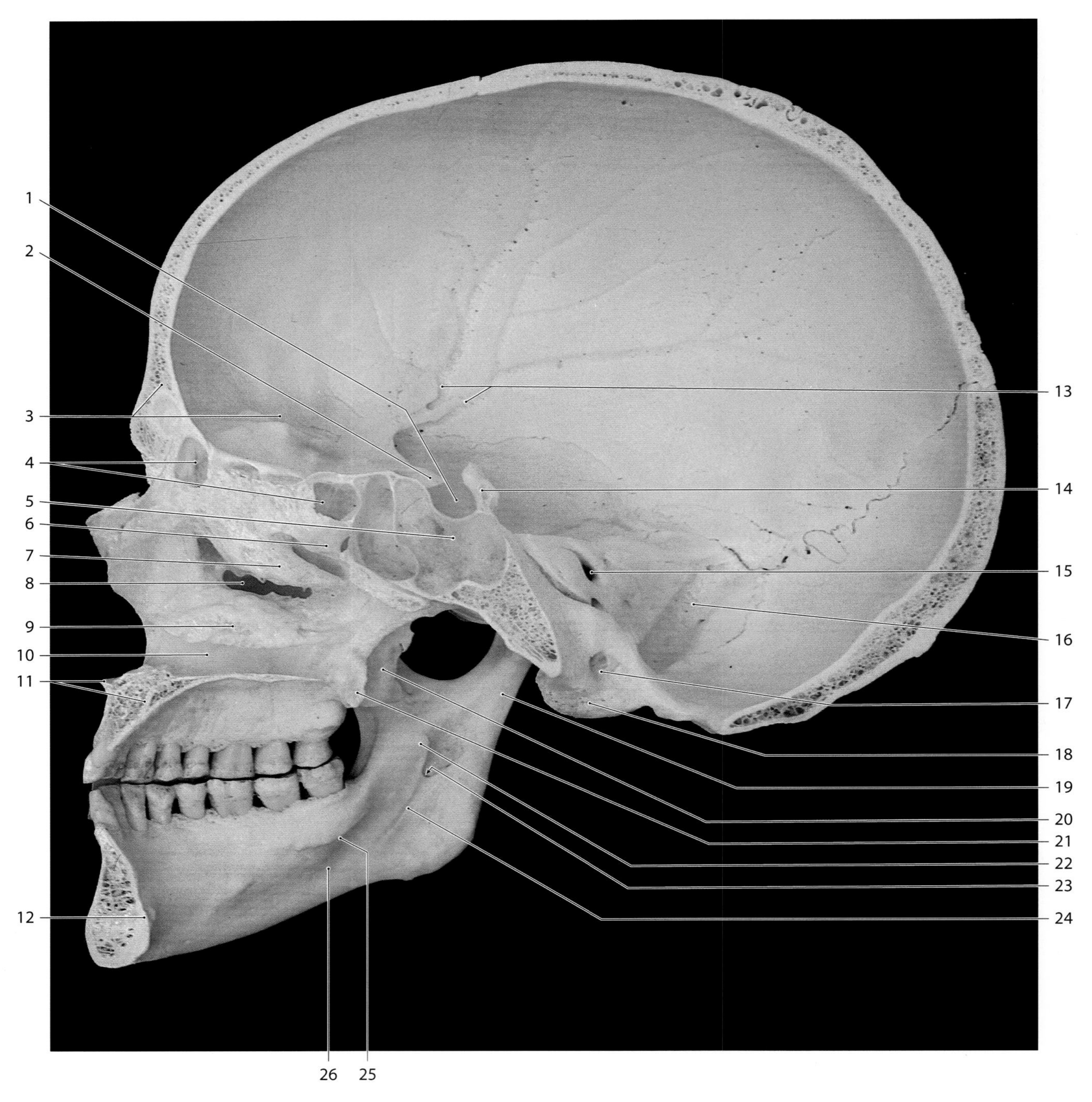

그림 8.34 **머리뼈의 정중단면,** 오른쪽 반의 모습(속면)

1 뇌하수체오목(안장) Hypophysial fossa (sella turcica)
2 앞침대돌기 Anterior clinoid process
3 이마뼈 Frontal bone
4 벌집뼈벌집 Ethmoidal air cells
5 나비굴 Sphenoidal sinus
6 위코선반 Superior concha
7 중간코선반 Middle concha
8 위턱굴구멍 Maxillary hiatus
9 아래코선반 Inferior concha
10 아래콧길 Inferior meatus
11 앞코가시와 위턱뼈 Anterior nasal spine and maxilla
12 턱끝가시 Mental spine or genial tubercle
13 중간뇌막동맥고랑 Groove for middle meningeal artery
14 안장등 Dorsum sellae
15 속귀길 Internal acoustic meatus
16 구불정맥굴고랑 Groove for sigmoid sinus
17 혀밑신경관 Hypoglossal canal
18 뒤통수뼈관절융기 Occipital condyle
19 관절돌기 Condylar process
20 가쪽날개판 날개돌기 Lateral pterygoid plate of pterygoid process
21 안쪽날개판 날개돌기Medial pterygoid plate of pterygoid process
22 턱뼈혀돌기 Lingula of mandible
23 턱뼈구멍 Mandibular foramen
24 턱목뿔근신경고랑 Mylohyoid groove
25 턱목뿔근선 Mylohyoid line
26 턱밑샘오목 Submandibular fovea

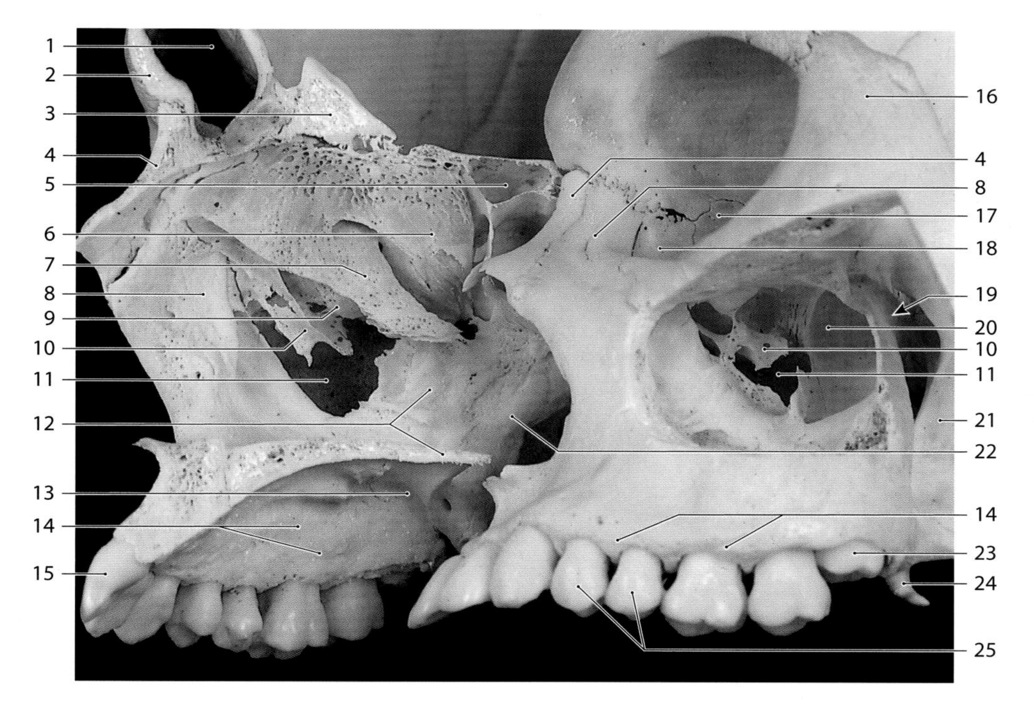

그림 8.35 **머리뼈의 얼굴부분**(얼굴머리뼈), 두 부분(가쪽과 안쪽)으로 나뉘어짐. 오른쪽 아래코선반은 위턱굴구멍을 볼 수 있도록 제거하였다. 왼쪽 위턱굴은 열려있다.

1 이마굴 Frontal sinus
2 이마뼈 Frontal bone
3 볏돌기 Crista galli
4 코뼈 Nasal bone
5 나비굴 Sphenoidal sinus
6 위코선반 Superior concha } 벌집뼈 of ethmoidal bone
7 중간코선반 Middle concha } 벌집뼈 of ethmoidal bone
8 위턱뼈의 이마돌기 Frontal process of maxilla
9 벌집뼈융기 Ethmoidal bulla
10 갈고리돌기 Uncinate process
11 위턱굴구멍 Maxillary hiatus
12 입천장뼈 Palatine bone
13 큰입천장구멍 Greater palatine foramen
14 위턱뼈의 이틀돌기 Alveolar process of maxilla
15 앞니 Central incisor
16 광대뼈 Zygomatic bone
17 벌집뼈 Ethmoidal bone
18 눈물뼈 Lacrimal bone
19 날개입천장오목 Pterygopalatine fossa
20 위턱굴 Maxillary sinus
21 가쪽날개판 Lateral pterygoid plate
22 안쪽날개판 Medial pterygoid plate
23 셋째큰어금니 Third molar tooth
24 날개갈고리 Pterygoid hamulus
25 두 작은어금니 Two premolar teeth

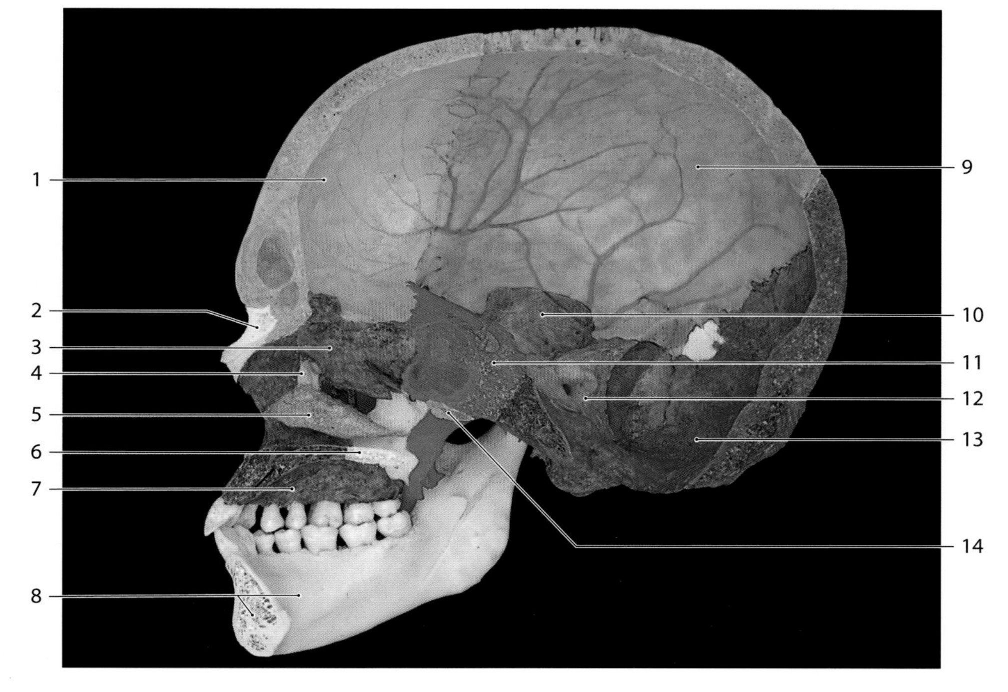

그림 8.36 **머리뼈의 정중단면.** 코중격은 제거하였다. 각각의 머리뼈는 다른 색깔로 구분하였다.

뼈(색깔로 구분)
1 이마뼈(노란색) Frontal bone (yellow)
2 코뼈(흰색) Nasal bone (white)
3 벌집뼈(짙은초록색) Ethmoidal bone (dark green)
4 눈물뼈(노란색) Lacrimal bone (yellow)
5 코선반뼈(분홍색) Inferior nasal concha (pink)
6 입천장뼈(흰색) Palatine bone (white)
7 위턱뼈(보라색) Maxilla (violet)
8 아래턱뼈(흰색) Mandible (white)
9 마루뼈(옅은초록색) Parietal bone (light green)
10 관자뼈(갈색) Temporal bone (brown)
11 나비뼈(빨간색) Sphenoidal bone (red)
12 관자뼈의 바위부분(갈색) Petrous part of temporal bone (brown)
13 뒤통수뼈(파란색) Occipital bone (blue)
14 보습뼈날개(옅은갈색) Ala of vomer (light brown)

사람은 진화과정에서 직립보행하는 자세로 발달했기 때문에 머리뼈 안의 크기가 크게 증가한 반면 얼굴뼈는 크기가 작아졌다. 그 결과 머리뼈의 바닥은 비스듬틀과 체판사이의 각도가 120°로 발달되었다(350 페이지의 그림 8.2 참조). 뇌하수체를 담고있는 뇌하수체오목은 이 두 판 사이의 경계부분에 있다.

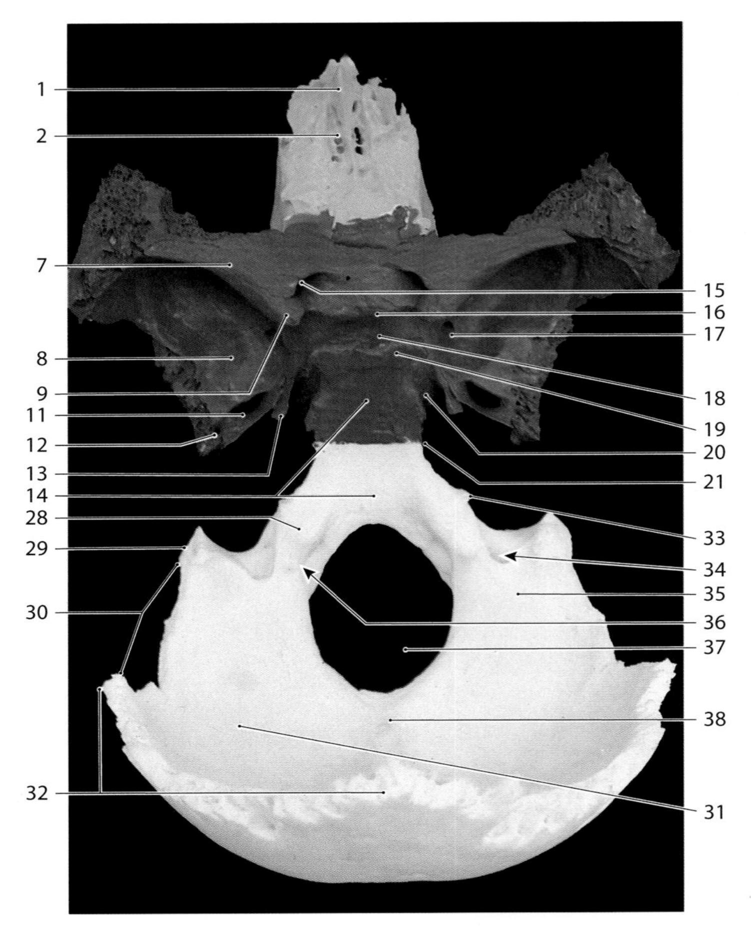

그림 8.37 **분리된 머리뼈바닥.** 벌집뼈, 나비뼈와 뒤통수뼈(위모습).
초록색 = 나비뼈; 노란색 = 벌집뼈.

벌집뼈

1 볏돌기 Crista galli
2 체판 Cribriform plate
3 벌집뼈벌집 Ethmoidal air cells
4 중간코선반 Middle concha
5 수직판(코중격 부분)
Perpendicular plate (part of nasal septum)
6 눈확판 Orbital plate

나비뼈

7 작은날개 Lesser wing
8 큰날개 Greater wing
9 앞침대돌기 Anterior clinoid process
10 뒤침대돌기 Posterior clinoid process
11 타원구멍 Foramen ovale
12 뇌막동맥구멍 Foramen spinosum
13 나비뼈혀돌기 Lingula of the sphenoidal bone
14 비스듬틀 Clivus
15 시각신경관 Optic canal
16 안장결절 Tuberculum sellae
17 원형구멍(오른쪽) Foramen rotundum (right side)
18 뇌하수체오목(안장) Hypophysial fossa (sella turcica)
19 안장등 Dorsum sellae
20 목동맥고랑 Carotid sulcus
21 나비뒤통수연골결합 Spheno-occipital synchondrosis
22 가쪽날개판 Lateral pterygoid plate
23 나비뼈큰날개(눈확면)
Greater wing of sphenoidal bone (orbital surface)
24 나비뼈큰날개(위턱면)
Greater wing of sphenoidal bone (maxillary surface)
25 원형구멍(왼쪽) Foramen rotundum (left side)
26 위눈확틈새 Superior orbital fissure
27 큰날개의 관자아래능선
Infratemporal crest of the greater wing

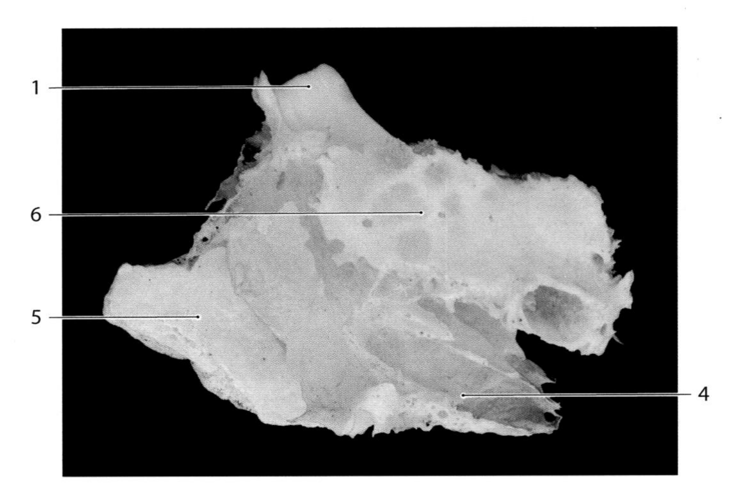

그림 8.38 **벌집뼈**(가쪽면), 오른쪽 뒤부분.

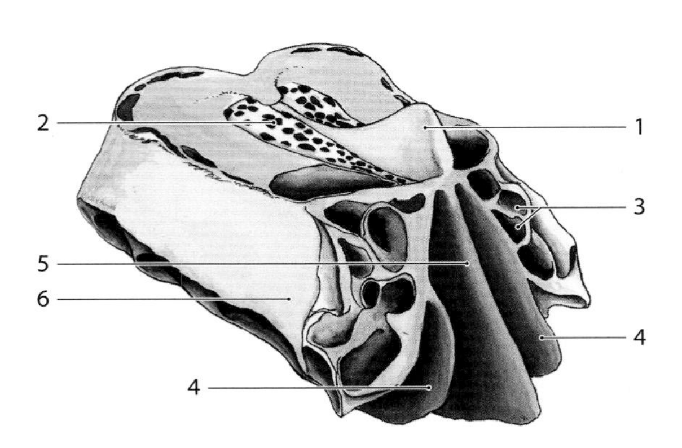

그림 8.39 **벌집뼈**(앞가쪽면).

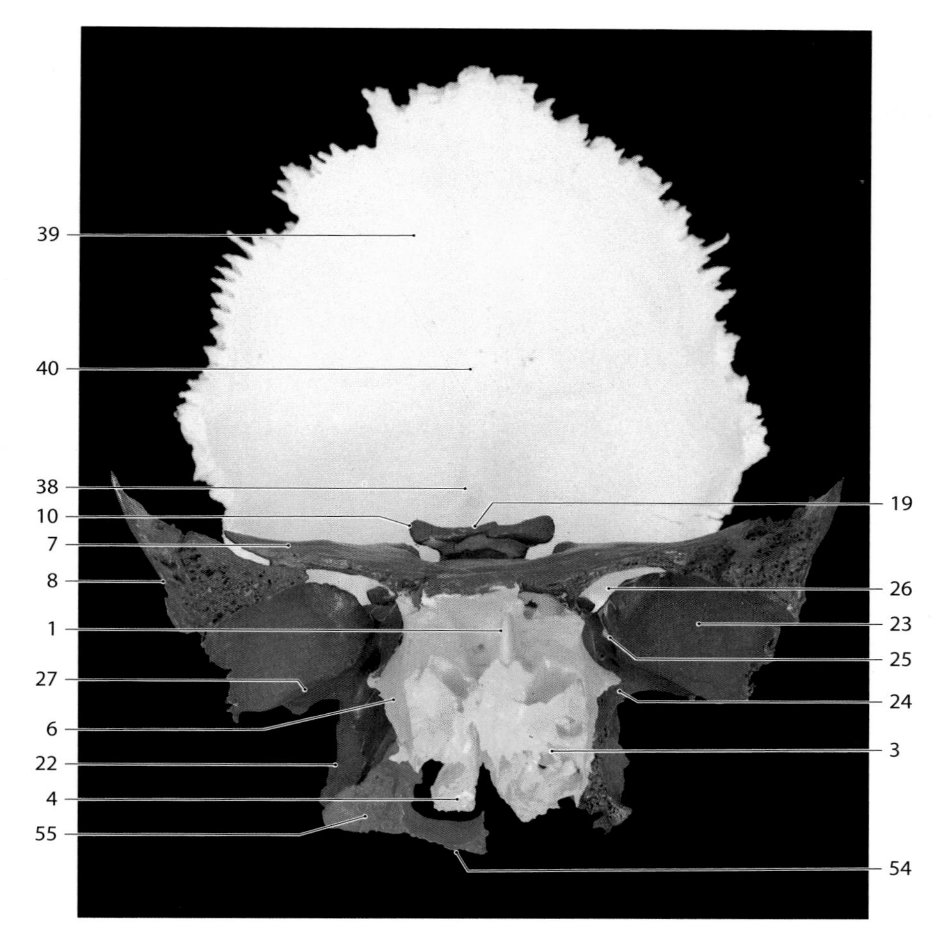

그림 8.40 **분리된 머리뼈바닥 부분**(앞면).
초록색 = 나비뼈; 노란색 = 벌집뼈; 빨간색 = 입천장뼈.

뒤통수뼈
28 목정맥구멍결절 Jugular tubercle
29 목정맥구멍돌기 Jugular process
30 꼭지모서리 Mastoid margin
31 뒤머리뼈우묵 Posterior cranial fossa
32 시옷모서리 Lambdoid margin
33 목정맥구멍속돌기 Intrajugular process
34 관절융기관 Condylar canal
35 뒤통수뼈의 가쪽부분
Lateral part of occipital bone
36 혀밑신경관 Hypoglossal canal
37 큰구멍 Foramen magnum
38 속뒤통수뼈능선 Internal occipital crest
39 뒤통수뼈의 비늘부분 Squamous part of occipital bone
40 속뒤통수뼈융기 Internal occipital protuberance

위턱뼈
41 눈확면 Orbital surface
42 눈확아래고랑 Infra-orbital groove
43 위턱뼈융기와 이틀구멍
Maxillary tuberosity with foramina
44 이마돌기 Frontal process
45 눈물고랑 Nasolacrimal groove
46 눈확아래모서리 Infra-orbital margin
47 앞코가시 Anterior nasal spine
48 광대돌기 Zygomatic process
49 이틀돌기 Alveolar process

입천장뼈
50 눈확돌기 Orbital process
51 나비입천장파임 Sphenopalatine notch
52 나비돌기 Sphenoidal process
53 수직판 Perpendicular plate
54 수평판 Horizontal plate
55 날개파임돌기 Pyramidal process

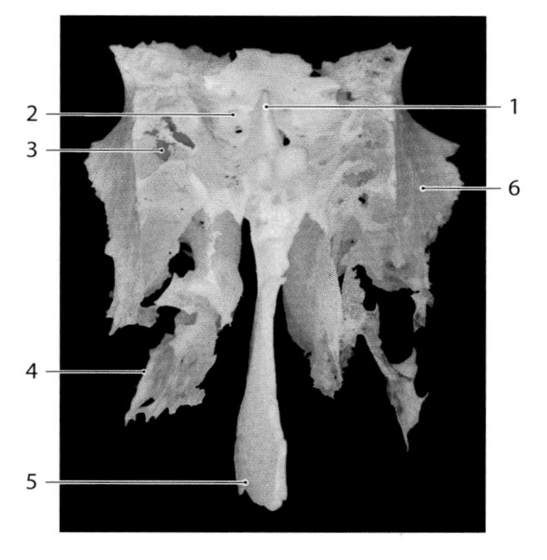

그림 8.41 **벌집뼈**(앞면).

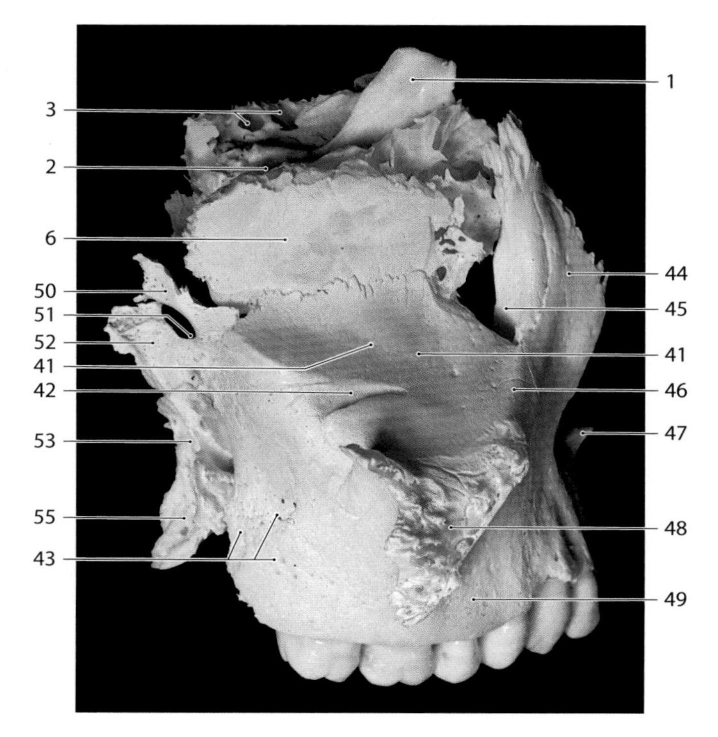

그림 8.42 **오른쪽 위턱뼈, 벌집뼈 및 입천장뼈**(가쪽면).

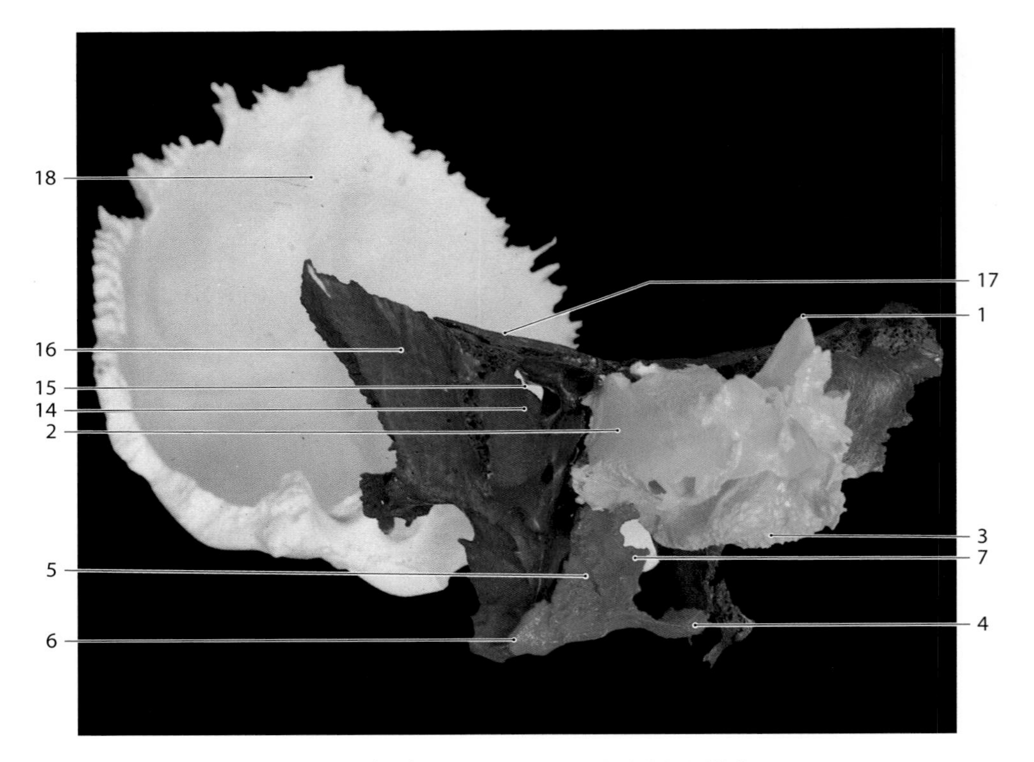

그림 8.43 **분리된 머리뼈바닥 부분**(앞면). 앞그림과 비슷하나 입천장뼈가 붙어있다.
초록색 = 나비뼈; 노란색 = 벌집뼈; 빨간색 = 입천장뼈

벌집뼈

1 볏돌기 Crista galli
2 눈확판 Orbital plate
3 중간코선반 Middle concha

입천장뼈

4 수평판 Horizontal plate of palatine bone
5 큰입천장관 Greater palatine canal
6 날개파임돌기 Pyramidal process
7 위턱돌기 Maxillary process
8 눈확돌기 Orbital process
9 나비입천장파임 Sphenopalatine notch
10 입천장뼈의 수직판 Perpendicular plate of palatine bone
11 코선반능선 Conchal crest
12 코능선 Nasal crest
13 나비돌기 Sphenoidal process

나비뼈

14 큰날개 Greater wing
15 위눈확틈새 Superior orbital fissure
16 큰날개 Greater wing (orbital surface)
17 작은날개 Lesser wing

뒤통수뼈

18 뒤통수뼈의 비늘부분 Squamous part of occipital bone

위턱뼈

19 위턱뼈융기 Maxillary tuberosity
20 이마돌기 Frontal process
21 눈확면 Orbital surface
22 눈확아래모서리 Infra-orbital margin
23 눈확아래고랑 Infra-orbital groove
24 광대돌기 Zygomatic process
25 이틀돌기 Alveolar process

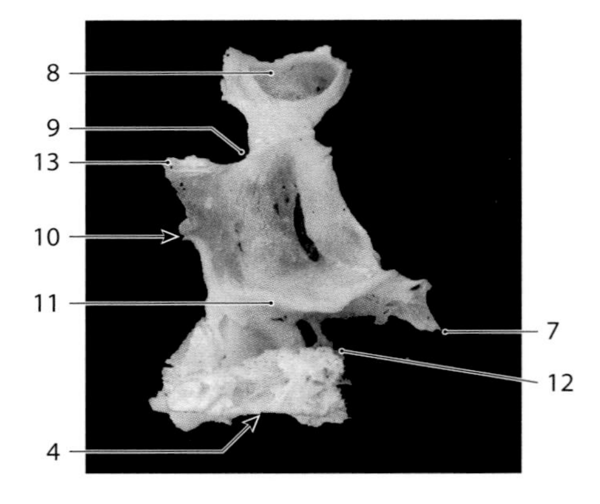

그림 8.44 **왼쪽 입천장뼈**(안쪽면, 왼쪽 뒤면).

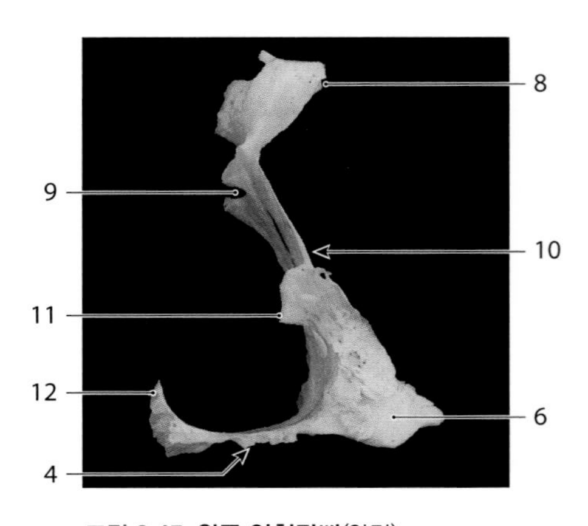

그림 8.45 **왼쪽 입천장뼈**(앞면).

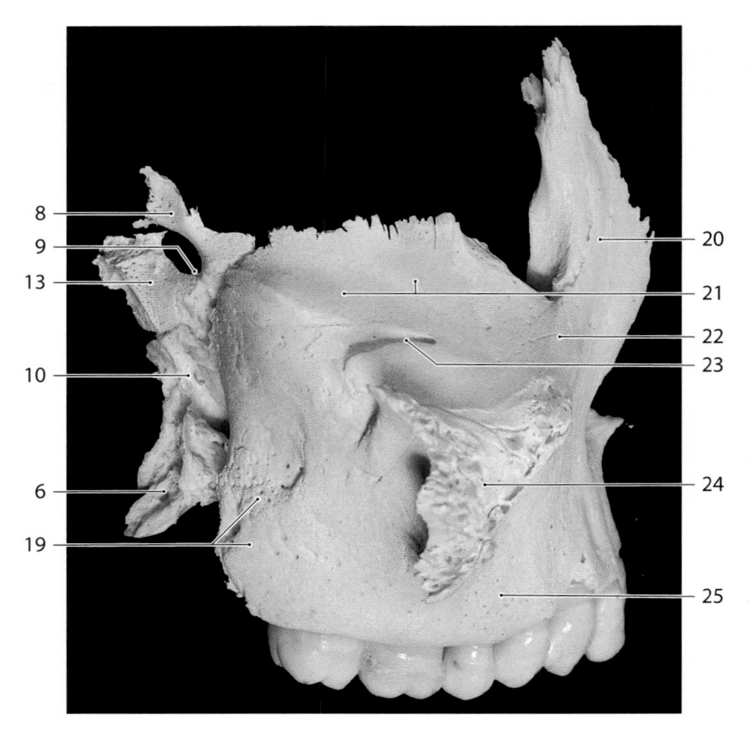

그림 8.46 **오른쪽 위턱뼈와 입천장뼈**(가쪽면).

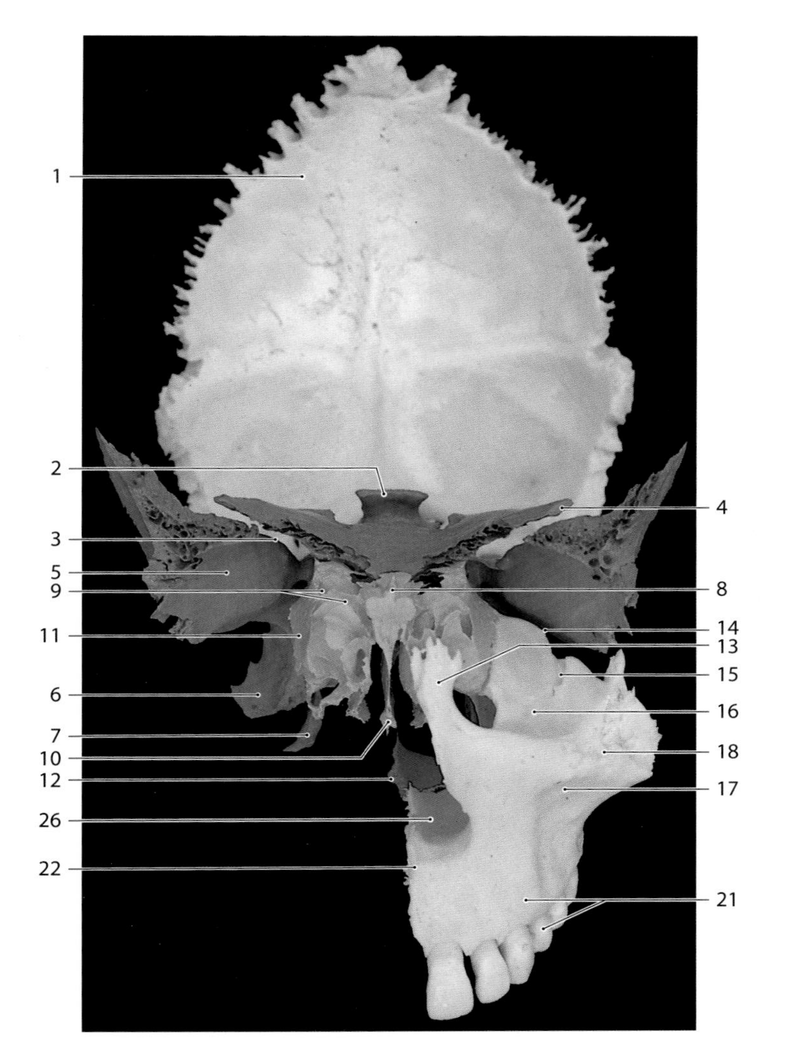

그림 8.47 **분리된 머리뼈바닥 부분**(앞면). 앞 표본에 왼쪽 위턱뼈가 추가되었다.

뒤통수뼈
1 비늘부분 Squamous part

나비뼈
2 안장등 Dorsum sellae
3 위눈확틈새 Superior orbital fissure
4 작은날개 Lesser wing
5 큰날개(눈확면) Greater wing (orbital surface)
6 가쪽날개판 Lateral pterygoid plate
7 안쪽날개판 Medial pterygoid plate

벌집뼈
8 볏돌기 Crista galli
9 벌집 Ethmoidal air cells
10 수직판 Perpendicular plate
11 눈확판 Orbital plate

입천장뼈
12 수평판(코능선) Horizontal plate (nasal crest)

위턱뼈
13 이마돌기 Frontal process
14 아래눈확틈새 Inferior orbital fissure
15 눈확아래고랑 Infra-orbital groove
16 눈확면 Orbital surface
17 눈확아래구멍 Infra-orbital foramen
18 광대돌기 Zygomatic process
19 앞눈물능선 Anterior lacrimal crest
20 송곳니오목 Canine fossa
21 이틀돌기와 치아 Alveolar process with teeth
22 앞코가시 Anterior nasal spine
23 이틀융기 Juga alveolaria (elevations formed by roots of teeth)
24 눈물고랑 Lacrimal groove
25 위턱뼈융기와 이틀구멍 Maxillary tuberosity with alveolar foramina
26 입천장돌기 Palatine process of maxilla

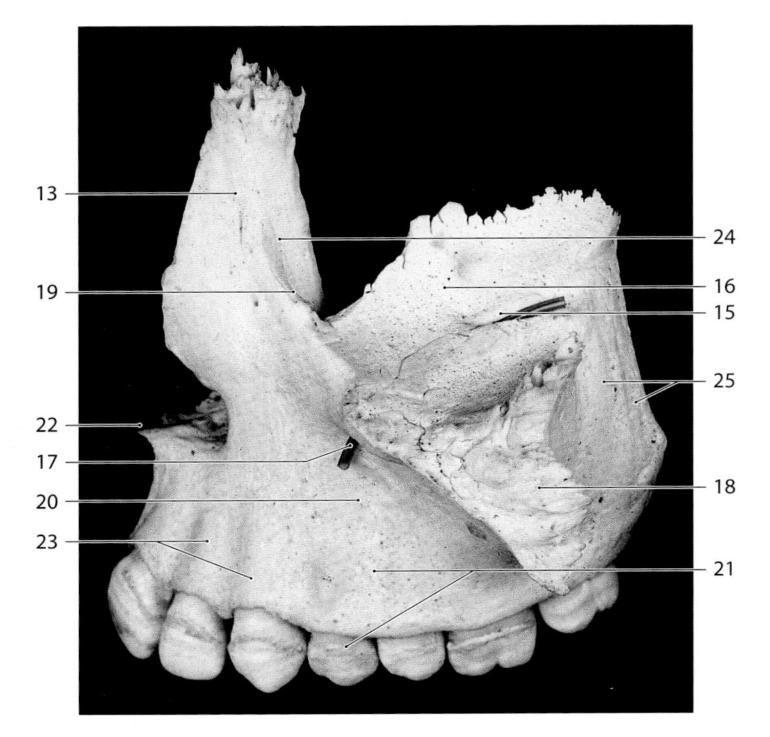

그림 8.48 **왼쪽 위턱뼈**(가쪽면). 더듬자 = 눈확아래관.

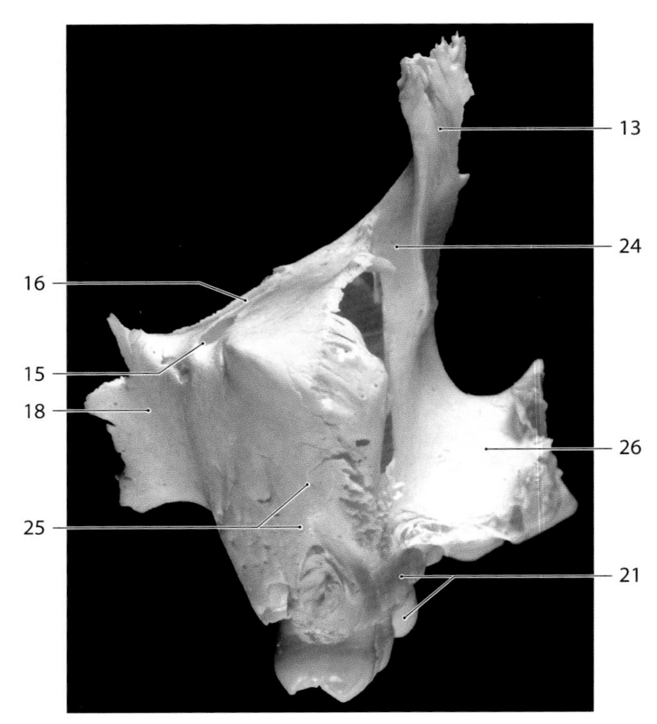

그림 8.49 **왼쪽 위턱뼈**(뒤면).

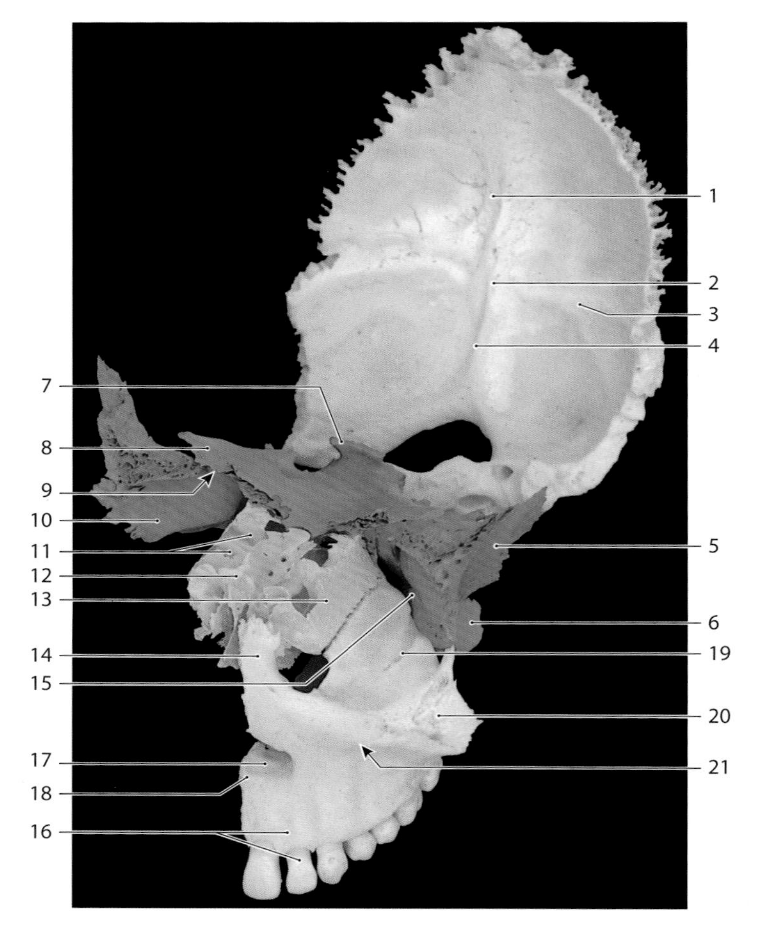

그림 8.50 **분리된 머리뼈바닥 부분**(앞가쪽면). 얼굴뼈의 일부가 있다.
초록색 = 나비뼈; 노란색 = 벌집뼈; 빨간색 = 입천장뼈.

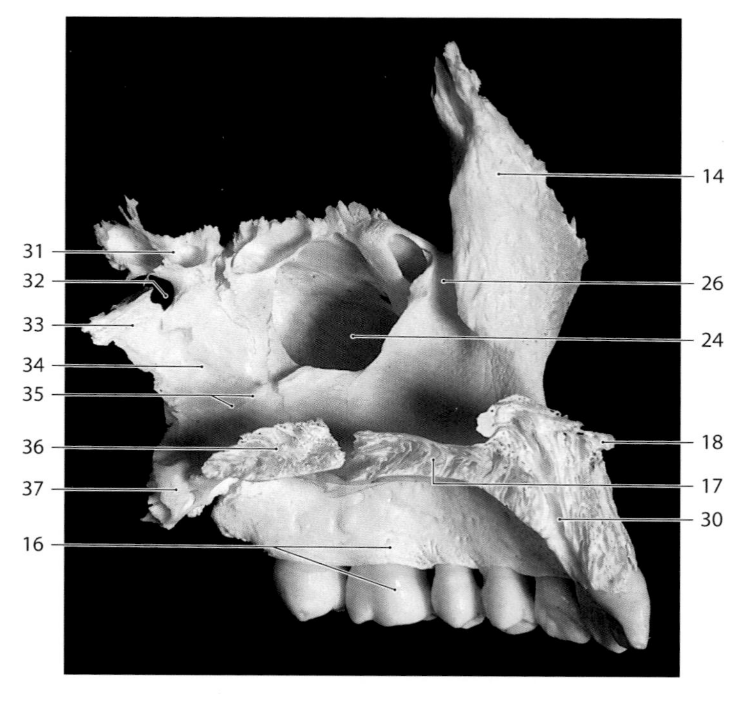

그림 8.51 **왼쪽 위턱뼈와 입천장뼈**(안쪽면).

뒤통수뼈
1 위시상정맥굴고랑 Groove for superior sagittal sinus
2 속뒤통수뼈융기 Internal occipital protuberance
3 가로정맥굴고랑 Groove for transverse sinus
4 속뒤통수뼈능선 Internal occipital crest

나비뼈
5 큰날개(관자면) Greater wing (temporal surface)
6 가쪽날개판 Lateral pterygoid plate
7 안장등 Dorsum sellae
8 작은날개 Lesser wing
9 위눈확틈새 Superior orbital fissure
10 큰날개(눈확면) Greater wing (orbital surface)

벌집뼈
11 벌집 Ethmoidal air cells
12 볏돌기 Crista galli
13 눈확판 Orbital plate

위턱뼈
14 이마돌기 Frontal process
15 아래눈확틈새 Inferior orbital fissure
16 이틀돌기와 치아 Alveolar process with teeth
17 입천장돌기 Palatine process
18 앞코가시 Anterior nasal spine
19 눈확아래고랑 Infra-orbital groove
20 광대돌기 Zygomatic process
21 눈확아래구멍 위치 Location of infra-orbital foramen
22 중간콧길 Middle nasal meatus
23 아래콧길 Inferior nasal meatus
24 위턱굴구멍 Maxillary hiatus (leading to maxillary sinus)
25 셋째큰어금니 Third molar
26 눈물고랑 Lacrimal groove
27 코선반능선 Conchal crest
28 위턱뼈몸통(코면) Body of maxilla (nasal surface)
29 코능선 Nasal crest
30 앞니관 Incisive canal

입천장뼈
31 눈확돌기 Orbital process
32 나비입천장파임 Sphenopalatine notch
33 나비돌기 Sphenoidal process
34 수직판 Perpendicular plate
35 코선반능선 Conchal crest
36 수평판 Horizontal plate
37 날개파임돌기 Pyramidal process

이마뼈
38 비늘부분 Squamous part
39 눈확위구멍 Supra-orbital foramen
40 이마뼈파임 Frontal notch
41 이마뼈가시 Frontal spine

아래코선반
42 아래코선반과 위턱돌기
Inferior nasal concha with maxillary process

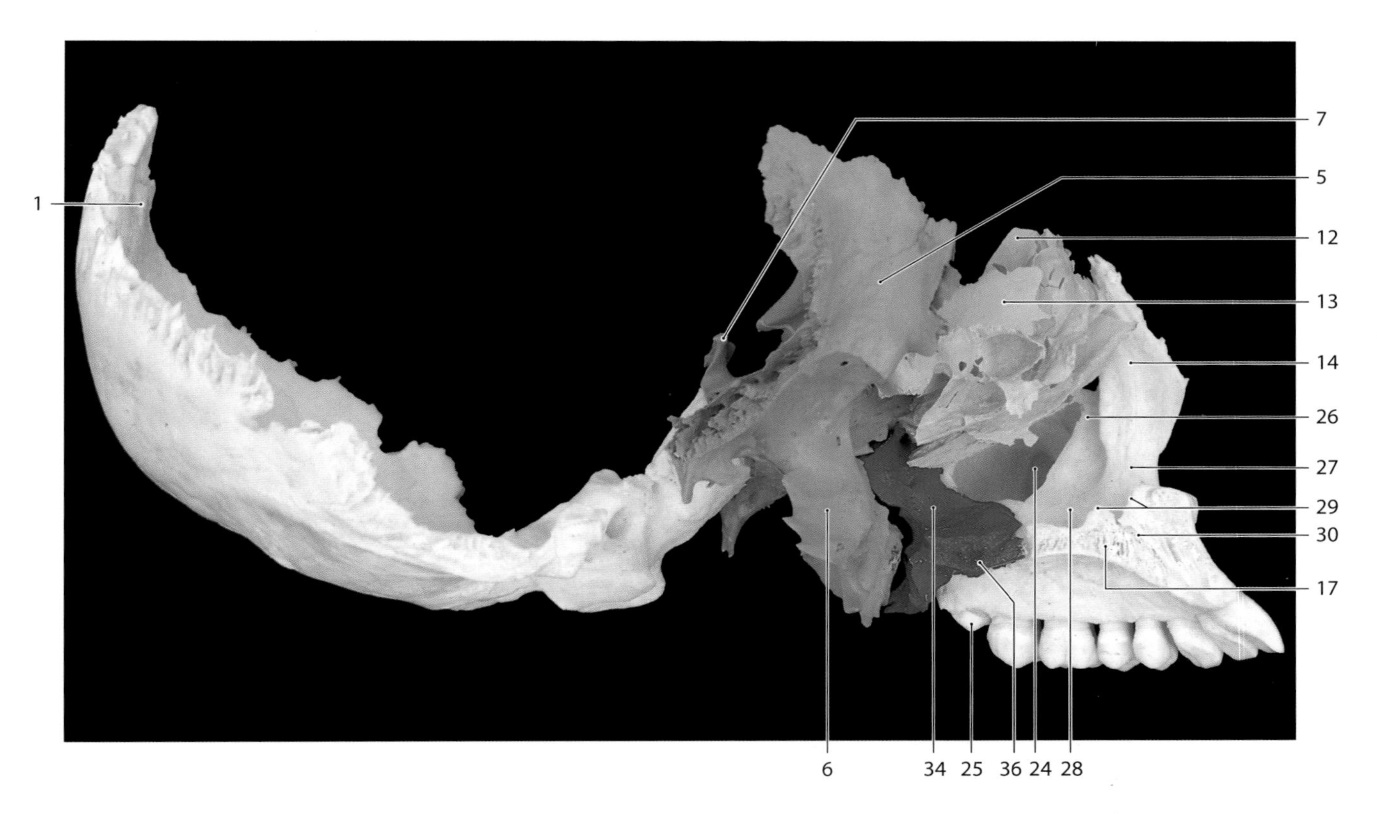

그림 8.52 **분리된 머리뼈바닥 부분**(안쪽면). 초록색 = 나비뼈; 노란색 = 벌집뼈; 빨간색 = 입천장뼈; 원래색 = 왼쪽 위턱뼈.

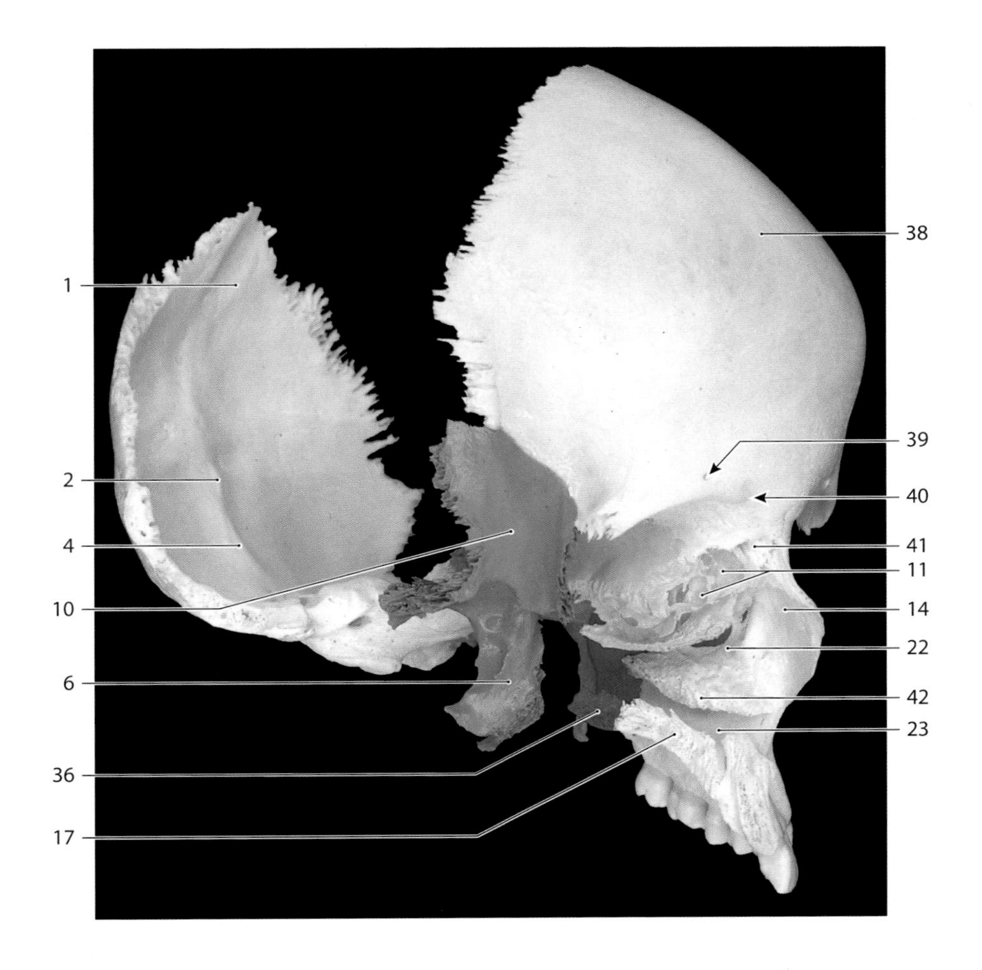

그림 8.53 **분리된 머리뼈바닥 부분**(비스듬가쪽면). 그림 8.52 표본에서 이마뼈가 더 붙었다.

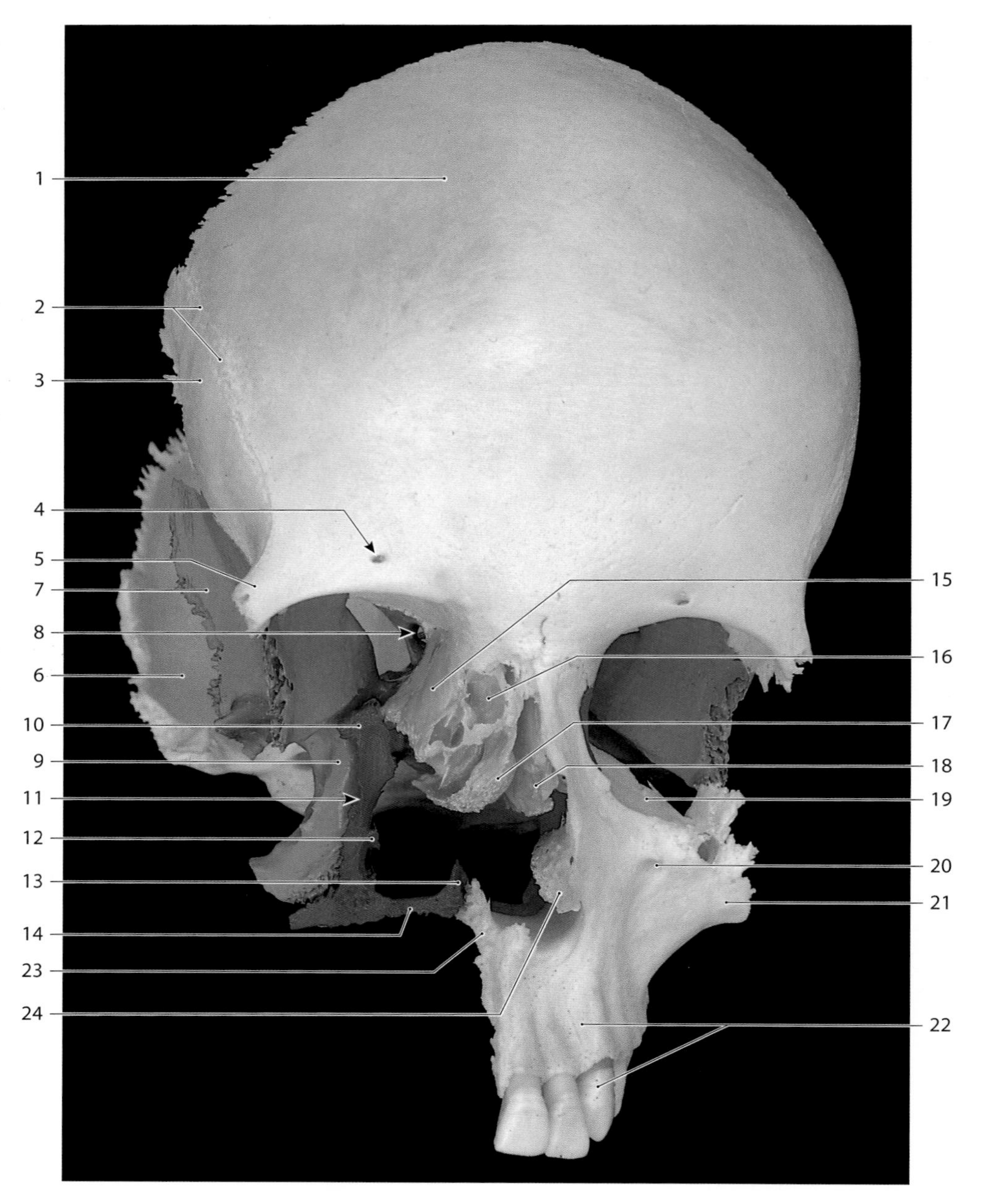

그림 8.54 **입천장뼈와 위턱뼈**가 벌집뼈와 나비뼈에 연결된 것을 보여주는 분리된 머리뼈 부분(앞면).

이마뼈
1 비늘부분 squamous part
2 아래관자선 Inferior temporal line
3 관자면 Temporal surface
4 눈확위구멍 Supra-orbital foramen
5 광대돌기 Zygomatic process

뒤통수뼈
6 비늘부분 squamous part

나비뼈
7 큰날개(관자면) Greater wing (temporal suface)
8 작은날개의 시각신경관
Optic canal within the lesser wing
9 가쪽날개판 Lateral pterygoid plate

입천장뼈
10 눈확돌기 Orbital process
11 수직판 Perpendicular plate
12 코선반능선 Conchal crest
13 코능선 Nasal crest
14 수평판 Horizontal plate

벌집뼈
15 눈확판 Orbital plate
16 벌집 Ethmoidal air cell
17 중간코선반 Middle concha
18 수직판(뼈코중격부분)
Perpendicular plate
(part of bony nasal septum)

위턱뼈
19 눈확아래고랑 Infra-orbital groove
20 눈확아래구멍 Infra-orbital foramen
21 광대돌기 Zygomatic process
22 이틀돌기와 치아 Alveolar process with teeth
23 입천장돌기 Palatine process

왼쪽코선반뼈
24 코선반뼈의 앞부분
Anterior part of inferior concha

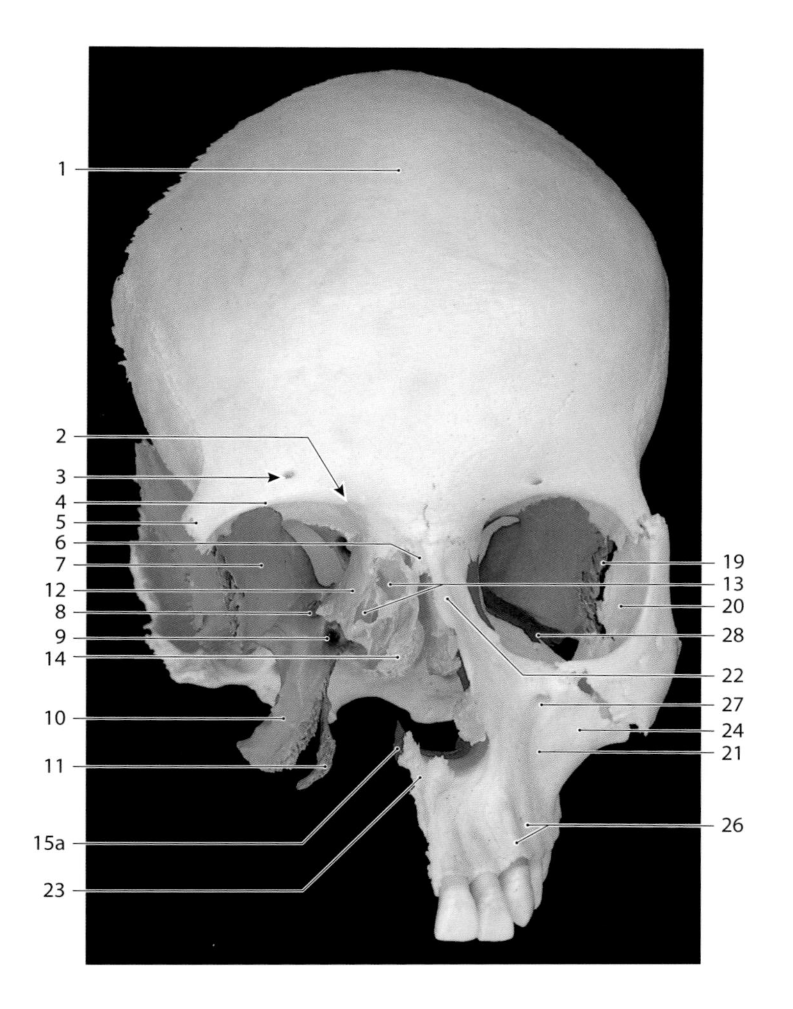

그림 8.55 **위턱뼈가 이마뼈와 광대뼈에 연결된 모습을 보여주는 분리된 머리뼈 부분**(앞면). 노란색 = 벌집뼈; 빨간색 = 입천장뼈; 초록색 = 나비뼈.

이마뼈
1 비늘부분 Squamous part
2 이마뼈파임 Frontal notch
3 눈확위구멍 Supra-orbital foramen
4 눈확위모서리 Supra-orbital margin
5 광대돌기 Zygomatic process
6 이마뼈가시 Frontal spine

나비뼈
7 큰날개(눈확면) Greater wing (orbital surface)
8 원형구멍 Foramen rotundum
9 날개관 Pterygoid or Vidian canal
10 가쪽날개판 Lateral pterygoid plate
11 안쪽날개판 Medial pterygoid plate

벌집뼈
12 눈확판 Orbital plate
13 벌집 Ethmoidal air cells
14 중간코선반 Middle concha

입천장뼈
15 수평판 Horizontal plate
15a 코능선 Nasal crest
16 날개파임돌기 Pyramidal process
17 작은입천장구멍 Lesser palatine foramen
18 큰입천장구멍 Greater palatine foramen

광대뼈
19 이마돌기 Frontal process
20 눈확면 Orbital surface

위턱뼈
21 송곳니오목 Canine fossa
22 이마돌기 Frontal process
23 입천장돌기 Palatine process
24 광대돌기 Zygomatic process
25 이틀돌기와 치아 Alveolar process and teeth
26 이틀융기 Juga alveolaria
27 눈확아래구멍 Infra-orbital foramen
28 눈확아래고랑 Infra-orbital groove
29 뼈콧구멍 Anterior nasal aperture
30 앞코가시 Anterior nasal spine

앞니뼈
31 안쪽앞니와 앞니뼈 Central incisor and incisive bone or premaxilla
32 앞니오목 Incisive fossa

보습뼈
33 보습뼈날개 Ala of the vomer

봉합과 뒤콧구멍
34 정중입천장봉합 Median palatine suture
35 가로입천장봉합 Transverse palatine suture
36 뒤콧구멍 Choanae

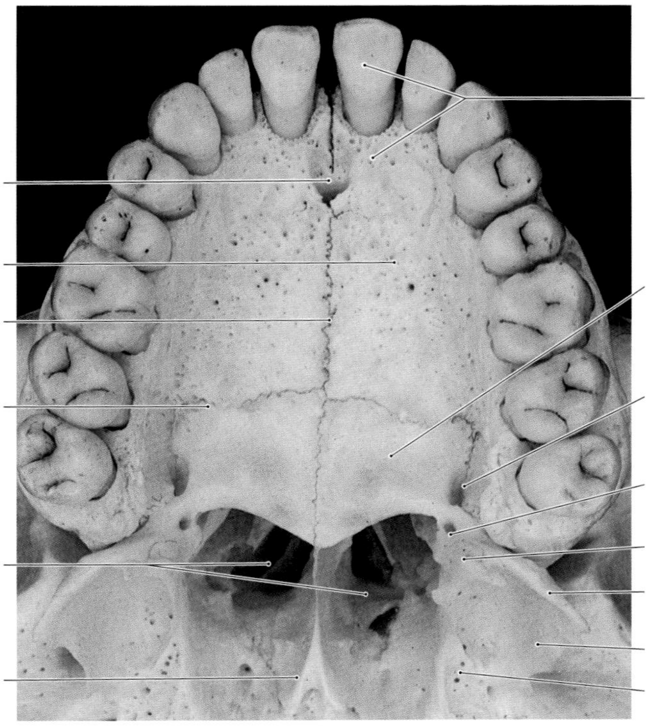

그림 8.56 **뼈입천장과 위턱뼈의 치아**(아래면).

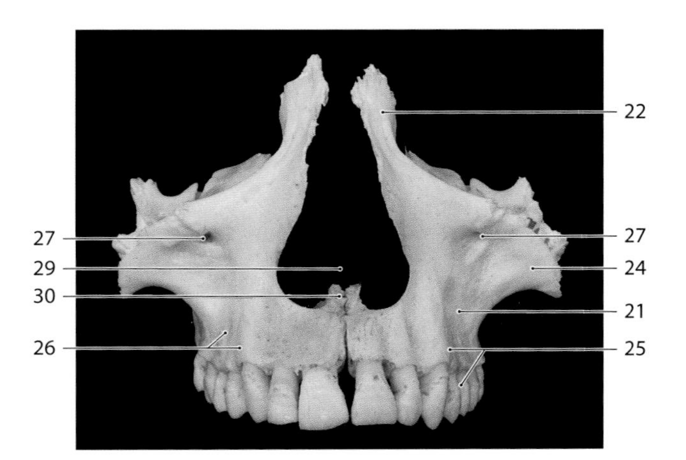

그림 8.57 **앞 뼈콧구멍을 보여주는 양쪽 위턱뼈의 앞면.**

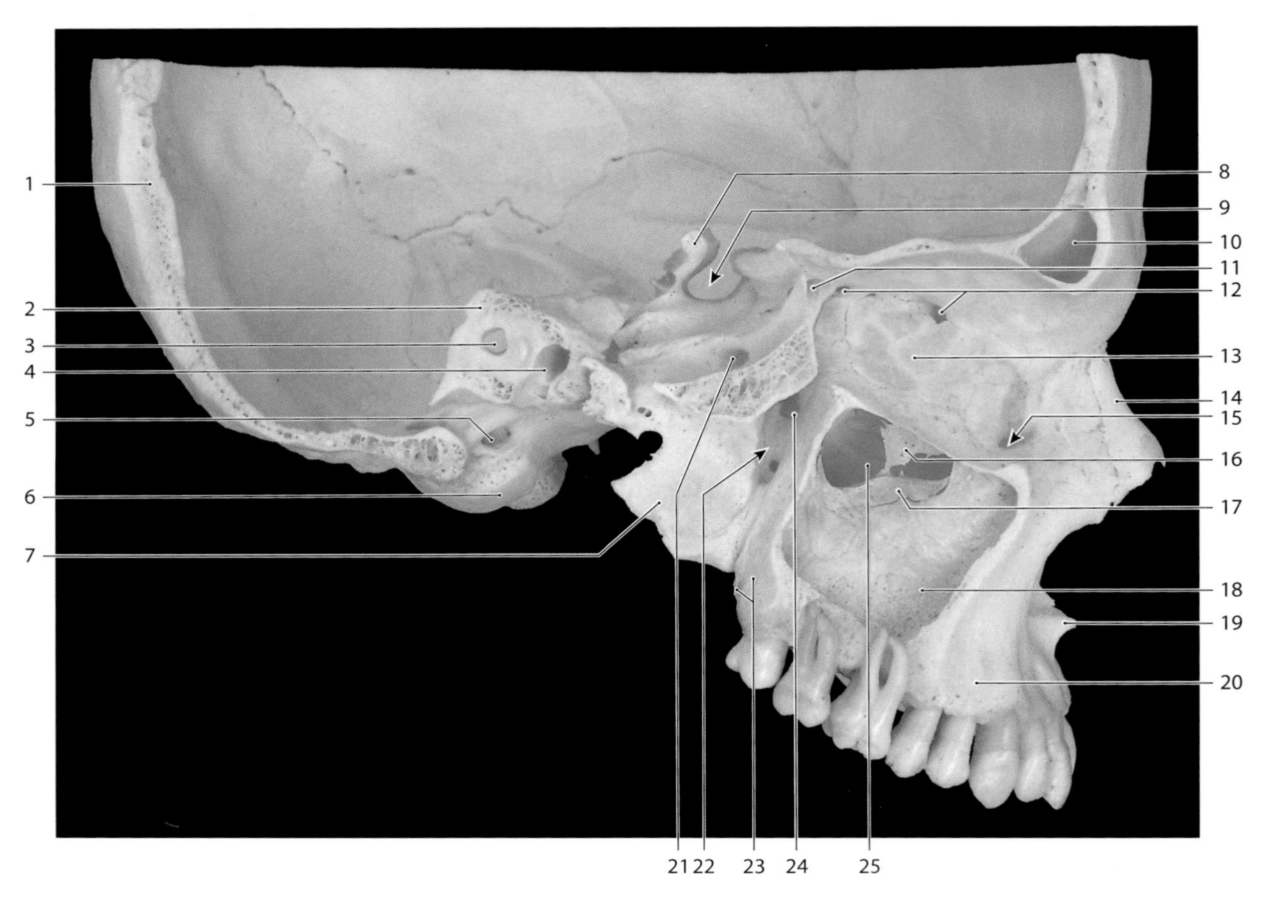

그림 8.58 **날개입천장오목, 위턱굴과 눈확.** 머리뼈의 정중옆면 절단면(오른쪽, 가쪽면). 이마굴과 위턱굴이 열려있다.

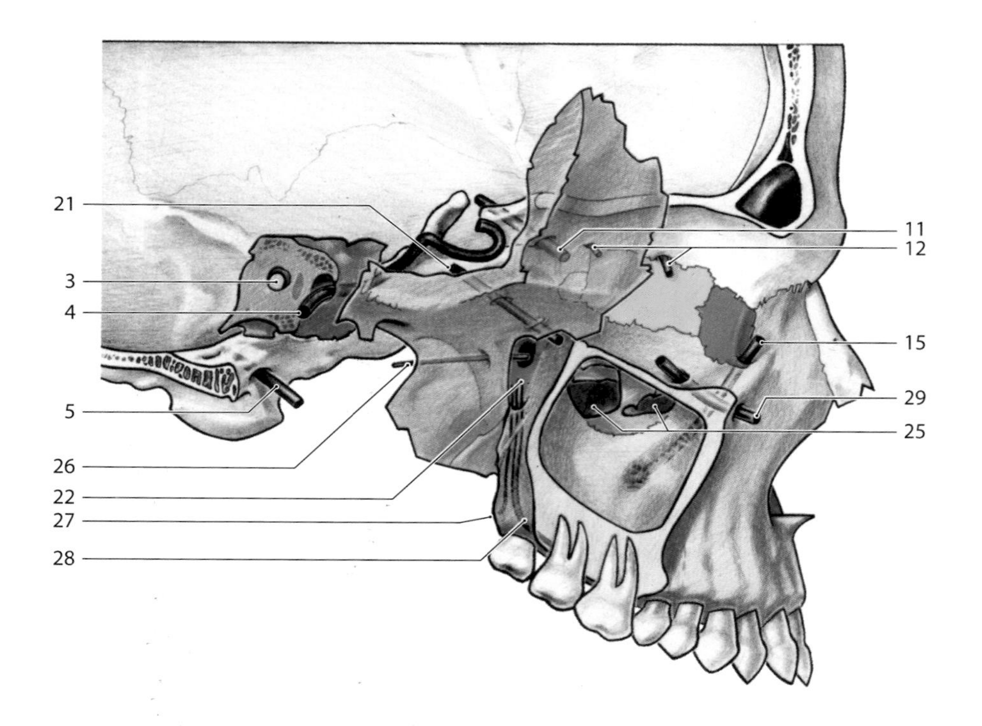

그림 8.59 **오른쪽 눈확과 날개입천장오목의 연결을 나타내는 관과 구멍**(위의 그림 8.58 참조). 나비뼈큰날개가 투명하게 보인다. 갈색 = 관자뼈; 노란색 = 벌집뼈; 초록색 = 나비뼈; 빨간색 = 눈물뼈; 옅은 빨간색 = 아래코선반뼈; 보라색 = 위턱뼈; 빨간색 = 입천장뼈.

1 뒤통수뼈 Occipital bone
2 관자뼈(바위부분) Temporal bone (petrous part)
3 속귀길 Internal acoustic meatus
4 목동맥관 Carotid canal
5 혀밑신경관 Hypoglossal canal
6 뒤통수뼈관절융기 Occipital condyle
7 날개돌기의 가쪽판 Lateral plate of pterygoid process
8 안장등 Dorsum of sella turcica
9 안장 Sella turcica
10 이마굴 Frontal sinus
11 시각신경관 Optic canal
12 앞 및 뒤벌집구멍 Posterior and anterior ethmoidal foramina
13 벌집뼈의 눈확판 Orbital plate of ethmoidal bone
14 코뼈 Nasal bone
15 코눈물뼈관 Nasolacrimal canal
16 갈고리돌기 Uncinate process
17 코선반뼈(위턱돌기) Inferior nasal concha (maxillary process)
18 위턱굴 Maxillary sinus
19 앞코가시 Anterior nasal spine
20 위턱뼈의 이틀돌기 Alveolar process of maxilla
21 원형구멍 Foramen rotundum
22 날개입천장오목 Pterygopalatine fossa
23 위턱뼈융기와 이틀구멍 Tuberosity of maxilla with alveolar foramina
24 나비입천장구멍 Sphenopalatine foramen
25 위턱굴구멍 Maxillary hiatus
26 날개관 Pterygoid or Vidian canal
27 작은입천장관 Lesser palatine canal
28 큰입천장관 Greater palatine canal
29 눈확아래관 Infra-orbital canal

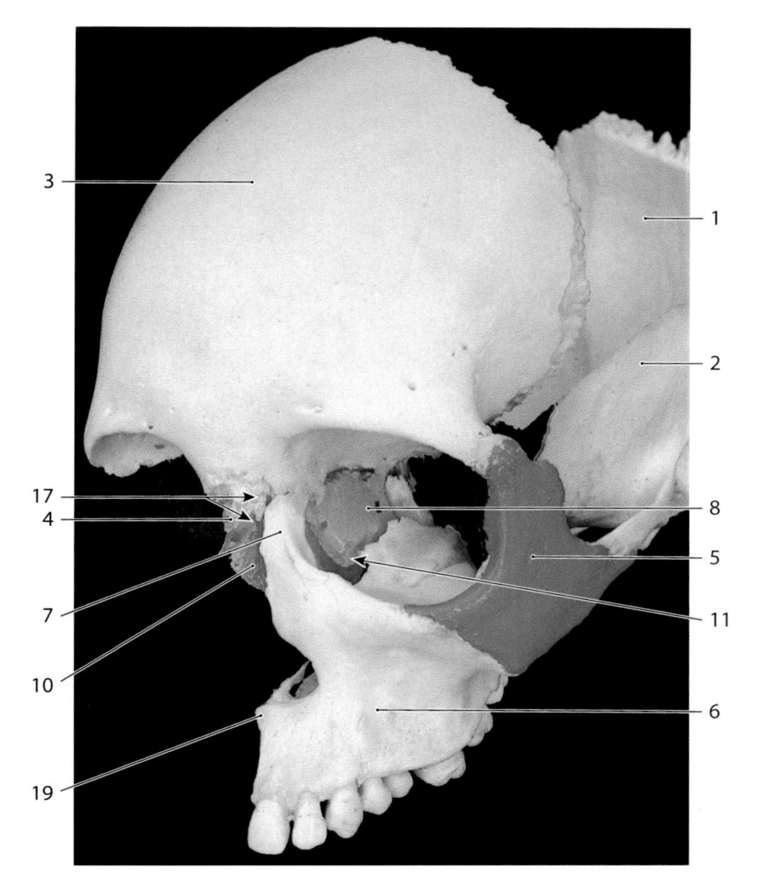

그림 8.60 **분리된 머리뼈 부분**(앞가쪽면). 주황색 = 광대뼈; 노란색 = 벌집뼈; 짙은 초록색 = 나비뼈; 화살표 = 눈물뼈(11)와 코뼈(17)의 위치.

1 뒤통수뼈 Occipital bone
2 관자뼈 Temporal bone
3 이마뼈 Frontal bone
4 이마뼈의 코가시 Nasal spine of frontal bone
5 광대뼈 Zygomatic bone
6 위턱뼈 Maxilla
7 위턱뼈의 이마돌기 Frontal process of maxilla
8 벌집뼈 Ethmoidal bone
9 벌집뼈의 눈확판 Orbital plate of ethmoidal bone
10 벌집뼈수직판 Perpendicular plate of ethmoidal bone
11 눈물뼈의 위치 Site of lacrimal bone
12 눈물뼈의 눈물고랑 Lacrimal groove of lacrimal bone
13 뒤눈물능선 Posterior lacrimal crest
14 눈물주머니오목 Fossa for lacrimal sac
15 눈물뼈갈고리 Lacrimal hamulus
16 코눈물뼈관 Nasolacrimal canal
17 코뼈자리 Site of nasal bone
18 코뼈구멍 Nasal foramina of nasal bone
19 위턱뼈의 앞코가시 Anterior nasal spine of maxilla
20 보습뼈 Vomer
21 나비뼈큰날개 Greater wing of sphenoidal bone
22 앞 및 뒤벌집구멍 Anterior and posterior ethmoidal foramina
23 시각신경관 Optic canal
24 위눈확틈새 Superior orbital fissure
25 아래눈확틈새 Inferior orbital fissure
26 눈확아래고랑 Infra-orbital groove
27 눈확아래구멍 Infra-orbital foramen

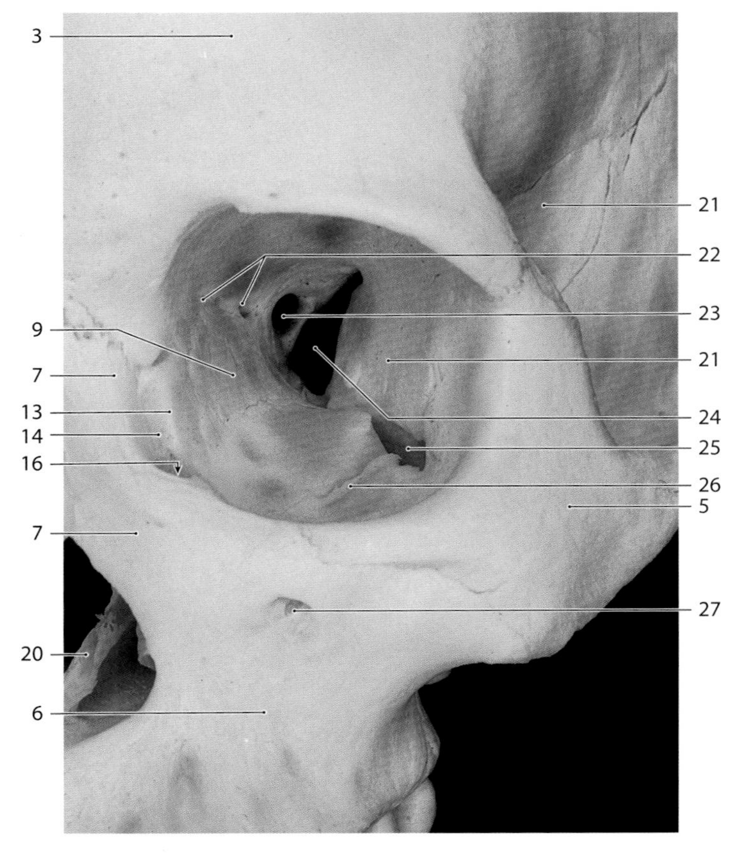

그림 8.61 **왼쪽 눈확**(앞면).

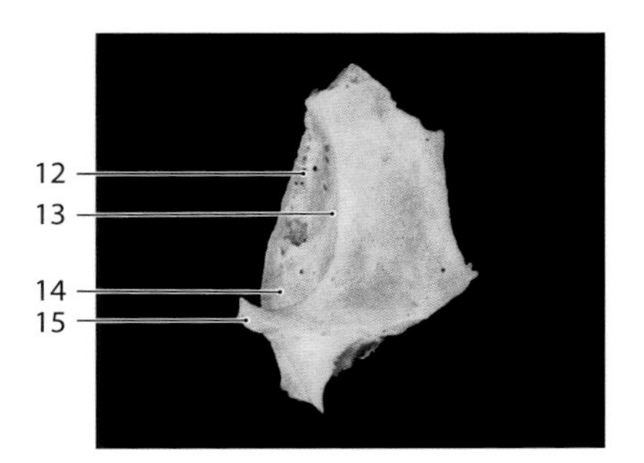

그림 8.62 **왼쪽 눈물뼈**(앞면).

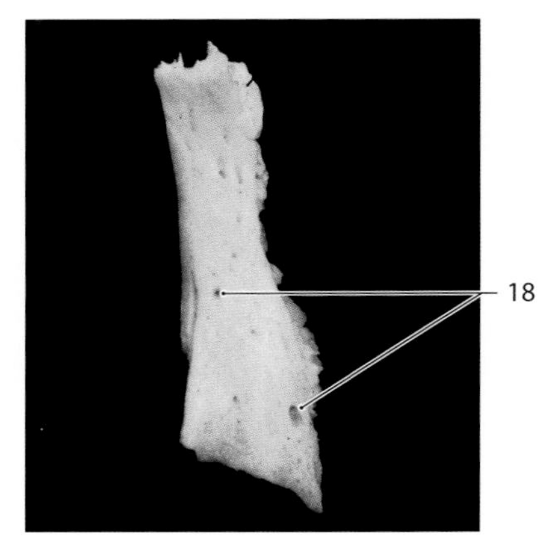

그림 8.63 **왼쪽 코뼈**(앞면).

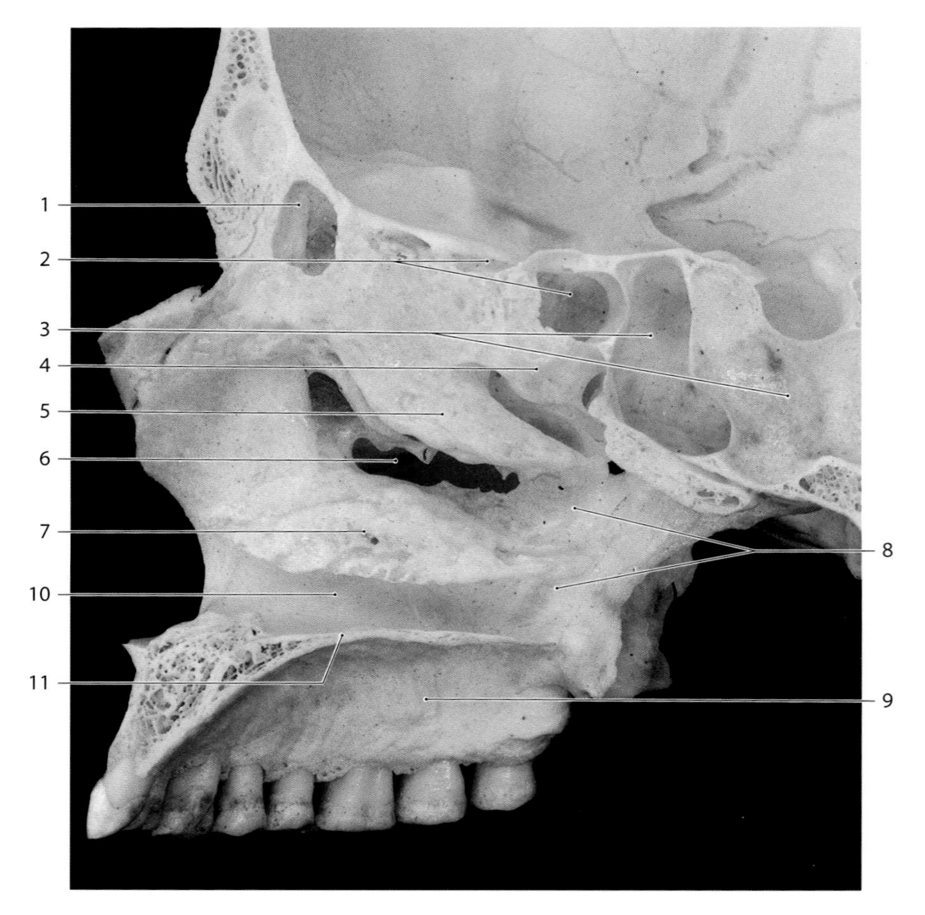

1 이마굴 Frontal sinus
2 벌집뼈벌집 Ethmoidal air cells
3 나비굴 Sphenoidal sinus
4 위코선반 Superior nasal concha
5 중간코선반 Middle nasal concha
6 위턱굴 Maxillary hiatus
7 아래코선반 Inferior nasal concha
8 입천장뼈 Palatine bone
9 위턱뼈 Maxilla
10 아래콧길 Inferior meatus
11 위턱뼈의 입천장돌기 Palatine process of the maxilla

그림 8.64 **코안의 가쪽벽.** 머리뼈의 정중면.

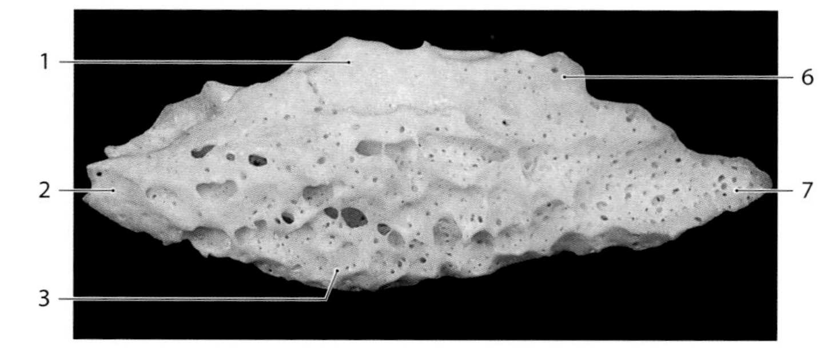

그림 8.65 **오른쪽 코선반뼈**(안쪽면). 왼쪽 앞부분

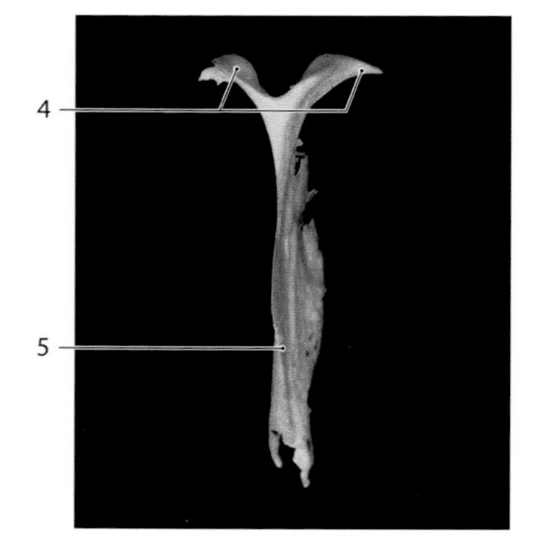

그림 8.67 **보습뼈**(뒤면).

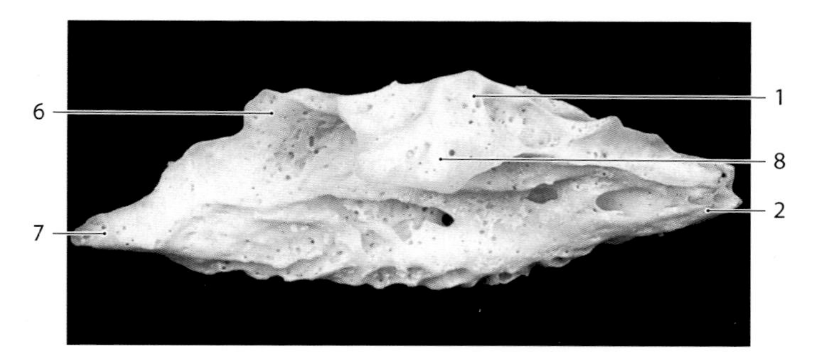

그림 8.66 **오른쪽 코선반뼈**(가쪽면). 오른쪽 앞부분

코선반뼈와 보습뼈

1 벌집돌기 Ethmoidal process
2 코선반뼈의 앞부분 Anterior part of concha
3 아래모서리 Inferior border
4 보습뼈날개 Ala of vomer
5 코중격의 뒤모서리 Posterior border of nasal septum
6 눈물돌기 Lacrimal process
7 코선반뼈의 뒤부분 Posterior part of concha
8 위턱돌기 Maxillary proces

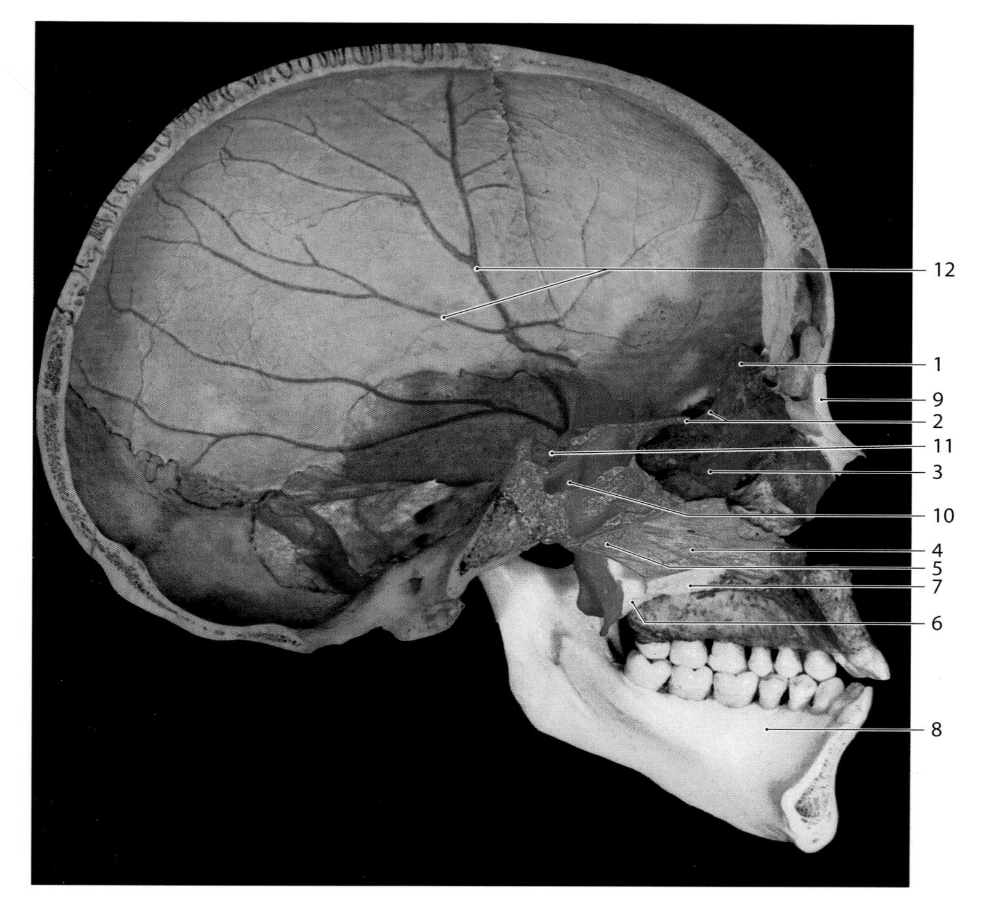

그림 8.68 **코중격을 포함한 머리뼈의 정중면옆 단면.**

1 이볏돌기 Crista galli
2 벌집뼈체판 Cribriform plate of ethmoidal bone
3 벌집뼈수직판 Perpendicular plate of ethmoidal bone
4 보습뼈 Vomer
5 보습뼈날개 Ala of the vomer
6 입천장뼈(수직돌기) Palatine bone (perpendicular process)
7 입천장뼈(수평판) Palatine bone (horizontal plate)
8 아래턱뼈 Mandible
9 코뼈 Nasal bone
10 나비굴 Sphenoidal sinus
11 뇌하수체오목(안장) Hypophysial fossa (sella turcica)
12 중간뇌막동맥고랑 Grooves for the middle meningeal artery

코의 연골
13 가쪽코연골 Lateral nasal cartilage
14 큰콧방울연골 Greater alar cartilage
15 작은콧방울연골 Lesser alar cartilages
16 코중격연골 Septal cartilage
17 코뼈의 위치 Location of nasal bone

파란색 = 뒤통수뼈
옅은 초록색 = 마루뼈
노란색 = 이마뼈
짙은 갈색 = 관자뼈
빨간색 = 나비뼈
짙은 초록색 = 벌집뼈
옅은 파란색 = 코뼈
분홍색 = 아래코선반뼈
주황색 = 보습뼈
보라색 = 위턱뼈
흰색 = 입천장뼈
흰색 = 아래턱뼈

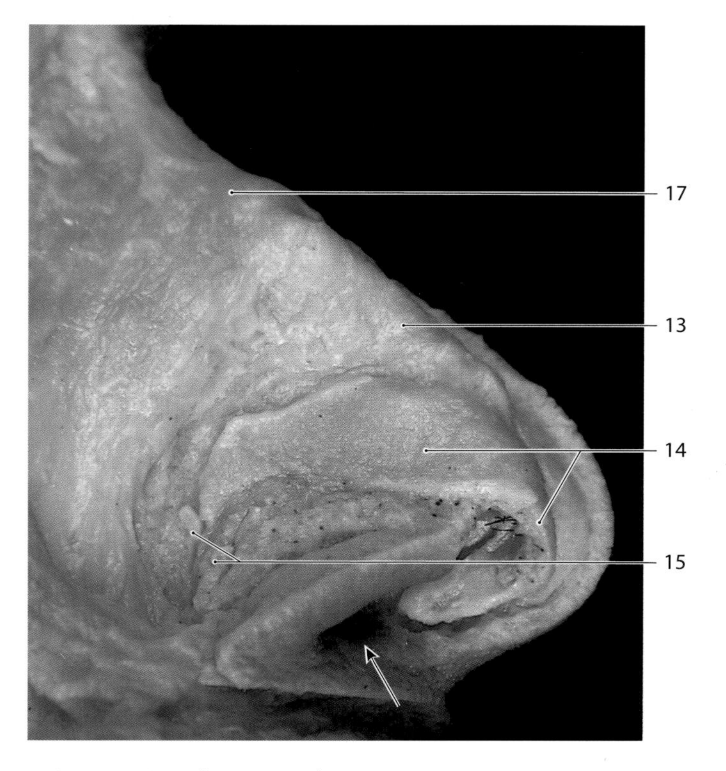

그림 8.69 **코의 연골**(오른쪽 가쪽면). 화살표 = 콧구멍

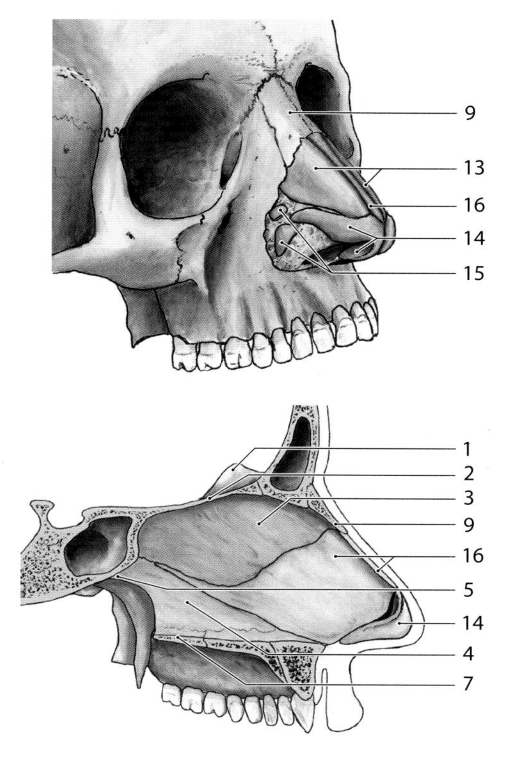

그림 8.70 **코의 연골모양.**

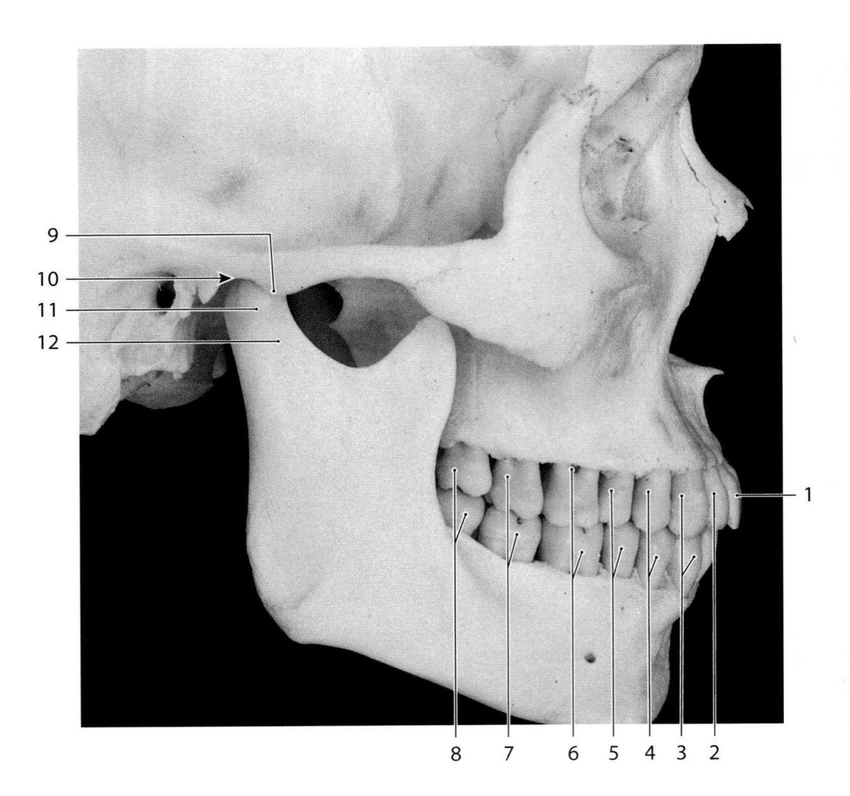

그림 8.71 **치아의 정상위치.** 중심교합의 치열(가쪽면).

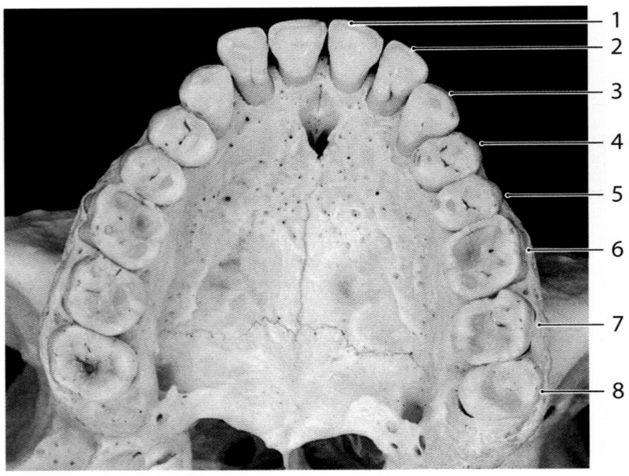

그림 8.72 **성인의 윗니**(아래면).

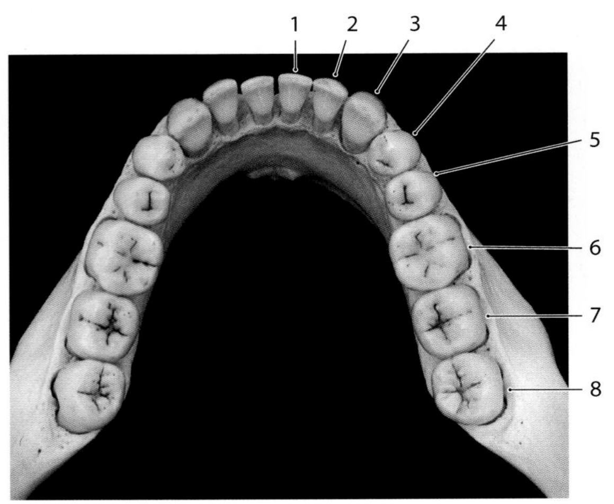

그림 8.73 **성인의 아랫니**(위면).

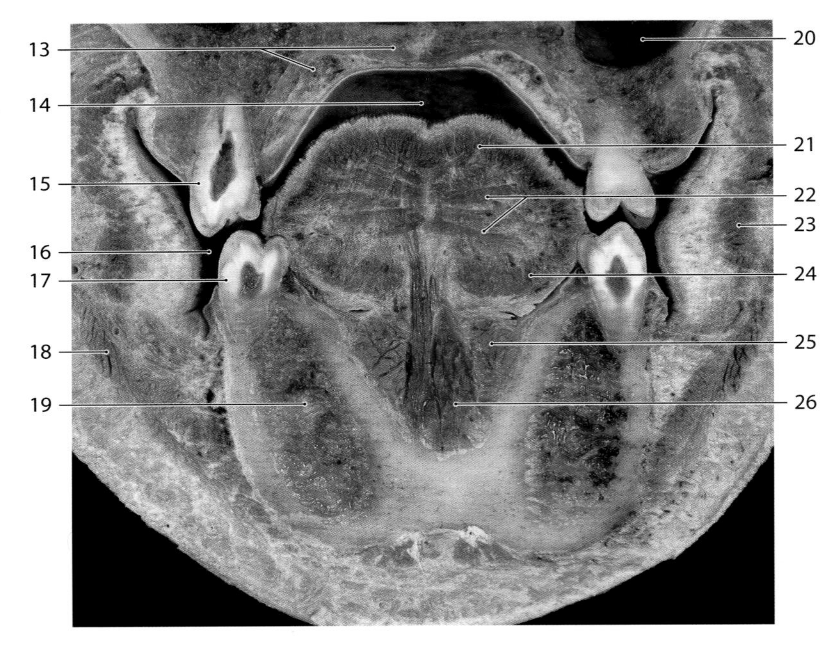

그림 8.74 **입안의 관상면**(앞면).

1 안쪽앞니 Central incisor
2 가쪽앞니 Lateral incisor
3 송곳니 Canines
4 첫째작은어금니 First premolars or bicuspids
5 둘째작은어금니 Second premolars or bicuspids
6 첫째큰어금니 First molars
7 둘째큰어금니 Second molars
8 셋째큰어금니 Third molars
9 관절결절 Articular tubercle
10 턱관절오목 Mandibular fossa
11 턱뼈머리 Head of mandible
12 관절돌기 Condylar process
13 단단입천장과 입천장샘 Hard palate and palatine glands
14 입안 Oral cavity
15 위어금니 Upper molar
16 입안뜰 Oral vestibule
17 아래어금니 Lower molar
18 넓은목근 Platysma muscle
19 아래턱뼈 Mandible
20 위턱굴 Maxillary sinus
21 혀위세로근 Superior longitudinal muscle of tongue
22 혀가로근 Transverse muscle of tongue
23 볼근 Buccinator muscle
24 혀아래세로근 Inferior longitudinal muscle of tongue
25 혀밑샘 Sublingual gland
26 턱끝혀근 Genioglossus muscle

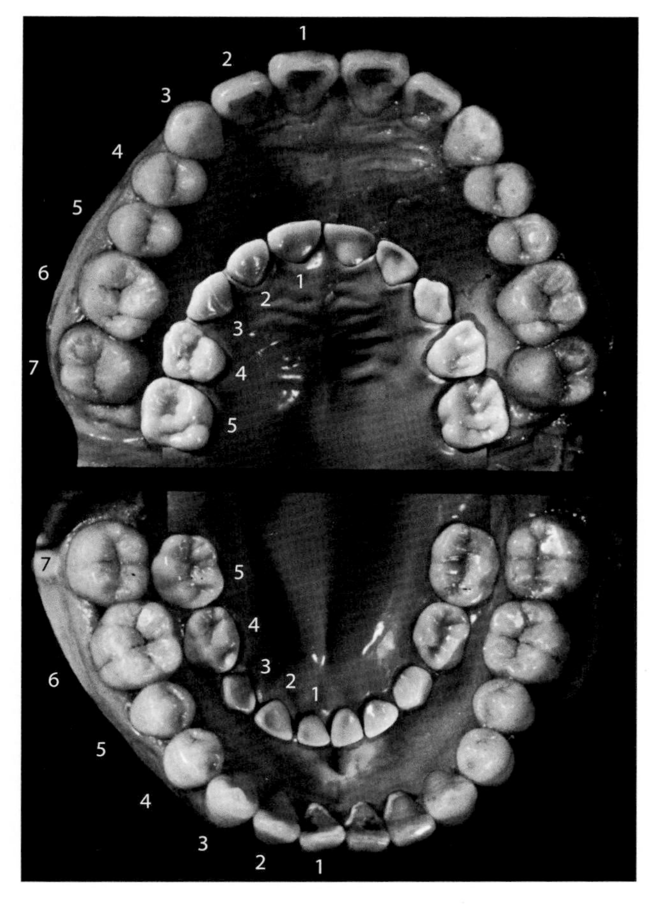

그림 8.75 **젖니와 영구치의 비교.** 젖니가 난 어린아이의 위턱뼈와 아래턱뼈 이틀활의 너비가 성인의 턱과 거의 비슷한 것을 관찰하시오. 셋째큰어금니 부위의 차이를 확인하시오. 치아의 번호는 아래 그림 8.77에 있는 번호와 일치한다.

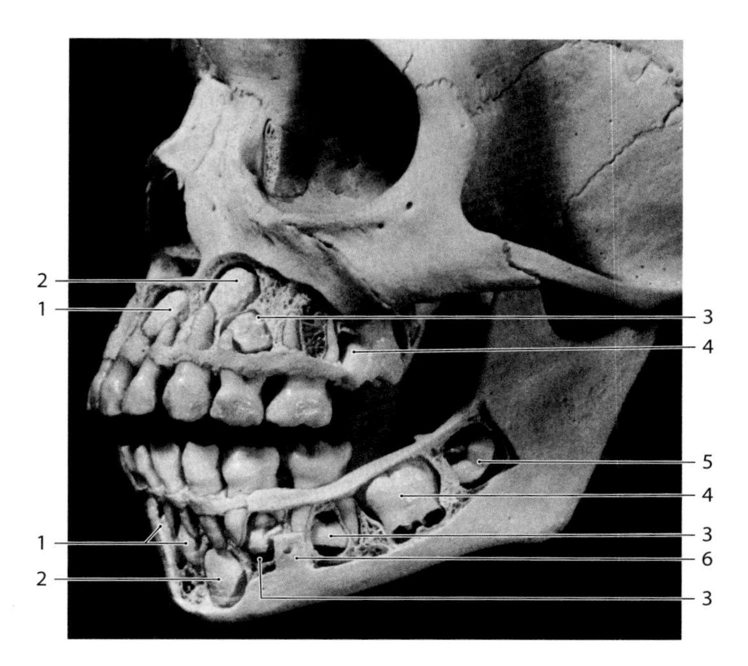

그림 8.76 **어린아이 머리뼈의 젖니.** 발생중인 영구치의 치아머리가 위턱뼈와 아래턱뼈에 보인다.

1 영구치 앞니 Permanent incisors
2 영구치 송곳니 Permanent cuspid (canine)
3 작은어금니 Premolars
4 첫째영구치큰어금니 First permanent molar
5 둘째영구치큰어금니 Second permanent molar
6 턱끝구멍 Mental foramen

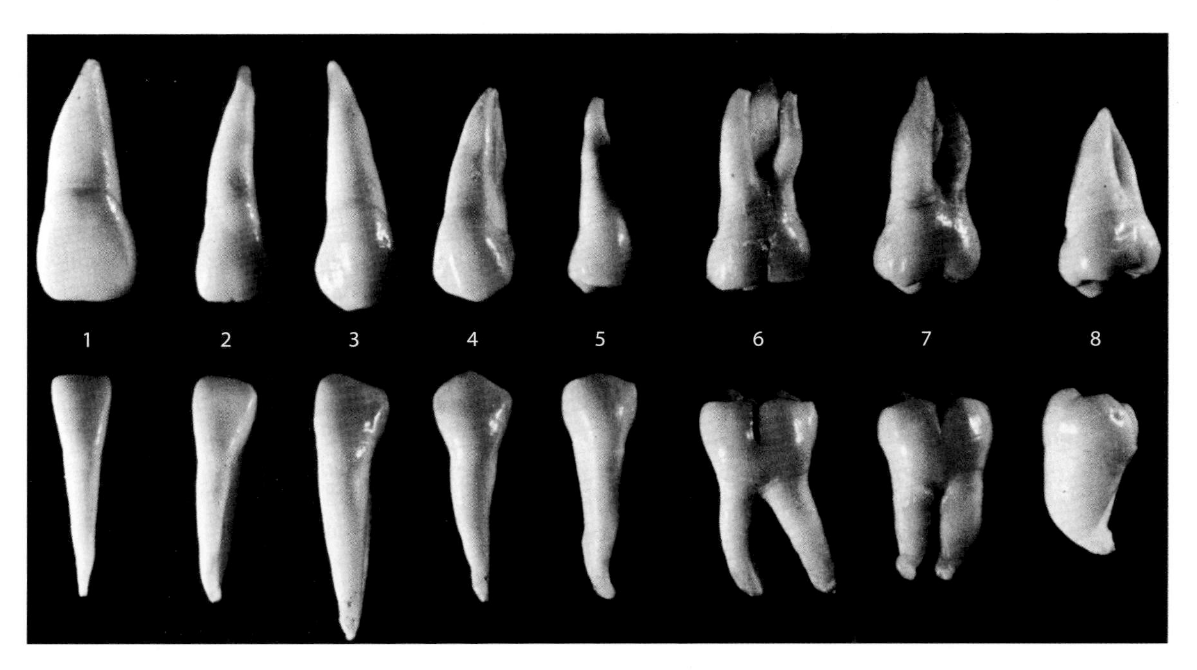

그림 8.77 **위턱뼈와 아래턱뼈의 이틀에서 분리된 치아.** 치아의 입술면.

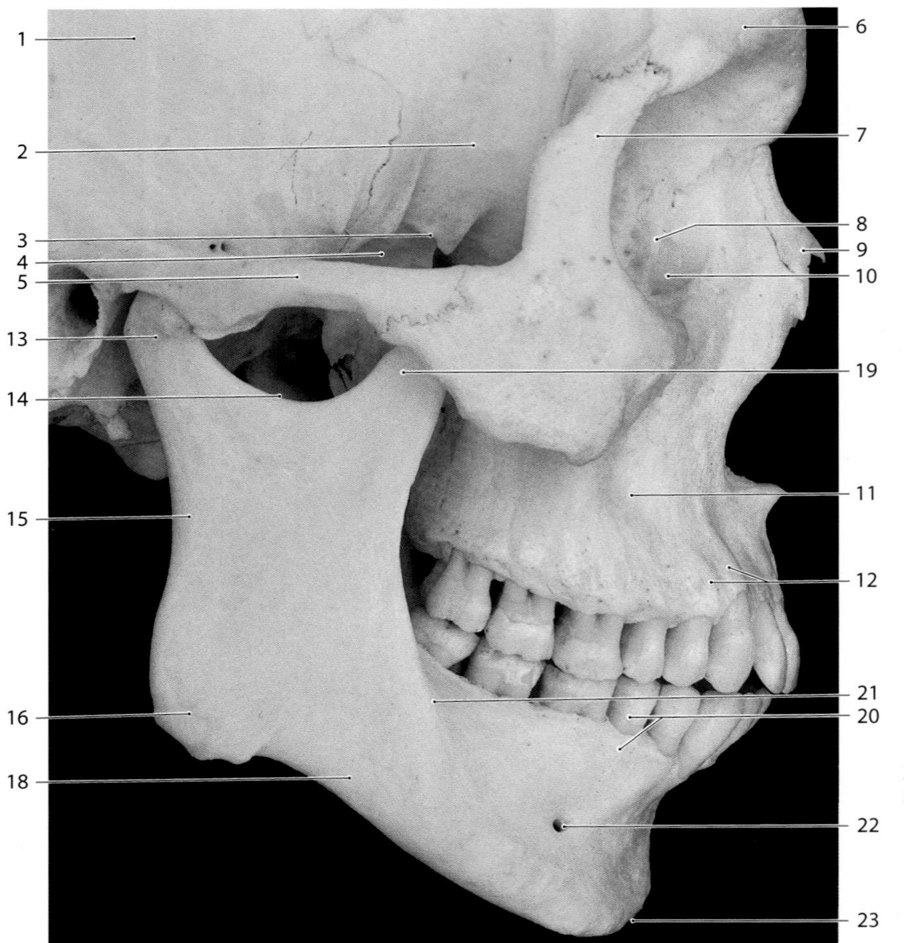

그림 8.78 **얼굴뼈의 가쪽면.** 교합상태의 턱뼈와 치아. 위턱과 아래턱이 맞물려있다.

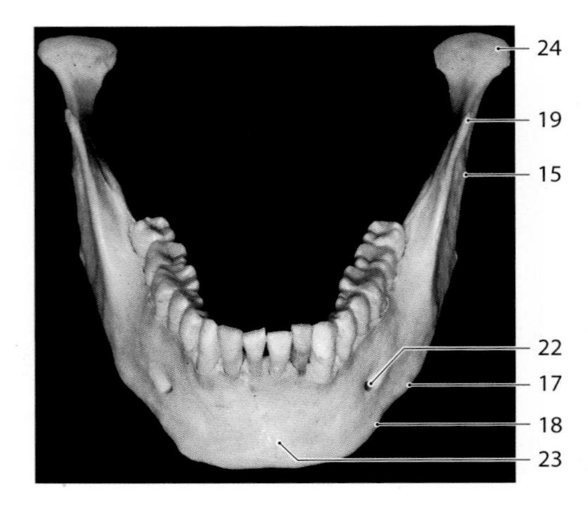

그림 8.79 **성인의 아래턱뼈**(앞면).

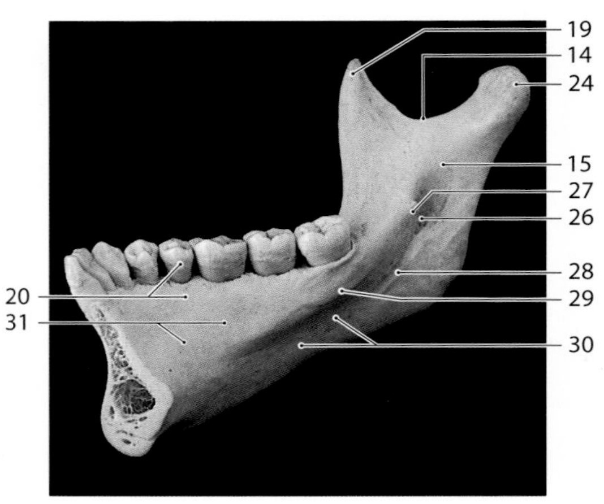

그림 8.80 **아래턱뼈의 오른쪽 반**(안쪽면).

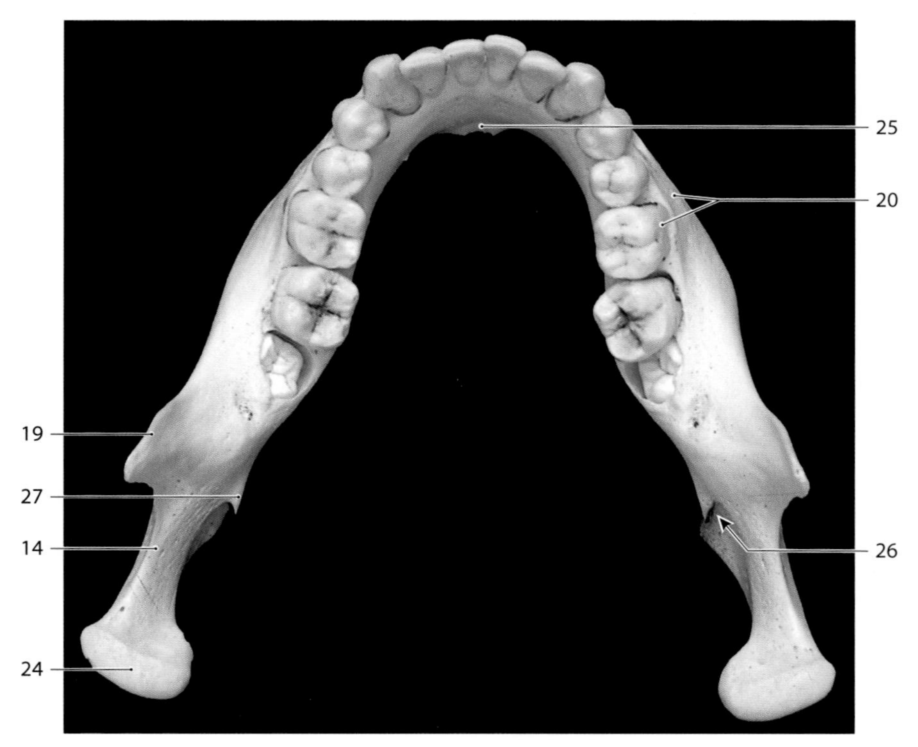

그림 8.81 **성인의 아래턱뼈**(위면).

1 관자뼈 Temporal bone
2 관자우묵(나비뼈의 큰날개) Temporal fossa (greater wing of sphenoidal bone)
3 관자아래능선 Infratemporal crest
4 관자아래우묵 Infratemporal fossa
5 광대활 Zygomatic arch
6 이마뼈 Frontal bone
7 광대뼈(이마돌기) Zygomatic bone (frontal process)
8 눈물뼈 Lacrimal bone
9 코뼈 Nasal bone
10 눈물고랑 Lacrimal groove
11 위턱뼈(송곳니오목) Maxilla (canine fossa)
12 위턱뼈의 이틀돌기 Alveolar process of maxilla

아래턱뼈

13 관절돌기 Condylar process
14 턱뼈파임 Mandibular notch
15 턱뼈가지 Ramus of the mandible
16 깨물근거친면 Masseteric tuberosity
17 턱뼈각 Angle of the mandible
18 턱뼈몸통 Body of the mandible
19 근육돌기 Coronoid process
20 치아가 있는 이틀돌기 Alveolar process including teeth
21 빗선 Oblique line
22 턱끝구멍 Mental foramen
23 턱끝융기 Mental protuberance
24 턱뼈머리 Head of the mandible
25 턱끝가시 Genial tubercle or mental spine
26 턱뼈구멍(턱뼈관 입구) Mandibular foramen (entrance to mandibular canal)
27 혀돌기 Lingula
28 턱목뿔근신경고랑 Mylohyoid sulcus
29 턱목뿔근선 Mylohyoid line
30 턱밑샘오목 Submandibular fossa
31 혀밑샘 오목 Sublingual fossa

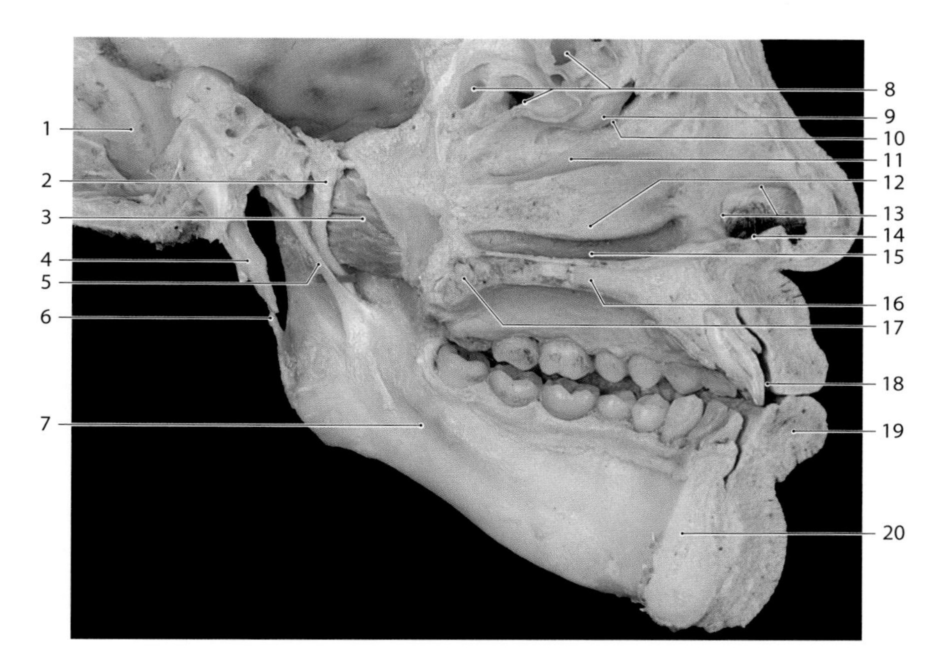

그림 8.82 **턱관절의 인대.** 머리의 왼쪽 반(안쪽면).

1 구불정맥굴고랑 Groove for sigmoid sinus
2 아래턱신경 Mandibular nerve
3 가쪽날개근 Lateral pterygoid muscle
4 붓돌기 Styloid process
5 나비아래턱인대 Sphenomandibular ligament
6 붓아래턱인대 Stylomandibular ligament
7 턱목뿔근신경고랑 Mylohyoid groove
8 벌집뼈벌집 Ethmoidal air cells
9 벌집뼈융기 Ethmoidal bulla
10 반달틈새 Hiatus semilunaris
11 중간콧길 Middle meatus
12 아래코선반 Inferior nasal concha
13 코문턱 Limen nasi
14 코안뜰과 코털 Vestibule with hairs
15 아래콧길 Inferior meatus
16 단단입천장 Hard palate
17 물렁입천장 Soft palate
18 입안뜰 Vestibule of oral cavity
19 아래입술 Lower lip
20 아래턱뼈 Mandible
21 광대활 Zygomatic arch
22 바깥귀길 External acoustic meatus
23 관절주머니 Articular capsule
24 가쪽인대 Lateral ligament
25 턱뼈파임 Mandibular notch
26 광대뼈 Zygomatic bone
27 근육돌기 Coronoid process
28 위턱뼈 Maxilla
29 꼭지돌기 Mastoid process
30 턱뼈구멍 Mandibular foramen

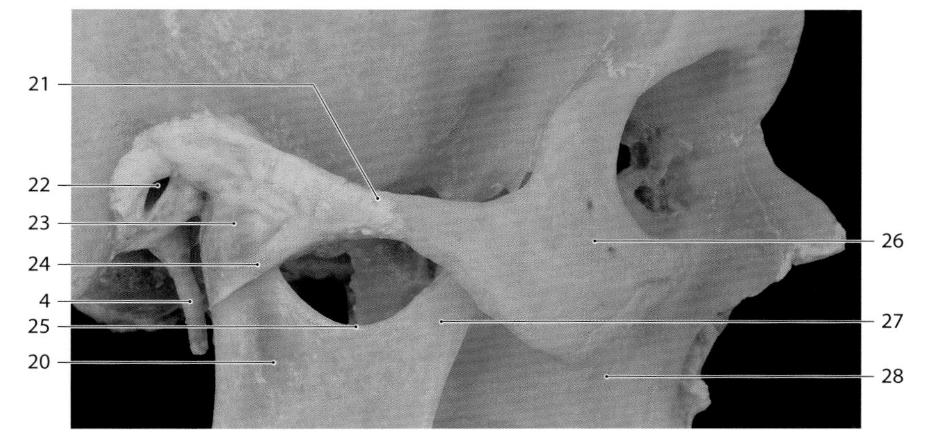

그림 8.83 **인대가 붙어있는 턱관절**(가쪽면).

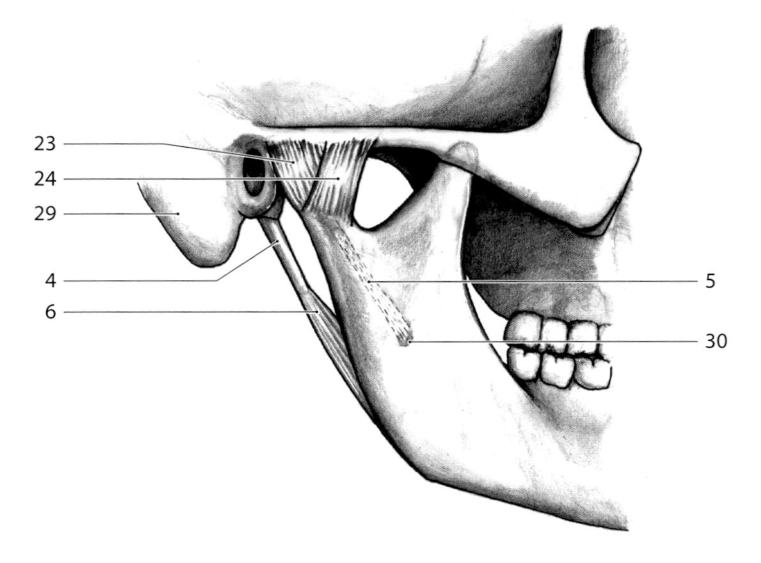

그림 8.84 **턱관절의 인대**(가쪽면).

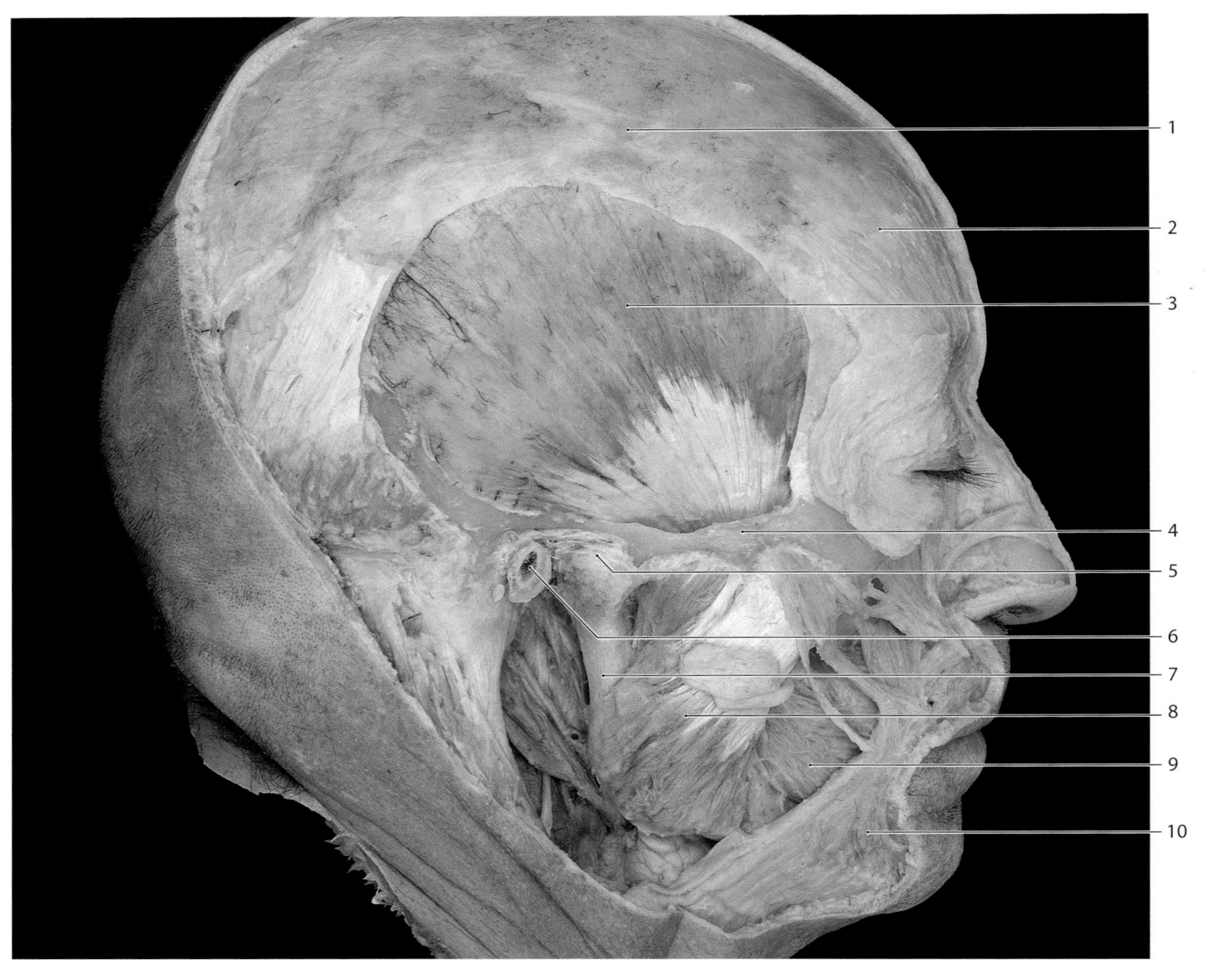

그림 8.85 **턱관절과 씹기근육.** 깨물근과 관자근이 보인다.

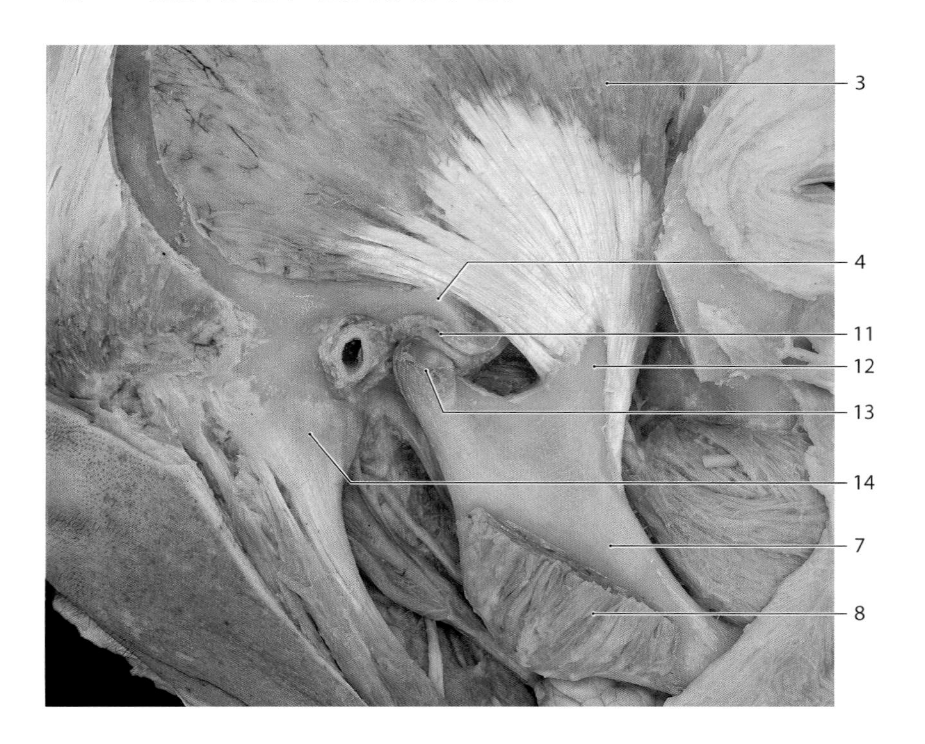

1 머리덮개널힘줄 Galea aponeurotica
2 뒤통수이마근의 이마힘살
Frontal belly of occipitofrontalis muscle
3 관자근 Temporal muscle
4 광대활 Zygomatic arch
5 턱관절 Temporomandibular joint
6 바깥귀길 External acoustic meatus
7 아래턱뼈 Mandible
8 깨물근 Masseter muscle
9 볼근 Buccinator muscle
10 넓은목근 Platysma muscle
11 턱관절의 관절원반
Articular disc of temporomandibular joint
12 턱뼈의 근육돌기 Coronoid process of mandible
13 턱뼈의 관절돌기 Condylar process of mandible
14 꼭지돌기 Mastoid process

그림 8.86 **아래턱뼈에 닿은 관자근.** 광대활과 깨물근은 부분적으로 제거하였다.

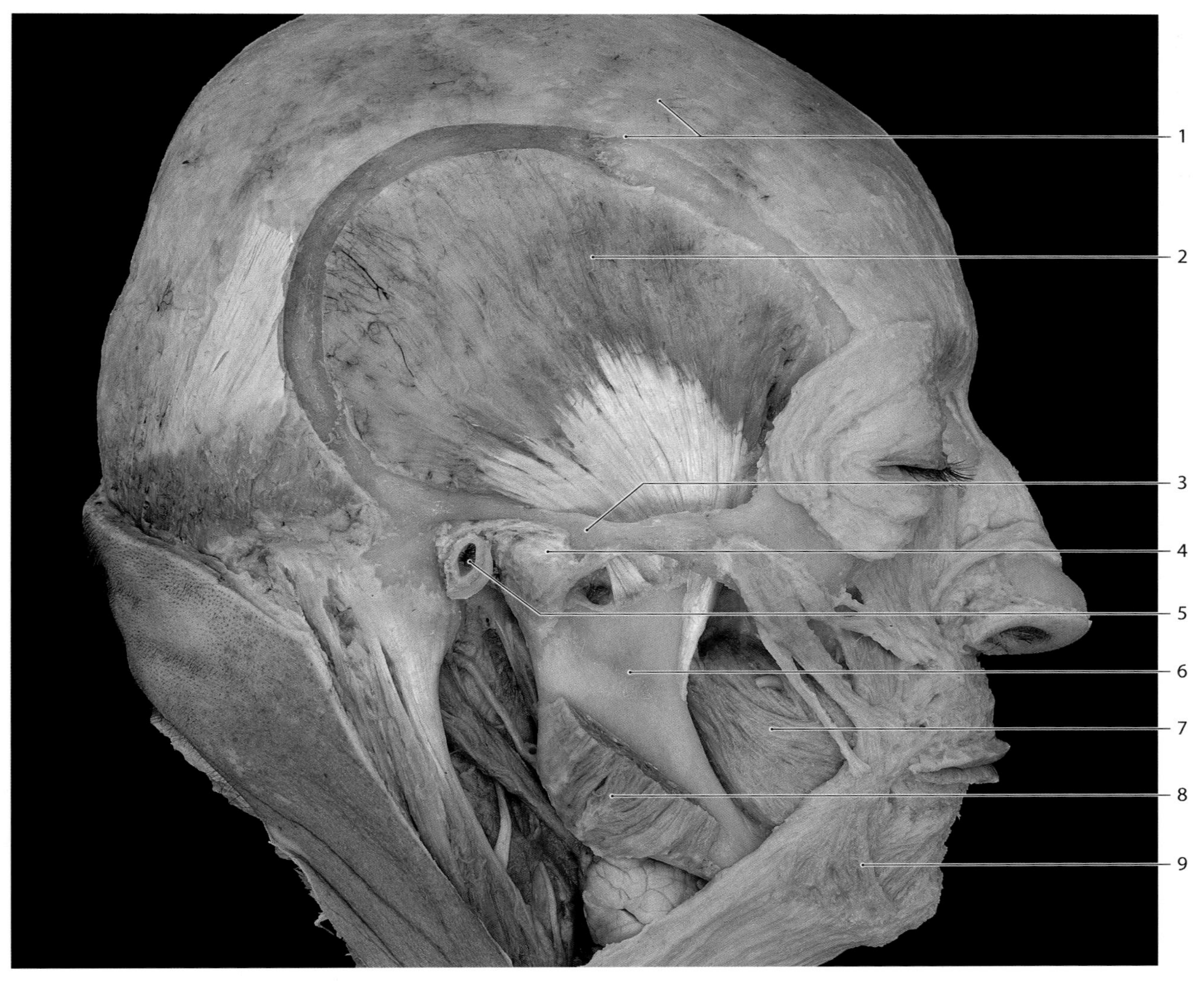

그림 8.87 **턱관절과 씹기근육.** 깨물근은 부분적으로 제거하였다.

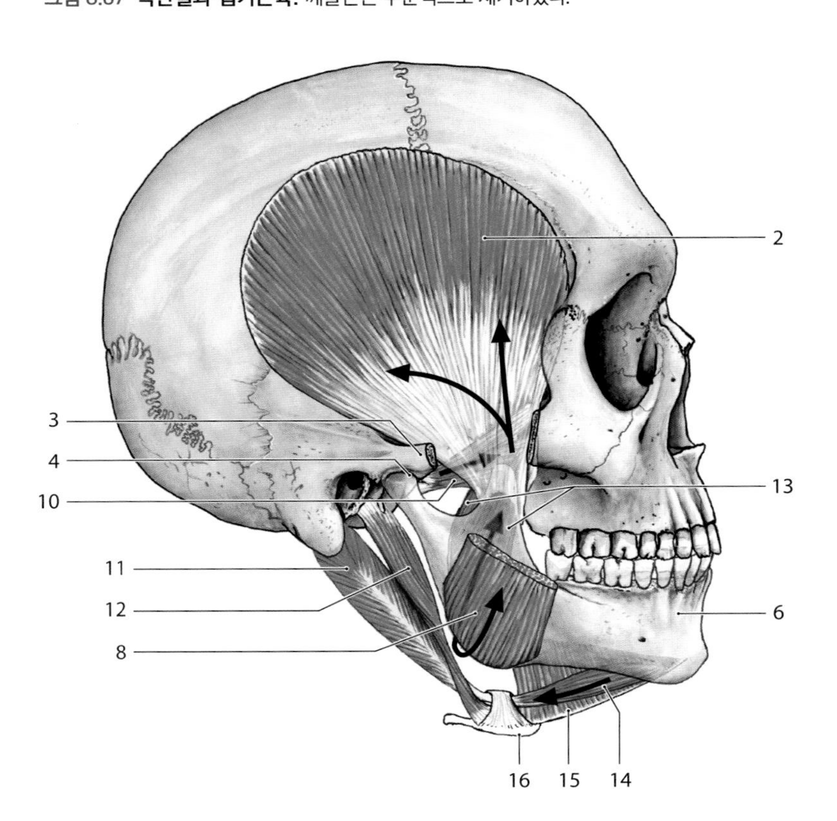

1 머리덮개널힘줄 Galea aponeurotica
2 관자근 Temporal muscle
3 광대활 Zygomatic arch
4 턱관절 Temporomandibular joint
5 바깥귀길 External acoustic meatus
6 아래턱뼈 Mandible
7 볼근 Buccinator muscle
8 깨물근(잘림) Masseter muscle (cut)
9 넓은목근 Platysma muscle
10 가쪽날개근 Lateral pterygoid muscle
11 턱두힘살근의 뒤힘살 Posterior belly of digastric muscle
12 붓목뿔근 Stylohyoid muscle
13 안쪽날개근 Medial pterygoid muscle
14 턱두힘살근의 앞힘살 Anterior belly of digastric muscle
15 턱목뿔근 Mylohyoid muscle
16 목뿔뼈 Hyoid bone

그림 8.88 **턱관절에서 씹기근육의 작용**(화살표).

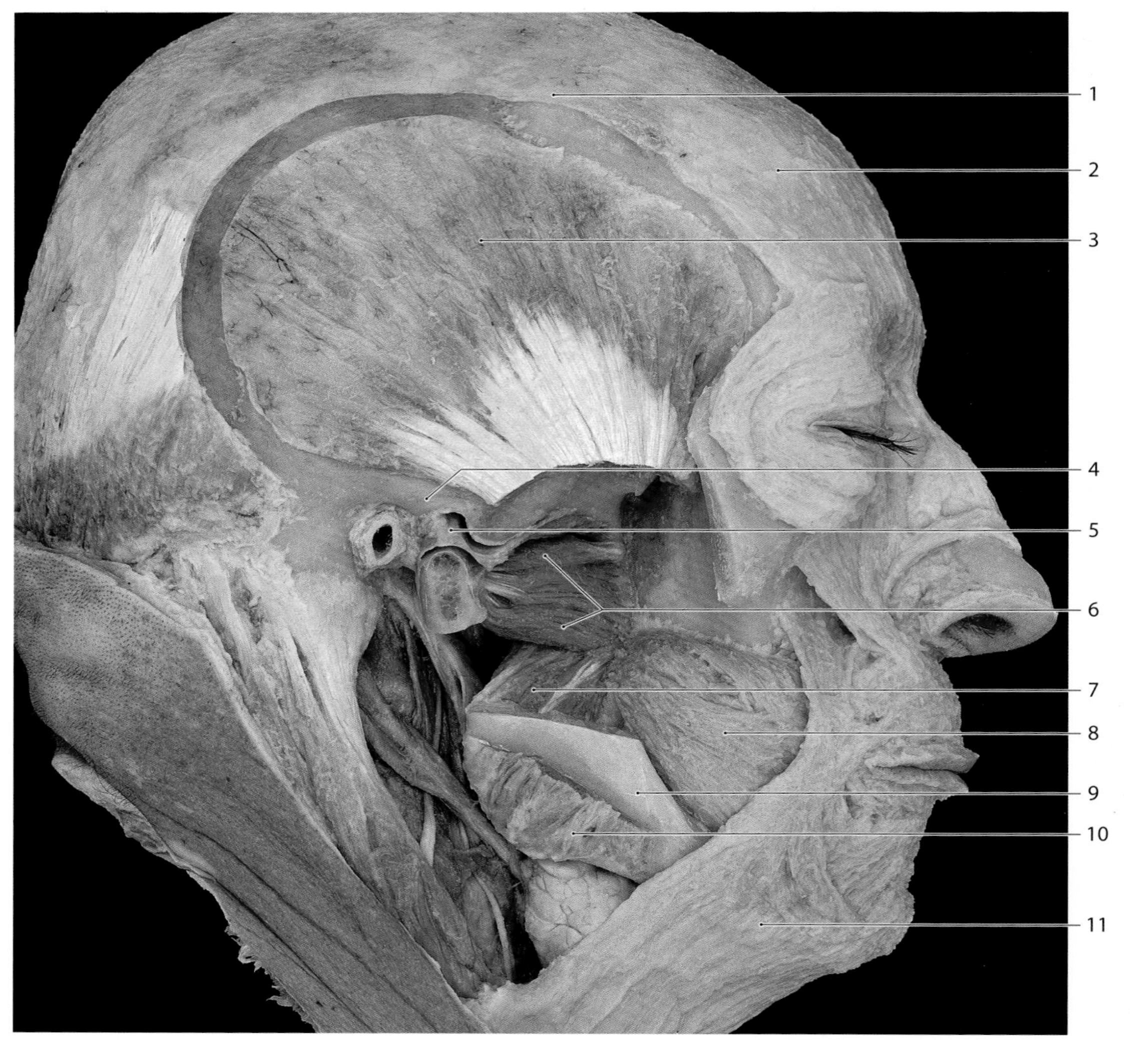

1 머리덮개널힘줄 Galea aponeurotica
2 뒤통수이마근의 이마힘살 Frontal belly of occipitofrontalis muscle
3 관자근 Temporal muscle
4 광대활 Zygomatic arch
5 턱관절의 관절원반 Articular disc of temporomandibular joint
6 가쪽날개근 Lateral pterygoid muscle
7 안쪽날개근 Medial pterygoid muscle
8 볼근 Buccinator muscle
9 아래턱뼈 Mandible
10 깨물근 Masseter muscle
11 넓은목근 Platysma muscle
12 턱관절 Temporomandibular joint
13 바깥귀길 External acoustic meatus

그림 8.89 **턱관절과 씹기근육.** 안쪽과 가쪽날개근을 보여주기 위하여 광대활과 아래턱뼈의 일부는 제거하였다.

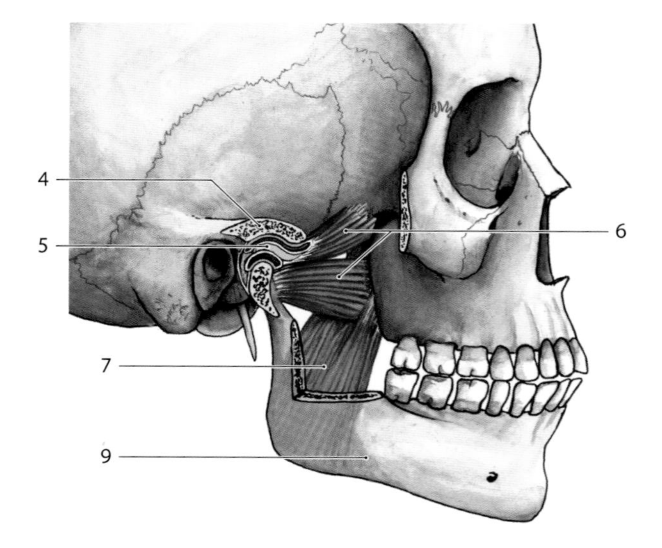

그림 8.90 **안쪽 및 가쪽날개근**과 턱관절 관절원반과의 연결.

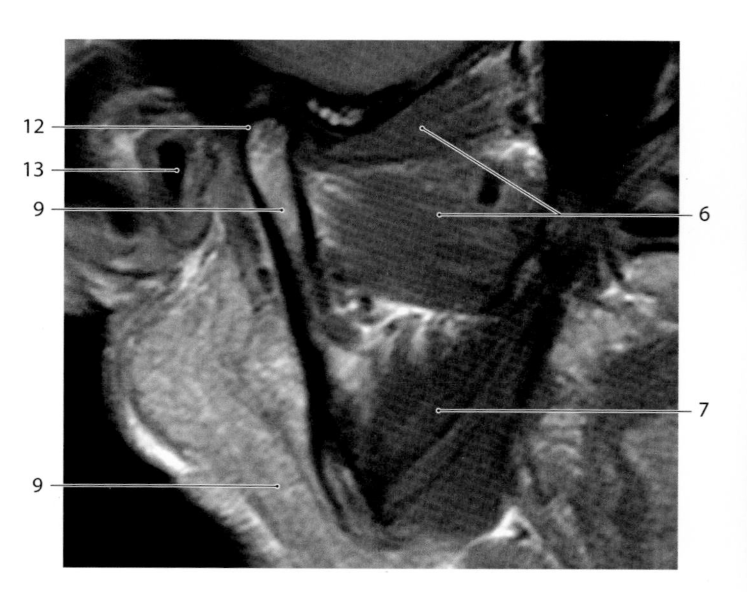

그림 8.91 **턱관절과 씹기근육**(시상면, 자기공명영상). (Courtesy of Prof. Uder, Institute of Radiology, University Hospital Erlangen, Germany.)

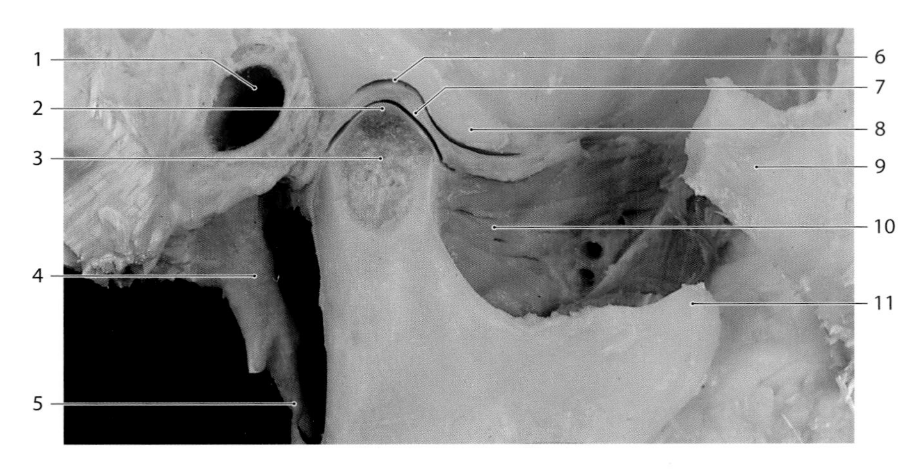

그림 8.92 **턱관절**(시상면).

1 바깥귀길 External acoustic meatus
2 관절돌기의 관절연골
Articular cartilage of condylar process
3 턱뼈의 관절돌기
Condylar process of mandible
4 붓돌기 Styloid process
5 붓꼭지인대 Stylomandibular ligament
6 턱관절오목 Mandibular fossa
7 관절원반 Articular disc
8 관절결절 Articular tubercle
9 광대뼈 Zygomatic bone
10 가쪽날개근 Lateral pterygoid muscle
11 턱뼈의 근육돌기
Coronoid process of mandible
12 턱두힘살근의 뒤힘살
Posterior belly of digastric muscle
13 깨물근 Masseter muscle
14 관자근 Temporal muscle
15 안쪽날개근 Medial pterygoid muscle
16 귀밑샘관 Parotid duct
17 볼근 Buccinator muscle
18 아래턱뼈 Mandible
19 턱뼈구멍 Mandibular foramen

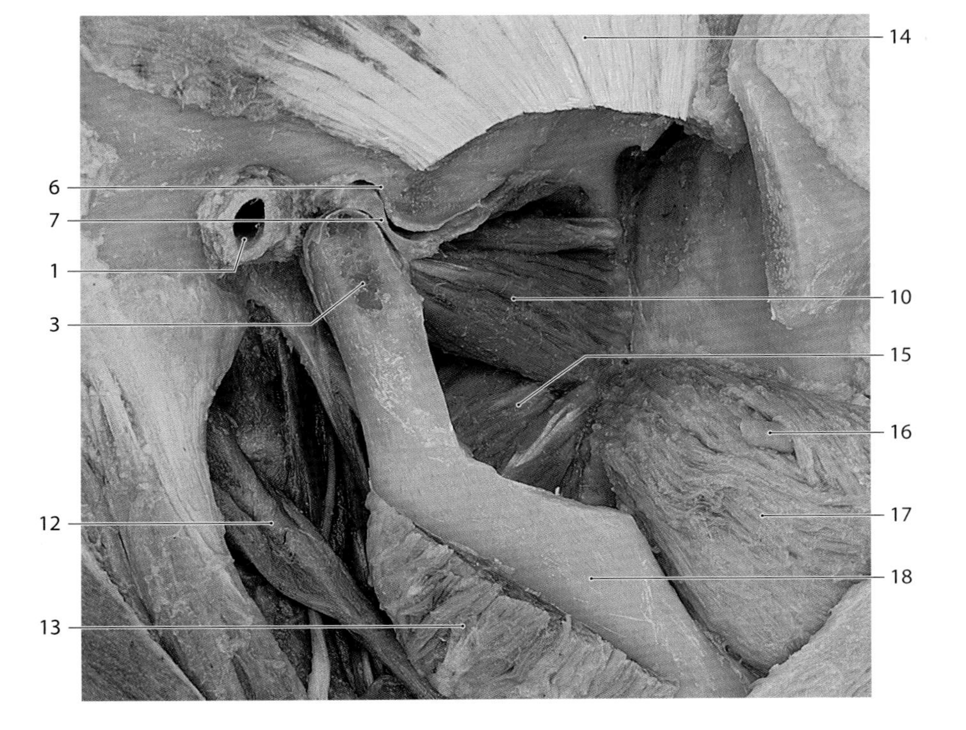

그림 8.93 **턱관절.**
관절원반과 관련 근육의 해부(가쪽면).

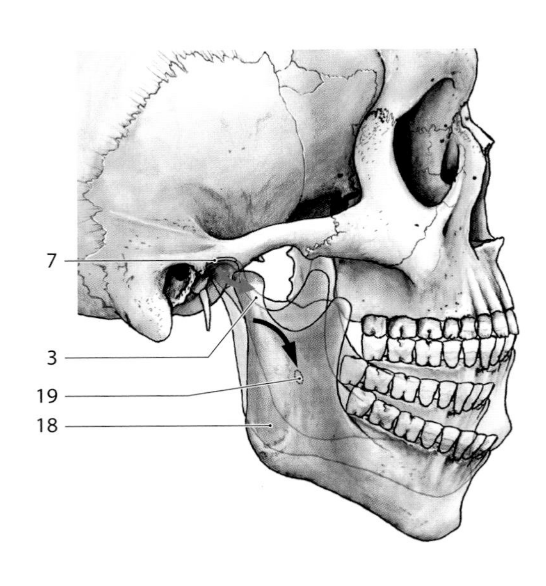

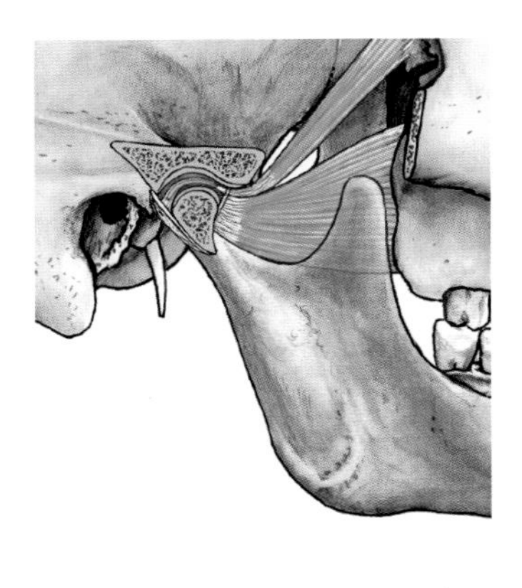

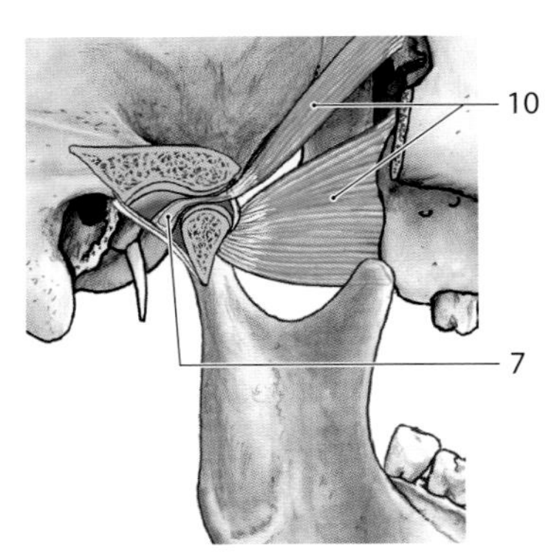

그림 8.94 **턱관절과 가쪽날개근의 운동.**

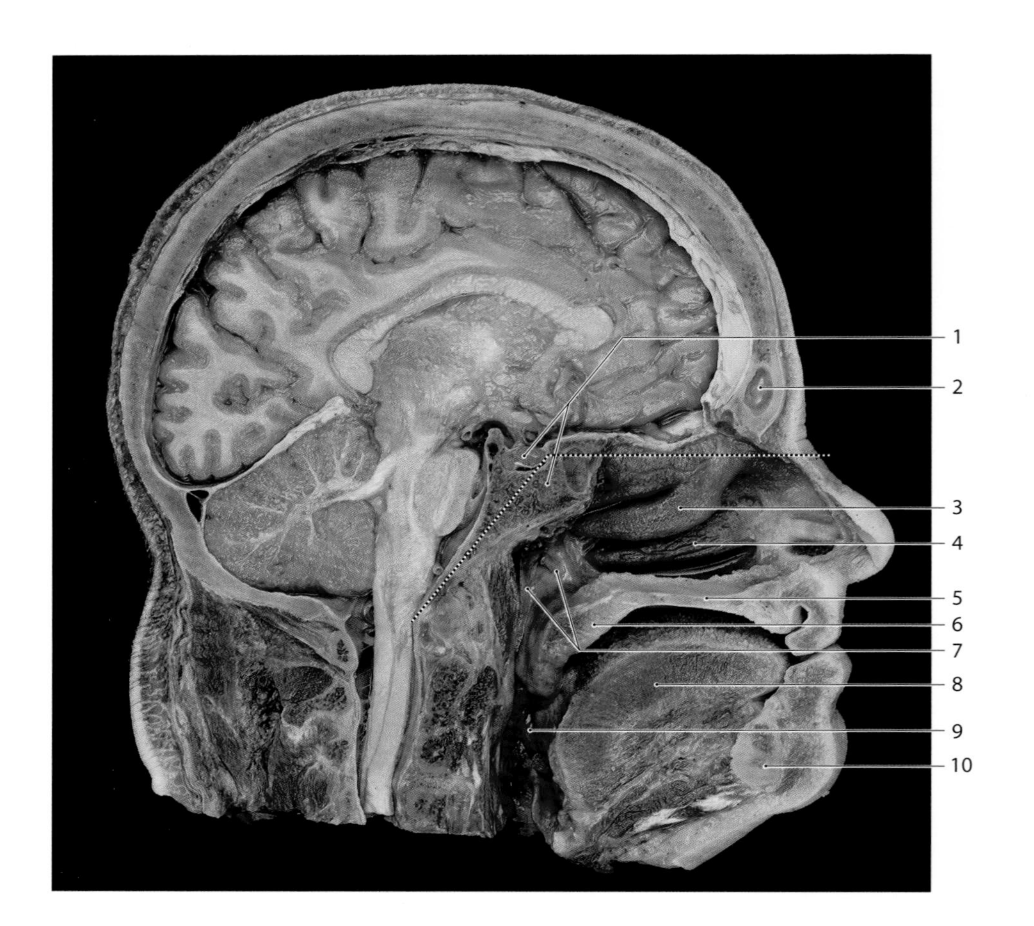

그림 8.95 머리의 정중시상단면. 입천장이 코안과 입안을 분리하고 있다. 머리뼈바닥은 안장에서 150도 각도를 형성한다(점선).

1 뇌하수체오목내의 뇌하수체 Hypophysis within hypophysial fossa
2 이마굴 Frontal sinus
3 중간코선반 Middle nasal concha
4 아래코선반 Inferior nasal concha
5 단단입천장 hard palate
6 물렁입천장 soft palate
7 귀관을 포함하는 인두 Pharynx with auditory tube
8 혀 Tongue
9 인두의 목구멍편도 Pharynx with palatine tonsil
10 아래턱뼈 Mandible
11 후두 Larynx

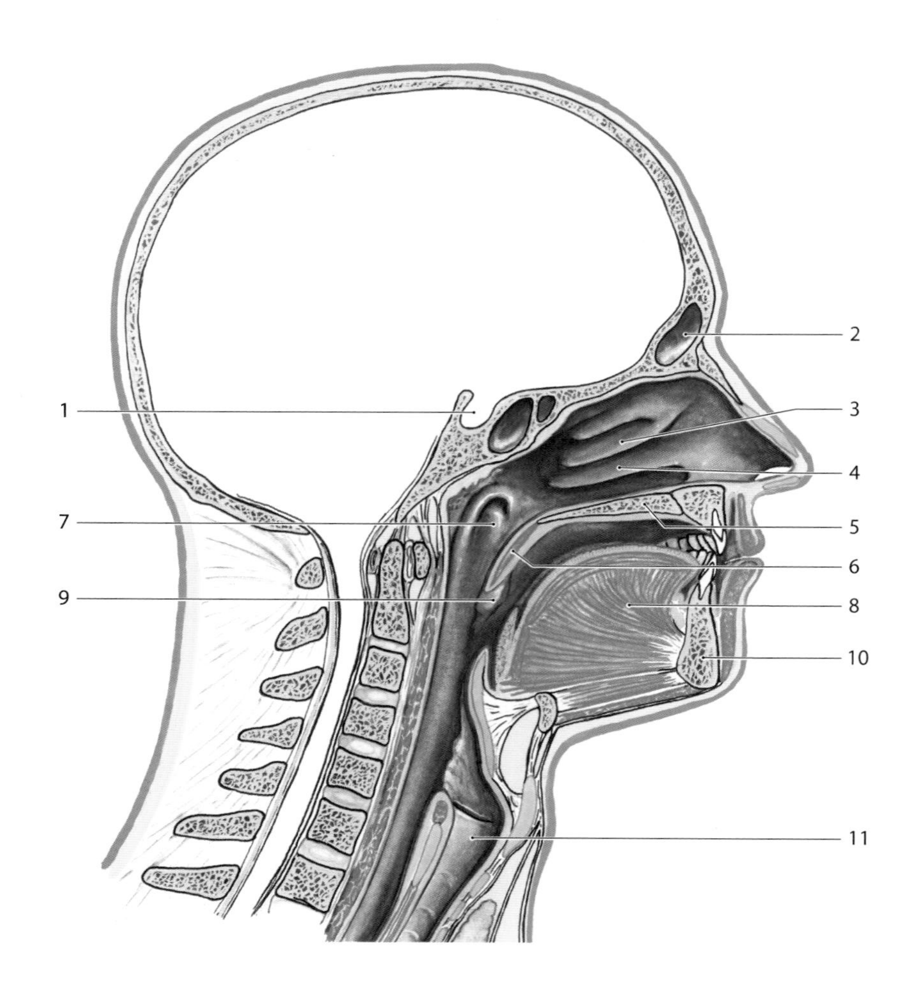

그림 8.96 머리의 정중시상단면. 인두가 있는 입안과 목구멍편도 부분의 연결을 보여주기 위하여 혀는 제거하였다.

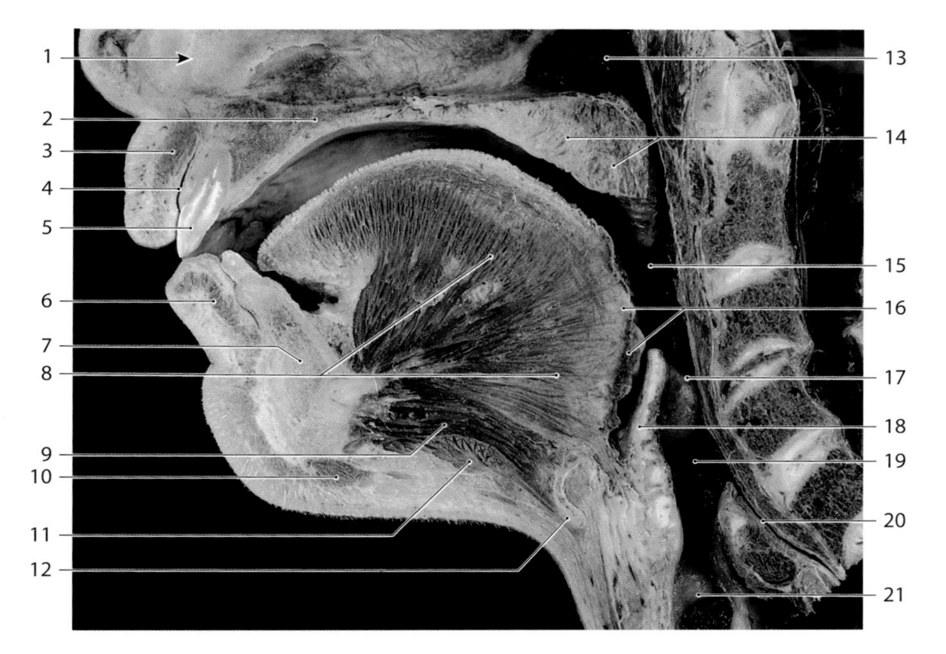

그림 8.97 **입안과 인두를 지나는 정중시상단면.**

1 코안 Nasal cavity
2 단단입천장 Hard palate
3 위입술과 입둘레근 Upper lip and orbicularis oris muscle
4 입안의 안뜰 Vestibule of oral cavity
5 첫째앞니 First incisor
6 아래입술과 입둘레근 Lower lip and orbicularis oris muscle
7 아래턱뼈 Mandible
8 턱끝혀근 Genioglossus muscle
9 턱끝목뿔근 Geniohyoid muscle
10 두힘살근의 앞힘살 Anterior belly of digastric muscle
11 턱목뿔근 Mylohyoid muscle
12 목뿔뼈 Hyoid bone
13 코인두 Nasopharynx
14 물렁입천장과 목젖 Soft palate and uvula
15 입인두 Oropharynx
16 혀뿌리와 혀편도 Root of tongue and lingual tonsil
17 후두인두 Laryngopharynx
18 후두덮개 Epiglottis
19 모뿔덮개주름 Ary-epiglottic fold
20 후두인두의 식도연결부 Laryngopharynx continuous with esophagus
21 후두 Larynx

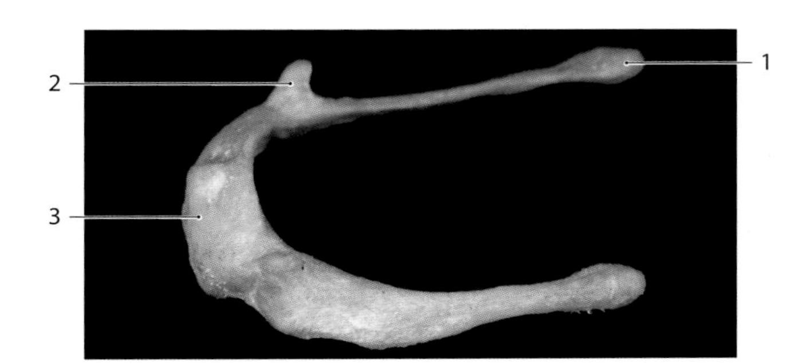

그림 8.98 **목뿔뼈**(비스듬가쪽면).

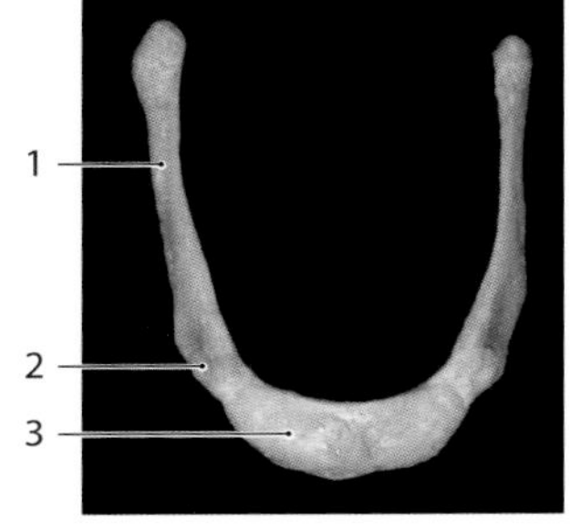
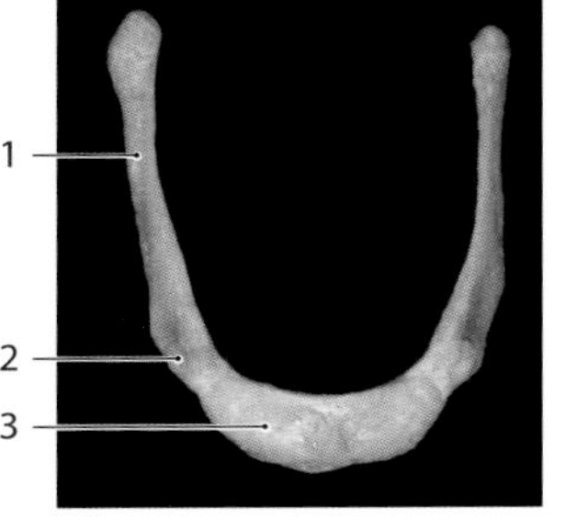

그림 8.99 **목뿔뼈**(앞면).

1 큰뿔 Greater cornu
2 작은뿔 Lesser cornu
3 몸통 Body
} 목뿔뼈 of hyoid bone

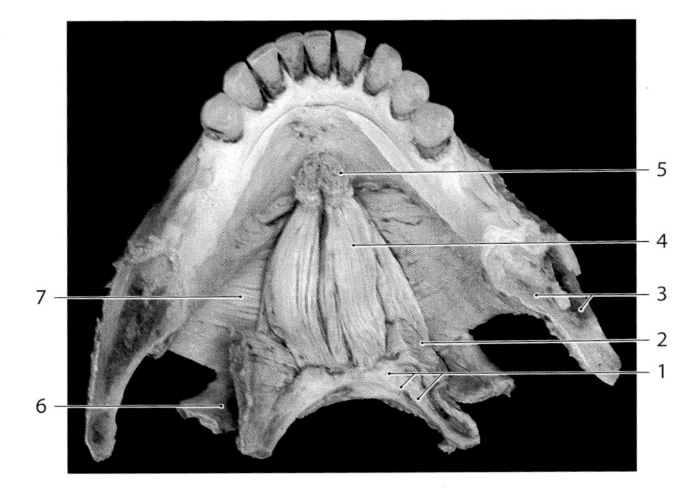

그림 8.100 **입안바닥의 근육**(위면).

그림 8.101 **입안바닥의 근육**(아래면).

1 목뿔뼈의 작은뿔과 몸통 Lesser cornu and body of hyoid bone
2 목뿔혀근(잘렸음) Hyoglossus muscle (divided)
3 턱뼈가지와 아래이틀신경 Ramus of mandible and inferior alveolar nerve
4 턱끝목뿔근 Geniohyoid muscle
5 턱끝혀근 Genioglossus muscle
6 붓목뿔근(잘렸음) Stylohyoid muscle
7 턱목뿔근 Mylohyoid muscle
8 두힘살근의 앞힘살 Anterior belly of digastric muscle
9 목뿔뼈 Hyoid bone
10 아래턱뼈 Mandible
11 두힘살근의 중간힘줄 Intermediate tendon of digastric muscle

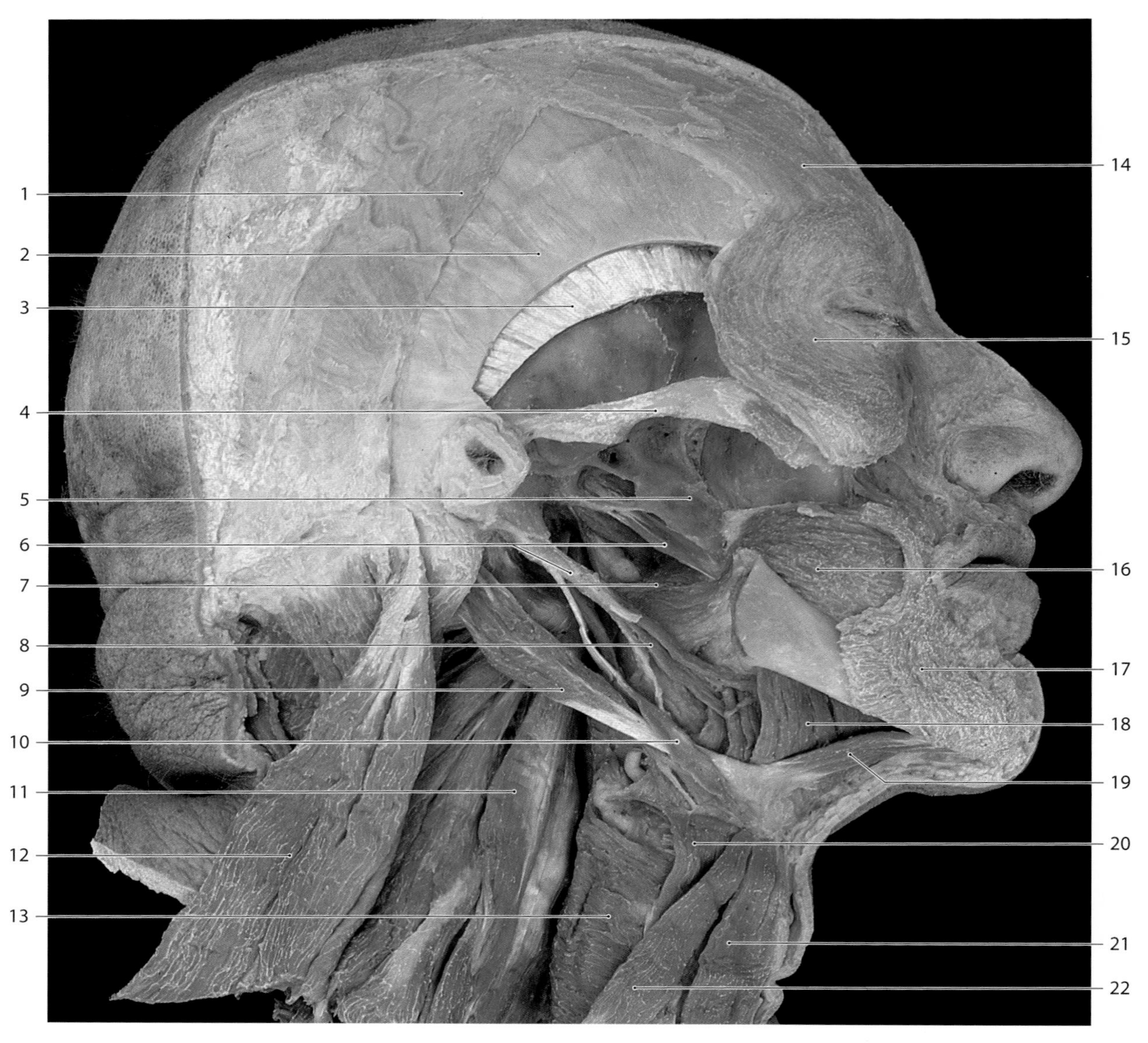

그림 8.102 **목뿔위근, 목뿔아래근과 인두**(가쪽면). 턱뼈가지, 날개근과 함께 관자근의 닿는곳은 제거하였다.

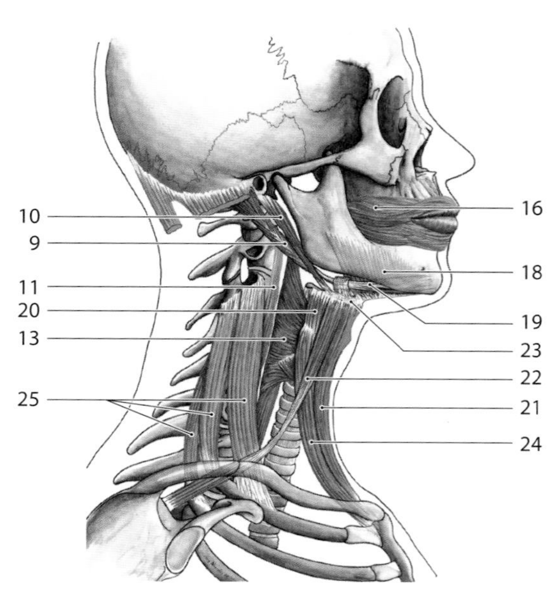

그림 8.103 **목뿔위근과 목뿔아래근**(가쪽면).

1 머리덮개널힘줄 Galea aponeurotica
2 관자근막 Temporal fascia
3 관자근힘줄 Tendon of temporal muscle
4 광대활 Zygomatic arch
5 가쪽날개판 Lateral pterygoid plate
6 입천장긴장근(붓돌기) Tensor veli palatini muscle (styloid process)
7 위인두수축근 Superior constrictor muscle of pharynx
8 붓혀근 Styloglossus muscle
9 턱두힘살근의 뒤힘살 Posterior belly of digastric muscle
10 붓목뿔근 Stylohyoid muscle
11 머리긴근 Longus capitis muscle
12 목빗근(젖힘) Sternocleidomastoid muscle (reflected)
13 아래인두수축근 Inferior constrictor of pharynx
14 뒤통수이마근의 이마힘살 Frontal belly of occipitofrontalis muscle
15 눈둘레근의 눈확부분 Orbital part of orbicularis oculi muscle
16 볼근 Buccinator muscle
17 입꼬리내림근 Depressor anguli oris muscle
18 턱목뿔근 Mylohyoid muscle
19 턱두힘살근의 앞힘살 Anterior belly of digastric muscle
20 갑상목뿔근 Thyrohyoid muscle
21 복장목뿔근 Sternohyoid muscle
22 어깨목뿔근 Omohyoid muscle
23 목뿔뼈 Hyoid bone
24 복장방패근 Sternothyroid muscle
25 목갈비근 Scalene muscles

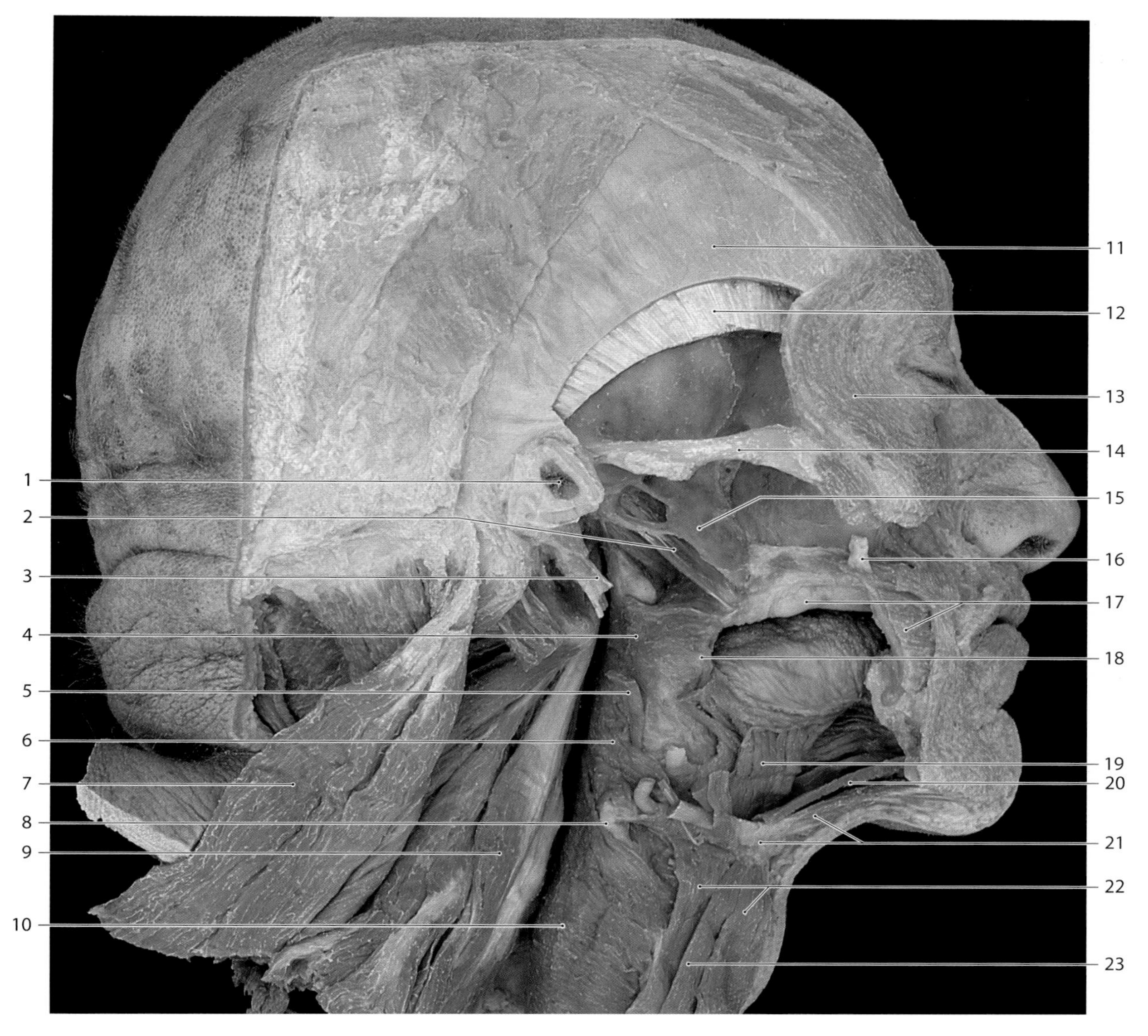

그림 8.104 **목뿔위근, 목뿔아래근과 인두**(가쪽면). 볼근은 제거되었음. 입안이 보인다.

1 바깥귀길 External acoustic meatus
2 입천장긴장근 Tensor veli palatini muscle
3 붓돌기 Styloid process
4 위인두수축근 Superior constrictor muscle of pharynx
5 붓인두근(잘림) Stylopharyngeus muscle (divided)
6 중간인두수축근 Middle constrictor muscle of pharynx
7 목빗근 Sternocleidomastoid muscle
8 목뿔뼈의 큰뿔 Greater horn of hyoid bone
9 머리긴근 Longus capitis muscle
10 아래인두수축근 Inferior constrictor muscle of pharynx
11 관자근막 Temporal fascia
12 관자근힘줄 Tendon of temporal muscle
13 눈둘레근 Orbicularis oculi muscle
14 광대활 Zygomatic arch
15 가쪽날개판 Lateral pterygoid plate
16 귀밑샘관 Parotid duct
17 위턱잇몸(치아 없음)과 볼근(잘림) Gingiva of upper jaw (without teeth) and buccinator muscle (divided)
18 날개아래턱솔기 Pterygomandibular raphe
19 목뿔혀근 Hyoglossus muscle
20 턱목뿔근 Mylohyoid muscle
21 턱두힘살근의 앞힘살(목뿔뼈) Anterior belly of digastric muscle(hyoid bone)
22 복장목뿔근과 갑상목뿔근 Sternohyoid and thyrohyoid muscles
23 어깨목뿔근 Omohyoid muscle

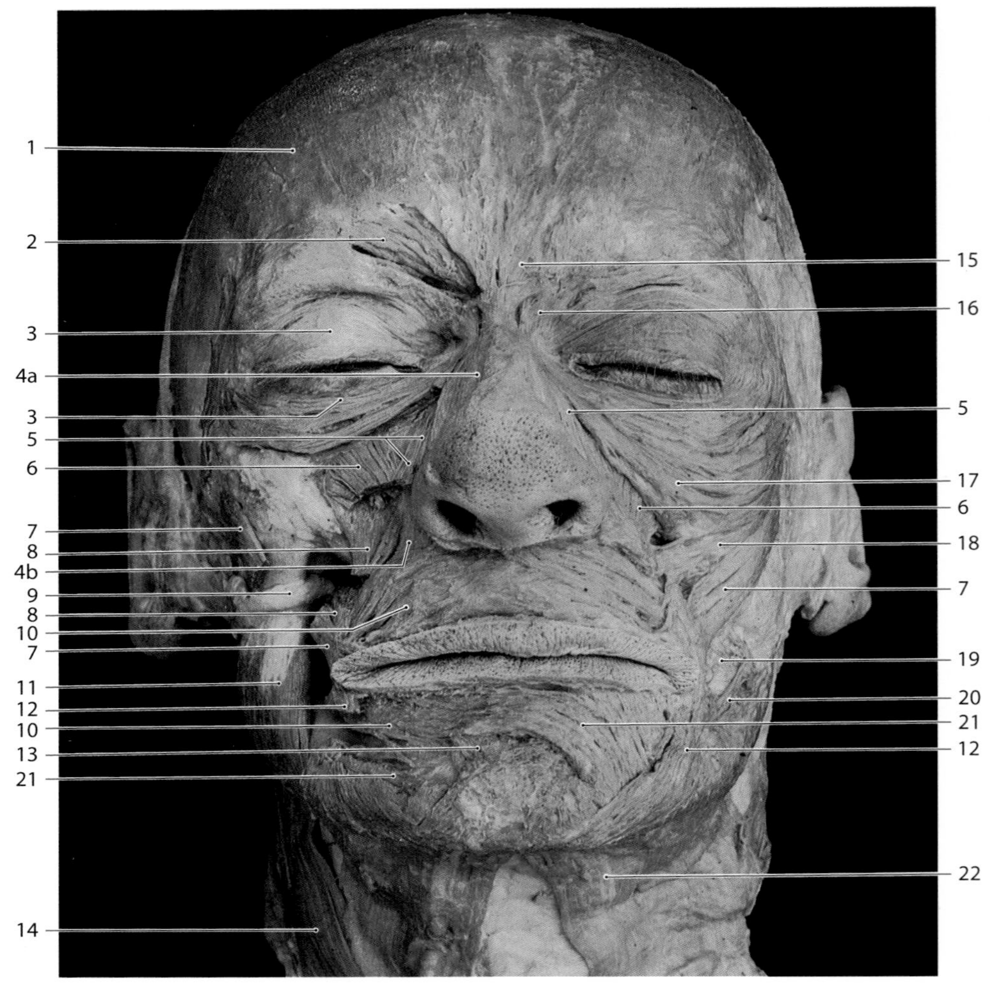

그림 8.105 **얼굴근육**(앞면). 왼쪽 = 얕은층; 오른쪽 = 깊은층.

1 뒤통수이마근의 이마힘살
Frontal belly of occipitofrontalis muscle
2 눈썹주름근 Corrugator supercilii muscle
3 눈둘레근의 눈꺼풀부분
Palpebral part of orbicularis oculi muscle
4a 코근의 가로부분
Transverse part of nasalis muscle
4b 코근의 콧방울부분 Alar part of nasalis muscle
5 위입술콧방울올림근
Levator labii superioris alaeque nasi muscle
6 위입술올림근 Levator labii superioris muscle
7 큰광대근 Zygomaticus major muscle
8 입꼬리올림근 Levator anguli oris muscle
9 귀밑샘관 Parotid duct
10 입둘레근 Orbicularis oris muscle
11 깨물근 Masseter muscle
12 입꼬리내림근 Depressor anguli oris muscle
13 턱끝근 Mentalis muscle
14 목빗근 Sternocleidomastoid muscle
15 눈살근 Procerus muscle
16 눈썹내림근 Depressor supercilii muscle
17 눈둘레근의 눈확부분
Orbital part of orbicularis oculi muscle
18 작은광대근 Zygomaticus minor muscle
19 볼근 Buccinator muscle
20 입꼬리당김근 Risorius muscle
21 아래입술내림근
Depressor labii inferioris muscle
22 넓은목근 Platysma muscle
23 머리덮개널힘줄 Galea aponeurotica
24 관자마루근 Temporoparietalis muscle
25 뒤통수이마근의 뒤통수힘살
Occipital belly of occipitofrontalis muscle
26 귀밑샘과 귀밑샘근막 Parotid gland with fascia
27 관자근막 Temporal fascia
28 눈둘레근 Orbicularis oculi muscle
29 귀밑샘관과 깨물근
Parotid duct and masseter muscle

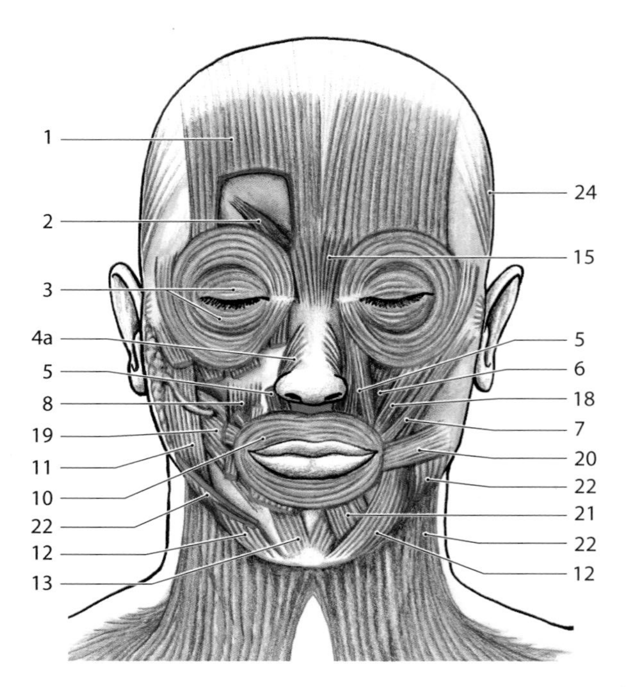

그림 8.106 **얼굴근육**(앞면). 왼쪽 = 얕은층; 오른쪽 = 깊은층.

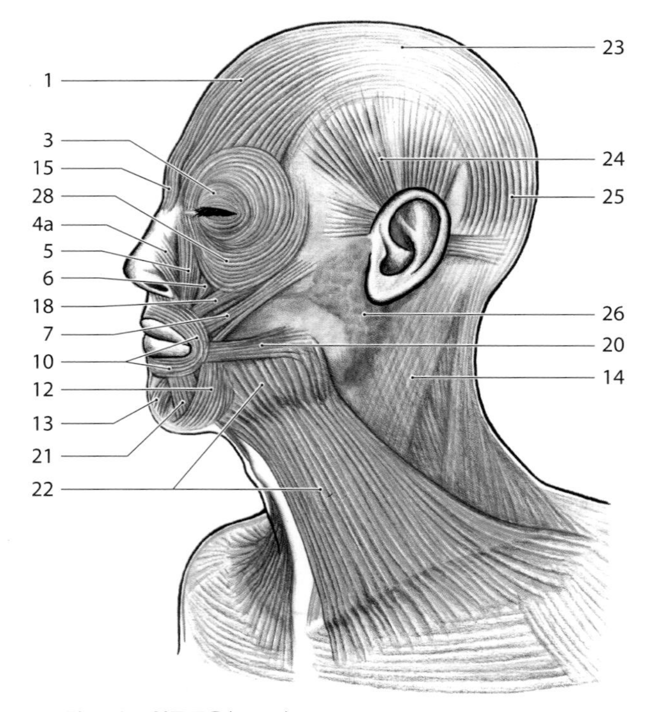

그림 8.107 **얼굴근육**(가쪽면). 조임근들이 머리의 구멍을 둘러싸고 있다. 부채꼴로 배열된 근육들이 조임근의 대항근으로 작용한다.

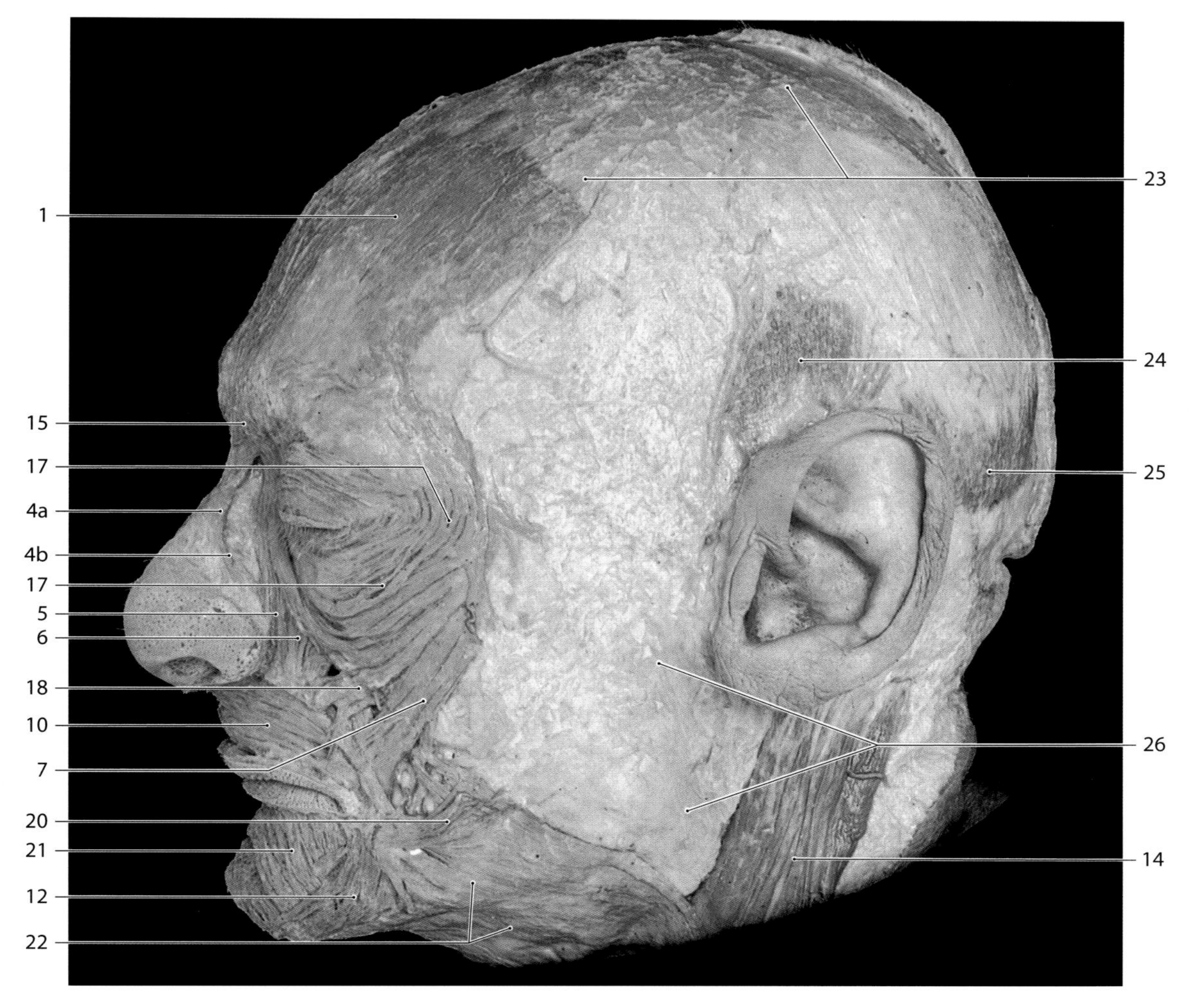

그림 8.108 **얼굴근육**(가쪽면).

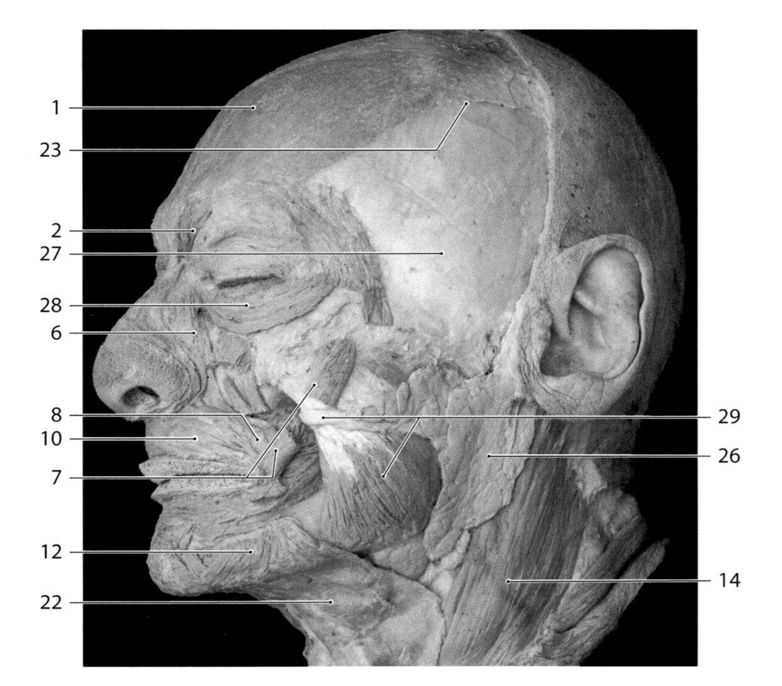

그림 8.109 **얼굴근육과 귀밑샘**(가쪽면).

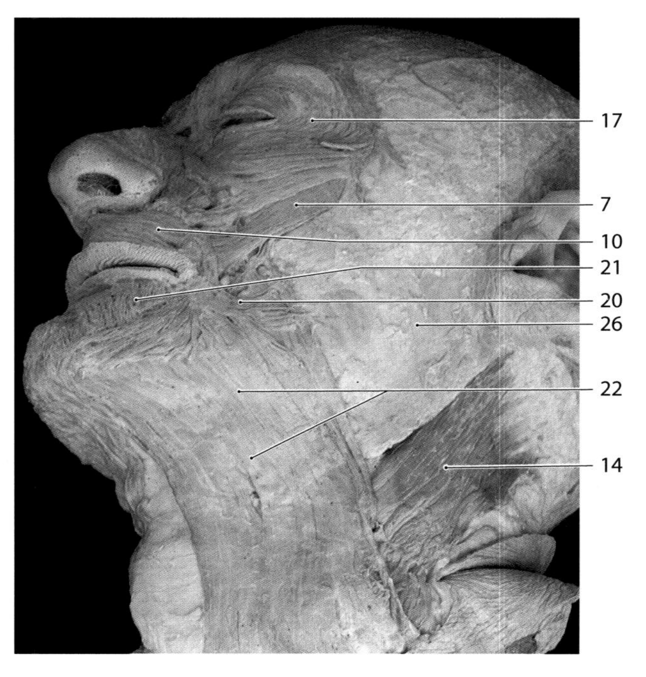

그림 8.110 **넓은목근**(비스듬가쪽면). 목근막의 얕은층이 부분적으로 제거되었다.

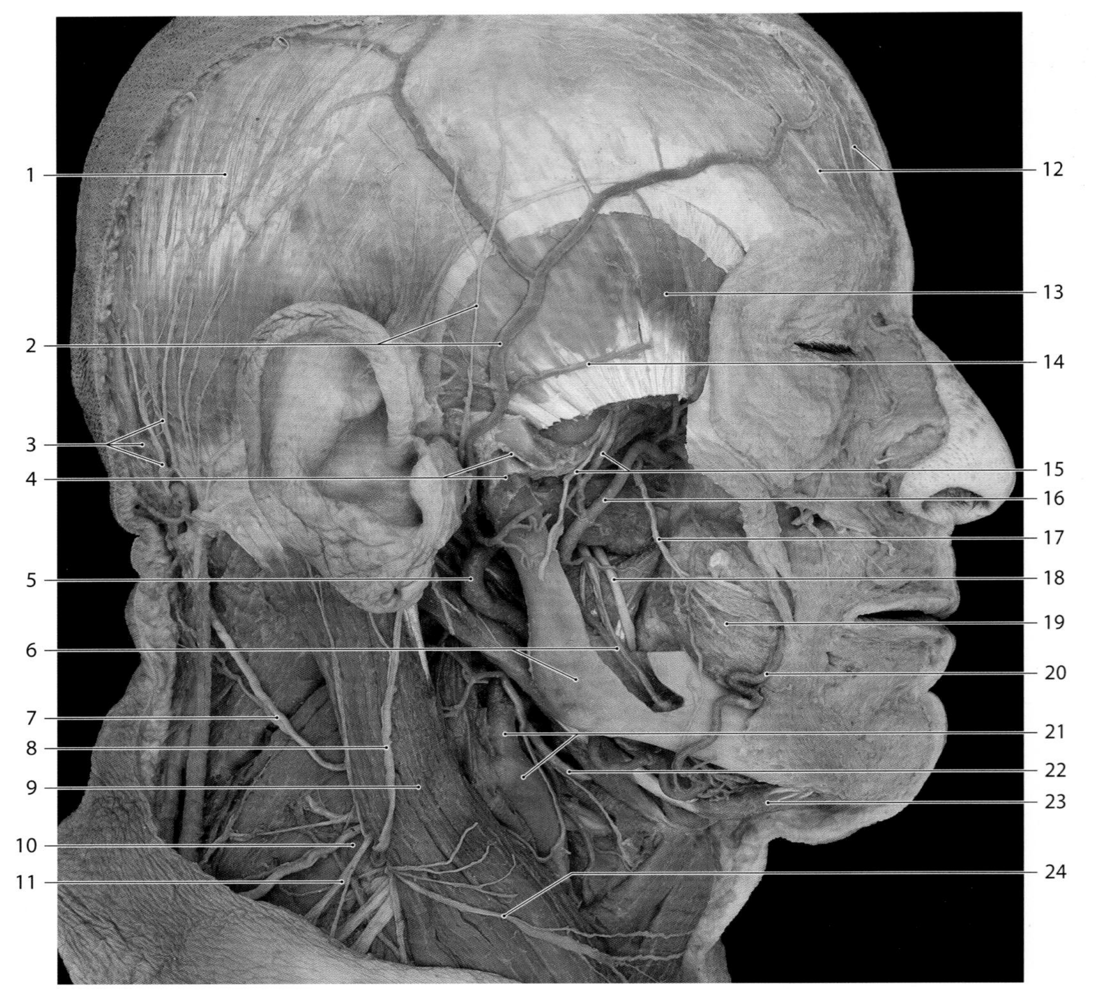

그림 8.111 **위턱동맥의 해부**(가쪽면). 턱뼈가지를 부분적으로 제거하고 턱뼈관을 열었다.

1 머리덮개널힘줄 Galea aponeurotica
2 얕은관자동맥과 귓바퀴관자신경 Superficial temporal artery and auriculo temporal nerve
3 뒤통수동맥과 큰뒤통수신경(둘째목신경) Occipital artery and greater occipital nerve (C2)
4 턱관절(열림) Temporomandibular joint (opened)
5 바깥목동맥 External carotid artery
6 아래턱뼈 및 아래이틀동맥과 신경 Mandible and inferior alveolar artery and nerve
7 더부신경(변이) Accessory nerve (var.)
8 큰귓바퀴신경 Great auricular nerve
9 목빗근 Sternocleidomastoid muscle
10 목의 피부신경이 나오는 곳 Punctum nervosum
11 빗장위신경 Supraclavicular nerves
12 눈확위신경 Supra-orbital nerves
13 관자근 Temporal muscle
14 가로얼굴동맥 Transverse facial artery
15 깨물근신경과 위턱동맥의 깊은관자가지 Masseteric nerve and deep temporal branch of maxillary artery
16 위턱동맥 Maxillary artery
17 볼신경 Buccal nerve
18 혀신경 Lingual nerve
19 볼근 Buccinator muscle
20 얼굴동맥 Facial artery
21 바깥목동맥과 목동맥팽대 External carotid artery and sinus caroticus
22 혀밑신경 Hypoglossal nerve
23 턱두힘살근 Digastric muscle
24 가로목신경 Transverse cervical nerves

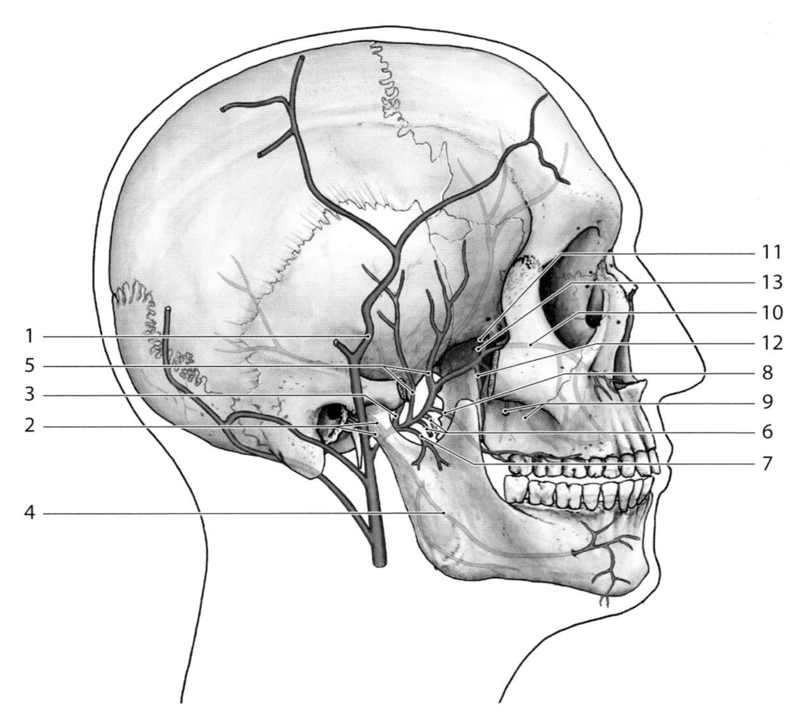

그림 8.112 **위턱동맥의 주요 가지**(가쪽면).

1 얕은관자동맥 Superficial temporal artery

첫째부분의 가지

2 깊은귓바퀴동맥과 앞고실동맥 Deep auricular artery and anterior tympanic artery
3 중간뇌막동맥 Middle meningeal artery
4 아래이틀동맥 Inferior alveolar artery

둘째부분의 가지

5 깊은관자가지 Deep temporal branches
6 날개근가지 Pterygoid branches
7 깨물근동맥 Masseteric artery
8 볼동맥 Buccal artery

셋째부분의 가지

9 뒤위이틀동맥 Posterior superior alveolar artery
10 눈확아래동맥 Infra-orbital artery
11 나비입천장동맥과 코안가지 Sphenopalatine artery and branches to the nasal cavity
12 내림입천장동맥 Descending palatine artery
13 날개관동맥 Artery of the pterygoid canal

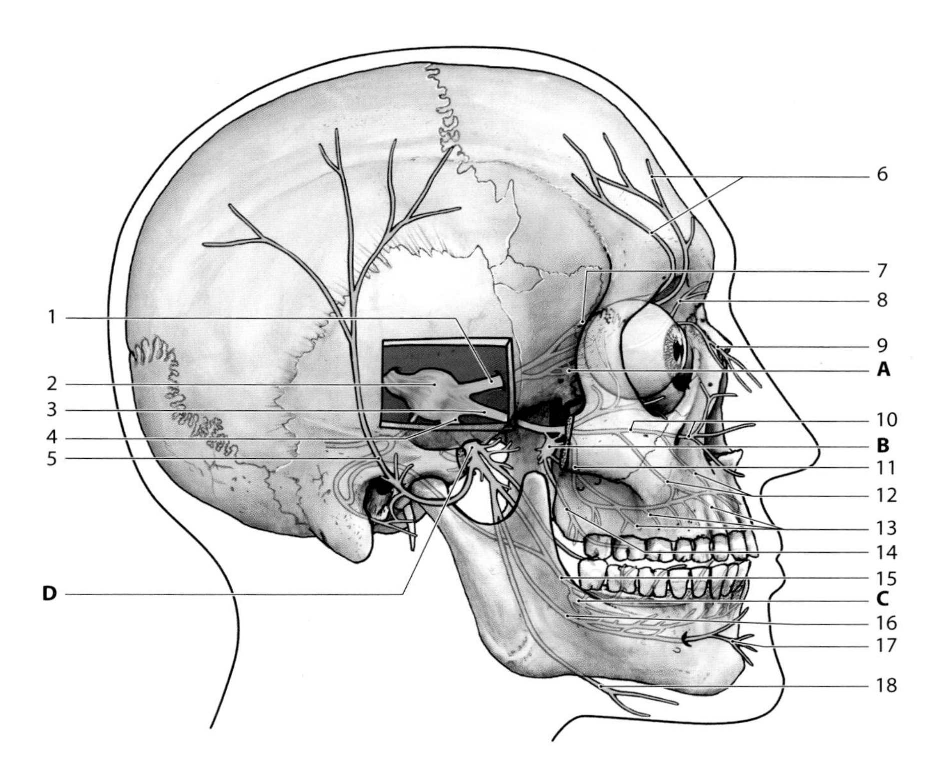

삼차신경

1 눈신경 Opthalmic nerve (CN V1)
2 삼차신경절 Trigeminal ganglion
3 위턱신경 Maxillary nerve (CN V2)
4 아래턱신경 Mandibular nerve (CN V3)
5 귓바퀴관자신경 Auriculotemporal nerve
6 눈확위신경의 가쪽과 안쪽가지 Lateral and medial branch of supra-orbital nerve
7 이마신경 Frontal nerve
8 코섬모체신경 Nasociliary nerve
9 바깥코가지 External nasal branch
10 눈확아래신경 Infra-orbital nerve
11 뒤위이틀신경 Posterior superior alveolar nerve
12 앞과 중간위이틀신경 Anterior and middle superior alveolar nerves
13 위치아신경얼기 Superior dental plexus
14 큰입천장신경 Greater palatine nerve
15 혀신경 Lingual nerve
16 아래이틀신경 Inferior alveolar nerve
17 턱끝신경 Mental nerve
18 턱목뿔근신경 Mylohyoid nerve

A = 섬모체신경절 Ciliary ganglion
B = 날개입천장신경절 Pterygopalatine ganglion
C = 턱밑신경절 Submandibular ganglion
D = 귀신경절 Otic ganglion

그림 8.113 **삼차신경(CN V)과 주요 가지.** 알파벳글자는 삼차신경의 주요 가지와 관련된 세 개의 자율신경절 위치를 나타낸다.

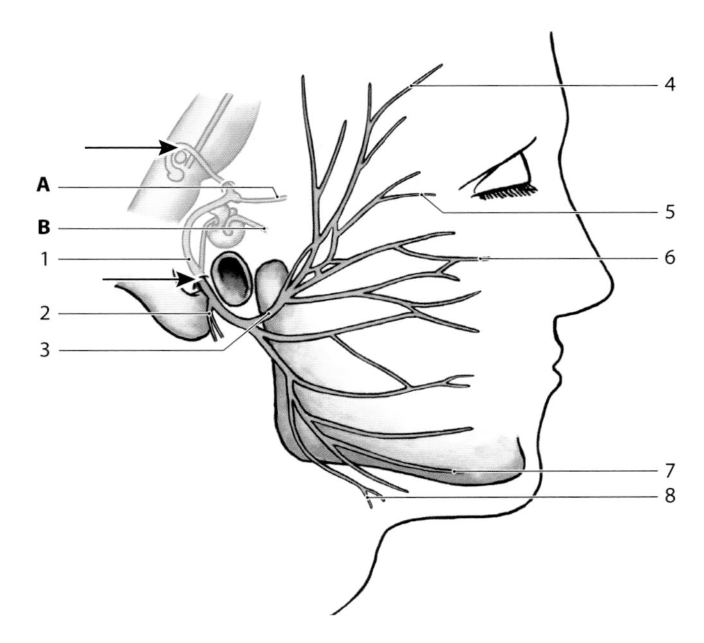

그림 8.114 **얼굴신경 (CN VII)과 가지.** 알파벳글자는 자율신경의 가지를 나타낸다. 위 화살표 = 얼굴신경의 속무릎; 아래 화살표 = 붓꼭지구멍.

얼굴신경(CN VII)

1 뒤귓바퀴신경 Posterior auricular nerve
2 붓가지, 턱두힘살근가지 Styloid branch, Digastric branch
3 귀밑신경얼기 Parotid plexus
4 관자가지 Temporal branch
5 광대가지 Zygomatic branch
6 볼가지 Buccal branch
7 턱모서리가지 Marginal mandibular branch
8 목가지 Cervical branch

A = 큰바위신경 Greater petrosal nerve, B = 고실끈신경 Chorda tympani

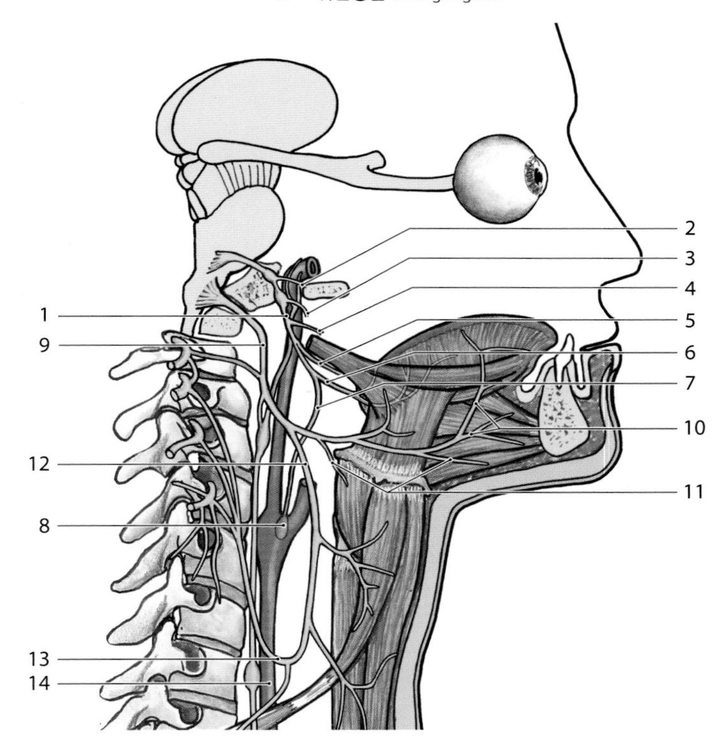

그림 8.115 **혀인두신경(CN IX)과 혀밑신경(CN XII)의 가지들.**

1 **혀인두신경 Glossopharyngeal nerve (CN IX)**
2 고실신경 Tympanic nerve
3 붓인두근가지 Stylopharyngeal branch
4 인두가지 Pharyngeal branch
5 편도가지 Tonsillar branch
6 혀가지 Lingual branch
7 목동맥팽대가지 Carotid sinus branch
8 목동맥토리 Carotid body
9 **혀밑신경 (CN XII)**
10 혀가지 Lingual branch
11 턱끝목뿔가지와 갑상목뿔가지 Geniohyoid and thyrohyoid branch
12 목신경고리의 위뿌리 Superior root of ansa cervicalis
13 목신경고리 Ansa cervicalis
14 온목동맥 Common carotid artery

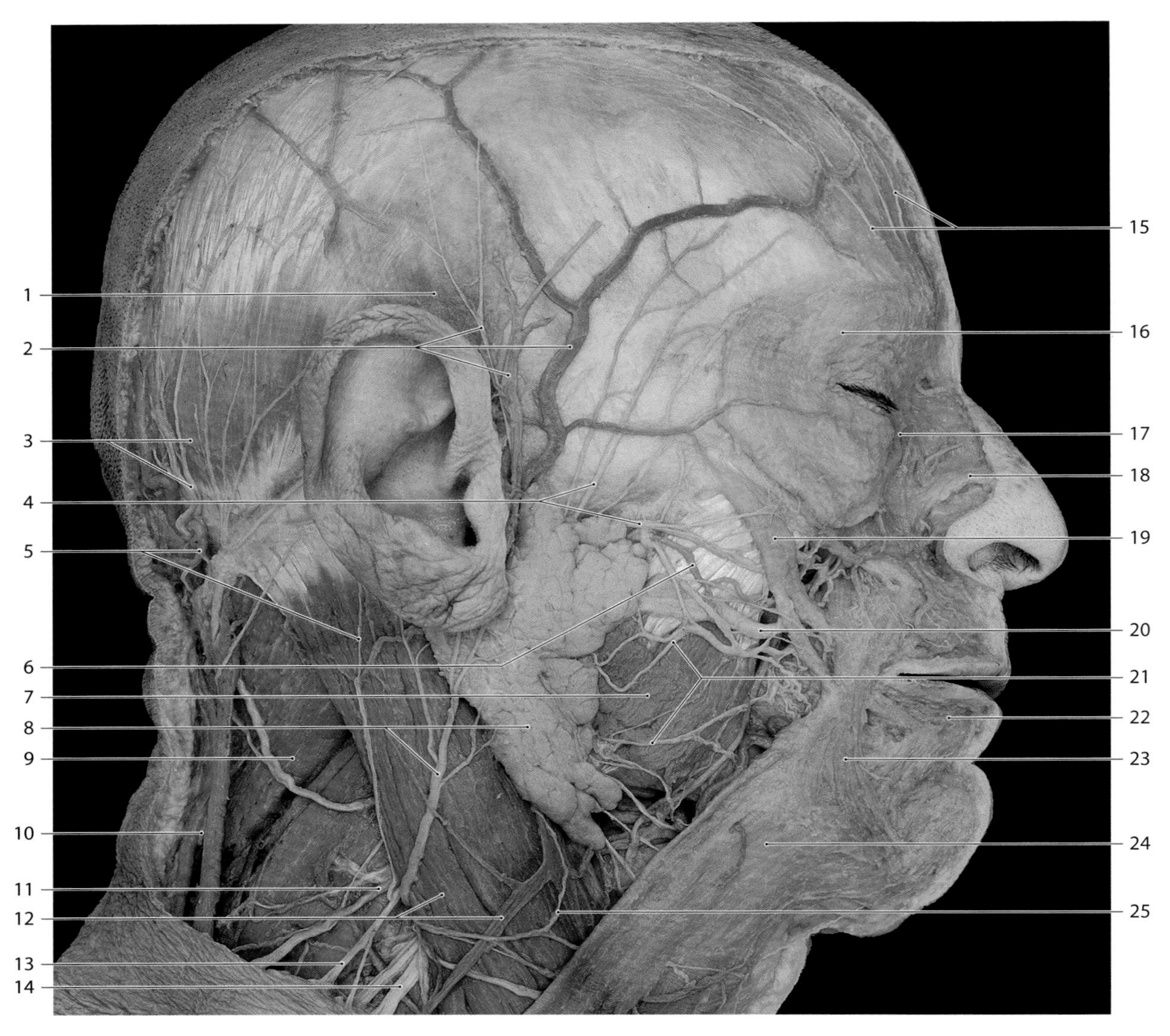

그림 8.116 **얼굴가쪽의 얕은 해부.** 얼굴신경(CN VII)의 분포.

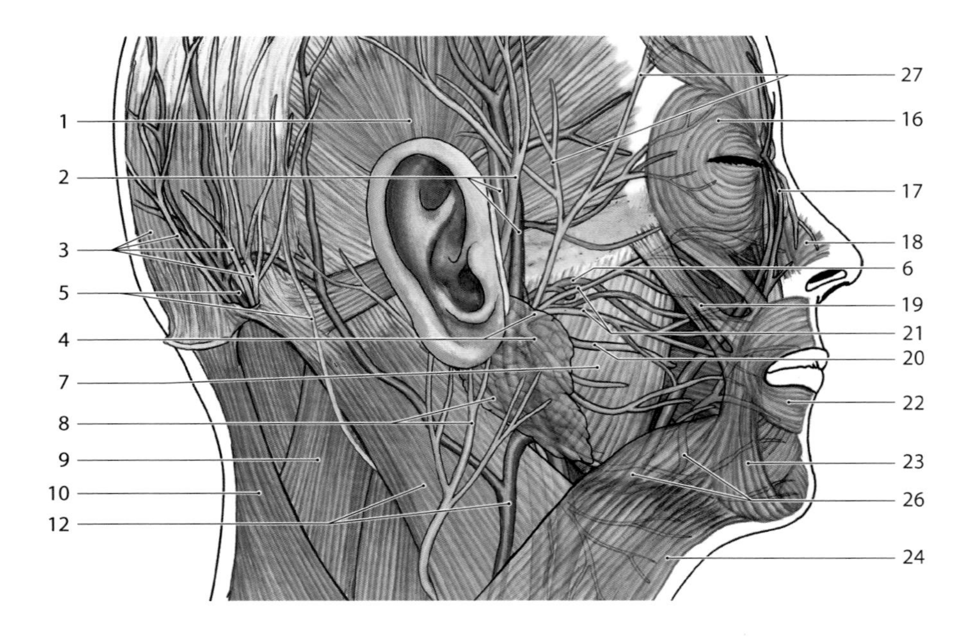

그림 8.117 **얼굴의 얕은 부위(가쪽면).** 귀밑샘 속의 얼굴신경얼기를 관찰하시오.

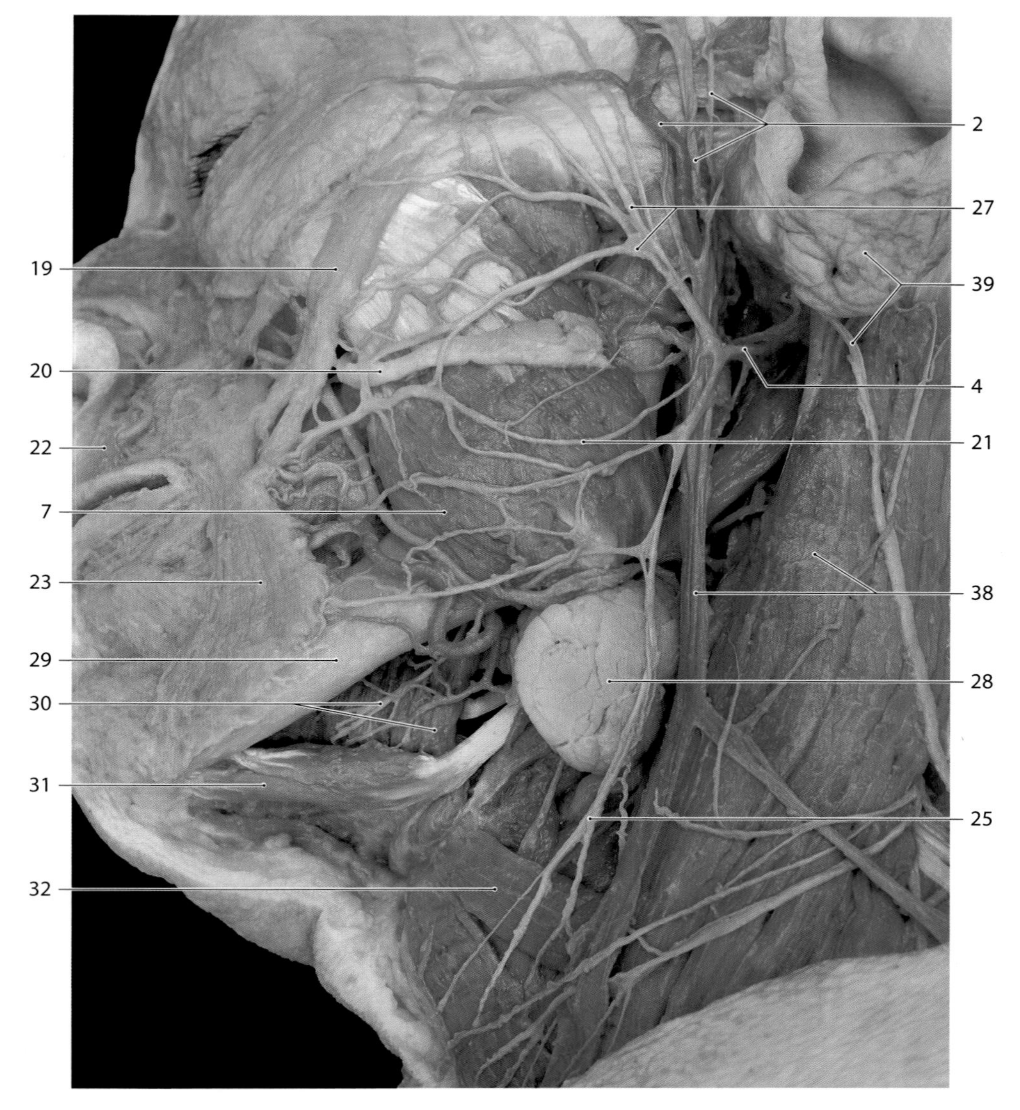

그림 8.118 **아래턱뒤부위와 턱밑부위**(가쪽면). 귀밑샘을 제거하였다.

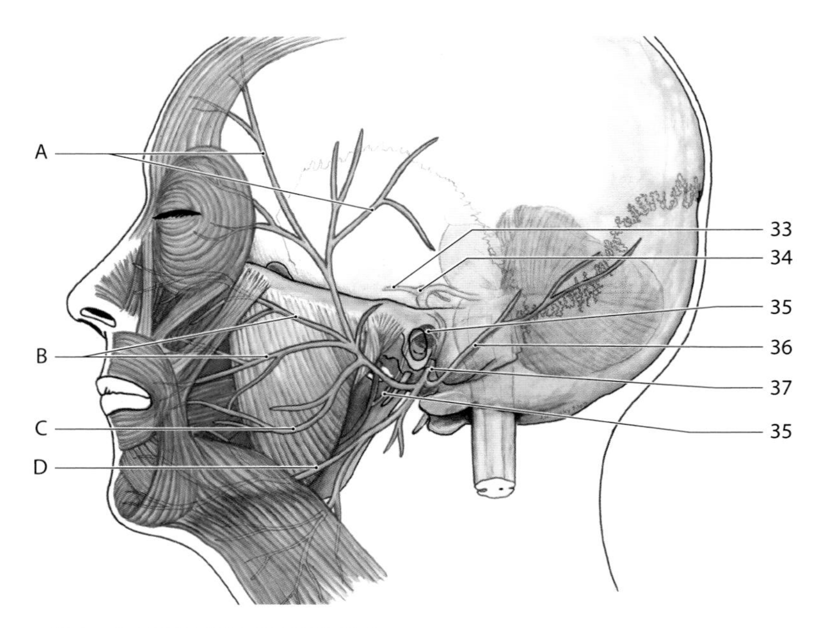

그림 8.119 **얼굴신경의 주요 가지**(가쪽면).
A = 관자가지; B = 광대가지; C = 볼가지; D = 턱모서리가지

1 관자마루근 Temporoparietalis muscle
2 얕은관자동맥과 정맥, 귓바퀴관자신경 Superficial temporal artery and vein, and auriculotemporal nerve
3 뒤통수이마근의 뒤통수힘살과 큰뒤통수신경(둘째목신경) Occipital belly of occipitofrontalis muscle and greater occipital nerve (C2)
4 얼굴신경 Facial nerve (CN VII)
5 작은뒤통수신경과 뒤통수동맥 Lesser occipital nerve and occipital artery
6 가로얼굴동맥 Transverse facial artery
7 깨물근 Masseter muscle
8 귀밑샘과 큰귓바퀴신경 Parotid gland and great auricular nerve
9 머리널판근 Splenius capitis muscle
10 등세모근 Trapezius muscle
11 목신경얼기의 피부가지 시작점 Punctum nervosum, point of distribution of cutaneous nerves of cervical plexus
12 목빗근과 바깥목정맥 Sternocleidomastoid muscle and external jugular vein
13 빗장위신경 Supraclavicular nerves
14 팔신경얼기 Brachial plexus
15 눈확위신경 Supra-orbital nerves
16 눈둘레근 Orbicularis oculi muscle
17 눈구석동맥(얼굴동맥의 종말가지) Angular artery (terminal branch of facial artery)
18 코근 Nasalis muscle
19 큰광대근 Zygomaticus major muscle
20 귀밑샘관 Parotid duct
21 얼굴신경의 광대가지와 볼가지 Zygomatic and buccal branches of facial nerve
22 입둘레근 Orbicularis oris muscle
23 입꼬리내림근 Depressor anguli oris muscle
24 넓은목근 Platysma muscle
25 얼굴신경의 목가지(목신경얼기의 가로목신경과의 연결) Cervical branch of facial nerve (anastomosing with transverse cervical nerve of cervical plexus)
26 얼굴동맥과 정맥 Facial artery and vein
27 얼굴신경의 관자가지 Temporal branches of facial nerve
28 턱밑샘 Submandibular gland
29 아래턱뼈 Mandible
30 턱목뿔근과 신경 Mylohyoideus muscle and nerve
31 턱두힘살근의 앞힘살 Anterior belly of digastric muscle
32 어깨목뿔근 Omohyoid muscle
33 큰바위신경 Greater petrosal nerve
34 무릎신경절 Geniculate ganglion
35 고실끈신경 Chorda tympani
36 뒤귓바퀴신경 Posterior auricular nerve
37 붓꼭지구멍 Stylomastoid foramen
38 목빗근과 아래턱뒤정맥 Sternocleidomastoid muscle and retromandibular vein
39 귓불과 큰귓바퀴신경 Lobule of auricle and great auricular nerve

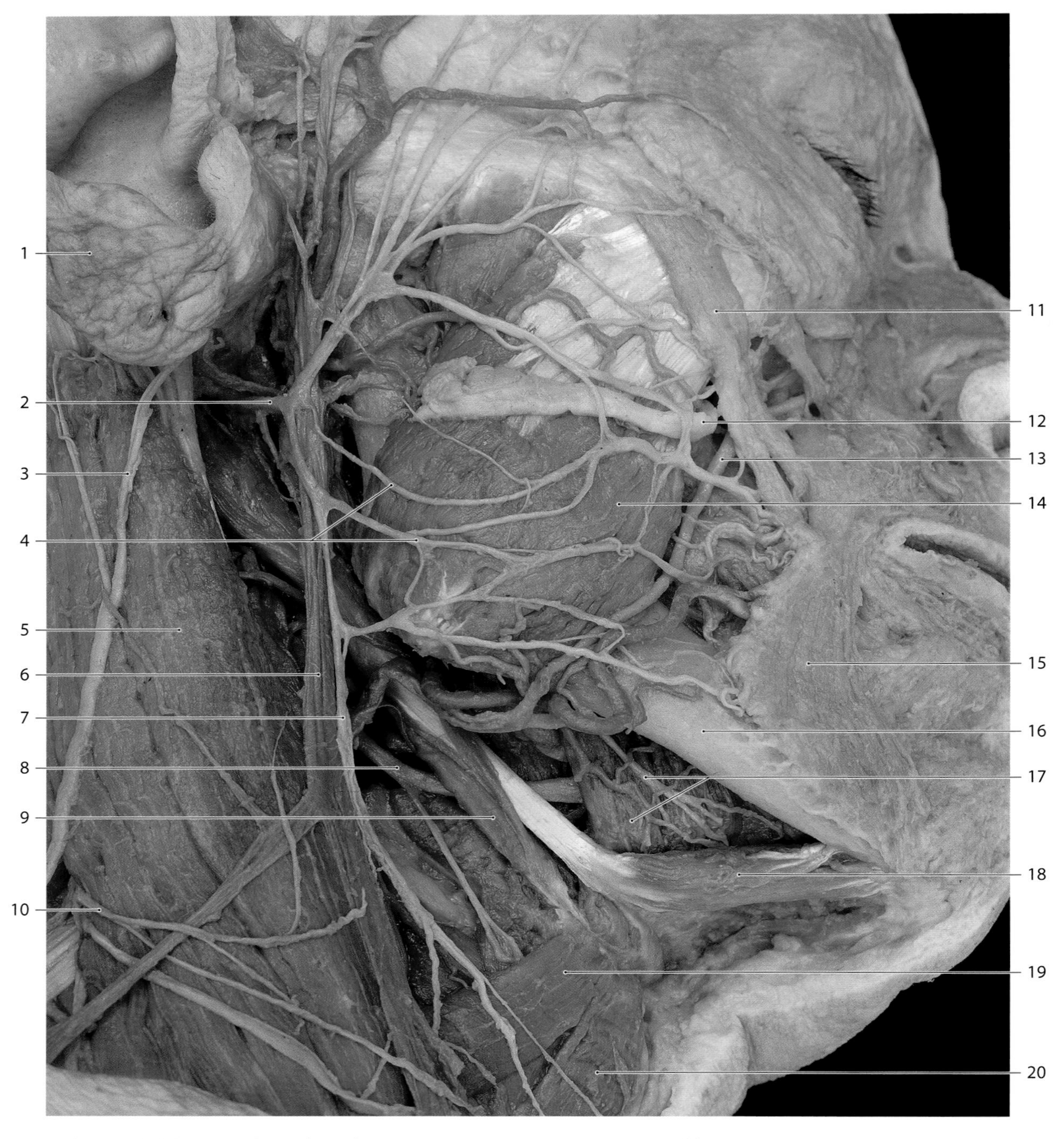

그림 8.120 **아래턱뒤부위와 턱밑부위**(가쪽면). 귀밑샘과 턱밑샘은 제거하였다. 귀밑샘신경얼기(4)는 귀밑샘에서 일어나는 얼굴신경의 관자가지, 광대가지, 볼가지, 아래턱모서리가지와 목가지의 연결에 의해 형성된다.

1 귓불 Lobule of auricle
2 얼굴신경 Facial nerve (CN VII)
3 큰귓바퀴신경 Great auricular nerve
4 귀밑샘신경얼기 Parotid plexus
5 목빗근 Sternocleidomastoid muscle
6 아래턱뒤정맥 Retromandibular vein
7 얼굴신경의 목가지 Cervical branch of facial nerve
8 혀밑신경 Hypoglossal nerve (CN XII)
9 붓목뿔근 Stylohyoid muscle
10 가로목신경 Transverse cervical nerve
11 큰광대근 Zygomaticus major muscle
12 귀밑샘관 Parotid duct
13 얼굴동맥 Facial artery
14 깨물근 Masseter muscle
15 입꼬리내림근 Depressor anguli oris muscle
16 아래턱뼈 Mandible
17 턱목뿔근과 신경 Mylohyoid muscle and nerve
18 턱두힘살근의 앞힘살 Anterior belly of digastric muscle
19 어깨목뿔근 Omohyoid muscle
20 복장목뿔근 Sternohyoid muscle

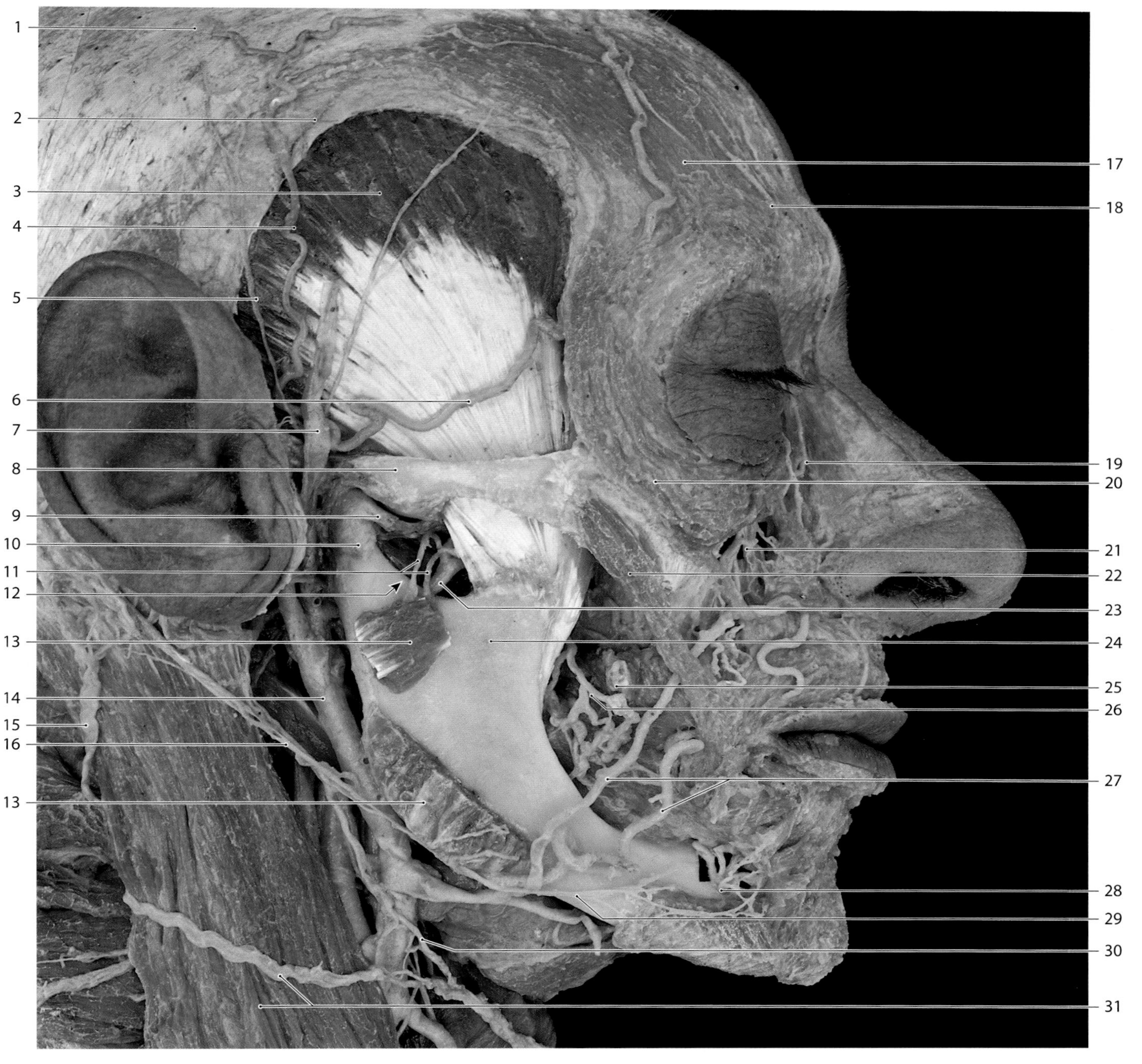

그림 8.121 **얼굴가쪽의 얕은 해부.** 깨물근과 관자근막을 부분적으로 제거하여 깨물근동맥과 신경이 보이게 하였다.

1 머리덮개널힘줄 Galea aponeurotica
2 관자근막 Temporal fascia
3 관자근 Temporal muscle
4 얕은관자동맥의 마루가지 Parietal branch of superficial temporal artery
5 귓바퀴관자신경 Auriculotemporal nerve
6 얕은관자동맥의 이마가지 Frontal branch of superficial temporal artery
7 얕은관자정맥 Superficial temporal vein
8 광대활 Zygomatic arch
9 턱관절의 관절원반 Articular disc of temporomandibular joint
10 턱뼈머리 Head of mandible
11 깨물근동맥과 신경 Masseteric artery and nerve
12 턱뼈파임 Mandibular notch
13 깨물근(잘렸음) Masseter muscle (divided)
14 바깥목동맥 External carotid artery
15 큰귓바퀴신경 Great auricular nerve
16 얼굴신경(젖혔음) Facial nerve (reflected)
17 뒤통수이마근의 이마힘살 Frontal belly of occipitofrontalis muscle
18 눈확위신경의 안쪽가지 Medial branch of supra-orbital nerve
19 눈구석동맥 Angular artery
20 눈둘레근 Orbicularis oculi muscle
21 눈확아래신경 Infra-orbital nerve
22 큰광대근 Zygomaticus major muscle
23 위턱동맥 Maxillary artery
24 근육돌기 Coronoid process
25 귀밑샘관(잘렸음) Parotid duct (divided)
26 볼신경 Buccal nerve
27 얼굴동맥과 정맥 Facial artery and vein
28 턱끝신경 Mental nerve
29 얼굴신경의 턱가지 Mandibular branch of facial nerve
30 얼굴신경의 목가지 Cervical branch of facial nerve
31 가로목신경(얼굴신경과의 연결가지)과 목빗근 Transverse cervical nerve (communicating branch with facial nerve) and sternocleidomastoid muscle

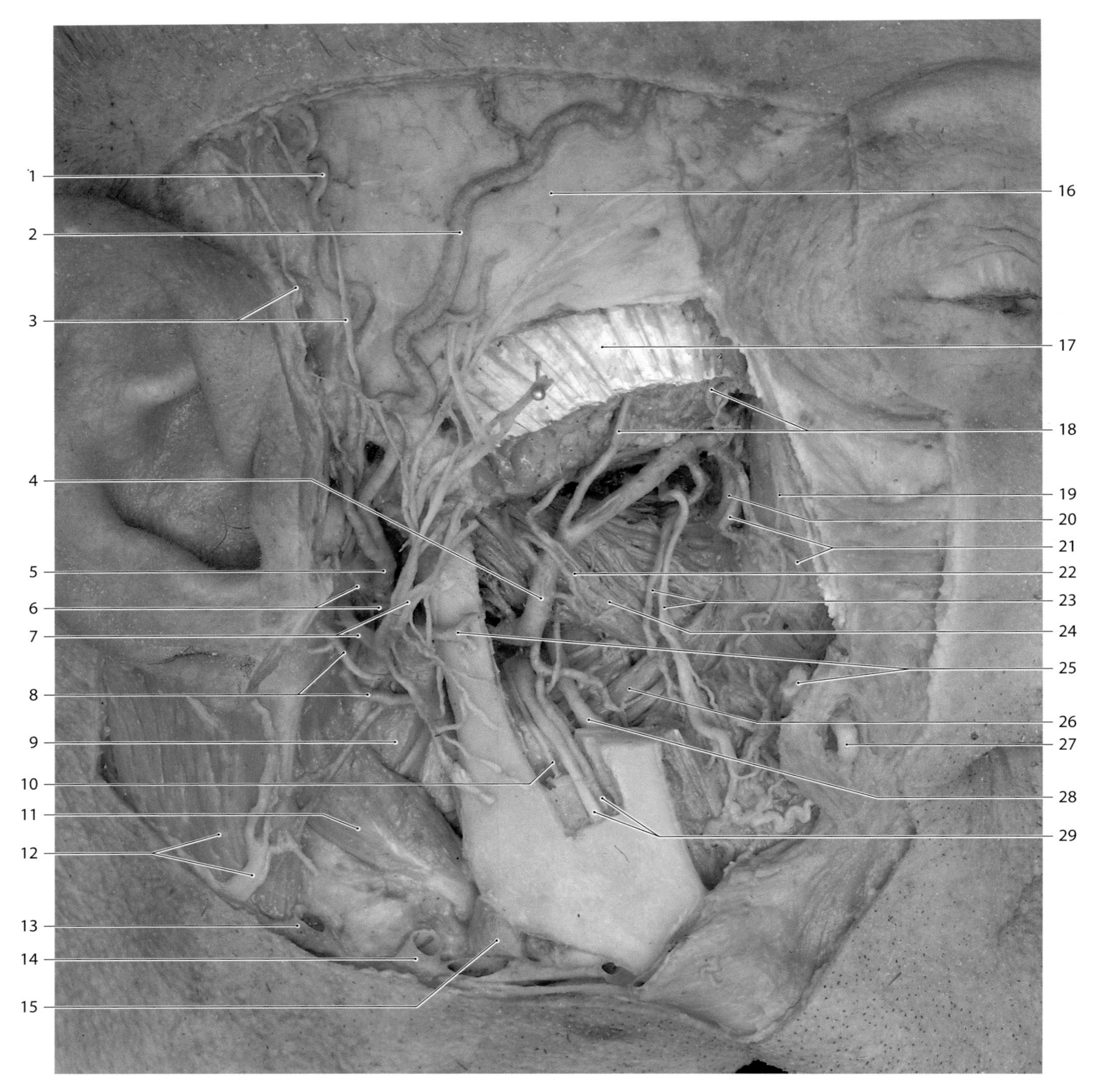

그림 8.122 **얼굴과 아래턱뒤부위의 깊은 해부.** 근육돌기와 관자근의 닿는곳을 함께 잘라 위턱동맥이 보이게 하였다. 턱뼈관의 위부분을 열었다.

1 얕은관자동맥의 마루가지 Parietal branch of superficial temporal artery
2 얕은관자동맥의 이마가지 Frontal branch of superficial temporal artery
3 귓바퀴관자신경 Auriculotemporal nerve
4 위턱동맥 Maxillary artery
5 얕은관자동맥 Superficial temporal artery
6 얼굴신경과 귓바퀴관자신경의 연결가지 Communicating branches between facial and auriculotemporal nerves
7 얼굴신경 Facial nerve
8 뒤귓바퀴동맥과 얕은관자동맥의 앞귓바퀴가지 Posterior auricular artery and anterior auricular branch of superficial temporal artery
9 속목정맥 Internal jugular vein
10 속목뿔근신경 Mylohyoid nerve
11 턱두힘살근의 뒤힘살 Posterior belly of digastric muscle
12 큰귓바퀴신경과 목빗근 Great auricular nerve and sternocleidomastoid muscle
13 바깥목정맥 External jugular vein
14 아래턱뒤정맥 Retromandibular vein
15 턱밑샘 Submandibular gland
16 관자근막 Temporal fascia
17 관자근힘줄 Temporal tendon
18 깊은관자동맥 Deep temporal arteries
19 뒤위이틀신경 Posterior superior alveolar nerve
20 나비입천장동맥 Sphenopalatine artery
21 뒤위이틀동맥 Posterior superior alveolar arteries
22 깨물근동맥과 신경 Masseteric artery and nerve
23 볼신경과 동맥 Buccal nerve and artery
24 가쪽날개근 Lateral pterygoid muscle
25 가로얼굴동맥과 귀밑샘관(잘림) Transverse facial artery and parotid duct (divided)
26 안쪽날개근 Medial pterygoid muscle
27 얼굴동맥 Facial artery
28 혀신경 Lingual nerve
29 아래이틀동맥과 신경(턱뼈관이 열림) Inferior alveolar artery and nerve (mandibular canal opened)

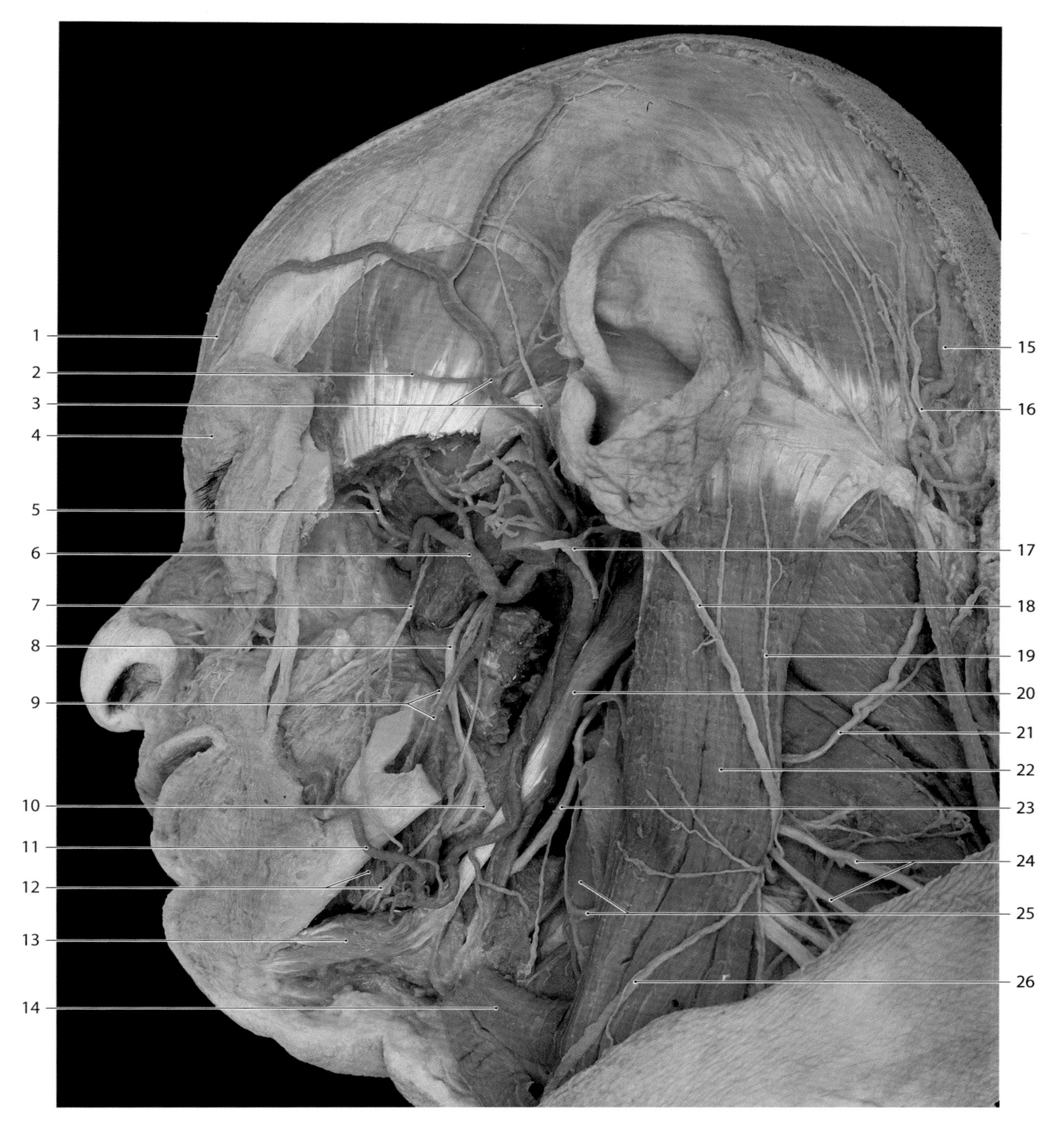

그림 8.123 **인두주위 및 아래턱뒤부위의 해부.** 아래턱뼈의 일부를 제거하였다(비스듬가쪽면).

1 눈확위신경(안쪽가지) Supra-orbital nerve (medial branch)
2 관자근 Temporal muscle
3 얕은관자동맥과 귓바퀴관자신경 Superficial temporal artery and auriculotemporal nerve
4 눈둘레근 Orbicularis oculi muscle
5 앞깊은관자동맥 Anterior deep temporal artery
6 위턱동맥 Maxillary artery
7 볼신경 Buccal nerve
8 혀신경 Lingual nerve
9 아래이틀신경과 동맥 Inferior alveolar nerve and artery
10 턱밑신경절 Submandibular ganglion
11 얼굴동맥 Facial artery
12 턱목뿔근과 신경 Mylohyoid muscle and nerve
13 턱두힘살근의 앞힘살 Anterior belly of digastric muscle
14 어깨목뿔근 Omohyoid muscle
15 뒤통수동맥 Occipital artery
16 큰뒤통수신경 Greater occipital nerve (C2)
17 얼굴신경(잘림) Facial nerve (cut) (CN VII)
18 큰귓바퀴신경 Great auricular nerve
19 작은뒤통수신경 Lesser occipital nerve
20 턱두힘살근의 뒤힘살 Posterior belly of digastric muscle
21 더부신경(변이) Accessory nerve (Var.)
22 목빗근 Sternocleidomastoid muscle
23 혀밑신경 Hypoglossus nerve (CN XII)
24 빗장위신경(가쪽과 중간가지) Supraclavicular nerves (lateral and intermediate branches)
25 속목정맥과 목신경고리 Internal jugular vein and ansa cervicalis
26 앞쪽빗장위신경 Anterior supraclavicular nerve

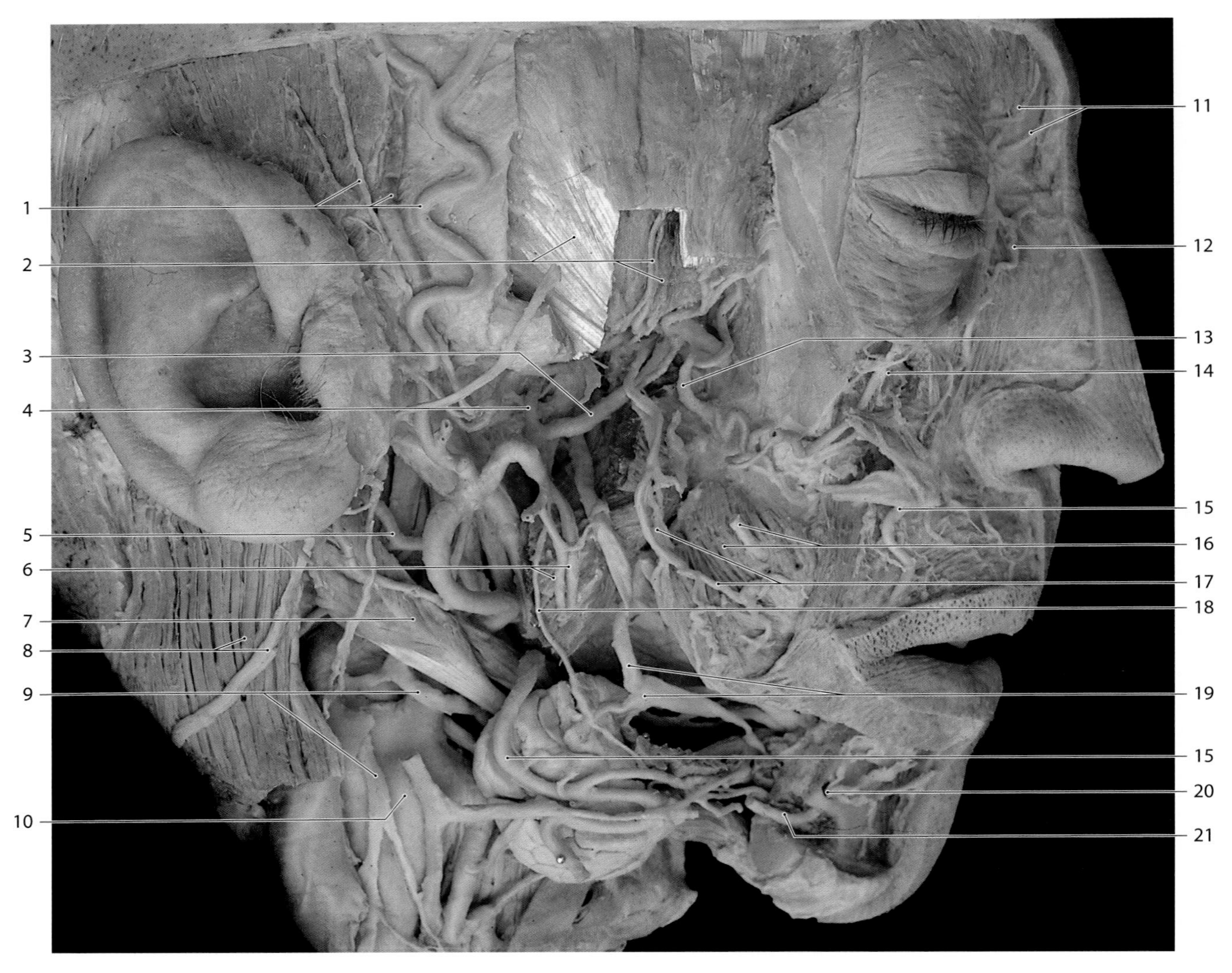

그림 8.124 **얼굴과 아래턱뒤부위의 깊은 해부.** 아래턱뼈와 날개근을 제거하고 관자근에 구멍을 내었다.

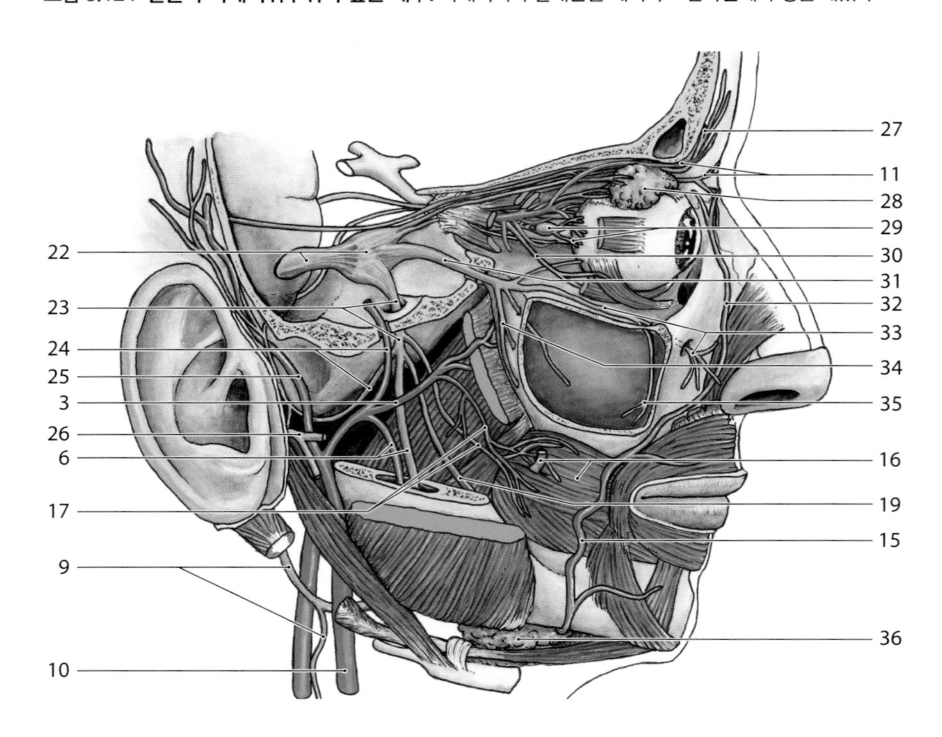

그림 8.125 **얼굴 깊은부위의 동맥과 신경.** 위턱동맥과 삼차신경의 분포를 관찰하시오.

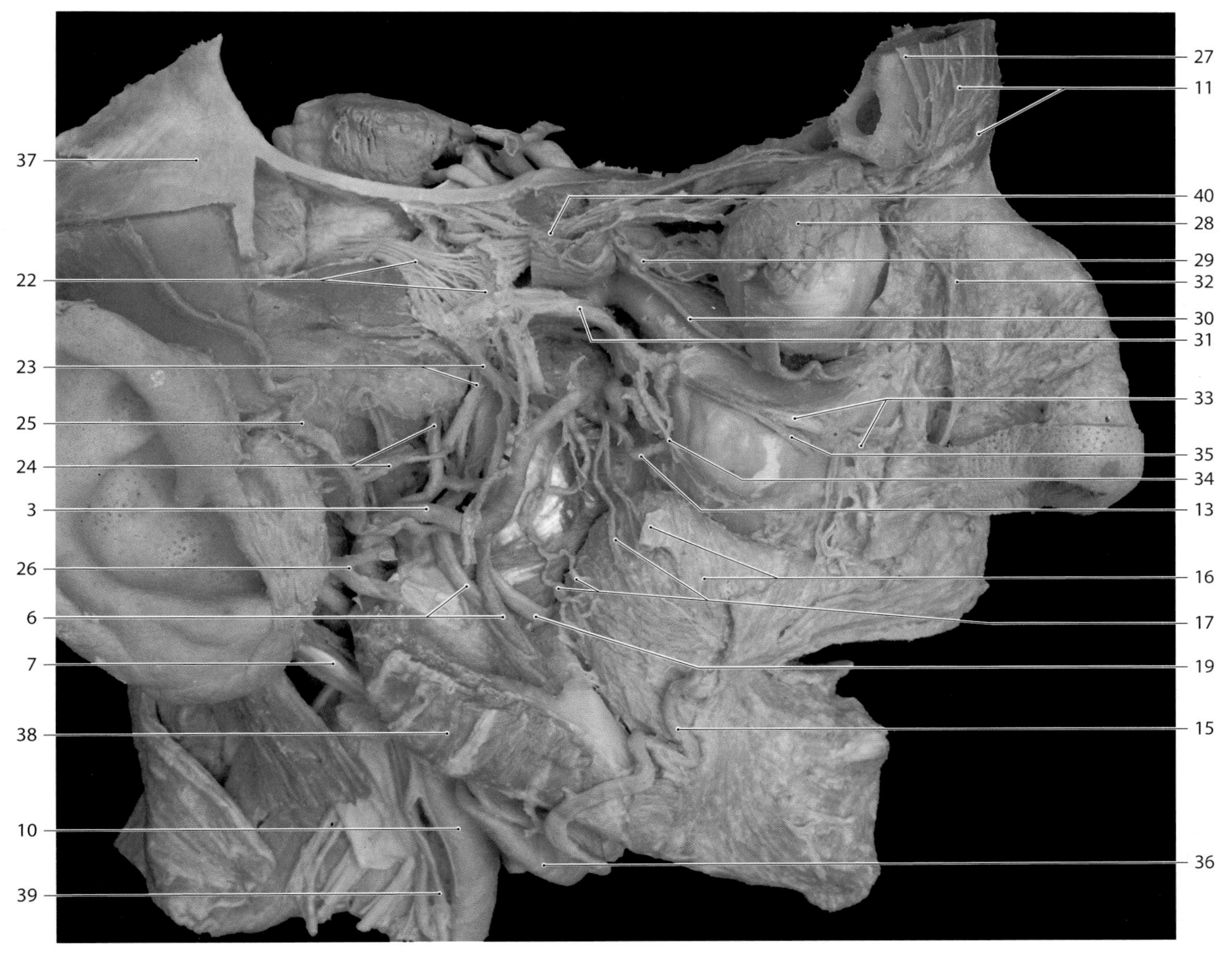

그림 8.126 **관자아래부위의 깊은 해부.** 아래턱뼈와 눈확의 가쪽벽을 제거하였다. 삼차신경의 주요 가지와 삼차신경절이 보인다.

1 얕은관자동맥과 정맥, 귓바퀴관자신경 Superficial temporal artery and vein and auriculotemporal nerve
2 관자근힘줄, 깊은관자신경과 동맥 Tendon of temporal muscle, deep temporal nerves and artery
3 위턱동맥 Maxillary artery
4 중간뇌막동맥 Middle meningeal artery
5 뒤통수동맥 Occipital artery
6 아래이틀동맥과 신경 Inferior alveolar artery and nerve
7 턱두힘살근의 뒤힘살 Posterior belly of digastric muscle
8 큰귓바퀴신경과 목빗근 Great auricular nerve and sternocleidomastoid muscle
9 혀밑신경과 목신경고리의 위뿌리 Hypoglossal nerve and superior root of ansa cervicalis
10 바깥목동맥 External carotid artery
11 도르래위신경과 눈확위동맥의 안쪽가지 Supratrochlear nerve and medial branch of supra-orbital artery
12 눈구석동맥 Angular artery
13 뒤위이틀동맥 Posterior superior alveolar artery
14 눈확아래신경 Infra-orbital nerve
15 얼굴동맥 Facial artery
16 귀밑샘관(잘림)과 볼근 Parotid duct (divided) and buccinator muscle
17 볼동맥과 신경 Buccal artery and nerve
18 턱목뿔근신경 Mylohyoid nerve
19 혀신경과 턱밑신경절 Lingual nerve and submandibular ganglion
20 턱끝신경과 턱끝구멍 Mental nerve and foramen
21 아래이틀신경 Inferior alveolar nerve
22 삼차신경과 신경절 Trigeminal nerve and ganglion
23 아래턱신경 Mandibular nerve (CN V3)
24 귓바퀴관자신경과 중간뇌막동맥 Auriculotemporal nerve and middle meningeal artery
25 얕은관자동맥 Superficial temporal artery
26 얼굴신경 Facial nerve
27 눈확위신경의 가쪽가지 Lateral branch of supra-orbital nerve
28 눈물샘 Lacrimal gland
29 섬모체신경절과 짧은섬모체신경 Ciliary ganglion and short ciliary nerves
30 눈돌림신경의 아래가지 Inferior branch of oculomotor nerve
31 위턱신경 Maxillary nerve (CN V2)
32 눈구석동맥 Angular artery
33 눈확아래신경 Infra-orbital nerve
34 뒤위이틀신경 Posterior superior alveolar nerve
35 앞위이틀신경 Anterior superior alveolar nerve
36 턱밑샘 Submandibular gland
37 소뇌천막 Cerebellar tentorium
38 깨물근 Masseter muscle
39 목신경고리의 위뿌리 Superior root of ansa cervicalis
40 눈신경 Ophthalmic nerve (CN V1)

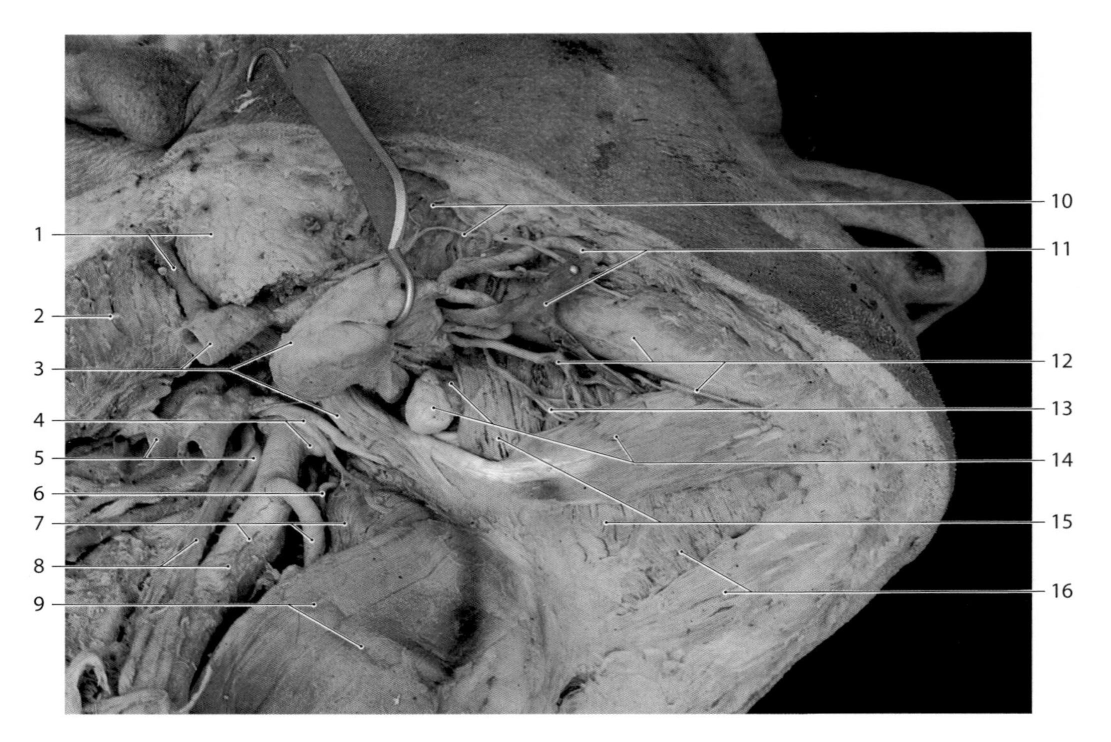

그림 8.127 **턱밑삼각.** 얕은 해부(오른쪽 아래모습). 턱밑샘은 젖혀져 있다.

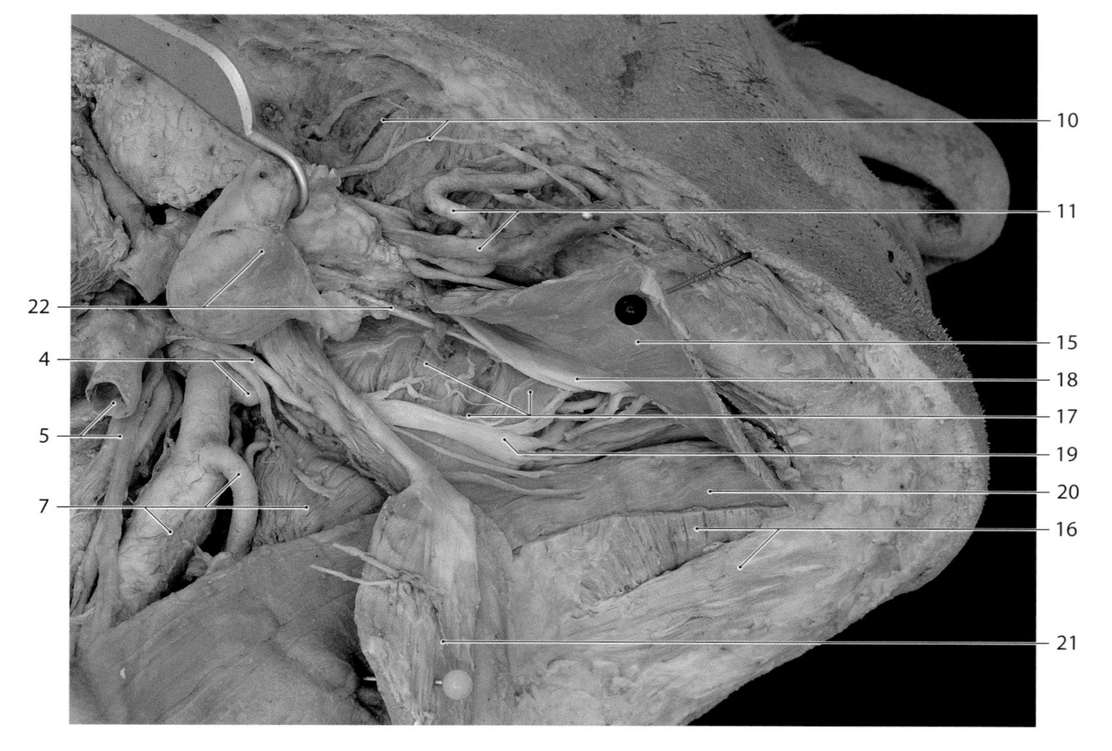

그림 8.128 **턱밑삼각.** 깊은 해부(오른쪽 아래모습). 혀신경과 혀밑신경이 보이도록 턱목뿔근은 잘라서 젖혀져있다.

1 귀밑샘과 아래턱뒤정맥 Parotid gland and retromandibular vein
2 목빗근 Sternocleidomastoid muscle
3 아래턱뒤정맥, 턱밑샘과 붓목뿔근 Retromandibular vein, submandibular gland, and stylohyoid muscle
4 혀밑신경과 혀동맥 Hypoglossal nerve and lingual artery
5 미주신경과 속목정맥 Vagus nerve and internal jugular vein
6 위후두동맥 Superior laryngeal artery
7 바깥목동맥, 갑상목뿔근과 위갑상샘동맥 External carotid artery, thyrohyoid muscle, and superior thyroid artery
8 온목동맥과 목신경고리의 위뿌리 Common carotid artery and superior root of ansa cervicalis
9 어깨목뿔근과 복장목뿔근 Omohyoid and sternohyoid muscles
10 깨물근과 얼굴신경의 턱모서리가지 Masseter muscle and marginal mandibular branch of facial nerve
11 얼굴동맥과 정맥 Facial artery and vein
12 아래턱뼈, 턱끝밑동맥과 정맥 Mandible and submental artery and vein
13 턱목뿔신경 Mylohyoid nerve
14 턱밑샘관, 혀밑샘과 턱두힘살근의 앞힘살 Submandibular duct, sublingual gland, and anterior belly of digastric muscle
15 턱목뿔근 Mylohyoid muscle
16 턱목뿔근과 왼턱두힘살근의 앞힘살 Mylohyoid muscle and anterior belly of left digastric muscle
17 목뿔혀근과 혀동맥 Hyoglossus muscle and lingual artery
18 혀신경 Lingual nerve
19 혀밑신경 Hypoglossal nerve
20 턱끝목뿔근 Geniohyoid muscle
21 오른턱두힘살근의 앞힘살 Anterior belly of right digastric muscle
22 턱밑샘과 턱밑샘관 Submandibular gland and duct

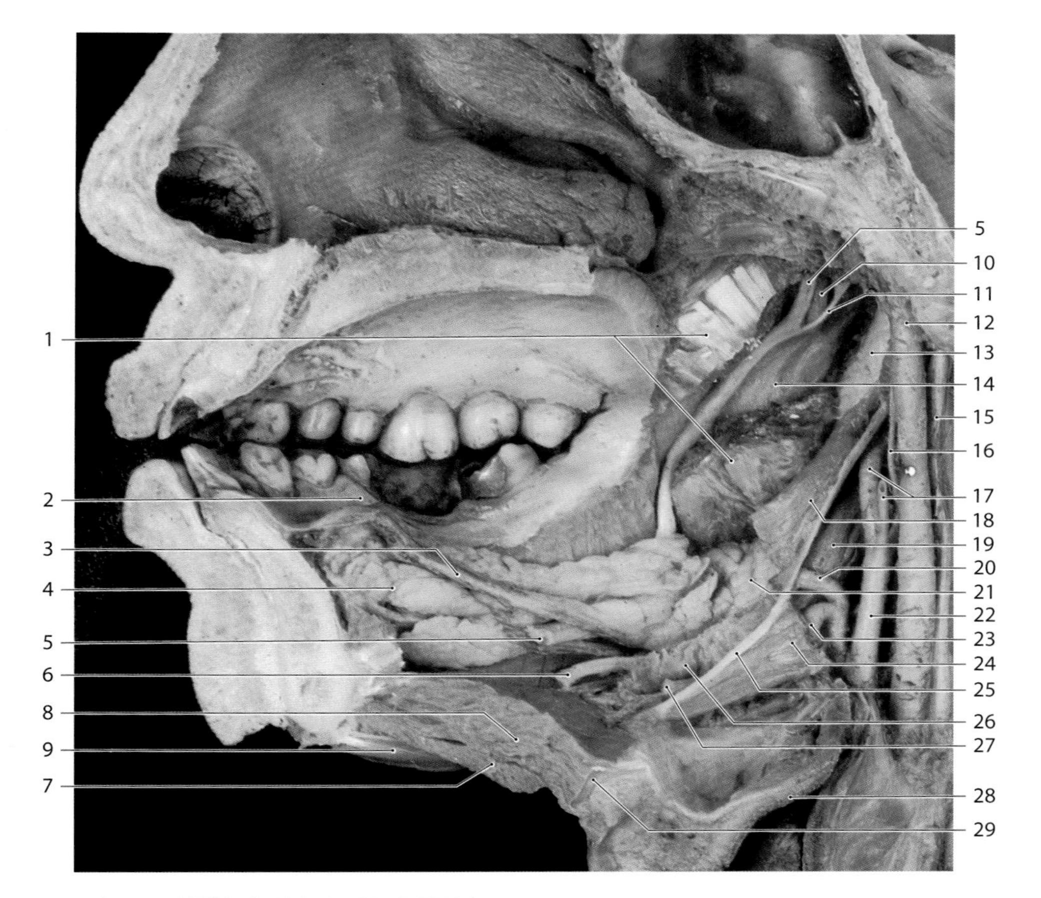

그림 8.129 **입안**(속면). 혀와 인두벽은 제거하였다.

1 안쪽날개근 Medial pterygoid muscle
2 혀밑유두 Sublingual papilla
3 턱밑샘관 Submandibular duct
4 혀밑샘 Sublingual gland
5 혀신경 Lingual nerve
6 혀밑신경 Hypoglossal nerve
7 턱목뿔근 Mylohyoid muscle
8 턱끝목뿔근 Geniohyoid muscle
9 턱두힘살근의 앞힘살
Anterior belly of digastric muscle
10 아래이틀신경 Inferior alveolar nerve
11 고실끈신경 Chorda tympani
12 속목동맥 Internal carotid artery
13 귀밑샘 Parotid gland
14 나비아래턱인대
Sphenomandibular ligament
15 미주신경 Vagus nerve
16 혀인두신경 Glossopharyngeal nerve
17 얕은관자동맥과 오름인두동맥
Superficial temporal artery and
ascending pharyngeal artery
18 붓혀근 Styloglossus muscle
19 턱두힘살근의 뒤힘살 Posterior belly
of digastric muscle
20 얼굴동맥 Facial artery
21 턱밑샘 Submandibular gland
22 바깥목동맥 External carotid artery
23 혀동맥 Lingual artery
24 중간인두수축근 Middle pharyngeal
constrictor muscle
25 붓목뿔인대 Stylohyoid ligament
26 목뿔혀근 Hyoglossus muscle
27 깊은혀동맥 Deep lingual artery
28 후두덮개 Epiglottis
29 목뿔뼈 Hyoid bone
30 볼근 Buccinator muscle
31 혀 Tongue
32 아래턱뼈(잘림) Mandible (divided)
33 귀밑샘관 Parotid duct
34 깨물근 Masseter muscle
35 오른쪽과 왼쪽 혀밑언덕
Right and left sublingual caruncle
36 왼쪽 혀밑언덕 Left sublingual caruncle

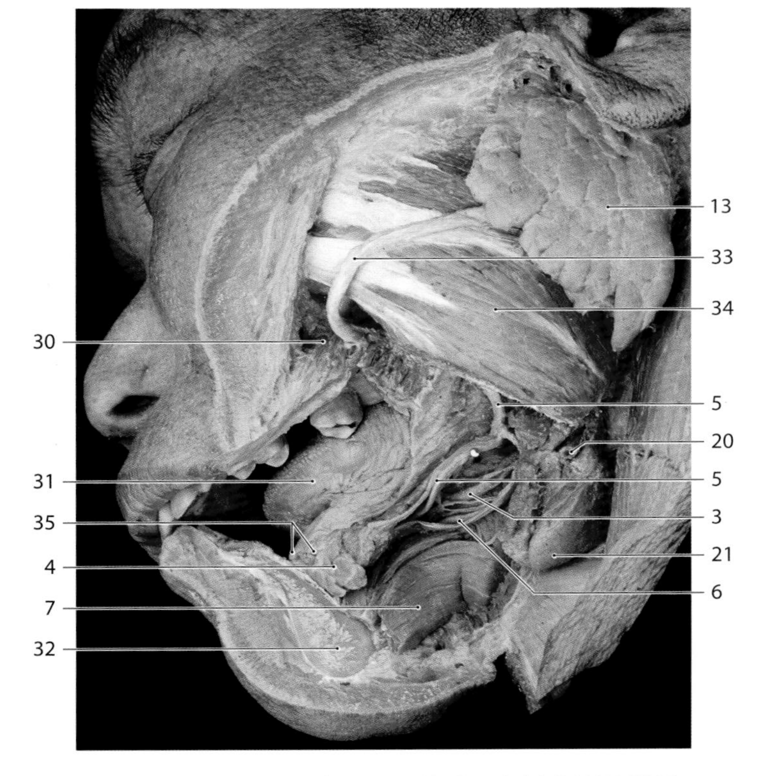

그림 8.130 **주요 침샘의 해부**(아래가쪽모습). 왼쪽 아래턱뼈와 볼근 일부를 제거하여 입안이 보이게 하였다.

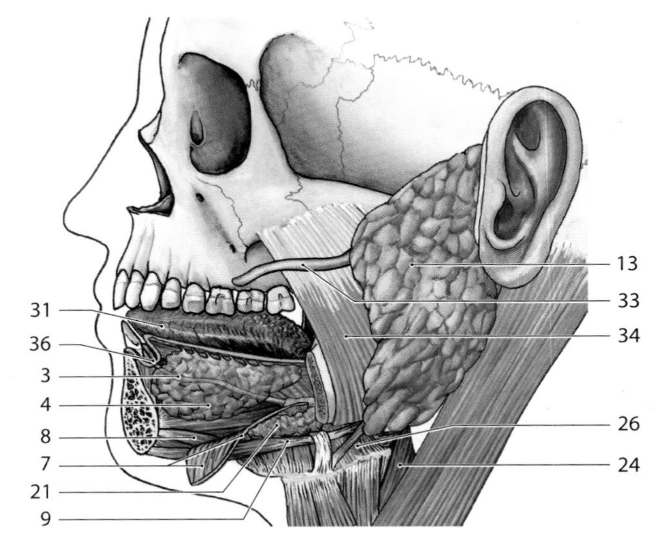

그림 8.131 **입안에서 주요 침샘의 위치**(가쪽면).

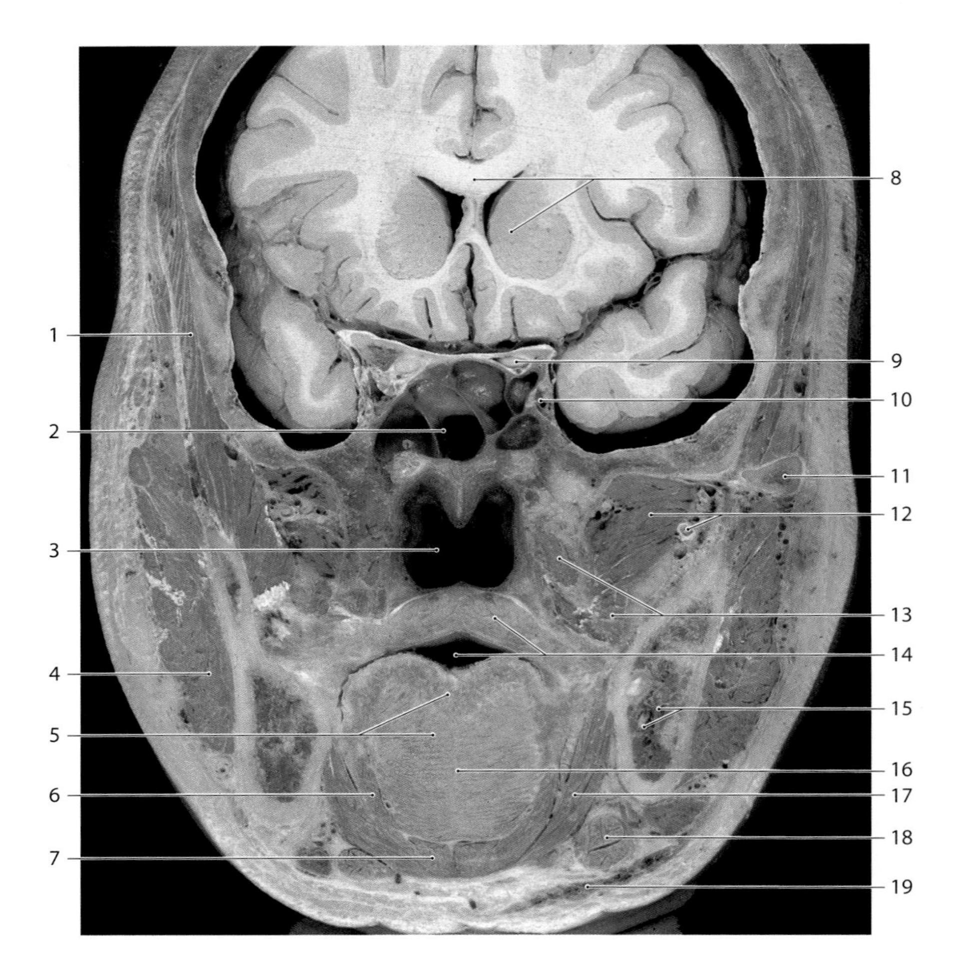

그림 8.132 **나비굴 위치에서 머리뼈안, 코안, 그리고 입안의 관상단면.**

1 관자근 Temporal muscle
2 나비굴 Sphenoidal sinus
3 코인두 Nasopharynx
4 깨물근 Masseter muscle
5 혀의 위세로근, 가로근 그리고 수직근 Superior longitudinal, transverse, and vertical muscles of tongue
6 목뿔혀근 Hyoglossus muscle
7 턱끝목뿔근 Geniohyoid muscle
8 뇌들보 Corpus callosum (caudate nucleus)
9 시신경 Optic nerve
10 해면정맥굴 Cavernous sinus
11 광대활 Zygomatic arch
12 가쪽날개근의 가로단면과 위턱동맥 Cross section of lateral pterygoid muscle and maxillary artery
13 안쪽날개근의 단면 Section of medial pterygoid muscle
14 물렁입천장 Soft palate
15 아래턱과 아래이틀신경 Mandible and inferior alveolar nerve
16 혀사이막 Septum of the tongue
17 턱목뿔근 Mylohyoid muscle
18 턱밑샘 Submandibular gland
19 넓은목근 Platysma muscle
20 큰구멍, 척추동맥과 척수 Foramen magnum, vertebral artery, and spinal cord
21 속목동맥 Internal carotid artery
22 턱뼈머리 Head of mandible
23 붓돌기 Styloid process
24 아래이틀신경 Inferior alveolar nerve
25 혀신경과 고실끈신경 Lingual nerve and chorda tympani nerve
26 안쪽날개근 Medial pterygoid muscle
27 목젖 Uvula
28 두힘살근의 앞힘살(잘렸음) Anterior belly of digastric muscle (cut)
29 뒤통수뼈의 관절돌기 Condyle of occipital bone
30 꼭지돌기 Mastoid process
31 가쪽날개근 Lateral pterygoid muscle
32 귀관과 입천장올림근 Auditory tube and levator veli palatini muscle
33 입천장긴장근 Tensor veli palatini muscle
34 코중격 Nasal septum
35 아래턱뼈 Mandible
36 척수수질 Spinal medulla
37 아래입술내림근 Depressor labii inferioris muscle
38 턱끝근 Mentalis muscle
39 턱끝혀근 Genioglossus muscle

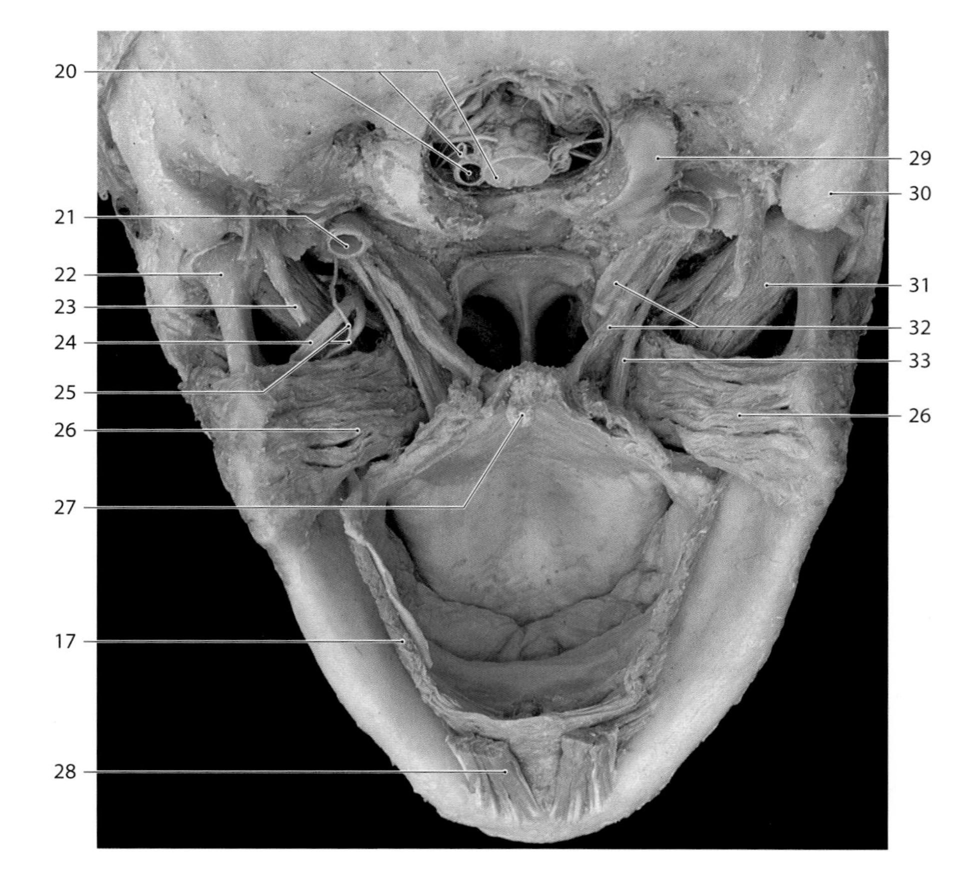

그림 8.133 **날개근과 입천장근육**(뒤면).

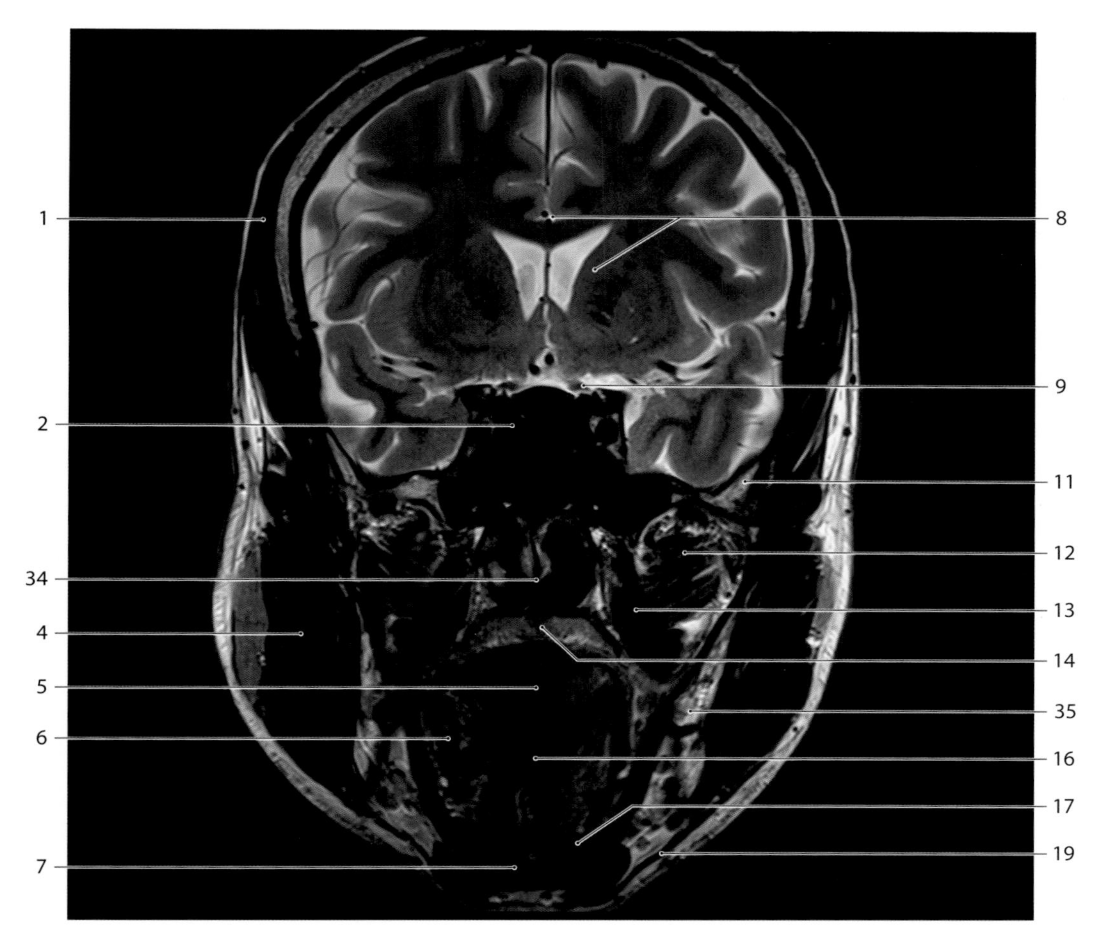

그림 8.134 **나비굴 위치에서 머리안을 통과하는 관상면**(자기공명영상). (Courtesy of Prof. Uder, Institute of Radiology, University Hospital Erlangen, Germany.)

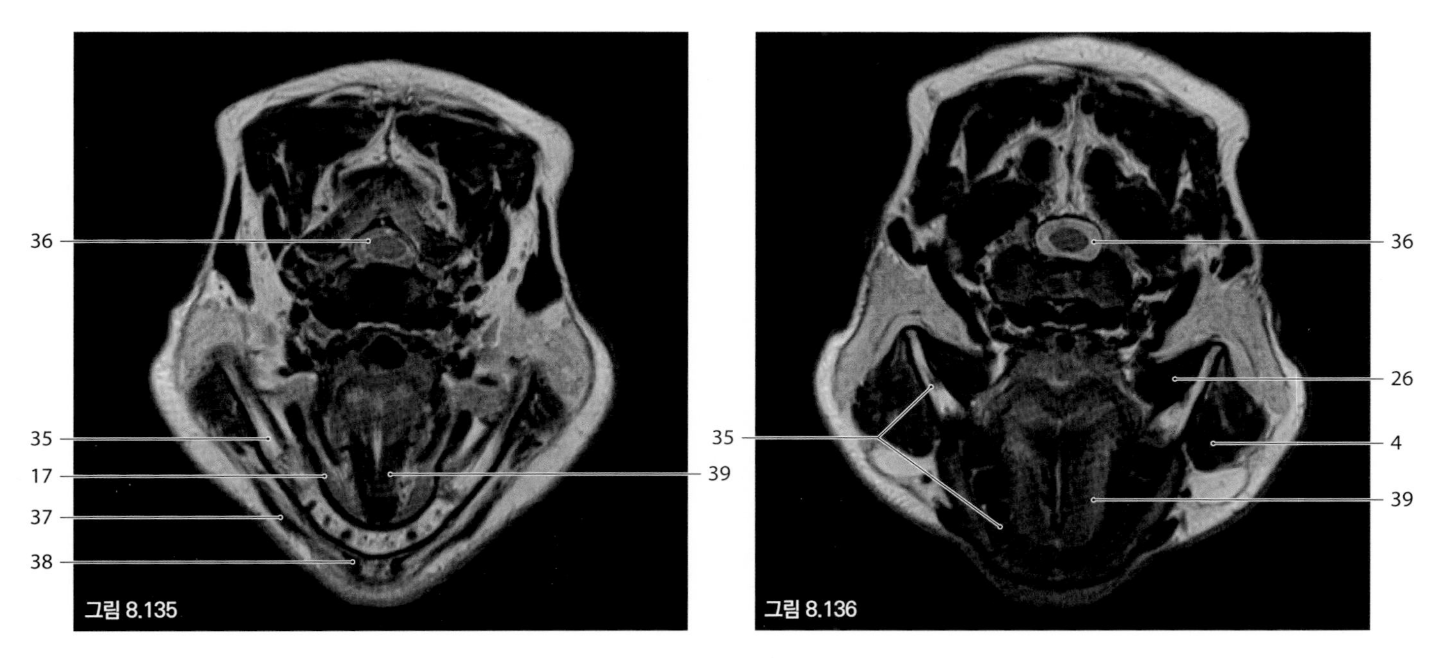

그림 8.135와 8.136 **다른 위치에서 입안을 통과하는 가로단면**(아래턱뼈 위치에서는 비스듬단면) (자기공명영상). 그림 8.136 단면이 그림 8.135 단면보다 더 머리쪽 위치이다.

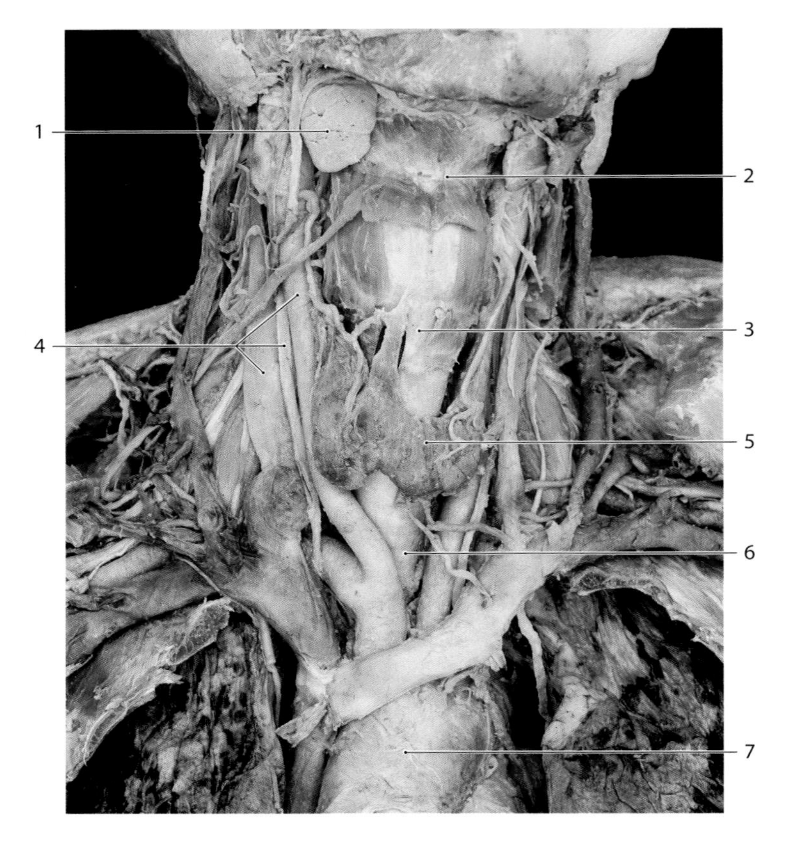

1 턱밑샘 Submandibular gland
2 목뿔뼈 Hyoid bone
3 후두(갑상연골) Larynx (thyroid cartilage)
4 목의 신경과 혈관(목동맥, 속목정맥, 미주신경) Nerves and vessels of the neck (carotid artery, internal jugular vein, and vagus nerve)
5 갑상샘 Thyroid gland
6 기관 Trachea
7 대동맥활 Aortic arch

그림 8.137 **목의 국소해부**(앞면). 앞쪽의 근육과 가슴벽은 제거하였다.

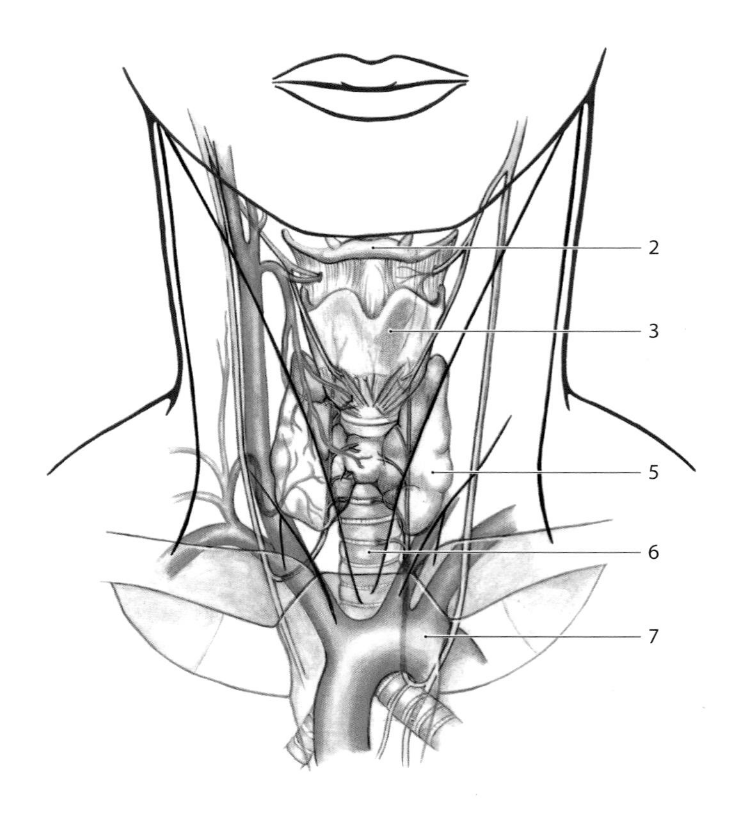

그림 8.138 **목의 기관**(앞면). 주요 동맥줄기는 빨간색으로 표시하였다.

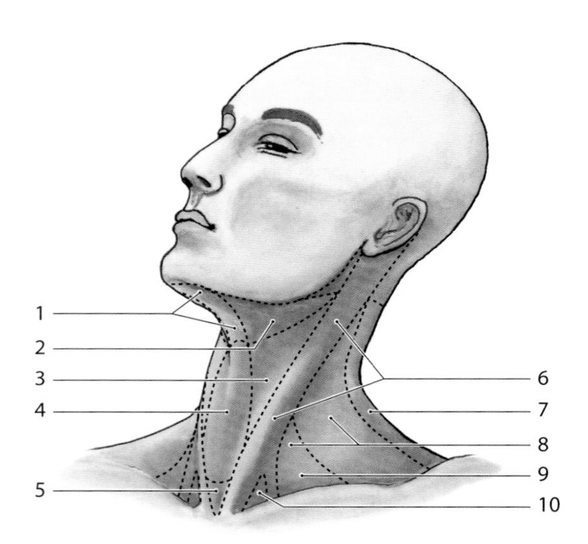

1 턱끝밑삼각 Submental triangle
2 턱밑삼각 Submandibular triangle
3 목동맥삼각 Carotid triangle
4 근육삼각 Muscular triangle
5 목정맥오목 Jugular fossa
6 목빗근부위 Sternocleidomastoid region
7 뒤목부위 Posterior cervical region
8 가쪽목부위 Lateral cervical region
9 큰빗장위오목(빗장위삼각) Greater supraclavicular fossa (supraclavicular triangle)
10 작은빗장위오목 Lesser supraclavicular fossa

그림 8.139 **목의 부위와 목삼각**(비스듬-가쪽면).

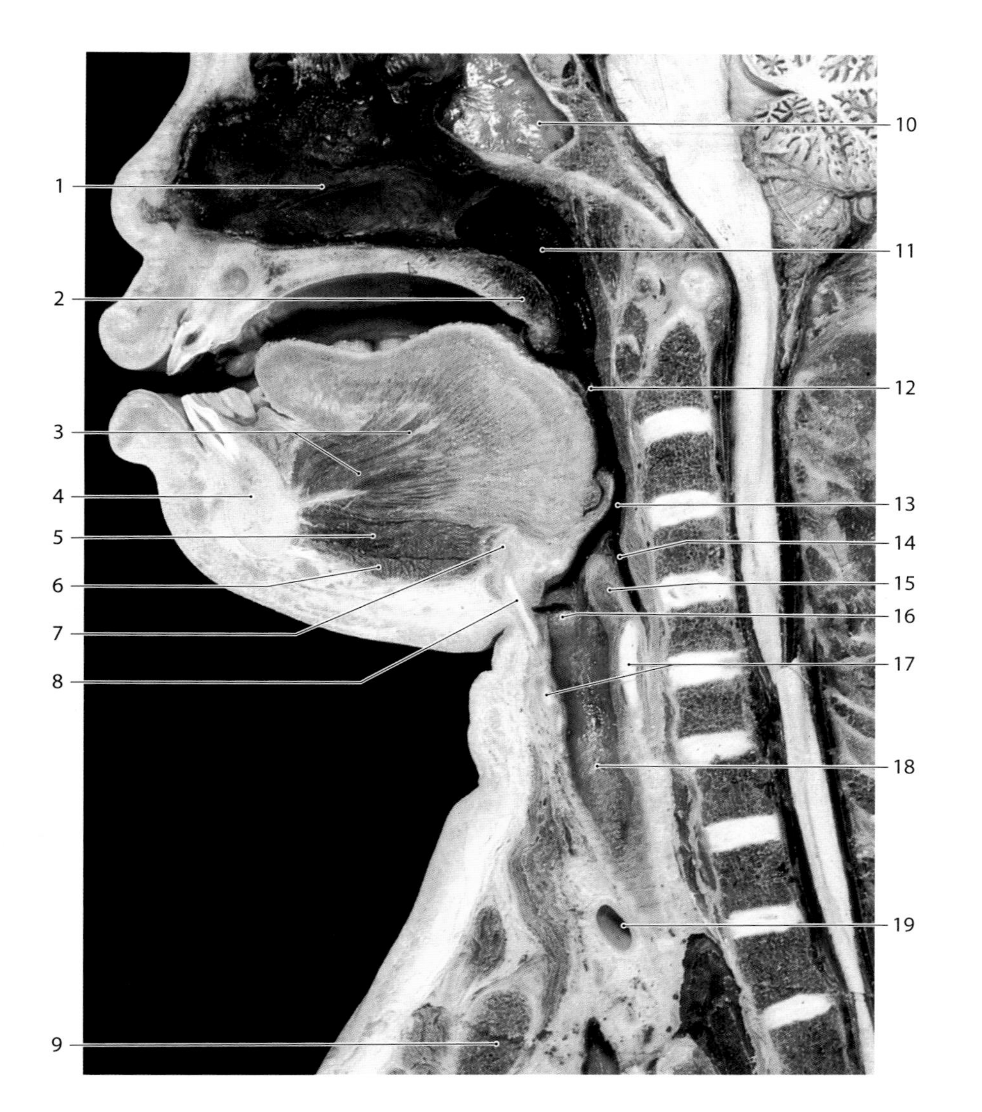

그림 8.140 **성인 머리와 목의 정중단면.** 성인 후두의 낮은위치를 그림 8.141의 신생아의 것과 비교하시오.

1 코중격 Nasal septum
2 목젖 Uvula
3 턱끝혀근 Genioglossus muscle
4 아래턱뼈 Mandible
5 턱끝목뿔근 Geniohyoid muscle
6 턱목뿔근 Mylohyoid muscle
7 목뿔뼈 Hyoid bone
8 갑상연골 Thyroid cartilage
9 복장뼈자루 Manubrium sterni
10 나비굴 Sphenoidal sinus
11 코인두 Nasopharynx
12 입인두 Oropharynx
13 후두덮개 Epiglottis
14 후두인두 Laryngopharynx
15 모뿔근 Arytenoid muscle
16 성대주름 Vocal fold
17 반지연골 Cricoid cartilage
18 기관 Trachea
19 왼팔머리정맥 Left brachiocephalic vein
20 가슴샘 Thymus
21 식도 Esophagus

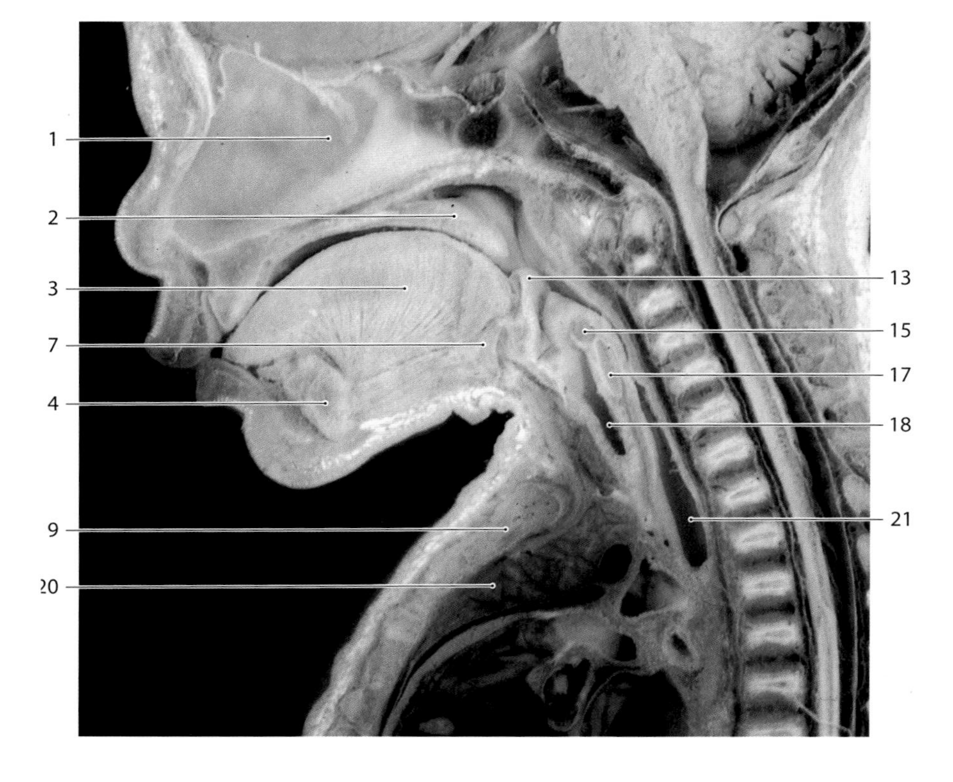

그림 8.141 **신생아 머리와 목의 정중단면.** 후두덮개가 목젖 가까이 올라간 후두의 위치를 그림 8.140 성인의 것과 비교하시오.

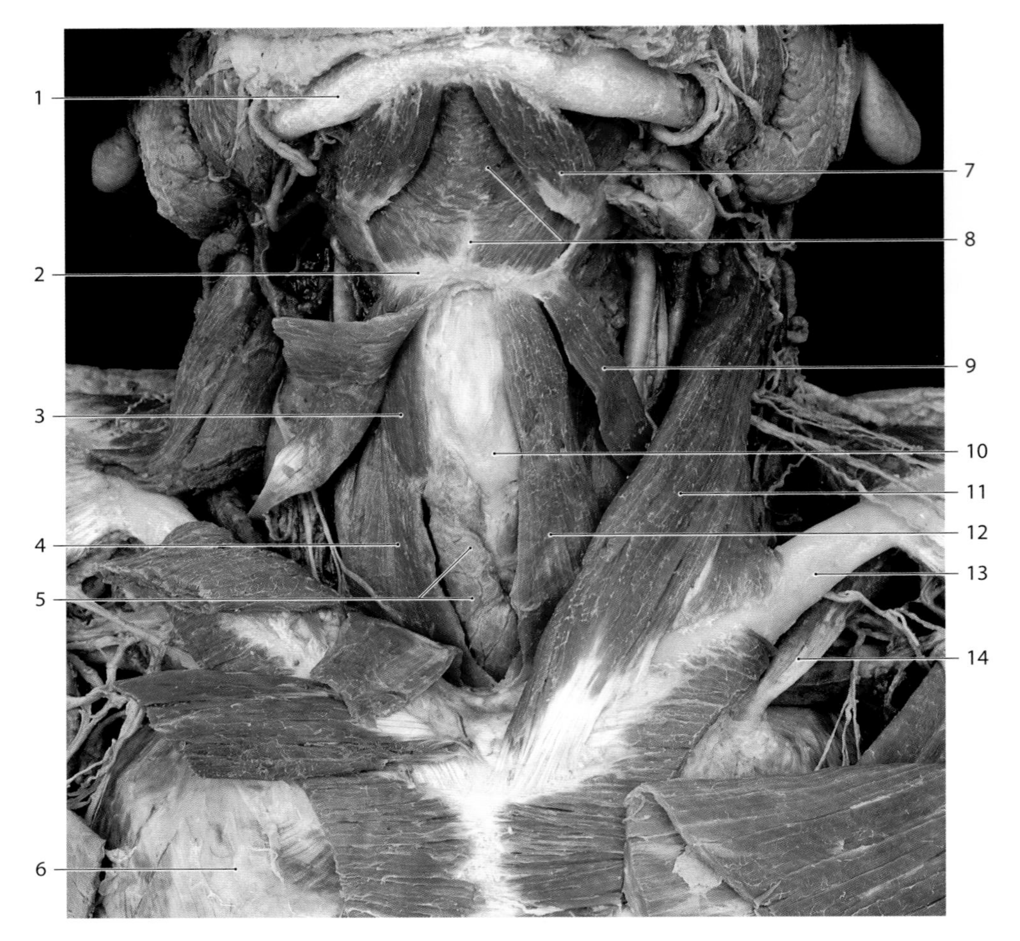

1 아래턱뼈 Mandible
2 목뿔뼈 Hyoid bone
3 갑상목뿔근 Thyrohyoid muscle
4 복장갑상근 Sternothyroid muscle
5 갑상샘 Thyroid gland
6 둘째갈비뼈 Second rib
7 턱두힘살근의 앞힘살 Anterior belly of digastric muscle
8 턱목뿔근(과 턱목뿔근솔기) Mylohyoid muscle (and mylohyoid raphe)
9 어깨목뿔근 Omohyoid muscle
10 갑상연골 Thyroid cartilage
11 목빗근 Sternocleidomastoid muscle
12 복장목뿔근 Sternohyoid muscle
13 빗장뼈 Clavicle
14 빗장밑근 Subclavius muscle
15 턱두힘살근의 뒤힘살 Posterior belly of digastric muscle
16 붓목뿔근 Stylohyoid muscle
17 목갈비근육 Scalene muscles
18 등세모근 Trapezius muscle
19 첫째갈비뼈 First rib
20 어깨뼈 Scapula
21 기관 Trachea
22 복장뼈자루 Manubrium sterni

그림 8.142 **목의 근육**(앞면). 오른쪽 목빗근과 복장목뿔근은 잘라 젖혔다.

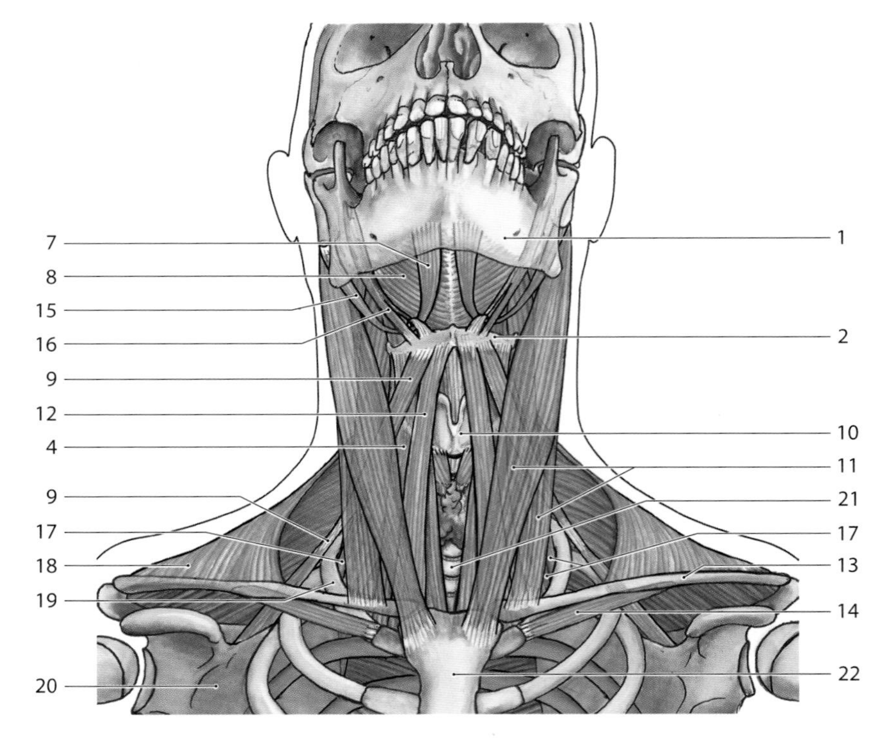

그림 8.143 **목의 근육**(앞면).

목의 근육은 복잡하고 매우 정교하다. 근육은 기능적인 측면에 따라 두 그룹으로 구분한다. 하나의 그룹은 머리를 연결하는 근육으로 구성되는 목뿔뼈와 후두이다. 두 번째 근육의 종류는 머리와 가슴우리를 잇는다. 목빗근은 앞과 뒤목삼각 사이 가장자리에 있다.

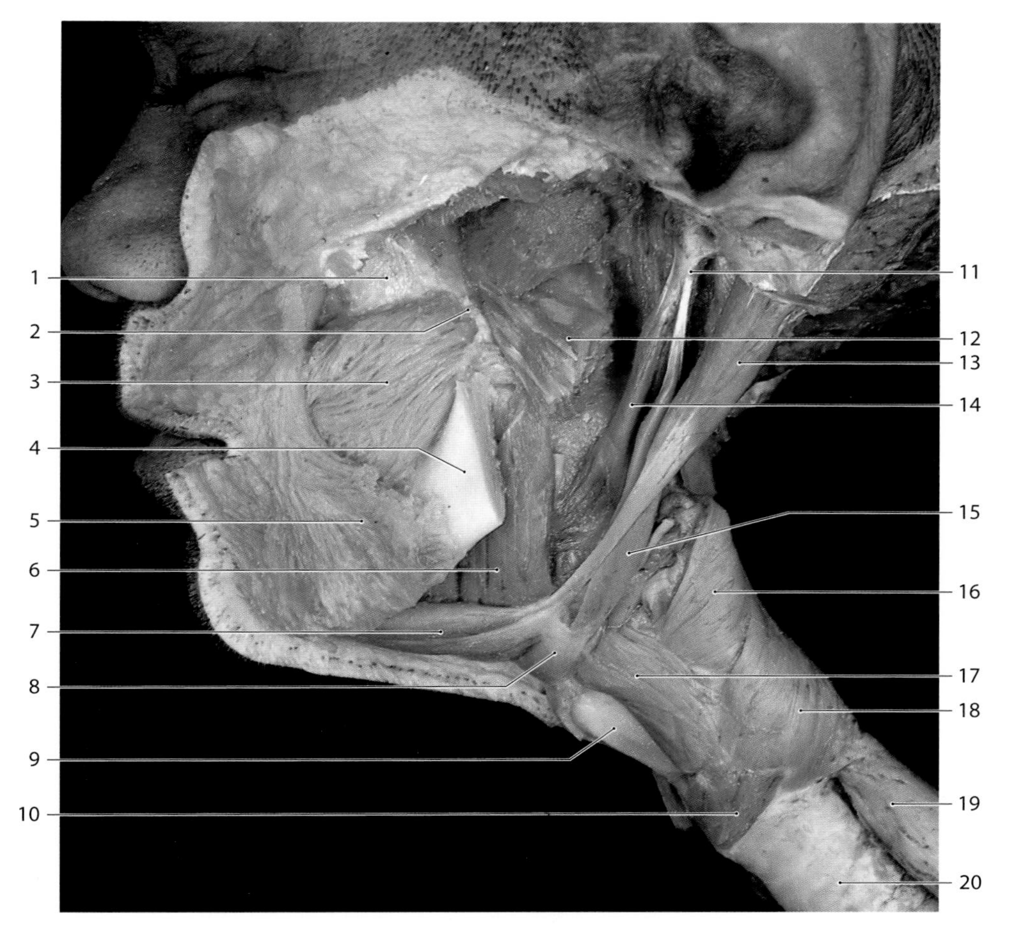

그림 8.144 **인두, 목뿔위근육, 목뿔아래근육의 해부**(가쪽면). 아래턱 일부를 제거하였다.

1 위턱뼈 Maxilla
2 날개아래턱솔기 Pterygomandibular raphe
3 볼근 Buccinator muscle
4 아래턱뼈(잘림) Mandible (divided)
5 입꼬리내림근 Depressor anguli oris muscle
6 턱목뿔근 Mylohyoid muscle
7 턱두힘살근의 앞힘살 Anterior belly of digastric muscle
8 목뿔뼈 Hyoid bone
9 갑상연골 Thyroid cartilage
10 반지갑상근 Cricothyroid muscle
11 붓돌기 Styloid process
12 안쪽날개근(잘림) Medial pterygoid muscle (divided)
13 턱두힘살근의 뒤힘살 Posterior belly of digastric muscle
14 붓혀근 Styloglossus muscle
15 붓목뿔근 Stylohyoid muscle
16 아래인두수축근의 갑상인두부분 Thyropharyngeal part of inferior constrictor muscle of pharynx
17 갑상목뿔근 Thyrohyoid muscle
18 아래인두수축근의 반지인두부분 Cricopharyngeal part of inferior constrictor muscle of pharynx
19 식도 Esophagus
20 기관 Trachea
21 위턱뼈의 첫째큰어금니 First molar of maxilla
22 혀 Tongue
23 혀의 아래세로근 Inferior longitudinal muscle of tongue
24 턱끝혀근 Genioglossus muscle
25 위인두수축근 Superior constrictor muscle of pharynx
26 혀밑신경 Hypoglossal nerve
27 목뿔혀근 Hyoglossus muscle
28 위후두신경과 동맥 Superior laryngeal nerve and superior laryngeal artery

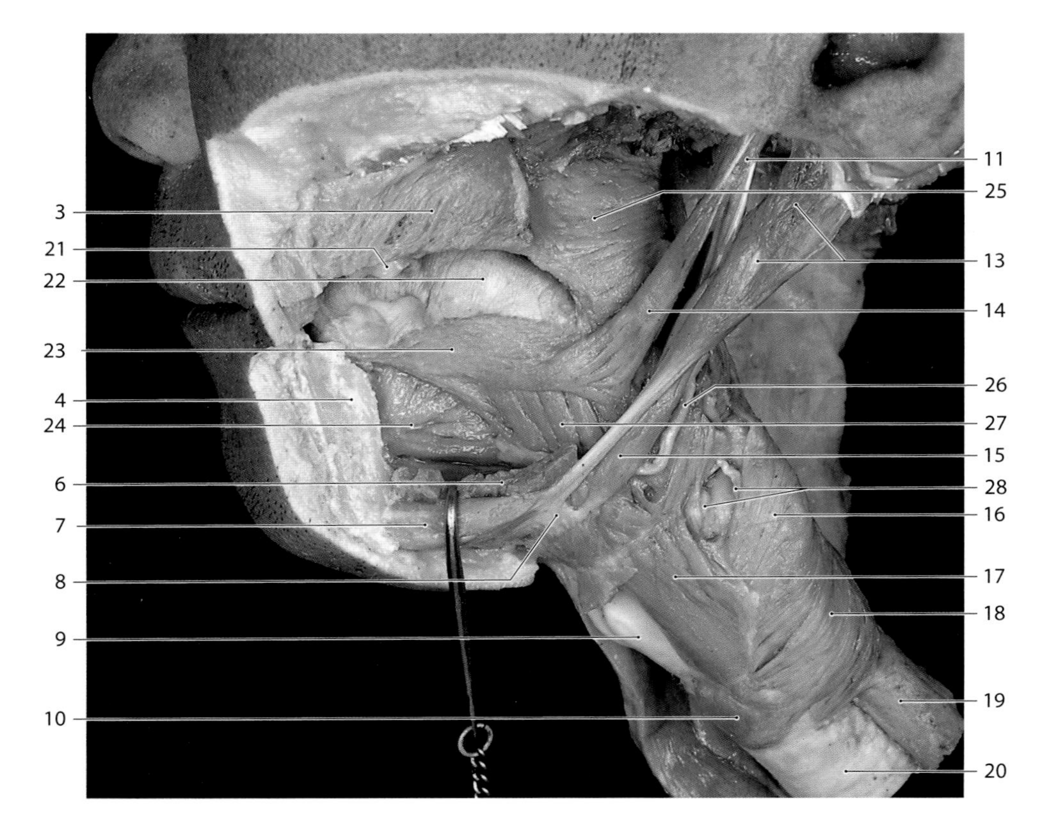

그림 8.145 **인두, 목뿔위근육과 목뿔아래근육의 해부**(가쪽면). 입안을 열었다.

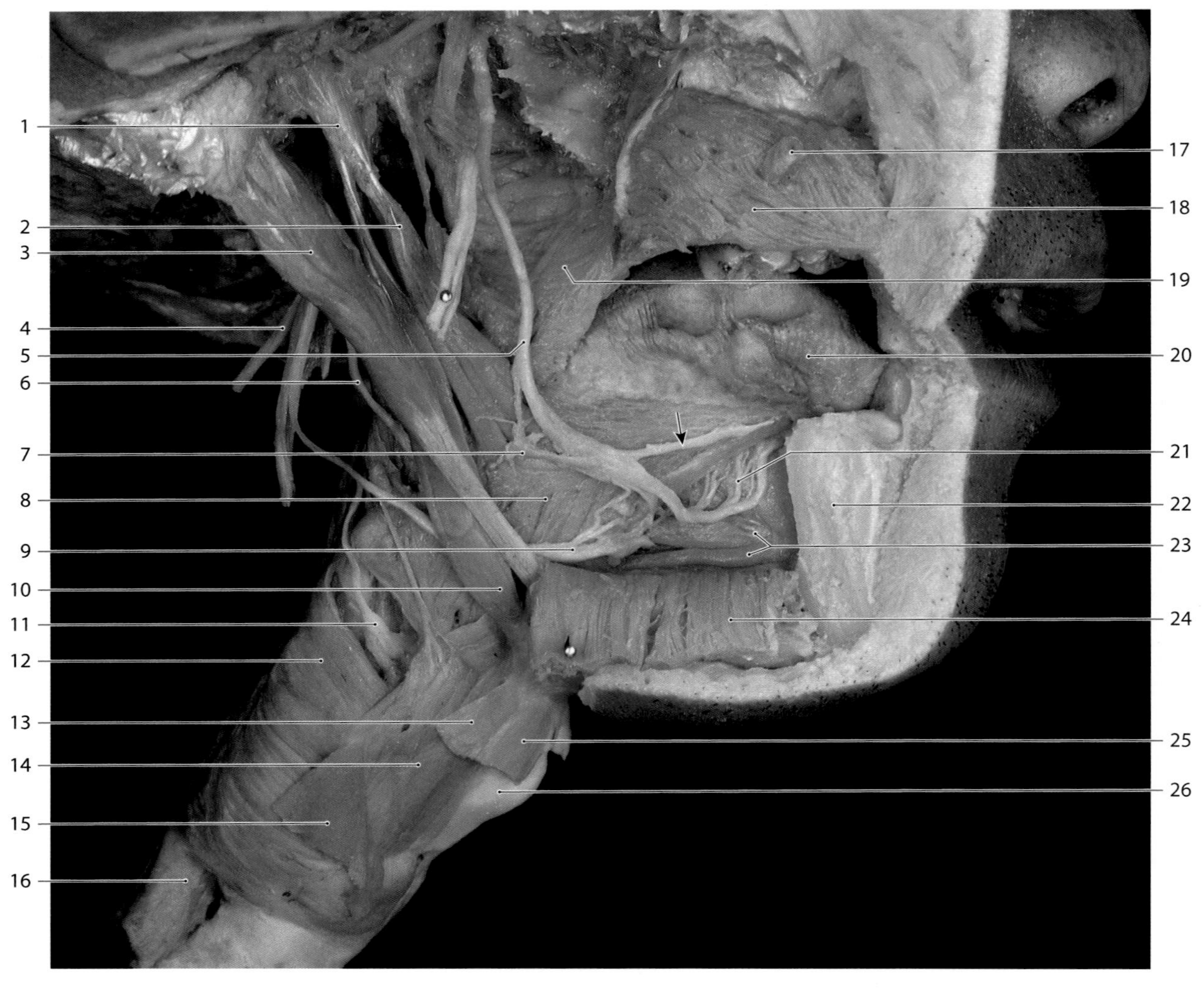

그림 8.146 **인두옆부위와 혀밑부위.** 혀의 신경분포. 얼굴과 아래턱뼈의 옆부분을 제거하여 입안을 열었다. 화살표 = 턱밑샘관.

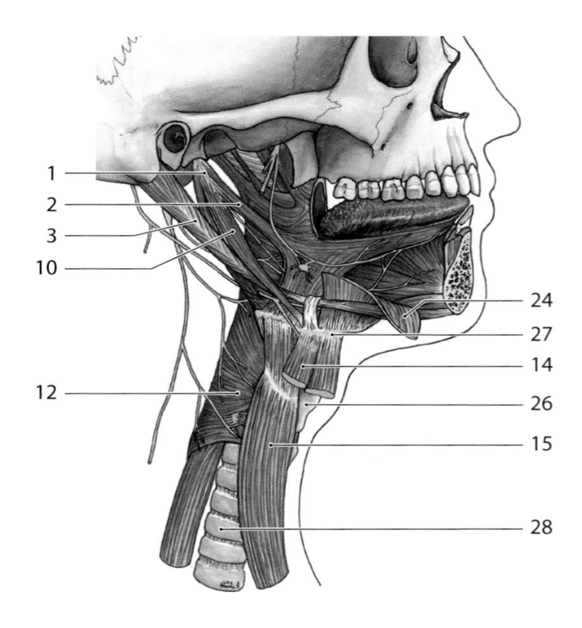

그림 8.147 **목뿔위근육, 목뿔아래근육과 인두.**

1 붓돌기 Styloid process
2 붓혀근 Styloglossus muscle
3 턱두힘살근의 뒤힘살
Posterior belly of digastric muscle
4 미주신경 Vagus nerve (CN X)
5 혀신경 Lingual nerve (CN V3)
6 혀인두신경
Glossopharyngeal nerve (CN IX)
7 턱밑신경절 Submandibular ganglion
8 목뿔혀근 Hyoglossus muscle
9 혀밑신경 Hypoglossal nerve (CN XII)
10 붓목뿔근 Stylohyoid muscle
11 위후두신경의 속가지
(미주신경의 가지, 이는곳 보이지 않음)
Internal branch of superior laryngeal nerve (branch of vagus nerve, not visible)
12 중간인두수축근
Middle constrictor muscle of pharynx
13 어깨목뿔근(잘림)
Omohyoid muscle (divided)
14 갑상목뿔근 Thyrohyoid muscle
15 복장갑상근 Sternothyroid muscle
16 식도 Esophagus
17 귀밑샘관(잘림) Parotid duct (divided)
18 볼근 Buccinator muscle
19 위인두수축근
Superior constrictor muscle of pharynx
20 혀 Tongue
21 혀신경의 종말가지
Terminal branches of lingual nerve
22 아래턱뼈(잘림) Mandible (divided)
23 턱끝혀근과 턱끝목뿔근
Genioglossus and geniohyoid muscles
24 턱목뿔근(잘라 젖힘)
Mylohyoid muscle (divided and reflected)
25 복장목뿔근(잘림)
Sternohyoid muscle (divided)
26 갑상연골 Thyroid cartilage
27 목뿔뼈 Hyoid bone
28 기관 Trachea

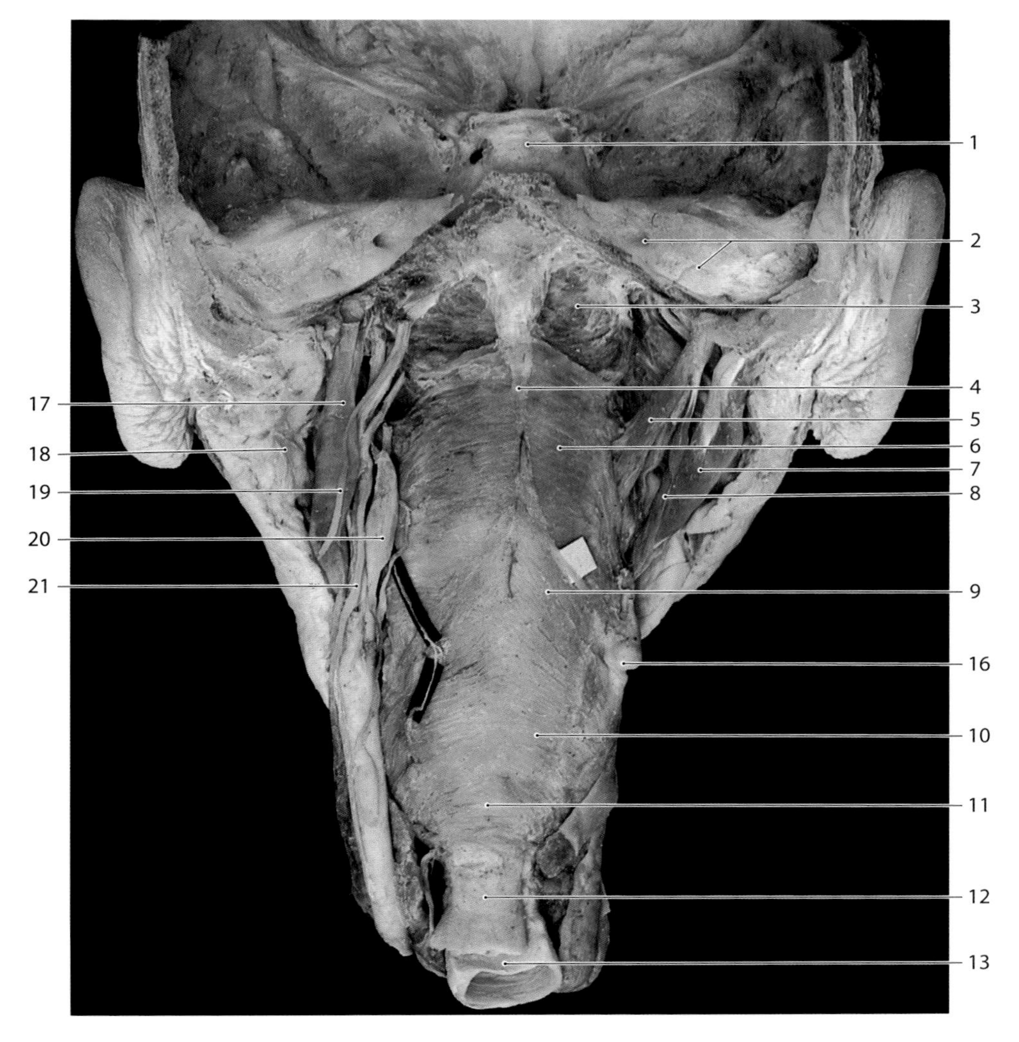

그림 8.148 **인두근육**(뒤면).

1 안장 Sella turcica
2 속귀길과 관자뼈의 바위부분 Internal acoustic meatus and petrous part of temporal bone
3 인두결절근막 Pharyngobasilar fascia
4 인두솔기 Fibrous raphe of pharynx
5 붓인두근 Stylopharyngeal muscle
6 위인두수축근 Superior constrictor muscle of pharynx
7 턱두힘살근의 뒤힘살 Posterior belly of digastric muscle
8 붓목뿔근 Stylohyoid muscle
9 중간인두수축근 Middle constrictor muscle of pharynx
10 아래인두수축근 Inferior constrictor muscle of pharynx
11 근육이 없는 구역(실리안삼각) Muscle-free area (Killian's triangle)
12 식도 Esophagus
13 기관 Trachea
14 갑상샘과 부갑상샘 Thyroid and parathyroid glands
15 안쪽날개근 Medial pterygoid muscle
16 목뿔뼈큰뿔 Greater horn of hyoid bone
17 속목정맥 Internal jugular vein
18 귀밑샘 Parotid gland
19 더부신경 Accessory nerve
20 교감신경줄기의 위목신경절 Superior cervical ganglion of sympathetic trunk
21 미주신경 Vagus nerve
22 래머삼각(곁주머니가 잘 생기는 구역) Laimer's triangle (area prone to developing diverticula)
23 눈둘레근 Orbicularis oculi muscle
24 코근 Nasalis muscle
25 위입술올림근과 위입술콧방울올림근 Levator labii superioris and levator labii alaeque nasi muscles
26 입꼬리올림근 Levator anguli oris muscle
27 입둘레근 Orbicularis oris muscle
28 볼근 Buccinator muscle
29 아래입술내림근 Depressor labii inferioris muscle
30 목뿔혀근 Hyoglossus muscle
31 갑상목뿔근 Thyrohyoid muscle
32 갑상연골 Thyroid cartilage
33 반지갑상근 Cricothyroid muscle
34 날개아래턱솔기 Pterygomandibular raphe
35 입천장긴장근 Tensor veli palatini muscle
36 입천장올림근 Levator veli palatini muscle
37 입꼬리내림근 Depressor anguli oris muscle
38 턱끝근 Mentalis muscle
39 붓혀근 Styloglossus muscle

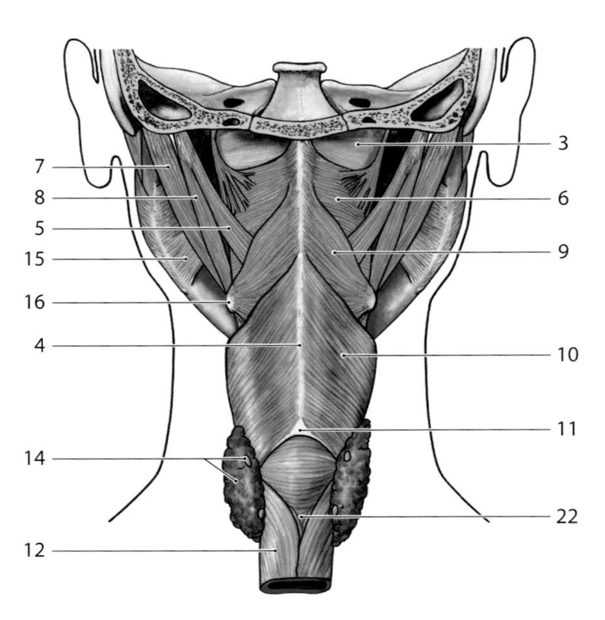

그림 8.149 **인두근육**(뒤면).

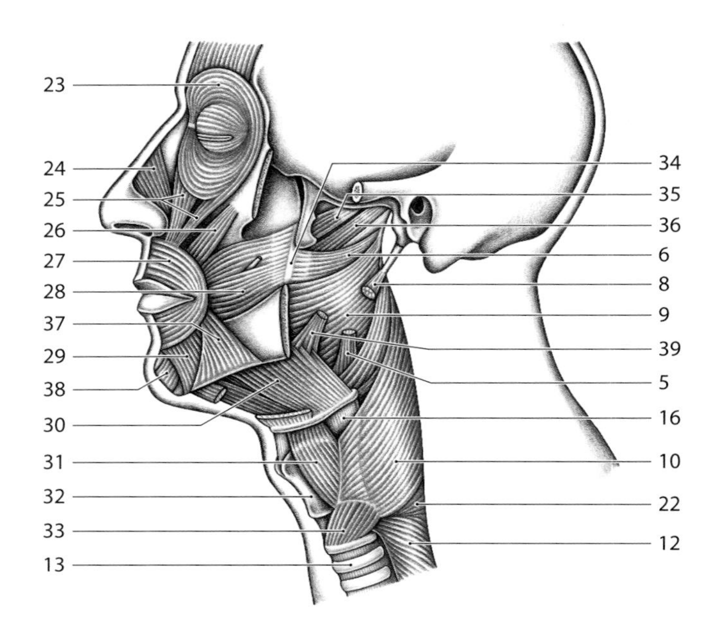

그림 8.150 **인두근육**(가쪽면).

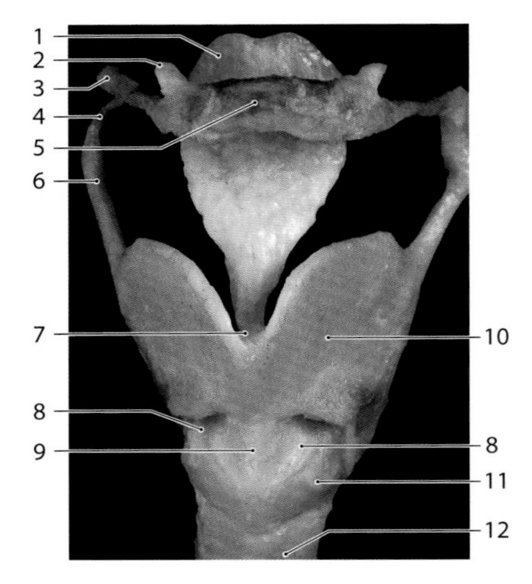

그림 8.151 **후두연골과 목뿔뼈**(앞면).

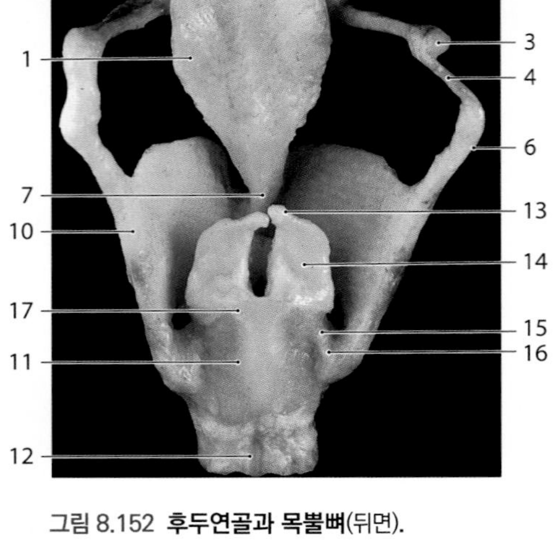

그림 8.152 **후두연골과 목뿔뼈**(뒤면).

1 후두덮개 Epiglottis
2 작은뿔 Lesser cornu } 목뿔뼈 of hyoid bone
3 큰뿔 Greater cornu } 목뿔뼈 of hyoid bone
4 가쪽갑상목뿔인대 Lateral thyrohyoid ligament
5 목뿔뼈몸통 Body of hyoid bone
6 갑상연골위뿔 Superior cornu of thyroid cartilage
7 갑상덮개인대 Thyro-epiglottic ligament
8 탄력원뿔 Conus elasticus
9 반지갑상인대 Cricothyroid ligament
10 갑상연골 Thyroid cartilage
11 반지연골 Cricoid cartilage
12 기관 Trachea
13 잔뿔연골 Corniculate cartilage
14 모뿔연골 Arytenoid cartilage
15 뒤반지모뿔인대 Posterior crico-arytenoid ligament
16 반지갑상관절 Cricothyroid joint
17 반지모뿔관절 Crico-arytenoid joint

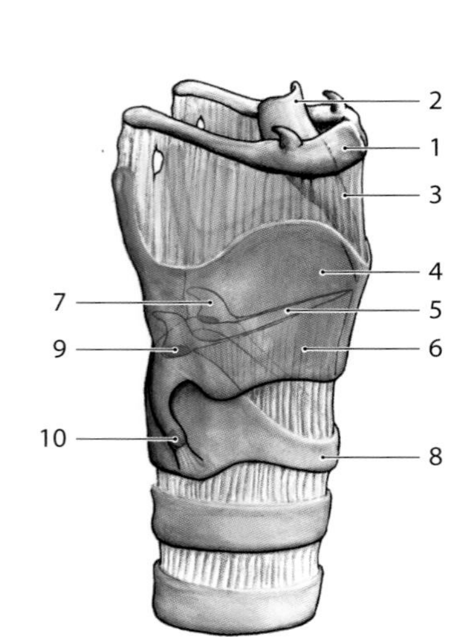

그림 8.153 **후두연골**(앞면). 갑상연골은 점선으로 표시하였다.

그림 8.154 **후두연골과 인대**(가쪽면).

1 목뿔뼈 Hyoid bone
2 후두덮개 Epiglottis
3 갑상목뿔막 Thyrohyoid membrane
4 갑상연골 Thyroid cartilage
5 성대인대 Vocal ligament
6 탄력원뿔 Conus elasticus
7 모뿔연골 Arytenoid cartilage
8 반지연골 Cricoid cartilage
9 반지모뿔관절 Crico-arytenoid joint
10 반지갑상관절 Cricothyroid joint
11 기관연골 Tracheal cartilages
12 잔뿔연골 Corniculate cartilage
13 근육돌기 Muscular process } 모뿔연골 of arytenoid cartilage
14 성대돌기 Vocal process } 모뿔연골 of arytenoid cartilage
15 반지연골판 Lamina of cricoid cartilage
16 반지연골활 Arch of cricoid cartilage

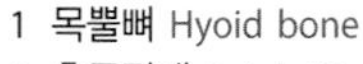

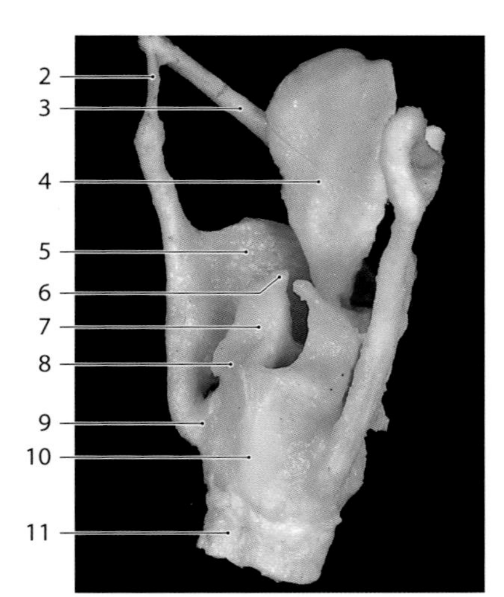

그림 8.155 **후두연골**(비스듬뒤면).

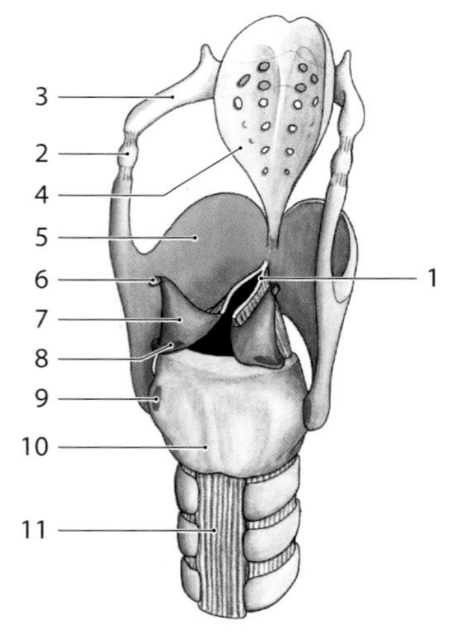

그림 8.156 **후두연골**(비스듬뒤면).

1 성대인대 Vocal ligament
2 가쪽갑상목뿔인대 Lateral thyrohyoid ligament
3 목뿔뼈큰뿔 Greater cornu of hyoid bone
4 후두덮개 Epiglottis
5 갑상연골 Thyroid cartilage
6 잔뿔연골 Corniculate cartilage
7 모뿔연골 Arytenoid cartilage
8 반지모뿔관절 Crico-arytenoid joint
9 반지갑상관절 Cricothyroid joint
10 반지연골 Cricoid cartilage
11 기관 Trachea

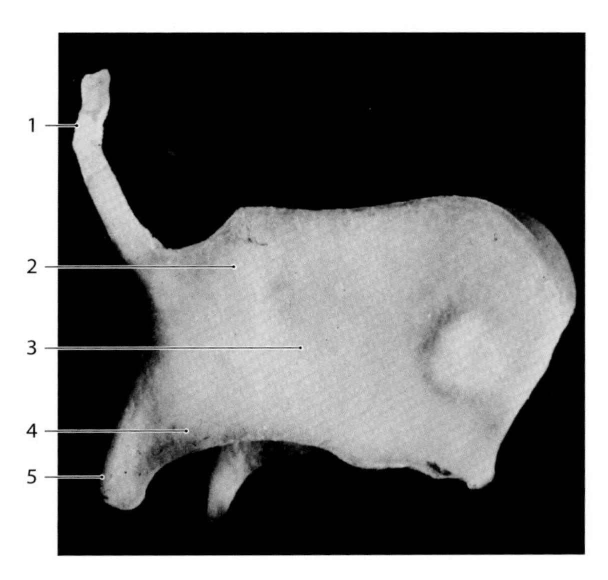

그림 8.157 **갑상연골**(가쪽면).

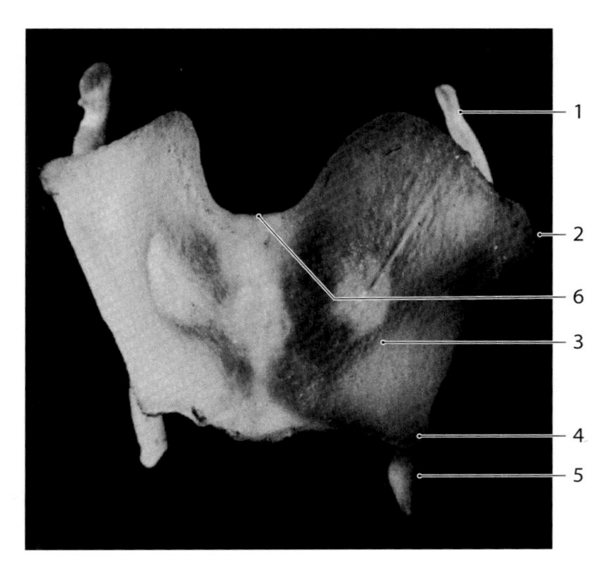

그림 8.158 **갑상연골**(앞면).

1 위뿔 Superior cornu
2 위갑상결절 Superior thyroid tubercle
3 갑상연골판 Lamina of thyroid cartilage
4 아래갑상결절 Inferior thyroid tubercle
5 아래뿔 Inferior cornu
6 위갑상파임 Superior thyroid notch

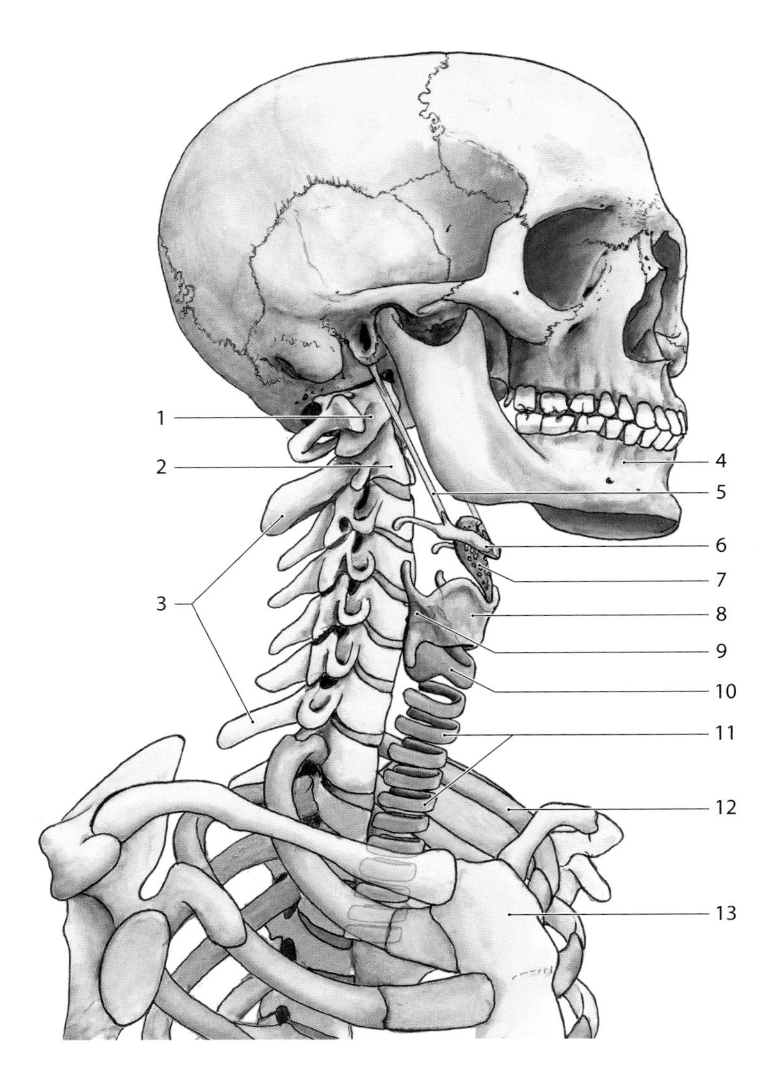

1 고리뼈 Atlas
2 중쇠뼈 Axis
3 둘째-일곱째목뼈 Cervical vertebrae II-VII
4 아래턱뼈 Mandible
5 붓목뿔인대 Stylohyoid ligament
6 목뿔뼈 Hyoid bone
7 후두덮개 Epiglottis
8 갑상연골 Thyroid cartilage
9 모뿔연골 Arytenoid cartilage
10 반지연골 Cricoid cartilage
11 기관연골 Tracheal cartilages
12 첫째갈비뼈 First rib
13 복장뼈자루 Manubrium of sternum

그림 8.159 **목에서 후두와 목뿔뼈의 위치**
(비스듬가쪽면).

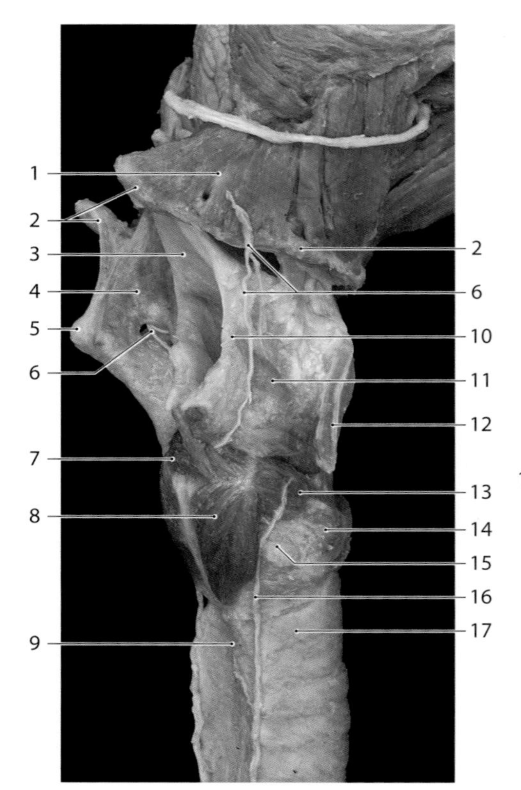

그림 8.160 **후두근육**(가쪽면). 갑상연골과 갑상모뿔근은 부분적으로 제거하였다.

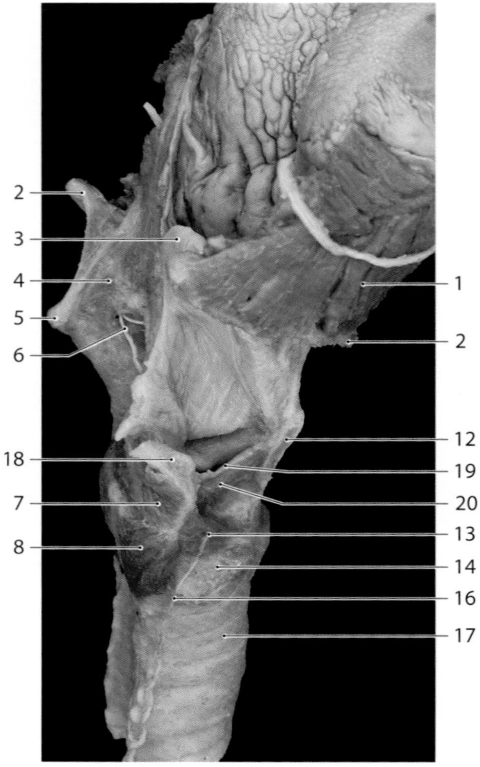

그림 8.161 **후두근육**(가쪽면). 성대인대의 해부. 갑상연골의 반은 제거하였다.

1 목뿔혀근 Hyoglossus muscle
2 목뿔뼈 Hyoid bone
3 후두덮개 Epiglottis
4 갑상목뿔막 Thyrohyoid membrane
5 갑상연골위뿔 Superior cornu of thyroid cartilage
6 위후두신경 Superior laryngeal nerve
7 가로모뿔근 Transverse arytenoid muscle
8 뒤반지모뿔근 Posterior crico-arytenoid muscle
9 기관근 Transverse muscle of trachea
10 모뿔덮개주름 Ary-epiglottic fold
11 갑상덮개근 Thyro-epiglottic muscle
12 갑상연골 Thyroid cartilage
13 가쪽반지모뿔근 Lateral crico-arytenoid muscle
14 반지연골 Cricoid cartilage
15 갑상연골의 관절면 Articular facet for thyroid cartilage
16 아래후두신경(되돌이후두신경의 가지) Inferior laryngeal nerve (branch of recurrent nerve)
17 기관 Trachea
18 모뿔연골 Arytenoid cartilage
19 성대인대 Vocal ligament
20 성대근(방패모뿔근의 부분) Vocalis muscle (part of thyro-arytenoid muscle)
21 갑상목뿔근 Thyrohyoideus muscle
22 반지갑상근 Cricothyroideus muscle
23 혀뿌리 Root of tongue
24 쐐기연결결절 Cuneiform tubercle
25 잔뿔연결결절 Corniculate tubercle
26 모뿔덮개근 Ary-epiglottic muscle

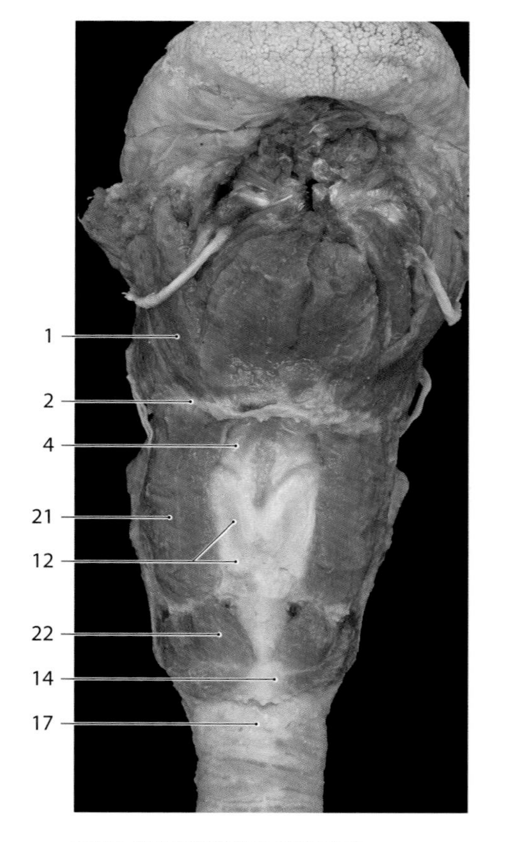

그림 8.162 **후두근육과 후두**(앞면).

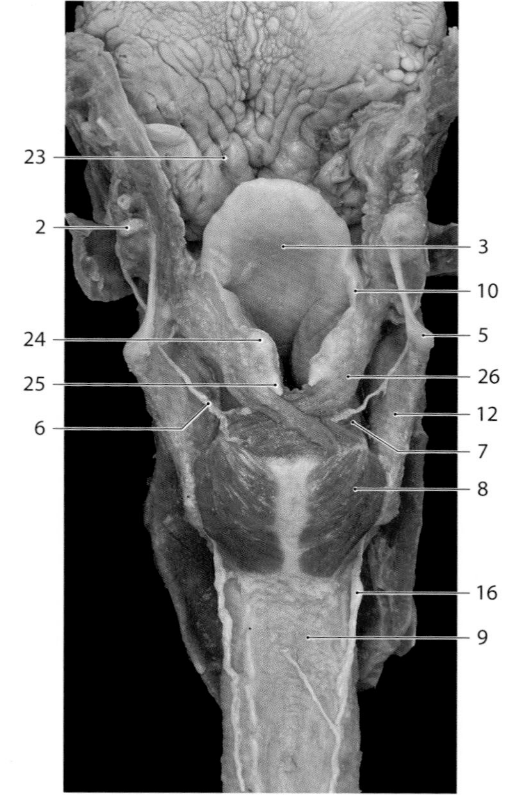

그림 8.163 **후두근육과 후두**(뒤면).

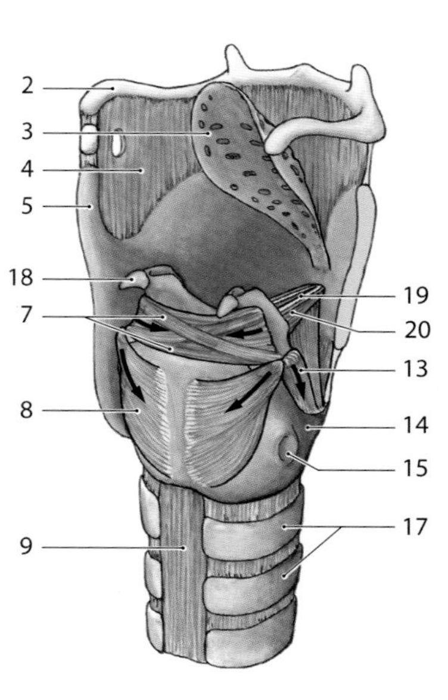

그림 8.164 **후두 자체근육의 작용.**

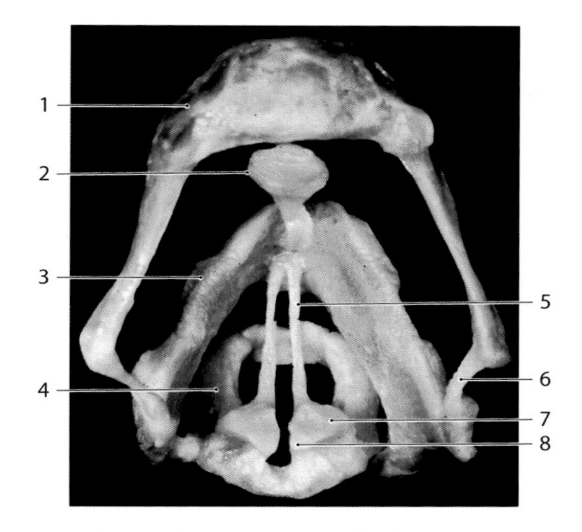

그림 8.165 **후두연골과 성대인대**(위면).

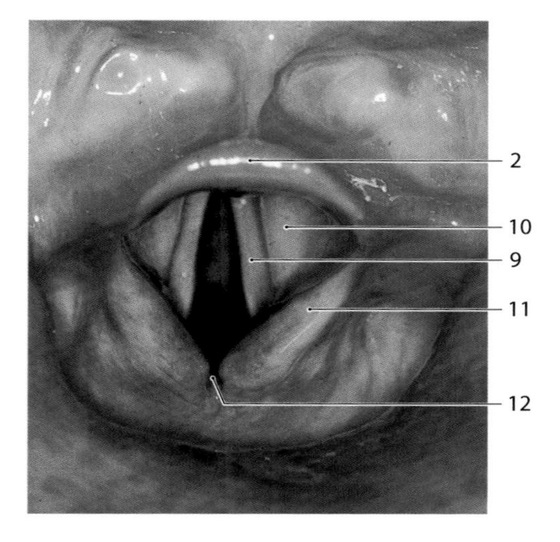

그림 8.166 **성대문**(위면).

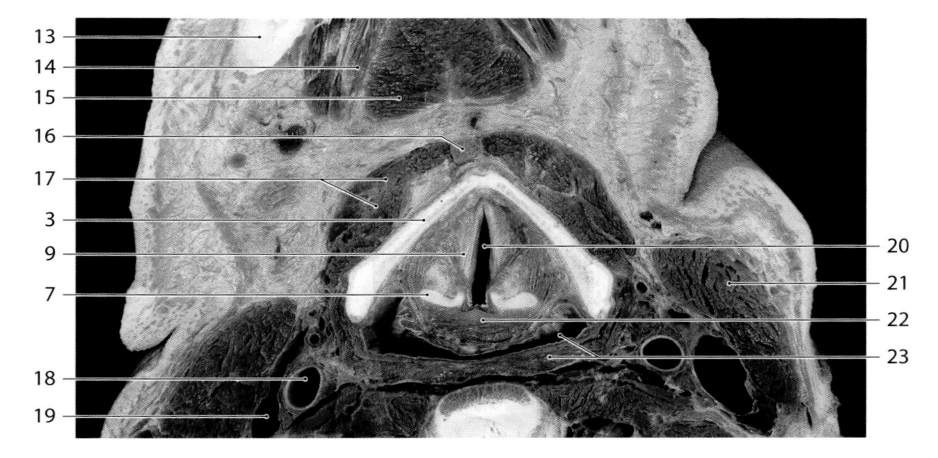

그림 8.167 **성대주름 높이에서 후두의 수평단면**(위면).

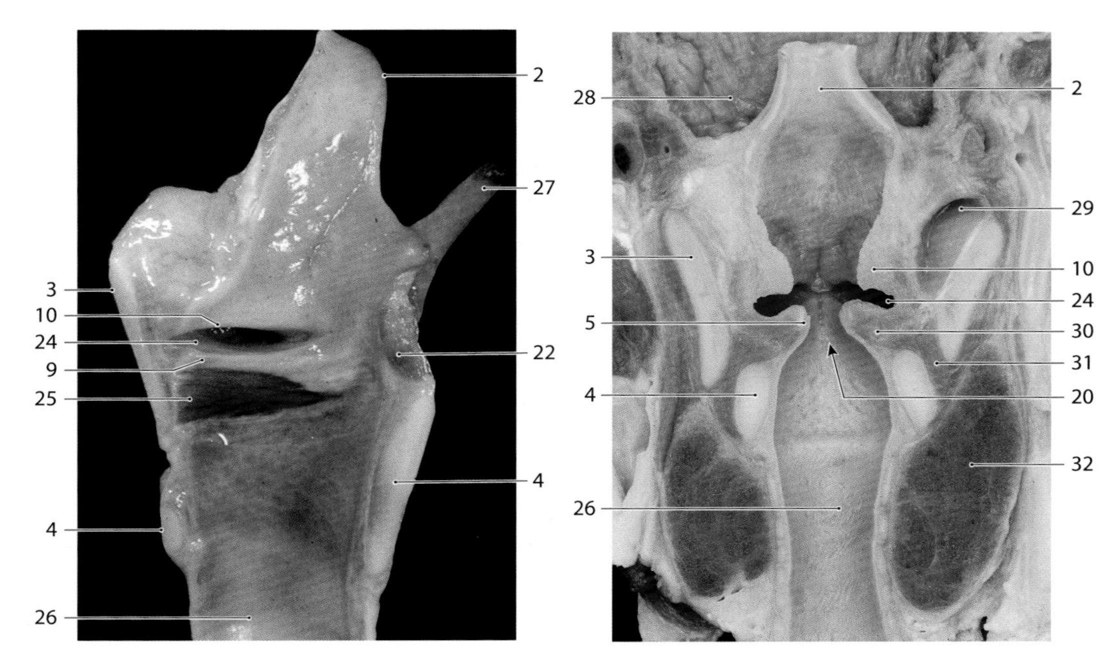

그림 8.168 **후두와 기관의 시상단면.**

그림 8.169 **후두와 기관의 관상단면.**

1 목뿔뼈 Hyoid bone
2 후두덮개 Epiglottis
3 갑상연골 Thyroid cartilage
4 반지연골 Cricoid cartilage
5 성대인대 Vocal ligament
6 방패목뿔인대 Thyrohyoid ligament
7 모뿔연골 Arytenoid cartilage
8 잔뿔연골 Corniculate cartilage
9 성대주름 Vocal fold
10 안뜰주름 Vestibular fold
11 모뿔덮개주름 Ary-epiglottic fold
12 모뿔사이파임 Interarytenoid notch
13 아래턱뼈 Mandible
14 턱두힘살근의 앞힘살 Anterior belly of digastric muscle
15 턱목뿔근 Mylohyoid muscle
16 갑상샘의 피라미드엽 Pyramidal lobe of thyroid gland
17 복장목뿔근과 복장갑상근 Sternohyoid and sternothyroid muscles
18 온목동맥 Common carotid artery
19 속목정맥 Internal jugular vein
20 성대틈새 Rima glottidis
21 목빗근 Sternocleidomastoid muscle
22 가로모뿔근 Transverse arytenoid muscle
23 인두와 아래인두수축근 Pharynx and inferior constrictor muscle
24 후두실 Ventricle of larynx
25 성대근 Vocalis muscle
26 기관 Trachea
27 갑상연골위뿔 Superior cornu of thyroid cartilage
28 혀뿌리(혀편도) Root of tongue (lingual tonsil)
29 조롱박오목 Piriform recess
30 성대근 Vocalis muscle
31 가쪽반지모뿔근 Lateral crico-arytenoid muscle
32 갑상샘 Thyroid gland

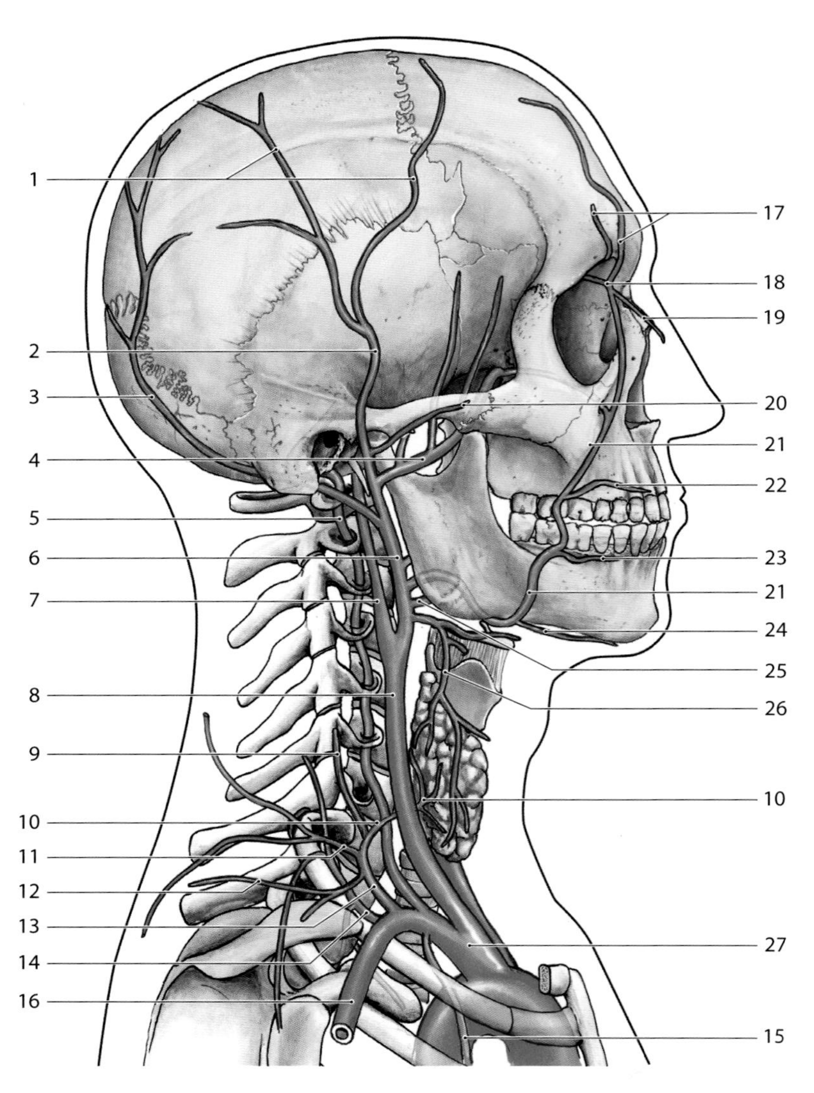

1 얕은관자동맥의 이마가지와 마루가지 Frontal and parietal branches of superficial temporal artery
2 얕은관자동맥 Superficial temporal artery
3 뒤통수동맥 Occipital artery
4 위턱동맥 Maxillary artery
5 척추동맥 Vertebral artery
6 바깥목동맥 External carotid artery
7 속목동맥 Internal carotid artery
8 온목동맥(잘림) Common carotid artery (divided)
9 오름목동맥 Ascending cervical artery
10 아래갑상동맥 Inferior thyroid artery
11 가로목동맥과 두 가지(얕은목동맥과 등쪽어깨동맥) Transverse cervical artery with two branches (superficial cervical artery and dorsal scapular artery)
12 어깨위동맥 Suprascapular artery
(9–12: 갑상목동맥 Thyrocervical trunk)
13 갑상목동맥 Thyrocervical trunk
14 목갈비동맥과 두 가지(깊은목동맥과 맨위갈비사이동맥) Costocervical trunk with two branches (deep cervical artery and supreme intercostal artery)
15 속가슴동맥 Internal thoracic artery
16 겨드랑동맥 Axillary artery
17 눈확위동맥과 도르래위동맥 Supra-orbital and supratrochlear arteries
18 눈구석동맥 Angular artery
19 콧등동맥 Dorsal nasal artery
20 가로얼굴동맥 Transverse facial artery
21 얼굴동맥 Facial artery
22 위입술동맥 Superior labial artery
23 아래입술동맥 Inferior labial artery
24 턱끝밑동맥 Submental artery
25 혀동맥 Lingual artery
26 위갑상동맥 Superior thyroid artery
27 팔머리동맥 Brachiocephalic trunk

그림 8.170 머리와 목의 동맥(가쪽면). 바깥목동맥과 빗장밑동맥 주요 가지.

▶ 그림 8-171 (다음 페이지)

1 머리덮개널힘줄 Galea aponeurotica
2 이마가지 Frontal branch
3 마루가지 Parietal branch
(2–3: 얕은관자동맥 of superficial temporal artery)
4 위귓바퀴근 Superior auricular muscle
5 얕은관자동맥과 정맥 Superficial temporal artery and vein
6 중간관자동맥 Middle temporal artery
7 귓바퀴관자신경 Auriculotemporal nerve
8 얼굴신경의 가지 Branches of facial nerve
9 얼굴신경 Facial nerve
10 아래턱뒤오목에 있는 바깥목동맥 External carotid artery within the retromandibular fossa
11 턱두힘살근의 뒤힘살 Posterior belly of digastric muscle
12 목빗근동맥 Sternocleidomastoid artery
13 교감신경줄기와 위목신경절 Sympathetic trunk and superior cervical ganglion
14 목빗근(잘라 젖힘) Sternocleidomastoid muscle (divided and reflected)
15 빗장뼈(잘림) Clavicle (divided)
16 가로목동맥 Transverse cervical artery
17 오름목동맥과 가로막신경 Ascending cervical artery and phrenic nerve
18 앞목갈비근 Anterior scalene muscle
19 어깨위동맥 Suprascapular artery
20 등쪽어깨동맥 Dorsal scapular artery
21 팔신경얼기와 겨드랑동맥 Brachial plexus and axillary artery
22 가슴봉우리동맥 Thoraco-acromial artery
23 가쪽가슴동맥 Lateral thoracic artery
24 정중신경(밀려있음)과 작은가슴근(젖힘) Median nerve (displaced) and pectoralis minor muscle (reflected)
25 뒤통수이마근의 이마힘살 Frontal belly of occipitofrontalis muscle
26 눈둘레근의 눈확부분 Orbital part of orbicularis oculi muscle
27 눈구석동맥과 정맥 Angular artery and vein
28 얼굴동맥 Facial artery
29 위입술동맥 Superior labial artery
30 큰광대근 Zygomaticus major muscle
31 아래입술동맥 Inferior labial artery
32 귀밑샘관 Parotid duct
33 볼지방덩이 Buccal fat pad
34 위턱동맥 Maxillary artery
35 깨물근 Masseter muscle
36 얼굴동맥과 아래턱뼈 Facial artery and mandible
37 턱끝밑동맥 Submental artery
38 턱두힘살근의 앞힘살 Anterior belly of digastric muscle
39 목뿔뼈 Hyoid bone
40 속목동맥 Internal carotid artery
41 바깥목동맥 External carotid artery
42 위후두동맥 Superior laryngeal artery
43 위갑상동맥 Superior thyroid artery
44 온목동맥 Common carotid artery
45 교감신경줄기의 갑상고리와 아래갑상동맥 Thyroid ansa of sympathetic trunk and inferior thyroid artery
46 갑상샘(오른엽) Thyroid gland (right lobe)
47 척추동맥 Vertebral artery
48 갑상목동맥 Thyrocervical trunk
49 미주신경 Vagus nerve
50 교감신경줄기의 빗장밑신경고리 Ansa subclavia of sympathetic trunk
51 팔머리동맥 Brachiocephalic trunk
52 위대정맥(잘림) Superior vena cava (divided)
53 대동맥활 Aortic arch

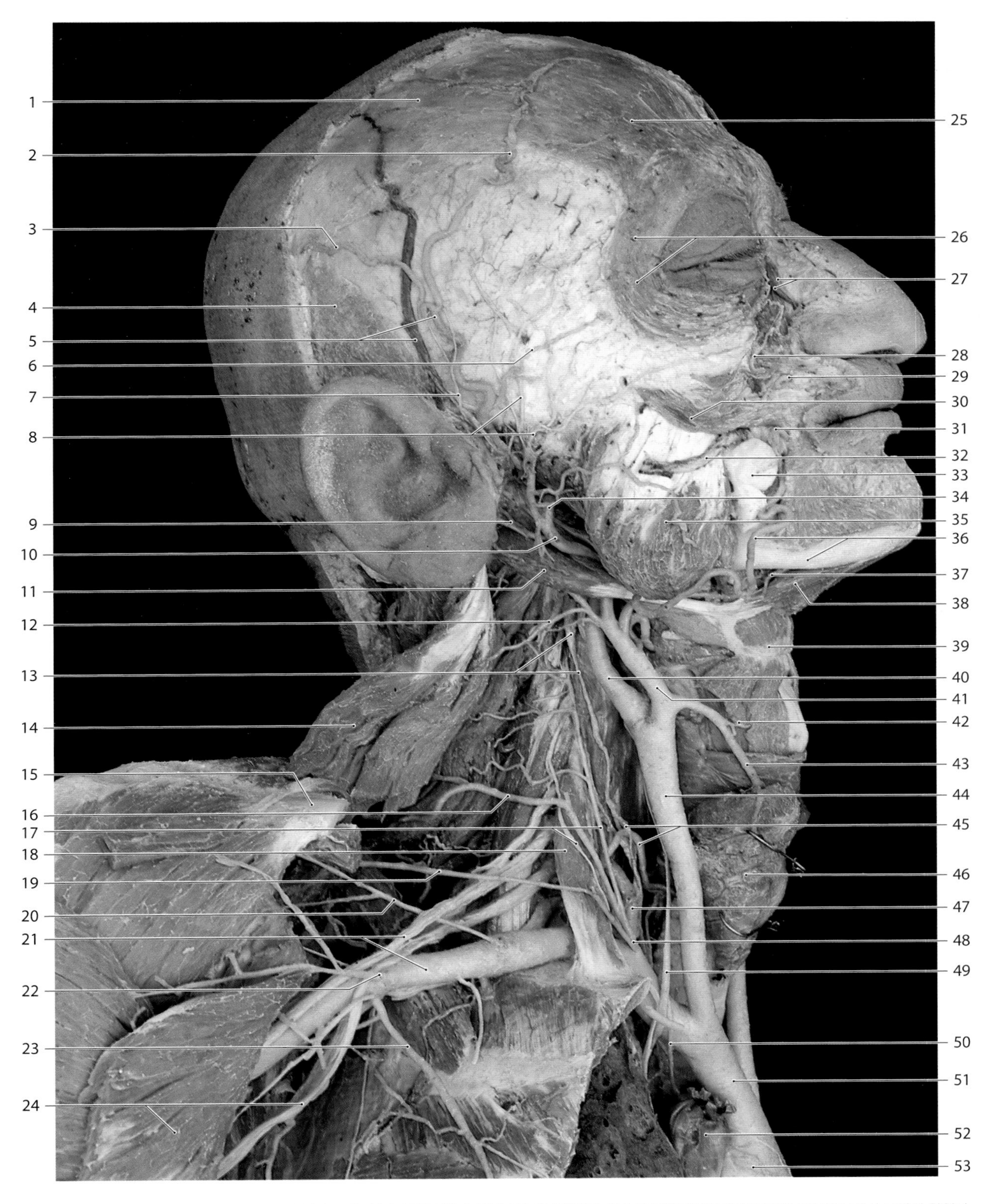

그림 8.171 **머리와 목동맥의 주요 가지**(가쪽면). 앞가슴벽과 빗장뼈 일부를 제거하였다. 가슴근육을 젖혀 빗장밑동맥과 겨드랑동맥이 보이게 하였다.

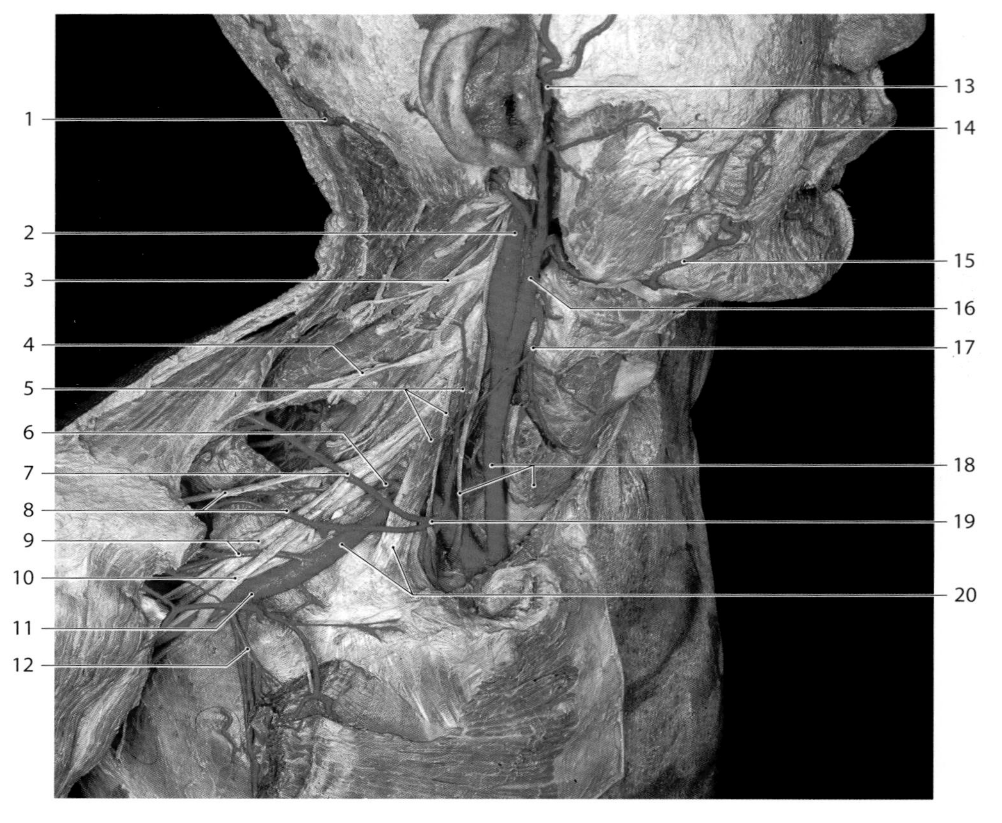

그림 8.172 **머리와 목의 동맥**(앞가쪽면). 빗장뼈, 목빗근과 정맥 일부를 제거하였다. 동맥에 빨간색을 칠하였다.

1 뒤통수동맥의 뒤통수가지 Occipital branch of occipital artery
2 속목동맥 Internal carotid artery
3 목신경얼기 Cervical plexus
4 빗장위신경 Supraclavicular nerve
5 앞목갈비근에 접한 가로막신경과 오름목동맥 Phrenic nerve and ascending cervical artery on anterior scalene muscle
6 가로목동맥 Transverse cervical artery
7 얕은목동맥 Superficial cervical artery
8 어깨위동맥과 신경 Suprascapular artery and nerve
9 팔신경얼기와 가로목동맥 Brachial plexus and transverse cervical artery
10 팔신경얼기의 가쪽다발 Lateral cord of brachial plexus
11 가슴봉우리동맥 Thoraco-acromial artery
12 가쪽가슴동맥 Lateral thoracic artery
13 얕은관자동맥 Superficial temporal artery
14 가로얼굴동맥 Transverse facial artery
15 얼굴동맥 Facial artery
16 바깥목동맥 External carotid artery
17 위갑상동맥 Superior thyroid artery
18 온목동맥, 미주신경, 갑상샘 Common carotid artery, vagus nerve, and thyroid gland
19 갑상목동맥 Thyrocervical trunk
20 빗장밑동맥과 앞목갈비근 Subclavian artery and anterior scalene muscle
21 뒤통수정맥 Occipital vein
22 얕은관자정맥 Superficial temporal vein
23 목빗근 Sternocleidomastoid muscle
24 등세모근 Trapezius muscle
25 속목정맥 Internal jugular vein

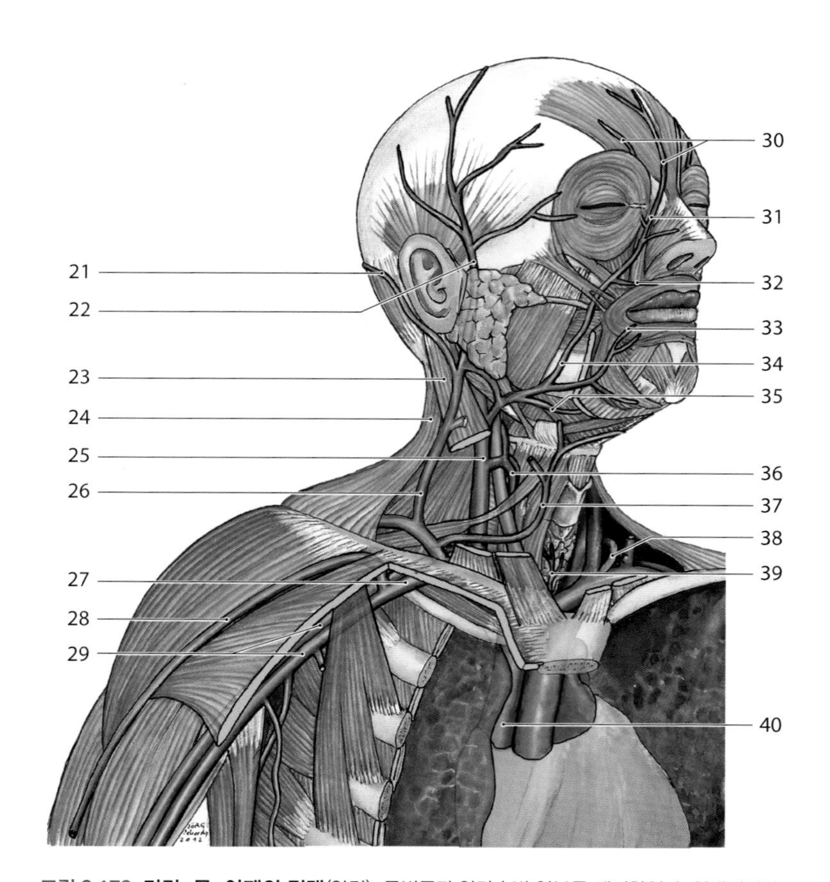

그림 8.173 **머리, 목, 어깨의 정맥**(앞면). 목빗근과 앞가슴벽 일부를 제거하였다. 위대정맥과 연결된 정맥을 확인하시오.

26 바깥목정맥 External jugular vein
27 빗장밑정맥 Subclavian vein
28 노쪽피부정맥 Cephalic vein
29 겨드랑정맥과 동맥 Axillary vein and artery
30 눈확위정맥 Supra-orbital veins
31 눈구석정맥 Angular vein
32 위입술정맥 Superior labial vein
33 아래입술정맥 Inferior labial vein
34 얼굴정맥 Facial vein
35 턱끝밑정맥 Submental vein
36 위갑상정맥 Superior thyroid vein
37 앞목정맥 Anterior jugular vein
38 가슴림프관 Thoracic duct
39 아래갑상정맥 Inferior thyroid vein
40 위대정맥 Superior vena cava
41 귀밑샘과 얼굴신경 Parotid gland and facial nerve
42 큰귓바퀴신경 Great auricular nerve
43 바깥목정맥 External jugular vein
44 팔신경얼기 Brachial plexus
45 세모가슴근삼각의 노쪽피부정맥 Cephalic vein within the deltopectoral triangle
46 오른팔머리정맥 Right brachiocephalic vein
47 위대정맥 Superior vena cava
48 오른허파(젖힘) Right lung (reflected)
49 얕은관자동맥과 정맥 Superficial temporal artery and vein
50 얼굴동맥과 정맥 Facial artery and vein
51 얼굴신경의 목가지와 턱밑샘 Cervical branch of facial nerve and submandibular gland
52 속목정맥, 온목동맥, 어깨목뿔근 Internal jugular vein, common carotid artery, and omohyoid muscle
53 앞목정맥과 갑상샘 Anterior jugular vein and thyroid gland
54 목정맥활 Jugular venous arch
55 왼팔머리정맥 Left brachiocephalic vein
56 심장막(오른심방의 위치) Pericardium of heart (location of right atrium)

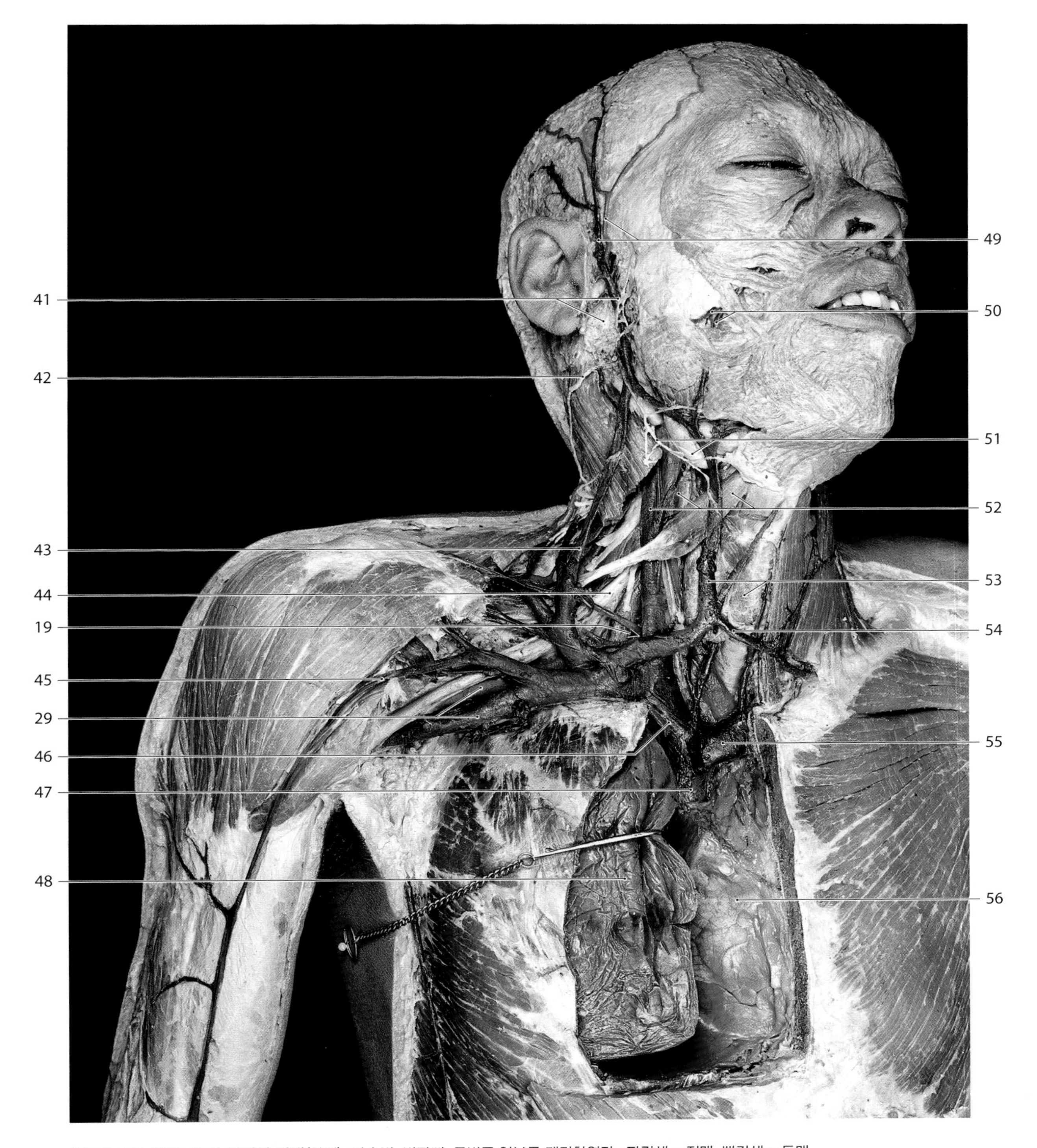

그림 8.174 **머리, 목과 어깨의 정맥**(앞면). 가슴벽, 빗장뼈, 목빗근 일부를 제거하였다. 파란색 = 정맥, 빨간색 = 동맥

속목정맥은 구불정맥굴의 연속이며, 뇌의 혈액과 함께 혈액으로 들어온 뇌척수액을 흘려보낸다. 오른쪽에서는 빗장밑정맥과 만나 오른팔머리정맥을 이루어 위대정맥으로 바로 들어간다. 박동조율기를 심장으로 연결하는 길은 노쪽피부정맥을 통해 간다. 왼쪽에서는 가슴림프관이 속목정맥과 빗장밑정맥이 만나는 각으로 열리며, 두 정맥은 만나 왼팔머리정맥을 이룬다. 빗장밑정맥은 앞목갈비근 앞쪽에 있는 반면 빗장밑동맥과 팔신경얼기는 이 근육의 뒤쪽에 있는 것을 확인해야 한다. 노쪽피부정맥은 세모가슴근삼각에서 겨드랑정맥으로 들어간다. 빗장밑정맥은 첫째갈비뼈에 붙어 고정되어 있기 때문에 카테터를 넣는 곳(빗장뼈 복장끝의 바로 밑)에서 바늘로 찌를 수 있다.

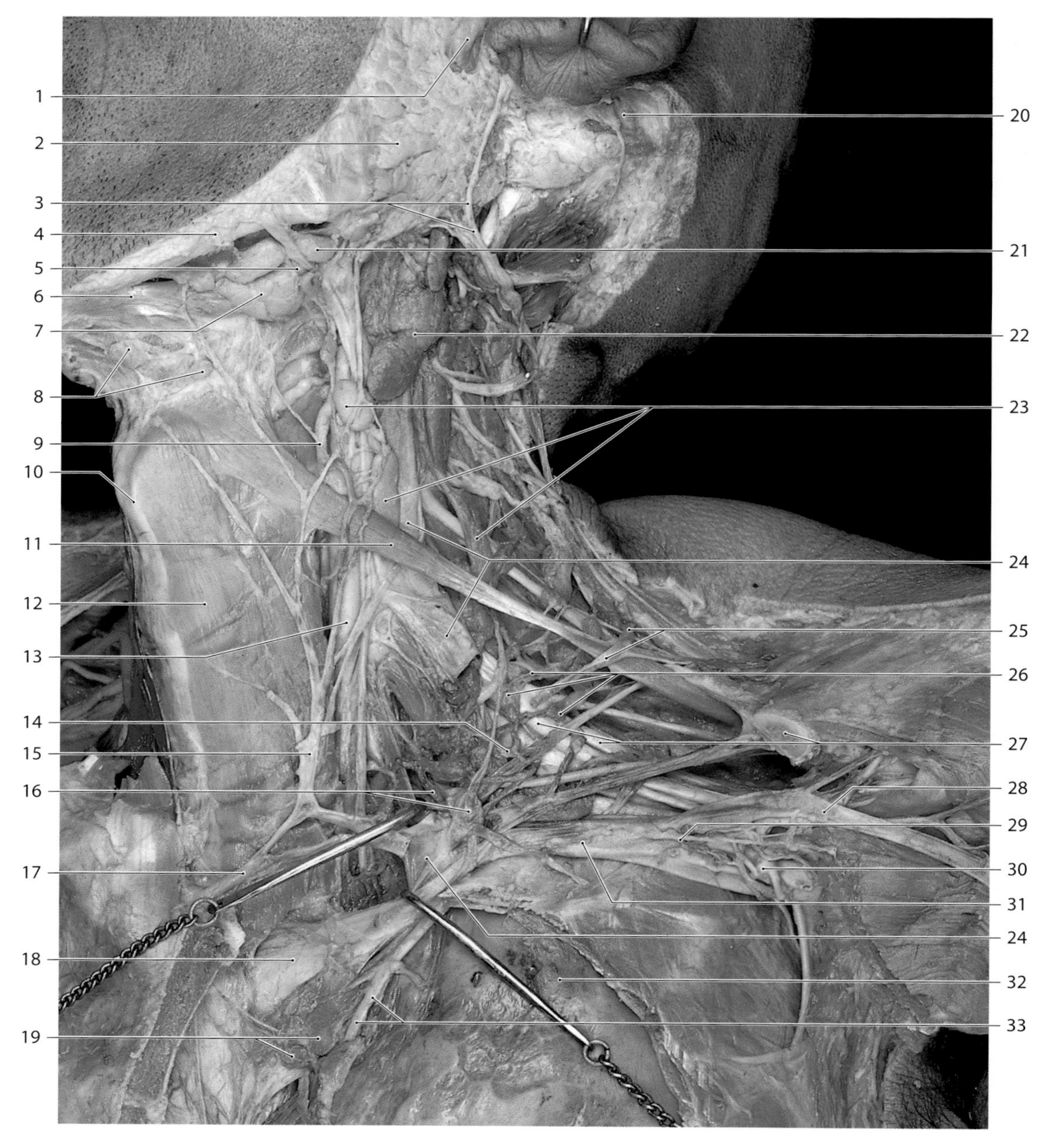

그림 8.175 **목의 림프절과 림프관.** 왼쪽(비스듬가쪽면). 목빗근 가슴벽의 왼쪽 반을 제거하였다. 속목정맥의 아래쪽을 잘라 가쪽으로 밀어서 가슴림프관이 보이게 하였다.

1 얕은귀밑샘림프절 Superficial parotid lymph node
2 귀밑샘 Parotid gland
3 큰귓바퀴신경 Great auricular nerve
4 아래턱뼈 Mandible
5 얼굴정맥 Facial vein
6 턱두힘살근의 앞힘살 Anterior belly of digastric muscle
7 턱밑샘 Submandibular gland
8 턱끝밑림프절 Submental lymph nodes
9 위갑상동맥 Superior thyroid artery
10 갑상연골 Thyroid cartilage
11 어깨목뿔근 Omohyoid muscle
12 복장목뿔근 Sternohyoid muscle
13 온목동맥 Common carotid artery
14 빗장위림프절 Supraclavicular lymph nodes
15 앞목정맥 Anterior jugular vein
16 가슴림프관과 속목정맥 Thoracic duct and internal jugular vein
17 목정맥활 Jugular venous arch
18 왼팔머리정맥 Left brachiocephalic vein
19 위세로칸림프절 Superior mediastinal lymph nodes
20 귓바퀴뒤림프절 Retro-auricular lymph nodes
21 턱밑림프절 Submandibular nodes
22 얕은목림프절 Superficial cervical lymph nodes
23 목정맥턱두힘살근림프절과 목림프줄기 Jugulodigastric lymph nodes and jugular trunk
24 속목정맥 Internal jugular vein
25 바깥목정맥 External jugular vein
26 목정맥어깨목뿔근림프절 Jugulo-omohyoid lymph nodes
27 팔신경얼기 Brachial plexus
28 노쪽피부정맥 Cephalic vein
29 빗장밑림프줄기 Subclavian trunk
30 빗장아래림프절 Infraclavicular lymph nodes
31 빗장밑정맥 Subclavian vein
32 허파 Lung
33 속가슴동맥과 정맥 Internal thoracic artery and vein

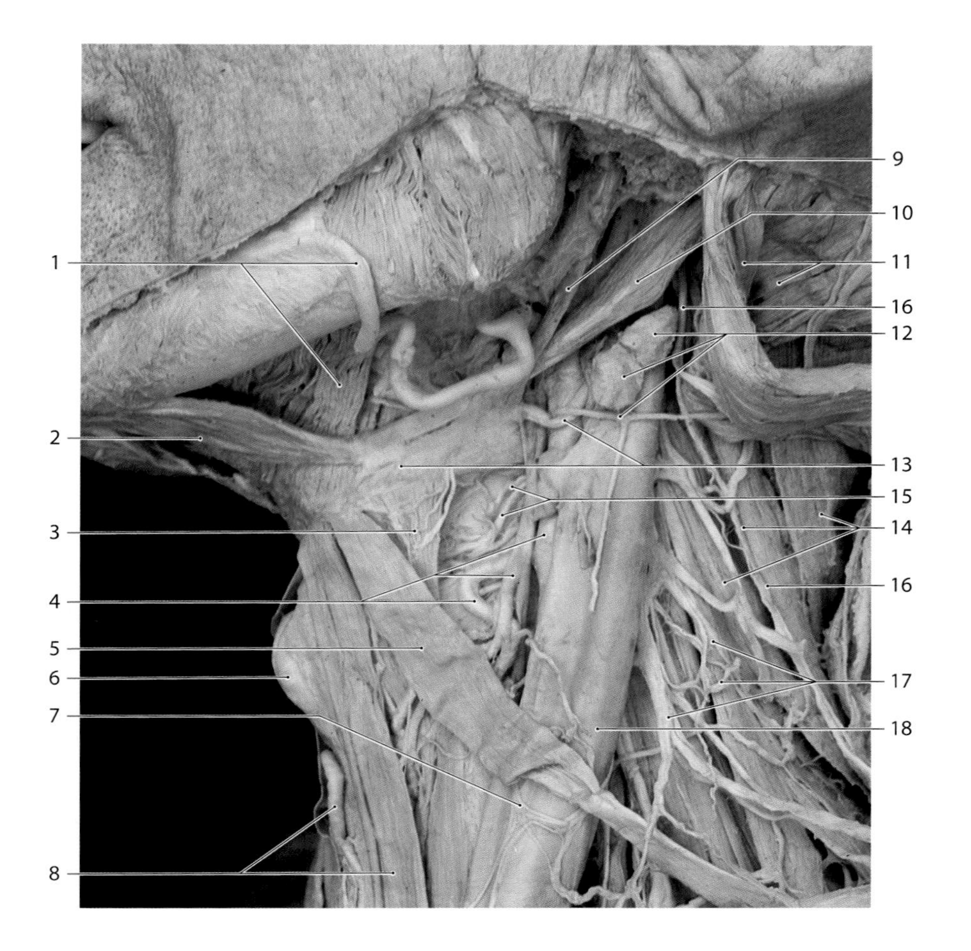

그림 8.176 **목동맥삼각.** 왼쪽(가쪽면).
목빗근을 젖혔다.

1 턱목뿔근과 얼굴동맥
Mylohyoid muscle and facial artery
2 턱두힘살근의 앞힘살
Anterior belly of digastric muscle
3 갑상목뿔근 Thyrohyoid muscle
4 바깥목동맥, 위갑상동맥과 정맥
External carotid artery, superior thyroid artery, and vein
5 어깨목뿔근 Omohyoid muscle
6 갑상연골 Thyroid cartilage
7 목신경고리 Ansa cervicalis
8 복장목뿔근과 위갑상동맥
Sternohyoid muscle and superior thyroid artery
9 붓목뿔근 Stylohyoid muscle
10 턱두힘살근의 뒤힘살
Posterior belly of digastric muscle
11 목빗근(젖힘)
Sternocleidomastoid muscle (reflected)
12 위목림프절과 목빗근동맥
Superior cervical lymph nodes and sternocleidomastoid artery
13 목뿔뼈와 혀밑신경
Hyoid bone and hypoglossal nerve (n. XII)
14 머리널판근과 어깨올림근
Splenius capitis and levator scapulae muscles
15 위후두동맥과 위후두신경의 속가지
Superior laryngeal artery and internal branch of superior laryngeal nerve
16 더부신경 Accessory nerve
17 목신경얼기 Cervical plexus
18 속목정맥 Internal jugular vein
19 얼굴정맥 Facial vein
20 턱밑림프절 Submandibular lymph nodes
21 턱끝밑림프절 Submental lymph nodes
22 가슴림프관 Thoracic duct
23 귓바퀴뒤림프절 Retro-auricular lymph nodes
24 뒤통수림프절 Occipital lymph nodes
25 귀밑샘림프절 Parotid lymph nodes
26 목정맥턱두힘살근림프절
Jugulodigastric lymph node
27 깊은목림프절 Deep cervical lymph nodes
28 바깥목정맥 External jugular vein
29 목정맥어깨목뿔근림프절
Jugulo-omohyoid lymph node
30 목림프줄기 Jugular trunk
31 빗장밑림프줄기 Subclavian trunk
32 빗장아래림프절 Infraclavicular lymph nodes

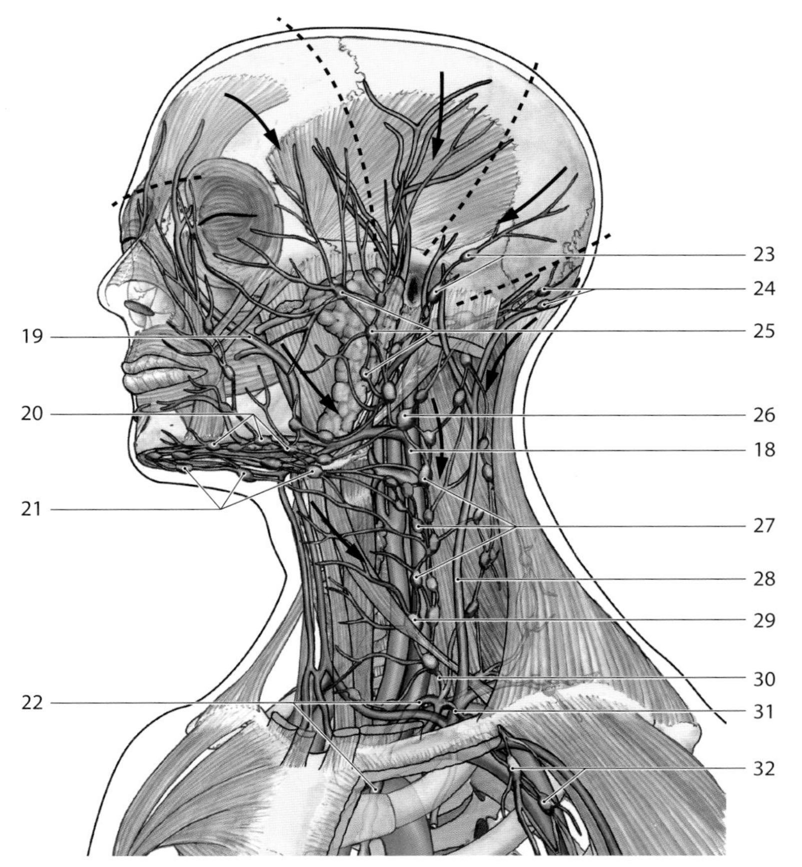

그림 8.177 **머리와 목의 림프절과 정맥(비스듬 가쪽면).** 점선 = 림프공급의 경계; 화살표 = 림프 흐름의 방향.

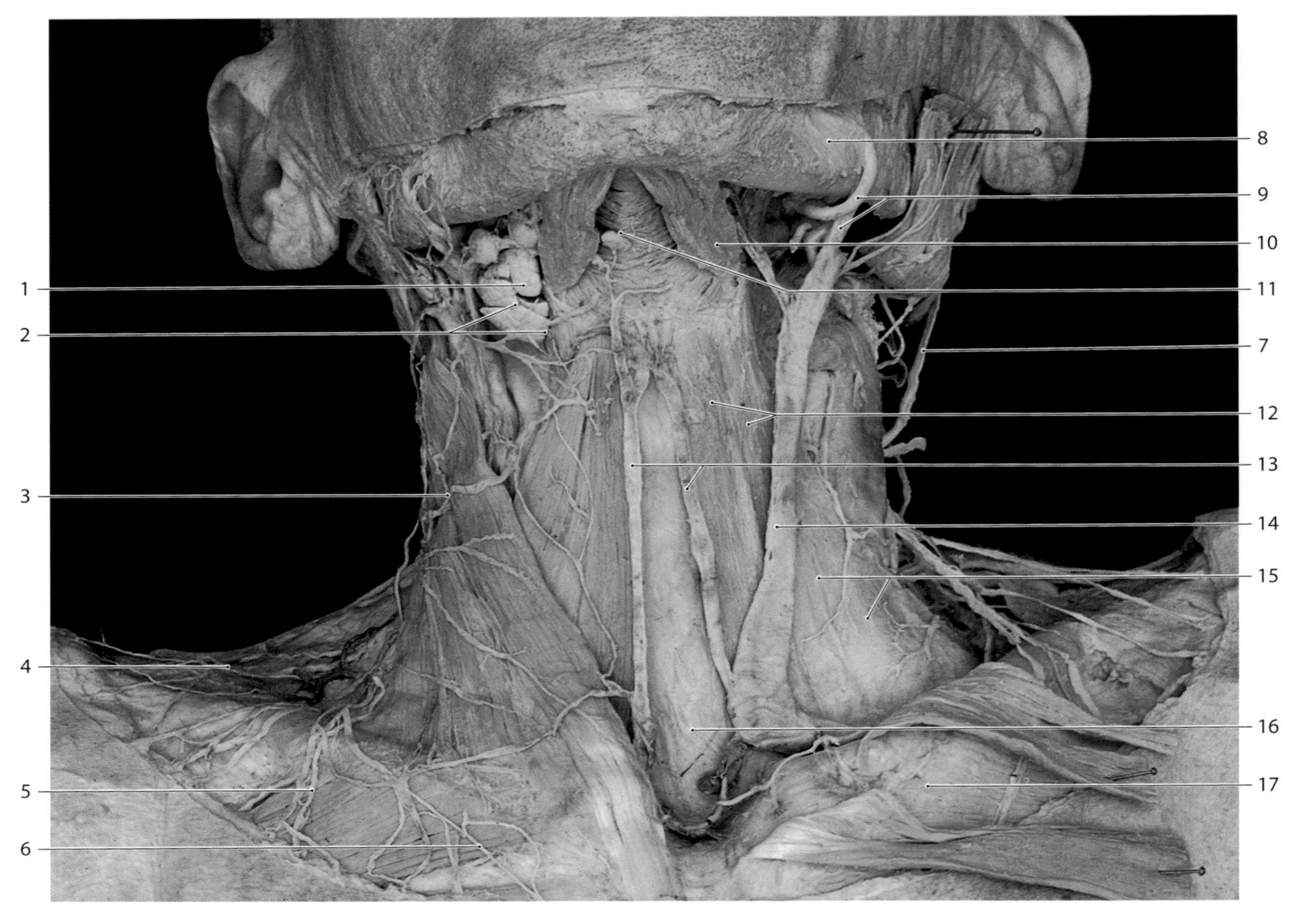

그림 8.178 **목의 앞부위**(얕은층). 얕은근막을 제거하였다.

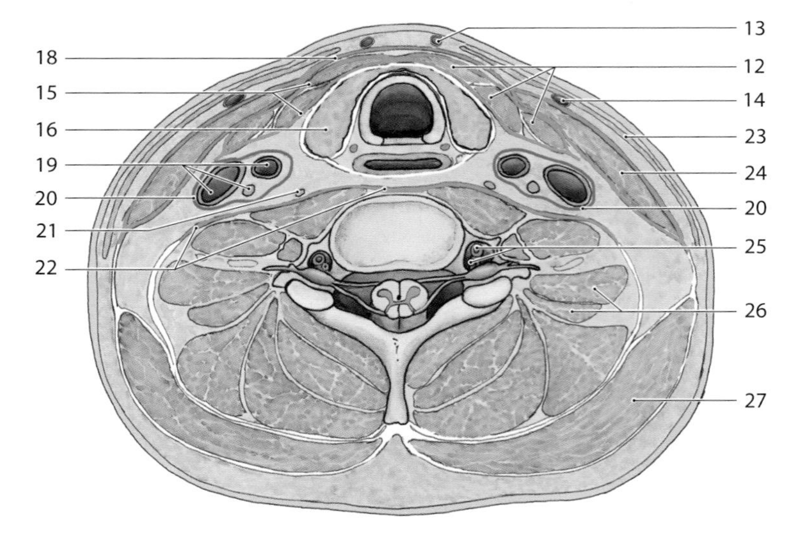

그림 8.179 **갑상샘 높이에서 목의 가로단면.** 세 층의 깊은목근막(파란색)을 확인하시오.

1 턱밑샘 Submandibular gland
2 얼굴신경의 목가지 Cervical branch of facial nerve
3 가로목신경 Transverse cervical nerve *
4 가쪽빗장위신경 Lateral supraclavicular nerves *
5 중간빗장위신경 Middle supraclavicular nerves *
6 안쪽빗장위신경 Medial supraclavicular nerves *
7 큰귓바퀴신경 Great auricular nerve *
8 아래턱뼈 Mandible
9 얼굴동맥과 정맥 Facial artery and vein
10 턱두힘살근의 앞힘살 Anterior belly of digastric muscle
11 턱목뿔근 Mylohyoid muscle
12 목뿔아래근(복장목뿔근, 복장갑상근, 어깨목뿔근) Infrahyoid muscles (sternohyoid, sternothyroid, and omohyoid muscles)
13 앞목정맥 Anterior jugular veins
14 바깥목정맥 External jugular vein
15 깊은목근막의 기관앞층 Pretracheal lamina of cervical fascia
16 갑상샘 Thyroid gland
17 빗장뼈 Clavicle
18 깊은목근막의 얕은층 Superficial lamina of cervical fascia
19 목혈관신경집과 온목동맥, 속목정맥, 미주신경 Carotid sheath with common carotid artery, internal jugular vein, and vagus nerve
20 목혈관신경집 Carotid sheath
21 교감신경줄기의 목부분 Cervical part of sympathetic trunk
22 깊은목근막의 척주앞층 Prevertebral lamina of cervical fascia
23 넓은목근 Platysma muscle
24 목빗근 Sternocleidomastoid muscle
25 척추동맥과 정맥 Vertebral artery and vein
26 목갈비근 Scalene muscles
27 등세모근 Trapezius muscle

* 목신경얼기의 피부가지 Cutaneous branches of cervical plexus

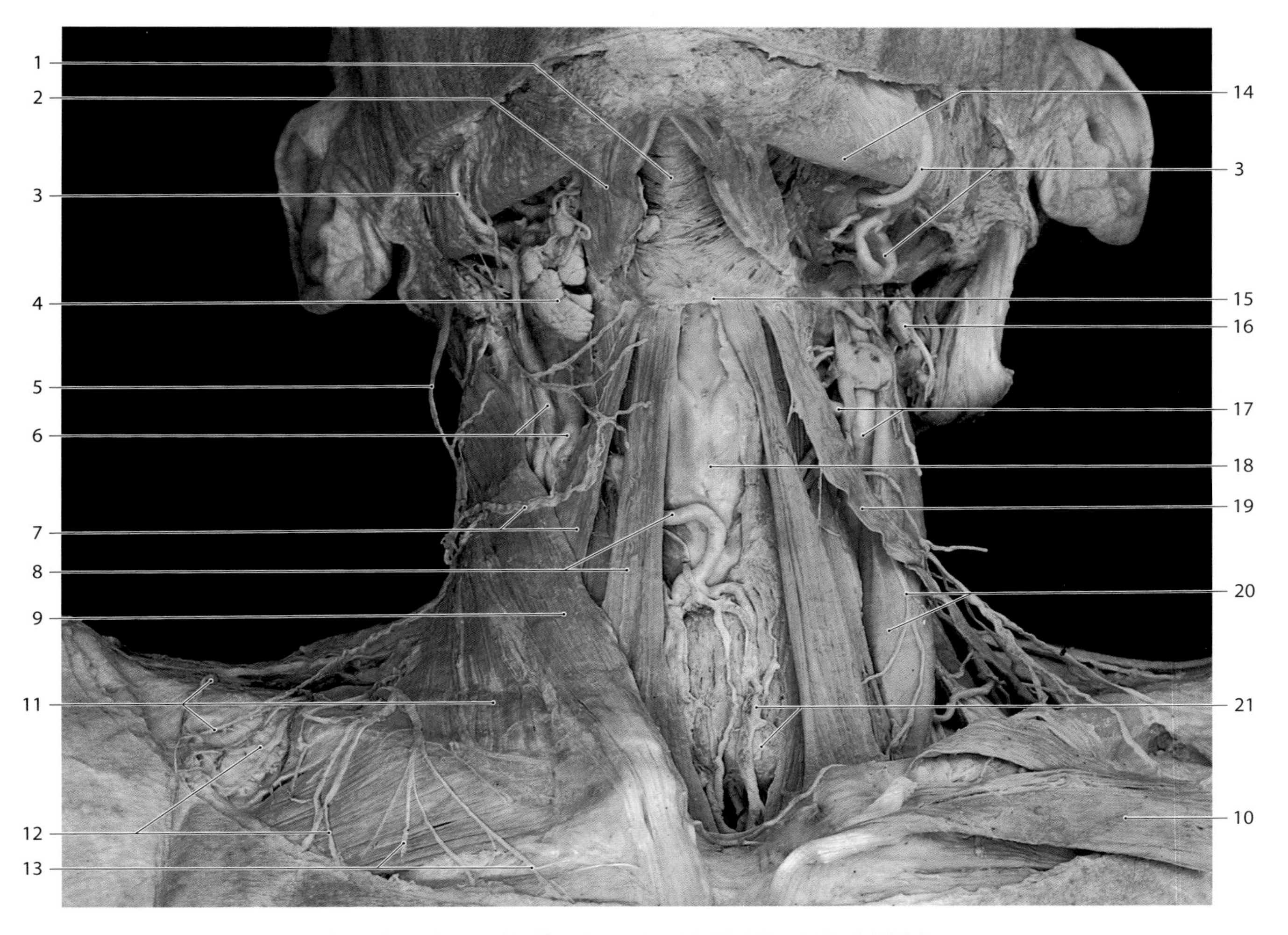

그림 8.180 **목의 앞면과 앞목삼각**(얕은층[오른쪽]; 깊은층[왼쪽]). 깊은목근막의 기관앞층과 왼목빗근을 제거하였다.

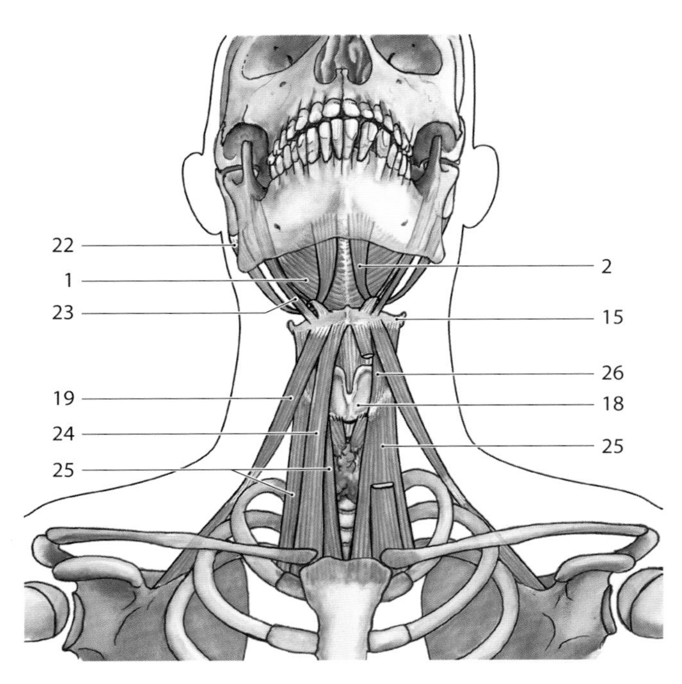

그림 8.181 **목뿔위근과 목뿔아래근**(앞면).

1 턱목뿔근 Mylohyoid muscle
2 턱두힘살근의 앞힘살 Anterior belly of digastric muscle
3 얼굴동맥 Facial artery
4 턱밑샘 Submandibular gland
5 큰귓바퀴신경 Great auricular nerve
6 속목정맥과 온목동맥 Internal jugular vein and common carotid artery
7 가로목신경과 어깨목뿔근 Transverse cervical nerve and omohyoid muscle
8 복장목뿔근과 위갑상동맥 Sternohyoid muscle and superior thyroid artery
9 목빗근(복장갈래) Sternocleidomastoid muscle (sternal head)
10 왼목빗근(젖힘) Left sternocleidomastoid muscle (reflected)
11 목빗근(빗장갈래)과 가쪽빗장위신경 Sternocleidomastoid muscle (clavicular head) and lateral supraclavicular nerves
12 중간빗장위신경 Middle supraclavicular nerves
13 안쪽빗장위신경 Medial supraclavicular nerves
14 아래턱뼈 Mandible
15 목뿔뼈 Hyoid bone
16 얕은목림프절 Superficial cervical lymph nodes
17 왼위갑상동맥과 바깥목동맥 Left superior thyroid artery and external carotid artery
18 갑상연골 Thyroid cartilage
19 어깨목뿔근의 위힘살 Superior belly of omohyoid muscle
20 속목정맥과 목신경고리의 가지 Internal jugular vein and branches of ansa cervicalis
21 갑상샘과 홑아래갑상정맥 Thyroid gland and unpaired inferior thyroid vein
22 턱두힘살근의 뒤힘살 Posterior belly of digastric muscle
23 붓목뿔근 Stylohyoid muscle
24 복장목뿔근 Sternohyoid muscle
25 복장갑상근 Sternothyroid muscle
26 갑상목뿔근 Thyrohyoid muscle

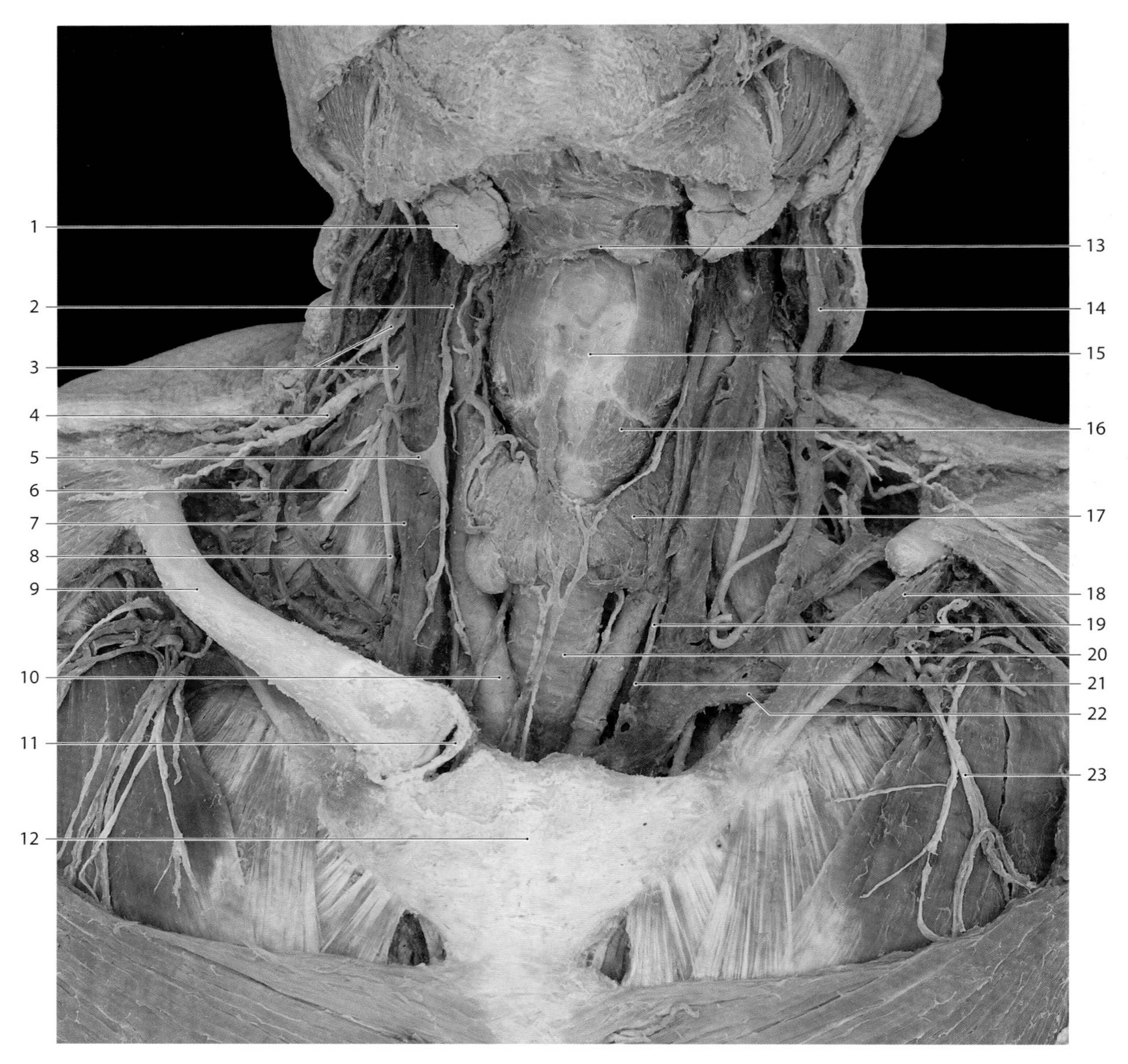

그림 8.182 **목의 앞부위**(깊은층). 양쪽 목빗근과 왼쪽 빗장뼈를 제거하였다. 갑상샘과 기관, 후두, 목의 혈관관계가 보인다.

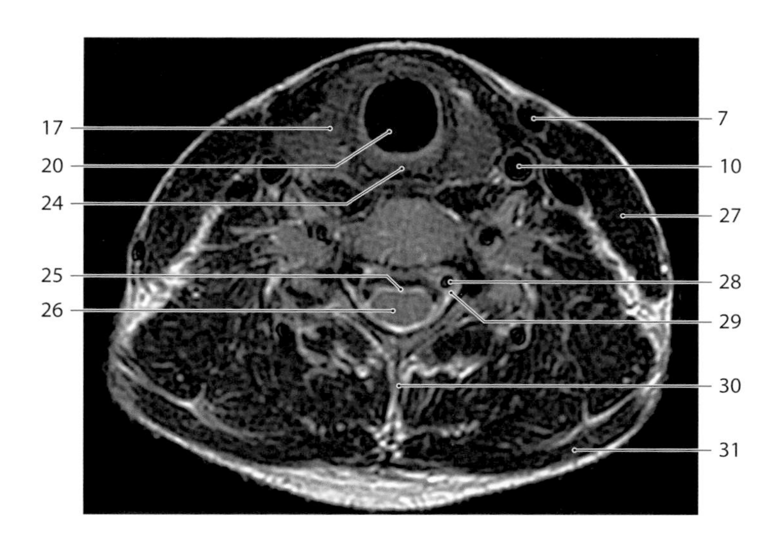

그림 8.183 **갑상샘 높이에서 목의 가로단면**(자기공명영상). (Courtesy of Prof. Uder, Institute of Radiology, University Hospital Erlangen, Germany.)

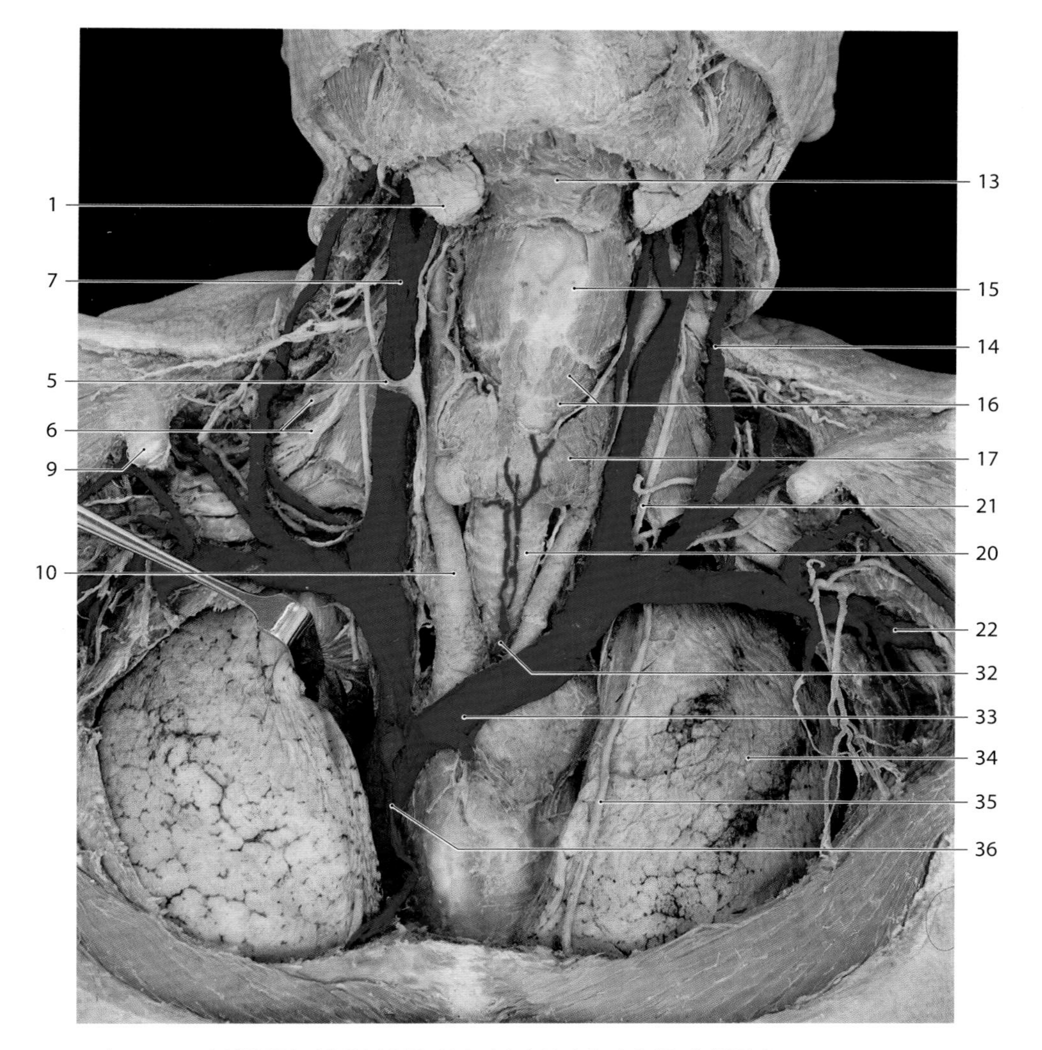

그림 8.184 **목의 앞부위와 가슴안**(깊은층). 양쪽 빗장뼈, 복장뼈, 갈비뼈를 제거하였다. 주요 정맥은 파란색깔로 나타내었다.

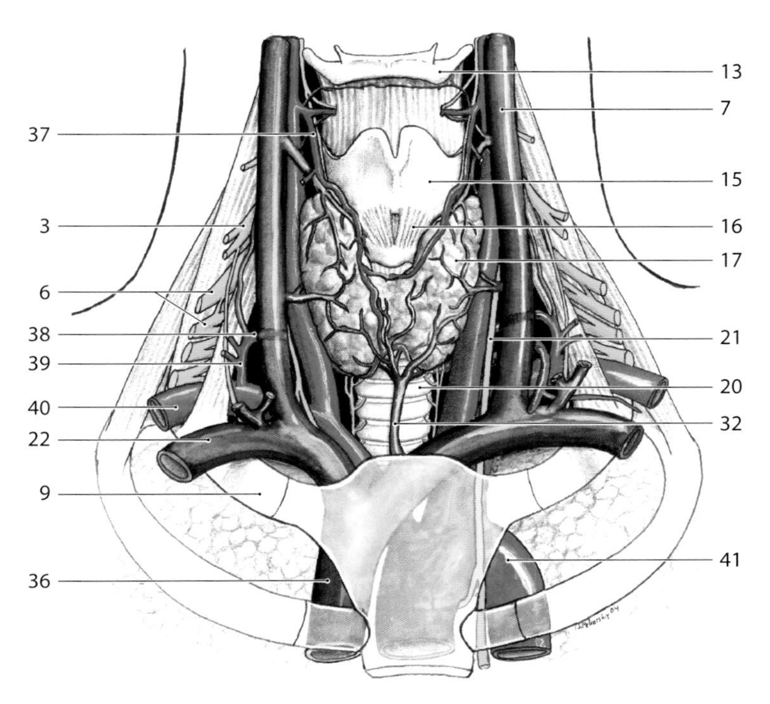

1 턱밑샘 Submandibular gland
2 얼굴신경의 목가지 Cervical branch of facial nerve (CN VII)
3 목신경얼기 Cervical plexus
4 중간빗장위신경 Middle supraclavicular nerves
5 목신경고리 Ansa cervicalis
6 팔신경얼기 Brachial plexus
7 속목정맥 Internal jugular vein
8 가로막신경 Phrenic nerve
9 빗장뼈 Clavicle
10 온목동맥 Common carotid artery
11 복장빗장관절과 관절원반 Sternoclavicular joint with articular disc
12 복장뼈자루 Manubrium of sternum
13 목뿔뼈 Hyoid bone
14 바깥목정맥 External jugular vein
15 갑상연골 Thyroid cartilage
16 반지갑상근 Cricothyroid muscle
17 갑상샘 Thyroid gland
18 빗장밑근 Subclavius muscle
19 되돌이후두신경 Recurrent laryngeal nerve
20 기관 Trachea
21 미주신경 Vagus nerve (CN X)
22 빗장밑정맥 Subclavian vein
23 안쪽가슴근신경 Medial pectoral nerve
24 식도 Esophagus
25 목뼈몸통 Body of cervical vertebra
26 척수 Spinal cord
27 목빗근 Sternocleidomastoid muscle
28 척추동맥 Vertebral artery
29 목뼈의 가로돌기 Transverse process of cervical vertebra
30 목뼈의 가시돌기 Spinous process of cervical vertebra
31 등세모근 Trapezius muscle
32 아래갑상정맥 Inferior thyroid vein
33 왼팔머리정맥 Left brachiocephalic vein
34 왼허파의 위엽 Superior lobe of left lung
35 속가슴동맥 Internal thoracic artery
36 위대정맥 Superior vena cava
37 위갑상동맥 Superior thyroid artery
38 아래갑상동맥 Inferior thyroid artery
39 갑상목동맥줄기 Thyrocervical trunk
40 빗장밑동맥 Subclavian artery
41 대동맥활 Aortic arch

그림 8.185 **목의 앞부위.**
갑상샘과 혈관의 관계를 나타낸 국소해부.

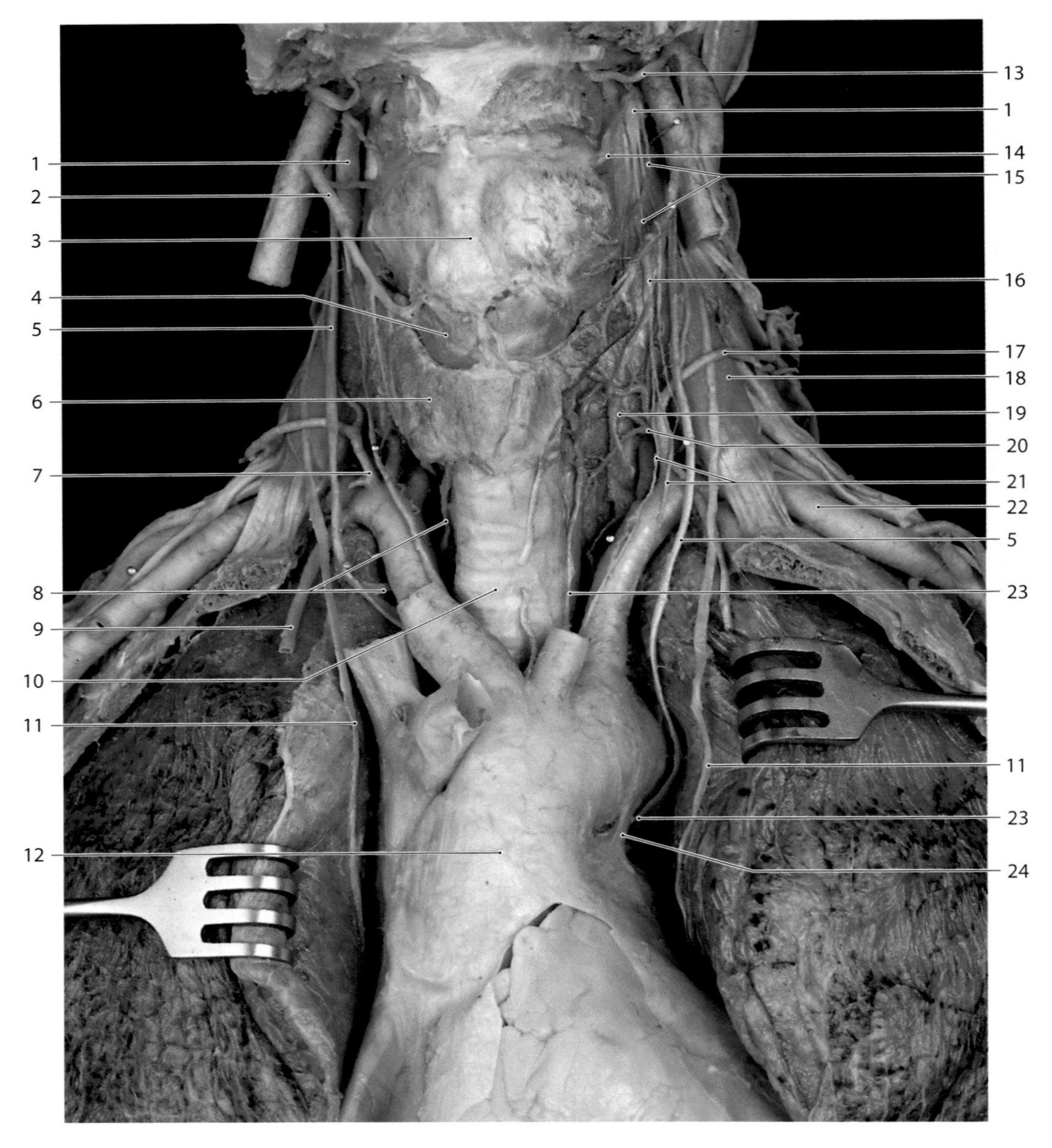

그림 8.186 **후두와 가슴의 기관**(앞면). 미주신경과 되돌이후두신경의 해부.

1 위목신경절 Superior cervical ganglion
2 위갑상동맥 Superior thyroid artery
3 갑상연골 Thyroid cartilage
4 반지방패근 Cricothyroid muscle
5 미주신경 Vagus nerve (CN X)
6 갑상샘 Thyroid gland
7 갑상목동맥 Thyrocervical trunk
8 오른되돌이후두신경 Right recurrent laryngeal nerve
9 속가슴동맥 Internal thoracic artery
10 기관 Trachea
11 가로막신경 Phrenic nerve
12 대동맥활 Aortic arch
13 혀밑신경 Hypoglossal nerve (CN XII)
14 위후두신경의 속가지 Internal branch of superior laryngeal nerve
15 위후두신경의 바깥가지 External branch of superior laryngeal nerve
16 교감신경줄기 Sympathetic trunk
17 가로목동맥 Transverse cervical artery
18 앞목갈비근 Anterior scalene muscle
19 중간목신경절 Middle cervical ganglion
20 아래갑상동맥 Inferior thyroid artery
21 아래목심장신경(교감신경줄기의 가지) Inferior cervical cardiac nerves (branches of sympathetic trunk)
22 왼빗장밑동맥 Left subclavian artery
23 왼되돌이후두신경 Left recurrent laryngeal nerve
24 동맥관인대 Ligamentum arteriosum
25 혀 Tongue
26 아래인두수축근 Inferior constrictor muscle of pharynx
27 왼온목동맥 Left common carotid artery
28 혀인두신경 Glossopharyngeal nerve (CN IX)
29 위후두신경 Superior laryngeal nerve
30 후두덮개 Epiglottis
31 뒤반지모뿔근과 반지연골 Posterior crico-arytenoid muscle and cricoid cartilage
32 되돌이후두신경 Recurrent laryngeal nerve
3 중간과 뒤목갈비근 Middle and posterior scalene muscles
34 머리긴근 Longus capitis muscle
35 오른빗장밑동맥 Right subclavian artery
36 팔머리동맥줄기 Brachiocephalic trunk
37 목뿔뼈 Hyoid bone
38 갑상목뿔막 Thyrohyoid membrane
39 둘째갈비뼈 Second rib

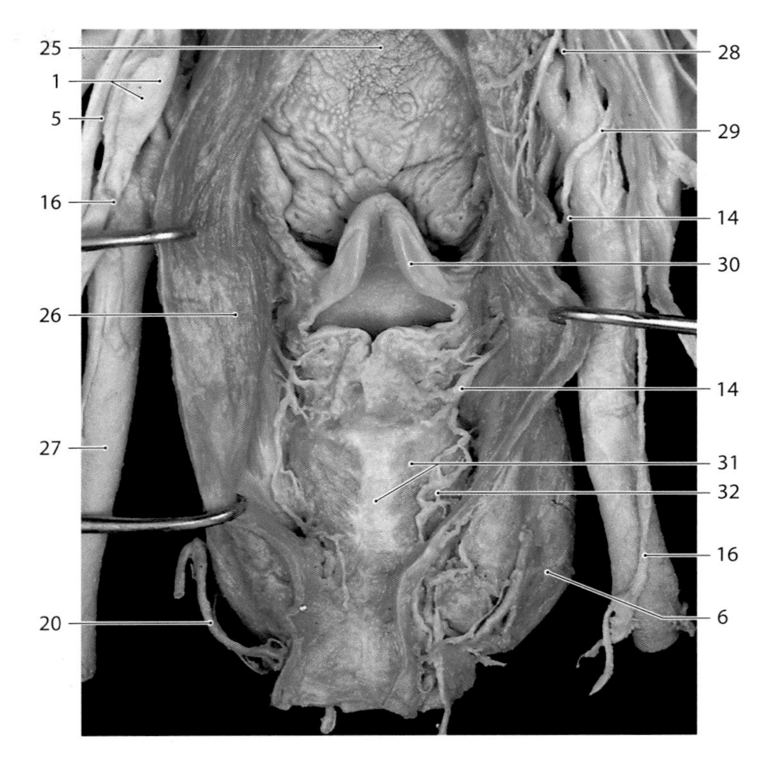

그림 8.187 **후두의 신경분포**(뒤면). 위 및 아래후두신경의 해부. 인두가 열려있다.

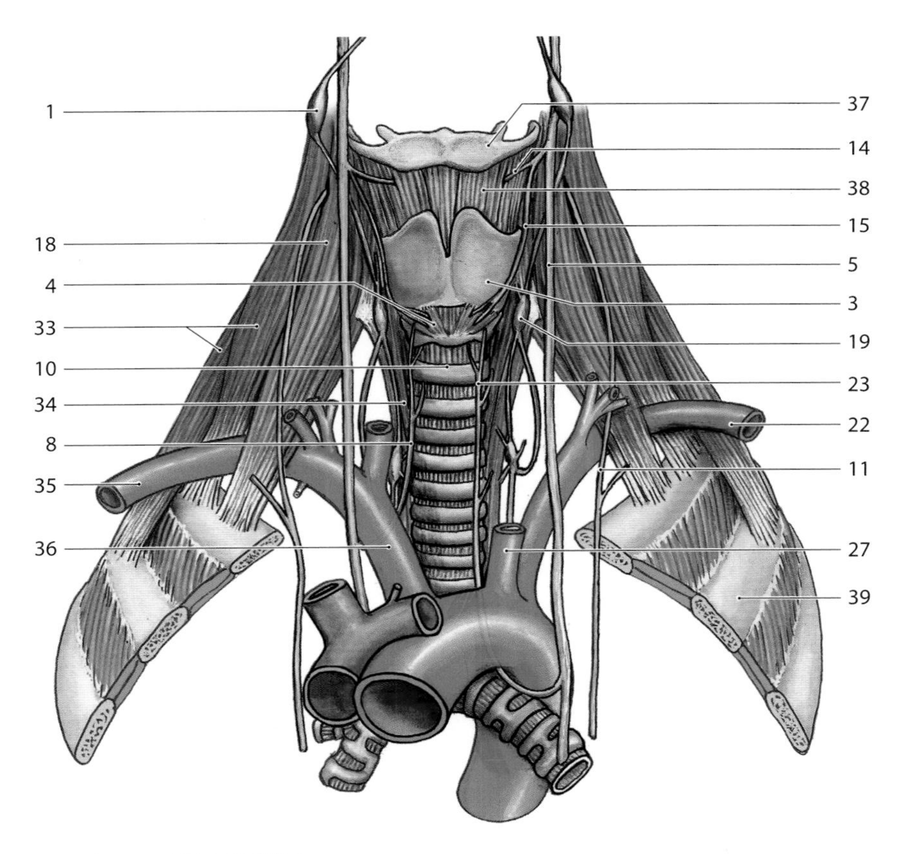

그림 8.188 **후두의 신경분포.**

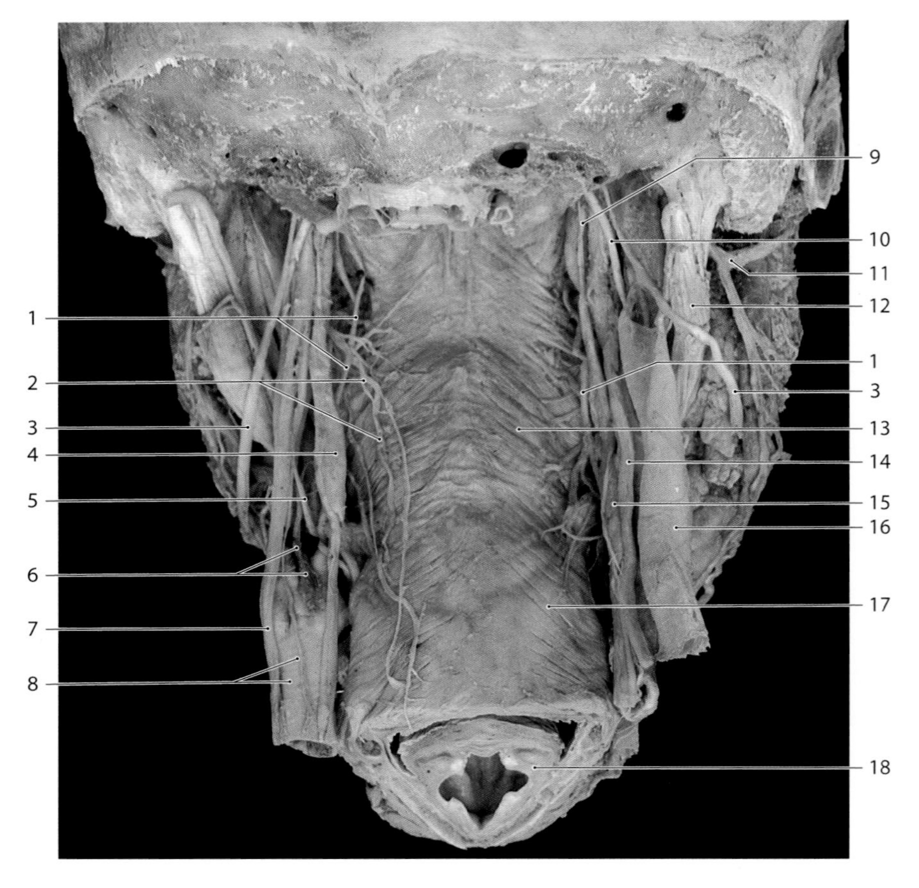

그림 8.189 **인두주위의 신경과 혈관**(뒤면).

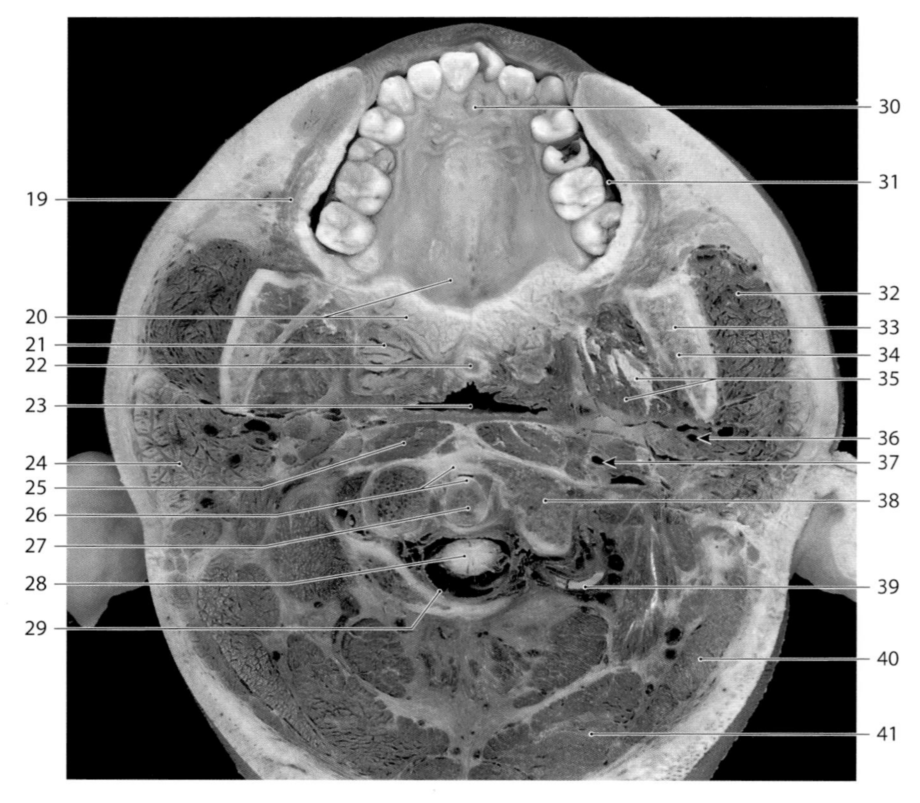

그림 8.190 고리뼈 높이에서 **머리와 목의 가로단면**(아래면).

1 오름인두동맥 Ascending pharyngeal artery
2 인두신경얼기 Pharyngeal plexus
3 더부신경 Accessory nerve
4 교감신경줄기의 위목신경절 Superior cervical ganglion of sympathetic trunk
5 위후두신경 Superior laryngeal nerve
6 목동맥토리와 목동맥팽대신경 Carotid body and carotid sinus nerve
7 왼미주신경 Left vagus nerve
8 온목동맥과 미주신경의 심장가지 Common carotid artery and cardiac branch of vagus nerve
9 혀인두신경 Glossopharyngeal nerve
10 혀밑신경 Hypoglossal nerve
11 얼굴신경 Facial nerve
12 턱두힘살근의 뒤힘살 Posterior belly of digastric muscle
13 중간인두수축근 Middle constrictor muscle of pharynx
14 오른미주신경 Right vagus nerve
15 교감신경줄기 Sympathetic trunk
16 속목정맥 Internal jugular vein
17 아래인두수축근 Inferior constrictor muscle of pharynx
18 후두 Larynx
19 볼근 Buccinator muscle
20 물렁입천장과 입천장샘 Soft palate and palatine glands
21 목구멍편도 Palatine tonsil
22 목젖 Uvula of palate
23 인두(입부분) Pharynx (oral part)
24 귀밑샘 Parotid gland
25 머리긴근 Longus capitis muscle
26 정중고리중쇠관절과 고리뼈의 앞고리 Median atlanto-axial joint and anterior arch of atlas
27 중쇠뼈의 치아돌기 Dens of axis
28 척수 Spinal cord
29 경막 Dura mater
30 앞니유두 Incisive papilla
31 입안뜰 Oral vestibule
32 깨물근 Masseter muscle
33 아래턱뼈 Mandible
34 턱뼈관 및 혈관과 신경 Mandibular canal with vessels and nerve
35 안쪽날개근 Medial pterygoid muscle
36 바깥목동맥 External carotid artery
37 속목동맥 Internal carotid artery
38 고리뼈 Atlas
39 척추동맥 Vertebral artery
40 머리널판근 Splenius capitis muscle
41 머리반가시근 Semispinalis capitis muscle

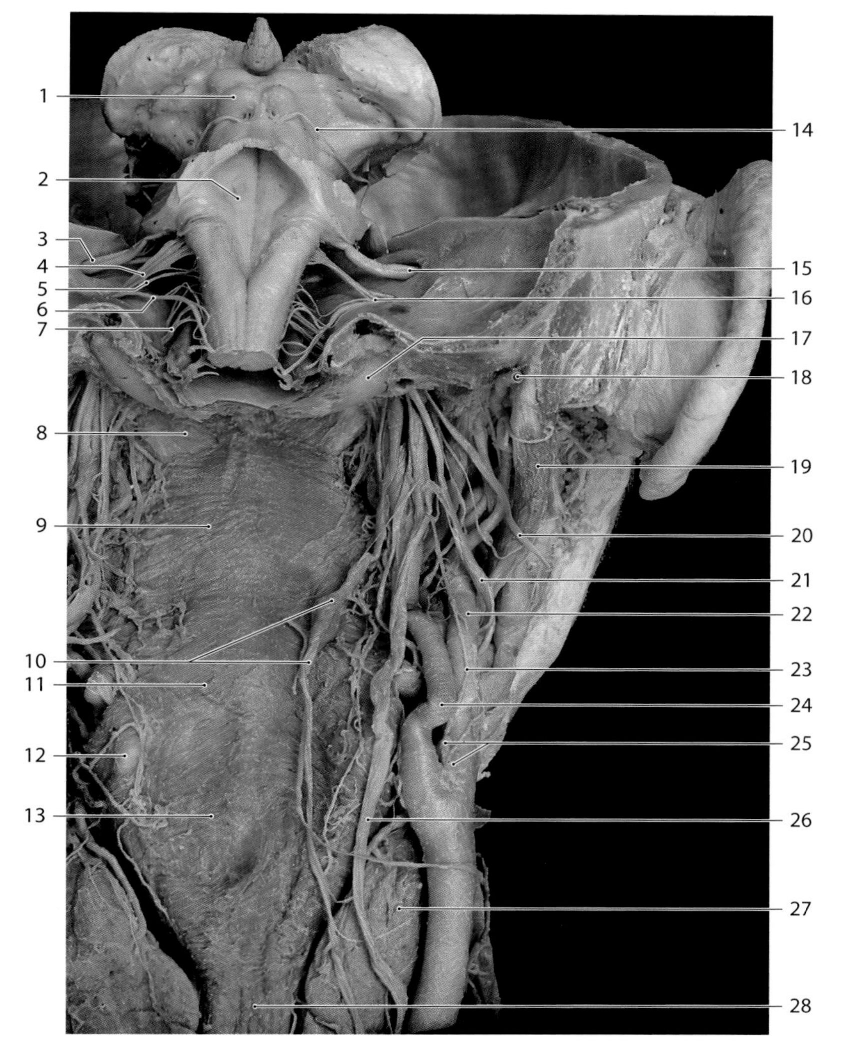

그림 8.191 **뇌줄기와 연결된 인두와 인두주위 신경**(뒤면).

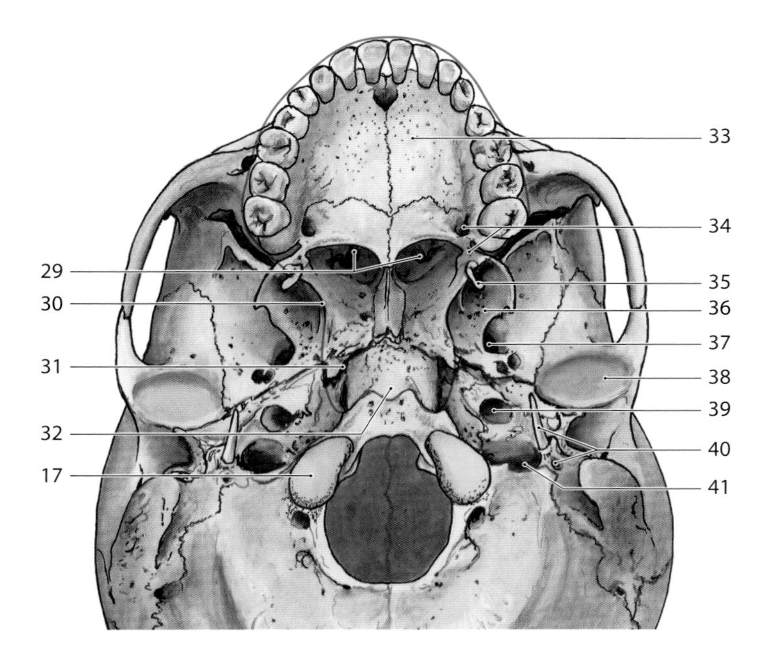

1 아래둔덕 Inferior colliculus of midbrain
2 마름오목바닥의 얼굴둔덕
Facial colliculus in floor of rhomboid fossa
3 속귀신경과 얼굴신경
Vestibulocochlear and facial nerves
4 혀인두신경 Glossopharyngeal nerve
5 미주신경 Vagus nerve
6 더부신경 Accessory nerve
7 혀밑신경 Hypoglossal nerve
8 인두결절근막 Pharyngobasilar fascia
9 위인두수축근 Superior constrictor muscle of pharynx
10 교감신경줄기와 위목신경절(안쪽으로 밀려있음)
Sympathetic trunk and superior cervical ganglion (medially displaced)
11 중간인두수축근 Middle constrictor muscle of pharynx
12 목뿔뼈큰뿔 Greater cornu of hyoid bone
13 아래인두수축근 Inferior constrictor muscle of pharynx
14 도르래신경 Trochlear nerve
15 속귀길, 얼굴신경, 속귀신경
Internal acoustic meatus with facial and vestibulocochlear nerves
16 목정맥구멍의 혀인두신경, 미주신경, 더부신경
Jugular foramen with glossopharyngeal, vagus, and assessory nerves
17 뒤통수뼈관절융기 Occipital condyle
18 뒤통수동맥 Occipital artery
19 턱두힘살근의 뒤힘살
Posterior belly of digastric muscle
20 더부신경(머리뼈바깥부분)
Accessory nerve (extracranial part)
21 혀밑신경(머리뼈바깥부분)
Hypoglossal nerve (extracranial part)
22 바깥목동맥 External carotid artery
23 목동맥팽대신경 Carotid sinus nerve
24 속목동맥 Internal carotid artery
25 목동맥팽대와 목동맥토리
Carotid sinus and carotid body
26 미주신경 Vagus nerve
27 갑상샘 Thyroid gland
28 식도 Esophagus
29 뒤콧구멍 Choanae
30 안쪽날개판 Medial pterygoid plate
31 파열구멍 Foramen lacerum
32 인두결절 Pharyngeal tubercle
33 단단입천장 Hard palate
34 큰 및 작은입천장구멍
Greater and lesser palatine foramen
35 날개갈고리 Pterygoid hamulus
36 가쪽날개판 Lateral pterygoid plate
37 타원구멍 Foramen ovale
38 턱관절오목 Mandibular fossa
39 목동맥관 Carotid canal
40 붓돌기와 붓꼭지구멍
Styloid process and stylomastoid foramen
41 목정맥구멍 Jugular foramen

그림 8.192 **머리뼈의 바닥**(아래면). 빨간선 = 볼근과 입둘레근으로 연결되는 위인두수축근의 윤곽.

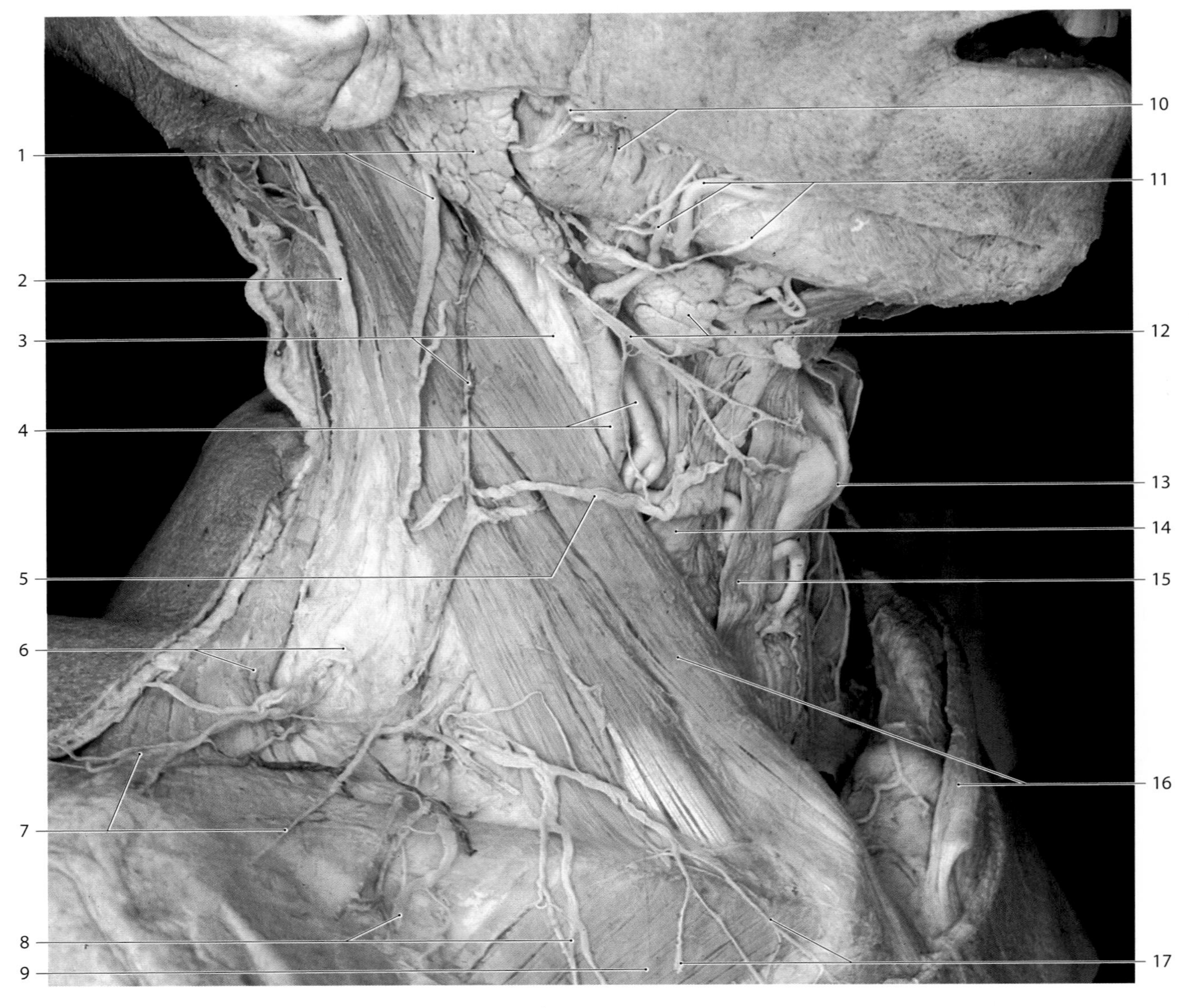

그림 8.193 **목동맥삼각과 뒤목삼각을 포함한 목의 가쪽부위**(얕은층).

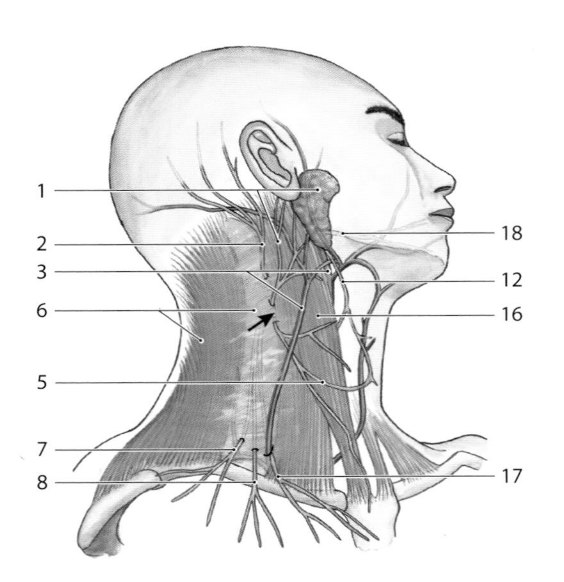

그림 8.194 **목신경얼기의 피부가지**(가쪽부위). 화살표 = 에르브점.

1 귀밑샘과 큰귓바퀴신경 Parotid gland and great auricular nerve
2 작은뒤통수신경 Lesser occipital nerve
3 속 및 바깥목정맥 Internal and external jugular veins
4 아래턱뒤정맥과 바깥목동맥 Retromandibular vein and external carotid artery
5 가로목신경과 얼굴신경 목가지와의 교통가지 Transverse cervical nerve with communicating branch to cervical branch of facial nerve
6 등세모근과 깊은목근막의 얕은층 Trapezius muscle and superficial lamina of cervical fascia
7 가쪽빗장위신경 Lateral supraclavicular nerves
8 중간빗장위신경 Middle supraclavicular nerves
9 큰가슴근 Pectoralis major muscle
10 얼굴신경의 볼가지와 깨물근 Buccal branch of facial nerve and masseter muscle
11 얼굴동맥과 정맥 및 얼굴신경의 턱모서리가지 Facial artery and vein and mandibular branch of facial nerve
12 얼굴신경의 목가지와 턱밑샘 Cervical branch of facial nerve and submandibular gland (only in the dissection)
13 갑상연골 Thyroid cartilage
14 어깨목뿔근 Omohyoid muscle
15 복장목뿔근 Sternohyoid muscle
16 목빗근 Sternocleidomastoid muscle
17 안쪽빗장위신경 Medial supraclavicular nerves
18 얼굴신경의 턱모서리가지 Mandibular branch of facial nerve

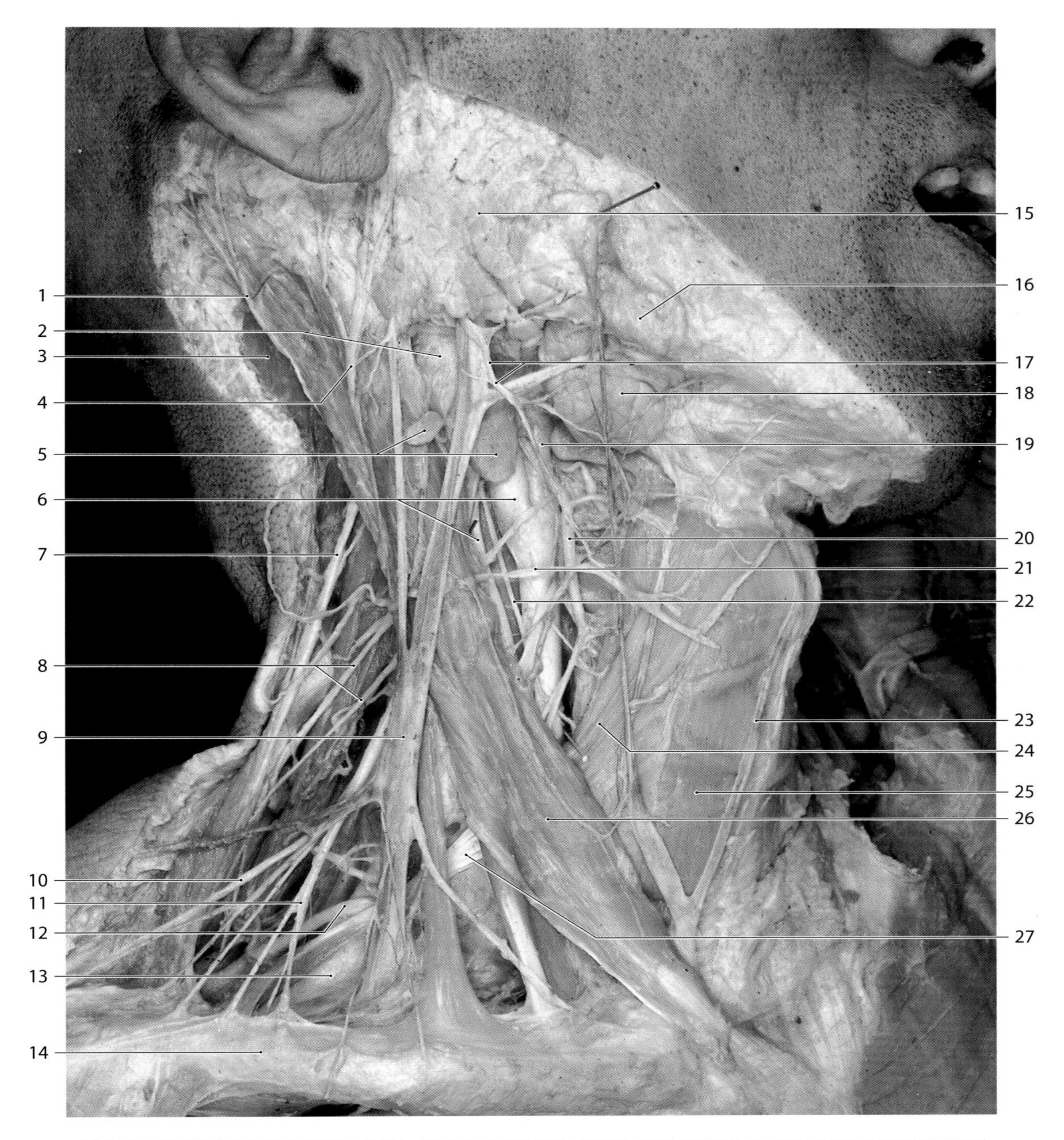

그림 8.195 **목동맥삼각과 뒤목삼각을 포함하는 목의 가쪽면**(얕은층). 깊은목근막의 얕은층은 목신경얼기와 피부밑정맥의 피부가지를 보여주기 위해 제거하였다.

1 작은뒤통수신경 Lesser occipital nerve
2 속목정맥 Internal jugular vein
3 머리널판근 Splenius capitis muscle
4 큰귓바퀴신경 Great auricular nerve
5 턱밑림프절 Submandibular nodes
6 속목동맥과 미주신경 Internal carotid artery and vagus nerve
7 더부신경 Accessory nerve
8 목신경얼기의 근육가지 Muscular branches of cervical plexus
9 바깥목정맥 External jugular vein
10 뒤빗장위신경 Posterior supraclavicular nerves
11 중간빗장위신경 Middle supraclavicular nerves
12 어깨위동맥 Suprascapular artery
13 깊은목근막의 기관앞층 Pretracheal lamina of fascia of neck
14 빗장뼈 Clavicle
15 귀밑샘 Parotid gland
16 아래턱뼈 Mandible
17 얼굴신경의 목가지 Cervical branch of facial nerve
18 턱밑샘 Submandibular gland
19 바깥목동맥 External carotid artery
20 위갑상샘동맥 Superior thyroid artery
21 가로목신경 Transverse cervical nerve
22 목신경고리의 위뿌리 Superior root of ansa cervicalis
23 앞목정맥 Anterior jugular vein
24 어깨목뿔근 Omohyoid muscle
25 복장목뿔근 Sternohyoid muscle
26 목빗근 Sternocleidomastoid muscle
27 어깨목뿔근의 중간힘줄 Intermediate tendon of omohyoid muscle

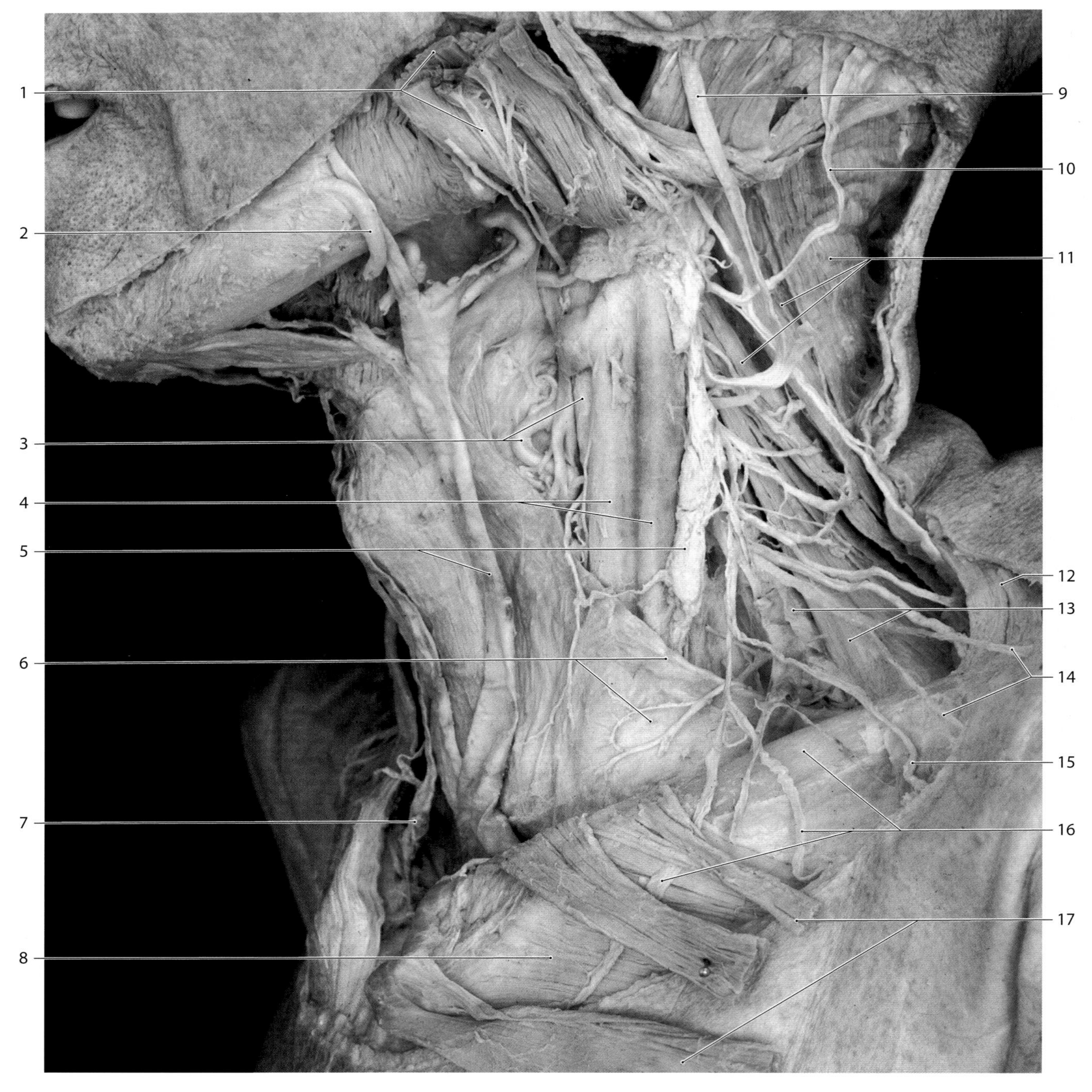

그림 8.196 **목의 가쪽부위**(깊은층). 목빗근을 잘라 젖혀서 깊은목근막의 기관앞층이 보이게 하였다.

1 목빗근(젖힘)과 더부신경의 가지
Sternocleidomastoid muscle (reflected) and branch of accessory nerve
2 얼굴동맥 Facial artery
3 바깥목동맥과 위갑상동맥
External carotid artery and superior thyroid artery
4 속목정맥 Internal jugular vein
5 깊은목림프절과 바깥목정맥
Deep cervical lymph nodes and external jugular vein
6 어깨목뿔근과 깊은목근막의 기관앞층
Omohyoid muscle and pretracheal lamina of cervical fascia
7 앞목정맥 Anterior jugular vein
8 큰가슴근 Pectoralis major muscle
9 큰귓바퀴신경 Great auricular nerve
10 작은뒤통수신경 Lesser occipital nerve
11 머리널판근과 어깨올림근 Splenius capitis and levator scapulae muscles
12 등세모근 Trapezius muscle
13 중간목갈비근과 팔신경얼기 Middle scalene muscle and brachial plexus
14 가쪽빗장위신경 Lateral supraclavicular nerves
15 중간빗장위신경 Intermediate supraclavicular nerve
16 빗장뼈와 안쪽빗장위신경 Clavicle and medial supraclavicular nerves
17 목빗근(젖힘) Sternocleidomastoid muscle (reflected)

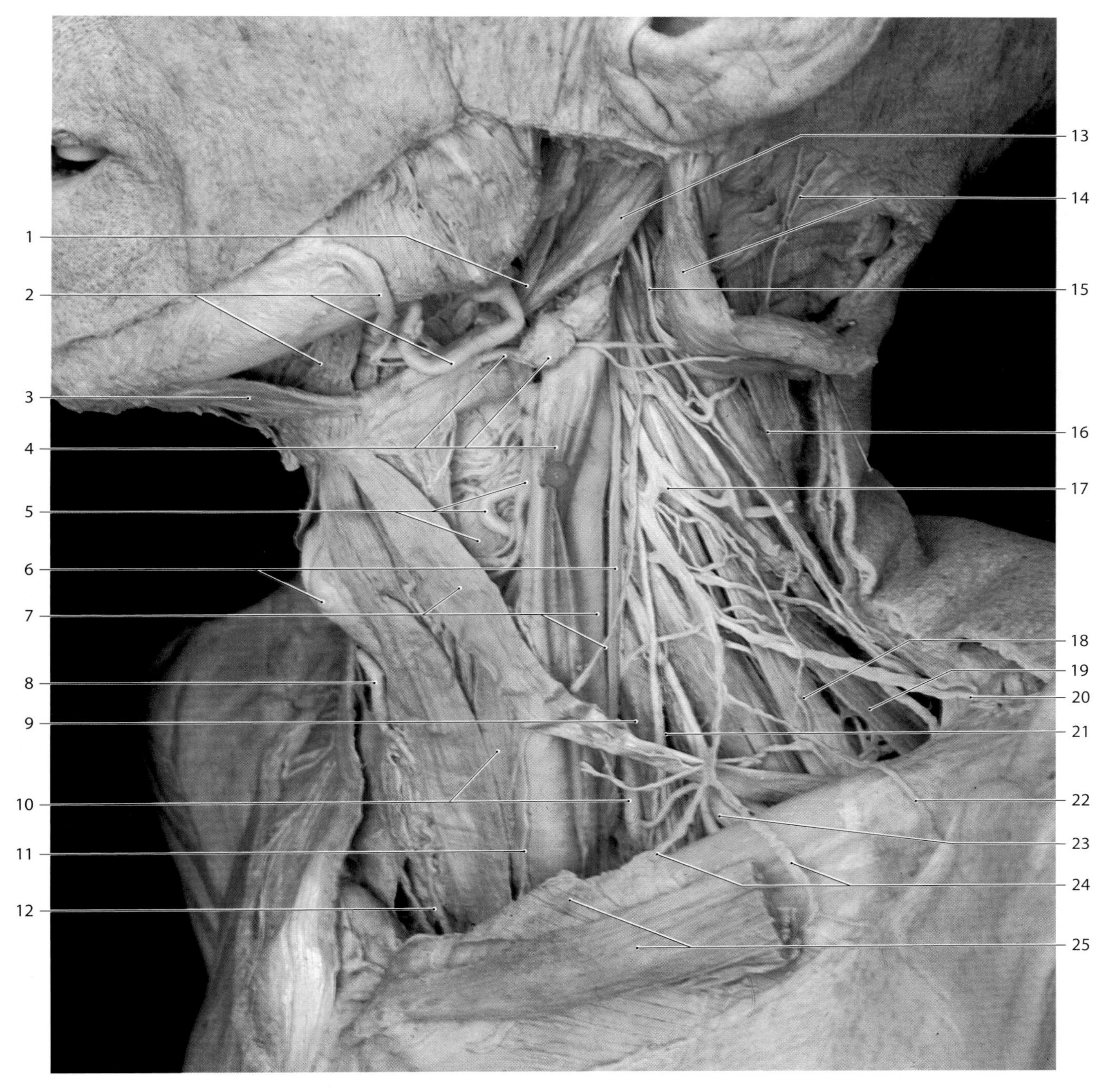

그림 8.197 **목의 가쪽부위**(깊은층). 속목정맥을 젖혀서 온목동맥과 미주신경이 보이게 하였다.

1 붓목뿔근 Stylohyoid muscle
2 얼굴동맥과 턱목뿔근 Facial artery and mylohyoid muscle
3 턱두힘살근의 앞힘살 Anterior belly of digastric muscle
4 속목정맥, 혀밑신경, 얕은목림프절 Internal jugular vein, hypoglossal nerve, and superficial cervical lymph nodes
5 위갑상동맥과 정맥 및 아래인두수축근 Superior thyroid artery and vein and inferior pharyngeal constrictor muscle
6 갑상연골과 미주신경 Thyroid cartilage and vagus nerve
7 목신경고리, 어깨목뿔근, 온목동맥 Ansa cervicalis, omohyoid muscle, and common carotid artery
8 오른위갑상동맥 Right superior thyroid artery
9 앞목갈비근 Anterior scalene muscle
10 복장갑상근과 아래갑상동맥 Sternothyroid muscle and inferior thyroid artery
11 목뿔아래근육으로 가는 목신경고리의 가지 Muscular branches of ansa cervicalis to the infrahyoid muscles
12 아래갑상정맥 Inferior thyroid vein
13 턱두힘살근의 뒤힘살 Posterior belly of digastric muscle
14 목빗근과 작은뒤통수신경 Sternocleidomastoid muscle and lesser occipital nerve
15 더부신경 Accessory nerve
16 머리널판근 Splenius capitis muscle
17 목신경얼기 Cervical plexus
18 뒤목갈비근 Posterior scalene muscle
19 어깨올림근 Levator scapulae muscle
20 뒤빗장위신경 Posterior supraclavicular nerves
21 가로막신경 Phrenic nerve
22 중간빗장위신경 Middle supraclavicular nerve
23 팔신경얼기 Brachial plexus
24 앞빗장위신경 Anterior supraclavicular nerves
25 목빗근 Sternocleidomastoid muscle

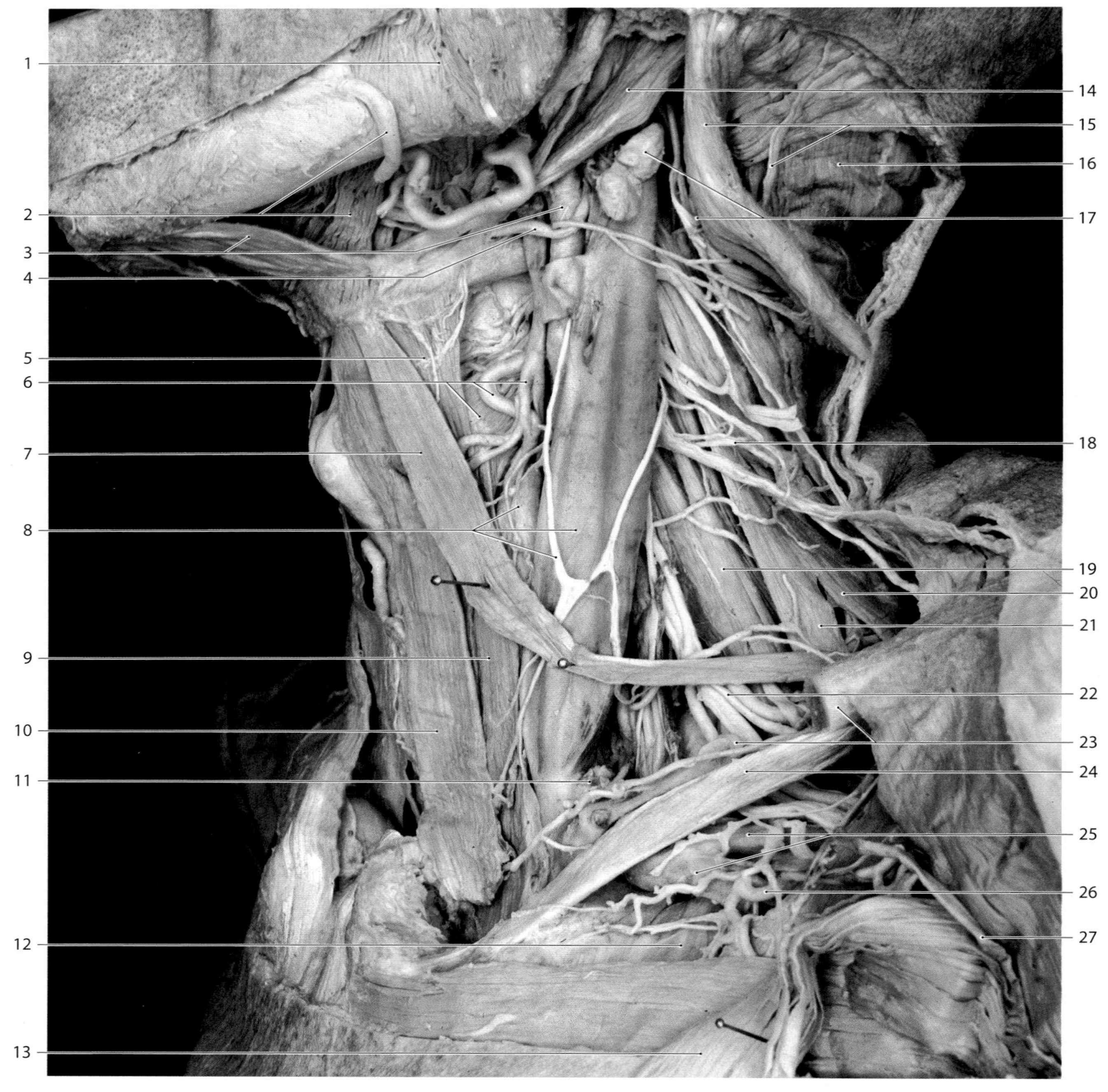

그림 8.198 **목신경고리를 포함하는 목의 가쪽부위**(깊은층). 깊은목근막과 빗장뼈 일부를 제거하고 목신경고리와 목뿔아래근을 나타내었다.

1 깨물근 Masseter muscle
2 턱목뿔근과 얼굴동맥 Mylohyoid muscle and facial artery
3 바깥목동맥과 턱두힘살근의 앞힘살 External carotid artery and anterior belly of digastric muscle
4 혀밑신경 Hypoglossal nerve
5 갑상목뿔근 Thyrohyoid muscle
6 위갑상동맥과 정맥 및 아래인두수축근 Superior thyroid artery and vein and inferior pharyngeal constrictor muscle
7 어깨목뿔근의 위힘살 Superior belly of omohyoid muscle
8 목신경고리, 갑상샘, 속목정맥 Ansa cervicalis, thyroid gland, and internal jugular vein
9 복장갑상근 Sternothyroid muscle
10 복장목뿔근 Sternohyoid muscle
11 가슴림프관 Thoracic duct
12 작은가슴근 Pectoralis minor muscle
13 큰가슴근 Pectoralis major muscle
14 턱두힘살근의 뒤힘살 Posterior belly of digastric muscle
15 목빗근과 작은뒤통수신경 Sternocleidomastoid muscle and lesser occipital nerve
16 머리널판근 Splenius capitis muscle
17 얕은목림프절과 더부신경 Superficial cervical lymph nodes and accessory nerve
18 목신경얼기 Cervical plexus
19 중간목갈비근 Middle scalene muscle
20 어깨올림근 Levator scapulae muscle
21 뒤목갈비근 Posterior scalene muscle
22 팔신경얼기 Brachial plexus
23 가로목동맥과 빗장뼈 Transverse cervical artery and clavicle
24 빗장밑근 Subclavius muscle
25 빗장밑동맥과 정맥 Subclavian artery and vein
26 가슴봉우리동맥 Thoraco-acromial artery
27 노쪽피부정맥 Cephalic vein

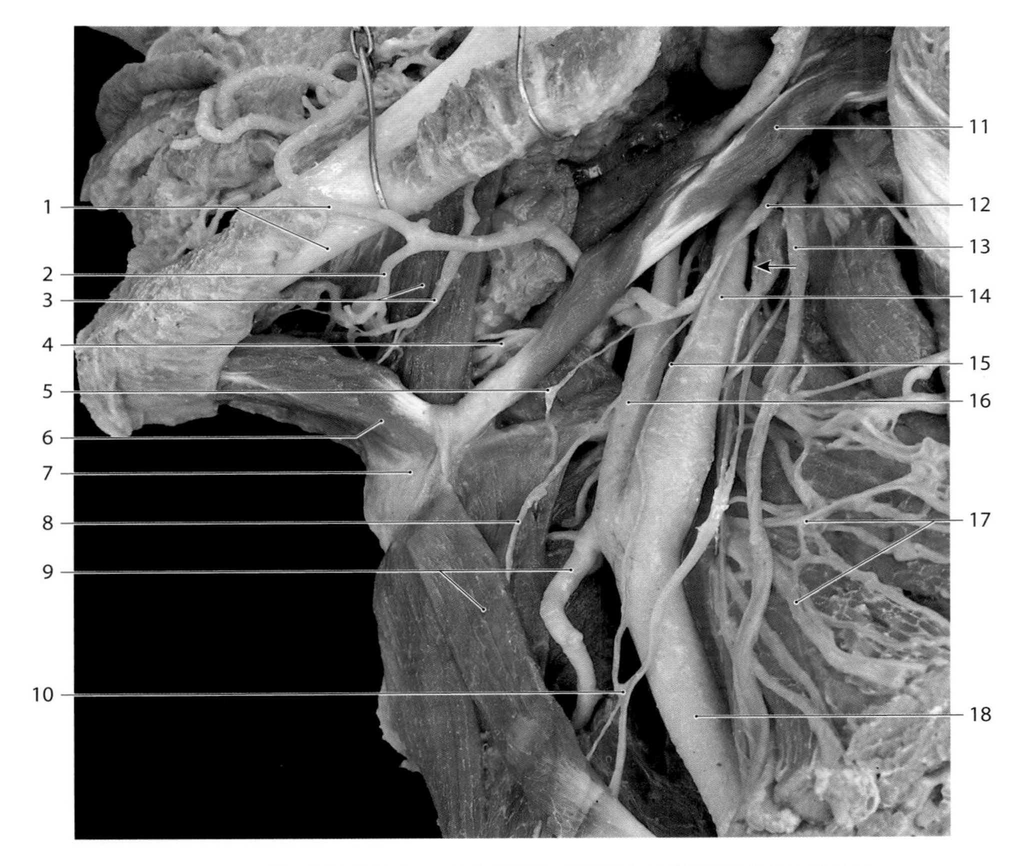

그림 8.199 **목의 가쪽부위와 혀밑신경**(CN XII)을 포함하는 턱밑부위. 아래턱뼈를 약간 들어올렸다.
화살표 = 위목신경절

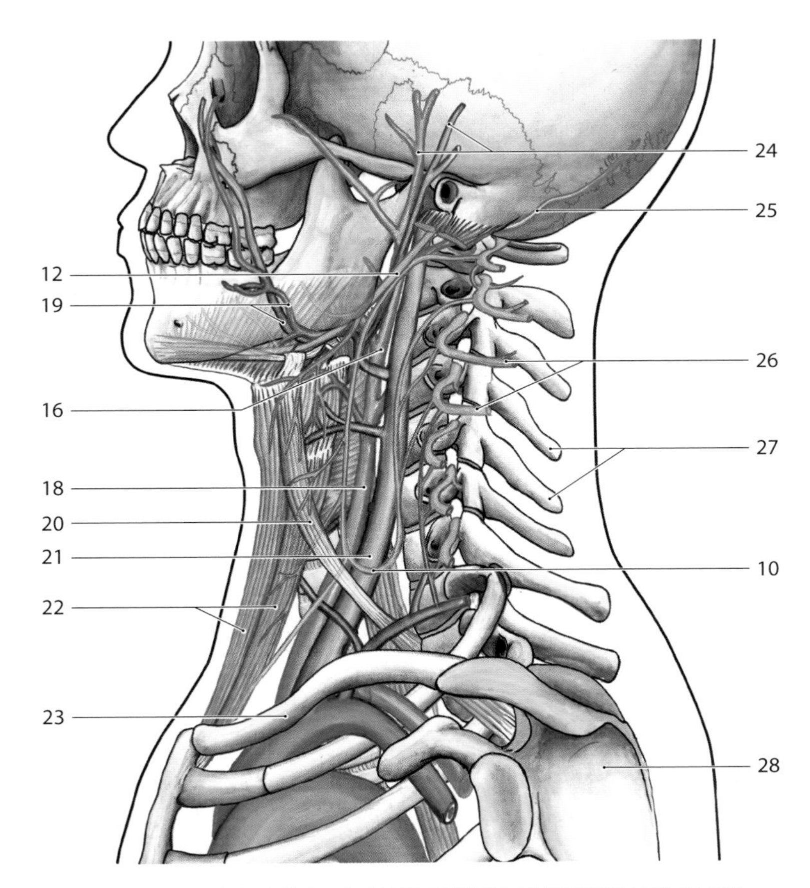

그림 8.200 **목의 신경과 혈관**(가쪽면). 목신경고리와 척수신경의 연결을 나타내고 있다.

1 얼굴동맥과 아래턱뼈
Facial artery and mandible
2 턱끝밑동맥 Submental artery
3 턱목뿔근과 신경
Mylohyoid muscle and nerve
4 혀밑신경(혀가지) Hypoglossal nerve (lingual branches)
5 혀밑신경의 갑상목뿔근가지
Thyrohyoid branch of hypoglossal nerve (CN XII)
6 턱두힘살근의 앞힘살
Anterior belly of digastric muscle
7 목뿔뼈 Hyoid bone
8 혀밑신경의 어깨목뿔근가지
Omohyoid branch of hypoglossal nerve (CN XII)
9 어깨목뿔근과 위갑상동맥
Omohyoid muscle and superior thyroid artery
10 목신경고리 Ansa cervicalis
11 턱두힘살근의 뒤힘살
Posterior belly of digastric muscle
12 혀밑신경 Hypoglossal nerve (CN XII)
13 미주신경 Vagus nerve (CN X)
14 속목동맥 Internal carotid artery
15 목신경고리의 위뿌리
Superior root of ansa cervicalis
16 바깥목동맥 External carotid artery
17 목신경얼기 Cervical plexus
18 온목동맥 Common carotid artery
19 얼굴동맥과 정맥 Facial artery and vein
20 어깨목뿔근 Omohyoid muscle
21 속목정맥 Internal jugular vein
22 복장목뿔근과 복장갑상근
Sternohyoid and sternothyroid muscles
23 빗장뼈 Clavicle
24 얕은관자동맥과 정맥 Superficial temporal artery and vein
25 뒤통수동맥 Occipital artery
26 척수신경(셋째와 넷째목신경)
Spinal nerves (C3 and C4)
27 목뼈가시돌기(넷째와 다섯째목뼈)
Spinal processes of cervical vertebrae (C4 and C5)
28 어깨뼈 Scapula

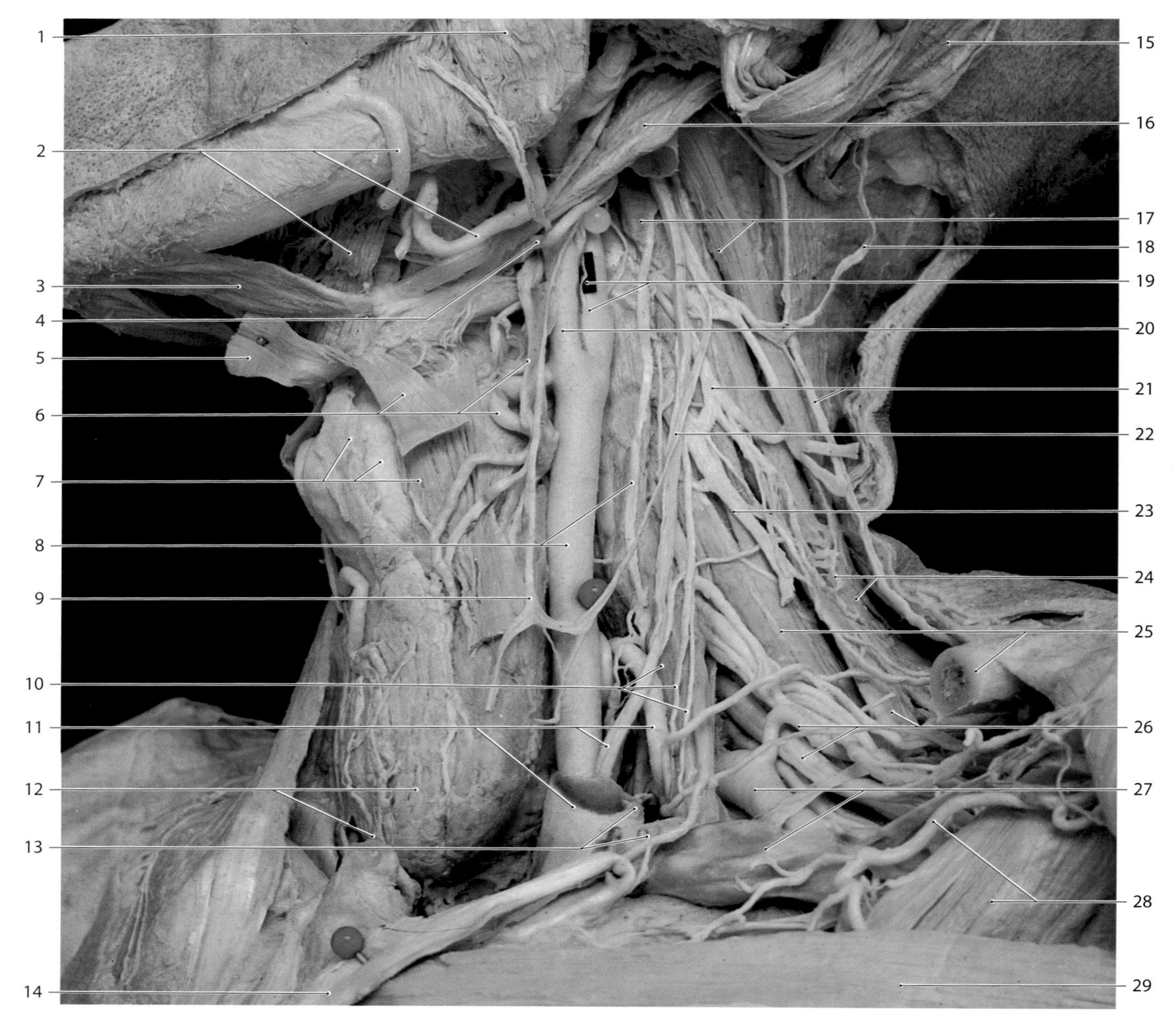

그림 8.201 **목의 가쪽부위**(깊은층). 속목정맥과 빗장뼈 일부를 제거하여 앞과 중간목갈비근 사이의 틈이 보이게 하였다.

1 깨물근 Masseter muscle
2 턱목뿔근과 얼굴동맥 Mylohyoid muscle and facial artery
3 턱두힘살근의 앞힘살 Anterior belly of digastric muscle
4 혀밑신경 Hypoglossal nerve
5 복장목뿔근 Sternohyoid muscle
6 어깨목뿔근, 위갑상동맥과 정맥
Omohyoid muscle, superior thyroid artery and vein
7 복장갑상근, 갑상연골, 갑상샘의 피라미드엽 Sternothyroid muscle, thyroid cartilage, and pyramidal lobe of thyroid gland
8 온목동맥과 교감신경줄기 Common carotid artery and sympathetic trunk
9 목신경고리 Ansa cervicalis
10 가로막신경, 오름목동맥, 앞목갈비근
Phrenic nerve, ascending cervical artery, and anterior scalene muscle
11 아래갑상동맥, 미주신경, 속목정맥(잘림)
Inferior thyroid artery, vagus nerve, and internal jugular vein (cut)
12 갑상샘과 아래갑상정맥얼기
Thyroid gland and unpaired inferior thyroid venous plexus
13 가슴림프관과 왼빗장밑림프줄기 Thoracic duct and left subclavian trunk
14 빗장밑근(젖힘) Subclavius muscle (reflected)
15 목빗근(젖힘) Sternocleidomastoid muscle (reflected)
16 턱두힘살근의 뒤힘살 Posterior belly of digastric muscle
17 위목신경절과 널판근 Superior cervical ganglion and splenius muscle
18 작은뒤통수신경 Lesser occipital nerve
19 속목동맥과 혀인두신경의 목동맥토리가지
Internal carotid artery and branch of the glossopharyngeal nerve to the carotid body
20 바깥목동맥 External carotid artery
21 목신경얼기와 더부신경 Cervical plexus and accessory nerve
22 목신경고리의 아래뿌리 Inferior root of ansa cervicalis
23 빗장위신경 Supraclavicular nerve
24 어깨올림근 Levator scapulae muscle
25 중간목갈비근과 빗장뼈 Middle scalene muscle and clavicle
26 가로목동맥, 팔신경얼기, 뒤목갈비근 Transverse cervical artery, brachial plexus, and posterior scalene muscle
27 빗장밑동맥과 정맥 Subclavian artery and vein
28 가슴봉우리동맥과 작은가슴근
Thoraco-acromial artery and pectoralis minor muscle
29 큰가슴근 Pectoralis major muscle

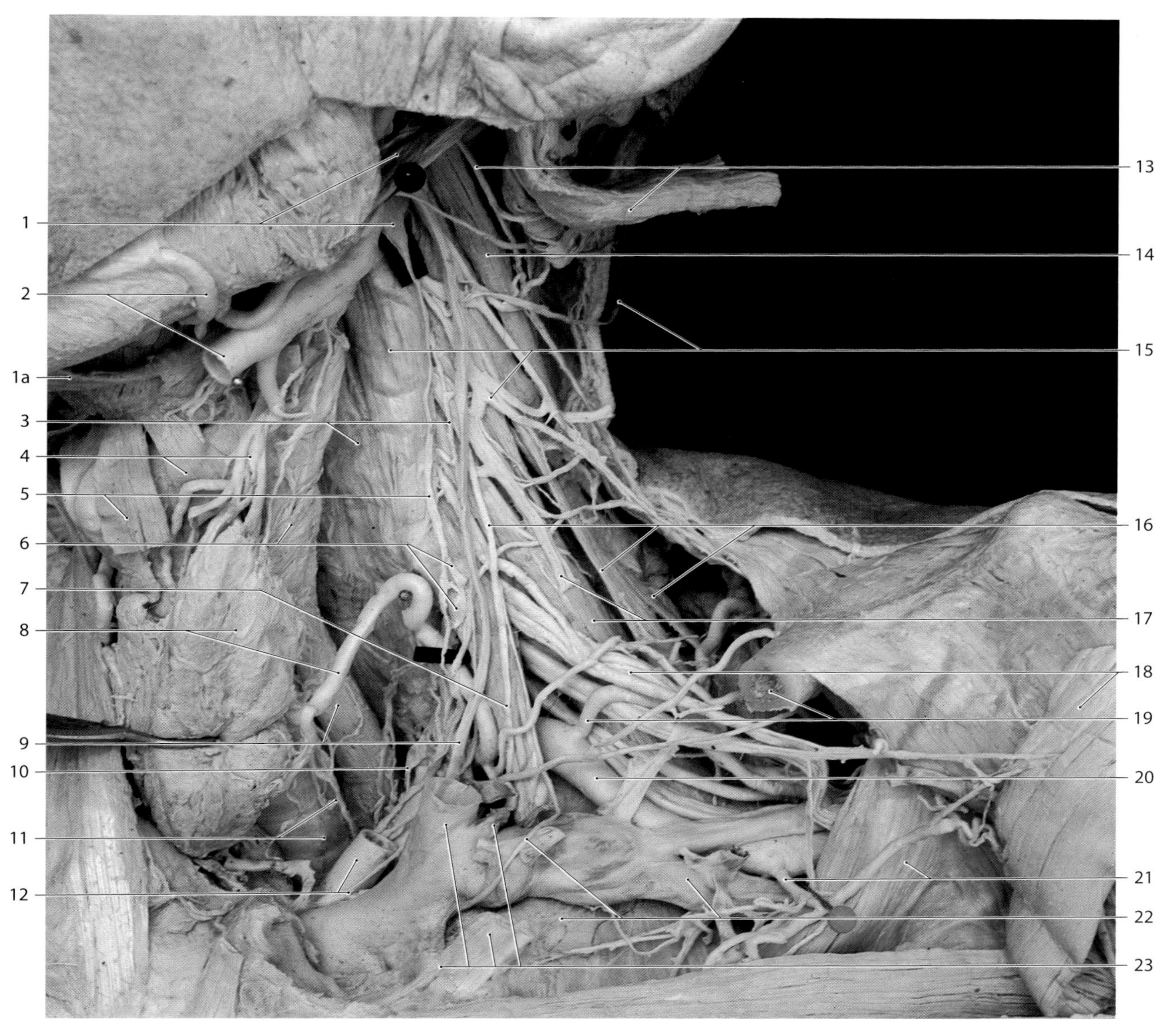

그림 8.202 **목의 가쪽부위**(깊은층). 갑상샘을 젖혀서 식도와 되돌이후두신경을 나타내었다.

1 교감신경줄기의 위목신경절과 턱두힘살근의 뒤힘살 Superior cervical ganglion of sympathetic trunk and posterior belly of digastric muscle
1a 턱두힘살근의 앞힘살 Anterior belly of digastric muscle
2 얼굴동맥과 온목동맥(앞쪽으로 젖힘) Facial artery and common carotid artery (reflected anteriorly)
3 오름목동맥과 목긴근 Ascending cervical artery and longus colli muscle
4 어깨목뿔근과 위갑상동맥 Omohyoid muscle and superior thyroid artery
5 교감신경줄기와 복장목뿔근 Sympathetic trunk and sternohyoid muscle
6 중간목신경절과 아래인두수축근 Middle cervical ganglion and inferior pharyngeal constrictor muscle
7 앞목갈비근과 가로막신경 Anterior scalene muscle and phrenic nerve
8 갑상샘과 아래갑상동맥 Thyroid gland and inferior thyroid artery
9 미주신경과 식도 Vagus nerve and esophagus
10 별신경절(목가슴신경절) Stellate ganglion
11 되돌이후두신경과 기관 Recurrent laryngeal nerve and trachea
12 온목동맥과 미주신경의 목심장가지 Common carotid artery and cervical cardiac branch of vagus nerve
13 목빗근과 더부신경 Sternocleidomastoid muscle and accessory nerve
14 머리널판근 Splenius capitis muscle
15 작은뒤통수신경, 머리긴근, 목신경얼기 Lesser occipital nerve, longus capitis muscle, and cervical plexus
16 가로막신경, 뒤목갈비근, 어깨올림근 Phrenic nerve, posterior scalene muscle, and levator scapulae muscle
17 빗장위신경과 중간목갈비근 Supraclavicular nerves and middle scalene muscle
18 팔신경얼기와 큰가슴근(빗장갈래) Brachial plexus and pectoralis major muscle (clavicular head)
19 가로목동맥과 빗장뼈 Transverse cervical artery and clavicle
20 빗장밑동맥 Subclavian artery
21 가슴봉우리동맥과 작은가슴근 Thoraco-acromial artery and pectoralis minor muscle
22 첫째갈비뼈, 덧가로막신경, 빗장밑정맥 First rib, accessory phrenic nerve, and subclavian vein
23 속목정맥, 가슴림프관, 빗장밑근 Internal jugular vein, thoracic duct, and subclavius muscle

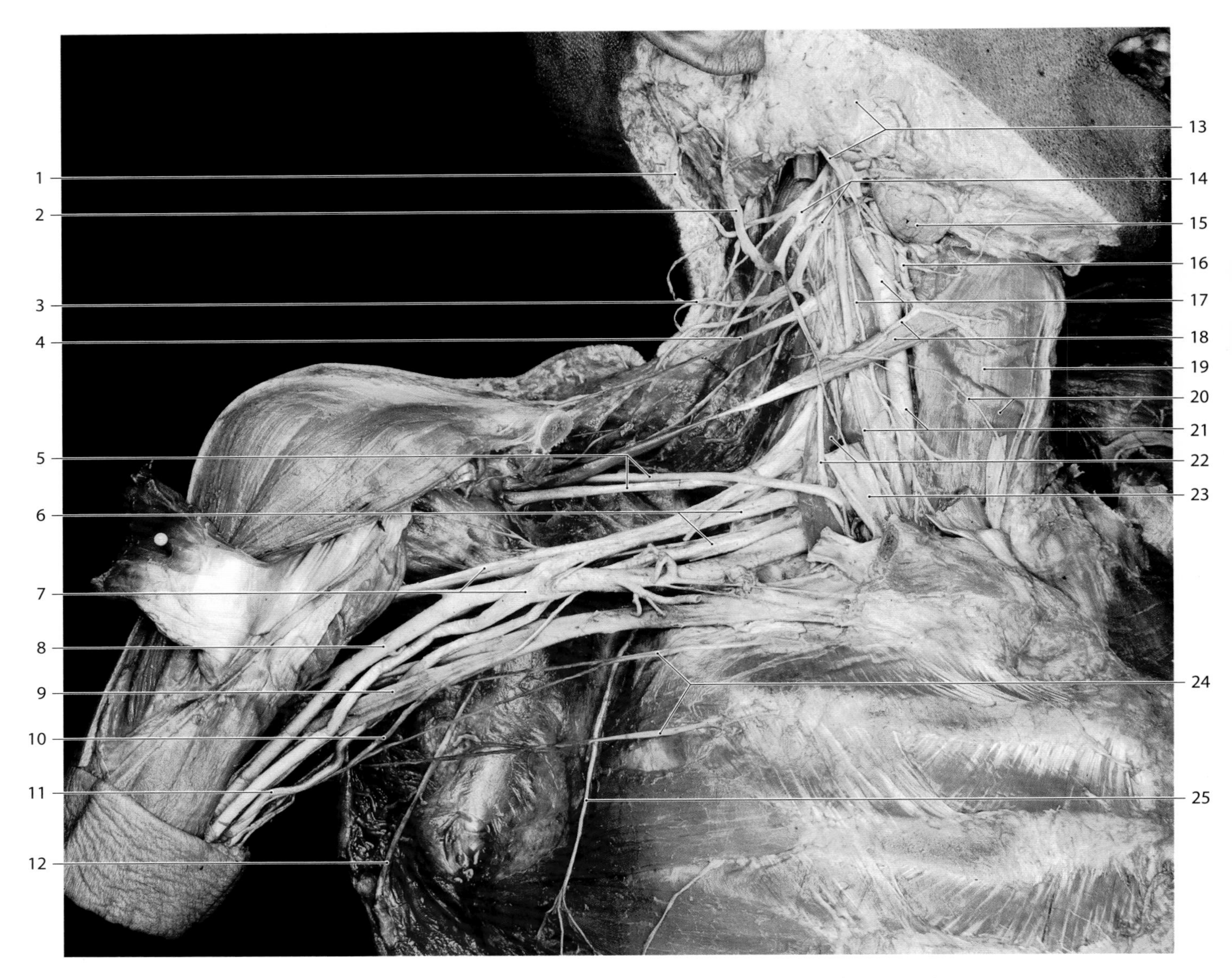

그림 8.203 **목신경얼기, 팔신경얼기와 혈관과의 관계.** 목갈비삼각의 위치와 내용물을 확인할 수 있다. 목빗근과 빗장뼈를 제거하였고 속목정맥은 잘라서 목신경얼기와 팔신경얼기의 뿌리가 보이게 하였다.

1 작은뒤통수신경 Lesser occipital nerve
2 큰귓바퀴신경 Great auricular nerve
3 목신경얼기의 피부가지 Cutaneous branches of cervical plexus
4 빗장위신경 Supraclavicular nerve
5 어깨위신경과 동맥 Suprascapular nerve and artery
6 팔신경얼기 Brachial plexus
7 정중신경(두 뿌리)과 근육피부신경
Median nerve (with two roots) and musculocutaneous nerve
8 겨드랑동맥 Axillary artery
9 겨드랑정맥 Axillary vein
10 안쪽위팔피부신경 Medial brachial cutaneous nerve
11 자신경 Ulnar nerve
12 가슴등신경 Thoracodorsal nerve
13 귀밑샘과 얼굴신경(목가지)
Parotid gland and facial nerve (cervical branch)
14 목신경얼기 Cervical plexus
15 턱밑샘 Submandibular gland
16 위갑상동맥 Superior thyroid artery
17 온목동맥갈림과 목신경고리의 위뿌리
Common carotid artery dividing in internal and external carotid artery and superior root of ansa cervicalis
18 어깨목뿔근 및 가로목신경(둘째, 셋째목신경)과 만나는 얼굴신경의 목가지
Omohyoid muscle and cervical branch of facial nerve joining the transverse cervical nerve (C2, C3)
19 복장목뿔근 Sternohyoid muscle
20 가로목신경과 복장갑상근
Transverse cervical nerve and sternothyroid muscle
21 온목동맥과 미주신경 Common carotid artery and vagus nerve
22 가로막신경과 앞목갈비근 Phrenic nerve and anterior scalene muscle
23 속목정맥 Internal jugular vein
24 갈비사이위팔신경 Intercostobrachial nerves
25 긴가슴신경 Long thoracic nerve

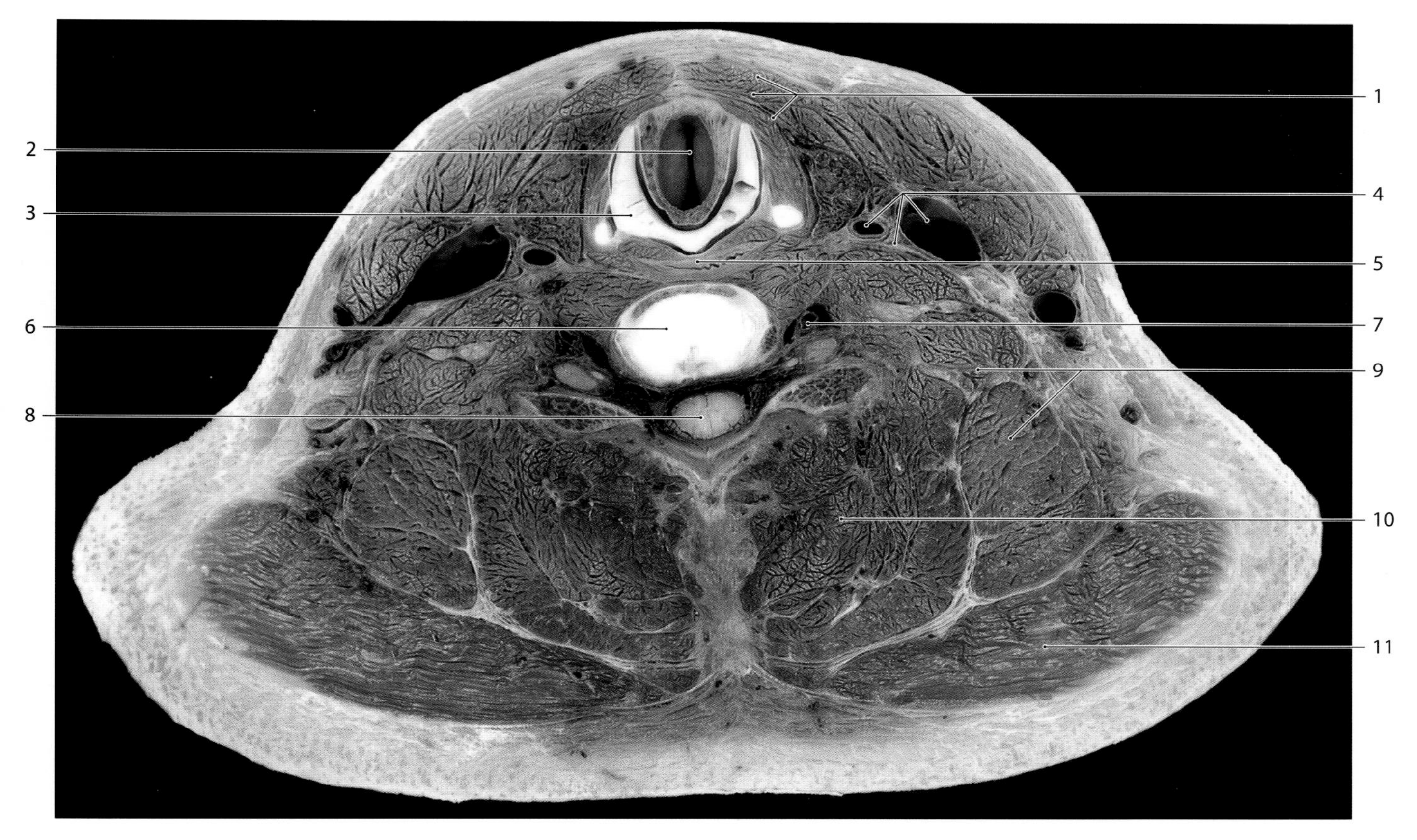

그림 8.204 **여섯째목뼈 높이에서 목의 가로단면**(아래면).

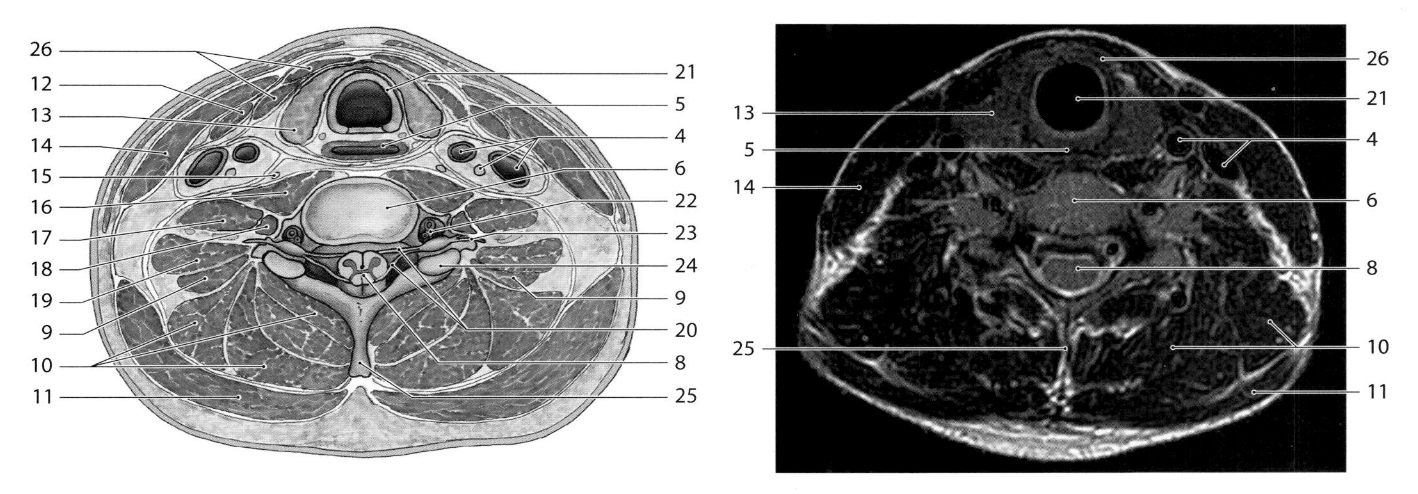

그림 8.205 **목의 구성**(갑상샘 높이의 가로단면).

그림 8.206 **여섯째목뼈 높이에서 목의 가로단면**(자기공명영상). (Courtesy of Prof. Uder, Institute of Radiology, University Hospital Erlangen, Germany.)

1 복장목뿔근과 갑상목뿔근 Sternohyoid and thyrohyoid muscles
2 후두 Larynx
3 반지연골 Cricoid cartilage
4 속목정맥, 온목동맥, 미주신경 Internal jugular vein, common carotid artery, and vagus nerve
5 식도 Esophagus
6 목뼈몸통 Body of cervical vertebra
7 척추동맥 Vertebral artery
8 척수 Spinal cord
9 뒤목갈비근 Posterior scalene muscle
10 목의 깊은근육 Deep muscles of the neck
11 등세모근 Trapezius muscle
12 어깨목뿔근 Omohyoid muscle
13 갑상샘 Thyroid gland
14 목빗근 Sternocleidomastoid muscle
15 교감신경줄기 Sympathetic trunk
16 목긴근 Longus colli muscle
17 앞목갈비근 Anterior scalene muscle
18 머리가장긴근 Longissimus capitis muscle
19 중간목갈비근 Middle scalene muscle
20 목신경의 앞과 뒤뿌리 Ventral and dorsal root of cervical spinal nerve
21 기관 Trachea
22 척추동맥과 정맥, 가로구멍 Vertebral artery and vein, and foramen transversarium
23 목신경 Cervical spinal nerve
24 관절돌기의 위관절면 Superior facet of articular process
25 가시돌기 Spinous process
26 복장목뿔근과 복장갑상근 Sternohyoid and sternothyroid muscles

9 뇌와 감각기관 Brain and Sensory Organs

머리, 목, 그리고 뇌 Head, Neck, and Brain

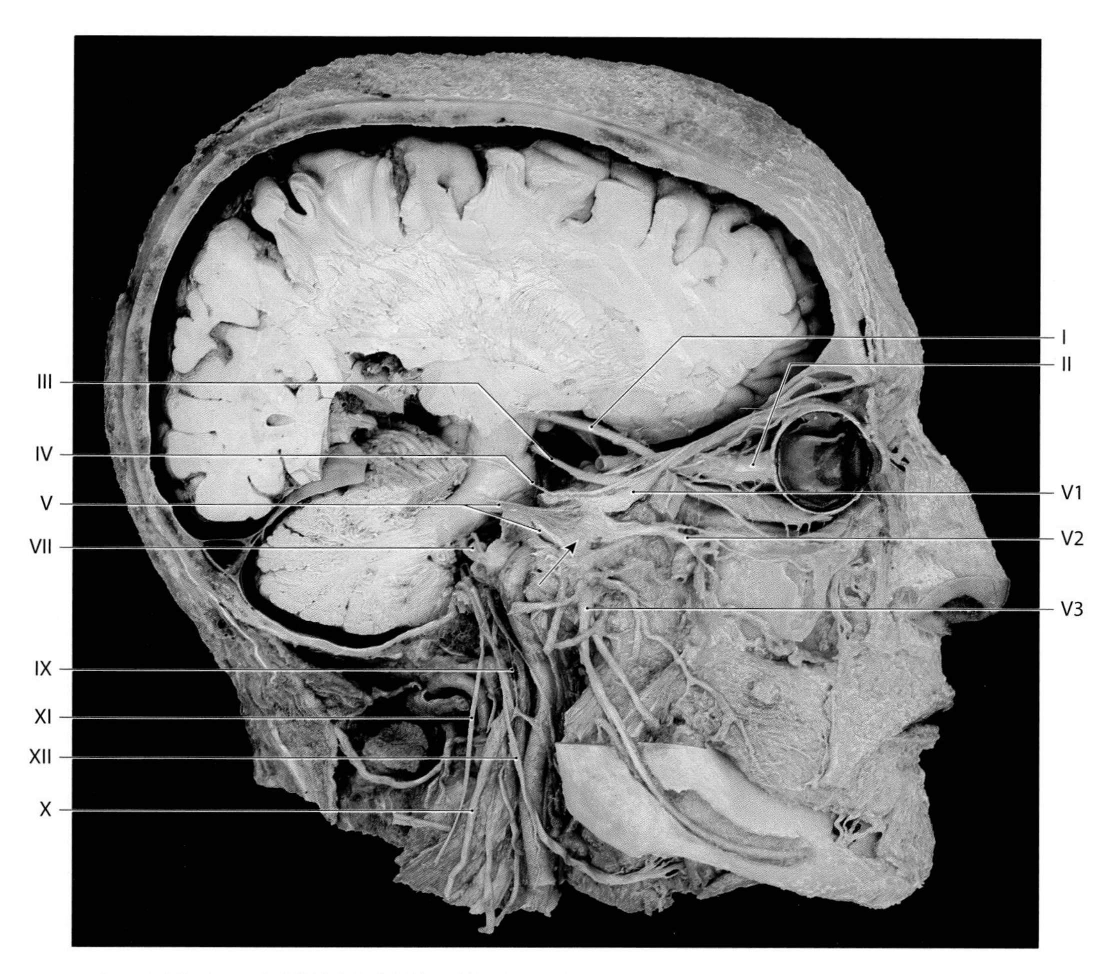

그림 9.1 **뇌신경 I–XII의 해부(가쪽에서 본 모습).** 뇌, 뇌줄기 그리고 소뇌가 부분적으로 제거됨. 화살표 = 삼차신경절.

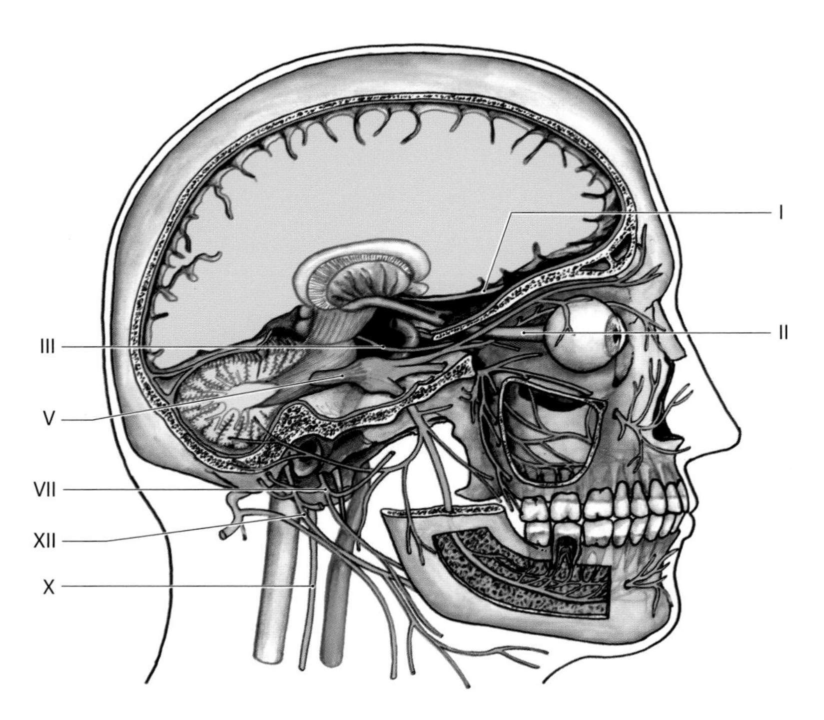

그림 9.2 **뇌신경 Cranial nerves I–XII 모식도**(가쪽에서 본 모습).

뇌신경과 분포영역 Cranial nerves and their innervation areas

- I = 후각신경 Olfactory nerve. (코안의 후각점막 olfactory mucosa)
- II = 시각신경 Optic nerve. (망막 retina)
- III = 눈돌림신경 Oculomotor nerve. (눈근육들 extra-ocular muscles)
- IV = 도르래신경 Trochlear nerve. (위빗근 superior oblique muscle)
- V = 삼차신경 Trigeminal nerve. (얼굴의 감각과 씹기근육들 muscles of mastication)
- V1 = 눈신경 Ophthalmic nerve. (눈확 orbit)
- V2 = 위턱신경 Maxillary nerve. (위턱과 치아 upper jaw and teeth)
- V3 = 아래턱신경 Mandibular nerve. (아래턱과 치아, 씹기근육들 lower jaw, teeth, and muscles of mastication)
- VI = 갓돌림신경 Abducent nerve. (가쪽곧은근 lateral rectus muscle)
- VII = 얼굴신경 Facial nerve. (얼굴근육들 facial muscles)
- VIII = 속귀신경 Vestibulocochlear nerve. (청각 및 안뜰기관 auditory and vestibulary apparatus)
- IX = 혀인두신경 Glossopharyngeal nerve. (맛봉오리 taste buds)
- X = 미주신경 Vagus nerve. (인두, 후두, 소화관 pharynx, larynx, digestive tract)
- XI = 더부신경 Accessory nerve. (등세모근과 목빗근 trapezius and sternocleidomastoid muscles)
- XII = 혀밑신경 Hypoglossal nerve. (혀와 목뿔위근육 tongue and suprahyoid muscles)

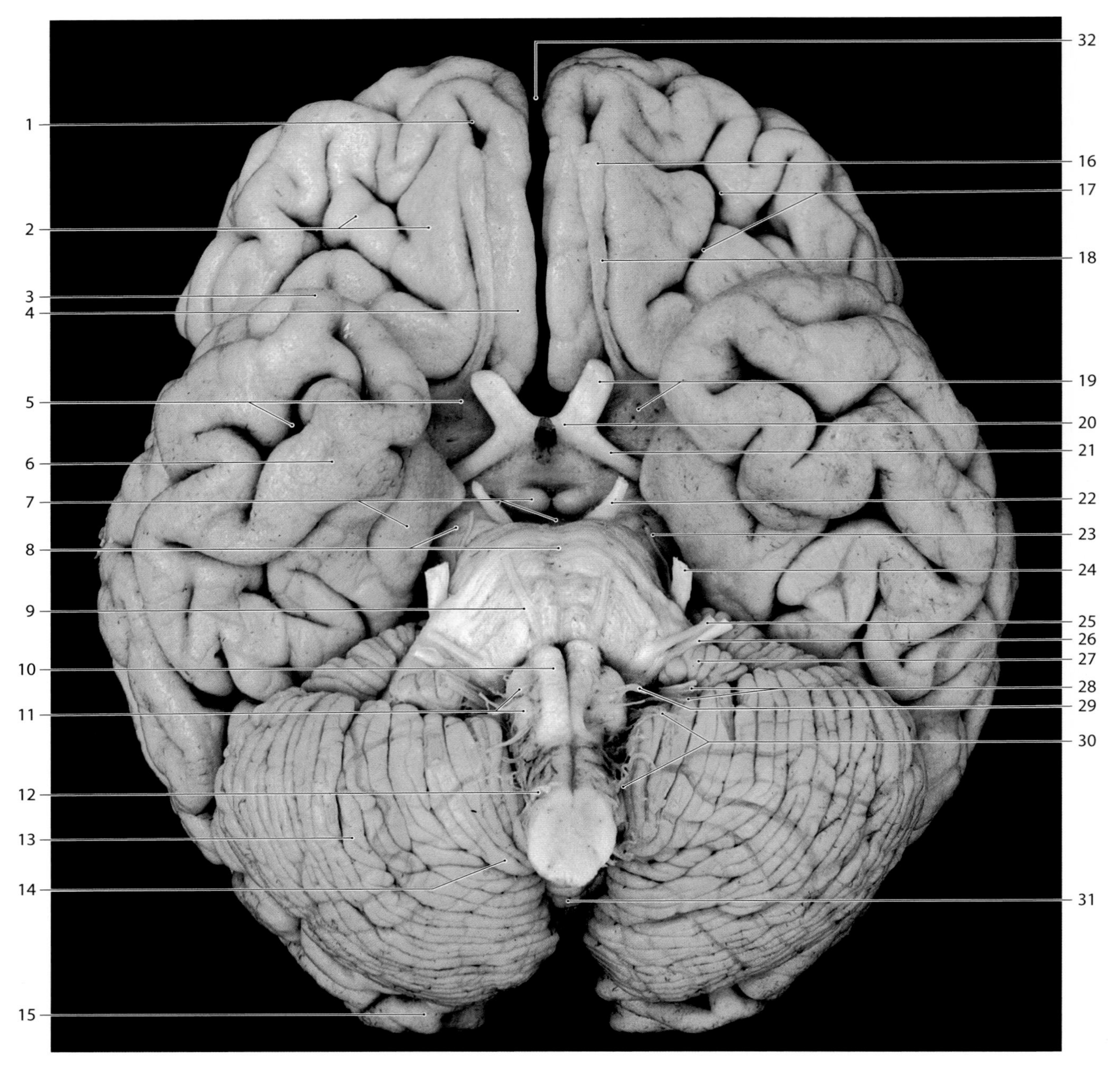

그림 9.3 **뇌와 뇌신경**(아래모습). 뇌척수막은 제거됨.

1 후각고랑(끝부분) Olfactory sulcus (termination)
2 눈확이랑 Orbital gyri
3 관자엽 Temporal lobe
4 곧은이랑 Straight gyrus
5 후각삼각과 아래관자고랑 Olfactory trigone and inferior temporal sulcus
6 안쪽뒤통수관자이랑 Medial occipitotemporal gyrus
7 해마곁이랑, 유두체, 다리사이오목 Parahippocampal gyrus, mammillary body, and interpeduncular fossa
8 다리뇌와 대뇌다리 Pons and cerebral peduncle
9 갓돌림신경 Abducent nerve (CN VI)
10 피라미드 Pyramid
11 올리브 Inferior olive
12 목신경 Cervical spinal nerves
13 소뇌 Cerebellum
14 소뇌편도 Tonsil of cerebellum
15 뒤통수엽(뒤극) Occipital lobe (posterior pole)
16 후각망울 Olfactory bulb
17 이마엽의 눈확고랑 Orbital sulci of frontal lobe
18 후각로 Olfactory tract
19 시각신경(2번 신경)과 앞관통질 Optic nerve (CN II) and anterior perforated substance
20 시각교차 Optic chiasma
21 시각로 Optic tract
22 눈돌림신경 Oculomotor nerve (CN III)
23 도르래신경(4번 뇌신경) Trochlear nerve (CN IV)
24 삼차신경(5번 뇌신경) Trigeminal nerve (CN V)
25 얼굴신경(7번 뇌신경) Facial nerve (CN VII)
26 속귀신경(8번 뇌신경) Vestibulocochlear nerve (CN VIII)
27 소뇌타래 Flocculus of cerebellum
28 혀인두신경(9번 뇌신경)과 미주신경(10번 뇌신경) Glossopharyngeal nerve (CN IX) and vagus nerve (CN X)
29 혀밑신경(12번 뇌신경) Hypoglossal nerve (CN XII)
30 더부신경(11번 뇌신경) Accessory nerve (CN XI)
31 소뇌벌레 Vermis of cerebellum
32 대뇌세로틈새 Longitudinal fissure

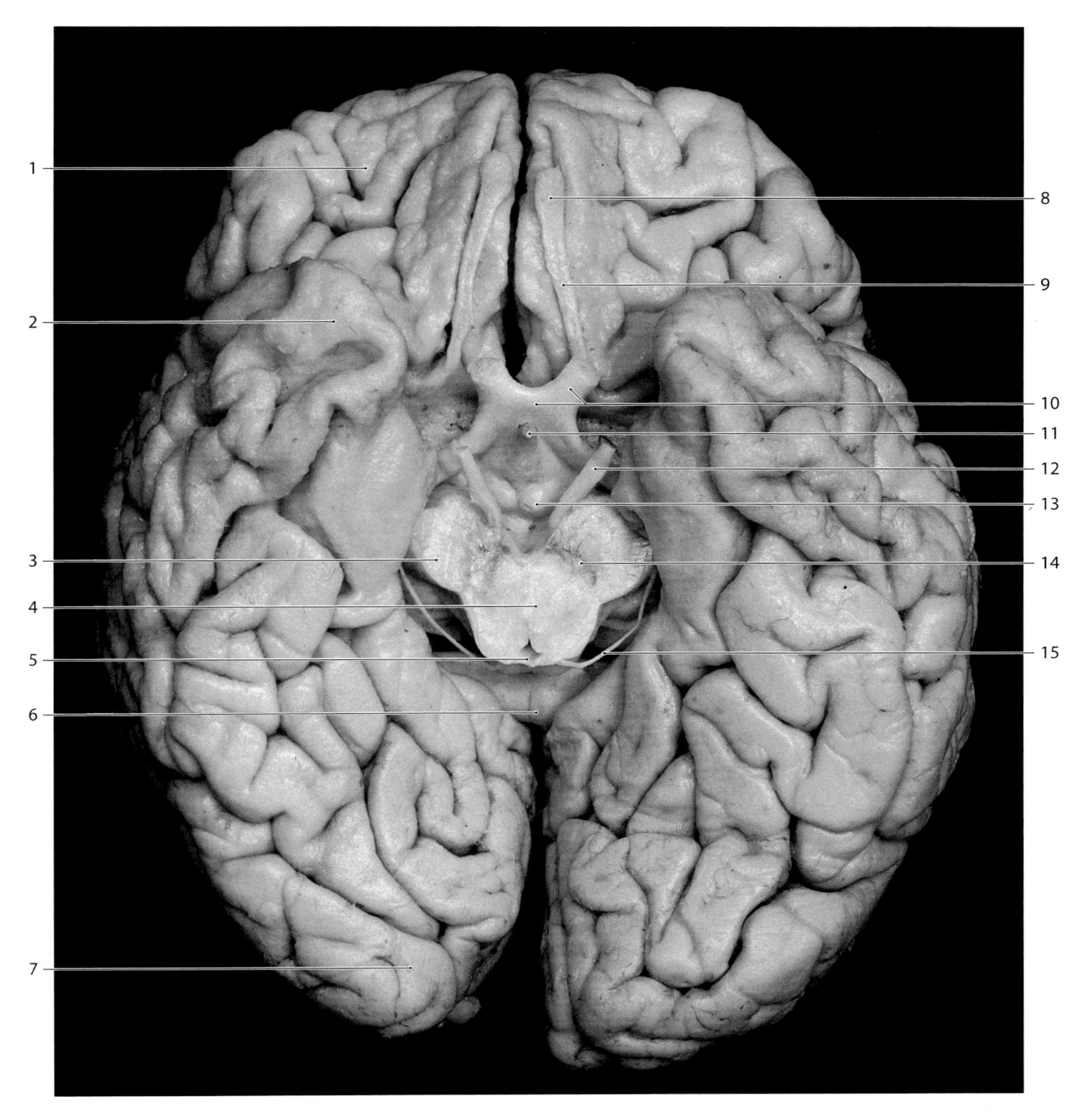

그림 9.4 **뇌와 뇌신경**(아래모습). 중간뇌는 잘림.

1 이마엽 Frontal lobe
2 관자엽 Temporal lobe
3 대뇌다리 Pedunculus cerebri
4 중간뇌(잘림) Midbrain (divided)
5 중간뇌수도관 Cerebral aqueduct
6 뇌들보팽대 Splenium of corpus callosum
7 뒤통수엽 Occipital lobe
8 후각망울 Olfactory bulb
9 후각로 Olfactory tract
10 시각신경과 시각교차 Optic nerve and optic chiasma
11 깔때기 Infundibulum
12 눈돌림신경 Oculomotor nerve (CN III)
13 유두체 Mammillary body
14 흑색질 Substantia nigra
15 도르래신경 Trochlear nerve (CN IV)

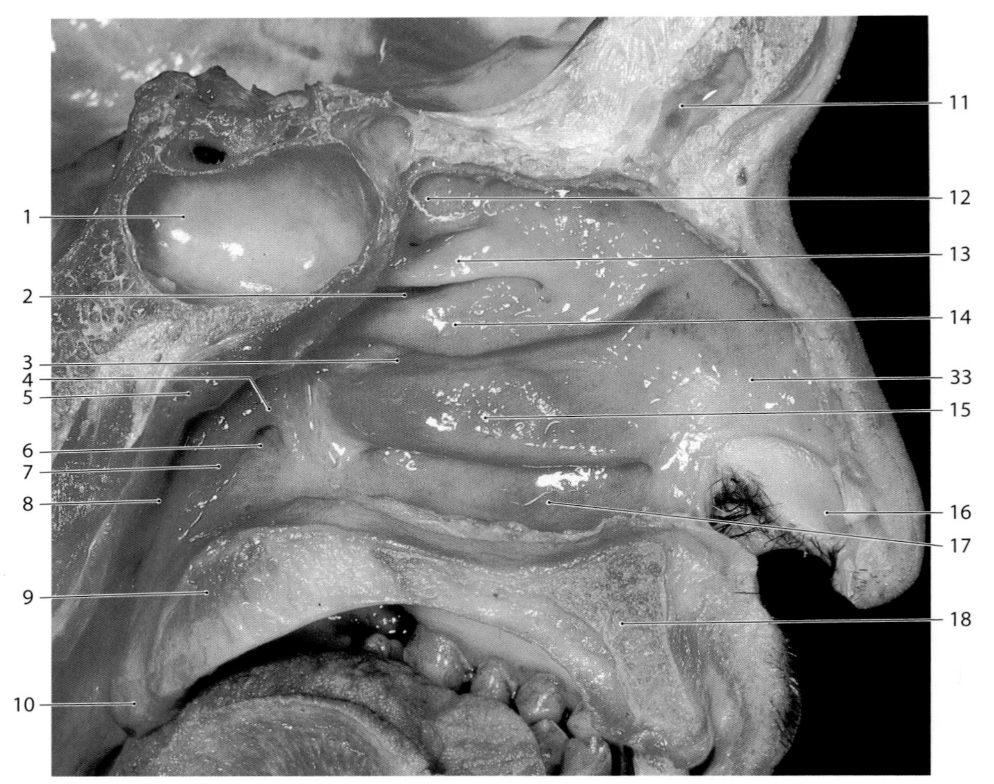

그림 9.5 **코안의 가쪽벽.** 코중격은 제거됨.

1 나비굴 Sphenoidal sinus
2 위콧길 Superior meatus
3 중간콧길 Middle meatus
4 귀관융기 Tubal elevation
5 인두편도 Pharyngeal tonsil
6 귀관의 인두구멍 Pharyngeal orifice of auditory tube
7 귀관인두주름 Salpingopharyngeal fold
8 인두오목 Pharyngeal recess
9 물렁입천장 Soft palate
10 목젖 Uvula
11 이마굴 Frontal sinus
12 나비벌집오목 Spheno-ethmoidal recess
13 위코선반 Superior nasal concha
14 중간코선반 Middle nasal concha
15 아래코선반 Inferior nasal concha
16 코안뜰 Vestibule
17 아래콧길 Inferior meatus
18 단단입천장 Hard palate
19 중간뇌막동맥고랑과 마루뼈(노랑) Grooves for the middle meningeal artery and parietal bone (yellow)
20 위턱굴구멍 Maxillary hiatus
21 입천장뼈의 수직판 Perpendicular process of palatine bone
22 벌집뼈벌집의 구멍 Openings of ethmoidal air cells
23 코이마관 Nasofrontal duct
24 안쪽날개판(빨강) Medial pterygoid plate (red)
25 입천장뼈의 수평판 Horizontal plate of palatine process
26 벌집뼈벌집 Ethmoidal air cells
27 위턱굴 Maxillary sinus
28 코중격 Nasal septum
29 날개갈고리 Pterygoid hamulus
30 코뼈(흰색) Nasal bone (white)
31 위턱뼈의 이마돌기(보라색) Frontal process of maxilla (violet)
32 위턱뼈의 입천장돌기(보라색) Palatine process of maxilla (violet)
33 코방 Nasal atrium

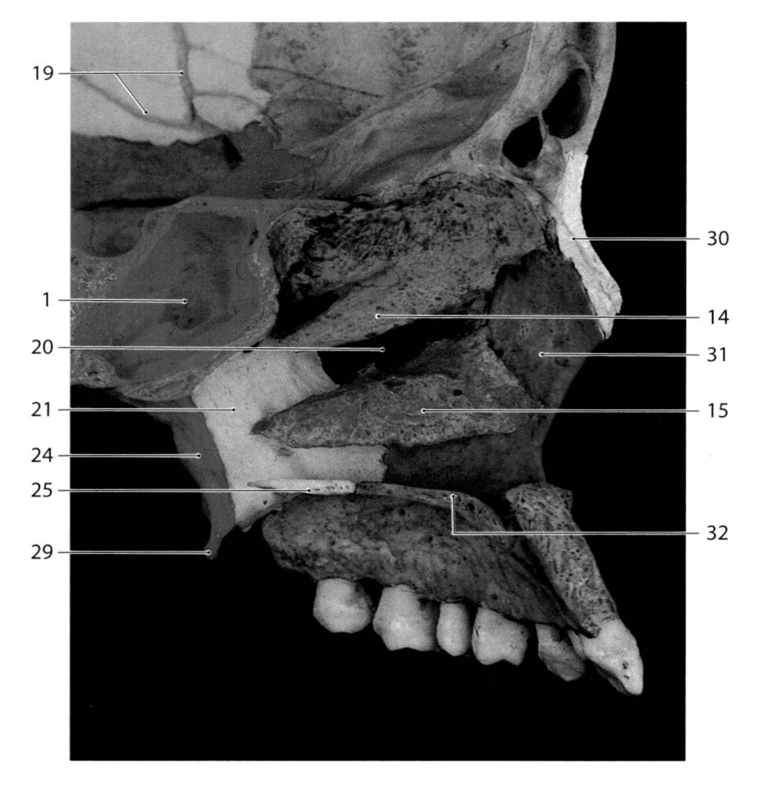

그림 9.6 **왼쪽 코안의 뼈**(안쪽에서 본 모습).

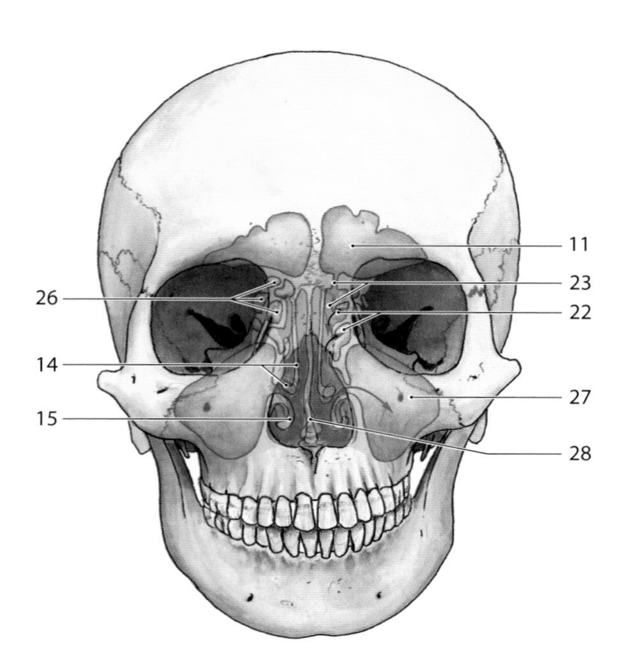

그림 9.7 **코곁굴과 코안으로의 연결.** 화살표 = 연결된 구멍.

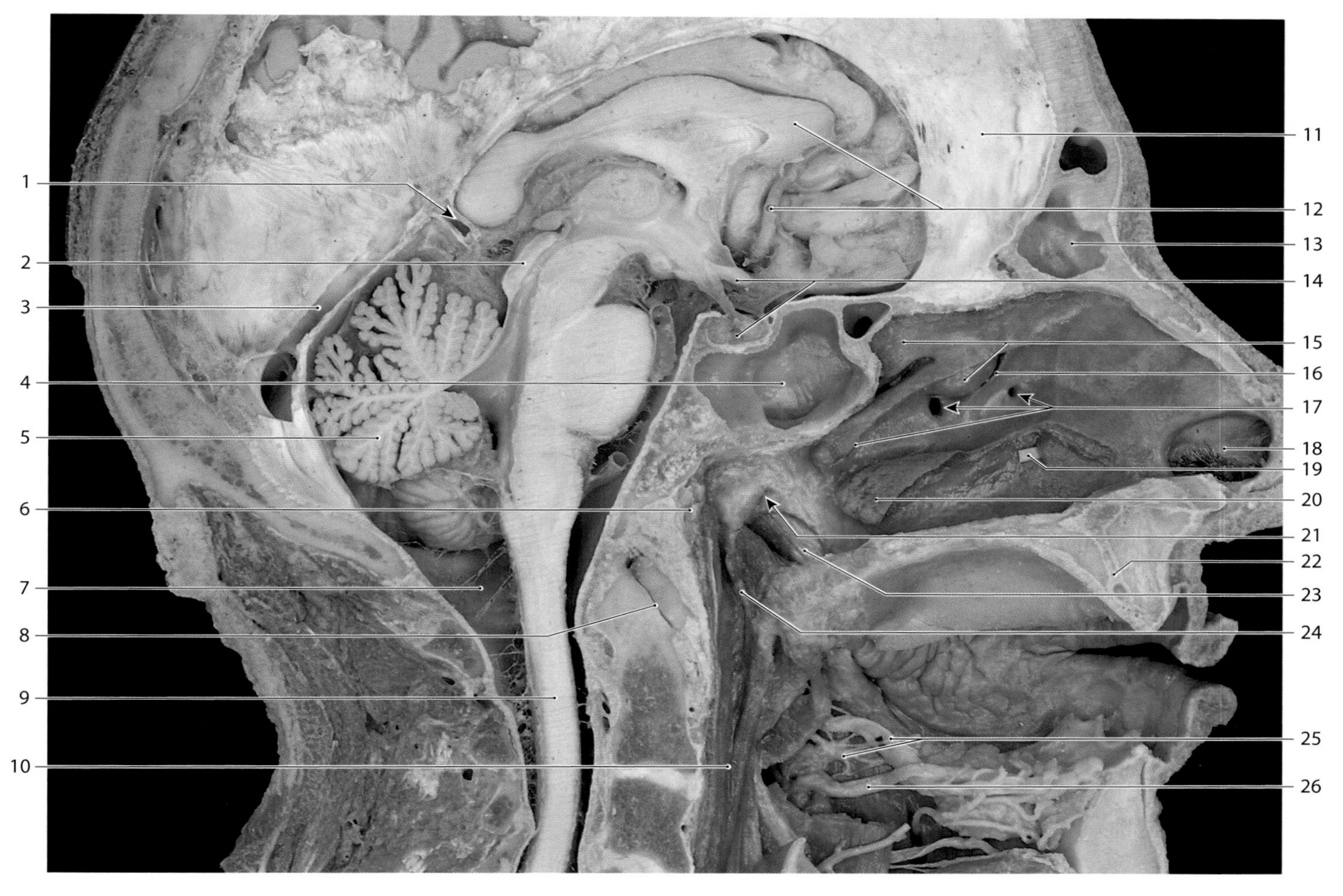

그림 9.8 **코안과 입안을 지나는 정중단면.** 중간과 아래코선반 일부를 제거하여 코곁굴의 구멍이 보이게 하였다.

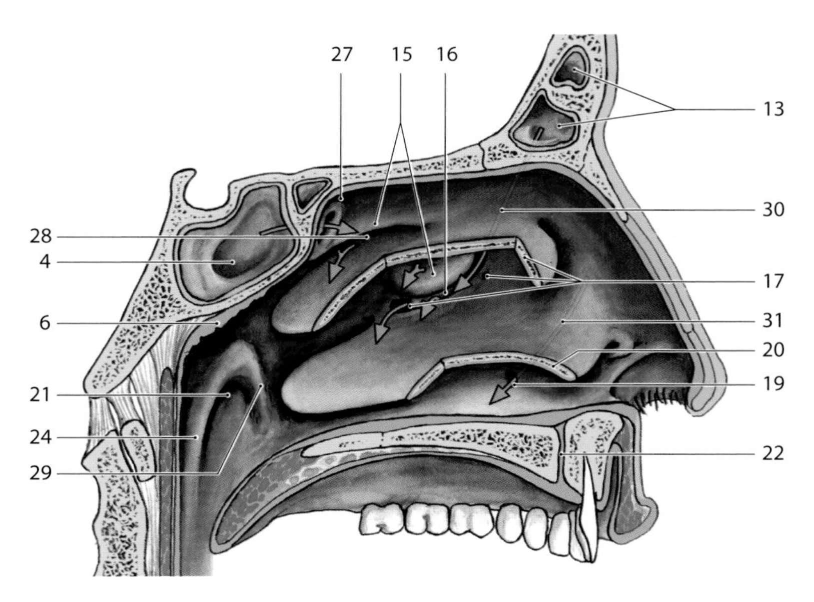

그림 9.9 **코안의 가쪽벽.** 화살표 = 연결된 구멍.

1 큰대뇌정맥 Great cerebral vein (Galen's vein)
2 중간뇌덮개 Tectum of midbrain
3 곧은정맥굴 Straight sinus
4 나비굴 Sphenoidal sinus
5 소뇌 Cerebellum
6 인두편도 Pharyngeal tonsil
7 소뇌숨뇌수조 Cerebellomedullary cistern
8 정중고리중쇠관절 Median atlanto-axial joint
9 척수 Spinal cord
10 입인두 Oral part of pharynx
11 대뇌낫 Falx cerebri
12 뇌들보와 앞대뇌동맥 Corpus callosum and anterior cerebral artery
13 이마굴 Frontal sinus
14 시각교차와 뇌하수체 Optic chiasm and pituitary gland
15 위코선반과 벌집뼈융기 Superior nasal concha and ethmoidal bulla
16 반달틈새 Semilunar hiatus
17 위턱굴의 덧구멍과 중간코선반이 잘린 자리 Accessory openings to maxillary sinus and cut edge of middle nasal concha
18 코안뜰 Vestibule
19 코눈물관구멍 Opening of nasolacrimal duct
20 아래코선반(잘림) Inferior nasal concha (cut)
21 귀관구멍 Opening of auditory tube
22 앞니관 Incisive canal
23 입천장올림근 Levator veli palatini muscle
24 귀관인두주름 Salpingopharyngeal fold
25 혀신경과 턱밑신경절 Lingual nerve and submandibular ganglion
26 턱밑샘관 Submandibular duct
27 나비벌집오목 Spheno-ethmoidal recess
28 위콧길 Superior nasal meatus
29 귀관입천장주름 Salpingopalatine fold
30 코이마관 Nasofrontal duct
31 코눈물관 Nasolacrimal duct

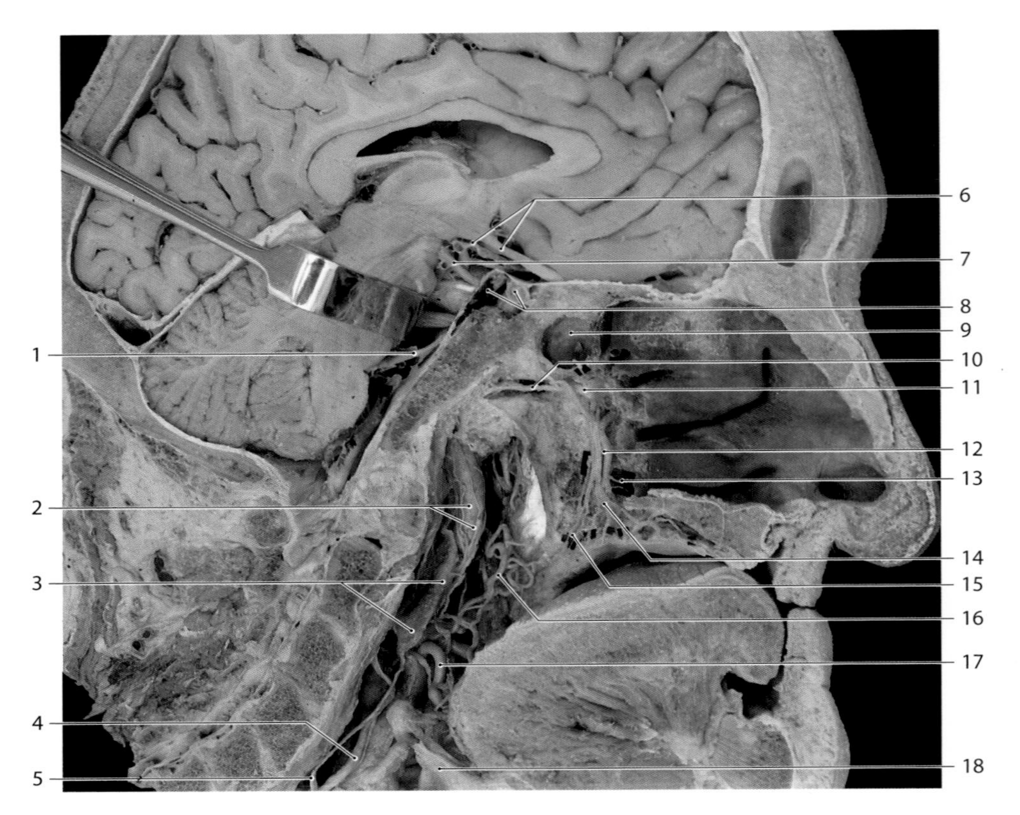

그림 9.10 **코안의 가쪽벽의 신경**(머리의 시상단면). 점막 일부를 제거하고 날개관을 열었다.

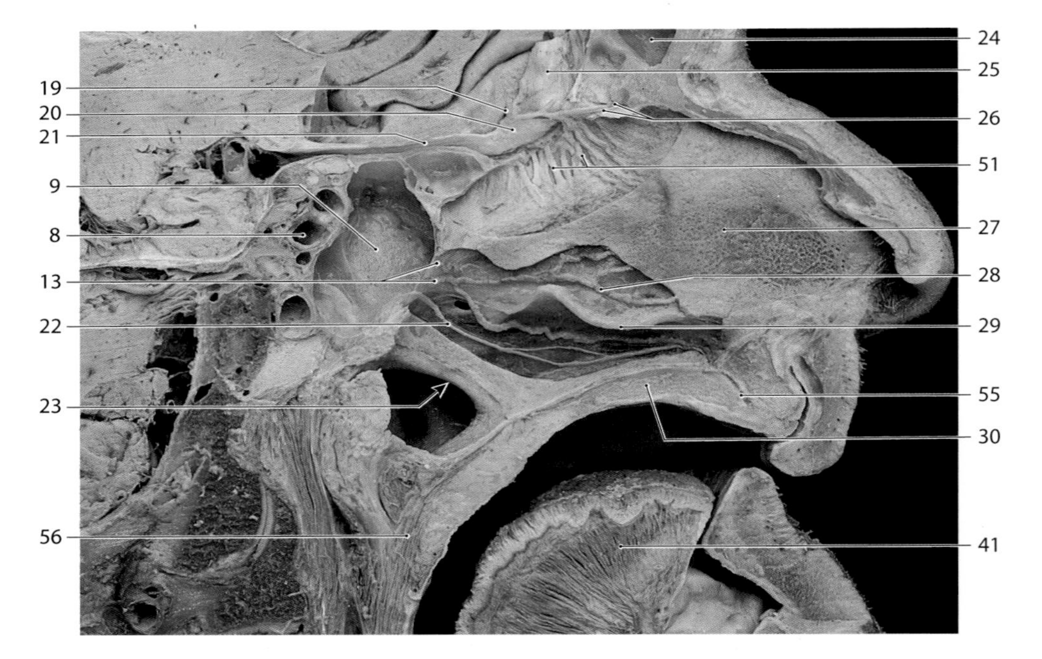

그림 9.11 **코중격.** 신경과 혈관의 해부.

1 얼굴신경 Facial nerve
2 속목동맥과 속목신경얼기 Internal carotid artery and internal carotid plexus
3 위목신경절 Superior cervical ganglion
4 미주신경 Vagus nerve (CN X)
5 교감신경줄기 Sympathetic trunk
6 시각신경과 눈동맥 Optic nerve (CN II) and ophthalmic artery
7 눈돌림신경 Oculomotor nerve (CN III)
8 속목동맥과 해면정맥굴 Internal carotid artery and cavernous sinus
9 나비굴 Sphenoidal sinus
10 날개관신경 Nerve of the pterygoid canal
11 날개입천장신경절 Pterygopalatine ganglion
12 내림입천장동맥 Descending palatine artery
13 가쪽뒤코가지와 뒤코중격가지 Lateral inferior posterior nasal branches and lateral posterior nasal and septal arteries
14 큰입천장신경과 동맥 Greater palatine nerves and artery
15 작은입천장신경과 동맥 Lesser palatine nerves and arteries
16 오름인두동맥의 가지 Branches of ascending pharyngeal artery
17 혀동맥 Lingual artery
18 후두덮개 Epiglottis
19 앞벌집동맥 Anterior ethmoidal artery
20 후각망울 Olfactory bulb
21 후각로 Olfactory tract
22 코입천장신경 Nasopalatine nerve
23 뒤콧구멍 Choanae
24 이마굴 Frontal sinus
25 볏돌기 Crista galli
26 앞벌집동맥과 신경, 앞벌집동맥의 코가지 Anterior ethmoidal artery and nerve, and nasal branch of anterior ethmoidal artery
27 코중격 Nasal septum
28 중격동맥 Septal artery
29 코중격의 능선 Crest of nasal septum
30 단단입천장 Hard palate
31 소뇌천막 Cerebellar tentorium
32 도르래신경 Trochlear nerve (CN IV)
33 삼차신경과 운동뿌리 Trigeminal nerve (CN V) with motor root
34 속목신경얼기 Internal carotid plexus
35 혀신경과 고실끈신경 Lingual nerve with chorda tympani
36 안쪽날개근과 안쪽날개판 Medial pterygoid muscle and medial pterygoid plate
37 아래이틀신경 Inferior alveolar nerve
38 교감신경줄기 Sympathetic trunk
39 큰바위신경 Greater petrosal nerve
40 입천장신경 Palatine nerves
41 혀 Tongue
42 후각망울 Olfactory bulb
43 눈신경 Ophthalmic nerve (CN V1)
44 삼차신경절 Trigeminal ganglion
45 위턱신경 Maxillary nerve (CN V2)
46 아래턱신경 Mandibular nerve (CN V3)
47 깊은바위신경 Deep petrosal nerve
48 안쪽날개근 Medial pterygoid muscle
49 입천장긴장근 Tensor veli palatine muscle
50 큰입천장신경 Greater palatine nerve
51 후각신경 Olfactory nerves
52 앞벌집신경의 속과 안쪽코가지 Internal and medial nasal branches of anterior ethmoidal nerve
53 가쪽위뒤코가지 Lateral superior posterior nasal branches
54 가쪽아래뒤코가지 Lateral inferior posterior nasal branches
55 앞니관과 코입천장신경 Incisive canal with nasopalatine nerve
56 목젖 Uvula

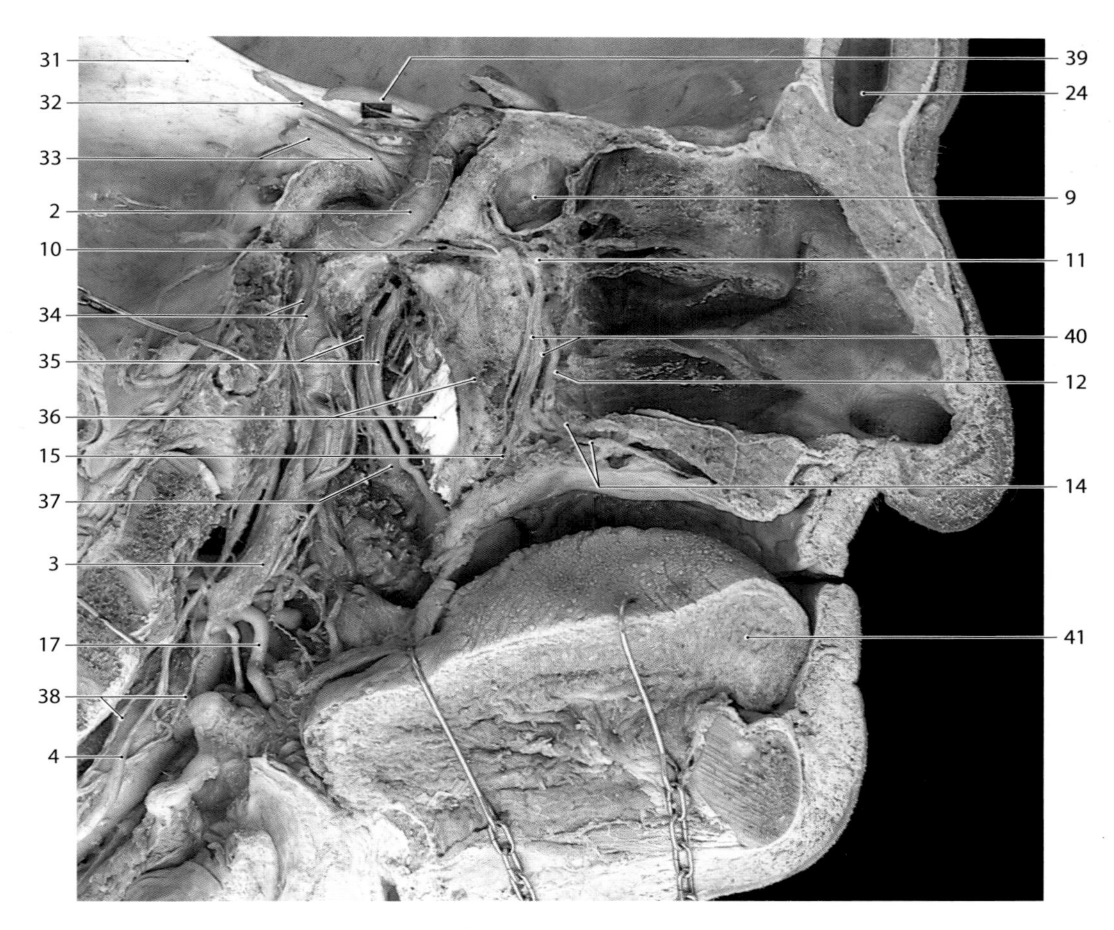

그림 9.12 **코안 가쪽벽의 신경**(머리의 시상단면). 목동맥관을 열었고, 인두와 코안의 점막 일부를 제거하였다.

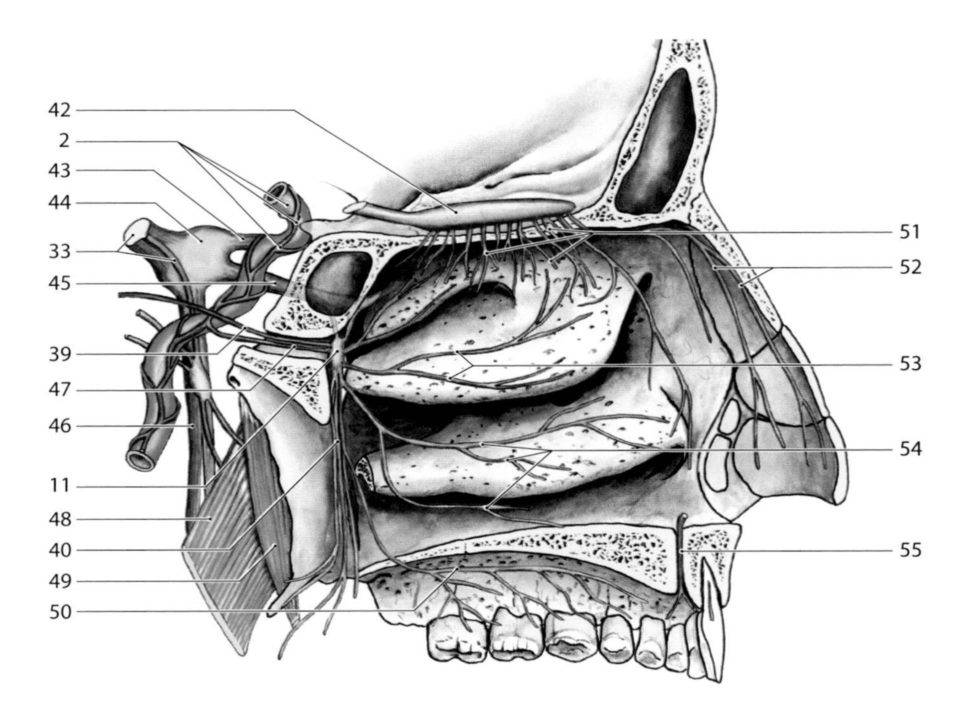

그림 9.13 **코안 가쪽벽의 신경**(시상단면).

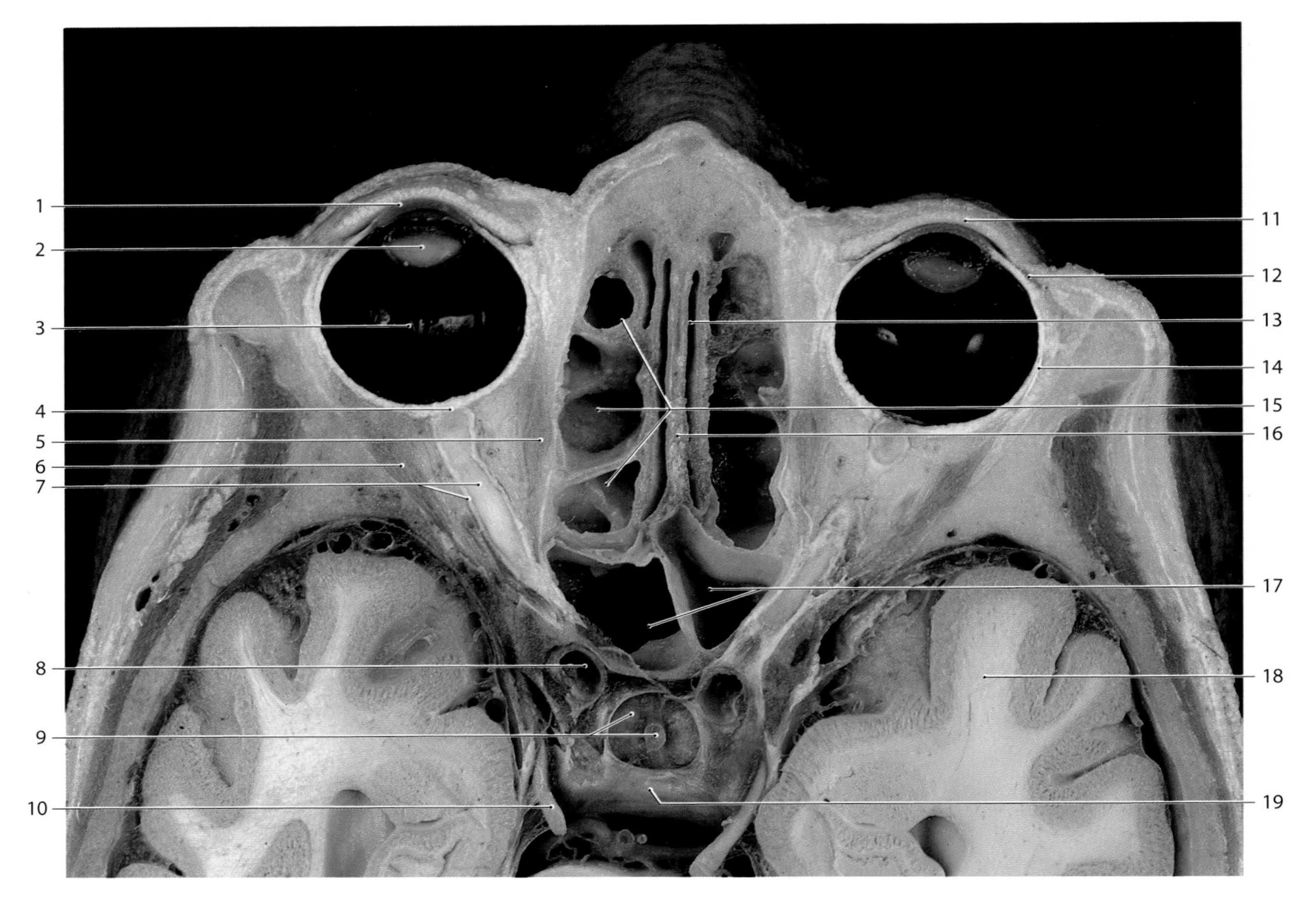

그림 9.14 **코안, 눈확, 관자엽을 지나는 수평단면.** 뇌하수체 높이.

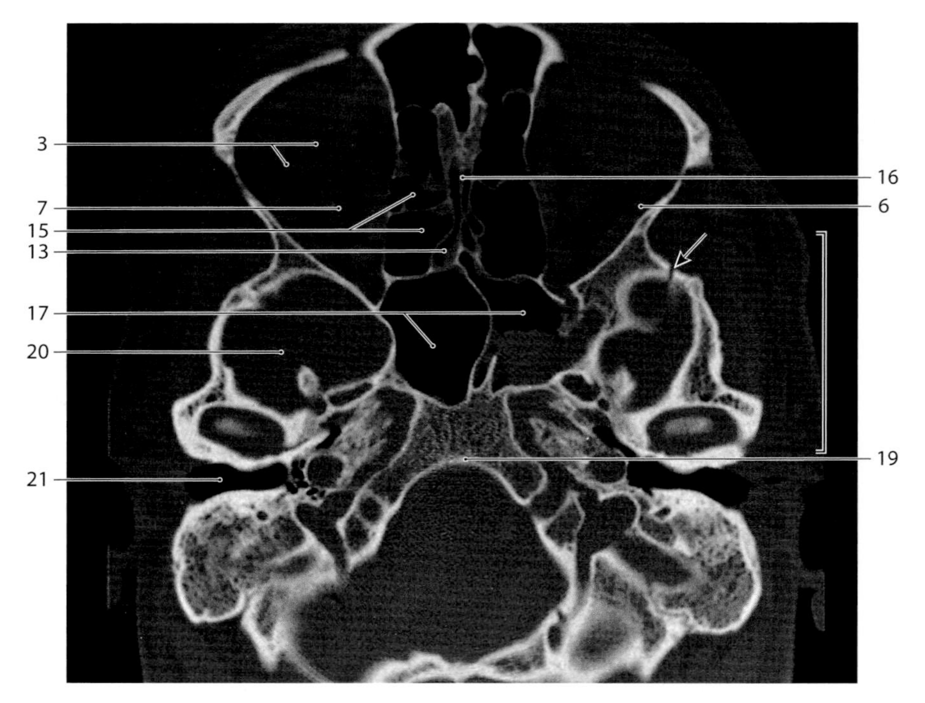

그림 9.15 **코안, 눈확, 관자엽을 포함한 머리의 수평단면.** 전산단층촬영상. 막대 = 2 cm; 화살표 = 골절. (Courtesy of Prof. Uder, Institute of Radiology, University Hospital Erlangen, Germany.)

1 각막 Cornea
2 수정체 Lens
3 유리체(안구) Vitreous body (eyeball)
4 시각신경 시작부분 Head of optic nerve
5 안쪽곧은근 Medial rectus muscle
6 가쪽곧은근 Lateral rectus muscle
7 시각신경과 바깥집 Optic nerve with dural sheath
8 속목동맥 Internal carotid artery
9 뇌하수체와 깔때기 Pituitary gland and infundibulum
10 눈돌림신경 Oculomotor nerve
11 위눈꺼풀막 Superior tarsal plate of eyelid
12 결막구석 Fornix of conjunctiva
13 코안 Nasal cavity
14 공막 Sclera
15 벌집굴 Ethmoidal sinus
16 코중격 Nasal septum
17 나비굴 Sphenoidal sinus
18 관자엽 Temporal lobe
19 비스듬틀 Clivus
20 중간머리뼈우묵 Middle cranial fossa
21 바깥귀길 External acoustic meatus
22 위시상정맥굴 Superior sagittal sinus
23 대뇌낫 Falx cerebri
24 위곧은근과 위눈꺼풀올림근 Superior rectus and levator palpebrae superioris muscles

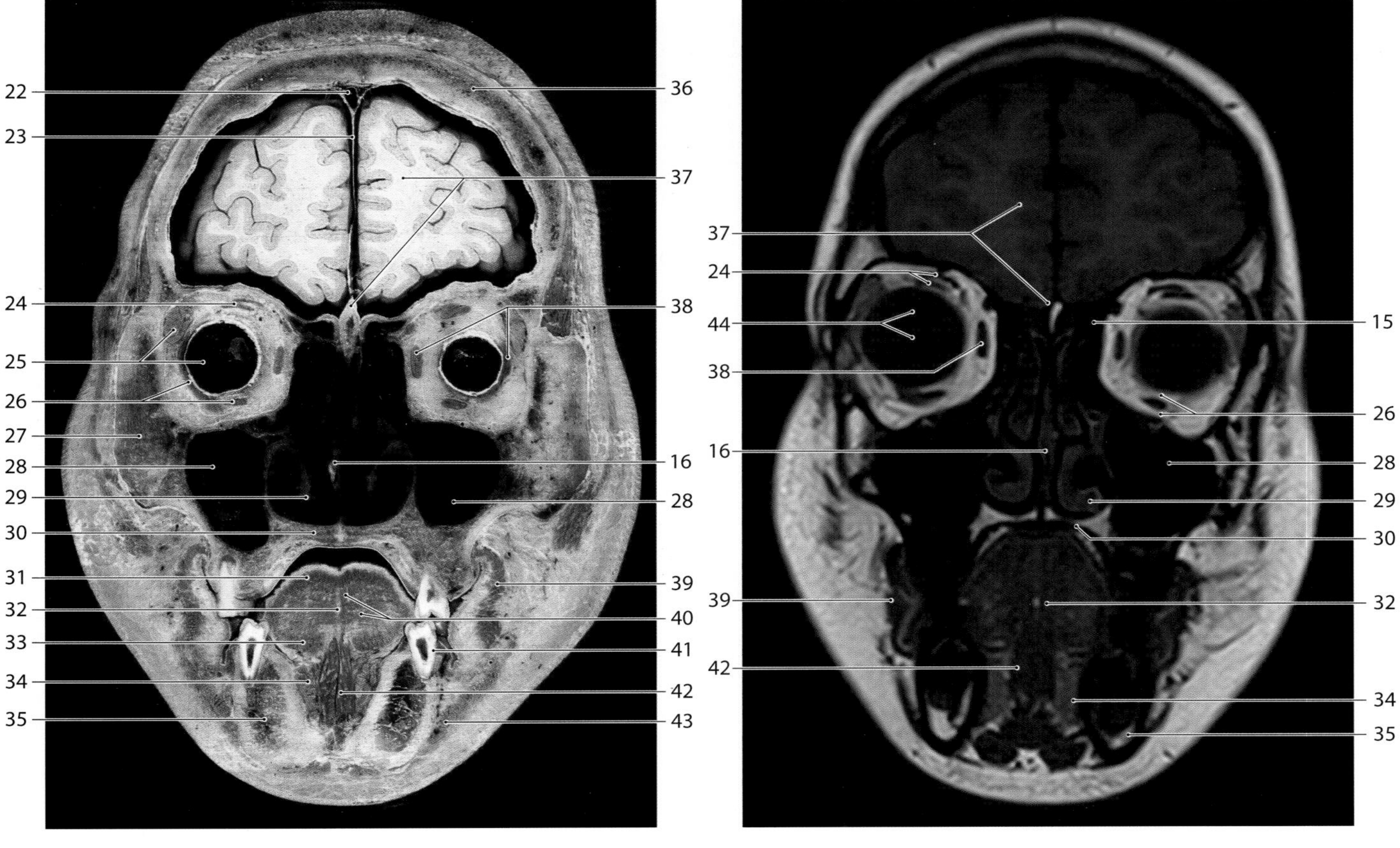

그림 9.16 **머리의 관상단면.** 아래턱뼈 둘째작은어금니 수준

그림 9.17 **머리의 관상단면**(자기공명영상). 머릿속공간의 위치 관계를 주목하시오. (Courtesy of Prof. Uder, Institute of Radiology, University Hospital Erlangen, Germany.

25 안구와 눈물샘 Eyeball and lacrimal gland
26 아래곧은근과 아래빗근 Inferior rectus and inferior oblique muscles
27 광대뼈 Zygomatic bone
28 위턱굴 Maxillary sinus
29 아래코선반 Inferior nasal concha
30 단단입천장 Hard palate
31 혀위세로근 Superior longitudinal muscle of tongue
32 혀사이막 Lingual septum
33 혀아래세로근 Inferior longitudinal muscle of tongue
34 혀밑샘 Sublingual gland
35 아래턱뼈 Mandible
36 머리덮개뼈 Calvaria
37 이마엽과 볏돌기 Frontal lobe of brain and crista galli
38 가쪽 및 안쪽곧은근 Lateral and medial rectus muscles
39 볼근 Buccinator muscle
40 혀수직근과 혀가로근 Vertical and transverse muscles of tongue
41 아래 둘째작은어금니 Second premolar of the mandible
42 턱끝혀근 Genioglossus muscle
43 넓은목근 Platysma muscle
44 눈확과 시각신경 Orbit and optic nerve (CN II)
45 목뿔뼈 Hyoid bone
46 턱목뿔근 Mylohyoid muscle
47 턱밑샘 Submandibular gland

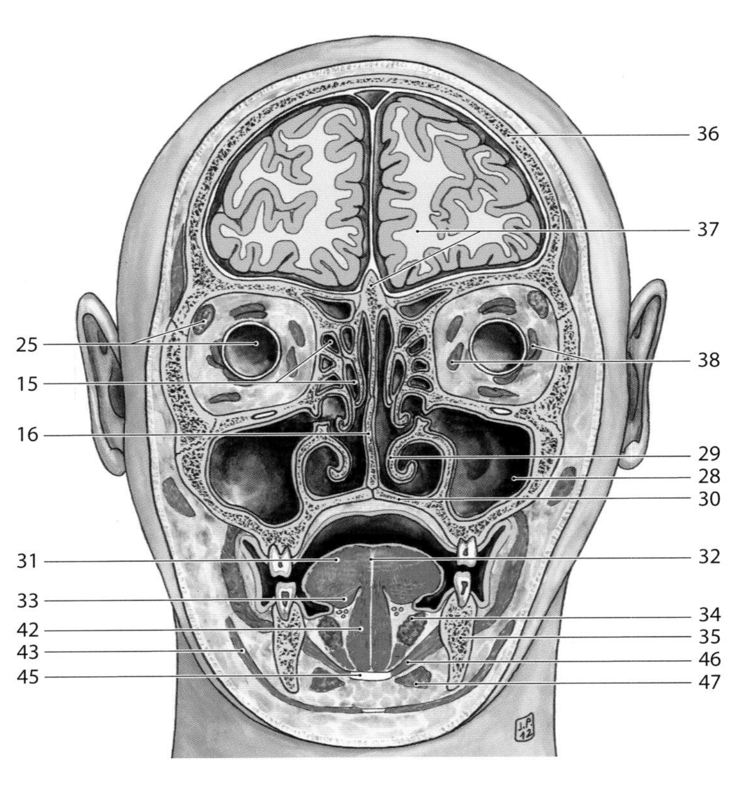

그림 9.18 **머리의 관상단면.** 아래턱뼈 둘째작은어금니 수준.

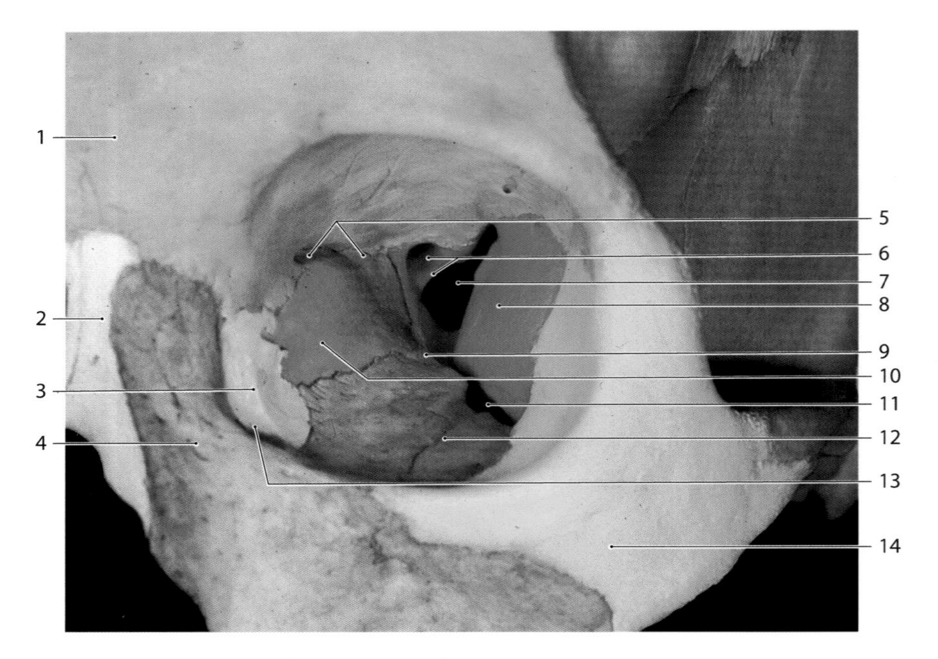

그림 9.19 **왼쪽 눈확의 뼈**(다른 색으로 표시함).

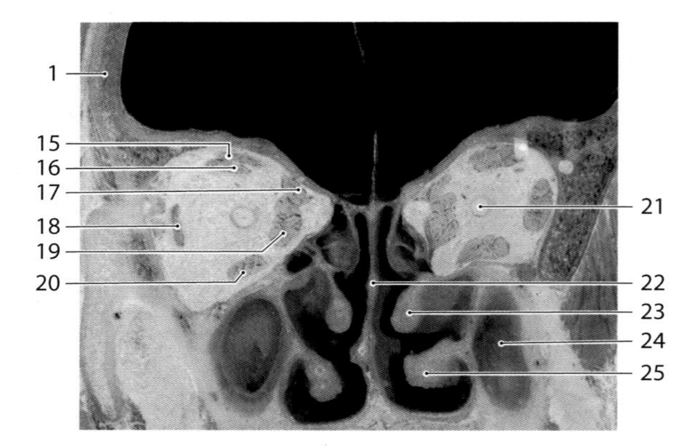

그림 9.20 **눈확 뒤부분을 지나는 관상단면.**

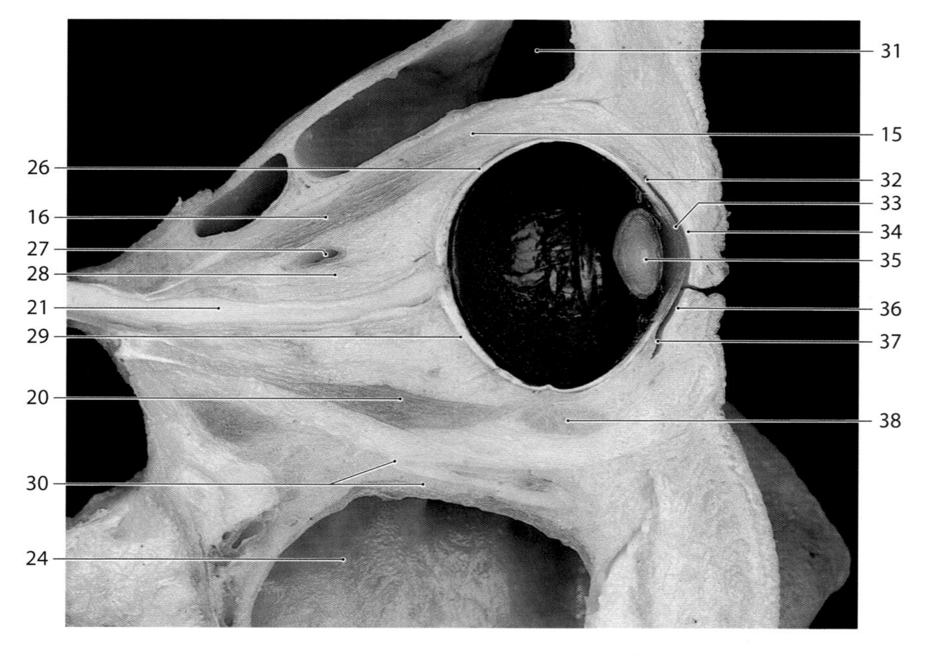

그림 9.21 **눈확과 안구를 지나는 시상단면.**

1 이마뼈 Frontal bone
2 코뼈 Nasal bone
3 눈물뼈 Lacrimal bone
4 위턱뼈(이마돌기) Maxilla (frontal process)
5 벌집구멍 Ethmoidal foramina
6 나비뼈의 작은날개와 시각신경관 Lesser wing of sphenoid bone and optic canal
7 위눈확틈새 Superior orbital fissure
8 나비뼈의 큰날개 Greater wing of sphenoid bone
9 입천장뼈의 눈확돌기 Orbital process of palatine bone
10 벌집판의 눈확판 Orbital plate of ethmoid bone
11 아래눈확틈새 Inferior orbital fissure
12 눈확아래고랑 Infra-orbital sulcus
13 코눈물뼈관 Nasolacrimal canal
14 광대뼈 Zygomatic bone
15 위눈꺼풀올림근 Levator palpebrae superioris muscle
16 위곧은근 Superior rectus muscle
17 위빗근 Superior oblique muscle
18 가쪽곧은근 Lateral rectus muscle
19 안쪽곧은근 Medial rectus muscle
20 아래곧은근 Inferior rectus muscle
21 시각신경 Optic nerve (CN II)
22 코중격 Nasal septum
23 중간코선반 Middle nasal concha
24 위턱굴 Maxillary sinus
25 아래코선반 Inferior nasal concha
26 공막 Sclera
27 눈동맥 Ophthalmic artery
28 눈확의 지방 Orbital fatty tissue
29 공막바깥공간 Tenon's space
30 눈확뼈막과 위턱뼈 Periorbita and maxilla
31 이마굴 Frontal sinus
32 위결막구석 Superior conjunctival fornix
33 각막 Cornea
34 위눈꺼풀판 Superior tarsal plate
35 수정체 Lens
36 아래눈꺼풀판 Inferior tarsal plate
37 아래결막구석 Inferior conjunctival fornix
38 아래빗근 Inferior oblique muscle

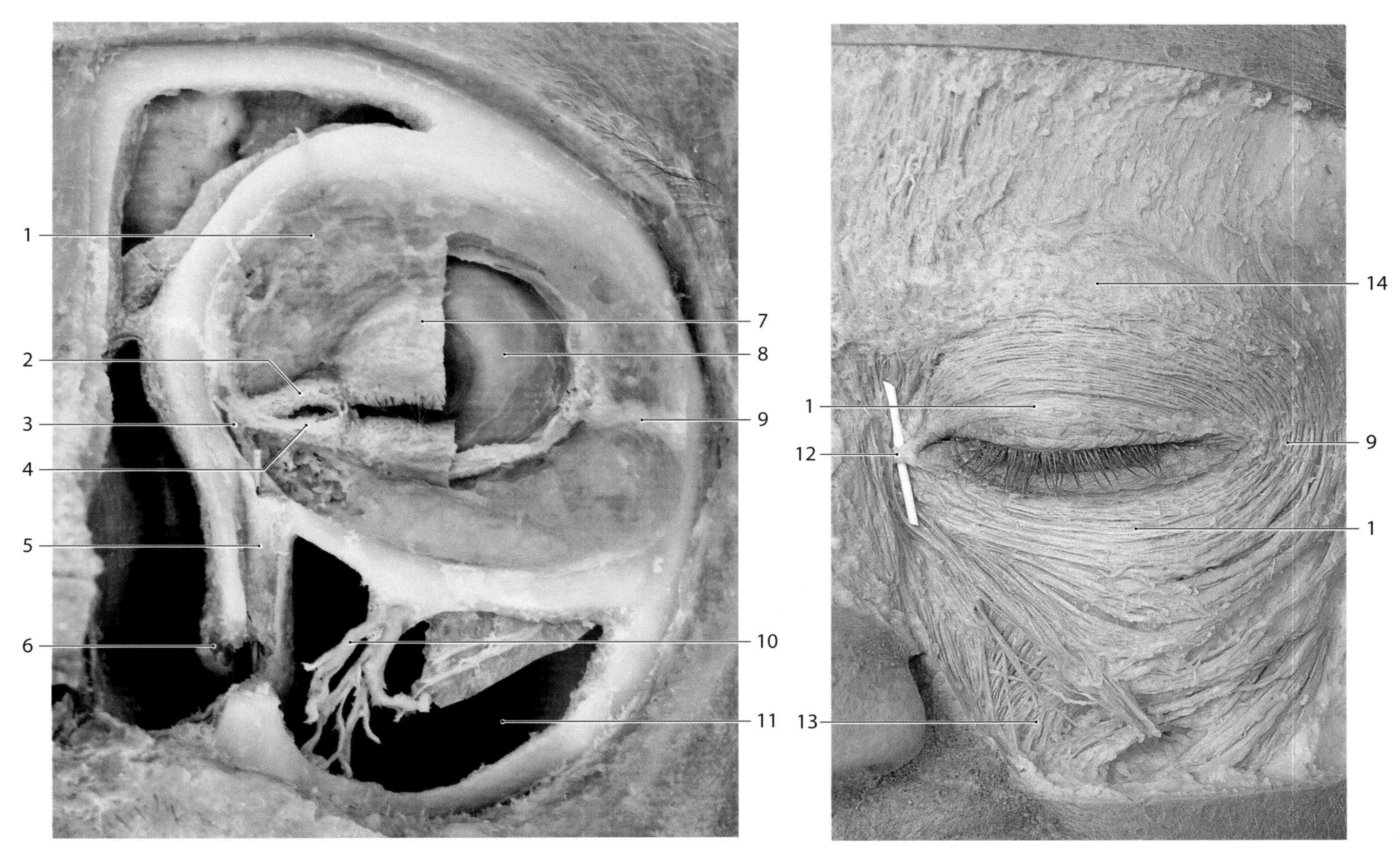

그림 9.22 **왼쪽 눈의 눈꺼풀과 눈물기관**(앞모습).
눈꺼풀의 일부를 제거하여 안구를 보이게 하였다. 위턱굴을 열었다.

그림 9.23 **왼쪽 눈의 얼굴근육**(앞모습). 위입술근육과 눈둘레근육이 연결된 것을 보여준다. 더듬자로 표시한 것이 안쪽눈꺼풀인대다.

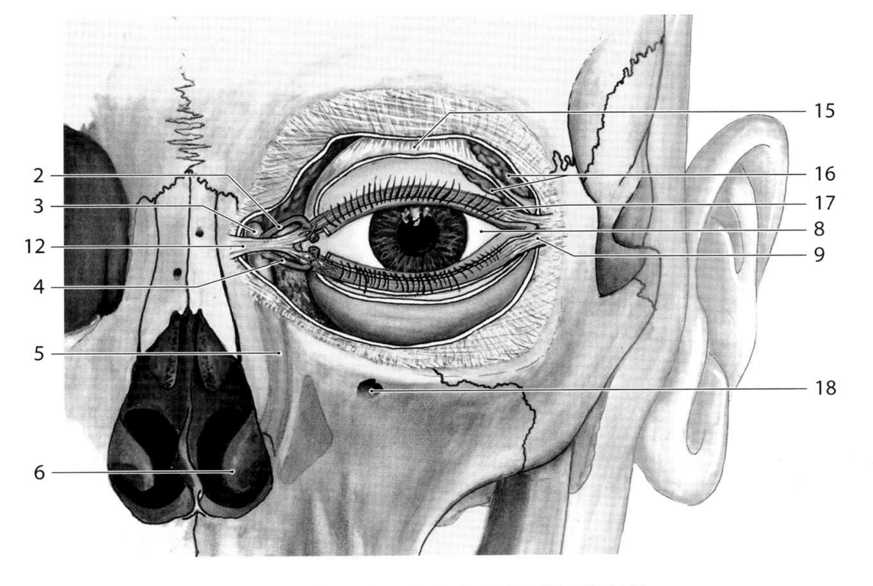

그림 9.24 **왼쪽 눈의 눈물기관**(앞모습). 빨간색 = 눈둘레근의 눈꺼풀부위.

1 눈둘레근 Orbicularis oculi muscle
2 위눈물소관 Superior lacrimal canaliculus
3 눈물주머니 Lacrimal sac
4 아래눈물소관 Inferior lacrimal canaliculus
5 코눈물관 Nasolacrimal duct
6 아래코선반 Inferior nasal concha
7 위눈꺼풀 Upper eyelid
8 안구 Eyeball
9 가쪽눈꺼풀인대 Lateral palpebral ligament
10 아래눈동맥과 신경 Infra-orbital artery and nerve
11 위턱굴 Maxillary sinus
12 안쪽눈꺼풀인대 Medial palpebral ligament
13 위입술올림근 Levator labii superioris muscle
14 뒤통수이마근의 이마힘살
Frontal belly of occipitofrontalis muscle
15 눈꺼풀올림근의 널힘줄
Aponeurosis of levator palpebrae superioris muscle
16 눈물샘 Lacrimal gland
17 눈둘레근의 눈꺼풀부위
Palpebral portion of orbicularis oculi muscle
18 아래눈확구멍 Infra-orbital foramen

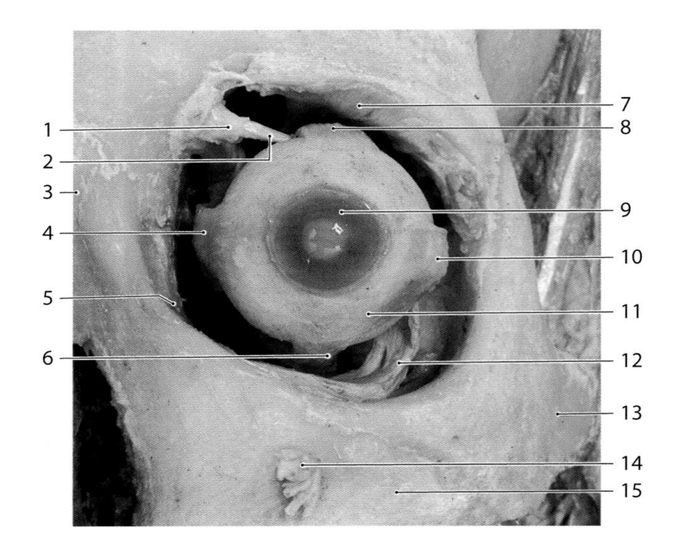

그림 9.25 **왼쪽 눈확의 안구와 안구근육**(앞모습).
눈꺼풀, 결막, 눈물기관을 제거하였다.

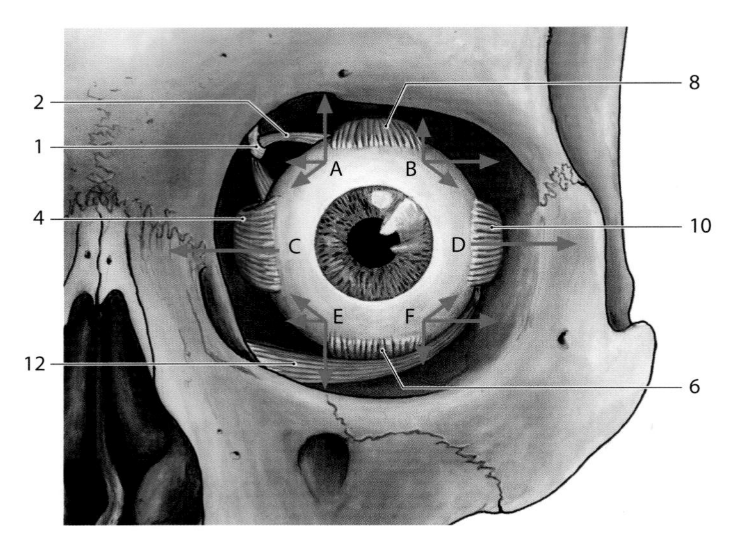

그림 9.26 **안구근육의 작용**(앞모습).

A = 위곧은근 Superior rectus muscle
B = 아래빗근 Inferior oblique muscle
C = 안쪽곧은근 Medial rectus muscle
D = 가쪽곧은근 Lateral rectus muscle
E = 아래곧은근 Inferior rectus muscle
F = 위빗근 Superior oblique muscle

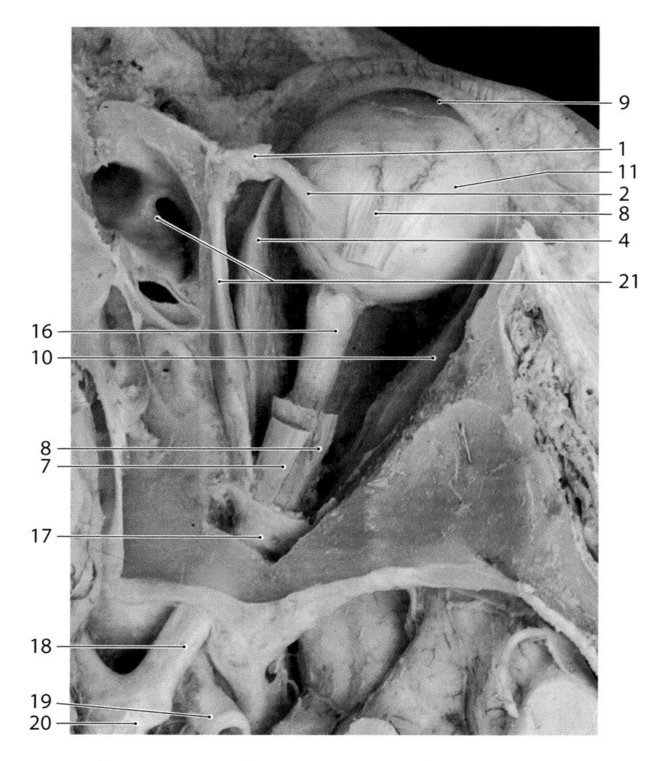

그림 9.27 **오른쪽 눈확의 안구와 안구근육**(위모습).
눈확천장을 제거하고, 위곧은근과 위눈꺼풀올림근을 잘랐다.

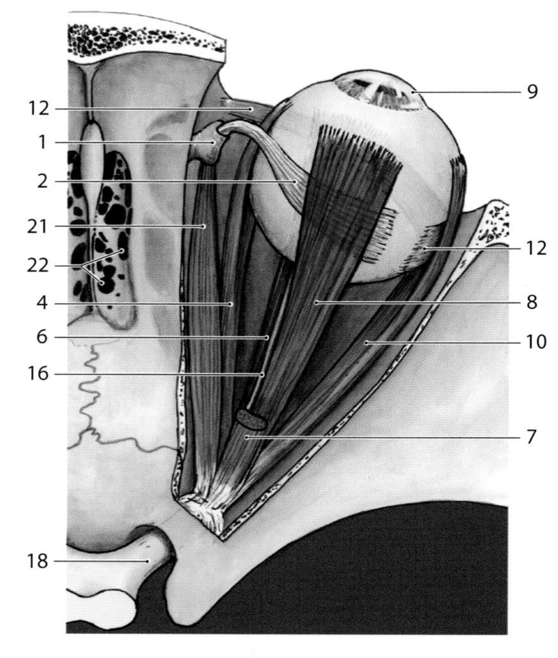

그림 9.28 **오른쪽 눈확의 안구와 안구근육**(위모습).
위눈꺼풀올림근을 잘랐다.

1 도르래 Trochlea
2 위빗근 힘줄 Tendon of superior oblique muscle
3 코뼈 Nasal bone
4 안쪽곧은근 Medial rectus muscle
5 코눈물관 Nasolacrimal duct
6 아래곧은근 Inferior rectus muscle
7 위눈꺼풀올림근 Levator palpebrae superioris muscle
8 위곧은근 Superior rectus muscle
9 각막 Cornea
10 가쪽곧은근 Lateral rectus muscle
11 공막 Sclera
12 아래빗근 Inferior oblique muscle
13 광대뼈 Zygomatic bone
14 눈확아래신경 Infra-orbital nerves
15 위턱뼈 Maxilla
16 시각신경(머리뼈바깥부분) Optic nerve (CN II, extracranial part)
17 온힘줄고리 Common annular tendon
18 시각신경(머리뼈안부분) Optic nerve (intracranial part)
19 속목동맥 Internal carotid artery
20 시각교차 Optic chiasma
21 위빗근과 벌집뼈벌집 Superior oblique muscle and ethmoid air cells
22 벌집뼈벌집 Ethmoid air cells

그림 9.29 **안구근육과 신경**(가쪽에서 본 왼쪽 눈). 가쪽곧은근을 잘라 젖힘.

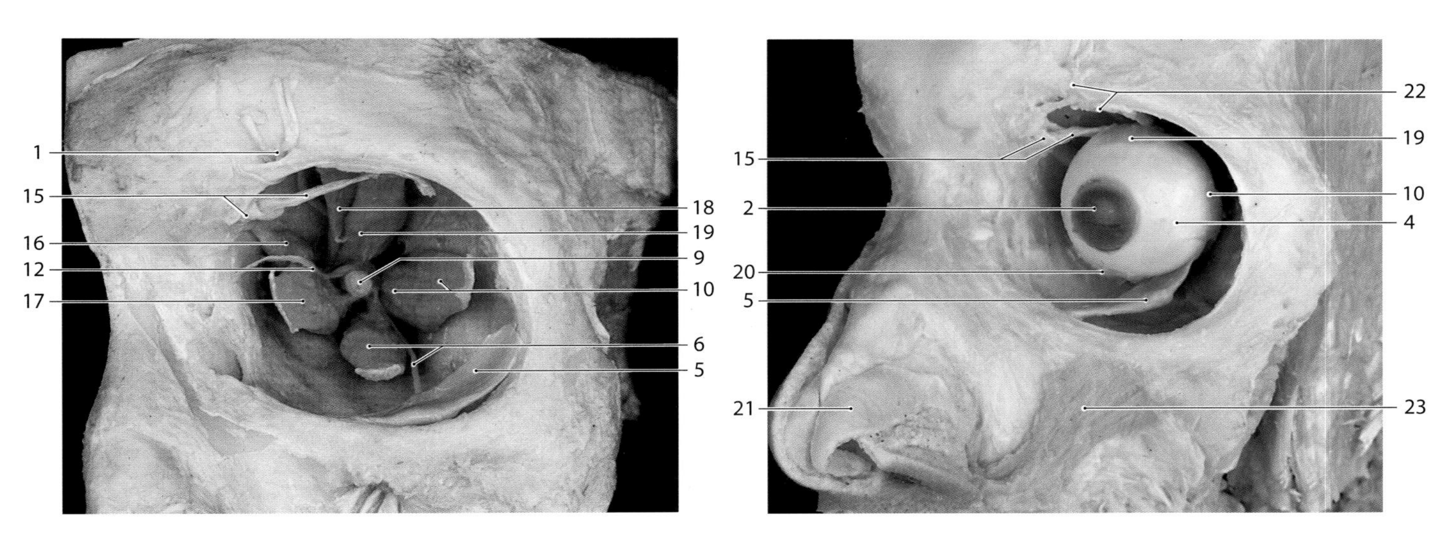

그림 9.30 **왼쪽 눈확과 안구근육**(앞모습). 안구를 제거함.

그림 9.31 **안구근육 Extra-ocular muscles** (앞가쪽에서 본 모습). 눈확의 지방조직을 제거함.

1 눈확위신경 Supra-orbital nerve
2 각막 Cornea
3 가쪽곧은근의 닿는곳 Insertion of lateral rectus muscle
4 안구(공막) Eyeball (sclera)
5 아래빗근 Inferior oblique muscle
6 아래곧은근과 눈물샘신경 Inferior rectus muscle and inferior branch of oculomotor nerve
7 눈확아래신경 Infra-orbital nerve
8 위곧은근과 눈물샘신경 Superior rectus muscle and lacrimal nerve
9 시각신경 Optic nerve (CN II)
10 가쪽곧은근 Lateral rectus muscle
11 섬모체신경절과 갓돌림신경 Ciliary ganglion and abducens nerve (CN VI)
12 눈돌림신경 Oculomotor nerve (CN III)
13 도르래신경 Trochlear nerve (CN IV)
14 눈신경과 위턱신경 Ophthalmic nerve (CN V1) and maxillary nerve (CN V2)
15 도르래와 위빗근힘줄 Trochlea and tendon of superior oblique muscle
16 위빗근 Superior oblique muscle
17 안쪽곧은근 Medial rectus muscle
18 위눈꺼풀올림근 Levator palpebrae superioris muscle
19 위곧은근 Superior rectus muscle
20 아래곧은근 Inferior rectus muscle
21 큰콧방울연골 Greater alar cartilage
22 눈확위신경과 위눈꺼풀올림근 Supra-orbital nerve and levator palpebrae superioris muscle
23 위입술올림근 Levator labii superioris muscle

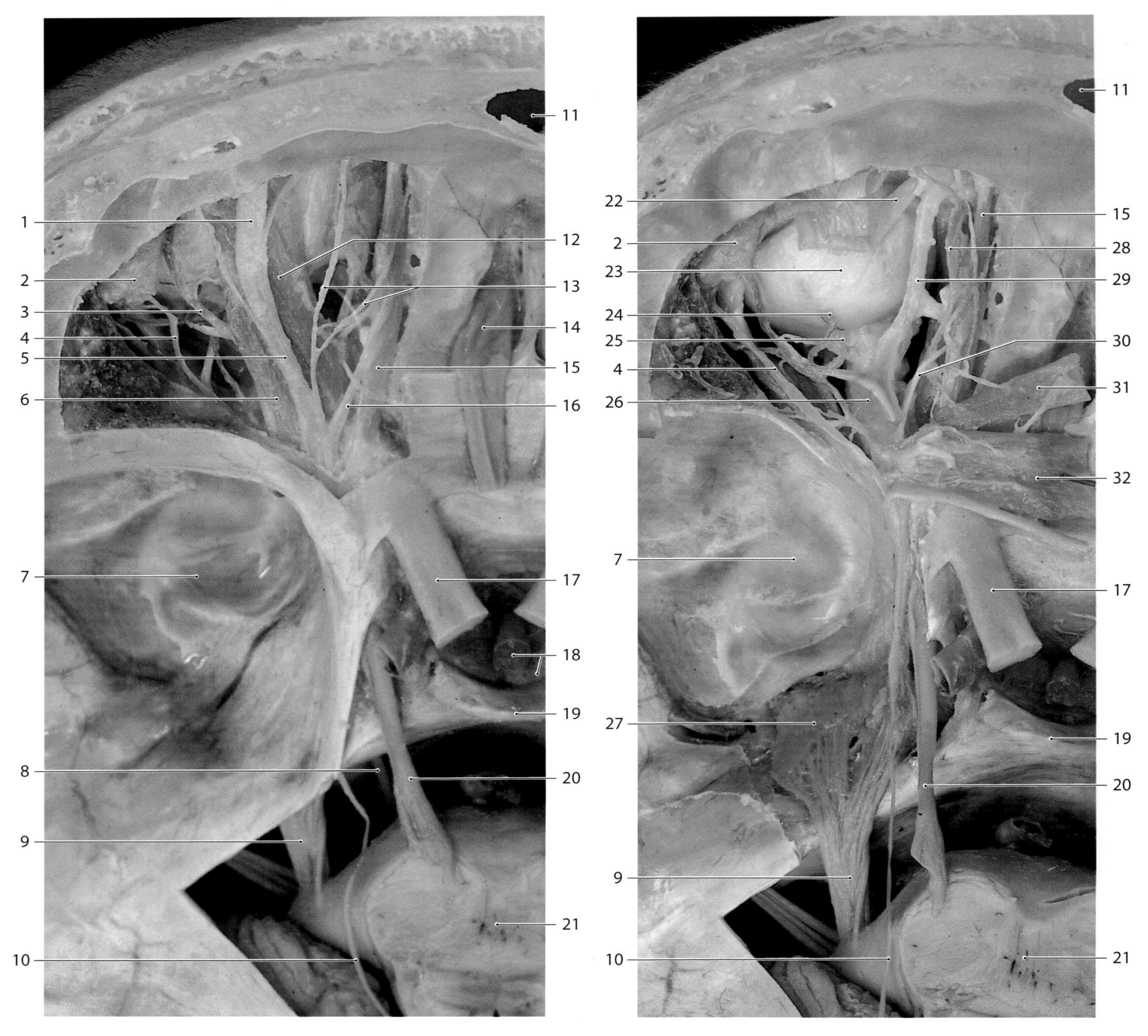

그림 9.32 **왼쪽 눈확의 얕은층**(위모습). 눈확천장과 왼쪽 소뇌천막의 일부를 제거함.

그림 9.33 **왼쪽 눈확의 중간층**(위모습). 눈확천장을 제거하고 위쪽의 안구근육을 잘라 젖힘.

1 이마신경의 가쪽가지 Lateral branch of frontal nerve
2 눈물샘 Lacrimal gland
3 눈물샘정맥 Lacrimal vein
4 눈물샘신경 Lacrimal nerve
5 이마신경 Frontal nerve
6 위곧은근 Superior rectus muscle
7 중간머리뼈우묵 Middle cranial fossa
8 갓돌림신경 Abducent nerve (CN VI)
9 삼차신경 Trigeminal nerve (CN V)
10 도르래신경(머리뼈안부분) Trochlear nerve (CN IV) (intracranial part)
11 이마굴 Frontal sinus
12 위눈꺼풀올림근 Levator palpebrae superioris muscle
13 도르래위신경의 가지 Branches of supratrochlear nerve
14 후각망울 Olfactory bulb
15 위빗근 Superior oblique muscle
16 도르래신경(눈확속부분) Trochlear nerve (CN IV) (intra-orbital part)
17 시각신경(머리뼈안부분) Optic nerve (CN II) (intracranial part)
18 뇌하수체와 깔때기 Pituitary gland and infundibulum
19 안장등 Dorsum sellae
20 눈돌림신경 Oculomotor nerve (CN III)
21 중간뇌 Midbrain
22 위빗근힘줄 Tendon of superior oblique muscle
23 안구 Eyeball
24 또아리정맥 Vena vorticosa
25 짧은섬모체신경 Short ciliary nerves
26 시각신경(머리뼈바깥부분) Optic nerve (CN II) (extracranial part)
27 삼차신경절 Trigeminal ganglion
28 눈동맥 Ophthalmic artery
29 위눈정맥 Superior ophthalmic vein

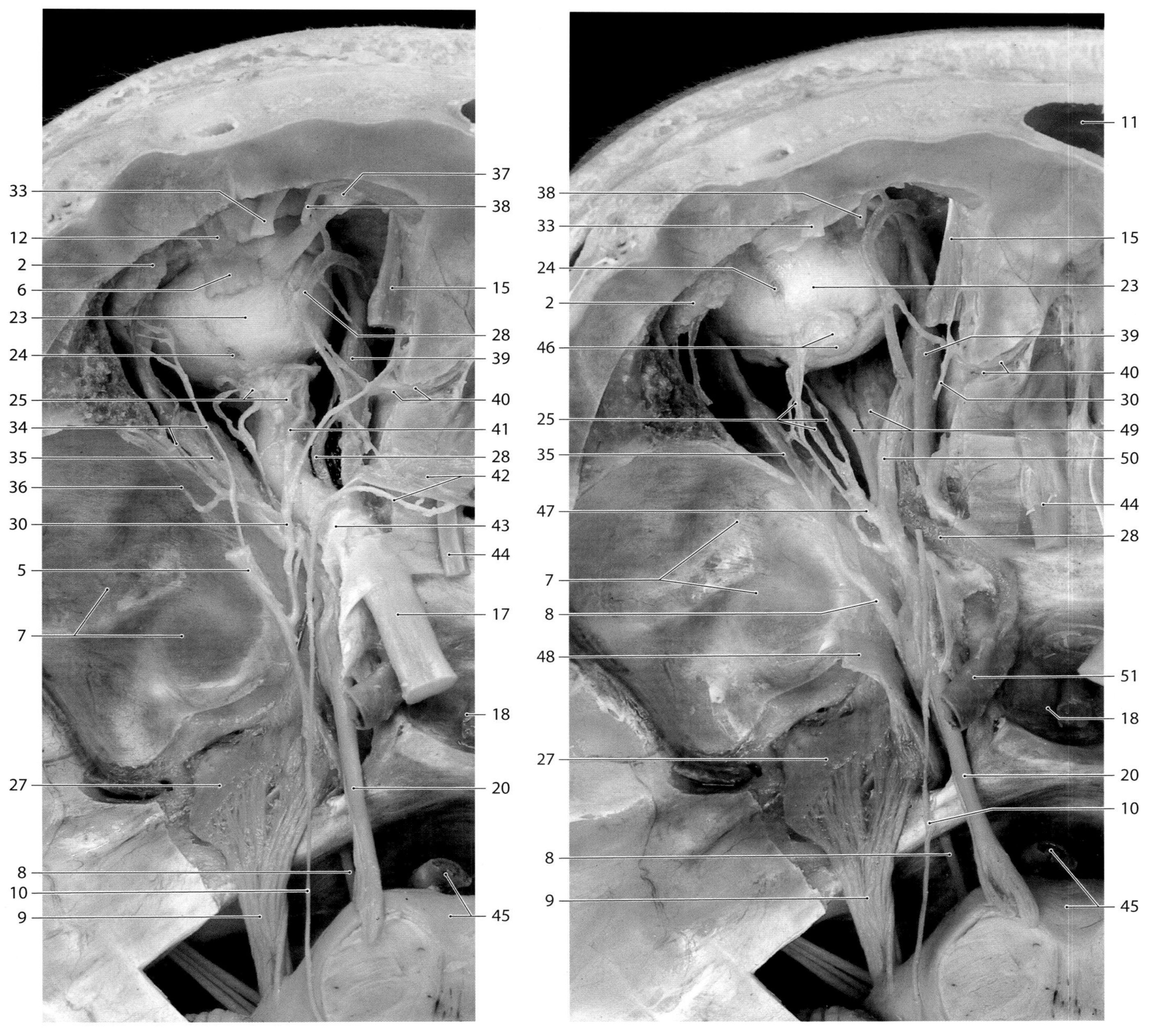

그림 9.34 **왼쪽 눈확의 중간층**(위모습). 눈확천장과 위쪽 안구근육을 제거함.

그림 9.35 **왼쪽 눈확의 깊은층**(위모습). 시각신경까지 제거함.

30 코섬모체신경 Nasociliary nerve (CN V1)
31 위눈꺼풀올림근(젖힘)
Levator palpebrae superioris muscle (reflected)
32 위곧은근(젖힘)
Superior rectus muscle (reflected)
33 눈확위신경의 가쪽가지
Lateral branch of supra-orbital nerve
34 눈물샘신경과 동맥 Lacrimal nerve and artery
35 가쪽곧은근 Lateral rectus muscle
36 눈물샘동맥과 중간뇌막동맥의 연결가지
Meningolacrimal artery (anastomosing with middle meningeal artery)
37 도르래 Trochlea
38 눈확위신경의 안쪽가지
Medial branch of supra-orbital nerve
39 안쪽곧은근 Medial rectus muscle
40 앞벌집동맥과 신경
Anterior ethmoidal artery and nerve
41 긴섬모체신경 Long ciliary nerve
42 위빗근과 도르래신경
Superior oblique muscle and trochlear nerve
43 온힘줄고리 Common tendinous ring
44 후각로 Olfactory tract
45 뇌바닥동맥과 다리뇌 Basilar artery and pons
46 시각신경(시각신경집, 잘림)
Optic nerve (external sheath of optic nerve, divided)
47 섬모체신경절 Ciliary ganglion
48 눈신경(잘라 젖힘)
Ophthalmic nerve (divided, reflected)
49 눈돌림신경의 아래가지와 아래곧은근
Inferior branch of oculomotor nerve and inferior rectus muscle
50 눈돌림신경의 위가지
Superior branch of oculomotor nerve
51 속목동맥 Internal carotid artery

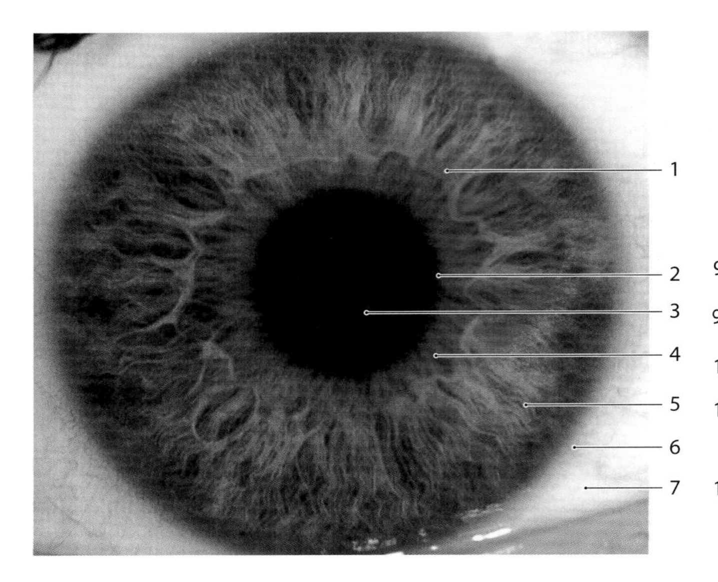

그림 9.36 **사람 눈의 안구 앞부분.** 색이 있는 홍채와 홍채 뒤의 수정체 위치를 확인하시오.

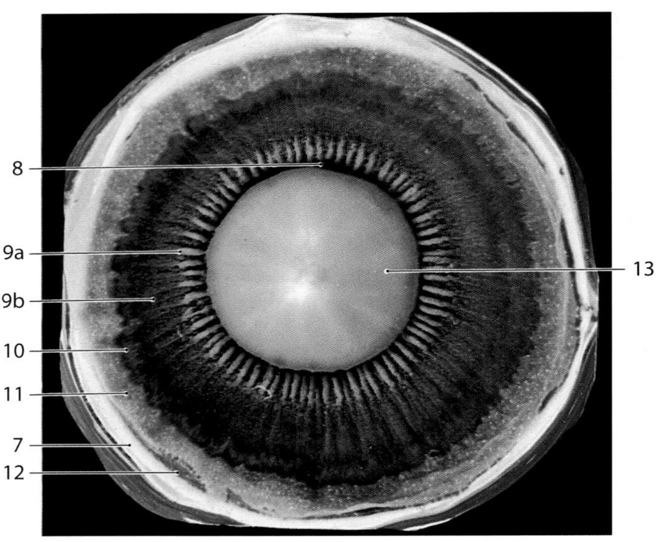

그림 9.37 **안구의 앞부분**(뒤모습).

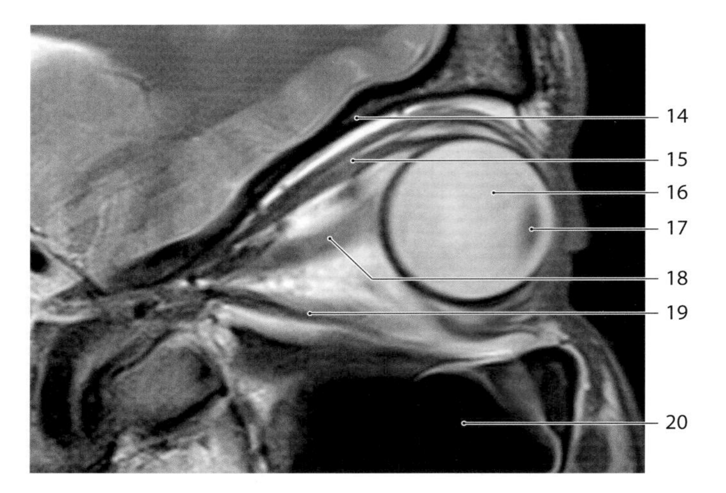

그림 9.38 **눈확과 안구의 시상단면**(자기공명영상). (Courtesy of Prof. Uder, Institute of Radiology, University Hospital Erlangen, Germany.)

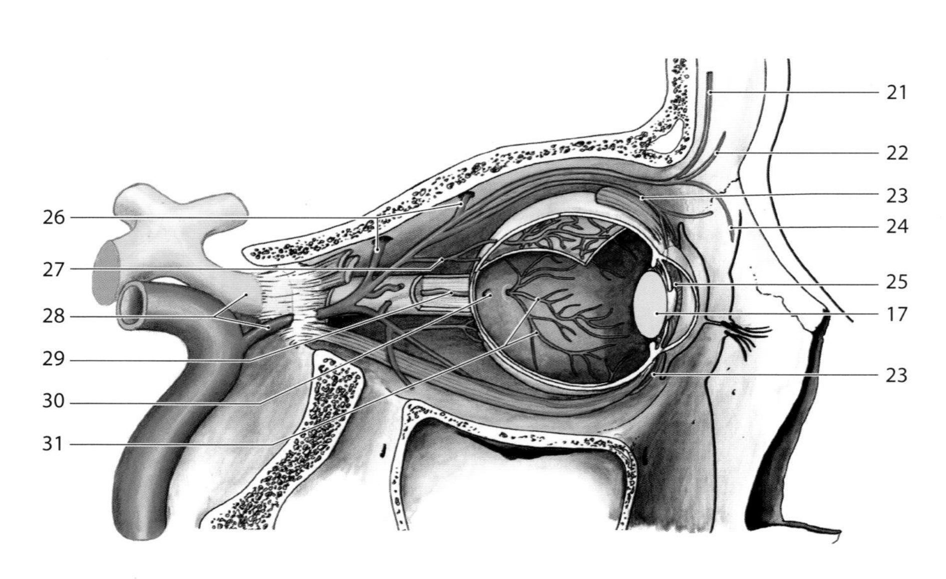

1 홍채의 주름 Fold of iris
2 홍채의 동공가장자리 Pupillary margin of iris
3 수정체의 앞면 Anterior surface of the lens
4 작은홍채둘레 Inner border of iris
5 큰홍채둘레 Outer border of iris
6 각막가장자리 Corneal limbus
7 공막 Sclera
8 섬모체띠섬유 Zonular fibers
9 섬모체 Ciliary body
(a) 섬모체돌기(주름부분) Ciliary processes (pars plicata)
(b) 섬모체고리(편평부분) Ciliary ring (pars plana)
10 톱니둘레 Ora serrata
11 망막 Retina
12 맥락막 Choroid
13 수정체의 뒤면 Posterior surface of the lens
14 눈확의 뼈 Orbital bone
15 위곧은근 Superior rectus muscle
16 유리체 Vitreous body
17 수정체 Lens
18 시각신경 Optic nerve (CN II)
19 아래곧은근 Inferior rectus muscle
20 위턱굴 Maxillary sinus
21 도르래위동맥 Supratrochlear artery
22 눈확위동맥 Supraorbital artery
23 앞섬모체동맥 Anterior ciliary artery
24 콧등동맥 Dorsal nasal artery
25 홍채동맥 Iridial arteries
26 뒤/앞벌집동맥
Posterior and anterior ethmoidal arteries
27 긴/짧은뒤섬모체동맥
Long and short posterior ciliary arteries
28 시각신경과 눈동맥
Optic nerve (CN II) and ophthalmic artery
29 망막중심동맥 Central retinal artery
30 중심오목과 황반 Fovea centralis and macula lutea
31 망막동맥 Retinal arteries

그림 9.39 **눈을 포함한 눈확, 시각신경과 눈의 혈관.** 눈동맥과 그 가지를 나타내었음.

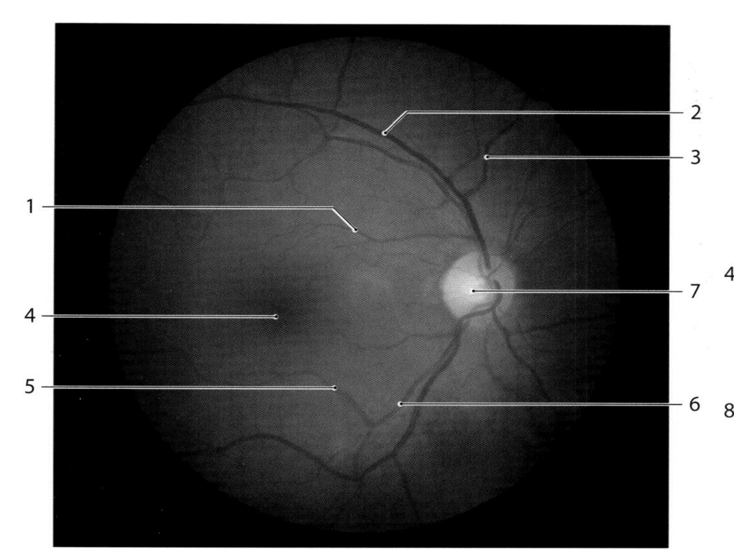

그림 9.40 **정상 오른쪽 눈바닥. 동맥이 정맥보다 더 가늘다.** (Courtesy of Prof. Mardin, Department of Ophthalmology, University of Erlangen, Germany.)

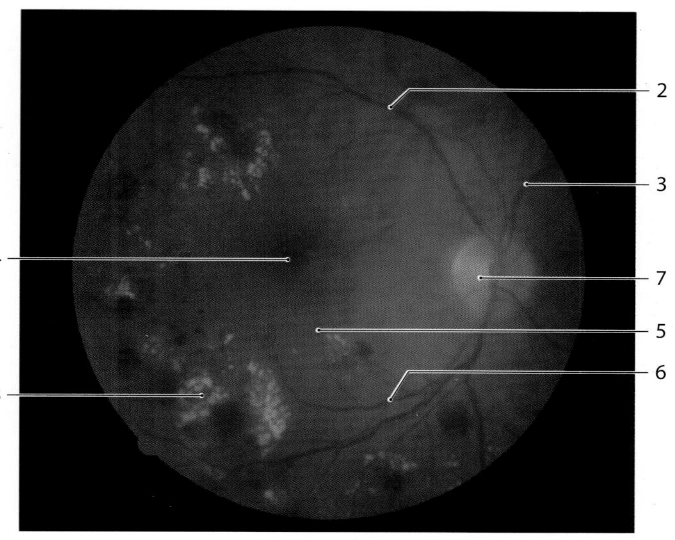

그림 9.41 **당뇨망막증이 있는 눈바닥.** 망막동맥은 눌려있고 흰솜모양의 점(면화반)같은 망막변성이 보인다. (Courtesy of Prof. Mardin, Department of Ophthalmology, University of Erlangen, Germany.)

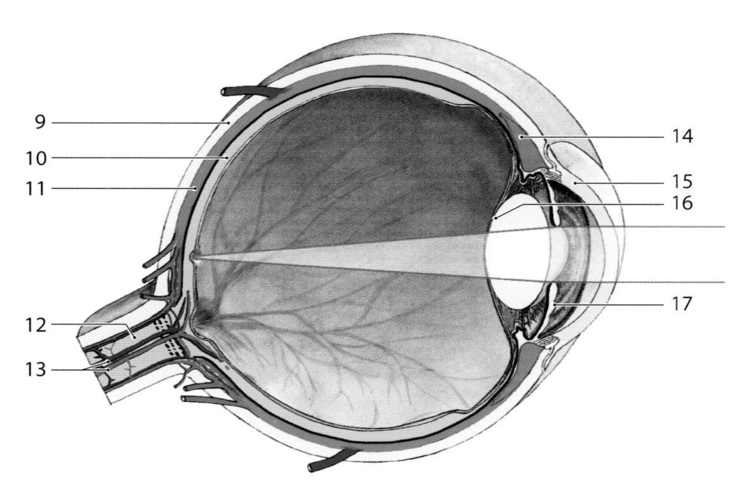

그림 9.42 **안구의 구성**(시상단면). 빨간선 = 중심오목으로 투사되는 빛.

1 위황반동맥 Superior macular artery
2 위가쪽망막동맥과 정맥 Superior temporal artery and vein of retina
3 안쪽망막동맥과 정맥 Medial artery and vein of retina
4 중심오목과 황반 Fovea centralis and macula lutea
5 아래황반동맥 Inferior macular artery
6 아래가쪽망막동맥과 정맥 Inferior temporal artery and vein of retina
7 시각신경원반 Optic disc
8 면화반 Cotton-wool spot
9 공막 Sclera
10 망막 Retina
11 맥락막 Choroid
12 시각신경 Optic nerve (CN II)
13 망막중심동맥과 정맥 Central retinal artery and vein
14 섬모체근 Ciliary muscle
15 각막 Cornea
16 수정체의 뒤면 Posterior surface of lens
17 홍채 Iris
18 속경계막 Internal limiting membrane
19 망막중심동맥의 가지 Branches of the central retinal artery
20 신경섬유층 Nerve fiber layer
21 신경절세포층 Ganglion cell layer
22 속얼기층 Inner plexiform layer
23 속핵층 Inner nuclear layer
24 바깥얼기층 Outer plexiform layer
25 바깥핵층 Outer nuclear layer
26 바깥경계막 External limiting membrane
27 빛수용세포의 바깥/속분절 Outer and inner segments of photoreceptors
28 망막색소상피 Retinal pigment epithelium
29 황반부종 Macular edema

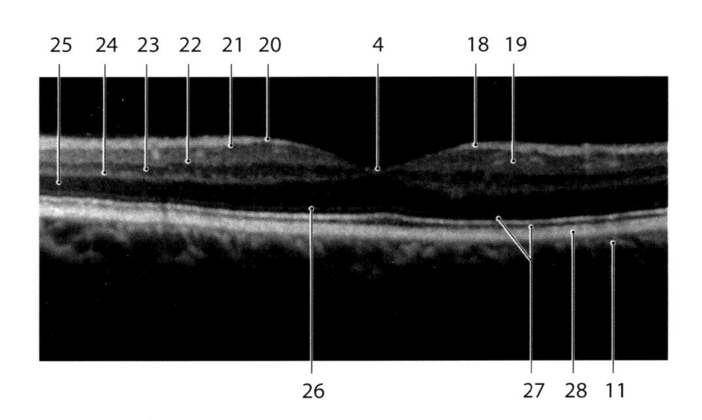

그림 9.43 **정상 안구의 중심오목을 지나는 망막 단층영상**(광간섭단층촬영 OCT scan). (Courtesy of Prof. Mardin, Department of Ophthalmology, University of Erlangen, Germany.)

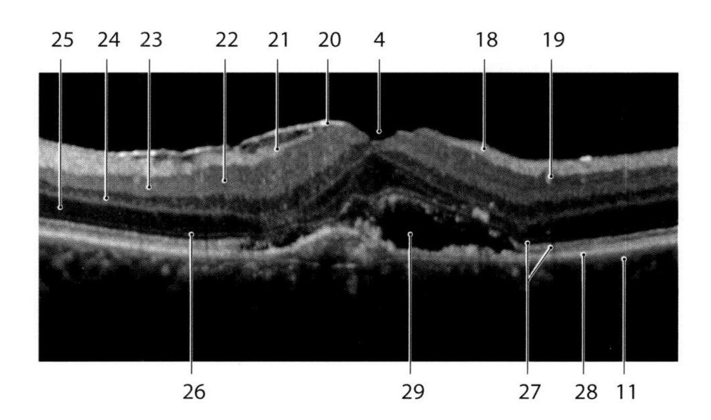

그림 9.44 **정상 안구의 중심오목을 지나는 망막 단층영상**(광간섭단층촬영 OCT scan). (Courtesy of Prof. Mardin, Department of Ophthalmology, University of Erlangen, Germany.)

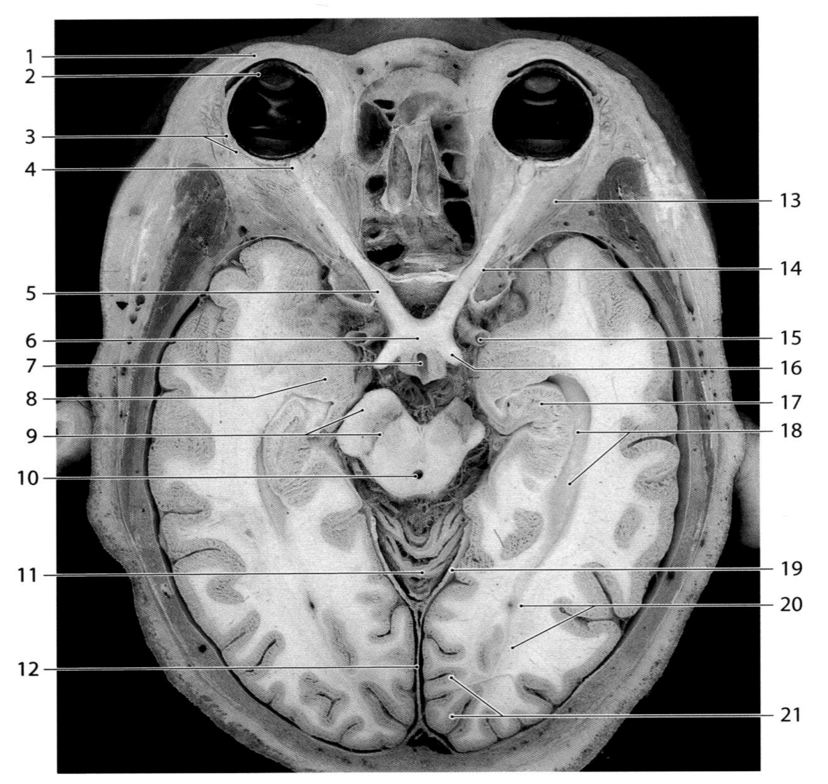

그림 9.45 **시각교차와 줄무늬겉질을 지나는 머리의 수평단면**(위에서 본 모습). 시상하부 깔때기와 시각교차의 위치관계를 확인하시오.

1 위눈꺼풀 Upper lid
2 각막 Cornea
3 안구(공막, 망막) Eyeball (sclera, retina)
4 시각신경의 시작부분 Head of optic nerve
5 시각신경 Optic nerve
6 시각교차 Optic chiasma
7 시상하부의 깔때기오목 Infundibular recess of hypothalamus
8 편도체 Amygdaloid body
9 흑색질과 대뇌섬유다리 Substantia nigra and crus cerebri
10 중간뇌수도관 Cerebral aqueduct
11 소뇌벌레 Vermis of cerebellum
12 대뇌낫 Falx cerebri
13 가쪽곧은근 Lateral rectus muscle
14 시각신경관 Optic canal
15 속목동맥 Internal carotid artery
16 시각로 Optic tract
17 해마 Hippocampus
18 가쪽뇌실아래뿔 Inferior horn of lateral ventricle
19 소뇌천막 Cerebellar tentorium
20 시각부챗살 Optic radiation of Gratiolet
21 시각겉질(갈고리영역, 줄무늬겉질) Visual cortex (area calcarina, striate cortex)
22 수정체 Lens
23 안구 Eyeball
24 안쪽곧은근 Medial rectus muscle
25 대뇌다리 Cerebral peduncle
26 벌집뼈벌집 Ethmoidal cells
27 시각신경과 바깥집 Optic nerve (CN II) with dural sheath
28 관자근 Temporal muscle
29 눈돌림신경과 뇌하수체 Oculomotor nerve (CN III) and pituitary gland (hypophysis)
30 중간뇌 Midbrain
31 뒤통수엽 Occipital lobe
32 긴 및 짧은섬모체신경 Long and short ciliary nerves
33 섬모체신경절 Ciliary ganglion
34 해면정맥굴안의 눈돌림신경 Oculomotor nerve (CN III) within the cavernous sinus
35 덧눈돌림신경핵 Accessory oculomotor nuclei
36 중간뇌의 둔덕 Colliculi of midbrain
37 뇌들보 Corpus callosum
38 시야 Visual field
39 망막 Retina
40 가쪽무릎체 Lateral geniculate body

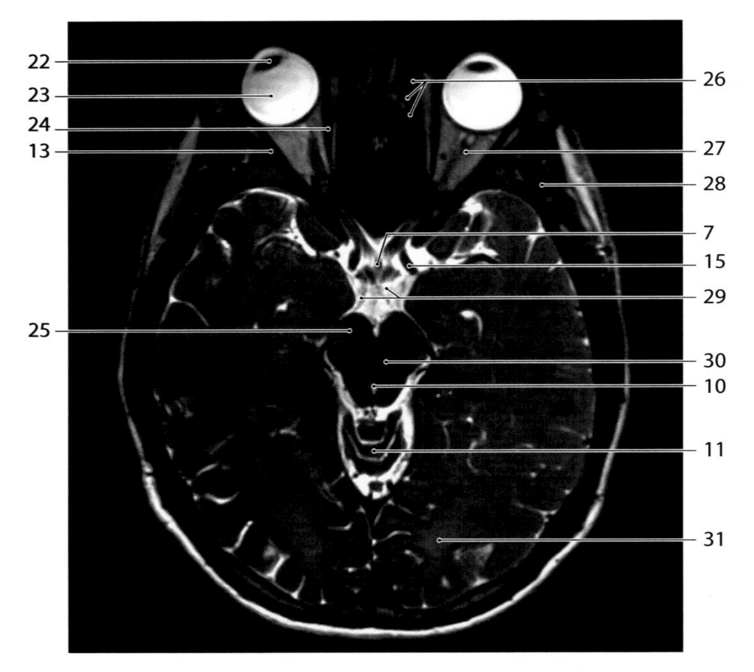

그림 9.46 **안장을 지나는 머리의 수평단면**(자기공명영상). (Prof. Uder, Dept. of Radiology, Univ. Erlangen-Nuremberg, Germany.)

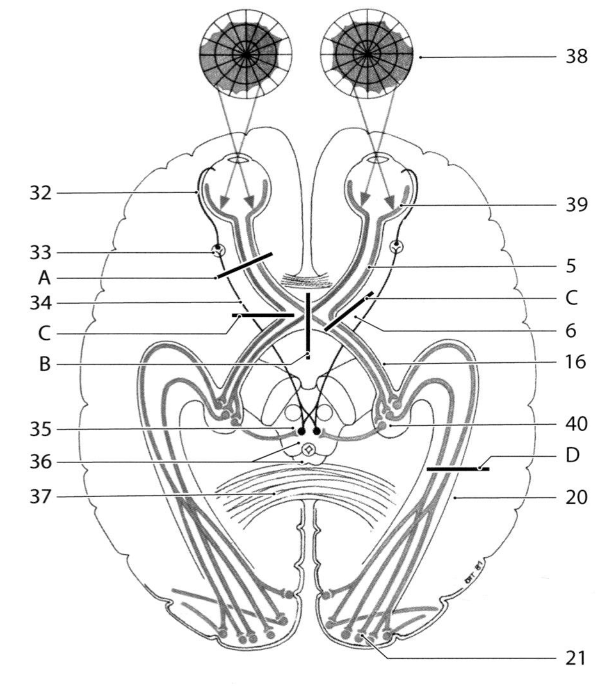

그림 9.47 **시각경로와 빛반사경로 그림.**

두눈보기(binocular vision)에서 시야(38)는 양쪽 망막으로 투사된다(그림에서 파란색과 빨간색). 양쪽 망막으로부터 시각교차에 도달한 신경섬유는 서로 합쳐져 왼쪽 시각로(left optic tract)를 이룬다. 그러나 일부 섬유는 시각겉질(21)에 도달하기까지 합쳐지지 않는다. 시각경로의 손상(injuries on the optic pathway)은 시각결손(visual defects)을 일으키는데 그 양상은 손상받은 부위에 따라 다르다. 한 시각신경에 손상(A)이 오면 같은쪽 눈의 실명(blindness)과 동공빛반사 소실(loss of pupillary light reflex)을 초래한다. 시각교차의 병터(lesions of the chiasma)가 코쪽 망막으로부터 나와서 교차하는 섬유를 파괴하면(B) 양쪽가쪽 시야를 잃게 된다(양관자쪽반맹 bitemporal hemianopsia). 시각교차의 양쪽 가쪽구석(both lateral angles)이 압박되면(C) 관자쪽 망막에서 오는 교차하지 않는 섬유가 영향을 받아 양쪽안쪽 시야를 잃게 된다(양코쪽반맹 binasal hemianopsia). 시각교차 뒤쪽(D)-즉, 시각로(optic tract), 가쪽무릎체(lateral geniculate body), 시각부챗살(optic radiation), 시각겉질(visual cortex)-의 병터는 양쪽 눈에서 반대쪽 시야가 소실된다(같은쪽반맹 homonymous hemianopsia).

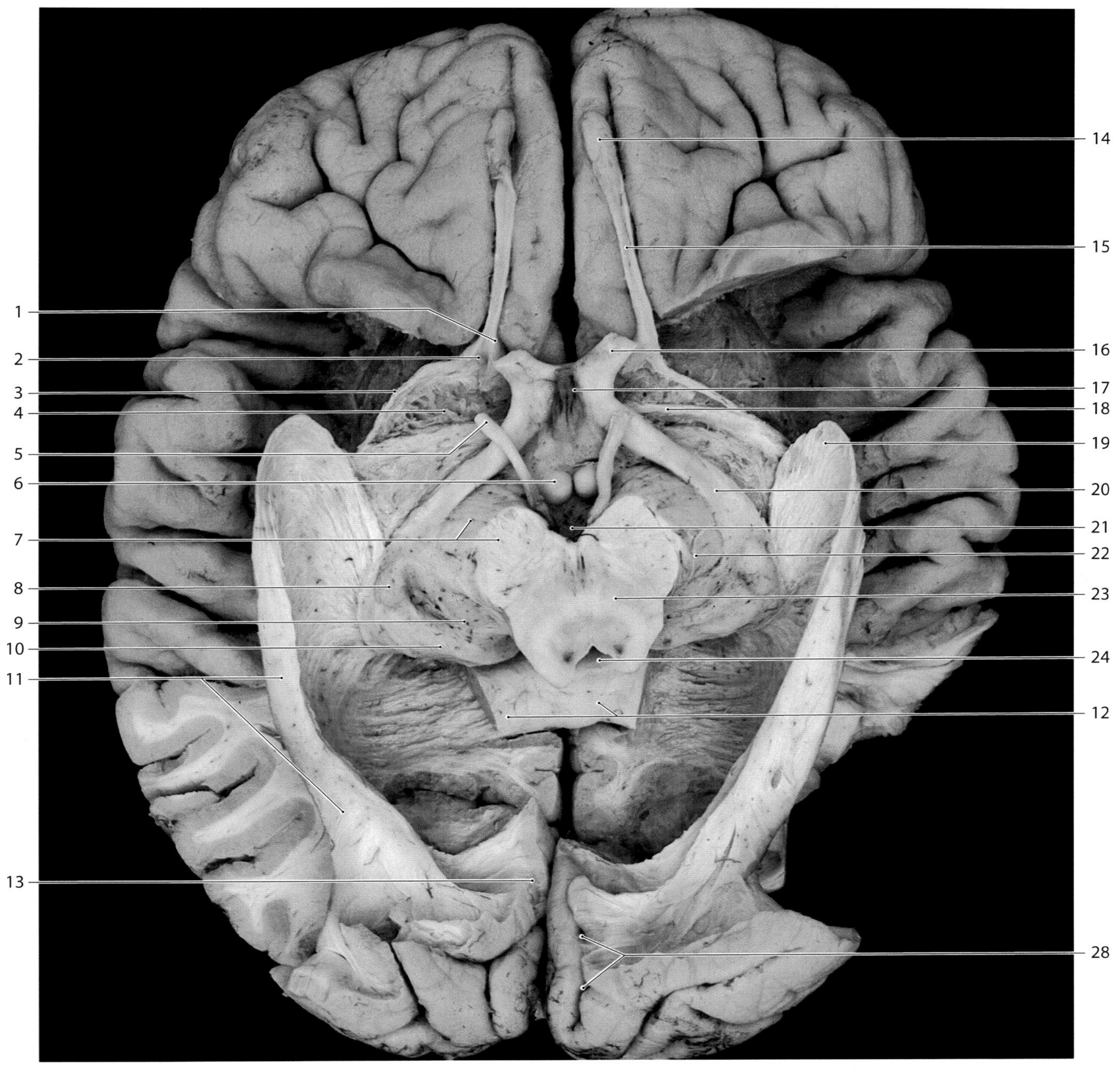

그림 9.48 **시각경로의 해부**(아래에서 본 모습). 위쪽이 이마극이고, 중간뇌를 잘랐음.

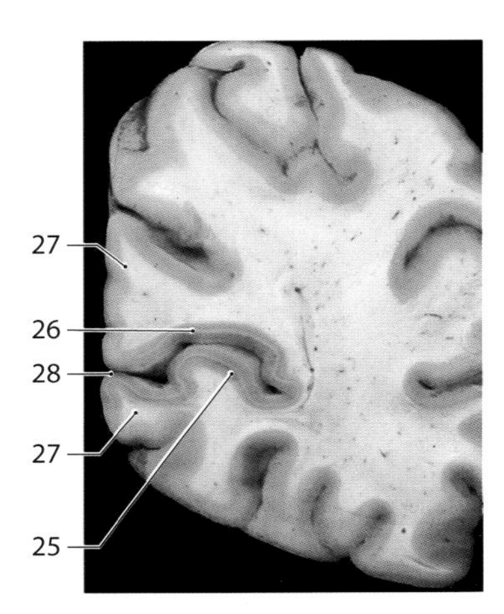

그림 9.49 **시각겉질의 관상단면.**
뒤통수엽 줄무늬구역 위치.

1 안쪽후각섬유줄 Medial olfactory stria
2 후각삼각 Olfactory trigone
3 가쪽후각섬유줄 Lateral olfactory stria
4 앞관통질 Anterior perforated substance
5 눈돌림신경 Oculomotor nerve (CN III)
6 유두체 Mammillary body
7 대뇌다리 Cerebral peduncle
8 가쪽무릎체 Lateral geniculate body
9 안쪽무릎체 Medial geniculate body
10 시상베개 Pulvinar of thalamus
11 시각부챗살 Optic radiation
12 뇌들보팽대(맞교차섬유) Splenium of the corpus callosum (commissural fibers)
13 쐐기소엽 Cuneus
14 후각망울 Olfactory bulb
15 후각로 Olfactory tract
16 시각신경 Optic nerve (CN II)
17 깔때기 Infundibulum
18 앞맞교차 Anterior commissure
19 시각부챗살의 무릎 Genu of optic radiation
20 시각로 Optic tract
21 대뇌다리사이오목과 뒤관통질 Interpeduncular fossa and posterior perforated substance
22 도르래신경 Trochlear nerve (CN IV)
23 흑색질 Substantia nigra
24 중간뇌수도관 Cerebral aqueduct
25 시각겉질 Visual cortex
26 시각겉질선 Line of Gennari
27 시각겉질의 이랑 Gyrus of striate cortex
28 새발톱고랑 Calcarine sulcus

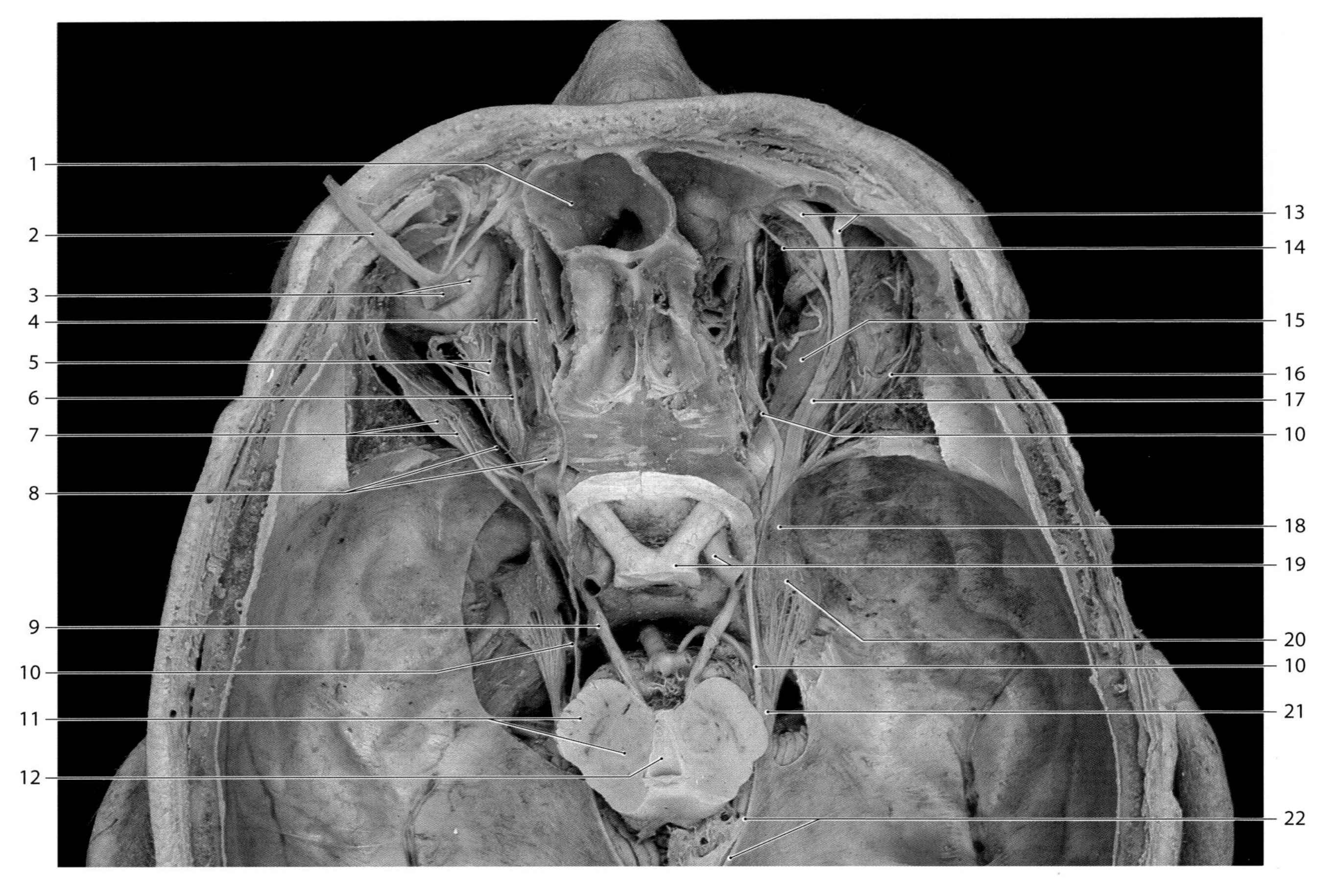

그림 9.50 **눈확의 뇌신경**(위에서 본 모습). 오른쪽: 얕은층, 왼쪽: 중간층. 위곧은근과 이마신경을 잘라 젖혔고 소뇌천막과 경막의 일부를 제거함.

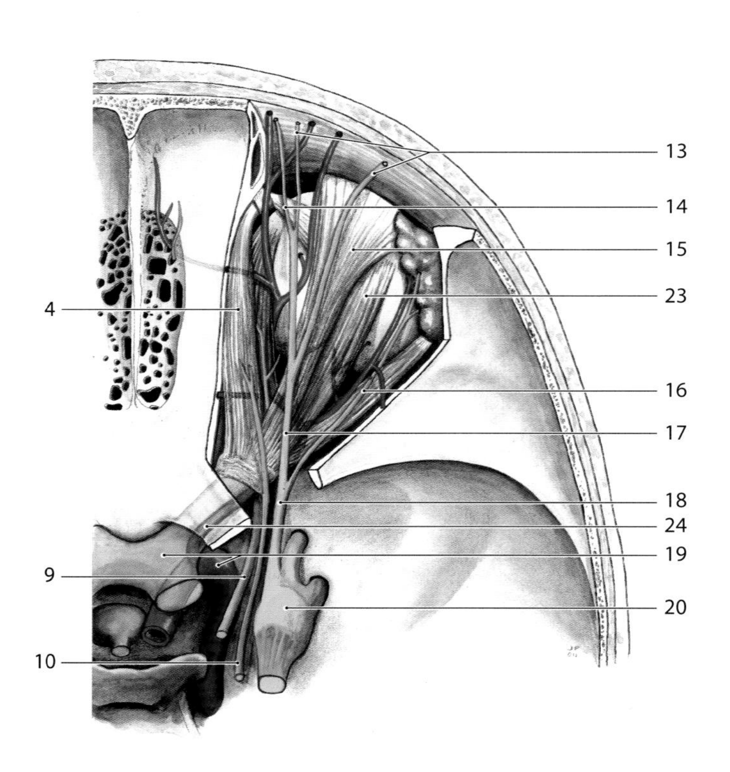

그림 9.51 **눈확 속의 뇌신경**(위에서 본 모습).

1 이마굴(확장됨) Frontal sinus (enlarged)
2 이마신경(잘라젖힘) Frontal nerve (divided and reflected)
3 위곧은근과 안구(잘림) Superior rectus muscle (divided) and eyeball
4 위빗근 Superior oblique muscle
5 짧은섬모체신경과 시각신경 Short ciliary nerves and optic nerve (CN II)
6 코섬모체신경 Nasociliary nerve
7 갓돌림신경과 가쪽곧은근 Abducent nerve (CN VI) and lateral rectus muscle
8 섬모체신경절과 위곧은근(젖힘) Ciliary ganglion and superior rectus muscle (reflected)
9 눈돌림신경 Oculomotor nerve (CN III)
10 도르래신경 Trochlear nerve (CN IV)
11 대뇌섬유다리와 중간뇌 Crus cerebri and midbrain
12 중간뇌수도관과 연결된 셋째뇌실의 아래벽 Inferior wall of the third ventricle connected with cerebral aqueduct
13 눈확위신경의 가쪽과 안쪽가지 Lateral and medial branches of supra-orbital nerve
14 도르래위신경 Supratrochlear nerve
15 위눈꺼풀올림근 Superior levator palpebrae muscle
16 눈물샘신경 Lacrimal nerve
17 이마신경 Frontal nerve
18 눈신경 Ophthalmic nerve (CN V1)
19 시각교차와 속목동맥 Optic chiasma and internal carotid artery
20 삼차신경절 Trigeminal ganglion
21 삼차신경 Trigeminal nerve (CN V)
22 천막파임 Tentorial notch
23 위곧은근 Superior rectus muscle
24 눈동맥 Ophthalmic artery

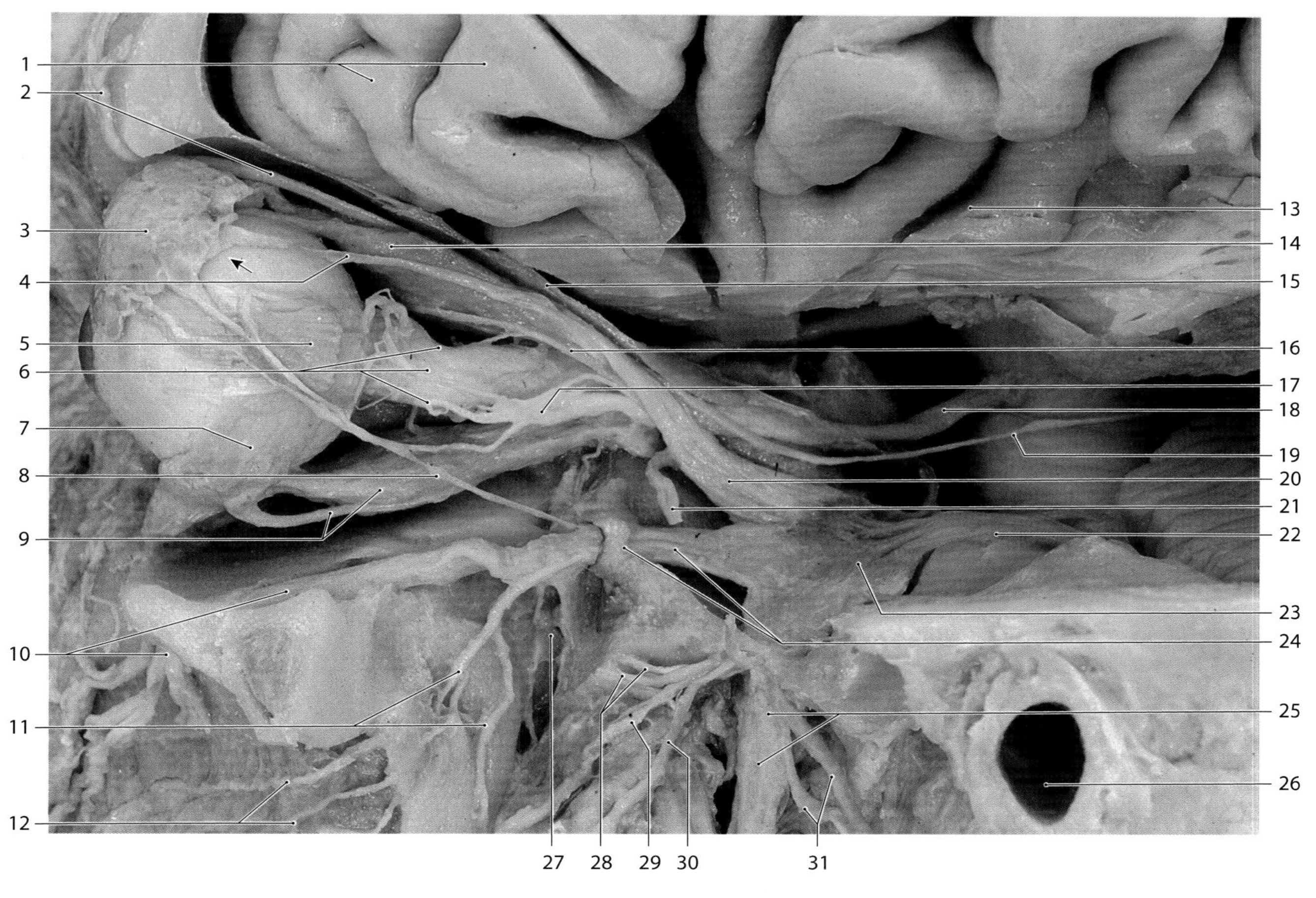

그림 9.52 **눈확과 날개입천장오목의 뇌신경**(왼쪽 눈확, 가쪽에서 본 모습). 시각신경, 눈돌림신경, 도르래신경, 눈신경, 갓돌림신경의 해부. 광대신경과 눈물샘신경 사이의 연결(화살표).

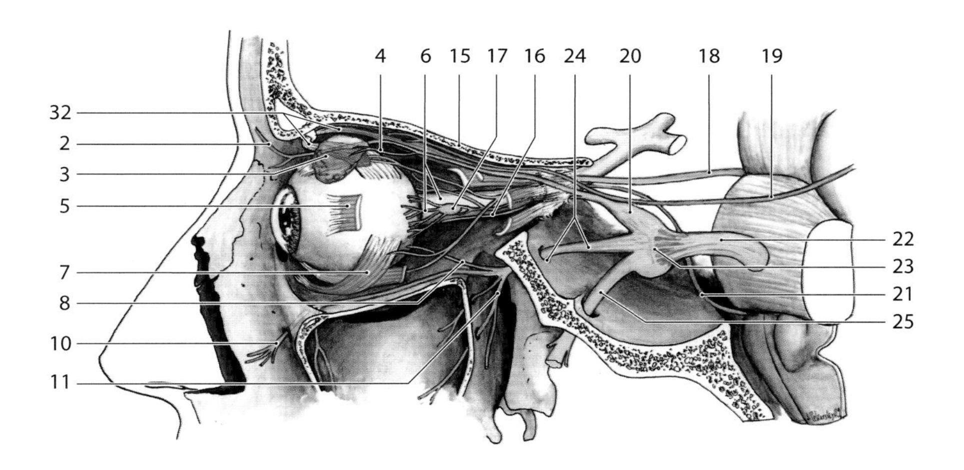

그림 9.53 **바깥안구근육에 분포하는 뇌신경**(가쪽에서 본 모습).

1 이마엽 Frontal lobe
2 눈확위신경 Supra-orbital nerve
3 눈물샘 Lacrimal gland
4 눈물샘신경 Lacrimal nerve
5 가쪽곧 은근(잘림) Lateral rectus muscle (divided)
6 시각신경과 짧은섬모체신경 Optic nerve (CN II) and short ciliary nerves
7 아래빗근 Inferior oblique muscle
8 광대신경 Zygomatic nerve
9 눈돌림신경의 아래가지와 아래곧은근 Inferior branch of oculomotor nerve (CN III) and inferior rectus muscle
10 눈확아래신경 Infra-orbital nerve
11 뒤위이틀신경 Posterior superior alveolar nerves
12 위턱굴점막의 위이틀신경얼기 가지 Branches of superior alveolar plexus adjacent to mucous membrane of maxillary sinus
13 대뇌섬의 중심고랑 Central sulcus of insula
14 위곧은근 Superior rectus muscle
15 눈확뼈막(눈확천장) Periorbita (roof of orbit)
16 코섬모체신경 Nasociliary nerve
17 섬모체신경절 Ciliary ganglion
18 눈돌림신경 Oculomotor nerve (CN III)
19 도르래신경 Trochlear nerve (CN IV)
20 눈신경 Ophthalmic nerve (CN V1)
21 갓돌림신경 Abducent nerve (CN VI) (divided)
22 삼차신경 Trigeminal nerve (CN V)
23 삼차신경절 Trigeminal ganglion
24 위턱신경과 원형구멍 Maxillary nerve (CN V2) and foramen rotundum
25 아래턱신경 Mandibular nerve (CN V3)
26 바깥귀길 External acoustic meatus
27 날개입천장신경 Pterygopalatine nerves
28 깊은관자신경 Deep temporal nerves
29 볼신경 Buccal nerve
30 깨물근신경 Masseteric nerve
31 귓바퀴관자신경 Auriculotemporal nerve
32 도르래와 위빗근 Trochlea and superior oblique muscle

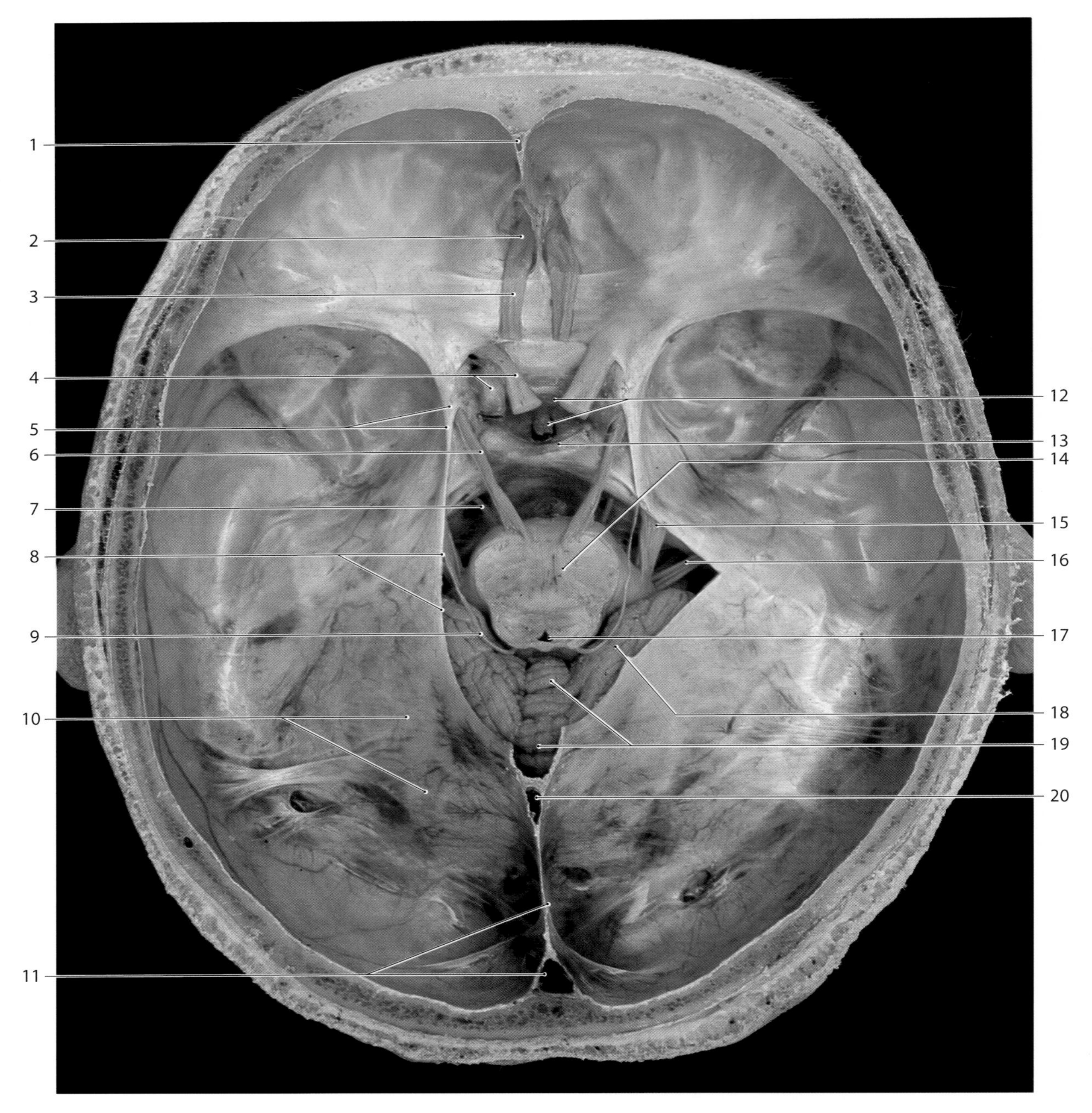

그림 9.54 **머리뼈바닥의 뇌신경**(안쪽 모습 internal aspect). 양쪽 대뇌반구와 뇌줄기의 위부분을 제거하였다. 오른쪽 소뇌천막을 절개하여 천막아래공간의 뇌신경을 볼 수 있게 하였다.

1 위시상정맥굴과 대뇌낫
Superior sagittal sinus with falx cerebri
2 후각망울 Olfactory bulb
3 후각로 Olfactory tract
4 시각신경과 속목동맥
Optic nerve and internal carotid artery
5 앞침대돌기와 소뇌천막의 앞부분
Anterior clinoid process and anterior attachment of cerebellar tentorium
6 눈돌림신경 Oculomotor nerve (CN III)
7 갓돌림신경 Abducent nerve (CN VI)
8 천막파임 Tentorial notch (incisura tentorii)
9 도르래신경 Trochlear nerve (CN IV)
10 소뇌천막 Cerebellar tentorium
11 대뇌낫과 정맥굴합류
Falx cerebri and confluence of sinuses
12 뇌하수체오목, 깔때기와 안장가로막
Hypophysial fossa, infundibulum, and diaphragma sellae
13 안장 Dorsum sellae
14 중간뇌(잘림) Midbrain (divided)
15 삼차신경 Trigeminal nerve (CN V)
16 얼굴신경, 중간신경과 속귀신경
Facial nerve (CN VII), nervus intermedius, and vestibulocochlear nerve (CN VIII)
17 중간뇌수도관 Cerebral aqueduct
18 오른쪽 소뇌반구
Right hemisphere of cerebellum
19 소뇌벌레 Vermis of cerebellum
20 곧은정맥굴 Straight sinus

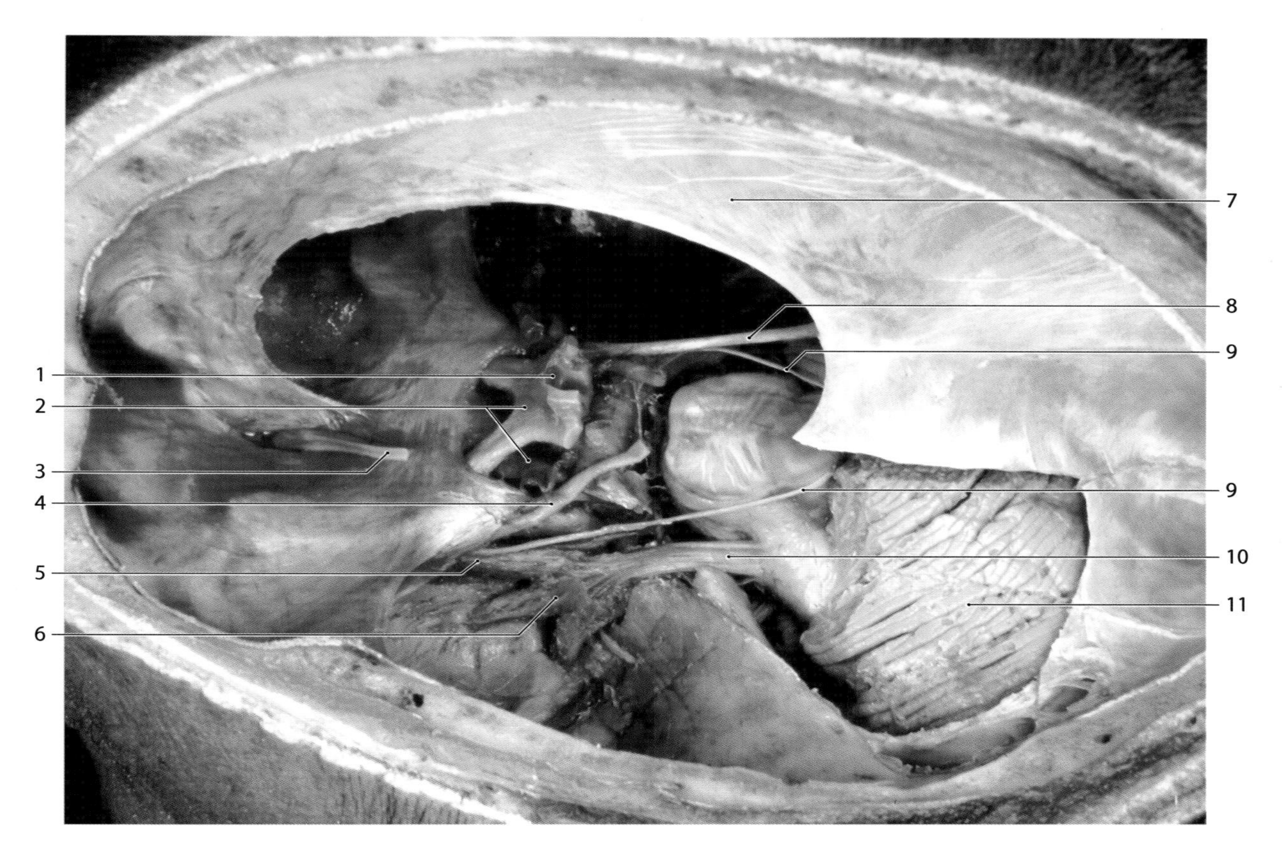

그림 9.55 **머리뼈바닥의 뇌신경.** 뇌줄기는 잘렸고 소뇌천막에 구멍을 내었음. 양쪽 대뇌반구는 제거됨.

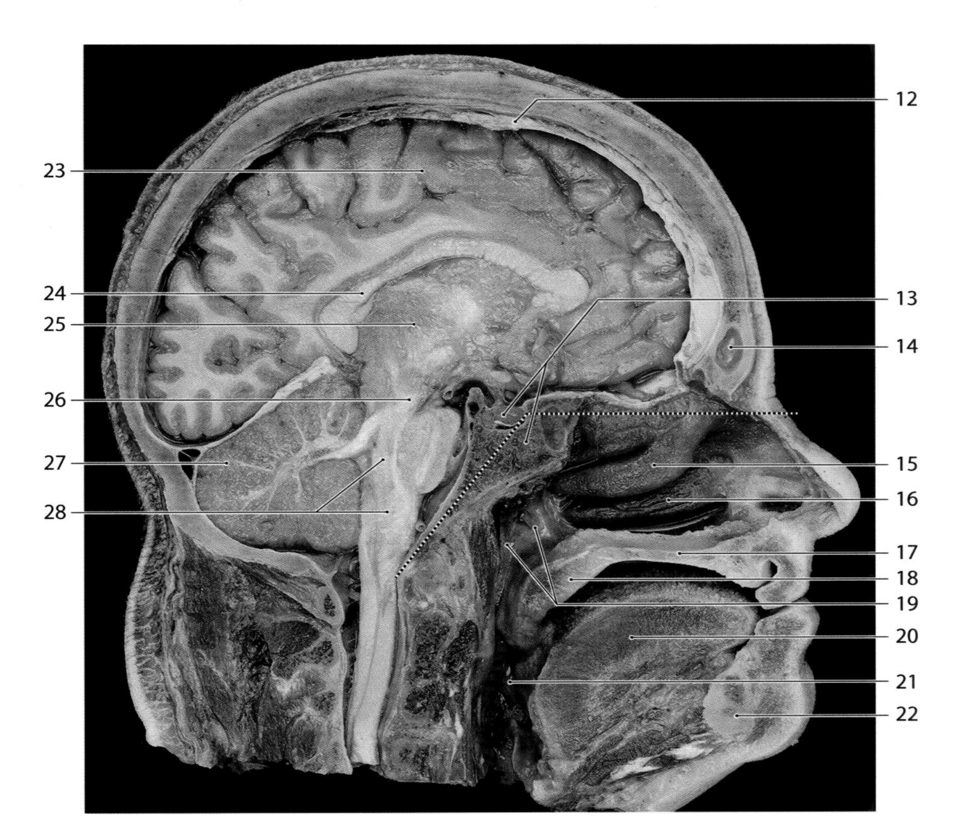

그림 9.56 **머리의 정중단면.** 입천장을 분리한 코와 입안. 머리뼈바닥과 안장이 150°의 각을 이룬다(점선).

1 깔때기 Infundibulum
2 시각교차와 속목동맥 Optic chiasma and internal carotid artery
3 후각로 Olfactory tract
4 눈돌림신경 Oculomotor nerve (CN III)
5 눈신경 Ophthalmic nerve (CN V1)
6 삼차신경절 Trigeminal ganglion
7 대뇌낫 Falx cerebri
8 천막파임 Tentorial notch
9 도르래신경 Trochlear nerve (CN IV)
10 삼차신경 Trigeminal nerve (CN V)
11 소뇌 Cerebellum
12 경질막 Dura mater
13 뇌하수체오목 안의 뇌하수체 Hypophysis within hypophysial fossa
14 이마굴 Frontal sinus
15 중간코선반 Middle nasal concha
16 아래코선반 Inferior nasal concha
17 단단입천장 Hard palate
18 물렁입천장 Soft palate
19 귀관이 열리는 인두 Pharynx with auditory tube
20 혀 Tongue
21 인두의 입천장편도 Pharynx with palatine tonsil
22 아래턱뼈 Mandible
23 대뇌 Cerebrum (끝뇌 telencephalon)
24 뇌들보 Corpus callosum
25 시상 Thalamus
26 3번과 4번 뇌신경이 출현하는 중간뇌 Midbrain (mesencephalon) with cranial nerve nuclei III and IV
27 소뇌 Cerebellum
28 뒤뇌 Hindbrain (마름뇌 rhombencephalon)

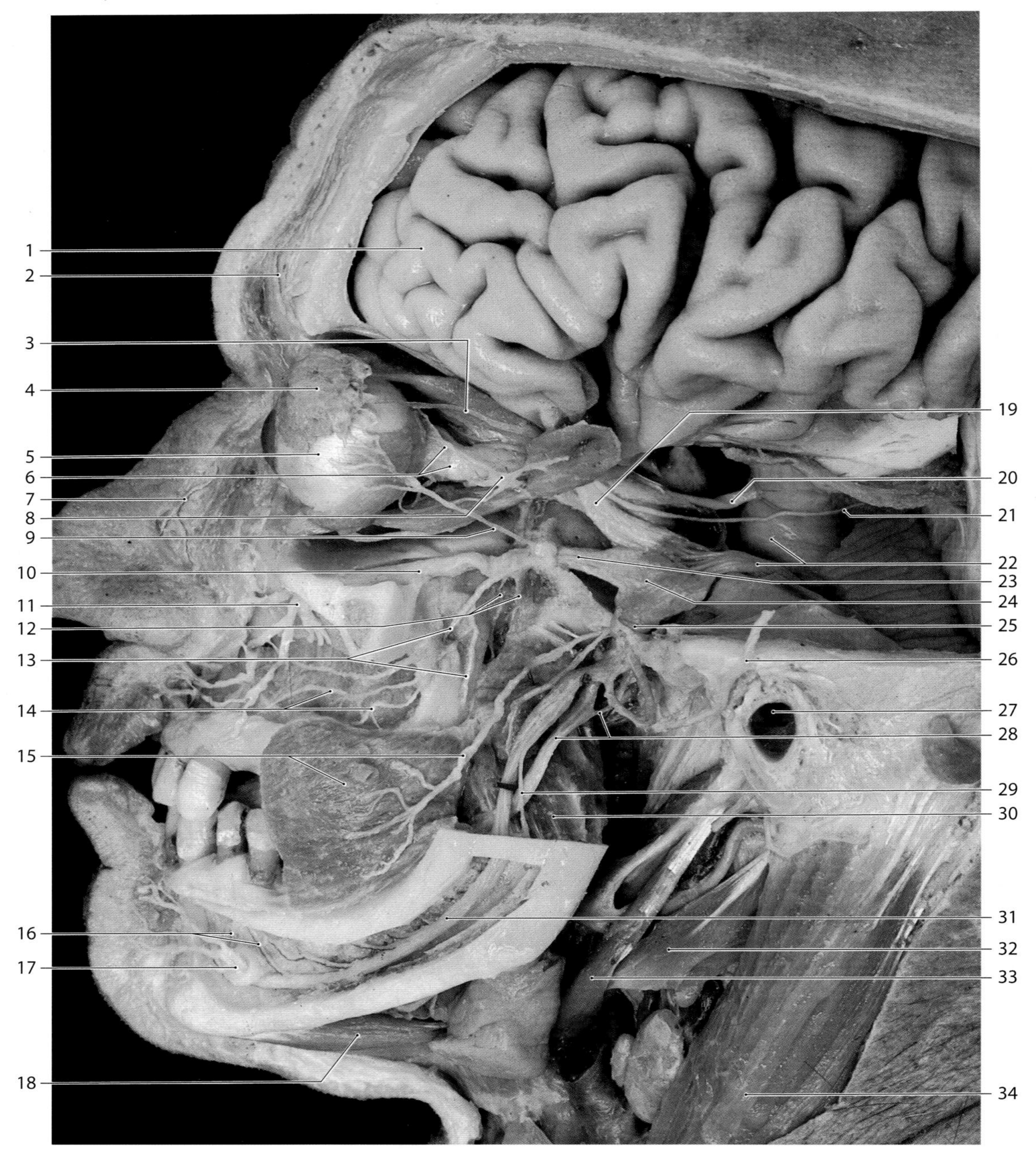

그림 9.57 **삼차신경(CN V)의 해부.** 머리뼈안의 가쪽벽, 눈확의 가쪽벽, 광대활과 아래턱뼈의 가지를 제거하고 아래턱관을 열었다.

1 대뇌의 이마엽 Frontal lobe of cerebrum
2 눈확위신경 Supra-orbital nerve
3 눈물샘신경 Lacrimal nerve
4 눈물샘 Lacrimal gland
5 안구 Eyeball
6 시각신경과 짧은섬모체신경 Optic nerve and short ciliary nerves
7 앞벌집신경의 바깥코가지 External nasal branch of anterior ethmoidal nerve
8 섬모체신경절 Ciliary ganglion
9 광대신경 Zygomatic nerve
10 눈확아래신경 Infra-orbital nerve
11 눈확아래구멍과 눈확아래신경의 종말가지 Infra-orbital foramen and terminal branches of infra-orbital nerve
12 날개입천장신경절과 신경 Pterygopalatine ganglion and pterygopalatine nerves
13 뒤위이틀신경 Posterior superior alveolar nerves
14 위치아신경얼기 Superior dental plexus
15 볼근과 볼신경 Buccinator muscle and buccal nerve
16 아래치아신경얼기 Inferior dental plexus
17 턱끝구멍과 턱끝신경 Mental foramen and mental nerve
18 턱두힘살근의 앞힘살 Anterior belly of digastric muscle
19 눈신경 Ophthalmic nerve (CN V1)
20 눈돌림신경 Oculomotor nerve (CN III)
21 도르래신경 Trochlear nerve (CN IV)
22 삼차신경과 다리뇌 Trigeminal nerve (CN V) and pons
23 위턱신경 Maxillary nerve (CN V2)
24 삼차신경절 Trigeminal ganglion
25 아래턱신경 Mandibular nerve (CN V3)
26 귓바퀴관자신경 Auriculotemporal nerve
27 바깥귀길(잘림) External acoustic meatus (divided)
28 혀신경과 고실끈신경 Lingual nerve and chorda tympani
29 턱목뿔근신경 Mylohyoid nerve
30 안쪽날개근 Medial pterygoid muscle
31 아래이틀신경 Inferior alveolar nerve
32 턱두힘살근의 뒤힘살 Posterior belly of digastric muscle
33 붓목뿔근 Stylohyoid muscle
34 목빗근 Sternocleidomastoid muscle

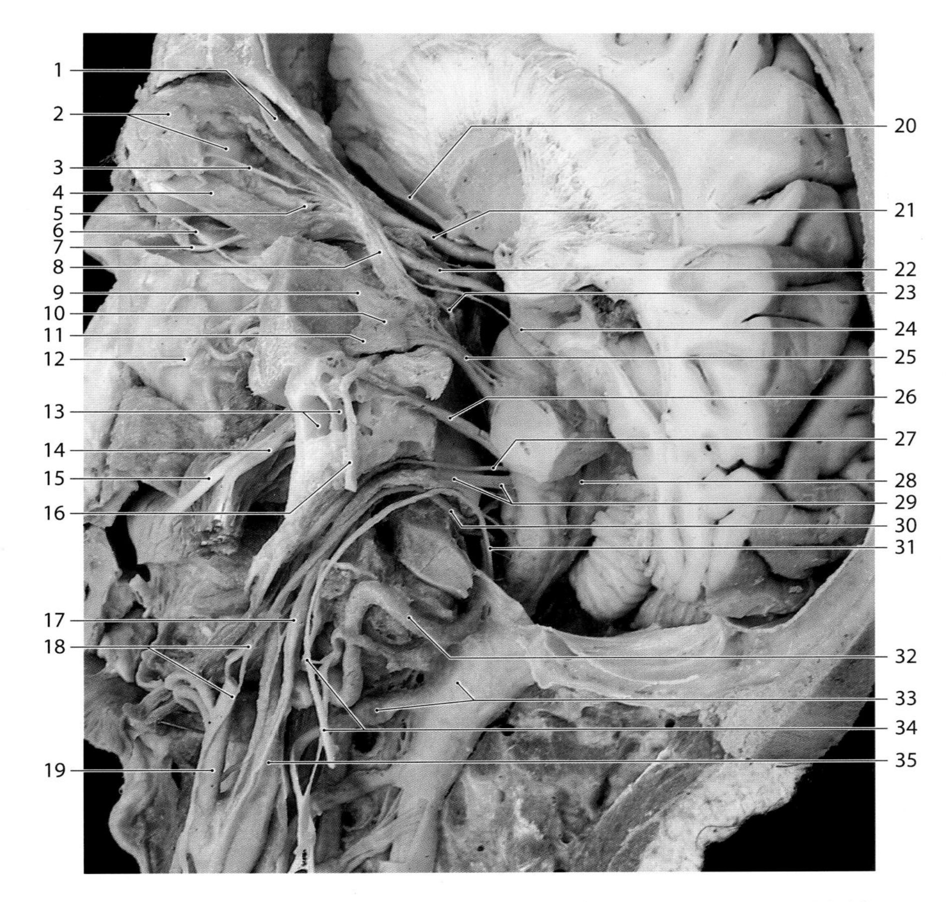

그림 9.58 **뇌줄기에 연결된 뇌신경.** (왼쪽, 가쪽 위에서 본 모습). 뇌와 머리의 반 정도를 제거하였음. 삼차신경절의 위치를 확인할 것.

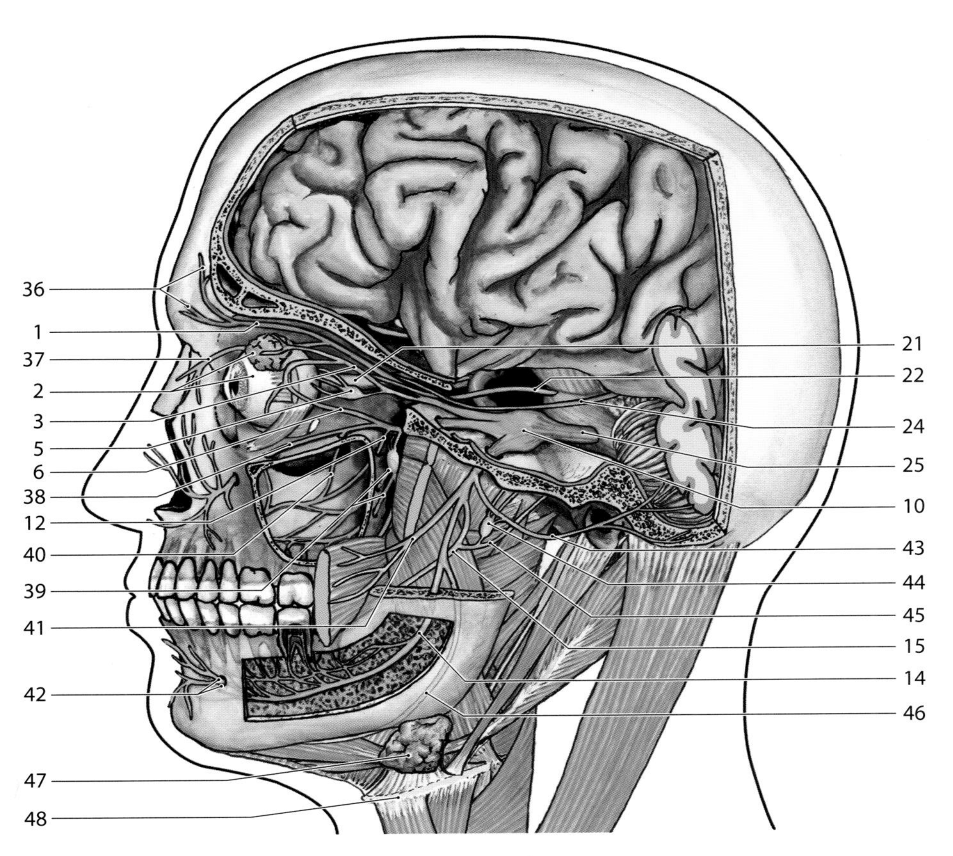

그림 9.59 **삼차신경의 주요가지**(그림 9.57와 비교하시오.)

1 이마신경 Frontal nerve
2 눈물샘과 안구 Lacrimal gland and eyeball
3 눈물샘신경 Lacrimal nerve
4 가쪽곧은근 Lateral rectus muscle
5 시각신경 가쪽의 섬모체신경절 Ciliary ganglion lateral to optic nerve
6 광대신경 Zygomatic nerve
7 눈돌림신경의 아래가지 Inferior branch of oculomotor nerve
8 눈신경 Ophthalmic nerve (CN V1)
9 위턱신경 Maxillary nerve (CN V2)
10 삼차신경절 Trigeminal ganglion
11 아래턱신경 Mandibular nerve (CN V3)
12 뒤위이틀신경 Posterior superior alveolar nerves
13 고실, 바깥귀길과 고막 Tympanic cavity, external acoustic meatus, and tympanic membrane
14 아래이틀신경 Inferior alveolar nerve
15 혀신경 Lingual nerve
16 얼굴신경 Facial nerve (CN VII)
17 미주신경 Vagus nerve (CN X)
18 혀밑신경과 목신경고리의 위뿌리 Hypoglossal nerve (CN XII) and superior root of ansa cervicalis
19 바깥목동맥 External carotid artery
20 후각로 Olfactory tract (CN I)
21 시각신경(머리뼈안부분) Optic nerve (CN II) (intracranial part)
22 눈돌림신경 Oculomotor nerve (CN III)
23 갓돌림신경 Abducent nerve (CN VI)
24 도르래신경 Trochlear nerve (CN IV)
25 삼차신경 Trigeminal nerve (CN V)
26 속귀신경과 얼굴신경 Vestibulocochlear nerve (CN VIII) and facial nerve (CN VII)
27 혀인두신경(뇌줄기에서 나가는) Glossopharyngeal nerve (CN IX) (leaving brain stem)
28 마름오목 Rhomboid fossa
29 미주신경(뇌줄기에서 나가는) Vagus nerve (CN X) (leaving brain stem)
30 혀밑신경(숨뇌에서 나가는) Hypoglossal nerve (CN XII) (leaving medulla oblongata)
31 더부신경(큰구멍에서 올라가는) Accessory nerve (CN XI) (ascending from foramen magnum)
32 척추동맥 Vertebral artery
33 척수신경절과 척수경막 Spinal ganglion and dura mater of spinal cord
34 더부신경 Accessory nerve (CN XI)
35 속목동맥 Internal carotid artery
36 눈확위신경의 가쪽과 안쪽가지 Lateral and medial branch of supra-orbital nerve
37 도르래아래신경 Infratrochlear nerve
38 눈확아래신경 Infra-orbital nerve
39 날개입천장신경절과 신경 Pterygopalatine ganglion and pterygopalatine nerves
40 중간위이틀신경(위치아신경얼기로 들어가는) Middle superior alveolar nerves (entering superior dental plexus)
41 볼신경 Buccal nerve
42 턱끝신경과 턱끝구멍 Mental nerve and mental foramen
43 귓바퀴관자신경 Auriculotemporal nerve
44 귀신경절 Otic ganglion
45 고실끈신경 Chorda tympani
46 턱목뿔근신경 Mylohyoid nerve
47 턱밑샘 Submandibular gland
48 목뿔뼈 Hyoid bone

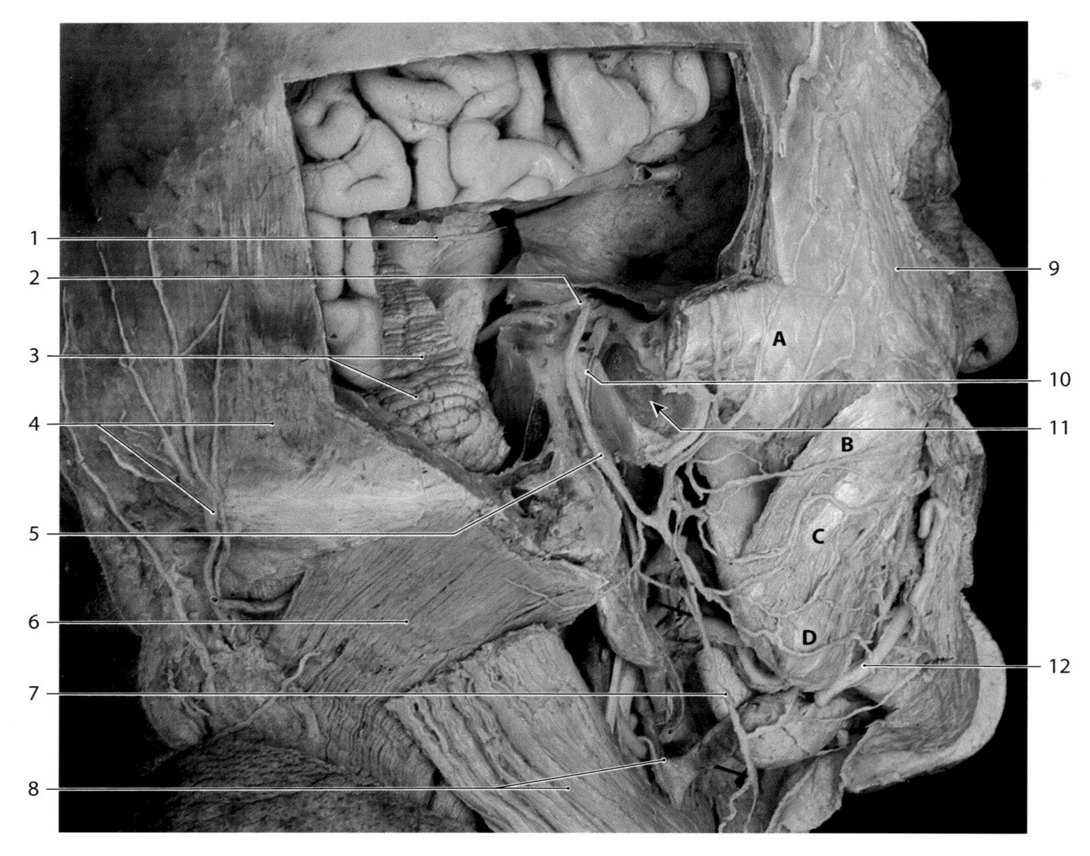

그림 9.60 **얼굴신경(CN VII) 전체의 해부.** 머리뼈를 잘라내고 관자엽의 일부를 제거하였다. 얼굴신경관과 고실을 열었고 바깥귀길의 뒤벽을 제거하였다.

얼굴신경의 가지

A = 관자가지 Temporal branch
B = 광대가지 Zygomatic branches
C = 볼가지 Buccal branches
D = 턱모서리가지 Marginal mandibular branch

1 도르래신경 Trochlear nerve (CN IV)
2 얼굴신경과 무릎신경절 Facial nerve (CN VII) with geniculate ganglion
3 소뇌(오른쪽 반구) Cerebellum (right hemisphere)
4 뒤통수이마근의 뒤통수힘살과 큰뒤통수신경 Occipital belly of occipitofrontalis muscle and greater occipital nerve
5 붓꼭지구멍의 얼굴신경 Facial nerve (CN VII) at stylomastoid foramen
6 머리널판근 Splenius capitis muscle
7 얼굴신경의 목가지 Cervical branch of facial nerve (CN VII)
8 목빗근과 아래턱뒤정맥 Sternocleidomastoid muscle and retromandibular vein
9 눈둘레근 Orbicularis oculi muscle
10 고실끈신경 Chorda tympani
11 바깥귀길 External acoustic meatus
12 얼굴동맥 Facial artery
13 꼭지벌집 Mastoid air cells
14 뒤귓바퀴신경 Posterior auricular nerve
15 얼굴신경의 신경핵과 무릎 Nucleus and genu of facial nerve

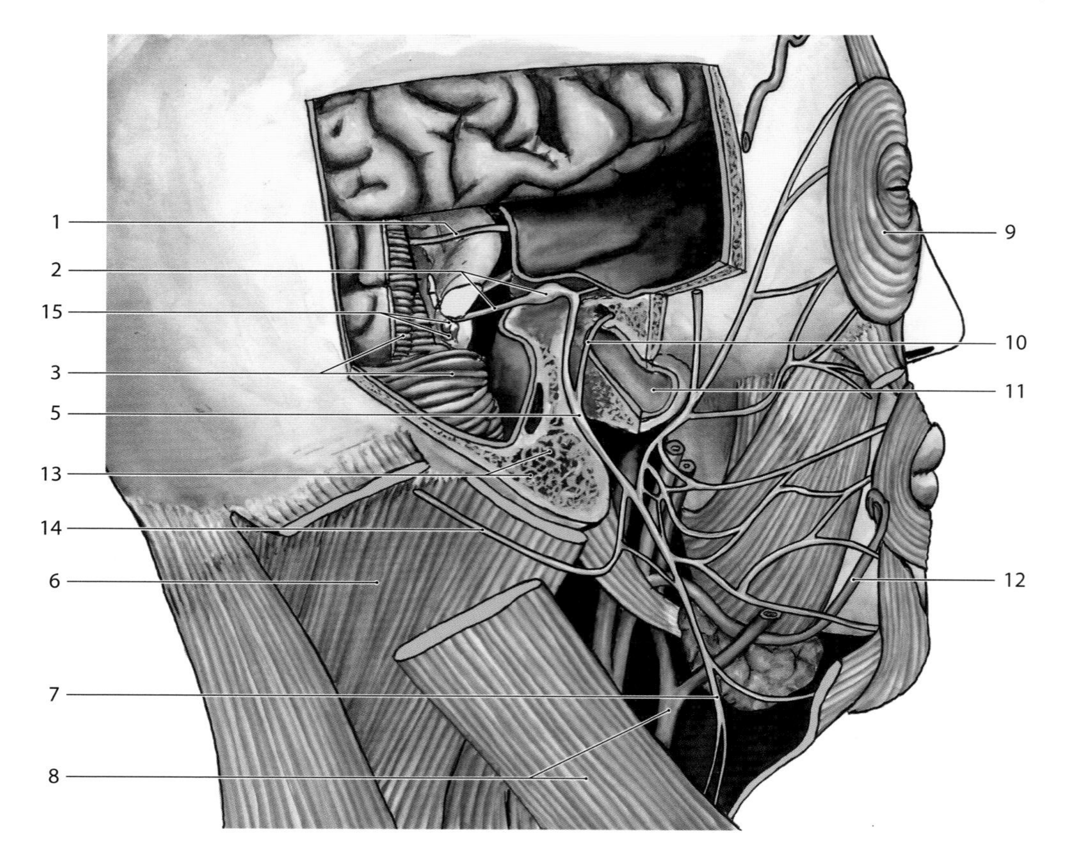

그림 9.61 **얼굴신경**(그림 9.60과 비교하시오).

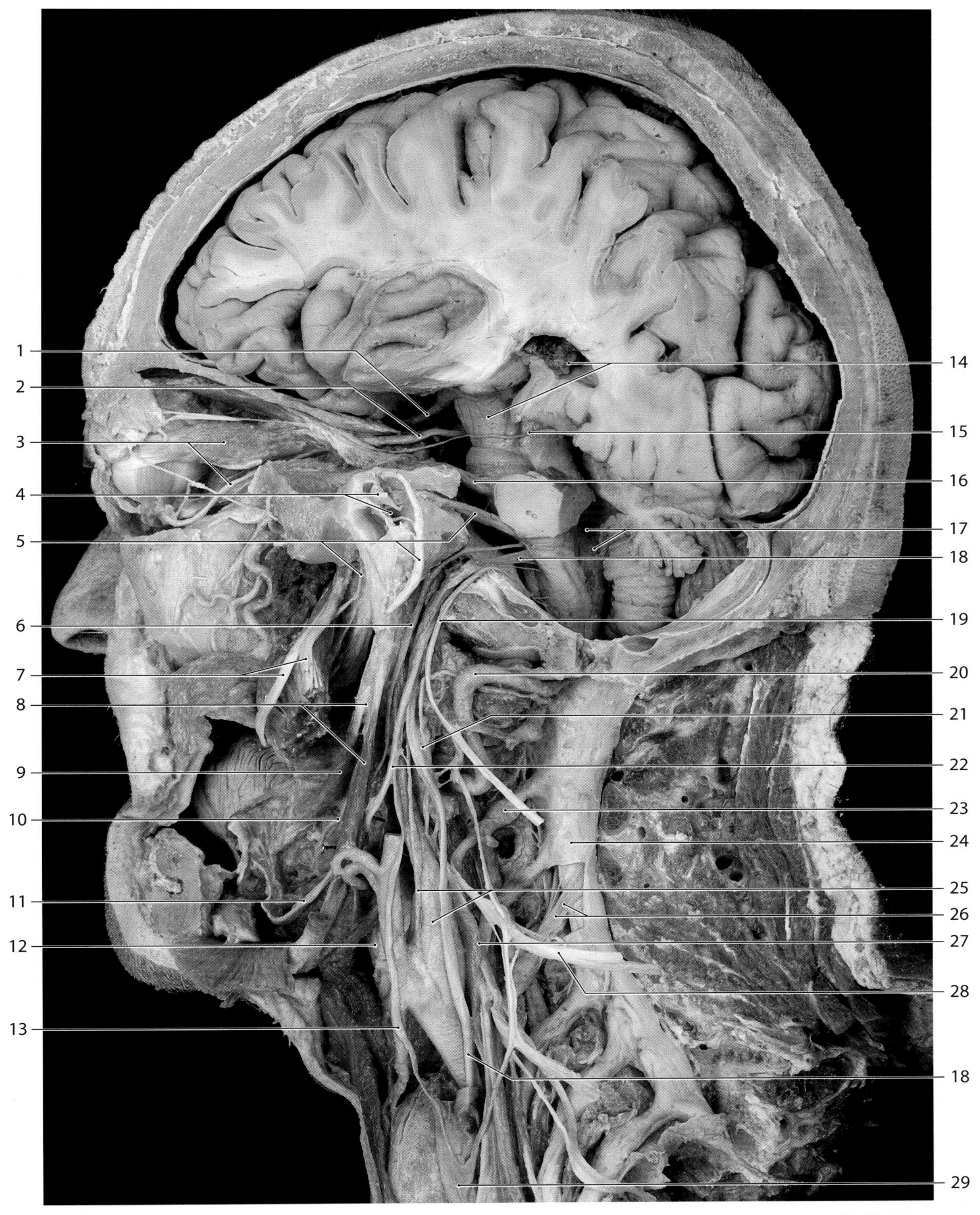

그림 9.62 **뇌줄기에 연결된 뇌신경**(비스듬하게 가쪽에서 본 모습). 머리뼈, 뇌, 목, 얼굴 구조물의 가쪽부분, 눈확과 입안의 가쪽벽을 제거하였다. 고실을 열었으며 아래턱뼈는 잘랐고 씹기근육을 제거하였다.

1 시각로 Optic tract
2 눈돌림신경 Oculomotor nerve (CN III)
3 가쪽곧은근과 눈돌림신경의 아래가지 Lateral rectus muscle and inferior branch of oculomotor nerve
4 망치뼈와 고실끈신경 Malleus and chorda tympani
5 고실끈신경, 얼굴신경과 속귀신경 Chorda tympani, facial nerve (CN VII), and vestibulocochlear nerve (CN VIII)
6 혀인두신경 Glossopharyngeal nerve (CN XI)
7 혀신경과 아래이틀신경 Lingual nerve and inferior alveolar nerve
8 붓돌기와 붓목뿔근 Styloid process and stylohyoid muscle
9 붓혀근 Styloglossus muscle
10 혀인두신경의 혀가지 Lingual branches of glossopharyngeal nerve
11 혀밑신경의 혀가지 Lingual branch of hypoglossal nerve
12 바깥목동맥 External carotid artery
13 목신경고리의 위뿌리(첫째목신경에서 나온 혀밑신경의 가지) Superior root of ansa cervicalis (branch of hypoglossal nerve, derived from C1)
14 가쪽뇌실의 맥락얼기와 대뇌다리 Lateral ventricle with choroid plexus and cerebral peduncle
15 도르래신경 Trochlear nerve (CN IV)
16 삼차신경 Trigeminal nerve (CN V)
17 넷째뇌실과 마름오목 Fourth ventricle and rhomboid fossa
18 미주신경 Vagus nerve (CN X)
19 더부신경 Accessory nerve (CN XI)
20 척추동맥 Vertebral artery
21 위목신경절 Superior cervical ganglion
22 혀밑신경 Hypoglossal nerve (CN XII)
23 척수신경절과 경막집 Spinal ganglion with dural sheath
24 척수의 경막 Dura mater of spinal cord
25 속목동맥과 혀인두신경의 목동맥팽대가지 Internal carotid artery and carotid sinus branch of glossopharyngeal nerve
26 척수신경의 뒤뿌리 Dorsal roots of spinal nerve
27 교감신경줄기 Sympathetic trunk
28 목신경얼기의 가지(셋째목신경의 앞가지) Branch of cervical plexus (ventral primary ramus of third cervical spinal nerve)
29 목신경고리 Ansa cervicalis

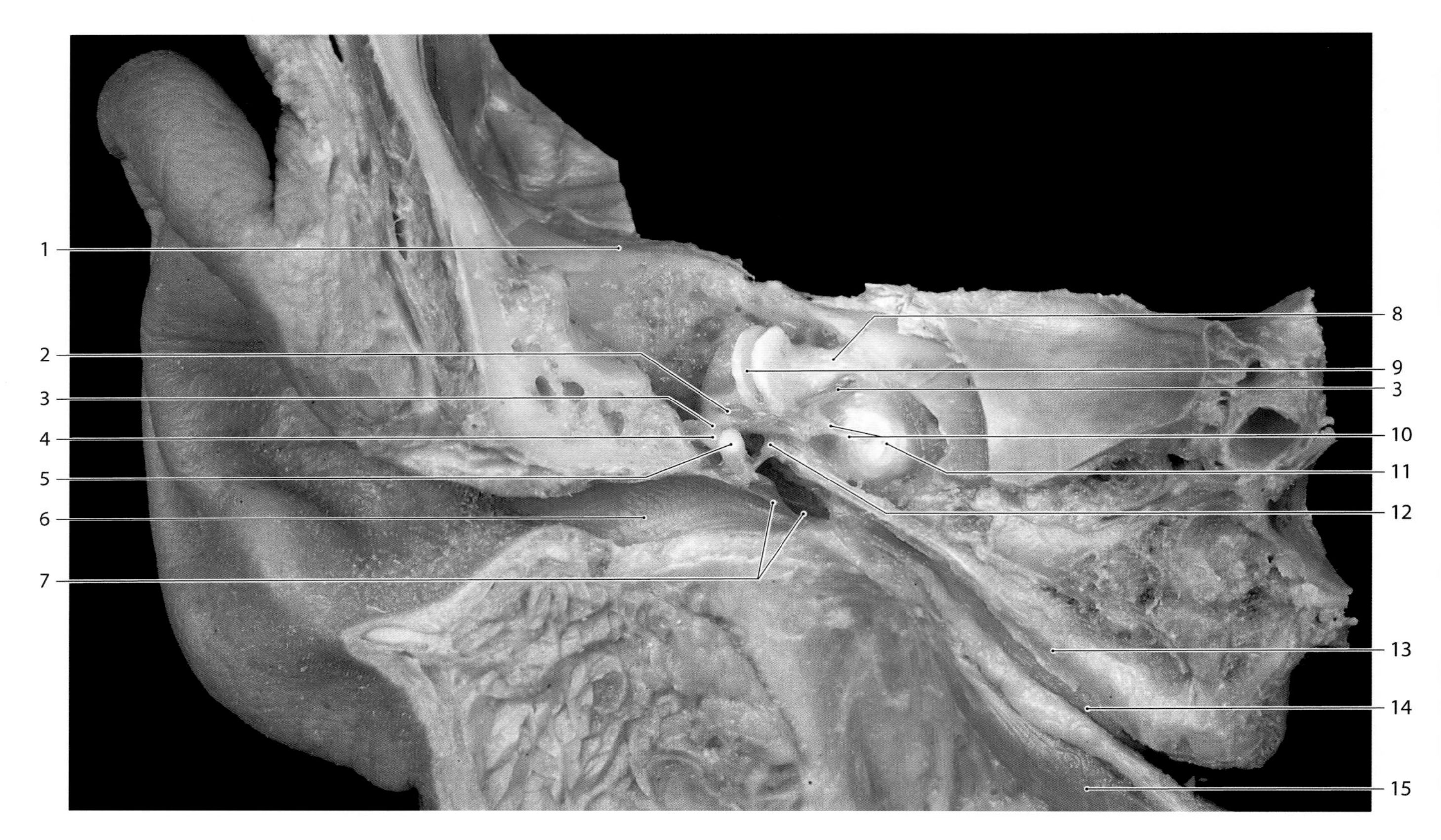

그림 9.63 **오른쪽 바깥귀, 가운데귀, 속귀를 지나는 세로단면.** 달팽이관과 반고리뼈관을 더 해부하였다(앞에서 본 모습).

1 고실천장 Roof of tympanic cavity
2 가쪽반고리뼈관 Lateral osseous semicircular canal
3 얼굴신경 Facial nerve
4 모루뼈 Incus
5 망치뼈 Malleus
6 바깥귀길 External acoustic meatus
7 고실과 고막 Tympanic cavity and tympanic membrane
8 속귀신경 Vestibulocochlear nerve
9 앞반고리뼈관 Anterior osseous semicircular canal
10 무릎신경절과 큰바위신경 Geniculate ganglion and greater petrosal nerve
11 달팽이 Cochlea
12 등자뼈 Stapes
13 고막긴장근 Tensor tympani muscle
14 귀관 Auditory tube
15 입천장올림근 Levator veli palatini muscle
16 붓돌기 Styloid process

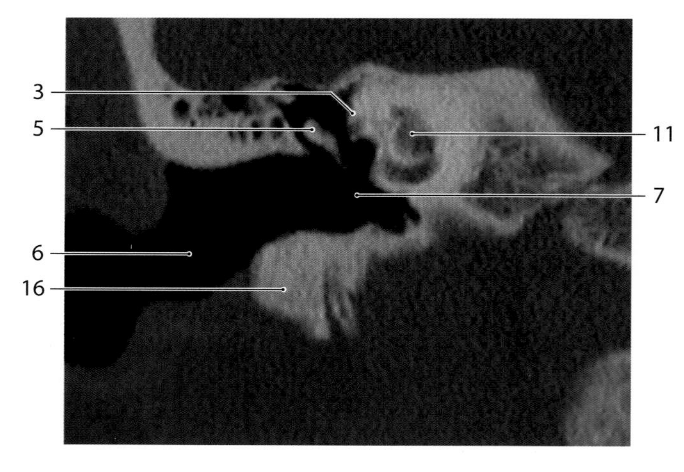

그림 9.64 **청각 및 안뜰기관**(자기공명영상. 그림 9.67과 비교해볼 것). (Courtesy of Prof. Uder, Institute of Radiology, University Hospital Erlangen, Germany.)

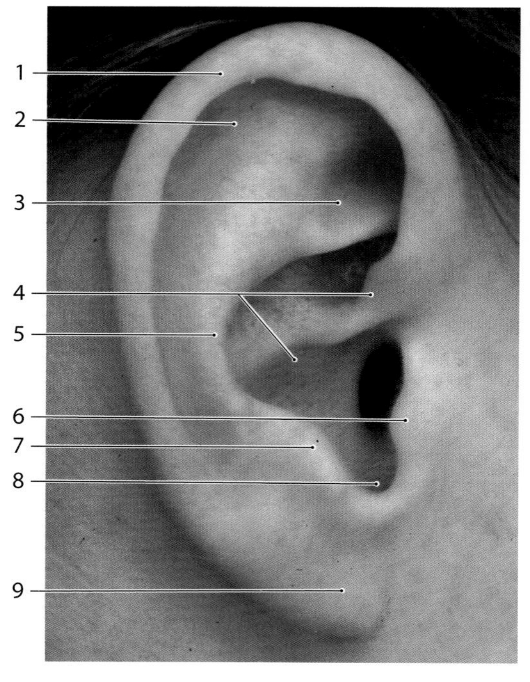

1 귀둘레 Helix
2 배오목 Scaphoid fossa
3 세모오목 Triangular fossa
4 귀조가비 Concha
5 맞둘레 Antihelix
6 귀구슬 Tragus
7 맞구슬 Antitragus
8 귀구슬사이파임 Intertragic notch
9 귓불 Lobule

그림 9.65 **오른쪽 귓바퀴**(가쪽에서 본 모습).

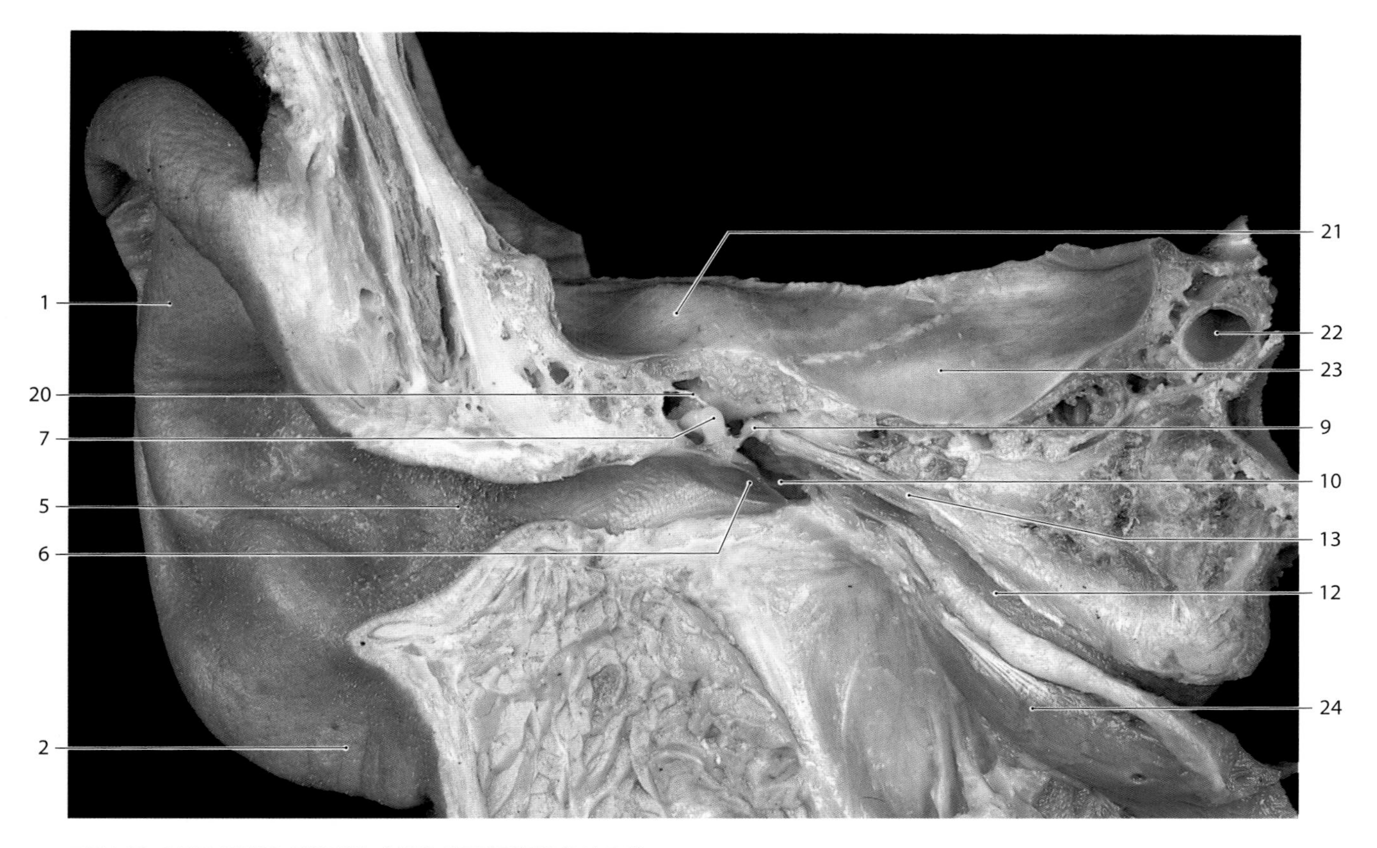

그림 9.66 **오른쪽 바깥귀, 가운데귀, 속귀의 세로단면**(앞에서 본 모습).

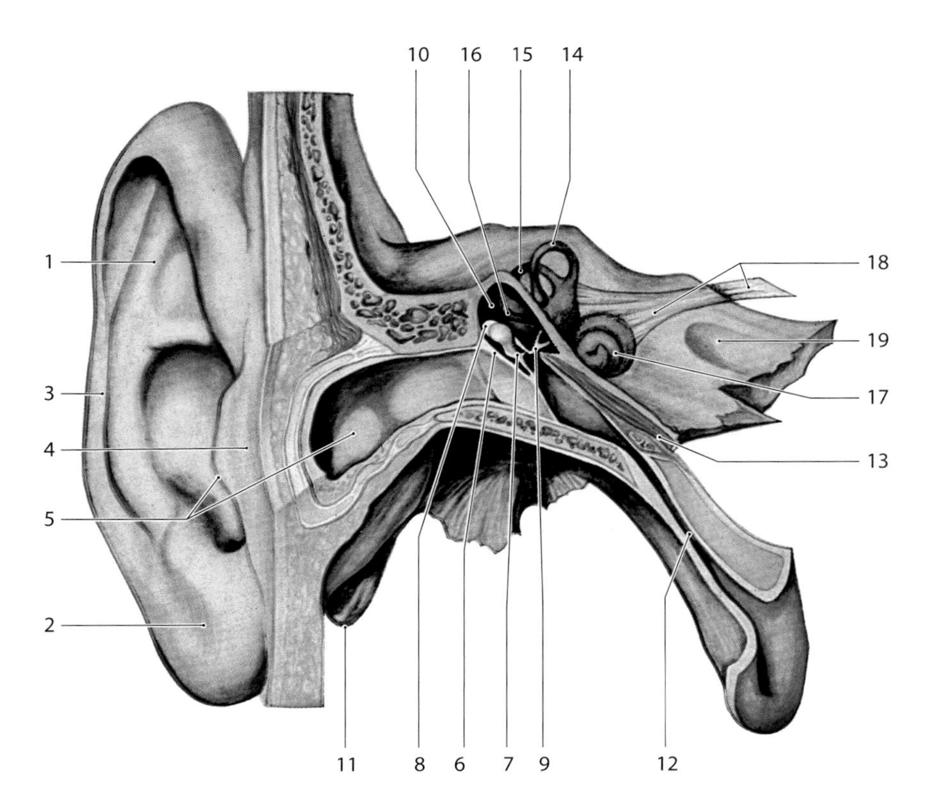

그림 9.67 **오른쪽 청각 및 안뜰기관**(앞에서 본 모습. 그림 9.64와 비교할 것)

바깥귀 Outer ear
1 귓바퀴 Auricle
2 귓불 Lobule of auricle
3 귀둘레 Helix
4 귀구슬 Tragus
5 바깥귀길 External acoustic meatus

가운데귀 Middle ear
6 고막 Tympanic membrane
7 망치뼈 Malleus
8 모루뼈 Incus
9 등자뼈 Stapes
10 고실 Tympanic cavity
11 꼭지돌기 Mastoid process
12 귀관 Auditory tube
13 고막긴장근 Tensor tympani muscle

속귀 Inner ear
14 앞반고리관 Anterior semicircular duct
15 뒤반고리관 Posterior semicircular duct
16 가쪽반고리관 Lateral semicircular duct
17 달팽이 Cochlea
18 속귀신경 Vestibulocochlear nerve (CN VIII)
19 관자뼈의 바위부분
Petrous part of the temporal bone

기타 부속 구조 Additional structures
20 위망치인대 Superior ligament of malleus
21 활꼴융기 Arcuate eminence
22 속목동맥 Internal carotid artery
23 경막에 덮인 바위부분의 앞면
Anterior surface of pyramid with dura mater
24 입천장올림근 Levator veli palatini muscle

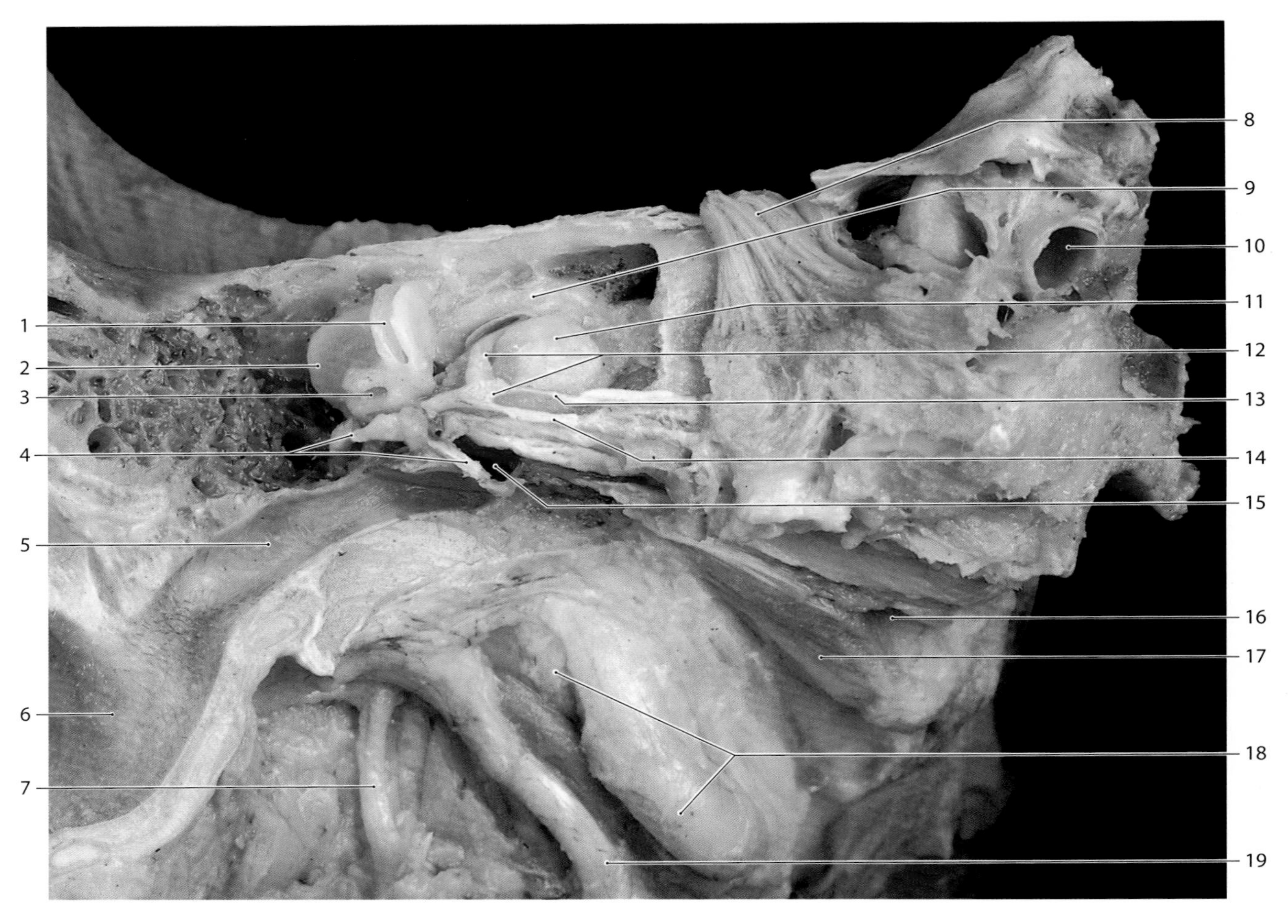

그림 9.68 **바깥귀, 가운데귀, 속귀를 지나는 세로단면**(앞에서 본 모습). 얼굴신경과 작은 및 큰바위신경이 보이게 더 해부하였다.

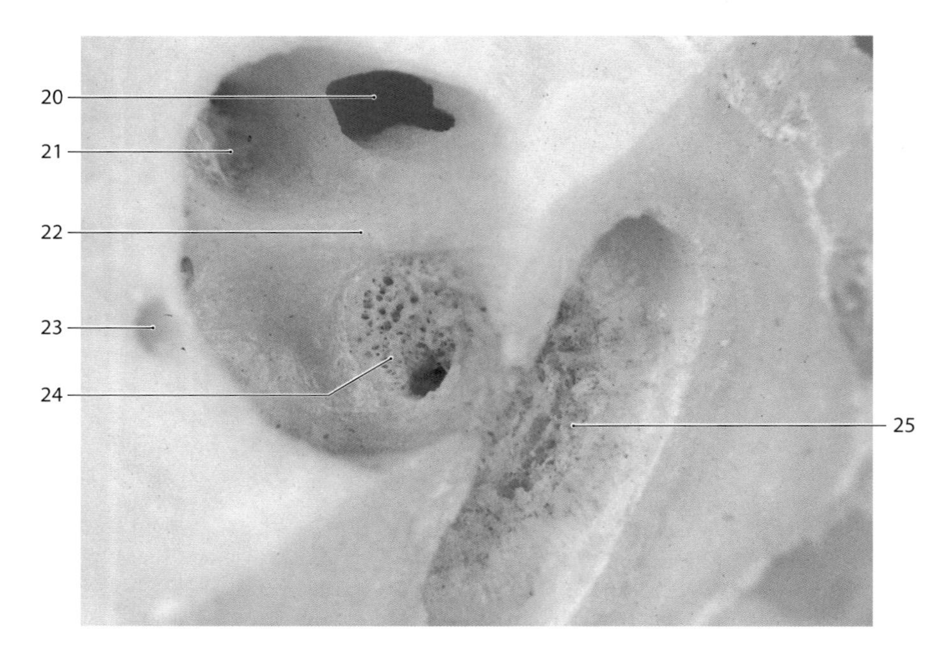

그림 9.69 **왼쪽 속귀길.** 뼈를 제거하여 속귀길의 바닥이 보이게 하였다.

1 앞반고리뼈관(열림) Anterior osseous semicircular canal (opened)
2 뒤반고리뼈관 Posterior osseous semicircular canal
3 가쪽반고리뼈관(열림) Lateral osseous semicircular canal (opened)
4 얼굴신경과 고실끈신경 Facial nerve and chorda tympani
5 바깥귀길 External acoustic meatus
6 귓바퀴 Auricle
7 얼굴신경 Facial nerve
8 삼차신경 Trigeminal nerve
9 속귀길의 뼈바닥 Bony base of internal acoustic meatus
10 해면정맥굴 속의 속목동맥 Internal carotid artery within cavernous sinus
11 달팽이 Cochlea
12 얼굴신경과 무릎신경절 Facial nerve with geniculate ganglion
13 큰바위신경 Greater petrosal nerve
14 작은바위신경 Lesser petrosal nerve
15 고실 Tympanic cavity
16 귀관 Auditory tube
17 입천장올림근 Levator veli palatini muscle
18 속목동맥과 속목정맥 Internal carotid artery and internal jugular vein
19 붓돌기 Styloid process
20 얼굴신경구역 Area of facial nerve
21 위안뜰신경구역 Superior vestibular area
22 가로능선 Transverse crest
23 홀구멍 Foramen singulare
24 구멍벽나선길(속귀신경의 달팽이부분이 나가는 곳) Foraminous spiral tract (outlet of cochlear part of vestibulocochlear nerve)
25 달팽이바닥 Base of cochlea

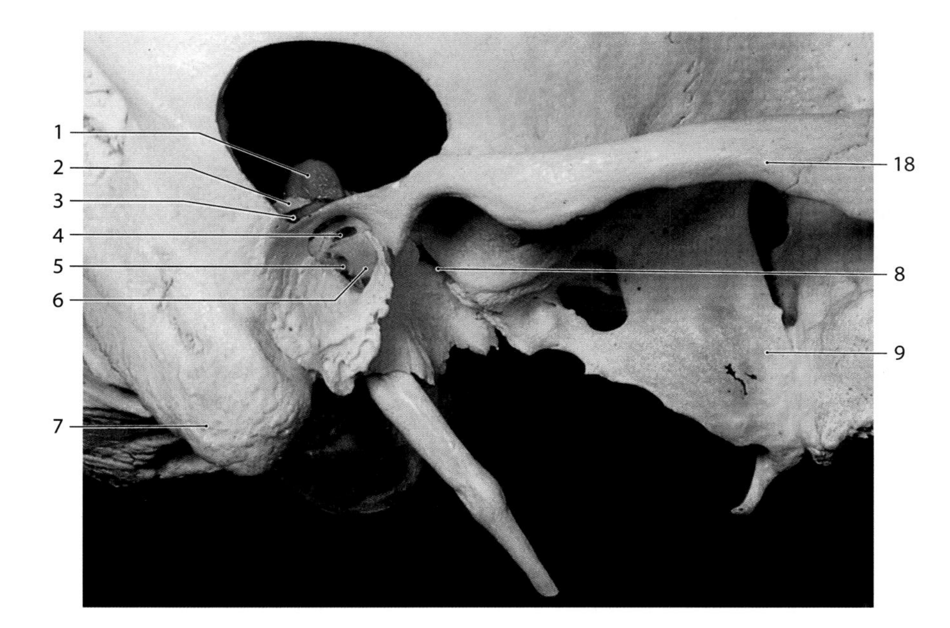

그림 9.70 **오른쪽 관자뼈**(가쪽에서 본 모습). 바위비늘부분 일부를 제거하여 반고리뼈관이 보이게 하였다.

1 앞반고리뼈관(빨강) Anterior semicircular canal (red)
2 뒤반고리뼈관(노랑) Posterior semicircular canal (yellow)
3 가쪽(수평)반고리뼈관(초록) Lateral or horizontal semicircular canal (green)
4 안뜰창(타원창) Fenestra vestibuli
5 달팽이창(둥근창) Fenestra cochleae
6 고실 Tympanic cavity
7 꼭지돌기 Mastoid process
8 바위고막틈틈새(빨강 탐침; 고실끈신경) Petrotympanic fissure (red probe: chorda tympani)
9 가쪽날개판 Lateral pterygoid plate
10 꼭지벌집 Mastoid air cells
11 얼굴신경관(파랑) Facial canal (blue)
12 타원구멍 Foramen ovale
13 목동맥관(빨강) Carotid canal (red)
14 고막틀고리 Tympanic ring
15 관자뼈의 바위부분 Petromastoid part of temporal bone
16 관자뼈의 비늘부분 Squamous part of temporal bone
17 비늘꼭지봉합 Squamomastoid suture
18 관자뼈의 광대돌기 Zygomatic process of temporal bone
19 고막틀파임 Incisure of tympanic ring
20 고실곶 Promontory
21 고실끈신경소관(초록색 탐침) Canaliculus chordae tympani (green probe)
22 꼭지돌기 Mastoid process
23 등자근신경소관(빨강) Canaliculus for stapedius nerve (red)
24 달팽이 Cochlea
25 꼭지소관(빨강 탐참) Canaliculus mastoideus (red probe)

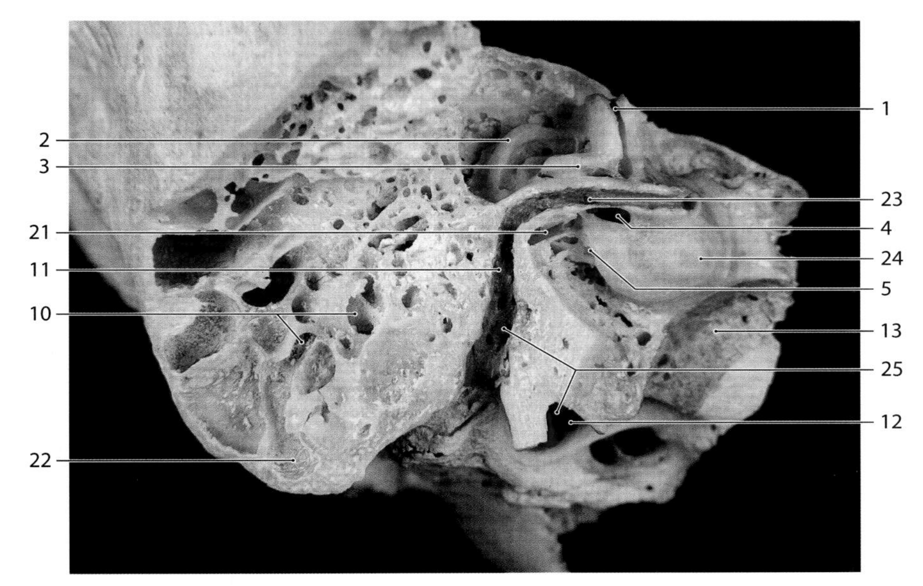

그림 9.71 **오른쪽 관자뼈**(가쪽에서 본 모습). 꼭지벌집과 얼굴신경관을 열었고, 세 반고리뼈관을 해부하였다.

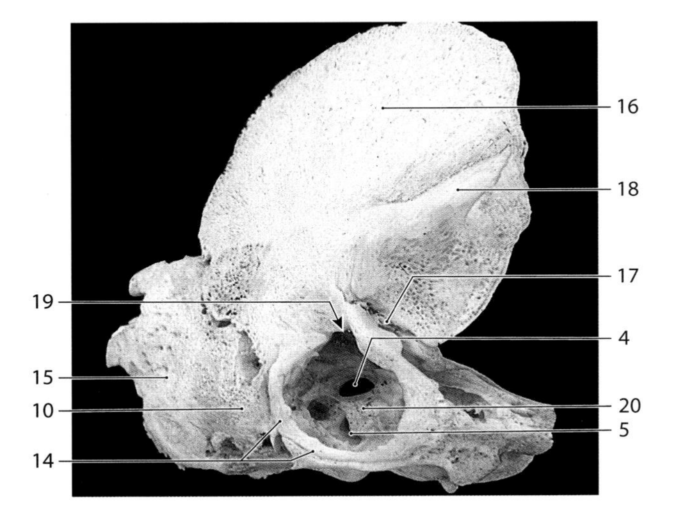

그림 9.72 **신생아의 오른쪽 관자뼈**(가쪽모습).

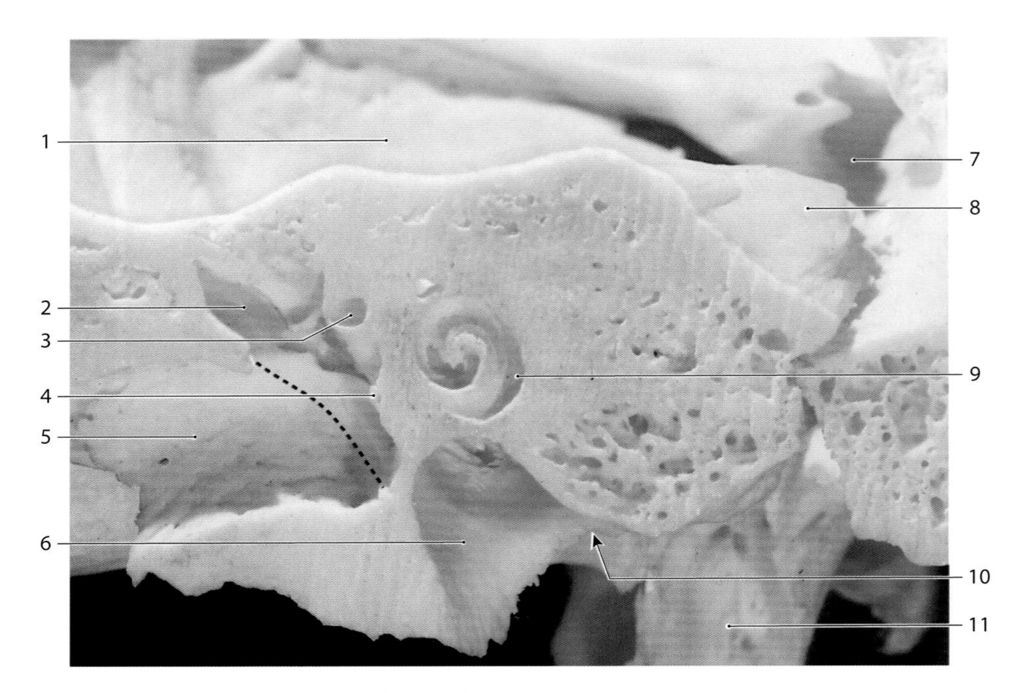

그림 9.73 **달팽이를 지나는 왼쪽 관자뼈 바위부분의 관상단면**(뒤에서 본 모습). 고막의 위치를 점선으로 표시하였다.

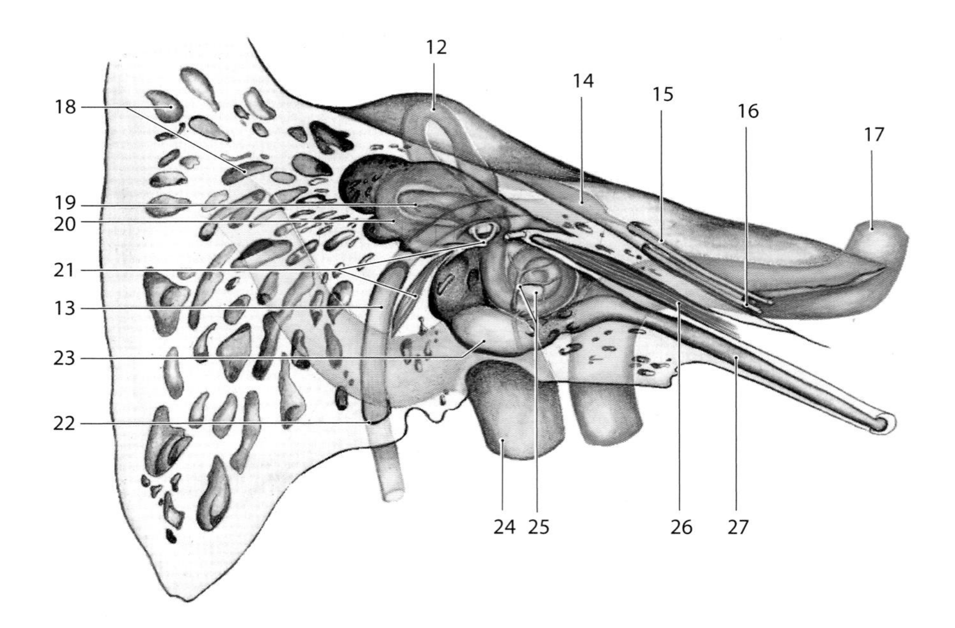

그림 9.74 **고실의 안쪽벽과 얼굴신경과 혈관 등 관련된 속귀의 이웃한 구조.** 오른쪽 관자뼈의 관상단면(앞에서 본 모습).

1 바위부분의 앞면 Anterior surface of the pyramid
2 꼭지방 Mastoid antrum
3 가쪽반고리뼈관 Lateral semicircular canal
4 숟가락돌기 Cochleariform process
5 바깥귀길 External acoustic meatus
6 목정맥오목 Jugular fossa
7 파열구멍 Foramen lacerum
8 바위끝 Apex of petrous part
9 달팽이의 위치(달팽이축과 뼈나선판) Position of cochlea (modiolus with crista spiralis ossea)
10 목동맥관 Carotid canal
11 날개돌기 Pterygoid process
12 앞반고리관 Anterior semicircular duct
13 얼굴신경 Facial nerve
14 무릎신경절 Geniculate ganglion
15 큰바위신경 Greater petrosal nerve
16 작은바위신경 Lesser petrosal nerve
17 속목동맥 Internal carotid artery
18 꼭지벌집 Mastoid air cells
19 가쪽반고리관 Lateral semicircular duct
20 뒤반고리관 Posterior semicircular duct
21 등자뼈와 등자근 Stapes with stapedius muscle
22 붓꼭지구멍 Stylomastoid foramen
23 고실아래오목 Inferior recess of tympanic cavity (hypotympanum)
24 속목정맥 Internal jugular vein
25 고실곶과 고실신경얼기(달팽이의 위치) Promontory with tympanic plexus(position of cochlea)
26 고막긴장근 Tensor muscle of tympanum
27 귀관 Auditory tube

고실의 안쪽벽(medial wall of the tympanic cavity)은 속귀에 직접 접하고 있다. 고실곶(promontory)은 달팽이관의 기저회전(the basal turn of the cochlea)이 돌출되어 형성된 것이다. 얼굴신경(CN VII, p. 468 참조)은 가쪽반고리관(가운데귀에 매우 근접해 있는)과 등자뼈 바닥부위(타원창으로 둘러싸여 있는) 사이를 호(arc)를 이루며 붓꼭지구멍(stylomastoid foramen)으로 들어간다. 얼굴신경은 가운데귀의 점막과 매우 가깝기 때문에 이곳은 특히 위험하다. 똑같이 임상적으로 중요한 곳은 구불정맥굴이 속목정맥으로 연결되는 부위이다. 정맥굴은 고실의 바닥에서 약간 안쪽으로 휘어져 있다. 가운데귀의 점막은 귀인두관(pharyngotympanic tube, Eustachian tube)을 통해 코인두의 점막과 그대로 연속된다.

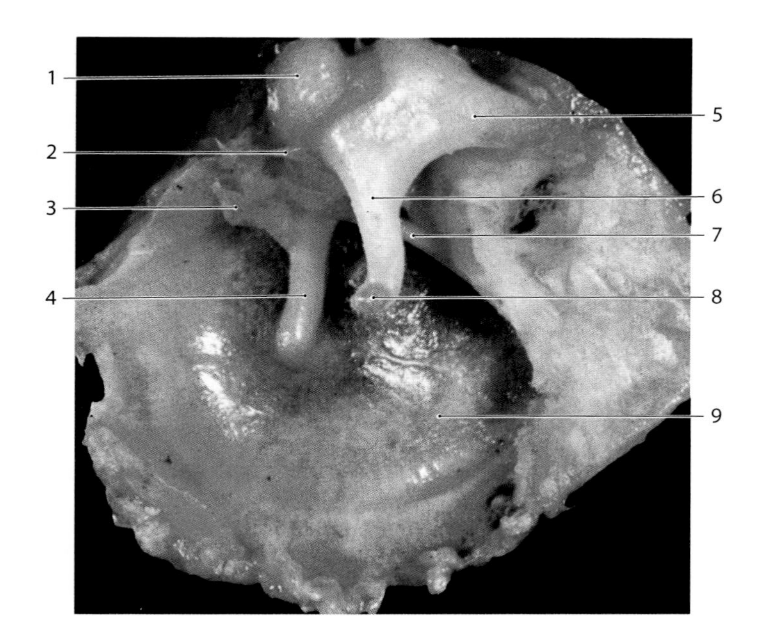

1 망치뼈머리 Head of malleus
2 앞망치인대 Anterior ligament of malleus
3 고막긴장근힘줄 Tendon of tensor tympani muscle
4 망치뼈자루 Handle of malleus
5 모루뼈짧은다리 Short crus of incus
6 모루뼈긴다리 Long crus of incus
7 고실끈신경 Chorda tympani
8 렌즈돌기 Lenticular process
9 고막 Tympanic membrane

그림 9.75 **고막, 망치뼈 및 모루뼈**(속모습; 오른쪽).

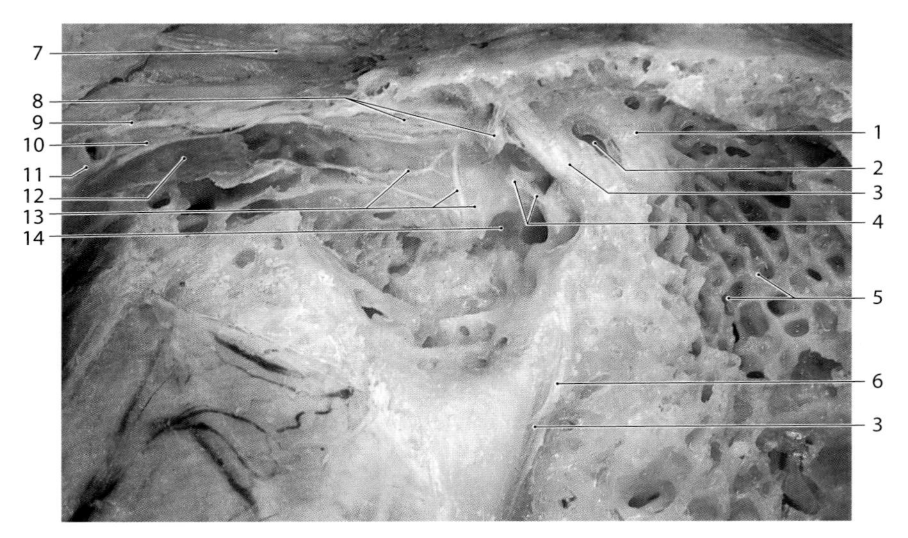

1 꼭지방 Tympanic antrum
2 가쪽반고리뼈관(열림) Lateral semicircular canal (opened)
3 얼굴신경관 Facial canal
4 등자뼈와 등자근힘줄 Stapes with tendon of stapedius
5 꼭지벌집 Mastoid air cells
6 고실끈신경(머리뼈안부분) Chorda tympani (intracranial part)
7 큰바위신경 Greater petrosal nerve
8 고막긴장근(숟가락돌기) Tensor tympani muscle (processus cochleariformis)
9 작은바위신경 Lesser petrosal nerve
10 앞고실동맥 Anterior tympanic artery
11 중간뇌막동맥 Middle meningeal artery
12 귀관 Auditory tube
13 고실곶과 고실신경얼기 Promontory with tympanic plexus
14 달팽이창(둥근창) Fenestra cochleae

그림 9.76 **고실의 안쪽벽(왼쪽).** 바깥귀길과 모루뼈를 포함한 고실 가쪽벽도 보인다. 망치뼈와 고막을 제거하고 꼭지벌집을 노출함.

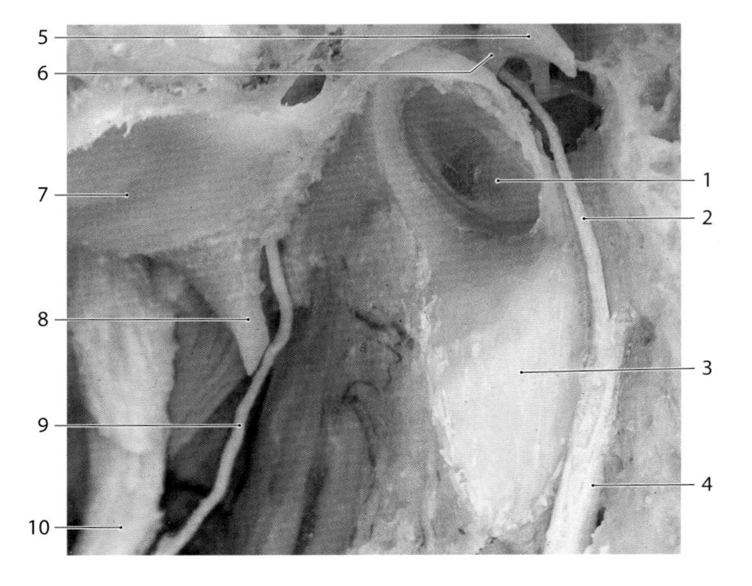

1 고막 Tympanic membrane
2 고실끈신경(머리뼈안부분) Chorda tympani (intracranial part)
3 바깥귀길의 바닥 Floor of the external acoustic meatus
4 얼굴신경과 얼굴신경관 Facial nerve and facial canal
5 모루뼈 Incus
6 망치뼈머리 Head of malleus
7 턱관절오목 Mandibular fossa
8 나비뼈가시 Spine of sphenoid
9 고실끈신경(머리뼈바깥부분) Chorda tympani (extracranial part)
10 붓돌기 Styloid process

그림 9.77 **고막**(가쪽에서 본 모습, 왼쪽). 바깥귀길과 얼굴신경관을 열어서 고실끈신경이 보이게 하였다(확대 1.5배).

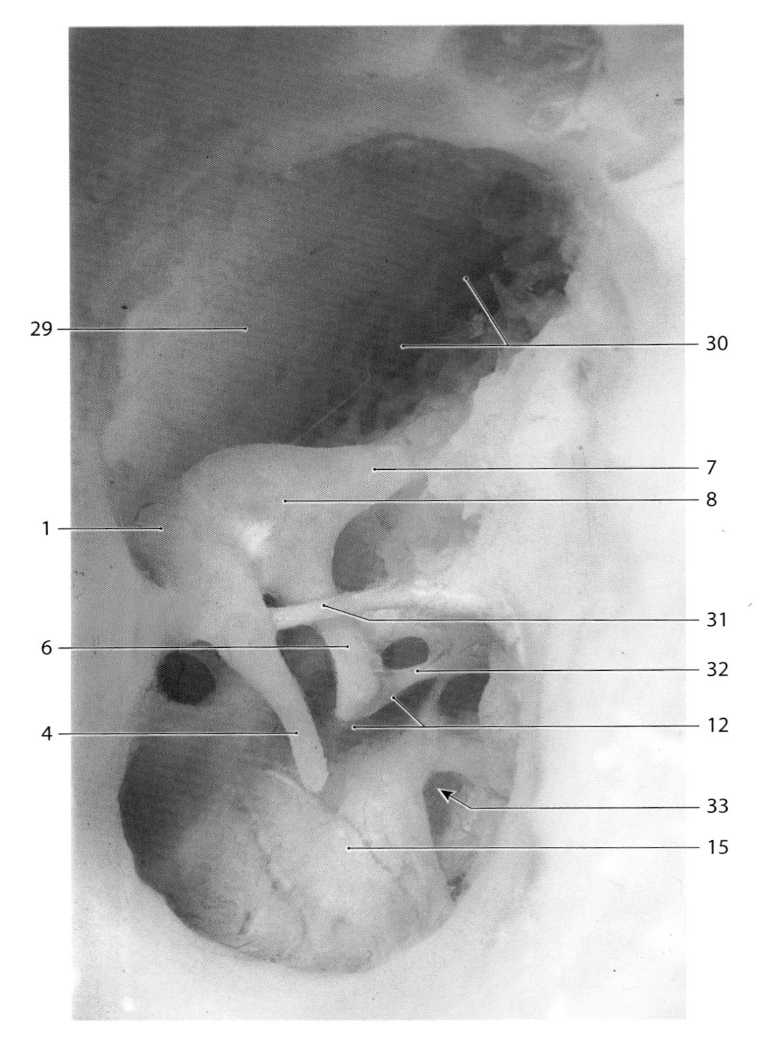

그림 9.78 **왼쪽 고실과 망치뼈, 모루뼈, 등자뼈**(가쪽에서 본 모습). 고막을 제거하고, 꼭지방을 열었다.

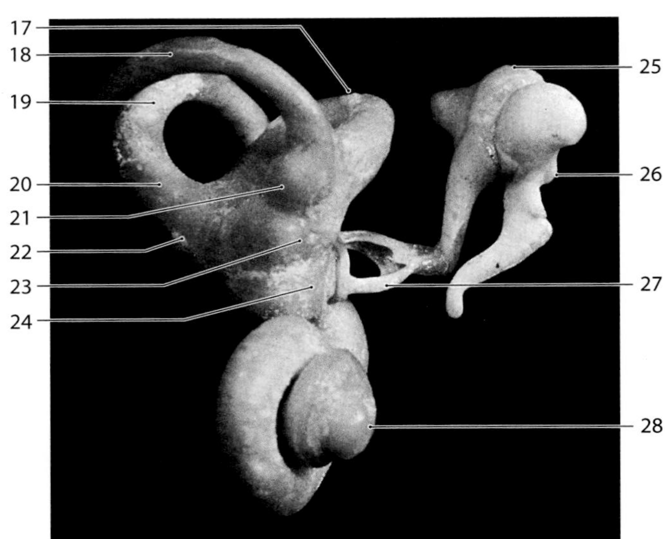

그림 9.79 **속귀와 연결된 귓속뼈, 왼쪽**(앞가쪽에서 본 모습).

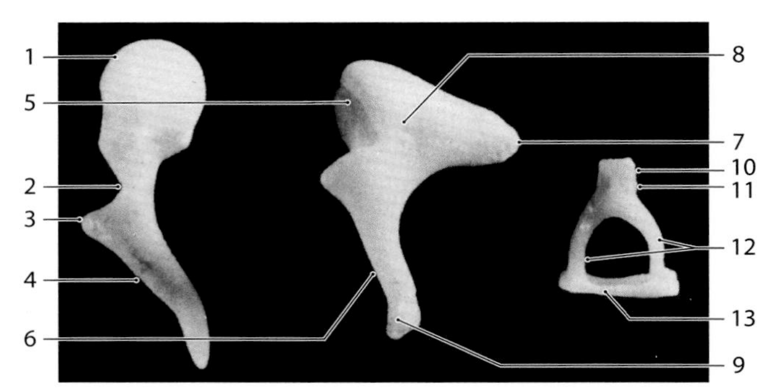

그림 9.80 **분리된 귓속뼈.**

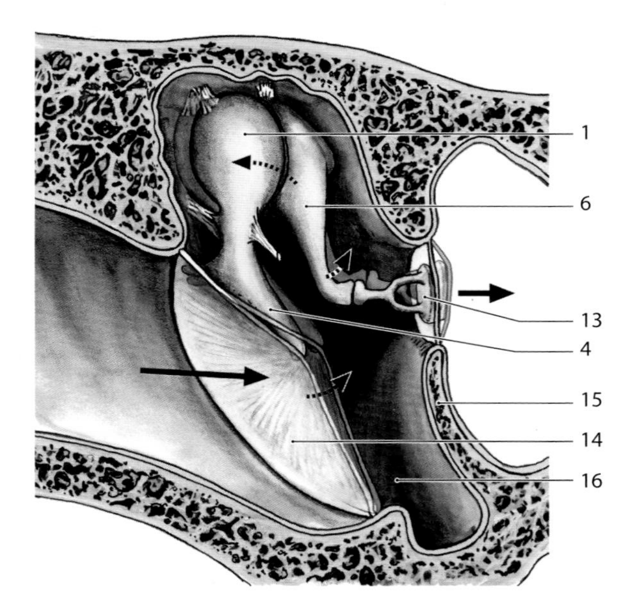

그림 9.81 **소리가 전달 될 때 귓속뼈의 위치와 운동**

망치뼈 Malleus
1 머리 Head
2 목 Neck
3 가쪽돌기 Lateral process
4 자루 Handle

모루뼈 Incus
5 망치뼈와의 관절면 Articular facet for malleus
6 긴다리 Long crus
7 짧은다리 Short crus
8 몸통 Body
9 렌즈돌기 Lenticular process

등자뼈 Stapes
10 머리 Head
11 목 Neck
12 앞과 뒤다리 Anterior and posterior crura
13 바닥 Base

고실의 벽 Walls of tympanic cavity
14 고막 Tympanic membrane
15 고실곶 Promontory
16 고실아래오목 Hypotympanic recess of tympanic cavity

속귀(미로, labyrinth)와 귓속뼈
17 가쪽반고리관 Lateral semicircular duct
18 앞반고리관 Anterior semicircular duct
19 뒤반고리관 Posterior semicircular duct
20 온다리 Common crus
21 팽대 Ampulla
22 속림프관의 시작부분 Beginning of endolymphatic duct
23 타원주머니 Utricular prominence
24 둥근주머니 Saccular prominence
25 모루뼈 Incus
26 망치뼈 Malleus
27 등자뼈 Stapes
28 달팽이 Cochlea

고실 Tympanic cavity
29 고실위오목 Epitympanic recess
30 꼭지방 Mastoid antrum
31 고실끈신경 Chorda tympani
32 등자근힘줄 Tendon of stapedius muscle
33 둥근창(달팽이창) Round window (fenestra cochleae)

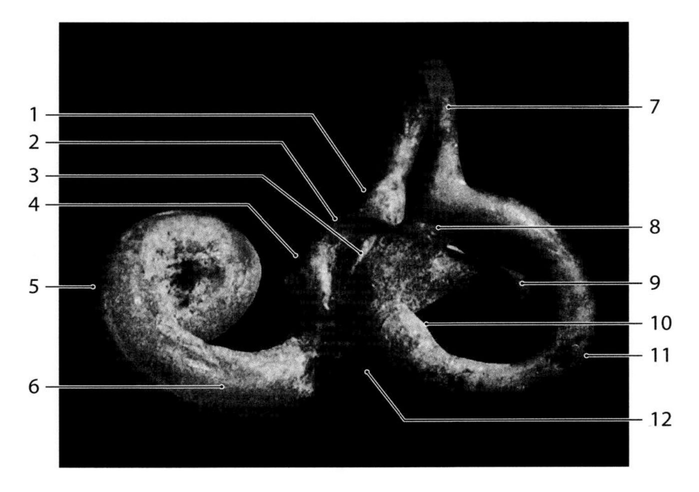

그림 9.82 **오른쪽 미로의 주조물**(cast) (뒤쪽 안쪽에서 본 모습).

1 팽대(앞반고리뼈관) Ampulla (anterior semicircular canal)
2 타원오목 Elliptical recess
3 안뜰수도관 Aqueduct of the vestibule
4 둥근오목 Spherical recess
5 달팽이 Cochlea
6 달팽이바닥 Base of cochlea
7 앞반고리뼈관 Anterior semicircular canal
8 온반고리뼈관다리 Crus commune or common limb
9 가쪽반고리뼈관 Lateral semicircular canal
10 뒤쪽관의 팽대 Posterior bony ampulla
11 뒤반고리뼈관(뒤쪽관) Posterior semicircular canal (posterior canal)
12 달팽이창(둥근창) Fenestra cochleae (round window)
13 뼈관의 팽대 Bony ampulla
14 안뜰창 Fenestra vestibuli
15 달팽이꼭대기 Cupula of cochlea
16 바깥귀길 External acoustic meatus
17 꼭지벌집 Mastoid air cells
18 고실과 달팽이창(탐침) Tympanic cavity and fenestra cochleae (probe)
19 바깥귀길 External acoustic meatus
20 얼굴신경관 Facial canal
21 달팽이바닥과 근귀인두뼈관 Base of cochlea and musculotubal canal
22 망치뼈와 모루뼈 Malleus and incus
23 등자뼈 Stapes
24 고막 Tympanic membrane
25 고실 Tympanic cavity
26 달팽이수도관 Aqueduct of cochlea
27 속림프주머니 Endolymphatic sac
28 속림프관 Endolymphatic duct
29 타원주머니평형반 Macula of utricle
30 둥근주머니평형반 Macula of saccule

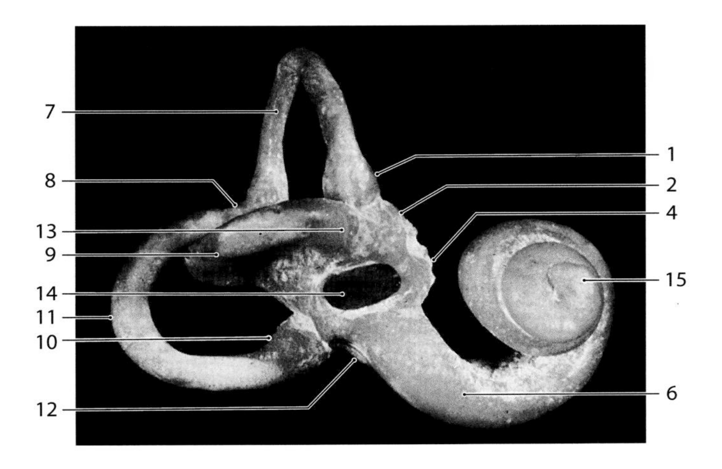

그림 9.83 **오른쪽 미로의 주조물**(가쪽에서 본 모습).

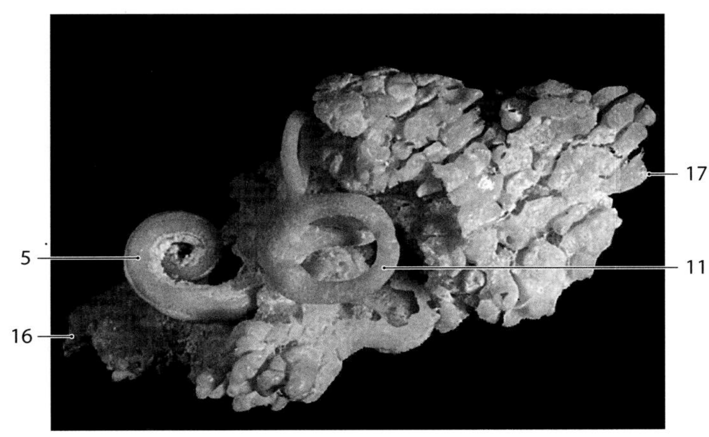

그림 9.84 **미로와 꼭지벌집의 주조물**(뒤에서 본 모습). 실제크기.

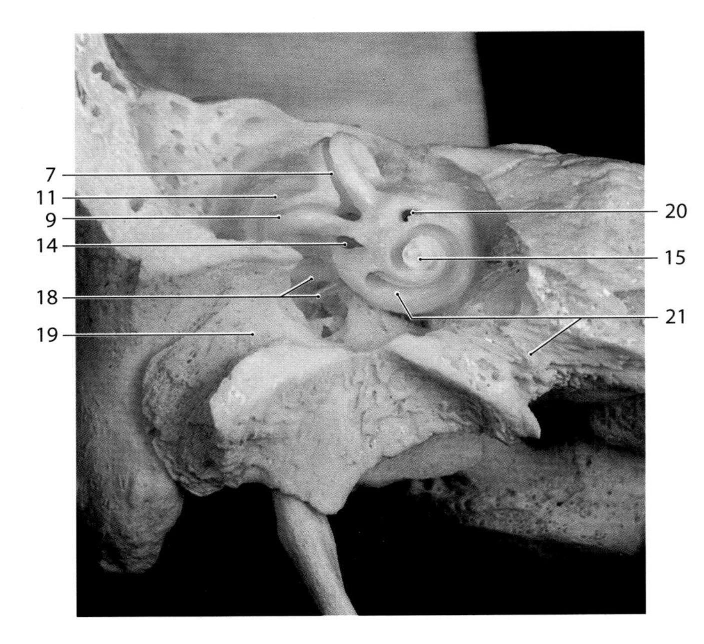

그림 9.85 **뼈미로를 그 자리에 있도록 해부.** 반고리뼈관과 달팽이관을 열었다.

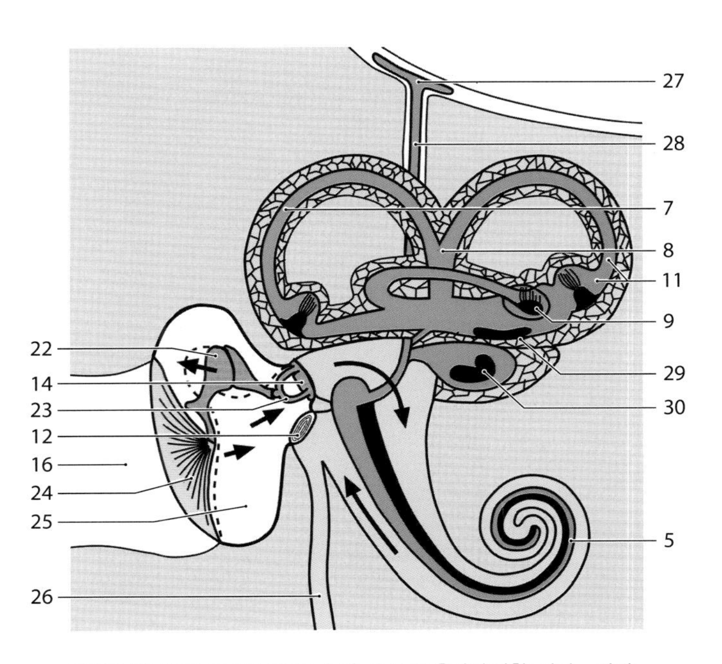

그림 9.86 **청각 및 안뜰기관: 속귀.** 화살표: 음파의 방향; 파랑 = 바깥림프공간

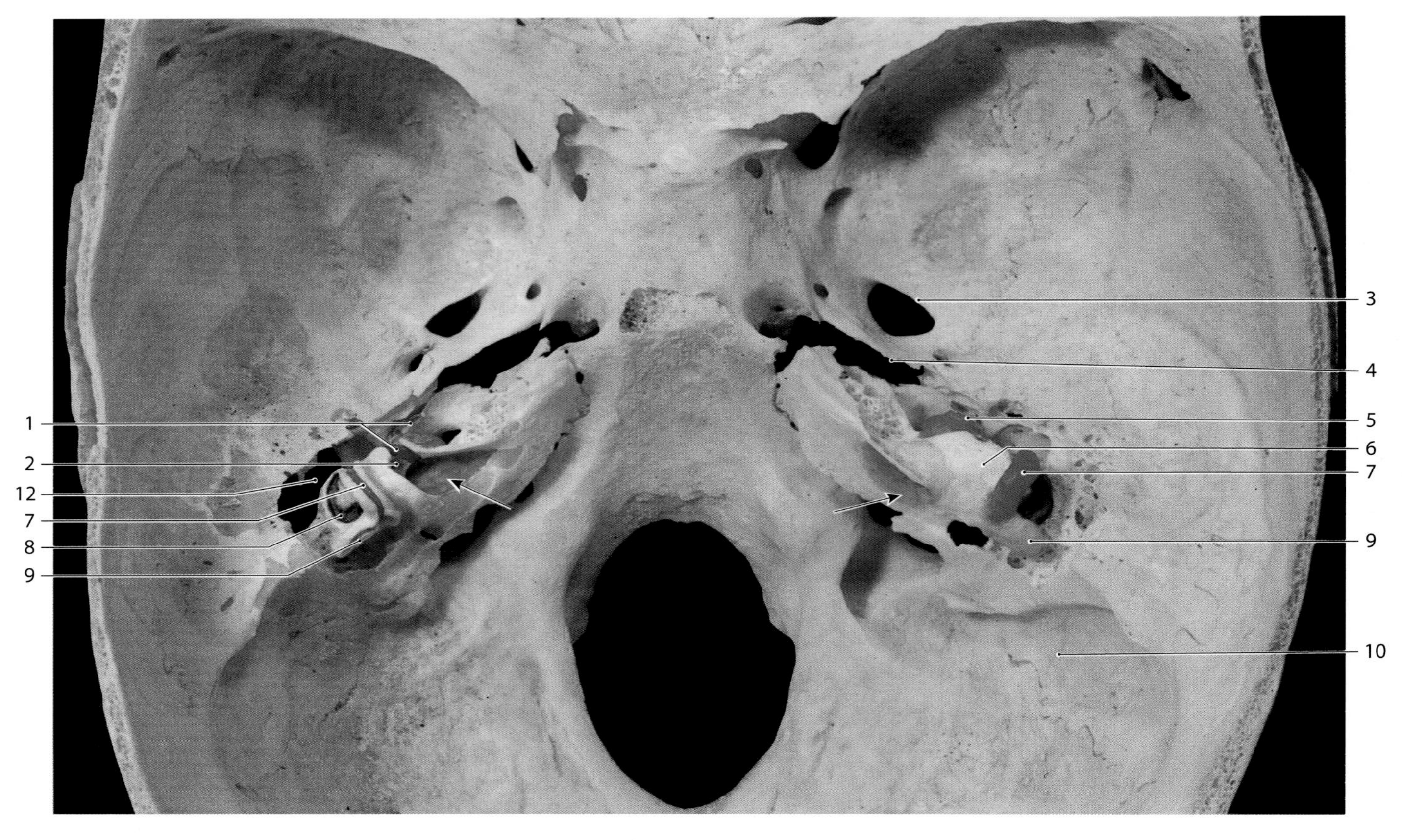

그림 9.87 **뼈미로, 관자뼈 바위부분**(위에서 본 모습). 왼쪽에서 반고리뼈관을 열었고, 오른쪽에서는 닫혀있다. 화살표 = 속귀길.

1 얼굴신경관과 귀관반관 Facial canal and semicanal of auditory tube
2 위안뜰신경구역 Superior vestibular area
3 타원구멍 Foramen ovale
4 파열구멍 Foramen lacerum
5 달팽이 Cochlea
6 안뜰 Vestibule
7 앞반고리뼈관 Anterior semicircular canal
8 가쪽반고리뼈관 Lateral semicircular canal
9 뒤반고리뼈관 Posterior semicircular canal
10 구불정맥굴고랑 Groove for sigmoid sinus
11 구불정맥굴 Sigmoid sinus
12 고실 Tympanic cavity
13 귀관 Auditory tube
14 꼭지벌집 Mastoid air cells
15 얼굴신경, 속귀신경, 중간신경 Facial, vestibulocochlear, and intermediate nerves
16 관자우묵 Temporal fossa
17 안뜰창 Fenestra vestibuli
18 고실곶 Promontory
19 관자돌기 Zygomatic process
20 달팽이창 Fenestra cochleae
21 꼭지돌기 Mastoid process

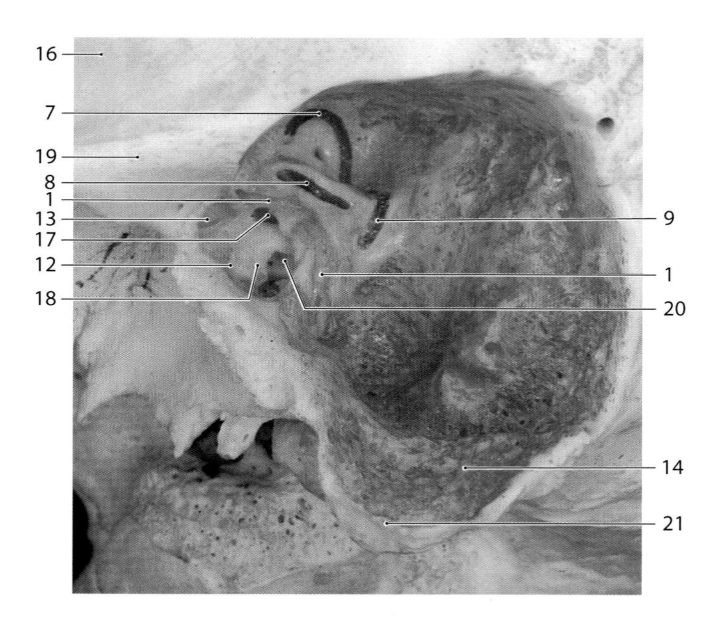

그림 9.88 **뼈미로**(왼쪽 가쪽에서 본 모습).
관자뼈 일부를 제거하여 반고리뼈관을 노출하였다.

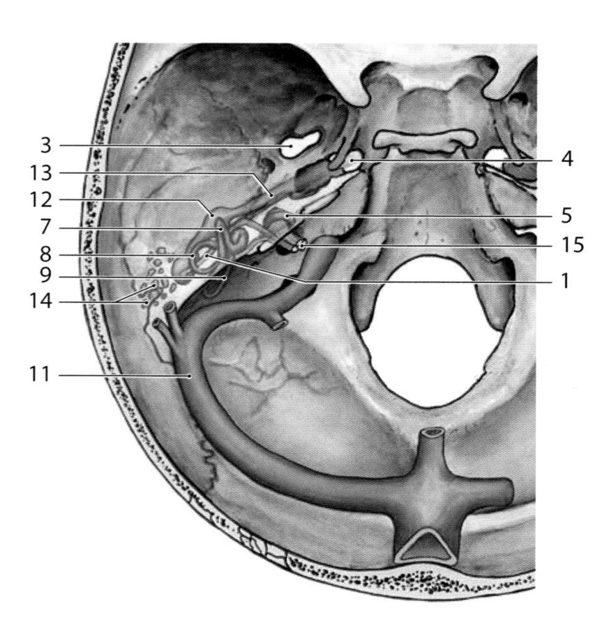

그림 9.89 **속귀**(위에서 본 모습). 막미로와 고실의 위치를 나타낸 그림.

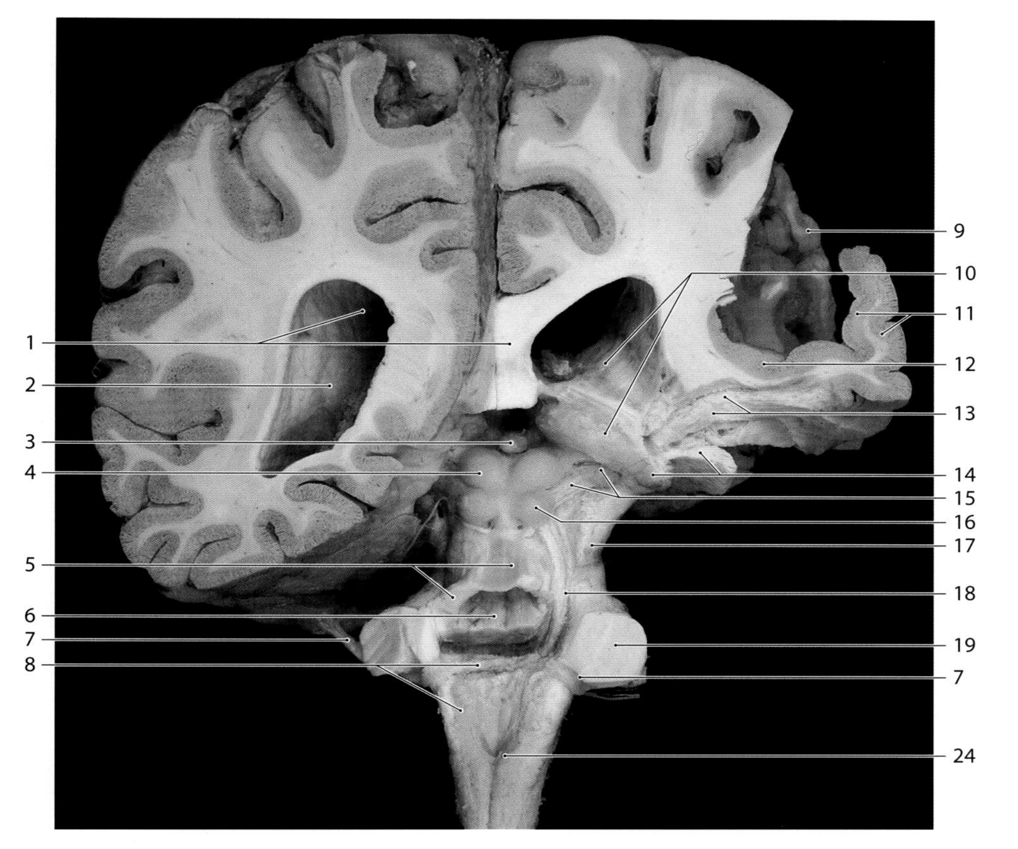

그림 9.90 **청각경로를 보여주는 뇌줄기의 해부.** 소뇌와 대뇌의 뒤부분을 제거하였다(뒤에서 본 모습).

1 왼쪽 가쪽뇌실과 뇌들보 Left lateral ventricle and corpus callosum
2 시상 Thalamus
3 솔방울샘 Pineal gland (epiphysis)
4 위둔덕 Superior colliculus
5 위숨뇌천장과 위소뇌다리 Superior medullary velum and superior cerebellar peduncle
6 마름오목 Rhomboid fossa
7 속귀신경 Vestibulocochlear nerve (CN VIII)
8 뒤청각섬유줄과 아래소뇌다리 Dorsal acoustic striae and inferior cerebellar peduncle
9 뇌섬엽 Insular lobe
10 꼬리핵과 시상 Caudate nucleus and thalamus
11 관자엽(위관자이랑)(청각중추영역) Temporal lobe (superior temporal gyrus) (area of acoustic centers)
12 가로관자이랑(일차청각중추영역) Transverse temporal gyri of Heschl (area of primary acoustic centers)
13 속섬유막의 청각부챗살 Acoustic radiation of internal capsule
14 가쪽무릎체와 시각부챗살(잘림) Lateral geniculate body and optic radiation (cut)
15 안쪽무릎체와 아래둔덕팔 Medial geniculate body and brachium of inferior colliculus
16 아래둔덕 Inferior colliculus
17 대뇌다리 Cerebral peduncle
18 가쪽섬유띠 Lateral lemniscus
19 중간소뇌다리 Middle cerebellar peduncle
20 뒤달팽이핵 Dorsal (posterior) cochlear nucleus
21 앞달팽이핵 Ventral (anterior) cochlear nucleus
22 올리브와 올리브달팽이로 Inferior olive with olivocochlear tract of Rasmussen (red)
23 달팽이신경절(나선신경절) Ganglion spirale
24 빗장 Obex
25 이마엽 Frontal lobe
26 관자엽 Temporal lobe
27 중간관자이랑(셋째 청각중추영역) Middle temporal gyrus (area of tertiary acoustic centers)
28 마름섬유체 Trapezoid body

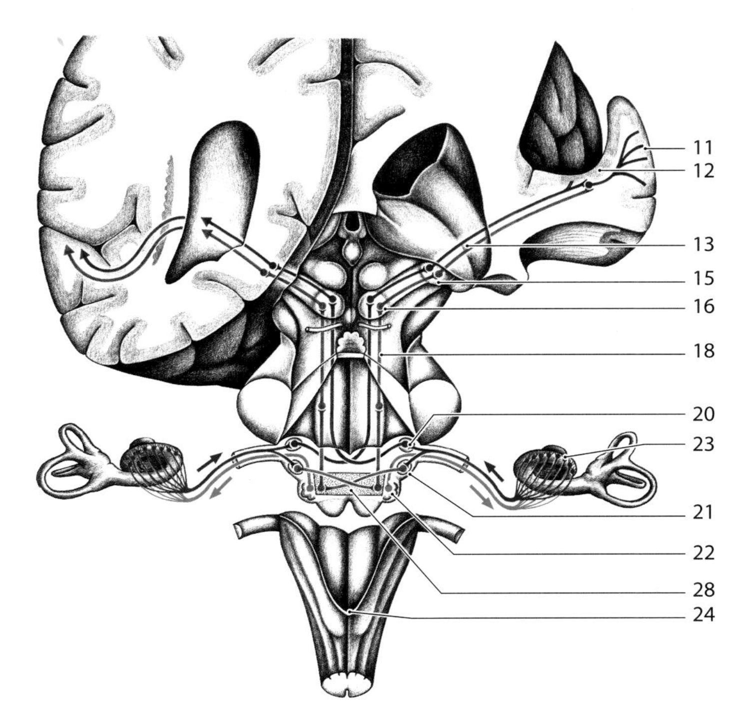

그림 9.91 **청각경로**(위의 그림 9.90과 비교하시오).
빨강 = 내림경로(올리브달팽이로); 초록과 파랑 = 오름경로

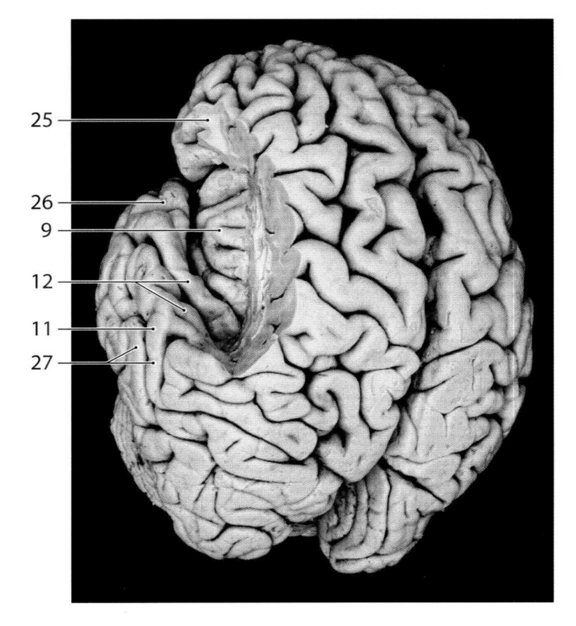

그림 9.92 **왼쪽 대뇌반구의 청각구역**(위가쪽에서 본 모습).
이마엽과 마루엽 일부를 제거하였다.

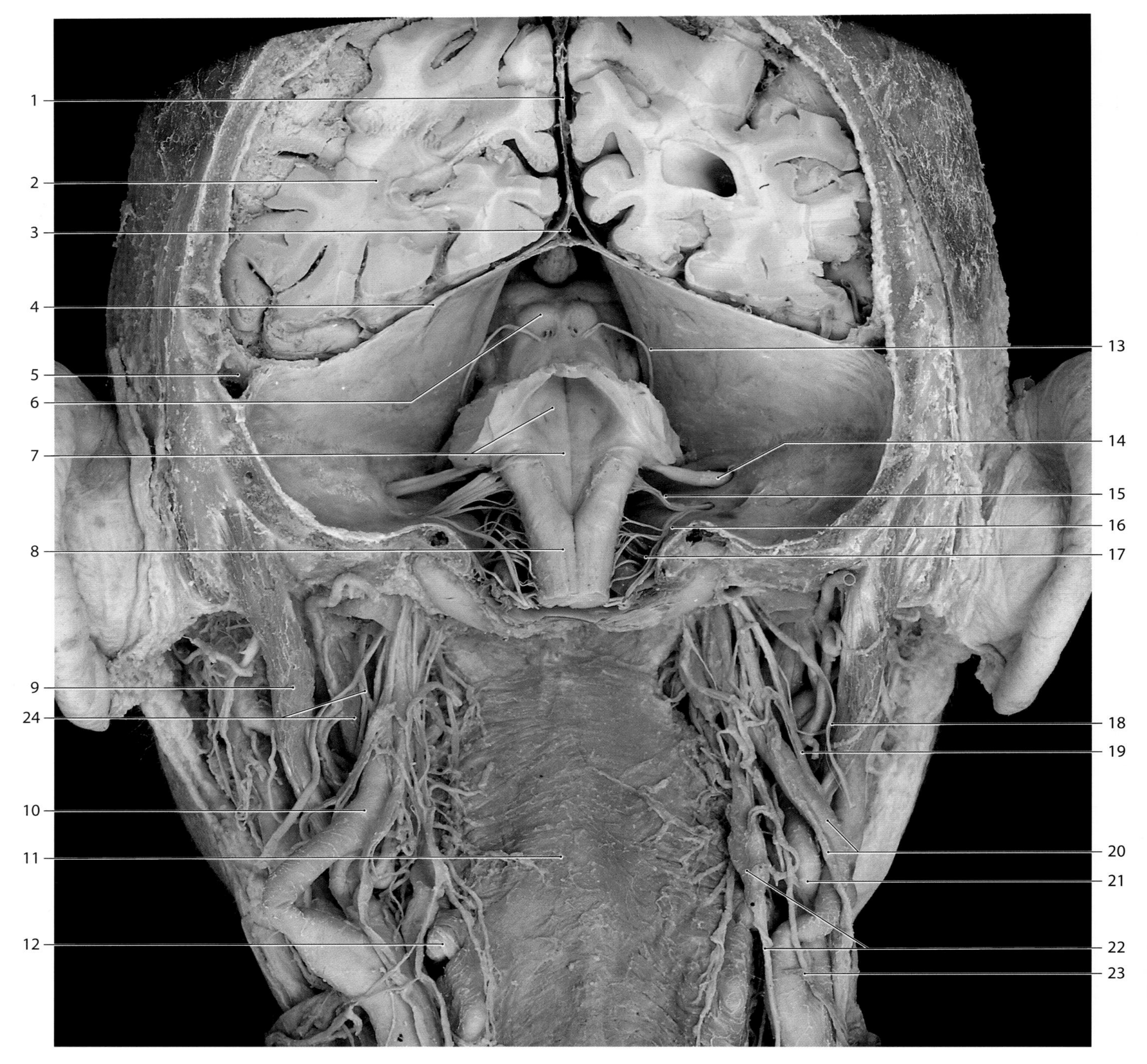

그림 9.93 **뇌줄기, 인두 및 뇌신경(뒤모습). 도르래신경, 얼굴신경, 속귀신경, 혀인두신경, 미주신경, 더부신경과 혀밑신경의 해부.** 머리뼈안을 열고 소뇌를 제거하였다.

1 대뇌낫 Falx cerebri
2 뒤통수엽 Occipital lobe
3 곧은정맥굴 Straight sinus
4 소뇌천막 Cerebellar tentorium
5 가로정맥굴 Transverse sinus
6 중간뇌의 아래둔덕 Inferior colliculus of midbrain
7 마름오목 Rhomboid fossa
8 숨뇌 Medulla oblongata
9 턱두힘살근의 뒤힘살 Posterior belly of digastric muscle
10 속목동맥 Internal carotid artery
11 인두(중간수축근) Pharynx (middle constrictor muscle)
12 목뿔뼈(큰뿔) Hyoid bone (greater horn)
13 도르래신경 Trochlear nerve (CN IV)
14 얼굴신경과 속귀신경 Facial nerve (CN VII) and vestibulocochlear nerve (CN VIII)
15 혀인두신경과 미주신경 Glossopharyngeal nerve (CN IX) and vagus nerve (CN X)
16 더부신경(머리뼈안부분) Accessory nerve (intracranial portion) (CN XI)
17 혀밑신경(머리뼈안부분) Hypoglossal nerve (intracranial portion) (CN XII)
18 더부신경 Accessory nerve (CN XI)
19 혀밑신경 Hypoglossal nerve (CN XII)
20 미주신경과 속목동맥 Vagus nerve (CN X) and internal carotid artery
21 바깥목동맥 External carotid artery
22 교감신경줄기와 위목신경절 Sympathetic trunk and superior cervical ganglion
23 목신경고리(혀밑신경의 위뿌리) Ansa cervicalis (superior root of hypoglossal nerve)
24 혀인두신경과 붓인두근 Glossopharyngeal nerve (CN IX) and stylopharyngeus muscle

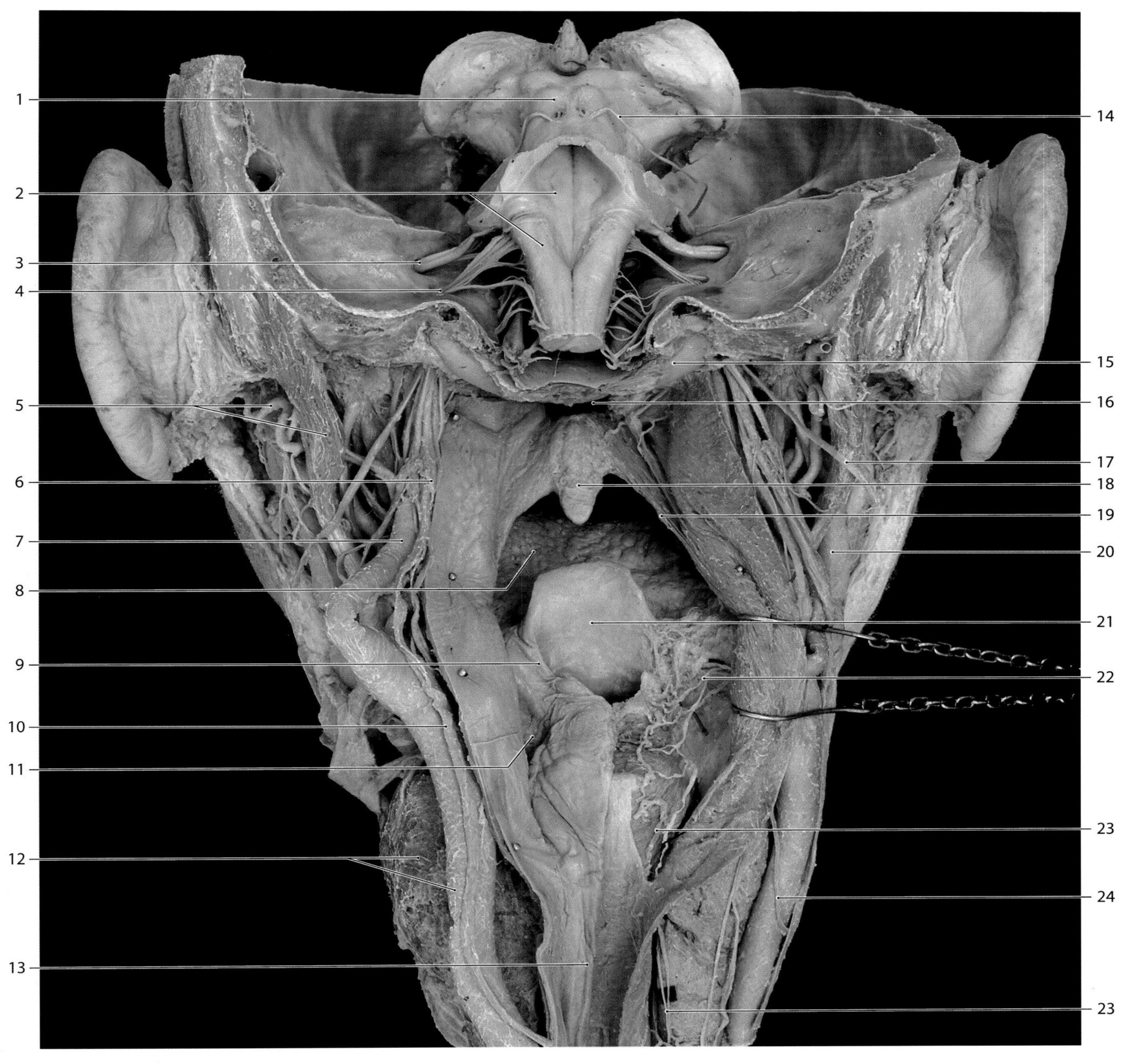

그림 9.94 **후두와 입안**(뒤에서 본 모습). 도르래신경, 얼굴신경, 속귀신경, 혀인두신경, 미주신경, 더부신경의 해부. 오른쪽 인두점막을 제거하였다.

1 중간뇌(아래둔덕) Midbrain (inferior colliculus)
2 마름오목과 숨뇌 Rhomboid fossa and medulla oblongata
3 속귀신경과 얼굴신경 Vestibulocochlear and facial nerve (CN VII)
4 혀인두신경, 미주신경, 더부신경 Glossopharyngeal (CN IX), vagus (CN X), and accessory nerves (CN XI)
5 뒤통수동맥과 턱두힘살근의 뒤힘살 Occipital artery and posterior belly of digastric muscle
6 위목신경절 Superior cervical ganglion
7 속목동맥 Internal carotid artery
8 입안(혀) Oral cavity (tongue)
9 모뿔덮개주름 Ary-epiglottic fold
10 미주신경 Vagus nerve (CN X)
11 조롱박오목 Piriform recess
12 갑상샘과 온목동맥 Thyroid gland and common carotid artery
13 식도 Esophagus
14 도르래신경 Trochlear nerve (CN IV)
15 뒤통수관절융기 Occipital condyle
16 코안(뒤콧구멍) Nasal cavity (choana)
17 더부신경 Accessory nerve (CN XI)
18 목젖과 물렁입천장 Uvula and soft palate
19 입천장인두근 Palatopharyngeus muscle
20 바깥목동맥 External carotid artery
21 후두덮개 Epiglottis
22 위후두신경의 속가지 Internal branch of superior laryngeal nerve
23 아래후두신경 Inferior laryngeal nerve
24 목신경고리 Ansa cervicalis

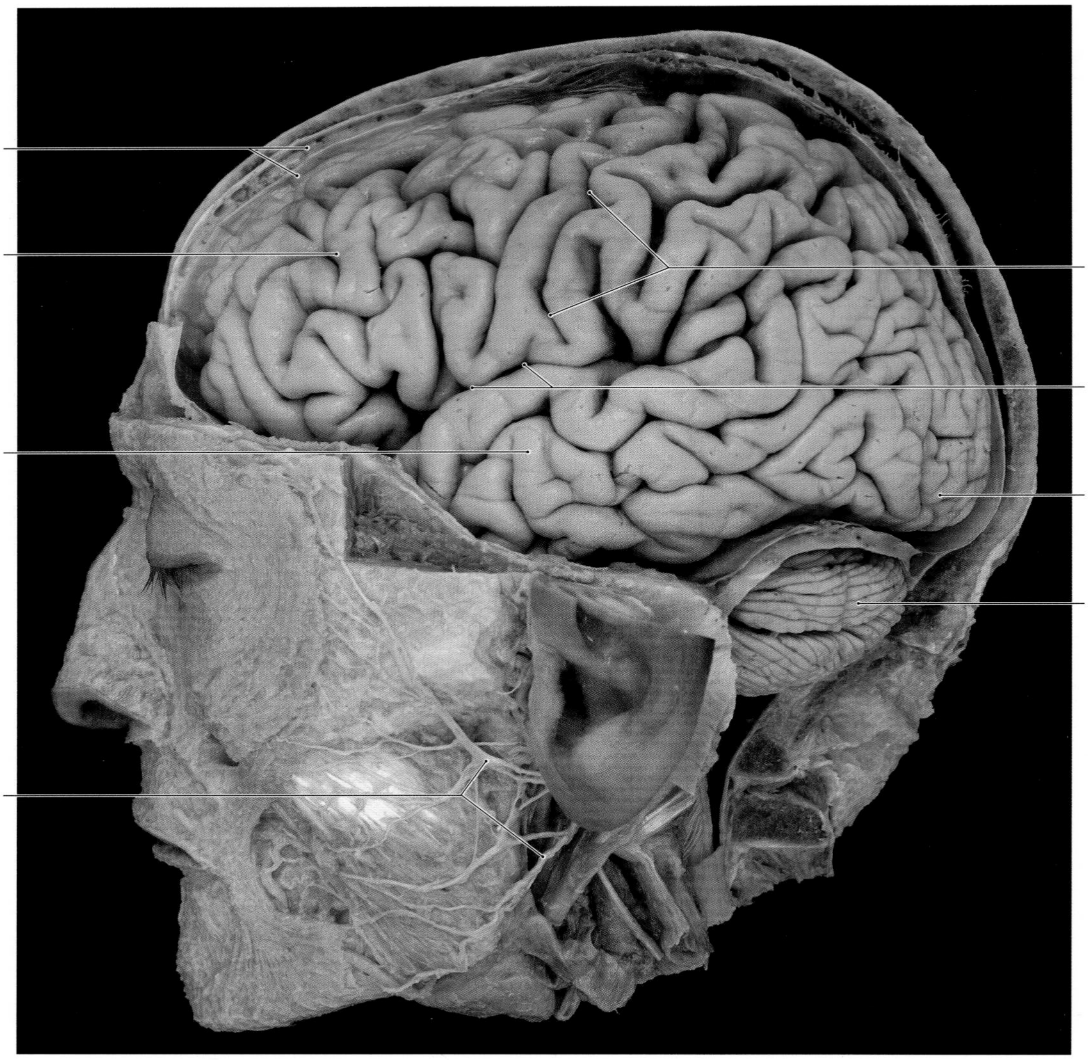

그림 9.95 뇌, 연막, 거미막의 머리 해부를 보여주고 있다(가쪽모습).

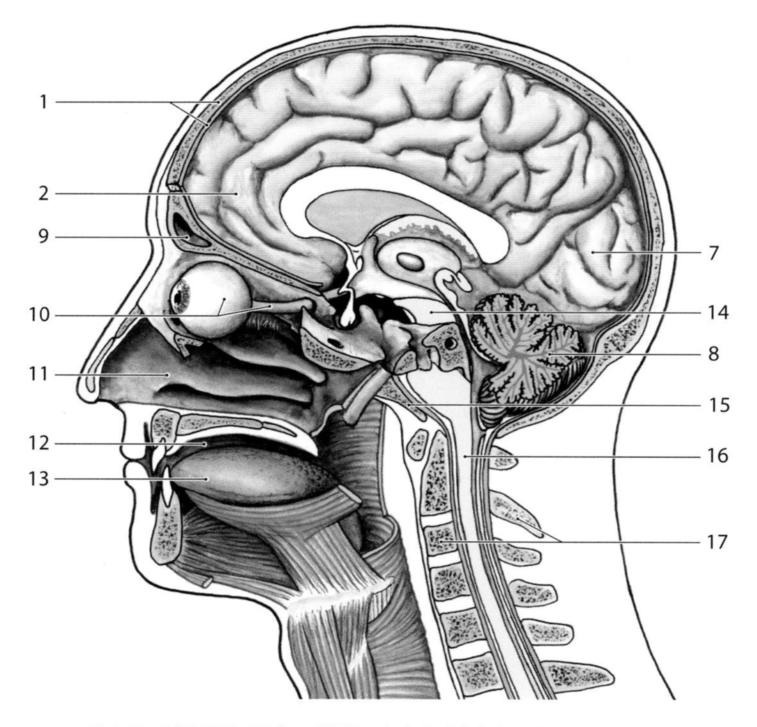

그림 9.96 뇌와 감각기관을 포함하는 머리의 시상단면. 눈확에 눈과 시각신경이, 관자뼈의 바위 속에 미로기관이 각각 있다.

1 머리마루와 경막 Vertex of the skull and dura mater
2 이마엽 Frontal lobe
3 관자엽 Temporal lobe
4 얼굴신경 Facial nerve (CN Ⅶ)
5 중심고랑 Central sulcus
6 가쪽고랑 Lateral sulcus
7 뒤통수엽 Occipital lobe
8 소뇌 Cerebellum
9 이마굴 Frontal sinus
10 눈과 시각신경 Eye and optic nerve (CN Ⅱ)
11 코안 Nasal cavity
12 입안 Oral cavity
13 혀 Tongue
14 뇌줄기 Brainstem
15 머리뼈바닥 Base of skull
16 척수 Spinal cord
17 척주 Vertebral column

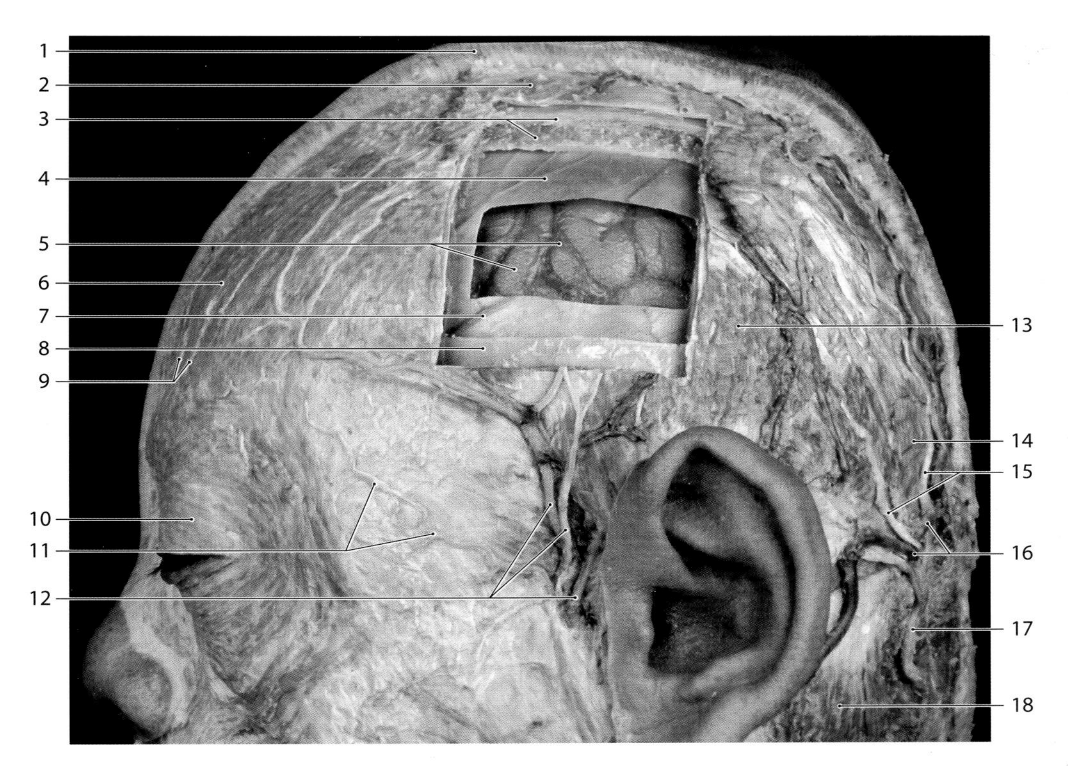

그림 9.97 **머리의 가쪽 모습.** 머리덮개 머리뼈 마루 그리고 뇌막이 구별되도록 연속된 층을 창문처럼 해부함.

1 피부 Skin
2 머리덮개널힘줄 Galea aponeurotica
3 머리뼈, 판사이층 Skull diploe
4 경막 Dura mater
5 거미막, 연막 및 대뇌혈관 Arachnoid and pia mater with cerebral vessels
6 뒤통수이마근의 이마힘살 Frontal belly of occipitofrontalis muscle
7 중간뇌막동맥의 가지 Branch of middle meningeal artery
8 뼈막 Pericranium (periosteum)
9 눈확위신경의 가쪽과 안쪽가지 Lateral and medial branches of supra-orbital nerve
10 눈둘레근 Orbicularis oculi muscle
11 광대눈확동맥 Zygomatico-orbital artery
12 귓바퀴관자신경 및 얕은관자동맥과 정맥 Auriculotemporal nerve and superficial temporal artery and vein
13 위귓바퀴근 Superior auricular muscle
14 뒤통수이마근의 뒤통수힘살 Occipital belly of occipitofrontalis muscle
15 뒤통수신경 Occipital nerve
16 뒤통수동맥과 정맥 Occipital artery and vein
17 큰뒤통수신경 Greater occipital nerve
18 목빗근 Stenocleidomastoid muscle
19 이마엽 Frontal lobe
20 교차수조 Chiasmatic cistern
21 대뇌다리사이수조 Interpeduncular cistern
22 거미막과립 Arachnoid granulations
23 거미막밑공간 Subarachnoid space
24 위시상정맥굴 Superior sagittal sinus
25 아래시상정맥굴 Inferior sagittal sinus
26 뇌들보 Corpus callosum
27 곧은정맥굴 Straight sinus
28 정맥굴합류 Confluence of sinuses
29 소뇌 Cerebellum
30 소뇌숨뇌수조 Cerebellomedullary cistern
31 대뇌겉질 Cerebral cortex

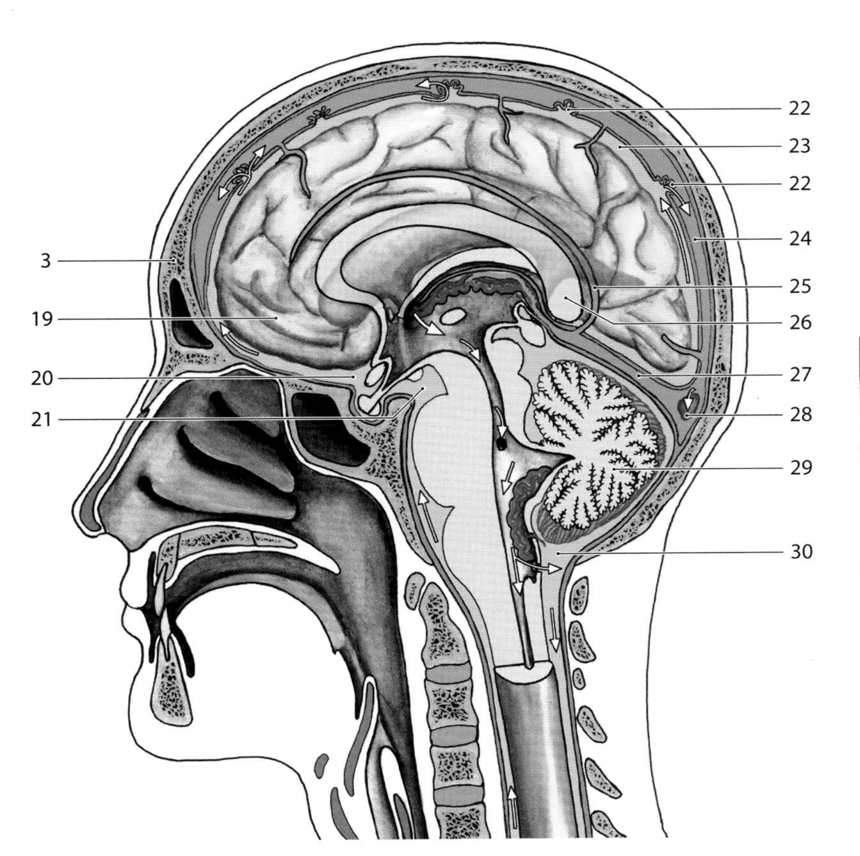

그림 9.98 **뇌의 거미막밑수조**(정중단면). 초록 = 수조; 파랑 = 경막정맥굴과 뇌실; 빨강 = 셋째와 넷째뇌실의 맥락얼기; 화살표 = 뇌척수액의 흐름.

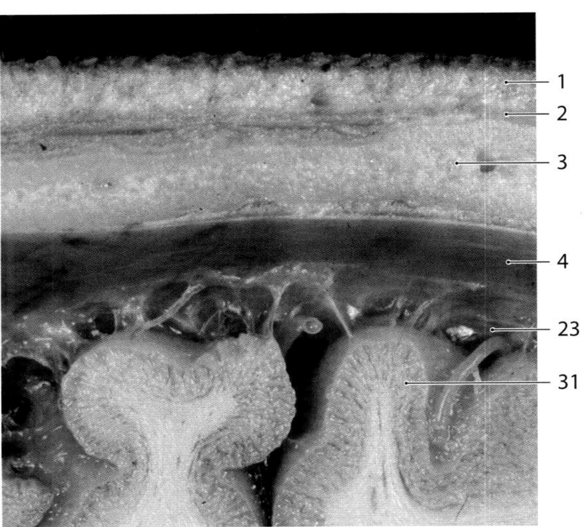

그림 9.99 **머리덮개와 뇌막의 가로단면.** 거미막밑공간(23)이 잘 보인다.

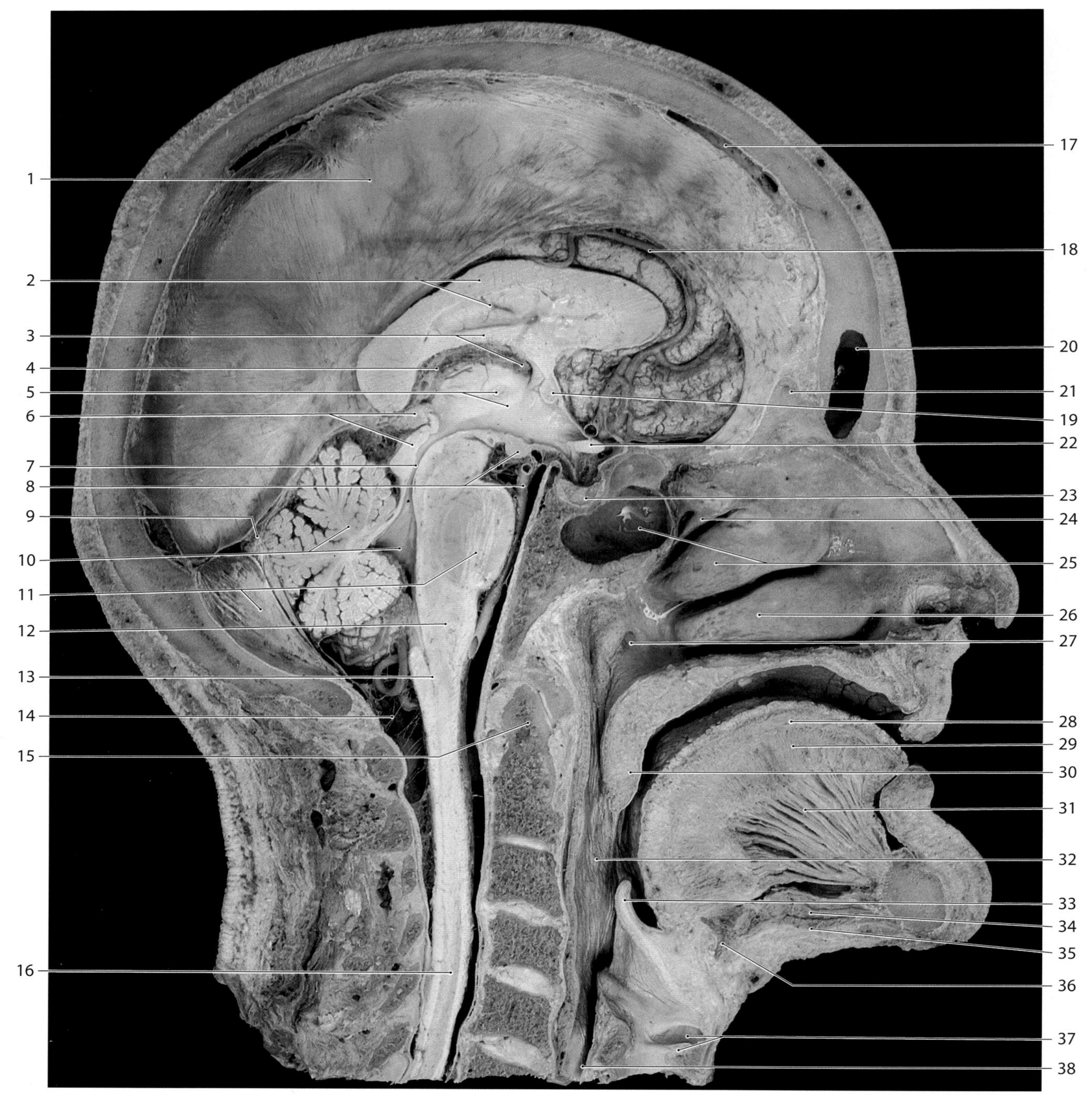

그림 9.100 **머리와 목의 정중단면.**

1 대뇌낫 Falx cerebri
2 뇌들보와 투명사이막
Corpus callosum and septum pellucidum
3 뇌실사이구멍과 뇌활
Interventricular foramen and fornix
4 셋째뇌실의 맥락얼기와 속대뇌정맥
Choroid plexus of third ventricle and internal cerebral vein
5 셋째뇌실과 시상사이붙음
Third ventricle and interthalamic adhesion
6 솔방울샘과 중간뇌의 둔덕
Pineal body and colliculi of the midbrain
7 중간뇌수도관 Cerebral aqueduct
8 유두체와 뇌바닥동맥
Mammillary body and basilar artery
9 곧은정맥굴 Straight sinus
10 넷째뇌실과 소뇌
Fourth ventricle avd cerebellum
11 다리뇌와 소뇌낫 Pons and falx cerebelli
12 숨뇌 Medulla oblongata
13 중심관 Central canal
14 소뇌숨뇌구조 Cerebellomedullary cistern
15 중쇠뼈의 치아돌기
Dens of the axis (odontoid process)
16 척수 Spinal cord
17 위시상정맥굴 Superior sagittal sinus
18 앞대뇌동맥 Anterior cerebral artery
19 앞맞교차 Anterior commissure
20 이마굴 Frontal sinus
21 볏돌기 Crista galli
22 시각교차 Optic chiasma
23 뇌하수체 Pituitary gland (hypophysis)
24 위코선반 Superior nasal concha
25 중간코선반과 나비굴
Middle nasal concha and sphenoid sinus
26 아래코선반 Inferior nasal concha
27 귀관의 인두구멍 Pharyngeal opening of auditory tube
28 혀위세로근 Superior longitudinal muscle of tongue
29 혀수직근 Vertical muscle of the tongue
30 목젖 Uvula
31 턱끝혀근 Genioglossus muscle
32 인두 Pharynx
33 후두덮개 Epiglottis
34 턱끝목뿔근 Geniohyoid muscle
35 턱목뿔근 Mylohyoid muscle
36 목뿔뼈 Hyoid bone
37 성대주름과 후두실 Vocal fold and ventricle of larynx
38 식도 Esophagus

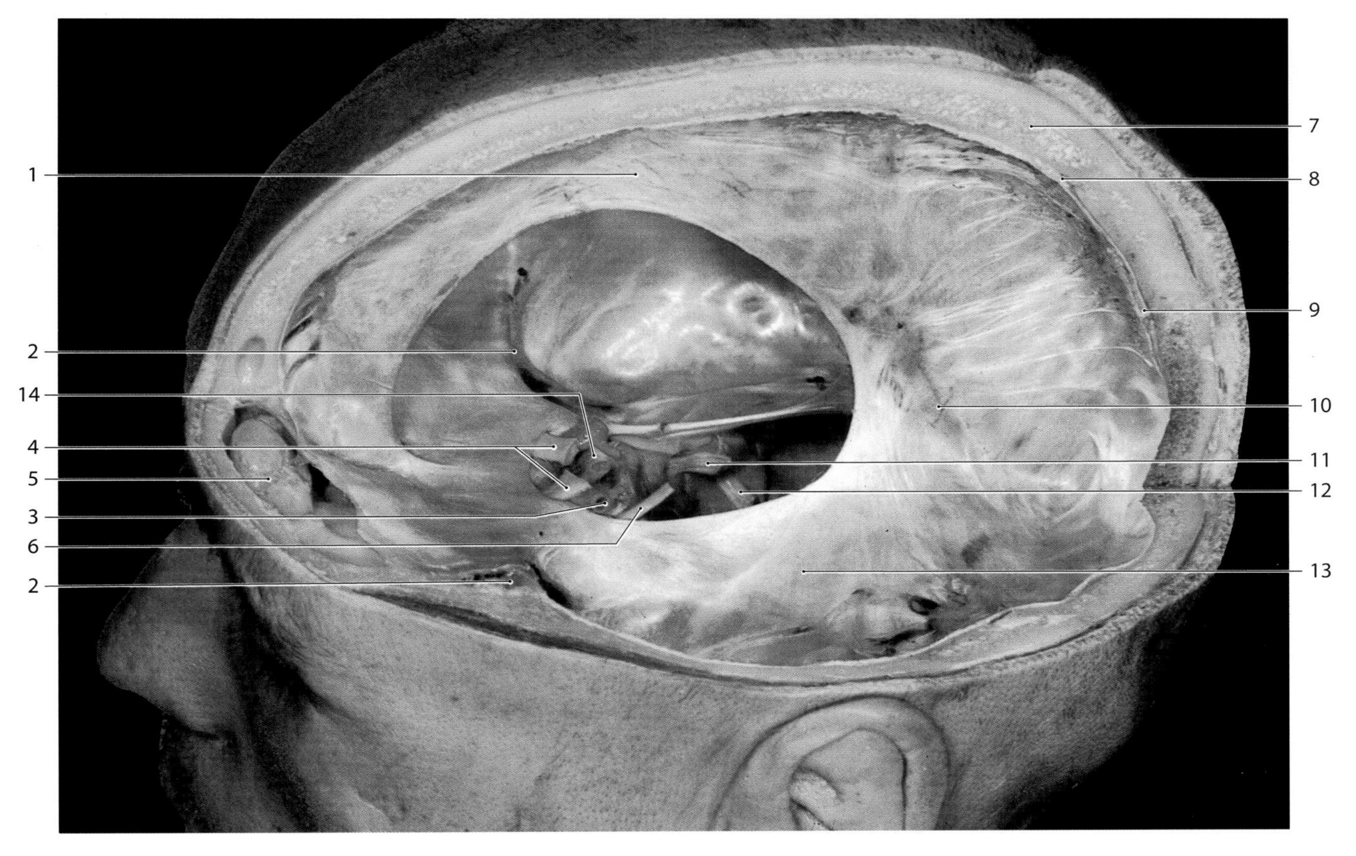

그림 9.101 **경막과 경막정맥굴**(비스듬하게 가쪽에서 본 모습). 뇌를 제거함.

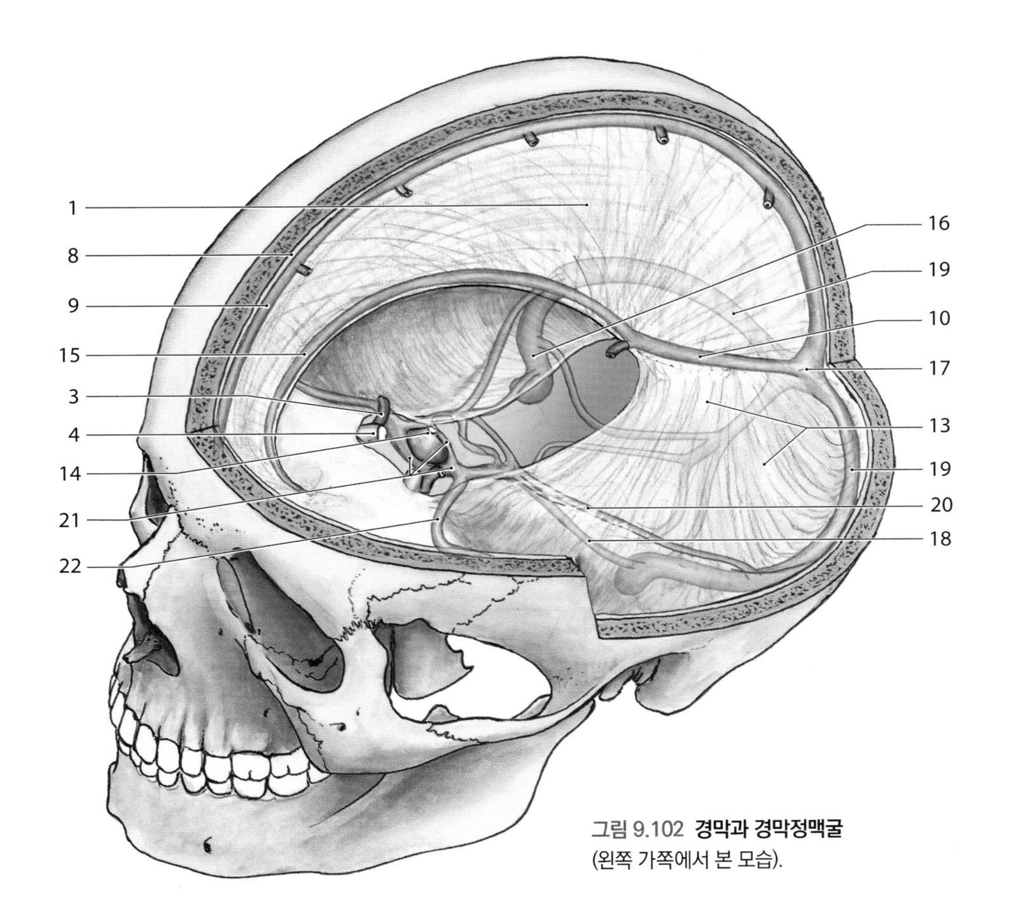

그림 9.102 **경막과 경막정맥굴**
(왼쪽 가쪽에서 본 모습).

1 대뇌낫 Falx cerebri
2 중간뇌막동맥과 정맥의 위치 Position of middle meningeal artery and vein
3 속목동맥 Internal carotid artery
4 시각신경 Optic nerve (CN II)
5 이마굴 Frontal sinus
6 눈돌림신경 Oculomotor nerve (CN III)
7 판사이층 Diploe
8 경막 Dura mater
9 위시상정맥굴 Superior sagittal sinus
10 곧은정맥굴 Straight sinus
11 삼차신경 Trigeminal nerve (CN V)
12 얼굴신경과 속귀신경 Facial and vestibulocochlear nerve (CN VII and CN VIII)
13 소뇌천막 Cerebellar tentorium
14 뇌하수체 Pituitary gland hypophysis
15 아래시상정맥굴 Inferior sagittal sinus
16 구불정맥굴 Sigmoid sinus
17 정맥굴합류 Confluence of sinuses
18 아래바위정맥굴 Inferior petrosal sinus
19 가로정맥굴 Transverse sinus
20 위바위정맥굴 Superior petrosal sinus
21 해면정맥굴과 해면사이정맥굴 Cavernous and intercavernous sinuses
22 나비마루정맥굴 Sphenoparietal sinus

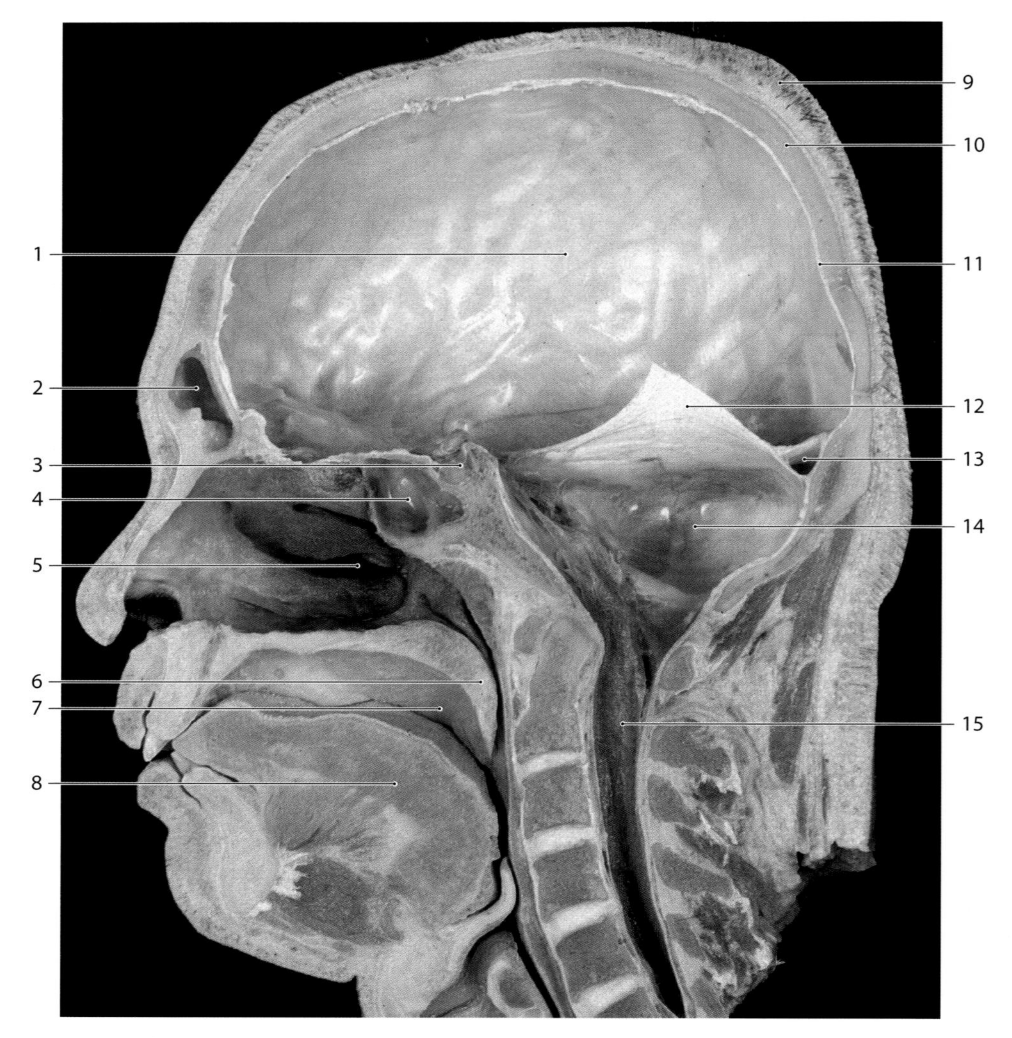

그림 9.103 **머리뼈안을 덮는 경막을 보여주는 머리의 정중단면**(머리의 오른쪽 반을 안쪽에서 본 모습). 뇌와 척수를 제거함.

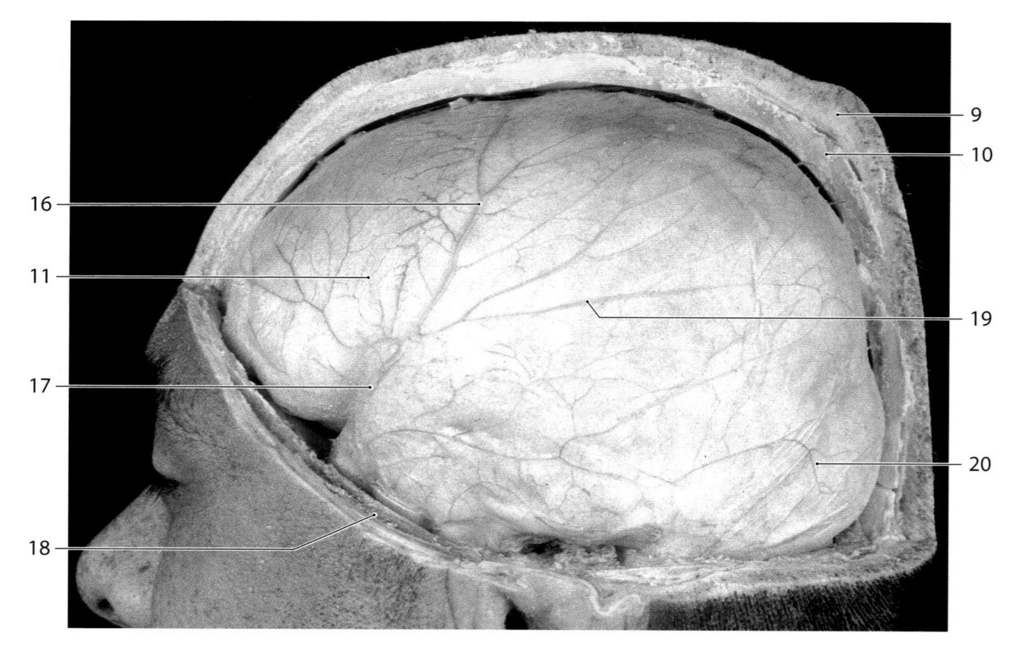

그림 9.104 **경막과 뇌막동맥의 해부.** 머리덮개뼈의 왼쪽 절반을 제거하였다.

1 머리뼈안의 경막(오른쪽 대뇌반구를 제거하였다) Cranial cavity with dura mater (right cerebral hemisphere has been removed)
2 이마굴 Frontal sinus
3 뇌하수체와 뇌하수체오목 Hypophysial fossa with pituitary gland
4 나비굴 Sphenoidal sinus
5 코안 Nasal cavity
6 물렁입천장(목젖) Soft palate (uvula)
7 입안 Oral cavity
8 혀 Tongue
9 피부 Skin
10 머리덮개뼈 Calvaria
11 경막 Dura mater
12 소뇌천막 Cerebellar tentorium
13 정맥굴합류 Confluence of sinuses
14 천막아래공간(소뇌와 뇌줄기 일부를 제거함) Infratentorial space (cerebellum and part of the brain stem have been removed)
15 척주관 Vertebral canal
16 중간뇌막동맥과 정맥의 이마가지 Frontal branch of middle meningeal artery and vein
17 중간뇌막동맥 Middle meningeal artery
18 판사이층 Diploë
19 중간뇌막동맥과 정맥의 마루가지 Parietal branch of middle meningeal artery and vein
20 경막에 덮인 왼쪽 대뇌반구의 뒤통수극 Occipital pole of left hemisphere covered with dura mater

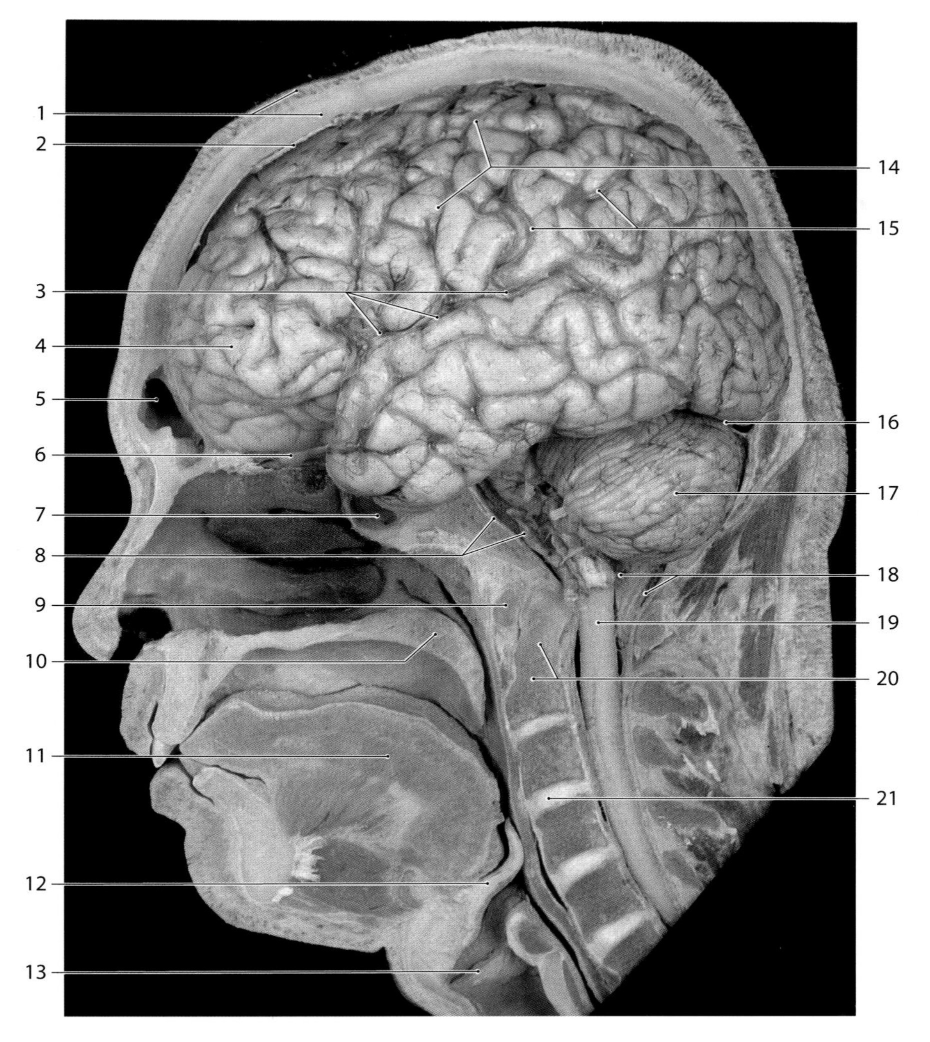

1 머리덮개뼈와 머리덮개의 피부
Calvaria and skin of the scalp
2 경막(잘림) Dura mater (divided)
3 가쪽고랑의 위치 Position of lateral sulcus
4 거미막과 연막에 덮인 이마엽
Frontal lobe covered by arachnoid and pia mater
5 이마굴 Frontal sinus
6 후각망울 Olfactory bulb
7 나비굴 Sphenoidal sinus
8 비스듬틀의 경막과 뇌바닥동맥
Dura mater on clivus and basilar artery
9 고리뼈(앞고리, 잘림) Atlas (anterior arch, divided)
10 물렁입천장 Soft palate
11 혀 Tongue
12 후두덮개 Epiglottis
13 성대주름 Vocal fold
14 중심고랑의 위치 Position of central sulcus
15 위대뇌정맥 Superior cerebral veins
16 소뇌천막(잘림) Tentorium (divided)
17 소뇌 Cerebellum
18 소뇌숨뇌수조 Cerebellomedullary cistern
19 큰구멍의 위치와 척수
Position of foramen magnum and spinal cord
20 중쇠뼈의 치아돌기 Dens of axis
21 척추사이원반 Intervertebral disc

그림 9.105 **뇌, 연막, 거미막의 해부.** 뇌를 제외한 머리의 반을 제거하여 뇌 전체가 보이게 하였다.

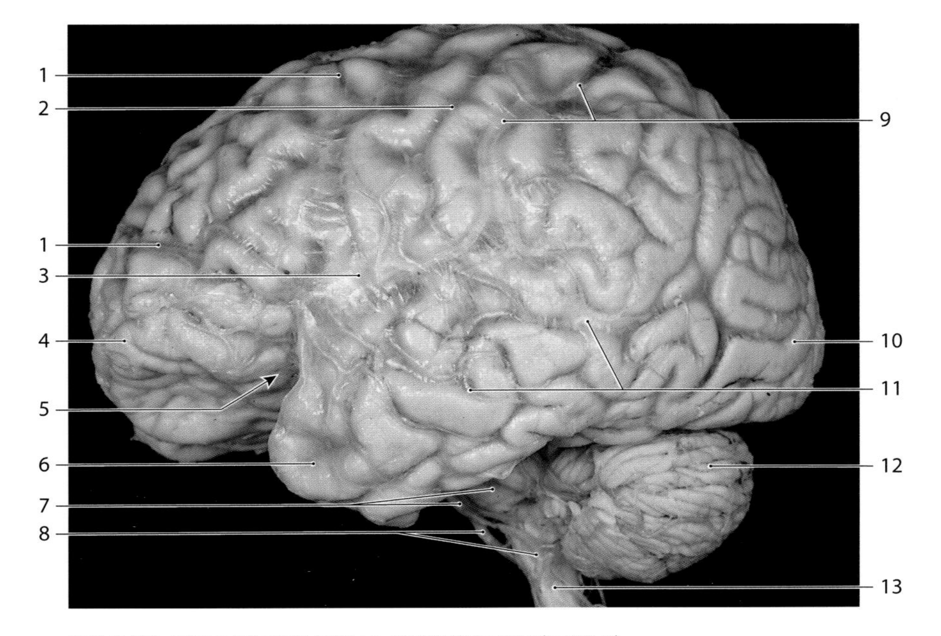

1 위대뇌정맥 Superior cerebral veins
2 중심고랑의 위치 Position of centeral sulcus
3 가쪽고랑과 대뇌가쪽오목수조의 위치
Position of lateral sulcus and cistern of lateral cerebral fossa
4 이마극 Frontal pole
5 가쪽고랑(화살표) Lateral sulcus (arrow)
6 관자극 Temporal pole
7 다리뇌와 뇌바닥동맥 Pons and basilar artery
8 척추동맥 Vertebral arteries
9 위연결정맥 Superior anastomotic vein
10 뒤통수극 Occipital pole
11 아래대뇌정맥 Inferior cerebral veins
12 소뇌반구 Hemisphere of cerebellum
13 숨뇌 Medulla oblongata

그림 9.106 **연막과 거미막에 덮인 뇌.** 왼쪽이 이마극이다(가쪽모습).

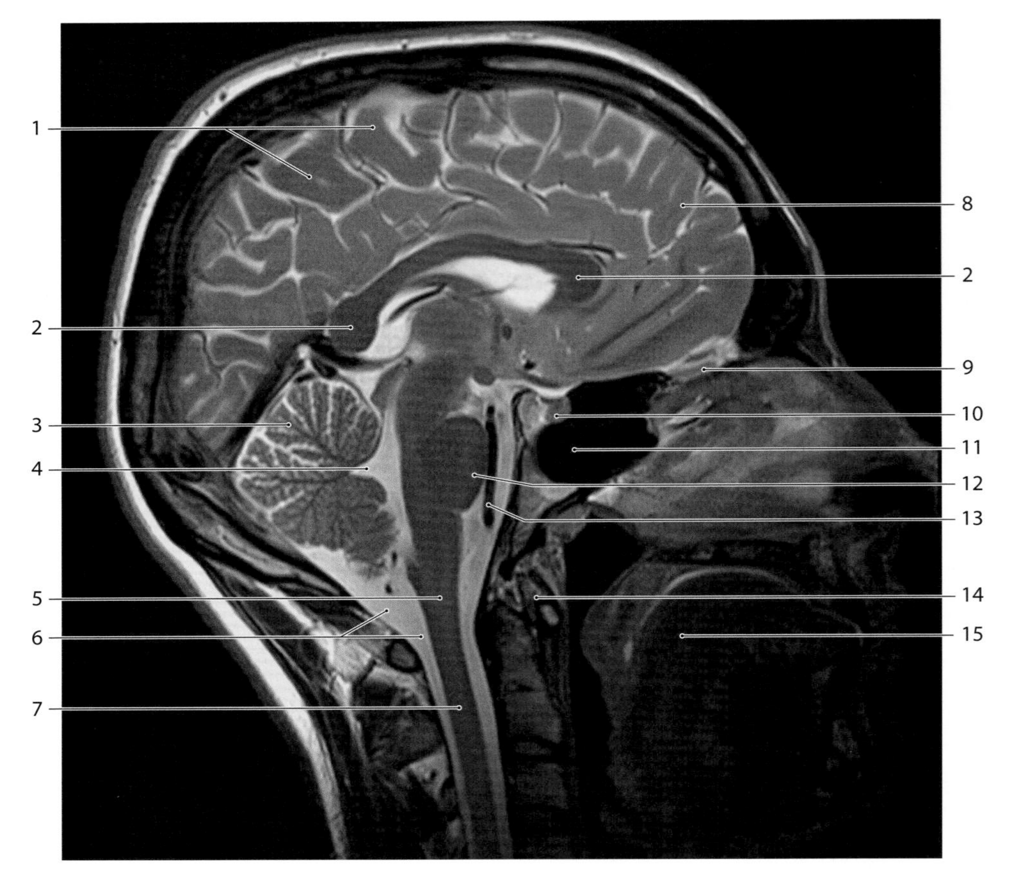

1 마루엽 Parietal lobe
2 뇌들보 Corpus callosum
3 소뇌 Cerebellum
4 넷째뇌실 Fourth ventricle
5 숨뇌 Medulla oblongata
6 소뇌숨뇌수조 Cerebellomedullar cistern
7 척수 Spinal cord
8 이마엽 Frontal lobe
9 후각망울 Olfactory bulb
10 뇌하수체와 뇌하수체오목(안장) Hypophysial fossa (sella turcica) with pituitary gland
11 나비굴 Sphenoid sinus
12 다리뇌 Pons
13 뇌바닥동맥 Basilar artery
14 치아돌기인대 Ligaments to the dens of axis
15 혀 Tongue

그림 9.107 **머리의 정중단면**(자기공명영상) (Prof. Uder, Dept. of Radiology, Univ.Erlangen-Nuremberg, Germany)

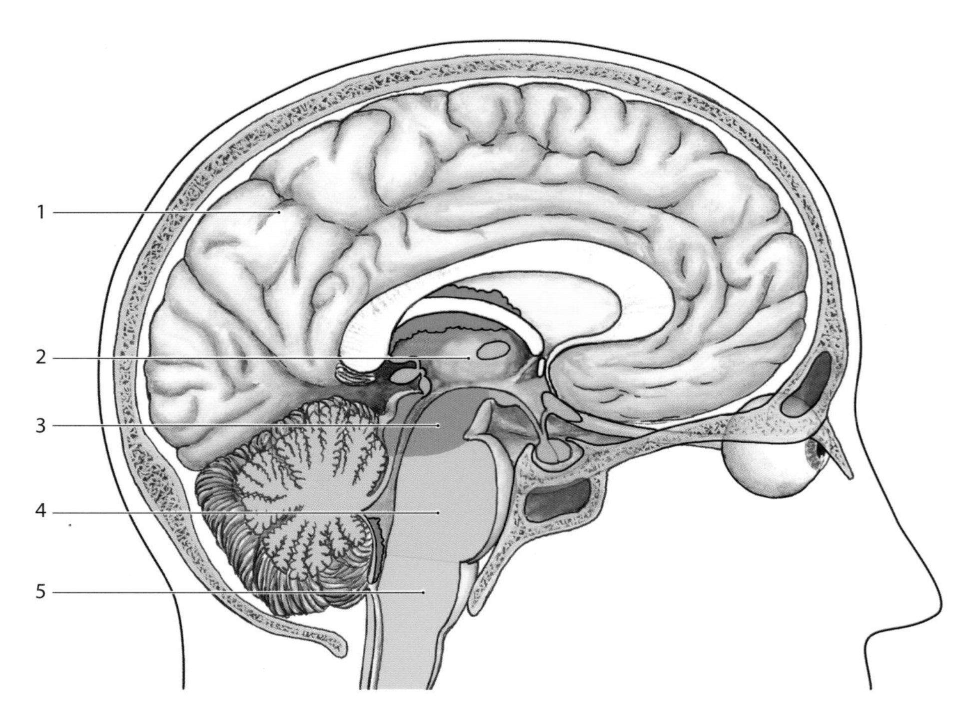

1 끝뇌(노랑)와 가쪽뇌실
2 사이뇌(주황)와 셋째뇌실, 시각신경, 망막
3 중간뇌(파랑)와 중간뇌수도관
4 뒤뇌(초록)와 넷째뇌실
5 숨뇌(노랑-초록)

그림 9.108 색으로 뇌의 부위를 구분한 **머리의 정중단면.**

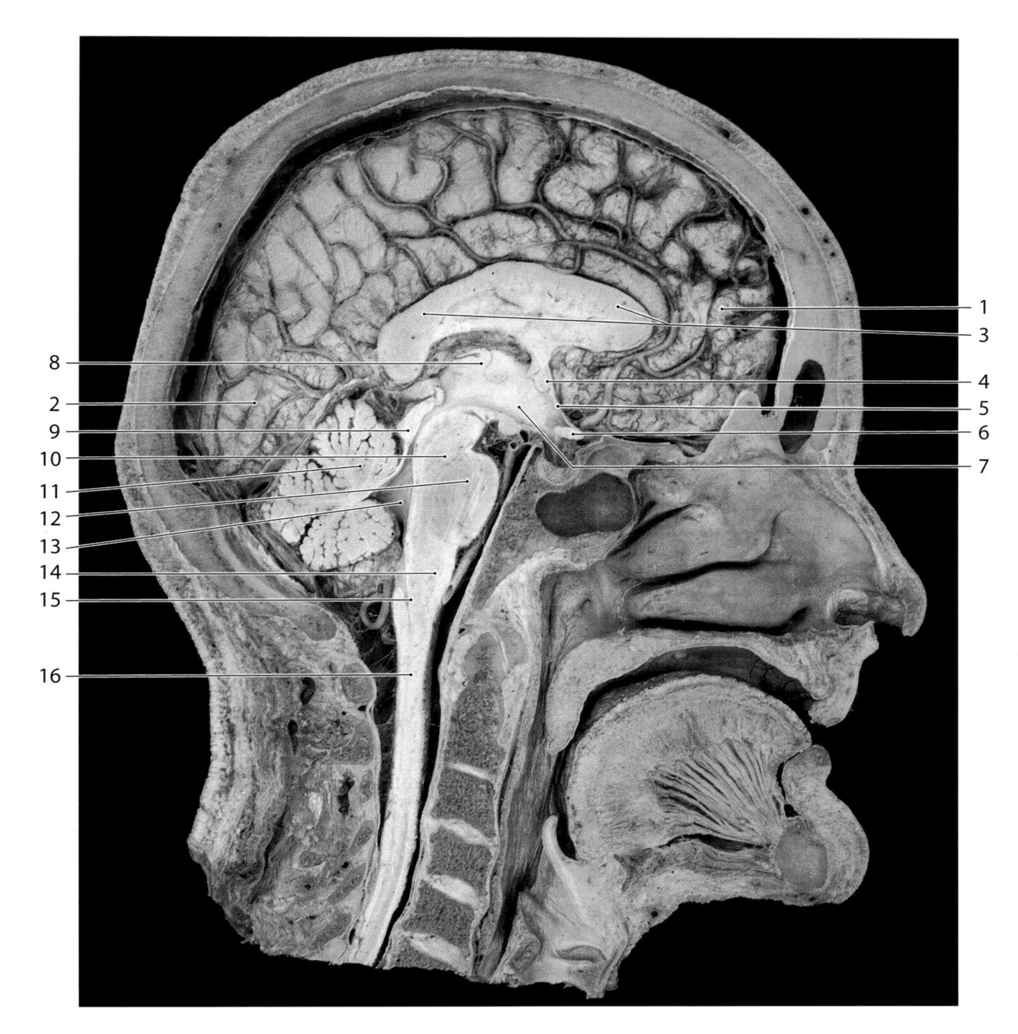

1 이마엽 Frontal lobe of cerebrum
2 뒤통수엽 Occipital lobe of cerebrum
3 뇌들보 Corpus callosum
4 앞맞교차 Anterior commissure
5 종말판 Lamina terminalis
6 시각교차 Optic chiasma
7 시상하부 Hypothalamus
8 시상과 셋째뇌실
Thalamus and third ventricle
9 중간뇌의 둔덕 Colliculi of the midbrain
10 중간뇌(아래부분) Midbrain (inferior portion)
11 소뇌 Cerebellum
12 다리뇌 Pons
13 넷째뇌실 Fourth ventricle
14 숨뇌 Medulla oblongata
15 중심관 Central canal
16 척수 Spinal cord

그림 9.109 **머리의 정중단면.** 뇌의 부위. 대뇌낫을 제거함.

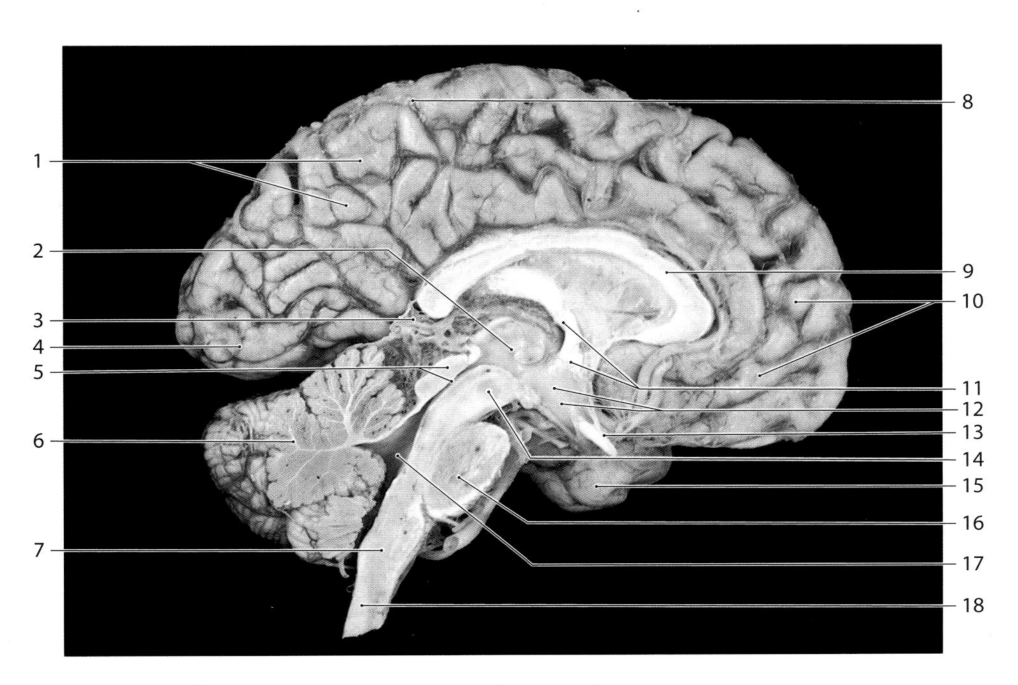

1 마루엽 Parietal lobe
2 시상, 셋째뇌실 halamus and third ventricle
3 큰대뇌정맥 Great cerebral vein
4 뒤통수엽 Occipital lobe
5 중간뇌의 둔덕과 중간뇌수도관
Colliculi of the midbrain and cerebral aqueduct
6 소뇌 Cerebellum
7 숨뇌 Medulla oblongata
8 중심고랑 Central sulcus
9 뇌들보 Corpus callosum
10 이마엽 Frontal lobe
11 뇌활과 앞맞교차
Fornix and anterior commissure
12 시상하부 Hypothalamus
13 시각교차 Optic chiasma
14 중간뇌 Midbrain
15 관자엽 Temporal lobe
16 다리뇌 Pons
17 넷째뇌실 Fourth ventricle
18 척수 Spinal cord

그림 9.110 **뇌와 뇌줄기 정중단면.** 오른쪽이 이마극(frontal pole)

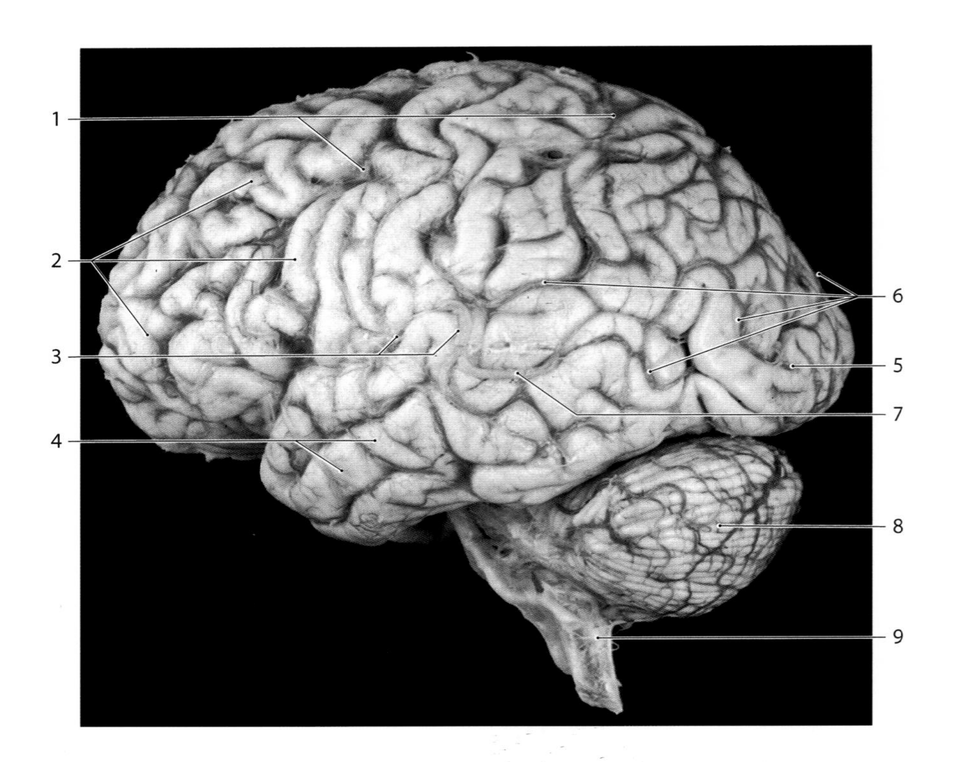

1 위대뇌정맥과 마루엽
Superior cerebral veins and parietal lobe
2 이마엽 Frontal lobe
3 얕은중간대뇌정맥과 가쪽대뇌오목수조
Superficial middle cerebral vein and cistern of lateral cerebral fossa
4 관자엽 Temporal lobe
5 뒤통수엽 Occipital lobe
6 아래대뇌정맥과 가로뒤통수고랑
Inferior cerebral veins and transverse occipital sulcus
7 아래연결정맥 Inferior anastomotic vein
8 소뇌 Cerebellum
9 숨뇌 Medulla oblongata

그림 9.111 **뇌와 연막, 거미막**(가쪽모습). 대뇌정맥(푸르스름한 색). 가쪽고랑(lateral sulcus) 속에서 가쪽대뇌오목수조(cistern of the lateral fossa)가 확인된다. 왼쪽이 이마엽이다.

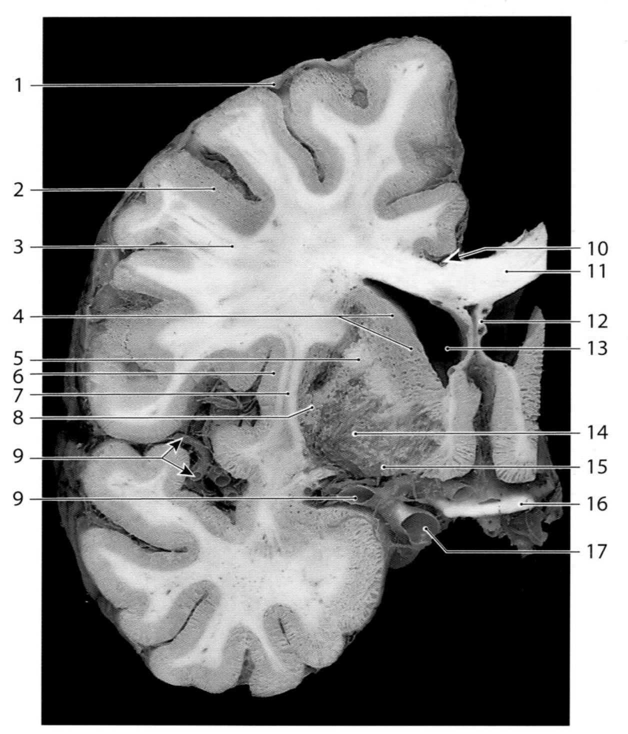

그림 9.112 **오른쪽 대뇌반구의 관상단면,** 거미막, 연막 및 동맥 분포를 나타냄(앞에서 본 모습)

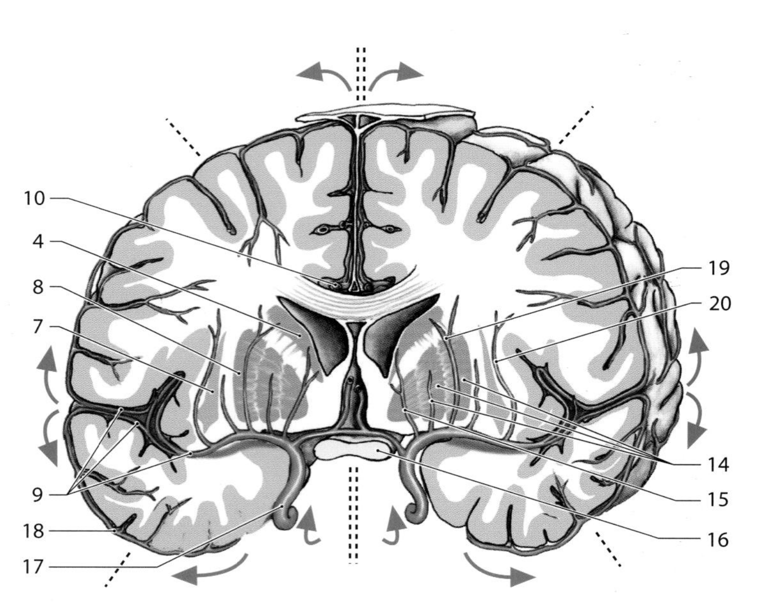

그림 9.113 **뇌의 동맥**(관상단면). 겉질동맥과 중심동맥이 분포하는 영역. 점선은 각 동맥이 분포하는 영역의 경계를 가리키고, 화살표는 혈액이 흐르는 방향이다.

1 거미막 Arachnoid
2 겉질 Cortex
3 이마엽(백색질) Frontal lobe (white matter)
4 꼬리핵 Caudate nucleus
5 속섬유막 Internal capsule
6 뇌섬엽 Insular lobe
7 담장 Claustrum
8 조가비핵 Putamen
9 중간대뇌동맥 Middle cerebral arteries
10 앞대뇌동맥 Anterior cerebral artery
11 뇌들보 Corpus callosum
12 투명사이막 Septum pellucidum
13 가쪽뇌실 Lateral ventricle
14 창백핵과 창백핵동맥
Globus pallidus and pallidostriate artery
15 시상동맥 Thalamic artery
16 시각교차 Optic chiasma
17 속목동맥 Internal carotid artery
18 뒤대뇌동맥 Posterior cerebral artery
19 뒤줄무늬체가지 Posterior striate branch
20 섬엽동맥 Insular artery

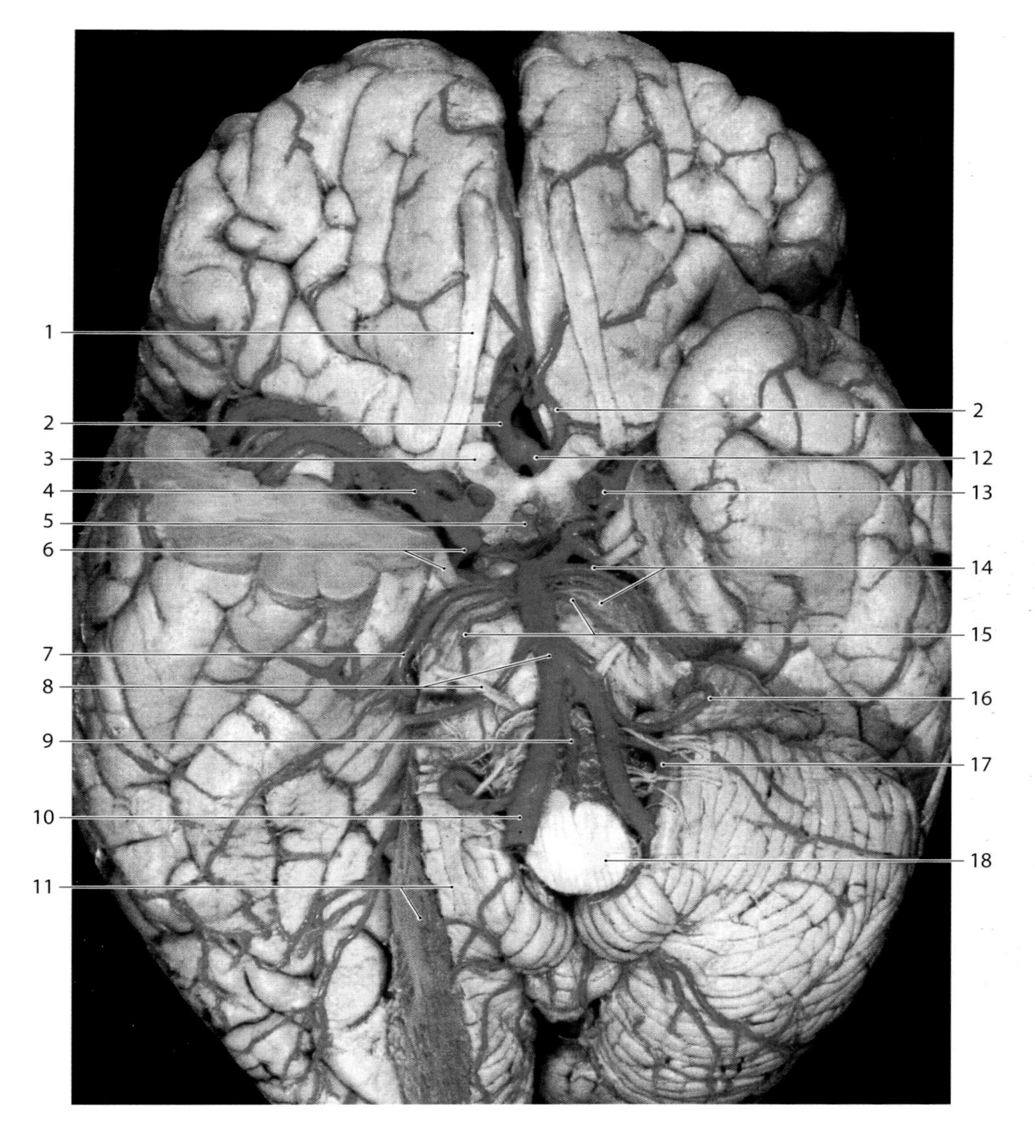

그림 9.114 **뇌의 동맥**(아래모습, 위쪽이 이마극). 오른쪽 관자엽과 소뇌 일부를 제거함.

1 후각로 Olfactory tract
2 앞대뇌동맥 Anterior cerebral artery
3 시각신경 Optic nerve (CN II)
4 중간대뇌동맥 Middle cerebral artery
5 깔때기 Infundibulum
6 눈돌림신경과 뒤교통동맥 Oculomotor nerve (CN III) and posterior communicating artery
7 뒤대뇌동맥 Posterior cerebral artery
8 뇌바닥동맥과 갓돌림신경 Basilar artery and abducent nerve (CN VI)
9 앞척수동맥 Anterior spinal artery
10 척추동맥 Vertebral artery
11 소뇌 Cerebellum
12 앞교통동맥 Anterior communicating artery
13 속목동맥 Internal carotid artery
14 위소뇌동맥과 다리뇌 Superior cerebellar artery and pons
15 미로동맥 Labyrinthine arteries
16 앞아래소뇌동맥 Anterior inferior cerebellar artery
17 뒤아래소뇌동맥 Posterior inferior cerebellar artery
18 숨뇌 Medulla oblongata
19 도르래위동맥 Supratrochlear artery
20 앞섬모체동맥 Anterior ciliary arteries
21 눈물샘동맥 Lacrimal artery
22 뒤섬모체동맥 Posterior ciliary arteries
23 눈동맥과 망막중심동맥 Ophthalmic artery with central retinal artery
24 삼차신경 Trigeminal nerve (CN V)
25 얼굴신경과 속귀신경 Facial nerve (CN VII) and vestibulocochlear nerve (CN VIII)
26 혀인두신경, 미주신경, 더부신경 Glossopharyngeal nerve (CN IX), vagus nerve (CN X), and accessory nerve (CN XI)
27 후각망울 Olfactory bulb
28 뒤척수동맥 Posterior spinal artery

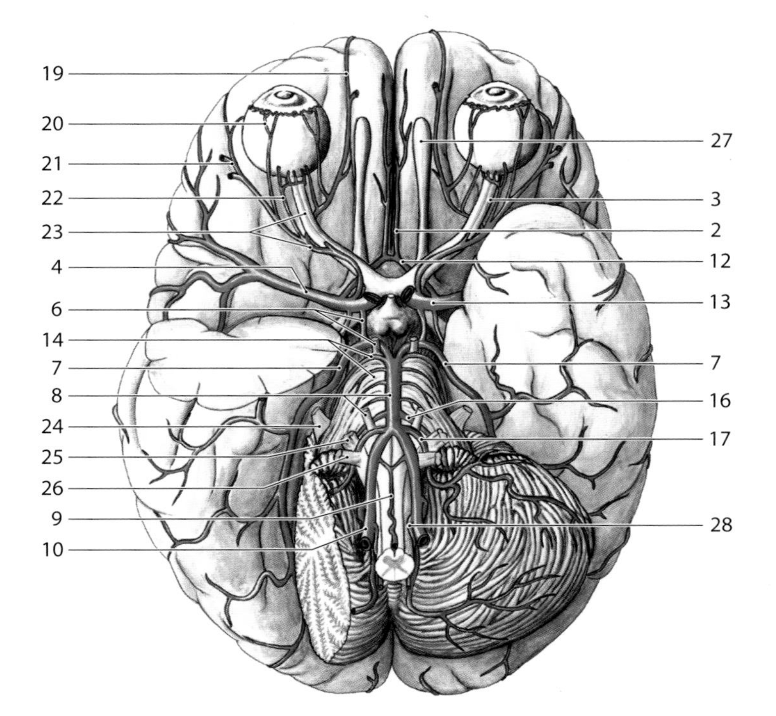

그림 9.115 **뇌의 동맥**(아래모습).
오른쪽 관자엽과 소뇌 일부를 제거하였다.
깔때기 주위의 대뇌동맥고리를 확인하시오.

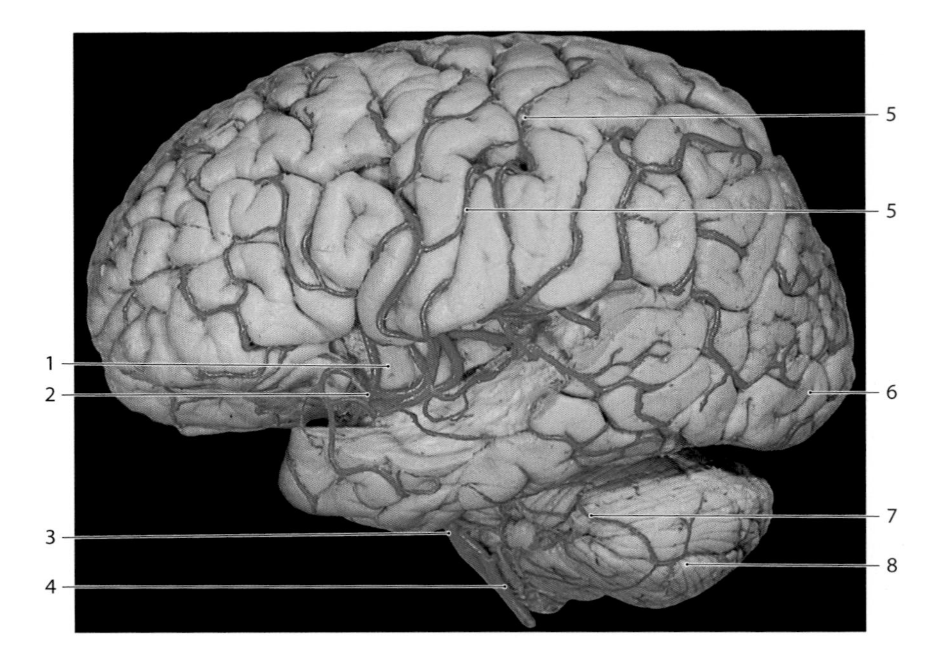

그림 9.116 **대뇌동맥**(왼쪽 반구의 가쪽모습). 관자엽 위부분을 제거하여 대뇌섬과 대뇌동맥이 보이게 하였다. 대뇌동맥에 빨간색 레진(red resin)을 주입함.

1 대뇌섬 Insula
2 중간대뇌동맥 두 가지
Middle cerebral artery with two branches:
(a) 마루가지 Parietal branches
(b) 관자가지 Temporal branches
3 뇌바닥동맥 Basilar artery
4 척추동맥 Vertebral artery
5 중심고랑 Central sulcus
6 뒤통수엽 Occipital lobe
7 위소뇌동맥 Superior cerebellar artery
8 소뇌 Cerebellum
9 앞대뇌동맥 Anterior cerebral artery
10 벌집동맥 Ethmoidal arteries
11 눈동맥 Ophthalmic artery
12 속목동맥 Internal carotid artery
13 뒤교통동맥 Posterior communicating artery
14 뒤대뇌동맥 Posterior cerebral artery
15 앞아래소뇌동맥 Anterior inferior cerebellar artery
16 뒤아래소뇌동맥 Posterior inferior cerebellar artery

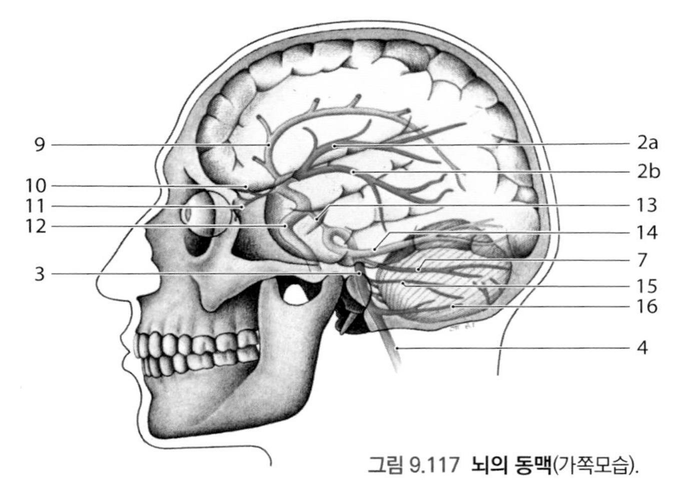

그림 9.117 **뇌의 동맥**(가쪽모습).

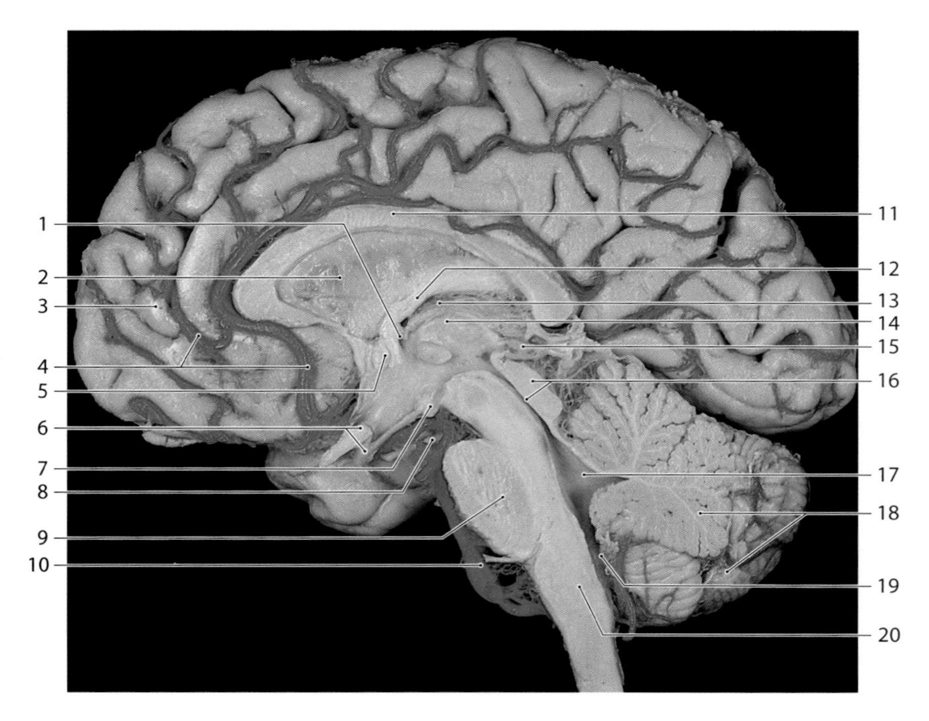

1 뇌실사이구멍 Interventricular foramen
2 투명사이막 Septum pellucidum
3 이마엽 Frontal lobe
4 앞대뇌동맥 Anterior cerebral artery
5 앞맞교차 Anterior commissure
6 시각교차와 깔때기
Optic chiasma and infundibulum
7 유두체 Mammillary body
8 눈돌림신경 Oculomotor nerve (CN III)
9 다리뇌 Pons
10 뇌바닥동맥 Basilar artery
11 뇌들보 Corpus callosum
12 뇌활 Fornix
13 맥락얼기 Choroid plexus
14 셋째뇌실 Third ventricle
15 솔방울샘 Pineal body
16 중간뇌덮개와 중간뇌수도관
Tectum and cerebral aqueduct
17 넷째뇌실 Fourth ventricle
18 소뇌(소뇌나무, 벌레)
Cerebellum (arbor vitae, vermis)
19 넷째뇌실 정중구멍
Median aperture of Magendie
20 숨뇌 Medulla oblongata

그림 9.118 **대뇌와 뇌줄기의 정중단면.**
(대뇌동맥에 빨간색 레진 주입).

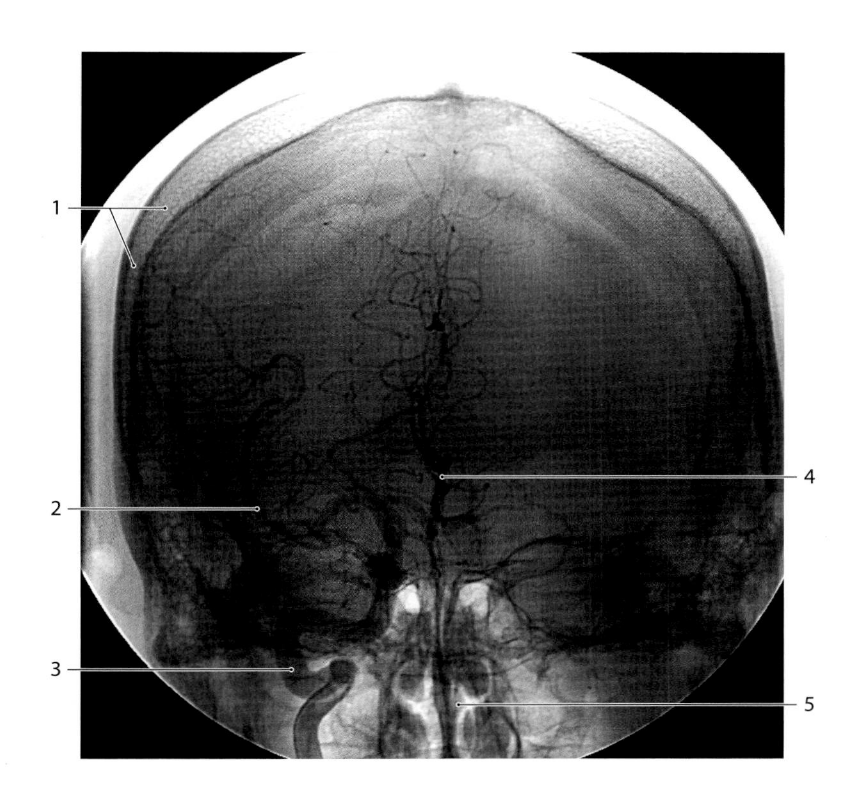

그림 9.119 **속목동맥의 혈관조영상**(앞에서 본 모습, 우측의 혈관만 조영). (Dr. Wieners, Dept. of Radiology, Univ. Berlin, Germany.)

1 머리뼈의 판사이층 Skull diploe
2 중간대뇌동맥 Middle cerebral artery
3 속목동맥 Internal carotid artery
4 앞대뇌동맥 Anterior cerebral artery
5 코안 Nasal cavity
6 대뇌동맥고리 Arterial circle of Willis
7 척추동맥 Vertebral artery
8 온목동맥 Common carotid artery
9 빗장밑동맥 Subclavian artery
10 뒤교통동맥 Posterior communicating artery
11 뒤대뇌동맥 Posterior cerebral artery
12 뇌바닥동맥 Basilar artery
13 대동맥활 Aortic arch

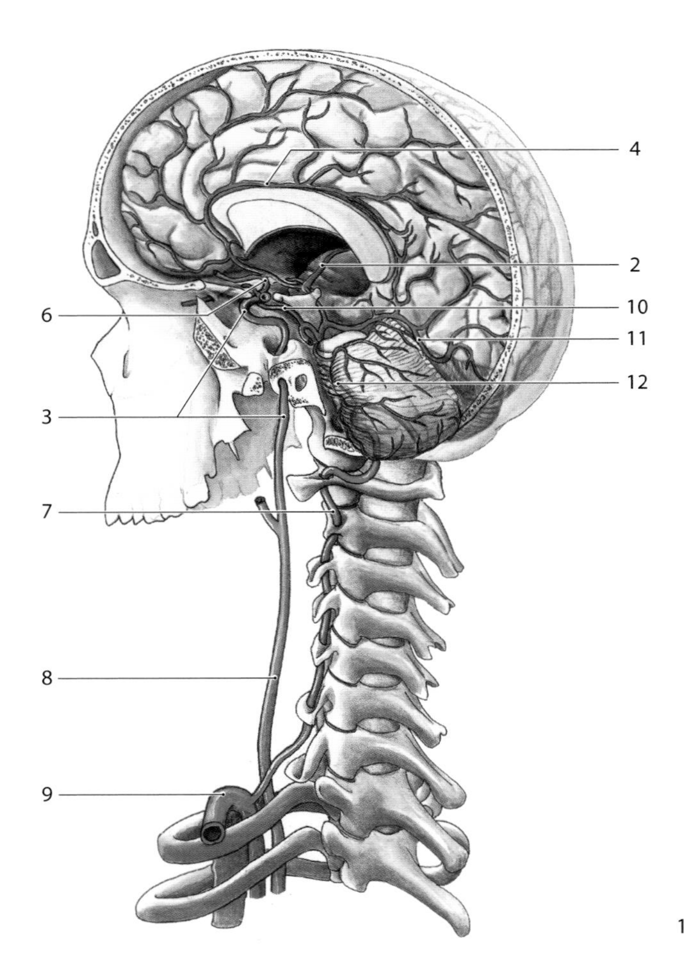

그림 9.120 **대뇌의 동맥.** 왼쪽 대뇌반구와 뇌줄기를 제거하였다. 안장 주위의 대뇌동맥고리를 확인할 것.

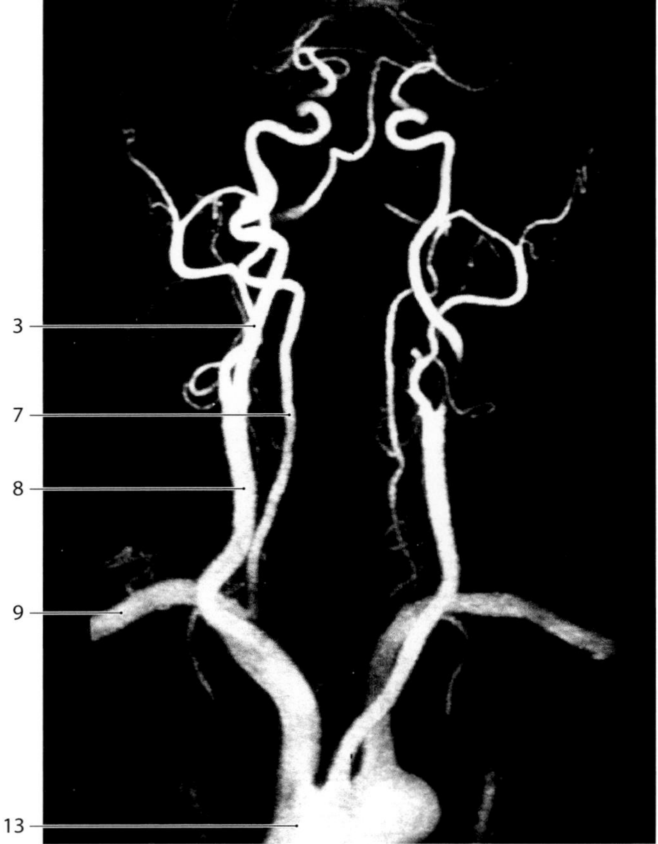

그림 9.121 **뇌의 주요 동맥분포**(앞에서 본 모습; 자기공명혈관조영상). (Prof. Bautz, Univ. Erlangen-Nuremberg, Germany.)

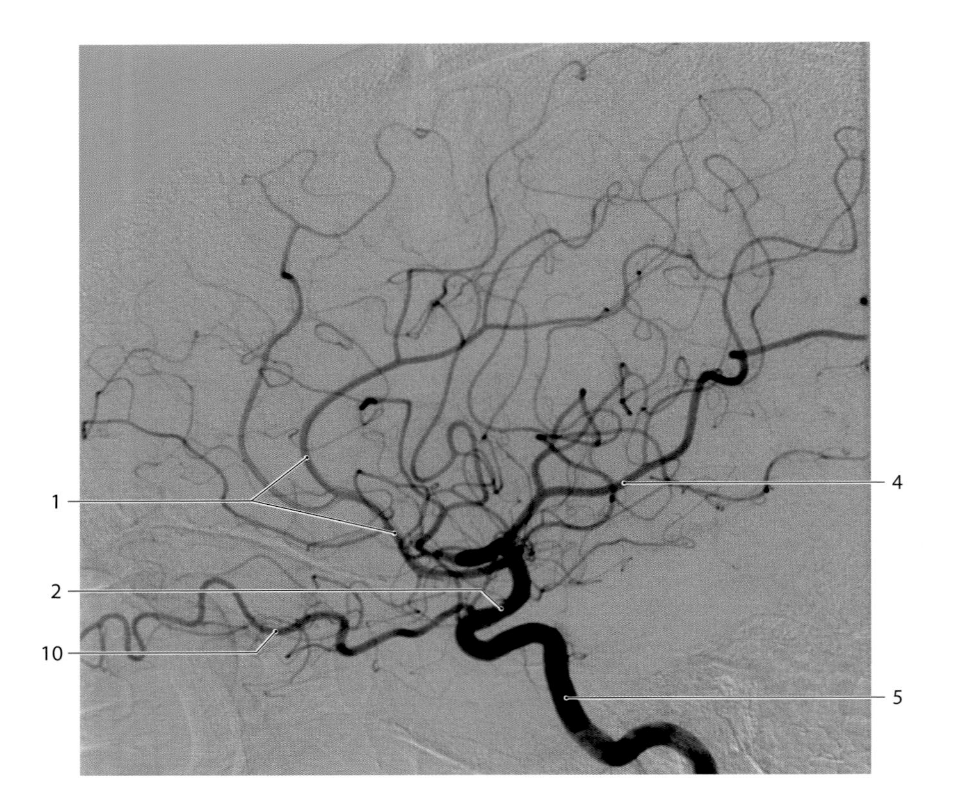

그림 9.122 **속목동맥의 혈관조영상**(가쪽에서 본 모습). (Prof. Huck, Dept. of Neuroradiology, Univ. Erlangen-Nuremberg, Germany.)

1 앞대뇌동맥 Anterior cerebral artery
2 속목동맥고리
Loop of the internal carotid artery
3 중간대뇌동맥 Middle cerebral artery
4 뒤대뇌동맥 Posterior cerebral artery
5 속목동맥 Internal carotid artery
6 위소뇌동맥 Superior cerebellar artery
7 앞아래소뇌동맥
Anterior inferior cerebellar artery
8 뒤아래소뇌동맥
Posterior inferior cerebellar artery
9 척추동맥 Vertebral artery
10 눈동맥 Ophthalmic artery

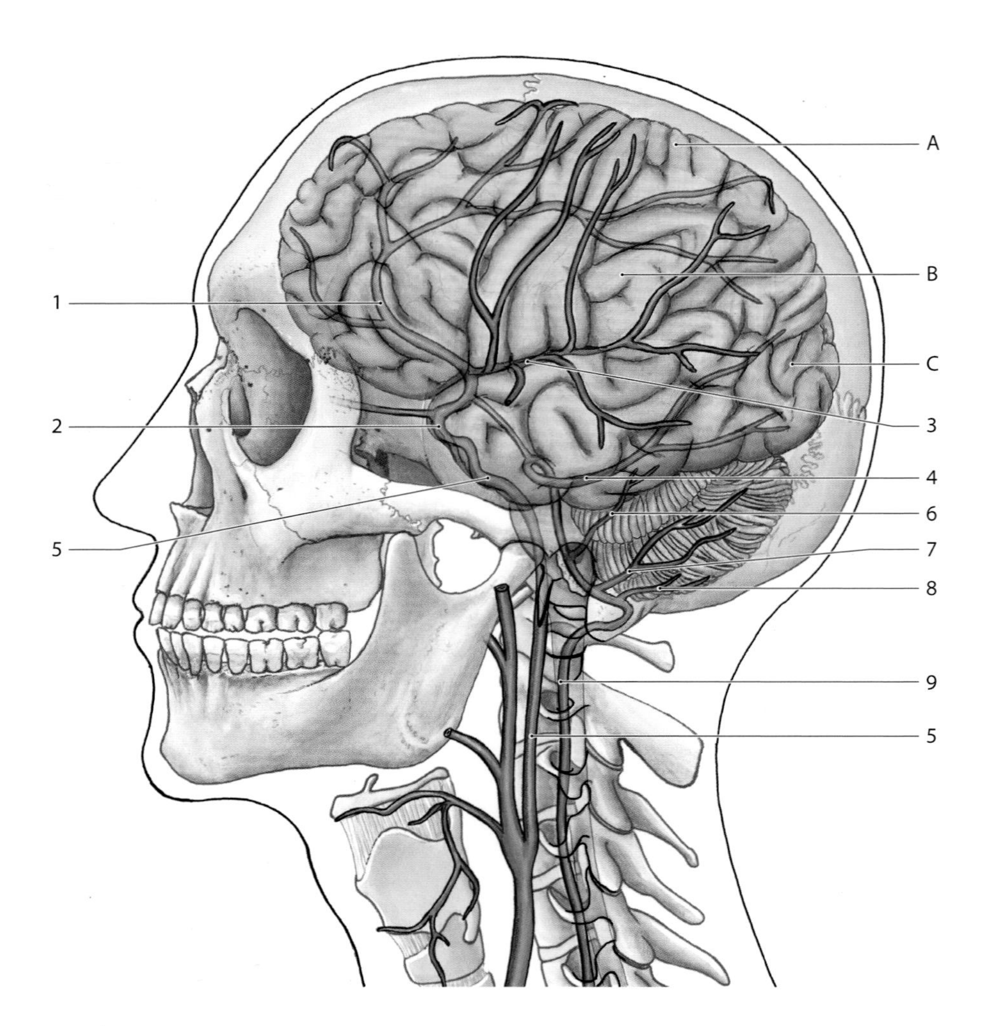

뇌의 동맥분포영역(소뇌 = 옅은파랑)

A = 앞대뇌동맥
(겉질의 위와 안쪽 부분)(주황)

B = 중간대뇌동맥
(이마엽, 마루엽, 관자엽의 가쪽부분)(흰색)

C = 뒤대뇌동맥
(뒤통수엽, 관자엽의 아래부분)(파랑)

그림 9.123 **뇌의 동맥**(가쪽에서 본 모습). 주요 동맥이 분포하는 영역을 다른 색깔로 표시함.

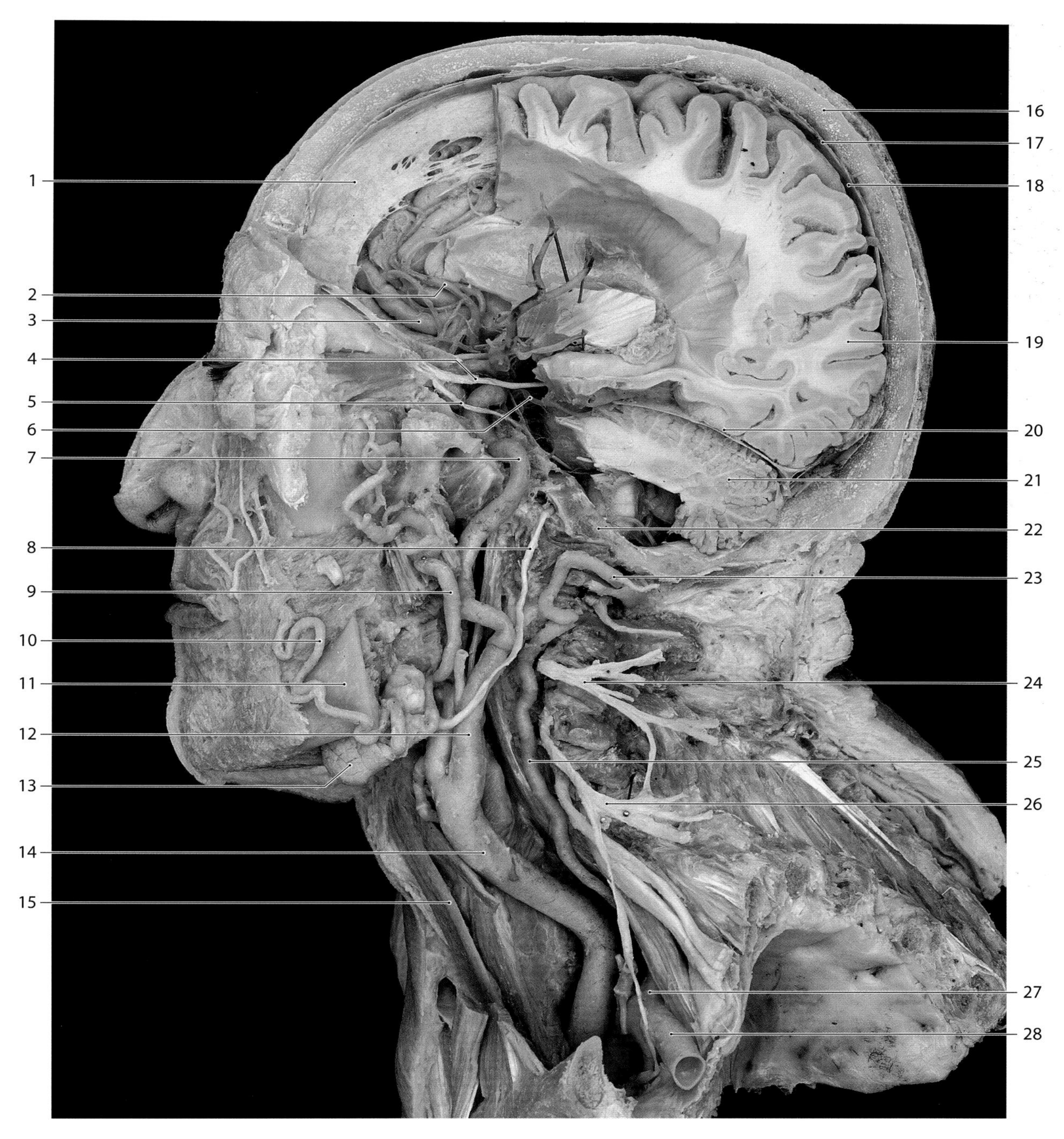

그림 9.124 **뇌와 머리의 동맥 해부**(가쪽에서 본 모습). 얼굴의 얕은층과 왼쪽 대뇌반구와 소뇌의 일부를 제거함.

1 대뇌낫 Falx cerebri
2 앞대뇌동맥 Anterior cerebral artery
3 이마엽 Frontal lobe
4 눈돌림신경 Oculomotor nerve (CN III)
5 갓돌림신경 Abducent nerve (CN VI)
6 뒤대뇌동맥 Posterior cerebral artery
7 해면정맥굴로 들어가는 속목동맥 Internal carotid artery, entering sinus cavernosus
8 혀밑신경 Hypoglossal nerve (CN XII)
9 위턱동맥 Maxillary artery
10 얼굴동맥 Facial artery
11 아래턱뼈 Mandible
12 바깥목동맥 External carotid artery
13 턱밑샘 Submandibular gland
14 온목동맥 Common carotid artery
15 복장목뿔근 Sternohyoid muscle
16 머리덮개뼈 Calvaria
17 경막 Dura mater
18 거미막밑공간 Subarachnoidal space
19 뒤통수엽 Occipital lobe
20 소뇌천막 Tentorium of cerebellum
21 소뇌 Cerebellum
22 머리뼈바닥 Base of skull
23 척추동맥(고리뼈의 뒤고리에 있는) Vertebral artery (on the posterior arch of the atlas)
24 목신경얼기 Cervical plexus
25 척추동맥(목뼈를 제거하여 노출된) Vertebral artery (removed from the cervical vertebrae)
26 팔신경얼기 Brachial plexus
27 척추동맥(빗장밑동맥에서 일어나는) Vertebral artery (branching from the subclavian artery)
28 빗장밑동맥 Subclavian artery

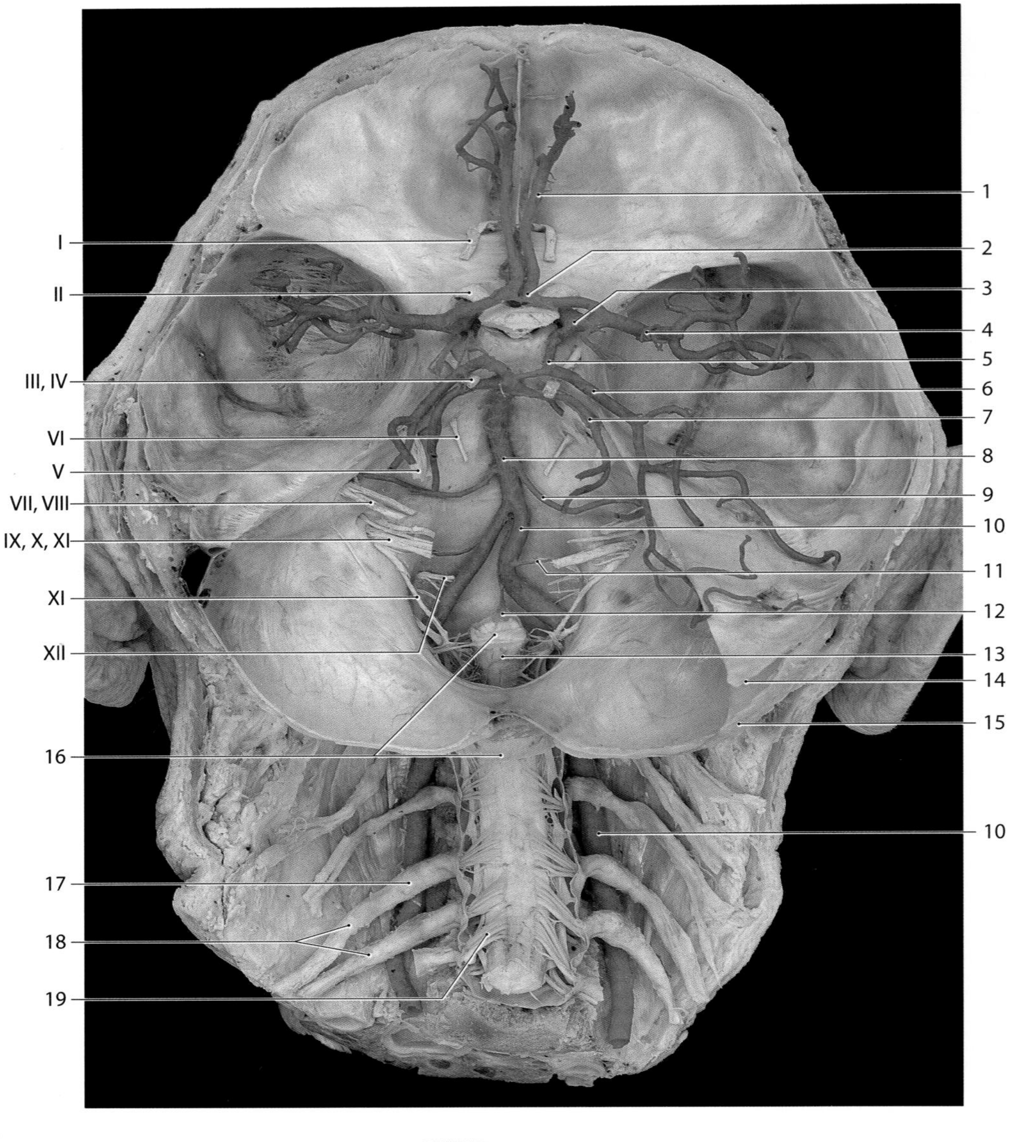

그림 9.125 **머리뼈바닥에서 속목동맥과 대뇌동맥고리의 해부**(뒤쪽 위에서 본 모습). 머리덮개뼈와 뇌를 제거하였다. 빨강 = 동맥, 노랑 = 뇌신경 1번부터 12번까지.

1 앞대뇌동맥 Anterior cerebral artery
2 앞교통동맥 Anterior communicating artery
3 속목동맥 Internal carotid artery
4 중간대뇌동맥 Middle cerebral artery
5 뒤교통동맥 Posterior communicating artery
6 뒤대뇌동맥 Posterior cerebral artery
7 위소뇌동맥 Superior cerebellar artery
8 뇌바닥동맥 Basilar artery
9 앞아래소뇌동맥과 미로동맥 Anterior inferior cerebellar artery with artery of the labyrinth
10 척추동맥 Vertebral artery
11 뒤아래소뇌동맥 Posterior inferior cerebellar artery
12 앞척수동맥 Anterior spinal artery
13 척수의 연막 Pia mater of spinal cord
14 소뇌천막 Cerebellar tentorium
15 머리뼈안의 경막 Dura mater of the cranial cavity
16 척수 Spinal cord
17 척수신경절 Spinal ganglion
18 셋째, 넷째목신경 Spinal nerves (C3, C4)
19 뒤잔뿌리 Posterior root filaments (fila radicularia post.)
20 눈동맥(눈확 속의) Ophthalmic artery (within the orbit)
21 속목동맥(목동맥관 속의) Internal carotid artery (within carotid canal)

I = 후각로 Olfactory tract
II = 시각신경 Optic nerve
III = 눈돌림신경 Oculomotor nerve
IV = 도르래신경 Trochlear nerve
V = 삼차신경 Trigeminal nerve
VI = 갓돌림신경 Abducent nerve
VII = 얼굴신경 Facial nerve
VIII = 속귀신경 Vestibulocochlear nerve
IX = 혀인두신경 Glossopharyngeal nerve
X = 미주신경 Vagus nerve
XI = 더부신경 Accessory nerve
XII = 혀밑신경 Hypoglossus nerve

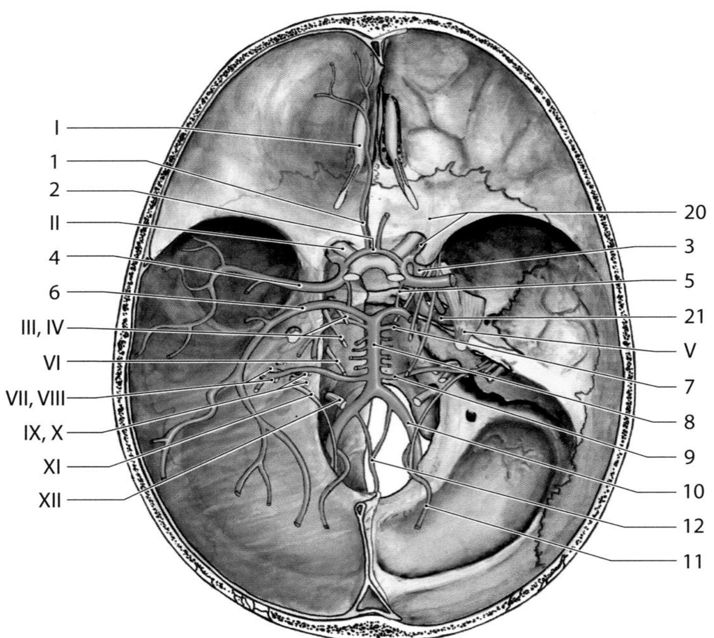

그림 9.126 **머리뼈바닥의 대뇌동맥고리**(위에서 본 모습). 빨강 = 동맥, 노랑 = 뇌신경 1번부터 12번까지.

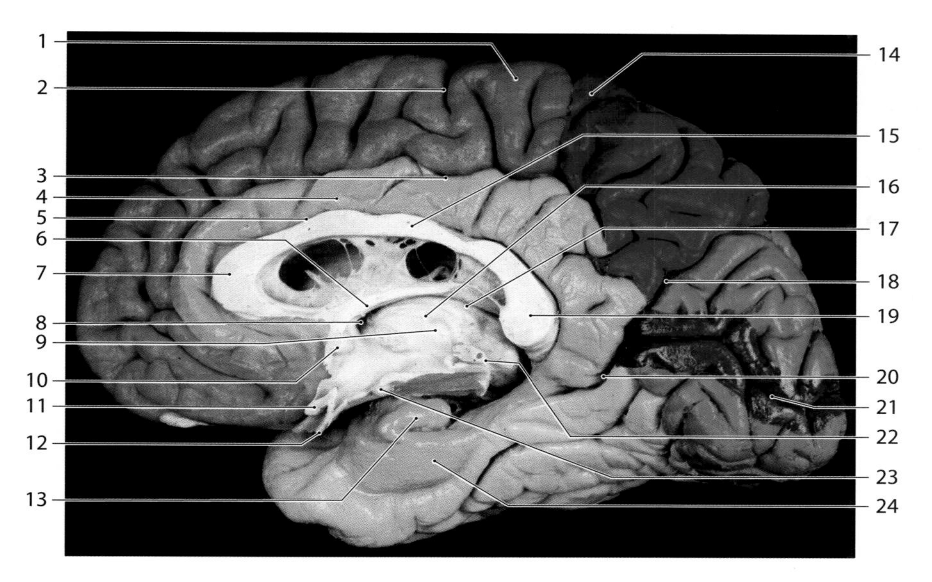

그림 9.127 **뇌, 오른쪽 대뇌반구**(안쪽모습). 중간뇌가 잘렸고, 소뇌와 뇌줄기 아래부분을 제거함. 왼쪽이 이마극.

빨강	= 이마엽	짙은빨강	= 중심앞이랑
파랑	= 마루엽	짙은파랑	= 중심뒤이랑
초록	= 뒤통수엽	짙은초록	= 새발톱고랑
노랑	= 관자엽	짙은노랑	= 둘레겉질(띠이랑과 해마곁이랑)

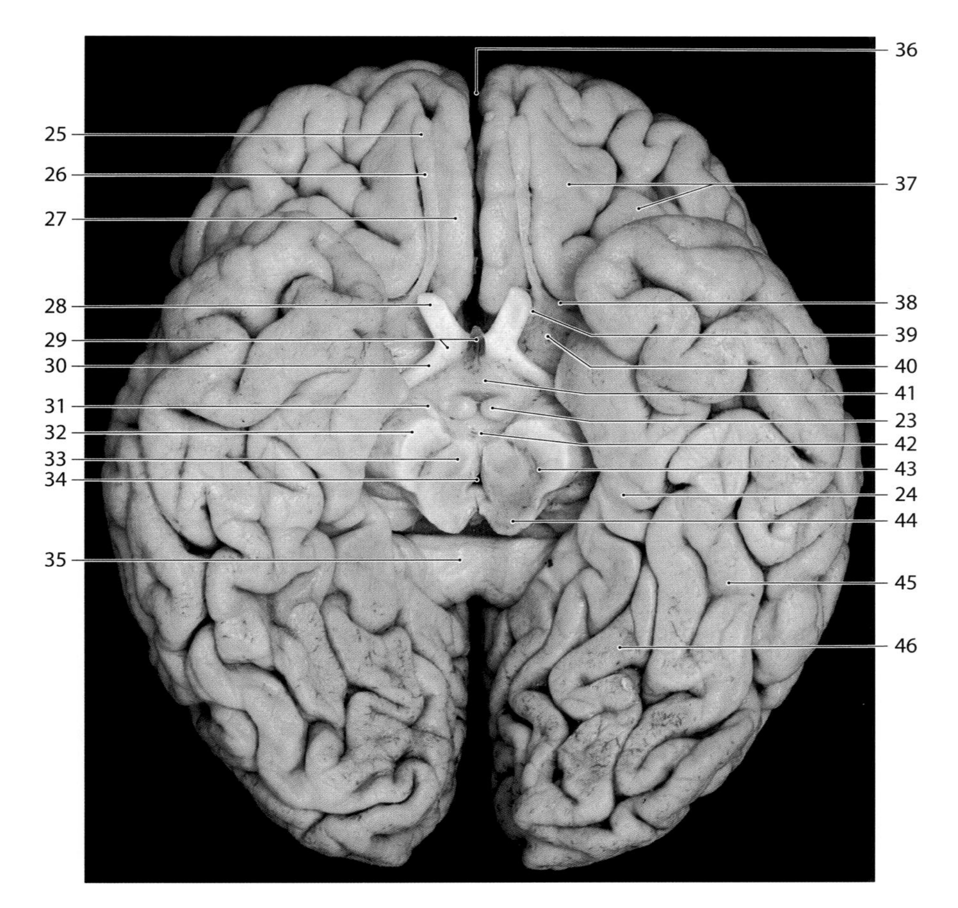

그림 9.128 **뇌**(아래모습). 중간뇌가 잘렸고, 소뇌와 뇌줄기 아래부분을 제거함. 위쪽이 이마극.

1 중심앞이랑 Precentral gyrus
2 중심앞고랑 Precentral sulcus
3 띠고랑 Cingulate sulcus
4 띠이랑 Cingulate gyrus
5 뇌들보고랑 Sulcus of corpus callosum
6 뇌활 Fornix
7 뇌들보무릎 Genu of corpus callosum
8 뇌실사이구멍 Interventricular foramen
9 중간덩이(시상사이붙음) Intermediate mass
10 앞맞교차 Anterior commissure
11 시각교차 Optic chiasma
12 깔때기 Infundibulum
13 해마갈고리이랑 Uncus hippocampi
14 중심뒤이랑 Postcentral gyrus
15 뇌들보줄기 Body of corpus callosum
16 셋째뇌실과 시상 Third ventricle and thalamus
17 시상섬유줄 Stria medullaris
18 마루뒤통수고랑 Parieto-occipital sulcus
19 뇌들보팽대 Splenium of corpus callosum
20 새발톱고랑과 마루뒤통수고랑의 연결 Communication of calcarine and parieto-occipital sulcus
21 새발톱고랑 Calcarine sulcus
22 솔방울샘 Pineal body
23 유두체 Mammillary body
24 해마곁이랑 Parahippocampal gyrus
25 후각망울 Olfactory bulb
26 후각로 Olfactory tract
27 곧은이랑 Gyrus rectus
28 시각신경 Optic nerve
29 깔때기와 시각교차 Infundibulum and optic chiasma
30 시각로 Optic tract
31 눈돌림신경 Oculomotor nerve
32 대뇌다리 Pedunculus cerebri
33 적색핵 Red nucleus
34 중간뇌수도관 Cerebral aqueduct
35 뇌들보 Corpus callosum
36 대뇌세로틈새 Longitudinal fissure
37 눈확이랑 Orbital gyri
38 가쪽후각섬유줄 Lateral root of olfactory tract
39 안쪽후각섬유줄 Medial root of olfactory tract
40 후각결절과 앞관통질 Olfactory tubercle and anterior perforated substance
41 회색융기 Tuber cinereum
42 대뇌다리사이오목 Interpeduncular fossa
43 흑색질 Substantia nigra
44 중간뇌의 둔덕 Colliculi of the midbrain
45 가쪽뒤통수관자이랑 Lateral occipitotemporal gyrus
46 안쪽뒤통수관자이랑 Medial occipitotemporal gyrus

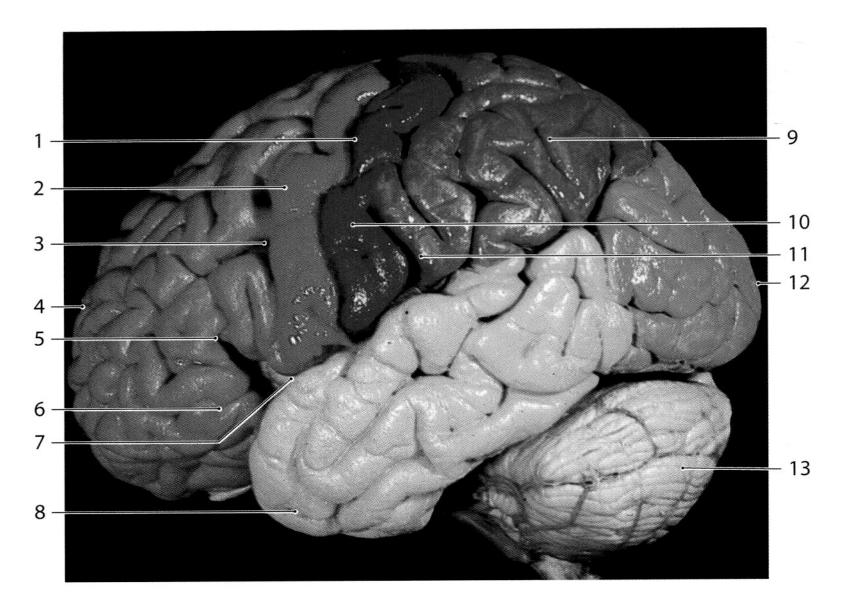

그림 9.129 **뇌, 왼쪽 대뇌반구**(가쪽모습). 왼쪽이 이마극.

1 중심고랑 Central sulcus
2 중심앞이랑 Precentral gyrus
3 중심앞고랑 Precentral sulcus
4 이마엽 Frontal lobe
5 가쪽고랑의 앞오름가지 Anterior ascending ramus } 가쪽고랑 of lateral sulcus
6 가쪽고랑의 앞수평가지 Anterior horizontal ramus } 가쪽고랑 of lateral sulcus
7 가쪽고랑 Lateral sulcus
8 이마엽 Temporal lobe
9 마루엽 Parietal lobe
10 중심뒤이랑 Postcentral gyrus
11 중심뒤고랑 Postcentral sulcus
12 뒤통수엽 Occipital lobe
13 소뇌 Cerebellum
14 위이마고랑 Superior frontal sulcus
15 중간이마이랑 Middle frontal gyrus
16 초승달고랑 Lunate sulcus
17 대뇌세로틈새 Longitudinal fissure
18 거미막과립 Arachnoid granulations

분홍 = 이마엽
파랑 = 마루엽
초록 = 뒤통수엽
노랑 = 관자엽
짙은빨강 = 중심앞이랑
짙은파랑 = 중심뒤이랑

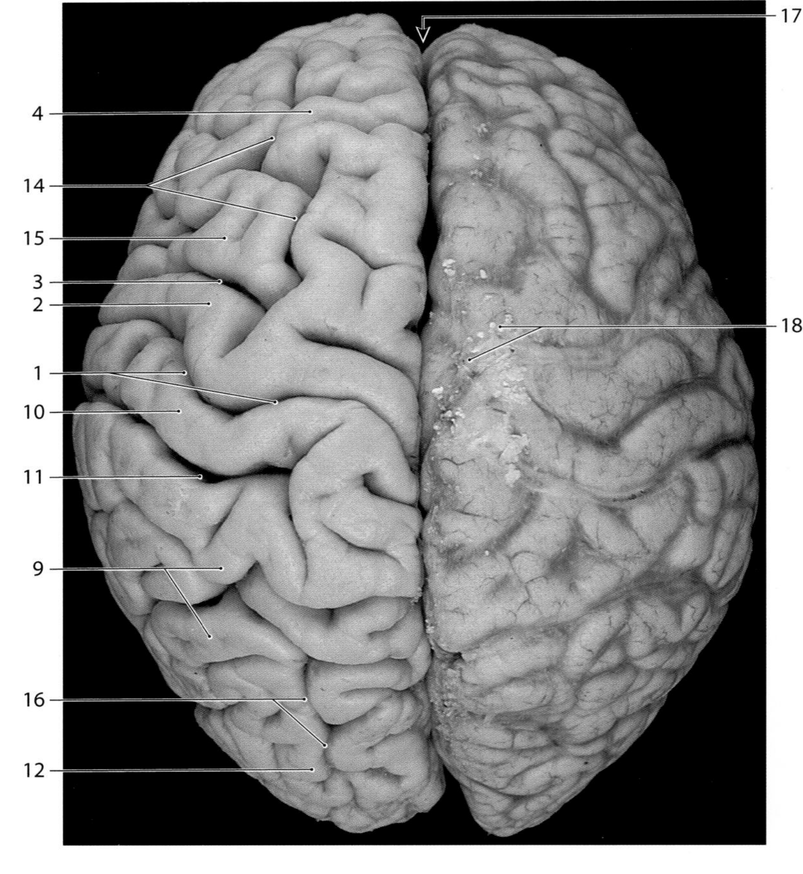

그림 9.130 **뇌**(위모습). 오른쪽 대뇌반구는 거미막과 연막에 덮여 있다.

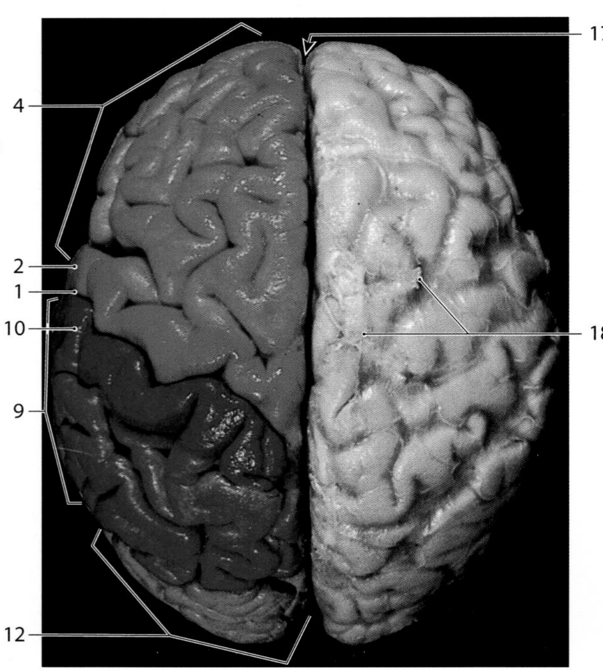

그림 9.131 **뇌**(위모습). 왼쪽 대뇌반구의 엽은 다른 색깔로 표시하였고, 오른쪽 대뇌반구는 거미막과 연막에 덮여 있다.

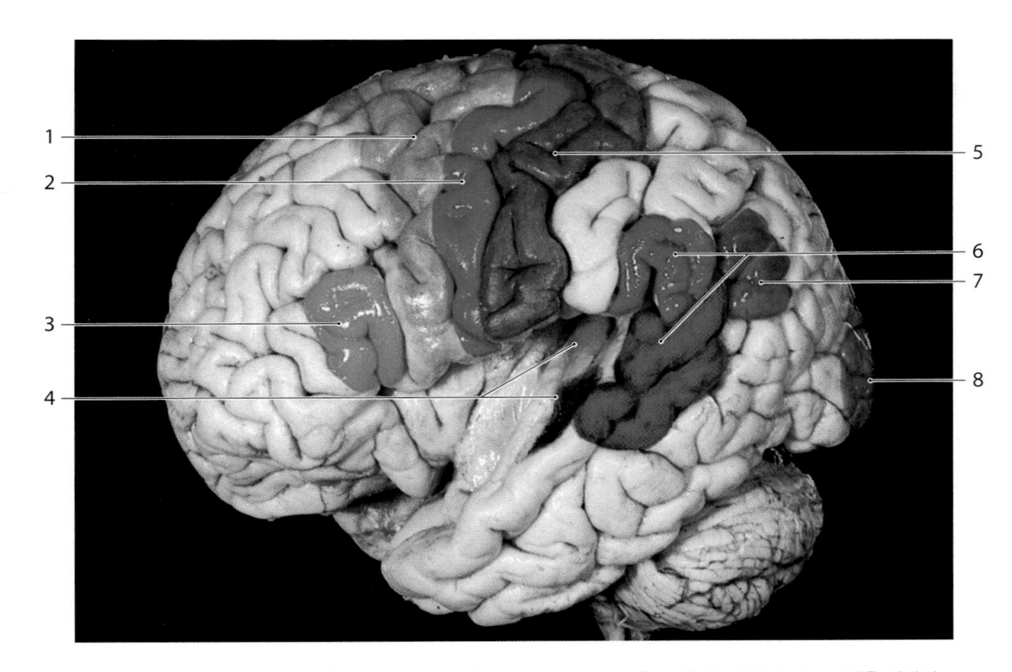

1 운동앞구역 Premotor area
2 몸운동구역 Somatomotor area
3 운동언어구역 Motor speech area of Broca
4 청각구역
Acoustic area (red: high tone, dark green: low tone)
5 몸감각구역 Somatosensory area
6 감각언어구역
Sensory speech area of Wernicke
7 읽기이해구역
Reading comprehension area
8 일차시각구역 Visuosensory area

그림 9.132 **뇌, 왼쪽 대뇌반구**(가쪽모습). 주요 겉질구역(cortical area)에 색칠을 하였다. 가쪽고랑을 벌려서 대뇌섬과 관자엽의 속면이 보이게 하였다.

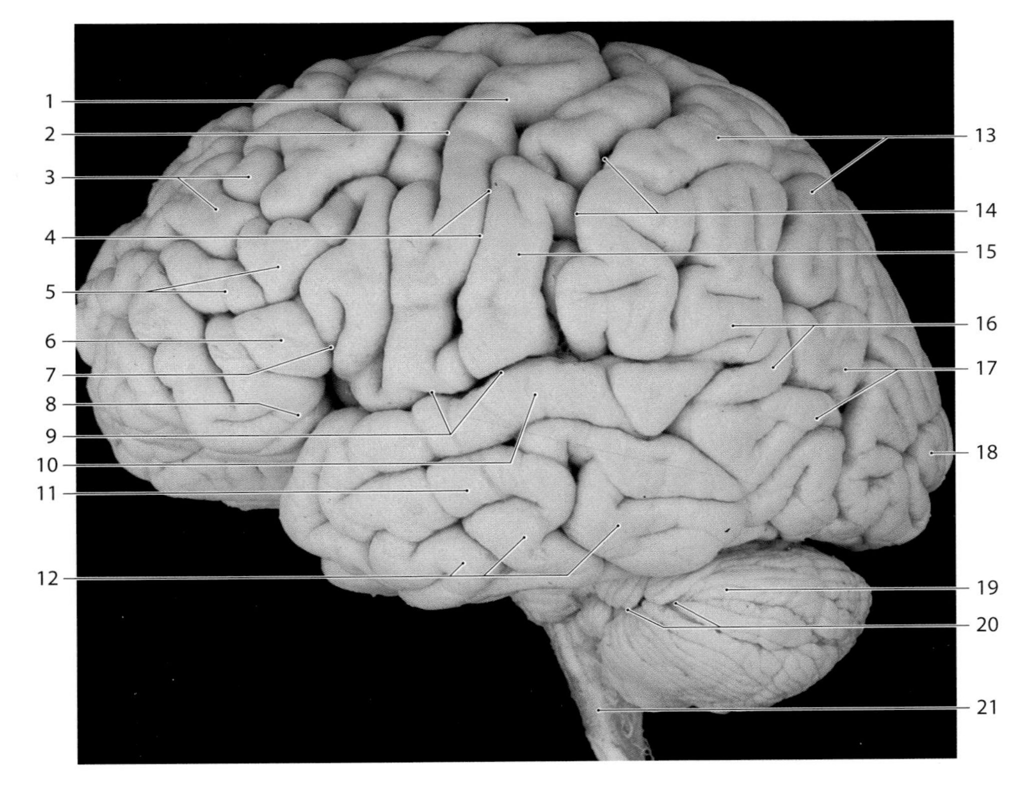

1 중심앞이랑 Precentral gyrus
2 중심앞고랑 Precentral sulcus
3 위이마이랑 Superior frontal gyrus
4 중심고랑 Central sulcus
5 중간이마이랑 Middle frontal gyrus
6 아래이마이랑 Inferior frontal gyrus
7 오름가지 Ascending ramus
8 수평가지 Horizontal ramus
9 뒤가지 Posterior ramus
(7–9: 가쪽고랑 of lateral sulcus)
10 위관자이랑 Superior temporal gyrus
11 중간관자이랑 Middle temporal gyrus
12 아래관자이랑 Inferior temporal gyrus
13 마루엽 Parietal lobe
14 중심뒤고랑 Postcentral sulcus
15 중심뒤이랑 Postcentral gyrus
16 모서리위이랑 Supramarginal gyrus
17 모이랑 Angular gyrus
18 뒤통수엽 Occipital lobe
19 소뇌 Cerebellum
20 소뇌의 수평틈새
Horizontal fissure of cerebellum
21 숨뇌 Medulla oblongata

그림 9.133 **뇌, 왼쪽 대뇌반구**(가쪽모습). 왼쪽이 이마극.

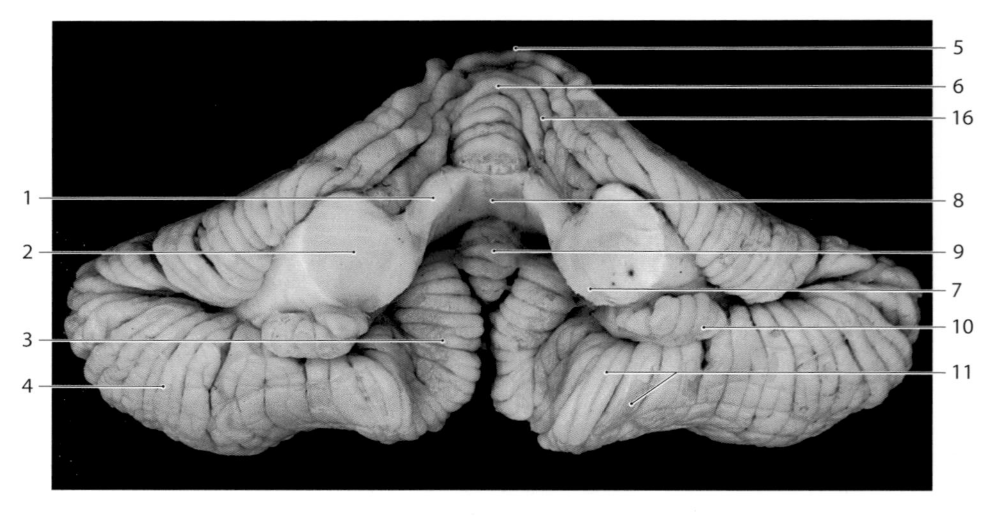

그림 9.134 **소뇌**(아래쪽 앞에서 보 모습). 소뇌다리를 잘랐다.

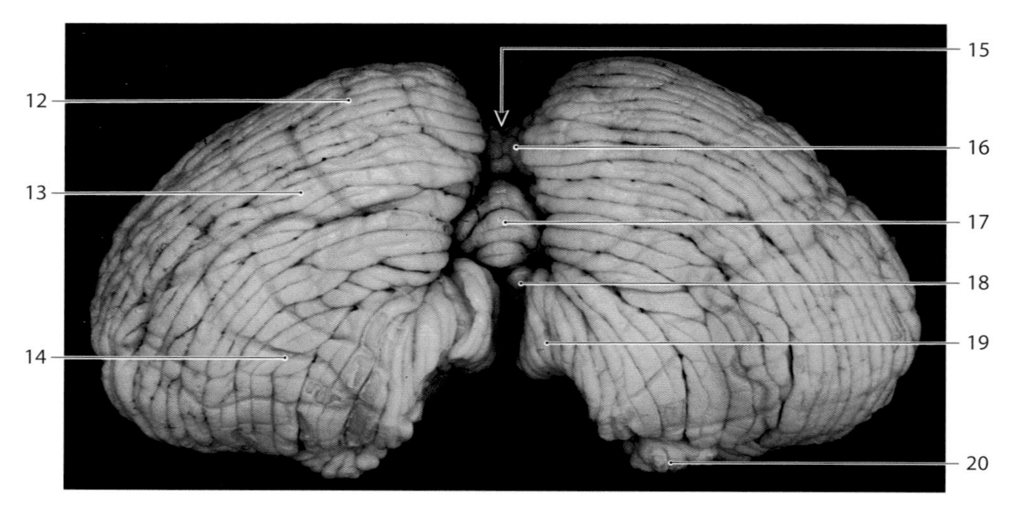

그림 9.135 **소뇌**(아래쪽 뒤에서 본 모습).

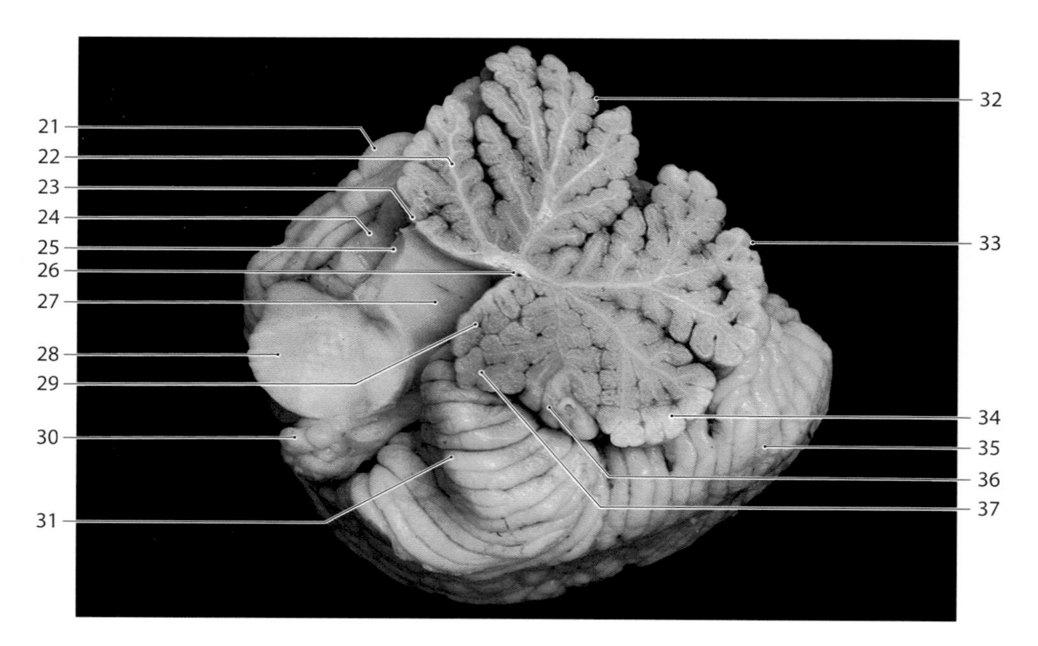

그림 9.136 **소뇌의 정중단면.** 오른쪽 소뇌반구와 벌레(vermis).

1 위소뇌다리 Superior cerebellar peduncle
2 중간소뇌다리 Middle cerebellar peduncle
3 소뇌편도 Cerebellar tonsil
4 아래반달소엽 Inferior semilunar lobule
5 벌레 Vermis
6 벌레의 중심소엽 Central lobule of vermis
7 아래소뇌다리 Inferior cerebellar peduncle
8 위숨뇌천장 Superior medullary velum
9 벌레의 결절 Nodule of vermis
10 소뇌타래 Flocculus of cerebellum
11 볼록소엽 Biventral lobule
12 왼쪽 소뇌반구 Left cerebellar hemisphere
13 아래반달소엽 Inferior semilunar lobule
14 볼록소엽 Biventral lobule
15 소뇌벌레 Vermis of cerebellum
16 벌레융기 Tuber of vermis
17 벌레피라미드 Pyramid of vermis
18 벌레목젖 Uvula of vermis
19 소뇌편도 Tonsil of cerebellum
20 소뇌타래 Flocculus of cerebellum
21 오른쪽 소뇌반구 Right cerebellar hemisphere
22 벌레(중심소엽) Vermis (central lobule)
23 소뇌혀 Cerebellar lingula
24 중심소엽날개 Ala of central lobule
25 위소뇌다리 Superior cerebellar peduncle
26 꼭지 Fastigium
27 넷째뇌실 Fourth ventricle
28 중간소뇌다리 Middle cerebellar peduncle
29 벌레의 결절 Nodule of vermis
30 소뇌타래 Flocculus of cerebellum
31 소뇌편도 Cerebellar tonsil
32 벌레의 꼭대기 Culmen of vermis
33 벌레의 경사 Declive of vermis
34 벌레융기 Tuber of vermis
35 아래반달소엽 Inferior semilunar lobule
36 벌레피라미드(잘림) Pyramid of vermis (cut)
37 벌레목젖 Uvula of vermis

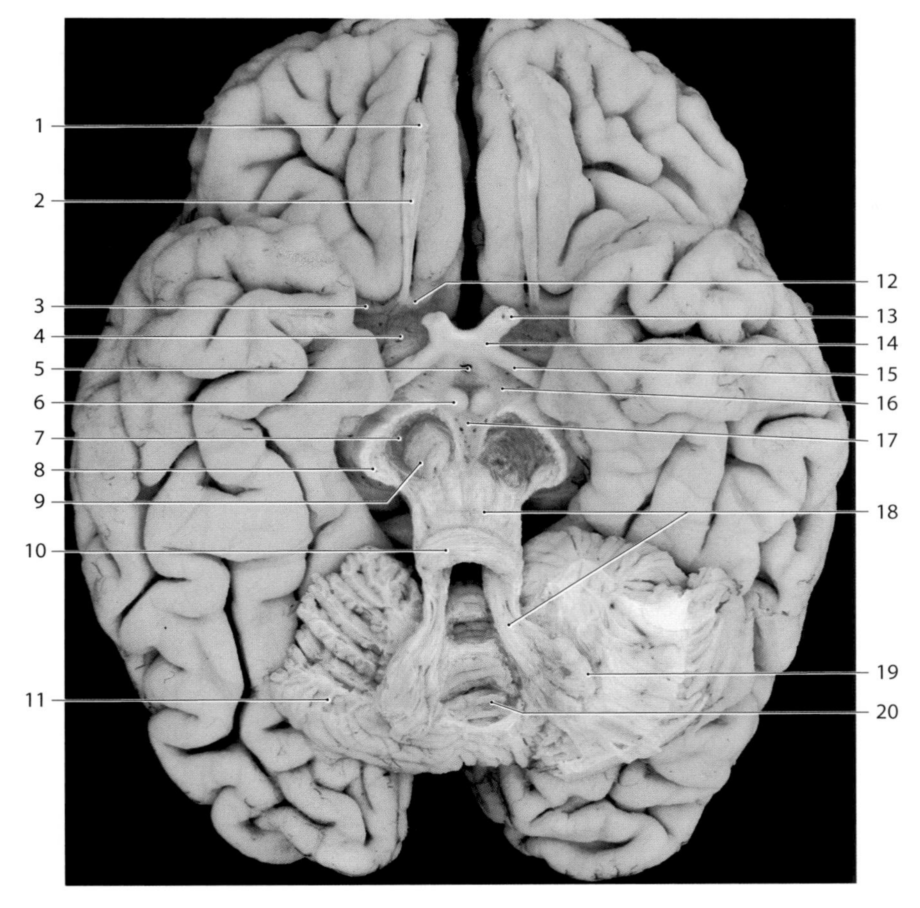

그림 9.137 **대뇌와 소뇌**(아래에서 본 모습). 소뇌 일부를 제거하여 치아핵과 중간뇌로 가는 신경로(소뇌적색로 cerebellorubral tract)가 보이게 하였다.

1 후각망울 Olfactory bulb
2 후각로 Olfactory tract
3 가쪽후각섬유줄 Lateral olfactory stria
4 앞관통질 Anterior perforated substance
5 깔때기(잘림) Infundibulum (divided)
6 유두체 Mammillary body
7 흑색질 Substantia nigra
8 대뇌다리(잘림) Cerebral peduncle (cut)
9 적색핵 Red nucleus
10 위소뇌다리교차 Decussation of superior cerebellar peduncle
11 소뇌반구 Cerebellar hemisphere
12 안쪽후각섬유줄 Medial olfactory stria
13 시각신경 Optic nerve
14 시각교차 Optic chiasma
15 시각로 Optic tract
16 뒤관통질 Posterior perforated substance
17 대뇌다리사이오목 Interpeduncular fossa
18 위소뇌다리와 소뇌적색로 Superior cerebellar peduncle and cerebellorubral tract
19 치아핵 Dentate nucleus
20 소뇌벌레 Vermis of cerebellum
21 띠이랑 Cingulate gyrus
22 뇌들보 Corpus callosum
23 분계섬유줄 Stria terminalis
24 투명사이막 Septum pellucidum
25 뇌활기둥 Columna fornicis
26 대뇌다리 Cerebral peduncle at midbrain level
27 다리뇌 Pons
28 올리브 Inferior olive
29 숨뇌와 가쪽겉질척수로 Medulla oblongata with lateral pyramidal tract
30 뒤통수엽 Occipital lobe
31 새발톱고랑 Calcarine sulcus
32 시상 Thalamus
33 아래둔덕과 아래둔덕팔 Inferior colliculus with brachium
34 안쪽섬유띠 Medial lemniscus
35 위소뇌다리 Superior cerebellar peduncle
36 아래소뇌다리 Inferior cerebellar peduncle
37 중간소뇌다리 Middle cerebellar peduncle
38 소뇌반구 Cerebellar hemisphere

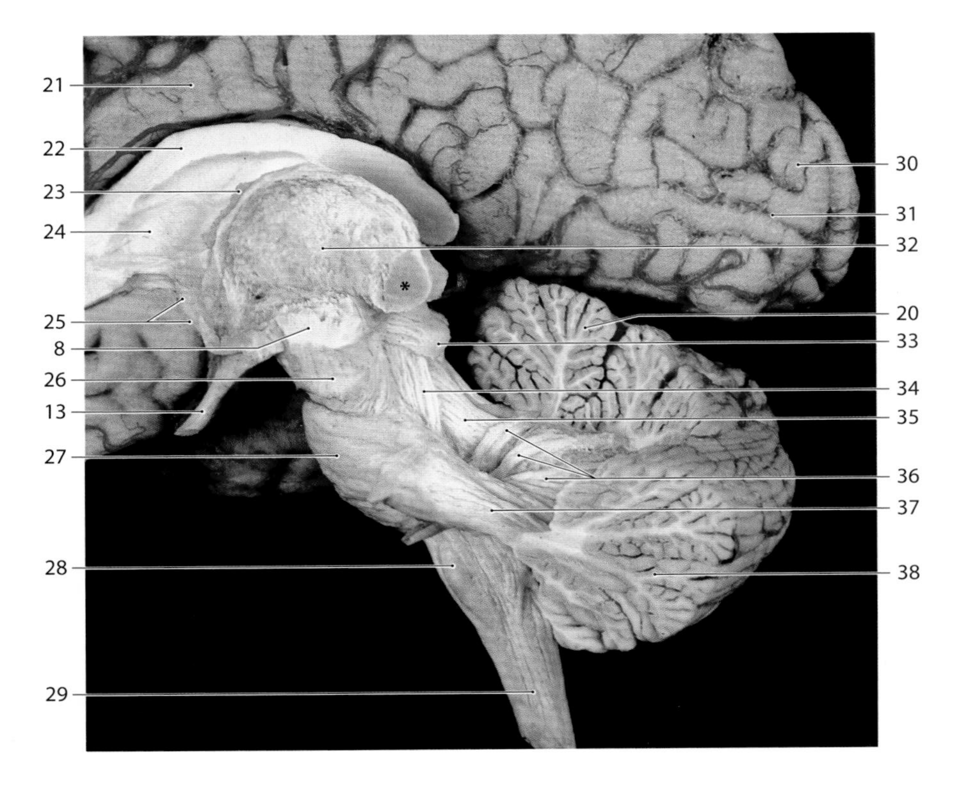

그림 9.138 **소뇌다리와 중간뇌 및 사이뇌와의 연결을 해부.** 시상베개(*)의 일부가 잘려서 아래둔덕팔이 보인다.

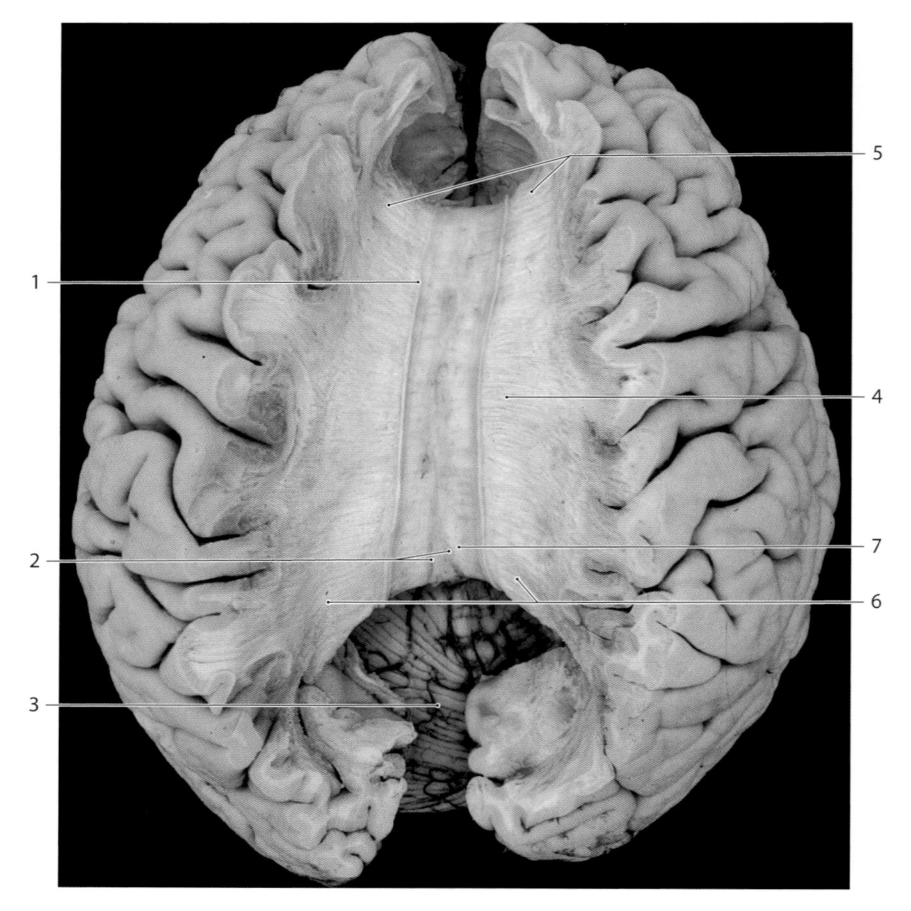

1 회색층의 가로세로섬유줄 Lateral longitudinal stria of indusium griseum
2 회색층의 안쪽세로섬유줄 Medial longitudinal stria of indusium griseum
3 소뇌 Cerebellum
4 뇌들보부챗살 Radiating fibers of the corpus callosum
5 뇌들보의 작은집게 Forceps minor of corpus callosum
6 뇌들보의 큰집게 Forceps major of corpus callosum
7 뇌들보팽대 Splenium of corpus callosum

그림 9.139 **뇌의 해부 I**. 뇌들보의 섬유다발이 보이게 위쪽을 덮고 있는 겉질을 제거하였다. 위쪽이 이마극.

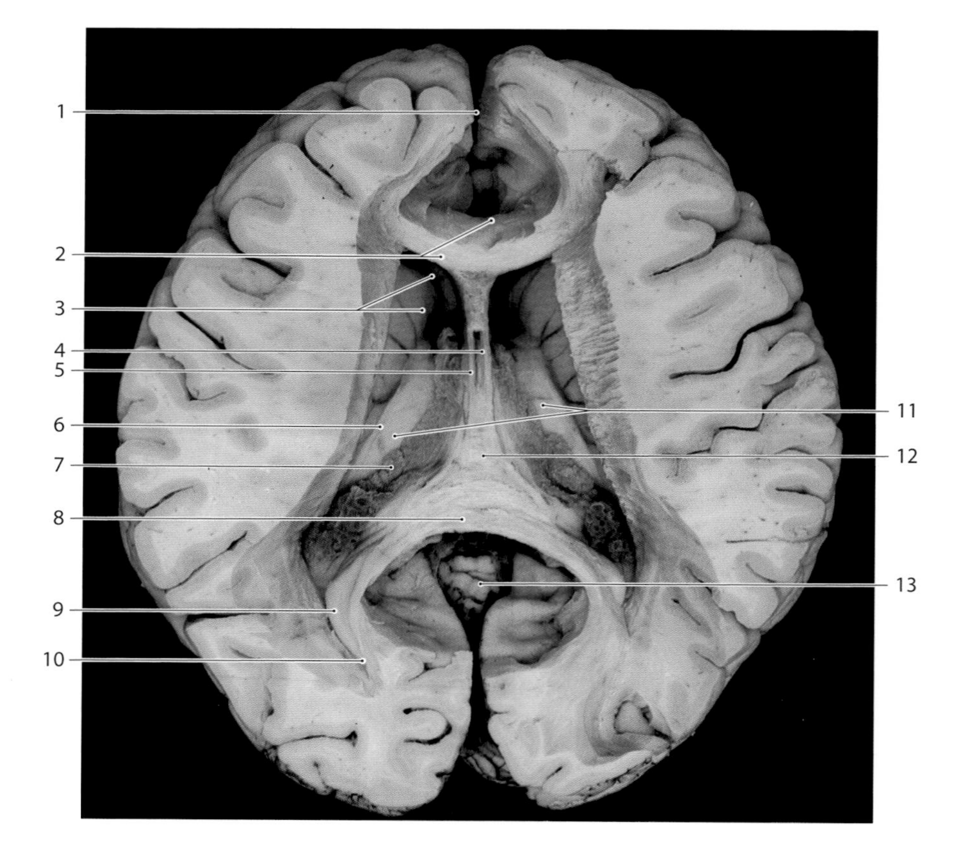

1 대뇌세로틈새 Longitudinal cerebral fissure
2 뇌들보무릎 Genu of corpus callosum
3 꼬리핵의 머리와 가쪽뇌실앞뿔 Head of caudate nucleus and anterior horn of lateral ventricle
4 투명사이막공간 Cavum of septum pellucidum
5 투명사이막 Septum pellucidum
6 분계섬유줄 Stria terminalis
7 가쪽뇌실의 맥락얼기 Choroid plexus of lateral ventricle
8 뇌들보팽대 Splenium of corpus callosum
9 새발톱돌기 Calcar avis
10 가쪽뇌실뒤뿔 Posterior horn of lateral ventricle
11 시상(부착판) Thalamus (lamina affixa)
12 뇌활맞교차 Commissure of fornix
13 소뇌벌레 Vermis of cerebellum

그림 9.140 **뇌의 해부 II**. 가쪽뇌실과 대뇌겉질 깊은 곳의 신경핵을 해부하였다. 뇌들보의 일부를 제거하였다. 위쪽이 이마극.

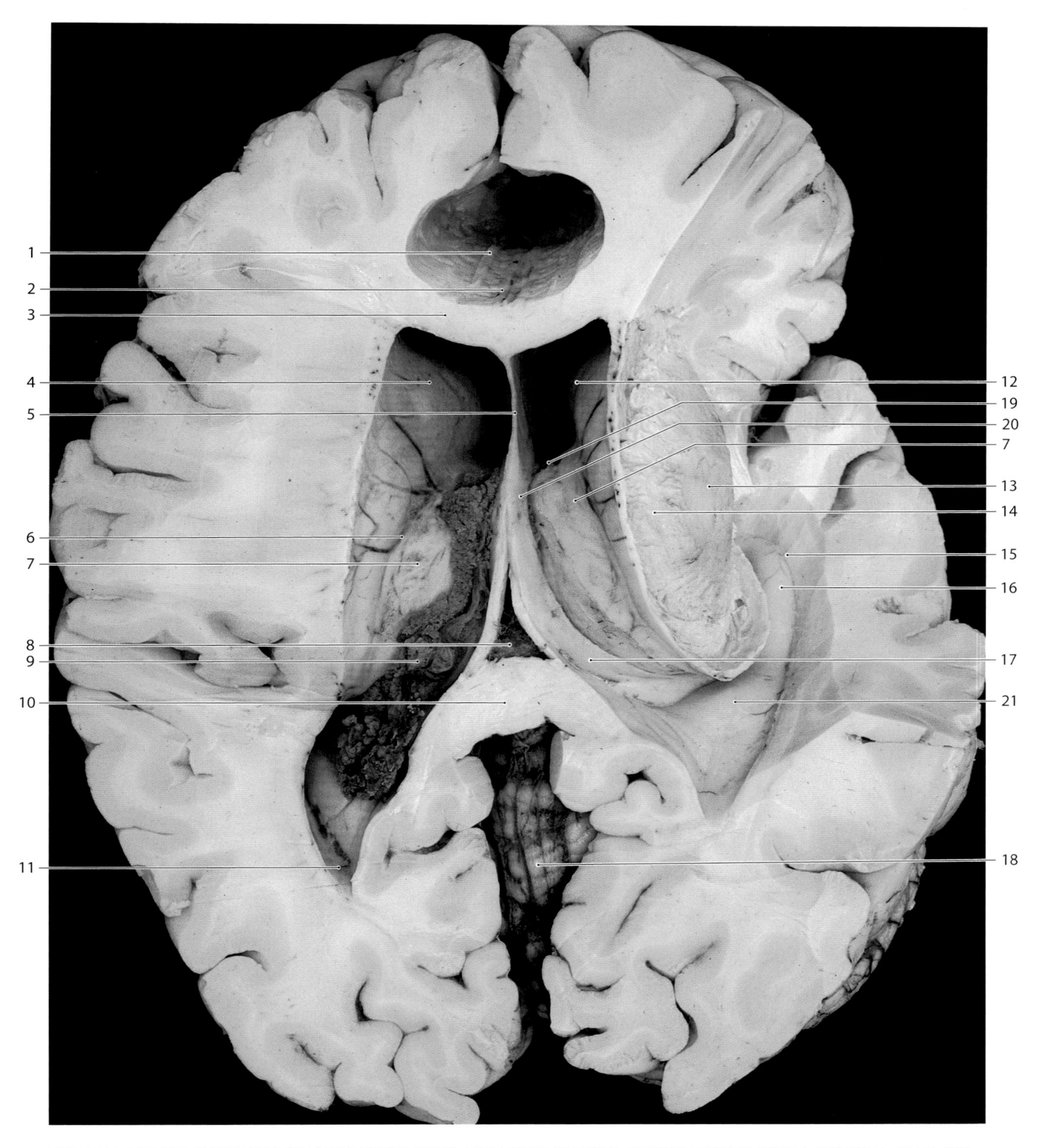

그림 9.141 **뇌의 해부** III (가쪽뇌실과 대뇌 겉질밑신경핵의 위모습). 뇌들보 일부를 제거하였다. 오른쪽에서 가쪽뇌실 전체가 보이게 하였고, 대뇌섬, 담장, 맨바깥섬유막, 바깥섬유막을 제거하여 렌즈핵과 속섬유막을 노출하였다.

1 가로세로섬유줄 Lateral longitudinal stria
2 안쪽세로섬유줄 Medial longitudinal stria
3 뇌들보무릎 Genu of corpus callosum
4 꼬리핵머리 Head of caudate nucleus
5 투명사이막 Septum pellucidum
6 분계섬유줄 Stria terminalis
7 시상(부착판) Thalamus (lamina affixa)
8 셋째뇌실의 맥락얼기 Choroid plexus of third ventricle
9 가쪽뇌실의 맥락얼기 Choroid plexus of lateral ventricle
10 뇌들보팽대 Splenium of corpus callosum
11 가쪽뇌실뒤뿔 Posterior horn of lateral ventricle
12 가쪽뇌실앞뿔(꼬리핵머리) Anterior horn of lateral ventricle (head of caudate nucleus)
13 렌즈핵의 조가비핵 Putamen of lentiform nucleus
14 속섬유막 Internal capsule
15 가쪽뇌실아래뿔 Inferior horn of lateral ventricle
16 해마발 Pes hippocampi
17 뇌활다리 Crus of fornix
18 거미막과 연막에 덮인 소뇌벌레 Vermis of cerebellum with arachnoid and pia mater
19 뇌실사이구멍 Interventricular foramen
20 오른쪽 뇌활기둥 Right column of fornix
21 곁고랑융기 Collateral eminence

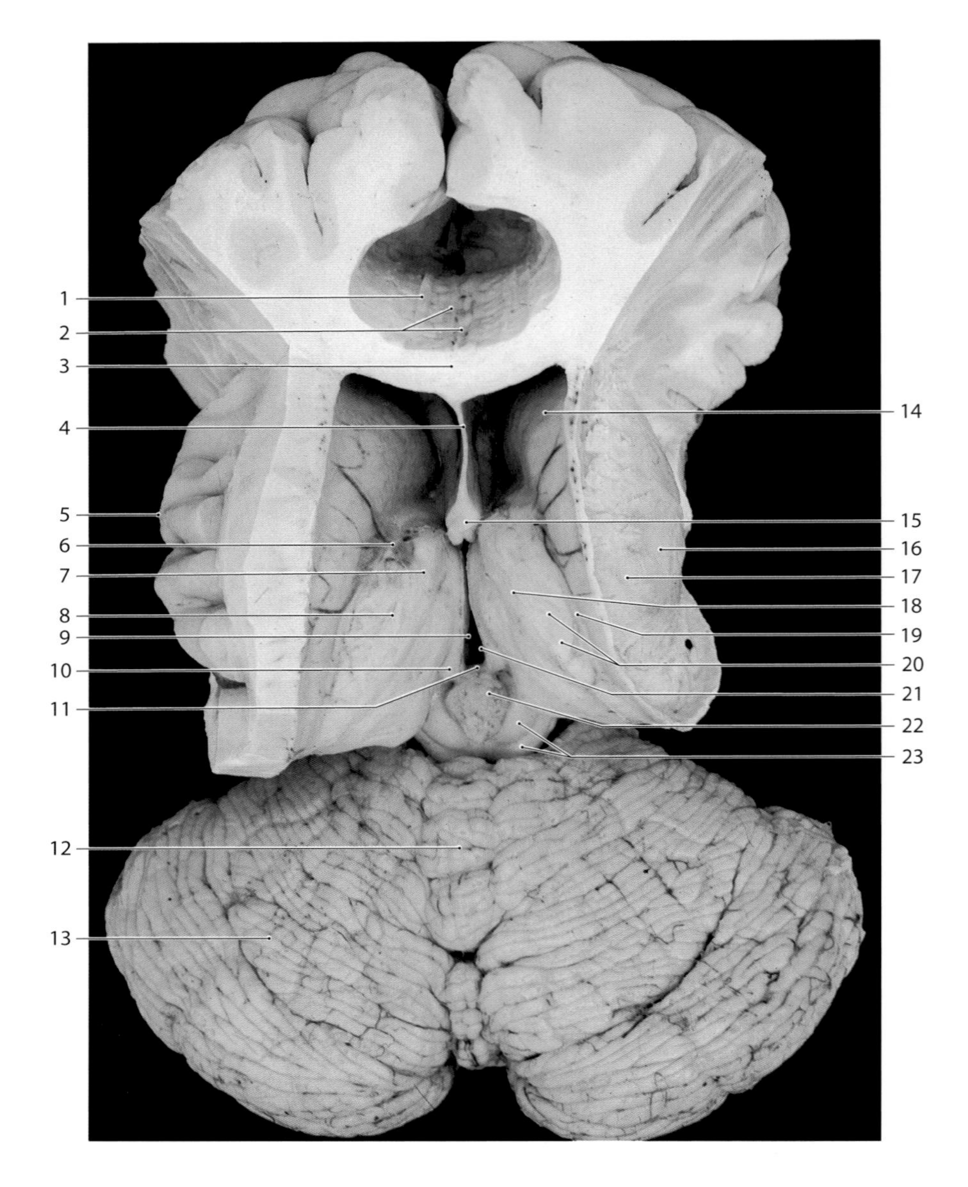

그림 9.142 **뇌의 해부 IVa**(위에서 본모습). 관자엽, 뇌활, 뇌들보의 뒤부분을 제거하였다(이 표본에서 잘라낸 부분은 그림 9.143에서 볼 수 있다). 위쪽이 이마극.

1 가쪽세로섬유줄 Lateral longitudinal stria
2 안쪽세로섬유줄 Medial longitudinal stria
3 뇌들보 Corpus callosum
4 투명사이막 Septum pellucidum
5 섬이랑 Insular gyri
6 시상줄무늬체정맥 Thalamostriate vein
7 시상의 앞결절 Anterior tubercle of thalamus
8 시상 Thalamus
9 시상섬유줄 Stria medullaris of thalamus
10 고삐삼각 Habenular trigone
11 고삐맞교차 Habenular commissure
12 소뇌벌레 Vermis of cerebellum
13 왼쪽 소뇌반구 Left hemisphere of cerebellum
14 꼬리핵머리 Head of caudate nucleus
15 뇌활기둥 Columns of fornix
16 렌즈핵의 조가비핵 Putamen of lentiform nucleus
17 속섬유막 Internal capsule
18 맥락얼기의 시상띠 Taenia of choroid plexus
19 분계섬유줄과 시상줄무늬체정맥 Stria terminalis and thalamostriate vein
20 부착판 Lamina affixa
21 셋째뇌실 Third ventricle
22 솔방울샘 Pineal body
23 중간뇌의 위 및 아래둔덕 Superior and inferior colliculus of midbrain

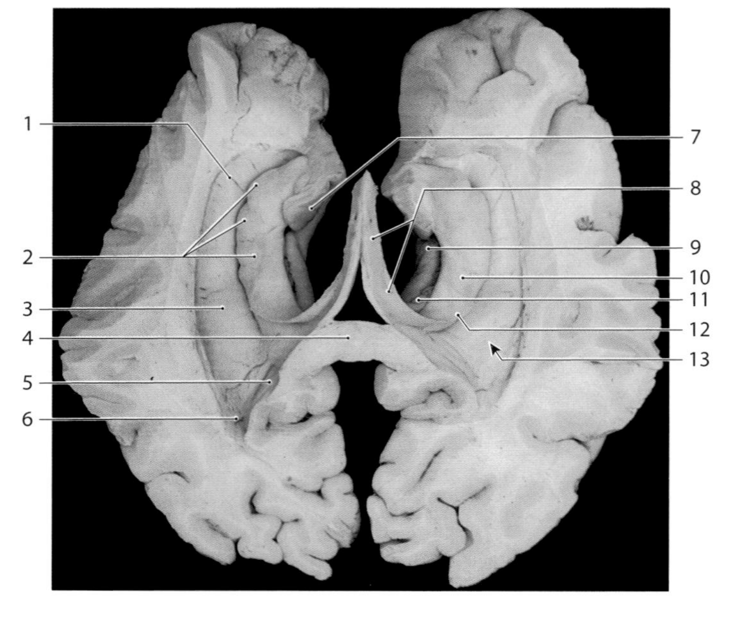

1 가쪽뇌실아래뿔 Inferior horn of lateral ventricle
2 해마발가락 Hippocampal digitations
3 곁고랑융기 Collateral eminence
4 뇌들보팽대 Splenium of corpus callosum
5 새발톱돌기 Calcar avis
6 가쪽뇌실뒤뿔 Posterior horn of lateral ventricle
7 해마곁이랑의 갈고리이랑 Uncus of parahippocampal gyrus
8 뇌활몸통과 다리 Body and crus of fornix
9 해마곁이랑 Parahippocampal gyrus
10 해마발 Pes hippocampi
11 치아이랑 Dentate gyrus
12 해마술 Hippocampal fimbria
13 가쪽뇌실 Lateral ventricle

그림 9.143 **뇌의 해부 Ⅳb.** 위 표본에서 떼어낸 부분을 설명한다. 관자엽과 둘레계통. 뇌활기둥이 잘림(위에서 본 모습).

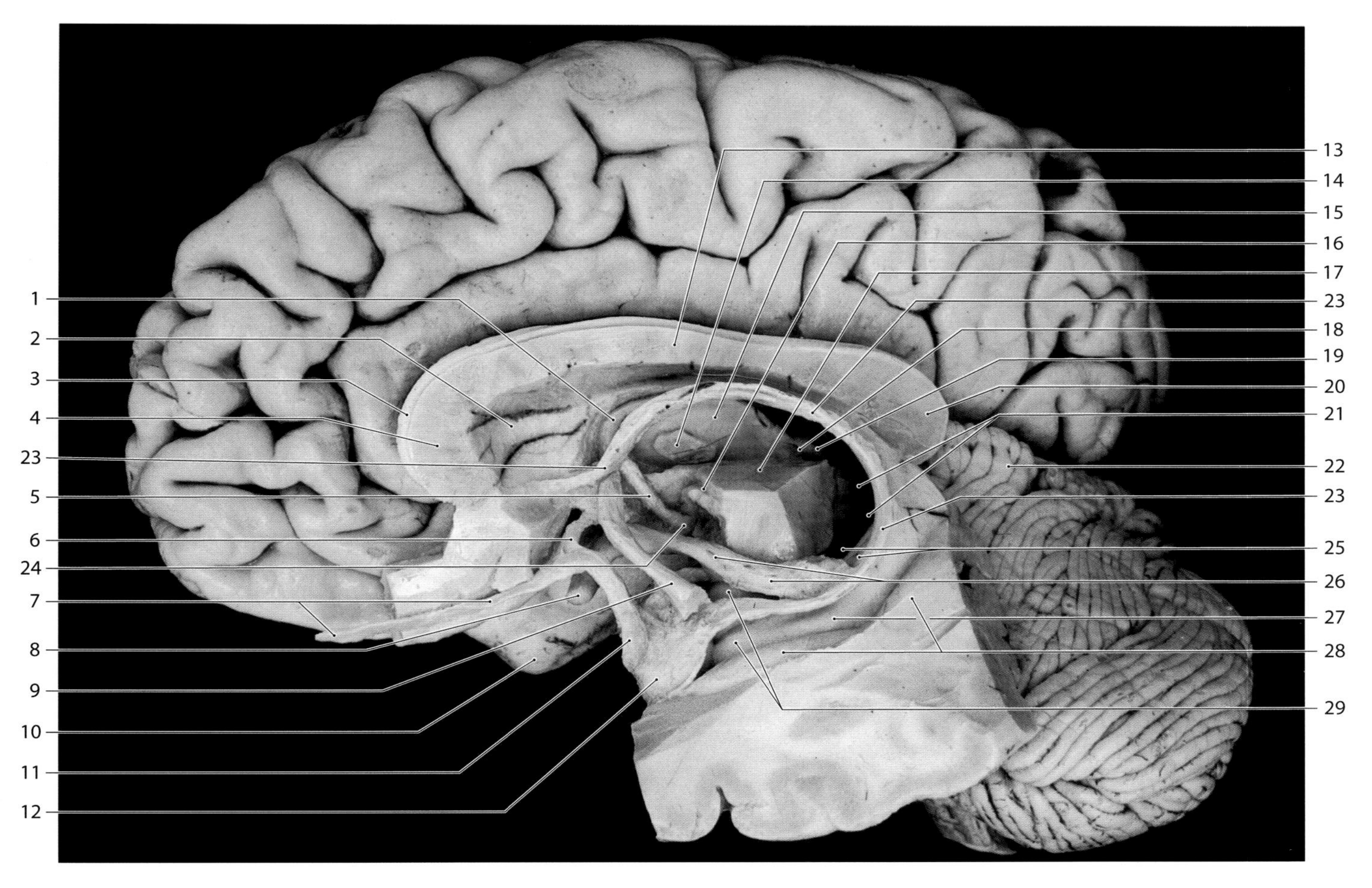

그림 9.144 **둘레계통의 해부**(왼쪽, 가쪽에서 본 모습). 뇌들보가 정중면에서 잘렸고, 왼쪽 시상과 대뇌반구를 제거함.

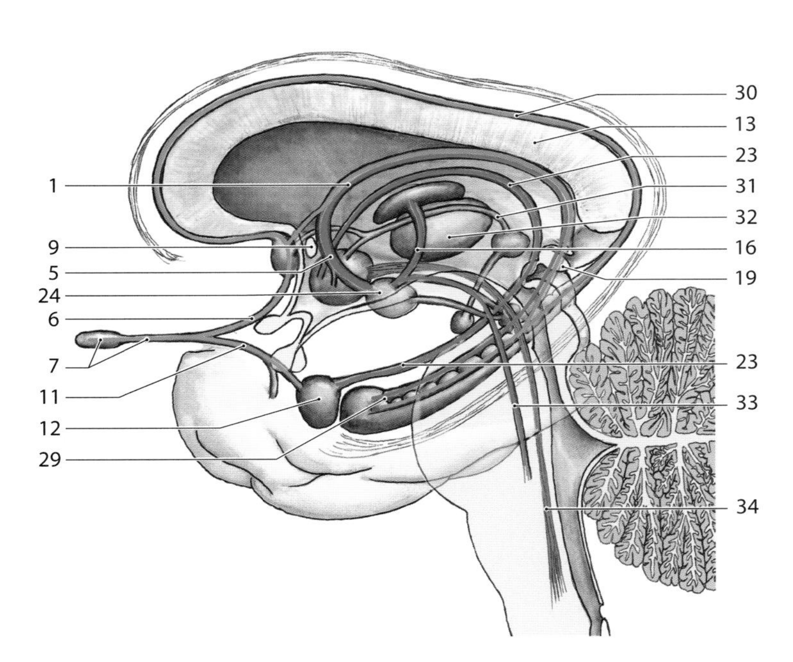

그림 9.145 **둘레계통과 후각계통의 주요경로.**
파랑 = 오름경로(afferent pathways); 빨강 = 내림경로(efferent pathways).

1 뇌활몸통 Body of fornix
2 투명사이막 Septum pellucidum
3 가쪽세로섬유줄 Lateral longitudinal stria
4 뇌들보무릎 Genu of corpus callosum
5 뇌활기둥 Column of fornix
6 안쪽후각섬유줄 Medial olfactory stria
7 후각망울과 후각로 Olfactory bulb and olfactory tract
8 시각신경 Optic nerve
9 앞맞교차(왼쪽반) Anterior commissure (left half)
10 오른쪽 관자엽 Right temporal lobe
11 가쪽후각섬유줄 Lateral olfactory stria
12 편도체 Amygdala
13 뇌들보줄기 Body of corpus callosum
14 시상사이붙음 Interthalamic adhesion
15 셋째뇌실과 오른쪽 시상 Third ventricle and right thalamus
16 유두시상다발 Mammillothalamic fasciculus
17 시상의 부분 Part of the thalamus
18 고삐맞교차 Habenular commissure
19 솔방울샘 Pineal body
20 뇌들보팽대 Splenium of corpus callosum
21 중간뇌의 둔덕 Colliculi of midbrain
22 소뇌벌레 Vermis of cerebellum
23 분계섬유줄 Stria terminalis
24 유두체 Mammillary body
25 해마술과 해마발 Fimbria of hippocampus and pes hippocampi
26 왼쪽 시각로와 가쪽무릎체 Left optic tract and lateral geniculate body
27 가쪽뇌실과 해마곁이랑 Lateral ventricle and parahippocampal gyrus
28 곁고랑융기 Collateral eminence
29 해마발가락 Hippocampal digitations
30 회색층(세로섬유줄) Supracallosal gyrus (longitudinal stria)
31 시상섬유줄 Stria medullaris of thalamus
32 시상의 등쪽안쪽핵 Dorsomedial nucleus of thalamus
33 유두뒤판다발 Mammillotegmental fasciculus
34 뒤세로다발 Dorsal longitudinal fasciculus (Schütz)

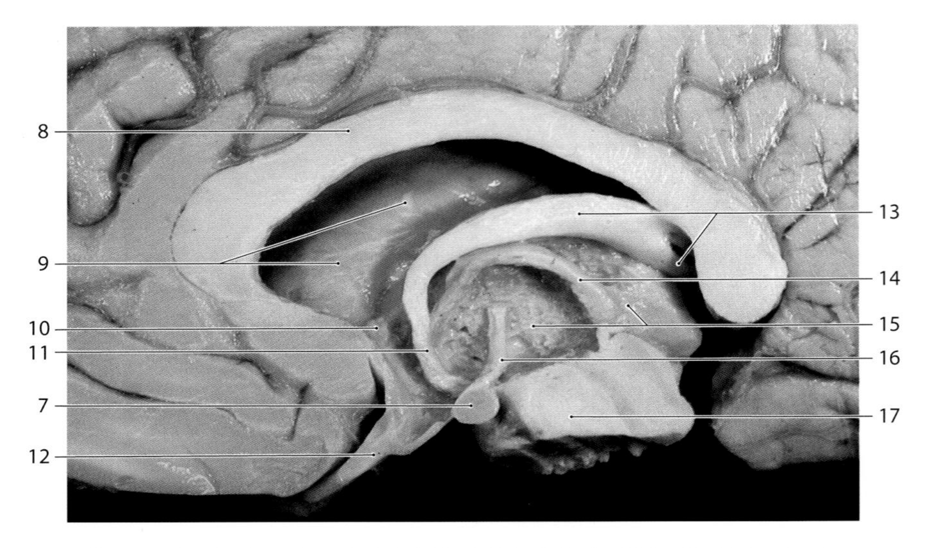

그림 9.146 **사이뇌의 정중단면.** 시상의 앞부분과 투명사이막을 제거하여 뇌활과 유두시상다발이 보이게 하였다.

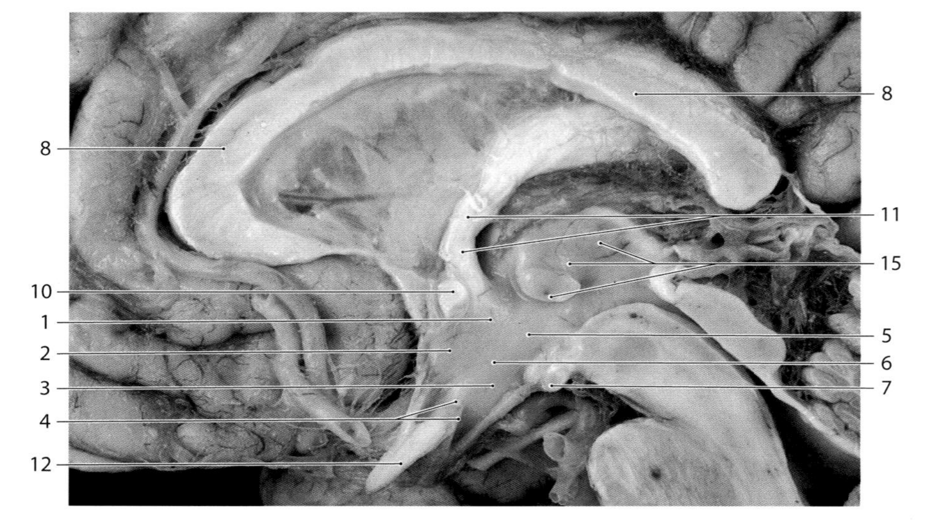

그림 9.147 **사이뇌와 중간뇌의 정중단면; 시상하부핵(hypothalamic nuclei)의 위치.**

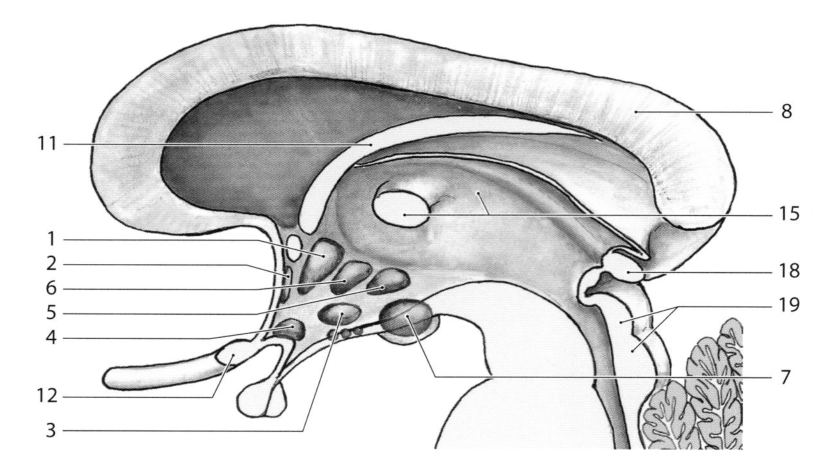

그림 9.148 **주요 시상하부핵의 위치.**

1 뇌실곁핵 Paraventricular nucleus
2 시각앞핵 Pre-optic nucleus
3 배안쪽핵 Ventromedial nucleus
4 시각로위핵 Supra-optic nucleus nuclei
5 뒤핵 Posterior nucleus
6 등안쪽핵 Dorsomedial nucleus

(1–6: 시상하부핵 Hypothalamic nuclei)

7 유두체 Mammillary body
8 뇌들보 Corpus callosum
9 가쪽뇌실(꼬리핵을 나타냄) Lateral ventricle (showing caudate nucleus)
10 앞맞교차 Anterior commissure
11 뇌활기둥 Column of fornix
12 시각교차 Optic chiasma
13 뇌활다리 Crus of fornix
14 시상섬유줄 Stria medullaris of thalamus
15 시상과 시상사이붙음 Thalamus and interthalamic adhesion
16 유두시상다발 Mammillothalamic fasciculus of Vicq d'Azyr
17 대뇌다리 Cerebral peduncle
18 솔방울샘 Pineal body
19 중간뇌덮개 Tectum of midbrain

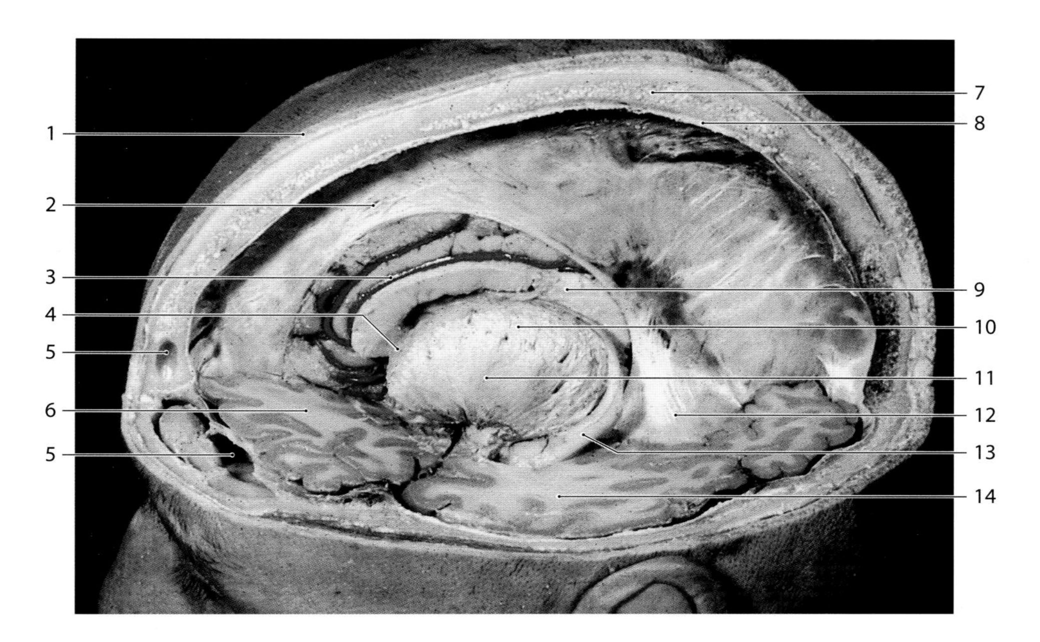

1 머리덮개의 피부 Skin of scalp
2 대뇌낫 Falx cerebri
3 앞대뇌동맥 Anterior cerebral artery
4 꼬리핵 Caudate nucleus
5 이마굴 Frontal sinus
6 이마엽 Frontal lobe
7 머리뼈의 판사이층 Diploeë of the skull
8 경막 Dura mater
9 뇌들보 Corpus callosum
10 속섬유막 Internal capsule
11 렌즈핵(조가비핵) Lentiform nucleus (putamen)
12 소뇌천막 Cerebellar tentorium
13 해마 Hippocampus
14 왼쪽 대뇌반구의 관자엽 Temporal lobe of the left hemisphere

그림 9.149 **뇌줄기의 해부.** 왼쪽 대뇌반구 일부를 제거함.

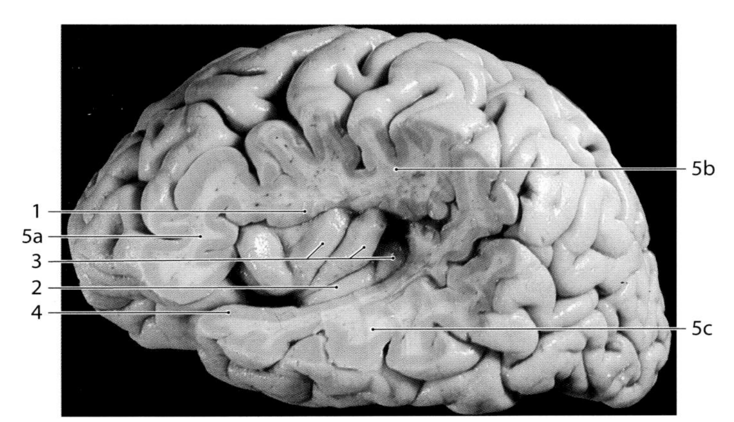

그림 9.150 **대뇌섬(insula).** 왼쪽 대뇌반구. 이마엽, 마루엽, 관자엽의 덮개(opercula)를 제거하여 섬이랑(insular gyri)이 보이게 하였다.

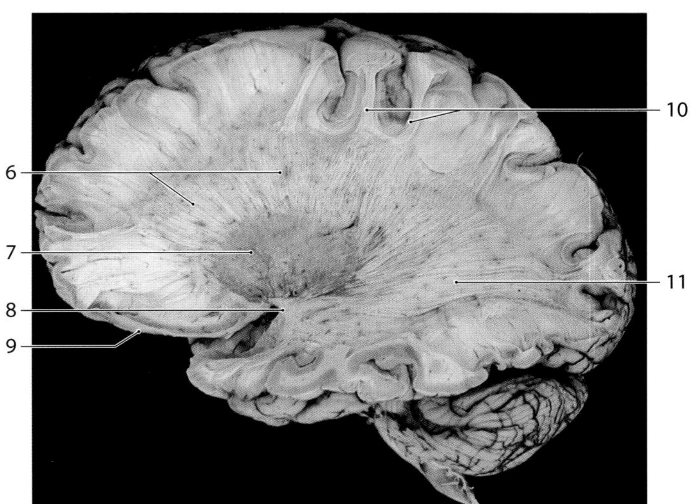

그림 9.151 **대뇌부챗살(corona radiata).** 왼쪽 대뇌반구. 왼쪽이 이마극.

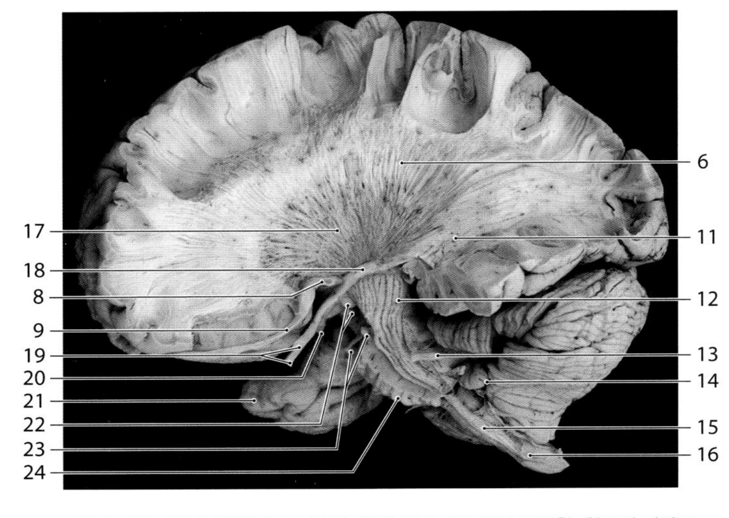

그림 9.152 **대뇌부챗살과 속섬유막.** 왼쪽 반구, 렌즈핵을 제거함. 왼쪽이 이마극.

1 섬둘레고랑 Circular sulcus of insula
2 긴섬이랑 Long gyrus of insula
3 짧은섬이랑 Short gyri of insula
4 섬문턱 Limen insulae
5 덮개(잘림) Opercula (cut)
(a) 이마덮개 Frontal operculum
(b) 이마마루덮개 Frontoparietal operculum
(c) 관자덮개 Temporal operculum
6 대뇌부챗살 Corona radiata
7 렌즈핵 Lentiform nucleus
8 앞맞교차 Anterior commissure
9 후각로 Olfactory tract
10 대뇌활꼴섬유 Cerebral arcuate fibers
11 시각부챗살 Optic radiation
12 대뇌다리 Cerebral peduncle
13 삼차신경 Trigeminal nerve (CN V)
14 소뇌타래 Flocculus of cerebellum
15 피라미드로 Pyramidal tract
16 피라미드교차 Decussation of pyramidal tract
17 속섬유막 Internal capsule
18 시각로 Optic tract
19 시각신경 Optic nerve (CN II)
20 깔때기 Infundibulum
21 관자엽(오른쪽) Temporal lobe (right side)
22 유두체 Mammillary bodies
23 눈돌림신경 Oculomotor nerve (CN III)
24 다리뇌의 가로섬유 Transverse fibers of pons

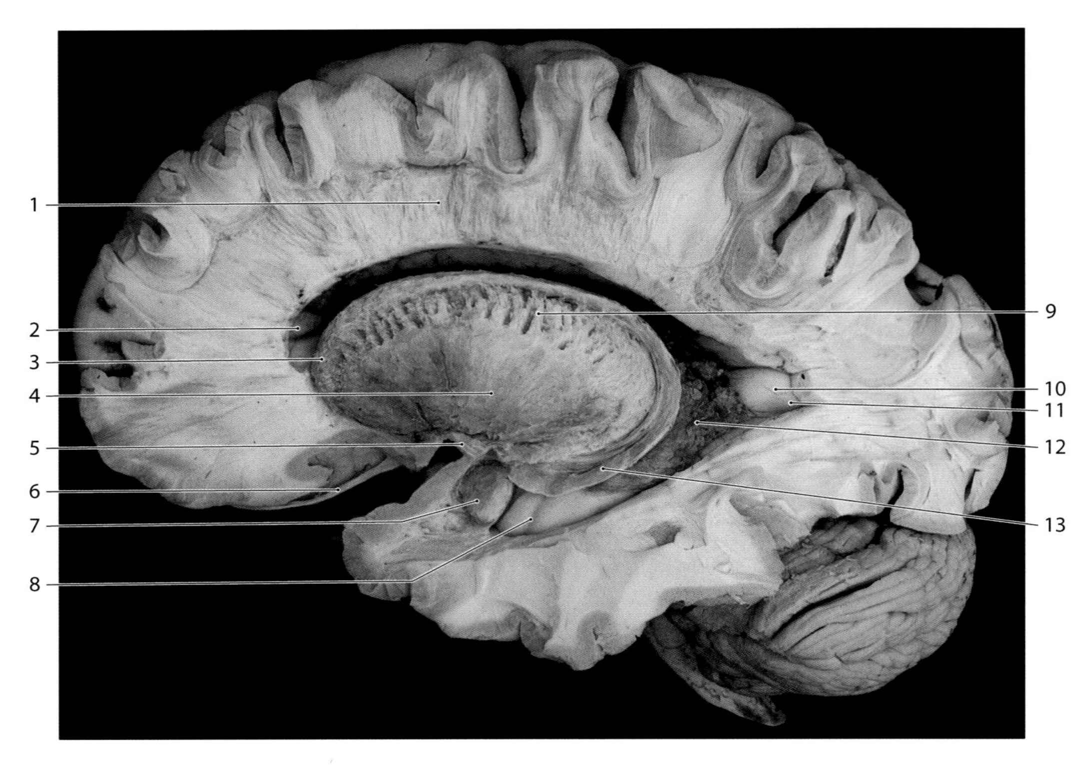

그림 9.153 **겉질밑신경핵과 속섬유막의 해부,** 왼쪽 대뇌반구(가쪽에서 본 모습). 가쪽뇌실을 노출하였고, 섬이랑과 담장을 제거하여 렌즈핵과 속섬유막을 나타내었다. 왼쪽이 이마극.

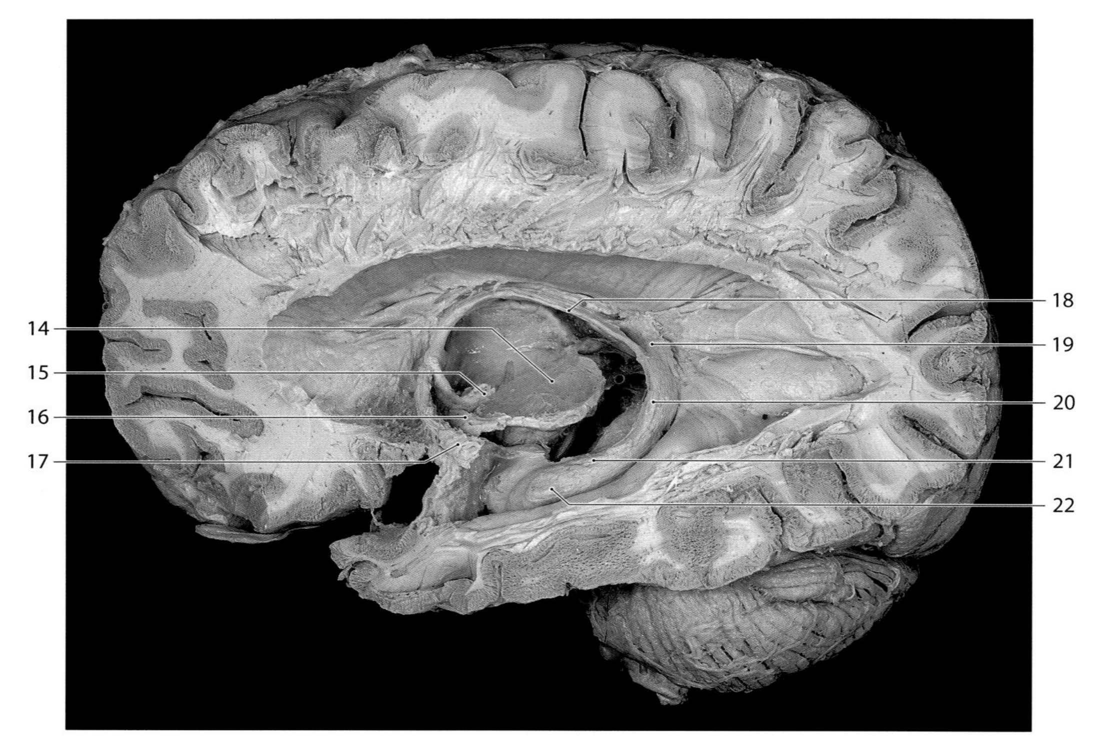

그림 9.154 **둘레계통과 뇌활의 해부,** 왼쪽 대뇌반구(가쪽에서 본 모습). 왼쪽이 이마극.

1 대뇌부챗살 Corona radiata
2 가쪽뇌실앞뿔 Anterior horn of lateral ventricle
3 꼬리핵머리 Head of caudate nucleus
4 조가비핵 Putamen
5 앞맞교차 Anterior commissure
6 후각로 Olfactory tract
7 편도체 Amygdala
8 해마발가락 Hippocampal digitations
9 속섬유막 Internal capsule
10 새발톱돌기 Calcar avis
11 가쪽뇌실뒤뿔 Posterior horn of lateral ventricle
12 가쪽뇌실의 맥락얼기 Choroid plexus of lateral ventricle
13 꼬리핵의 꼬리끝 Caudal extremity of caudate nucleus
14 시상베개 Pulvinar of thalamus
15 유두체 Mammillary body
16 시각로 Optic tract
17 앞맞교차 Anterior commissure
18 뇌활 Fornix
19 세로섬유줄 Longitudinal stria
20 치아이랑 Dentate gyrus
21 해마술 Hippocampal fimbria
22 해마발 Pes hippocampi

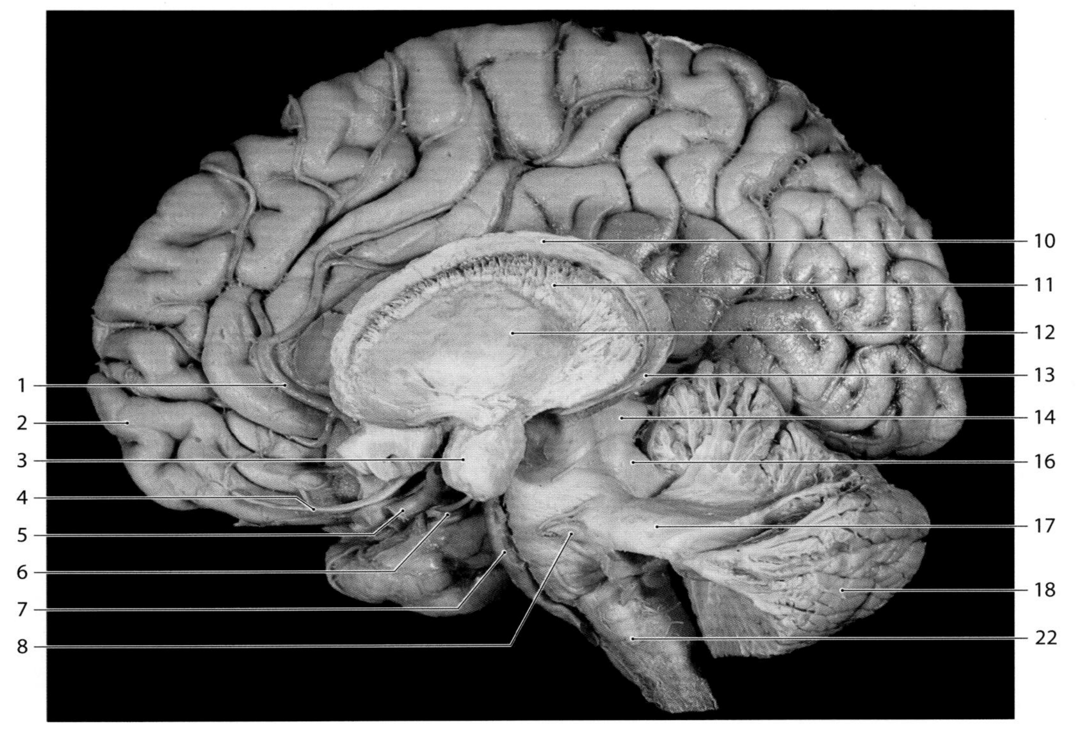

그림 9.155 **소뇌와 뇌줄기의 해부(가쪽모습).** 뇌줄기와 소뇌의 연결부분을 해부하였다. 왼쪽 대뇌반구의 편도체가 보인다. 뇌들보 일부를 제거하였다. 왼쪽이 이마엽.

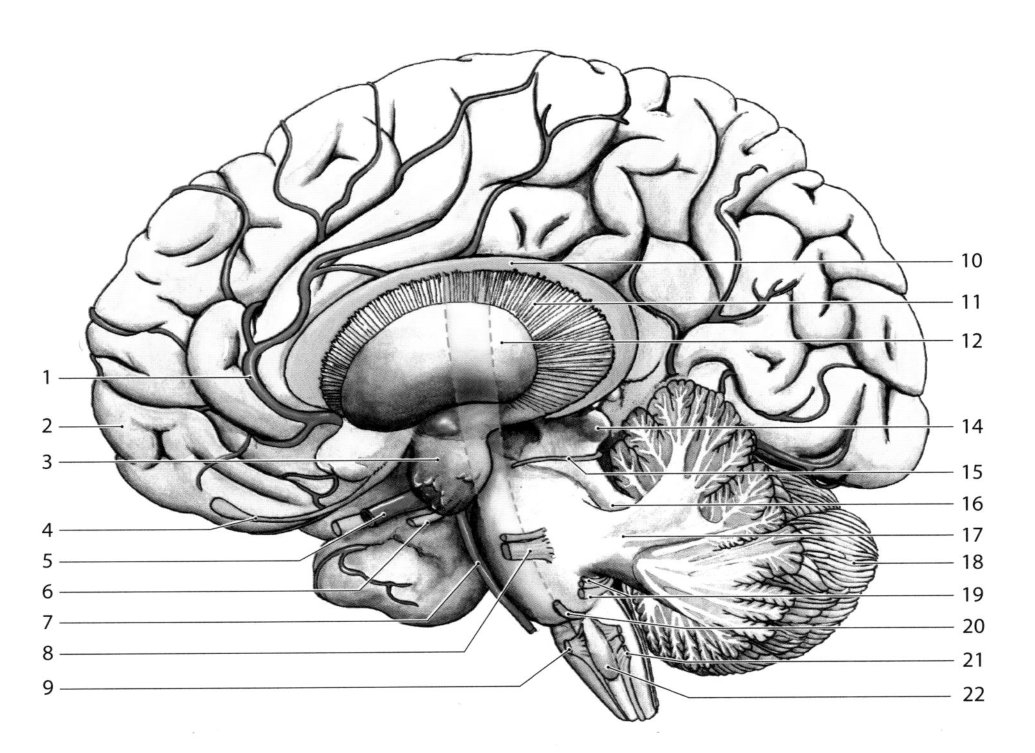

그림 9.156 **소뇌와 뇌줄기를 해부한 단순그림**(가쪽모습, 위의 그림 9.155 참조).
빨강 = 피라밋로(pyramidal tracts). 노랑 = 뇌신경

1 앞대뇌동맥 Anterior cerebral artery
2 이마엽 Frontal lobe
3 편도체 Amygdala (amygdaloid body)
4 후각로 Olfactory tract
5 속목동맥 Internal carotid artery
6 눈돌림신경 Oculomotor nerve (CN III)
7 뇌바닥동맥 Basilar artery
8 삼차신경 Trigeminal nerve (CN V)
9 혀밑신경 Hypoglossal nerve (CN XII)
10 꼬리핵 Caudate nucleus
11 속섬유막 Internal capsule
12 렌즈핵 Lentiform nucleus
13 꼬리핵의 꼬리끝 Caudal extremity of caudate nucleus
14 아래둔덕 Inferior colliculus of midbrain
15 도르래신경 Trochlear nerve (CN IV)
16 위소뇌다리 Superior cerebellar peduncle
17 중간소뇌다리 Middle cerebellar peduncle
18 소뇌 Cerebellum
19 얼굴신경과 속귀신경 Facial nerve (CN VII) and vestibulocochlear nerve (CN VIII)
20 갓돌림신경 Abducent nerve (CN VI)
21 혀인두신경, 미주신경, 더부신경 Glossopharyngeal nerve (CN IX), vagus nerve(CN X), and accessory nerve (CN XI)
22 올리브 Inferior olive

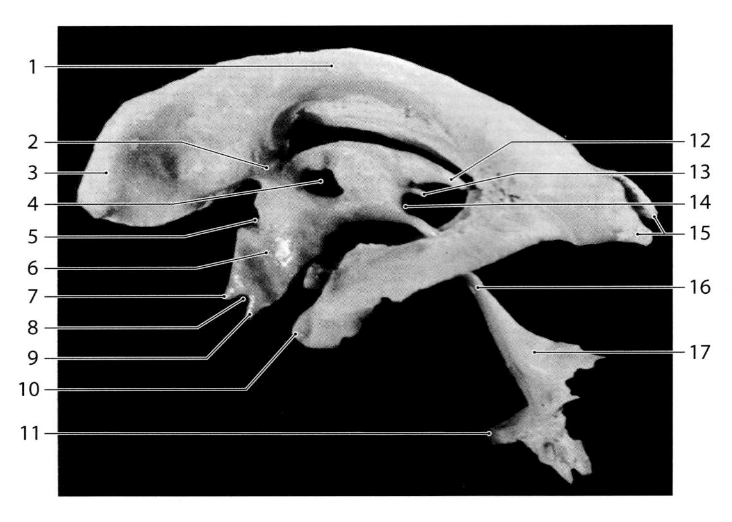

그림 9.157 **뇌실공간의 주조물**(가쪽에서 본 모습). 왼쪽이 이마극.

1 가쪽뇌실의 중심부분 Central part of the lateral ventricle
2 뇌실사이구멍 Interventricular foramen of Monro
3 가쪽뇌실앞뿔 Anterior horn of the lateral ventricle
4 시상사이붙음의 위치 Site of interthalamic adhesion
5 앞맞교차에 의한 파임 Notch for anterior commissure
6 셋째뇌실 Third ventricle
7 시각오목 Optic recess
8 시각교차에 의한 파임 Notch for optic chiasma
9 깔때기오목 Infundibular recess
10 가쪽뇌실의 아래뿔과 편도체에 의한 오목 Inferior horn of lateral ventricle with indentation of amygdaloid body
11 넷째뇌실의 가쪽오목과 가쪽구멍 Lateral recess and lateral aperture of Luschka
12 솔방울위오목 Suprapineal recess
13 솔방울오목 Pineal recess
14 뒤맞교차에 의한 파임 Notch for posterior commissure
15 중간뇌실뒤뿔 Posterior horn of lateral ventricle
16 중간뇌수도관 Cerebral aqueduct
17 넷째뇌실 Fourth ventricle
18 넷째뇌실 정중구멍 Median aperture of Magendie

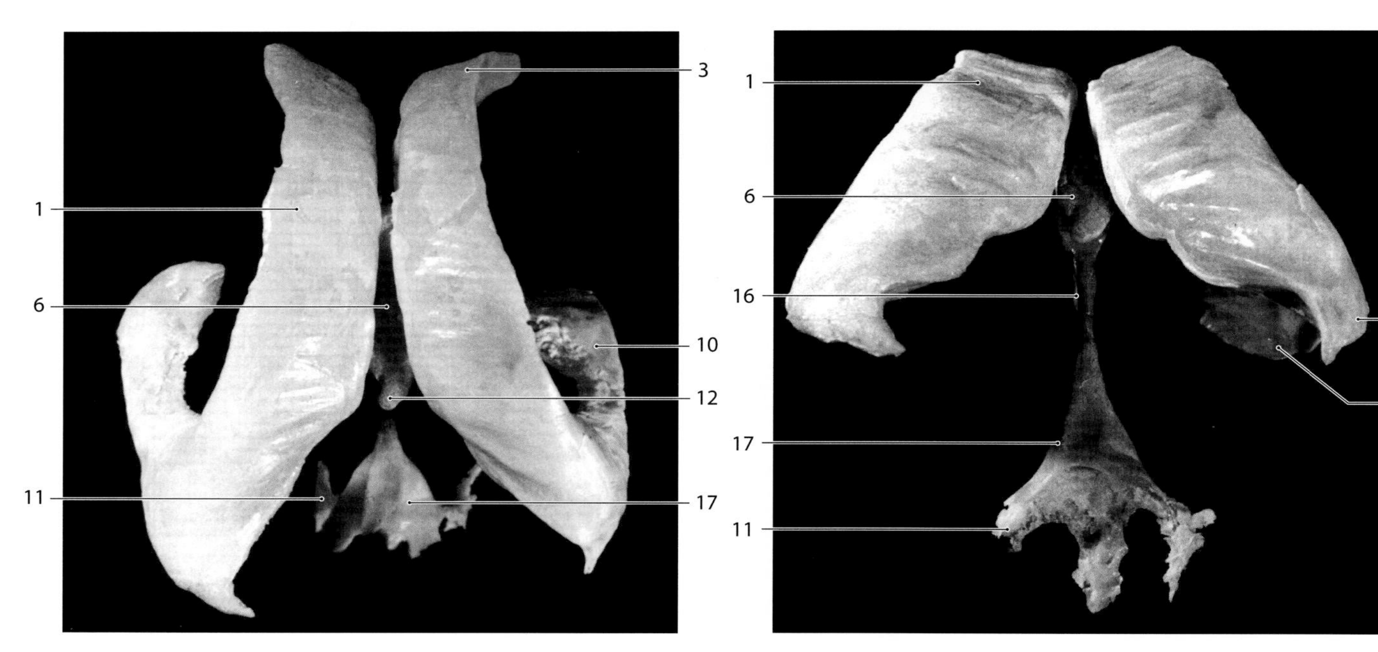

그림 9.158 **뇌실공간의 주조물**(위에서 본 모습). 위쪽이 이마극.

그림 9.159 **뇌실과 중간뇌수도관의 주조물**(뒤에서 본 모습). 가쪽뇌실뒤뿔(15)과 아래에 넷째뇌실(17)이 보인다.

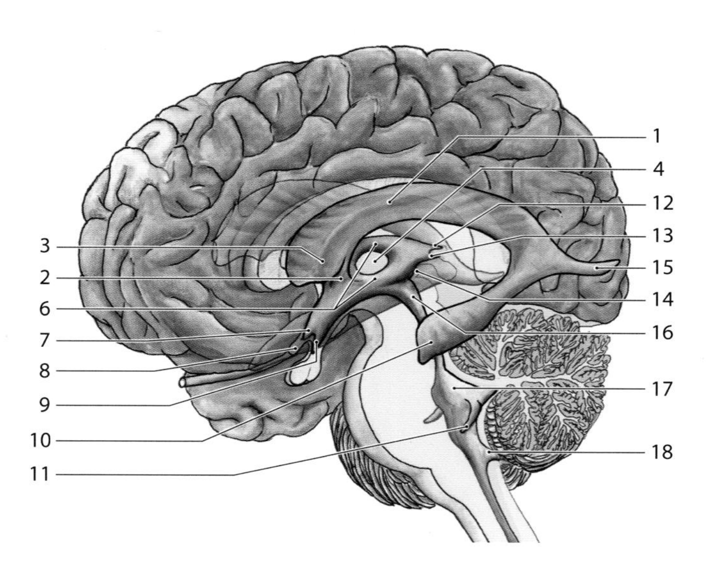

그림 9.160 **뇌실공간의 위치.**

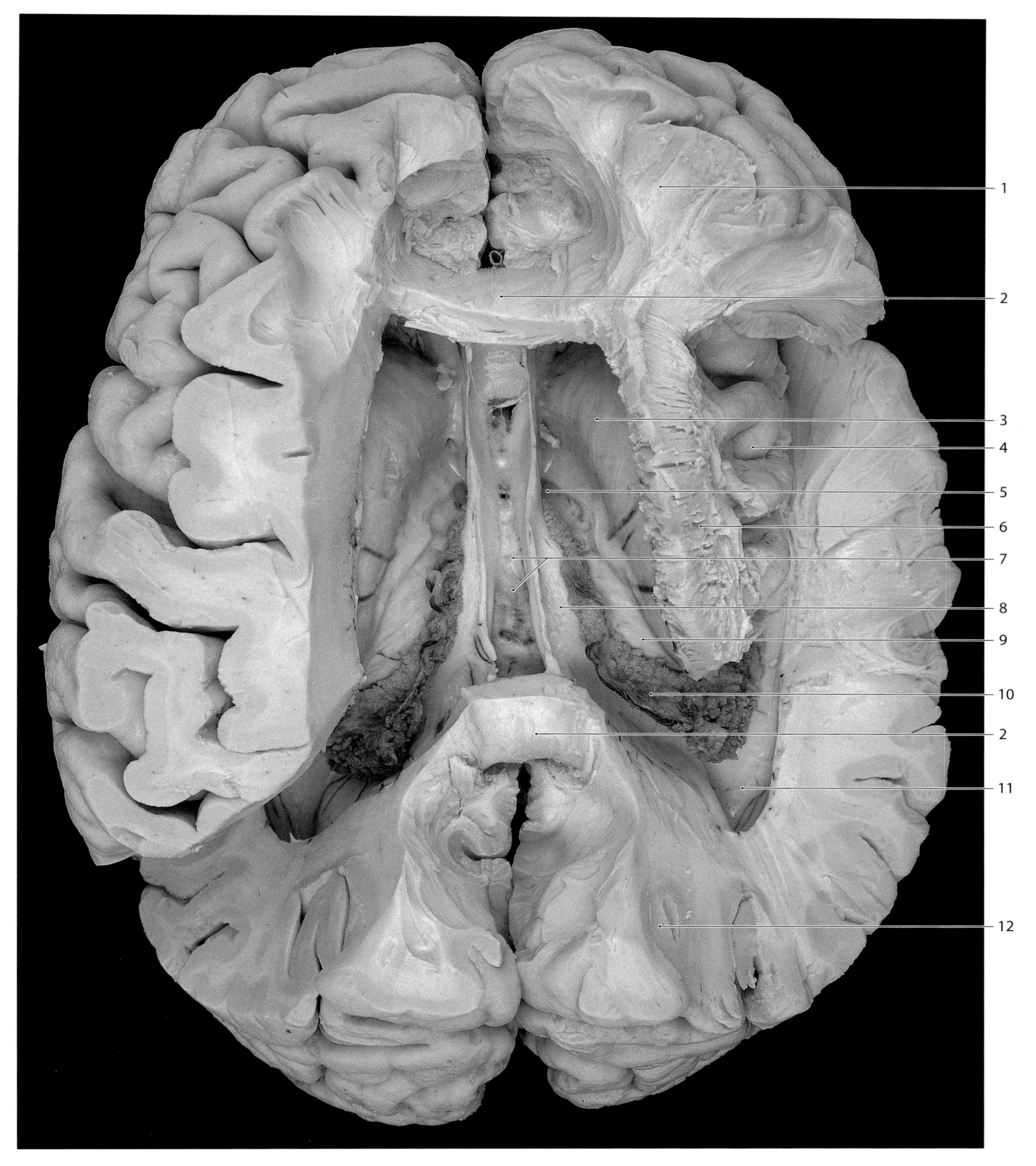

그림 9.161 **뇌의 해부**(뇌의 겉질밑핵과 가쪽뇌실의 위에서 본 모습). 뇌들보의 일부를 제거함. 가쪽뇌실의 뇌활과 맥락얼기를 보여주고 있다.

1 뇌의 이마엽 Frontal lobe of brain
2 뇌들보 Corpus callosum
3 꼬리핵(머리) Caudate nucleus (head)
4 섬겉질 Insular cortex
5 뇌실사이구멍 Interventricular foramen
6 속섬유막 Internal capsule
7 셋째뇌실의 맥락얼기
Choroid plexus of third ventricle
8 뇌활몸통 Body of fornix
9 시상 Thalamus
10 맥락얼기 Choroid plexus
11 가쪽뇌실(뒤통수뿔)
Lateral ventricle (occipital horn)
12 뇌의 뒤통수엽 Occipital lobe of brain

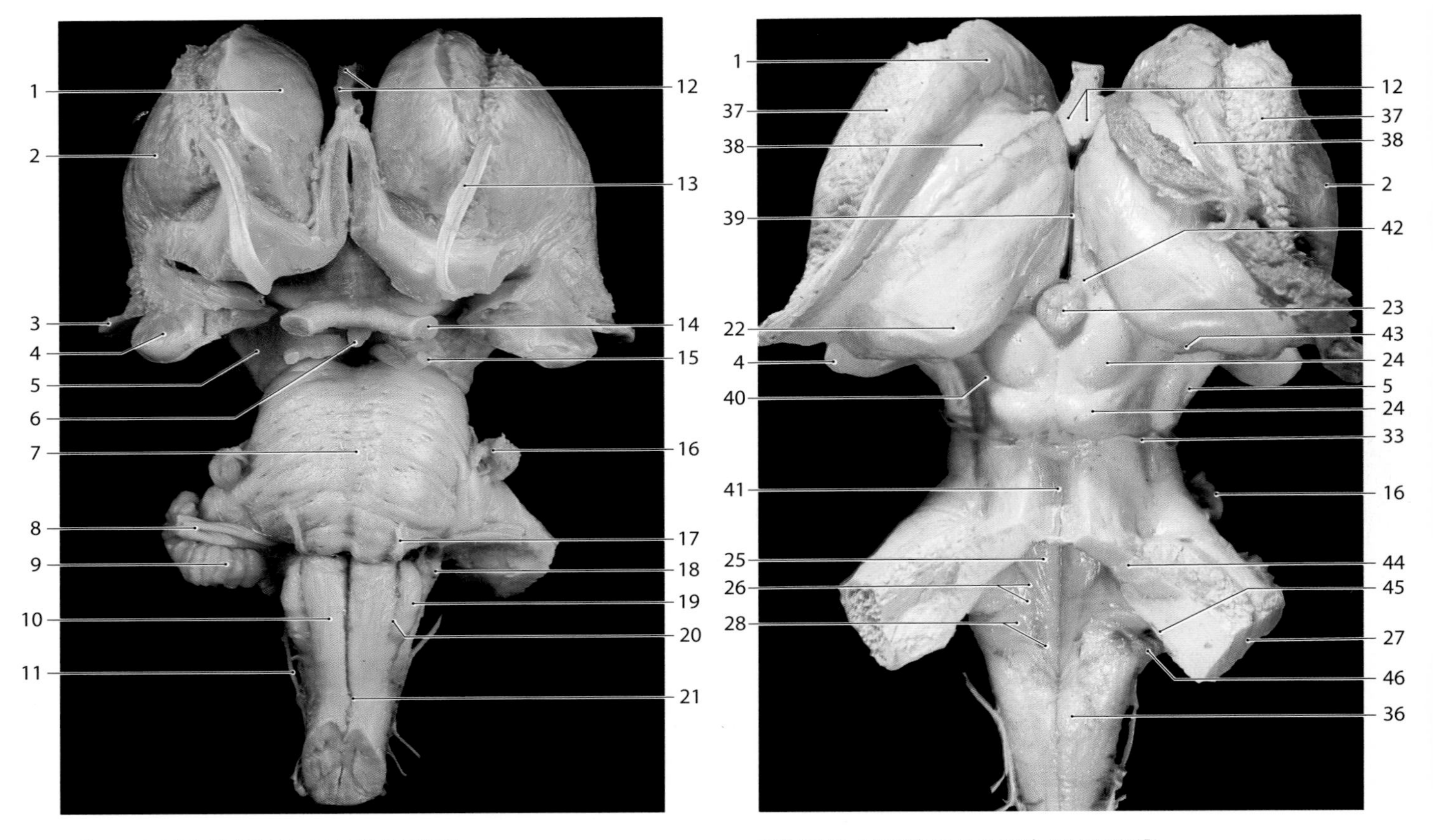

그림 9.162 **뇌줄기**(앞에서 본 모습). 대뇌를 제거함.

그림 9.163 **뇌줄기**(뒤에서 본 모습). 대뇌를 제거함.

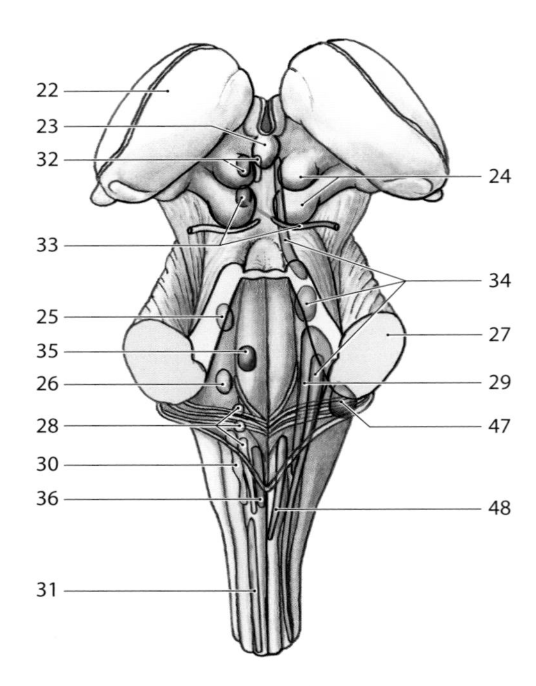

그림 9.164 **뇌줄기**(뒤에서 본 모습). 뇌신경핵의 위치.

몸운동 및 내장운동 신경핵들(척수의 바닥판에서 유래된)은 마름오목(rhomboid fossa)의 정중선 옆에 두 줄로 놓여 있다(주황색, 노란색). CN III, IV, VI 및 XII의 몸날(somatic efferen)성분의 신경핵 영역이 더 안쪽(주황색)에 위치한다. 몸감각 감각 및 내장감각 신경핵들(날개판에서 유래된)은 가쪽에 놓여 있다(녹색, 파란색). 순수한 감각성분인 CN VIII의 신경핵은 가장 가쪽에 위치한다(파란색).

1 꼬리핵 Caudate nucleus
2 렌즈핵 Lentiform nucleus
3 꼬리핵의 꼬리끝 Caudal extremity of caudate nucleus
4 편도체 Amygdaloid body
5 대뇌다리 Cerebral peduncle
6 깔때기 Infundibulum
7 다리뇌 Pons
8 얼굴신경과 속귀신경 Facial and vestibulocochlear nerves (CN VII, CN VIII)
9 소뇌소엽 Cerebellar flocculus
10 숨뇌 Medulla oblongata
11 더부신경 Accessory nerve (CN XI)
12 뇌활기둥 Fornix and column of fornix
13 후각로 Olfactory tract
14 시각신경 Optic nerve (CN II)
15 눈돌림신경 Oculomotor nerve (CN III)
16 삼차신경 Trigeminal nerve (CN V)
17 갓돌림신경핵 Abducent nerve (CN VI)
18 혀인두신경과 미주신경 Glossopharyngeal and vagus nerves (CN IX, CN X)
19 올리브 Inferior olive
20 혀밑신경핵 Hypoglossal nerve (CN XII)
21 피라미드교차 Decussation of the pyramids
22 시상 Thalamus
23 뼈끝 Epiphysis
24 중간뇌덮개(위와 아래둔덕) Tectum of midbrain (superior and inferior colliculus)
25 삼차신경의 운동핵 Motor nucleus of trigeminal nerve (CN V)
26 얼굴신경핵 Facial nucleus (CN VII)
27 중간소뇌다리 Middle cerebellar peduncle
28 혀인두, 미주신경, 침분비핵의 내장핵 Visceral nucleus of glossopharyngeal and vagus nerves (CN IX and CN X), salivatory nucleus
29 안뜰핵 Vestibular nucleus (CN VIII)
30 의문핵 Ambiguus nucleus (CN IX, CN X, CN XI)
31 더부신경의 척수핵 Spinal nucleus of accessory nerve (CN XI)
32 눈돌림신경의 운동핵 Motor nucleus of oculomotor nerve (CN III)
33 도르래핵과 도르래신경 Trochlear nucleus and nerve (CN IV)
34 삼차신경의 감각핵 Sensory nucleus of trigeminal nerve (CN V)
35 갓돌림신경 Abducent nucleus (CN VI)
36 혀밑신경 Hypoglossal nucleus (CN XII)
37 속섬유막 Internal capsule
38 부착판 Lamina affixa
39 셋째뇌실 Third ventricle
40 아래둔덕의 팔 Brachium of inferior colliculus
41 위숨뇌천장 Superior medullary velum
42 고삐삼각 Habenular trigone
43 안쪽무릎체 Medial geniculate body
44 위소뇌다리 Superior cerebellar peduncle
45 아래소뇌다리 Inferior cerebellar peduncle
46 넷째뇌실의 맥락얼기 Choroid plexus of fourth ventricle
47 달팽이핵 Cochlear nuclei
48 고립로핵 Nucleus of solitary tract

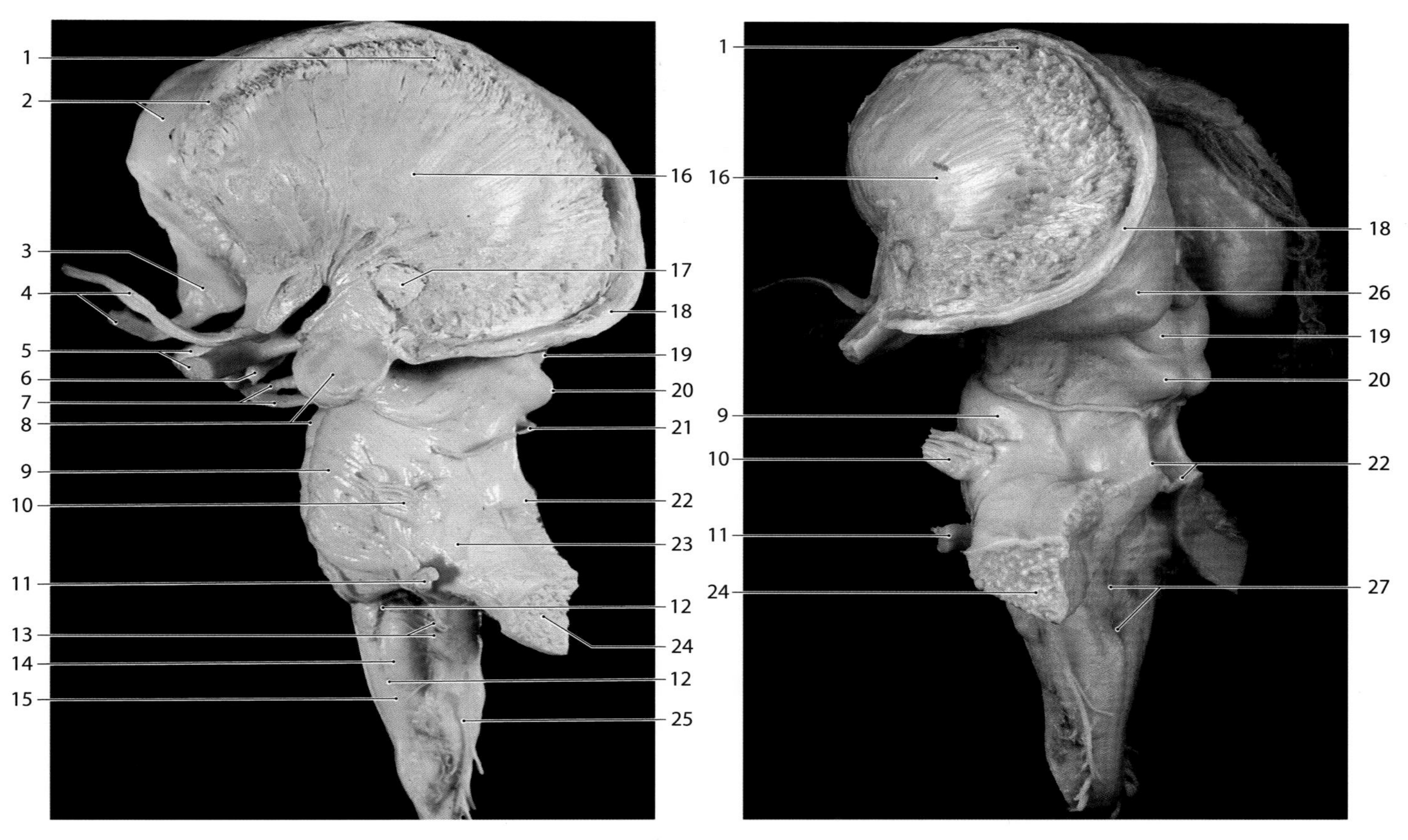

그림 9.165 **뇌줄기**(왼쪽 가쪽에서 본 모습). 소뇌다리를 잘랐고, 소뇌와 대뇌 겉질을 제거하였다.

그림 9.166 **뇌줄기**(가쪽 뒤에서 본 모습). 소뇌를 제거하였다.

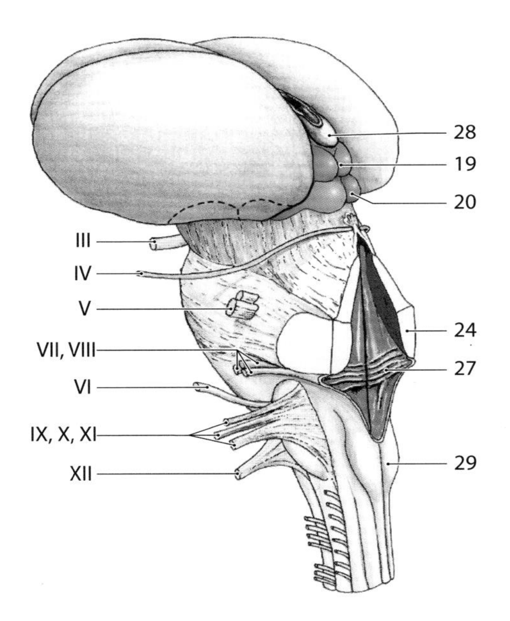

그림 9.167 **뇌줄기**(가쪽 뒤에서 본 모습). 뇌신경(CN III – XII)의 위치를 확인할 것.

1 속섬유막 Internal capsule
2 꼬리핵머리 Head of the caudate nucleus
3 후각삼각 Olfactory trigone
4 후각로 Olfactory tracts
5 시각신경 Optic nerves (CN II)
6 깔때기 Infundibulum
7 눈돌림신경 Oculomotor nerve (CN III)
8 편도체 Amygdaloid body
9 다리뇌 Pons
10 삼차신경 Trigeminal nerve (CN V)
11 얼굴신경과 속귀신경 Facial and vestibulocochlear nerves (CN VII, CN VIII)
12 혀밑신경 Hypoglossal nerve (CN XII)
13 혀인두신경과 미주신경 Glossopharyngeal and vagus nerves (CN IX, CN X)
14 올리브 Inferior olive
15 숨뇌 Medulla oblongata
16 렌즈핵 Lentiform nucleus
17 앞맞교차 Anterior commissure
18 꼬리핵꼬리 Tail of caudate nucleus
19 위둔덕 Superior colliculus
20 아래둔덕 Inferior colliculus
21 도르래신경 Trochlear nerve (CN IV)
22 위소뇌다리 Superior cerebellar peduncle
23 아래소뇌다리 Inferior cerebellar peduncle
24 중간소뇌다리 Middle cerebellar peduncle
25 더부신경 Accessory nerve (CN XI)
26 시상베개 Pulvinar of thalamus
27 넷째뇌실섬유줄과 마름오목 Striae medullares and rhomboid fossa
28 솔방울샘 Pineal body
29 널판결절 Clava

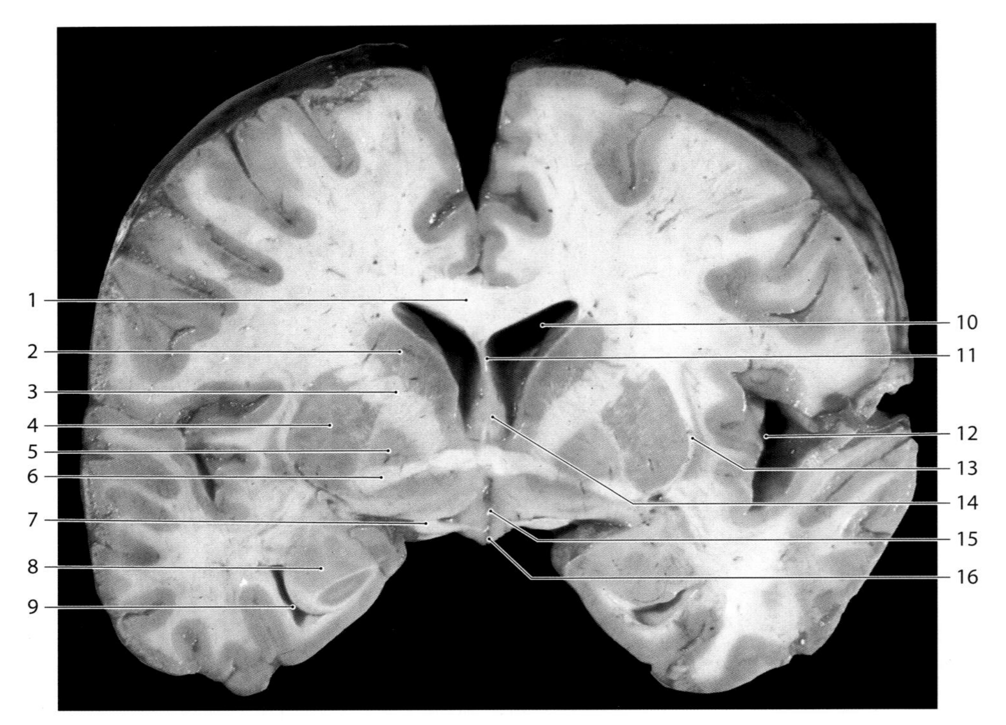

그림 9.168 **앞맞교차를 지나는 뇌의 관상단면.** 단면1.

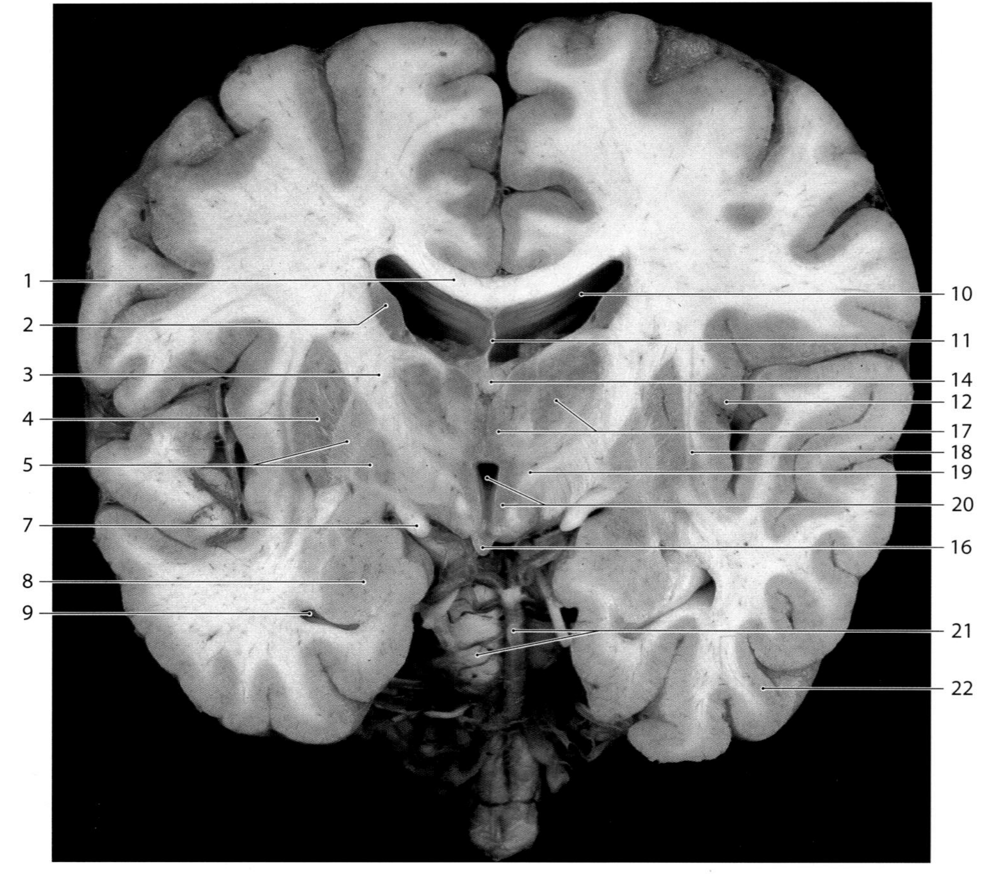

그림 9.169 셋째뇌실과 시상사이붙음을 지나는 **뇌의 관상단면.** 단면2.

1 뇌들보 Corpus callosum
2 꼬리핵머리 Head of caudate nucleus
3 속섬유막 Internal capsule
4 조가비핵 Putamen
5 창백핵 Globus pallidus
6 앞맞교차 Anterior commissure
7 시각로 Optic tract
8 편도체 Amygdaloid body
9 가쪽뇌실아래뿔 Inferior horn of lateral ventricle
10 가쪽뇌실 Lateral ventricle
11 투명사이막 Septum pellucidum
12 뇌섬엽(대뇌섬) Lobus insularis (insula)
13 바깥섬유막 External capsule
14 뇌활기둥 Column of fornix
15 시각교차오목 Optic recess
16 깔때기 Infundibulum
17 시상 Thalamus
18 담장 Claustrum
19 렌즈고리 Lenticular ansa
20 셋째뇌실과 시상하부 Third ventricle and hypothalamus
21 뇌바닥동맥과 다리뇌 Basilar artery and pons
22 관자엽의 겉질 Cortex of temporal lobe
23 아래둔덕 Inferior colliculus
24 위둔덕 Superior colliculus
25 중간뇌수도관 Cerebral aqueduct
26 적색핵 Red nucleus
27 흑색질 Substantia nigra
28 대뇌다리 Cerebral peduncle
29 도르래신경 Trochlear nerve (CN IV)
30 회색질 Gray matter
31 눈돌림신경핵 Nucleus of oculomotor nerve
32 눈돌림신경섬유 Fibers of oculomotor nerve (CN III)
33 소뇌벌레 Vermis of cerebellum
34 넷째뇌실 Fourth ventricle
35 그물체 Reticular formation
36 다리뇌와 가로다리뇌섬유 Pons and transverse pontine fibers
37 마개핵 Emboliform nucleus
38 치아핵 Dentate nucleus
39 중간소뇌다리 Middle cerebellar peduncle
40 맥락얼기 Choroid plexus
41 마름오목의 혀밑신경핵 Hypoglossal nucleus at rhomboid fossa
42 안쪽세로다발 Medial longitudinal fasciculus
43 삼차신경 Trigeminal nerve (CN V)
44 아래올리브핵 Inferior olivary nucleus
45 겉질척수섬유와 활꼴섬유 Corticospinal fibers and arcuate fibers
46 넷째뇌실과 맥락얼기 Fourth ventricle with choroid plexus
47 안뜰핵 Vestibular nuclei
48 고립핵과 고립로 Nucleus and tractus solitarius
49 아래소뇌다리(밧줄체) Inferior cerebellar peduncle (restiform body)
50 그물체 Reticular formation
51 안쪽섬유띠 Medial lemniscus
52 쐐기핵 Cuneate nucleus of Burdach
53 중심관 Central canal
54 피라미드로 Pyramidal tract
55 소뇌타래 Flocculus of cerebellum
56 연막에 덮인 소뇌반구 Cerebellar hemisphere with pia mater
57 소뇌나무 "Arbor vitae" of cerebellum
58 널판핵 Nucleus gracilis of Goll
59 넷째뇌실 가쪽오목의 맥락얼기 Lateral recess of choroid plexus of fourth ventricle
60 뒤아래소뇌동맥 Posterior inferior cerebellar artery
61 가쪽뇌실의 맥락얼기 Choroid plexus of lateral ventricle

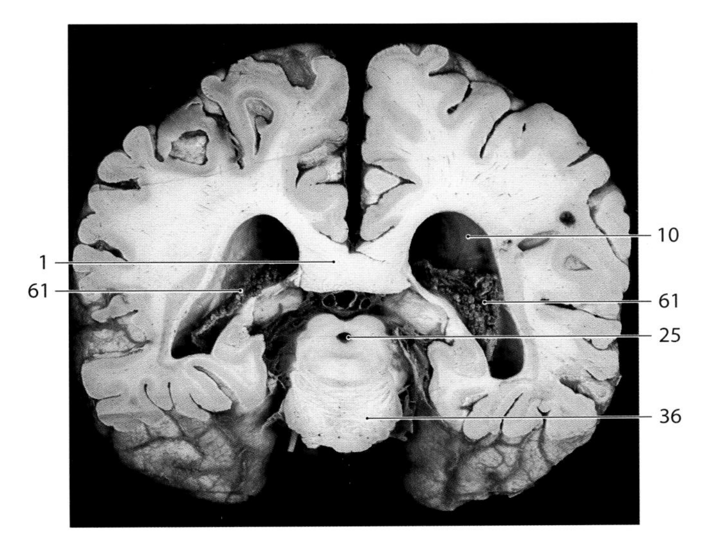

그림 9.170 아래둔덕을 지나는 **뇌의 관상단면**(뒤에서 본 모습). 단면 3.

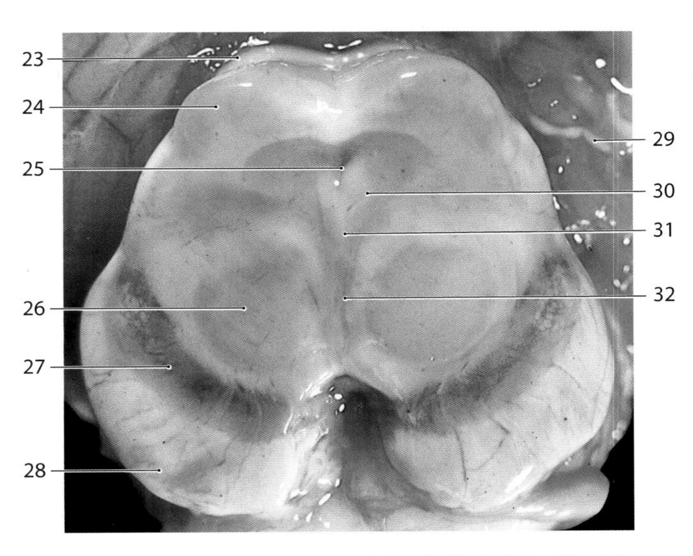

그림 9.171 위둔덕을 지나는 **중간뇌의 가로단면**(위에서 본 모습). 단면 4.

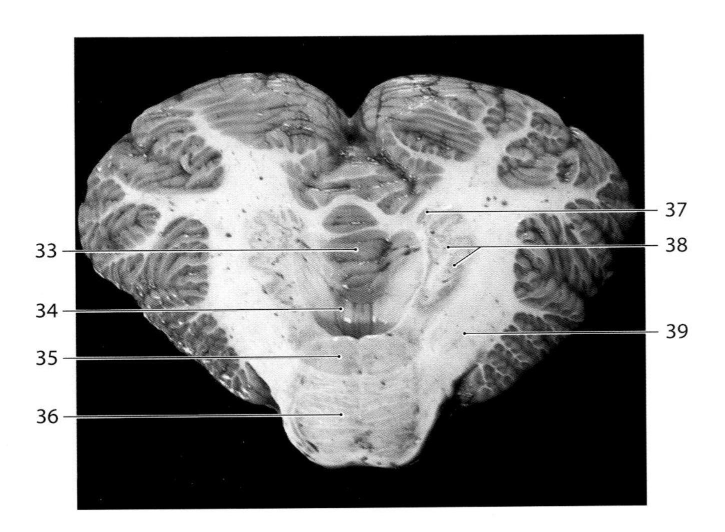

그림 9.172 다리뇌를 지나가는 **마름뇌의 가로단면**(아래에서 본 모습). 단면 5.

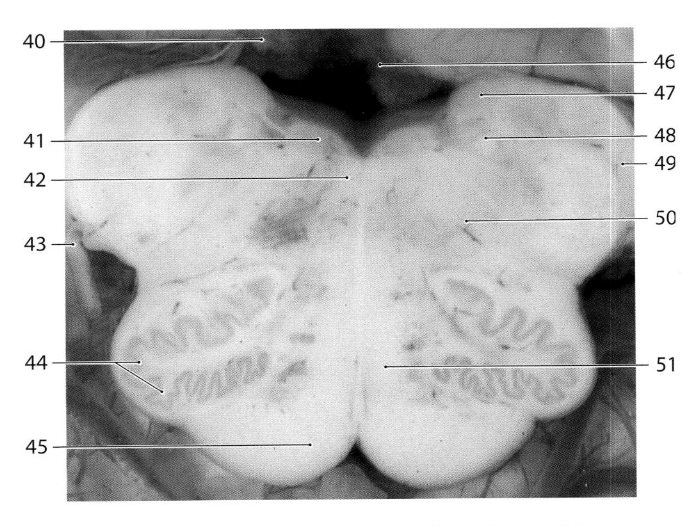

그림 9.173 올리브를 지나는 **마름뇌의 가로단면**(아래모습). 단면 6.

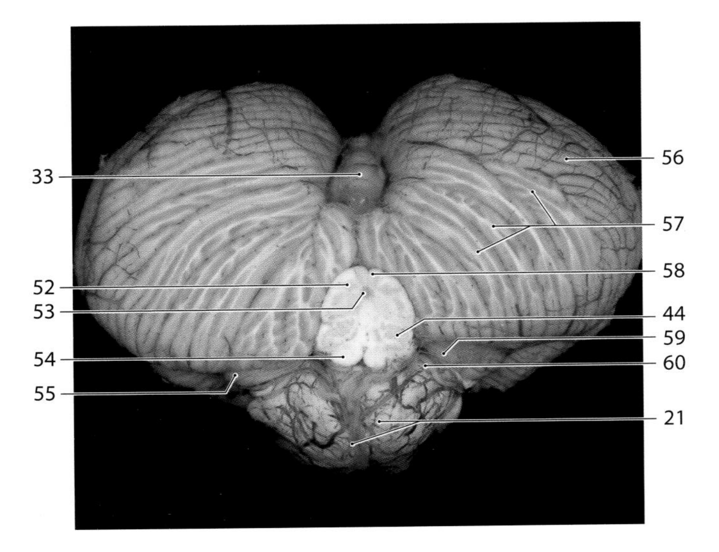

그림 9.174 **숨뇌와 소뇌의 가로단면**(아래에서 본 모습). 단면 7.

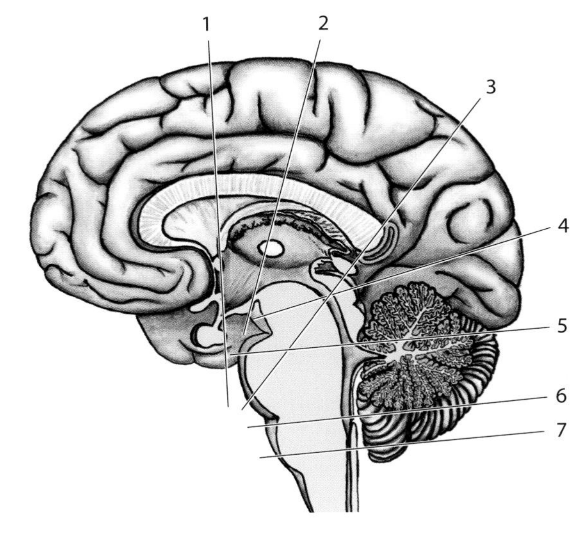

그림 9.175 **뇌의 오른쪽 반.** 각 단면의 위치를 번호로 표시하였다.

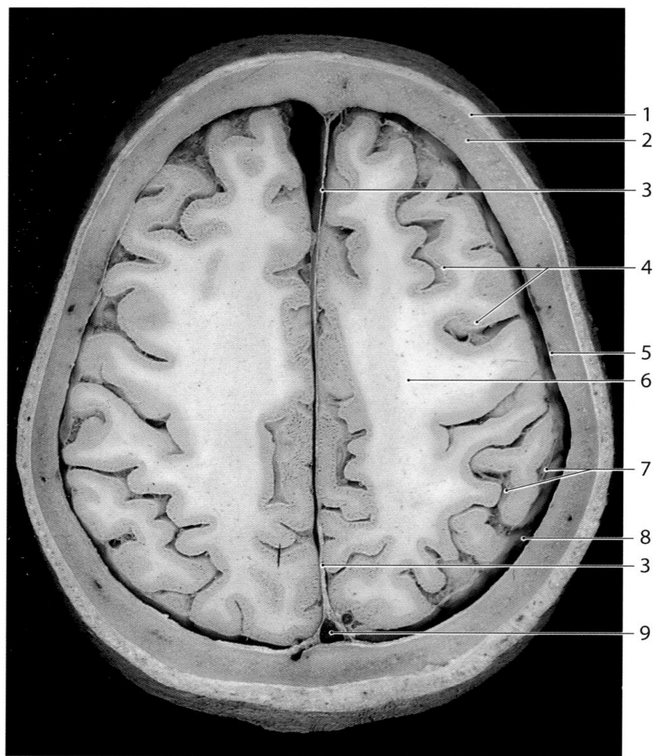

그림 9.176 **머리와 뇌의 수평단면.** 단면 1.

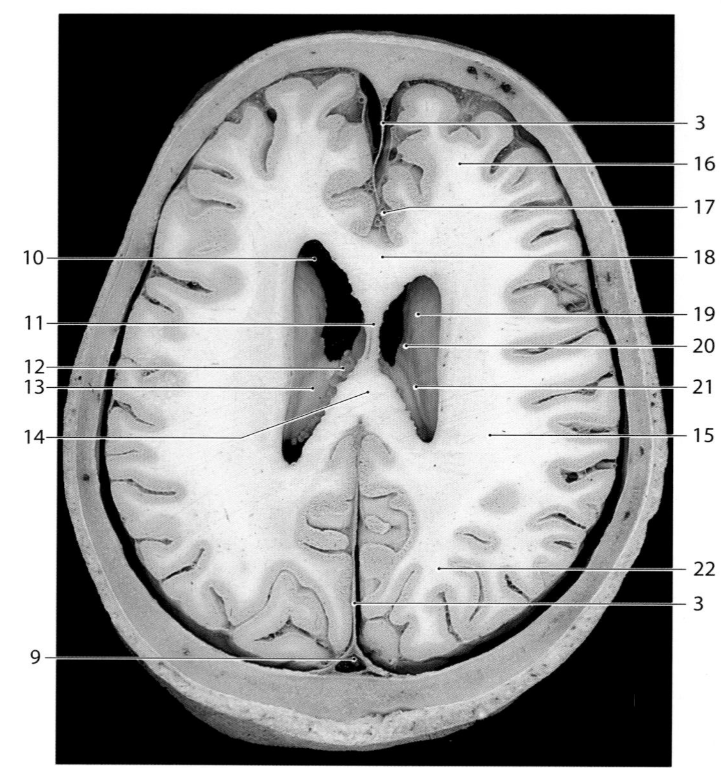

그림 9.177 **머리와 뇌의 수평단면.** 단면 2.

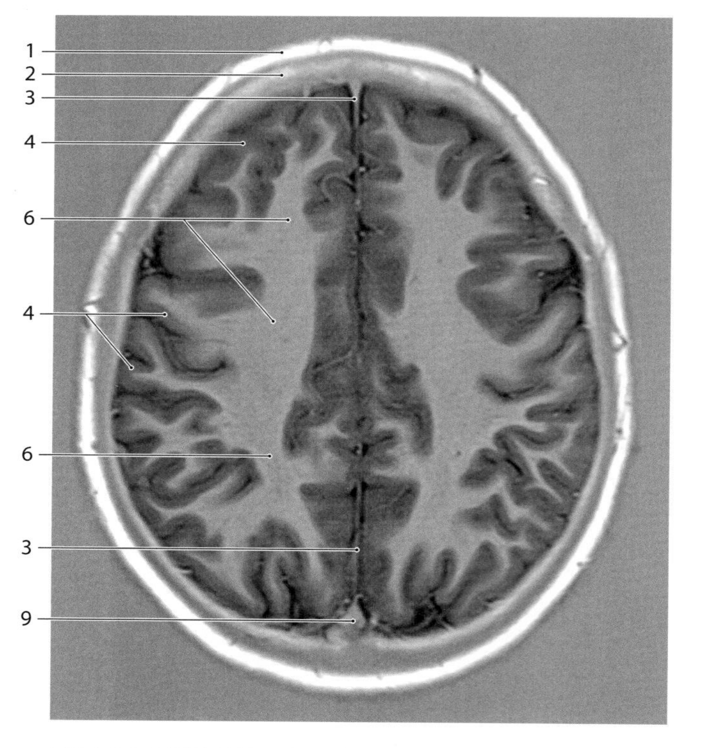

그림 9.178 **머리와 뇌의 수평단면**(자기공명영상). 단면 1.
(Prof. Uder, Dept. of Radiology, Univ. Erlangen-Nuremberg, Germany.)

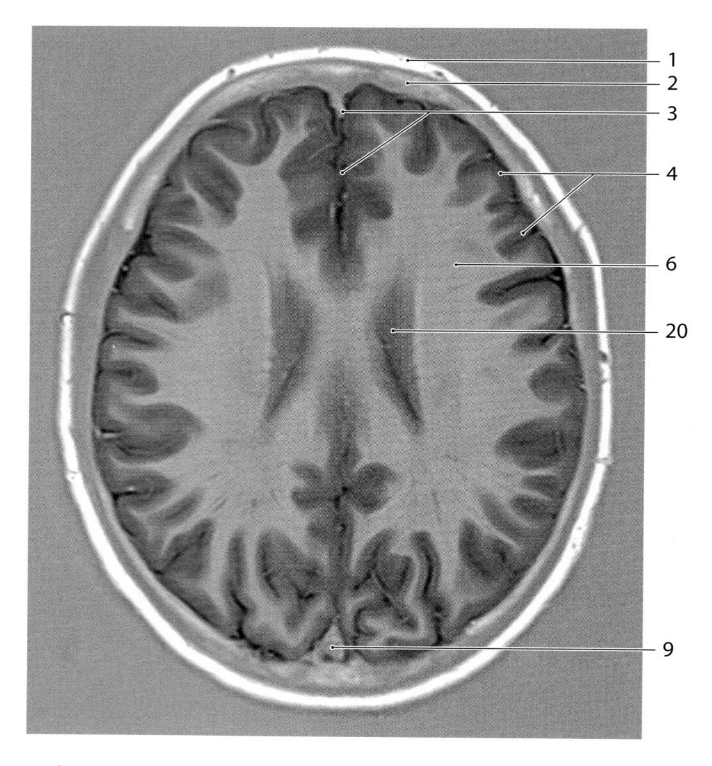

그림 9.179 **머리와 뇌의 수평단면**(자기공명영상). 단면 2.
(Prof. Uder, Dept. of Radiology, Univ. Erlangen-Nuremberg, Germany.)

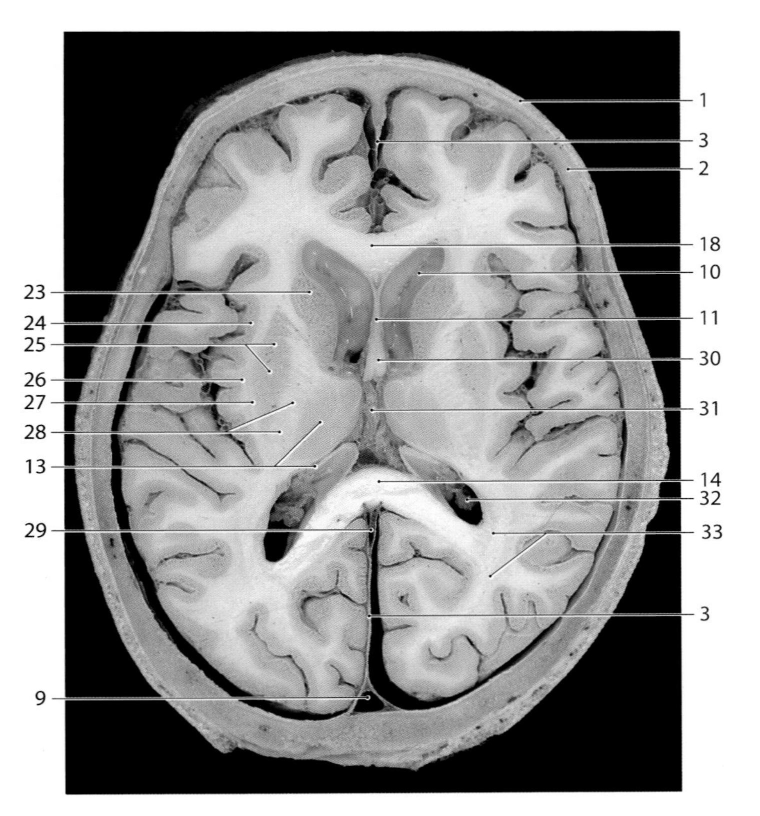

그림 9.180 **셋째뇌실을 지나는 머리와 뇌의 수평단면.** 속섬유막과 이웃한 신경핵이 보임. 단면 3.

1 머리덮개의 피부 Skin of scalp
2 머리덮개뼈(머리뼈 판사이층) Calvaria (diploe of the skull)
3 대뇌낫 Falx cerebri
4 뇌의 회색질(겉질) Gray matter of brain (cortex)
5 경막 Dura mater
6 뇌의 백색질 White matter of brain
7 거미막, 연막과 혈관 Arachnoid and pia mater with vessles
8 경막밑공간(뇌가 위축되어 공간이 약간 커졌다) Subdural space (slightly expanded due to shrinkage of the brain)
9 위시상정맥굴 Superior sagittal sinus
10 가쪽뇌실앞뿔 Anterior horn of lateral ventricle
11 투명사이막 Septum pellucidum
12 맥락얼기 Choroid plexus
13 시상 Thalamus
14 뇌들보팽대 Splenium of corpus callosum
15 마루엽 Parietal lobe
16 이마엽 Frontal lobe
17 앞대뇌동맥 Anterior cerebral artery
18 뇌들보무릎 Genu of corpus callosum
19 꼬리핵 Caudate nucleus
20 가쪽뇌실의 중심부분 Central part of lateral ventricle
21 분계섬유줄 Stria terminalis
22 뒤통수엽 Occipital lobe
23 꼬리핵 Caudate nucleus
24 대뇌엽(대뇌섬) Lobus insularis (insula)
25 조가비핵 Putamen
26 담장 Claustrum
27 바깥섬유막 External capsule
28 속섬유막 Internal capsule
29 아래시상정맥굴 Inferior sagittal sinus
30 뇌활기둥 Column of fornix
31 셋째뇌실 맥락얼기 Choroid plexus of third ventricle
32 가쪽뇌실아래뿔의 입구와 맥락얼기 Entrance to inferior horn of lateral ventricle with choroid plexus
33 시각부챗살 Optic radiation
34 셋째뇌실 Third ventricle

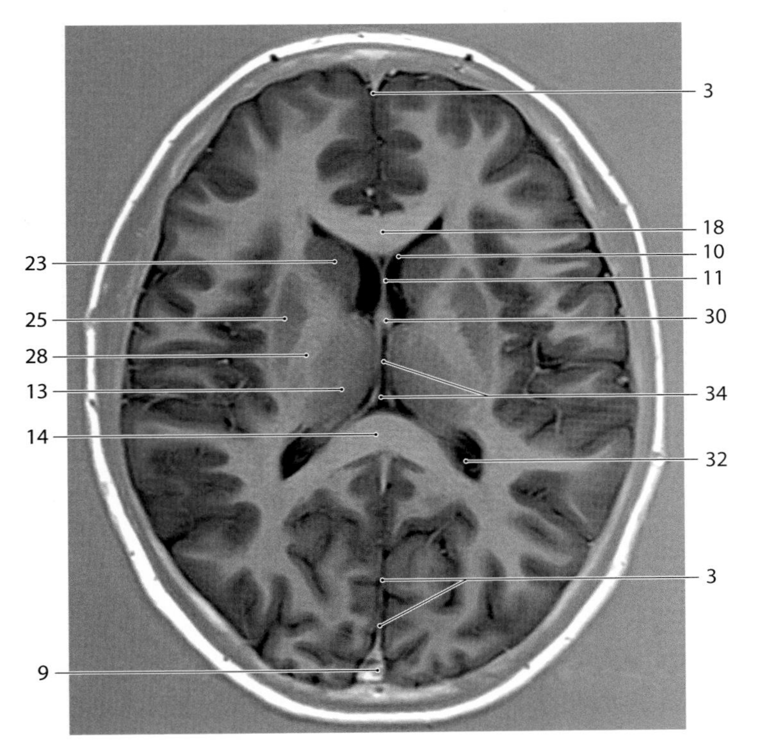

그림 9.181 **위 그림(단면 3)과 같은 수준에 해당하는 머리와 뇌의 수평단면.** 자기공명영상. (Prof. Uder, Dept. of Radiology, Univ. Erlangen-Nuremberg, Germany.)

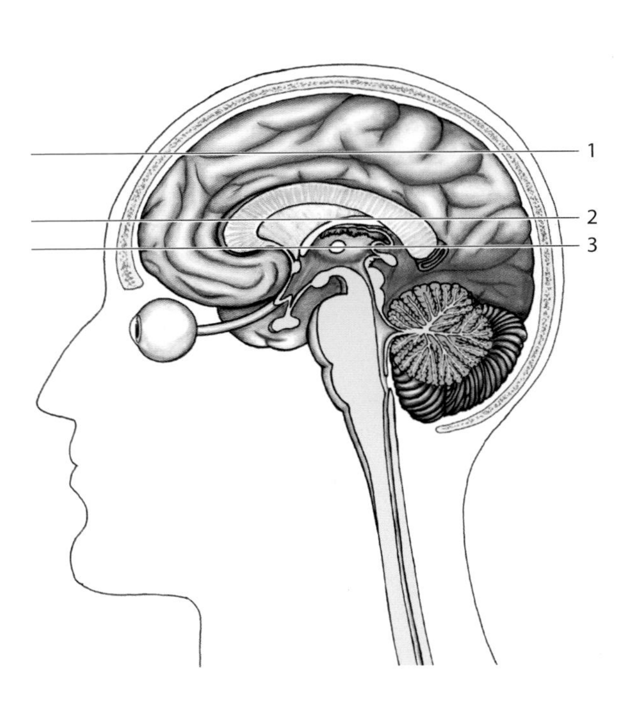

그림 9.182 **머리와 뇌의 시상단면.** 각 수평단면의 높이를 표시하였다.

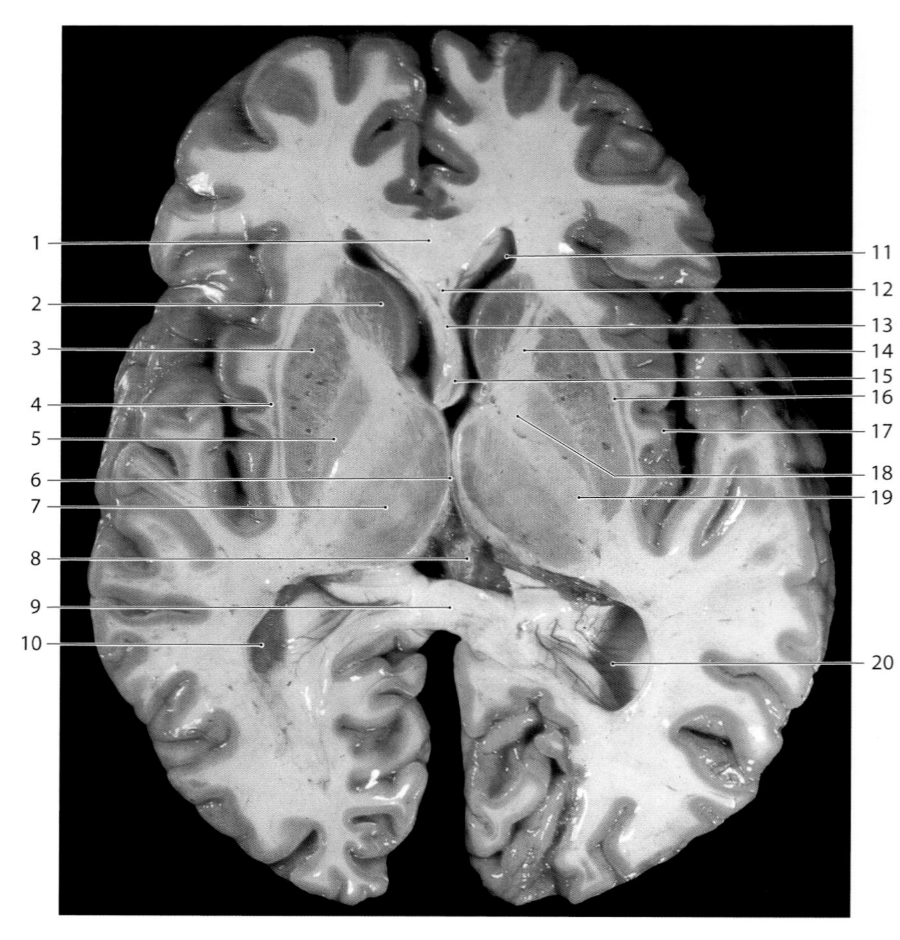

그림 9.183 **뇌의 수평단면.** 겉질밑신경핵과 속섬유막을 나타냄. 단면 1.

1 뇌들보무릎 Genu of corpus callosum
2 꼬리핵머리 Head of caudate nucleus
3 조가비핵 Putamen
4 담장 Claustrum
5 창백핵 Globus pallidus
6 셋째뇌실 Third ventricle
7 시상 Thalamus
8 솔방울샘 Pineal body
9 뇌들보팽대 Splenium of corpus callosum
10 가쪽뇌실의 맥락얼기 Choroid plexusm of the lateral ventricle
11 가쪽뇌실앞뿔 Anterior horn of lateral ventricle
12 투명사이막공간 Cavity of septum pellucidum
13 투명사이막 Septum pellucidum
14 속섬유막의 앞다리 Anterior limb of internal capsule
15 뇌활기둥 Column of fornix
16 바깥섬유막 External capsule
17 뇌섬엽(대뇌섬) Lobus insularis (insula)
18 속섬유막무릎 Genu of internal capsule
19 속섬유막뒤다리 Posterior limb of internal capsule
20 가쪽뇌실뒤뿔 Posterior horn of lateral ventricle
21 앞맞교차 Anterior commissure
22 시각부챗살 Optic radiation
23 대뇌낫 Falx cerebri
24 위턱굴 Maxillary sinus
25 귀관의 위치 Position of auditory tube
26 고실 Tympanic cavity
27 바깥귀길 External acoustic meatus
28 숨뇌 Medulla oblongata
29 넷째뇌실 Fourth ventricle
30 소뇌(왼쪽 반구) Cerebellum (left hemisphere)
31 턱관절 Temporomandibular joint
32 고막 Tympanic membrane
33 달팽이바닥 Base of cochlea
34 꼭지벌집 Mastoid air cells
35 구불정맥굴 Sigmoid sinus
36 소뇌벌레 Vermis of cerebellum
37 시상사이붙음 Intermediate mass

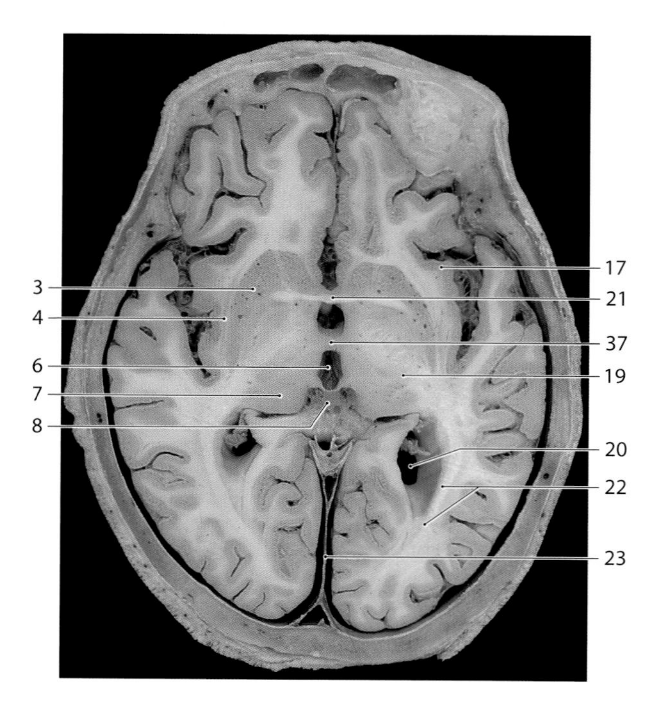

그림 9.184 **머리와 뇌의 수평단면.** 단면 2.

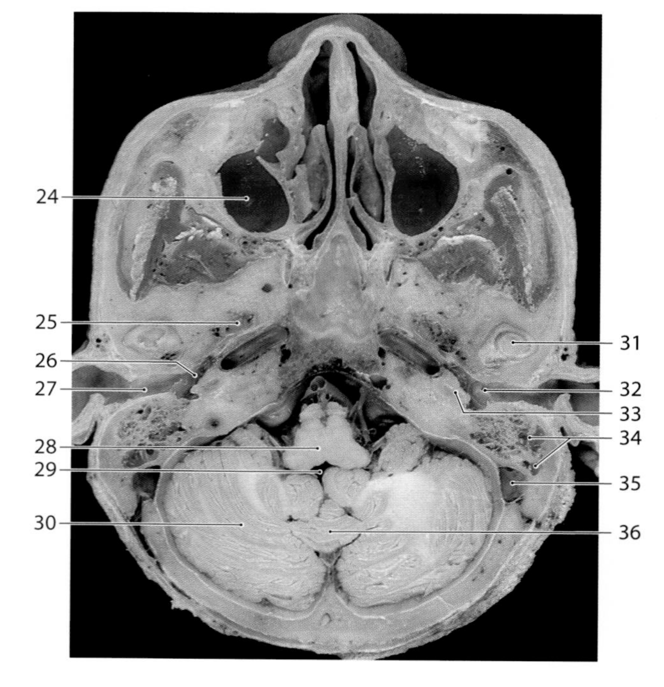

그림 9.185 **머리와 뇌의 수평단면.** 단면 4.

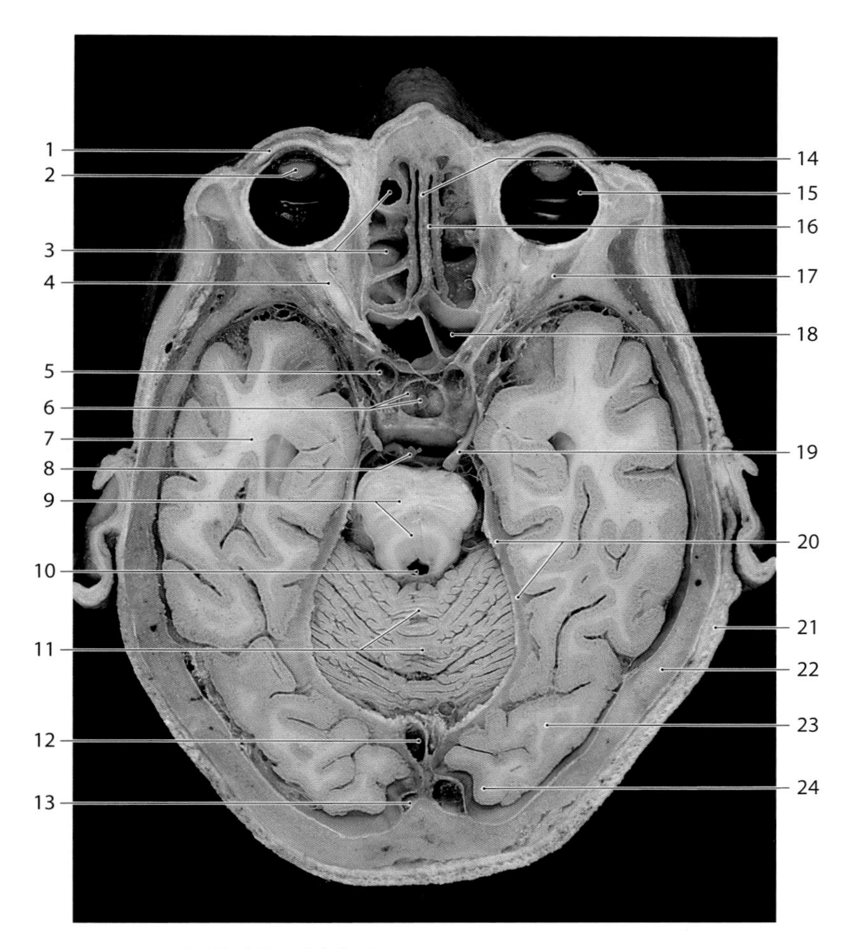

그림 9.186 **머리와 뇌의 수평단면.** 단면 3.

1 위눈꺼풀(눈꺼풀판) Upper lid (tarsal plate)
2 수정체 Lens
3 벌집굴 Ethmoidal sinus
4 시각신경 Optic nerve (CN II)
5 속목동맥 Internal carotid artery
6 깔때기와 뇌하수체 Infundibulum and pituitary gland
7 관자엽 Temporal lobe
8 뇌바닥동맥 Basilar artery
9 다리뇌(가로단면) Pons (cross section of brain stem)
10 중간뇌수도관(넷째뇌실과 연결부분) Cerebral aqueduct (beginning of fourth ventricle)
11 소뇌벌레 Vermis of cerebellum
12 곧은정맥굴 Straight sinus
13 가로정맥굴 Transverse sinus
14 코중격 Nasal septum
15 안구(공막) Eyeball (sclera)
16 코안 Nasal cavity
17 가쪽곧은근 Lateral rectus muscle
18 나비굴 Sphenoidal sinus
19 눈돌림신경 Oculomotor nerve (CN III)
20 소뇌천막 Cerebellar tentorium
21 머리덮개의 피부 Skin of scalp
22 머리덮개뼈(머리뼈의 판사이층) Calvaria (diploe of the skull)
23 뒤통수엽 Occipital lobe
24 줄무늬겉질(시각겉질) Striate cortex (visual cortex)

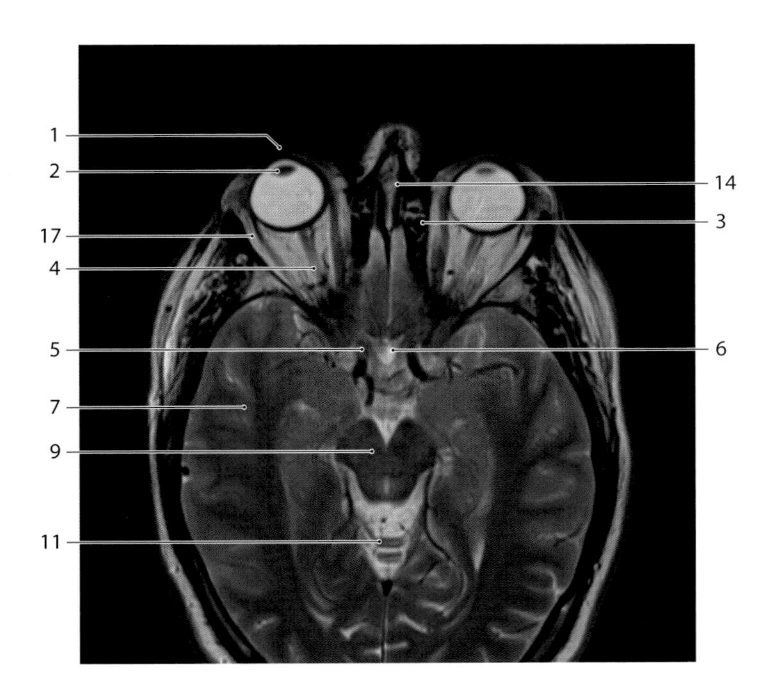

그림 9.187 **대뇌다리(cerebral peduncles).** 뇌줄기와 중간뇌수도관의 가로단면(자기공명영상). 단면 3. (Courtesy of Prof. Uder, Institute of Radiology, University Hospital Erlangen, Germany.)

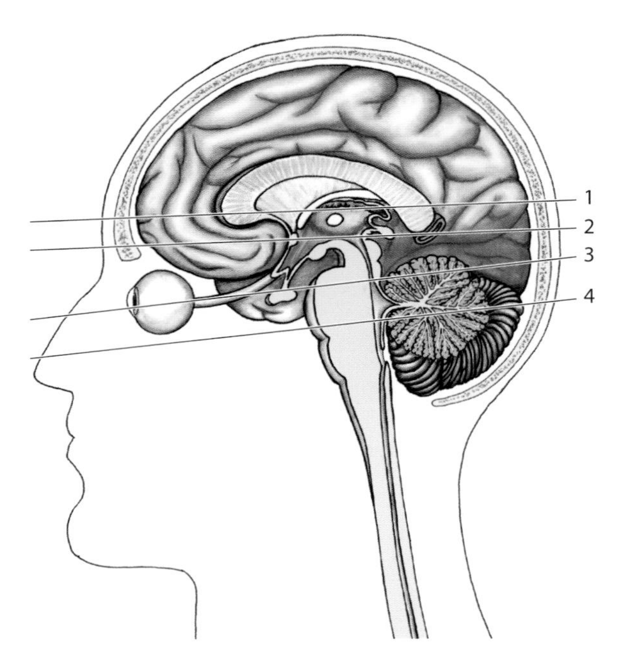

그림 9.188 **머리와 뇌의 시상단면.** 각 수평단면의 위치를 번호로 표시하였다.

부록 Appendix
추가자료 Additional Resources

몸통, 가슴벽과 배벽의 동맥
Arteries of Trunk, Chest and Abdominal Wall

16 – 17/42/43 – 45/243-244/249/155/259/310 쪽 참고

대동맥활 Aortic arch
- 팔머리동맥줄기 brachiocephalic trunk
  (오른온목동맥[오른쪽 머리와 목]과 오른빗장밑동맥[오른쪽 어깨와 팔]으로 나눠짐)
- 왼온목동맥 left common carotid artery
  (왼쪽 머리와 목)
- 왼빗장밑동맥 left subclavian artery
  (왼쪽 어깨와 팔)

척추동맥 Vertebral artery
(목뼈 가로구멍과 큰구멍을 통하여 뇌로 듦; 뇌바닥동맥으로 합류)

속가슴동맥 Int. thoracic artery
(복장뼈 옆의 뒤를 지나 가로막과 앞배벽으로 향함)
- 앞갈비사이동맥 ant. intercostal arteries
  (갈비사이근육으로 가는)
- 안쪽젖샘가지 med. mammary branches
  (젖샘으로 가는)
- 근육가로막동맥 musculophrenic artery
  (가로막으로 가는)
- 위배벽동맥 sup. epigastric artery
  (앞배벽의 앞 근육들로 가는)

갑상목동맥줄기 Thyrocervical trunk
- 아래갑상동맥 inf. thyroid artery
  (갑상샘과 식도)
- 오름목동맥 ascending cervical artery
  (목의 목갈비근과 척주앞근육으로 가는)
- 가로목동맥 transverse cervical artery
  (등의 얕은근육으로 가는)
- 어깨위동맥 suprascapular artery
  (어깨근육으로 가는; 어깨휘돌이동맥과 연결)
- 등쪽어깨동맥 dorsal scapular artery
  (가로목동맥의 독립적 깊은가지)

목갈비동맥줄기 Costocervical trunk
- 깊은목동맥 deep cervical artery
  (목의 근육으로 가는)
- 맨위갈비사이동맥 supreme intercostal artery
  (첫째와 둘째갈비사이공간으로 가는)

대동맥(가슴부분) Aorta (thoracic part)
- 뒤갈비사이동맥 post. intercostal arteries
  (셋째~열두째갈비사이공간으로 가는; 앞갈비사이동맥과 연결)
- 기관지가지 bronchial branches
  (기관지와 허파로 가는)
- 식도가지 esophageal branches (식도로 가는)
- 심장막가지 pericardiac branches (심장막으로 가는)
- 위가로막동맥 sup. phrenic arteries
  (가로막으로 가는)
- 갈비밑동맥 subcostal artery
  (열두째갈비뼈 밑의 갈비사이동맥)

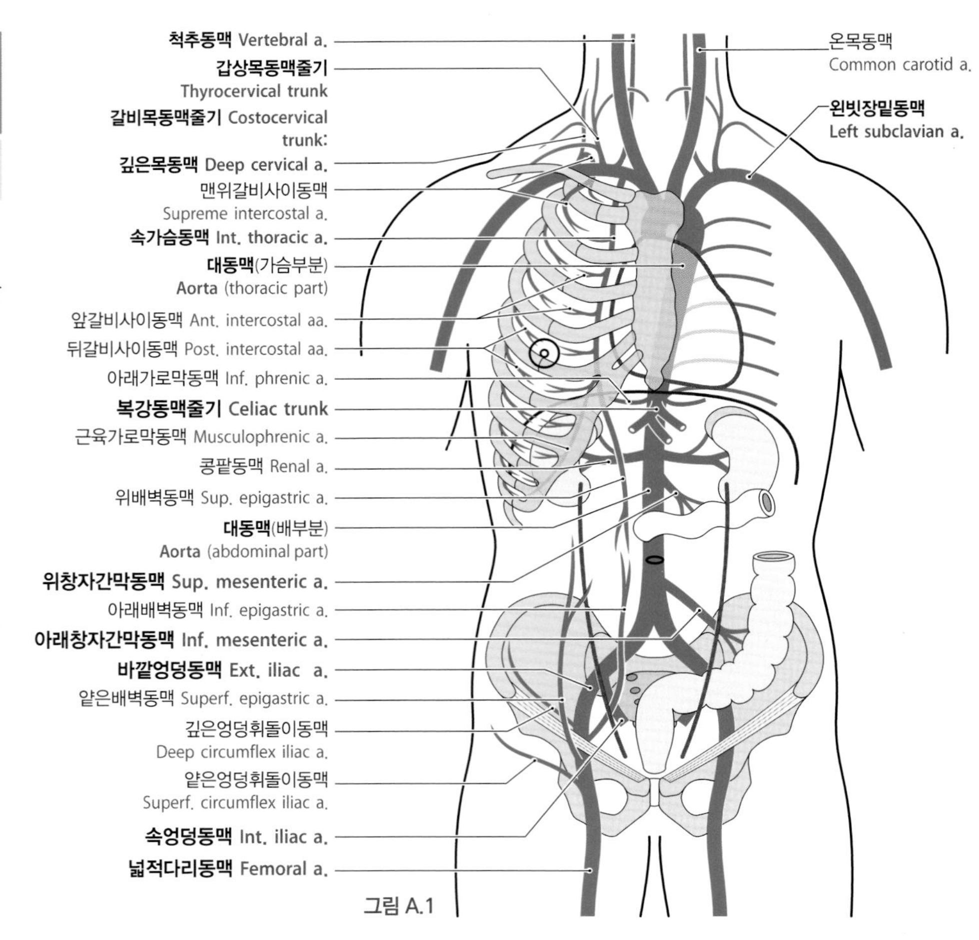

그림 A.1

갑상목동맥줄기
Thyrocervical trunk:
오름목동맥
Ascending cervical a.
아래갑상동맥 Inf. thyroid a.
가로목동맥 Transverse cervical a.
어깨위동맥 Suprascapular a.
목갈비동맥줄기
Costocervical trunk
빗장밑동맥 Subclavian a.
대동맥활 Arch of aorta

그림 A.2

대동맥(배부분) Aorta (abdominal part)
- 아래가로막동맥 inf. phrenic artery
  (가로막, 부신으로 가는 가지[위부신동맥])
- 중간부신동맥 middle suprarenal artery
  (부신으로 가는)
- 허리동맥 lumbar arteries
  (4 구역 동맥; 중심근육과 척수로 가는)
- 콩팥동맥 renal artery (콩팥으로 가는)

복강동맥줄기 Celiac trunk (p. 523 참고)
위창자간막동맥 Sup. mesenteric artery (p. 523 참고)
아래창자간막동맥 Inf. mesenteric artery (p. 523 참고)

바깥엉덩동맥 Ext. iliac artery
- 아래배벽동맥 Inf. epigastric artery
  (앞배근육으로 가는; 위배벽동맥과 연결)
- 깊은엉덩휘돌이동맥 Deep circumflex iliac artery
  (엉덩능선에서 배벽으로 가는)

넓적다리동맥 Femoral artery (p. 544 참고)
- 얕은배벽동맥 superf. epigastric artery
  (앞배벽으로 가는)
- 얕은엉덩휘돌이동맥
  superf. circumflex iliac artery
  (고샅부위 배벽으로 가는)

갈비사이동맥
Intercostal arteries:
갈비뼈 아래 모서리를 따라 주행; 가슴막천자는 갈비뼈 위모서리를 따라서 시행한다.

위 및 아래배벽동맥
Sup. and inf. epigastric arteries:
배벽의 위에서 곁순환을 형성하고 임상적으로 관련될 수 있다.

배기관의 동맥
Arteries of the Abdominal Organs

259/279 – 283/290/291 – 295/305 – 306/310/312 – 313 쪽 참고

명치부위 Epigastrium

복강동맥줄기 **Celiac trunk** (Tripus Halleri)는 3개의 가지를 가진다: **왼위동맥 left gastric artery이 위의 앞으로 주행한다; 온간동맥** common hepatic artery, 정중면의 오른쪽(점선), 오른쪽에 위치한 기관들(간, 이자머리, 샘창자, 등)에 혈액공급을 한다; **지라동맥** splenic artery, 왼쪽에 위치한 기관들(지라, 위바닥, 이자, 등)에 혈액공급을 한다.

아랫배 Hypogastrium

위창자간막동맥 Sup. mesenteric artery 대각선으로 표시된 선의 오른쪽(창자간막뿌리)에서, 왼잘록창자굽이까지 창자의 모든 부분에 혈액공급을 한다. **아래창자간막동맥** inf. mesenteric artery은 표시된 선의 왼쪽에 놓인 창자의 모든 부분(내림잘록창자에서 곧창자까지)에 혈액공급을 한다.

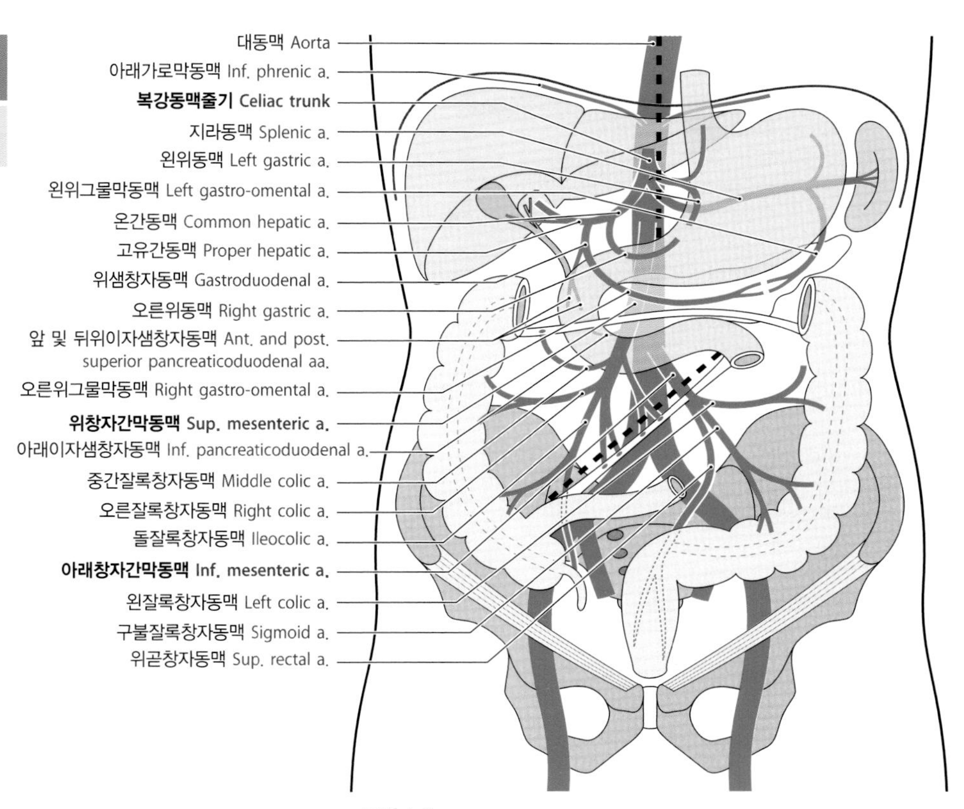

그림 A.3

대동맥 Aorta
(가슴부분에서 배부분으로 이행)
- 아래가로막동맥 inf. phrenic artery
  (가로막의 바닥으로 가는)

복강동맥줄기 Celiac trunk
(명치부위의 기관[위, 지라, 간, 샘창자 위부분]으로 가는 3개의 주가지를 가진다)
- 지라동맥 splenic artery
  (지라로 가는; 위바닥[짧은위동맥가지], 위의 큰굽이, 큰그물막[왼위그물막동맥]으로 가는 가지)
- 왼위동맥 left gastric artery
  (위의 작은굽이로 가는)
- 온간동맥 common hepatic artery
  (간, 위, 샘창자 위부분으로 가는 가지; 쓸개로 가는 가지[쓸개동맥 cystic artery]와 함께 고유간동맥 proper hepatic artery [간으로 가는]으로 연결됨)
  - 위샘창자동맥 gastroduodenal artery
    (날문 뒤; 위와 샘창자로 가는 가지)
  - 오른위동맥 right gastric artery (위의 작은굽이로 가는; 왼위동맥과 연결)
  - 앞 및 뒤위이자샘창자동맥 ant. and post. sup. pancreaticoduodenal arteries (샘창자와 이자머리로 가는)
  - 오른위그물막동맥 right gastro-omental artery
    (큰굽이에서 왼위그물막동맥과 연결; 위와 큰그물막에 혈액공급)

위창자간막동맥 Sup. mesenteric artery
(샘창자의 가로부분을 가로지름; 샘창자, 빈창자, 돌창자, 왼잘록창자굽이까지 잘록창자로 가는 많은 가지)
- 아래이자샘창자동맥
  inf. pancreaticoduodenal artery
  (샘창자와 이자머리로 가는; 앞 및 뒤위이자샘창자동맥과 연결)
- 중간잘록창자동맥 middle colic artery
  (가로잘록창자간막에서 가로잘록창자로 가는)
- 오른잘록창자동맥 right colic artery
  (오름잘록창자로 가는)
- 돌잘록창자동맥 ileocolic artery
  (막창자, 돌창자, 막창자꼬리[막창자꼬리동맥]로 가는)
- 아래창자간막동맥
  inf. mesenteric artery
  (내림잘록창자, 구불잘록창자, 곧창자에 혈액공급)
- 왼잘록창자동맥 left colic artery
  (복막뒤로 주행해 내림잘록창자로 가는; 중간잘록창자동맥과 연결[리올랑연결 riolan-anastomosis])
- 구불잘록창자동맥 sigmoid arteries
  (구불잘록창자로 가는 몇 개의 가지)
- 위곧창자동맥 sup. rectal artery
  (곧창자에서 항문판막까지 공급하는 오른 및 왼가지)

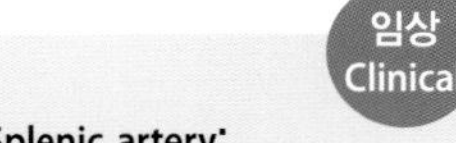

지라동맥 Splenic artery:
지라동맥의 가지들은 기능적인 마지막 가지들이다. 따라서 지라의 부분절제가 가능하다.

이자샘창자동맥 Pancreaticoduodenal artery:
샘창자에 좁게 한정됨; 이자머리의 암이 이 동맥의 미란을 가져와 생명을 위협하는 출혈을 일으킬 수 있다.

리올랑연결 Riolan-anastomosis:
왼잘록창자굽이 부위에서 중간잘록창자동맥과 왼잘록창자동맥의 연결; 이 결순환은 잘록창자의 절제가 필요할 때 임상적 의미가 있을 수 있다.

몸통, 가슴벽과 배벽의 정맥
Veins of the Torso, Chest and Abdominal Wall

44 – 45/242 – 243/246 – 247/252 – 253/256 – 257/310/312 쪽 참고

임상 Clinical

위대정맥 Sup. vena cava:
심장의 오른심방으로 접근함(예를 들면 심장도관삽입에서).

아래대정맥 Inf. vena cava:
막히면 배벽정맥, 척추정맥얼기, 오름허리정맥들과의 곁순환이 발생할 수 있다.

홀정맥과 반홀정맥 Azygos vein and hemiazygos vein:
문맥정맥의 폐쇄는 위대정맥의 곁순환이 발생할 수 있다.

고환정맥 Testicular vein:
왼쪽의 배출 폐쇄는 오른쪽보다 더 정맥류 발생을 잘 시킨다.(왼쪽: 콩팥정맥과 드문 정맥판만의 조합).

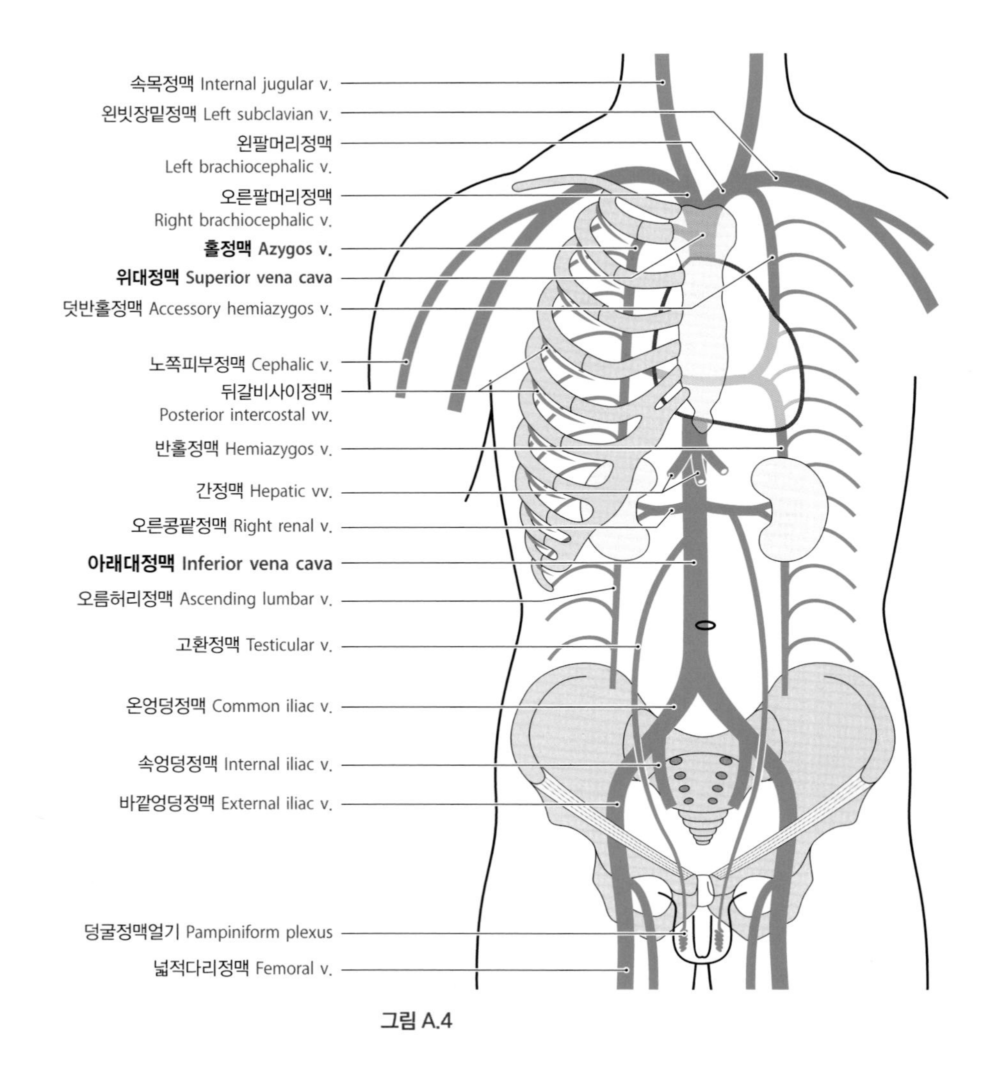

그림 A.4

위대정맥 Sup. vena cava
(양쪽 팔머리정맥이 합류; 머리와 팔에서 배출되고 몸통 뒤벽에서 배출[홀정맥])

아래대정맥 Inf. vena cava
(양쪽 **온엉덩정맥**이 합류; 간에서 혈액 배출[**간정맥**]; 콩팥[콩팥정맥]과 골반기관[**속엉덩정맥**], 다리[**넓적다리정맥**]에서 배출)

홀정맥 Azygos vein
(**뒤갈비사이정맥, 허리정맥, 반홀정맥, 덧반홀정맥**에서 혈액을 받음[전체 몸통뒤벽에서 배출])

참고:
왼쪽 **고환정맥** 또는 **난소정맥**은 콩팥정맥으로 들어가고 오른쪽은 아래대정맥으로 간다.

배기관의 정맥: 간문맥계통
Veins of the Abdominal Organs: Portal Venous System

278 – 280/305/312 쪽 참고

대정맥과 간문맥계통의 연결부위는 a, b, c로 표시하였다.
(문맥대정맥 연결, 빨간색 원)

간문맥 Portal vein:
간의 폐쇄 또는 질환(예를 들어, 간경화)은
a) 홀정맥과 위대정맥으로 가는 식도정맥을 통해,
b) 위대정맥으로 가는 위배벽정맥과 넓적다리정맥 또는 바깥엉덩정맥으로 가는 아래배벽정맥을 통해(메두사머리)
c) 중간 및 아래곧창자정맥과 아래대정맥을 통한 곁순환을 초래한다.

곧창자정맥 Rectal veins:
콩팥과 골반기관에서의 정맥배출(복막뒤공간); 문맥정맥계통에는 속하지 않는다.

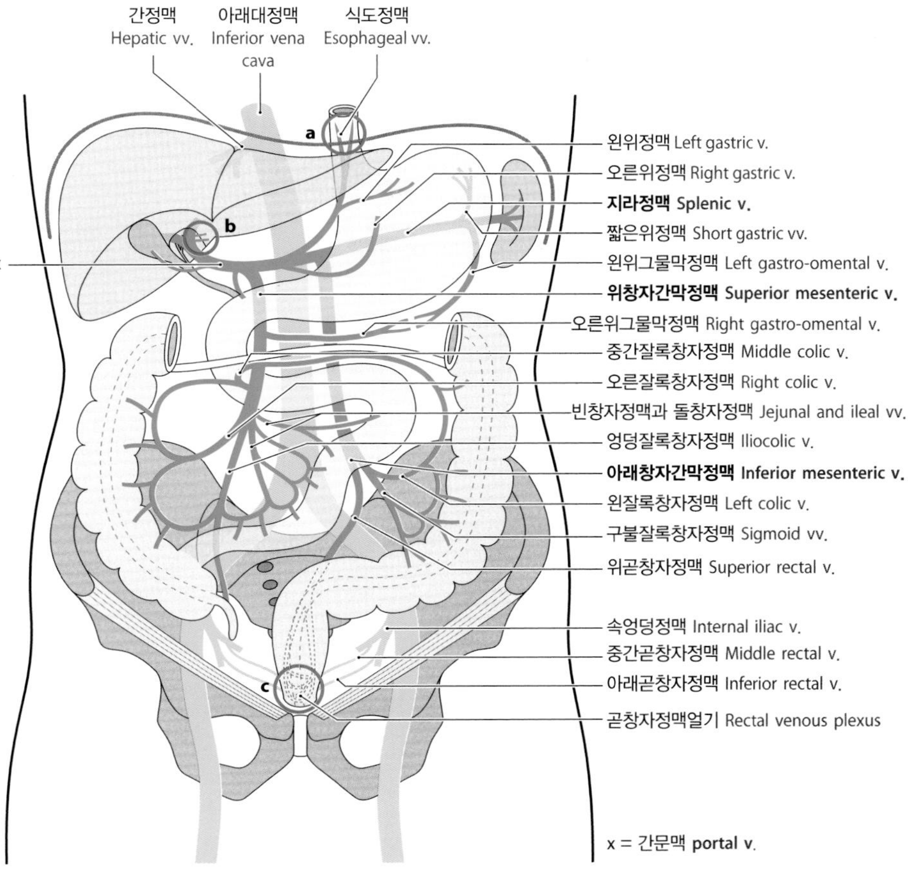

그림 A.5

간문맥 Portal vein
(모든 배기관[위, 지라, 샘창자, 이자, 빈창자, 돌창자, 잘록창자]으로부터 오는 정맥혈 혈관의 집합; 대정맥으로 배출하기 위한 3개의 연결부위[문맥대정맥 연결]):
a = 식도정맥(홀정맥으로 연결)
b = 배꼽주위정맥(홀정맥으로 연결)
c = 곧창자정맥얼기(앞엉덩정맥으로 연결)

- **식도정맥** esophageal veins
  (식도에서 홀정맥으로[위정맥과 연결])
- **왼 및 오른위정맥**
  left and right gastric veins
  (위의 작은굽이에 있는 동맥과 같은 이름을 갖는 동반정맥)

지라정맥 Splenic vein
(지라에서 간문맥으로 가는 정맥)
- **짧은위정맥** short gastric veins
  (지라정맥의 가지; 위바닥에서)
- **왼위그물막정맥** left gastro-omental vein
  (위의 큰굽이에서 지라정맥으로 감)

위창자간막정맥 Sup. mesenteric vein
(먼쪽 샘창자, 빈창자, 돌창자, 왼잘록창자굽이까지의 잘록창자에서 온 정맥혈관의 집합; 샘창자를 가로지르고 이자머리 뒤에서 지라정맥과 함께 간문맥을 이룬다).
- **오른위그물막정맥** right gastro-omental vein
  (위의 큰굽이에서; 왼위그물막정맥과 연결)
- **중간잘록창자정맥** middle colic vein
  (가로잘록창자에서 배출)
- **오른잘록창자정맥** right colic vein
  (오름잘록창자에서 배출)
- **빈창자정맥** jejunal veins 과 **돌창자정맥** ileal veins (빈창자와 돌창자의 창자간막에 있는)
- **엉덩잘록창자정맥** iliocolic veins (막창자, 돌창자, 막창자꼬리[**막창자꼬리정맥**]의)

아래창자간막정맥 Inf. mesenteric vein
(내림잘록창자, 구불잘록창자, 곧창자의 복막뒤 배출; 지라정맥의 합류)
- **왼잘록창자정맥** left colic vein
  (내림찰록창자의)
- **구불잘록창자정맥** sigmoid veins
  (창자간막으로 주행하는 구불잘록창자정맥)
- **위곧창자정맥** sup. rectal vein
  (위곧창자의 홀가지; 속엉덩정맥의 중간 및 아래곧창자정맥의 **곧창자정맥얼기**로의 연결)

여자 골반 동맥
Arteries of the Pelvis of the Female

338 – 340/344 쪽 참고

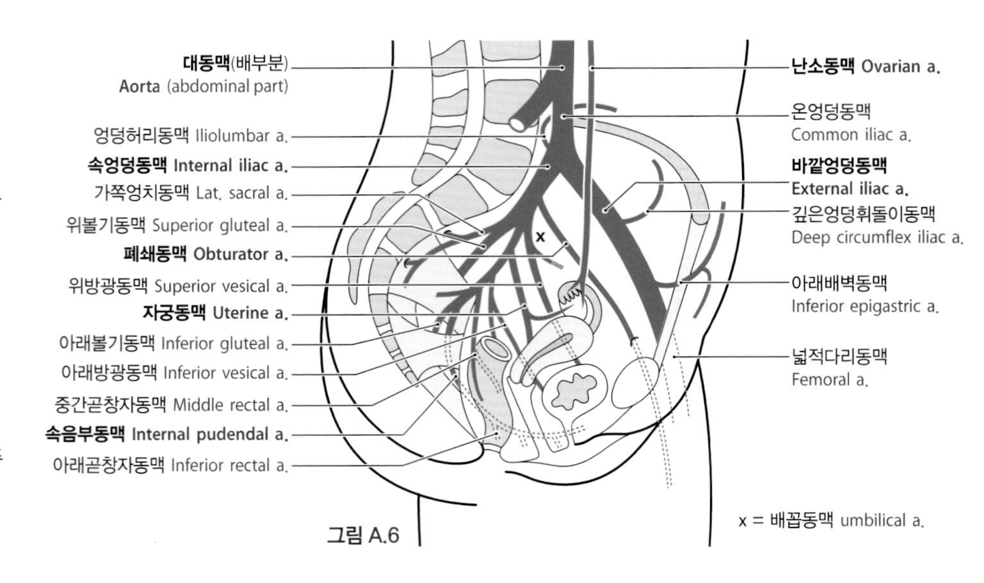

그림 A.6

대동맥 Aorta (배부분) (넷째허리뼈 앞에서 바깥 및 속엉덩동맥으로 나뉜다. [대동맥갈림])
바깥엉덩동맥 Ext. iliac artery (고샅인대 통과후에 넓적다리동맥으로 이어진다)
- 깊은엉덩휘돌이동맥 deep circumflex iliac artery (배벽으로 가는; 엉덩뼈능선을 따라서)
- 아래배벽동맥 inf. epigastric artery (가쪽배꼽주름을 따라 주행해 배벽의 위쪽으로)

난소동맥 Ovarian artery (L2에서 대동맥으로부터 갈라짐; 난소로 가는 난소걸이인대를 따라 주행; 난소동맥의 난소가지와 연결)
속엉덩동맥 Int. iliac artery
벽가지 parietal branches:
- **엉덩허리동맥** iliolumbar artery (엉덩뼈능선으로 따라서; 깊은엉덩휘돌이동맥과 연결)
- **가쪽엉치동맥** lat. sacral artery (엉치뼈와 척주관으로 가는)
- **위볼기동맥** sup. gluteal artery (큰궁둥구멍[궁둥구멍근위구멍]을 통해 중간볼기근과 작은볼기근으로 가는)
- 폐쇄동맥 obturator artery (폐쇄관을 통해서 모음근으로 가는; **두덩가지** pubic branch [속에서 배벽으로 가는; 아래배벽동맥과 연결]와 **절구가지** acetabular branch [넓적다리뼈머리인대를 통해 엉덩관절 위쪽 혈액공급]가 함께)
- **아래볼기동맥** inf. gluteal artery (큰궁둥구멍[궁둥구멍근아래구멍]을 통해 큰볼기근으로 가는)
- 속음부동맥 int. pudendal artery (궁둥구멍근아래구멍과 작은궁둥구멍을 통해 항문과 생식기부위로 가는)
  - **아래곧창자동맥** inf. rectal artery (항문, 곧창자로 가는)
  - **샅동맥** perineal artery (회음으로 가는; 뒤음순동맥이 됨)
  - **질어귀망울동맥** artery of bulb of vestibule (질어귀망울로 가는)
  - **요도동맥** urethral artery (요도해면체로 가는)
  - **깊은음핵동맥** deep artery of clitoris } 음핵 종말가지 final branches for clitoris
  - **음핵등동맥** dorsal artery of clitoris

내장가지 visceral branches:
- **배꼽동맥** umbilical artery (위방광동맥[방광으로 가는]과 함께 안쪽배꼽주름으로 가는 [배꼽동맥의 잔류물])
- **자궁동맥** uterine artery (자궁과 몸쪽 질에 혈액공급; 난소로 가는 난소가지와 함께)
- **아래방광동맥** inf. vesical artery (방광의 바닥과 질에 혈액공급)
- **중간곧창자동맥** middle rectal artery (골반가로막과 곧창자에 혈액공급)

여자 골반 정맥
Veins of the Pelvis of the Female

339 – 340 쪽 참고

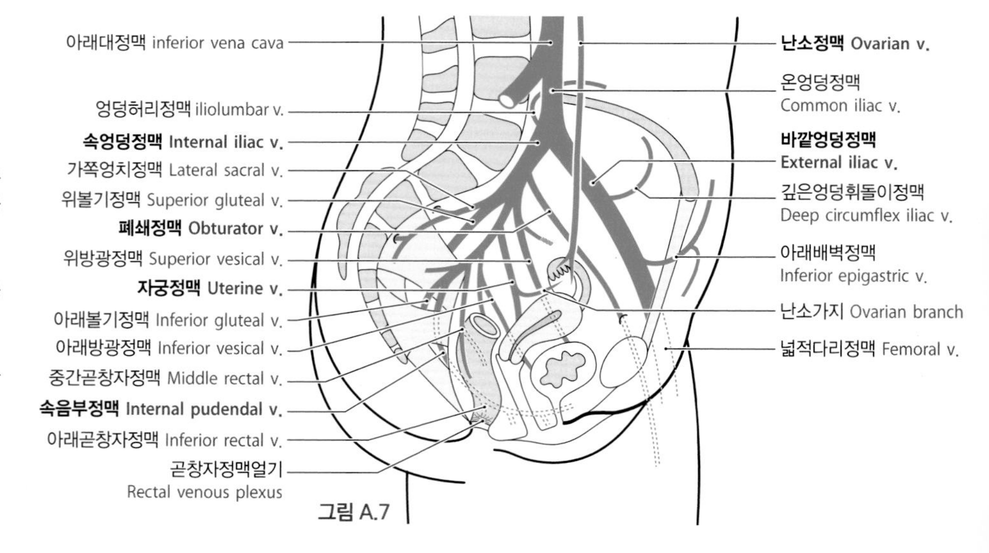

그림 A.7

여자골반의 정맥은 같은 이름의 동맥과 함께 주행하며 대개 혈관들이 평행하며, 커다란 혈관그물(얼기)에서 발생한다.
난소정맥 Ovarian vein
(오른쪽은 아래대정맥으로 주행하고 왼쪽은 왼콩팥정맥으로 간다; 자궁관 및 자궁정맥과 연결)
바깥엉덩정맥 Ext. iliac vein
(넓적다리정맥의 연속; 앞배벽[아래배벽정맥]과 엉덩뼈능선[깊은엉덩휘돌이정맥] 정맥들의 유입)

속엉덩정맥 Int. iliac vein
벽가지 parietal branches:
- **엉덩허리정맥** iliolumbar vein (엉덩뼈능선의)
- **가쪽엉치정맥** lat. sacral vein (엉치와 척주관의)
- **위 및 아래볼기정맥** sup. and inf. gluteal veins (볼기근의)
- 폐쇄정맥 obturator vein (모음근의)
- 속음부정맥 int. pudendal vein (아래곧창자정맥[곧창자정맥얼기]과 함께; 질어귀망울 및 요도정맥[요도와 질어귀망울의], 음핵정맥[음핵의]의 샅정맥[샅부위와 음순의])

내장가지 visceral branches:
- **중간곧창자정맥** middle rectal vein (곧창자의)
- **배꼽정맥** umbilical vein (위방광정맥과 정중배꼽인대와 함께)
- **아래방광정맥** inf. vesical vein (방광바닥과 질의)
- 자궁정맥 uterine vein (자궁결[자궁넓은인대]에서 주행하며 자궁관 및 난소정맥과 연결)

남자 골반 동맥
Arteries of the Pelvis of the Male

310/312 – 313/324 – 329/332 쪽 참고

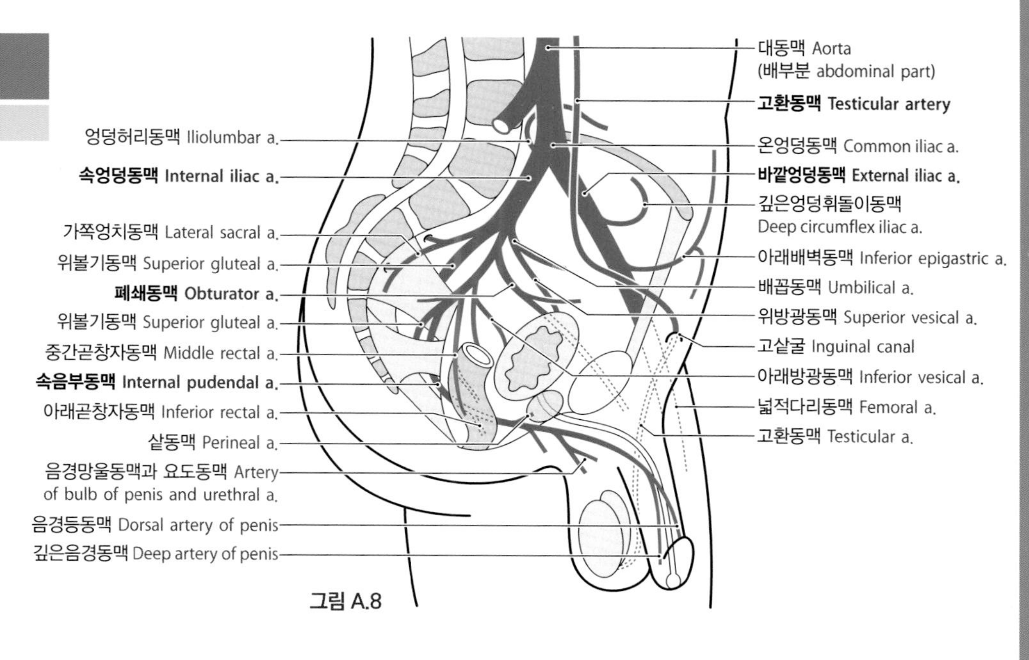

그림 A.8

고환동맥 Testicular artery
(L2에서 대동맥에서 나뉜다; 고샅굴을 통해 정관과 함께 고환과 부고환으로 감)

바깥엉덩동맥 Ext. iliac artery
(넓적다리동맥으로 이어짐)

- **깊은엉덩휘돌이동맥** deep circumflex iliac artery (엉덩뼈능선에서 엉덩허리동맥과 연결)
- **아래배벽동맥** inf. epigastric artery (바깥배벽으로 가는; 음부가지[폐쇄동맥과 연결]와 고환올림근동맥[정삭과 음낭]과 함께)

속엉덩동맥 Int. iliac artery
벽가지 parietal branches:

- **엉덩허리동맥** iliolumbar artery (엉덩뼈능선을 따라 엉덩허리근과 척주관으로 가는; 깊은엉덩휘돌이동맥과 연결)
- **가쪽음낭동맥** lat. scrotal artery (엉치와 척주관으로 가는)
- **위볼기동맥** sup. gluteal artery (궁둥구멍근위구멍을 통해 중간볼기근과 작은볼기근으로 가는)
- 폐쇄동맥 obturator artery (폐쇄관을 통해 모음근으로 가는; **음부가지** pubic branch [속에서 배벽으로 가는; 아래배벽동맥과 연결] 및 **절구가지** acetabular branch [엉덩관절에서 넓적다리뼈머리 인대에 있음])
- **아래볼기동맥** inf. gluteal artery (궁둥구멍근아래구멍을 통해 큰볼기근으로 가는)
- 속음부동맥 int. pudendal artery (궁둥구멍근아래구멍과 작은궁둥구멍을 통해 항문과 생식기 부위로 가는)과 **아래곧창자동맥** inf. rectal artery (항문과 곧창자로 가는)
  - **샅동맥** perineal artery (샅으로 가는; 뒤음낭동맥을 형성)
  - **음경망울동맥** artery of bulb of penis (음경망울로 가는)
  - **요도동맥** urethral artery (요도해면체)
  - **음경등동맥** dorsal artery of penis (음경귀두로 가는)
  - **깊은음경동맥** deep arteries of penis (음경의 발기조직으로 가는)

내장가지 visceral branches:

- **중간곧창자동맥** middle rectal artery (골반가로막, 곧창자, 전립샘, 정낭)
- **배꼽동맥** umbilical artery
  - **위방광동맥** sup. vesical artery **(방광으로 가는)**
  - **정중배꼽인대** median umbilical ligament (배꼽동맥의 잔류물)
- **아래방광동맥** inf. vesical artery (전립샘, 방광의 바닥으로 가는)
- **정관동맥** artery of ductus deferens (정관, 정낭, 정삭)

남자 골반 정맥
Veins of the Pelvis of the Male

310/312/328-329/332 쪽 참고

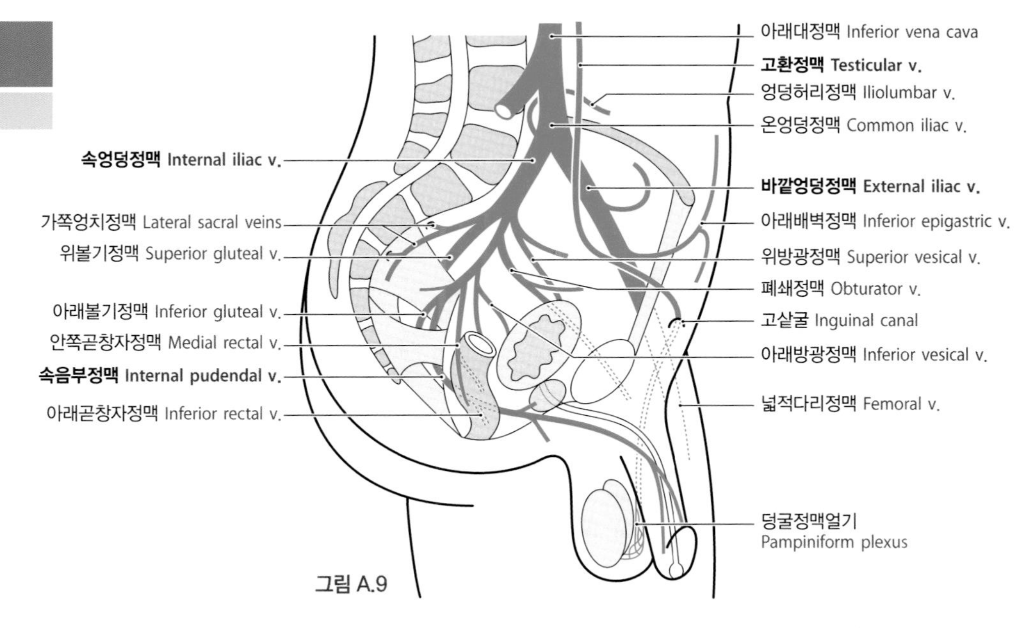

그림 A.9

정맥은 같은 이름의 동맥을 동반하며, 인접한 기관으로 가는 이중의, 상호 연결된 정맥끈과 정맥얼기를 종종 형성한다.

바깥엉덩정맥 Ext. iliac vein
(넓적다리정맥으로 이어진다; 아래배벽정맥과 깊은엉덩휘돌이정맥으로 가지를 내기 전)

속엉덩정맥 Int. iliac vein
(가쪽골반벽 정맥들의 집합)

벽가지 parietal branches:
엉덩허리정맥; 가쪽엉치정맥, 위 및 아래볼기정맥(골반벽, 볼기부위, 척주관으로 가는)

속음부정맥 Int. pudendal vein
(골반벽과 생식기의)

내장가지 visceral branches:
(방광[위 및 아래방광정맥] 그리고 곧창자[중간 및 아래곧창자정맥]에서 주행한다)

고환정맥 Testicular vein
(덩굴정맥얼기에서; 고샅굴을 통해 정관과 함께 주행한다; 오른쪽은 아래대정맥에서 왼쪽은 콩팥정맥에서 합류한다)

몸통, 가슴벽과 배벽, 위팔의 림프관 Lymphatic Vessels of the Torso, Chest and Abdominal Wall and Upper Limb

17/243 – 244/422 – 423/266/310-311/ 124 – 125 쪽 참고

임상 Clinical

빗장위림프절
Supraclavicular lymph nodes (Virchow nodes):
위암과 간암의 전이에 의해 종종 커진다.

중심겨드랑림프절
Central axillary lymph nodes:
종종 유방암 전이에 의해 침범된다; 암을 의심한 림프절절제의 경우에, 최소한 10개의 겨드랑림프절 조사가 필요하다. 유방암은 또한 복장옆림프절과 빗장위림프절로 전이할 수 있다.

부위별 림프절 무리
Regional groups of lymph nodes:
원발성 종양의 위치에 대한 정보를 제공한다(림프전이).

림프절염 Lymphangitis:
림프관의 염증은 국소종창 또는 피부 발적을 보일 수 있다.

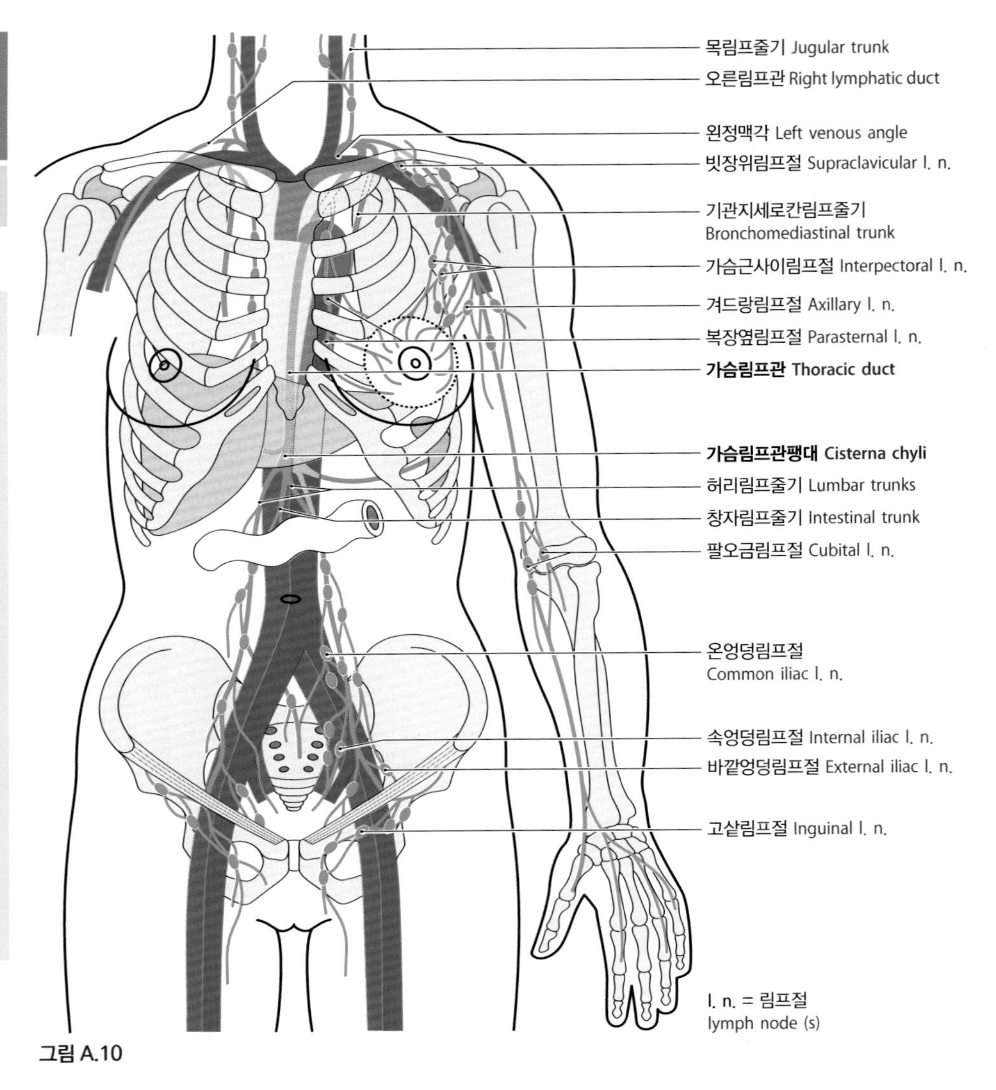

그림 A.10

오른림프관 Right lymphatic duct
(오른머리와 목부위[오른목림프줄기], 오른팔[오른빗장밑림프줄기], 오른가슴, 가슴벽, 유방, 앞세로칸[오른기관지세로칸림프줄기]의 림프경로; 오른정맥각의 합류)

가슴림프관 Thoracic duct
(왼정맥각의 합류; 왼목림프줄기[왼머리와 목부위의 림프경로]와 왼빗장밑림프줄기[왼팔의]에서 림프를 받는다; 림프를 다음에서 받는다.

왼기관지세로칸림프줄기
Left bronchomediastinal trunk
(왼쪽 가슴위반, 위세로칸, 심장막, 기관과 기관지[기관기관지림프절], 가슴벽과 유방[복장옆림프절, 젖샘옆림프절]의 림프경로)

겨드랑림프관얼기 Axillary lymphatic plexus
(앞가슴벽[가슴근사이림프절, 복장옆림프절, 갈비사이림프절]과 유방[젖샘옆림프절], 그리고 팔[위팔림프절, 팔오금림프절, 빗장아래림프절, 세모가슴근림프절]의 림프경로)

가슴림프관팽대 Cisterna chyli
(림프가 다음으로부터 들어옴)
- **창자림프줄기 intestinal trunks**
  – 배기관의 림프경로[내장림프절]
- **허리림프줄기 lumbar trunks** [쌍으로], 골반기관과 다리의 림프경로; 가슴림프관으로 이행함

앞가쪽배벽의 근육
Muscles of the Anterolateral Abdominal Wall

36 – 41/44/46/48 쪽 참고

갈비사이근과 배근육, 머리앞근육 Intercostal and abdominal muscles, anterior head muscles

배바깥빗근과 배속빗근-배곧은근집으로 연결됨-은 비스듬히 주행하며 앞배벽을 가로지르는(점선) 긴장띠를 이룬다.

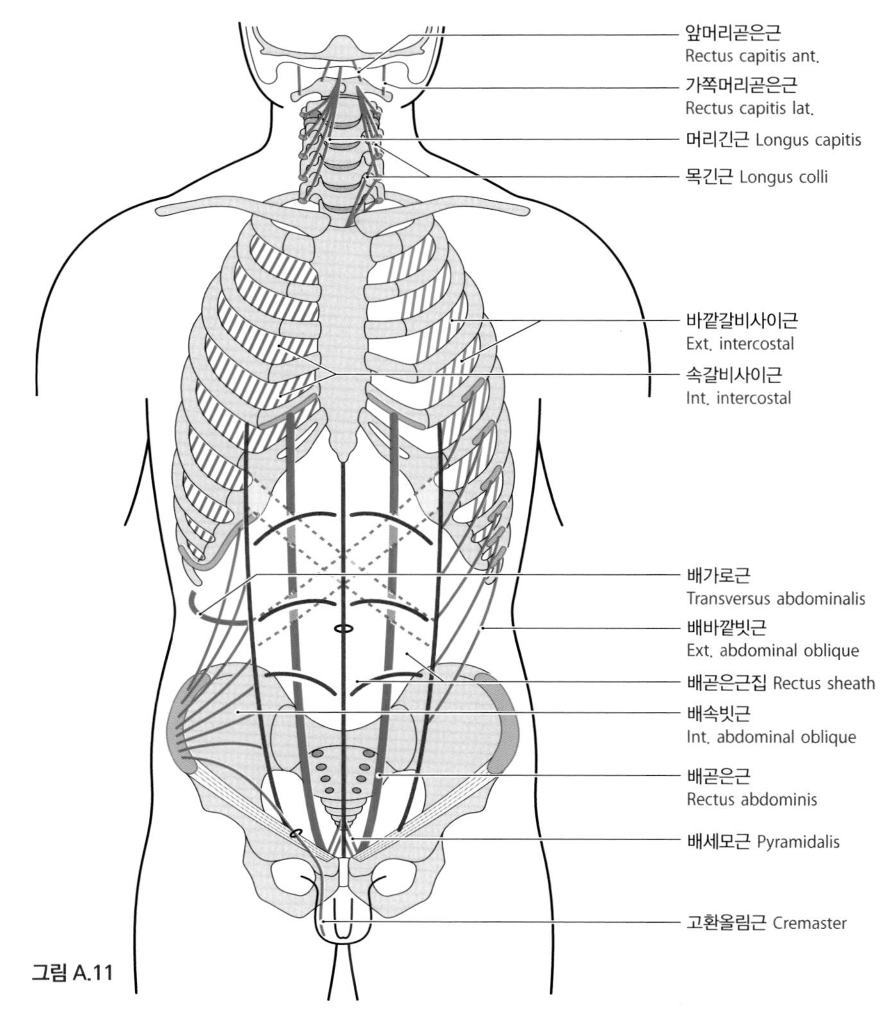

그림 A.11

근육	이는곳	닿는곳	작용	신경지배
앞머리곧은근 Rectus capitis anterior	고리뼈	뒤통수뼈	머리 앞굽힘	목신경얼기(C1, C2)
가쪽머리곧은근 Rectus capitis lateralis	고리뼈 가로돌기	뒤통수뼈	머리 가쪽굽힘	목신경얼기(C1, C2)
머리긴근 Longus capitis	C2 – C6의 가로돌기	뒤통수뼈	목뼈 굽힘, 머리 앞굽힘	목신경얼기(C1, C2)
목긴근 Longus colli	C2 – C7, T1 – T3의 척추뼈몸통	C2 – T3의 척추뼈몸통과 가로돌기	목뼈 굽힘	목신경얼기(C1-C8)
바깥갈비사이근 External intercostal	갈비뼈 아래모서리	갈비뼈 위모서리	들숨	척수신경 앞가지
속갈비사이근 Internal intercostal	갈비뼈 위모서리	갈비뼈 위모서리	날숨	척수신경 앞가지
배가로근 Transversus abdominis	여섯째~열두째 갈비뼈, 엉덩뼈능선	배곧은근집	배벽 긴장, 배압력	갈비사이신경(T6 – T12), 엉덩아랫배신경, 엉덩고샅신경
배바깥빗근 External abdominal oblique	다섯째~열두째 갈비뼈	엉덩뼈능선, 고샅인대	배곧은근처럼 몸통에 대한 반대쪽 회전	갈비사이신경(T5 – T12), 엉덩아랫배신경, 엉덩고샅신경
배속빗근 Internal abdominal oblique (고환올림근과 함께)	엉덩뼈능선, 고샅인대	갈비활, 배곧은근집	배바깥빗근처럼 몸통에 대한 같은쪽 회전 (고환의 올림)	배바깥빗근과 같음(음부넙다리신경의 음부가지를 통해 고환올림)
배곧은근 Rectus abdominis	복장뼈, 다섯째~일곱째 갈비뼈	두덩뼈, 두덩결합	몸통 앞굽힘, 골반 올림, 배압력	갈비사이신경(T6 – T12)
배세모근 Pyramidalis	두덩뼈	백색선	배곧은근집과 백색선의 긴장	갈비사이신경(T12)

뒤배벽의 근육 (I) Muscles of the Posterior Abdominal Wall (I)

56 – 59/62 – 64/60/80 쪽 참고

등의 얕은근육과 머리 뒤근육
Superficial muscles of the back and posterior muscles of the head

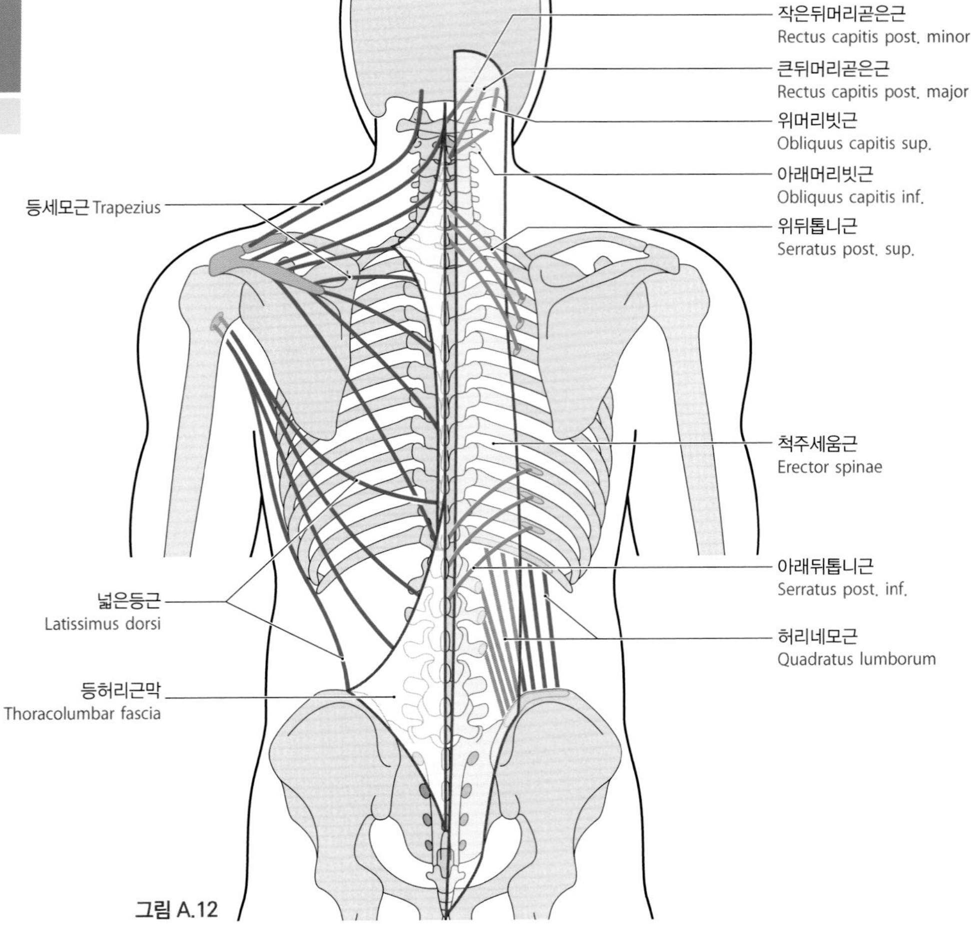

그림 A.12

뒤배벽의 근육 (II) Muscles of the Posterior Abdominal Wall (II)

56 – 59/96 쪽 참고

내인등근육 Intrinsic back muscles,
척주세움근 erector spinae muscles
(가쪽 및 안쪽로 *lateral and medial tract*)

1 = 작은뒤머리곧은근
Rectus capitis posterior minor muscle
2 = 큰뒤머리곧은근
Rectus capitis posterior major muscle
3 = 위머리빗근
Obliquus capitis superior muscle
4 = 아래머리빗근
Obliquus capitis inferior muscle
(p. 532 표 참고)
가슴부위에서 짧은 및 긴갈비올림근은 가로돌기에서 갈비뼈로 주행한다.

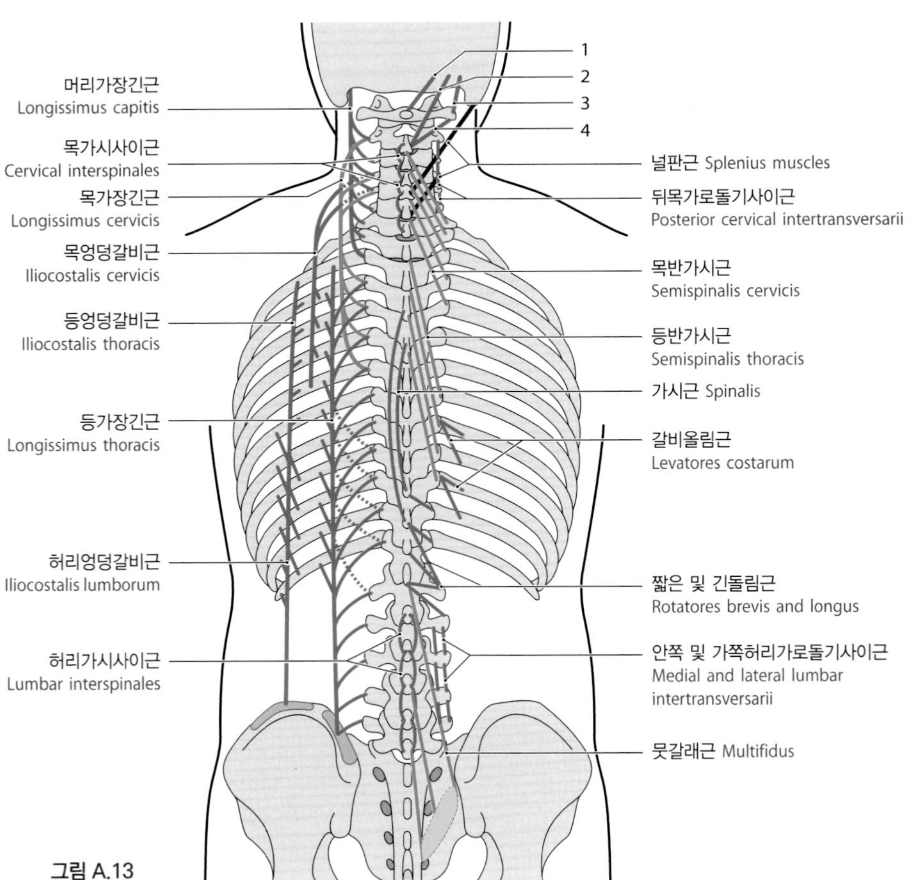

그림 A.13

근육	이는곳	닿는곳	작용	신경지배
목근육 Muscle of the neck				
작은뒤머리곧은근 Rectus capitis posterior minor	고리뼈 뒤결절	뒤통수뼈	머리 뒤굽힘	뒤통수밑신경(C1)
큰뒤머리곧은근 Rectus capitis posterior major	중쇠뼈 가시돌기	뒤통수뼈	머리 뒤굽힘과 가쪽굽힘	뒤통수밑신경(C1)
위머리빗근 Obliquus capitis superior	고리뼈 가로돌기	뒤통수뼈	머리 뒤굽힘과 가쪽굽힘	뒤통수밑신경(C1)
아래머리빗근 Obliquus capitis inferior	중쇠뼈 가시돌기	고리뼈 가로돌기	머리 돌림	뒤통수밑신경(C1)
등근육 Muscle of the back				
등세모근 Trapezius • **내림부분** descending part • **가로부분** transverse part • **오름부분** ascending part	바깥뒤통수뼈융기, 위목덜미선 C7 목뼈와 모든 등뼈의 가시돌기	빗장뼈, 봉우리, 어깨뼈가시	머리와 목뼈 뒤올림, 팔이음뼈 위 및 아래올림, 어깨뼈 돌림	더부신경(CN XI), 목신경얼기가지
위뒤톱니근 Serratus posterior superior	C5－C7, T1, T2의 가시돌기	셋째~다섯째갈비뼈	척주세움근 긴장, 들숨	척수신경 앞가지
아래뒤톱니근 Serratus posterior inferior	T11, T12, L1－L3의 가시돌기, 등허리근막	아홉째~열두째갈비뼈	척주세움근 긴장, 날숨	척수신경 앞가지
허리네모근 Quadratus lumborum	엉덩뼈능선	열두째갈비뼈, L1－L4의 가로돌기	갈비뼈 내림, 몸통 가쪽굽힘	갈비밑신경, 허리신경얼기
넓은등근 Latissimus dorsi	T6－L5의 가시돌기, 엉덩뼈능선, 아홉째~열두째 갈비뼈, 등허리근막	위팔뼈(작은결절능선)	팔의 모음, 안쪽돌림과 젖힘	가슴등신경 (팔신경얼기)

근육	이는곳	닿는곳	작용	신경지배
척주세움근: 가쪽 및 중간기둥 Erector spinae, lateral and intermediate column				
엉덩갈비근 Iliocostalis • **목** cervicis • **등** thoracis • **허리** lumborum	셋째~여섯째갈비뼈 일곱째~열두째갈비뼈 엉덩뼈능선, 엉치뼈	C3－C6 목뼈의 가로돌기 첫째~여섯째갈비뼈 여섯째~열두째갈비뼈	몸통 가쪽굽힘과 폄	척수신경 뒤가지에서 구역별로
가장긴근 Longissimus • **머리** capitis • **목** cervicis • **등** thoracis	C3－C7, T1－T3의 가로돌기 T1－T6의 가로돌기 엉치뼈, 엉덩뼈능선, 허리뼈 가로돌기와 가시돌기	꼭지돌기 C2－C7의 가로돌기 둘째~열두째갈비뼈, T1－T12의 가로돌기	목 가쪽굽힘, 머리돌림, 몸통 폄과 가쪽굽힘	척수신경 뒤가지에서 구역별로
척주세움근: 안쪽기둥(가시근계통) Erector spinae: medial column (spinalis system)				
가시사이근 Interspinalis	목뼈 및 허리뼈 가시돌기 사이에서 양쪽에 부착		척주 폄과 뒤굽힘	척수신경 각 분절의 뒤가지
가시근 Spinalis	등뼈 가시돌기 사이의 근육활(아홉째등뼈의 중간)			
척주세움근: 안쪽기둥(가시가로돌기근계통) Erector spinae: medial column (transversospinalis system)				
짧은 및 긴돌림근 Rotatores breves and longi	목뼈, 등뼈, 또는 허리뼈의 가로돌기	바로 위 또는 그 위분절의 척추뼈 가시돌기	척주 돌림과 폄	척수신경 각 분절의 뒤가지
뭇갈래근 Multifidus	엉덩뼈능선, 엉치뼈, 등뼈와 허리뼈의 가로돌기	등뼈와 허리뼈의 가로돌기	몸통 뒤굽힘	
반가시근 Semispinalis • **머리** capitis • **목** cervicis • **등** thoracis	C4－T5의 가로돌기 T1－T6의 가로돌기 T6－T12의 가로돌기	뒤통수뼈 C2－C7의 가시돌기 C6－T6의 가시돌기	머리 뒤굽힘과 돌림, 척주 폄과 돌림	척수신경 각 분절의 뒤가지
척주세움근: 안쪽기둥(가로돌기사이근계통) Erector spinae: medial column (intertransversarii system)				
가로돌기사이근 Intertransversarii	척추의 가로돌기 사이를 주행		척주 가쪽굽힘	척수신경의 앞 및 뒤가지

내인성등근육 기본체계의 방향
Directions of the Main Systems of the Intrinsic Back Muscles

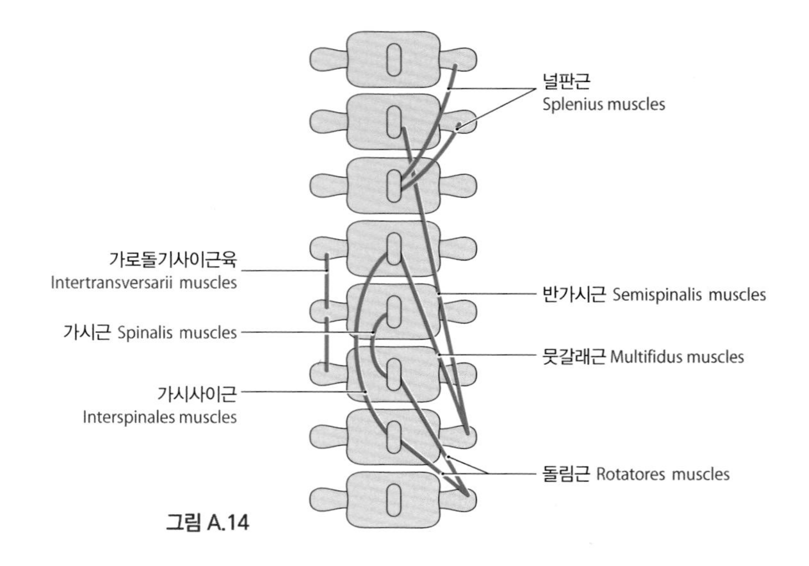

그림 A.14

내인성등근육(개요) Intrinsic back muscles (overview)		
목근육 Muscles of the neck	작은뒤머리곧은근 큰뒤머리곧은근 위머리빗근 아래머리빗근	뒤통수뼈, 고리뼈와 중쇠뼈 사이(뒤쪽)
	앞머리곧은근 가쪽머리곧은근	뒤통수뼈와 고리뼈 사이(앞쪽)
가쪽로 Lateral tract		
	엉덩갈비근(머리, 등, 허리) 가장긴근(머리, 목, 등)	엉치뼈, 엉덩뼈능선, 갈비뼈와 척주 사이(가로돌기)
안쪽로 Medial tract		
	가시사이근 가시근	가시돌기 사이
	돌림근(목, 등, 허리) 뭇갈래근 반가시근(머리, 목, 등)	가로돌기에서 가시돌기와 뒤통수뼈 까지
	가로돌기사이근 (앞과 뒤목, 등, 가쪽과 안쪽허리)	가로돌기사이
	머리널판근 목널판근	가시돌기(C3 – T6)에서 가로돌기 (C1 – C3)와 뒤통수뼈 까지

몸통 뒤벽의 신경지배와 분절
Innervation and Segmentation of the Posterior Wall of the Trunk

54–55/60/62–64 쪽 참고

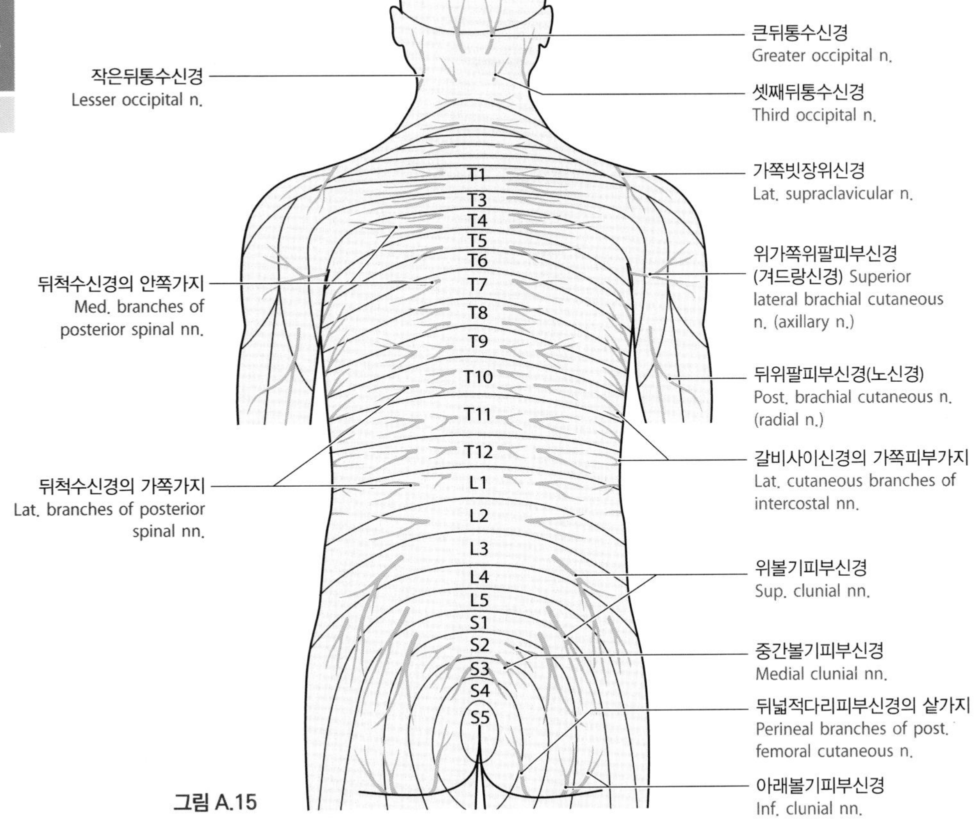

그림 A.15

몸통 앞벽의 신경지배와 분절
Innervation and Segmentation of the Anterior Wall of the Trunk

37/44–45/48 쪽 참고

헤더구역(Head's zone)은 색으로 강조했다.

임상 Clinical

내부기관들의 질병과정에서 통증은 피부로 번져서 나타날 수 있는데(방사통), 그 피부 부위는 내부기관마다 특징적인 구역을 보인다(Head's zones).

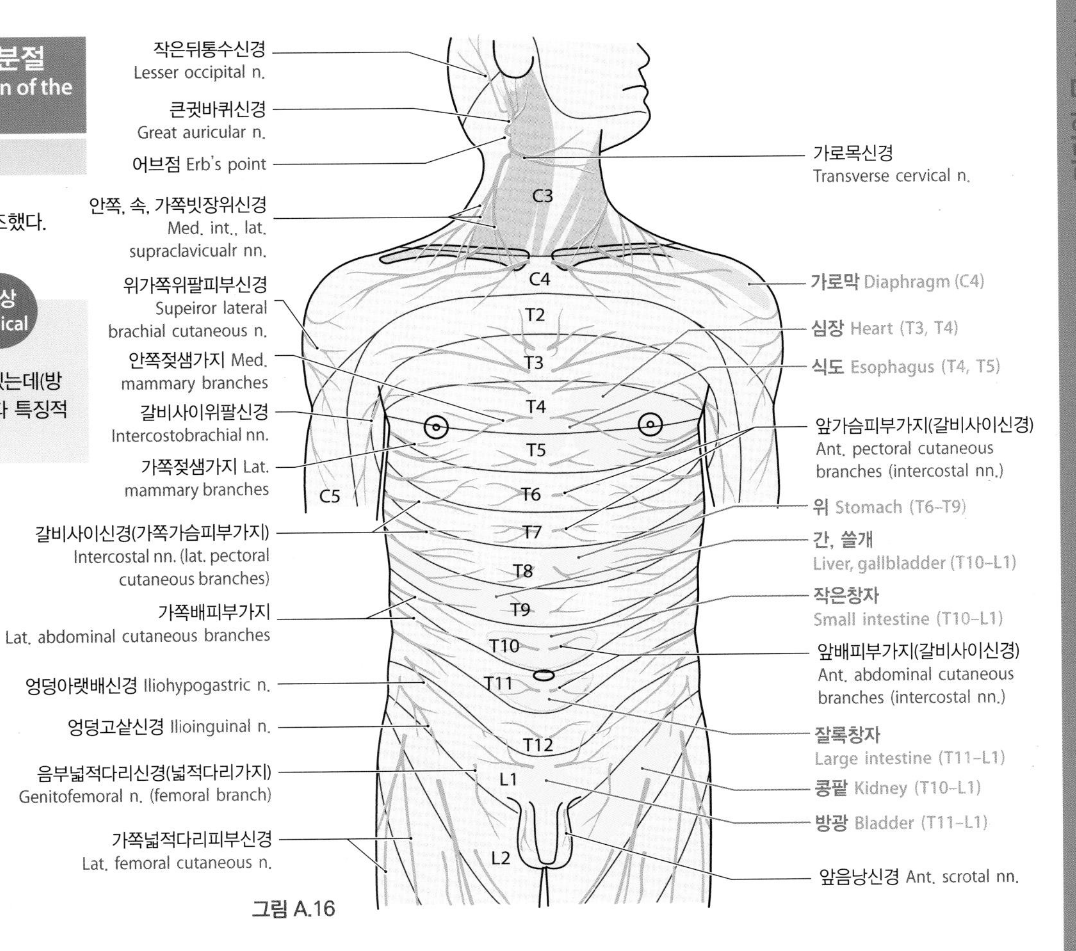

그림 A.16

팔이음부위와 팔의 동맥 Arteries of the Shoulder Girdle and Arm

110 – 111/118 – 119/122/126/130 – 134/141 /142 – 144 쪽 참고

빗장밑동맥 Subclavian artery
척추동맥 Vertebral artery
(목뼈의 가로구멍과 큰구멍을 지나 뇌로 듦; 뇌바닥동맥으로 합류)
속가슴동맥 Int. thoracic artery
(복장뼈 뒤를 지나 가로막과 앞배벽으로 향함)

- **심장가로막동맥; 세로칸가지, 기관지가지, 복장가지** pericardiacophrenic artery; mediastinal branches, bronchial branches, sternal branches
- **앞갈비사이가지** anterior intercostal branches
- **안쪽젖샘가지** medial mammary branches
- **근육가로막동맥** musculophrenic artery
- **위배벽동맥** sup. epigastric artery

목갈비동맥 Costocervical trunk

- **깊은목동맥** deep cervical artery (목의 근육으로 가는)
- **맨위갈비사이동맥** supreme intercostal artery (첫째와 둘째갈비사이공간으로 가는)

갑상목동맥 Thyrocervical trunk

- **오름목동맥** ascending cervical artery (목의 목갈비근과 척주앞근육으로 가는)
- **아래갑상동맥** inf. thyroid artery (갑상샘과 식도로 가는)
- **가로목동맥** transverse cervical artery (등의 얕은근육으로 가는)
- **어깨위동맥** suprascapular artery (어깨근육으로 가는; 어깨휘돌이동맥과 연결)
- **등쪽어깨동맥** dorsal scapular artery (가로목동맥의 독립적 깊은가지)

겨드랑동맥 Axillary artery

- **가슴봉우리동맥** thoracoacromial artery (세모가슴근삼각; 가슴근가지[가슴근육으로 가는], 봉우리가지[봉우리얼기로 가는] 및 세모근가지[어깨세모근으로 가는])
- **위가슴동맥** sup. thoracic artery (빗장밑근, 큰가슴근 및 앞톱니근의 톱니로 가는)
- **가쪽가슴동맥** lat. thoracic artery (앞톱니근과 젖샘으로 가는[가쪽젖샘가지])
- **앞 및 뒤위팔휘돌이동맥** arterior and posterior circumflex humeral artery (위팔뼈목에서 연결)

어깨밑동맥 Subscapular artery

- **어깨휘돌이동맥** circumflex scapular artery (어깨부위 근육을 공급하는)
- **가슴등동맥** thoracodorsal artery (넓은등근, 큰원근 및 어깨밑근을 공급하는)

위팔동맥 Brachial artery

- **위 및 아래자쪽곁동맥** sup. and inf. ulnar collateral artery (팔꿉동맥얼기로 가는)
- **깊은위팔동맥** deep brachial artery (위팔뼈의 노신경고랑 속)
  - **안쪽곁동맥** medial collateral artery
  - **노쪽곁동맥** radial collateral artery (팔꿈치동맥얼기로 가는)

노동맥 Radial artery

- **노쪽되돌이동맥** radial recurrent artery
- **바닥쪽손목가지** palmar carpal branch (바닥쪽손목동맥얼기로 가는)
- **얕은손바닥가지** superficial palmar branch (얕은손바닥동맥활로 가는)
- **손등쪽손목가지** dorsal carpal branch (등쪽손목동맥얼기로 가는)

자동맥 Ulnar artery

- **자쪽되돌이동맥** ulnar recurrent artery
- **온뼈사이동맥** common interosseous artery
- **뼈사이되돌이동맥** recurrent interosseous artery (팔꿉동맥얼기로 가는)
  - **뒤뼈사이동맥** post. interosseous artery (폄근육으로 가는)
  - **앞뼈사이동맥** ant. interosseous artery (뼈사이막 앞)
- **등쪽손목가지** dorsal carpal branch (등쪽손목동맥얼기로 가는)
- **바닥쪽손목가지** palmar carpal branch (바닥쪽손목동맥얼기로 가는)
- **깊은손바닥가지** deep palmar branch (깊은손바닥동맥활)

얕은손바닥동맥활 Superf. palmar arch

- **온바닥쪽손가락동맥** common palmar digital arteries
- **고유바닥쪽손가락동맥** proper palmar digital arteries

깊은손바닥동맥활 Deep palmar arch

- **엄지으뜸동맥** princeps pollicis artery (엄지로 가는)
- **바닥쪽손허리동맥** palmar metacarpal arteries
- **집게노쪽동맥** radialis indicis artery (둘째손가락으로 가는)

팔이음부위의 정맥 Veins of the Shoulder Girdle

112/116/120 – 121/132/135 – 136/140 – 141 쪽 참고

빗장밑정맥 Subclavian vein (목의 **속** 및 **바깥목정맥** internal and external jugular vein, 앞가슴벽의 **속가슴정맥** internal thoracic vein, 가슴근육의 **가슴정맥** pectoral veins의 혈액을 받는)

겨드랑정맥 Axillary vein은 아래의 혈액을 받는다:

- **가쪽가슴정맥** lateral thoracic vein (앞톱니근 위에 놓인)
- **가슴등정맥** thoracodorsal vein (가슴벽 가쪽을 달리는: 얕은배벽정맥[위 및 아래대정맥 사이의 곁순환]과 연결되는 **가슴배벽정맥** thoracoepigastric vein의 혈액을 받는)
- **노쪽피부정맥** cephalic vein (손등 엄지쪽에서 시작; 팔꿉에서 자쪽피부정맥과 연결; 세모가슴근삼각에서 빗장뼈 밑으로 들어가 겨드랑정맥에 합류)

위팔정맥 Brachial vein은 아래의 혈액을 받는다:

- **자쪽피부정맥** basilic vein (아래팔의 자쪽을 달리는 피부정맥; 팔꿉에서 노쪽피부정맥과 연결[팔오금중간정맥])
- 노정맥 radial vein (노동맥과 함께 주행)
- 자정맥 ulnar vein (자동맥과 함께 주행)
- 깊은손바닥정맥활 deep venous palmar arch (같은 이름의 동맥얼기와 동행하는 정맥; 손등의 등쪽손허리정맥 및 손바닥과 손가락[바닥쪽손허리정맥]의 정맥과 연결)
- 얕은손바닥정맥활 superficial venous plamar arch (같은 이름의 동맥얼기와 동행하는 정맥)

손등정맥그물 Dorsal venous network of the hand (손등의 얕은정맥그물; 엄지쪽 혈액을 노쪽피부정맥으로, 자쪽 혈액을 자쪽피부정맥으로 배출: 등쪽손허리정맥과 등쪽손가락정맥의 혈액을 받음)

노쪽피부정맥
Cephalic vein (오른쪽에서): 심장으로 접근 가능(예. 심장도관 이용).

팔오금중간정맥
Median cubital vein:
정맥주사와 정맥천자에 이용(정중노쪽피부정맥과 아래팔중간정맥 역시 같은 목적으로 이용된다).

바닥쪽손허리정맥
Palmar metacarpal veins (손바닥의 정맥): 염증이 있을 때 이 정맥들은 **손등 back of the hand**의 부기를 가져올 수 있다(손바닥이 아닌).

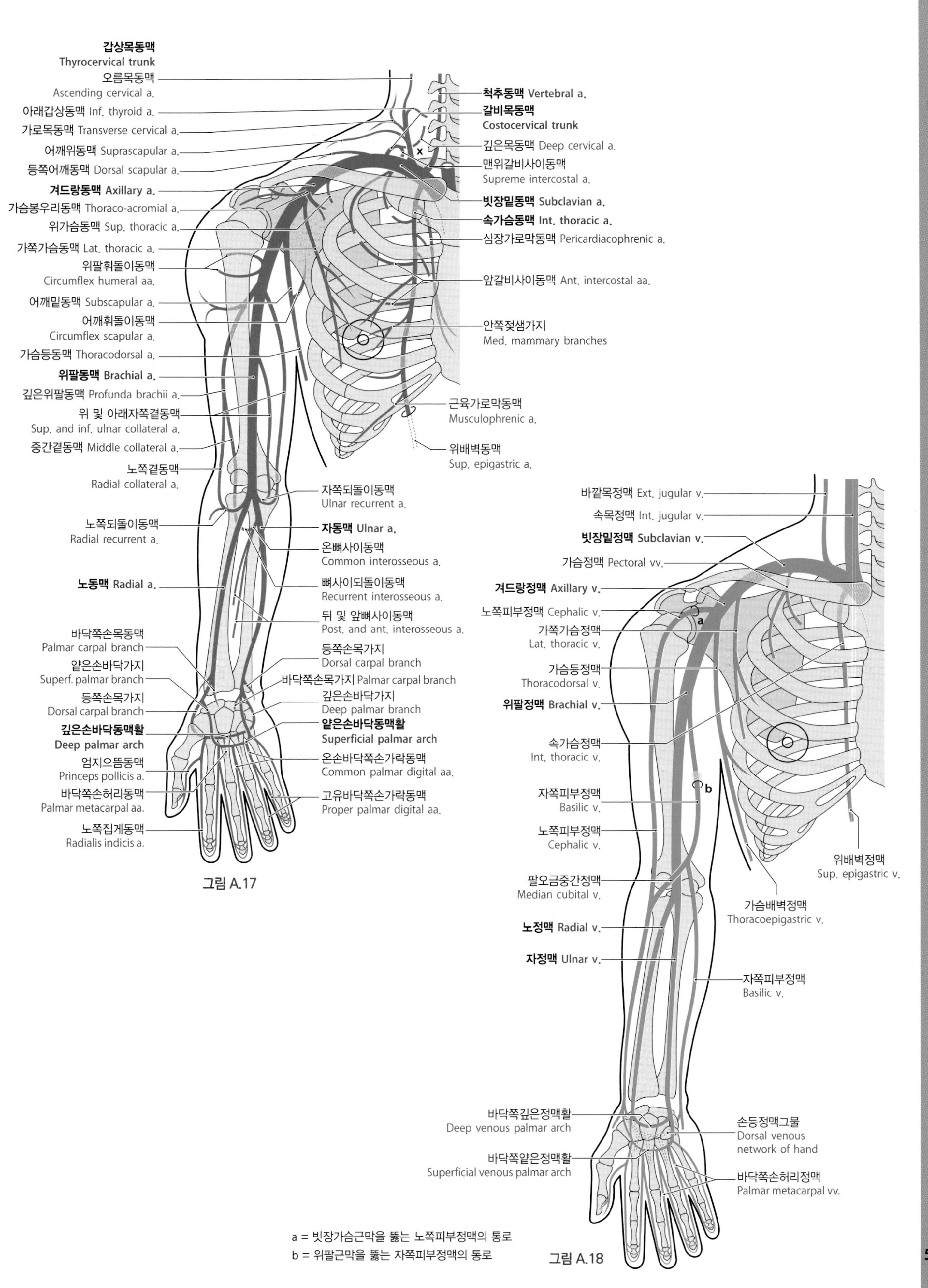

그림 A.17

a = 빗장가슴근막을 뚫는 노쪽피부정맥의 통로
b = 위팔근막을 뚫는 자쪽피부정맥의 통로

그림 A.18

팔신경얼기와 팔의 신경
Brachial Plexus and Nerves of the Arm

113/120 – 127/130 – 140/142 – 145 쪽 참고

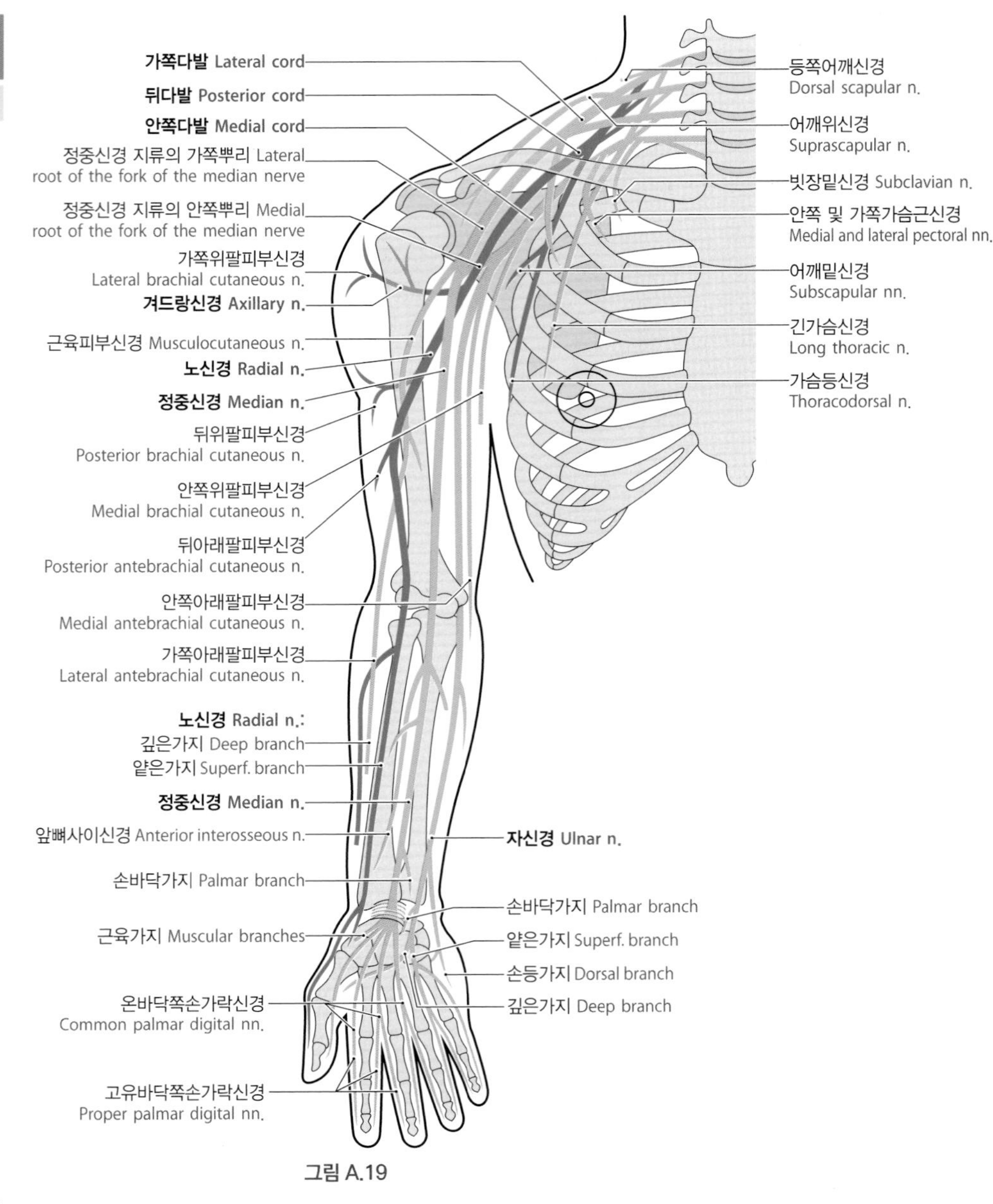

그림 A.19

팔신경얼기 Brachial plexus (C5 – T1)
- **어깨위신경** suprascapular nerve (어깨위패임을 지나 가시위근 및 가시아래근을 지배)
- **등쪽어깨신경** dorsal scapular nerve (마름근 및 어깨올림근 지배)
- **빗장밑신경** subclavian nerve (빗장밑근 지배)
- **안쪽** 및 **가쪽가슴근신경** medial and lat. pectoral nerves (큰 및 작은가슴근 지배)
- **어깨밑신경** subscapular nerves (어깨밑근 및 큰원근 지배)
- **긴가슴신경** long thoracic nerve (앞톱니근 지배)
- **가슴등신경** thoracodorsal nerve (넓은등근 지배)

가쪽다발 Lateral cord
- **정중신경을 형성하는 가쪽 뿌리** lateral root of the fork of the median nerve

근육피부신경 Musculocutaneous nerve
- **근육가지** muscular branches (위팔두갈래근 및 부리위팔근 지배)
- **가쪽아래팔피부신경** lat. cutaneous nerve of forearm (아래팔 가쪽의 피부가지)

뒤다발 Posterior cord
겨드랑신경 Axillary nerve
- **근육가지** muscular branches (어깨세모근 및 작은원근 지배)
- **가쪽위팔피부신경** lat. cutaneous nerve of the arm (어깨의 피부가지)

노신경 Radial nerve
- **근육가지** muscular branches (위팔세갈래근, 노쪽손목폄근 및 위팔노근 지배)
- **뒤위팔피부신경** post. cutaneous nerve of the arm (위팔 뒤쪽의 피부가지)
- **뒤아래팔피부신경** post. cutaneous nerve of the forearm (아래팔 뒤쪽의 피부가지)
- **깊은가지** deep branch (아래팔 폄근 및 뒤침근 지배)
- **아래팔의 뒤뼈사이신경** post. interosseous nerve of the forearm (손목관절과 뼈막의 예민한 가지)
- **얕은가지** superficial branch (엄지와 손등, 손가락 2½[등쪽손가락신경]의 피부가지)

안쪽다발 Medial cord
- **정중신경을 형성하는 안쪽 뿌리** medial root of the fork of the median nerve
- **안쪽위팔피부신경** medial cutaneous nerve of the arm (위팔 안쪽의 피부가지)
- **갈비사이위팔신경** intercostobrachial nerve (갈비사이신경과 연결)
- **안쪽아래팔피부신경** medial cutaneous nerve of the forearm (아래팔 안쪽의 피부가지)

정중신경 Median nerve (위팔에는 가지를 내지 않음)
- **근육가지** muscular branches (아래팔의 모든 굽힘근 지배, 자신경의 지배를 받는 근육 제외)
- **앞뼈사이신경** ant. interosseous nerve (네모엎침근 지배)
- **손바닥가지** palmar branch (손바닥의 피부 가지)
- **근육가지** muscular branches (엄지두덩 근육; 예외: 엄지모음근과 짧은엄지굽힘근의 깊은갈래, 첫째 및 둘째벌레근)
- **온바닥쪽손가락신경** common palmar digital nerves
- **고유바닥쪽손가락신경** proper palmar digital nerves

자신경 Ulnar nerves (위팔에는 가지를 내지 않음)
- **근육가지** muscular branches (자쪽손목굽힘근, 깊은손가락굽힘근의 자쪽부분 지배)
- **손바닥가지** palmar branch (아래팔과 새끼두덩의 피부가지)
- **얕은가지** superficial branch (손바닥 자쪽 1½ 손가락의 피부가지)
- **손등가지** dorsal branch (손등 자쪽 2½ 손가락의 피부가지)
- **깊은가지** deep branch (모든 뼈사이근, 셋째 및 넷째 벌레근, 엄지모음근, 짧은엄지굽힘근의 깊은갈래, 새끼두덩 근육)

팔의 혈관과 신경
Vessels and Nerves of the Upper Limb

110 – 113/118 – 127/130 – 131/142 – 143 쪽 참고

정맥은 동맥과 함께 주행하므로 따로 표시하지 않았다.

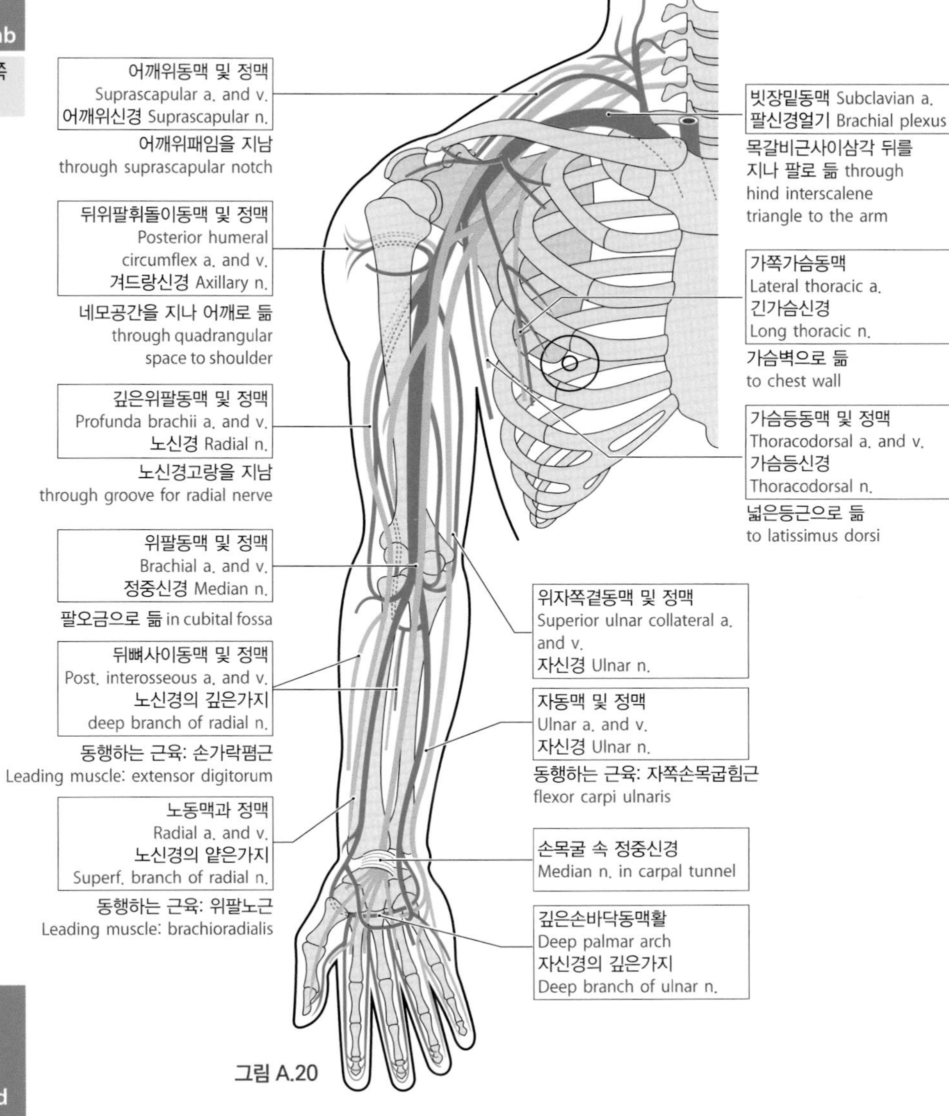

그림 A.20

주근육의 개요
Overview of the Main Muscle
팔이음부위와 위팔의 작용
Functions of the Shoulder Girdle and Arm

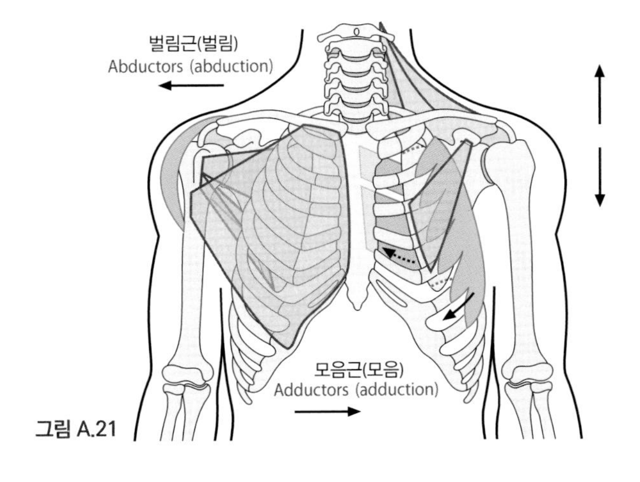

그림 A.21

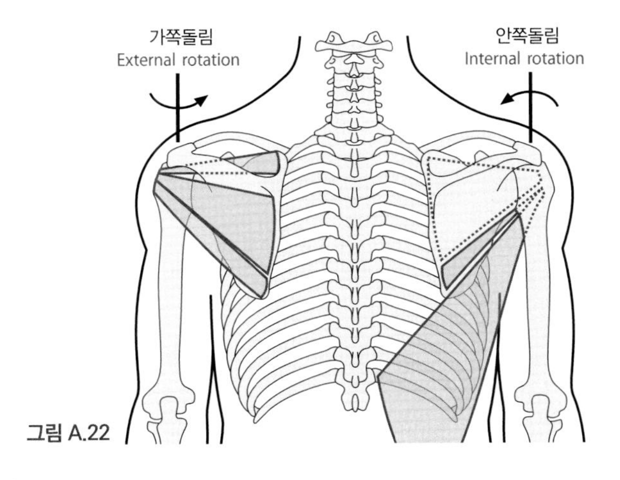

그림 A.22

팔이음부위 Shoulder girdle:

올림 Movement upward
- 어깨올림근 levator scapulae
- 등세모근 trapezius

내림 Movement downward
- 작은가슴근 pectoralis minor

내밈 Anterior movement
- 앞세모근 serratus anterior

들임 Posterior movement
- 큰 및 작은마름근 rhomboid major and minor

위팔 벌림 Abduction of the arm
- 어깨세모근 deltoid

위팔 모음
Adduction of the arm
- 큰가슴근 pectoralis major
- 큰원근 teres major
- 작은원근 teres minor
- 어깨밑근 subscapularis

위팔 Arm:

위팔의 가쪽돌림
External rotation of the arm
- 가시아래근 infraspinatus
- 작은원근 teres minor
- 어깨세모근 deltoid

위팔의 안쪽돌림
Internal rotation of the arm
- 넓은등근 latissimus dorsi
- 큰원근 teres major
- 어깨밑근 subscapularis
- 큰가슴근 pectoralis major
- 어깨세모근 deltoid

가슴근육과 위팔의 굽힘근육
Muscles of the Chest and Flexors of the Upper Arm

35/47/98 – 101/120 – 121/126 쪽 참고

앞면 Anterior aspect.

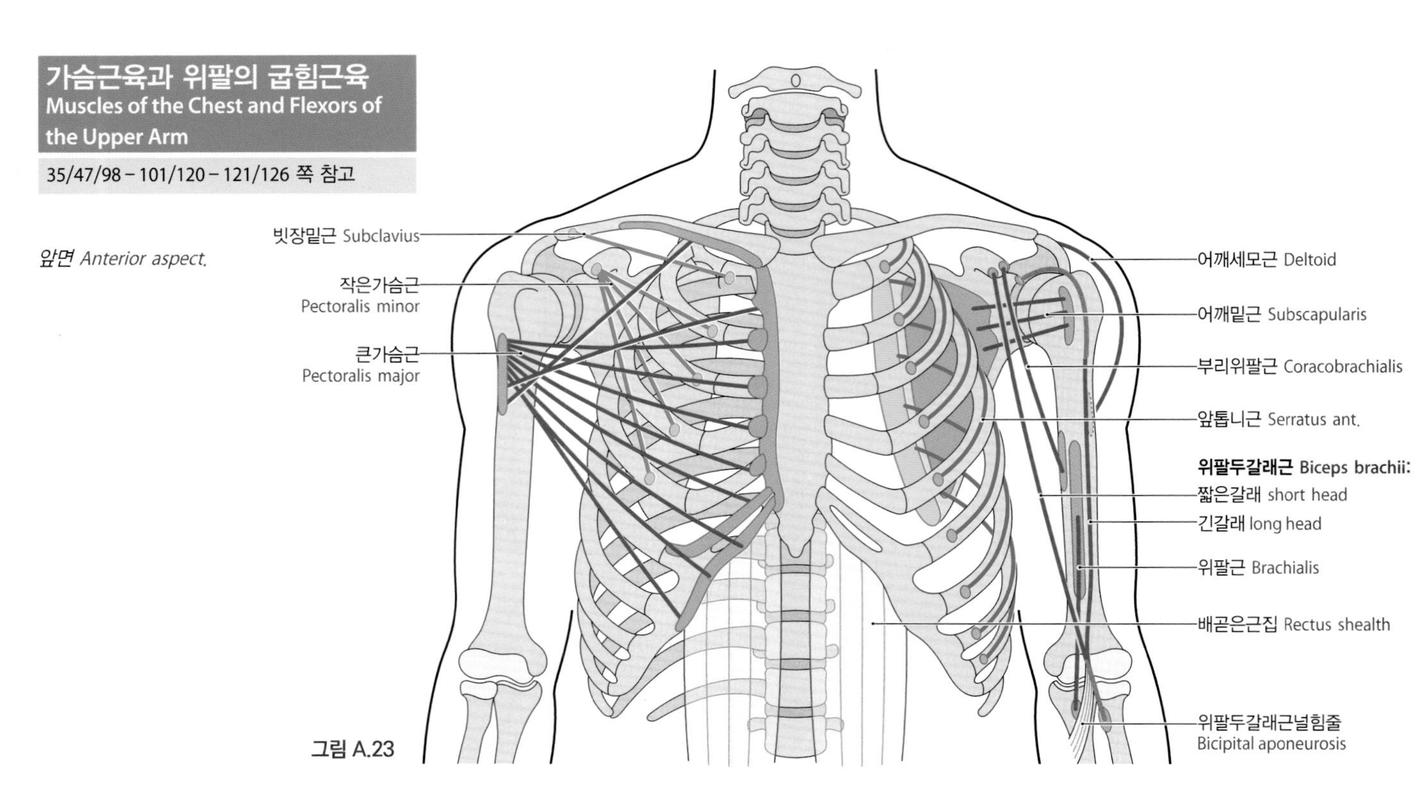

그림 A.23

어깨근육과 위팔의 폄근육
Muscles of the Shoulder and Extensors of the Upper Arm

72/96 – 97/117 – 118/122 – 123 쪽 참고

뒤면 Posterior aspect.

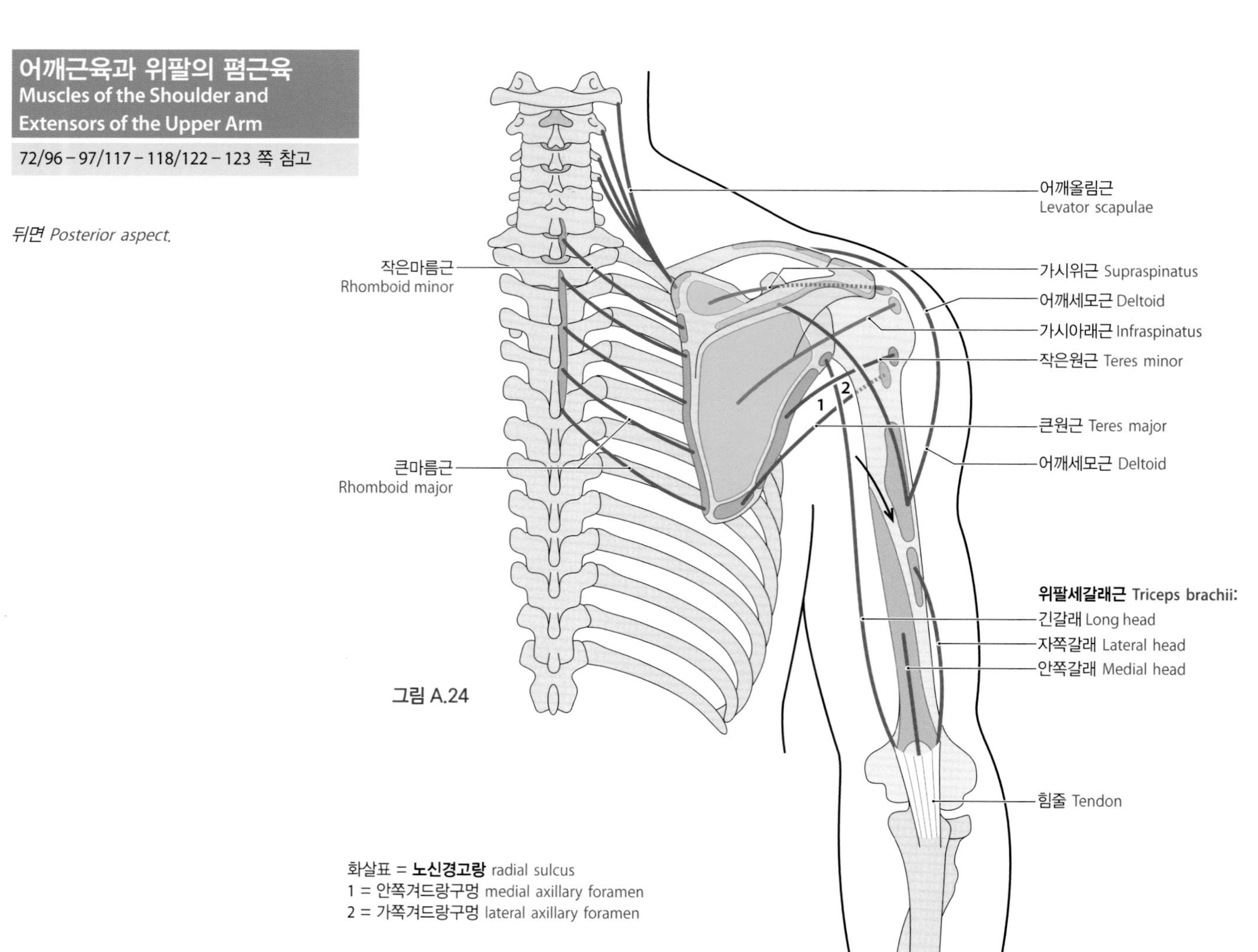

그림 A.24

근육	이는곳	닿는곳	작용	신경지배
큰가슴근 Pectoralis major	빗장뼈, 복장뼈, 배곧은근집	위팔뼈 큰결절능선	위팔 모음, 굽힘 및 안쪽돌림	안쪽(C8, T1) 및 가쪽(C5-C7)가슴근신경
빗장밑근 Subclavius	첫째갈비뼈	빗장뼈	빗장뼈 고정, 빗장가슴근막 긴장	빗장밑근신경 (C5, C6)
작은가슴근 Pectoralis minor	둘째~다섯째갈비뼈	어깨뼈부리돌기	어깨뼈 내림, 들숨	안쪽 및 가쪽가슴근신경 (C8, T1)
어깨세모근 Deltoid				
• 빗장부분	빗장뼈	위팔뼈(세모근거친면)	위팔의 벌림, 모음, 안쪽 및 가쪽돌림, 내밈 및 들임	겨드랑신경 (C5, C6)
• 봉우리부분	봉우리			
• 가시부분	어깨뼈가시			
어깨밑근 Subscapularis	어깨뼈, 어깨뼈밑오목	위팔뼈 작은결절	위팔의 안쪽돌림 및 모음	어깨밑신경 (C5, C6)
부리위팔근 Coracobrachialis	어깨뼈 부리돌기	위팔뼈	위팔의 모음 및 안쪽돌림	근육피부신경 (C6, C7)
앞톱니근 Serratus anterior	첫째~아홉째갈비뼈	어깨뼈 (안쪽모서리)	어깨뼈의 내밈 및 회전, 들숨	긴가슴신경 (C5－C7)
위팔두갈래근 Biceps brachii	긴갈래: 어깨뼈 접시위결절 짧은갈래: 어깨뼈 부리돌기	노뼈거친면, 아래팔근막에 붙는 위팔두갈래근널힘줄	어깨관절: 벌림, 모음, 안쪽돌림 및 내밈; 팔꿉관절: 굽힘 및 뒤침	근육피부신경 (C5－C7)
위팔근 Brachialis	위팔뼈	자뼈거친면	팔꿉관절 굽힘	근육피부신경

근육	이는곳	닿는곳	작용	신경지배
어깨올림근 Levator scapulae	첫째~넷째목뼈 가로돌기	어깨뼈 위각	어깨뼈 올림 및 아래쪽돌림	등쪽어깨신경 (C4, C5)
작은 및 큰마름근 Rhomboid minor and major	여섯째~일곱째목뼈 가시돌기 (작은마름근), 첫째~넷째등뼈 가시돌기 (큰마름근)	어깨뼈 안쪽모서리	어깨뼈 모음 및 올림	등쪽어깨신경 (C4, C5)
가시위근 Supraspinatus	어깨뼈 가시위오목	위팔뼈 큰결절	위팔 벌림 및 가쪽돌림	어깨위신경 (C4－C6)
어깨세모근 Deltoid	빗장뼈, 봉우리, 어깨뼈가시	세모근거친면	어깨관절의 모든 운동에 관여	겨드랑신경 (C5, C6)
가시아래근 Infraspinatus	어깨뼈 가시아래오목	위팔뼈 큰결절	위팔 모음 및 가쪽돌림	어깨위신경 (C4－C6)
작은원근 Teres minor	어깨뼈	위팔뼈 큰결절	위팔 모음 및 안쪽돌림	겨드랑신경 (C5, C6)
큰원근 Teres major	어깨뼈	작은결절능선	위팔 모음 및 안쪽돌림	가슴등신경 (C6, C7)
위팔세갈래근 Triceps brachii	긴갈래: 어깨뼈 접시아래결절, 안쪽 및 가쪽갈래: 위팔뼈	자뼈 팔꿈치머리	팔꿉관절 폄, 긴갈래: 어깨관절의 모음 및 젖힘	노신경, 긴갈래(C6－C8, T1), 안쪽(C7) 및 가쪽갈래(C6－C8)

아래팔과 손의 굽힘근육
Flexors of the Forearm and Hand

102 – 105 쪽 참고

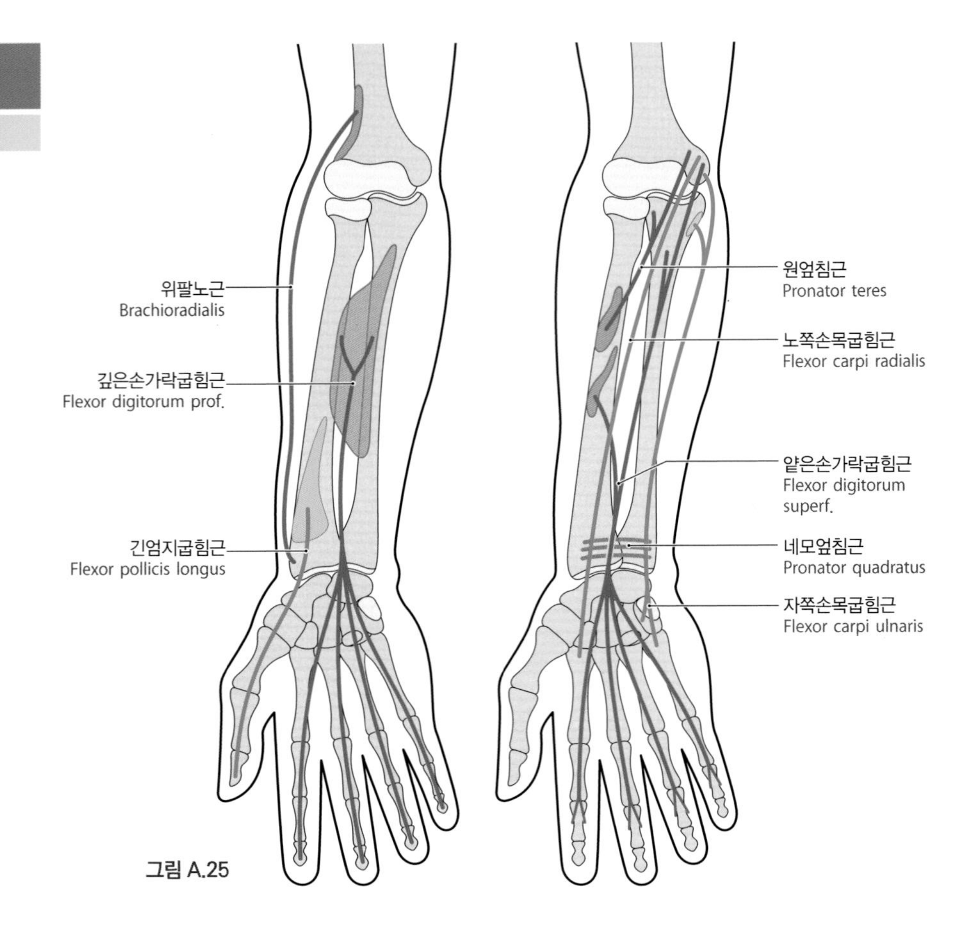

그림 A.25

아래팔과 손의 폄근육
Extensors of the Forearm and Hand

106 – 107/140 쪽 참고

폄근지지띠의 힘줄집구역
Tendon compartments in extensor retinaculum

1 = 긴엄지벌림근 및 짧은엄지폄근 Abductor pollicis longus and extensor pollicis brevis
2 = 긴 및 짧은노쪽손목폄근 Extensor carpi radialis longus and brevis
3 = 긴엄지폄근 Extensor pollicis longus
4 = 손가락폄근 및 집게폄근 Extensor digitorum and extensor indicis
5 = 새끼폄근 Extensor digiti minimi
6 = 자쪽손목폄근 Extensor carpi ulnaris

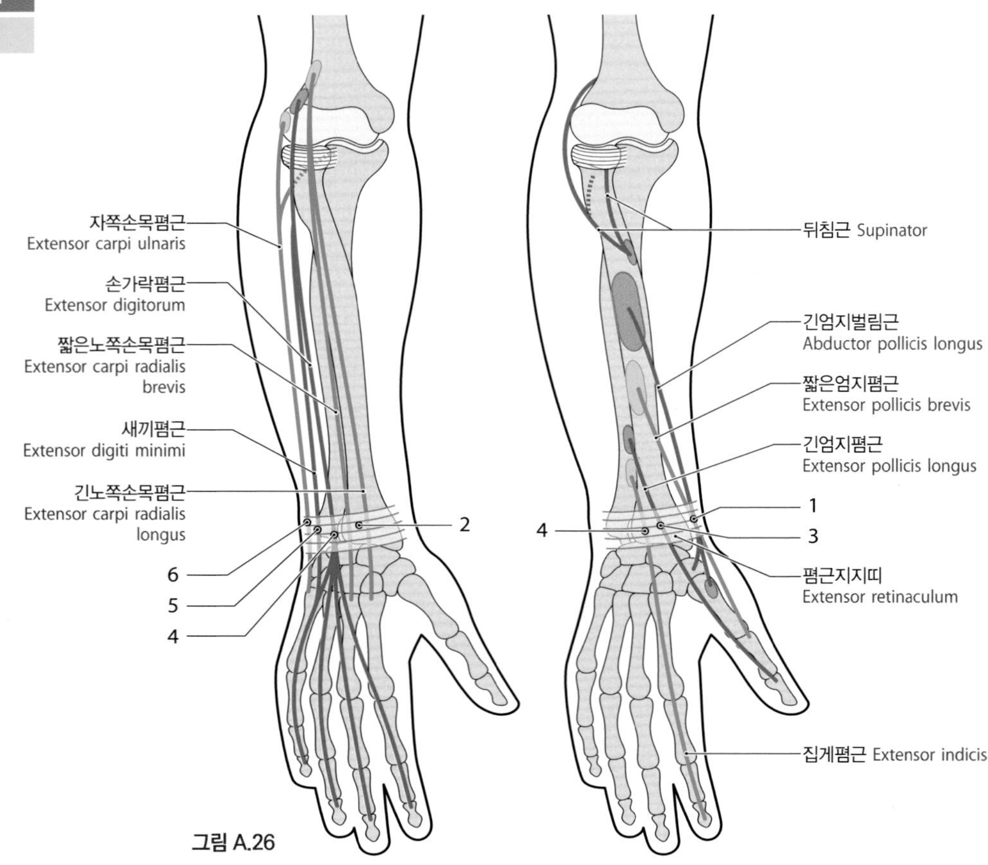

그림 A.26

근육	이는곳	닿는곳	작용	신경지배
위팔노근 Brachioradialis	위팔뼈(가쪽모서리)	노뼈(붓돌기 바닥)	팔꿉관절의 굽힘, 엎침 및 뒤침	노신경 (C5, C6)
깊은손가락굽힘근 Flexor digitorum profundus	자뼈, 뼈사이막	둘째~다섯째손가락 끝마디뼈	손가락뼈사이관절의 굽힘, 손의 바닥쪽 굽힘	정중신경 및 자신경 (C6–C8, T1)
긴엄지굽힘근 Flexor pollicis longus	노뼈	엄지 끝마디뼈	엄지 굽힘	정중신경 (C6–C8)
원엎침근 Pronator teres	위팔갈래: 위팔뼈 안쪽위관절융기; 자갈래: 자뼈 갈고리돌기	노뼈	팔꿉관절의 엎침 및 굽힘	정중신경 (C6)
노쪽손목굽힘근 Flexor carpi radialis	위팔뼈 안쪽위관절융기	둘째손허리뼈 바닥	손의 가쪽벌림 및 손바닥쪽 굽힘 팔꿉관절의 엎침 및 굽힘	정중신경 (C5–C7)
얕은손가락굽힘근 Flexor digitorum superficialis	위팔자갈래: 위팔뼈안쪽위관절융기 및 자뼈의 갈고리돌기; 노갈래: 노뼈	둘째~다섯째손가락의 중간마디뼈	손가락 중간마디뼈와 손가락뼈사이관절 굽힘, 손의 바닥쪽 굽힘	정중신경 (C5–C7)
네모엎침근 Pronator quadratus	자뼈의 앞면	노뼈 앞면	엎침	정중신경 (C5–C7)
자쪽손목굽힘근 Flexor carpi ulnaris	위팔갈래: 위팔뼈 안쪽위관절융기; 자갈래: 팔꿈치뼈머리	갈고리뼈, 다섯째손허리뼈	손의 안쪽벌림 및 바닥쪽굽힘, 팔꿉관절 굽힘	자신경 (C8–T1)

근육	이는곳	닿는곳	작용	신경지배
자쪽손목폄근 Extensor carpi ulnaris	위팔갈래: 위팔뼈 가쪽위관절융기; 자갈래: 자뼈	다섯째손허리뼈바닥	손의 안쪽벌림 및 등쪽폄	노신경(깊은가지) (C7, C8)
손가락폄근 Extensor digitorum	위팔뼈 가쪽위관절융기	둘째~다섯째폄근널힘줄	손가락관절과 손의 폄	노신경(깊은가지) (C6–C8)
긴 및 짧은노쪽손목폄근 Extensor carpi radialis longus and brevis	위팔뼈 가쪽위관절융기, 노뼈머리띠인대	둘째손허리뼈 바닥(긴), 셋째손허리뼈 바닥(짧은)	손의 가쪽벌림 및 등쪽폄, 팔꿉관절의 굽힘	노신경 (C6, C7)
새끼폄근 Extensor digiti minimi	위팔뼈 가쪽위관절융기	폄근널힘줄	새끼손가락의 폄	노신경 (C6–C8)
뒤침근 Supinator	위팔뼈 가쪽위관절융기, 노뼈머리띠인대, 자뼈	노뼈	뒤침	노신경 깊은가지
긴엄지벌림근 Abductor pollicis longus	노뼈 및 자뼈의 등쪽면, 뼈사이막	첫째손허리뼈바닥, 큰마름뼈	엄지 벌림	노신경(깊은가지) (C7, C8)
짧은엄지폄근 Extensor pollicis brevis	노뼈 및 자뼈, 뼈사이막	첫째손가락 첫마디뼈바닥	엄지 폄, 손의 가쪽벌림	노신경(깊은가지) (C6, C7)
긴엄지폄근 Extensor pollicis longus	자뼈, 뼈사이막	엄지 끝마디뼈	엄지 폄 및 벌림	노신경(깊은가지) (C6, C7)
집게폄근 Extensor indicis	자뼈	집게손가락 폄근널힘줄	집게손가락 폄	노신경(깊은가지) (C7, C8)

손의 근육
Muscles of the Hand

108 – 109/142 – 145 쪽 참고

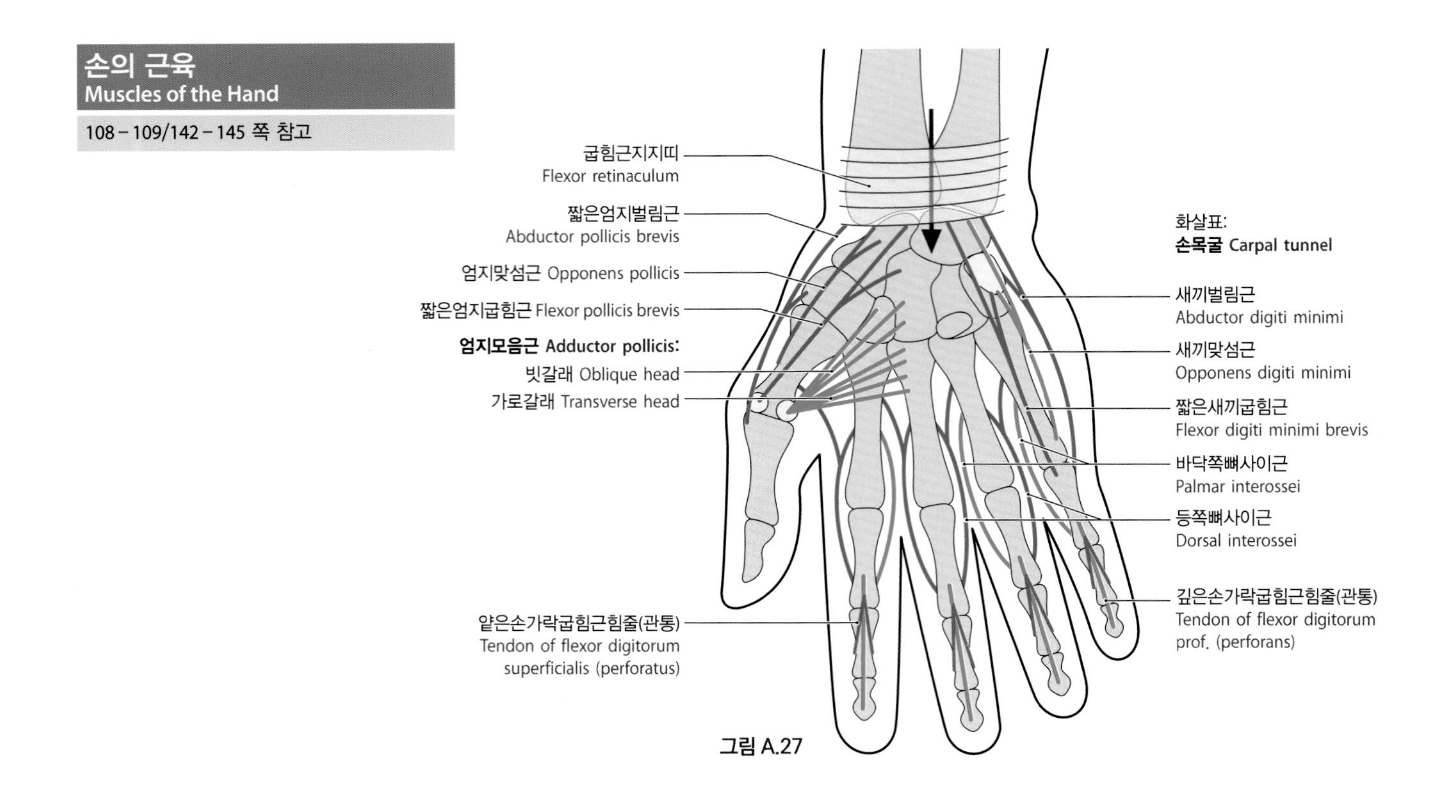

그림 A.27

근육	이는곳	닿는곳	작용	신경지배
짧은엄지벌림근 Abductor pollicis brevis	손배뼈, 굽힘근지지띠	첫째첫마디뼈바닥, 가쪽종자뼈	엄지 벌림	정중신경 (C6, C7)
엄지맞섬근 Opponens pollicis	큰마름뼈, 굽힘근지지띠	첫째손허리뼈 가쪽모서리	엄지 맞섬	정중신경 (C6, C7)
짧은엄지굽힘근 Flexor pollicis brevis	얕은갈래: 굽힘근지지띠	손허리손가락관절 가쪽종자뼈	엄지의 굽힘 및 모음	정중신경 (C6, C7)
	깊은갈래: 큰마름뼈, 작은마름뼈, 알머리뼈, 첫째손허리뼈바닥	손허리손가락관절 가쪽종자뼈	엄지의 굽힘 및 모음	자신경 (C8, T1)
엄지모음근 Adductor pollicis	빗갈래: 알머리뼈, 둘째 및 셋째 손허리뼈; 가로갈래: 셋째손허리뼈	첫째첫마디뼈바닥, 자쪽종자뼈	엄지의 모음 및 맞섬, 엄지 손허리손가락관절 굽힘	자신경 (C8, T1)
새끼벌림근 Abductor digiti minimi	콩알뼈, 굽힘근지지띠	새끼손가락의 첫마디뼈바닥 및 폄근널힘줄	다섯째 손허리손가락관절의 벌림 및 굽힘, 몸쪽 및 먼쪽 손가락뼈사이관절 폄	자신경 (C8, T1)
새끼맞섬근 Opponens digiti minimi	갈고리뼈갈고리, 굽힘근지지띠	다섯째손허리뼈 바깥쪽	새끼손가락 맞섬	자신경 (C8, T1)
짧은새끼굽힘근 Flexor digiti minimi brevis	갈고리뼈갈고리, 굽힘근지지띠	다섯째첫마디뼈바닥	다섯째 손허리손가락관절 굽힘	자신경 (C8, T1)
바닥쪽뼈사이근 Palmar interossei	둘째, 넷째, 다섯째 손허리뼈 (단일갈래)	둘째, 넷째, 다섯째 폄근널힘줄	손허리손가락관절의 모음 및 굽힘, 몸쪽 및 먼쪽 손가락뼈사이관절의 폄	자신경 (C8, T1)
등쪽뼈사이근 Dorsal interossei	첫째~넷째 손허리뼈 사이 영역(두갈래)	둘째, 넷째, 다섯째 폄근널힘줄	손허리손가락관절의 벌림 및 굽힘, 몸쪽 및 먼쪽 손가락뼈사이관절의 폄	자신경 (C8, T1)

팔의 신경구역과 피부신경 분포
Structure of the Segments and Cutaneous Innervation of the Arm

113 – 114/130 – 131/136 – 140/144 쪽 참고

왼쪽(앞면), 오른쪽(뒤면)

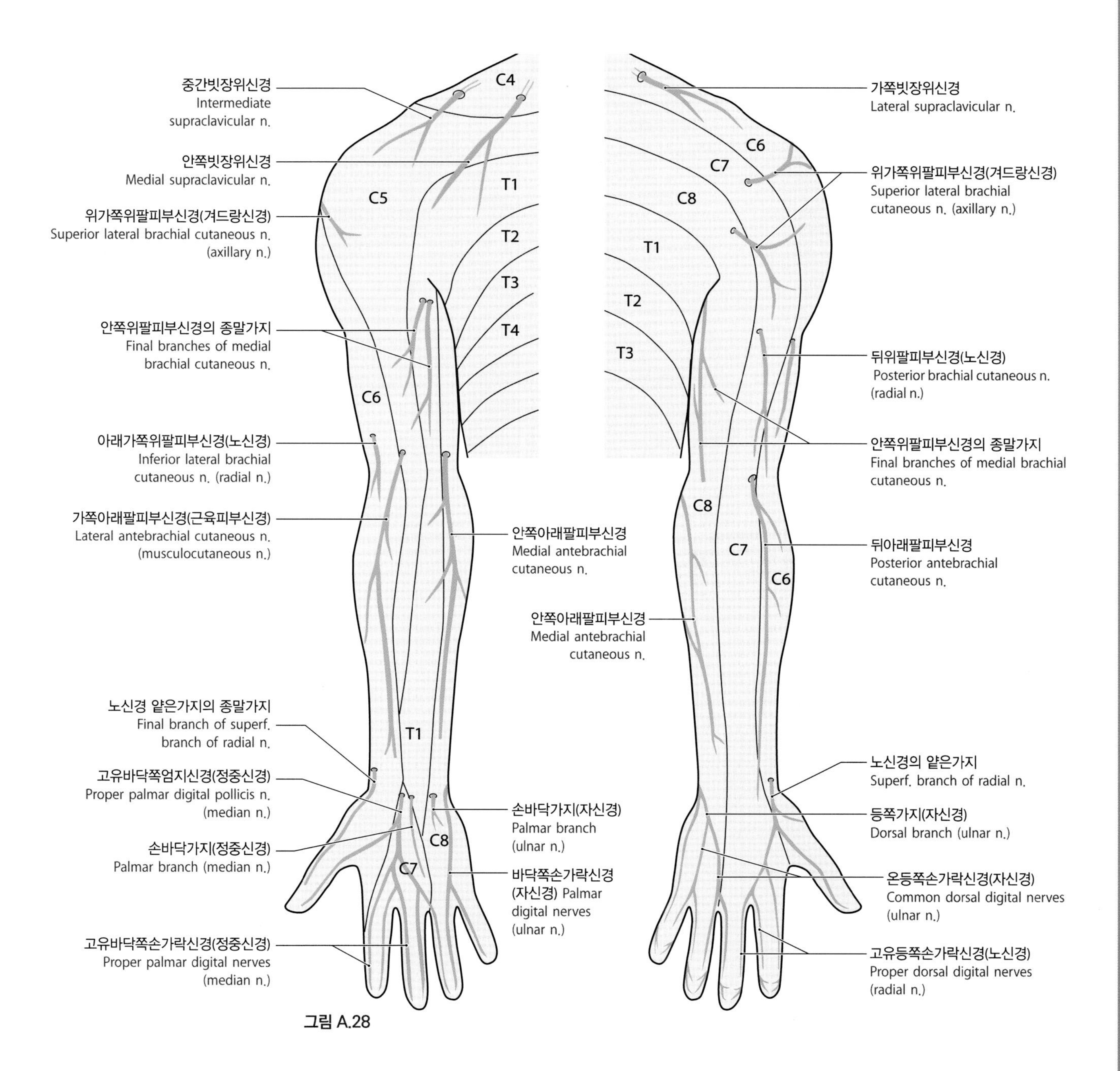

그림 A.28

다리의 동맥
Arteries of the Lower Limb

184 – 185/204/215 – 216 쪽 참고

넓적다리동맥 Femoral artery
- **얕은배벽동맥** superf. epigastric artery (앞배벽으로 듦)
- **얕은엉덩휘돌이동맥** superf. circumflex iliac artery (고샅부위의 피부로 듦)
- **바깥음부동맥** ext. pudendal arteries (앞음낭가지[또는 음순가지]와 고샅가지와 함께 외부생식기로 듦)

- 깊은넓적다리동맥 deep artery of thigh (넓적다리의 뒤면)
  - **안쪽넓적다리휘돌이동맥**과 **얕은가지** 및 **깊은가지** medial circumflex femoral artery with superficial branch and deep branch (모음근과 굽힘근으로 듦)
  - **가쪽넓적다리휘돌이동맥**과 **오름가지** 및 **내림가지** lat. circumflex femoral artery with ascending branch and descending branch (넓적다리네갈래근)
  - **관통동맥 I, II, III** perforating arteries I, II, III (넓적다리의 모음근과 굽힘근)
  - **내림무릎동맥** descending genicular artery (무릎관절 주위 동맥연결)

- 오금동맥 Popliteal artery
  - **위가쪽무릎동맥** superior lateral genicular artery
  - **위안쪽무릎동맥** superior medial genicular artery

  } 무릎 주위 동맥연결 형성 to the genicular anastomosis
  - **중간무릎동맥** middle genicular artery (무릎십자인대로 듦)
  - **아래가쪽무릎동맥** inferior lateral genicular artery
  - **아래안쪽무릎동맥** inferior medial genicular artery

  } 무릎주위 동맥연결 형성 to the genicular anastomosis
  - **장딴지동맥** sural arteries (장딴지근, 가자미근으로 듦)

- 종아리동맥 fibular artery (깊은굽힘근과 종아리뼈로 듦)
  - **교통가지** communicating branch (뒤정강동맥과 연결)
  - **뒤 및 앞가쪽복사가지** posterior and anterior lateral malleolar branch

- 뒤정강동맥 posterior tibial artery
  - **안쪽복사가지** medial malleolar branches
  - **안쪽발바닥동맥** medial plantar artery
  - **가쪽발바닥동맥** lateral plantar artery

  } 발바닥근육으로 듦 to the muscles of the sole

- 발바닥동맥활 plantar arch
  - **바닥쪽발허리동맥** plantar metatarsal arteries
  - **발바닥, 온 및 고유발가락동맥** plantar, common and proper digital arteries
  - **엄지 안쪽의 발바닥동맥** plantar artery of medial great toe

- 앞정강동맥 anterior tibial artery
  - **뒤정강되돌이동맥** posterior tibial recurrent artery
  - **앞정강되돌이동맥** anterior tibial recurrent artery
  - **앞가쪽 및 앞안쪽복사가지** ant. lateral and medial malleolar arteries

- 발등동맥 dorsalis pedis artery
  - **가쪽** 및 **안쪽발목동맥** lateral and medial tarsal arteries (발 뒤쪽에서 등쪽발허리동맥 및 등쪽발가락동맥으로 연결)
  - **깊은발바닥가지** deep plantar branch (발바닥동맥활에서 가쪽발바닥동맥과 연결)

임상 Clinical

넓적다리동맥 Femoral artery:
진단 또는 치료목적으로 고샅인대 밑을 통해 이 혈관에 접근할 수 있다; 이 동맥에 대한 응급상황의 결찰은 엉덩뼈능선 부위의 압박을 통해 이루어질 수 있다.

오금동맥 Popliteal artery:
무릎주위 동맥연결의 혈류가 부족해질 수 있으므로 이 혈관의 결찰은 피해야 한다.

앞정강동맥 Ant. tibial artery:
이 혈관의 압박은 연관된 근육의 괴사를 불러올 수 있다(구획증후군).

다리의 정맥
Veins of the Lower Limb

186 – 187/192 – 193/202/205/208 – 209/215 쪽 참고

넓적다리정맥 Femoral vein
(생식부위[바깥음부정맥], 아래배벽[얕은배벽정맥] 및 골반부위[얕은엉덩휘돌이정맥]로부터 혈액을 받는다.) 또한 다음 혈관들의 혈액을 받는다.
- **큰두렁정맥** great saphenous vein (발등, 종아리 그리고 넓적다리; 두렁정맥구멍을 통하여)
- **깊은넓적다리정맥** deep vein of the thigh (넓적다리 뒤부위)
- **오금정맥** popliteal vein (종아리의 피부정맥[작은두렁정맥] 및 종아리의 깊은정맥[앞 및 뒤정강정맥])
- **앞정강정맥** ant. tibial vein (종아리 폄근 및 발등[발바닥과 발가락(등쪽발가락정맥)]의 주된 정맥배출을 담당하는 발등정맥활)
- **뒤정강정맥** post. tibial vein (종아리의 굽힘근 및 발바닥[바닥쪽발허리정맥 및 바닥쪽발가락정맥의 혈액을 받는 발바닥정맥활])

넓적다리정맥 Femoral vein:
진단 또는 치료목적으로 고샅인대 밑을 통해 이 혈관에 접근할 수 있다.

관통정맥 Perforating veins:
바깥에서 속으로; 종종 무릎 아래 종아리의 속면(Boyd's veins) 또는 종아리 먼쪽(Cockett's veins)에서 정맥류를 형성한다. 이러한 순환장애는 정맥성종아리궤양을 오게 할 수 있다.

발등정맥활 Dorsal venous arch of foot:
발바닥 염증 등을 통한 "결순환부종 collateral edemas"의 주요 부위가 된다.

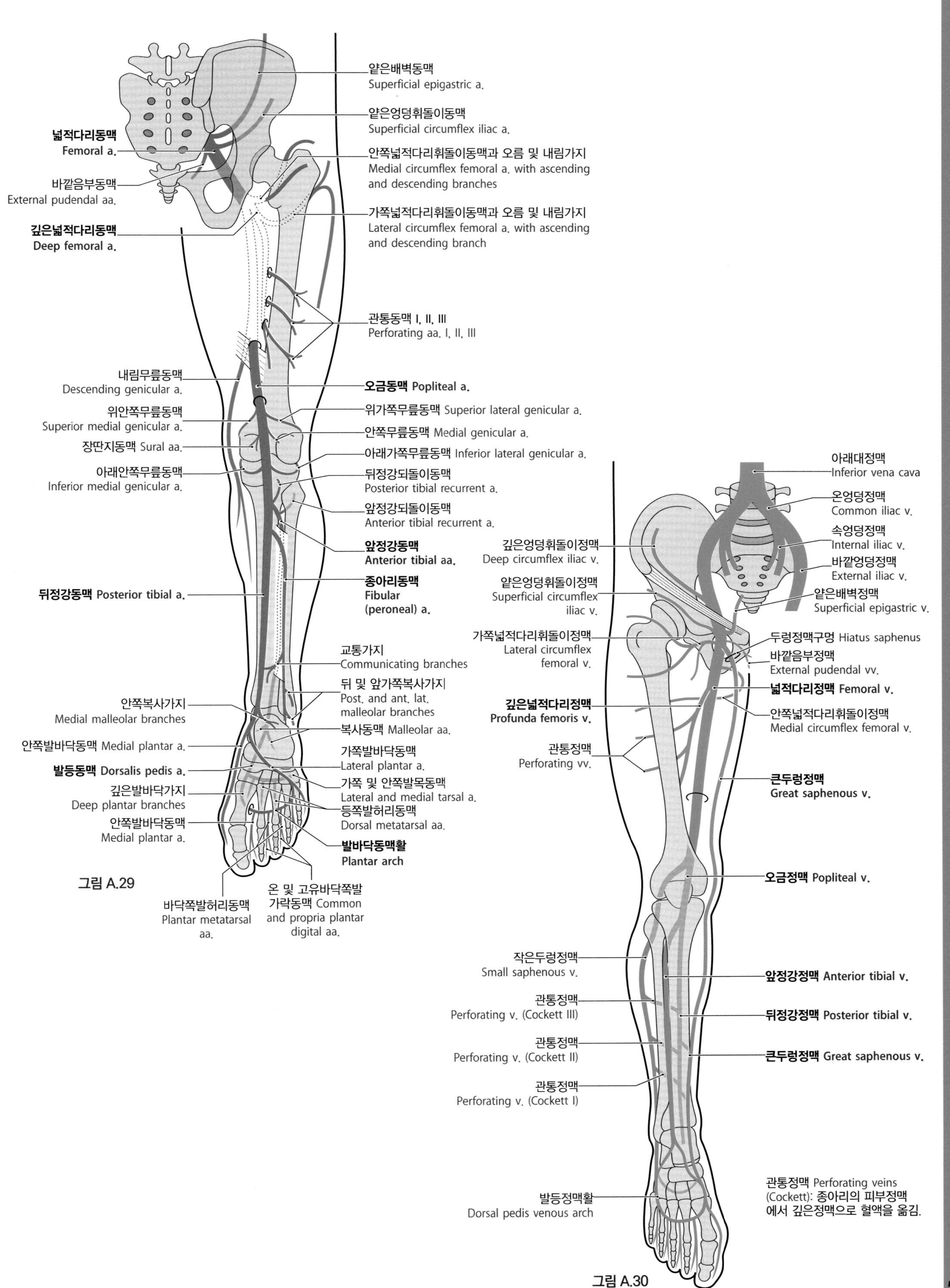

얕은배벽동맥
Superficial epigastric a.
얕은엉덩휘돌이동맥
Superficial circumflex iliac a.
넓적다리동맥
Femoral a.
안쪽넓적다리휘돌이동맥과 오름 및 내림가지
Medial circumflex femoral a. with ascending and descending branches
바깥음부동맥
External pudendal aa.
가쪽넓적다리휘돌이동맥과 오름 및 내림가지
Lateral circumflex femoral a. with ascending and descending branch
깊은넓적다리동맥
Deep femoral a.
관통동맥 I, II, III
Perforating aa. I, II, III
내림무릎동맥
Descending genicular a.
오금동맥 Popliteal a.
위가쪽무릎동맥 Superior lateral genicular a.
위안쪽무릎동맥
Superior medial genicular a.
안쪽무릎동맥 Medial genicular a.
장딴지동맥 Sural aa.
아래가쪽무릎동맥 Inferior lateral genicular a.
아래안쪽무릎동맥
Inferior medial genicular a.
뒤정강되돌이동맥
Posterior tibial recurrent a.
앞정강되돌이동맥
Anterior tibial recurrent a.
앞정강동맥
Anterior tibial aa.
종아리동맥
Fibular (peroneal) a.
뒤정강동맥 Posterior tibial a.
교통가지
Communicating branches
뒤 및 앞가쪽복사가지
Post. and ant. lat. malleolar branches
안쪽복사가지
Medial malleolar branches
복사동맥 Malleolar aa.
안쪽발바닥동맥 Medial plantar a.
가쪽발바닥동맥
Lateral plantar a.
발등동맥 Dorsalis pedis a.
가쪽 및 안쪽발목동맥
Lateral and medial tarsal a.
깊은발바닥가지
Deep plantar branches
등쪽발허리동맥
Dorsal metatarsal aa.
안쪽발바닥동맥
Medial plantar a.
발바닥동맥활
Plantar arch
그림 A.29
바닥쪽발허리동맥
Plantar metatarsal aa.
온 및 고유바닥쪽발가락동맥 Common and propria plantar digital aa.
아래대정맥
Inferior vena cava
온엉덩정맥
Common iliac v.
속엉덩정맥
Internal iliac v.
깊은엉덩휘돌이정맥
Deep circumflex iliac v.
바깥엉덩정맥
External iliac v.
얕은엉덩휘돌이정맥
Superficial circumflex iliac v.
얕은배벽정맥
Superficial epigastric v.
두렁정맥구멍 Hiatus saphenus
가쪽넓적다리휘돌이정맥
Lateral circumflex femoral v.
바깥음부정맥
External pudendal vv.
넓적다리정맥 Femoral v.
깊은넓적다리정맥
Profunda femoris v.
안쪽넓적다리휘돌이정맥
Medial circumflex femoral v.
관통정맥
Perforating vv.
큰두렁정맥
Great saphenous v.
오금정맥 Popliteal v.
작은두렁정맥
Small saphenous v.
앞정강정맥 Anterior tibial v.
관통정맥
Perforating v. (Cockett III)
뒤정강정맥 Posterior tibial v.
관통정맥
Perforating v. (Cockett II)
큰두렁정맥 Great saphenous v.
관통정맥
Perforating v. (Cockett I)
관통정맥 Perforating veins (Cockett): 종아리의 피부정맥에서 깊은정맥으로 혈액을 옮김.
발등정맥활
Dorsal pedis venous arch
그림 A.30

여자 골반과 다리의 림프관과 동행하는 림프절
Lymphatic Vessels of the Pelvis and Leg of the Female with the Accompanying Lymph Nodes

310 – 311/340 쪽 참고

림프관은 주로 정맥과 동행한다. 림프는 양쪽 허리림프관줄기를 지나 가슴림프관팽대와 가슴림프관을 차례로 거친다. 이러한 주행은 뒤세로칸을 따라 왼정맥각 까지 이어진다.

가슴림프관팽대 Cisterna chyli
(양쪽 허리림프관줄기와 창자림프관줄기의 림프 유입)
왼 및 **오른허리림프관줄기**
Left and **right lumbar lymphatic trunk**
(넓적다리 뒤면으로부터)
온엉덩림프절 Common iliac lymph nodes
(골반[속엉덩림프절]과 다리[바깥엉덩림프절])의 림프 유입)

다리 Leg:
바깥엉덩림프절 External iliac lymph nodes
(얕은 및 깊은고샅림프절과 오금림프절의 유입)
얕은 및 **깊은오금림프절**
Superf. and **deep popliteal lymph nodes**
(종아리와 발의 림프 유입)

골반의 내장기관 Organs of the pelvis:
허리림프절 Lumbar lymph nodes
(골반 내장기관으로부터 난소걸이인대와 속엉덩림프절을 거쳐 난소와 자궁관을 거친 림프 유입)
속엉덩림프절 Internal iliac lymph nodes
(고샅림프절[자궁원인대를 통해]과 자궁옆림프절의 림프 유입)
엉치림프절 Sacral lymph nodes
(곧창자, 질, 자궁목의 림프 유입;
온엉덩림프절을 통함)

속엉덩림프절
Internal iliac lymph nodes:
속생식기관(고환, 자궁, 전립샘)에서 발생한 암의 전이가 흔한 곳이다.

얕은고샅림프절
Superficial inguinal lymph nodes:
바깥생식기관(음낭, 음경, 음순)의 염증에 의해 커질 수 있다.

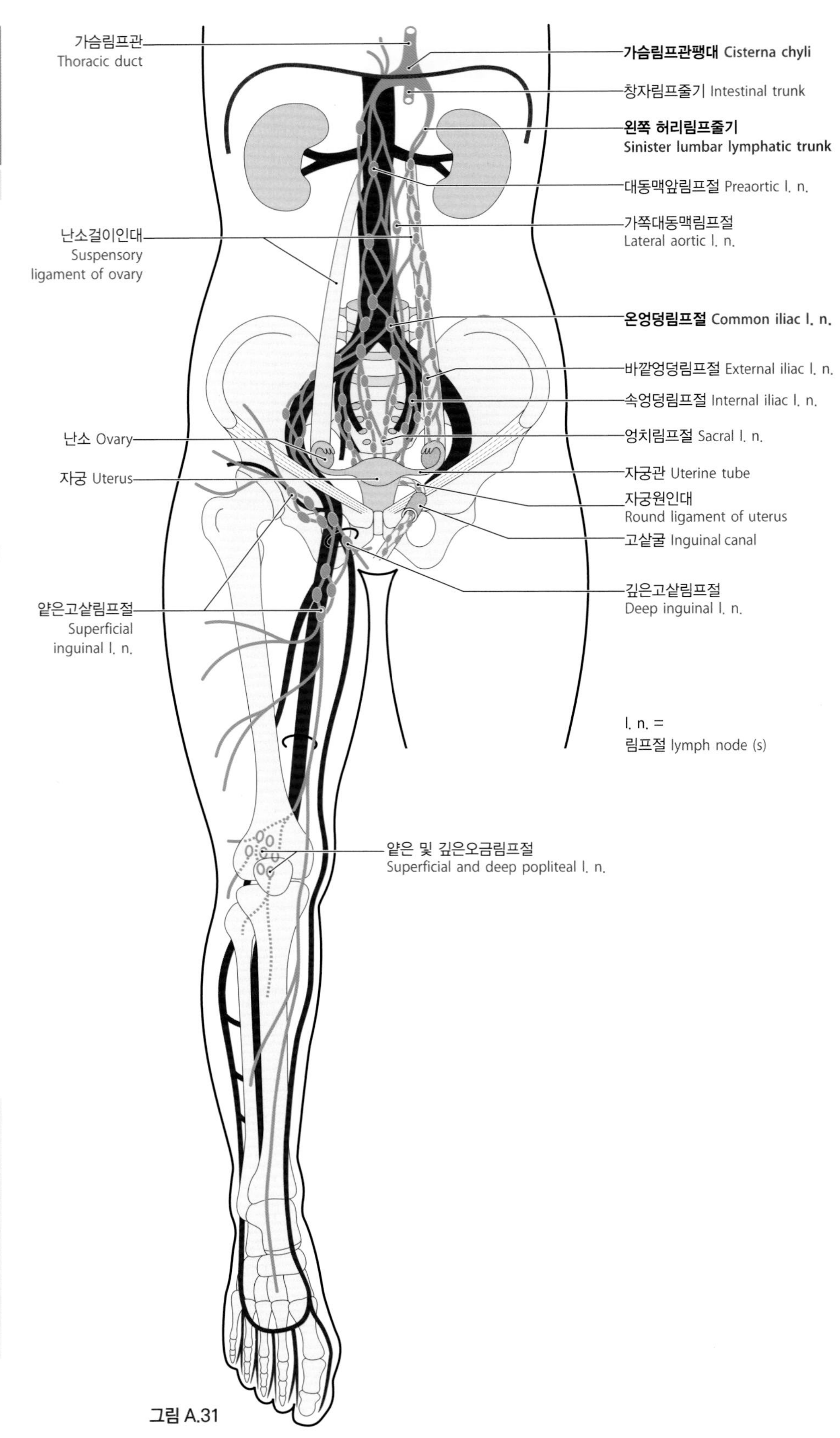

그림 A.31

골반과 다리의 신경
Nerves of the Pelvis and Leg

184/188 – 193/198 – 199/202/208 – 209/215 /327/332 – 333 쪽 참고

오른쪽 다리의 가쪽면

허리신경얼기 Lumbar plexus (T12–L4)
- **근육가지** muscular branches (가로돌기사이근, 허리네모근, 큰허리근 및 작은허리근)
- **엉덩아랫배신경** iliohypogastric nerve (두덩결합 부위 감각과 배벽근육의 운동)
- **엉덩고샅신경** ilioinguinal nerve (바깥생식기관[음낭 또는 음순가지]과 배벽근육의 운동)
- **음부넓적다리신경** genitofemoral nerve (넓적다리가지 및 고샅부위와 고환[음순] 부위의 감각을 위한 생식가지)
- **가쪽넓적다리피부신경** lateral femoral cutaneous nerve (넓적다리 피부감각)

폐쇄신경 Obturator nerve (앞가지와 뒤가지로 나뉨) (모음근, 두덩근, 두덩정강근의 운동; 넓적다리 안쪽의 피부가지)

넓적다리신경 Femoral nerve
- **앞넓적다리피부신경** anterior femoral cutaneous branch (넓적다리 앞쪽)
- **근육가지** muscular branches (두덩근, 넓적다리빗근 및 넓적다리네갈래근)
- **두렁신경** saphenous nerve (종아리 안쪽의 피부가지인 무릎아래가지와 발 안쪽으로 안쪽종아리피부신경)

엉치신경얼기 Sacral plexus (L4–S3)
- **직접가지** direct branches (바깥폐쇄근을 제외한 가쪽돌림근)
- **위볼기신경** sup. gluteal nerve (중간볼기근, 작은볼기근, 넓적다리근막긴장근)
- **아래볼기신경** inf. gluteal nerve (큰볼기근)
- **뒤넓적다리피부신경** posterior femoral cutaneous nerve (넓적다리와 고샅부위 뒤면의 피부가지)
- 궁둥신경 sciatic nerve (넓적다리네모근, 넓적다리뒤근육, 종아리와 발의 모든 근육)
- 온종아리신경 common fibular nerve
  - **가쪽장딴지피부신경** lateral sural cutaneous nerve (종아리의 피부가지; 안쪽장딴지피부신경과 합류하여 장딴지신경이 됨)
  - 얕은종아리신경 superficial fibular nerve (긴 및 짧은종아리신경, 종아리와 발의 피부신경)
  - **안쪽** 및 **중간발등피부신경** medial and intermediate dorsal cutaneous nerve (발등 피부)
- 깊은종아리신경 Deep fibular nerve (종아리 폄근)
  - **엄지 가쪽과 둘째발가락 안쪽의 등쪽발가락신경** dorsal digital nerves of the lateral great toe and medial second toe (엄지와 둘째발가락 사이의 피부가지)

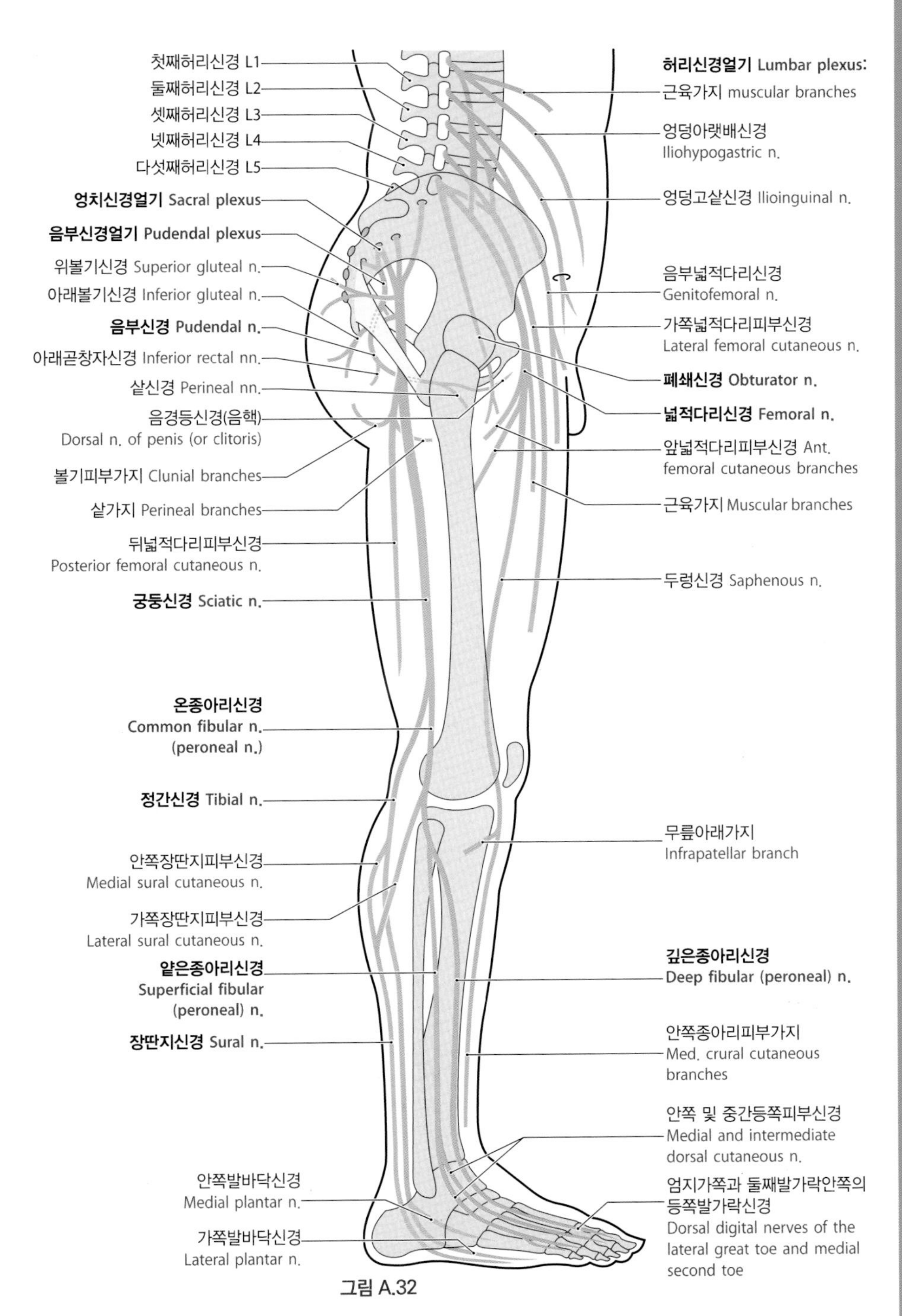

그림 A.32

- 정강신경 tibial nerve
  - **안쪽장딴지피부신경** medial sural cutaneous nerve (종아리의 피부가지)

장딴지신경 Sural nerve (가쪽 및 안쪽장딴지피부신경에 의해 형성됨; 종아리와 발의 피부)
- **가쪽발바닥신경** lateral plantar nerve; 얕은가지(가쪽 1½ 발가락의 피부)와 깊은가지(새끼발가락의 근육, 엄지모음근, 셋째 및 넷째 벌레근, 발바닥네모근, 모든 뼈사이근 및 짧은엄지굽힘근)
- **안쪽발바닥신경** medial plantar nerve (엄지의 근육; 첫째 및 둘째 벌레근, 짧은발가락굽힘근, 안쪽 3½ 발가락의 피부)

음부신경얼기 Pudendal plexus (S2–S4)
- **근육가지** muscular branches (항문올림근과 꼬리근)
- 음부신경 pudendal nerve (S2–S4)
  - **아래곧창자신경** inferior rectal nerves (바깥항문조임근 및 항문관의 피부)
  - **샅신경** perineal nerves (궁둥해면체근, 망울해면체근, 깊은 및 얕은샅가로근, 샅부위 피부)
  - **음경 또는 음핵등신경** dorsal nerve of penis or clitoris (깊은샅가로근, 바깥생식기)

꼬리신경얼기 Coccygeal plexus (S5, Co1–3)
- **항문꼬리신경** anococcygeal nerves

다리의 동맥과 신경
Arteries and Nerves of the Lower Limb

184/186/188/192/205 쪽 참고

정맥은 동맥과 함께 주행하므로 따로 표시하지 않았다.

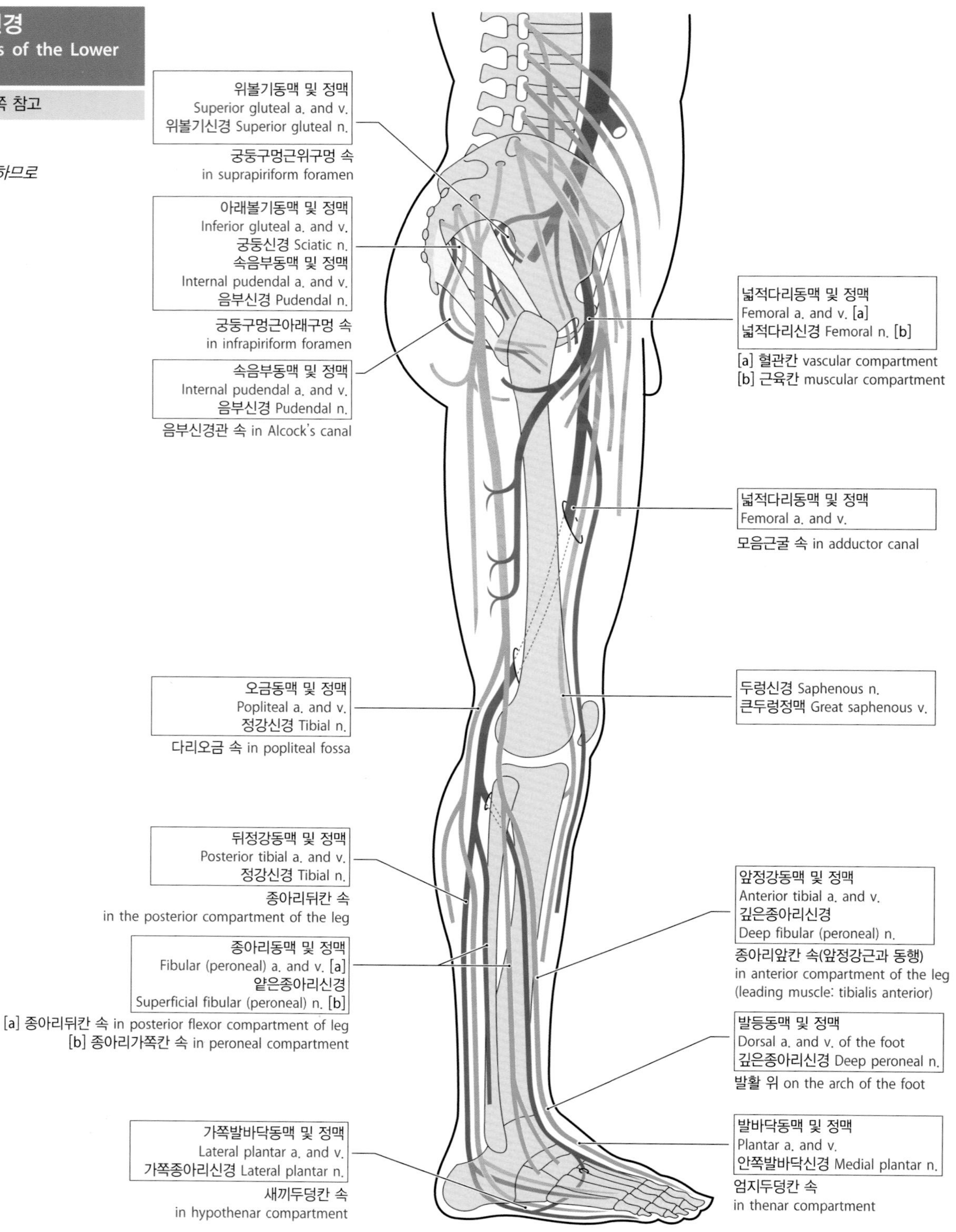

그림 A.33

엉덩관절 주작용근육의 개요
Overview of the Main Muscle Functions of the Hip Joint

돌림근은 표시하지 않았다.

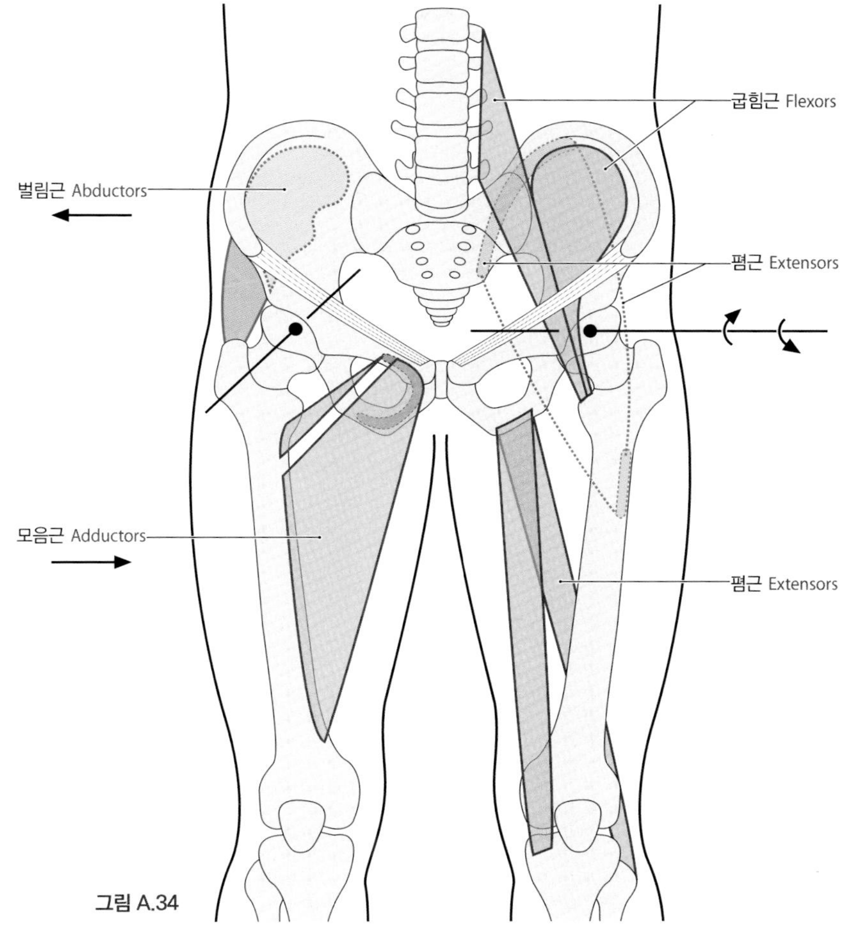

그림 A.34

벌림근 Abductors
- 중간볼기근 gluteus medius
- 작은볼기근 gluteus minimus

굽힘근 Flexors
- 엉덩근 iliacus
- 큰허리근 psoas major
- 작은허리근 psoas minor
- 넓적다리곧은근 rectus femoris
- 모음근 adductor muscles

안쪽돌림근 Internal rotators
- 중간볼기근 및 작은볼기근 gluteus medius and minimus
- 두덩정강근 gracilis
- 넓적다리근막긴장근 tensor fasciae latae

모음근 Adductors
- 두덩근 pectineus
- 짧은모음근 adductor brevis
- 긴모음근 adductor longus
- 큰모음근 adductor magnus

폄근 Extensors
- 큰볼기근 gluteus maximus
- 넓적다리두갈래근 biceps femoris
- 두덩정강근 gracilis
- 반힘줄근 semitendinosus
- 반막근 semimembranosus
- 큰모음근 adductor magnus

바깥돌림근 External rotators
- 큰볼기근 gluteus maximus
- 쌍동근 gemellus muscles
- 속 및 바깥폐쇄근 obturator internus and externus
- 궁둥구멍근 piriformis
- 엉덩허리근 iliopsoas

골반과 넓적다리의 앞근육
Anterior Muscles of the Pelvis and Thigh

170 – 171/193 – 195 쪽 참고

엉덩관절의 모음근 및 굽힘근,
무릎관절의 폄근

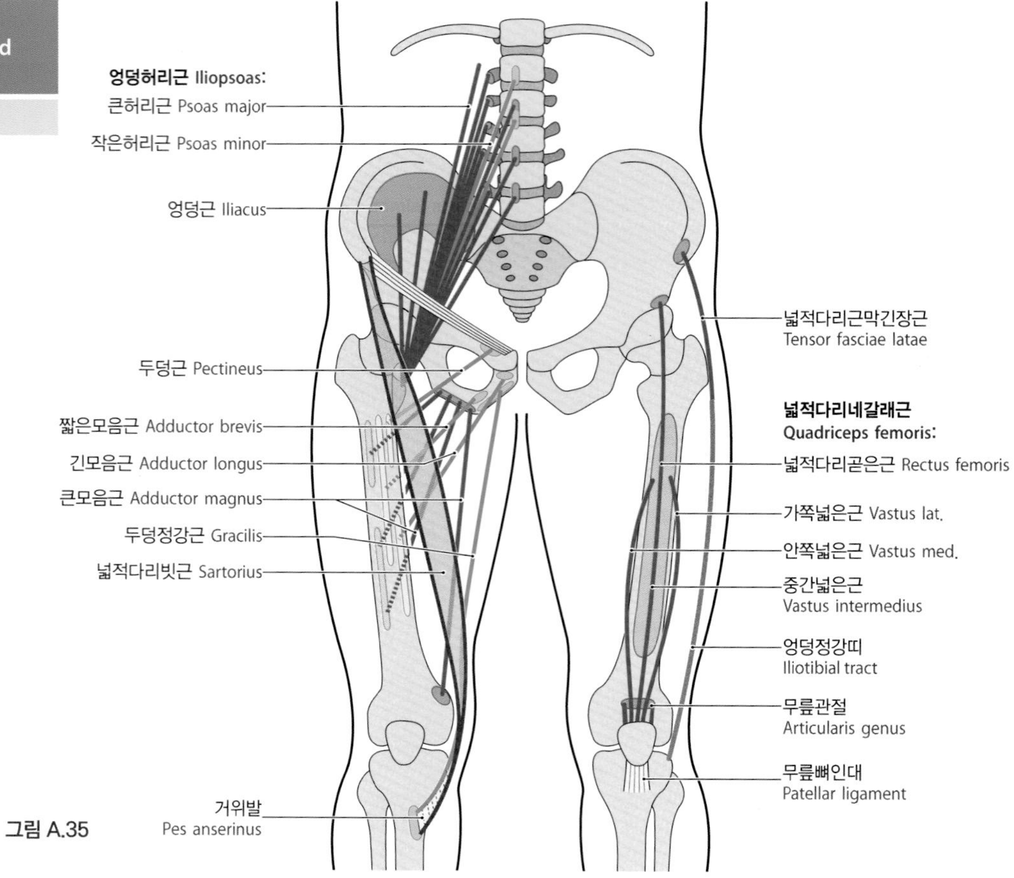

그림 A.35

골반과 넓적다리의 뒤근육
Posterior Muscles of the Pelvis and Thigh

172 – 174/196 – 199 쪽 참고

큰궁둥구멍 Greater sciatic foramen with
a = 궁둥구멍근위구멍 suprapiriform foramen
b = 궁둥구멍근아래구멍 infrapiriform foramen
c = 작은궁둥구멍 lesser sciatic foramen

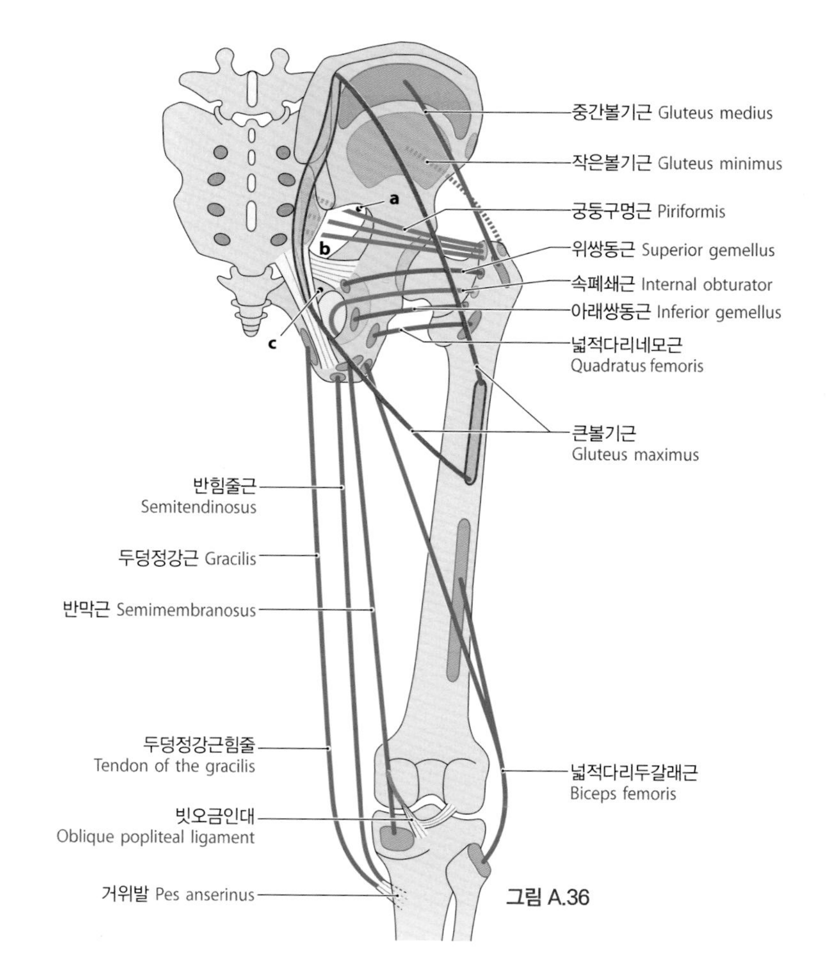

그림 A.36

근육	이는곳	닿는곳	작용	신경지배
엉덩허리근 Iliopsoas		작은결절	엉덩관절의 굽힘 및 가쪽돌림	넓적다리신경 (T12 – L3)
• **큰허리근** psoas major	척추뼈몸통(T12 – L4)			
• **작은허리근** psoas minor	갈비돌기(T12 – L1)			
• **엉덩근** iliacus	엉덩뼈오목			
두덩근 Pectineus	두덩뼈빗	넓적다리뼈 두덩근선	넓적다리의 모음, 굽힘 및 가쪽돌림	넓적다리신경 및 폐쇄신경
짧은모음근 Adductor brevis	두덩뼈	넓적다리뼈 거친선	엉덩관절의 모음 및 가쪽돌림	폐쇄신경 (L2 – L4)
긴모음근 Adductor longus	두덩뼈	넓적다리뼈 거친선	엉덩관절의 모음, 가쪽돌림 및 굽힘	폐쇄신경 (L2 – L4)
큰모음근 Adductor magnus	궁둥뼈, 궁둥뼈결절	넓적다리뼈의 거친선 및 안쪽위관절융기	엉덩관절의 모음, 폄, 가쪽 및 안쪽돌림	폐쇄신경, 궁둥신경(정강신경) (L3 – L5)
두덩정강근 Gracilis	두덩뼈	정강뼈(거위발)	엉덩관절 모음, 무릎관절의 굽힘 및 안쪽돌림	폐쇄신경 (L2 – L4)
넓적다리빗근 Sartorius	앞위엉덩뼈가시	정강뼈(거위발)	엉덩관절의 굽힘, 가쪽돌림 및 벌림 무릎관절의 굽힘 및 안쪽돌림	넓적다리신경 (L2 – L4)
넓적다리근막긴장근 Tensor fasciae latae	앞위엉덩뼈가시	엉덩정강띠	엉덩관절의 굽힘 및 안쪽돌림, 넓적다리근막 긴장	위볼기신경 (L4 – L5)
넓적다리네갈래근 Quadriceps femoris				
• **넓적다리곧은근** rectus femoris	앞아래엉덩뼈가시	무릎뼈인대	엉덩관절 굽힘, 무릎관절 폄	넓적다리신경 (L2 – L4)
• **가쪽넓은근** vastus lateralis				
• **중간넓은근** vastus intermedius	넓적다리뼈	정강뼈거친면	무릎관절 폄	
• **안쪽넓은근** vastus medialis				
• **무릎관절근** articularis genus	넓적다리뼈	관절주머니	무릎관절주머니 긴장	

근육	이는곳	닿는곳	작용	신경지배
중간볼기근 Gluteus medius	엉덩뼈(날개) (앞 및 뒤볼기선 사이)	큰돌기	넓적다리의 벌림, 안쪽 및 가쪽돌림(균형 제공)	위볼기신경 (L4, L5)
작은볼기근 Gluteus minimus	엉덩뼈(날개) (앞 및 아래볼기선 사이)	큰돌기	넓적다리의 벌림 및 안쪽돌림	위볼기신경 (L4 – S1)
궁둥구멍근 Piriformis	엉치뼈(골반면)	큰돌기	넓적다리의 벌림, 가쪽돌림	엉치신경얼기 (L5 – S2)
위쌍동근 Gemellus superior	궁둥가시	돌기오목	엉덩관절 가쪽돌림	엉치신경얼기
속폐쇄근 Obturator internus	폐쇄막(안쪽)	돌기오목	엉덩관절의 가쪽돌림, 모음 및 폄	엉치신경얼기 (L5 – S2)
아래쌍동근 Gemellus inferior	궁둥뼈결절	돌기오목	엉덩관절 가쪽돌림	엉치신경얼기
넓적다리네모근 Quadratus femoris	궁둥뼈결절	돌기사이능선	엉덩관절의 가쪽돌림 및 모음	아래볼기신경 (L5 – S2), 궁둥신경
큰볼기근 Gluteus maximus	뒤볼기선, 엉치뼈, 엉치결절인대	넓적다리뼈(볼기근거친면), 엉덩정강띠	엉덩관절의 폄, 가쪽돌림, 벌림 및 모음	아래볼기신경 (L4 – S2)
반힘줄근 Semitendinosus	궁둥뼈결절	정강뼈(거위발)	반막근과 같음	
반막근 Semimembranosus	궁둥뼈결절	정강뼈 안쪽위관절융기 (빗오금인대)	엉덩관절의 폄 및 모음, 무릎관절의 폄 및 안쪽돌림	정강신경 (L5 – S2)
넓적다리두갈래근 Biceps femoris	긴갈래: 궁둥뼈결절 짧은갈래: 넓적다리뼈(거친선)	종아리뼈머리	엉덩관절 폄(긴갈래), 무릎관절의 굽힘 및 가쪽돌림	정강신경(S1, S2) (긴갈래), 온종아리신경(L5, S1) (짧은갈래)
바깥폐쇄근 Obturator externus	폐쇄막	돌기오목	엉덩관절의 가쪽돌림 및 굽힘	폐쇄신경

종아리와 발의 폄근육
Extensors of the Lower Leg and Foot

176 – 177/180 – 181/210/212 – 213 쪽 참고

앞면 Anterior aspect.

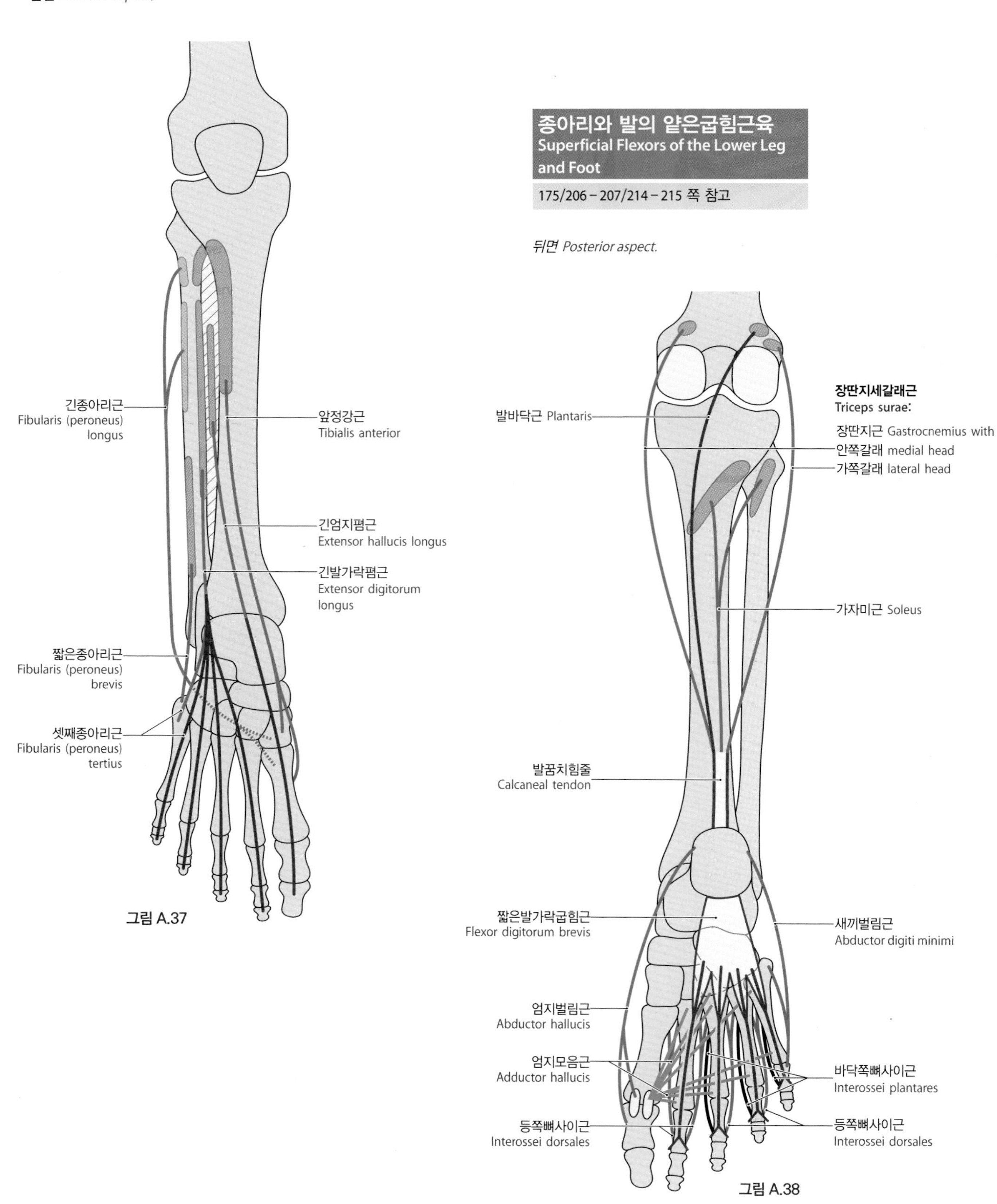

그림 A.37

그림 A.38

근육	이는곳	닿는곳	작용	신경지배
앞정강근 Tibialis anterior	정강뼈, 뼈사이막	안쪽쐐기뼈, 첫째발허리뼈	발등굽힘 및 안쪽번짐	깊은종아리신경 (L4, L5)
긴엄지폄근 Extensor hallucis longus	종아리뼈, 뼈사이막	엄지끝마디뼈	발등굽힘, 엄지발가락의 폄	깊은종아리신경 (L5, S1)
긴발가락폄근 Extensor digitorum longus	정강뼈, 종아리뼈, 뼈사이막	둘째~다섯째 폄근널힘줄	발등굽힘, 둘째~다섯째발가락 폄	깊은종아리신경 (L5, S1)
긴종아리근 Fibularis (peroneus) longus	종아리뼈, 근육사이막	안쪽쐐기뼈, 첫째발허리뼈	발의 가쪽번짐 및 바닥쪽굽힘, 가로발바닥활 긴장	얕은종아리신경 (L5, S1)
짧은종아리근 Fibularis (peroneus) brevis	종아리뼈, 근육사이막	다섯째 발허리뼈거친면	발의 바닥쪽굽힘 및 가쪽번짐	얕은종아리신경 (L5, S1)
셋째종아리근 Fibularis (peroneus) tertius	종아리뼈, 긴발가락폄근과 분리(변이)	다섯째발허리뼈	발등굽힘 및 가쪽번짐	깊은종아리신경 (L5, S1)

근육	이는곳	닿는곳	작용	신경지배
장딴지세갈레근 Triceps surae				
• **장딴지근** Gastrocnemius	안쪽갈래: 안쪽넓적다리관절융기 가쪽갈래: 가쪽넓적다리관절융기	발꿈치힘줄 (아킬레스힘줄)	무릎관절 굽힘, 발의 바닥쪽굽힘 및 안쪽번짐	정강신경 (S1, S2)
• **가자미근** Soleus	정강뼈, 종아리뼈머리			
발바닥근 Plantaris	넓적다리뼈 가쪽관절융기	뒤꿈치뼈융기 (아킬레스힘줄)	(장딴지근과 같음)	정강신경 (S1, S2)
새끼벌림근 Abductor digiti minimi	뒤꿈치뼈융기	새끼발가락첫마디뼈	새끼발가락의 벌림 및 굽힘	가쪽발바닥신경 (S1, S2)
바닥쪽뼈사이근(세 개의 근육) Interosseus plantaris muscles (3 muscles)	셋째~다섯째 발허리뼈	셋째~다섯째 폄근널힘줄	발허리발가락관절 모음 발허리발가락관절 굽힘 (등쪽뼈사이근과 같은)	가쪽발바닥신경 (S1, S2)
등쪽뼈사이근(네 개의 근육) Interosseus dorsalis muscles (4 muscles)	첫째~다섯째 발허리뼈	둘째~넷째 폄근널힘줄	발가락 벌림 (중심선은 둘째발가락), 발허리발가락관절 굽힘, 몸쪽 및 먼쪽발가락뼈사이관절의 폄	가쪽발바닥신경 (S1, S2)
짧은발가락굽힘근 Flexor digitorum brevis	뒤꿈치뼈융기	둘째~다섯째 중간마디뼈	둘째~다섯째 발허리발가락관절 굽힘	안쪽발바닥신경 (S1, S2)
엄지벌림근 Abductor hallucis	뒤꿈치뼈융기	엄지첫마디뼈, 안쪽종자뼈	엄지 벌림 및 굽힘	안쪽발바닥신경 (S1, S2)
엄지모음근 Adductor hallucis	빗갈래: 긴발바닥인대, 입방뼈, 가쪽쐐기뼈 가로갈래: 둘째~다섯째 바닥 쪽발허리발가락인대	가쪽종자뼈, 엄지첫마디뼈	엄지 벌림 및 굽힘 엄지 모음, 가로발바닥활 긴장	가쪽발바닥신경 (깊은가지) (S1, S2)

종아리와 발의 깊은굽힘근육
Deep Flexors of the Lower Leg and Foot

178 – 179/182 – 183/214 – 217 쪽 참고

뒤면 Posterior aspect.

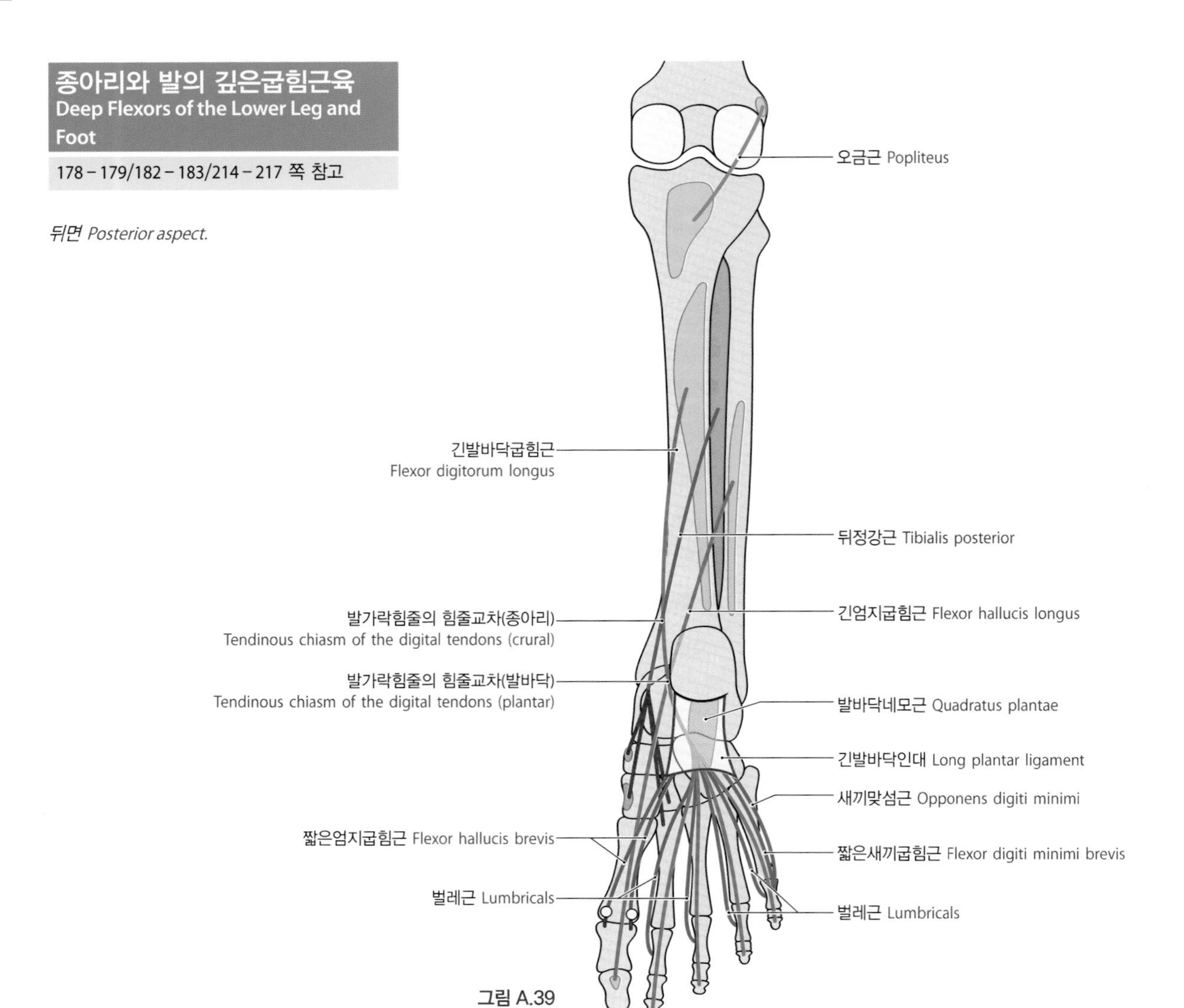

그림 A.39

근육	이는곳	닿는곳	작용	신경지배
오금근 Popliteus	넓적다리뼈 가쪽위관절융기	정강뼈 (가자미근선 위)	종아리 안쪽돌림, 넓적다리뼈 돌림운동의 제한, 무릎관절 뒤가쪽부분의 안정	정강신경 (L5, S1)
뒤정강근 Tibialis post.	정강뼈, 종아리뼈, 뼈사이막	발배뼈, 쐐기뼈, 둘째 및 셋째 발허리뼈	발바닥굽힘, 발의 안쪽번짐 및 모음	정강신경 (L4 – S1)
긴엄지굽힘근 Flexor hallucis longus	종아리뼈, 뼈사이막	엄지끝마디뼈	엄지발가락 굽힘, 발의 바닥쪽굽힘 및 안쪽번짐	정강신경 (S1, S2)
발바닥네모근 Quadratus plantae (덧굽힘근 flexor accessorius muscle)	발꿈치뼈	긴발가락굽힘근힘줄의 뒤가쪽	긴발가락굽힘근을 도움, 세로발바닥활 지지	가쪽발바닥신경 (S1, S2)
새끼맞섬근 Opponens digiti minmi	긴발바닥인대	다섯째발허리뼈	새끼발가락의 벌림 및 맞섬	가쪽발바닥신경
짧은새끼굽힘근 Flexor digiti minimi brevis	긴발바닥인대, 다섯째발허리뼈	다섯째첫마디뼈	새끼발가락의 벌림 및 맞섬	가쪽발바닥신경 Lateral plantar n. (S1, S2)
벌레근 Lumbrical muscles	긴발가락굽힘근힘줄	둘째~다섯째 폄근널힘줄	발허리발가락관절 굽힘, 둘째~다섯째발가락 몸쪽 및 먼쪽 발가락뼈사이관절의 폄	안쪽발바닥신경 (S1, S2); 가쪽발바닥신경 (S3, S4) (S1, S2)
긴발가락굽힘근 Flexor digitorum longus	정강뼈	둘째~다섯째 끝마디뼈	둘째~다섯째 먼쪽발가락뼈사이관절 굽힘, 발의 바닥쪽굽힘 및 안쪽번짐	안쪽 및 가쪽발바닥신경
짧은엄지굽힘근 Flexor hallucis brevis	긴발바닥인대, 쐐기뼈	두 종자뼈 각각에 부착, 엄지의 첫마디뼈	엄지발가락 굽힘, 세로발바닥활 지지	안쪽발바닥신경 (S1, S2)

다리의 신경구역과 피부신경 분포 Structure of the Segments and Cutaneous Innervation of the Leg

188/190 – 193/198/202/205/208 – 209/ 212 쪽 참고

왼쪽(앞면), 오른쪽(뒤면)

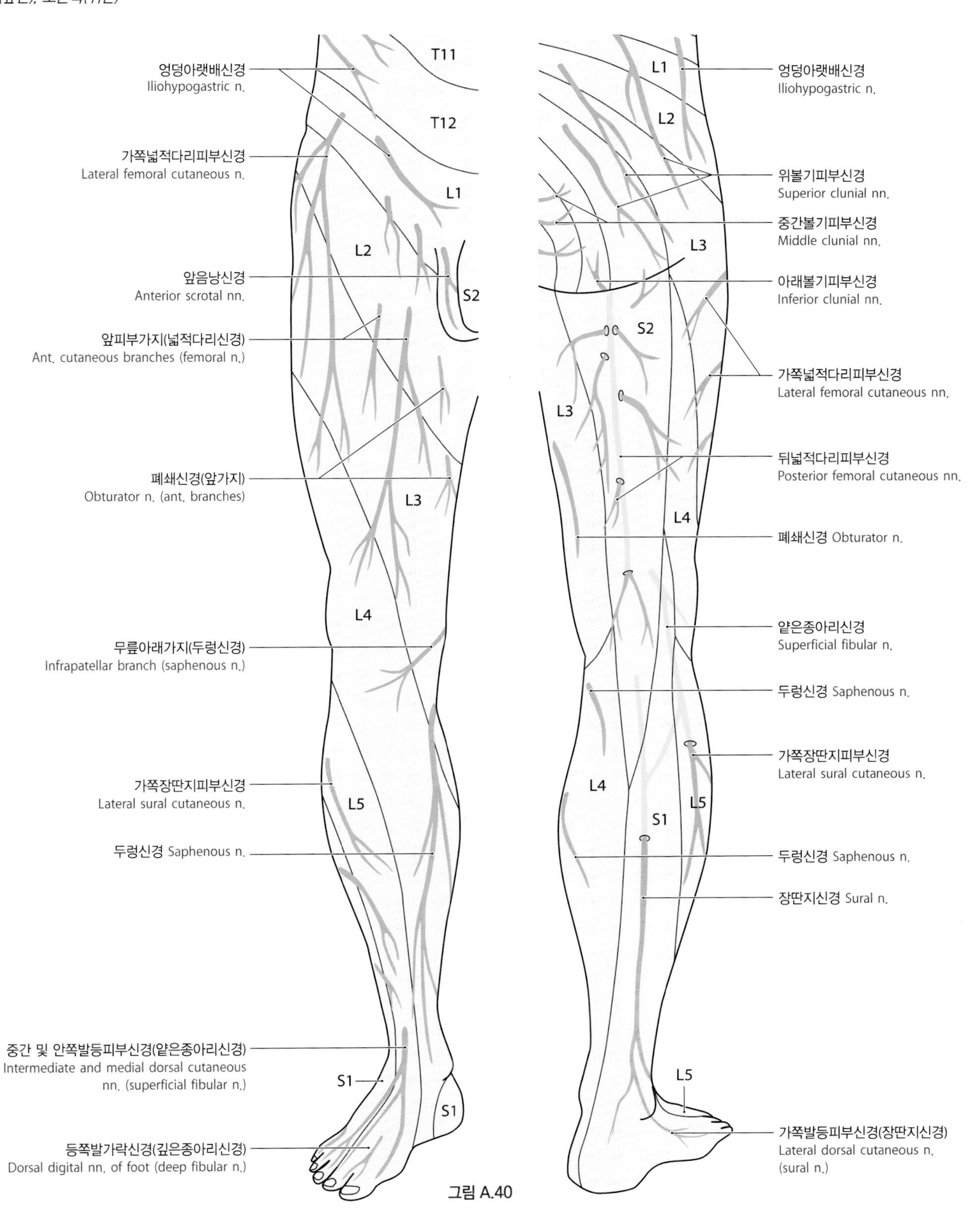

그림 A.40

뇌의 동맥과 혈액공급 Arteries and Blood Supply of the Brain

개요

뇌로 혈액을 공급하는 두 개의 큰동맥: 속목동맥(옅은 빨간색)과 척추동맥(진한 빨간색). 혈액공급의 주요 부위로 다양한 가지를 표시하였다. 대뇌동맥고리가 양쪽 혈관영역으로 연결되어 있다.

속목동맥 Internal carotid artery
머리뼈바닥의 목동맥관을 통과한다; 최종가지인 **앞대뇌동맥**(뇌들보 위쪽; 대뇌반구의 안쪽으로 가서 정중단면 옆의 대뇌겉질[진한회색 부위]에 분포)과 **중간대뇌동맥**(가쪽고랑에 있는 섬엽 위; 이마엽, 마루엽과 관자엽의 바깥부위[밝은색 부위]에 주로 분포)

척추동맥 vertebral artery
목뼈의 가로구멍을 지난다; 머리뼈바닥(소뇌공급[**소뇌동맥**]과 관자엽과 뒤통수엽 부분[**뒤대뇌동맥**])(옅은회색 부위)에서 뇌바닥동맥으로 이행한다.

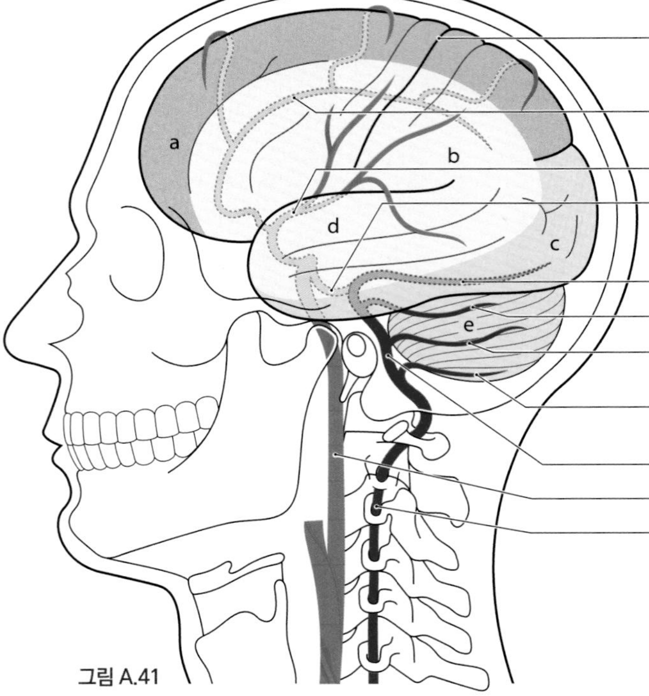

중심고랑 Central sulcus
앞대뇌동맥 Anterior cerebral a.
중간대뇌동맥 Middle cerebral a.
대뇌동맥고리
Cerebral arterial circle
(of Willis)
뒤대뇌동맥 Posterior cerebral a.
위소뇌동맥 Superior cerebellar a.
앞아래소뇌동맥
Anterior inferior cerebellar a.
뒤아래소뇌동맥
Posterior inferior cerebellar a.
뇌바닥동맥 Basilar a.
속목동맥 Internal carotid a.
척추동맥 Vertebral a.

a = 이마엽
b = 마루엽
c = 뒤통수엽
d = 관자엽
e = 소뇌

그림 A.41

뇌의 동맥: 속목동맥의 가지들 Arteries of the Brain: Branches of the Internal Carotid Artery

491-492/496 쪽 참고

아래모습

눈동맥 Opthalmic artery
(눈, 이마와 코안의 앞부위 분포)

- **도르래위동맥** Supratrochlear artery
  (이마의 피부에 분포)
- **콧등동맥** dorsal nasal artery
  (코의 뒤에 분포, 얼굴동맥의 눈구석동맥과 문합)
- **안쪽눈꺼풀동맥**
  medial palpebral arteries (눈꺼풀에 분포)
- **눈확위동맥** supraorbital artery
  (이마의 피부에 분포)
- **앞벌집동맥** ant. ethmoidal artery
  (앞코안, 뇌와 앞벌집세포에 분포)
  가지들
  - **앞뇌막동맥** ant. meningeal artery
    (앞머리뼈우묵의 뇌막에 분포)
  - **앞가쪽코동맥과 코중격동맥** anterior lateral nasal arteries and nasal septal arteries (체판을 통과하여 코안에 분포)
- **앞섬모체동맥** ant. ciliary arteries
  (결막과 앞포도막에 분포)
- **뒤벌집동맥** post. ethmoidal artery
  (벌집뼈뒤벌집에 분포)
- **눈물동맥** lacrimal artery
  (눈물샘과 눈꺼풀의 가쪽피부에 분포)
- **짧은, 긴뒤섬모체동맥** short and long posterior ciliary arteries (눈의 맥락막에 분포)
- **망막중심동맥** central retinal artery
  (망막으로 가는 시각신경 안에 분포)

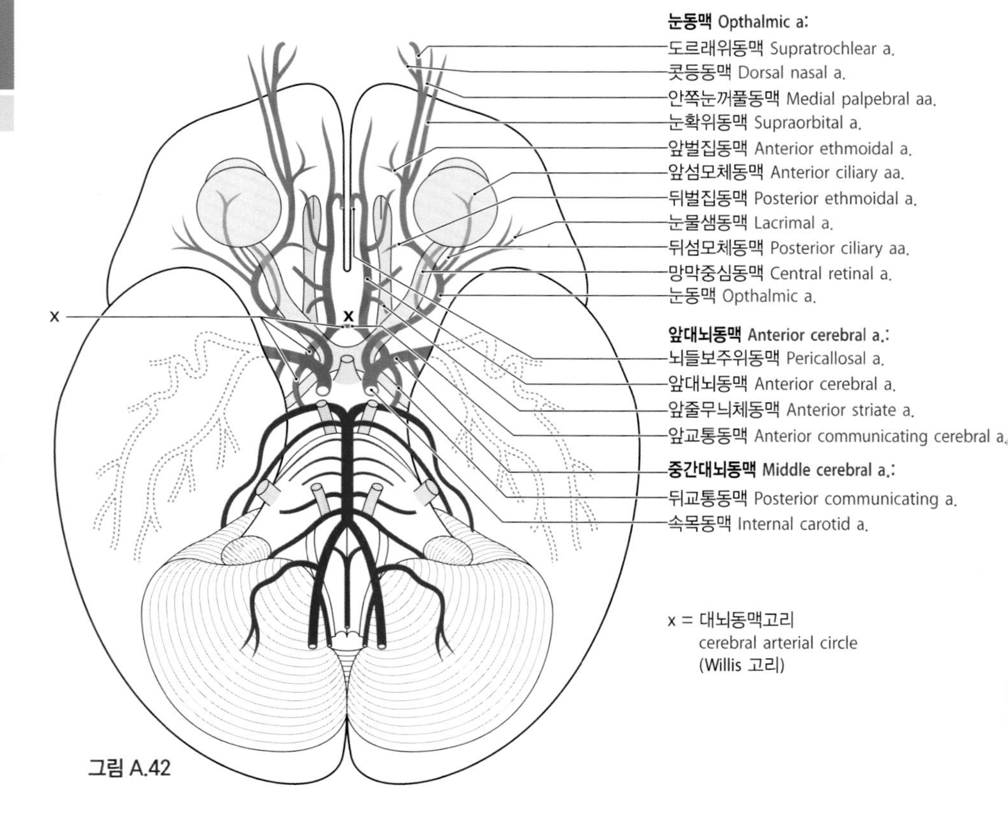

그림 A.42

앞대뇌동맥 Anterior cerebral artery

- **뇌들보주위동맥** pericallosal artery
  (뇌들보 위의 겉질영역에 분포)
- **앞줄무늬체동맥** ant. striate artery
  (일명 바닥핵으로 가는 되돌이 Heubner 동맥)
- **앞교통동맥** anterior communicating artery

중간대뇌동맥 Middle cerebral artery
가쪽고랑에서 앞과 뒤가지로 나누어져 대뇌에 분포

바깥목동맥의 가지들 Branches of the External Carotid Artery

110/418-420/495 쪽 참고

얕은관자동맥 Superficial temporal artery
- **마루가지** parietal branch } 이마와 관자부위로 가는 마지막 가지
- **이마가지** frontal branch
- **앞귓바퀴가지와 귀밑샘가지** ant. auricular branches and parotid branches (귀관과 귀밑샘에 분포)
- **중간관자동맥** middle temporal artery (관자근에 분포)
- **가로얼굴동맥** transverse facial artery (얼굴부위에 분포)

얼굴동맥 Facial artery
- **눈구석동맥** angular artery (눈동맥과 문합)
- **위입술동맥** superior labial artery (위입술에 분포)
- **아래입술동맥** inf. labial artery (아래입술에 분포)
- **오름입천장동맥** ascending palatine artery (인두와 물렁입천장에 분포)
- **턱끝밑동맥** submental artery (입의 바닥근육으로 가는 마지막 가지)

혀동맥 Lingual artery
- **깊은혀동맥** deep lingual artery (혀의 앞쪽근육으로 가는 마지막 가지)
- **혀밑동맥** sublingual artery (혀밑샘과 입의 바닥에 분포)
- **혀등가지** dorsal lingual branches (혀의 뒤쪽에 분포)

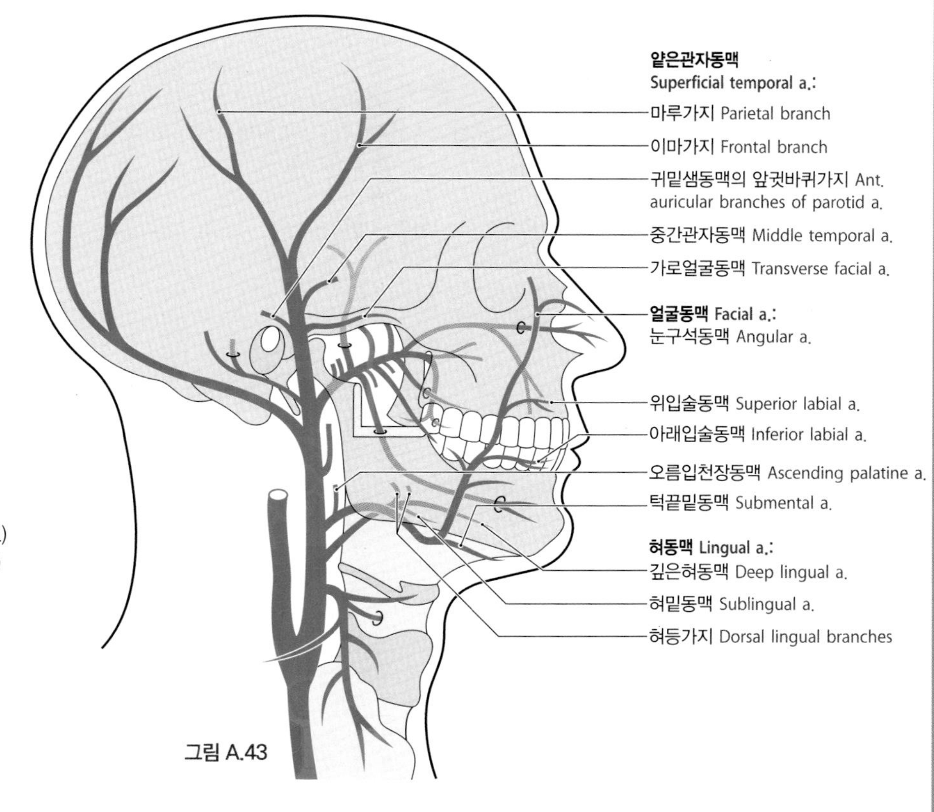

그림 A.43

뇌의 동맥: 척추동맥과 뇌바닥동맥의 가지 Arteries of the Brain: Branches of Vertebral Artery and Basilar Artery

491/493-496 쪽 참고

아래모습

척추동맥과 뇌바닥동맥(진한 빨간색)의 가지, 속목동맥의 가지(연한 빨간색), 뇌신경(노란색)

뇌바닥동맥 Basilar artery
- **뒤대뇌동맥** posterior cerebral artery (관자엽의 바닥면과 뒤통수엽에 분포)
- **위소뇌동맥** superior cerebellar artery (소뇌의 위면에 분포)
- **앞아래소뇌동맥** anterior inferior cerebellar artery (소뇌의 아래면에 분포)
- **다리뇌로 가는 가지** branches to the pons
- **미로동맥** labyrinthine artery (속귀에 분포)

척추동맥 Vertebral artery
- **뒤아래소뇌동맥** posterior inferior cerebellar artery (소뇌의 아래면에 분포)
- **뒤척수동맥** posterior spinal artery } 척수를 따라 내려감
- **앞척수동맥** anterior spinal artery

뇌신경: Cranial nerves:

CN I = 후각망울 Olfactory bulb
CN II = 시각신경 optic nerve
CN III = 눈돌림신경 oculomotor nerve
CN V = 삼차신경 trigeminal nerve
CN VI = 갓돌림신경 abducent nerve

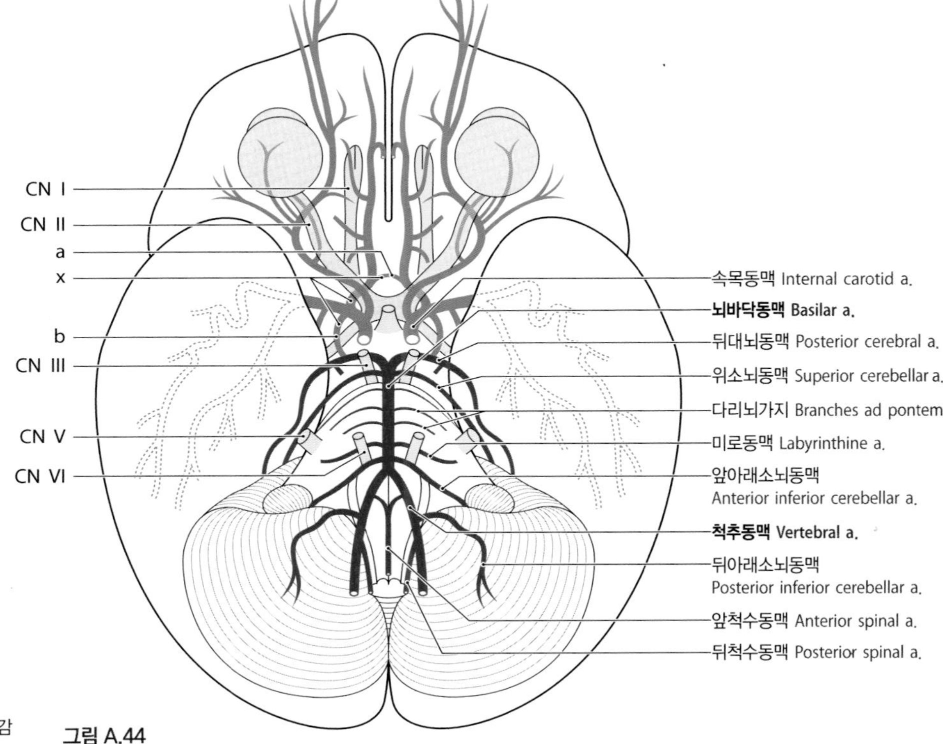

그림 A.44

x = 대뇌동맥고리(Willis 고리)(중간대뇌동맥과 뒤대뇌동맥 사이의 문합)
a = 앞교통동맥 anterior communicating artery
b = 뒤교통동맥.posterior communicating artery

머리의 동맥: 바깥목동맥의 가지들 Arteries of the Head: Branches of the External Carotid Artery

394/396/399-403/418-420/433-437 쪽 참고

가쪽모습.

얕은관자동맥 Superficial temporal artery
(557페이지 참조)(마루뼈 부위와 귀 부위에 분포)
- **뒤귓바퀴동맥** posterior auricular artery
  (바깥귀와 가운데귀에 분포)
- **붓꼭지동맥** stylomastoid artery
  (붓꼭지구멍을 통과하여 가운데귀에 분포)

뒤통수동맥 Occipital artery (뒤통수 부위에 분포)
위턱동맥 Maxillary artery (아래그림 참조)
- **오름인두동맥** ascending pharyngeal artery
  (인두의 가쪽으로 올라감)
  가지들
  - **뒤뇌막동맥** posterior meningeal artery
  - **아래고실동맥** inferior tympanic artery

얼굴동맥 Facial artery (557 페이지 참조)
혀동맥 Lingual artery (557 페이지 참조)
위갑상동맥 Superior thyroid artery
- **목뿔아래동맥** infrahyoid artery (목뿔뼈에 분포)
- **위후두동맥** sup. laryngeal artery
  (갑상목뿔막을 통과하여 후두 속에 분포)
- **목빗근가지** sternocleidomastoid branch
  (이름과 같은 근육에 분포)
- **반지갑상가지** cricothyroid branch
  (이름과 같은 근육에 분포)
- **샘가지** glandular branches (갑상샘에 분포)

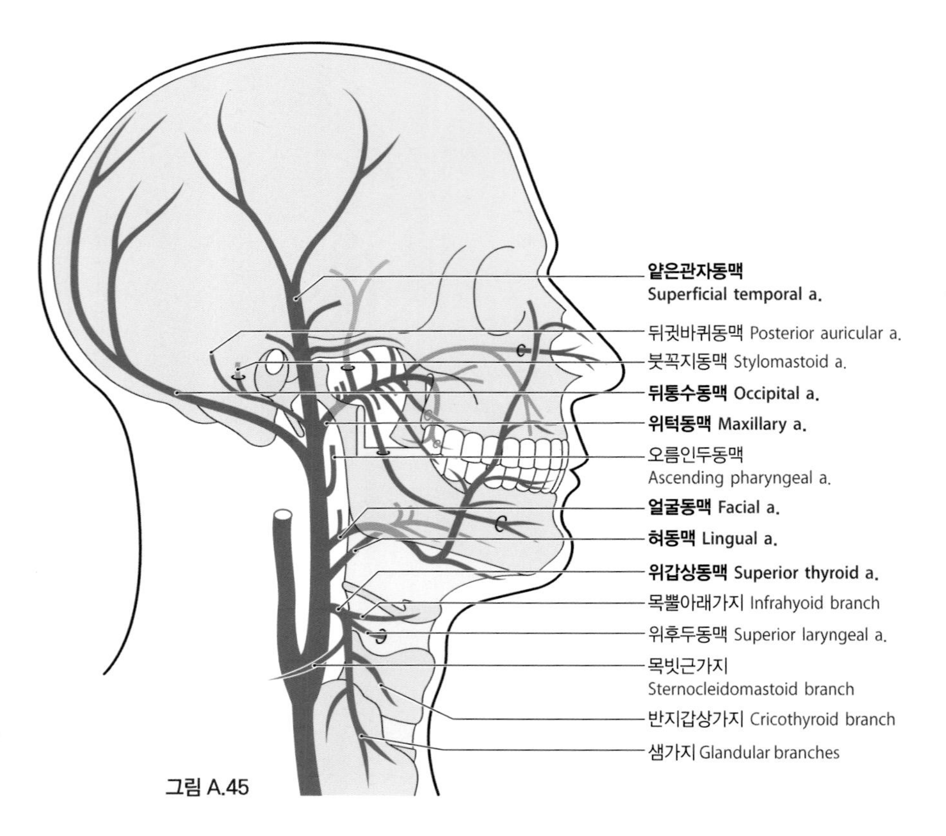

그림 A.45

바깥목동맥의 가지들: 위턱동맥 Branches of the External Carotid Artery: Maxillary Artery

394/399-403/418 쪽 참고

날개부분 Pterygoid part
- **앞, 뒤깊은관자동맥** anterior and posterior deep temporal arteries (관자근에 분포)
- **깨물근동맥** masseteric artery
- **날개근 가지** pterygoid branches

  (깨물근동맥, 날개근 가지: 같은 이름의 씹기근육에 분포)
- **볼동맥** buccal artery
  (목에 분포, 얼굴동맥과 연결)

날개입천장 부분 Pterygopalatine part
- **앞위이틀동맥** anterior superior alveolar arteries
- **눈확아래동맥** infraorbital artery
  (눈확아래관에서 얼굴부위와 앞니에 분포)
- **나비입천장동맥** sphenopalatine artery
  (나비입천장구멍을 통과해 코안에 분포)
  함께 분포하는 가지들
  - **뒤가쪽코동맥과 코중격동맥** posterior lateral nasal arteries and nasal septal arteries (뒤 코안에 분포)
- **내림입천장동맥** descending palatine artery
  (날개입천장관에서 입천장으로 내려감)
  함께 분포하는 가지들
  - **큰입천장동맥** greater palatine artery
    (단단입천장에 분포)
  - **작은입천장동맥** lesser palatine arteries
    (물렁입천장에 분포)
- **뒤위이틀동맥** posterior superior alveolar artery (뒤이틀구멍을 통해 어금니에 분포)

아래턱부분 Mandibular part
- **중간뇌막동맥** middle meningeal artery
  (뇌막동맥구멍을 통과해 중간머리뼈우묵에 분포)
- **깊은귓바퀴동맥** deep auricular artery
  (턱관절, 귀관과 고막에 분포)
- **앞고실동맥** anterior tympanic artery
  (바위고막틀틈새를 통과해 고실에 분포)
- **아래이틀동맥** inferior alveolar artery
  (턱뼈관에서 아래턱과 턱끝에 분포)
- **턱끝동맥** mental artery

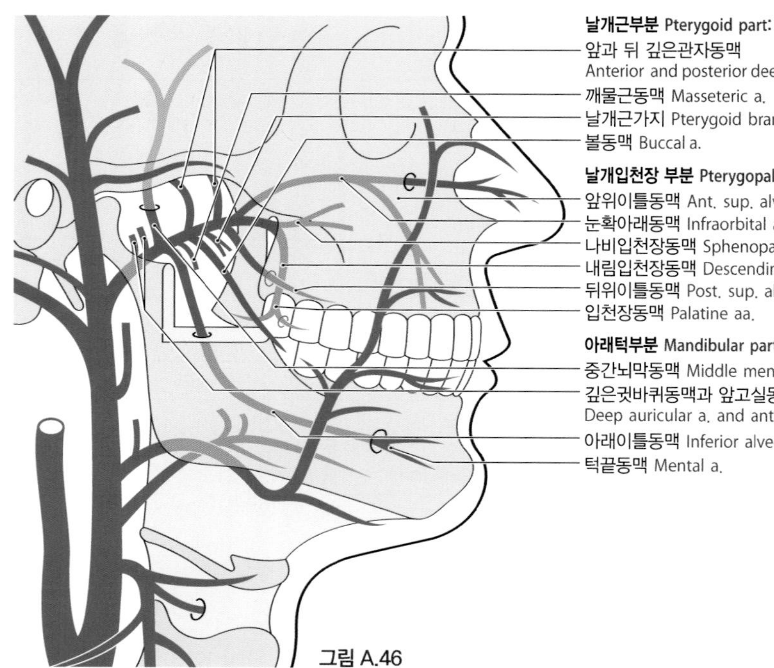

그림 A.46

머리와 목의 정맥
Veins of Head and Neck

396-401/420-423 쪽 참고

가쪽모습.

얕은관자정맥 Superficial temporal vein
(마루부위에서 위시상정맥굴[마루이끌정맥을 통해]과 문합; 아래턱뼈 뒤에서 날개근정맥얼기와 연결; 속목정맥으로 배출)

눈확위정맥과 도르래위정맥 Supraorbital vein and supratrochlear vein
(이마부위를 빠져나감[이마이끌정맥을 통해 위시상정맥굴과 문합]; 도르래위정맥과 얼굴정맥으로 배출

뒤통수정맥 Occipital vein
(뒤이끌정맥을 통해 위시상정맥굴 및 구불정맥굴로 연결; 바깥목정맥을 통해 배출)

얼굴정맥 Facial vein
(눈구석정맥을 통해 위눈정맥 및 해면정맥굴과 문합; 얼굴부위에서 아래눈정맥, 위입술정맥과 아래입술정맥 및 볼정맥에 합류[날개근정맥얼기와 문합], 턱부위에서 턱끝밑정맥에 합류[입의 바닥으로 부터])

속목정맥 Internal jugular vein
(머리의 정맥과 경막정맥굴의 주요배출통로; 빗장밑정맥[정맥각에서]이 팔머리정맥으로 합류)

경막정맥굴
Dural venous sinuses

464/483-485 쪽 참고

뇌정맥과 뇌척수액의 혈액내 배출

위시상정맥굴 Superior sagittal sinus
(대뇌낫 속을 지남; 바깥대뇌정맥[위대뇌정맥]의 합류; 이끌정맥을 통해 머리의 정맥과 연결)

아래시상정맥굴 Inferior sagittal sinus
(대뇌낫의 아래경계에서; 곧은정맥굴의 합류)

해면정맥굴 Cavernous sinus
(안장을 둘러쌈; 위눈정맥, 아래눈정맥[눈과 눈확의], 나비마루정맥굴과 바위정맥굴에 연결; 머리뼈 바닥의 구멍을 통해 날개근정맥얼기와 문합)

곧은정맥굴 Straight sinus
(소뇌천막에서; 아래시상정맥굴과 큰대뇌정맥[속대뇌정맥의 연결]아래대뇌정맥의 배출)이 합쳐짐)

가로정맥굴 Transverse sinus

구불정맥굴 Sigmoid sinus
(위바위정맥굴과 아래바위정맥굴 그리고 나비마루정맥굴이 합쳐짐; 속목정맥으로 전환; 이끌정맥[꼭지이끌정맥과 관절융기이끌정맥]을 통해 뒤통수정맥에 연결)

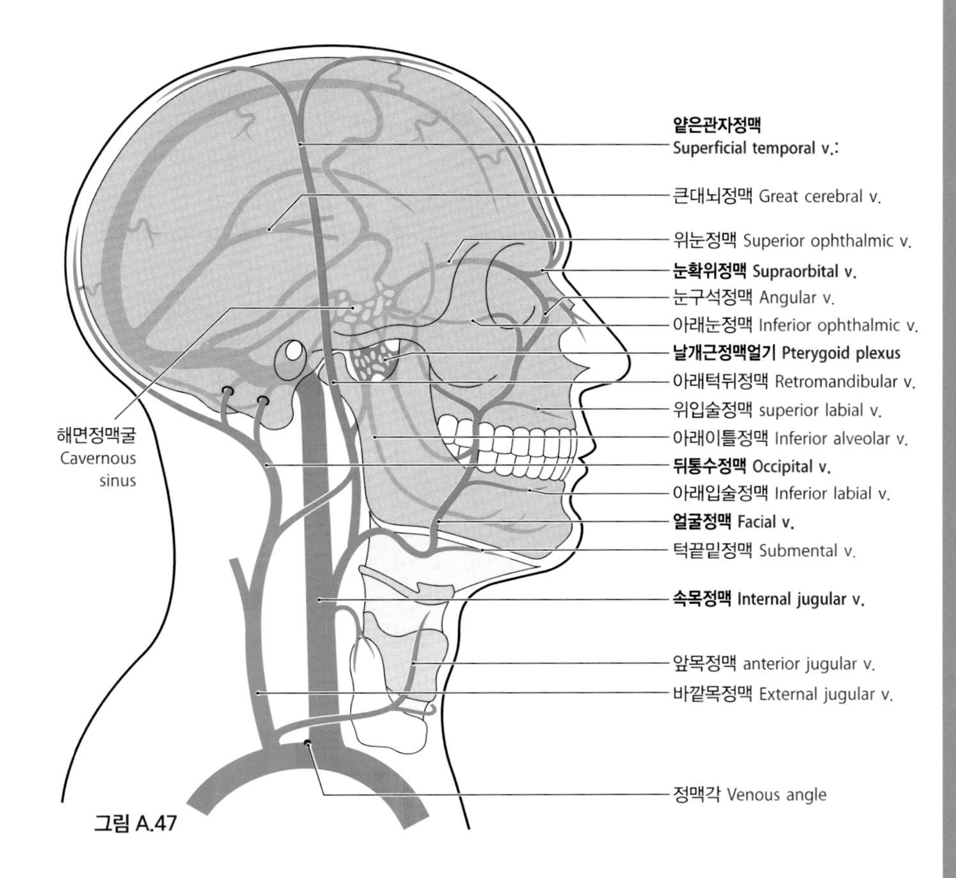

그림 A.47

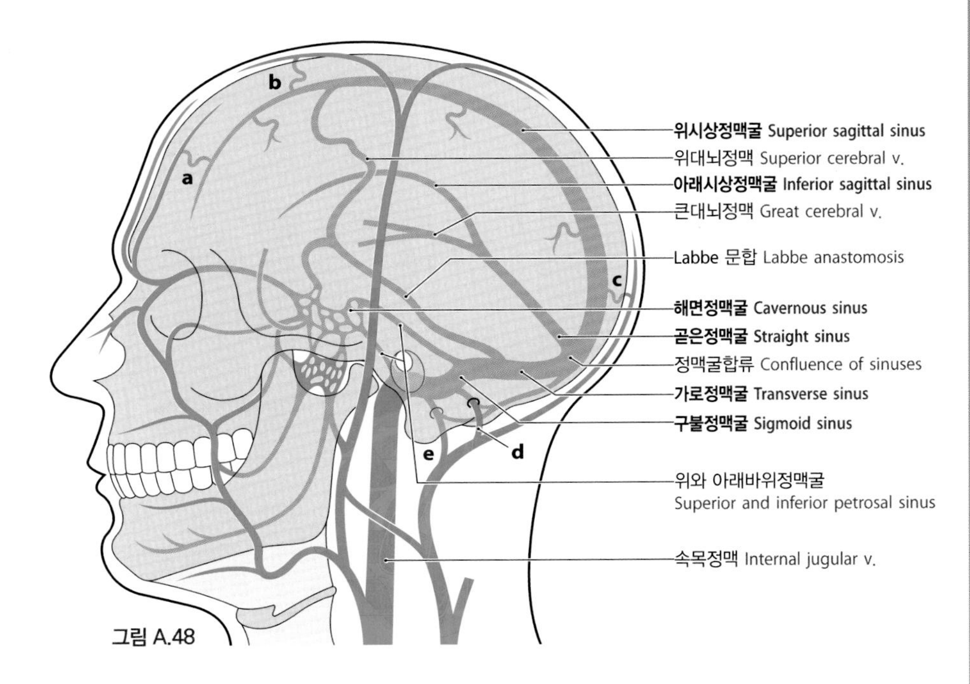

그림 A.48

이끌정맥: Emissary veins:
a = 이마이끌정맥 frontal emissary vein (눈확위정맥과 위시상정맥굴 사이의 문합)
b = 마루이끌정맥 parietal emissary vein (얕은관자정맥과 위시상정맥굴 사이의 문합)
c = 뒤통수이끌정맥 occipital emissary vein (뒤통수정맥과 위시상정맥굴 사이의 문합)
d = 꼭지이끌정맥 mastoid emissary vein
e = 관절융기이끌정맥 condylar emissary vein (뒤귓바퀴정맥과 뒤통수정맥 그리고 구불정맥굴 사이의 문합)

머리와 목의 림프관과 림프절 Lymphatic Vessels and Lymph Nodes of the Head and Neck

422-423/432-437 쪽 참고

위깊은목림프절
Superior deep cervical lymph nodes
(머리[3부위]피부의 림프관, 귀밑샘림프절, 뒤귓바퀴림프절 및 뒤통수림프절이 합류)
턱밑림프절 Submandibular lymph nodes
(혀와 입의 바닥[턱끝밑림프절]에 있는 림프관으로부터 림프액을 받음)
목정맥두힘살근림프절
Jugulodigastric lymph node
(입안과 코안의 림프배출을 위한 위쪽 수집지점; 머리와 위인두)
목정맥어깨목뿔근림프절
Jugulo-omohyoid lymph node
(목구멍과 목의 기관으로부터 림프의 배출을 위한 아래쪽 수집지점; 목림프줄기[가슴림프관의 왼쪽; 오른림프관의 오른쪽]의 합류)
목림프줄기 Cervical trunk
(목의 아래부위의)
빗장밑림프줄기 Subclavian trunk
(빗장뼈 부위의)

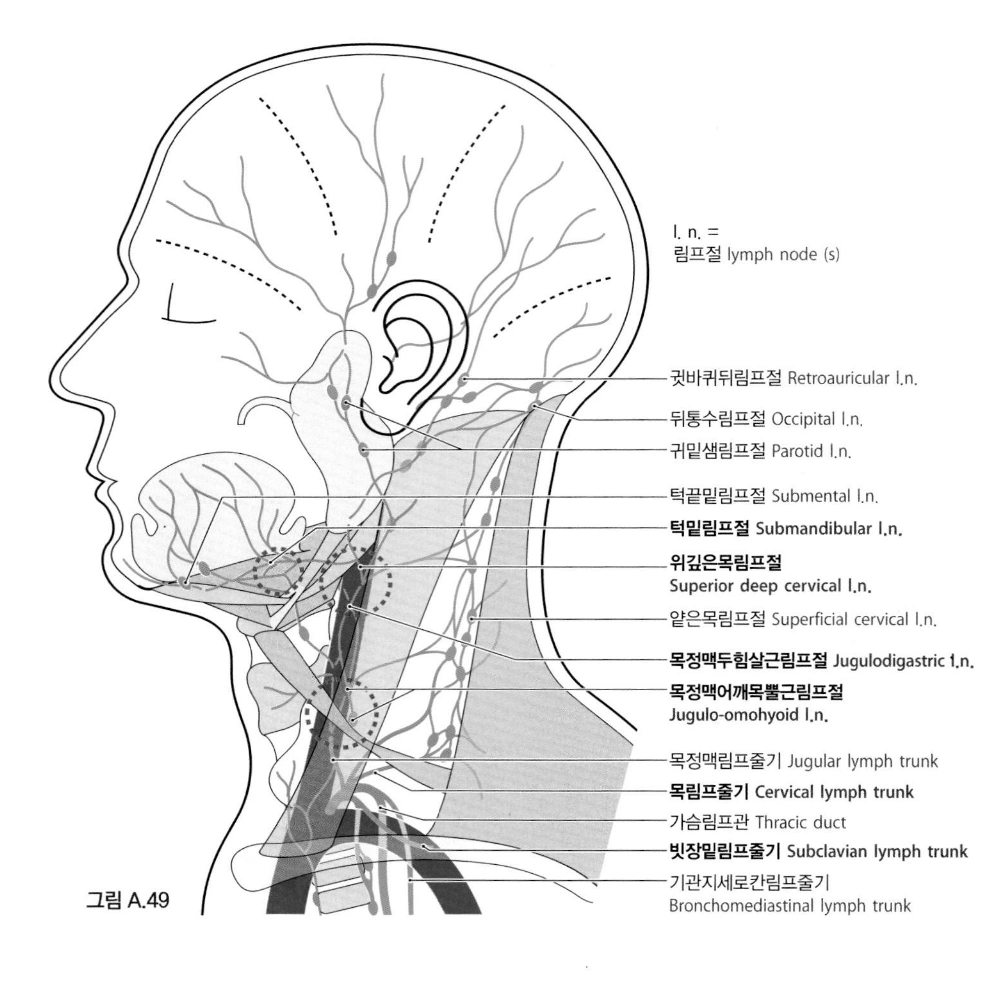

그림 A.49

눈돌림신경, 도르래신경과 갓돌림신경 Oculomotor Nerve (CN III), Trochlear Nerve (CN IV) and Abducent Nerve (CN VI)

361/443-445/455-457/466-467/512-513 쪽 참고

눈근육을 지배하는 신경
Nerves for the muscles of the eye
도르래신경 Trochlear nerve (CN IV)
위빗근을 지배
눈돌림신경 Oculomotor nerve (CN III)

- **위가지** superior branch
  (위곧은근 및 눈꺼풀올림근 지배)
- **아래가지** inferior branch
  (안쪽곧은근, 아래곧은근, 아래빗근 지배)
- **부교감신경뿌리** parasympathetic root
  (눈돌림신경뿌리) 섬모체신경절로 보내는

갓돌림신경 Abducent nerve (CN VI)
가쪽곧은근을 지배

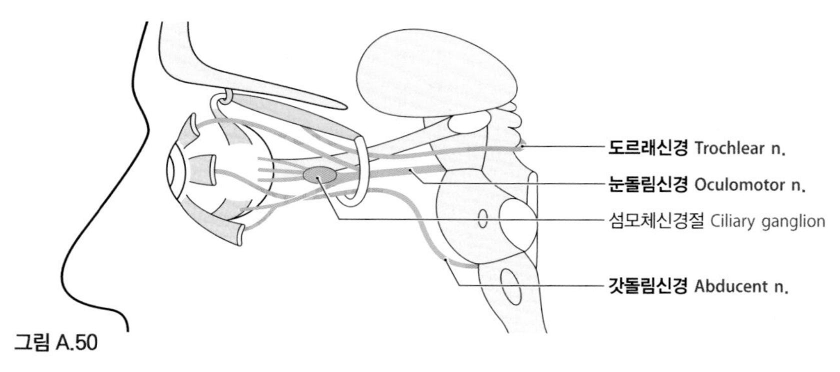

그림 A.50

뇌의 부분	신경의 종류	관련 뇌신경	기능
대뇌(끝뇌) Cerebrum (telencephalon)	감각뇌 부위	CN I (후각신경)	후각계통
사이뇌 Diencephalon		CN II (시각신경)	시각계통
중간뇌 Midbrain (mesencephalon)	순수한 운동 대뇌신경	CN III (눈돌림신경) CN IV (도르래신경)	안구근육
뒤뇌(마름뇌) Hindbrain (rhombencephalon)		CN VI (갓돌림신경)	(안구근육)
	인두활(1-4)의 혼합신경	1. CN V (삼차신경, 감각뿌리, 운동뿌리 [CN V3에만 존재] 2. CN VII (얼굴신경) 3. CN IX (혀인두신경) 4. CN X (미주신경)	머리의 감각 씹기근육 표정근육 미각계통, 목구멍 후두, 가슴과 배안기관
	순수한 운동 신경	CN XI (더부신경) CN XII (혀밑신경)	등세모근, 목빗근 혀의 근육
	순수한 감각	CN VIII (속귀신경)	청각 및 평형감각계통

삼차신경(CN V) Trigeminal nerve

삼차신경의 세 가지 주요 가지와 그 분포 영역의 개요(회색으로 구분하여 표시). 압박해서 확인할 수 있는 3 지점(압박점, pressure points)이 빨간색 원으로 표시됨.

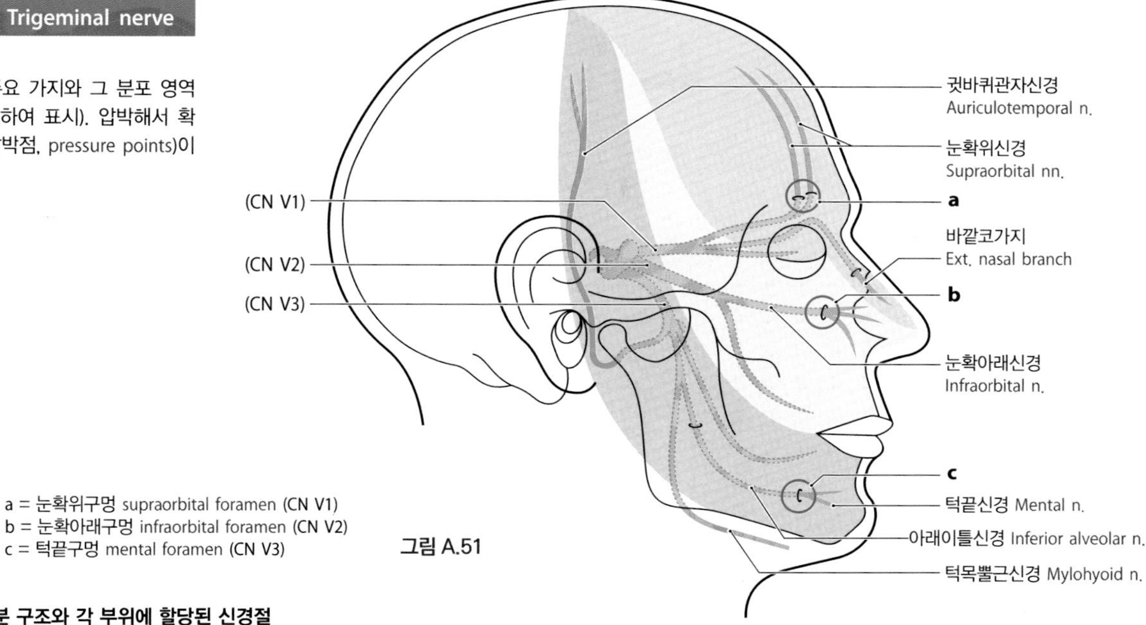

그림 A.51

삼차신경(CN V)의 3부분 구조와 각 부위에 할당된 신경절

신경	외부	중간	내부	경막가지	신경절	머리뼈구멍
눈신경 Ophthalmic n. (CN V1)	이마신경 (이마, 코의 피부)	눈물샘신경 (눈물샘과 결막)	눈물샘신경 (눈물샘과 결막)	천막가지 (경막, 소뇌천막)	섬모체신경절	위눈확틈새
위턱신경 Maxillary n. (CN V2)	광대신경 (얼굴 피부)	눈확아래신경 (위턱의 치아 등)	날개입천장신경 (코, 입천장)	중간뇌막가지 (경막)	날개입천장신경절	원형구멍
아래턱신경 Mandibular n. (CN V3)	귓바퀴관자신경 (관자부위 피부)	아래이틀신경 (아래턱의 치아 등)	혀신경 (혀)	뇌막가지 (경막)	귀신경절, 턱밑신경절	타원구멍

삼차신경: 눈신경(CN V1)
Trigeminal nerve: Ophthalmic nerve

361/443/455–457/462–463/465–467 쪽 참고

눈신경 Ophthalmic nerve은 위눈확틈새를 통해 눈확, 이마 및 코의 피부로 주행한다.

눈신경 Ophthalmic nerve
- **천막가지** tentorial branch
  (경막으로) (to the dura)

이마신경 Frontal nerve
- **눈확위신경, 안쪽가지** supraorbital nerve, medial branch (이마패임을 통해 이마의 피부로)
- **눈확위신경, 가쪽가지** supraorbital nerve, lateral branch (눈확위패임을 통해 이마의 피부로)
- **도르래위신경** supratrochlear nerve
  (눈꺼풀의 안쪽구석으로)

눈물샘신경 Lacrimal nerve
(눈물샘과 눈꺼풀의 가쪽 피부로)
- **광대신경과의 연결가지** communicating branch with zygomatic nerve
  (부교감신경섬유를 눈물샘으로)

코섬모체신경 Nasociliary nerve
- **도르래아래신경** infratrochlear nerve
  (눈꺼풀의 안쪽구석으로)
- **앞벌집신경** anterior ethmoidal nerve

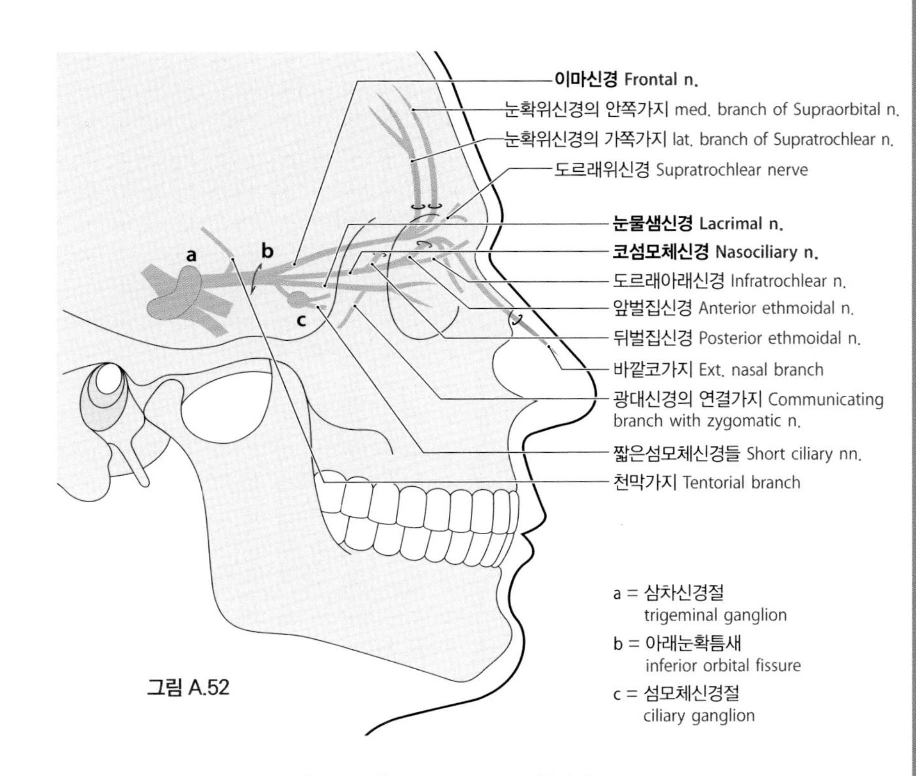

그림 A.52

(앞벌집구멍과 체판을 통해 코로[속코가지] 그리고 코의 뒤쪽으로[바깥코가지])
- **뒤벌집신경** posterior ethmoidal nerve
  (벌집과 나비굴로)
- **긴섬모체신경** long ciliary nerves
  (두 섬세한 신경을 눈의 포도막으로)
- **교통가지** communicating branch
  (섬모체신경절의 감각뿌리[c])
- **짧은섬모체신경** short ciliary nerves
  (맥락막으로)

삼차신경 Trigeminal Nerve: 위턱신경 Maxillary Nerve (CN V2)

361/403/443/449/455/463/466–467 쪽 참고

위턱신경 maxillary nerve은 원형구멍을 통해 날개입천장오목까지 주행한다.

위턱신경 Maxillary nerve

- **뇌막가지** meningeal branch (중간)(경막으로)
- **신경절신경** ganglionic nerves (날개입천장신경절로)
- **위뒤코신경** superior posterior nasal nerves (나비입천장구멍을 통해 코안과 코선반으로) 그리고 **코입천장신경** nasopalatine nerve (코중격으로, 앞니구멍을 통해 앞니로)
- **큰입천장신경** greater palatine nerve (큰입천장구멍을 통해 입천장으로)
- **작은입천장신경** lesser palatine nerves (작은입천장구멍들을 통해 물렁입천장으로)

광대신경 Zygomatic nerve (아래눈확틈새를 통해 눈확과 뺨의 피부로; 눈물샘신경과 연결[눈물샘신경과의 연결가지])

눈확아래신경 Infraorbital nerve (아래눈확틈새와 아래눈확구멍을 통해 얼굴 부위로)

- **아래눈꺼풀가지** inferior palpebral branches
- **바깥코가지** external nasal branches
- **위입술가지** superior labial branches

} 코와 위입술 그리고 눈꺼풀의 피부로

- **앞위이틀가지** ant. sup. alveolar branches
- **중간위이틀가지** middle sup. alveolar branch
- **뒤위이틀가지** post. sup. alveolar branches

} 위치아 신경얼기로

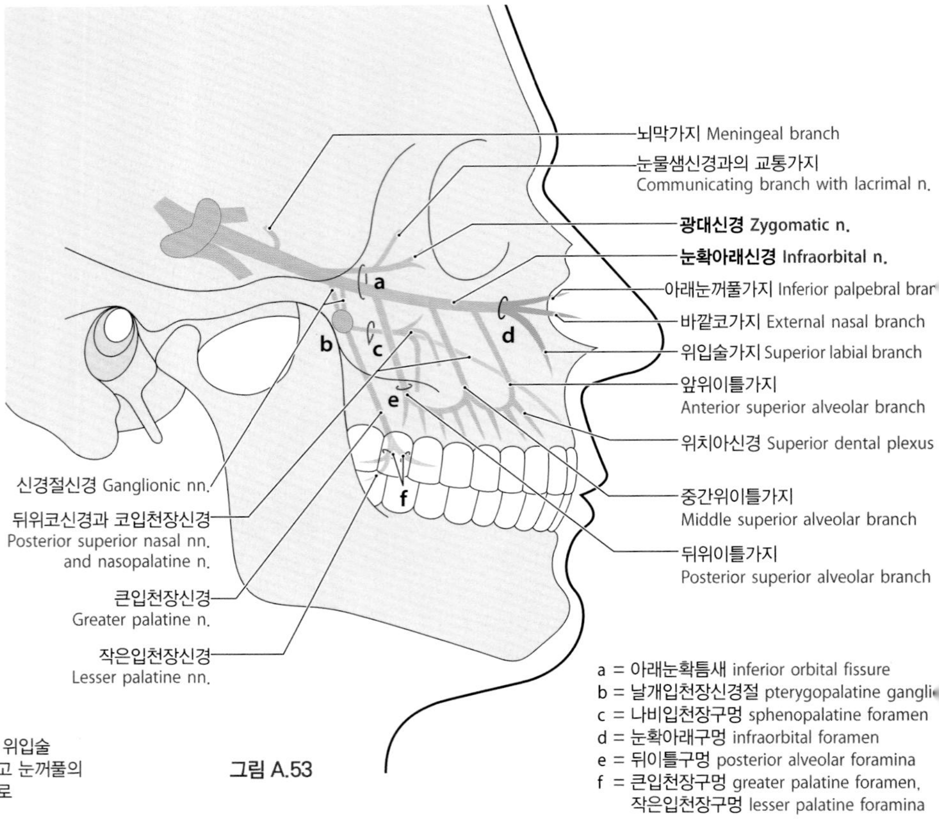

뇌막가지 Meningeal branch
눈물샘신경과의 교통가지 Communicating branch with lacrimal n.
광대신경 Zygomatic n.
눈확아래신경 Infraorbital n.
아래눈꺼풀가지 Inferior palpebral branch
바깥코가지 External nasal branch
위입술가지 Superior labial branch
앞위이틀가지 Anterior superior alveolar branch
위치아신경 Superior dental plexus
중간위이틀가지 Middle superior alveolar branch
뒤위이틀가지 Posterior superior alveolar branch
신경절신경 Ganglionic nn.
뒤위코신경과 코입천장신경 Posterior superior nasal nn. and nasopalatine n.
큰입천장신경 Greater palatine n.
작은입천장신경 Lesser palatine nn.

a = 아래눈확틈새 inferior orbital fissure
b = 날개입천장신경절 pterygopalatine ganglion
c = 나비입천장구멍 sphenopalatine foramen
d = 눈확아래구멍 infraorbital foramen
e = 뒤이틀구멍 posterior alveolar foramina
f = 큰입천장구멍 greater palatine foramen, 작은입천장구멍 lesser palatine foramina

그림 A.53

삼차신경 Trigeminal Nerve: 아래턱신경 Mandibular Nerve (CN V3)

361/403/443/463/466–467 쪽 참고

아래턱신경 mandibular nerve은 타원구멍을 통해 관자아래우묵, 즉 아래턱 부위와 입의 바닥까지 주행한다.

아래턱신경 Mandibular nerve

- **뇌막가지** meningeal branch (뇌막동맥구멍을 통해 경막으로)
- **깊은관자신경** deep temporal nerves, **안쪽날개근신경** nerve to medial pterygoid; **가쪽날개근신경** nerve to lateral pterygoid (같은 이름의 씹기근육으로)
- **깨물근신경** masseteric nerve (깨물근으로)
- **볼신경** buccal nerve (빰과 잇몸의 피부와 점막으로)

귓바퀴관자신경 Auriculotemporal nerve (관자부위 피부로) (마지막가지: 얕은관자가지)

- **바깥귀길의 신경과 고막가지** nerves of external acoustic meatus and branches to tympanic membrane (귓구멍과 고막으로)
- **귀밑샘가지** parotid branches (귀밑샘으로)
- **얼굴신경과의 연결가지** communicating branches with facial nerve (귀밑샘으로 가는 부교감신경섬유)

혀신경 Lingual nerve (앞쪽 ⅔의 혀로; 턱밑샘과의 연결)

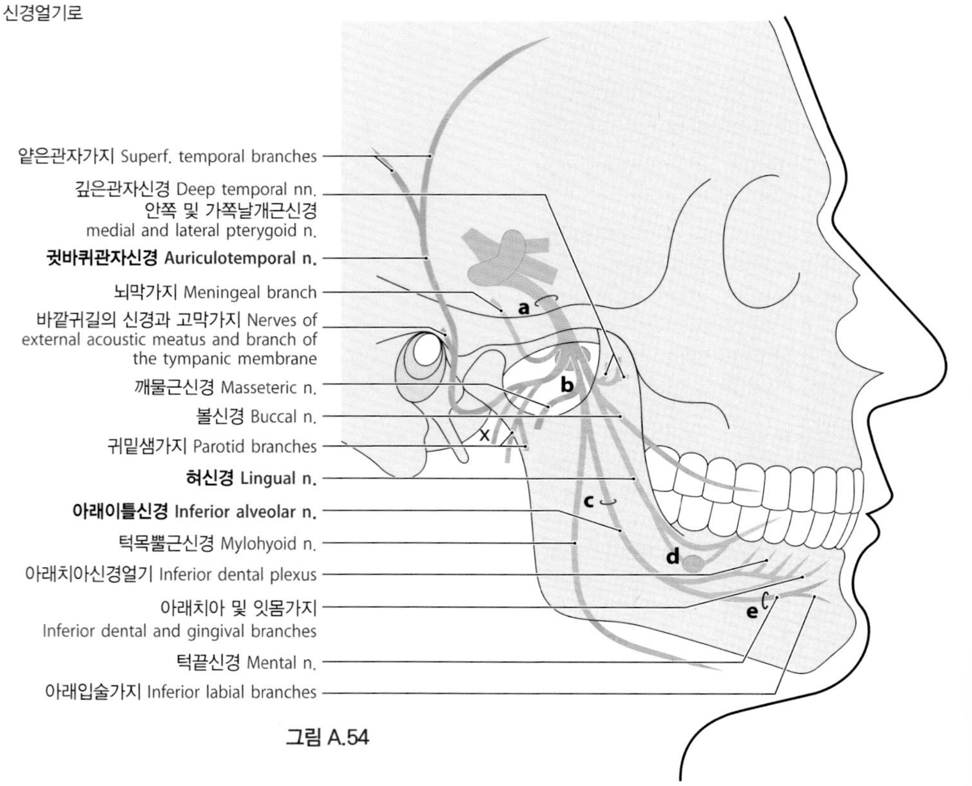

얕은관자가지 Superf. temporal branches
깊은관자신경 Deep temporal nn. 안쪽 및 가쪽날개근신경 medial and lateral pterygoid n.
귓바퀴관자신경 Auriculotemporal n.
뇌막가지 Meningeal branch
바깥귀길의 신경과 고막가지 Nerves of external acoustic meatus and branch of the tympanic membrane
깨물근신경 Masseteric n.
볼신경 Buccal n.
귀밑샘가지 Parotid branches
허신경 Lingual n.
아래이틀신경 Inferior alveolar n.
턱목뿔근신경 Mylohyoid n.
아래치아신경얼기 Inferior dental plexus
아래치아 및 잇몸가지 Inferior dental and gingival branches
턱끝신경 Mental n.
아래입술가지 Inferior labial branches

그림 A.54

a = 타원구멍 foramen ovale
b = 귀신경절 otic ganglion
c = 턱뼈구멍 mandibular foramen
d = 턱밑신경절 submandibular ganglion
e = 턱끝구멍 mental foramen
x = 얼굴신경과의 교통가지 communicating branches with facial nerve

아래이틀신경 Inferior alveolar nerve (턱뼈구멍을 통해 아래턱으로)

- **턱목뿔근신경** nerve to mylohyoid muscle (턱목뿔근과 두힘살근의 앞힘살로)
- **치아 그리고 아래잇몸가지** dental and inferior gingival branches (아래치아신경얼기로)
- **턱끝신경** mental nerve (턱끝구멍을 통해 턱끝의 피부로)
- **아래입술가지** inferior labial branches (아래입술로)

얼굴신경 Facial Nerve (CN VII)

361/396 – 401/443 – 445/464 – 465/467 – 469/480/512 – 513 쪽 참고

얼굴신경 Facial nerve (CN VII)
- **관자가지** temporal branches (이마와 눈꺼풀의 얼굴근육으로)
- **광대가지** zygomatic branches (눈꺼풀과 입술의 근육으로)
- **큰바위신경** greater petrosal nerve (날개입천장신경절로)
- **고실끈신경** chorda tympani (혀신경[CN V3]을 혀로)
- **뒤귓바퀴신경** posterior auricular nerve (귀와 뒤통수의 얼굴근육으로)

귀밑샘신경얼기 Parotid plexus
(귀밑샘 속의 신경얼기)
- **붓목뿔근가지** stylohyoid branch
- **두힘살가지** digastric branch (같은 이름의 근육으로)
- **볼가지** buccal branches (볼근과 입둘레근으로)
- **턱모서리가지** marginal mandibular branch (아래턱 부위의 근육으로)
- **목가지** cervical branch (넓은목근으로; 가로목신경과 교통)

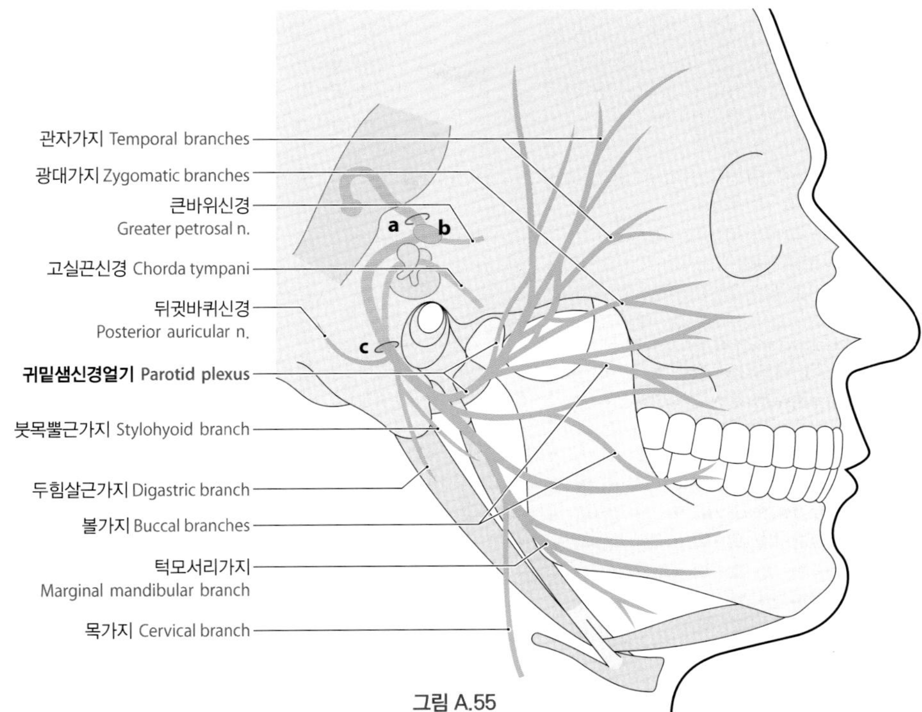

그림 A.55

a = 속귀길 internal acoustic meatus
b = 무릎신경절 geniculate ganglion
c = 붓꼭지구멍 stylomastoid foramen

혀인두신경과 혀밑신경 Glossopharyngeal Nerve (CN IX) and Hypoglossal Nerve (CN XII)

361/404 – 405/412/429 – 431/443 – 445/467/469/480 – 481/491/495 – 496/512 – 513 쪽 참고

혀인두신경 Glossopharyngeal nerve (CN IX)
- **고실신경** tympanic nerve (고실과 귓구멍으로 그리고 작은바위신경으로 가서 귀신경절로)
- **붓인두근가지와 인두가지** stylopharyngeal branch and pharyngeal branches (붓인두근과 위쪽인두로)
- **편도가지** tonsillar branch (편도 부위로)
- **목동맥가지** carotid branch (목동맥신경을 목동맥토리와 목동맥팽대로)
- **혀가지** lingual branches (혀 뒤⅓과 맛감각 부위로)

혀밑신경 Hypoglossal nerve (CN XII)
- **혀가지** lingual branches (혀의 근육으로)
- **목신경고리의 위뿌리** superior root of ansa cervicalis (C2 and C3의 척수신경과 연결; 목뿔아래근육으로)
- **턱목뿔근가지와 갑상목뿔근가지** geniohyoid branch and thyrohyoid branch (같은 이름의 근육으로)

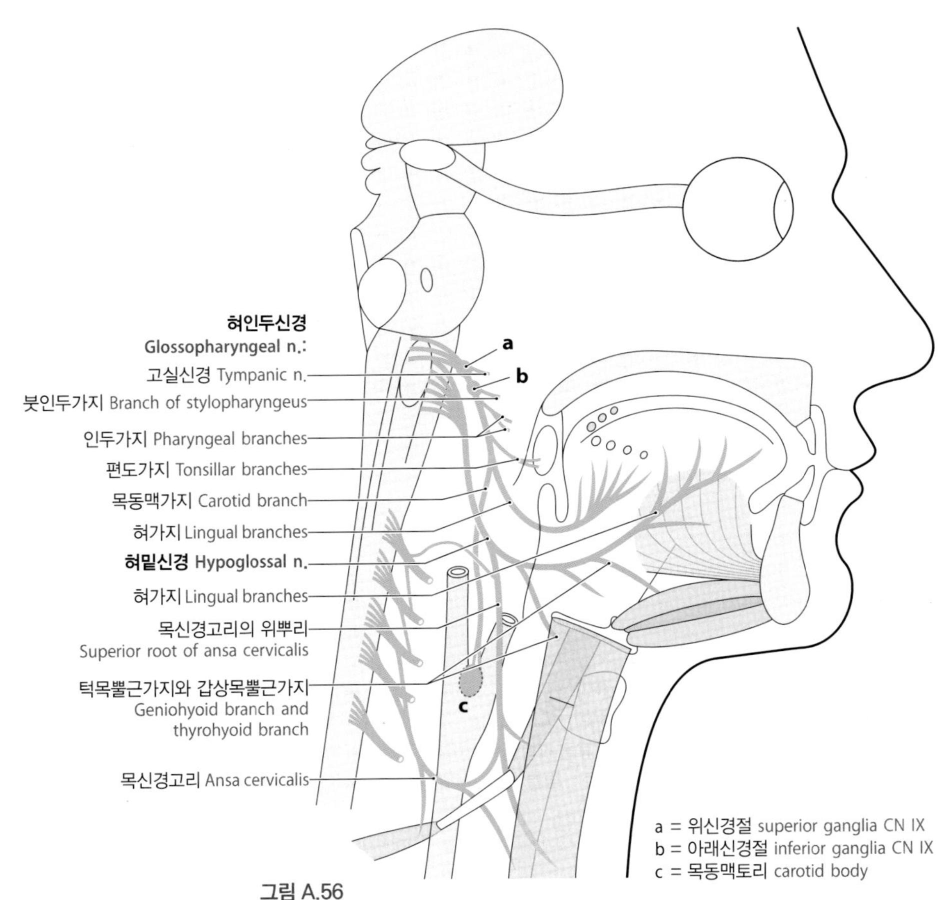

a = 위신경절 superior ganglia CN IX
b = 아래신경절 inferior ganglia CN IX
c = 목동맥토리 carotid body

그림 A.56

미주신경과 더부신경 Vagus Nerve (CN X) and Accessory Nerve (CN XI)

242–259/361/404–405/412/429–431/443–444/467/469/472/480–481/496/509/512–513 쪽 참고

미주신경 Vagus Nerve (CN X)

- **뇌막가지** meningeal branch (목정맥구멍을 통해 뒤머리뼈우묵의 경막으로)
- **귓바퀴가지** auricular branch (바깥귀길로)
- **인두가지** pharyngeal branches (중간 그리고 아래쪽 인두로)
- **위후두신경의 속가지** internal branch of superior laryngeal nerve (갑상목뿔막을 통해 후두의 점막으로)
- **위후두신경의 바깥가지** external branch of superior laryngeal nerve (반지갑상근으로)
- **되돌이후두신경** recurrent laryngeal nerve (식도, 기관 그리고 후두의 속근육으로)
- **위목심장가지** superior cervical cardiac branches (심장신경얼기로)
- **기관지가지** bronchial branches (기관지와 허파로)
- **아래목심장가지** inferior cervical cardiac branches (심장신경얼기로)
- **앞미주신경줄기** anterior vagal trunk (위의 앞벽과 창자로)
- **뒤미주신경줄기** posterior vagal trunk (복강신경얼기로, 위의 뒤벽으로, 작은창자와 큰창자로)

더부신경 Accessory nerve (CN XI)

- **속가지** internal branch (미주신경으로 연결)
- **바깥가지** external branch (척수뿌리, C1–C6는 목빗근과 등세모근으로)

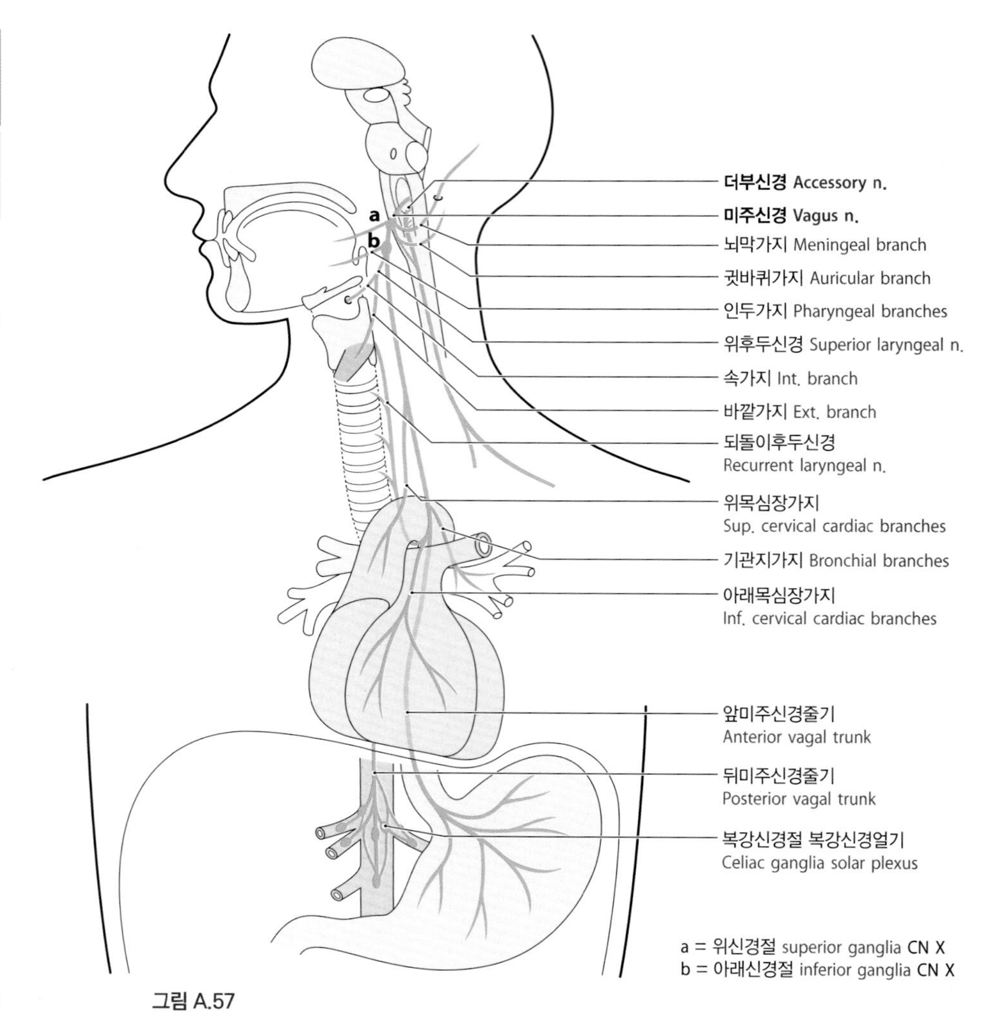

그림 A.57

번호	뇌신경	특징	기능
I	후각신경 Olfactory nerves	감각	후각계통
II	시각신경 Optic nerve	감각	시각계통
III	눈돌림신경 Oculomotor nerve	몸운동, 내장운동(부교감)	안구근육, 동공조임근, 섬모체근
IV	도르래신경 Trochlear nerve	몸운동	위빗근
V	삼차신경 Trigeminal nerve	인두활기원 운동(CN V3 만), 몸운동	씹기근육, 머리의 감각
VI	갓돌림신경 Abducent nerve	몸운동	가쪽곧은근
VII	얼굴신경 Facial nerve	인두활 기원 운동	얼굴근육
VIII	속귀신경 Vestibulocochlear nerve	감각	청각계통, 안뜰계통
IX	혀인두신경 Glossopharyngeal nerve	인두활 기원 운동과 감각	붓인두근, 인두 위쪽, 맛봉오리, 목동맥토리
X	미주신경 Vagus nerve	인두활 기원 운동과 감각, 내장운동(부교감)	후두, 경막, 귓구멍, 아래인두, 식도, 위, 작은창자와 큰창자(⅔), 이자, 간
XI	더부신경 Accessory nerve	몸운동	목빗근, 등세모근
XII	혀밑신경 Hypoglossal nerve	몸운동	혀의 근육

씹기근육 Muscles of Mastication

384 – 386/388 쪽 참고

아래턱뼈, 창 냄

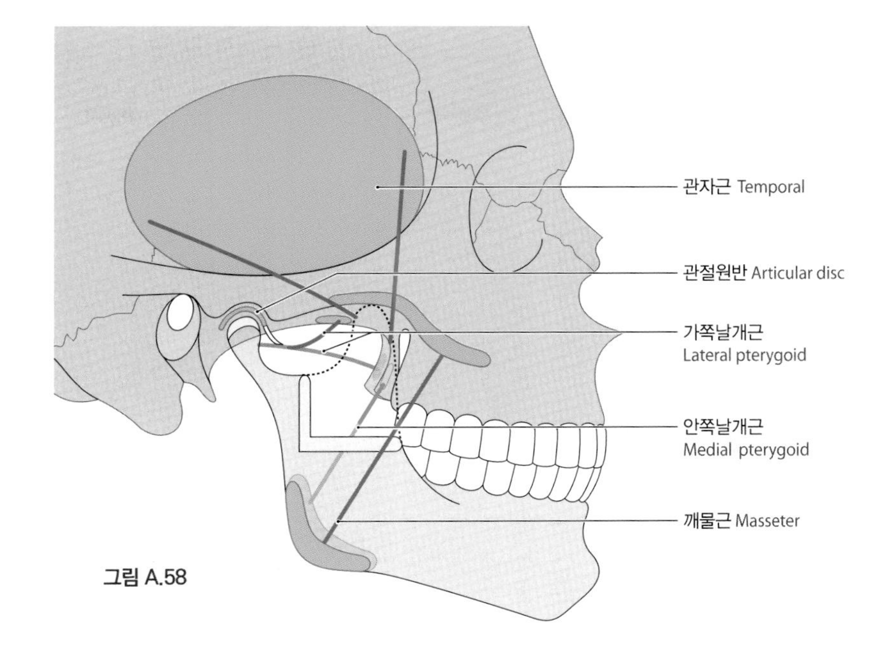

그림 A.58

근육	이는곳	닿는곳	기능	아래턱신경의 지배(V3)
관자근 Temporal	마루뼈(마루뼈의 비늘부분)	아래턱뼈 근육돌기	턱닫기, 아래턱뼈 후방운동	깊은관자신경
가쪽날개근 Lateral pterygoid				
• **위쪽부분** superior part	나비뼈의 관자아래능선	관절원반	원반의 전방운동, 턱의 열기, 내밈, 돌림	가쪽날개신경
• **아래쪽부분** inferior part	가쪽판(날개돌기)	아래턱뼈 근육돌기		
안쪽날개근 Medial pterygoid	날개오목	아래턱각(안쪽)	턱닫기	안쪽날개신경
깨물근 Masseter	광대활	아래턱각(안쪽)	턱닫기	깨물근신경

얼굴근육 Facial Muscles

392 – 393/396 – 399 쪽 참고

얼굴근육은 피부에 있는 근육으로 그 인대가 얼굴피부의 진피에서 끝난다. 근육들은 머리뼈(위턱뼈, 광대뼈, 아래턱뼈 등)의 작은 부분에서 시작된다. 기능적으로는 몸의 구멍쪽(눈꺼풀판, 콧구멍주위, 입주위, 바깥귀)을 향하고 있다. 머리덮개(머리덮개널힘줄)는 얼굴근육의 공통힘줄이다.

a = 뒤귓바퀴근
b = 위귓바퀴근
c = 앞귓바퀴근

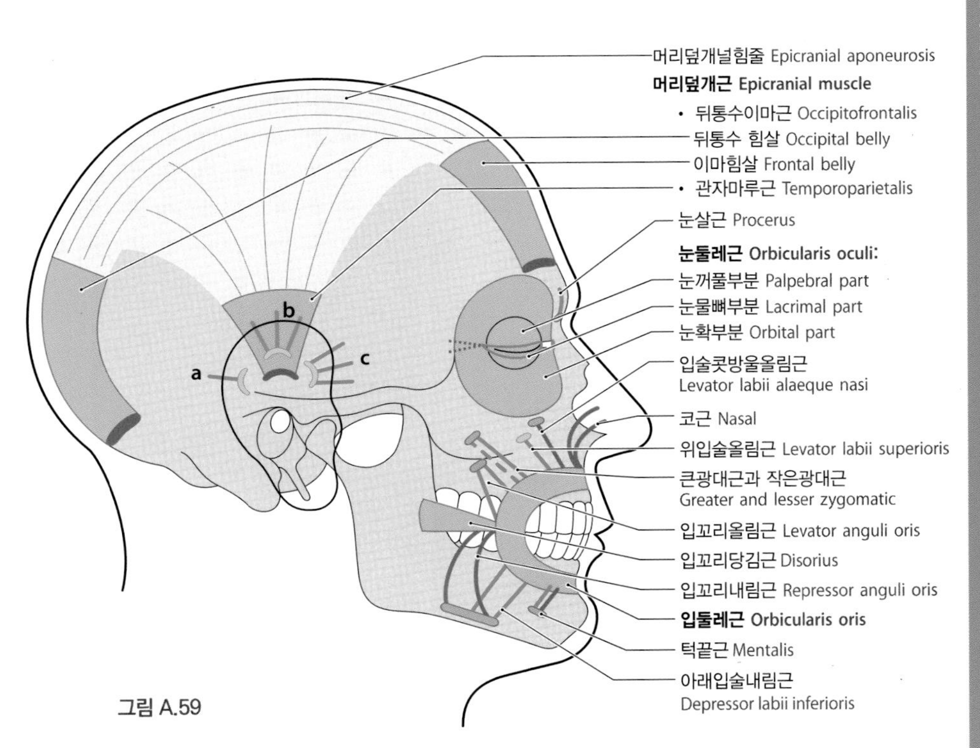

그림 A.59

목 근육 Neck Muscles

390 – 391/412/410/439/411/424 – 425/
532 – 440 쪽 참고

목갈비근, 위목뿔근과 아래목뿔근
Scalenus muscles, supre
- and infrahyoid muscles

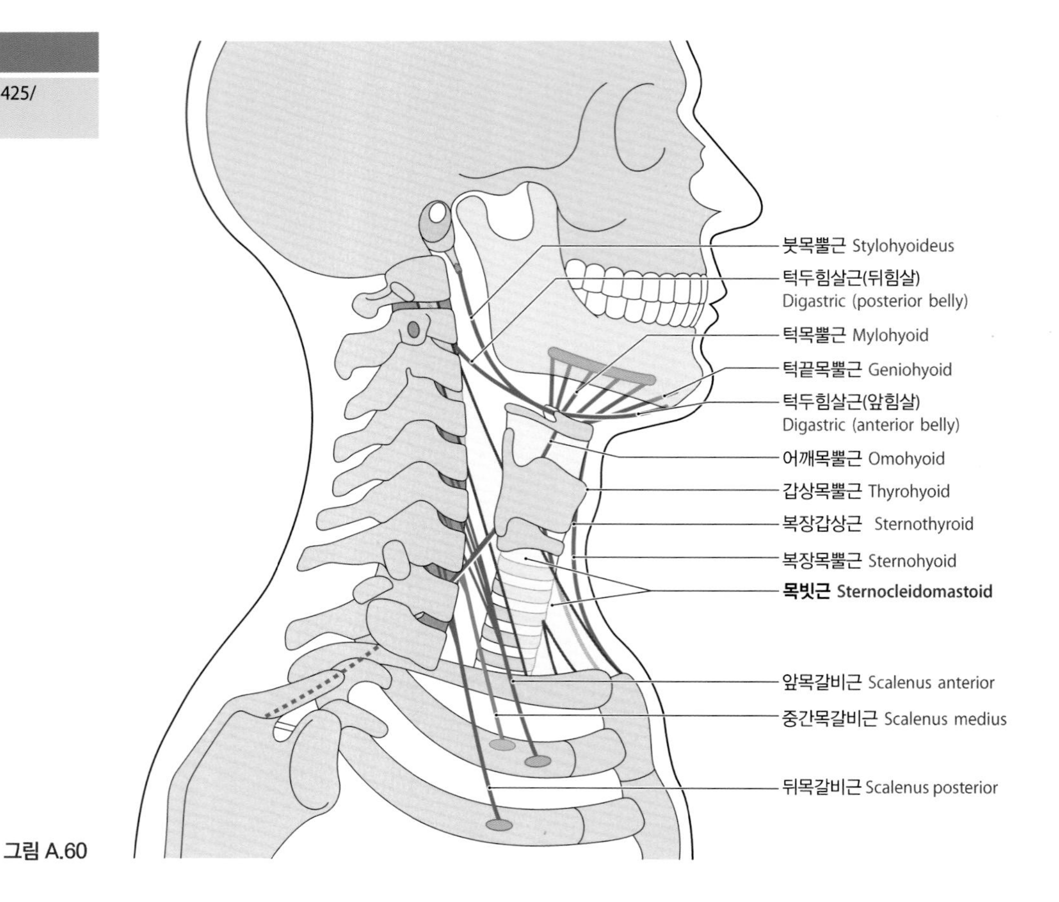

그림 A.60

근육	이는곳	닿는곳	작용	신경지배
목빗근 Sternocleidomastoid	복장뼈자루, 빗장뼈	꼭지돌기	목뼈가시돌기 굽힘, 머리의 돌림, 흡기	더부신경(CN XI)
목뿔위근육 Suprahyoid Muscles				
턱끝목뿔근 Geniohyoid	턱끝가시	목뿔뼈	아래턱 내림	혀밑신경(목신경얼기)
붓목뿔근 Stylohyoid	관자뼈붓돌기	목뿔뼈(큰뿔)	목뿔뼈 올림	얼굴신경(CN VII)
턱목뿔근 Mylohyoid	아래턱뼈의 턱목뿔근선	목뿔뼈	목뿔뼈 올림, 아래턱 내림	턱목뿔신경(CN V3)
턱두힘살근(앞과 뒤힘살) Digastric	관자뼈 꼭지돌기	아래턱뼈의 턱두힘살근오목(목뿔뼈의 중간힘줄)	목뿔뼈 올림, 아래턱 내림	턱목뿔근신경(앞힘살), 얼굴신경(뒤힘살)
목뿔아래근육 Infrahyoid Muscles				
어깨목뿔근 Omohyoid	어깨뼈(위모서리)	목뿔뼈	목뿔뼈 내림, 어깨뼈 올림, 목근막척추앞층 긴장	목신경고리(목신경얼기)
갑상목뿔근 Thyrohyoid	어깨뼈(위모서리)	목뿔뼈	목뿔뼈와 후두 내림	목신경얼기(C1-C2) 혀밑신경을 통해
복장갑상근 Sternothyroid	복장뼈마루, 첫째갈비뼈	갑상연골		목신경고리 (목신경얼기) (C2-C3)
복장목뿔근 Sternohyoid	복장뼈마루, 빗장뼈	목뿔뼈	목뿔뼈 내림	목신경고리 (목신경얼기) (C1-C3)
목갈비근육 무리 Group of Scalenus Muscles				
앞목갈비근 Scalenus anterior	3-6째 목뼈 가로돌기	첫째갈비뼈	목뼈가시돌기의 가쪽기울임, 흡기	목신경의 배쪽가지
중간목갈비근 Scalenus medius	3-7째 목뼈 가로돌기	첫째갈비뼈		
뒤목갈비근 Scalenus posterior	5-6째 목뼈 가로돌기	둘째갈비뼈		

머리와 목의 혈관과 신경 Vessels and Nerves of the Head and Neck

396 – 403/418 – 423 쪽 참고

머리에서 동맥, 정맥과 신경은 서로 평행하게 달린다. Erb's point에서 목신경얼기의 피부가지는 목빗근의 뒤에서 표면으로 나오므로 국소마취가 가능하다.

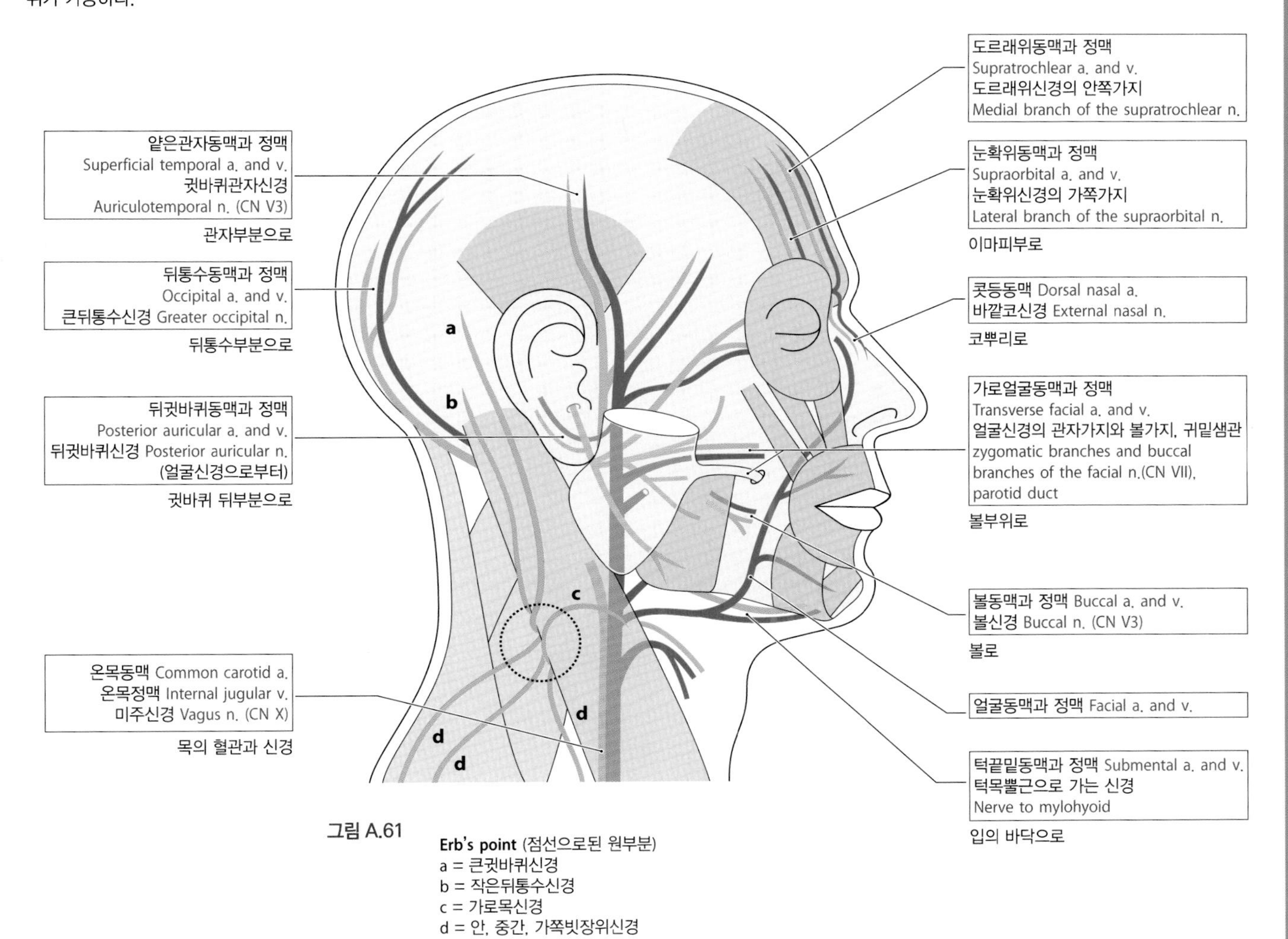

그림 A.61

Erb's point (점선으로된 원부분)
a = 큰귓바퀴신경
b = 작은뒤통수신경
c = 가로목신경
d = 안, 중간, 가쪽빗장위신경

찾아보기

굵은 글씨로 된 쪽은 주요 토론 부분이며, 파란색 글씨는 부록에 수록된 쪽이다.

가

나

다

라

마

바

사

아

자

차

카

타

파

하

Index

Page numbers in **bold** indicate main discussions, page numbers in blue refer to the appendix.

A

B

C

D

E

F

G

H

I

J

K

L

M

N

O

P

Q

R

S

T

U

V

W

Z